Le Robert & Collins
poche

italien

français-italien / italien-français

le Robert   Collins

HarperCollins Publishers
Westerhill Road
Bishopbriggs
Glasgow
G64 2QT
Great Britain

Nouvelle présentation 2009

Seconda edizione/Deuxième édition
2008

© HarperCollins Publishers 2005,
2008

Collins® is a registered trademark of
HarperCollins Publishers Limited

www.collinslanguage.com

Dictionnaires Le Robert
25, avenue Pierre de Coubertin
75211 Paris cedex 13
France

www.lerobert.com

ISBN 978-2-84902-640-3

Dépôt légal février 2009
Achevé d'imprimer en janvier 2009

Fotocomposizione/Photocomposition
Davidson Pre-Press, Glasgow

Stampato in Francia da/
Imprimé en France par
Maury-Imprimeur

Indice

Table des matières

Introduzione

Se desiderate imparare il francese o approfondire le conoscenze già acquisite, se volete leggere o redigere dei testi in francese, oppure conversare con interlocutori di madrelingua francese, se siete studenti, turisti, segretarie, uomini o donne d'affari, avete scelto il compagno di viaggio ideale per esprimervi e comunicare in francese, sia a voce che per iscritto. Strumento pratico e moderno, il vostro dizionario dà largo spazio al linguaggio quotidiano in campi come l'attualità, gli affari, la gestione dell'ufficio, l'informatica e il turismo. Come in tutti i nostri dizionari, grande importanza è stata data alla lingua contemporanea e alle espressioni idiomatiche.

Come usare il dizionario

L'obiettivo del dizionario è quello di fornirvi il maggior numero possibile di informazioni senza tuttavia sacrificare la chiarezza all'interno delle voci. In questa sezione troverete alcune spiegazioni su come sono presentate le informazioni nel testo.

Le voci

Una voce tipo del dizionario si compone di vari elementi che sono descritti qui di seguito.

La trascrizione fonetica

I lemmi, francesi e italiani, che possono presentare qualche difficoltà di pronuncia sono seguiti dalla trascrizione fonetica tra parentesi quadre. Come nella maggior parte dei dizionari moderni, è stato adottato il sistema noto come "alfabeto fonetico internazionale". L'elenco completo dei caratteri utilizzati in questo sistema è riportato alle pagine xv e xvi.

Le categorie grammaticali

Tutte le parole appartengono ad una categoria grammaticale, cioè possono essere sostantivi, verbi, aggettivi, avverbi, pronomi, articoli o congiunzioni. I sostantivi possono essere singolari o plurali, maschili o femminili. I verbi possono essere transitivi, intransitivi, riflessivi o impersonali in entrambe le lingue. La categoria grammaticale compare in *corsivo* subito dopo la pronuncia ed altre eventuali informazioni di tipo morfologico (plurali irregolari ecc.).

Molte voci sono state suddivise in varie categorie grammaticali. Per esempio, la parola italiana **bene** può essere sia un avverbio che un aggettivo o un sostantivo, e la parola francese **creux** può essere sia un aggettivo ("cavo, a"), che un sostantivo maschile ("cavità"). Analogamente il verbo italiano **correre** può essere usato sia come verbo intransitivo ("correre alla stazione") che come transitivo ("correre un rischio").

Per presentare la voce con maggior chiarezza e permettervi di trovare rapidamente i significati che cercate, è stato introdotto il simbolo ■ per contrassegnare il passaggio da una categoria grammaticale ad un'altra.

Suddivisioni semantiche

La maggior parte delle parole ha più di un significato. Per esempio la parola **fiocco** può essere sia l'annodatura di un nastro che una falda di neve. Molte parole si traducono in modo diverso a seconda del contesto in cui sono usate: per esempio **gamba** si tradurrà in francese con "jambe" si ci si riferisce alla gamba di una sedia o di un tavolo. Per permettervi di scegliere la traduzione giusta per ogni contesto in cui è possibile trovare la parola, le voci sono state suddivise in categorie di significato. Ciascuna suddivisione è introdotta da un indicatore d'uso tra parentesi in *corsivo*. Le voci **fiocco** e **gamba** compaiono quindi nel testo nel modo seguente:

> **fiocco, -chi** *sm* (*di nastro*) nœud *m*; (*di lana, stoffa, neve*) flocon *m*
> **gamba** *sf* jambe *f*; (*di sedia, tavolo*) pied *m*

Per segnalare la traduzione appropriata sono stati introdotti anche indicatori d'ambito d'uso in *corsivo* con la prima lettera maiuscola, tra parentesi, spesso in forma abbreviata, come per esempio nel caso della voce **disturbo**:

> **disturbo** *sm* dérangement *m*; (*Med*) trouble *m*; (*Radio, TV*) brouillage *m*

L'elenco completo delle abbreviazioni adottate nel dizionario è riportato alle pagine xii – xiv.

Le traduzioni

La maggior parte delle volte esiste una traduzione precisa per ciascun significato della parola, come risulta dagli esempi riportati fin qui. A volte, tuttavia, è impossibile tradurre precisamente nella lingua d'arrivo: in questi casi è stato fornito un equivalente approssimativo, preceduto dal segno ≈, come ad esempio per la parola **cinquième** (*Scol*). Per questa parola non esiste una traduzione vera e propria data la diversità dei sistemi scolastici dei due paesi, e quindi è stato dato l'equivalente italiano "seconda media".

> **cinquième** ... (*Scol*) ≈ seconda media

A volte è persino impossibile trovare un equivalente approssimativo. Questo è il caso, per esempio, di prodotti tipici di un certo paese, come ad esempio **panforte**:

> **panforte** *sm gâteau typique de Sienne à base de fruits secs, de fruits confits et d'épices*

In questi casi, al posto della traduzione, che non esiste, comparirà una spiegazione; per maggiore chiarezza, questa spiegazione, o glossa, è stata messa in *corsivo*.

Molto spesso la traduzione di una parola può non funzionare all'interno di una data locuzione. Ad esempio alla voce **mancare**, spesso tradotta con "manquer" in francese, troviamo varie locuzioni in cui le traduzioni fornite all'inizio della voce non si possono utilizzare: **mancare di parole** "ne pas tenir parole", **mancò poco che morisse** "il s'en est fallu de peu qu'il ne meure", **manca poco alle sei** "il n'est pas loin de six heures", e così via.

Ed è proprio in questi casi che potrete verificare l'utilità e la completezza del dizionario, che contiene una ricca gamma di composti, locuzioni e frasi idiomatiche.

Il registro linguistico

In italiano sapete istintivamente scegliere l'espressione corretta da usare a seconda della situazione in cui vi esprimete. Per esempio saprete quando dire **Non me ne importa!** e quando invece potete dire **Chi se ne frega?** Più difficile sarà farlo in francese, dove avrete minore consapevolezza delle sfumature di registro linguistico. Per questo motivo, nel dizionario sono stati inseriti indicatori di registro (*fam*) per quelle parole ed espressioni che sono di uso più colloquiale. L'indicatore (*fam !*) segnalano invece le parole e le espressioni che, in quanto volgari, sono per lo più da evitarsi.

Parole chiave
Ad alcune voci è stato riservato un trattamento particolare sia dal punto di vista grafico che da quello linguistico. Si tratta di voci come **essere** e **fare**, e dei loro equivalenti francesi **être** e **faire** che, per la loro importanza e complessità, meritano una strutturazione più articolata ed un maggior numero di locuzioni illustrative.

Queste voci sono strutturate in diverse categorie di significato contrassegnate da numeri, e le costruzioni sintattiche e le locuzioni che illustrano quel particolare significato sono riportate all'interno della relativa categoria.

Informazioni culturali
Le voci affiancate da una riga verticale di punti grigi illustrano alcuni aspetti della cultura dei paesi di madrelingua francese e italiana. Tra gli argomenti trattati ci sono il sistema politico, quello scolastico, i mezzi di comunicazione e le feste nazionali. Tra queste voci di approfondimento culturale ci sono ad esempio **televisione**, **laurea**, **préfecture** e **fête des rois**.

Introduction

Vous désirez apprendre l'italien ou approfondir des connaissances déjà solides. Vous voulez vous exprimer en italien, lire ou rédiger des textes italiens ou converser avec des interlocuteurs italiens. Que vous soyez lycéen, étudiant, touriste, secrétaire, homme ou femme d'affaires, vous venez de choisir le compagnon de travail idéal pour vous exprimer et pour communiquer en italien, oralement ou par écrit. Résolument pratique et moderne, votre dictionnaire fait une large place au vocabulaire de tous les jours, aux domaines de l'actualité, des affaires, de la bureautique et du tourisme. Comme dans tous nos dictionnaires, nous avons mis l'accent sur la langue contemporaine et sur les expressions idiomatiques.

Mode d'emploi

Vous trouverez ci-dessous quelques explications sur la manière dont les informations sont présentées dans votre dictionnaire. Notre objectif: vous donner un maximum d'informations dans une présentation aussi claire que possible.

Les articles

Voici les différents éléments dont est composé un article type dans votre dictionnaire:

Transcription phonétique

La prononciation de tous les mots figure, entre crochets, immédiatement après l'entrée. Comme la plupart des dictionnaires modernes, nous avons opté pour le système dit "alphabet phonétique international". Vous trouverez ci-dessous, aux pages xv et xvi, une liste complète des caractères utilisés dans ce système.

Données grammaticales

Les mots appartiennent tous à une catégorie grammaticale donnée: nom, verbe, adjectif, adverbe, pronom, article, conjonction. Les noms peuvent être masculins ou féminins, singuliers ou pluriels. Les verbes peuvent être transitifs, intransitifs, pronominaux (ou réfléchis) ou encore impersonnels. La catégorie grammaticale des mots est indiquée en *italiques*, immédiatement après le mot.

Souvent un mot se subdivise en plusieurs catégories grammaticales. Ainsi le français **creux** peut-il être un adjectif ou un nom masculin et l'italien **fondo** peut-il être soit un nom ("fond"), soit un adjectif ("profond"). De même le verbe **fumer** est parfois transitif ("fumer un cigare"), parfois intransitif ("défense de fumer"). Pour vous permettre de trouver plus rapidement le sens que vous cherchez, et pour aérer la présentation, nous avons séparé les différentes catégories grammaticales par un petit carré noir ■.

Subdivisions sémantiques

La plupart des mots ont plus d'un sens; ainsi **bouchon** peut être un objet servant à boucher une bouteille, ou, dans un sens figuré, un embouteillage. D'autres mots se traduisent différemment selon le contexte dans lequel ils sont employés: **défendre** se traduira en italien "difendere" ou "proibire" selon qu'il s'agit de prendre la défense de quelqu'un ou d'interdire quelque chose. Pour vous permettre de choisir la bonne traduction dans tous les contextes, nous avons subdivisé les articles en catégories de sens: chaque catégorie est introduite par une "indication d'emploi" entre parenthèses et en *italiques*. Pour les exemples ci-dessus, les articles se présenteront donc comme suit:

> **bouchon** *nm* tappo; (*fig*) ingorgo
> **défendre** *vi* difendere; (*interdire*) proibire

De même, certains mots changent de sens lorsqu'ils sont employés dans un domaine spécifique, comme par exemple **devoir** qui se traduit généralement par "dovere", mais qui devient "compito" dans un contexte scolaire. Pour montrer à l'utilisateur quelle traduction choisir, nous avons donc ajouté, en *italiques* entre parenthèses et commençant par une majuscule, une indication de domaine, à savoir dans ce cas particulier (*Scolaire*), que nous avons abrégé pour gagner de la place en (*Scol*):

> **devoir** *nm* dovere *m*; (*Scol*) compito

Une liste complète des abréviations dont nous nous sommes servis dans ce dictionnaire figure ci-dessous, aux pages xii – xiv.

Traductions

La plupart des mots français se traduisent par un seul mot italien, et vice-versa, comme dans les exemples ci-dessus. Parfois cependant, il arrive qu'il n'y ait pas d'équivalent exact dans la langue d'arrivée et nous avons donné un équivalent approximatif, indiqué par le signe ≈; c'est le cas par exemple pour le mot **collège** (*école*) dont l'équivalent italien est "scuola media": il ne s'agit pas d'une traduction à proprement parler puisque nos deux systèmes scolaires sont différents:

> **collège** *nm* (*école*) ≈ scuola media

Parfois, il est même impossible de trouver un équivalent approximatif. C'est le cas par exemple pour l'expression française **prérentrée**:

> **prérentrée** *nf rientro in servizio degli insegnanti dopo la pausa estiva*

L'explication remplace ici une traduction (qui n'existe pas); pour plus de clarté, cette explication, ou glose, est donnée en *italiques*.

Souvent aussi, on ne peut traduire isolément un mot, ou une acception particulière d'un mot. La traduction en italien d'**aimer**, par exemple, est "amare", cependant **bien aimer qn** se traduit, non pas "amare bene qn", mais "voler bene a qn". Même une expression toute simple comme **le petit doigt** nécessite une traduction séparée, en l'occurrence "il mignolo" (et non "il piccolo dito"). C'est là que votre dictionnaire se révélera particulièrement utile et complet, car il contient un maximum de composés, de phrases et d'expressions idiomatiques.

Registre

En français, vous saurez instinctivement quand dire **j'en ai assez** et quand dire **j'en ai marre** ou **j'en ai ras le bol**. Mais lorsque vous essayez de comprendre quelqu'un qui s'exprime en italien, ou de vous exprimer vous-même en italien, il est particulièrement important de savoir ce qui est poli et ce qui l'est moins. Nous avons donc ajouté l'indication (*fam*) aux expressions de langue familière; les expressions particulièrement grossières se voient dotées d'un point d'exclamation supplémentaire (*fam!*) dans la langue de départ comme dans la langue d'arrivée, vous incitant à une prudence accrue. Notez que l'indication (*fam*) n'est pas répétée dans la langue d'arrivée lorsque le registre de la traduction est le même que celui du mot ou de l'expression traduits.

Mots-clés

Une importance particulière a été accordée aux mots qui figurent dans le texte sous la mention **mot-clé**. Il s'agit de mots particulièrement complexes ou importants, comme **être** et **faire** ou leurs équivalents italiens **essere** et **fare**, que nous avons traités d'une manière plus approfondie parce que ce sont des éléments de base de la langue.

Notes culturelles

Les articles séparés du texte principal par une ligne pointillée verticale décrivent certaines caractéristiques culturelles des pays francophones et de l'Italie. Les médias, l'éducation, la politique et les fêtes figurent parmi les sujets traités. Exemples : **televisione**, **laurea**, **préfecture** et **fête des rois**.

Abbreviazioni   Abréviations

abbreviazione	*abbr, abr*	abréviation
aggettivo	*adj*	adjectif
amministrazione	*Admin*	administration
avverbio	*adv*	adverbe
aeronautica, trasporti aerei	*Aer*	aviation
aggettivo	*agg*	adjectif
agricoltura	*Agr*	agriculture
amministrazione	*Amm*	administration
anatomia	*Anat*	anatomie
architettura	*Archit*	architecture
articolo	*art*	article
astrologia	*Astrol*	astrologie
astronomia	*Astron*	astronomie
ausiliare	*aus, aux*	auxiliaire
automobile, automobilismo	*Aut, Auto*	automobile
aeronautica, trasporti aerei	*Aviat*	aviation
avverbio	*avv*	adverbe
biologia	*Biol*	biologie
botanica	*Bot*	botanique
chimica	*Chim*	chimie
cinema	*Cine, Ciné*	cinéma
commercio	*Comm*	commerce
congiunzione	*cong, conj*	conjonction
edilizia	*Constr*	construction
cucina	*Cuc, Culin*	cuisine
davanti a	*dav*	devant
definito	*déf*	défini
determinativo	*dét*	déterminant
diritto	*Dir*	juridique
economia	*Econ, Écon*	économie
edilizia	*Edil*	construction
elettricità, elettronica	*Elettr, Élec*	électricité, électronique
esclamazione	*escl*	exclamation
eccetera	*etc*	et cetera
eufemismo	*euph*	euphémisme
esclamazione	*excl*	exclamation
femminile	*f*	féminin
familiare	*fam*	familier

da evitare	*fam !*	vulgaire
ferrovia	*Ferr*	chemins de fer
figurato	*fig*	figuré
finanza	*Fin*	finance
fisica	*Fis*	physique
fisiologia	*Fisiol*	physiologie
fotografia	*Fot*	photographie
in generale, generalmente	*gen, gén*	en général, généralement
geografia	*Geo, Géo*	géographie
geometria	*Geom, Géom*	géométrie
scherzoso	*hum*	humoristique
impersonale	*impers*	impersonnelle
industria	*Ind*	industrie
indefinito	*indef, indéf*	indéfini
informatica	*Inform*	informatique
invariabile	*inv*	invariable
ironico	*iron*	ironique
diritto	*Jur*	juridique
letteratura	*Lett*	littérature
linguistica	*Ling*	linguistique
letteratura	*Litt*	littérature
letterario	*litt*	littéraire
maschile	*m*	masculin
matematica	*Mat, Math*	mathématiques
medicina	*Med, Méd*	médecine
meteorologia	*Meteor, Météo*	météorologie
militare	*Mil*	domaine militaire
musica	*Mus*	musique
sostantivo	*n*	nom
nautica	*Naut*	nautisme
peggiorativo	*peg, péj*	péjoratif
fotografia	*Photo*	photographie
fisica	*Phys*	physique
fisiologia	*Physiol*	physiologie
plurale	*pl*	pluriel
politica	*Pol*	politique
participio passato	*pp*	particpe passé
prefisso	*pref, préf*	préfixe
preposizione	*prep, prép*	préposition
pronome	*pron*	pronom

psicologia	*Psic, Psych*	psychologie
qualcosa	*qc, qch*	quelque chose
qualcuno	*qn*	quelqu'un
ferrovia	*Rail*	chemins de fer
religione	*Rel*	religion
relativo	*rel*	relatif
sostantivo	*s*	substantif
scherzoso	*scherz*	humoristique
sistema scolastico	*Scol*	enseignement
singolare	*sg*	singulier
soggetto	*sogg, suj*	sujet
tecnica, tecnologia	*Tecn, Tech*	technique
telefono	*Tel, Tél*	télécommunications
tipografia	*Tip*	typographie
televisione	*TV*	télévision
tipografia	*Typo*	typographie
università	*Univ*	université
verbo	*vb*	verbe
verbo intransitivo	*vi*	verbe intransitif
verbo pronominale	*vpr*	verbe pronominal
verbo riflessivo	*vr*	verbe réfléchi
verbo transitivo	*vt*	verbe transitif
zoologia	*Zool*	zoologie
marchio registrato	®	marque déposée
introduce un'equivalenza	≈	indique une équivalence
culturale		culturelle

Transcrizone fonetica

Consonanti   ## Consonnes

padre	p	poupée
bambino	b	bombe
tutto	t	tente thermal
dado	d	dinde
cane che	k	coq qui képi
gola ghiro	g	gag bague
sano	s	sale ce nation
svago esame	z	zéro rose
scena	ʃ	tache chat
	ʒ	gilet juge
pece lanciare	tʃ	tchao
giro gioco	dʒ	jean
afa faro	f	fer phare
vero bravo	v	valve
letto ala	l	lent salle
gli	ʎ	
	ʀ	rare rentrer
rete arco	r	
madre ramo	m	maman femme
fumante	n	non nonne
gnomo	ɲ	agneau vigne
	ŋ	parking
	h	hop!
buio piacere	j	yeux paille pied
uomo guaio	w	nouer oui
	ɥ	huile lui

Transcription phonétique

Vocali		Voyelles
vino ideale	i	ici vie lyre
stella edera	e	jouer été
epoca eccetto	ɛ	lait jouet merci
mamma	a	plat amour
	ɑ	bas pâte
	ə	le premier
	œ	beurre peur
	ø	peu deux
rosa occhio	ɔ	or homme
mimo	o	mot eau gauche
utile zucca	u	genou roue
	y	rue urne

Vocali Nasali		Nasales
	ɛ̃	matin plein
	œ̃	brun
	ɑ̃	gens jambe dans
	ɔ̃	non pont pompe

Varie		Divers
per il francese: indica "h" aspirata	'	pour l'italien: précède la syllabe accentuée

Verbes italiens

1 Gerundio 2 Participio passato 3 Presente 4 Imperfetto 5 Passato remoto
6 Futuro 7 Condizionale 8 Congiuntivo presente 9 Congiuntivo passato
10 Imperativo

accadere *comme* **cadere**
accedere *comme* **concedere**
accendere 2 acceso 5 accesi,
   accendesti
accludere *comme* **alludere**
accogliere *comme* **cogliere**
accondiscendere *comme* **scendere**
accorgersi *comme* **scorgere**
accorrere *comme* **correre**
accrescere *comme* **crescere**
addirsi *comme* **dire**
addurre *comme* **ridurre**
affiggere 2 affisso 5 affissi,
   affiggesti
affliggere 2 afflitto 5 afflissi,
   affliggesti
aggiungere *comme* **giungere**
alludere 2 alluso 5 allusi, alludesti
ammettere *comme* **mettere**
andare 3 vado, vai, va, andiamo,
   andate, vanno 6 andrò *etc* 8 vada
   10 va'!, vada!, andate!, vadano!
annettere 2 annesso 5 annessi
   o annetei, annettesti
apparire 2 apparso 3 appaio, appari
   o apparisci, appare *o* apparisce,
   appaiono *o* appariscono 5 apparvi
   o apparsi, apparisti, apparve *o*
   apparì *o* apparse, apparvero *o*
   apparirono *o* apparsero 8 appaia
   o apparisca
appartenere *comme* **tenere**
appendere 2 appeso 5 appesi,
   appendesti

apporre *comme* **porre**
apprendere *comme* **prendere**
aprire 2 aperto 3 apro 5 aprii
   o apersi, apristi 8 apra
ardere 2 arso 5 arsi, ardesti
ascendere *comme* **scendere**
aspergere 2 asperso 5 aspersi,
   aspergesti
assalire *comme* **salire**
assistere 2 assistito
assolvere 2 assolto 5 assolsi *o*
   assolvei *o* assolvetti, assolvesti
assumere 2 assunto 5 assunsi,
   assumesti
astensersi *comme* **tenere**
attendere *comme* **tendere**
attingere *comme* **tingere**
AVERE 3 ho, hai, ha, abbiamo,
   avete, hanno 5 ebbi, avesti, ebbe,
   avemmo, aveste, ebbero 6 avrò *etc*
   8 abbia *etc* 10 abbi!, abbia!,
   abbiate!, abbiano!
avvedersi *comme* **vedere**
avvenire *comme* **venire**
avvincere *comme* **vincere**
avvolgere *comme* **volgere**
benedire *comme* **dire**
bere 1 bevendo 2 bevuto 3 bevo *etc*
   4 bevevo *etc* 5 bevvi *o* bevetti,
   bevesti 6 berrò *etc* 8 beva *etc*
   9 bevessi *etc*
cadere 5 caddi, cadesti 6 cadrò *etc*
chiedere 2 chiesto 5 chiesi,
   chiedesti

chiudere 2 chiuso 5 chiusi, chiudesti

cingere 2 cinto 5 cinsi, cingesti

cogliere 2 colto 3 colgo, colgono 5 colsi, cogliesti 8 colga

coincidere 2 coinciso 5 coincisi, coincidesti

coinvolgere *comme* **volgere**

commettere *comme* **mettere**

commuovere *comme* **muovere**

comparire *comme* **apparire**

compiacere *comme* **piacere**

compiangere *comme* **piangere**

comporre *comme* **porre**

comprendere *comme* **prendere**

comprimere 2 compresso 5 compressi, comprimesti

compromettere *comme* **mettere**

concedere 2 concesso *o* conceduto 5 concessi *o* concedei *o* concedetti, concedesti

concludere *comme* **alludere**

concorrere *comme* **correre**

condurre *comme* **ridurre**

confondere *comme* **fondere**

congiungere *comme* **giungere**

connettere *comme* **annettere**

conoscere 2 conosciuto 5 conobbi, conoscesti

consistere *comme* **assistere**

contendere *comme* **tendere**

contenere *comme* **tenere**

contraddire *comme* **dire**

contraffare *comme* **fare**

contrarre *comme* **trarre**

convenire *comme* **venire**

convincere *comme* **vincere**

coprire *comme* **aprire**

correggere *comme* **reggere**

correre 2 corso 5 corsi, corresti

corrispondere *comme* **rispondere**

corrompere *comme* **rompere**

costringere *comme* **stringere**

costruire 5 costrussi, costruisti

crescere 2 cresciuto 5 crebbi, crescesti

cuocere 2 cotto 3 cuocio, cociamo, cuociono 5 cossi, cocesti

dare 3 do, dai, dà, diamo, date, danno 5 diedi *o* detti, desti 6 darò *etc* 8 dia *etc* 9 dessi *etc* 10 da'!, dai!, date!, diano!

decidere 2 deciso 5 decisi, decidesti

decrescere *comme* **crescere**

dedurre *comme* **ridurre**

deludere *comme* **alludere**

deporre *comme* **porre**

deprimere *comme* **comprimere**

deridere *comme* **ridere**

descrivere *comme* **scrivere**

desumere *comme* **assumere**

detergere *comme* **tergere**

devolvere 2 devoluto

difendere 2 difeso 5 difesi, difendesti

diffondere *comme* **fondere**

dipendere *comme* **appendere**

dipingere *comme* **tingere**

dire 1 dicendo 2 detto 3 dico, dici, dice, diciamo, dite, dicono 4 dicevo *etc* 5 dissi, dicesti 6 dirò *etc* 8 dica, diciamo, diciate, dicano 9 dicessi *etc* 10 di'!, dica!, dite!, dicano!

dirigere 2 diretto 5 diressi, dirigesti

discendere *comme* **scendere**

dischiudere *comme* **chiudere**

disciogliere *comme* **sciogliere**

discorrere *comme* **correre**

discutere 2 discusso 5 discussi, discutesti

disfare *comme* **fare**

disilludere *comme* **alludere**

disperdere *comme* **perdere**

dispiacere *comme* **piacere**

disporre *comme* **porre**

dissolvere 2 dissolto *o* dissoluto 5 dissolsi *o* dissolvetti *o* dissolvei, dissolvesti

dissuadere *comme* **persuadere**

distendere *comme* **tendere**

distinguere 2 distinto 5 distinsi, distinguesti

distogliere *comme* **togliere**

distrarre *comme* **trarre**

distruggere *comme* **struggere**

divenire *comme* **venire**

dividere 2 diviso 5 divisi, dividesti

dolere 3 dolgo, duoli, duole, dolgono 5 dolsi, dolesti 6 dorrò *etc* 8 dolga

DORMIRE 1 *GERUNDIO* dormendo 2 *PARTICIPIO PASSATO* dormito 3 *PRESENTE* dormo, dormi, dorme, dormiamo, dormite, dormono 4 *IMPERFETTO* dormivo, dormivi, dormiva, dormivamo, dormivate, dormivano 5 *PASSATO REMOTO* dormii, dormisti, dormì, dormimmo, dormiste, dormirono 6 *FUTURO* dormirò, dormirai, dormirà, dormiremo, dormirete, dormiranno 7 *CONDIZIONALE* dormirei, dormiresti, dormirebbe, dormiremmo, dormireste, dormirebbero 8 *CONGIUNTIVO PRESENTE* dorma, dorma, dorma, dormiamo, dormiate, dormano

9 *CONGIUNTIVO PASSATO* dormissi, dormissi, dormisse, dormissimo, dormiste, dormissero 10 *IMPERATIVO* dormi!, dorma!, dormite!, dormano!

dovere 3 devo *o* debbo, devi, deve, dobbiamo, dovete, devono *o* debbono 6 dovrò *etc* 8 debba, dobbiamo, dobbiate, devano *o* debbano

eccellere 2 eccelso 5 eccelsi, eccellesti

eludere *comme* **alludere**

emergere emerso 5 emersi, emergesti

emettere *comme* **mettere**

erigere *comme* **dirigere**

escludere *comme* **alludere**

esigere 2 esatto

esistere 2 esistito

espellere 2 espulso 5 espulsi, espellesti

esplodere 2 esploso 5 esplosi, esplodesti

esporre *comme* **porre**

esprimere *comme* **comprimere**

ESSERE 2 stato 3 sono, sei, è, siamo, siete, sono 4 ero, eri, era, eravamo, eravate, erano 5 fui, fosti, fu, fummo, foste, furono 6 sarò *etc* 8 sia *etc* 9 fossi, fossi, fosse, fossimo, foste, fossero 10 sii!, sia!, siate!, siano!

estendere *comme* **tendere**

estinguere *comme* **distinguere**

estrarre *comme* **trarre**

evadere 2 evaso 5 evasi, evadesti

evolvere 2 evoluto

fare 1 facendo 2 fatto 3 faccio, fai, fa, facciamo, fate, fanno 4 facevo

etc **5** feci, facesti **6** farò *etc*
8 faccia *etc* **9** facessi *etc* **10** fa'!,
faccia!, fate!, facciano!

fingere *comme* **cingere**

FINIRE 1 *GERUNDIO* finendo **2**
PARTICIPIO PASSATO finito **3**
PRESENTE finisco, finisci, finisce,
finiamo, finite, finiscono
4 *IMPERFETTO* finivo, finivi,
finiva, finivamo, finivate,
finivano **5** *PASSATO REMOTO* finii,
finisti, finì, finimmo, finiste,
finirono **6** *FUTURO* finirò, finirai,
finirà, finiremo, finirete,
finiranno **7** *CONDIZIONALE*
finirei, finiresti, finirebbe,
finiremmo, finireste, finirebbero
8 *CONGIUNTIVO PRESENTE* finisca,
finisca, finisca, finiamo, finiate,
finiscano **9** *CONGIUNTIVO*
PASSATO finissi, finissi, finisse,
finissimo, finiste, finissero
10 *IMPERATIVO* finisci!, finisca!,
finite!, finiscano!

flettere 2 flesso

fondere 2 fuso **5** fusi, fondesti

friggere 2 fritto **5** frissi, friggesti

fungere 2 funto **5** funsi, fungesti

giacere 3 giaccio, giaci, giace,
giac(c)iamo, giacete, giacciono
5 giacqui, giacesti **8** giaccia *etc*
10 giaci!, giaccia!, giac(c)iamo!,
giacete!, giacciano!

giungere 2 giunto **5** giunsi,
giungesti

godere 6 godrò *etc*

illudere *comme* **alludere**

immergere *comme* **emergere**

immettere *comme* **mettere**

imporre *comme* **porre**

imprimere *comme* **comprimere**

incidere *comme* **decidere**

includere *comme* **alludere**

incorrere *comme* **correre**

incutere *comme* **discutere**

indulgere 2 indulto **5** indulsi,
indulgesti

indurre *comme* **ridurre**

inferire¹ 2 inferto **5** infersi, inferisti

inferire² 2 inferito **5** inferii,
inferisti

infliggere *comme* **affliggere**

infrangere 2 infranto **5** infransi,
infrangesti

infondere *comme* **fondere**

insistere *comme* **assistere**

intendere *comme* **tendere**

interdire *comme* **dire**

interporre *comme* **porre**

interrompere *comme* **rompere**

intervenire *comme* **venire**

intraprendere *comme* **prendere**

introdurre *comme* **ridurre**

invadere *comme* **evadere**

irrompere *comme* **rompere**

iscrivere *comme* **scrivere**

istruire *comme* **costruire**

ledere 2 leso **5** lesi, ledesti

leggere 2 letto **5** lessi, leggesti

maledire *comme* **dire**

mantenere *comme* **tenere**

mettere 2 messo **5** misi, mettesti

mordere 2 morso **5** morsi,
mordesti

morire 2 morto **3** muoio, muori,
muore, moriamo, morite,
muoiono **6** morirò *o* morrò *etc*
8 muoia

mungere 2 munto **5** munsi,
mungesti

muovere 2 mosso 5 mossi, movesti

nascere 2 nato 5 nacqui, nascesti

nascondere 2 nascosto 5 nascosi, nascondesti

nuocere 2 nuociuto 3 nuoccio, nuoci, nuoce, nociamo *o* nuociamo, nuocete, nuocciono 4 nuocevo *etc* 5 nocqui, nuocesti 6 nuocerò *etc* 7 nuoccia

occorrere *comme* **correre**

offendere *comme* **difendere**

offrire 2 offerto 3 offro 5 offersi *o* offrii, offristi 8 offra

ommettere *comme* **mettere**

opporre *comme* **porre**

opprimere *comme* **comprimere**

ottenere *comme* **tenere**

parere 2 parso 3 paio, paiamo, paiono 5 parvi *o* parsi, paresti 6 parrò *etc* 8 paia, paiamo, paiate, paiano

PARLARE 1 *GERUNDIO* parlando 2 *PARTICIPIO PASSATO* parlato 3 *PRESENTE* parlo, parli, parla, parliamo, parlate, parlano 4 *IMPERFETTO* parlavo, parlavi, parlava, parlavamo, parlavate, parlavano 5 *PASSATO REMOTO* parlai, parlasti, parlò, parlammo, parlaste, parlarono 6 *FUTURO* parlerò, parlerai, parlerà, parleremo, parlerete, parleranno 7 *CONDIZIONALE* parlerei, parleresti, parlerebbe, parleremmo, parlereste, parlerebbero 8 *CONGIUNTIVO PRESENTE* parli, parli, parli, parliamo, parliate, parlino 9 *CONGIUNTIVO PASSATO* parlassi,

parlassi, parlasse, parlassimo, parlaste, parlassero 10 *IMPERATIVO* parla!, parli!, parlate!, parlino!

percorrere *comme* **corrrere**

percuotere 2 percosso 5 percossi, percotesti

perdere 2 perso *o* perduto 5 persi *o* perdei *o* perdetti, perdesti

permettere *comme* **mettere**

persuadere 2 persuaso 5 persuasi, persuadesti

pervenir *comme* **venire**

piacere 2 piaciuto 3 piaccio, piacciamo, piacciono 5 piacqui, piacesti 8 piaccia *etc*

piangere 2 pianto 5 piansi, piangesti

piovere 5 piovve

porgere 2 porto 5 porsi, porgesti

porre 1 ponendo 2 posto 3 pongo, poni, pone, poniamo, ponete, pongono 4 ponevo *etc* 5 posi, ponesti 6 porrò *etc* 8 ponga, poniamo, poniate, pongano 9 ponessi *etc*

posporre *comme* **porre**

possedere *comme* **sedere**

potere 3 posso, puoi, può, possiamo, potete, possono 6 potrò *etc* 8 possa, possiamo, possiate, possano

prediligere 2 prediletto 5 predilessi, prediligesti

predire *comme* **dire**

prefiggersi *comme* **affiggere**

preludere *comme* **alludere**

prendere 2 preso 5 presi, prendesti

preporre *comme* **porre**

prescrivere *comme* **scrivere**

presiedere *comme* **sedere**

presumere *comme* **assumere**

pretendere *comme* **tendre**

prevalere *comme* **valere**

prevedere *comme* **vedere**

prevenire *comme* **venire**

produrre *comme* **ridurre**

proferire *comme* **inferire**[2]

profondere *comme* **fondere**

promettere *comme* **mettere**

promuovere *comme* **muovere**

proporre *comme* **porre**

prorompere *comme* **rompere**

proscrivere *comme* **scrivere**

proteggere 2 protetto 5 protessi, proteggesti

provenire *comme* **venire**

provvedere *comme* **vedere**

pungere 2 punto 5 punsi, pungesti

racchiudere *comme* **chiudere**

raccogliere *comme* **cogliere**

radere 2 raso 5 rasi, radesti

raggiungere *comme* **giungere**

rapprendere *comme* **prendere**

ravvedersi *comme* **vedere**

recidere *comme* **decidere**

redigere 2 redatto

redimere 2 redento 5 redensi, redimesti

reggere 2 retto 5 ressi, reggesti

rendere 2 reso 5 resi, ridesti

reprimere *comme* **comprimere**

rescindere *comme* **scindere**

respingere *comme* **spingere**

restringere *comme* **stringere**

ricadere *comme* **cadere**

richiedere *comme* **chiedere**

riconoscere *comme* **conoscere**

ricoprire *comme* **coprire**

ricorrere *comme* **correre**

ridere 2 rise 5 risi, ridesti

ridire *comme* **dire**

ridurre 1 riducendo 2 ridotto 3 riduco *etc* 4 riducevo *etc* 5 ridussi, riducesti 6 ridurrò *etc* 8 riduca *etc* 9 riducessi *etc*

riempire 1 riempiendo 3 riempio, riempi, riempie, riempiono

rifare *comme* **fare**

riflettere 2 riflettuto *o* riflesso

rifrangere *comme* **infrangere**

rimanere 2 rimasto 3 rimango, rimangono 5 rimasi, rimanesti 6 rimarrò *etc* 8 rimanga

rimettere *comme* **mettere**

rimpiangere *comme* **piangere**

rinchiudere *comme* **chiudere**

rincrescere *comme* **crescere**

rinvenire *comme* **venire**

ripercuotere *comme* **percuotere**

riporre *comme* **porre**

riprendere *comme* **prendere**

riprodurre *comme* **ridurre**

riscuotere *comme* **scuotere**

risolvere *comme* **assolvere**

risorgere *comme* **sorgere**

rispondere 2 risposto 5 risposi, rispondesti

ritenere *comme* **tenere**

ritrarre *comme* **trarre**

riuscire *comme* **uscire**

rivedere *comme* **vedere**

rivivere *comme* **vivere**

rivolgere *comme* **volgere**

rodere 2 roso 5 rosi, rodesti

rompere 2 rotto 5 ruppi, rompesti

salire 3 salgo, sali, salgono 8 salga

sapere 3 so, sai, sa, sappiamo, sapete, sanno 5 seppi, sapesti 6 saprò *etc* 8 sappia *etc* 10 sappi!, sappia!, sappiate!, sappiano!

scadere *comme* **cadere**

scegliere **2** scelto **3** scelgo, scegli, sceglie, scegliamo, scegliete, scelgono **5** scelsi, scegliesti **8** scelga, scegliamo, scegliate, scelgano **10** scegli!, scelga!, scegliamo!, scegliete!, scelgano!

scendere **2** sceso **5** scesi, scendesti

schiudere *comme* **chiudere**

scindere **2** scisso **5** scissi, scindesti

sciogliere **2** sciolto **3** sciolgo, sciolgi, scioglie, sciogliamo, sciogliete, sciolgono **5** sciolsi, sciogliesti **8** sciolga, sciogliamo, sciogliate, sciolgano **10** sciogli!, sciolga!, sciogliamo!, sciogliete!, sciolgano!

scommettere *comme* **mettere**

scomparire *comme* **apparire**

scomporre *comme* **porre**

sconfiggere **2** sconfitto **5** sconfissi, sconfiggesti

sconvolgere *comme* **volgere**

scoprire *comme* **aprire**

scorgere **2** scorto **5** scorsi, scorgesti

scorrere *comme* **correre**

scrivere **2** scritto **5** scrissi, scrivesti

scuotere **3** scosso **3** scuoto, scuoti, scuote, scotiamo, scotete, scuotono **5** scossi, scotesti **6** scoterò *etc* **8** scuota, scotiamo, scotiate, scuotano **10** scuoti!, scuota!, scotiamo!, scotete!, scuotano!

sedere **3** siedo, siedi, siede, siedono **8** sieda

seppellire **2** sepolto

smettere *comme* **mettere**

smuovere *comme* **muovere**

socchiudere *comme* **chiudere**

soccorrere *comme* **correre**

soddisfare *comme* **fare**

soffriggere *comme* **friggere**

soffrire **2** sofferto **5** soffersi *o* soffrii, soffristi

soggiungere *comme* **giungere**

solere **2** solito **3** soglio, suoli, suole, sogliamo, solete, sogliono **8** soglia, sogliamo, sogliate, sogliano

sommergere *comme* **emergere**

sopprimere *comme* **comprimere**

sorgere **2** sorto **3** sorsi, sorgesti

sorprendere *comme* **prendere**

sorreggere *comme* **reggere**

sorridere *comme* **ridere**

sospendere *comme* **appendere**

sospingere *comme* **spingere**

sostenere *comme* **tenere**

sottintendere *comme* **tendere**

spandere **2** spanto

spargere **2** sparso **3** sparsi, spargesti

sparire **5** sparii *o* sparvi, sparisti

spegnere **2** spento **3** spengo, spengono **5** spensi, spegnesti **8** spenga

spendere **2** speso **5** spesi, spendesti

spingere **2** spinto **5** spinsi, spingesti

sporgere *comme* **porgere**

stare **2** stato **3** sto, stai, sta, stiamo, state, stanno **5** stetti, stesti **6** starò *etc* **8** stia *etc* **9** stessi *etc* **10** sta'!, stia!, state!, stiano!

stendere *comme* **tendere**

storcere *comme* **torcere**

stringere 2 stretto 5 strinsi, stringesti

struggere 2 strutto 5 strussi, struggesti

succedere *comme* **concedere**

supporre *comme* **porre**

svenire *comme* **venire**

svolgere *comme* **volgere**

tacere 2 taciuto 3 taccio, tacciono 5 tacqui, tacesti 8 taccia

tendere 2 teso 5 tesi, tendesti *etc*

tenere 3 tengo, tieni, tiene, tengono 5 tenni, tenesti 6 terrò *etc* 8 tenga

tingere 2 tinto 5 tinsi, tingesti

togliere 2 tolto 3 tolgo, togli, toglie, togliamo, togliete, tolgono 5 tolsi, togliesti 8 tolga, togliamo, togliate, tolgano 10 togli!, tolga!, togliamo!, togliete!, tolgano!

torcere 2 torto 5 torsi, torcesti

tradurre *comme* **ridurre**

trafiggere *comme* **sconfiggere**

transigere *comme* **esigere**

trarre 1 traendo 2 tratto 3 traggo, trai, trae, traiamo, traete, traggono 4 traevo *etc* 5 trassi, traesti 6 trarrò *etc* 8 tragga 9 traessi *etc*

trascorrere *comme* **correre**

trascrivere *comme* **scrivere**

transmettere *comme* **mettere**

transparire *comme* **apparire**

trattenere *comme* **tenere**

uccidere 2 ucciso 5 uccisi, uccidesti

udire 3 odo, odi, ode, odono 8 oda

ugere 2 unto 5 unsi, ungesti

uscire 3 esco, esci, esce, escono 8 esca

valere 2 valso 3 valgo, valgono 5 valsi, valesti 6 varrò *etc* 8 valga

vedere 2 visto *o* veduto 5 vidi, vedesti 6 vedrò *etc*

VENDERE 1 GERUNDIO vendendo 2 PARTICIPIO PASSATO venduto 3 PRESENTE vendo, vendi, vende, vendiamo, vendete, vendono 4 IMPERFETTO vendevo, vendevi, vendeva, vendevamo, vendevate, vendevano 5 PASSATO REMOTO vendei *o* vendetti, vendesti, vendò *o* vendette, vendemmo, vendeste, venderono *o* vendettero 6 FUTURO venderò, venderai, venderà, venderemo, venderete, venderanno 7 CONDIZIONALE venderei, venderesti, venderebbe, venderemmo, vendereste, venderebbero 8 CONGIUNTIVO PRESENTE venda, venda, venda, vendiamo, vendiate, vendano 9 CONGIUNTIVO PASSATO vendessi, vendessi, vendesse, vendessimo, vendeste, vendessero 10 IMPERATIVO vendi!, venda!, vendete!, vendano!

venire 2 venuto 3 vengo, vieni, viene, vengono 5 venni, venisti 6 verrò *etc* 8 venga

vincere 2 vinto 5 vinsi, vincesti

vivere 2 vissuto 5 vissi, vivesti

volere 3 voglio, vuoi, vuole, vogliamo, volete, vogliono 5 volli, volesti 6 vorrò *etc* 8 voglia *etc* 10 vogli!, voglia!, vogliate!, vogliano!

volgere 2 volto 5 volsi, volgesti

Verbi francesi

1 Participe présent 2 Participe passé 3 Présent 4 Imparfait 5 Futur
6 Conditionnel 7 Subjonctif présent

acquérir 1 acquérant 2 acquis
3 acquiers, acquérons, acquièrent
4 acquérais 5 acquerrai 7 acquière
ALLER 1 allant 2 allé 3 vais, vas, va,
allons, allez, vont 4 allais 5 irai
6 irais 7 aille
asseoir 1 asseyant 2 assis 3 assieds,
asseyons, asseyez, asseyent
4 asseyais 5 assiérai 7 asseye
atteindre 1 atteignant 2 atteint
3 atteins, atteignons 4 atteignais
5 atteindrai 7 atteigne
AVOIR 1 ayant 2 eu 3 ai, as, a,
avons, avez, ont 4 avais 5 aurai
6 aurais 7 aie, aies, ait, ayons,
ayez, aient
battre 1 battant 2 battu 3 bats, bat,
battons 4 battais 7 batte
boire 1 buvant 2 bu 3 bois, buvons,
boivent 4 buvais 5 boirai 7 boive
bouillir 1 bouillant 2 bouilli 3 bous,
bouillons 4 bouillais 7 bouille
conclure 1 concluant 2 conclu
3 conclus, concluons 4 concluais
7 conclue
conduire 1 conduisant 2 conduit
3 conduis, conduisons
4 conduisais 7 conduise
connaître 1 connaissant 2 connu
3 connais, connaît, connaissons
4 connaissais 5 connaîtrai
7 connaisse
coudre 1 cousant 2 cousu 3 couds,
cousons, cousez, cousent 4 cousais
7 couse

courir 1 courant 2 couru 3 cours,
courons 4 courais 5 courrai
7 coure
couvrir 1 couvrant 2 couvert
3 couvre, couvrons 4 couvrais
7 couvre
craindre 1 craignant 2 craint
3 crains, craignons 4 craignais
7 craigne
croire 1 croyant 2 cru 3 crois,
croyons, croient 4 croyais 7 croie
croître 1 croissant 2 crû, crue, crus,
crues 3 croîs, croissons 4 croissais
7 croisse
cueillir 1 cueillant 2 cueilli
3 cueille, cueillons 4 cueillais
5 cueillerai 7 cueille
devoir 1 devant 2 dû, due, dus, dues
3 dois, devons, doivent 4 devais
5 devrai 7 doive
dire 1 disant 2 dit 3 dis, disons,
dites, disent 4 disais 5 dirai 7 dise
dormir 1 dormant 2 dormi 3 dors,
dormons 4 dormais 7 dorme
écrire 1 écrivant 2 écrit 3 écris,
écrivons 4 écrivais 7 écrive
ÊTRE 1 étant 2 été 3 suis, es, est,
sommes, êtes, sont 4 étais 5 serai
6 serais 7 sois, sois, soit, soyons,
soyez, soient
FAIRE 1 faisant 2 fait 3 fais, fais,
fait, faisons, faites, font 4 faisais
5 ferai 6 ferais 7 fasse
falloir 2 fallu 3 faut 4 fallait
5 faudra 7 faille

FINIR 1 finissant 2 fini 3 finis, finis, finit, finissons, finissez, finissent 4 finissais 5 finirai 6 finirais 7 finisse

fuir 1 fuyant 2 fui 3 fuis, fuyons, fuient 4 fuyais 7 fuie

joindre 1 joignant 2 joint 3 joins, joignons 4 joignais 7 joigne

lire 1 lisant 2 lu 3 lis, lisons 4 lisais 5 lirai 7 lise

luire 1 luisant 2 lui 3 luis, luisons 4 luisais 7 luise

maudire 1 maudissant 2 maudit 3 maudis, maudissons 4 maudissait 7 maudisse

mentir 1 mentant 2 menti 3 mens, mentons 4 mentais 7 mente

mettre 1 mettant 2 mis 3 mets, mettons 4 mettais 5 mettrai 7 mette

mourir 1 mourant 2 mort 3 meurs, mourons, meurent 4 mourais 5 mourrai 7 meure

naître 1 naissant 2 né 3 nais, naît, naissons 4 naissais 7 naisse

offrir 1 offrant 2 offert 3 offre, offrons 4 offrais 7 offre

PARLER 1 parlant 2 parlé 3 parle, parles, parle, parlons, parlez, parlent 4 parlais, parlais, parlait, parlions, parliez, parlaient 5 parlerai, parleras, parlera, parlerons, parlerez, parleront 6 parlerais, parlerais, parlerait, parlerions, parleriez, parleraient 7 parle, parles, parle, parlions, parliez, parlent *IMPÉRATIF* parle!, parlez!

partir 1 partant 2 parti 3 pars, partons 4 partais 7 parte

plaire 1 plaisant 2 plus 3 plais, plaît, plaisons 4 plaisais 7 plaise

pleuvoir 1 pleuvant 2 plu 3 pleut, pleuvent 4 pleuvait 5 pleuvra 7 pleuve

pourvoir 1 pourvoyant 2 pourvu 3 pourvois, pourvoyons, pourvoient 4 pourvoyais 7 pourvoie

pouvoir 1 pouvant 2 pu 3 peux, peut, pouvons, peuvent 4 pouvais 5 pourrai 7 puisse

prendre 1 prenant 2 pris 3 prends, prenons, prennent 4 prenais 5 prendrai 7 prenne

prévoir *come* **voir** 5 prévoirai

RECEVOIR 1 recevant 2 reçu 3 reçois, reçois, reçoit, recevons, recevez, reçoivent 4 recevais 5 recevrai 6 recevrais 7 reçoive

RENDRE 1 rendant 2 rendu 3 rends, rends, rend, rendons, rendez, rendent 4 rendais 5 rendrai 6 rendrais 7 rende

résoudre 1 résolvant 2 résolu 3 résous, résout, résolvons 4 résolvais 7 résolve

rire 1 riant 2 ri 3 ris, rions 4 riais 7 rie

savoir 1 sachant 2 su 3 sais, savons, savent 4 savais 5 saurai 7 sache *IMPÉRATIF* sache, sachons, sachez

servir 1 servant 2 servi 3 sers, servons 4 servais 7 serve

sortir 1 sortant 2 sorti 3 sors, sortons 4 sortais 7 sorte

souffrir 1 souffrant 2 souffert 3 souffre, souffrons 4 souffrais 7 souffre

suffire 1 suffisant 2 suffi 3 suffis,

suffisons **4** suffisais **7** suffise

suivre 1 suivant **2** suivi **3** suis, suivons **4** suivais **7** suive

taire 1 taisant **2** tu **3** tais, taisons **4** taisais **5** tairai **7** taise

tenir 1 tenant **2** tenu **3** tiens, tenons, tiennent **4** tenais **5** tiendrai **7** tienne

vaincre 1 vainquant **2** vaincu **3** vaincs, vainc, vainquons **4** vainquais **7** vainque

valoir 1 valant **2** valu **3** vaux, vaut, valons **4** valais **5** vaudrai **7** vaille

venir 1 venant **2** venu **3** viens, venons, viennent **4** venais **5** viendrai **7** vienne

vivre 1 vivant **2** vécu **3** vis, vivons **4** vivais **7** vive

voir 1 voyant **2** vu **3** vois, voyons, voient **4** voyais **5** verrai **7** voie

vouloir 1 voulant **2** voulu **3** veux, veut, voulons, veulent **4** voulais **5** voudrai **7** veuille *IMPÉRATIF* veuillez

I numeri

uno	1
due	2
tre	3
quattro	4
cinque	5
sei	6
sette	7
otto	8
nove	9
dieci	10
undici	11
dodici	12
tredici	13
quattordici	14
quindici	15
sedici	16
diciassette	17
diciotto	18
diciannove	19
venti	20
ventuno	21
ventidue	22
ventitré	23
ventotto	28
trenta	30
quaranta	40
cinquanta	50
sessanta	60
settanta	70
settantuno	71
settantadue	72
ottanta	80
ottantuno	81
novanta	90
novantuno	91
cento	100
cento uno	101

Les nombres

un(e)	1
deux	2
trois	3
quatre	4
cinq	5
six	6
sept	7
huit	8
neuf	9
dix	10
onze	11
douze	12
treize	13
quatorze	14
quinze	15
seize	16
dix-sept	17
dix-huit	18
dix-neuf	19
vingt	20
vingt et un(e)	21
vingt-deux	22
vingt-trois	23
vingt-huit	28
trente	30
quarante	40
cinquante	50
soixante	60
soixante-dix	70
soixante et onze	71
soixante-douze	72
quatre-vingts	80
quatre-vingt-un(e)	81
quatre-vingt-dix	90
quatre-vingt-onze	91
cent	100
cent un(e)	101

Italiano		Français
trecento	300	trois cents
trecento uno	301	trois cent un(e)
mille	1 000	mille
milleduecentodue	1 202	mille deux cent deux
cinquemila	5 000	cinq mille
un milione	1 000 000	un million

primo(-a), 1º(1ª)	premier (première), 1er (1ère)
secondo(-a), 2º(2ª)	deuxième, 2e, 2ème
terzo(-a), 3º(3ª)	troisième, 3e, 3ème
quarto(-a)	quatrième
quinto(-a)	cinquième
sesto(-a)	sixième
settimo(-a)	septième
ottavo(-a)	huitième
nono(-a)	neuvième
decimo(-a)	dixième
undicesimo(-a)	onzième
dodicesimo(-a)	douzième
tredicesimo(-a)	treizième
quattordicesimo(-a)	quatorzième
quindicesimo(-a)	quinzième
sedicesimo(-a)	seizième
diciassettesimo(-a)	dix-septième
diciottesimo(-a)	dix-huitième
diciannovesimo(-a)	dix-neuvième
ventesimo(-a)	vingtième
ventunesimo(-a)	vingt et unième
ventiduesimo(-a)	vingt-deuxième
ventitreesimo(-a)	vingt-troisième
ventottesimo(-a)	vingt-huitième
trentesimo(-a)	trentième
centesimo(-a)	centième
centunesimo(-a)	cent-unième
millesimo(-a)	millième

L'ora

che ora è ?, che ore sono ?
è ..., sono ...

mezzanotte
l'una (del mattino)
l'una e cinque
l'una e dieci
l'una e un quarto, l'una e quindici
l'una e venticinque
l'una e mezzo *o* mezza,
  l'una e trenta
l'una e trentacinque

le due meno venti,
  l'una e quaranta
le due meno un quarto,
  l'una e quarantacinque
le due meno dieci,
  l'una e cinquanta
mezzogiorno
le tre, le quindici

le sette (di sera), le diciannove

a che ora ?
a mezzanotte
alle sette
fra venti minuti
venti minuti fa

L'heure

quelle heure est-il ?
il est ...

minuit
une heure (du matin)
une heure cinq
une heure dix
une heure et quart
une heure vingt-cinq
une heure et demie,
  une heure trente
deux heures moins vingt-cinq,
  une heure trente-cinq

deux heures moins vingt,
  une heure quarante
deux heures moins le quart,
  une heure quarante-cinq
deux heures moins dix,
  une heure cinquante
midi
trois heures (de l'après-midi),
  quinze heures

sept heures (du soir),
  dix-neuf heures

à quelle heure ?
à minuit
à sept heures
dans vingt minutes
il y a vingt minutes

La data	La date
oggi	aujourd'hui
domani	demain
dopodomani	après-demain
ieri	hier
l'altro ieri	avant-hier
il giorno prima	la veille
il giorno dopo	le lendemain
la mattina	le matin
la sera	le soir
stamattina	ce matin
stasera	ce soir
questo pomeriggio	cet après-midi
ieri mattina	hier matin
ieri sera	hier soir
domani mattina	demain matin
domani sera	demain soir
nella notte tra sabato e domenica	dans la nuit de samedi à dimanche
viene sabato	il viendra samedi
il sabato	le samedi
tutti i sabati	tous les samedis
sabato scorso, lo scorso sabato	samedi dernier
il prossimo sabato	samedi prochain
fra due sabati	samedi en huit
fra tre sabati	samedi en quinze
da lunedì a sabato	du lundi au samedi
tutti i giorni	tous les jours
una volta alla settimana	une fois par semaine
una volta al mese	une fois par mois
due volte alla settimana	deux fois par semaine
una settimana fa	il y a une semaine *ou* huit jours
quindici giorni fa	il y a quinze jours
l'anno scorso *o* passato	l'année passée *ou* dernière
fra due giorni	dans deux jours
fra una settimana	dans huit jours *ou* une semaine
fra quindici giorni	dans quinze jours
il mese prossimo	le mois prochain
l'anno prossimo	l'année prochaine

che giorno è oggi ?	*quel jour sommes-nous ?*
il primo/24 ottobre 2007	le 1er/24 octobre 2007
Parigi, 24 ottobre 2007	Paris, le 24 octobre 2007 (*lettre*)
nel 2007	en 2007
il millenovecentonovantacinque	mille neuf cent quatre-vingt-quinze
44 a.C.	44 av. J.-C
14 d.C.	14 apr. J.-C
nel diciannovesimo secolo, nel XIX secolo, nell'Ottocento	au XIXe (siècle)
negli anni tranta	dans les années trente
c'era una volta ...	il était une fois ...

FRANÇAIS – ITALIEN

FRANCESE – ITALIANO

a [a] *vb voir* **avoir**

⭕ **MOT-CLÉ**

à [a] (*à* + *le* = **au**, *à* + *les* = **aux**) *prép* **1**
(*endroit, situation*) a; **à Paris** a Parigi;
au Portugal in Portogallo; **à la
maison/à l'école/au bureau** a casa/
a scuola/in ufficio; **à la campagne** in
campagna; **à cinq minutes de la
gare** a cinque minuti dalla stazione;
c'est à 10 km/à 20 minutes (d'ici)
è a 10 km/a 20 minuti (da qui); **à la
radio/télévision** alla radio/
televisione
2 (*temps*) a; **à 3 heures** alle 3; **à
minuit** a mezzanotte; **à demain/
lundi!** a domani/lunedì!; **à la
semaine prochaine!** alla prossima
settimana!; **au printemps** in
primavera; **au mois de juin** nel mese
di giugno; **à Noël/Pâques** a Natale/
Pasqua
3 (*attribution, appartenance*) di; **le livre
est à lui/à nous/à Paul** il libro è suo/
nostro/di Paul; **un ami à moi** un mio
amico; **donner qch à qn** dare qc a qn

4 (*moyen*): **à bicyclette** in bicicletta;
à pied a piedi; **à la main/machine** a
mano/macchina; **se chauffer au gaz**
avere il riscaldamento a gas
5 (*provenance*) da; **boire à la bouteille**
bere dalla bottiglia; **prendre de l'eau
à la fontaine** prendere acqua alla
fontana
6 (*caractérisation, manière*): **l'homme
aux yeux bleus** l'uomo dagli occhi
azzurri; **l'homme à la veste rouge**
l'uomo con la giacca rossa; **à sa
grande surprise** con sua grande
sorpresa; **à ce qu'il prétend** a
quanto dice; **à l'européenne/
la russe** all'europea/alla russa;
**à nous trois nous n'avons pas
su le faire** in tre non siamo riusciti
a farlo
7 (*but, destination*): **tasse à café**
tazzina da caffè; **maison à vendre**
casa in vendita; **je n'ai rien à lire** non
ho niente da leggere; **à bien réfléchir**
a ben pensarci, pensandoci bene
8 (*rapport, évaluation, distribution*):
100 km/unités à l'heure 100 km/
unità all'ora; **payé au mois/à l'heure**
pagato al mese/all'ora; **cinq à six**
cinque a sei; **ils sont arrivés à quatre**
sono arrivati in quattro

abaisser [abese] *vt* abbassare; (*fig*)
umiliare; **s'abaisser** *vr* (*aussi fig*)
abbassarsi; **s'~ à faire/à qch**
abbassarsi a fare/a qc
abandon [abɑ̃dɔ̃] *nm* (*aussi Sport*)
abbandono; **être/laisser à l'~**
(*sans entretien*) essere/lasciare in
abbandono; **dans un moment d'~**
in un momento di abbandono
abandonner [abɑ̃dɔne] *vt*
abbandonare; (*lieu, possessions*)
lasciare ◼ *vi* (*Sport*) abbandonare;
(*Inform*) uscire; **s'abandonner** *vr*:
s'~ (à) abbandonarsi (a); **~ qch à qn**
(*céder*) lasciare qc a qn
abat-jour [abaʒuʀ] *nm inv* paralume
m, abat-jour *m inv*
abats [aba] *vb voir* **abattre** ◼ *nmpl*
frattaglie *fpl*
abattement [abatmɑ̃] *nm*
abbattimento, prostrazione *f*;
(*déduction*) riduzione *f*; **~ fiscal**
sgravio fiscale

abattoir [abatwaʀ] *nm* mattatoio, macello

abattre [abatʀ] *vt* abbattere; (*personne*) far fuori; (*fig*) abbattere, prostrare; **s'abattre** *vr* abbattersi; **s'~ sur** (*suj: pluie*) abbattersi su; (: *coups, injures*) piovere su, abbattersi su; **~ ses cartes** (*aussi fig*) scoprire le carte; **~ du travail** *ou* **de la besogne** lavorare sodo

abbaye [abei] *nf* abbazia

abbé [abe] *nm* (*d'une abbaye*) abate *m*; (*de paroisse*) prete *m*; **M. l'~** Padre *m*; **l'~ Dubois** don Dubois, il reverendo Dubois

abcès [apsɛ] *nm* (*Méd*) ascesso

abdiquer [abdike] *vi* (*Pol*) abdicare
■ *vt* rinunciare a

abdomen [abdɔmɛn] *nm* addome *m*

abdominal, e, -aux [abdɔminal, o] *adj* addominale; **abdominaux** *nmpl* addominali *mpl*; **faire des abdominaux** fare addominali

abeille [abɛj] *nf* ape *f*

aberrant, e [abeʀɑ̃, ɑ̃t] *adj* aberrante

aberration [abeʀasjɔ̃] *nf* aberrazione *f*

abîme [abim] *nm* (*Géo: fig*) abisso, baratro; **être au bord de l'~** (*fig*) essere sull'orlo dell'abisso *ou* del baratro

abîmer [abime] *vt* rovinare, sciupare; **s'abîmer** *vr* rovinarsi, sciuparsi; (*fruits*) guastarsi; (*navire: disparaître en mer*) inabissarsi; (*fig: dans des pensées*) sprofondarsi; **s'~ les yeux** rovinarsi gli occhi

aboiement [abwamɑ̃] *nm* abbaiare *m inv*

abolir [abɔliʀ] *vt* (*Jur*) abolire, abrogare

abominable [abɔminabl] *adj* abominevole

abondance [abɔ̃dɑ̃s] *nf* abbondanza; **en ~** in abbondanza; **société d'~** società *f inv* del benessere

abondant, e [abɔ̃dɑ̃, ɑ̃t] *adj* abbondante

abonder [abɔ̃de] *vi* abbondare; **~ en** abbondare di; **~ dans le sens de qn** essere completamente d'accordo con qn

abonné, e [abɔne] *nm/f* abbonato(-a) ■ *adj*: **être ~ à un**

journal/au téléphone essere abbonato(-a) ad un giornale/al telefono

abonnement [abɔnmɑ̃] *nm* abbonamento

abonner [abɔne] *vt*: **~ qn à** abbonare qn a; **s'abonner à** *vr* abbonarsi a

abord [abɔʀ] *nm* (*à un lieu*) approdo; **abords** *nmpl* (*d'un lieu*) vicinanze *fpl*; **être d'un ~ facile/difficile** (*personne*) essere/non essere alla mano; (*lieu*) essere facile/difficile da raggiungere; **d'~** (*en premier*) prima, dapprima; **tout d'~** innanzi tutto, prima di tutto; **de prime ~, au premier ~** di primo acchito

abordable [abɔʀdabl] *adj* (*personne*) alla mano; (*prix, marchandise*) accessibile, abbordabile

aborder [abɔʀde] *vi* (*Naut*) approdare ■ *vt* (*Naut: fig*) abbordare; (*heurter*) speronare; (*problème*) affrontare

aboutir [abutiʀ] *vi* avere un esito positivo; **~ à/dans/sur** (*lieu*) terminare *ou* sboccare a/in/su; **~ à** (*fig*) portare *ou* sfociare a

aboyer [abwaje] *vi* abbaiare

abréger [abʀeʒe] *vt* abbreviare, accorciare; (*mot*) abbreviare

abreuver [abʀœve] *vt* abbeverare; **s'abreuver** *vr* abbeverarsi; **~ qn de** (*fig: d'injures etc*) coprire qn di

abreuvoir [abʀœvwaʀ] *nm* abbeveratoio

abréviation [abʀevjasjɔ̃] *nf* abbreviazione *f*

abri [abʀi] *nm* riparo; (*cabane*) baracca; (*Mil: en montagne*) rifugio; **être/se mettre à l'~** essere/mettersi al riparo; **à l'~ de** (*aussi fig*) al riparo da; (*protégé par*) al riparo di

abricot [abʀiko] *nm* albicocca

abriter [abʀite] *vt* riparare; (*recevoir, loger*) ospitare; **s'abriter** *vr* ripararsi; (*fig: derrière la loi*) trincerarsi

abrupt, e [abʀypt] *adj* scosceso(-a), ripido(-a); (*personne, ton*) brusco(-a)

abruti, e [abʀyti] (*fam*) *nm/f* imbecille *m/f*, cretino(-a)

ABS [abeɛs] *abr m* (*Auto*) abs *m inv*

absence [apsɑ̃s] *nf* assenza; (*défaillance, d'attention*) disattenzione *f*; **en l'~ de** in assenza di

absent [apsɑ̃] *adj, nm/f* assente *m/f*
absenter [apsɑ̃te] *vr:* **s'absenter**
assentarsi
absolu, e [apsɔly] *adj* assoluto(-a);
(*personne*) intransigente ■ *nm*
assoluto; **dans l'~** in assoluto
absolument [apsɔlymɑ̃] *adv* (*oui*)
certamente, senz'altro; (*tout à fait,
complètement*) assolutamente; **~ pas**
assolutamente no
absorbant, e [apsɔrbɑ̃, ɑ̃t] *adj*
assorbente; (*tâche, travail*)
impegnativo(-a)
absorber [apsɔrbe] *vt* assorbire;
(*manger, boire*) ingerire
abstenir [apstənir] *vr:* **s'abstenir**
astenersi; **s'~ de qch/de faire**
astenersi da qc/dal fare
abstrait, e [apstrɛ, ɛt] *adj*
astratto(-a) ■ *nm:* **dans l'~** in
astratto; **art ~** arte *f* astratta
absurde [apsyrd] *adj* assurdo(-a)
■ *nm* assurdo; **raisonnement par l'~**
ragionamento per assurdo
abus [aby] *nm* abuso; (*détournement
de fonds*) appropriazione *f* indebita;
il y a de l'~ (*fam*) questo è troppo;
~ de confiance abuso di fiducia;
~ de pouvoir abuso di potere
abuser [abyze] *vi* esagerare ■ *vt*
ingannare; **s'abuser** *vr* sbagliare,
sbagliarsi; **si je ne m'abuse!** se non
erro *ou* sbaglio!; **~ de** (*force, alcool,
femme*) abusare di
abusif, -ive [abyzif, iv] *adj*
abusivo(-a); (*prix*) eccessivo(-a)
académie [akademi] *nf* accademia;
(*Art: nu*) nudo; (*Scol*) circoscrizione
amministrativa scolastica e universitaria
francese; **l'A~ (française)** l'Académie *f*
française, l'Accademia di Francia

ACADÉMIE FRANÇAISE

L'*Académie française* è stata fondata
dal Cardinale Richelieu nel 1635
durante il regno di Luigi XIII.
È formata da quaranta studiosi
e scrittori eletti a vita conosciuti
come "le Quarante" o "le
Immortels". Una delle funzioni
dell'Académie è quella di
regolamentare lo sviluppo della
lingua francese e le sue

raccomandazioni sono spesso
oggetto di accesi dibattiti. Ha
pubblicato varie edizioni del
dizionario della lingua francese
e assegna vari premi letterari.

acajou [akaʒu] *nm* mogano
acariâtre [akarjɑtr] *adj*
scontroso(-a)
accablant, e [akɑblɑ̃, ɑ̃t] *adj*
(*témoignage, preuve*) schiacciante;
(*chaleur, poids*) opprimente
accabler [akɑble] *vt* prostrare,
opprimere; (*suj: preuves, témoignage*)
schiacciare; **~ qn d'injures** coprire qn
di ingiurie; **~ qn de travail** oberare qn
di lavoro; **accablé de dettes/de
soucis** assillato dai debiti/dalle
preoccupazioni
accalmie [akalmi] *nf* bonaccia; (*fig*)
tregua
accaparer [akapare] *vt* (*produits,
marché*) fare incetta di, accaparrare;
(*pouvoir, voix*) accaparrarsi; (*suj: travail
etc*) assorbire (completamente)
accéder [aksede] *vi:* **~ à** accedere a;
(*indépendance*) ottenere; (*requête,
désirs*) acconsentire a
accélérateur [akseleratœr] *nm*
acceleratore *m*
accélérer [akselere] *vt, vi* accelerare
accent [aksɑ̃] *nm* accento; **aux ~s de**
(*musique*) alle note di; **mettre l'~ sur**
(*fig*) porre l'accento su; **~ aigu**
accento acuto; **~ circonflexe** accento
circonflesso; **~ grave** accento grave
accentuer [aksɑ̃tɥe] *vt* accentare;
(*fig*) accentuare; **s'accentuer** *vr*
accentuarsi
acceptation [aksɛptasjɔ̃] *nf*
accettazione *f*
accepter [aksɛpte] *vt* accettare; **~ de
faire** accettare di fare; **~ que/que qn
fasse** accettare che/che qn faccia;
~ que (*reconnaître*) riconoscere che;
j'accepte! accetto!; **je n'accepterai
pas cela** questo non lo accetterò;
acceptez-vous les cartes de crédit?
accettate carte di credito?
accès [aksɛ] *nm* (*aussi Inform*)
accesso; (*Méd*) attacco ■ *nmpl*
(*routes, entrées etc*) vie *fpl* d'accesso;
d'~ facile/malaisé (*lieu*) di facile/
difficile accesso; (*personne*) alla

mano/poco alla mano; **l'~ aux quais est interdit** è vietato l'accesso ai binari; **donner ~ à** dare accesso a, permettere di accedere a; **avoir ~ auprès de qn** essere introdotto(-a) presso qn; **~ de colère** accesso di collera; **~ de joie** impeto di gioia; **~ de toux** accesso di tosse

accessible [aksesibl] *adj*: **~ (à)** (*livre, sujet*) accessibile (a); **être ~ à la pitié/ l'amour** essere sensibile alla pietà/ all'amore

accessoire [akseswar] *adj* accessorio(-a) ▪ *nm* accessorio; (*Théâtre*) materiale *m* scenico

accident [aksidã] *nm* incidente *m*; (*événement fortuit*) caso; **par ~** per caso; **j'ai eu un ~** ho avuto un incidente; **~ de la route** incidente stradale; **~ de parcours** incidente di percorso; **~s de terrain** irregolarità *fpl ou* asperità *fpl* del terreno; **~ du travail** infortunio sul lavoro

accidenté, e [aksidãte] *adj* (*relief, terrain*) accidentato(-a); (*voiture, personne*) sinistrato(-a); (*du travail*) infortunato(-a) ▪ *nm/f* sinistrato(-a); (*du travail*) infortunato(-a); **un ~ de la route** una vittima della strada

accidentel, le [aksidãtɛl] *adj* (*mort, chute*) accidentale; (*rencontre*) casuale

acclamer [aklame] *vt* acclamare

acclimater [aklimate] *vt* acclimatare; **s'acclimater** *vr* acclimatarsi

accolade [akɔlad] *nf* abbraccio; (*signe typographique*) graffa; **donner l'~ à qn** abbracciare qn

accommoder [akɔmɔde] *vt* (*plat*) preparare ▪ *vi* (*Méd*) accomodarsi; **~ qch à** adattare qc a, adeguare qc a; **s'accommoder** *vr*: **s'~ de** (*accepter*) accontentarsi di; **s'~ à** adattarsi a

FAUX AMIS
s'accommoder ne se traduit pas par le mot italien **accomodarsi**.

accompagnateur, -trice [akɔ̃paɲatœr, tris] *nm/f* accompagnatore(-trice)

accompagner [akɔ̃paɲe] *vt* accompagnare; **s'accompagner** *vr* (*Mus*) accompagnarsi; **s'~ de**

accompagnarsi a, essere accompagnato(-a) da; **vous permettez que je vous accompagne?** permette che l'accompagni?

accompli, e [akɔ̃pli] *adj* (*musicien, talent*) consumato(-a); **le fait ~** il fatto compiuto

accomplir [akɔ̃plir] *vt* (*tâche*) compiere, adempiere; (*souhait, projet*) realizzare; **s'accomplir** *vr* realizzarsi

accord [akɔr] *nm* accordo; (*consentement, autorisation*) consenso; (*Ling*) accordo, concordanza; **mettre deux personnes d'~** mettere d'accordo due persone; **se mettre d'~** mettersi d'accordo; **être d'~** essere d'accordo; **être d'~ (pour faire/que)** essere d'accordo (di fare/che); **d'~!** d'accordo!; **d'un commun ~** di comune accordo; **en ~ avec qn** d'accordo con qn; **être d'~ (avec qn)** essere d'accordo (con qn); **donner son ~** dare il proprio consenso; **~ en genre et en nombre** (*Ling*) accordo *ou* concordanza di genere e numero; **~ parfait** (*Mus*) accordo perfetto

accordéon [akɔrdeɔ̃] *nm* (*Mus*) fisarmonica; **en ~** (*papier plié*) a fisarmonica

accorder [akɔrde] *vt* accordare; **s'accorder** *vr* accordarsi; (*être d'accord*) concordare; (*un moment de répit*) concedersi; **~ de l'importance/ de la valeur à qch** attribuire importanza/valore a qc; **je vous accorde que...** le concedo che...

accoster [akɔste] *vt* (*Naut*) accostare; (*personne*) avvicinare, abbordare ▪ *vi* (*Naut*) accostare

accouchement [akuʃmã] *nm* parto; **~ à terme** parto a termine; **~ sans douleur** parto indolore

accoucher [akuʃe] *vi, vt* partorire; **~ d'une fille** partorire una bambina

accouder [akude] *vr*: **s'accouder**: **s'~ à/contre/sur** appoggiarsi (con i gomiti) a/contro/su; **accoudé à la fenêtre** appoggiato (con i gomiti) alla finestra

accoudoir [akudwar] *nm* bracciolo

accoupler [akuple] *vt* abbinare, mettere insieme; (*animaux: faire copuler*) accoppiare; **s'accoupler** *vr* (*copuler*) accoppiarsi

accourir [akuʀiʀ] vi accorrere
accoutumance [akutymɑ̃s] nf
assuefazione f
accoutumé, e [akutyme] adj
solito(-a), consueto(-a); **être ~ à qch/
à faire** essere abituato(-a) a qc/a fare;
comme à l'~e come al solito
accoutumer [akutyme] vt: **~ qn à
qch/à faire** abituare qn a qc/a fare;
s'accoutumer vr: **s'~ à qch/à faire**
abituarsi a qc/a fare
accroc [akʀo] nm strappo; **sans ~s**
(fig) senza intoppi; **faire un ~ à**
(vêtement) farsi uno strappo a; (fig:
règle etc) fare uno strappo a
accrochage [akʀoʃaʒ] nm (d'une
remorque) aggancio; (Auto, Mil)
scontro; (dispute) scontro,
battibecco; **l'~ d'un tableau**
l'appendere un quadro
accrocher [akʀoʃe] vt (vêtement,
tableau) appendere; (wagon, remorque)
agganciare; (heurter) urtare;
(déchirer: robe) impigliare; (Mil)
scontrarsi con; (fig: attention, client)
attirare, attrarre ▪ vi (fermeture
éclair) incepparsi; (disque, slogan) far
presa, colpire; **s'accrocher** vr
aggrapparsi; (ne pas céder) tener duro;
(se disputer) litigare; **s'~ à** (aussi fig)
aggrapparsi a; (grillage) restare
impigliato(-a) in; **il faut s'~** (fam)
bisogna tener duro
accroissement [akʀwasmɑ̃] nm
incremento, aumento
accroître [akʀwatʀ] vt
incrementare, accrescere;
s'accroître vr aumentare
accroupir [akʀupiʀ] vr: **s'accroupir**
accovacciarsi, accoccolarsi
accru, e [akʀy] pp de **accroître**
accueil [akœj] nm accoglienza;
(endroit) accettazione f; (: dans une
gare etc) (servizio) informazioni fpl;
centre/comité d'~ centro/comitato
di accoglienza
accueillir [akœjiʀ] vt (aussi fig)
accogliere; (loger) ospitare
accumuler [akymyle] vt accumulare;
s'accumuler vr accumularsi
accusation [akyzasjɔ̃] nf accusa;
l'~ (partie) l'accusa; **mettre en ~**
mettere in stato d'accusa; **acte d'~**
atto d'accusa

accusé, e [akyze] nm/f (Jur)
imputato(-a), accusato(-a); **~ de
réception** (Postes) avviso di
ricevimento; **lettre recommandée
avec ~ de réception** raccomandata
con ricevuta di ritorno
accuser [akyze] vt accusare;
(fig: souligner) mettere in risalto;
(: rendre manifeste) rivelare; **s'accuser**
vr accusarsi; **~ qn/qch de qch**
accusare qn/qc di qc; **~ réception de**
accusare ricevuta di; **~ le coup** (aussi
fig) accusare il colpo; **s'~ de qch/
d'avoir fait qch** accusarsi di qc/di
aver fatto qc
acéré, e [asere] adj (lame) affilato(-a);
(pointe) appuntito(-a); (fig: plume)
tagliente
acharné, e [aʃaʀne] adj accanito(-a)
acharner [aʃaʀne] vr: **s'acharner**:
s'~ contre/sur accanirsi contro/su;
s'~ à faire (persister à) ostinarsi a fare
achat [aʃa] nm acquisto; **faire l'~ de**
acquistare; **faire des ~s** fare compere
ou acquisti
acheter [aʃ(ə)te] vt comprare,
acquistare; (soudoyer) comprare; **~ à
crédit** comprare a credito; **~ qch à qn**
(marchand) comprare qc da qn; (ami
etc: offrir) comprare qc a qn; **où est-ce
que je peux ~ des cartes postales?**
dove posso comprare delle cartoline?
acheteur, -euse [aʃ(ə)tœʀ, øz] nm/f
acquirente m/f; (professionnel)
compratore(-trice)
achever [aʃ(ə)ve] vt terminare; (tuer)
finire; **s'achever** vr terminare; **~ de
faire qch** terminare di fare qc; **ses
remarques achevèrent de l'irriter** le
sue osservazioni finirono per irritarlo
del tutto
acide [asid] adj acido(-a) ▪ nm acido
acidulé [asidyle] adj acidulo(-a);
(qu'on a acidulé) acidulato(-a);
bonbons ~s caramelle dure alla frutta
acier [asje] nm acciaio; **~ inoxydable**
acciaio inossidabile
aciérie [asjeʀi] nf acciaieria
acné [akne] nf (Méd) acne f;
~ juvénile acne giovanile
acompte [akɔ̃t] nm acconto
à-côté [akote] (pl ~s) nm (question)
aspetto secondario; (argent)
extra m inv

à-coup [aku] (pl ~s) nm sobbalzo, scossa; (de l'économie) sbalzo; **sans ~** senza scosse; **par ~s** a sbalzi; (travailler) a periodi

acoustique [akustik] nf acustica
■ adj (Anat, Phys) acustico(-a)

acquéreur [akerœr] nm acquirente m/f; **se porter/rendre ~ de qch** acquistare qc

acquérir [akerir] vt (biens, valeur) acquistare; (droit, habitude, certitude) acquisire; (résultats) raggiungere

acquis, e [aki, iz] pp de **acquérir**
■ nm conquista; (expérience) esperienza (acquisita) ■ adj acquisito(-a); **tenir qch pour ~** (comme allant de soi) dare qc per scontato; **son aide nous est ~e** possiamo contare sul suo aiuto; **les ~ sociaux** le conquiste sociali; **caractère ~** carattere m acquisito

acquitter [akite] vt (Jur: accusé) assolvere, prosciogliere; (droits de douane) pagare; (facture) quietanzare; **s'acquitter de** vr (tâche, promesse) adempiere a; (dette) liberarsi da

âcre [akr] adj acre

acrobate [akrɔbat] nm/f acrobata m/f

acrobatie [akrɔbasi] nf (aussi fig) acrobazia; **~ aérienne** acrobazia aerea

acte [akt] nm atto; **actes** nmpl (compte-rendu, procès-verbal) atti mpl; **prendre (bon) ~ de** prendere atto di; **faire ~ de présence** fare atto di presenza; **faire ~ de candidature** candidarsi nominalmente; **~ d'accusation** atto d'accusa; **~ de baptême/mariage/naissance** atto di battesimo/matrimonio/nascita; **~ de vente** atto di vendita

acteur, -trice [aktœr] nm/f attore(-trice)

actif, -ive [aktif, iv] adj attivo(-a); (remède) efficace ■ nm (Comm, Ling) attivo; **prendre une part active à qch** partecipare attivamente a qc; **l'~ et le passif** (Comm) l'attivo e il passivo

action [aksjɔ̃] nf azione f; **une bonne/mauvaise ~** una buona/cattiva azione; **mettre en ~** (réaliser) mettere in atto; **passer à l'~** passare all'azione; **un homme d'~** un uomo d'azione; **sous l'~ de** sotto l'azione di; **un film d'~** un film d'azione; **~ de grâce(s)** (Rel) azione di grazie, ringraziamento; **~ en diffamation** (Jur) azione per diffamazione

actionnaire [aksjɔner] nm/f azionista m/f

actionner [aksjɔne] vt azionare

activer [aktive] vt (processus, travaux) accelerare; (Tech, Chim) attivare; **s'activer** vr (personne) darsi da fare

activité [aktivite] nf attività f inv; **cesser toute ~** cessare ogni attività; **en ~** (fonctionnaire militaire) in servizio; (industrie, volcan) in attività; **~s subversives** (Pol) attività fpl sovversive

actrice [aktris] nf voir **acteur**

actualité [aktɥalite] nf attualità f inv; **actualités** nfpl (TV) telegiornale msg; **l'~ politique/sportive** l'attualità politica/sportiva; **d'~** d'attualità

actuel, le [aktɥɛl] adj attuale; **à l'heure ~le** al momento attuale

actuellement [aktɥɛlmɑ̃] adv attualmente

adaptateur, -trice [adaptatœr] [adaptatœr, tris] nm/f (Théâtre etc) riduttore(-trice) ■ nm (Élec) adattatore m

adapter [adapte] vt (aussi Théâtre, Ciné, TV) adattare; (Mus) arrangiare; **s'adapter (à)** vr adattarsi (a); **~ qch à** adattare qc a; **~ qch sur/dans/à** adattare qc su/in/a

addition [adisjɔ̃] nf (d'une clause) aggiunta; (Math: opération) addizione f; (au café, restaurant) conto; **l'~, s'il vous plaît** il conto, per favore

additionner [adisjɔne] vt (Math) sommare; **s'additionner** vr aggiungersi; **~ un vin d'eau** aggiungere acqua ad un vino

adepte [adɛpt] nm/f adepto(-a)

adéquat, e [adekwa(t), at] adj adeguato(-a), adatto(-a)

adhérent, e [aderɑ̃, ɑ̃t] adj aderente ■ nm/f (de club) socio(-a); (de parti, syndicat) membro, iscritto(-a)

adhérer [adere] vi aderire ■ vt: **~ à** aderire a; (être membre de) essere iscritto(-a) a; (club) essere socio(-a) ou membro(-a) di

adhésif, -ive [adezif, iv] *adj*
adesivo(-a) ■ *nm* adesivo
adieu [adjø] *excl, nm* addio;
adieux *nmpl*: **faire ses ~x à qn**
congedarsi *ou* accomiatarsi da qn;
dire ~ à qn salutare qn; **dire ~ à qch**
dire addio a qc
adjectif, -ive [adʒɛktif, iv] *adj*
aggettivale ■ *nm* aggettivo;
~ attribut aggettivo attributo;
~ démonstratif aggettivo
dimostrativo; **~ épithète** aggettivo
epiteto; **~ numéral/possessif/**
qualificatif aggettivo numerale/
possessivo/qualificativo
adjoint, e [adʒwɛ̃, wɛt] *nm/f* vice *m/*
f inv; *(aide)* assistente *m/f*; **directeur**
~ vicedirettore *m*; **~ au maire**
vicesindaco
admettre [admɛtʀ] *vt* ammettere;
(candidat: Scol: gén) ammettere,
promuovere; *(gaz, eau, air)*
immettere; **je n'admets pas ce**
genre de conduite/que tu fasses
cela non ammetto questo genere di
comportamento/che tu lo faccia;
admettons *(approbation faible)* può
anche darsi; **admettons que**
ammettiamo che
administrateur, -trice
[administʀatœʀ, tʀis] *nm/f*
amministratore(-trice); **~ délégué**
amministratore delegato;
~ judiciaire amministratore
giudiziario
administration [administʀasjɔ̃]
nf amministrazione *f*;
l'A~ l'amministrazione pubblica
administrer [administʀe] *vt*
amministrare; *(remède, sacrement)*
somministrare
admirable [admiʀabl] *adj*
(moralement) ammirevole;
(esthétiquement) stupendo(-a)
admirateur, -trice [admiʀatœʀ,
tʀis] *nm/f* ammiratore(-trice)
admiration [admiʀasjɔ̃] *nf*
ammirazione *f*; **être en ~ devant**
essere in ammirazione davanti a
admirer [admiʀe] *vt* ammirare
admis, e [admi, iz] *pp de* **admettre**
admissible [admisibl] *adj (candidat)*
ammesso(-a); *(comportement,*
attitude) ammissibile

ADN [ɑdeɛn] *sigle m* (= *acide*
désoxyribonucléique) DNA *m inv*
adolescence [adɔlesɑ̃s] *nf*
adolescenza
adolescent, e [adɔlesɑ̃, ɑ̃t] *nm/f*
adolescente *m/f*
adopter [adɔpte] *vt* adottare
adoptif, -ive [adɔptif, iv] *adj*
adottivo(-a)
adorable [adɔʀabl] *adj* adorabile,
delizioso(-a)
adorer [adɔʀe] *vt* adorare
adosser [adose] *vt*: **~ qch à/contre**
addossare qc a/contro; **s'adosser**
à/contre *vr (suj: personne)*
appoggiarsi a/contro; **être adossé à**
essere addossato(-a) *ou*
appoggiato(-a) a
adoucir [adusiʀ] *vt (boisson)*
addolcire; *(peau, caractère)*
ammorbidire; *(peine, douleur)* lenire,
mitigare; **s'adoucir** *vr (v vt)*
addolcirsi; ammorbidirsi; mitigarsi
adresse [adʀɛs] *nf (domicile)*
indirizzo, recapito; *(habileté)*
destrezza, abilità *f inv*; *(Inform)*
indirizzo; **à l'~ de** *(fig)* indirizzato(-a)
a, rivolto(-a) a; **partir sans laisser**
d'~ partire senza lasciare l'indirizzo;
mon ~, c'est ... il mio indirizzo è ...
adresser [adʀese] *vt* indirizzare;
(injure, compliments) rivolgere;
~ qn à un docteur/bureau
indirizzare qn a un medico/ufficio;
s'adresser *vr*: **s'~ à** indirizzarsi a;
(suj: livre, conseil) essere destinato(-a)
a; **~ la parole à qn** rivolgere la parola
a qn
adroit, e [adʀwa, wat] *adj* abile
ADSL [adeɛsɛl] *sigle m* (= *asymmetrical*
digital subscriber line) ADSL *m*
adulte [adylt] *nm/f, adj* adulto(-a);
l'âge ~ l'età adulta; **film pour ~s** film
m inv per adulti; **formation des/pour**
~s (corsi *mpl* di) formazione *f* per
adulti
adverbe [advɛʀb] *nm* avverbio;
~ de manière avverbio di modo *ou*
maniera
adversaire [advɛʀsɛʀ] *nm/f*
avversario(-a)
aération [aeʀasjɔ̃] *nf* aerazione *f*;
conduit d'~ condotto di aerazione;
bouche d'~ bocca d'aerazione

aérer [aeʀe] vt (pièce) arieggiare, ventilare; (literie) far prendere aria a; (fig: style) alleggerire; **s'aérer** vr prendere aria

aérien, ne [aeʀjɛ̃, jɛn] adj aereo(-a); (métro) soprelevato(-a); (fig: édifice) slanciato(-a); (: grâce) leggiadro(-a); **compagnie ~ne** compagnia aerea; **ligne ~ne** linea aerea

aérogare [aeʀogaʀ] nf aerostazione f; (en ville) (air) terminal m inv

aéroglisseur [aeʀoglisœʀ] nm hovercraft m inv

aéronaval, e, -aux [aeʀonaval, o] adj aeronavale ■ nf: **l'A~e** l'Aviazione f ou l'Aeronautica navale

aérophagie [aeʀofaʒi] nf aerofagia

aéroport [aeʀopɔʀ] nm aeroporto; **l'~, s'il vous plaît** all'aeroporto per favore; **~ d'embarquement** aeroporto d'imbarco

aérosol [aeʀosɔl] nm (Méd) aerosol m inv; (bombe) spray m inv

affaiblir [afebliʀ] vt indebolire; **s'affaiblir** vr indebolirsi

affaire [afɛʀ] nf (problème, question) affare m, questione f; (scandale, criminelle) caso; (judiciaire) causa; (entreprise, magasin) impresa; (marché, transaction, occasion) affare; **affaires** nfpl (objets, effets personnels) roba fsg, cose fpl; **c'est mon ~** sono affari miei; **occupe-toi de tes ~s** occupati degli affari ou dei fatti tuoi; **tirer qn d'~** cavare ou togliere qn dagli impicci; **se tirer d'~** trarsi d'impiccio ou d'impaccio; **en faire une ~** farne tutta una questione; **j'en fais mon ~** lascia fare a me; **tu auras ~ à moi!** te la vedrai con me!; **ceci fera l'~** questo andrà benissimo; **avoir ~ à qn/qch** avere a che fare con qn/qc; **c'est une ~ de goût/d'argent** è una questione di gusto/di soldi; **c'est l'~ d'une minute/d'une heure** è questione di un minuto/di un'ora; **les A~s étrangères** (Pol) gli (Affari) Esteri

affairer [afeʀe] vr: **s'affairer** affaccendarsi, darsi da fare

affamé, e [afame] adj affamato(-a)

affecter [afɛkte] vt (émouvoir) toccare, colpire; (feindre) ostentare, affettare; (telle ou telle forme etc) assumere; **~ qch à** (allouer: crédits etc)

destinare qc a; **~ qn à** (employé etc) destinare ou assegnare qn a; **~ qch d'un coefficient/indice** attribuire a qc un coefficiente/indice

affectif, -ive [afɛktif, iv] adj affettivo(-a)

affection [afɛksjɔ̃] nf (tendresse, amitié) affetto; (Méd) affezione f; **avoir de l'~ pour** nutrire ou provare affetto per; **prendre en ~** affezionarsi a

affectionner [afɛksjɔne] vt essere affezionato(-a) a

affectueux, -euse [afɛktɥø, øz] adj affettuoso(-a)

affichage [afiʃaʒ] nm affissione f; (électronique) visualizzazione f; **"~ interdit"** "divieto di affissione"; **tableau d'~** tabellone m; **~ à cristaux liquides** display m inv a cristalli liquidi; **~ digital** ou **numérique** display digitale

affiche [afiʃ] nf (de publicité, parti politique) manifesto; (officielle) avviso; **être à l'~** (Théâtre, Ciné) essere in programma; **tenir l'~** tenere il cartellone

afficher [afiʃe] vt affiggere; (électroniquement) visualizzare; (fig: péj) ostentare; **s'afficher** vr (péj) farsi notare; (électroniquement) essere visualizzato(-a); **"défense d'~"** "divieto d'affissione"

affilée [afile] nf: **d'~** adv di fila

affirmatif, -ive [afiʀmatif, iv] adj (réponse) affermativo(-a); (personne) categorico(-a)

affirmer [afiʀme] vt (prétendre) affermare, asserire; (désir, autorité) affermare; **s'affirmer** vr affermarsi

affligé, e [afliʒe] adj afflitto(-a); **~ d'une maladie/tare** afflitto(-a) da una malattia/tara

affliger [afliʒe] vt affliggere, addolorare

affluence [aflyɑ̃s] nf affluenza; **heure/jour d'~** ora/giorno di punta

affluent [aflyɑ̃] nm affluente m

affolement [afɔlmɑ̃] nm panico

affoler [afɔle] vt sconvolgere; **s'affoler** vr perdere la testa

FAUX AMIS
affoler ne se traduit pas par le mot italien **affolare**.

affranchir [afʁɑ̃ʃiʁ] *vt* affrancare;
(*fig*) liberare; **s'affranchir de** *vr*
liberarsi da
affranchissement [afʁɑ̃ʃismɑ̃] *nm*
(*Postes*) affrancatura; (*fig*)
liberazione *f*; **tarifs d'~** tariffe *fpl*
postali; **~ insuffisant** affrancatura
insufficiente
affreux, -euse [afʁø, øz] *adj* orribile
affront [afʁɔ̃] *nm* affronto
affrontement [afʁɔ̃tmɑ̃] *nm* scontro
affronter [afʁɔ̃te] *vt* affrontare;
s'affronter *vr* affrontarsi; (*théorie*)
scontrarsi
affût [afy] *nm* (*de canon*) affusto;
être à l'~ (de) fare la posta (a); (*fig*)
essere a caccia (di)
afin [afɛ̃]: **~ que** *conj* affinché;
~ de faire allo scopo di fare
africain, e [afʁikɛ̃, ɛn] *adj* africano(-a)
■ *nm/f*: **Africain, e** africano(-a)
Afrique [afʁik] *nf* Africa, **~ du Nord**
Nordafrica *m*; **~ du Sud** Sudafrica *m*
agacer [agase] *vt* dare fastidio a,
infastidire; (*aguicher*) stuzzicare
âge [ɑʒ] *nm* età *f* inv; **quel ~ as-tu?**
quanti anni hai?; **une femme d'un
certain ~** una donna di una certa età;
bien porter son ~ portar bene i propri
anni; **prendre de l'~** avanzare negli
anni; **limite d'~** limite *m* d'età;
troisième ~ terza età; **~ de raison** età
della ragione; **l'~ ingrat** l'età ingrata;
~ légal maggiore età; **~ mental** età
mentale; **l'~ mûr** la maturità
âgé, e [ɑʒe] *adj* anziano(-a); **~ de 10
ans** di 10 anni; **les personnes ~es** gli
anziani
agence [aʒɑ̃s] *nf* agenzia; **~ de
placement** agenzia di collocamento;
~ de publicité agenzia pubblicitaria;
~ de voyages agenzia di viaggi;
~ immobilière agenzia immobiliare;
~ matrimoniale agenzia
matrimoniale
agenda [aʒɛ̃da] *nm* agenda;
~ électronique agenda elettronica
agenouiller [aʒ(ə)nuje] *vr*:
s'agenouiller inginocchiarsi
agent [aʒɑ̃] *nm* (*Admin*) funzionario;
(*fig: élément, facteur*) agente *m*, fattore
m; **~ commercial/d'assurances**
agente di commercio/di
assicurazioni; **~ de change** agente di

cambio; **~ (de police)** agente (di
polizia); **~ immobilier** agente
immobiliare; **~ (secret)** agente
(segreto)
agglomération [aglɔmeʁasjɔ̃] *nf*
(*village, ville*) agglomerato urbano;
(*Auto*) centro abitato; **l'~ parisienne**
l'area metropolitana parigina
aggraver [agʁave] *vt* aggravare;
s'aggraver *vr* aggravarsi; **~ son cas**
aggravare la propria situazione
agile [aʒil] *adj* agile
agir [aʒiʁ] *vi* agire; **il s'agit de/de
faire** si tratta di/di fare; **de quoi
s'agit-il?** di cosa si tratta?; **s'agissant
de** trattandosi di
agitation [aʒitasjɔ̃] *nf* agitazione *f*
agité, e [aʒite] *adj* agitato(-a)
agiter [aʒite] *vt* agitare; (*fig: question,
problème*) discutere, dibattere;
s'agiter *vr* (*aussi fig: Pol*) agitarsi;
"**~ avant l'emploi**" "agitare prima
dell'uso"
agneau [aɲo] *nm* agnello
agonie [agɔni] *nf* (*aussi fig*) agonia
agrafe [agʁaf] *nf* (*de vêtement*)
gancio; (*de bureau*) punto metallico;
(*Méd*) agrafe *f*
agrafer [agʁafe] *vt* agganciare; (*des
feuilles de papier*) cucire (*con cucitrice*)
agrafeuse [agʁaføz] *nf* (*de bureau*)
cucitrice *f*
agrandir [agʁɑ̃diʁ] *vt* ingrandire;
s'agrandir *vr* ingrandirsi; **(faire) ~ sa
maison** (fare) ampliare la propria
casa
agrandissement [agʁɑ̃dismɑ̃] *nm*
ampliamento; (*Photo*) ingrandimento
agréable [agʁeabl] *adj* gradevole,
piacevole
agréé, e [agʁee] *adj*: **magasin/
concessionnaire ~** negozio/
concessionario autorizzato
agréer [agʁee] *vt* (*demande, requête*)
accogliere favorevolmente; **~ à qn**
(*plaire à*) essere gradito(-a) a; **veuillez
~, Monsieur, mes salutations
distinguées** distinti saluti
agrégation [agʁegasjɔ̃] *nf* (*Scol*)
titolo e concorso a cattedra per
l'insegnamento nelle scuole secondarie e
nelle facoltà universitarie
agrégé, e [agʁeʒe] *nm/f* (*Scol*) titolare
dell'*aggrégation*

agrément [agʀemɑ̃] nm (accord) consenso; (attraits) fascino; (plaisir) piacere m; **voyage d'~** viaggio di piacere; **jardin d'~** giardino ornamentale

agresser [agʀese] vt aggredire

agresseur [agʀesœʀ] nm aggressore m

agressif, -ive [agʀesif, iv] adj aggressivo(-a); (couleur) violento(-a)

agricole [agʀikɔl] adj agricolo(-a)

agriculteur, -trice [agʀikyltœʀ, tʀis] nm/f agricoltore(-trice)

agriculture [agʀikyltyʀ] nf agricoltura

agripper [agʀipe] vt afferrare; **s'agripper à** vr aggrapparsi a

agro-alimentaire [agʀoalimɑ̃tɛʀ] (pl **~s**) adj agro-alimentare

agrumes [agʀym] nmpl agrumi mpl

aguets [agɛ]: **aux ~** adv: **être aux ~** essere in agguato

ai [ɛ] vb voir **avoir**

aide [ɛd] nf aiuto, soccorso ■ nm/f assistente m/f, aiutante m/f; **à l'~ de** con l'aiuto di, servendosi di; **à l'~!** aiuto!; **appeler qn à l'~** chiamare qn in aiuto; **appeler à l'~** gridare aiuto; **venir/aller à l'~ de qn** venire/andare in aiuto ou soccorso di qn; **venir en ~ à qn** venire in aiuto di qn; **~ de camp** nm aiutante m di campo; **~ de laboratoire** nm/f assistente m/f di laboratorio; **~ familiale** nf collaboratrice f familiare, diplomata, retribuita dallo Stato per assistere le famiglie bisognose; **~ judiciaire** nf assistenza legale; **~ ménagère** nf collaboratrice f familiare; **~ sociale** nf assistenza sociale; **~ technique** nf assistenza tecnica

aide-éducateur, trice [ɛdedykatœʀ, tʀis] nm/f insegnante m/f di sostegno

aide-mémoire [ɛdmemwaʀ] nm inv tavola sinottica

aider [ede] vt aiutare; **s'aider de** vr aiutarsi con, servirsi di; **~ qn à faire qch** aiutare qn a fare qc; **~ à** facilitare, favorire; **pouvez-vous m'~?** può aiutarmi?

aide-soignant, e [ɛdswaɲɑ̃, ɑ̃t] (mpl **aides-soignants**, fpl **aides-soignantes**) nm/f aiuto-infermiere(-a)

aie etc [ɛ] vb voir **avoir**

aïe [aj] excl ahi!

aigle [ɛgl] nm aquila

aigre [ɛgʀ] adj aspro(-a), acido(-a); **tourner à l'~** (discussion) degenerare

aigre-doux, -douce [ɛgʀədu, dus] (mpl **aigres-doux**, fpl **aigres-douces**) adj agrodolce

aigreur [ɛgʀœʀ] nf acidità; (d'un propos) asprezza; **~s d'estomac** acidità di stomaco

aigu, -uë [egy] adj acuto(-a); (objet, arête) aguzzo(-a), acuminato(-a)

aiguille [eguij] nf ago; (de réveil, montre, compteur) lancetta; (montagne) picco; **~ à tricoter** ferro da maglia ou da calza

aiguiser [egize] vt affilare; (fig: appétit) stuzzicare; (: esprit) aguzzare; (: douleur, désir) acuire

ail [aj] nm aglio

aile [ɛl] nf ala; (de moulin) pala; (de voiture) fiancata; **battre de l'~** (fig) essere mal messo(-a); **voler de ses propres ~s** volare con le proprie ali; **~ libre** deltaplano

ailier [elje] nm (Sport) ala; **~ droit/gauche** ala destra/sinistra

aille etc [aj] vb voir **aller**

ailleurs [ajœʀ] adv altrove; **partout/nulle part ~** in qualsiasi/nessun altro posto; **d'~** del resto, d'altronde; **par ~** peraltro

aimable [ɛmabl] adj garbato(-a), cortese; **vous êtes bien ~** molto cortese da parte sua

aimant, e [ɛmɑ̃, ɑ̃t] nm calamita ■ adj affettuoso(-a)

aimer [eme] vt amare; (d'amitié, affection) voler bene a; **s'aimer** vr (v vt) amarsi; volersi bene; **j'aimerais...** mi piacerebbe...; **j'aime faire du ski** mi piace sciare; **j'aime que l'on soit gentil avec moi** mi fa piacere che gli altri siano gentili con me; **bien ~ qn** voler bene a qn; **j'aime bien ton pantalon** mi piacciono i tuoi pantaloni; **aimeriez-vous que je vous accompagne?** desidera che l'accompagni?; **j'aimerais (bien) m'en aller** mi piacerebbe andarmene; **j'aimerais te demander de...** vorrei chiederti di...; **j'aimerais que la porte soit fermée** vorrei che la porta fosse chiusa; **tu aimerais que je fasse quelque chose pour toi?** desideri che faccia qualcosa per te?; **j'aime mieux** ou **autant vous dire que...** preferisco dirle che...; **j'aimerais mieux** ou **autant y aller maintenant** preferirei andarci ora; **j'aime assez aller au cinéma** mi piace abbastanza andare al cinema; **j'aimerais avoir ton avis** desidererei avere il tuo parere; **j'aime mieux Paul que Pierre** mi piace più Paul di Pierre; **j'aime bien Pierre** voglio bene ou sono affezionato a Pierre; **je n'aime pas beaucoup Paul** Paul non mi piace molto

aine [ɛn] nf inguine m

aîné, e [ene] adj più vecchio(-a); (le plus âgé) maggiore ■ nm/f maggiore m/f, primogenito(-a); **aînés** nmpl (fig: anciens) antenati mpl; **il est mon ~ (de 2 ans)** è più vecchio di me (di 2 anni)

ainsi [ɛ̃si] adv, conj così; **~ que** (comme) come; (et aussi) così come; **pour ~ dire** per così dire; **~ donc** (e) così; **~ soit-il** (Rel) così sia; **et ~ de suite** e così via

air [ɛʀ] nm aria; **dans l'~** (atmosphère, ambiance) nell'aria; **mettre une pièce en l'~** buttare all'aria una stanza; **regarder/tirer en l'~** guardare/ sparare in aria; **parole/menace en l'~** parole fpl/minacce fpl campate in aria; **prendre l'~** prendere aria; **en plein ~** all'aria aperta; **courant d'~** corrente f d'aria; **mal de l'~** mal m d'aria; **être tête en l'~** avere la testa tra le nuvole; **~ comprimé/conditionné** aria compressa/condizionata; **~ liquide** aria liquida

airbag [ɛʀbag] nm (Auto) airbag m inv

aisance [ɛzɑ̃s] nf (facilité) facilità f; (grâce, adresse) naturalezza, spigliatezza; (richesse) agiatezza; (Couture) libertà di movimenti; **être dans l'~** vivere nell'agiatezza

aise [ɛz] nf (confort) agio, comodità f inv; (financière) agi mpl ■ adj: **être bien ~ de/que** essere lieto(-a) di/che; **prendre ses ~s** mettersi comodo(-a); **aimer ses ~s** amare le comodità; **soupirer/frémir d'~** sospirare/ fremere di gioia; **être à l'~** ou **à son ~** essere a proprio agio; (financièrement) essere benestante; **être mal à l'~** ou **à son ~** essere a disagio; **mettre qn à l'~/mal à l'~** mettere qn a proprio agio/a disagio; **se mettre à l'~** mettersi a proprio agio; **à votre ~** come preferisce; **en faire à son ~** fare i propri comodi; **en prendre à son ~ avec qch** prendersela comoda con qc

aisé, e [eze] adj (facile) agevole; (naturel) sciolto(-a), disinvolto(-a); (assez riche) agiato(-a)

aisselle [ɛsɛl] nf ascella

ait [ɛ] vb voir **avoir**

ajonc [aʒɔ̃] nm ginestrone m

ajourner [aʒuʀne] vt rinviare, aggiornare; (candidat) rimandare; (conscrit) dichiarare rivedibile

ajouter [aʒute] vt aggiungere; **~ que** (dire) aggiungere che; **~ foi à** prestar fede a; **~ à** (augmenter, accroître) aumentare, accrescere; **s'ajouter à** vr aggiungersi a

alarme [alaʀm] nf allarme m; **donner l'~** dare l'allarme; **à la première ~** al primo allarme

alarmer [alaʀme] vt allarmare; **s'alarmer** vr allarmarsi

album [albɔm] nm album m inv; (livre) albo; **~ à colorier** album da colorare; **~ de timbres** album di francobolli

alcool [alkɔl] nm alcol m inv; **un ~** un alcolico; **~ à 90°** (Méd) alcol a 90°; **~ à brûler** spirito; **~ de poire/de prune** acquavite f di pere/di prugne

alcoolique [alkɔlik] adj alcolico(-a); (personne) alcolizzato(-a) ■ nm/f alcolista m/f, alcolizzato(-a)

alcoolisé, e [alkɔlize] adj alcolico(-a); **fortement/peu ~** fortemente/poco alcolico(-a)

alcoolisme [alkɔlism] nm alcolismo

alco(o)test® [alkɔtɛst] nm etilometro; (épreuve) test m inv alcolimetrico

aléatoire [aleatwaʀ] adj aleatorio(-a)

alentour [alɑ̃tuʀ] adv intorno; **alentours** nmpl (environs) dintorni mpl; **aux ~s de** (espace) in prossimità di, nelle vicinanze di; (temps) verso, intorno a

alerte [alɛʀt] adj vivace ▪ nf allarme m; **donner l'~** dare l'allarme; **à la première ~** al primo allarme

alerter [alɛʀte] vt (pompiers etc) avvertire; (informer, prévenir: l'opinion) mettere in guardia

algèbre [alʒɛbʀ] nf algebra

Alger [alʒe] n Algeri f

Algérie [alʒeʀi] nf Algeria

algérien, ne [alʒeʀjɛ̃, jɛn] adj algerino(-a) ▪ nm/f: **Algérien, ne** algerino(-a)

algue [alg] nf alga

alibi [alibi] nm alibi m inv

aligner [aliɲe] vt allineare; (équipe) schierare; (idées, chiffres) presentare; **s'aligner** vr allinearsi; **~ qch sur** (adapter) allineare qc a; **s'~ (sur)** (Pol: pays) allinearsi (a)

aliment [alimɑ̃] nm alimento; **~ complet** alimento completo

alimentation [alimɑ̃tasjɔ̃] nf alimentazione f; (approvisionnement) rifornimento; **~ en continu** alimentazione a modulo continuo; **~ feuille à feuille** alimentazione a fogli singoli; **"~ générale"** "alimentari"

alimenter [alimɑ̃te] vt alimentare; **s'alimenter** vr alimentarsi; **~ (en)** (Tech) alimentare (con)

allaiter [alete] vt allattare; **~ au biberon** allattare col biberon

allécher [aleʃe] vt allettare

allée [ale] nf viale m; **allées** nfpl: **~s et venues** andirivieni msg

allégé, e [aleʒe] adj (yaourt etc) magro(-a)

alléger [aleʒe] vt (voiture, chargement) alleggerire; (dette, impôt, souffrance) ridurre; (souffrance) alleviare

Allemagne [almaɲ] nf Germania; **l'~ de l'Est** la Germania orientale ou Est; **l'~ de l'Ouest** la Germania occidentale ou Ovest; **l'~ fédérale** la Repubblica Federale Tedesca

allemand, e [almɑ̃, ɑ̃d] adj tedesco(-a) ▪ nm/f: **Allemand, e** tedesco(-a) ▪ nm (langue) tedesco; **~ de l'Est** (Hist) tedesco(-a) orientale ou dell'Est; **~ de l'Ouest** (Hist) tedesco(-a) occidentale ou de l'Ovest

aller [ale] nm andata ▪ vi andare; (fonction d'auxiliaire): **je vais y ~** ci vado, ci andrò; (progresser): **~ en empirant** andar peggiorando; **s'en ~** (partir) andarsene; **~ faire qch** andare a fare qc; **je vais lui repasser son linge** vado a stirargli la biancheria; **je vais me fâcher** sto per arrabbiarmi; **~ à** (convenir) essere adatto(-a) a; **~ avec** (couleurs, style etc) star bene con; **~ voir/chercher qn** andare a trovare/a prendere qn; **comment allez-vous?, comment ça va?** come sta?; **comment ça va?** (affaires etc) come va?; **il va bien/mal** sta bene/male; **ça va bien/mal** va bene/male; **ça ne va pas sans difficultés** questo comporta inevitabilmente delle difficoltà; **il y va de leur vie** ne va della loro vita; **se laisser ~** lasciarsi andare; **~ à la chasse/pêche** andare a caccia/pesca; **~ au théâtre/au concert/au cinéma** andare a teatro/ a un concerto/al cinema; **~ à l'école** andare a scuola; **je vais m'en occuper demain** me ne occuperò domani; **cela me va** (couleur, vêtement) mi sta bene; **ça va? - oui (ça va)!** come va? - non c'è male!; **tout va bien** va tutto bene; **ça ne va pas du tout** non va per niente bene; **ça va** (approuver) va bene; **ça ira** (comme ça) così può andare; **cette robe vous va très bien** questo vestito le sta molto bene; **~ jusqu'à** andare fino a; **ça va de soi** va da sé; **ça va sans dire** va da sé; **il va sans dire que** va da sé ou è chiaro che; **il n'y est pas allé par quatre chemins** è andato dritto allo scopo; **tu y vas un peu fort** esageri un po'; **allons!, allez!** su!, dai!; **allons-y!** forza!, coraggio!; **allons donc!** suvvia!; **~ mieux** (personne) stare meglio; (affaires etc) andare meglio; **je vais mieux** sto meglio; **allez, fais un effort** dài, fai uno sforzo; **allez, je m'en vais** beh, io vado; **allez, au revoir** arrivederci; **~ (simple)** (sola) andata

allergie [alɛʀʒi] nf allergia

allergique [alɛRʒik] *adj* allergico(-a);
je suis ~ à la pénicilline sono allergico
alla penicillina

alliance [aljɑ̃s] *nf* (*Mil, Pol*) alleanza;
(*mariage*) matrimonio; (*bague*) fede *f*,
vera; **neveu par ~** nipote *m* acquisito

allier [alje] *vt* (*aussi fig*) unire;
(*métaux*) legare; **s'allier** *vr* (*pays,
personnes*) allearsi; (*éléments,
caractéristiques*) unirsi, associarsi;
s'~ à allearsi con *ou* a

allô [alo] *excl* pronto!

allocation [alɔkasjɔ̃] *nf* (*d'un prêt*)
assegnazione *f*; (*somme allouée*)
sussidio, indennità *f inv*; **~ (de)
chômage** sussidio di disoccupazione;
~ (de) logement indennità di alloggio;
~ de maternité indennità di maternità;
~s familiales assegni *mpl* familiari

allonger [alɔ̃ʒe] *vt* allungare;
s'allonger *vr* allungarsi; (*personne*)
stendersi; **~ le pas** allungare il passo

allumage [alymaʒ] *nm* (*Auto*)
accensione *f*; (*d'un réacteur*) innesco

allume-cigare [alymsigaR] *nm inv*
accendisigari *m inv*

allumer [alyme] *vt* accendere; **je
n'arrive pas à ~ le chauffage** non
riesco ad accendere il riscaldamento;
(*pièce*) illuminare; **s'allumer** *vr*
accendersi; **~ (la lumière** *ou*
l'électricité) accendere la luce;
~ le/un feu accendere il/un fuoco

allumette [alymɛt] *nf* fiammifero;
~ au fromage (*Culin*) sfogliatina al
formaggio

allure [alyR] *nf* andatura; (*vitesse*)
velocità *f inv*; (*aspect, air*) aria; **avoir
de l'~** aver stile *ou* classe; **à toute ~ a**
tutta velocità

allusion [a(l)lyzjɔ̃] *nf* allusione *f*;
faire ~ à fare allusione a, alludere a

alors [alɔR] *adv, conj* allora; **il habitait
~ à Paris** allora abitava a Parigi;
et ~? e allora?; **~ que** *conj* mentre;
il est arrivé ~ que je partais è
arrivato mentre io partivo; **~ qu'il
était à Paris...** mentre era a Parigi...

alourdir [aluRdiR] *vt* appesantire;
s'alourdir *vr* appesantirsi

Alpes [alp] *nfpl*: **les ~** le Alpi *fpl*

alphabet [alfabɛ] *nm* alfabeto;
(*livre*) sillabario

alpinisme [alpinism] *nm* alpinismo

Alsace [alzas] *nf* Alsazia

alsacien, ne [alzasjɛ̃, jɛn] *adj*
alsaziano(-a) ■ *nm/f*: **Alsacien, ne**
alsaziano(-a)

altermondialiste [altɛRmɔ̃djalist]
adj no-global *inv* ■ *nm/f* no-global
m/f inv, altermondialista *m/f*

alternatif, -ive [altɛRnatif, iv] *adj*
alternativo(-a)

alternative [altɛRnativ] *nf*
alternativa

alterner [altɛRne] *vt* alternare ■ *vi*:
~ (avec qch) alternarsi (con qn)

altitude [altityd] *nf* (*par rapport à la
mer*) altitudine *f*; (*par rapport au sol*)
altezza; **à 500 m d'~** a 500 m di
altezza; **en ~** in quota; **perdre/
prendre de l'~** (*avion*) perdere/
prendere quota; **voler à haute/à
basse ~** (*avion*) volare ad alta/a bassa
quota

alto [alto] *nm* (*instrument*) viola ■ *nf*
(*chanteuse*) contralto

aluminium [alyminjɔm] *nm*
alluminio

amabilité [amabilite] *nf* amabilità,
cortesia; **il a eu l'~ de...** ha avuto la
cortesia di...

amaigrissant, e [amegRisɑ̃, ɑ̃t] *adj*:
régime ~ dieta dimagrante

amande [amɑ̃d] *nf* mandorla;
(*de noyau de fruit*) nocciolo, seme *m*;
en ~ (*yeux*) a mandorla

amandier [amɑ̃dje] *nm* mandorlo

amant [amɑ̃] *nm* amante *m*

amas [ama] *nm* ammasso, cumulo

amasser [amɑse] *vt* ammassare;
s'amasser *vr* ammassarsi; (*preuves*)
accumularsi

amateur [amatœR] *nm* dilettante
m/f, amatore(-trice); **en ~** (*péj*) da
dilettante; **musicien/sportif ~**
musicista *m*/sportivo dilettante; **~ de
musique/sport** appassionato(-a) di
musica/sport

ambassade [ɑ̃basad] *nf* ambasciata;
en ~ (*mission*) in ambasciata, in
delegazione; **secrétaire/attaché d'~**
segretario/addetto d'ambasciata

ambassadeur, -drice [ɑ̃basadœR,
dRis] *nm/f* ambasciatore(-trice)

ambiance [ɑ̃bjɑ̃s] *nf* atmosfera,
ambiente *m*; **il y a de l'~** c'è una bella
atmosfera

ambigu, -uë [ābigy] *adj* ambiguo(-a)
ambitieux, -euse [ābisjø, jøz] *adj*, *nm/f* ambizioso(-a)
ambition [ābisjɔ̃] *nf* ambizione *f*
ambulance [ābylās] *nf* ambulanza; **appelez une ~** chiamate un'ambulanza
ambulancier, -ière [ābylāsje, jɛʀ] *nm/f* autista *m/f* di ambulanza
âme [ɑm] *nf* anima; (*conscience morale*) animo; **un village de 200 ~s** un paesino di 200 anime; **rendre l'~** rendere l'anima a Dio); **joueur/tricheur dans l'~** giocatore *m*/imbroglione *m* nato; **bonne ~** (*aussi iron*) anima pia; **~ sœur** anima gemella
amélioration [ameljɔʀasjɔ̃] *nf* miglioramento
améliorer [ameljɔʀe] *vt* migliorare; **s'améliorer** *vr* migliorare
aménager [amenaʒe] *vt* (*espace, local, terrain*) sistemare; (*territoire*) pianificare; (*transformer*) trasformare
amende [amɑ̃d] *nf* ammenda, multa; **mettre à l'~** punire; **faire ~ honorable** fare ammenda
amener [am(ə)ne] *vt* (*faire venir, apporter, conduire*) portare; (*occasionner*) provocare; (*baisser: drapeau, voiles*) ammainare; **s'amener** *vr* (*fam*) arrivare; **~ qn à qch/à faire** portare qn a qc/a fare
amer, amère [amɛʀ] *adj* (*aussi fig*) amaro(-a)
américain, e [ameʀikɛ̃, ɛn] *adj* americano(-a) ◼ *nm* (*langue*) americano ◼ *nm/f*: **Américain, e** americano(-a); **vedette ~e** *artista che si esibisce prima dello spettacolo principale*
Amérique [ameʀik] *nf* America; **~ centrale/latine** America centrale/latina; **~ du Nord** Nordamerica *m*; **~ du Sud** Sudamerica *m*
amertume [amɛʀtym] *nf* amarezza
ameublement [amœbləmɑ̃] *nm* mobilio, arredamento; **articles d'~** articoli *mpl* d'arredamento; **tissu d'~** tessuto d'arredamento; **papier d'~** carta da parati
ami, e [ami] *nm/f* amico(-a); (*amant, maîtresse*) amico(-a), amante *m/f* ◼ *adj*: **famille ~e** famiglia amica;

pays/groupe ~ paese *m*/gruppo amico; **être (très) ~ avec qn** essere (molto) amico(-a) di qn; **être ~ de l'ordre/de la précision** essere amante dell'ordine/della precisione; **un ~ des arts/des chiens** un amico *ou* amante dell'arte/dei cani; **petit ~/petite ~e** (*fam*) ragazzo/ragazza
amiable [amjabl] *adj* amichevole; **à l'~** *adv* (*Jur*) in via amichevole
amiante [amjɑ̃t] *nm* amianto
amical, e, -aux [amikal, o] *adj* amichevole
amicalement [amikalmɑ̃] *adv* amichevolmente; **"~"** (*formule épistolaire*) "cordiali saluti"
amincir [amɛ̃siʀ] *vt* (*objet*) assottigliare; (*personne*) snellire; **s'amincir** *vr* (*objet*) assottigliarsi; (*personne*) snellirsi
amincissant, e [amɛ̃sisā, āt] *adj* (*régime, crème*) dimagrante
amiral, -aux [amiʀal, o] *nm* ammiraglio
amitié [amitje] *nf* amicizia; **prendre en ~** affezionarsi a; **avoir de l'~ pour qn** provare amicizia per qn; **faire** *ou* **présenter ses ~s à qn** portare *ou* porgere i propri (cordiali) saluti a qn; **"~s"** (*formule épistolaire*) "(cordiali) saluti"
amonceler [amɔ̃s(ə)le] *vt* ammucchiare; (*fig: travail, fortune*) accumulare; **s'amonceler** *vr* ammucchiarsi; (*nuages, fig*) accumularsi
amont [amɔ̃] *adv*: **en ~** (*aussi fig*) a monte; **en ~ de** a monte di ◼ *prép* a monte di
amorce [amɔʀs] *nf* (*sur un hameçon*) pastura, esca; (*d'une cartouche, d'un obus*) innesco, detonatore *m*; (*tube*) capsula; (: *contenu*) carica; (*fig: début*) avvio, inizio
amortir [amɔʀtiʀ] *vt* (*choc, bruit, douleur*) attutire; (*Comm*) ammortare, ammortizzare; **~ un abonnement** ammortizzare un abbonamento
amortisseur [amɔʀtisœʀ] *nm* ammortizzatore *m*
amour [amuʀ] *nm* amore *m*; (*statuette etc*) amorino; **filer le parfait ~** filare d'amore e d'accordo; **faire l'~** fare l'amore; **un ~ de** un amore di;

l'~ **libre** l'amore libero; ~ **platonique** amore platonico

amoureux, -euse [amuʀø, øz] *adj* amoroso(-a); (*tempérament*) passionale; (*vie, problèmes*) amoroso(-a), sentimentale ■ *nm/f* innamorato(-a) ■ *nmpl* (*amants*) innamorati *mpl*; **être ~ de** essere innamorato(-a) di; **tomber ~ (de qn)** innamorarsi (di qn); **un ~ des bêtes/de la nature** un amante degli animali/della natura

amour-propre [amuʀpʀɔpʀ] *nm* amor proprio *m*

ampère [ɑ̃pɛʀ] *nm* ampere *m inv*

amphithéâtre [ɑ̃fiteɑtʀ] *nm* (*romain, grec*) anfiteatro; (*Scol*) ≈ aula magna

ample [ɑ̃pl] *adj* ampio(-a)

amplement [ɑ̃pləmɑ̃] *adv* ampiamente; ~ **suffisant** più che sufficiente

ampleur [ɑ̃plœʀ] *nf* ampiezza; (*d'un désastre*) ampiezza, vastità; (*d'une manifestation*) importanza

amplificateur [ɑ̃plifikatœʀ] *nm* amplificatore *m*

amplifier [ɑ̃plifje] *vt* amplificare

ampoule [ɑ̃pul] *nf* (*Élec*) lampadina; (*de médicament*) fiala; (*aux mains, pieds*) vescica

amusant, e [amyzɑ̃, ɑ̃t] *adj* divertente

amuse-gueule [amyzgœl] *nm inv* salatino, stuzzichino

amusement [amyzmɑ̃] *nm* divertimento

amuser [amyze] *vt* divertire; (*détourner l'attention de*) distrarre; **s'amuser** *vr* (*jouer*) giocare; (*s'égayer, se divertir*) divertirsi; **s'~ de qch** trovare qc divertente; **s'~ à faire** divertirsi a fare; **s'~ de qn** divertirsi alle spalle *ou* a spese di qn

amygdale [amidal] *nf* tonsilla; **opérer qn des ~s** operare qn di tonsille

an [ɑ̃] *nm* anno; **être âgé de** *ou* **avoir 3 ans** avere 3 anni; **en l'an 1980** nell'anno 1980, nel 1980; **le jour de l'an, le premier de l'an** il capodanno; **le nouvel an** l'anno nuovo

anabolisant, e [anabɔlizɑ̃] *adj, nm* anabolizzante (*m*)

analphabète [analfabɛt] *nm/f* analfabeta *m/f*

analyse [analiz] *nf* analisi *f inv*; **faire l'~ de** fare l'analisi di; **une ~ approfondie** un'analisi approfondita; **en dernière ~** in ultima analisi; **avoir l'esprit d'~** avere una mente analitica; ~ **grammaticale/logique** analisi grammaticale/logica

analyser [analize] *vt* analizzare; (*Psych*) psicanalizzare

ananas [anana(s)] *nm* ananas *m inv*

anatomie [anatɔmi] *nf* anatomia

ancêtre [ɑ̃sɛtʀ] *nm/f* antenato(-a); **ancêtres** *nmpl* (*aïeux*) antenati *mpl*; **l'~ de** (*fig*) il precursore di

anchois [ɑ̃ʃwa] *nm* acciuga

ancien, ne [ɑ̃sjɛ̃, jɛn] *adj* antico(-a); (*dans une fonction*) anziano(-a); (*précédent, ex-*) ex *inv* ■ *nm* (*mobilier ancien*): **l'~** l'antico ■ *nm/f* anziano(-a); **un ~ ministre** un ex ministro; **mon ~ne voiture** la macchina che avevo prima; **être plus ~ que qn** (*dans la hiérarchie, par l'expérience*) essere più anziano(-a) di qn; ~ **combattant** ex combattente *m*; ~ **(élève)** (*Scol*) ex allievo

ancienneté [ɑ̃sjɛnte] *nf* antichità; (*Admin*) anzianità

ancre [ɑ̃kʀ] *nf* ancora; **jeter/lever l'~** gettare/levare l'ancora; **à l'~** ancorato(-a)

ancrer [ɑ̃kʀe] *vt* (*câble etc*) ancorare; (*fig: idée etc*) radicare, ancorare; **s'ancrer** *vr* (*Naut*) ancorarsi; (*fig*) radicarsi, ancorarsi

Andorre [ɑ̃dɔʀ] *nf* Andorra

andouille [ɑ̃duj] *nf* (*Culin*) salsicciotto di trippa; (*fam*) salame *m* (*péj*)

âne [ɑn] *nm* (*aussi péj*) asino

anéantir [aneɑ̃tiʀ] *vt* annientare, distruggere

anémie [anemi] *nf* anemia

anémique [anemik] *adj* anemico(-a)

anesthésie [anɛstezi] *nf* anestesia; **sous ~** sotto anestesia; ~ **générale/locale** anestesia totale/locale

ange [ɑ̃ʒ] *nm* (*aussi fig*) angelo; **être aux ~s** essere al settimo cielo; ~ **gardien** (*aussi fig*) angelo custode

angine [ɑ̃ʒin] *nf* angina; ~ **de poitrine** angina pectoris

anglais, e [ãglɛ, ɛz] adj inglese
■ nm (langue) inglese ■ nm/f:
Anglais, e inglese m/f; **anglaises**
nfpl (cheveux) boccoli mpl; **filer à l'~e**
andarsene ou filarsela all'inglese;
à l'~e (Culin) all'inglese

angle [ãgl] nm angolo; (prise de vue)
angolazione f; (fig: point de vue)
angolazione f, prospettiva; **~ aigu/
obtus** angolo acuto/ottuso; **~ droit**
angolo retto; **~ mort** angolo morto

Angleterre [ãglətɛʀ] nf Inghilterra

anglophone [ãglɔfɔn] adj
anglofono(-a)

angoisse [ãgwas] nf angoscia;
avoir des ~s essere angosciato(-a)

angoissé, e [ãgwase] adj
angosciato(-a)

anguille [ãgij] nf anguilla; **il y a ~
sous roche** (fig) gatta ci cova; **~ de
mer** gongro

animal, e, -aux [animal, o] adj
animale ■ nm animale m; (fam)
animale, bestia; **~ domestique/
sauvage** animale domestico/
selvatico

animateur, -trice [animatœʀ, tʀis]
nm/f animatore(-trice); (de télévision,
music-hall) presentatore(-trice)

animation [animasjɔ̃] nf (aussi Ciné)
animazione f; **animations** nfpl
(activités) attività fsg

animé, e [anime] adj animato(-a)

animer [anime] vt animare;
(sentiment etc) infondere; **s'animer** vr
animarsi

anis [ani(s)] nm (Bot, Culin) anice m

ankyloser [ãkiloze] vr: **s'ankyloser**
anchilosarsi

anneau, x [ano] nm anello;
anneaux nmpl (Sport) anelli mpl;
exercices aux ~x esercizi mpl agli
anelli

année [ane] nf anno; **souhaiter la
bonne ~ à qn** augurare (il) buon anno
a qn; **tout au long de l'~** per tutto
l'anno; **d'une ~ à l'autre** da un anno
all'altro; **d'~ en ~** di anno in anno;
l'~ scolaire/fiscale l'anno scolastico/
fiscale

annexe [anɛks] adj (problème)
connesso(-a), annesso(-a);
(document) allegato(-a); (salle)
attiguo(-a), contiguo(-a) ■ nf

(bâtiment) dépendance f inv, annessi
mpl; (de document, ouvrage) allegato

anniversaire [anivɛʀsɛʀ] adj:
fête/jour ~ anniversario ■ nm
compleanno; (d'un événement,
bâtiment) anniversario

annonce [anɔ̃s] nf annuncio;
(Bridge) dichiarazione f;
~ (publicitaire) annuncio
(pubblicitario), inserzione f;
les petites ~s gli annunci economici

annoncer [anɔ̃se] vt annunciare;
(Bridge) dichiarare; **s'annoncer** vr:
s'~ bien/difficile preannunciarsi
bene/difficile; **~ la couleur** (fig)
mettere le carte in tavola; **je vous
annonce que...** le annuncio che...

annuaire [anɥɛʀ] nm annuario;
~ électronique ≈ pagine fpl gialle
elettroniche; **~ téléphonique** elenco
telefonico

annuel, le [anɥɛl] adj annuale

annulation [anylasjɔ̃] nf
annullamento

annuler [anyle] vt annullare;
s'annuler vr annullarsi; **je voudrais
~ ma réservation** vorrei disdire la mia
prenotazione

anonymat [anɔnima] nm
anonimato; **garder l'~** mantenere
l'anonimato

anonyme [anɔnim] adj anonimo(-a)

anorak [anɔrak] nm giacca a vento

anormal, e, -aux [anɔrmal, o] adj
anormale; (injuste) assurdo(-a)
■ nm/f anormale m/f

ANPE [aɛnpe] sigle f = Agence nationale
pour l'emploi

antarctique [ãtarktik] adj
antartico(-a) ■ nm: **l'A~** l'Antartide f;
le cercle ~ il circolo antartico; **l'océan
A~** l'oceano antartico

antenne [ãtɛn] nf antenna; (poste
avancé) avamposto; (petite succursale
ou agence) sede f distaccata; **sur l'~** in
onda; **avoir l'~** essere in onda; **passer
à l'~** andare in onda; **prendre l'~**
prendere la linea; **2 heures d'~** 2 ore di
trasmissione; **hors ~** non in onda;
~ chirurgicale (Mil) avamposto
(medico); **~ parabolique** antenna
parabolica

antérieur, e [ãterjœr] adj anteriore;
~ à anteriore a; **passé ~** (Ling)

trapassato remoto; **futur ~** (*Ling*)
futuro anteriore

antialcoolique [ɑ̃tialkɔlik] *adj*
antialcolico(-a); **ligue ~** lega
antialcolica

antibiotique [ɑ̃tibjɔtik] *nm*
antibiotico ▪ *adj* antibiotico(-a)

antibrouillard [ɑ̃tibʀujaʀ] *adj*:
phare ~ faro *m* antinebbia *inv*

anticipation [ɑ̃tisipasjɔ̃] *nf*
anticipazione *f*; **par ~** (*Comm*:
rembourser etc) in anticipo; **livre/film
d'~** libro/film di fantascienza

anticipé, e [ɑ̃tisipe] *adj* (*règlement,
paiement*) anticipato(-a); (*joie etc*)
pregustato(-a); **avec mes
remerciements ~s** ringraziando
anticipatamente

anticiper [ɑ̃tisipe] *vt* anticipare;
(*prévoir*) prevedere, anticipare ▪ *vi*:
n'anticipons pas non anticipiamo i
tempi; **~ sur** fare anticipazioni su

anticorps [ɑ̃tikɔʀ] *nm* anticorpo

antidopage ['anti'doupiŋ] *adj*
(*Sport*) antidoping *inv*

antidote [ɑ̃tidɔt] *nm* antidoto

antigel [ɑ̃tiʒɛl] *nm* antigelo

antihistaminique [ɑ̃tiistaminik]
nm antistaminico

antillais, e [ɑ̃tijɛ, ɛz] *adj*
antillano(-a) ▪ *nm/f*: **Antillais, e**
antillano(-a)

Antilles [ɑ̃tij] *nfpl* Antille *fpl*; **les
grandes/petites ~** le grandi/piccole
Antille

antilope [ɑ̃tilɔp] *nf* antilope *f*

antimite(s) [ɑ̃timit] *adj*
antitarmico(-a) ▪ *nm* antitarmico

antimondialisation
[ɑ̃timɔ̃djalizasjɔ̃] *nf*
antiglobalizzazione *f*

antipathique [ɑ̃tipatik] *adj*
antipatico(-a)

antipelliculaire [ɑ̃tipelikylɛʀ] *adj*
antiforfora *inv*

antiquaire [ɑ̃tikɛʀ] *nm/f*
antiquario(-a)

antique [ɑ̃tik] *adj* antico(-a);
(*démodé*) antiquato(-a)

antiquité [ɑ̃tikite] *nf* antichità *f inv*;
(*péj*) anticaglia; **l'A~** (*Histoire*)
l'antichità; **magasin/marchand d'~s**
negozio/commerciante *m* di
antichità *ou* d'antiquariato

antirabique [ɑ̃tiʀabik] *adj*
antirabbico(-a)

antirouille [ɑ̃tiʀuj] *adj inv*: **peinture
~** vernice *f* antiruggine *inv*;
traitement ~ trattamento *m*
antiruggine *inv*

antisémite [ɑ̃tisemit] *adj, nm/f*
antisemita *m/f*

antiseptique [ɑ̃tisɛptik] *adj*
antisettico(-a) ▪ *nm* antisettico

antivirus [anti'viʀus] *nm* antivirus
m inv

antivol [ɑ̃tivɔl] *adj* (*dispositif*)
antifurto *inv* ▪ *nm* antifurto; (*pour
vélo*) lucchetto

anxieux, -euse [ɑ̃ksjø, jøz] *adj*
ansioso(-a); **être ~ de faire** essere
ansioso(-a) di fare

AOC [aose] *sigle f* (= *Appellation
d'origine contrôlée*) ≈ DOC

août [u(t)] *nm* agosto; *voir aussi*
juillet

apaiser [apeze] *vt* placare; **s'apaiser**
vr placarsi

apercevoir [apɛʀsəvwaʀ] *vt*
scorgere, intravedere; (*constater,
percevoir*) cogliere, vedere; **s'~ de/que**
accorgersi di/che; **sans s'en ~** senza
accorgersene

aperçu [apɛʀsy] *pp de* **apercevoir**
▪ *nm* panoramica, quadro

apéritif, -ive [apeʀitif, iv] [apeʀitif]
adj che stimola l'appetito ▪ *nm*
aperitivo; **prendre l'~** prendere
l'aperitivo

à-peu-près [apøpʀɛ] (*péj*) *nm inv*
approssimazione *f*

apeuré, e [apœʀe] *adj* impaurito(-a)

aphte [aft] *nm* afta

apitoyer [apitwaje] *vt* impietosire;
s'apitoyer *vr* impietosirsi; **s'~ (sur
qch)** impietosirsi (per qc); **s'~ sur qn**
impietosirsi per la sorte di qn, avere
pietà di qn; **~ qn sur qch** impietosire
qn per qc; **~ qn sur qn** far provare a qn
pietà per qn

aplatir [aplatiʀ] *vt* (*fig*: *vaincre,
écraser*) schiacciare; **s'aplatir** *vr*
(*devenir plus plat*) appiattirsi; (*être
écrasé*) schiacciarsi; (*fig*) distendersi
(per terra); (: *fam*) cadere lungo(-a)
disteso(-a); (: *péj*) strisciare;
s'~ contre (*fam*: *entrer en collision*)
spiaccicarsi contro

aplomb [aplɔ̃] nm (*Tech*) appiombo; (*fig*) aplomb m, sicurezza; (*péj*) faccia tosta ◾ adv (*Constr*) a piombo, a perpendicolo; **d'~** in equilibrio

apostrophe [apɔstrɔf] nf (*signe*) apostrofo; (*interpellation*) apostrofe f

apparaître [aparɛtr] vi apparire; (*avec attribut*) apparire, sembrare; **il apparaît que** risulta che; **il m'apparaît que** mi risulta che

appareil [aparɛj] nm apparecchio; (*politique*, *syndical*) apparato; **qui est à l'~?** chi parla?; **dans le plus simple ~** in costume adamitico; **~ digestif/reproducteur** apparato digestivo/riproduttore; **~ photographique** o **photo** macchina fotografica; **~ (photo) numérique** fotocamera digitale; **~ productif** apparato produttivo

appareiller [apareje] vi (*Naut*) salpare ◾ vt appaiare

apparemment [aparamɑ̃] adv apparentemente

apparence [aparɑ̃s] nf apparenza; **malgré les ~s** malgrado le apparenze; **en ~** in apparenza

apparent, e [aparɑ̃, ɑ̃t] adj (*visible*) apparente; (*évident*) appariscente; **coutures ~es** cuciture fpl in risalto; **poutres/pierres ~es** travi fpl/pietre fpl a vista

apparenté, e [aparɑ̃te] adj (*aussi fig*) imparentato(-a) con

apparition [aparisjɔ̃] nf apparizione f, comparsa; (*surnaturelle*) apparizione f; **faire une ~** fare un'apparizione; **faire son ~** fare la propria comparsa

appartement [apartəmɑ̃] nm appartamento

appartenir [apartənir]: **~ à** vt appartenere a; **il lui appartient de...** tocca ou spetta a lui...; **il ne m'appartient pas de (faire)** non tocca ou spetta a me (fare)

apparu, e [apary] pp de **apparaître**

appât [apɑ] nm (*aussi fig*) esca

appel [apɛl] nm (*aussi Scol, Jur*) appello; (*cri*) richiamo; (*Mil: recrutement*) chiamata; **faire ~ à** fare appello a; **faire** ou **interjeter ~** (*Jur*) ricorrere in appello; **faire l'~** (*Mil, Scol*) fare l'appello; **sans ~** (*fig*) senza

appello; **faire un ~ de phares** lampeggiare; **indicatif d'~** segnale m di chiamata; **numéro d'~** (*Tél*) numero; **~ d'air** tiraggio, presa d'aria; **~ d'offres** (*Comm*) gara di appalto; **~ (téléphonique)** chiamata (telefonica)

appelé [ap(ə)le] nm (*Mil*) soldato di leva

appeler [ap(ə)le] vt chiamare; (*fig: nécessiter*) richiedere; **s'appeler** vr chiamarsi; **~ qn à l'aide** ou **au secours** chiamare in aiuto qn; **~ qn à un poste/des fonctions** chiamare qn a ricoprire un posto/delle funzioni; **être appelé à** (*fig*) essere chiamato(-a) a; **~ qn à comparaître** (*Jur*) citare qn in giudizio; **en ~ à qn/qch** fare appello a qn/qc; **comment ça s'appelle?** come si chiama (questo)?; **il s'appelle** si chiama; **je m'appelle** mi chiamo; **comment vous appelez-vous?** come si chiama?; **~ police-secours** ≈ chiamare il 113; **ça s'appelle un(e)...** si chiama...

appendicite [apɛ̃disit] nf appendicite f

appesantir [apəzɑ̃tir] vr: **s'appesantir** appesantirsi; **s'~ sur** (*fig*) insistere troppo su

appétissant, e [apetisɑ̃, ɑ̃t] adj appetitoso(-a)

appétit [apeti] nm appetito; **avoir un gros/petit ~** avere molto/poco appetito; **couper l'~ de qn** togliere l'appetito a qn; **bon ~!** buon appetito!

applaudir [aplodir] vt, vi applaudire; **~ à** (*décision, mesure, projet*) plaudire a; **~ à tout rompre** applaudire fragorosamente

applaudissements [aplodismɑ̃] nmpl applausi mpl

application [aplikasjɔ̃] nf applicazione f; **mettre en ~** applicare; **avec ~** con applicazione

appliquer [aplike] vt applicare; (*gifle, châtiment*) appioppare, affibbiare; **s'appliquer** vr (*élève, ouvrier*) applicarsi; **s'~ à** (*loi, remarque*) riguardare; **s'~ à faire qch** applicarsi a fare qc

appoint [apwɛ̃] nm: **avoir/faire l'~** (*en payant*) avere/dare i soldi giusti;

d'~ (salaire, travail) integrativo(-a);
(chauffage, lampe) supplementare

apporter [apɔʀte] vt portare;
(preuve) fornire, addurre; (produire:
soulagement) recare, portare; (suj:
remarque: ajouter) fornire

appréciable [apʀesjabl] adj
(important) apprezzabile, notevole

apprécier [apʀesje] vt apprezzare;
(évaluer) valutare

appréhender [apʀeɑ̃de] vt (craindre)
temere; (Jur) arrestare; ~ que/de
faire temere che/di fare

apprendre [apʀɑ̃dʀ] vt (nouvelle,
résultat) sapere; (leçon, texte)
imparare, apprendere; (langue, métier,
fig) imparare; ~ qch à qn informare
qn di qc; ~ à faire qch imparare a fare
qc; ~ à qn à faire qch insegnare a qn a
fare qc; tu me l'apprends! questa è
bella!

apprenti, e [apʀɑ̃ti] nm/f apprendista
m/f; (fig) principiante m/f

apprentissage [apʀɑ̃tisaʒ] nm
apprendistato; (Comm, Scol)
formazione f; faire l'~ de qch (fig)
fare le prime esperienze di qc; école
ou centre d'~ scuola ou centro di
formazione professionale

apprêter [apʀete] vt apprettare;
s'apprêter vr: s'~ à qch prepararsi a
qc; s'~ à faire qch prepararsi ou
apprestarsi a fare qc

appris, e [apʀi, iz] pp de **apprendre**

apprivoiser [apʀivwaze] vt
addomesticare

approbation [apʀɔbasjɔ̃] nf
approvazione f; digne d'~ degno di
approvazione

approcher [apʀɔʃe] vi avvicinarsi
■ vt avvicinare; (objet: rapprocher)
avvicinare, accostare; s'approcher
de vr avvicinarsi a; ~ de (moment,
nombre etc) avvicinarsi a; approchez-
vous si avvicini

approfondir [apʀɔfɔ̃diʀ] vt (aussi fig)
approfondire

approprié, e [apʀɔpʀije] adj: ~ (à)
adeguato(-a) (a), appropriato(-a) (a)

approprier [apʀɔpʀije] vt rendere
appropriato(-a); s'approprier vr
appropriarsi

approuver [apʀuve] vt approvare;
je vous approuve entièrement ha

tutta la mia approvazione; lu et
approuvé letto e approvato

approvisionner [apʀɔvizjɔne] vt
rifornire; (compte bancaire) versare dei
soldi su; ~ qn en rifornire qn di; s'~
dans un certain magasin/au
marché rifornirsi in un certo negozio/
al mercato; s'~ en rifornirsi di

approximatif, -ive [apʀɔksimatif,
iv] adj approssimativo(-a)

appt abr = appartement

appui [apɥi] nm (aussi fig) appoggio,
sostegno; (de fenêtre) davanzale m;
prendre ~ sur appoggiarsi su; point
d'~ punto d'appoggio; à l'~ de a
sostegno di

appuyer [apɥije] vt (soutenir)
sostenere, appoggiare; ~ sur (presser
sur) premere; (fig) insistere su; (suj:
chose) poggiare su; s'~ sur
appoggiarsi su ou a; (fig) basarsi su;
~ sur le champignon dare gas, dare
un'accelerata

après [apʀɛ] prép, adv dopo; 2 heures
~ 2 ore dopo; ~ qu'il est parti dopo
che è partito; ~ avoir fait dopo aver
fatto; courir/crier ~ qn correre/
gridare dietro a qn; être toujours ~
qn (critiquer etc) essere sempre alle
costole di qn; ~ quoi dopo di che;
d'~ (selon) secondo; (œuvre d'art) alla
maniera di; d'~ lui/moi secondo lui/
me; ~ coup in seguito; ~ tout adv
dopo tutto; et (puis) ~! e con questo?

après-demain [apʀɛdmɛ̃] adv
dopodomani

après-midi [apʀɛmidi] nm ou f inv
pomeriggio

après-rasage [apʀɛʀazaʒ] (pl ~s)
nm: lotion ~ dopobarba m inv

après-shampooing [apʀɛʃɑ̃pwɛ̃]
nm inv balsamo

après-ski [apʀɛski] (pl ~s) nm
doposcì m inv

après-soleil [apʀɛsɔlɛj] adj, nm
doposole (m) inv

apte [apt] adj: ~ (à) adatto(-a) (a);
~ (au service) (Mil) idoneo(-a) (al
servizio)

aquagym [akwaʒm] nf aquagym f

aquarelle [akwaʀɛl] nf acquerello

aquarium [akwaʀjɔm] nm acquario

arabe [aʀab] adj arabo(-a) ■ nm/f:
Arabe arabo(-a) ■ nm (langue) arabo

Arabie [aʀabi] nf Arabia; **l'~ Saoudite** l'Arabia Saudita
arachide [aʀaʃid] nf arachide f
araignée [aʀeɲe] nf ragno; **~ de mer** grancevola
arbitraire [aʀbitʀɛʀ] adj arbitrario(-a)
arbitre [aʀbitʀ] nm arbitro
arbitrer [aʀbitʀe] vt arbitrare
arbre [aʀbʀ] nm (Bot, Tech) albero; **~ à cames** albero a camme; **~ de Noël** albero di Natale; **~ de transmission** albero di trasmissione; **~ fruitier** albero da frutto; **~ généalogique** albero genealogico
arbuste [aʀbyst] nm arbusto
arc [aʀk] nm arco; **~ de cercle** semicerchio; **en ~ de cercle** a semicerchio; **A~ de triomphe** Arco di trionfo
arcade [aʀkad] nf arcata; **arcades** nfpl (d'un pont etc) arcate fpl; (d'une rue) portici mpl; **~ sourcilière** arcata sopracciliare
arc-en-ciel [aʀkɑ̃sjɛl] (pl **arcs-en-ciel**) nm arcobaleno
arche [aʀʃ] nf (Archit) arcata; **~ de Noé** arca di Noè
archéologie [aʀkeɔlɔʒi] nf archeologia
archéologue [aʀkeɔlɔg] nm/f archeologo(-a)
archet [aʀʃɛ] nm (Mus) archetto
archipel [aʀʃipɛl] nm arcipelago
architecte [aʀʃitɛkt] nm architetto; (fig) artefice m
architecture [aʀʃitɛktyʀ] nf architettura
archives [aʀʃiv] nfpl archivio msg
arctique [aʀktik] adj artico(-a) ■ nm: **l'A~** l'Artico; **le cercle ~** il circolo artico; **l'océan A~** l'oceano Artico
ardent, e [aʀdɑ̃, ɑ̃t] adj ardente; (lutte) acceso(-a)
ardoise [aʀdwaz] nf ardesia; (d'écolier) lavagnetta; **avoir une ~** (fig) avere un debito
ardu, e [aʀdy] adj arduo(-a); (pente) ripido(-a)
arène [aʀɛn] nf arena; **arènes** nfpl (de corrida) arena fsg
arête [aʀɛt] nf (de poisson) lisca; (d'une montagne) crinale m; (d'un solide etc) spigolo; (Constr) colmo

argent [aʀʒɑ̃] nm (métal, couleur) argento; (monnaie) denaro, soldi mpl; **en avoir pour son ~** spendere bene il proprio denaro ou i propri soldi; **gagner beaucoup d'~** guadagnare molto denaro ou molti soldi; **changer de l'~** cambiare del denaro ou dei soldi; **je n'ai pas d'~** non ho soldi; **~ comptant** denaro contante; **~ de poche** soldi per le piccole spese; **~ liquide** denaro liquido
argenterie [aʀʒɑ̃tʀi] nf argenteria
argentin, e [aʀʒɑ̃tɛ̃, in] adj argentino(-a) ■ nm/f: **Argentin, e** argentino(-a)
Argentine [aʀʒɑ̃tin] nf Argentina
argile [aʀʒil] nf argilla
argot [aʀgo] nm gergo
argotique [aʀgɔtik] adj gergale
argument [aʀgymɑ̃] nm argomentazione f; (sommaire) sunto
argumenter [aʀgymɑ̃te] vi argomentare
aride [aʀid] adj arido(-a)
aristocratie [aʀistɔkʀasi] nf aristocrazia
aristocratique [aʀistɔkʀatik] adj aristocratico(-a)
arithmétique [aʀitmetik] adj aritmetico(-a) ■ nf aritmetica
arme [aʀm] nf (aussi fig) arma; **armes** nfpl (blason) arme fsg; **à ~s égales** ad armi pari; **ville/peuple en ~s** città/popolo in armi; **passer par les ~s** passare per le armi; **prendre/ présenter les ~s** prendere/ presentare le armi; **~ blanche/à feu** arma bianca/da fuoco; **~s de destruction massive** armi di distruzione di massa
armée [aʀme] nf (Mil: fig) esercito; **~ de l'air** aeronautica militare; **~ de terre** esercito; **~ du Salut** esercito della salvezza
armer [aʀme] vt armare; (appareil-photo) caricare; **~ qch/qn de** (renforcer) armare qc/qn di; **s'~ de** (aussi fig) armarsi di
armistice [aʀmistis] nm armistizio; **l'A~** l'Armistizio
armoire [aʀmwaʀ] nf armadio; **~ à glace** armadio a specchi; **~ à pharmacie** armadietto dei medicinali

armure [aʀmyʀ] nf armatura
armurier [aʀmyʀje] nm armaiolo
arnaque [aʀnak] nf: **de l'~** una truffa
arnaquer [aʀnake] vt: **se faire ~** farsi truffare
arobase [aʀɔbaz] nf chiocciola
aromates [aʀɔmat] nmpl spezie fpl
aromathérapie [aʀɔmateʀapi] nf aromaterapia
aromatisé, e [aʀɔmatize] adj aromatizzato(-a)
arôme [aʀom] nm aroma m
arracher [aʀaʃe] vt (aussi fig) strappare; (clou, dent) estrarre; (herbe, souche) estirpare; **s'arracher** vr (article très recherché) andare a ruba; **~ qch à qn** strappare qc a qn; **~ qn à** (solitude, famille) strappare qn a; **s'~ de** (lieu) staccarsi da; (habitude) liberarsi di
arrangement [aʀɑ̃ʒmɑ̃] nm sistemazione f; (compromis) accordo; (Mus) arrangiamento
arranger [aʀɑ̃ʒe] vt sistemare; (voyage, rendez-vous) organizzare; (Mus) arrangiare; (convenir à): **cela m'arrange** mi sta bene; **s'arranger** vr (se mettre d'accord) mettersi d'accordo; (querelle) risolversi; (situation) aggiustarsi; **s'~ pour que** fare in modo che; **je vais m'~** mi arrangerò; **ça va s'~** la cosa si sistemerà; **s'~ pour faire** vedere di riuscire a fare; **si cela peut vous ~** se può andarvi bene
arrestation [aʀɛstasjɔ̃] nf arresto
arrêt [aʀɛ] nm arresto; (de bus etc) fermata; (Jur: décision) sentenza; (Football) stop m inv; **arrêts** nmpl (Mil) arresti mpl; **être à l'~** stare fermo(-a); **rester** ou **tomber en ~ devant...** stare in ammirazione davanti a...; **sans ~** senza sosta; **~ d'autobus** fermata d'autobus; **~ de mort** sentenza capitale ou di morte; **~ de travail** sospensione f del lavoro; **~ facultatif** fermata facoltativa
arrêter [aʀete] vt fermare; (chauffage etc) spegnere; (compte) chiudere; (date, choix) fissare; (suspect, criminel) arrestare; **s'arrêter** vr fermarsi; (pluie, bruit) smettere; **~ de faire qch** smettere di

fare qc; **arrête de te plaindre** smettila di lamentarti; **s'~ sur** (suj: regard) fermarsi su; (: choix) cadere su; **s'~ court** ou **net** fermarsi di colpo; **arrêtez-vous ici/au coin, s'il vous plaît** si fermi qui/all'angolo per favore
arrhes [aʀ] nfpl caparra fsg
arrière [aʀjɛʀ] adj inv posteriore ■ nm (d'une voiture, maison) retro; (Sport) terzino; **arrières** nmpl (fig): **protéger ses ~s** guardarsi le spalle; **à l'~** (derrière) dietro; **en ~** (regarder) indietro; (tomber, aller) all'indietro; **en ~ de** (derrière) dietro a
arrière-goût [aʀjɛʀgu] (pl ~s) nm sapore m; (de vin) retrogusto
arrière-pays [aʀjɛʀpei] nm inv entroterra m inv
arrière-pensée [aʀjɛʀpɑ̃se] (pl ~s) nf secondo fine; **sans ~s** senza scopi reconditi
arrière-plan [aʀjɛʀplɑ̃] (pl ~s) nm sfondo; **à l'~** (fig) in secondo piano
arrière-saison [aʀjɛʀsezɔ̃] (pl ~s) nf autunno inoltrato
arrimer [aʀime] vt stivare
arrivage [aʀivaʒ] nm (di merci) arrivi mpl
arrivée [aʀive] nf arrivo; (ligne d'arrivée) arrivo, traguardo; **à mon ~** al mio arrivo; **courrier à l'~** posta in arrivo; **~ d'air** (Tech) presa d'aria; **~ de gaz** apertura di immissione del gas
arriver [aʀive] vi arrivare; (événement, fait) succedere, accadere; **~ à** (atteindre) arrivare a; **~ à faire qch** riuscire a fare qc; **j'arrive!** arrivo!; **il arrive à Paris à 8 h** arriva a Parigi alle 8; **à quelle heure arrive le train de Rome?** a che ora arriva il treno da Roma?; **~ à destination** arrivare a destinazione; **il arrive que...** succede che...; **il lui arrive de faire** gli capita di fare; **je n'y arrive pas** non ci riesco; **~ à échéance** scadere; **en ~ à faire** essere arrivato(-a) al punto di fare
arrogance [aʀɔgɑ̃s] nf arroganza
arrogant, e [aʀɔgɑ̃, ɑ̃t] adj arrogante
arrondissement [aʀɔ̃dismɑ̃] nm circoscrizione f (amministrativa)

ARRONDISSEMENT

Parigi, Lione e Marsiglia sono
suddivise in distretti numerati
chiamati *arrondissements*.

arroser [aʀoze] *vt* annaffiare,
innaffiare; (*Culin*, *Géo*: *fig*) bagnare
arrosoir [aʀozwaʀ] *nm* annaffiatoio
arsenal, -aux [aʀsənal, o] *nm* (*aussi
fig*) arsenale *m*
art [aʀ] *nm* arte *f*; **avoir l'~ de faire**
(*fig*) avere l'arte di fare; **livre/critique
d'~** libro/critico d'arte; **les ~s et
métiers** le arti e i mestieri;
~ dramatique arte drammatica;
~s ménagers arti domestiche;
~s plastiques arti figurative
artère [aʀtɛʀ] *nf* (*Anat, rue*) arteria
arthrite [aʀtʀit] *nf* artrite *f*
artichaut [aʀtiʃo] *nm* carciofo
article [aʀtikl] *nm* articolo; **à l'~
de la mort** in punto di morte;
~ défini/indéfini articolo
determinativo/indeterminativo;
~ de fond articolo di fondo; **~s de
bureau** articoli da ufficio; **~s de
voyage** articoli da viaggio
articulation [aʀtikylasjɔ̃] *nf* (*aussi
fig*) articolazione *f*
articuler [aʀtikyle] *vt* (*mot, phrase*)
articolare; (*pièce, élément*) snodare;
s'articuler *vr* articolarsi; **s'~ autour
de** (*fig*) articolarsi intorno a
artificiel, le [aʀtifisjɛl] *adj*
artificiale
artisan [aʀtizɑ̃] *nm* artigiano;
l'~ de la victoire/du malheur
l'artefice della vittoria/della
disgrazia
artisanal, e, -aux [aʀtizanal, o] *adj*
artigianale
artisanat [aʀtizana] *nm* artigianato
artiste [aʀtist] *nm/f* (*aussi fig*)
artista *m/f*
artistique [aʀtistik] *adj* artistico(-a)
as [vb ɑ, *nm* ɑs] *vb voir* **avoir** ■ *nm*
(*carte, personne*) asso
ascenseur [asɑ̃sœʀ] *nm*
ascensore *m*
ascension [asɑ̃sjɔ̃] *nf* ascensione *f*;
(*d'un ballon etc*) ascesa; (*île de*) **l'A~**
(isola di) Ascensione; **l'A~** (*Rel*)
l'Ascensione

ASCENSION

La *fête de l'Ascension*, che cade di
giovedì, normalmente in maggio,
è un giorno di festa in Francia.
Molti francesi si prendono un
giorno di festa, il venerdì, e fanno
ponte fino alla domenica
successiva.

asiatique [azjatik] *adj* asiatico(-a)
■ *nm/f*: **Asiatique** asiatico(-a)
Asie [azi] *nf* Asia
asile [azil] *nm* (*refuge, abri*) asilo,
rifugio; (*pour malades mentaux*)
manicomio; (*pour vieillards*) ospizio;
droit d'~ (*Pol*) diritto d'asilo;
accorder l'~ politique à qn
concedere l'asilo politico a qn;
chercher/trouver ~ quelque part
cercare/trovare rifugio da qualche
parte
aspect [aspɛ] *nm* aspetto; **à l'~ de...**
alla vista di...
asperge [aspɛʀʒ] *nf* asparago
asperger [aspɛʀʒe] *vt* spruzzare
asphalte [asfalt] *nm* asfalto
asphyxier [asfiksje] *vt* asfissiare,
soffocare; (*fig*: *pays, économie*)
soffocare; **mourir asphyxié** morire
asfissiato
aspirateur [aspiʀatœʀ] *nm*
(*électroménager*) aspirapolvere *m inv*;
(*Tech*) aspiratore *m*
aspirer [aspiʀe] *vt*: **~ (à)** aspirare (a);
~ à faire aspirare a fare
aspirine [aspiʀin] *nf* aspirina
assagir [asaʒiʀ] *vt* rendere
ragionevole; **s'assagir** *vr* mettere
giudizio
assaisonnement [asɛzɔnmɑ̃] *nm*
condimento
assaisonner [asɛzɔne] *vt* condire;
bien assaisonné ben condito
assassin [asasɛ̃] *nm* assassino
assassiner [asasine] *vt* assassinare
assaut [aso] *nm* (*Mil*: *fig*) assalto;
prendre d'~ prendere d'assalto;
donner l'~ (à) dare l'assalto (a);
faire ~ de (*rivaliser*) gareggiare in
assécher [aseʃe] *vt* prosciugare
assemblage [asɑ̃blaʒ] *nm* raccolta;
(*menuiserie*) montaggio; **un ~ de** (*fig*)
un insieme di

assemblée [asãble] nf (réunion, Pol) assemblea; (public, assistance) pubblico; ~ **des fidèles** (Rel) assemblea dei fedeli; ~ **générale** assemblea generale; **A~ nationale** ≈ Camera dei deputati

assembler [asãble] vt mettere insieme, riunire; (Tech) assemblare; (voiture, meuble) montare; (amasser) riunire; **s'assembler** vr (personnes) riunirsi

asseoir [aswaʀ] vt mettere a sedere; (autorité, réputation) consolidare; **s'asseoir** vr sedersi; **faire ~ qn** far sedere qn; ~ **qch sur** (aussi fig) basare qc su; (appuyer) appoggiare qc su

assez [ase] adv abbastanza; ~! basta (così)!; ~/**pas ~ cuit** abbastanza/non abbastanza cotto; **est-il ~ fort/ rapide?** è abbastanza forte/rapido?; **il est passé ~ vite** è passato abbastanza in fretta; ~ **de pain/ livres** abbastanza pane/libri; **vous en avez ~** ne avete abbastanza; **en avoir ~ de qch** (en être fatigué) averne abbastanza di qc

FAUX AMIS
assez ne se traduit pas par le mot italien **assai**.

assidu, e [asidy] adj assiduo(-a); (élève, employé) ligio(-a)

assied etc [asje] vb voir **asseoir**

assiérai etc [asjeʀe] vb voir **asseoir**

assiette [asjɛt] nf piatto; (d'un navire) assetto; (d'une colonne) fondamento; ~ **à dessert** piatto da dessert; ~ **anglaise** (Culin) piatto freddo; ~ **creuse/plate** piatto fondo/piano; ~ **de l'impôt** imponibile m

assimiler [asimile] vt (aussi fig) assimilare; (comparer): ~ **qch/qn à** equiparare qc/qn a; **s'assimiler** vr (s'intégrer) assimilarsi; **ils sont assimilés aux infirmiers** (Admin: classés comme) sono equiparati agli infermieri

assis, e [asi, iz] pp de **asseoir** ■ adj seduto(-a); ~ **en tailleur** seduto a gambe incrociate

assistance [asistãs] nf (public) astanti mpl; (aide) assistenza; **porter** ou **prêter ~ à qn** prestare assistenza a qn; **A~ (publique)** ente pubblico per l'assistenza ai minori;

enfant de l'A~ (publique) bimbo senza famiglia; ~ **technique** assistenza tecnica

assistant, e [asistã, ãt] nm/f assistente m/f; **assistants** nmpl (auditeurs etc) astanti mpl; ~**e sociale** assistente sociale

assisté, e [asiste] nm/f assistito(-a) ■ adj (Auto): **direction ~e** servosterzo; **freins ~s** servofreno msg

assister [asiste] vt (personne) assistere; ~ **à** (scène, match) assistere a

association [asɔsjasjɔ̃] nf associazione f; ~ **d'idées** associazione d'idee

associé, e [asɔsje] adj associato(-a) ■ nm/f socio(-a)

associer [asɔsje] vt associare; **s'associer** vr associarsi; ~ **qn à** (projets, profits, joie) far qn partecipe di; (affaire) prendere qn come socio(-a) di; ~ **qch à** (joindre, allier) unire qc a; **s'~ à** (s'allier avec) mettersi in società con; (opinions, joie de qn) associarsi a

assoiffé, e [aswafe] adj (aussi fig) assetato(-a)

assommer [asɔme] vt ammazzare; (suj: médicament etc) stordire; (fam: importuner) scocciare

Assomption [asɔ̃psjɔ̃] nf: **l'~** l'Assunzione f

assorti, e [asɔʀti] adj assortito(-a); (couleurs) intonato(-a); **fromages ~s** formaggi mpl assortiti; ~ **à** (en harmonie avec) in armonia con; ~ **de** (conditions, conseils) accompagnato(-a) da; **bien/mal ~** ben/mal assortito

assortiment [asɔʀtimã] nm assortimento; (harmonie de couleurs, formes) accostamento

assortir [asɔʀtiʀ] vt (aussi fig) assortire; (couleurs) intonare; **s'assortir** vr (aller ensemble) andare d'accordo; ~ **qch à** intonare qc con; ~ **qch de** accompagnare qc con

assouplir [asupliʀ] vt (cuir, fig: caractère) ammorbidire; (membres, corps) sciogliere; (fig: règlement, discipline) rendere meno rigido(-a); **s'assouplir** vr (v vt) ammorbidirsi; sciogliersi; divenire meno rigido(-a)

assouplissant [asuplisɑ̃] nm
ammorbidente m

assumer [asyme] vt assumere;
(conséquence, situation) accettare
(consapevolmente); **s'assumer** vr
assumersi

assurance [asyʀɑ̃s] nf (contrat,
secteur commercial) assicurazione f;
(certitude) certezza; (fig: confiance en
soi) sicurezza; **prendre une ~ contre**
stipulare un'assicurazione contro;
~ contre l'incendie/le vol
assicurazione contro gli incendi/i
furti; **société d'~** società di
assicurazioni; **compagnie d'~s**
compagnia di assicurazioni; **~ au
tiers** assicurazione contro terzi;
~ maladie assicurazione contro le
malattie; **~ tous risques** (Auto)
polizza f casco inv; **~s sociales**
≈ previdenza sociale

assurance-vie [asyʀɑ̃svi] (pl
assurances-vie) nf assicurazione f
sulla vita

assuré, e [asyʀe] adj (sûr: victoire etc)
assicurato(-a); (démarche, voix)
sicuro(-a) ■ nm/f (couvert par une
assurance) assicurato(-a); **~ de**
(certain de) sicuro(-a) di; **être ~**
(assurance) essere assicurato(-a);
~ social assistito(-a)

assurément [asyʀemɑ̃] adv
sicuramente

assurer [asyʀe] vt (Comm) assicurare;
(démarche, construction) stabilizzare;
(succès, victoire) garantire; (service,
garde) prestare; (certifier: fait etc)
certificare; **s'assurer** vr (Comm: par
une assurance): **s'~ (contre)**
assicurarsi (contro); **~ qch à qn/que**
(garantir) assicurare qc a qn/che;
~ qn de qch (confirmer, garantir)
garantire qc a qn; **je vous assure
que non/si** vi assicuro di no/sì;
s'~ de/que (vérifier) assicurarsi
di/che; **s'~ sur la vie** stipulare
un'assicurazione sulla vita; **s'~ le
concours/la collaboration de qn**
assicurarsi la partecipazione/
la collaborazione di qn

asthme [asm] nm asma

asticot [astiko] nm verme m

astre [astʀ] nm astro

astrologie [astʀɔlɔʒi] nf astrologia

astronaute [astʀonot] nm/f
astronauta m/f

astronomie [astʀɔnɔmi] nf
astronomia

astuce [astys] nf astuzia;
(plaisanterie) trucco

astucieux, -euse [astysjø, jøz] adj
astuto(-a)

atelier [atəlje] nm (d'artisan)
laboratorio; (de couturière) atelier
m inv; (de peintre) studio, atelier m inv;
(d'usine) reparto; **~ de musique/
poterie** (groupe de travail) gruppo
ou workshop m inv di musica/
ceramica

athée [ate] adj, nm/f ateo(-a)

Athènes [atɛn] n Atene f

athlète [atlɛt] nm/f atleta m/f

athlétisme [atletism] nm atletica
leggera; **tournoi d'~** gara di atletica;
faire de l'~ fare atletica

atlantique [atlɑ̃tik] adj atlantico(-a)
■ nm: **l'(océan) A~** l'(oceano)
Atlantico

atlas [atlɑs] nm atlante m

atmosphère [atmɔsfɛʀ] nf (aussi fig)
atmosfera

atome [atom] nm atomo

atomique [atɔmik] adj atomico(-a)

atomiseur [atɔmizœʀ] nm spray m
inv, nebulizzatore m

atout [atu] nm (aussi fig) atout m inv;
c'est son dernier ~ è la sua ultima
chance; **~ pique/trèfle** atout di
picche/di fiori

atroce [atʀɔs] adj atroce

attachant, e [ataʃɑ̃, ɑ̃t] adj (ami,
animal) caro(-a)

attache [ataʃ] nf fermaglio; (fig)
legame m; **attaches** nfpl (relations)
legami mpl

attacher [ataʃe] vt (lier) legare;
(bateau) ormeggiare; (étiquette etc)
attaccare; (ceinture, souliers)
allacciare ■ vi (poêle, riz) attaccare;
s'attacher vr (robe etc) chiudersi;
s'~ à (par affection) attaccarsi a;
s'~ à faire qch impegnarsi a fare qc;
~ qch à attaccare qc a; **~ qn à**
(fig: lier) legare qn a; **~ du prix/de
l'importance à** attribuire valore/
importanza a; **~ son regard/ses
yeux sur** fissare lo sguardo/gli
occhi su

attaque [atak] *nf* attacco; (*Méd:
cardiaque*) crisi *f* inv; (: *cérébrale*) ictus
m inv; **être/se sentir d'~** essere/
sentirsi in forma; **~ à main armée**
aggressione *f* a mano armata

attaquer [atake] *vt* attaccare;
(*suj: rouille, acide*) intaccare; (*travail*)
intraprendere ▪ *vi* (*Sport*) attaccare;
~ qn en justice intentare causa a qn;
s'~ à affrontare; (*épidémie, misère*)
combattere

attarder [ataʀde] *vr*: **s'attarder**
attardarsi

atteindre [atɛ̃dʀ] *vt* raggiungere;
(*blesser, fig*) colpire; (*contacter*)
rintracciare, raggiungere

atteint, e [atɛ̃, ɛ̃t] *pp de* **atteindre**
▪ *adj* (*Méd*): **être ~ de** essere
affetto(-a) da

atteinte [atɛ̃t] *nf* attacco; (*à
l'honneur*) offesa; **hors d'~** (*aussi fig*)
fuori portata; **porter ~ à** attentare a

attendant [atɑ̃dɑ̃] *adv*: **en ~**
nell'attesa

attendre [atɑ̃dʀ] *vt, vi* aspettare;
attendez-moi, s'il vous plaît mi
aspetti, per favore; **s'attendre** *vr*:
s'~ à (ce que) (*escompter, prévoir*)
aspettarsi (che); **~ qch de qn/qch**
(*espérer*) aspettarsi qc da qn/qc;
je n'attends plus rien de la vie non
mi aspetto più nulla dalla vita;
attendez que je réfléchisse mi
faccia riflettere; **je ne m'y attendais
pas** non me l'aspettavo; **ce n'est
pas ce à quoi je m'attendais** non è
ciò che mi aspettavo; **~ un enfant**
aspettare un bambino; **~ de pied
ferme** aspettare con risoluzione;
~ de faire/d'être aspettare di
fare/di essere; **faire ~ qn** far
aspettare qn; **se faire ~** farsi
aspettare; **j'attends vos excuses**
aspetto le vostre scuse

attendrir [atɑ̃dʀiʀ] *vt* intenerire;
(*viande*) rendere più tenero(-a);
s'attendrir *vr*: **s'~ (sur)** intenerirsi
(per)

attendu, e [atɑ̃dy] *pp de* **attendre**
▪ *adj* atteso(-a); **attendus** *nmpl*
(*Jur*) motivazione *fsg*; **~ que** visto
che

attentat [atɑ̃ta] *nm* attentato;
~ à la pudeur oltraggio al pudore

attente [atɑ̃t] *nf* attesa; (*espérance*)
aspettativa; **contre toute ~**
contrariamente ad ogni aspettativa

attenter [atɑ̃te]: **~ à** *vt* attentare a;
~ à ses jours attentare alla propria
vita

attentif, -ive [atɑ̃tif, iv] *adj*
(*auditeur, élève*) attento(-a); (*soins*)
premuroso(-a); (*travail*) accurato(-a);
~ à/à faire attento(-a) a/a fare

attention [atɑ̃sjɔ̃] *nf* attenzione *f*;
à l'~ de (*Admin*) all'attenzione di;
porter qch à l'~ de qn portare qc
all'attenzione di qn; **attirer l'~ de qn
sur qch** attirare l'attenzione di qn su
qc; **faire ~ à** fare attenzione a; **faire ~
que/à ce que** stare attento(-a) che;
**~, respectez les consignes de
sécurité** attenzione, rispettate le
norme di sicurezza; **~ à la voiture!**
attento alla macchina!

attentionné, e [atɑ̃sjɔne] *adj*
premuroso(-a)

atténuer [atenɥe] *vt* attenuare;
(*force*) moderare; **s'atténuer** *vr*
attenuarsi; (*violence*) placarsi

atterrir [ateʀiʀ] *vi* atterrare

atterrissage [ateʀisaʒ] *nm*
atterraggio; **~ forcé** atterraggio
forzato; **~ sans visibilité** atterraggio
in condizioni di scarsa visibilità

attestation [atɛstasjɔ̃] *nf* attestato;
~ d'un médecin certificato medico

attirant, e [atiʀɑ̃, ɑ̃t] *adj* seducente

attirer [atiʀe] *vt* attirare;
(*magnétiquement etc*) attrarre; **~ qn
dans un coin/vers soi** attirare qn in
un angolo/verso di sé; **~ l'attention
de qn** attirare l'attenzione di qn;
~ l'attention de qn sur qch
richiamare l'attenzione di qn su qc;
~ des louanges/ennuis à qn
procurare delle lodi/grane a qn;
s'~ des ennuis procurarsi delle grane

attitude [atityd] *nf* atteggiamento

attraction [atʀaksjɔ̃] *nf* attrazione *f*

attrait [atʀɛ] *nm* fascino, attrattiva;
attraits *nmpl* (*d'une femme*) grazie *fpl*;
éprouver de l'~ pour provare
attrazione per

attraper [atʀape] *vt* afferrare;
(*voleur, animal*) catturare; (*fig: train,
habitude*) prendere; (*fam: réprimander*)
sgridare; (: *duper*) ingannare

attrayant, e [atʀɛjɑ̃, ɑ̃t] *adj* attraente
attribuer [atʀibɥe] *vt* (*prix, rôle*)
assegnare; (*conséquence, importance*)
attribuire; **s'attribuer** *vr*
(*s'approprier*) appropriarsi
attrister [atʀiste] *vt* rattristare;
s'attrister *vr*: **s'~ de qch** rattristarsi
per qc
attroupement [atʀupmɑ̃] *nm*
assembramento
attrouper [atʀupe] *vr*: **s'attrouper**
assembrarsi
au [o] *prép + art déf voir* **à**
aubaine [obɛn] *nf* fortuna insperata;
(*Comm*) occasione f
aube [ob] *nf* alba; **à l'~** all'alba;
à l'~ de all'alba di; (*fig*) agli albori di
aubépine [obepin] *nf* biancospino
auberge [obɛʀʒ] *nf* locanda; **~ de
jeunesse** ostello della gioventù

FAUX AMIS
auberge ne se traduit pas
par le mot italien **albergo**.

aubergine [obɛʀʒin] *nf* melanzana
aucun, e [okœ̃, yn] *dét* alcuno(-a),
alcun (alcun'), nessuno(-a), nessun
(nessun') ▪ *pron* nessuno(-a); **il le
fera mieux qu'~ de nous** lo farà
meglio di chiunque di noi
audace [odas] *nf* (*aussi péj*) audacia;
il a eu l'~ de ha avuto l'audacia di;
vous ne manquez pas d'~! non le
manca la faccia tosta!
audacieux, -euse [odasjø, jøz] *adj*
audace
au-delà [od(ə)la] *adv* al di là, oltre
▪ *nm inv*: **l'~** l'aldilà *m inv*; **~ de** al di là
di, oltre; (*limite, somme etc*) al di sopra
di, oltre
au-dessous [odsu] *adv* al di sotto,
sotto; **~ de** (*personne, zéro, genou*) al di
sotto di, sotto; (*fig: peu digne de*) non
all'altezza di; **~ de tout** inetto(-a);
(*chose*) indegno(-a)
au-dessus [odsy] *adv* sopra; (*limite,
somme*) oltre; **~ de** sopra, al di sopra
di; (*limite, somme*) oltre; (*fig: des lois*)
al di sopra di
au-devant [od(ə)vɑ̃]: **~ de** *prép*
incontro a; **aller ~ de** (*personne,
danger*) andare incontro a; (*désirs*)
venire incontro a
audience [odjɑ̃s] *nf* udienza;
(*auditeurs, lecteurs*) pubblico; **trouver**

~ auprès de trovare un'accoglienza
favorevole presso
audiovisuel, le [odjovizɥɛl] *adj*
audiovisivo(-a) ▪ *nm* audiovisivo;
l'~ i mezzi audiovisivi
audition [odisjɔ̃] *nf* udito; (*d'un
disque, d'une pièce*) ascolto; (*Jur, Mus,
Théâtre*) audizione f
auditoire [oditwaʀ] *nm* pubblico,
auditorio
augmentation [ɔgmɑ̃tasjɔ̃] *nf*
aumento; **~ (de salaire)** aumento
(di stipendio)
augmenter [ɔgmɑ̃te] *vt, vi*
aumentare; **~ de poids/volume**
aumentare di peso/volume
augure [ogyʀ] *nm* (*présage*) presagio;
de bon/mauvais ~ di buon/cattivo
auspicio

FAUX AMIS
augure ne se traduit pas
par le mot italien **auguri**.

aujourd'hui [oʒuʀdɥi] *adv* oggi;
~ en huit/en quinze oggi a otto/a
quindici; **à dater** *ou* **partir d'~** a
partire da oggi
aumône [omon] *nf* elemosina; **faire
l'~ (à qn)** fare l'elemosina (a qn); **faire
l'~ de qch à qn** (*fig*) fare l'elemosina di
qc a qn
aumônier [omonje] *nm* cappellano
auparavant [opaʀavɑ̃] *adv* prima
auprès [opʀɛ]: **~ de** *prép* vicino a;
(*Admin: recourir, s'adresser*) presso;
(*en comparaison de*) in confronto a
auquel [okɛl] *prép + pron voir* **lequel**
aurai *etc* [ɔʀe] *vb voir* **avoir**
aurons *etc* [ɔʀɔ̃] *vb voir* **avoir**
aurore [ɔʀɔʀ] *nf* aurora; **~ boréale**
aurora boreale
ausculter [ɔskylte] *vt* auscultare
aussi [osi] *adv* anche; (*de
comparaison: avec adj, adv*) così; (*si,
tellement*) tanto, così ▪ *conj* così;
~ fort/rapidement que tanto forte/
rapidamente quanto; **lui ~** anche lui;
~ bien que (*de même que*) così come,
come pure; **il l'a fait - moi ~** lui l'ha
fatto - e io pure; **je le pense ~** anch'io
lo penso
aussitôt [osito] *adv* (*immédiatement*)
subito; **~ que** non appena; **~ dit,
~ fait** detto fatto; **~ envoyé** appena
inviato

austère [ɔstɛʀ] adj austero(-a)
austral, e [ɔstʀal] adj australe;
l'océan A~ l'oceano Australe; **les
terres A~es** le terre Australi
Australie [ɔstʀali] nf Australia
australien, ne [ɔstʀaljɛ̃, jɛn] adj
australiano(-a) ■ nm/f: **Australien,
ne** australiano(-a)
autant [otã] adv (travailler, manger etc)
tanto; ~ que (comparatif) (tanto)
quanto; ~ (de) tanto(-a); **n'importe
qui aurait pu en faire ~** chiunque
avrebbe potuto fare altrettanto;
~ partir/ne rien dire tanto vale
partire/non dire niente; ~ dire que
tanto vale dire che; **fort ~ que
courageux** forte quanto coraggioso;
il n'est pas découragé pour ~ non per
questo è scoraggiato; **pour ~ que** per
quanto; **d'~** (à proportion) in
proporzione; **d'~ plus (que)** tanto più
(che); **on travaille d'~ mieux qu'on
réussit à se concentrer** più si riesce a
concentrarsi meglio si lavora; ~... ~...
tanto... quanto...; **il en a fait tout ~**
ha fatto altrettanto; **ce sont ~
d'erreurs** altrettanti errori; **y en
a-t-il ~ (qu'avant)?** ce ne sono tanti
quanti ce n'erano prima?; **il y a ~ de
garçons que de filles** ci sono tanti
ragazzi quante ragazze; **pourquoi en
prendre ~?** perché prenderne così
tanto?
autel [otɛl] nm altare m
auteur [otœʀ] nm autore(-trice);
droit d'~ diritto d'autore
authentique [otãtik] adj
autentico(-a)
auto [oto] nf auto f inv; ~s
tamponneuses autoscontri mpl
autobiographie [otobjɔgʀafi] nf
autobiografia
autobronzant, e [otɔbʀɔ̃zã] adj, nm
autoabbronzante (m)
autobus [ɔtɔbys] nm autobus m inv;
ligne d'~ linea dell'autobus
autocar [ɔtɔkaʀ] nm corriera,
pullman m inv

FAUX AMIS
autocar ne se traduit pas
par le mot italien
autocarro.

autochtone [ɔtɔktɔn] adj, nm/f
autoctono(-a)

autocollant, e [otɔkɔlɑ̃, ɑ̃t] adj
autoadesivo(-a) ■ nm autoadesivo
autocuiseur [otɔkɥizœʀ] nm
pentola a pressione
autodéfense [otodefɑ̃s] nf
autodifesa; **groupe d'~** gruppo di
autodifesa
autodidacte [otodidakt] nm/f
autodidatta m/f
auto-école [otoekɔl] (pl ~s) nf
autoscuola, scuola guida
autographe [ɔtɔgʀaf] nm autografo
automate [ɔtɔmat] nm (aussi fig)
automa m
automatique [ɔtɔmatik] adj
automatico(-a) ■ nm (pistolet)
automatica; **l'~** (téléphone) la
teleselezione
automne [ɔtɔn] nm autunno
automobile [ɔtɔmɔbil] nf
automobile f ■ adj
automobilistico(-a); **l'~** (industrie)
l'industria automobilistica
automobiliste [ɔtɔmɔbilist] nm/f
automobilista m/f
autonome [ɔtɔnɔm] adj
autonomo(-a); **en mode ~** (Inform)
in modalità autonoma
autonomie [ɔtɔnɔmi] nf autonomia;
~ de vol autonomia di volo
autopsie [ɔtɔpsi] nf autopsia
autoradio [otoʀadjo] nm
autoradio f inv
autorisation [ɔtɔʀizasjɔ̃] nf
autorizzazione f; **donner à qn l'~ de**
dare a qn l'autorizzazione a; **avoir l'~
de faire** avere l'autorizzazione a fare
autorisé, e [ɔtɔʀize] adj (digne de foi)
autorevole; (permis) autorizzato(-a);
~ (à faire) autorizzato(-a) (a fare);
dans les milieux ~s negli ambienti
ufficiali
autoriser [ɔtɔʀize] vt autorizzare;
~ qn à faire autorizzare qn a fare
autoritaire [ɔtɔʀitɛʀ] adj
autoritario(-a)
autorité [ɔtɔʀite] nf autorità f inv;
les ~s (Mil, Pol etc) le autorità; **faire ~**
(personne, livre) fare testo; **d'~**
d'autorità; (sans réflexion) senza
discutere
autoroute [otoʀut] nf autostrada;
~ de l'information autostrada
informatica

● **AUTOROUTE**

Le autostrade in Francia,
segnalate da cartelli stradali di
colore blu con una A seguita da un
numero, sono a pagamento. Il
limite di velocità sulle autostrade
francesi è di 130 km/h (e 110 km/h
quando piove). Ai caselli, le corsie
segnalate dalla scritta "réservé" e
da una "t" arancione sono riservate
a coloro che sono in possesso
dell'equivalente francese del
nostro Telepass.

auto-stop [otostɔp] *nm inv* autostop
m; **faire de l'~** fare l'autostop;
prendre qn en ~ far salire qn che fa
l'autostop

auto-stoppeur, -euse [otostɔpœʀ,
øz] (*mpl* **~s**, *fpl* **auto-stoppeuses**)
nm/f autostoppista *m/f*

autour [otuʀ] *adv* intorno; **~ de**
intorno a; (*environ, à peu près*) circa,
intorno a; **tout ~** (*de tous côtés*)
tutt'intorno

autre [otʀ] *adj* altro(-a) ■ *pron*:
un/l'~ un/l'altro; **je préférerais un ~
verre** preferirei un altro bicchiere;
je voudrais un ~ verre d'eau vorrei
un altro bicchiere d'acqua; **~ chose**
un'altra cosa, qualcos'altro, altro;
~ part altrove; **d'~ part** d'altra parte;
nous/vous ~s noialtri(-e)/voialtri(-e);
d'~s altri(-e); **les ~s** gli altri (le altre);
se détester l'un l'~/les uns les ~s
odiarsi a vicenda *ou* l'un l'altro; **la
difficulté est ~** la difficoltà è un'altra;
d'une semaine à l'~ da una settimana
all'altra; (*constamment*) una
settimana dopo l'altra; **entre ~s**
(*gens*) fra gli altri; (*choses*) fra cui; **j'en
ai vu d'~s** (*indifférence*) ho visto ben
altro; **à d'~s!** raccontalo a un altro!;
de temps à ~ di tanto in tanto; **se
sentir ~** sentirsi diverso(-a); *voir aussi*
part; **temps**; **un**

autrefois [otʀəfwa] *adv* un tempo,
una volta

autrement [otʀəmã] *adv* altrimenti;
je n'ai pas pu faire ~ non ho potuto
fare altrimenti; **~ dit** (*en d'autres mots*)
in altre parole; (*c'est-à-dire*) ossia

Autriche [otʀiʃ] *nf* Austria

autrichien, ne [otʀiʃjɛ̃, jɛn] *adj*
austriaco(-a) ■ *nm/f*: **Autrichien, ne**
austriaco(-a)

autruche [otʀyʃ] *nf* struzzo; **faire l'~**
(*fig*) fare lo struzzo

aux [o] *prép + art déf voir* **à**

auxiliaire [ɔksiljɛʀ] *adj* ausiliario(-a)
■ *nm* (*Ling*) ausiliare *m* ■ *nm/f*
(*Admin*) avventizio(-a); (*aide, adjoint*)
aiutante *m/f*, collaboratore(-trice)

auxquelles [okɛl] *prép + pron voir*
lequel

auxquels [okɛl] *prép + pron voir*
lequel

avalanche [avalãʃ] *nf* (*aussi fig*)
valanga; **est-ce qu'il y a un risque
d'~?** c'è pericolo di valanghe?

avaler [avale] *vt* inghiottire, mandar
giù; (*roman*) divorare; (*croire*) bere

avance [avãs] *nf* (*de troupes etc*)
avanzata; (*progrès*) avanzamento;
(*opposé à retard, d'argent*) anticipo;
avances *nfpl* (*ouvertures*) proposte
fpl; (: *amoureuses*) avances *fpl*; **une ~
de 300 m/4 h** (*Sport*) un vantaggio di
300 m/4 h; **(être) en ~** (essere) in
anticipo; **être en ~ sur qn** essere in
vantaggio su qn; **à l'~, d'~** in anticipo;
par ~ in anticipo; **payer d'~** pagare in
anticipo; **~ (du) papier** (*Inform*)
avanzamento della carta; **est-ce qu'il
faut réserver à l'~?** occorre che
prenoti in anticipo?

avancé, e [avãse] *adj* avanzato(-a);
(*fruit*) maturo(-a); (*fromage*)
stagionato(-a); **il est ~ pour son âge**
è precoce per la sua età

avancement [avãsmã] *nm*
avanzamento

avancer [avãse] *vi* avanzare; (*être en
saillie, surplomb*) sporgere; (*montre,
réveil*) essere avanti ■ *vt* portare in
avanti; (*date, rencontre, argent*)
anticipare; (*hypothèse, proposition*)
avanzare; (*idée*) proporre; (*pendule,
montre*) mettere avanti; (*travail etc*)
mandare avanti; **s'avancer** *vr*
avvicinarsi; (*fig: se hasarder*) spingersi;
(*être en saillie, surplomb*) sporgere;
j'avance (d'une heure) sono avanti
(di un'ora)

avant [avã] *prép* prima di ■ *adv*:
trop/plus ~ troppo/più avanti ■ *adj
inv* anteriore ■ *nm* (*d'un véhicule,*

bâtiment) davanti *m inv,* parte *f* anteriore; *(Sport)* attaccante *m;* **siège/roue ~** sedile *m*/ruota anteriore; **~ qu'il parte/de faire** prima che parta/di fare; **~ tout** innanzitutto; **à l'~** davanti; **marcher en ~** camminare davanti; **en ~ de** davanti a; **aller de l'~** agire con risolutezza; **~ qu'il (ne) pleuve** prima che piova

avantage [avɑ̃taʒ] *nm (aussi Sport)* vantaggio; **à l'~ de qn** a vantaggio di qn; **être à son ~** essere al proprio meglio; **tirer ~ de** trarre vantaggio da; **vous auriez ~ à faire** vi converrebbe fare; **~s en nature** fringe benefits *mpl,* benefici *mpl* accessori; **~s sociaux** prestazioni *fpl* sociali

avantager [avɑ̃taʒe] *vt* avvantaggiare; *(embellir)* donare

avantageux, -euse [avɑ̃taʒø, øz] *adj* vantaggioso(-a); *(portrait, coiffure)* che dona

avant-bras [avɑ̃bʀa] *nm inv* avambraccio

avant-coureur [avɑ̃kuʀœʀ] *adj inv* precursore (precorritrice); *(bruit etc)* premonitore(-trice); **signe ~** segno premonitore

avant-dernier, -ière [avɑ̃dɛʀnje, jɛʀ] *(mpl* **~s,** *fpl* **avant-dernières)** *adj, nm/f* penultimo(-a)

avant-goût [avɑ̃gu] *(pl* **~s)** *nm* anticipazione *f*

avant-hier [avɑ̃tjɛʀ] *adv* l'altro ieri

avant-première [avɑ̃pʀəmjɛʀ] *(pl* **~s)** *nf* anteprima; **en ~** in anteprima

avant-veille [avɑ̃vɛj] *(pl* **~s)** *nf:* **l'~** l'antivigilia

avare [avaʀ] *adj, nm/f* avaro(-a); **~ de compliments/caresses** avaro(-a) di complimenti/carezze

avec [avɛk] *prép* con; **~ habileté/ lenteur** con abilità/lentezza; **~ eux/ ces maladies** *(en ce qui concerne)* con loro/queste malattie; **~ ça** *ou* **ces qualités** *(malgré ça)* malgrado ciò; **et ~ ça?** *(dans un magasin)* serve altro?; **~ l'été...** con l'estate...; **~ cela que...** senza contare che...

avenir [avniʀ] *nm* avvenire *m,* futuro; **l'~ du monde** il futuro del mondo; **à l'~** in avvenire *ou* futuro; **sans ~** senza avvenire; **c'est une idée sans ~** è un'idea che non ha futuro; **métier d'~** lavoro che offre prospettive; **politicien d'~** politico di sicuro avvenire

aventure [avɑ̃tyʀ] *nf* avventura; **partir à l'~** *(au hasard)* partire all'avventura; **roman/film d'~** romanzo/film di avventura

aventureux, -euse [avɑ̃tyʀø, øz] *adj* avventuroso(-a)

avenue [avny] *nf* viale *m,* corso

avérer [aveʀe] *vr:* **s'avérer** *(avec attribut)* rivelarsi

averse [avɛʀs] *nf* acquazzone *m,* rovescio; *(fig: d'insultes)* pioggia

averti, e [avɛʀti] *adj* competente

avertir [avɛʀtiʀ] *vt:* **~ qn (de qch/ que)** avvertire *ou* avvisare qn (di qc/che)

avertissement [avɛʀtismɑ̃] *nm* avvertimento; *(à un élève, sportif)* ammonimento; *(d'un livre)* avvertenza

avertisseur [avɛʀtisœʀ] *nm* segnalatore *m;* *(aussi:* **avertisseur sonore**: *Auto)* claxon *m inv*

aveu, x [avø] *nm* confessione *f;* **passer aux ~x** finire per confessare; **de l'~** de secondo

aveugle [avœgl] *adj (aussi fig)* cieco(-a) ■ *nm/f* cieco(-a); **les ~s** i ciechi; **mur ~** muro cieco; **test en (double) ~** test *m inv* a doppio cieco

aviation [avjasjɔ̃] *nf* aviazione *f;* **compagnie/ligne d'~** compagnia/ linea aerea; **terrain d'~** campo d'aviazione; **~ de chasse** aviazione da caccia

avide [avid] *adj* avido(-a); **~ d'honneurs/d'argent** avido(-a) di onori/di denaro; **~ de sang** assetato(-a) di sangue; **~ de connaître/d'apprendre** assetato(-a) di sapere

Avignon [aviɲɔ̃] *nf voir encadré ci-dessous*

Tra la fine di luglio e l'inizio di
agosto la città viene invasa da
appassionati di teatro e molti
edifici storici si trasformano
in spazi teatrali. Gli spettacoli
più prestigiosi vengono messi
in scena nel cortile del "Palais
des Papes".

avion [avjɔ̃] *nm* aereo; **par ~** posta
aerea; **aller (quelque part) en ~**
andare (da qualche parte) in aereo;
~ à réaction aereo a reazione; **~ de
chasse** aereo da caccia; **~ de ligne**
aereo di linea; **~ supersonique** aereo
supersonico

aviron [avirɔ̃] *nm* remo; **l'~** (*Sport*) il
canottaggio

avis [avi] *nm* parere *m*; (*conseil*)
consiglio; (*notification*) avviso;
à mon ~ secondo me, a mio avviso;
j'aimerais avoir l'~ de Paul mi
piacerebbe sentire l'opinione di
Paul; **je suis de votre ~** la penso
come voi; **vous ne me ferez pas
changer d'~** non mi farete cambiare
idea; **être d'~ que** essere dell'avviso
che; **changer d'~** cambiare idea;
sauf ~ contraire salvo avviso
contrario; **sans ~ préalable** senza
preavviso; **jusqu'à nouvel ~** fino a
nuovo ordine; **~ de concours** bando
di concorso; **~ d'appel** (*Tél*) avviso
di chiamata; **~ de décès** avviso
di decesso; **~ de crédit/débit**
(*Comm*) avviso di accredito/
addebito

aviser [avize] *vt* (*voir*) scorgere;
(*informer*): **~ qn de qch/que** avvisare
qn di qc/che ■ *vi* (*réfléchir*) decidere;
s'~ de qch/que (*remarquer*)
accorgersi di qc/che; **s'~ de faire
qch** (*s'aventurer à*) azzardarsi a
fare qc

avocat, e [avɔka, at] *nm/f* (*aussi fig*)
avvocato(-essa) ■ *nm* (*Bot, Culin*)
avocado *m inv*; **se faire l'~ du diable**
fare l'avvocato del diavolo; **l'~ de la
défense/de la partie civile**
l'avvocato della difesa/di parte civile;
~ d'affaires avvocato civilista;
~ général sostituto procuratore
generale

avoine [avwan] *nf* avena

 MOT-CLÉ

avoir [avwaʀ] *vt* **1** (*posséder*) avere;
**elle a deux enfants/une belle
maison** ha due bambini/una bella
casa; **il a les yeux gris** ha gli occhi
grigi; **vous avez du sel?** ha del sale?;
avoir du courage/de la patience
avere coraggio/pazienza
2 (*âge, dimensions*) avere; **il a 3 ans** ha
3 anni; **le mur a 3 mètres de haut** il
muro è alto 3 metri, il muro ha 3 metri
d'altezza
3 (*fam: duper*) farla a; **on vous a eu!**
ve l'abbiamo fatta!; **on l'a bien eu!**
ci è cascato!
4: **en avoir après** *ou* **contre qn**
avercela con qn; **en avoir assez**
averne abbastanza; **j'en ai pour une
demi-heure** ne ho per una mezz'ora
5 (*obtenir, attraper*) prendere,
ricevere; **j'ai réussi à avoir mon train**
sono riuscito a prendere il treno;
**j'ai réussi à avoir le renseignement
qu'il me fallait** sono riuscito ad
ottenere le informazioni di cui avevo
bisogno
■ *vb aux* **1** avere; **avoir mangé/
dormi** aver mangiato/dormito
2 (*+ à + infinitif*): **avoir à faire qch** aver
da fare qc, dover fare qc; **vous n'avez
qu'à lui demander** non ha che da
chiederglielo; **tu n'as pas à me poser
de questions** non devi farmi
domande; **tu n'as pas à le savoir** non
è necessario che tu lo sappia
■ *vb impers* **1**: **il y a** (*+ sing*) c'è; (*+ pl*) ci
sono; **il y a du sable/un homme** c'è
sabbia/un uomo; **il y a des hommes**
ci sono degli uomini; **qu'y a-t-il?**,
qu'est-ce qu'il y a? che c'è?; **il doit y
avoir une explication** deve esserci
una spiegazione; **il n'y a qu'à...** non
resta che...; **il ne peut y en avoir
qu'un** può essercene solo uno
2 (*temporel*): **il y a dix ans** dieci anni
fa; **il y a 10 ans/longtemps que je le
sais** sono 10 anni/è molto tempo che
lo so, lo so da 10 anni/da molto
tempo; **il y a 10 ans qu'il est arrivé**
sono 10 anni che è arrivato, è arrivato
10 anni fa
■ *nm* averi *mpl*; (*Comm*) avere *m*;
avoir fiscal (*Fin*) credito d'imposta

avortement [avɔʀtəmɑ̃] *nm* aborto
avouer [avwe] *vt* confessare ◼ *vi*
confessare; (*admettre*) ammettere;
~ **avoir fait/être/que** confessare di
aver fatto/di essere/che; **s'~ vaincu/**
incompétent riconoscersi sconfitto/
incompetente; ~ **que oui/non**
ammettere di sì/no
avril [avʀil] *nm* aprile *m*; *voir aussi*
juillet
axe [aks] *nm* asse *m*; ~ **de symétrie**
asse di simmetria; ~ **routier** direttrice
stradale
ayons *etc* [ɛjɔ̃] *vb voir* **avoir**

bâbord [babɔʀ] *nm*: **à** *ou* **par** ~ a
babordo
baby-foot [babifut] *nm inv* (*jeu*)
calcetto
bac¹ [bak] *nm* (*bateau*) (piccolo)
traghetto; (*pour marchandises*)
chiatta; (*récipient*) vasca, vaschetta;
(: *Photo etc*) vaschetta; (: *Ind*) vasca;
~ **à glace** vaschetta del ghiaccio;
~ **à légumes** cassetto per le verdure
bac² [bak] *abr* = *baccalauréat*
baccalauréat [bakalɔʀea] *nm*
≈ maturità

⬤ **BACCALAURÉAT**
⬤
⬤ In Francia il *baccalauréat* o *bac* è il
⬤ certificato che si ottiene alla fine
⬤ della scuola superiore a 17 o 18 anni
⬤ e che consente di iscriversi
⬤ all'università. I ragazzi devono
⬤ sostenere un esame scegliendo tra
⬤ diverse combinazioni di materie
⬤ scolastiche.

bâcler [bɑkle] *vt* sbrigare alla bell'e
meglio

baffe [baf] (fam) nf sberla, sventola

bafouiller [bafuje] vi, vt farfugliare

bagage [bagaʒ] nm (aussi: **bagages**) bagaglio; **nos ~s ne sont pas arrivés** i nostri bagagli non sono arrivati; **pourriez-vous envoyer quelqu'un chercher nos ~s?** potrebbe mandare qualcuno a prendere i nostri bagagli?; **~ littéraire** bagaglio letterario; **~s à main** bagaglio a mano

bagarre [bagaʀ] nf zuffa, rissa; **il aime la ~** è un tipo rissoso

bagarrer [bagaʀe] vr: **se bagarrer** azzuffarsi; (discuter) litigare

bagnole [baɲɔl] nf (fam) macchina; (péj) macinino, carretta

bague [bag] nf anello; **~ de fiançailles** anello di fidanzamento; **~ de serrage** (Tech) anello di chiusura

baguette [bagɛt] nf (petit bâton, Mus) bacchetta; (cuisine chinoise) bastoncino; (pain) filoncino, baguette f inv; (Constr: moulure) tondino; **mener qn à la ~** comandare qn a bacchetta; **~ de sourcier** bacchetta da rabdomante; **~ de tambour** bacchetta da tamburo; **~ magique** bacchetta magica

baie [bɛ] nf baia; (fruit) bacca; **~ (vitrée)** vetrata, finestrone m

baignade [bɛɲad] nf bagno; (endroit) stabilimento balneare; **~ interdite** divieto di balneazione

baigner [beɲe] vt fare il bagno a ■ vi: **~ dans son sang** essere in una pozza di sangue; **se baigner** vr fare il bagno; **être baigné de lumière** essere inondato(-a) dalla luce; **"ça baigne!"** (fam) "va benissimo!"

baignoire [beɲwaʀ] nf vasca (da bagno); (Théâtre) palco di platea

bail [baj] (pl **baux**) nm affitto; **donner ou prendre qch à ~** dare ou prendere qc in affitto; **~ commercial** affitto commerciale

bâiller [baje] vi sbadigliare; (porte) che non si chiude bene; (jupe) che cade male

bain [bɛ̃] nm (aussi Tech, Photo) bagno; **mettre qn dans le ~** (informer) mettere qn al corrente; **prendre un ~** fare un bagno; **~ de bouche** collutorio; **~ de foule** bagno di folla; **~ de pieds** pediluvio; (au bord de la mer) (il) bagnare i piedi; **~ de soleil** bagno di sole; **prendre un ~ de soleil** prendere il sole; **~ moussant** bagnoschiuma m inv; **~s de mer** bagno di mare; **~s(-douches) municipaux** bagni(-docce) pubblici

bain-marie [bɛ̃maʀi] nm bagnomaria m; **faire chauffer au ~** (boîte etc) riscaldare a bagnomaria

baiser [beze] nm bacio ■ vt baciare; (fam!: duper) fottere; (: sexuellement) scopare (fam!)

baisse [bɛs] nf (de température, des prix) calo, diminuzione f; **en ~** in ribasso; **à la ~** al ribasso

baisser [bese] vt abbassare; (prix) abbassare, ribassare ■ vi (niveau, température) calare, abbassarsi; (vue, jour, lumière) calare; (santé) peggiorare; (cours) essere in ribasso; **se baisser** vr chinarsi, abbassarsi

bal [bal] nm ballo; **~ costumé** ballo in costume; **~ masqué** ballo in maschera; **~ musette** (ballo) liscio

balade [balad] nf passeggiata; (en voiture) gita; **faire une ~** fare una passeggiata; (en voiture) fare una gita

baladeur [baladœʀ] nm walkman® m inv

balai [balɛ] nm scopa; (Auto) spazzola; **donner un coup de ~** dare una scopata

balance [balɑ̃s] nf bilancia; (Astrol): **B~** Bilancia; **être (de la) B~** essere della Bilancia; **~ commerciale** bilancia commerciale; **~ des paiements** bilancia dei pagamenti; **~ romaine** stadera

balancer [balɑ̃se] vt dondolare, far oscillare; (lancer) scaraventare; (jeter) buttar via ■ vi (fig) esitare; **se balancer** vr dondolarsi; (bateau) ondeggiare; (branche) agitarsi; **se ~ de qch** (fam) infischiarsene ou fregarsene di qc

balançoire [balɑ̃swaʀ] nf altalena

balayer [baleje] vt spazzare, scopare; (suj: vent, torrent etc) spazzare; (: radar, phares) esplorare; (soucis etc) spazzar via, scacciare

balayeur, -euse [balɛjœʀ, øz] nm/f spazzino(-a) (che spazza le strade)

balbutier [balbysje] vi, vt balbettare

balcon [balkɔ̃] nm balcone m;
(Théâtre) balconata, galleria; **avez-vous une chambre avec ~?** avete una
camera con balcone?
baleine [balɛn] nf balena; (de
parapluie) stecca
balise [baliz] nf segnalazione f;
(Naut: flottant) galleggiante m;
(: émettant signaux optiques etc)
radiofaro; (Aviat) faro di atterraggio;
(Auto, Ski) paletto
baliser [balize] vt munire di
segnaletica ■ vi (fam) avere fifa
balle [bal] nf (de fusil) pallottola; (de
tennis, golf, ping-pong) pallina; (du blé)
pula; (gros paquet) balla; **cent ~s**
(fam) cento franchi mpl; **~ perdue**
proiettile m vagante
ballerine [bal(ə)ʀin] nf ballerina
ballet [balɛ] nm balletto;
~ diplomatique (fig) balletto
diplomatico
ballon [balɔ̃] nm (de sport, Aviat, jouet)
pallone m; (de vin) bicchiere m;
~ d'essai (Météo) pallone m sonda inv;
(fig) test m inv per sondare l'opinione
pubblica; **~ de football** pallone da
calcio; **~ d'oxygène** bombola
d'ossigeno; **~ d'eau chaude** boiler m inv
balnéaire [balneɛʀ] adj balneare
balustrade [balystʀad] nf balaustra
bambin [bɑ̃bɛ̃] nm bimbo
bambou [bɑ̃bu] nm bambù m inv
banal, e [banal] adj banale
banalité [banalite] nf banalità f inv
banane [banan] nf banana; (sac)
marsupio
banc [bɑ̃] nm panca, panchina; (de
poissons) banco; **~ d'essai** (fig) banco
di prova; **~ de sable** banco di sabbia;
~ des accusés/des témoins banco
degli accusati/dei testimoni
bancaire [bɑ̃kɛʀ] adj bancario(-a)
bancal, e [bɑ̃kal] adj (personne) dalle
gambe storte; (meuble) traballante;
(fig: projet) che non regge
bandage [bɑ̃daʒ] nm (pansement)
fasciatura
bande [bɑ̃d] nf (de tissu etc) fascia,
striscia; (Méd) fascia; (magnétique,
Inform) nastro; (Ciné) film m inv,
pellicola; (motif, dessin) striscia;
(Radio, groupe) banda; (péj): **une ~
de...** una banda di...; **donner de la ~**

(Naut) sbandare; **faire ~ à part** fare
gruppo a parte; **~-annonce** trailer m
inv, provino; **~ dessinée** fumetto;
~ perforée banda perforata; **~ de
roulement** (de pneu) battistrada m
inv; **~ sonore** colonna sonora; **~ de
terre** striscia di terra; **~ Velpeau®**
(Méd) fascia per medicazioni

⊛ **BANDE DESSINÉE**
⊛
⊛ La bande dessinée o BD ha un largo
⊛ seguito in Francia sia tra i ragazzi
⊛ che tra gli adulti. Ogni anno in
⊛ gennaio ad Angoulême si tiene
⊛ una mostra internazionale del
⊛ fumetto. Tra i personaggi più
⊛ famosi vanno ricordati Astérix,
⊛ Tintin, Lucky Luke e Gaston
⊛ Lagaffe.

bandeau [bɑ̃do] nm fascia; (sur les
yeux) benda; (Méd) benda
bander [bɑ̃de] vt fasciare; (muscle,
arc) tendere ■ vi (fam!) averlo duro
(fam!); **~ les yeux à qn** bendare gli
occhi a qn
bandit [bɑ̃di] nm bandito
bandoulière [bɑ̃duljɛʀ] nf: **en ~** a
tracolla
banlieue [bɑ̃ljø] nf periferia;
quartier de ~ quartiere m periferico;
lignes de ~ linee fpl extraurbane;
trains de ~ treni mpl extraurbani
bannir [baniʀ] vt bandire
banque [bɑ̃k] nf banca; (au jeu)
banco; **~ d'affaires** banca d'affari;
~ de dépôt banca di depositi; **~ de
données** (Inform) banca f dati inv;
~ d'émission banca d'emissione;
~ des yeux/du sang banca degli
occhi/del sangue
banquet [bɑ̃kɛ] nm banchetto
banquette [bɑ̃kɛt] nf banchina;
(d'auto) sedile m
banquier [bɑ̃kje] nm banchiere m
banquise [bɑ̃kiz] nf banchisa
baptême [batɛm] nm (aussi fig)
battesimo; **~ de l'air** battesimo
dell'aria
baptiser [batize] vt battezzare
bar [baʀ] nm (établissement, meuble)
bar m inv; (comptoir) bancone m;
(poisson) branzino

baraque [baʀak] nf baracca; (fam)
catapecchia; ~ **foraine** baraccone m

baraqué, e [baʀake] (fam) adj ben
piantato(-a)

barbare [baʀbaʀ] nm/f barbaro(-a)
■ adj (omicidio) efferato(-a)

barbe [baʀb] nf barba; **au nez et à la**
~ **de qn** (fig) sotto il naso di qn; **quelle**
~! (fam) che barba!; ~ **à papa**
zucchero filato

barbelé [baʀbəle] nm filo spinato

barbiturique [baʀbityʀik] nm
barbiturico

barbouiller [baʀbuje] vt (couvrir,
salir) insudiciare, imbrattare; (écrire,
dessiner) scarabocchiare; **avoir**
l'estomac barbouillé avere la nausea

barbu, e [baʀby] adj barbuto(-a)

barder [baʀde] vi (fam): **ça va** ~ si
mette male ■ vt (Culin) ricoprire di
sottili fette di pancetta

barème [baʀɛm] nm (des prix, tarifs)
tabella; (cotisations, notes)
prontuario; ~ **des salaires** tabella
salariale

baril [baʀi(l)] nm barile m

bariolé, e [baʀjɔle] adj
variopinto(-a), multicolore

baromètre [baʀɔmɛtʀ] nm (aussi fig)
barometro

baron [baʀɔ̃] nm (aussi fig) barone m

baroque [baʀɔk] adj (Art)
barocco(-a); (fig) bizzarro(-a)

barque [baʀk] nf barca

barrage [baʀaʒ] nm sbarramento,
diga; (sur route, rue) sbarramento;
~ **de police** posto di blocco

barre [baʀ] nf (de fer etc) sbarra, barra;
(Naut) barra del timone; (de la houle)
barra; (écrite) sbarra; (danse) sbarra;
(Jur): **comparaître à la** ~ comparire in
giudizio; **être à** ou **tenir la** ~ (Naut)
essere ou stare al timone; **codes (à)**
~s codice m a barre; ~ **fixe**
(Gymnastique) sbarra (fissa); ~ **de**
mesure (Mus) stanghetta; ~ **à mine**
barramina; ~**s parallèles**
(Gymnastique) parallele fpl

barreau, x [baʀo] nm barra; **le** ~ (Jur)
il foro, l'avvocatura

barrer [baʀe] vt sbarrare; (mot)
cancellare; (Naut) essere al timone di;
se barrer vr (fam) svignarsela,
tagliare la corda; ~ **le passage** ou

la route à qn sbarrare il passaggio ou
la strada a qn

barrette [baʀɛt] nf (pour les cheveux)
fermacapelli m inv; (Rel) berretto;
(broche) barretta

barricader [baʀikade] vt barricare;
se ~ **chez soi** (fig) barricarsi in casa

barrière [baʀjɛʀ] nf (aussi fig)
barriera; (de passage à niveau) barriera,
sbarra; ~ **de dégel** (Auto) segnale m di
divieto di transito causa disgelo;
~**s douanières** barriere doganali

barrique [baʀik] nf botte f

bas, basse [ba, bas] adj basso(-a);
(vue) corto(-a); (action) vile ■ nm (de
femme) calza; (partie inférieure): **le** ~
de... il fondo di... ■ adv (voler) basso;
(parler) a bassa voce; **plus** ~ più in
basso; (dans un texte) più avanti;
(parler) più piano; **la tête** ~**se** a testa
bassa; **avoir la vue** ~**se** avere la vista
corta; **au** ~ **mot** come minimo;
enfant en ~ **âge** bambino in tenera
età; **en** ~ giù, in basso; (dans une
maison) giù, da basso; **en** ~ **de** in
fondo a; **de** ~ **en haut** dal basso in
alto; **des hauts et des** ~ degli alti e
bassi; ~ **de laine** (fam: économies)
risparmi mpl; **mettre** ~ (accoucher)
figliare; "**à** ~ **la dictature!**" "abbasso
la tirannide!"; ~ **morceaux** (viande)
carne f di secondo taglio

bas-côté [bakote] (pl ~**s**) nm (de route)
banchina; (d'église) navata

basculer [baskyle] vi precipitare;
(benne etc) ribaltarsi; (camion etc):
~ **dans** rovesciarsi in ■ vt (faire
basculer) (far) ribaltare

base [baz] nf base f; (Pol): **la** ~ la base;
jeter les ~**s de** porre le basi di; **à la** ~
de (fig) alla base di; **sur la** ~ **de** (fig) in
base a; **à** ~ **de café** a base di caffè;
~ **de données** (Inform) database m inv;
~ **de lancement** base di lancio

baser [baze] vt basare; **se** ~ **sur**
basarsi su; **être basé à/dans** (Mil)
essere dislocato(-a) a

bas-fond [bafɔ̃] (pl ~**s**) nm (Naut)
bassofondo; **bas-fonds** nmpl (fig)
bassifondi mpl

basilic [bazilik] nm basilico

basket [baskɛt] nm = **basket-ball**

basket-ball [baskɛtbol] nm
pallacanestro f

basque [bask] *adj* basco(-a) ■ *nm*
(*langue*) basco ■ *nm/f*: **Basque**
basco(-a); **le Pays ~** i Paesi baschi

basse [bɑs] *adj f voir* **bas** ■ *nf* (*Mus*)
basso

basse-cour [bɑskuʀ] (*pl* **basses-
cours**) *nf* cortile *m*; (*animaux*) animali
mpl da cortile

bassin [basɛ̃] *nm* (*aussi Anat*) bacino;
(*cuvette*) catino, bacinella; (*de
fontaine*) vasca; **~ houiller** bacino
carbonifero

bassine [basin] *nf* bacinella, catino

basson [bɑsɔ̃] *nm* (*Mus*) fagotto

bat [ba] *vb voir* **battre**

bataille [batɑj] *nf* (*aussi fig*)
battaglia; **en ~** (*cheveux*)
arruffato(-a); (*chapeau*) sulle
ventitré; **~ rangée** ordine *m* di
combattimento

bateau, x [bato] *nm* barca,
imbarcazione *f*; (*grand*) nave *f*;
(*abaissement du trottoir*) passo carraio
■ *adj* (*banal, rebattu*) trito(-a); **~ à
moteur** barca a motore; **~ de pêche**
peschereccio

bateau-mouche [batomuʃ]
(*pl* **bateaux-mouches**) *nm* battello
(*per giri turistici sulla Senna*)

bâti, e [bɑti] *adj*: **terrain ~** area
fabbricata ■ *nm* (*armature*) telaio;
(*Couture*) imbastitura; **bien ~**
(*personne*) ben piantato(-a)

bâtiment [bɑtimɑ̃] *nm* edificio,
costruzione *f*; (*Naut*) nave *f*;
le ~ (*industrie*) l'edilizia

bâtir [bɑtiʀ] *vt* (*aussi fig*) costruire;
(*Couture*) imbastire; **fil à ~** (*Couture*)
filo per imbastire

bâtisse [bɑtis] *nf* costruzione *f*

bâton [bɑtɔ̃] *nm* bastone *m*;
(*d'agent de police*) sfollagente *m inv*;
mettre des ~s dans les roues à qn
mettere i bastoni tra le ruote a qn;
parler à ~s rompus chiacchierare
spaziando su vari argomenti; **~ de
rouge** (à lèvres) rossetto; **~ de ski**
bastone *ou* bastoncino (da sci)

bats [ba] *vb voir* **battre**

battement [batmɑ̃] *nm* (*de cœur*)
battito; (*intervalle*) intervallo,
pausa; **10 minutes de ~** 10 minuti
di pausa; **~ de mains** battimano;
~ de paupières battito di palpebre

batterie [batʀi] *nf* (*Mil, Élec, Mus*)
batteria; **~ de tests** batteria di test;
~ de cuisine batteria da cucina

batteur [batœʀ] *nm* (*Mus*) batterista
m/f; (*appareil*) frullatore *m*

battre [batʀ] *vt* battere; (*frapper*)
picchiare; (*œufs etc*) sbattere; (*blé*)
trebbiare; (*cartes*) mescolare ■ *vi*
(*cœur*) battere; (*volets etc*) sbattere;
se battre *vr* (*aussi fig*) battersi; (*venir
aux mains*) picchiarsi; **~ des mains**
battere le mani; **~ de l'aile** (*fig*) essere
ridotto(-a) male; **~ des ailes** sbattere
le ali; **~ froid à qn** trattare
freddamente qn; **~ la mesure** battere
il tempo; **~ en brèche** (*Mil, fig*)
demolire; **~ son plein** essere al
culmine; **~ pavillon britannique**
battere bandiera britannica; **~ la
semelle** battere i piedi per terra (per
scaldarsi); **~ en retraite** battere in
ritirata

baume [bom] *nm* (*aussi fig*) balsamo

bavard, e [bavaʀ, aʀd] *adj*
chiacchierone(-a)

bavarder [bavaʀde] *vi* chiacchierare

baver [bave] *vi* sbavare; **en ~** (*fam*)
passarne di cotte e di crude

bavoir [bavwaʀ] *nm* (*de bébé*)
bavaglino

bavure [bavyʀ] *nf* sbavatura;
~ policière tragico errore della polizia

bazar [bazaʀ] *nm* emporio; (*fam:
objets*) roba, armamentario;
(*désordre*) baraonda, caos *m*

bazarder [bazaʀde] (*fam*) *vt*
sbarazzarsi di

BCBG [besebeʒe] *adj* (= *bon chic bon
genre*) perbenino *inv*

BD [bede] *sigle f* (= *bande dessinée*)
voir **bande**; (= *base de données*)
database *m inv*

bd *abr* = **boulevard**

béant, e [beɑ̃, ɑ̃t] *adj* spalancato(-a),
aperto(-a)

beau, bel, belle, beaux [bo, bɛl]
adj bello(-a) ■ *nm* bello ■ *adv*: **il fait
~** fa bel tempo, è bello; **le temps est
au ~** il tempo si mette al bello; **un ~
geste** un bel gesto; **un ~ salaire** un
buono stipendio; **un ~ gâchis/rhume**
(*iron*) un bel pasticcio/raffreddore; **le
~ monde** il bel mondo; **un ~ jour...** un
bel giorno...; **de plus belle** ancora di

più; **bel et bien** proprio; **le plus ~ c'est que...** il bello è che...; **"c'est du ~!"** "bella roba!"; **on a ~ essayer...** si ha un bel provare...; **il a ~ jeu de protester** ha un bel protestare, è facile per lui protestare; **en faire/dire de belles** farne/dirne delle belle; **faire le ~** (chien) rizzarsi sulle zampe posteriori

beaucoup [boku] adv molto; **il boit ~** beve molto; **il ne rit pas ~** non ride molto; **~ plus grand** molto più grande; **il en a ~ plus** ne ha molti di più; **~ trop de...** troppo(-a)...; **~ de** (nombre) molti(-e), parecchi(-e); (quantité) molto(-a), parecchio(-a); **~ d'étudiants** molti studenti; **~ de courage** molto coraggio; **il n'a pas ~ d'argent** non ha molto denaro; **de ~** adv di molto

beau-fils [bofis] (pl **beaux-fils**) nm genero; (remariage) figliastro(-a)

beau-frère [bofʀɛʀ] (pl **beaux-frères**) nm cognato

beau-père [bopɛʀ] (pl **beaux-pères**) nm suocero; (remariage) patrigno

beauté [bote] nf bellezza; **de toute ~** di grande bellezza; **finir en ~** chiudere in bellezza

beaux-arts [bozaʀ] nmpl belle arti fpl

beaux-parents [boparɑ̃] nmpl suoceri mpl

bébé [bebe] nm bambino, bebè m inv

bec [bɛk] nm (d'oiseau) becco; (de cafetière, plume) beccuccio; (d'une clarinette etc) bocchino; **clouer le ~ à qn** (fam) chiudere il becco a qn; **ouvrir le ~** aprir becco; **~ de gaz** lampione m (a gas), fanale m (a gas); **~ verseur** beccuccio

bêche [bɛʃ] nf vanga

bêcher [beʃe] vt (terre) vangare ■ vi darsi delle arie

bedaine [bədɛn] nf pancia, trippa

bedonnant, e [bədɔnɑ̃, ɑ̃t] adj panciuto(-a)

bée [be] adj: **bouche ~** a bocca aperta

bégayer [begeje] vi, vt balbettare

beige [bɛʒ] adj beige inv

beignet [bɛɲɛ] nm frittella

> **FAUX AMIS**
> **beignet** ne se traduit pas par le mot italien **bignè**.

bel [bɛl] adj m voir **beau**

bêler [bele] vi belare

belette [bəlɛt] nf donnola

belge [bɛlʒ] adj belga ■ nm/f: **Belge** belga m/f

Belgique [bɛlʒik] nf Belgio

bélier [belje] nm ariete m, montone m; (engin) ariete m; (Astrol): **B~** Ariete; **être (du) B~** essere dell'Ariete

belle [bɛl] adj f voir **beau** ■ nf (Sport): **la ~** la bella

belle-fille [bɛlfij] (pl **belles-filles**) nf nuora; (remariage) figliastra

belle-mère [bɛlmɛʀ] (pl **belles-mères**) nf suocera; (remariage) matrigna

belle-sœur [bɛlsœʀ] (pl **belles-sœurs**) nf cognata

belvédère [bɛlvedɛʀ] nm belvedere m inv

bémol [bemɔl] nm bemolle m

bénédiction [benediksjɔ̃] nf benedizione f

bénéfice [benefis] nm (Comm) utile m; (avantage) beneficio, vantaggio; **au ~ de** a beneficio di

bénéficier [benefisje] vi: **~ (de)** beneficiare (di)

bénéfique [benefik] adj benefico(-a)

bénévole [benevɔl] adj volontario(-a)

bénin, -igne [benɛ̃, iɲ] adj benigno(-a), benevolo(-a); (tumeur, mal) benigno(-a)

bénir [beniʀ] vt benedire

bénit, e [beni, it] adj benedetto(-a); **eau ~e** acqua santa

benne [bɛn] nf (de camion) cassone m; (de téléphérique) cabina; **~ à ordures** cassonetto; **~ basculante** cassone ribaltabile

béquille [bekij] nf stampella; (de bicyclette) cavalletto

berceau, x [bɛʀso] nm (aussi fig) culla

bercer [bɛʀse] vt cullare

berceuse [bɛʀsøz] nf ninnananna

béret [beʀɛ] nm (aussi: **béret basque**) basco

berge [bɛʀʒ] nf sponda, argine m; (fam) anno

berger, -ère [bɛʀʒe, ɛʀ] nm/f pastore(-ella); **~ allemand** (chien) pastore m tedesco

berner [bɛʀne] vt imbrogliare, prendere in giro

besogne [bəzɔɲ] nf lavoro, compito
besoin [bəzwɛ̃] nm bisogno;
(*pauvreté*): **le ~** l'indigenza ■ adv:
au ~ all'occorrenza; **il n'y a pas ~ de
(faire)** non c'è bisogno di (fare),
non occorre (fare); **les ~s (naturels)**
i bisogni; **faire ses ~s** fare i bisogni;
avoir ~ de qch/de faire qch aver
bisogno di qc/di fare qc; **avez-vous
~ de quelque chose?** ha bisogno di
qualcosa?; **pour les ~s de la cause**
per avvalorare la propria tesi
bestiole [bɛstjɔl] nf bestiola,
bestiolina
bétail [betaj] nm bestiame m
bête [bɛt] nf animale m, bestia;
(*insecte, bestiole*) bestiolina ■ adj
(*stupide*) stupido(-a); **chercher la
petite ~** cercare il pelo nell'uovo;
les ~s il bestiame; **~ noire** bestia
nera; **~ de somme** bestia da soma;
~s sauvages belve fpl
bêtise [betiz] nf (*défaut d'intelligence*)
stupidità f; (*action, remarque*)
stupidaggine f; **faire/dire une ~**
fare/dire una stupidaggine; **~ de
Cambrai** caramella alla menta
béton [betɔ̃] nm calcestruzzo;
en ~ (*fig: alibi, argument*) di ferro;
~ armé cemento armato;
~ précontraint cemento armato
precompresso
betterave [bɛtʀav] nf barbabietola;
~ fourragère barbabietola da
foraggio; **~ sucrière** barbabietola da
zucchero
Beur [bœʀ] nm/f magrebino nato in
Francia da genitori immigrati
beurre [bœʀ] nm burro; **mettre du ~
dans les épinards** (*fig*) migliorare la
situazione; **~ de cacao** burro di
cacao; **~ noir** burro soffritto
beurrer [bœʀe] vt imburrare
beurrier [bœʀje] nm portaburro
biais [bjɛ] nm (*d'un tissu*) sbieco;
(*fig: moyen*) espediente m, scappatoia;
en ~, de ~ di sbieco, di traverso; (*fig*) in
modo indiretto
bibelot [biblo] nm suppellettile f
biberon [bibʀɔ̃] nm biberon m inv;
nourrir au ~ allattare artificialmente
bible [bibl] nf bibbia
bibliobus [biblijɔbys] nm biblioteca
ambulante

bibliothécaire [biblijɔtekɛʀ] nm/f
bibliotecario(-a)
bibliothèque [biblijɔtɛk] nf (*meuble*)
libreria; (*institution, collection*)
biblioteca; **~ municipale** biblioteca
comunale
bicarbonate [bikaʀbɔnat] nm:
~ (de soude) bicarbonato (di sodio)
biceps [bisɛps] nm bicipite m
biche [biʃ] nf cerva
bicolore [bikɔlɔʀ] adj bicolore
bicoque [bikɔk] (*péj*) nf bicocca
bicyclette [bisiklɛt] nf bicicletta
bidet [bidɛ] nm bidè m inv
bidon [bidɔ̃] nm bidone m ■ adj inv
(*fam: combat, élections*) fasullo(-a)
bidonville [bidɔ̃vil] nm bidonville f inv
bidule [bidyl] nm coso, affare m

🔵 **MOT-CLÉ**

bien [bjɛ̃] nm 1 (*avantage, profit, moral*)
bene m; **faire du bien à qn** fare del
bene a qn; **faire le bien** fare del bene;
dire du bien de parlare bene di; **c'est
pour son bien que...** è per il suo bene
che...; **changer en bien** migliorare;
mener à bien portare a buon fine;
je te veux du bien ti voglio bene;
le bien public il bene pubblico
2 (*possession, patrimoine*) beni mpl;
son bien le plus précieux il suo bene
più prezioso; **avoir du bien** avere dei
beni; **biens (de consommation)** beni
(di consumo)
■ adv 1 (*de façon satisfaisante*) bene;
elle travaille/mange bien lavora/
mangia bene; **croyant bien faire,
je...** credendo di far bene, io...; **tiens-
toi bien!** stai composto!; (*prépare-toi!*)
tieni forte!
2 (*valeur intensive*) molto; **bien jeune/
mieux/souvent** molto giovane/
meglio/spesso; **j'en ai bien assez** ne
ho più che a sufficienza; **c'est bien
fait!** (*mérité*) è quel che si merita!;
j'espère bien y aller spero proprio di
andarci; **je veux bien le faire**
(*concession*) lo faccio volentieri; **il faut
bien le faire** bisogna pur farlo; **il y a
bien 2 ans** sono almeno 2 anni; **Paul
est bien venu, n'est-ce pas?** Paul è
venuto, vero?; **j'ai bien téléphoné** ho
telefonato; **il faut bien l'admettre**

bisogna proprio ammetterlo; **se donner bien du mal** darsi un gran daffare; **où peut-il bien être passé?** dove sarà mai andato?

3 (*beaucoup*): **bien du temps/des gens** molto tempo/molta gente
■ *adj inv* **1** (*en bonne forme, à l'aise*): **être/se sentir bien** stare/sentirsi bene; **je ne me sens pas bien** non mi sento bene; **on est bien dans ce fauteuil** si sta bene in questa poltrona
2 (*joli, beau*) bello(-a); **tu es bien dans cette robe** stai bene con quel vestito; **elle est bien, cette femme** è una bella donna
3 (*satisfaisant*): **c'est bien?** va bene?; **mais non, c'est très bien** ma no, va bene; **c'est très bien (comme ça)** va benissimo (così); **elle est bien cette secrétaire** questa segretaria è brava
4 (*juste, moral*) giusto(-a); (*personne: respectable*) perbene *inv*; **des gens biens** (*parfois péj*) delle persone perbene
5 (*en bons termes*): **être bien avec qn** essere in buoni rapporti con qn; **si bien que** tanto che; **tant bien que mal** alla meno peggio
6: **bien que** *conj* benché, sebbene
7: **bien sûr** *adv* certo, certamente

bien-aimé, e [bjɛ̃neme] *adj* adorato(-a), amato(-a) ■ *nm/f* amato(-a)
bien-être [bjɛ̃nɛtʀ] *nm* benessere *m*
bienfaisance [bjɛ̃fəzɑ̃s] *nf* beneficenza
bienfait [bjɛ̃fɛ] *nm* beneficio
bienfaiteur, -trice [bjɛ̃fɛtœʀ, tʀis] *nm/f* benefattore(-trice)
bien-fondé [bjɛ̃fɔ̃de] *nm* fondatezza
bientôt [bjɛ̃to] *adv* presto; **à ~** a presto
bienveillant, e [bjɛ̃vɛjɑ̃, ɑ̃t] *adj* benevolo(-a)
bienvenu, e [bjɛ̃vny] *adj* gradito(-a) ■ *nm/f*: **être le ~/la ~e** essere il benvenuto/la benvenuta
bienvenue [bjɛ̃vny] *nf*: **souhaiter la ~ à** dare il benvenuto a
bière [bjɛʀ] *nf* (*boisson*) birra; (*cercueil*) bara; **~ blonde/brune** birra chiara/scura; **~ (à la) pression** birra alla spina

bifteck [biftɛk] *nm* bistecca
bigorneau, x [bigɔʀno] *nm* lumaca di mare
bigoudi [bigudi] *nm* bigodino
bijou, x [biʒu] *nm* (*aussi fig*) gioiello
bijouterie [biʒutʀi] *nf* gioielli *mpl*; (*magasin*) gioielleria
bijoutier, -ière [biʒutje, jɛʀ] *nm/f* gioielliere(-a)
bikini [bikini] *nm* bikini *m inv*
bilan [bilɑ̃] *nm* (*Comm, fig*) bilancio; **faire le ~ de** fare il bilancio di; **déposer son ~** (*Comm*) dichiarare fallimento; **~ de santé** bollettino medico
bile [bil] *nf* bile *f*; **se faire de la ~** (*fam*) rodersi il fegato
bilieux, -euse [biljø, øz] *adj* (*aussi fig*) bilioso(-a)
bilingue [bilɛ̃g] *adj* bilingue
billard [bijaʀ] *nm* biliardo; **c'est du ~** (*fam*) è facilissimo; **passer sur le ~** passare sotto i ferri del chirurgo; **~ électrique** flipper *m inv*
bille [bij] *nf* biglia; (*de bois*) tronco; **jouer aux ~s** giocare a biglie
billet [bijɛ] *nm* biglietto; (*aussi*: **billet de banque**) banconota; **un ~ aller simple** un biglietto di sola andata; **~ à gratter** gratta e vinci *m inv*; **~ aller retour** biglietto di andata e ritorno; **~ à ordre** (*Comm*) effetto a vista; **~ d'avion/de train** biglietto aereo/ferroviario; **~ de commerce** effetto (commerciale); **~ de loterie** biglietto della lotteria; **~ doux** biglietto galante; **~ électronique** biglietto elettronico
billetterie [bijetʀi] *nf* biglietteria; (*Banque*) sportello automatico
billion [biljɔ̃] *nm* bilione *m*
bimensuel, le [bimɑ̃sɥɛl] *adj* bimensile
bio [bjo] *adj* (*fam*) = **biologique**
biochimie [bjoʃimi] *nf* biochimica
biodynamique [bjodinamik] *adj* biodinamico(-a)
biographie [bjɔgʀafi] *nf* biografia
biologie [bjɔlɔʒi] *nf* biologia
biologique [bjɔlɔʒik] *adj* (*aussi produits, aliments*) biologico(-a)
biotechnologie [bjotɛknɔlɔʒi] *nf* biotecnologia
Birmanie [biʀmani] *nf* Birmania

bis, e [adj bi, biz, adv, excl, nm bis] adv, excl, nm bis m inv ■ adj: **pain ~ pane** m nero

biscotte [biskɔt] nf fetta biscottata

biscuit [biskɥi] nm biscotto; (porcelaine) biscuit m; **~ à la cuiller** savoiardo

bise [biz] adj f voir **bis** ■ nf (baiser) bacio; (vent) tramontana

bisexuel, le [bisɛksɥɛl] adj bisessuale

bisou [bizu] nm (fam: baiser) bacino

bissextile [bisɛkstil] adj: **année ~** anno bisestile

bistro(t) [bistʀo] nm caffè m inv, bar m inv

bitume [bitym] nm bitume m, asfalto

bizarre [bizaʀ] adj bizzarro(-a), strano(-a)

blague [blag] nf (propos) frottola, balla; (farce) scherzo; **"sans ~!"** (fam) "davvero!"; **~ à tabac** borsa del tabacco

blaguer [blage] vi scherzare ■ vt prendere in giro

blaireau, x [blɛʀo] nm (Zool) tasso; (brosse) pennello da barba

blâme [blɑm] nm biasimo; (sanction) nota di biasimo

blâmer [blɑme] vt biasimare

blanc, blanche [blɑ̃, blɑ̃ʃ] adj bianco(-a); (innocent) pulito(-a) ■ nm/f bianco(-a) ■ nm bianco; (aussi: **blanc d'œuf**) albume m; (aussi: **blanc de poulet**) petto di pollo; (aussi: **vin blanc**) (vino) bianco; **à ~** (tirer, charger) a salve; **d'une voix ~he** con una voce spenta; **aux cheveux ~s** dai capelli bianchi; **le ~ de l'œil** il bianco dell'occhio; **laisser en ~** (ne pas écrire) lasciare in bianco; **chèque en ~** assegno in bianco; **chauffer à ~** (métal) arroventare; **saigner à ~** salassare; **~ cassé** bianco sporco

blanche [blɑ̃ʃ] adj f voir **blanc** ■ nf (Mus) minima

blancheur [blɑ̃ʃœʀ] nf candore m

blanchir [blɑ̃ʃiʀ] vt imbiancare; (linge) candeggiare, sbiancare; (Culin) sbollentare; (fig: disculper) scagionare; (: argent) riciclare ■ vi sbiancare; (cheveux) diventare

bianco(-a); **blanchi à la chaux** imbiancato a calce

blanchisserie [blɑ̃ʃisʀi] nf lavanderia

blason [blazõ] nm blasone m

blasphème [blasfɛm] nm bestemmia

blazer [blazɛʀ] nm blazer m inv

blé [ble] nm grano; **~ en herbe** grano verde; **~ noir** grano saraceno

bled [blɛd] nm (péj: lieu isolé) buco; **le ~** (en Afrique du nord) l'entroterra

blême [blɛm] adj (visage) smorto(-a); (lueur) pallido(-a); **~ de colère** livido(-a) dalla rabbia

blessé, e [blese] adj, nm/f ferito(-a); **un ~ grave, un grand ~** un ferito grave

blesser [blese] vt ferire; (suj: souliers etc) far male a; **se blesser** vr ferirsi; **se ~ au pied** ferirsi al piede

blessure [blesyʀ] nf (aussi fig) ferita

bleu, e [blø] adj azzurro(-a); (aussi: **bleu foncé**) blu inv; (bifteck) molto al sangue ■ nm (couleur) azzurro; (aussi: **bleu foncé**) blu m inv; (novice) matricola; (contusion) livido; (vêtement: aussi: **bleus**) tuta; **une peur ~e** una fifa blu; **zone ~e** zona f disco inv; **fromage ~** formaggio tipo gorgonzola; **~ de méthylène** blu di metilene; **~ marine** blu (scuro); **~ nuit** blu notte; **~ roi** blu Savoia

bleuet [bløɛ] nm fiordaliso

bloc [blɔk] nm blocco; **serré à ~** stretto(-a) a fondo, avvitato(-a) a fondo; **en ~** in blocco; **faire ~** fare blocco; **~ opératoire** sale fpl operatorie; (salle) sala operatoria

blocage [blɔkaʒ] nm blocco

bloc-notes [blɔknɔt] (pl **blocs-notes**) nm blocco per appunti, bloc-notes m inv

blog, blogue [blɔg] nm blog m inv

bloguer [blɔge] vi scrivere blog

blond, e [blõ, blõd] adj biondo(-a); (sable, blés) dorato(-a) ■ nm/f biondo(-a) ■ nm biondo; **~ cendré** biondo cenere

bloquer [blɔke] vt bloccare; (grouper) raggruppare; **~ les freins** bloccare i freni

blottir [blɔtiʀ] vt nascondere;
  se blottir vr rannicchiarsi
blouse [bluz] nf camice m; (de femme)
  camicetta
blouson [bluzɔ̃] nm giubbotto;
  ~ noir (fig) teppista m
bluff [blœf] nm bluff m inv
bobine [bɔbin] nf (de fil, de film, Élec)
  bobina; **~ (d'allumage)** (Auto) bobina
  (d'accensione); **~ de pellicule** (Photo)
  bobina di pellicola
bocal, -aux [bɔkal, o] nm barattolo
  (di vetro), vaso
bock [bɔk] nm boccale m di birra
bœuf [bœf] nm bue m; (Culin) manzo
bof [bɔf] (fam) excl boh!
bohémien, ne [bɔemjɛ̃, jɛn] nm/f
  bohémien m/f inv
boire [bwaʀ] vt bere; (s'imprégner de)
  assorbire ■ vi (alcoolique) bere; **~ un
  coup** bere un bicchiere; **tu veux ~
  quelque chose?** vuoi qualcosa da
  bere?
bois [bwɑ] vb voir **boire** ■ nm legno;
  (forêt) bosco; (Zool) corna fpl; **les ~**
  (Mus) i legni; **de/en ~** di/in legno; **~
  mort** legna secca; **~ vert** legno verde
boisé, e [bwaze] adj boscoso(-a)
boisson [bwasɔ̃] nf bevanda, bibita;
  pris de ~ brillo(-a); **~s alcoolisées**
  bevande alcoliche; **~s gazeuses**
  bibite gassate
boîte [bwat] nf scatola; (fam:
  entreprise) ditta, ufficio; **aliments en
  ~** cibi mpl in scatola; **mettre qn en ~**
  (fam) prendere in giro qn; **~ à gants**
  vano m portaoggetti inv; **~ à musique**
  carillon m inv; **~ à ordures**
  pattumiera; **~ aux lettres**
  (d'immeuble) cassetta delle lettere;
  (de rue, poste) buca delle lettere;
  ~ crânienne scatola cranica;
  ~ d'allumettes scatola di fiammiferi;
  ~ de conserves scatola di conserve;
  ~ (de nuit) discoteca; **~ de petits pois**
  scatola di piselli; **~ de sardines**
  scatoletta di sardine; **~ de vitesses**
  (Auto) cambio; **~ noire** (Aviat) scatola
  nera; **~ postale** casella postale;
  ~ vocale (dispositif) servizio di
  segreteria telefonica
boiter [bwate] vi (aussi fig) zoppicare
boîtier [bwatje] nm (de montre) cassa;
  (d'appareil-photo) corpo

boive etc [bwav] vb voir **boire**
bol [bɔl] nm scodella, ciotola; **un ~
  d'air** una boccata d'aria; **en avoir ras
  le ~** (fam) averne fin sopra i capelli
bombarder [bɔ̃baʀde] vt
  bombardare; **~ qn de** (cailloux, lettres)
  bombardare qn di; **~ qn directeur**
  nominare inaspettatamente qn
  direttore
bombe [bɔ̃b] nf bomba; (atomiseur)
  bomboletta; (Équitation) berretto da
  fantino; **faire la ~** (fam) fare baldoria;
  ~ à retardement bomba a scoppio
  ritardato; **~ atomique** bomba
  atomica

 MOT-CLÉ

bon, bonne [bɔ̃, bɔn] adj **1** (agréable,
  satisfaisant) buono(-a); (élève,
  conducteur etc) bravo(-a); **un bon
  repas/restaurant** un buon pasto/
  ristorante; **vous êtes trop bon** lei è
  troppo buono; **avoir bon goût** avere
  buon gusto; **être bon en maths**
  essere bravo(-a) in matematica
  2 (bienveillant, charitable): **être bon
  (envers)** essere buono(-a) (verso)
  3 (correct) giusto(-a), esatto(-a); **le
  bon numéro** il numero esatto; **le
  bon moment** il momento giusto ou
  buono
  4 (souhaits): **bon anniversaire!** buon
  compleanno!; **bon voyage!** buon
  viaggio!; **bonne chance!** buona
  fortuna!; **bonne année!** buon anno!;
  bonne nuit! buona notte!
  5 (approprié, apte): **bon à/pour**
  buono(-a) per; **bon pour le service**
  (militaire) idoneo al servizio militare
  6: **bon enfant** bonaccione(-a); **de
  bonne heure** di buon'ora; **bon
  marché** a buon mercato; **bon mot**
  battuta (di spirito); **bon sens** buon
  senso; **bon vivant** buontempone m
  ■ nm **1** (billet) buono; (aussi: **bon
  cadeau**) buono m regalo inv; **bon
  d'essence** buono benzina; **bon de
  caisse** scontrino di cassa; **bon du
  Trésor** buono del Tesoro
  2: **avoir du bon** avere del buono;
  pour de bon (per) davvero; **il y a du
  bon dans ce qu'il dit** non ha tutti i
  torti

■ *adv*: **il fait bon** si sta bene; **sentir bon** avere un buon profumo; **tenir bon** tener duro; **à quoi bon?** a che pro?

■ *excl*: **bon!** bene!; **ah bon?** ah sì?; **bon, je reste** va bene, rimango; *voir aussi* **bonne**

bonbon [bɔ̃bɔ̃] *nm* caramella

bond [bɔ̃] *nm* balzo; (*d'une balle*) rimbalzo; **faire un ~** fare un balzo; **d'un seul ~** in un balzo solo; **~ en avant** (*fig*) balzo in avanti

bondé, e [bɔ̃de] *adj* pieno(-a) zeppo(-a)

bondir [bɔ̃diʀ] *vi* balzare; **~ de joie** (*fig*) saltare dalla gioia; **~ de colère** (*fig*) scattare per la collera

bonheur [bɔnœʀ] *nm* felicità *f inv*; **avoir le ~ de** avere la fortuna di; **porter ~ (à qn)** portare fortuna (a qn); **au petit ~** a caso; **par ~** per fortuna

bonhomme [bɔnɔm] (*pl* **bonshommes**) *nm* tizio, uomo ■ *adj* bonario(-a); **un vieux ~** un vecchietto; **aller son ~ de chemin** proseguire tranquillamente per la propria strada; **~ de neige** pupazzo di neve

bonjour [bɔ̃ʒuʀ] *excl, nm* buongiorno *m inv*; **donner** *ou* **souhaiter le ~ à qn** dare il buongiorno a qn, salutare qn; **~ Monsieur** buongiorno signore; **dire ~ à qn** salutare qn

bonne [bɔn] *adj f voir* **bon** ■ *nf* domestica, cameriera

bonnet [bɔnɛ] *nm* berretto; (*de soutien-gorge*) coppa; **~ d'âne** berretto d'asino; **~ de bain** cuffia da bagno

bonsoir [bɔ̃swaʀ] *excl, nm* buonasera *m inv*; *voir aussi* **bonjour**

bonté [bɔ̃te] *nf* bontà *f inv*; (*attention, gentillesse*) gentilezza; **avoir la ~ de...** avere la cortesia di...

bonus [bɔnys] *nm* riduzione *f* del premio assicurativo

bord [bɔʀ] *nm* (*de table, verre*) bordo, orlo; (*de rivière, lac, falaise*) riva, sponda; (*de route*) ciglio; (*de vêtement*) orlo; (*de chapeau*) tesa, falda; (*Naut*): **à ~** a bordo; **monter à ~** salire a bordo; **jeter par-dessus ~** gettare in *ou* a mare; **le commandant/les**

hommes du **~** il comandante/gli uomini di bordo; **du même ~** (*fig*) della stessa opinione; **au ~ de la mer** in riva al mare; **au ~ de la route** sul ciglio della strada; **être au ~ des larmes** (*fig*) stare per piangere; **sur les ~s** (*fig*) appena appena; **de tous ~s** di ogni parte; **~ du trottoir** bordo del marciapiede

bordeaux [bɔʀdo] *nm* (*vin*) bordeaux *m inv* ■ *adj inv* (*couleur*) (rosso) bordeaux *inv*

bordel [bɔʀdɛl] (*fam*) *nm* (*aussi fig*) bordello, casino ■ *excl* merda (*fam!*); **mettre le ~** fare casino

border [bɔʀde] *vt* fiancheggiare; **~ qch de** orlare qc di, bordare qc di; **~ qn dans son lit** *ou* **le lit de qn** rincalzare *ou* rimboccare le coperte a qn

bordure [bɔʀdyʀ] *nf* bordo; (*sur un vêtement*) orlo; **en ~ de** sul bordo di; (*de route*) sul ciglio di; **~ de trottoir** bordo di marciapiede

borne [bɔʀn] *nf* (*pour délimiter*) limite *m*; **bornes** *nfpl* (*fig: limites*) limiti *mpl*, confini *mpl*; **dépasser les ~s** superare ogni limite; **sans ~(s)** senza limite(-i); **~ (kilométrique)** pietra miliare

borné, e [bɔʀne] *adj* ottuso(-a)

borner [bɔʀne] *vt* (*terrain, horizon*) delimitare; (*fig: désirs, ambition*) limitare; **se ~ à faire** limitarsi a fare

bosquet [bɔskɛ] *nm* boschetto

bosse [bɔs] *nf* (*de terrain etc*) protuberanza; (*enflure*) bernoccolo; (*du bossu, chameau etc*) gobba; **avoir la ~ des maths** avere il bernoccolo della matematica; **rouler sa ~** vagabondare

bosser [bɔse] (*fam*) *vi* sgobbare

bossu, e [bɔsy] *adj, nm/f* gobbo(-a)

botanique [bɔtanik] *nf* botanica ■ *adj* botanico(-a)

botte [bɔt] *nf* (*soulier*) stivale *m*; (*Escrime*) botta; (*gerbe*): **~ de paille** balla di paglia; **~ d'asperges/de radis** mazzo di asparagi/di ravanelli; **~s de caoutchouc** stivali di gomma

FAUX AMIS
botte ne se traduit pas par le mot italien **botte**.

bottin [bɔtɛ̃] *nm* elenco telefonico, guida del telefono

bottine [bɔtin] nf stivaletto
bouc [buk] nm caprone m; (barbe) pizzetto; **~ émissaire** capro espiatorio
boucan [bukɑ̃] nm baccano
bouche [buʃ] nf bocca; **une ~ à nourrir** (fig) una bocca da sfamare; **de ~ à oreille** in confidenza; **pour la bonne ~** per la fine; **faire du ~-à-~ à qn** fare la respirazione bocca a bocca a qn; **faire venir l'eau à la ~** far venire l'acquolina in bocca; **"~ cousue!"** "acqua in bocca!"; **~ d'aération** condotto di aerazione; **~ de chaleur** bocca dell'aria calda; **~ d'égout** tombino; **~ d'incendie** idrante m; **~ de métro** entrata del metrò
bouché, e [buʃe] adj (flacon etc) tappato(-a); (vin, cidre) in bottiglia; (temps, ciel) coperto(-a); (carrière) senza sbocco, senza avvenire; (péj: personne) ottuso(-a); **avoir le nez ~** avere il naso tappato
bouchée [buʃe] nf boccone m; **ne faire qu'une ~ de** (fig) far fuori in un batter d'occhio; **pour une ~ de pain** (fig) per un boccone di pane; **~s à la reine** (Culin) vol-au-vent m inv di carne con salsa
boucher [buʃe] nm macellaio ◼ vt tappare; (obstruer) ostruire; **l'évier est bouché** il lavandino è ostruito; **se boucher** vr otturarsi; **se ~ le nez** tapparsi il naso
boucherie [buʃʀi] nf macelleria; (fig) macello
bouchon [buʃɔ̃] nm tappo; (fig) ingorgo; (Pêche) galleggiante m; **~ doseur** tappo dosatore
boucle [bukl] nf anello; (d'un fleuve) ansa; (Inform) loop m inv; (de ceinture) fibbia; **~ (de cheveux)** ricciolo (di capelli), boccolo; **~s d'oreilles** orecchini mpl
bouclé, e [bukle] adj riccio(-a); (tapis) bouclé inv
boucler [bukle] vt (ceinture etc) allacciare; (magasin, affaire, circuit) chiudere; (budget) far quadrare; (enfermer) rinchiudere; (: condamné) metter dentro; (: quartier) accerchiare ◼ vi: **faire ~** (cheveux) far arricciare; **~ la boucle** (Aviat) fare un cerchio completo, fare un

looping; **arriver à ~ ses fins de mois** riuscire a far quadrare il proprio bilancio
bouder [bude] vi fare il muso ◼ vt (personne) tenere il broncio a; (fig) snobbare
boudin [budɛ̃] nm (Culin) sanguinaccio; (Tech) spirale f, tubolare m; **~ blanc** salume fatto con latte e carni bianche

▮ **FAUX AMIS**
boudin ne se traduit pas par le mot italien **budino**.

boue [bu] nf melma, fango; **~s industrielles** fanghi industriali
bouée [bwe] nf (balise) boa; (de baigneur) salvagente m, ciambella; **~ (de sauvetage)** salvagente m; (fig) ancora di salvezza
boueux, -euse [bwø, øz] adj fangoso(-a), melmoso(-a) ◼ nm/f (péj) spazzino(-a)
bouffe [buf] (fam) nf roba da mangiare; **on se fait une ~?** ci mangiamo qualcosa insieme?
bouffée [bufe] nf (d'air) ventata; (de pipe) boccata; **~ de chaleur** vampata di calore; **~ de fièvre** accesso di febbre; **~ de honte** vampata di vergogna; **~ d'orgueil** impeto di orgoglio
bouffer [bufe] vi (fam) mangiare, sbafare; (Couture) gonfiarsi ◼ vt mangiare, sbafare
bouffi, e [bufi] adj gonfio(-a)
bouger [buʒe] vi muoversi; (dent etc) dondolare; (voyager) spostarsi ◼ vt muovere, spostare; **se bouger** vr (fam) darsi una mossa; **ce tissu n'a pas bougé au lavage** questo tessuto ha resistito bene al lavaggio
bougie [buʒi] nf (pour éclairer, Auto) candela
bouillabaisse [bujabɛs] nf zuppa di pesce alla provenzale
bouillant, e [bujɑ̃, ɑ̃t] adj bollente; (fig) fremente; **~ de colère** fremente di collera
bouillie [buji] nf poltiglia; (de bébé) pappa; **en ~** (fig) in poltiglia
bouillir [bujiʀ] vi bollire; (fig) ribollire ◼ vt bollire; **~ de colère** bollire di rabbia
bouilloire [bujwaʀ] nf bollitore m

bouillon [bujɔ̃] nm (Culin) brodo;
(bulles, écume) bollore m; **~ de culture**
brodo di coltura
bouillonner [bujɔne] vi (aussi fig)
ribollire; (torrent) gorgogliare
bouillotte [bujɔt] nf borsa dell'acqua
calda
boulanger, -ère [bulɑ̃ʒe, ɛʀ] nm/f
panettiere(-a)
boulangerie [bulɑ̃ʒʀi] nf panetteria,
panificio; (commerce, branche)
panificazione f
boule [bul] nf (gén, pour jouer) palla;
(de machine à écrire) sfera; **roulé en ~**
raggomitolato(-a); **se mettre en ~**
(fig) arrabbiarsi; **perdre la ~** (: fam)
perdere la testa; **faire ~ de neige** (fig)
crescere a valanga; **~ de gomme**
pasticca gommata; **~ de neige** palla
di neve

⬥ **BOULES**

⬥ Questo popolare gioco francese
⬥ ha diverse varianti, tra cui la
⬥ "pétanque", tipica del sud della
⬥ Francia. Consiste nel gettare le
⬥ proprie bocce più vicino possibile
⬥ al pallino, il "cochonnet".

boulette [bulɛt] nf pallina; (fig)
cantonata
boulevard [bulvaʀ] nm viale m, corso
bouleversement [bulvɛʀsəmɑ̃] nm
sconvolgimento
bouleverser [bulvɛʀse] vt
sconvolgere; (papiers, objets) mettere
sottosopra
boulimie [bulimi] nf bulimia
boulimique [bulimik] adj
bulimico(-a)
boulon [bulɔ̃] nm bullone m
boulot [bulo] (fam) nm lavoro
boum [bum] nm boom m inv ◼ nf
party m inv, festa
bouquet [bukɛ] nm (de fleurs) mazzo;
(de persil etc) mazzetto; (parfum)
aroma m; **"c'est le ~!"** (fig) "ci
mancava solo quello!"; **~ garni** (Culin)
mazzetto di odori
bouquin [bukɛ̃] nm libro
bouquiner [bukine] vi leggere
bourdon [buʀdɔ̃] nm calabrone m;
avoir le ~ essere giù di corda

bourg [buʀ] nm borgo
bourgeois, e [buʀʒwa, waz] adj
borghese m/f
bourgeoisie [buʀʒwazi] nf
borghesia; **petite ~** piccola borghesia
bourgeon [buʀʒɔ̃] nm gemma,
germoglio
Bourgogne [buʀgɔɲ] nf Borgogna
◼ nm: **bourgogne** (vin) borgogna m
bourguignon, ne [buʀgiɲɔ̃, ɔn] adj,
nm/f borgognone(-a); **(bœuf) ~**
≈ brasato
bourrasque [buʀask] nf burrasca
bourratif, -ive [buʀatif, iv] adj che
riempie
bourré, e [buʀe] adj (rempli): **~ de**
pieno(-a) zeppo(-a) di; (fam)
ubriaco(-a) fradicio(-a)
bourrer [buʀe] vt (pipe, poêle)
caricare; (valise) riempire; (personne:
de nourriture): **~ de** rimpinzare di;
~ qn de coups riempire qn di botte;
~ le crâne à qn riempire la testa a qn
bourru, e [buʀy] adj burbero(-a)
bourse [buʀs] nf (subvention) borsa
di studio; (porte-monnaie) borsellino;
la B~ la Borsa; **sans ~ délier** senza
spendere un soldo; **B~ du travail**
≈ Camera del lavoro
bous [bu] vb voir **bouillir**
bousculade [buskylad] nf parapiglia
m inv; (mouvements de foule) calca
bousculer [buskyle] vt urtare,
spingere; (fig) sollecitare, far
premura a
boussole [busɔl] nf bussola
bout [bu] vb voir **bouillir** ◼ nm pezzo;
(extrémité: de pied, bâton) punta;
(: de ficelle, table, rue, période) fine f;
au ~ de (après) in capo a; **au ~ du
compte** in fin dei conti; **être à ~**
essere allo stremo, non poterne più;
pousser qn à ~ far perdere la pazienza
a qn; **venir à ~ de qch** venire a capo
di qc; **venir à ~ de qn** spuntarla su qn;
~ à ~ da capo a capo; **à tout ~ de
champ** ad ogni piè sospinto; **d'un ~ à
l'autre, de ~ en ~** da cima a fondo;
à ~ portant a bruciapelo; **un ~ de
chou** (enfant) un bambino; **~ filtre**
con filtro
bouteille [butɛj] nf bottiglia; (de gaz
butane) bombola; **il a pris de la ~** non
è più un giovanotto

boutique [butik] *nf* negozio; (*de grand couturier*) sartoria; (*de mode*) boutique *f inv*

bouton [butɔ̃] *nm* (*Bot*) bocciolo, gemma; (*sur la peau*) foruncolo, brufolo; (*de vêtements*) bottone *m*; (*électrique etc*) pulsante *m*; (*de porte*) campanello; **~ de manchette** gemelli *mpl*; **~ d'or** (*Bot*) botton *m* d'oro

boutonner [butɔne] *vt* abbottonare; **se boutonner** *vr* abbottonarsi

boutonnière [butɔnjɛʀ] *nf* occhiello

bovin, e [bɔvɛ̃, in] *adj* (*aussi fig*) bovino(-a); **bovins** *nmpl* (*Zool*) bovini *mpl*

bowling [bulin] *nm* bowling *m inv*

boxe [bɔks] *nf* boxe *f inv*, pugilato

BP [bepe] *sigle f* (= *boîte postale*) C.P. *f*

bracelet [bʀaslɛ] *nm* braccialetto

braconnier [bʀakɔnje] *nm* bracconiere *m*

brader [bʀade] *vt* svendere

braderie [bʀadʀi] *nf* svendita

braguette [bʀagɛt] *nf* brachetta

braise [bʀɛz] *nf* brace *f*

brancard [bʀãkaʀ] *nm* (*civière*) barella; (*bras, perche*) stanga

brancardier [bʀãkaʀdje] *nm* barelliere *m*

branche [bʀãʃ] *nf* ramo; (*de lunettes*) stanghetta; (*secteur*) ramo, branca

branché, e [bʀãʃe] (*fam*) *adj*: **être ~** essere alla moda

brancher [bʀãʃe] *vt* (*appareil électrique*) collegare; (*téléphone etc*) collegare, allacciare; (: *en mettant la prise*) inserire la spina di; **~ qn sur** (*fig*) mettere qn al corrente di

brandir [bʀãdiʀ] *vt* brandire

braquer [bʀake] *vi* (*Auto*) sterzare ■ *vt* (*revolver, regard etc*): **~ qch sur** puntare qc su; (*mettre en colère*): **~ qn** aizzare qn; **se braquer** *vr* impuntarsi

bras [bʀa] *nm* braccio; (*de fauteuil*) bracciolo ■ *nmpl* (*fig*) manodopera *fsg*, braccia *fpl*; **~ dessus ~ dessous** a braccetto; **avoir le ~ long** (*fig*) avere le mani in pasta; **à ~ raccourcis** a tutta forza, selvaggiamente; **à tour de ~** a tutta forza; **baisser les ~** arrendersi; **une partie de ~ de fer**

(*fig*) un braccio di ferro, una prova di forza; **~ droit** (*fig*) braccio destro; **~ de fer** braccio di ferro; **~ de levier** braccio di leva; **~ de mer** braccio di mare

brassard [bʀasaʀ] *nm* bracciale *m*

brasse [bʀas] *nf* (*nage*) rana; (*mesure*) braccio; **~ papillon** farfalla

brassée [bʀase] *nf* bracciata

brasser [bʀase] *vt* (*bière*) fabbricare; (*salade, cartes etc*) mescolare; (*affaires*) trattare; **~ l'argent** maneggiare soldi

brasserie [bʀasʀi] *nf* (*fabrique*) birreria; (*restaurant*) ≈ trattoria

brave [bʀav] *adj* (*courageux*) coraggioso(-a); (*bon, gentil*) bravo(-a); (*péj*) gradasso(-a)

braver [bʀave] *vt* sfidare

bravo [bʀavo] *excl* bravo ■ *nm* applauso

bravoure [bʀavuʀ] *nf* coraggio

break [bʀɛk] *nm* (*Auto*) station wagon *f inv*

brebis [bʀəbi] *nf* pecora; **~ galeuse** pecora nera

bredouiller [bʀəduje] *vi, vt* farfugliare, biascicare

bref, brève [bʀɛf, ɛv] *adj* breve ■ *adv* insomma, a dirla breve; **d'un ton ~** con un tono secco; **en ~** in breve; **à ~ délai** a breve termine

Brésil [bʀezil] *nm* Brasile *m*

Bretagne [bʀətaɲ] *nf* Bretagna

bretelle [bʀətɛl] *nf* (*de fusil etc*) tracolla; (*de vêtement*) spallina; (*d'autoroute*) raccordo, bretella; **bretelles** *nfpl* (*pour pantalons*) bretelle *fpl*; **~ de contournement** (*Auto*) svincolo; **~ de raccordement** (*Auto*) raccordo

breton, ne [bʀətɔ̃, ɔn] *adj* bretone ■ *nm* (*langue*) bretone *m* ■ *nm/f*: **Breton, ne** bretone *m/f*

brève [bʀɛv] *adj f voir* **bref** ■ *nf* (*voyelle, nouvelle*) breve *f*

brevet [bʀəvɛ] *nm* brevetto; (*Scol*) diploma *m*; **~ (d'invention)** brevetto; **~ d'apprentissage** certificato di apprendistato; **~ (des collèges)** diploma *m* (di scuola media); **~ d'études du premier cycle** diploma di licenza media

Il *brevet des collèges* è un esame che si sostiene alla fine del "collège", all'età di 15 anni.

breveté, e [bʀəv(ə)te] *adj* (*invention*) brevettato(-a); (*diplômé*) diplomato(-a)

bricolage [bʀikɔlaʒ] *nm* bricolage *m inv*, fai-da-te *m inv*; (*péj*) riparazione *f* fatta alla bell'e meglio

bricoler [bʀikɔle] *vi* fare lavoretti; (*passe-temps*) dedicarsi al bricolage ◼ *vt* riparare; (*mal réparer*) riparare alla bell'e meglio; (*voiture etc*) trafficare

bricoleur, -euse [bʀikɔlœʀ, øz] *nm/f, adj* appassionato(-a) di bricolage

bridge [bʀidʒ] *nm* bridge *m inv*; (*dentaire*) ponte *m*

brièvement [bʀijɛvmã] *adv* brevemente

brigade [bʀigad] *nf* squadra; (*Mil*) brigata

brigadier [bʀigadje] *nm* (*Police*) brigadiere *m*; (*Mil*) caporale *m*

brillamment [bʀijamã] *adv* brillantemente

brillant, e [bʀijã, ãt] *adj, nm* brillante (*m*)

briller [bʀije] *vi* (*aussi fig*) brillare

brin [bʀɛ̃] *nm* (*d'herbe*) filo; (*de muguet*) rametto; (*fig*): **un ~ de** un briciolo di; **un ~ mystérieux** (*fam*) con un pizzico di mistero; **~ de paille** festuca di paglia

brindille [bʀɛ̃dij] *nf* ramoscello

brioche [bʀijɔʃ] *nf* dolce di pasta lievitata a base di farina, uova e burro; (*fam: ventre*) pancia

brique [bʀik] *nf* mattone *m* ◼ *adj inv* (*color*) mattone *inv*

briquet [bʀike] *nm* accendino

brise [bʀiz] *nf* brezza

briser [bʀize] *vt* rompere, spezzare; (*fig: carrière, vie, amitié*) stroncare; (: *volonté, résistance*) spezzare; (: *grève*) sabotare; (: *fatiguer*) distruggere, sfinire; **se briser** *vr* rompersi, spezzarsi; (*fig*) spezzarsi

britannique [bʀitanik] *adj* britannico(-a) ◼ *nm/f*: **Britannique** britannico(-a); **les B~s** i britannici

brocante [bʀɔkãt] *nf* (*activité*) commercio di articoli da rigattiere; (*commerce*) negozio di rigattiere

brocanteur, -euse [bʀɔkãtœʀ, øz] *nm/f* rigattiere(-a)

broche [bʀɔʃ] *nf* (*bijou*) spilla; (*Culin*) spiedo; (*Méd*) chiodo; **à la ~** (*Culin*) allo spiedo

broché, e [bʀɔʃe] *adj* (*livre*) rilegato(-a) in brossura ◼ *nm* (*tissu*) broccato

brochet [bʀɔʃɛ] *nm* luccio

brochette [bʀɔʃɛt] *nf* spiedino; **~ de décorations** sfilza di decorazioni

brochure [bʀɔʃyʀ] *nf* opuscolo

broder [bʀɔde] *vt* ricamare ◼ *vi*: **~ (sur des faits/une histoire)** ricamare (sui fatti/una storia)

broderie [bʀɔdʀi] *nf* ricamo

bronches [bʀɔ̃ʃ] *nfpl* bronchi *mpl*

bronchite [bʀɔ̃ʃit] *nf* bronchite *f*

bronze [bʀɔ̃z] *nm* bronzo

bronzer [bʀɔ̃ze] *vt* (*peau*) abbronzare; (*métal*) bronzare ◼ *vi* abbronzarsi; **se bronzer** *vr* abbronzarsi

brosse [bʀɔs] *nf* spazzola; **donner un coup de ~ à** dare una spazzolata a; **coiffé en ~** con i capelli a spazzola; **~ à cheveux/à habits** spazzola per capelli/per vestiti; **~ à dents** spazzolino (da denti)

brosser [bʀɔse] *vt* spazzolare; (*fig: tableau, bilan etc*) dipingere; **se brosser** *vr* spazzolarsi; **tu peux te ~!** (*fam*) puoi farci una croce sopra!

brouette [bʀuɛt] *nf* carriola

brouillard [bʀujaʀ] *nm* nebbia; **être dans le ~** (*fig*) brancolare nel buio

brouiller [bʀuje] *vt* scompigliare; (*embrouiller*) imbrogliare; (*TV*) criptare; (*Radio*) disturbare; (*rendre trouble, confus*) annebbiare, confondere; (*désunir: amis*) mettere contro; **se brouiller** *vr* (*ciel, temps*) guastarsi; (*vue*) annebbiarsi; (*détails*) offuscarsi; **se ~ (avec)** rompere (con); **~ les pistes** confondere le piste

brouillon, ne [bʀujɔ̃, ɔn] *adj* confusionario(-a) ◼ *nm* minuta; **cahier de ~** quaderno di brutta copia

broussailles [bʀusaj] *nfpl* cespugli *mpl*

broussailleux, -euse [bʀusajø, øz] *adj* cespuglioso(-a)

brousse [bʀus] nf savana

brouter [bʀute] vt brucare ◼ vi (Auto, Tech) andare a scatti

brugnon [bʀyɲɔ̃] nm nocepesca

bruiner [bʀɥine] vb: **il bruine** pioviggina

bruit [bʀɥi] nm rumore m; (fig) notizia, voce f; **pas/trop de ~** nessun/troppo rumore; **sans ~** senza rumore; **faire du ~** fare rumore; **faire grand ~ de** (fig) fare molto rumore per; **je n'arrive pas à dormir à cause du ~** non riesco a dormire a causa del rumore; **~ de fond** rumore di fondo

brûlant, e [bʀylɑ̃, ɑ̃t] adj bruciante; (liquide) bollente; (regard) ardente; (sujet) scottante

brûlé, e [bʀyle] adj (fig: démasqué) bruciato(-a) ◼ nm: **odeur de ~** odore m di bruciato; **les grands ~s** gli ustionati gravi

brûler [bʀyle] vt bruciare; (suj: eau bouillante, soleil) scottare; (électricité, essence) consumare ◼ vi bruciare; (combustible, feu) ardere; (lampe, bougie) bruciare; **se brûler** vr scottarsi, ustionarsi; **se ~ la cervelle** farsi saltare le cervella; **tu brûles!** (jeu) fuoco!; **~ les étapes** bruciare le tappe; **~ un feu rouge** passare col rosso; **~ (d'impatience) de faire qch** bruciare dall'impazienza di fare qc

brûlure [bʀylyʀ] nf ustione f, scottatura; (sensation) bruciore m; **~s d'estomac** bruciore msg di stomaco

brume [bʀym] nf nebbia, foschia

brun, e [bʀœ̃, bʀyn] adj bruno(-a) ◼ nm (couleur) bruno

brusque [bʀysk] adj brusco(-a); (soudain) brusco(-a), improvviso(-a)

brut, e [bʀyt] adj grezzo(-a); (soie, minéral) greggio(-a); (Inform: données) non elaborato(-a); (Comm: bénéfice, salaire, poids) lordo(-a) ◼ nm: **(champagne) ~** (champagne) brut m inv; **(pétrole) ~** (petrolio) greggio

brutal, e, aux [bʀytal, o] adj brutale

Bruxelles [bʀysɛl] n Bruxelles f

bruyamment [bʀɥijamɑ̃] adv rumorosamente

bruyant, e [bʀɥijɑ̃, ɑ̃t] adj rumoroso(-a)

bruyère [bʀyjɛʀ] nf (plante) erica; (lieu) brughiera

BTS [beteɛs] sigle m (= Brevet de technicien supérieur) diploma rilasciato dopo due anni di corso negli istituti di specializzazione superiore

bu, e [by] pp de **boire**

buccal, e, aux [bykal, o] adj: **par voie ~e** per via orale

bûche [byʃ] nf ceppo; **prendre une ~** (fig) fare un capitombolo; **~ de Noël** (gâteau) tronchetto natalizio

bûcher [byʃe] nm rogo ◼ vi (fam: étudier) sgobbare ◼ vt (fam) sgobbare su

budget [bydʒɛ] nm (Fin, de ménage) bilancio (preventivo)

buée [bɥe] nf (sur une vitre) condensa; (de l'haleine) vapore m

buffet [byfɛ] nm (meuble) credenza; (de réception) buffet m inv; **~ (de gare)** buffet (della stazione)

buis [bɥi] nm bosso

buisson [bɥisɔ̃] nm cespuglio

bulbe [bylb] nm (Bot, Anat) bulbo; (coupole) cupola a bulbo

Bulgarie [bylgaʀi] nf Bulgaria

bulle [byl] nf (dans un liquide, du verre, papale) bolla; (de bande dessinée) fumetto ◼ adj m, nm: **(papier) ~** carta da imballaggio; **~ de savon** bolla di sapone

bulletin [byltɛ̃] nm bollettino; (papier) bolletta, bolla; (: de bagages) scontrino; (Scol) pagella; **~ météorologique/d'informations** bollettino meteorologico/di informazioni; **~ de naissance** certificato di nascita; **~ de salaire** foglio m paga inv; **~ de santé** bollettino medico; **~ (de vote)** scheda elettorale; **~ réponse** tagliando per la risposta

bureau, x [byʀo] nm (meuble) scrivania, scrittoio; (pièce, service) ufficio; (responsables d'une association) comitato di presidenza; **~ de change** ufficio di cambio; **~ d'embauche** ufficio di assunzione; **~ de placement** ufficio di collocamento; **~ de poste** ufficio postale; **~ de tabac** tabaccheria; **~ de vote** seggio elettorale

bureaucratie [byʀokʀasi] nf burocrazia

bus [vb by, nm bys] vb voir **boire**
■ nm (véhicule) (auto)bus m inv;
(Inform) bus m inv; **à quelle heure
part le ~?** a che ora parte l'autobus?
buste [byst] nm busto; (de femme)
petto, seno
but¹ [by] vb voir **boire**
but² [by(t)] nm (cible) bersaglio; (fig)
meta; (: d'une entreprise, action) scopo,
obiettivo; (Football etc) porta; (: point)
rete f, goal m inv; **de ~ en blanc** di
punto in bianco; **avoir pour ~ de faire**
avere come scopo di fare; **dans le ~ de**
allo scopo di; **gagner par 3 ~s à 2**
vincere per 3 (reti) a 2
butane [bytan] nm butano
butiner [bytine] vi (insectes) volare di
fiore in fiore raccogliendo polline
buvais etc [byve] vb voir **boire**
buvard [byvaʀ] nm carta assorbente
buvette [byvɛt] nf bar m inv

C

c' [s] dét voir **ce**
ça [sa] pron questo, ciò; (pour désigner)
questo(-a); (plus loin) quello(-a);
ça m'étonne que... mi stupisce che...;
ça va? come va?; (d'accord?) va bene?;
ça alors! questa poi!; **c'est ça** proprio
così, sì; **ça fait une heure que
j'attends** è un'ora che aspetto
cabane [kaban] nf capanna;
(de skieurs, de montagne) rifugio
cabaret [kabaʀɛ] nm cabaret m inv
cabillaud [kabijo] nm merluzzo
fresco
cabine [kabin] nf cabina;
~ **(d'ascenseur)** cabina (di ascensore);
~ **d'essayage** cabina di prova; ~ **de
projection** cabina di proiezione;
~ **spatiale** cabina spaziale;
~ **(téléphonique)** cabina (telefonica)
cabinet [kabinɛ] nm stanzino; (de
médecin, d'avocat) studio; (: clientèle)
clientela; (Pol) gabinetto, governo;
(d'un ministre) gabinetto; **cabinets**
nmpl (W.C.) gabinetto msg;
~ **d'affaires** studio commerciale;
~ **de toilette** toilette f inv; ~ **de travail**
studio

câble [kɑbl] nm cavo; (*télégramme*) cablo(gramma) m; **TV par ~** TV f inv via cavo

cacahuète [kakaɥɛt] nf nocciolina americana, arachide f

cacao [kakao] nm cacao; (*boisson*) cioccolata

cache [kaʃ] nm (*pour texte, photo*) mascherino; (*pour l'objectif*) copriobbiettivo; (*pour diapositives*) telaio ∎ nf nascondiglio

cache-cache [kaʃkaʃ] nm inv: **jouer à ~** giocare a nascondino

cachemire [kaʃmiʀ] nm cachemire m inv ∎ adj cachemire inv; **C~** Kashmir m

cacher [kaʃe] vt nascondere; **se cacher** vr nascondersi; (*être caché*) essere nascosto(-a); **~ qch à qn** nascondere qc a qn; **je ne vous cache pas que...** non le nascondo che...; **~ ses cartes** (*fig*) nascondere le proprie intenzioni; **se ~ de qn pour faire qch** fare qc di nascosto da qn; **il ne s'en cache pas** non ne fa un segreto

cachet [kaʃɛ] nm (*Méd*) cachet m inv; (*comprimé*) compressa; (*sceau*) sigillo; (*de la poste*) timbro; (*d'artiste*) cachet m inv; (*fig*) impronta caratteristica

cachette [kaʃɛt] nf nascondiglio; **en ~** di nascosto

cactus [kaktys] nm inv cactus m inv

cadavre [kadavʀ] nm cadavere m

caddie [kadi] nm (*Golf*) caddie m inv; (*au supermarché*) carrello

cadeau, x [kado] nm regalo; **faire un ~ à qn** fare un regalo a qn; **ne pas faire de ~ à qn** (*fig*) rendere la vita difficile a qn; **faire ~ de qch à qn** regalare qc a qn

cadenas [kadnɑ] nm lucchetto

cadet, te [kadɛ, ɛt] adj minore ∎ nm/f (*de la famille*): **le ~/la ~te** il minore/la minore, il più piccolo/la più piccola; **il est mon ~ de deux ans** è più giovane di me di due anni; **les ~s** (*Sport*) atleti di età compresa tra i 16 e i 18 anni; **le ~ de mes soucis** la cosa che mi preoccupa meno

cadran [kadʀɑ̃] nm quadrante m; (*du téléphone*) disco; **~ solaire** meridiana

cadre [kadʀ] nm (*de tableau*) cornice f; (*de vélo*) telaio; (*sur formulaire*) riquadro; (*fig: environnement*) ambiente m; (: *limites*) ambito ∎ nm/f (*Admin*) quadro, dirigente m/f ∎ adj: **loi-~** legge f quadro inv; **rayer qn des ~s** (*Mil, Admin*) radiare qn dai quadri; **dans le ~ de** (*fig*) nel quadro ou nell'ambito di; **~ moyen** (*Admin*) quadro intermedio; **~ supérieur** (*Admin*) dirigente m/f

cafard [kafaʀ] nm scarafaggio; **avoir le ~** essere giù di corda

café [kafe] nm caffè m inv; (*bistro*) caffè, bar m inv ∎ adj (*couleur*) caffè inv; **~ au lait** caffellatte m inv; **~ crème** cappuccino; **~ en grains/ en poudre** caffè in grani/macinato; **~ liégeois** gelato al caffè con panna; **~ noir** caffè nero; **~ tabac** bar m inv tabaccheria

cafetière [kaftjɛʀ] nf caffettiera

cage [kaʒ] nf gabbia; **en ~** in gabbia; **~ d'ascenseur** gabbia dell'ascensore; **~ (d'escalier)** tromba delle scale; **~ (des buts)** (*Football*) porta, rete f; **~ thoracique** gabbia toracica

cageot [kaʒo] nm cassetta

cagoule [kagul] nf passamontagna m inv; (*de moine*) cocolla

cahier [kaje] nm quaderno; **~ d'exercices** quaderno di esercizi; **~ de brouillon** quaderno di brutta; **~ de doléances/de revendications** elenco di lagnanze/di rivendicazioni; **~ des charges** capitolato d'appalto

caille [kaj] nf quaglia

caillou, x [kaju] nm sasso, ciottolo

caillouteux, -euse [kajutø, øz] adj sassoso(-a)

caisse [kɛs] nf cassa; **faire sa ~** (*Comm*) contare il denaro in cassa; **~ claire** (*Mus*) piccolo tamburo; **~ d'épargne** cassa di risparmio; **~ de retraite** cassa f pensioni inv; **~ de sortie** cassa (*all'uscita di supermercato*); **~ enregistreuse** registratore m di cassa; **~ noire** fondi mpl neri

caissier, -ière [kesje, jɛʀ] nm/f cassiere(-a)

cake [kɛk] nm plum cake m inv

calandre [kalɑ̃dʀ] nf calandra

calcaire [kalkɛʀ] nm calcare m ∎ adj calcareo(-a)

calcul [kalkyl] nm conto, calcolo; (*Scol*) aritmetica; (*fig*) calcolo;

d'après mes ~s secondo i miei calcoli; **~ biliaire/rénal** calcolo biliare/renale; **~ différentiel/intégral** calcolo differenziale/integrale; **~ mental** calcolo mentale

calculatrice [kalkylatʀis] *nf* calcolatrice *f*

calculer [kalkyle] *vt, vi* calcolare; **~ qch de tête** calcolare qc mentalmente *ou* a mente

calculette [kalkylɛt] *nf* calcolatrice *f* tascabile

cale [kal] *nf* (*de bateau*) stiva; (*en bois*) zeppa; **~ de construction** bacino di costruzione; **~ sèche** *ou* **de radoub** bacino di carenaggio *ou* di raddobbo

calé, e [kale] *adj* (*fixé*) fissato(-a), bloccato(-a); (*voiture*) bloccato(-a); (*fam: personne*) ferrato(-a), bravo(-a); (*: problème*) difficile

caleçon [kalsɔ̃] *nm* mutande *fpl* (*da uomo*), boxer *m inv*; (*de femme*) fuseaux *mpl* (*senza staffa*); **~s longs** mutandoni *mpl*

calendrier [kalɑ̃dʀije] *nm* calendario

calepin [kalpɛ̃] *nm* taccuino

caler [kale] *vt* fissare, bloccare; (*avec des coussins*) sistemare; (*fig: abandonner*) cedere, arrendersi; **se caler** *vr*: **se ~ dans un fauteuil** sprofondare in una poltrona; **j'ai encore calé** mi si è spento il motore di nuovo

calibre [kalibʀ] *nm* (*aussi fig*) calibro; (*d'un fruit*) grossezza

câlin, e [kalɛ̃, in] *adj* affettuoso(-a), coccolone(-a)

calmant, e [kalmɑ̃, ɑ̃t] *adj, nm* calmante (*m*)

calme [kalm] *adj* calmo(-a) ■ *nm* calma; **sans perdre son ~** senza perdere la calma; **~ plat** (*Naut, fig*) bonaccia

calmer [kalme] *vt* calmare; (*colère, jalousie*) calmare, placare; **se calmer** *vr* calmarsi; (*colère etc*) calmarsi, placarsi

calorie [kalɔʀi] *nf* caloria

camarade [kamaʀad] *nm/f* (*Pol, Scol*) compagno(-a); **~ d'école** compagno(-a) di scuola; **~ de jeu** compagno(-a) di giochi

cambriolage [kɑ̃bʀijɔlaʒ] *nm* furto (con scasso)

cambrioler [kɑ̃bʀijɔle] *vt* (*maison, magasin*) svaligiare; (*personne*) derubare

cambrioleur, -euse [kɑ̃bʀijɔlœʀ, øz] *nm/f* ladro(-a), scassinatore(-trice)

camelote [kamlɔt] *nf* paccottiglia, robaccia

caméra [kameʀa] *nf* cinepresa; (*TV*) telecamera

caméscope [kameskɔp] *nm* videocamera

camion [kamjɔ̃] *nm* camion *m inv*

camionnette [kamjɔnɛt] *nf* camioncino

camionneur [kamjɔnœʀ] *nm* (*entrepreneur*) autotrasportatore *m*; (*chauffeur*) camionista *m*

camomille [kamɔmij] *nf* camomilla

camp [kɑ̃] *nm* campo; (*fig, Pol*) parte *f*; (*Sport*) squadra; **~ de concentration** campo di concentramento; **~ de nudistes** campeggio *ou* campo di nudisti; **~ de vacances** campo estivo

campagnard, e [kɑ̃paɲaʀ, aʀd] *adj* campagnolo(-a), rustico(-a) ■ *nm/f* campagnolo(-a)

campagne [kɑ̃paɲ] *nf* (*aussi Mil, Pol, fig*) campagna; **à la ~** in campagna; **faire ~ pour** far propaganda per; **~ de publicité** campagna pubblicitaria; **~ électorale** campagna elettorale

camper [kɑ̃pe] *vi* accamparsi; (*en vacances*) campeggiare ■ *vt* (*chapeau etc*) calcare; (*dessin, personnage*) dare vita a; **se camper** *vr*: **se ~ devant qn/qch** piazzarsi davanti a qn/qc

campeur, -euse [kɑ̃pœʀ, øz] *nm/f* campeggiatore(-trice)

camping [kɑ̃piŋ] *nm* campeggio; **(terrain de) ~** campeggio; **faire du ~** andare in *ou* fare campeggio; **faire du ~ sauvage** fare campeggio libero

camping-car [kɑ̃piŋkaʀ] (*pl* **~s**) *nm* camper *m inv*

camping-gaz® [kɑ̃piŋgaz] *nm inv* fornello da campeggio

Canada [kanada] *nm* Canada *m*

canadien, ne [kanadjɛ̃, jɛn] *adj* canadese ■ *nm/f*: **Canadien, ne** canadese *m/f*

canadienne [kanadjɛn] *nf* giaccone *m* imbottito

canal, -aux [kanal, o] nm canale m;
par le ~ de (Admin) tramite; **~ de
distribution** (Comm) canale di
distribuzione; **~ de Panama/de Suez**
canale di Panama/di Suez; **~ de
télévision** (au Canada) canale
televisivo

canalisation [kanalizasjõ] nf
canalizzazione f

canapé [kanape] nm divano; (Culin)
tartina, canapé m inv

canard [kanaʀ] nm anatra; (fam:
journal) giornale m

cancer [kɑ̃sɛʀ] nm cancro; (Astrol):
C~ Cancro; **être (du) C~** essere del
Cancro

cancre [kɑ̃kʀ] nm (élève)
scaldabanchi m inv

> **FAUX AMIS**
> **cancre** ne se traduit pas
> par le mot italien **cancro**.

candidat, e [kɑ̃dida, at] nm/f
candidato(-a); **être ~ à** essere
candidato(-a) a

candidature [kɑ̃didatyʀ] nf
candidatura; **poser sa ~** presentare
la propria candidatura

cane [kan] nf anatra (femmina)

canette [kanɛt] nf bottiglia (di birra);
(de machine à coudre) spoletta

canevas [kanva] nm (aussi fig)
canovaccio

caniche [kaniʃ] nm barboncino

canicule [kanikyl] nf canicola

canif [kanif] nm coltellino (a
serramanico), temperino

canne [kan] nf bastone m; **~ à pêche**
canna da pesca; **~ à sucre** canna da
zucchero

cannelle [kanɛl] nf cannella

canoë [kanɔe] nm canoa; **~ (kayak)**
kayak m inv

canot [kano] nm barca; **~ de
sauvetage** scialuppa di salvataggio;
~ pneumatique gommone m,
canotto (pneumatico)

cantatrice [kɑ̃tatʀis] nf cantante f;
(d'opéra) cantante (lirica)

cantine [kɑ̃tin] nf (malle) baule m;
(réfectoire) mensa; **manger à la ~**
mangiare in ou alla mensa

> **FAUX AMIS**
> **cantine** ne se traduit pas
> par le mot italien **cantina**.

canton [kɑ̃tõ] nm (en France)
≈ circoscrizione f; (en Suisse)
cantone m

caoutchouc [kautʃu] nm gomma;
(bande élastique) elastico; **en ~** di
gomma; **~ mousse** gommapiuma®

CAP [seape] sigle m (= Certificat
d'aptitude professionnelle) diploma
professionale

cap [kap] nm capo; **changer de ~**
(Naut) cambiare rotta; **doubler** ou
passer le ~ de (fig: de la quarantaine
etc) aver superato la soglia di; (: de
somme, d'argent etc) superare il tetto
di; **doubler** ou **passer le ~** (fig) aver
superato il peggio; **mettre le ~ sur**
fare rotta verso ou su; **le C~** Città del
Capo; **le C~ de Bonne Espérance** il
Capo di Buona Speranza; **le C~ Horn**
Capo Horn

capable [kapabl] adj capace; **~ de
faire** capace di fare; **il est ~ d'oublier**
è capace di dimenticarsene;
spectacle/livre ~ d'intéresser
spettacolo/libro che può interessare

capacité [kapasite] nf capacità f inv;
(d'un récipient) capacità, capienza;
~ (en droit) diploma conferito dalla
facoltà di legge dopo due anni di studi
e un esame

cape [kap] nf cappa, mantello; **rire
sous ~** (fig) ridere sotto i baffi

CAPES [kapes] sigle m (= Certificat
d'aptitude au professorat de
l'enseignement de second degré) diploma
di abilitazione all'insegnamento nelle
scuole secondarie

capitaine [kapitɛn] nm capitano;
(de gendarmerie) ≈ maresciallo; (de
pompiers) comandante m; **~ au long
cours** capitano di lungo corso

capital, e, aux [kapital, o] adj
essenziale; (découverte, importance,
Jur) capitale ∎ nm capitale m;
capitaux nmpl (fonds) capitali mpl;
les sept péchés capitaux i sette
peccati capitali; **exécution/peine ~e**
esecuzione f/pena capitale;
~ d'exploitation capitale d'esercizio;
~ (social) capitale sociale

capitale [kapital] nf (ville) capitale f;
(lettre) maiuscola

capitalisme [kapitalism] nm
capitalismo

capitaliste [kapitalist] *adj*
capitalistico(-a) ■ *nm/f* capitalista
m/f
caporal, -aux [kapɔʀal, o] *nm*
caporale *m*
capot [kapo] *nm* (*de voiture*) cofano
■ *adj inv* (*Cartes*): **faire qn ~** dare
cappotto a qn
câpre [kɑpʀ] *nf* cappero
caprice [kapʀis] *nm* capriccio;
caprices *nmpl* (*de la mode etc*) capricci
mpl; **faire des ~s** fare i capricci
capricieux, -euse [kapʀisjø, jøz]
adj capriccioso(-a)
Capricorne [kapʀikɔʀn] *nm* (*Astrol*)
Capricorno; **être (du) ~** essere del
Capricorno
capsule [kapsyl] *nf* capsula
capter [kapte] *vt* captare; (*eau*)
canalizzare
captivant, e [kaptivɑ̃, ɑ̃t] *adj*
avvincente
capturer [kaptyʀe] *vt* catturare
capuche [kapyʃ] *nf* cappuccio
capuchon [kapyʃɔ̃] *nm* cappuccio
car [kaʀ] *nm* pullman *m inv* ■ *conj*
perché, poiché; **~ de police** furgone *m*
di polizia; **~ de reportage** furgone
attrezzato per le riprese televisive
carabine [kaʀabin] *nf* carabina;
~ à air comprimé carabina ad aria
compressa
caractère [kaʀaktɛʀ] *nm* carattere
m; **avoir bon/mauvais ~** avere un
buon/cattivo carattere; **avoir du ~**
avere carattere; **~s/seconde**
caratteri al secondo; **en ~s gras** in
grassetto; **en petits ~s** a caratteri
minuti, in piccolo; **en ~s d'imprimerie**
in stampatello; **~ joker/de
remplacement** carattere *m* jolly
caractériser [kaʀakteʀize] *vt*
caratterizzare; **se caractériser par**
vr distinguersi per, essere
caratterizzato(-a) da
caractéristique [kaʀakteʀistik] *adj*
caratteristico(-a) ■ *nf* caratteristica
carafe [kaʀaf] *nf* caraffa
caraïbe [kaʀaib] *adj* caraibico(-a);
les Caraïbes *nfpl* i Caraibi *mpl*;
la mer des C~s il mar dei Caraibi
caramel [kaʀamɛl] *nm* caramello
■ *adj inv* (*couleur*) caramello *inv*;
~ mou caramella mou®

caravane [kaʀavan] *nf* carovana;
(*camping*) roulotte *f inv*, caravan *m inv*
caravaning [kaʀavaniŋ] *nm*
caravanning *m inv*; (*terrain*)
campeggio per roulotte *ou* caravan
carbone [kaʀbɔn] *nm* carbonio;
(*aussi*: **papier carbone**) carta *f*
carbone *inv*; (*document*) copia
carbonique [kaʀbɔnik] *adj*
carbonico(-a); **gaz ~** anidride *f*
carbonica; **neige ~** ghiaccio secco
carbonisé, e [kaʀbɔnize] *adj* (*rôti*)
carbonizzato(-a); **mourir ~** morire
carbonizzato(-a)
carburant [kaʀbyʀɑ̃] *nm*
carburante *m*
carburateur [kaʀbyʀatœʀ] *nm*
carburatore *m*
cardiaque [kaʀdjak] *adj* cardiaco(-a)
■ *nm/f* cardiopatico(-a); **être ~**
soffrire di mal di cuore
cardigan [kaʀdigɑ̃] *nm* cardigan *m inv*
cardiologue [kaʀdjɔlɔg] *nm/f*
cardiologo(-a)
carême [kaʀɛm] *nm* quaresima
carence [kaʀɑ̃s] *nf* carenza;
~ vitaminique carenza vitaminica
caresse [kaʀɛs] *nf* carezza
caresser [kaʀese] *vt* accarezzare
cargaison [kaʀgɛzɔ̃] *nf* carico
cargo [kaʀgo] *nm* nave *f* da carico,
cargo *m*
caricature [kaʀikatyʀ] *nf*
caricatura
carie [kaʀi] *nf* carie *f inv*; **~ (dentaire)**
carie (dentaria)
carnaval [kaʀnaval] *nm* carnevale *m*
carnet [kaʀnɛ] *nm* (*calepin*) taccuino;
(*de tickets, timbres etc*) blocchetto;
(*d'école*) pagella; (*journal intime*)
diario; **~ à souches** bollettario;
~ d'adresses rubrica; **~ de chèques**
libretto degli assegni; **~ de
commandes** (*Comm*) blocchetto
delle ordinazioni; (*fig*) volume *m*
delle ordinazioni; **~ de notes** (*Scol*)
pagella

⬤ **CARNET**
⬤
⬤ I biglietti della metropolitana
⬤ parigina si possono acquistare
⬤ a prezzo un po' inferiore in
⬤ blocchetti da dieci, i *carnets*.

carotte [kaʀɔt] nf (aussi fig) carota
carré, e [kaʀe] adj quadrato(-a); (fig)
franco(-a), diretto(-a) ■ nm
quadrato; **le ~ (d'un nombre)** il
quadrato (di un numero); **élever un
nombre au ~** elevare un numero al
quadrato; **mètre/kilomètre ~**
metro/chilometro quadrato;
~ d'agneau lombata ou carré m inv
d'agnello; **~ d'as/de rois** (Cartes)
poker m inv d'assi/di re; **~ de soie**
fazzoletto ou foulard m inv di seta
carreau, x [kaʀo] nm piastrella,
mattonella; (de fenêtre) vetro; (dessin)
quadro, quadretto; (Cartes: couleur)
quadri mpl; (: carte) carta di quadri;
papier/tissu à ~x carta/tessuto a
quadri ou quadretti
carrefour [kaʀfuʀ] nm incrocio,
crocevia m inv; (fig) punto d'incontro
carrelage [kaʀlaʒ] nm (action)
piastrellamento; (revêtement)
piastrelle fpl
carrelet [kaʀlɛ] nm bilancia (da
pesca); (poisson) passera di mare
carrément [kaʀemã] adv
(franchement) francamente; (sans
détours, intensif) decisamente,
chiaramente; **il l'a ~ mis à la porte**
l'ha messo alla porta senza tanti
complimenti
carrière [kaʀjɛʀ] nf (de craie, sable)
cava; (métier) carriera; **militaire de ~**
militare m di carriera; **faire ~ dans**
fare carriera in
carrosserie [kaʀɔsʀi] nf carrozzeria;
atelier de ~ carrozzeria
carrure [kaʀyʀ] nf spalle fpl; (fig)
levatura; **de ~ athlétique** di
corporatura atletica
cartable [kaʀtabl] nm cartella
carte [kaʀt] nf carta; (de fichier)
scheda; (d'abonnement, de parti)
tessera; (au restaurant) lista; (aussi:
carte postale) cartolina; (aussi:
carte de visite) biglietto da visita;
avoir/donner ~ blanche avere/dare
carta bianca; **jouer aux ~s** giocare a
carte; **jouer ~s sur table** (fig) giocare
a carte scoperte; **tirer les ~s à qn** fare
le carte a qn; **à la ~** alla carta; **est-ce
qu'on peut voir la ~?** possiamo
vedere il menù?; **pouvez-vous me
l'indiquer sur la ~?** può indicarmelo

sulla cartina?; **~ à gratter** gratta e
vinci m; **~ à puce** smart card f inv,
carta intelligente; **~ bancaire**
(tesserino) Bancomat m inv; **C~
Bleue®** carta di debito; **~ d'électeur**
certificato elettorale; **~ d'état-major**
carta militare; **~ d'identité** carta
d'identità; **~ de crédit** carta di
credito; **~ de fidélité** carta f acquisti
inv (che dà diritto a sconti); **~ de séjour**
permesso di soggiorno; **~ des vins**
lista dei vini; **~ grise** libretto di
circolazione; **~ orange** tessera
d'abbonamento ai trasporti della zona di
Parigi; **~ perforée** scheda perforata;
~ routière carta stradale; **~ SIM** SIM
card f inv; **~ téléphonique** scheda
telefonica; **~ vermeille** ≈ carta
d'argento; **~ verte** carta verde

carter [kaʀtɛʀ] nm (Auto) carter m inv
carton [kaʀtɔ̃] nm cartone m; (boîte)
scatolone m; (d'invitation) cartoncino,
biglietto; **faire un ~** (au tir) tirare al
bersaglio; **~ (à dessin)** cartella
cartouche [kaʀtuʃ] nf cartuccia;
(de cigarettes) stecca; (de film, de ruban
encreur) caricatore m
cas [kɑ] nm caso; **faire peu de ~/
grand ~ de** dare poca/molta
importanza a; **le ~ échéant**
eventualmente; **en aucun ~** in
nessun caso; **au ~ où** nel caso in cui,
qualora; **dans ce ~** in questo caso;
en ~ de in caso di; **en ~ de besoin** in
caso di necessità ou bisogno; **en ~
d'urgence** in caso d'emergenza; **en
ce ~** in tal caso; **en tout ~** ad ogni

modo; **~ de conscience** caso di coscienza; **~ de force majeure** caso di forza maggiore; **~ limite** caso *m* limite *inv*; **~ social** problema *m* sociale

case [kaz] *nf* (*hutte*) capanna; (*compartiment*) scomparto; (*sur un formulaire, de mots croisés, pour le courrier*) casella; (*d'échiquier*) casa; **cochez la ~ réservée à cet effet** sbarrare la casella appropriata

caser [kaze] *vt* sistemare; **se caser** *vr* sistemarsi

caserne [kazɛrn] *nf* caserma

casier [kazje] *nm* scaffale *m*; (*à cases*) casellario; (*case*) casella, scomparto; (: *à clef*) casella; (*Pêche*) nassa; **~ à bouteilles** portabottiglie *m inv*; **~ judiciaire** fedina penale; (*lieu*) casellario giudiziale

casino [kazino] *nm* casinò *m inv*

casque [kask] *nm* (*de pompier, soldat*) elmetto; (*de motocycliste, chez le coiffeur*) casco; (*pour audition*) cuffia; **les C~s bleus** i Caschi blu

casquette [kaskɛt] *nf* berretto

casse-croûte [kaskrut] *nm inv* spuntino

casse-noix [kasnwa] *nm inv* schiaccianoci *m inv*

casse-pieds [kaspje] (*fam*) *adj, nm/f inv*: **il est ~, c'est un ~** è uno scocciatore *ou* un rompiscatole

casser [kase] *vt* rompere; (*Admin, Mil*) degradare; (*Jur*) annullare, cassare; (*Comm: prix*) far scendere ▪ *vi* rompersi; **se casser** *vr* rompersi; (*fam: partir*) tagliare la corda; **la serrure s'est cassée** la serratura si è rotta; **se ~ une jambe** rompersi una gamba; **à tout ~** (*film, repas*) fantastico(-a); (*tout au plus*) al massimo; **se ~ net** rompersi di netto

casserole [kasrɔl] *nf* pentola, casseruola; **à la ~** (*Culin*) in casseruola

casse-tête [kastɛt] *nm inv* (*fig*) rompicapo

cassette [kasɛt] *nf* cassetta; (*coffret*) cofanetto

cassis [kasis] *nm* ribes *m inv* nero; (*liqueur*) liquore *m* di ribes nero; (*de la route*) cunetta

cassoulet [kasulɛ] *nm stufato di carne con fagioli bianchi*

catalogue [katalɔg] *nm* catalogo

catalytique [katalitik] *adj*: **pot ~** marmitta catalitica

catastrophe [katastrɔf] *nf* catastrofe *f*; **atterrir en ~** fare un atterraggio d'emergenza; **partir en ~** partire in tutta fretta

catéchisme [katefism] *nm* catechismo

catégorie [kategɔri] *nf* categoria; **morceaux de première/deuxième ~** (*Boucherie*) tagli *mpl* di prima/seconda scelta

catégorique [kategɔrik] *adj* categorico(-a)

cathédrale [katedral] *nf* cattedrale *f*

catholique [katɔlik] *adj, nm/f* cattolico(-a); **pas très ~** (*fig*) poco raccomandabile

cauchemar [kofmar] *nm* incubo

cause [koz] *nf* causa; **faire ~ commune avec qn** fare causa comune con qn; **être ~ de** essere causa di; **à ~ de** a causa di; **pour ~ de décès/réparations** per lutto/lavori; **(et) pour ~** per dei buoni motivi; **être en ~** (*personne*) essere parte in causa; (*intérêts, qualité*) essere in discussione; **mettre en ~** chiamare in causa; **remettre en ~** rimettere in discussione; **être hors de ~** essere fuori questione; **en tout état de ~** ad ogni modo

causer [koze] *vt* causare, provocare ▪ *vi* chiacchierare, parlare

caution [kosjɔ] *nf* cauzione *f*; (*Jur: personne*) garante *m/f*; (*fig*) appoggio; **payer la ~ de qn** pagare la cauzione per qn; **se porter ~ pour qn** rendersi garante per qn; **libéré sous ~** (*Jur*) rilasciato dietro cauzione; **sujet à ~** dubbio(-a)

cavalier, -ière [kavalje, jɛr] *adj* (*désinvolte*) impertinente, sfrontato(-a) ▪ *nm/f* (*personne à cheval*) cavaliere *m*; (*Équitation*) cavallerizzo(-a) ▪ *nm* (*au bal*) cavaliere *m*; (*Échecs*) cavallo; **faire ~ seul** agire per conto proprio; **allée** *ou* **piste cavalière** pista riservata all'equitazione (*in un parco*)

cave [kav] *nf* (*pièce, réserve de vins*) cantina; (*cabaret*) cave *f inv*, cantina ▪ *adj*: **yeux ~s** occhi *mpl* infossati; **joues ~s** guance *fpl* infossate

CD [sede] *sigle m* (= *compact disc*) CD *m inv*; (*Pol*: = *corps diplomatique*) CD *m*
CD-Rom [sederɔm] *abr m* (= *Compact Disc Read Only Memory*) CD-Rom *m inv*

 MOT-CLÉ

ce, c', cette [sə, s, sɛt] (*devant nm commençant par voyelle ou h aspiré* **cet**, *pl* **ces**) *dét* (*proximité*) questo(-a); (*non-proximité*) quello(-a); **cette maison-ci/là** questa/quella casa; **cette nuit** stanotte
■ *pron* 1: **c'est** è; **c'est un peintre** è un pittore; **ce sont des peintres** sono pittori; **c'est le facteur** (*à la porte*) è il postino; **qui est-ce?** chi è?; **qu'est-ce?** che cos'è?; **c'est toi qui le dis** lo dici tu; **c'est toi qui lui as parlé** sei stato tu a parlargli; **sur ce** detto ciò; **c'est qu'il est lent/a faim** è perché è lento/ha fame; **si ce n'est...** se non..., eccetto...
2: **ce qui, ce que** ciò *ou* quello che; (*chose qui*): **il est parti, ce qui me chagrine** se n'è andato, e ciò mi dispiace; **tout ce qui bouge** tutto ciò che si muove; **tout ce que je sais** tutto quello che so; **ce dont j'ai parlé** ciò di cui ho parlato; **ce que c'est grand!** com'è grande!; *voir aussi* **-ci**; **est-ce que**; **n'est-ce pas**; **c'est-à-dire**

ceci [səsi] *pron* questo, ciò
céder [sede] *vt, vi* cedere; **~ à** (*tentation, personne*) cedere a
CEDEX [sedɛks] *sigle m* (= *courrier d'entreprise à distribution exceptionnelle*) servizio postale espresso
ceinture [sɛtyʀ] *nf* cintura; (*fig: de remparts*) cinta; **~ de sauvetage** cintura di salvataggio; **~ de sécurité** cintura di sicurezza; **~ (de sécurité) à enrouleur** cintura (di sicurezza) avvolgibile; **~ noire** (*Judo*) cintura nera; **~ verte** zona verde
cela [s(ə)la] *pron* questo, ciò; **~ m'étonne que...** mi stupisce che...; **quand/où ~?** quando/dove?
célèbre [selɛbʀ] *adj* celebre, famoso(-a)
célébrer [selebʀe] *vt* celebrare

céleri [sɛlʀi] *nm*: **~-(rave)** sedano *m* (rapa *inv*); **~ en branche** sedano a costola
célibataire [selibatɛʀ] *adj* (*homme: gén*) scapolo, celibe; (: *Admin*) celibe; (*femme: aussi Admin*) nubile ■ *nm* (*homme*) scapolo; (*Admin*) celibe *m* ■ *nf* donna nubile; (*Admin*) nubile *f*
celle, celles [sɛl] *pron voir* **celui**
cellulite [selylit] *nf* cellulite *f*
celui, celle [səlɥi, sɛl] (*mpl* **ceux**, *fpl* **celles**) *pron*: **~-ci/là, celle-ci/là** questo(-a); **ceux-ci/là, celles-ci/là** questi(-e); **~ de mon frère** quello di mio fratello; **~ du salon/du dessous** quello del salotto/di sotto; **~ qui bouge** quello che si muove; **~ que je vois** quello che vedo; **~ dont je parle** quello di cui parlo; **~ qui veut** chi vuole
cendre [sɑdʀ] *nf* cenere *f*; **cendres** *nfpl* (*volcanique, d'un défunt*) ceneri *fpl*; **sous la ~** (*Culin*) sotto la brace
cendrier [sɑdʀije] *nm* portacenere *m inv*, posacenere *m inv*
censé, e [sɑse] *adj*: **je suis/tu es ~ faire...** si presume *ou* si ritiene che io/tu faccia...
censeur [sɑsœʀ] *nm* censore *m*; (*du lycée*) ≈ vicepreside *m/f* (*con mansioni disciplinari*)
censure [sɑsyʀ] *nf* censura; **motion de ~** (*Pol*) voto di sfiducia
censurer [sɑsyʀe] *vt* censurare; (*gouvernement*) dare il voto di sfiducia
cent [sɑ] *adj inv, nm inv* cento; (*di euro, dollaro*) centesimo; **pour ~** per cento; **faire les ~ pas** camminare su e giù; *voir aussi* **cinq**
centaine [sɑtɛn] *nf*: **une ~ (de)** un centinaio (di); **plusieurs ~s (de)** molte centinaia (di); **des ~s (de)** centinaia (di); **dépasser la ~** superare i cent'anni di età
centenaire [sɑt(ə)nɛʀ] *adj, nm/f* centenario(-a) ■ *nm* centenario
centième [sɑtjɛm] *adj, nm/f* centesimo(-a) ■ *nm* centesimo
centigrade [sɑtigʀad] *nm* centigrado
centilitre [sɑtilitʀ] *nm* centilitro
centime [sɑtim] *nm* (*di dollaro, di euro aussi*) centesimo

centimètre [sɑ̃timɛtʀ] *nm*
centimetro

central, e, aux [sɑ̃tʀal, o] *adj*
centrale ■ *nm*: **~ (téléphonique)**
centrale *f* telefonica

centrale [sɑ̃tʀal] *nf* centrale *f*;
(*prison*) carcere *m*; **~ d'achat** (*Comm*)
centrale d'acquisto; **~ électrique/**
nucléaire centrale elettrica/
nucleare; **~ syndicale** sindacato
nazionale

centre [sɑ̃tʀ] *nm* centro; (*Football:*
homme) centravanti *m inv*; (*passe*)
cross *m inv*, traversone *m*; **~ aéré**
centro ricreativo per bambini;
~ commercial/culturel/sportif
centro commerciale/culturale/
sportivo; **~ d'appels** centro
informazioni telefoniche;
~ d'apprentissage centro di
addestramento professionale;
~ d'attractions centro di attrazione;
~ d'éducation surveillée *centro per il*
recupero dei minori; **~ de détention**
istituto di pena; **~ de gravité**
baricentro; **~ de semi-liberté**
centro per detenuti in semilibertà;
~ de tri (*Postes*) centro di
smistamento; **~ hospitalier**
complesso ospedaliero; **~s nerveux**
centri nervosi

centre-ville [sɑ̃tʀəvil] (*pl* **centres-**
villes) *nm* centro (della città)

cèpe [sɛp] *nm* porcino

cependant [s(ə)pɑ̃dɑ̃] *conj* tuttavia,
ciononostante

céramique [seʀamik] *nf* ceramica

cercle [sɛʀkl] *nm* cerchio; (*club*)
circolo; **~ d'amis** cerchia d'amici; **~ de**
famille cerchia familiare; **~ vicieux**
circolo vizioso

cercueil [sɛʀkœj] *nm* bara

céréale [seʀeal] *nf* cereale *m*

cérémonie [seʀemɔni] *nf* cerimonia;
cérémonies *nfpl* (*péj: façons, chichis*)
cerimonie *fpl*

cerf [sɛʀ] *nm* cervo

cerf-volant [sɛʀvɔlɑ̃] (*pl* **cerfs-**
volants) *nm* (*Zool*) cervo volante;
(*jeu*) aquilone *m*; **jouer au ~** giocare
con l'aquilone

cerise [s(ə)ʀiz] *nf* ciliegia ■ *adj inv*
(*color*) ciliegia *inv*

cerisier [s(ə)ʀizje] *nm* ciliegio

cerner [sɛʀne] *vt* circondare; (*fig*)
circoscrivere

certain, e [sɛʀtɛ̃, ɛn] *adj, dét*
certo(-a); **un ~ Georges** un certo
Georges; **un ~ courage** un certo
coraggio; **~s cas** certi *ou* alcuni casi;
d'un ~ âge d'una certa età; **un ~**
temps un certo tempo; **sûr et ~** più
che certo

certainement [sɛʀtɛnmɑ̃] *adv*
certamente

certes [sɛʀt] *adv* certo, certamente

certificat [sɛʀtifika] *nm* certificato;
(*diplôme*) diploma *m*, licenza; **le ~**
d'études primaires ≈ la licenza
elementare; **~ de fin d'études**
secondaires *attestato di frequenza*
della scuola superiore; **~ de**
vaccination certificato di
vaccinazione; **~ médical** certificato
medico

certifier [sɛʀtifje] *vt* certificare,
garantire; (*Jur*) autenticare; **~ à qn**
que garantire a qn che; **~ qch à qn**
garantire qc a qn

certitude [sɛʀtityd] *nf* certezza

cerveau, x [sɛʀvo] *nm* cervello

cervelas [sɛʀvəla] *nm* (*Culin*)
cervellata

cervelle [sɛʀvɛl] *nf* cervello; (*Culin*)
cervella

CES [seəɛs] *sigle m* (= *Collège*
d'enseignement secondaire) *voir* **collège**

> ● **CES**
> ●
> ▒ In Francia i ragazzi frequentano
> ▒ il CES tra gli 11 e i 15 anni e quindi
> ▒ vanno al "lycée" fino ai 18 anni.

ces [se] *dét voir* **ce**

cesse [sɛs]: **sans ~** *adv* senza posa, di
continuo; **n'avoir de ~ que** non darsi
tregua finché

cesser [sese] *vt* cessare ■ *vi* cessare,
smettere; **~ de faire** cessare *ou*
smettere di fare

cessez-le-feu [sesel(ə)fø] *nm inv*
cessate il fuoco *m inv*

c'est-à-dire [sɛtadiʀ] *adv* cioè, vale a
dire, ossia; **~?** (*demander de préciser*)
vale a dire?; **~ que** (*en conséquence*)
vuol dire che; (*manière d'excuse*)
veramente

cet [sɛt] *dét voir* **ce**

ceux [sø] *pron voir* **celui**

chacun, e [ʃakœ̃, yn] *pron* ognuno(-a), ciascuno(-a)

chagrin, e [ʃagʀɛ̃, in] *nm* dispiacere *m* ■ *adj* triste; **avoir du ~** essere triste

chahut [ʃay] *nm* baccano, cagnara

chahuter [ʃayte] *vt* disturbare (facendo baccano) ■ *vi* fare baccano *ou* cagnara

chaîne [ʃɛn] *nf* catena; (*Radio, TV*) canale *m*; (*Inform*) stringa; **chaînes** *nfpl* (*liens, asservissement, Auto*) catene *fpl*; **travail à la ~** lavoro in catena di montaggio; **réactions en ~** reazioni *mpl* a catena; **faire la ~** fare la catena; **~ audio** *ou* **stéréo** impianto stereo; **~ de solidarité** catena di solidarietà; **~ (de fabrication** *ou* **de montage)** catena di montaggio; **~ (de montagnes)** catena (di montagne *ou* montuosa); **~ (hi-fi)** impianto *m* hi-fi *inv*

chair [ʃɛʀ] *nf* carne *f*; (*de fruit, tomate*) polpa ■ *adj*: **(couleur) ~** color carne *inv*; **avoir la ~ de poule** avere la pelle d'oca; **être bien en ~** essere ben in carne *ou* ben messo(-a); **en ~ et en os** in carne e ossa; **~ à saucisses** carne tritata per salsicce

chaise [ʃɛz] *nf* sedia; **~ de bébé** seggiolone *m*; **~ électrique** sedia elettrica; **~ longue** sedia a sdraio, sdraio *f inv*

châle [ʃal] *nm* scialle *m*

chaleur [ʃalœʀ] *nf* (*aussi fig*) calore *m*; (*température*) caldo; **en ~** (*Zool*) in calore

chaleureux, -euse [ʃalœʀø, øz] *adj* caloroso(-a)

chamailler [ʃamaje] *vr*: **se chamailler** bisticciare

chambre [ʃɑ̃bʀ] *nf* camera; (*Jur: d'un tribunal*) sezione *f*; **faire ~ à part** dormire in camere separate; **stratège en ~** stratega *m* da caffè; **je voudrais une ~ pour deux personnes** vorrei una camera matrimoniale; **~ à air** (*de pneu*) camera d'aria; **~ à coucher** camera da letto; **~ à gaz** camera a gas; **~ à un lit/à deux lits** (*à l'hôtel*) camera singola/a due letti; **~ d'accusation**

sezione *f* istruttoria (della Corte d'Appello); **~ d'agriculture** camera dell'agricoltura; **~ d'amis** camera degli ospiti; **~ d'hôte** camera in affitto (*in casa privata*); **~ de combustion** camera di combustione; **~ de commerce et d'industrie** camera di commercio (e dell'industria); **C~ des députés** camera dei deputati; **~ des machines** sala *f* macchine *inv*; **~ des métiers** camera dell'artigianato; **~ forte** camera blindata; **~ froide** *ou* **frigorifique** cella frigorifera; **~ meublée** camera ammobiliata; **~ noire** camera oscura; **~ pour une/deux personne(s)** camera singola/doppia

chameau, x [ʃamo] *nm* cammello

chamois [ʃamwa] *nm* (*Zool*) camoscio ■ *adj inv*: **(couleur) ~** color cuoio

champ [ʃɑ̃] *nm* (*aussi fig*) campo; **dans le ~** (*Photo*) nell'inquadratura, in campo; **prendre du ~** indietreggiare (*per ottenere una visuale più ampia*); **laisser le ~ libre à qn** lasciare libero il campo a qn; **mourir au ~ d'honneur** morire sul campo (dell'onore); **~ d'action** campo d'azione; **~ de bataille** campo di battaglia; **~ de courses** ippodromo; **~ de manœuvre/de tir** campo di manovre/di tiro; **~ de mines** campo minato; **~ visuel** campo visivo

champagne [ʃɑ̃paɲ] *nm* (*vin*) champagne *m inv*; **fine ~** acquavite pregiata prodotta nella Charente

champignon [ʃɑ̃piɲɔ̃] *nm* fungo; (*fam: accélérateur*) acceleratore *m*; **~ de Paris** *ou* **de couche** champignon *m inv*, fungo coltivato; **~ vénéneux** fungo velenoso

champion, ne [ʃɑ̃pjɔ̃, jɔn] *adj* fenomenale ■ *nm/f* campione(-essa); **~ du monde** campione(-essa) del mondo

championnat [ʃɑ̃pjɔna] *nm* campionato

chance [ʃɑ̃s] *nf* fortuna; **chances** *nfpl* (*probabilités*) probabilità *fpl*; **il y a de fortes ~s pour que Paul soit malade** è molto probabile che Paul sia malato; **une ~** una fortuna;

(occasion) un'occasione f, una possibilità; **bonne ~!** buona fortuna!; **avoir de la ~** essere fortunato(-a), avere fortuna; **il a des ~s de gagner** ha buone probabilità di vincere; **je n'ai pas de ~** sono sfortunato, non ho fortuna; **encore une ~ que tu viennes!** fortuna ou meno male che tu vieni!; **donner sa ~ à qn** offrire un'opportunità a qn

change [ʃɑ̃ʒ] nm (Comm) cambio; **opérations de ~** operazioni fpl di cambio; **le contrôle des ~s** il controllo dei cambi; **gagner/perdre au ~** guadagnare/perdere nel cambio; **donner le ~ à qn** (fig) imbrogliare qn

changement [ʃɑ̃ʒmɑ̃] nm cambiamento; **~ de vitesses** cambio di marcia

changer [ʃɑ̃ʒe] vt, vi cambiare; **se changer** vr cambiarsi; **~ de** (adresse, nom, voiture, place) cambiare; **~ de métier** cambiare mestiere; **~ d'air** cambiare aria; **~ d'idée** cambiare idea; **~ de couleur/direction** cambiare colore/direzione; **~ de vêtements** cambiarsi (d'abito); **~ de place avec qn** fare cambio di posto con qn; **~ de vitesse** (Auto) cambiare marcia; **~ qn/qch de place** cambiare qn/qc di posto; **~ qch en** trasformare qc in; **~ (de train)** cambiare (treno); **il faut ~ à Lyon** bisogna cambiare a Lione; **cela me change** tanto per cambiare; **où est-ce que je peux ~ de l'argent?** dove posso cambiare dei soldi?

chanson [ʃɑ̃sɔ̃] nf canzone f

chant [ʃɑ̃] nm canto; (Tech): **posé de ou sur ~** messo(-a) di taglio ou costa; **~ de Noël** canto natalizio

chantage [ʃɑ̃taʒ] nm ricatto; **faire du ~** ricattare

chanter [ʃɑ̃te] vt cantare ▪ vi cantare; **~ juste/faux** essere intonato(-a)/stonato(-a); **si cela lui chante** (fam) se gli gira

chanteur, -euse [ʃɑ̃tœr, øz] nm/f cantante m/f; **~ de charme** cantante di canzoni sentimentali

chantier [ʃɑ̃tje] nm cantiere m; **être/mettre en ~** essere/mettere in cantiere; **~ naval** cantiere navale

chantilly [ʃɑ̃tiji] nf voir **crème**

chantonner [ʃɑ̃tɔne] vi, vt canticchiare, canterellare

chapeau, x [ʃapo] nm cappello; **~!** complimenti!; **partir sur les ~x de roues** partire a tutta velocità; **~ melon** bombetta; **~ mou** cappello floscio

chapelle [ʃapɛl] nf cappella; **~ ardente** camera ardente

chapitre [ʃapitr] nm capitolo; (fig) argomento; **avoir voix au ~** avere voce in capitolo

chaque [ʃak] dét ogni inv; (indéfini) ognuno(-a), ciascuno(-a)

char [ʃar] nm carro; (aussi: **char d'assaut**) carro armato

charbon [ʃarbɔ̃] nm carbone m; **~ de bois** carbone di legna

charcuterie [ʃarkytri] nf (magasin) salumeria; (produits) salumi mpl

charcutier, -ière [ʃarkytje, jɛr] nm/f salumiere(-a); (traiteur) rosticciere(-a)

chardon [ʃardɔ̃] nm cardo

charge [ʃarʒ] nf (fardeau) carico; (Élec, explosif, Mil, rôle) carica; (mission) incarico; (Jur) indizio a carico; **charges** nfpl (du loyer) spese fpl; **à la ~ de** a carico di; **pris en ~ (par la Sécurité Sociale)** (personne) ≈ assistito; (cure thermale etc) a carico della Previdenza Sociale; **à ~ de revanche** a buon rendere; **prendre en ~** prendersi la responsabilità di; (dépenses) accollarsi; **revenir à la ~** tornare alla carica; **~s sociales** oneri mpl sociali

chargement [ʃarʒəmɑ̃] nm (action) carico, caricamento; (objets, marchandise) carico

charger [ʃarʒe] vt caricare; (Jur) deporre a carico di; (un portrait, une description) caricare le tinte di ▪ vi caricare; **~ qn de qch/faire qch** (fig) incaricare qn di qc/fare qc; **se ~ de** occuparsi di; **se ~ de faire qch** assumersi l'incarico di fare qc

chariot [ʃarjo] nm carrello; (charrette) carro; **~ élévateur** carrello elevatore

charité [ʃarite] nf carità; **faire la ~ (à)** fare la carità (a); **fête/vente de ~** festa/vendita di beneficenza

charmant, e [ʃaʀmã, ãt] *adj*
affascinante; (*délicieux*) delizioso(-a),
incantevole
charme [ʃaʀm] *nm* (*Bot*) carpine *m*;
(*d'une personne, activité*) fascino;
(*envoûtement*) incantesimo; **charmes**
nmpl (*appâts*) grazie *fpl*; **c'est ce qui
en fait le ~** quello è il suo fascino;
faire du ~ à qn cercare di sedurre qn;
aller *ou* **se porter comme un ~** stare
benone
charmer [ʃaʀme] *vt* affascinare,
incantare; (*envoûter*) incantare; **je
suis charmé de** sono felice di
charpente [ʃaʀpãt] *nf* struttura;
(*carrure*) corporatura
charpentier [ʃaʀpãtje] *nm*
carpentiere *m*
charrette [ʃaʀɛt] *nf* carretta,
carretto
charter [ʃaʀtɛʀ] *nm* volo *m* charter
inv; (*avion*) charter *m inv*
chasse [ʃas] *nf* caccia; (*aussi*: **chasse
d'eau**) sciacquone *m*; **la ~ est
ouverte/fermée** la (stagione della)
caccia è aperta/chiusa; **aller à la ~**
andare a caccia; **prendre en ~,
donner la ~ à** dare la caccia a; **tirer la
~ (d'eau)** tirare l'acqua; **~ à courre**
caccia a inseguimento; **~ à l'homme**
caccia all'uomo; **~ aérienne**
inseguimento aereo; **~ gardée** (*fig*)
riserva di caccia; **~ sous-marine**
pesca subacquea
chasse-neige [ʃasnɛʒ] *nm inv*
spazzaneve *m inv*
chasser [ʃase] *vt* cacciare; (*expulser,
dissiper*) cacciare, scacciare ■ *vi*
cacciare; (*Auto*) slittare
chasseur, -euse [ʃasœʀ, øz] *nm/f*
cacciatore(-trice) ■ *nm* (*avion*) caccia
m inv; (*domestique*) portiere *m*;
~ d'images fotografo (*a caccia di luoghi
o soggetti originali*); **~ de son**
*appassionato della registrazione di suoni
dal vivo*; **~ de têtes** (*fig*) cacciatore di
teste; **~s alpins** (*Mil*) alpini *mpl*
chat¹ [ʃa] *nm* gatto; **avoir un ~ dans
la gorge** avere la raucedine; **avoir
d'autres ~s à fouetter** avere altre
gatte da pelare; **~ sauvage** gatto
selvatico
chat² [tʃat] *nm* (*Internet*) il chattare
châtaigne [ʃatɛɲ] *nf* castagna

châtain [ʃatɛ̃] *adj inv* castano(-a)
château, x [ʃato] *nm* castello;
~ d'eau serbatoio d'acqua; **~ de sable**
castello di sabbia; **~ fort** fortezza
châtiment [ʃatimã] *nm* castigo,
punizione *f*; **~ corporel** pena
corporale
chat line [tʃatlain] *nf* chat line *f inv*
chaton [ʃatɔ̃] *nm* (*Zool*) gattino,
micino; (*Bot*) amento; (*de bague*)
castone *m*
chatouiller [ʃatuje] *vt* (*suj: personne*)
fare il solletico a; (*tissu*) pizzicare;
(*fig: l'odorat, le palais*) stuzzicare;
ça chatouille! fa il solletico!
chatte [ʃat] *nf* gatta
chatter [tʃate] *vi* (*Internet*) chattare
chaud, e [ʃo, ʃod] *adj* caldo(-a); (*fig:
félicitations*) caloroso(-a); (: *discussion*)
accanito(-a) ■ *nm* caldo; **il fait ~** fa
caldo; **manger/boire ~** mangiare/
bere caldo; **avoir ~** avere caldo; **tenir
~** tenere caldo; **tenir au ~** tenere al
caldo; **ça me tient ~** (questo) mi tiene
caldo; **rester au ~** restare al caldo;
~ et froid *nm* (*Méd*) colpo di freddo
chaudière [ʃodjɛʀ] *nf* caldaia
chauffage [ʃofaʒ] *nm* riscaldamento;
arrêter le ~ spegnere il
riscaldamento; **~ à l'électricité**
riscaldamento elettrico; **~ au
charbon** riscaldamento a carbone;
~ au gaz riscaldamento a gas;
~ central riscaldamento
centralizzato; **~ par le sol**
riscaldamento sottopavimento
chauffe-eau [ʃofo] *nm inv*
scaldabagno *m inv*, scaldacqua *m inv*
chauffer [ʃofe] *vt* scaldare, riscaldare
■ *vi* scaldarsi; (*moteur*) scaldare; **se
chauffer** *vr* (*se mettre en train*) fare
riscaldamento; (*au soleil*) scaldarsi
chauffeur [ʃofœʀ] *nm* (*de taxi,
d'autobus*) autista *m/f*; (*privé*)
automobilista *m/f*; **voiture avec/
sans ~** macchina con/senza autista
chaumière [ʃomjɛʀ] *nf* casa con il
tetto di paglia
chaussée [ʃose] *nf* fondo stradale;
(*digue*) argine *m*
chausser [ʃose] *vt* (*bottes, skis*)
mettere, infilare; (*enfant*) mettere le
scarpe a; (*suj: soulier*) calzare;
se chausser *vr* mettersi le scarpe;

~ **du 38/42** portare il 38/42; ~ **grand/ bien** calzare grande/bene

chaussette [ʃosɛt] nf calzino

chausson [ʃosɔ̃] nm pantofola; (de bébé) scarpina; ~ **(aux pommes)** ≈ sfogliatella farcita alle mele

chaussure [ʃosyʀ] nf scarpa; **la ~** (Comm) l'industria calzaturiera; ~**s basses** scarpe fpl basse; ~**s de ski** scarponi mpl da sci; ~**s montantes** scarponcini mpl

chauve [ʃov] adj calvo(-a)

chauve-souris [ʃovsuʀi] (pl **chauves-souris**) nf pipistrello

chauvin, e [ʃovɛ̃, in] adj, nm/f sciovinista m/f

chaux [ʃo] nf calce f; **blanchi à la ~** imbiancato a calce

chef [ʃɛf] nm capo; (de cuisine) chef m inv; **au premier ~** estremamente, sommamente; **de son propre ~** di propria iniziativa; **commandant en ~** comandante in capo; ~ **d'accusation** (Jur) capo d'accusa; ~ **d'atelier** capofficina m; ~ **d'entreprise** dirigente m d'azienda; ~ **d'équipe** (Sport) caposquadra m; ~ **d'État** capo di Stato; ~ **d'orchestre** direttore m d'orchestra; ~ **de bureau** capufficio; ~ **de clinique** professore m di clinica (presso un ospedale); ~ **de famille** capofamiglia m; ~ **de file** capofila m; ~ **de gare** capostazione m; ~ **de rayon** caporeparto; ~ **de service** caposervizio

chef-d'œuvre [ʃɛdœvʀ] (pl **chefs- d'œuvre**) nm capolavoro

chef-lieu [ʃɛfljø] (pl **chefs-lieux**) nm capoluogo

chemin [ʃ(ə)mɛ̃] nm (sentier) sentiero, strada; (itinéraire, direction) strada, direzione f; (trajet, fig) strada, cammino; **en ~** per strada; ~ **faisant** strada facendo; **par ~ de fer** per ferrovia; **les ~s de fer** (organisation) le ferrovie; ~ **de fer** ferrovia; ~ **de terre** strada

> **FAUX AMIS**
> **chemin** ne se traduit pas par le mot italien **camino**.

cheminée [ʃ(ə)mine] nf (sur le toit) comignolo; (d'usine, de bateau) ciminiera; (à l'intérieur) camino, caminetto

chemise [ʃ(ə)miz] nf (vêtement) camicia; (dossier) cartella; ~ **de nuit** camicia da notte

chemisier [ʃ(ə)mizje] nm camicetta

chêne [ʃɛn] nm quercia

chenil [ʃ(ə)nil] nm canile m

chenille [ʃ(ə)nij] nf (Zool) bruco; (de char, chasse-neige) cingolo; **véhicule à ~s** mezzo cingolato

chèque [ʃɛk] nm assegno; **faire/ toucher un ~** emettere/riscuotere un assegno; **par ~** con assegno; **est-ce que je peux payer par ~?** posso pagare con un assegno?; ~ **au porteur** assegno al portatore; ~ **barré** assegno sbarrato; ~ **de voyage** traveller's cheque m inv; ~ **en blanc** assegno in bianco; ~ **postal** assegno di conto corrente postale; ~ **sans provision** assegno scoperto

chéquier [ʃekje] nm libretto di assegni

cher, chère [ʃɛʀ] adj caro(-a) ■ adv: **coûter/payer ~** costare/pagare caro; **mon ~, ma chère** mio caro, mia cara; **cela coûte ~** è caro

chercher [ʃɛʀʃe] vt cercare; (Inform) ricercare; ~ **des ennuis/la bagarre** cercare rogne; **aller ~** andare a prendere; (docteur) andare a cercare ou chiamare; ~ **à faire** cercare di fare; **nous cherchons un hôtel/ restaurant** stiamo cercando un albergo/ristorante

chercheur, -euse [ʃɛʀʃœʀ, øz] nm/f ricercatore(-trice); ~ **d'or** cercatore m d'oro

chéri, e [ʃeʀi] adj (aimé) caro(-a), amato(-a); **(mon) ~** (mio) caro, tesoro

cheval, -aux [ʃ(ə)val, o] nm cavallo; ~ **vapeur** cavallo m vapore inv; **faire du ~** fare equitazione; **à ~** a cavallo; **à ~ sur** (mur etc) a cavalcioni di ou su; (fig: périodes) a cavallo tra; **monter sur ses grands chevaux** andare su tutte le furie; **10 chevaux (fiscaux)** 10 cavalli (fiscali); ~ **à bascule** cavallo a dondolo; ~ **d'arçons** (Sport) cavallo; ~ **de bataille** (fig) cavallo di battaglia; **chevaux de bois** cavalli di legno (della giostra); (manège) giostra; ~ **de course** cavallo da corsa; **chevaux de frise** cavalli di Frisia

chevalier [ʃ(ə)valje] nm cavaliere m;
~ **servant** cavalier servente

chevalière [ʃ(ə)valjɛʀ] nf anello con
sigillo

chevaux [ʃəvo] nmpl voir **cheval**

chevet [ʃ(ə)vɛ] nm (d'église) abside f;
au ~ de qn al capezzale di qn; **lampe
de ~** lampada da notte; **livre de ~**
libro prediletto; **table de ~** comodino

cheveu, x [ʃ(ə)vø] nm capello;
cheveux nmpl (chevelure) capelli mpl;
se faire couper les ~x farsi tagliare i
capelli, tagliarsi i capelli; **avoir les ~x
courts/en brosse** avere i capelli
corti/a spazzola; **j'ai les ~x gras/secs**
ho i capelli grassi/secchi; **tiré par les
~x** (histoire) tirato(-a) per i capelli; **~x
d'ange** (vermicelle) capelli d'angelo;
(décoration) filo argentato (per l'albero
di Natale)

cheville [ʃ(ə)vij] nf (Anat, de bois)
caviglia; **être en ~ avec qn** fare lega
con qn; **~ ouvrière** (fig) perno, fulcro

chèvre [ʃɛvʀ] nf capra ■ nm
formaggio di capra; **ménager la ~ et
le chou** salvare capra e cavoli

chèvrefeuille [ʃɛvʀəfœj] nm
caprifoglio

chevreuil [ʃəvʀœj] nm capriolo

chez [ʃe] prép (à la demeure de) a casa
di, da; (direction) da; (auprès de)
presso; ~ **Nathalie** a casa di Nathalie,
da Nathalie; ~ **moi** a casa mia, da me;
~ **le boulanger/le dentiste** dal
fornaio/dal dentista; **il travaille ~
Renault** lavora alla Renault; ~ **ce
poète** in questo poeta, nelle opere di
questo poeta; ~ **les Français** nei
francesi

chic [ʃik] adj inv elegante, chic inv;
(dîner, gens) raffinato(-a), chic inv;
(généreux) generoso(-a) ■ nm classe f,
eleganza; **avoir le ~ de** ou **pour** avere
il dono di, l'arte di; **faire qch de ~** fare
qc seguendo l'ispirazione; **c'était ~ de
sa part** è stato gentile da parte sua;
~! che bello!, magnifico!

chicorée [ʃikɔʀe] nf cicoria; ~ **frisée**
indivia riccia

chien [ʃjɛ̃] nm cane m; **temps de ~**
tempo da cani; **vie de ~** vita
da cani; **couché en ~ de fusil**
raggomitolato(-a); **entre ~ et loup**
all'imbrunire; ~ **d'aveugle** cane per

ciechi; ~ **de chasse/de garde** cane da
caccia/da guardia; ~ **de race** cane di
razza; ~ **de traîneau** cane da slitta;
~ **policier** cane m poliziotto inv

chienne [ʃjɛn] nf cagna

chiffon [ʃifɔ̃] nm straccio

chiffonner [ʃifɔne] vt spiegazzare;
(tracasser) infastidire

chiffre [ʃifʀ] nm cifra; **en ~s ronds** in
cifra tonda; **écrire un nombre en ~s**
scrivere un numero in cifre; ~**s arabes**
numeri mpl arabi; ~ **d'affaires**
(Comm) giro d'affari; ~ **de ventes**
volume m delle vendite; ~**s romains**
numeri mpl romani

chiffrer [ʃifʀe] vt calcolare, valutare;
(message) cifrare ■ vi: ~ **à** ammontare
a; **se chiffrer à** vr ammontare a

chignon [ʃiɲɔ̃] nm chignon m inv

Chili [ʃili] nm Cile m

chilien, ne [ʃiljɛ̃, jɛn] adj cileno(-a)
■ nm/f: **Chilien, ne** cileno(-a)

chimie [ʃimi] nf chimica

chimiothérapie [ʃimjoteʀapi] nf
chemioterapia

chimique [ʃimik] adj chimico(-a);
produits ~s prodotti mpl chimici

chimpanzé [ʃɛ̃pɑ̃ze] nm scimpanzé m
inv

Chine [ʃin] nf Cina

chinois, e [ʃinwa, waz] adj cinese
■ nm (langue) cinese m ■ nm/f:
Chinois, e cinese m/f

chiot [ʃjo] nm cucciolo

chips [ʃips] nfpl (aussi: **pommes
chips**) patatine fpl

chirurgie [ʃiʀyʀʒi] nf chirurgia;
~ **esthétique** chirurgia estetica

chirurgien, ne [ʃiʀyʀʒjɛ̃, jɛn] nm/f
chirurgo(-a); ~ **dentiste** medico
dentista

chlore [klɔʀ] nm cloro

choc [ʃɔk] nm scontro, urto; (bruit
d'impact) colpo; (moral) shock m inv,
colpo; (affrontement) conflitto ■ adj:
prix ~ prezzo eccezionale; **de ~**
(troupe) d'assalto; (traitement) d'urto;
(patron etc) d'assalto; ~ **en retour** (fig)
contraccolpo; ~ **nerveux** shock
nervoso; ~ **opératoire** shock ou
trauma m operatorio

chocolat [ʃɔkɔla] nm cioccolato;
(bonbon) cioccolatino; (boisson)
cioccolata; ~ **à croquer** cioccolato

fondente in tavolette, (tavoletta di) cioccolato fondente; **~ à cuire** cioccolato fondente per dolci; **~ au lait** cioccolato al latte; **~ en poudre** cacao in polvere

chœur [kœʀ] *nm* coro; **en ~** in coro

choisir [ʃwaziʀ] *vt* scegliere; **~ de faire qch** scegliere di fare qc

choix [ʃwa] *nm* scelta; **avoir le ~** poter scegliere; **de premier ~** di prima scelta; **de ~** di qualità; **je n'avais pas le ~** non avevo scelta; **au ~** a scelta

chômage [ʃomaʒ] *nm* disoccupazione *f*; **mettre au ~** licenziare, lasciare senza lavoro; **être au ~** essere disoccupato(-a); **~ partiel/technique** ≈ cassa integrazione; **~ structurel** disoccupazione strutturale

chômeur, -euse [ʃomœʀ, øz] *nm/f* disoccupato(-a)

choquer [ʃɔke] *vt* urtare; *(commotionner)* scioccare

chorale [kɔʀal] *nf* coro

chose [ʃoz] *nf* cosa ■ *nm (fam: machin)* coso; **choses** *nfpl (situation)* cose *fpl*; **être/se sentir tout ~** sentirsi strano(-a); *(malade)* sentirsi poco bene; **dire bien des ~s à qn** fare i propri saluti a qn; **faire bien les ~s** fare le cose in grande; **parler de ~s et d'autres** parlare del più e del meno; **c'est peu de ~** non è un granché

chou, x [ʃu] *nm (Bot)* cavolo ■ *adj inv* carino(-a); **mon petit ~** tesorino mio; **faire ~ blanc** fare fiasco; **bout de ~** piccolino(-a); **feuille de ~** *(fig)* giornalucolo; **~ (à la crème)** bignè *m inv* (alla crema); **~ de Bruxelles** cavolino di Bruxelles

choucroute [ʃukʀut] *nf* crauti *mpl*; **~ garnie** piatto a base di crauti, salsicce e carne di maiale

chou-fleur [ʃuflœʀ] *(pl* **choux-fleurs)** *nm* cavolfiore *m*

chrétien, ne [kʀetjẽ, jɛn] *adj, nm/f* cristiano(-a)

Christ [kʀist] *nm* Cristo; *(crucifix, peinture)*: **christ** cristo; **Jésus ~** Gesù Cristo

christianisme [kʀistjanism] *nm* cristianesimo

chronique [kʀɔnik] *adj* cronico(-a) ■ *nf* cronaca; **~ sportive/financière**

cronaca sportiva/finanziaria; **~ locale** cronaca locale

chronologique [kʀɔnɔlɔʒik] *adj* cronologico(-a); **tableau ~** tavola cronologica

chrono(mètre) [kʀɔnɔ(mɛtʀ)] *nm* cronometro

chronométrer [kʀɔnɔmetʀe] *vt* cronometrare

chrysanthème [kʀizãtɛm] *nm* crisantemo

chuchotement [ʃyʃɔtmã] *nm* bisbiglio

chuchoter [ʃyʃɔte] *vt, vi* bisbigliare

chut [ʃyt] *excl* zitto!

chute [ʃyt] *nf* caduta; *(fig: des prix, salaires)* crollo; *(de température, pression)* calo; *(de bois, papier: déchet)* scarto; **la ~ des cheveux** la caduta dei capelli; **~ (d'eau)** cascata; **~ des reins** reni *fpl*; **~ libre** caduta libera; **~s de neige** nevicate *fpl*; **~s de pluie** piogge *fpl*

ci-, -ci [si] *adv voir* **par, comme, ci-contre, ci-joint** *etc* ■ *dét*: **ce garçon/cet homme-ci** questo ragazzo/uomo; **cette femme-ci** questa donna; **ces hommes/femmes-ci** questi uomini/queste donne

cible [sibl] *nf (aussi fig)* bersaglio; *(d'une campagne publicitaire)* target *m inv*

ciboulette [sibulɛt] *nf* erba cipollina

cicatrice [sikatʀis] *nf* cicatrice *f*

cicatriser [sikatʀize] *vt* cicatrizzare; **se cicatriser** *vr* cicatrizzarsi

ci-contre [sikɔ̃tʀ] *adv* (qui) a lato, a fianco, di fronte

ci-dessous [sidəsu] *adv* (qui) sotto

ci-dessus [sidəsy] *adv* (qui) sopra

cidre [sidʀ] *nm* sidro

Cie *abr (= compagnie)* C.ia

ciel [sjɛl] *(pl* **~s** *ou (litt)* **cieux)** *nm* cielo; **cieux** *nmpl (litt, Rel)* cieli *mpl*; **à ~ ouvert** a cielo aperto; **tomber du ~** *(être stupéfait)* cadere dalle nuvole; *(arriver à l'improviste)* piovere dal cielo; **~!** oh, cielo!; **~ de lit** cielo del letto (a baldacchino)

cieux [sjø] *nmpl voir* **ciel**

cigale [sigal] *nf* cicala

cigare [sigaʀ] *nm* sigaro

cigarette [sigaʀɛt] *nf* sigaretta; **~ (à) bout filtre** sigaretta con filtro

ci-inclus, e [siɛ̃kly, yz] *adj*
allegato(-a), accluso(-a) ■ *adv* qui
accluso, in allegato

ci-joint, e [siʒwɛ̃, ɛ̃t] *adj* allegato(-a)
■ *adv* in allegato; **veuillez trouver
~...** si allega...

cil [sil] *nm* ciglio

cime [sim] *nf* cima

ciment [simɑ̃] *nm* cemento; **~ armé**
cemento armato

cimetière [simtjɛʀ] *nm* cimitero;
~ de voitures cimitero di macchine

cinéaste [sineast] *nm/f*
cineasta *m/f*

cinéma [sinema] *nm* cinema *m inv*;
aller au ~ andare al cinema;
~ d'animation cinema d'animazione

cinq [sɛ̃k] *adj, nm inv* cinque (*m*) *inv*;
avoir ~ ans (*âge*) avere cinque anni;
le ~ décembre 1989 il cinque
dicembre 1989; **à ~ heures** alle
cinque; **nous sommes ~** siamo in
cinque

cinquantaine [sɛ̃kɑ̃ten] *nf*: **une ~
(de)** una cinquantina (di); **avoir la ~**
essere sulla cinquantina

cinquante [sɛ̃kɑ̃t] *adj inv, nm inv*
cinquanta (*m*) *inv*; *voir aussi* **cinq**

cinquantenaire [sɛ̃kɑ̃tnɛʀ] *adj, nm/f*
cinquantenne *m/f* ■ *nm* (*anniversaire*)
cinquantenario

cinquième [sɛ̃kjɛm] *adj, nm/f*
quinto(-a) ■ *nm* quinto ■ *nf* (*Scol*)
≈ seconda media; **un ~ de la
population** un quinto della
popolazione; **trois ~s** tre quinti

cintre [sɛ̃tʀ] *nm* gruccia, ometto;
en plein ~ (*Archit*) a tutto sesto

cintré, e [sɛ̃tʀe] *adj* (*chemise*)
stretto(-a) in vita; (*bois*) curvo(-a),
incurvato(-a)

cirage [siʀaʒ] *nm* lucido

circonstance [siʀkɔ̃stɑ̃s] *nf*
circostanza; **poème de ~** poesia
d'occasione; **air de ~** aria di
circostanza; **tête de ~** espressione *f*
di circostanza; **~s atténuantes** (*Jur*)
circostanze attenuanti

circuit [siʀkɥi] *nm* circuito; (*Écon:
des capitaux*) circolazione *f*;
~ automobile circuito automobilistico;
~ de distribution circuito di
distribuzione; **~ fermé** circuito
chiuso; **~ intégré** circuito integrato

circulaire [siʀkylɛʀ] *adj* circolare
■ *nf* circolare *f*; **jeter un regard ~**
volgere intorno lo sguardo

circulation [siʀkylasjɔ̃] *nf*
circolazione *f*; (*Auto*) circolazione,
traffico; **bonne/mauvaise ~** (*du
sang*) buona/cattiva circolazione; **il y
a beaucoup de ~** c'è molto traffico;
mettre en ~ mettere in circolazione

circuler [siʀkyle] *vi* circolare; **faire ~**
far circolare

cire [siʀ] *nf* cera; (*cérumen*) cerume *m*;
~ à cacheter ceralacca

ciré, e [siʀe] *adj* (*parquet*) lucidato(-a)
a cera, lucido(-a) ■ *nm* cerata

cirer [siʀe] *vt* (*parquet*) lucidare, dare
la cera a

cirque [siʀk] *nm* circo; (*fig*) baraonda

ciseau, x [sizo] *nm*: **~ (à bois)**
scalpello; **ciseaux** *nmpl* (*gén, de
tailleur*) forbici *fpl*; (*Gymnastique*)
sforbiciata *fsg*; **sauter en ~x** saltare a
forbice

citadin, e [sitadɛ̃, in] *nm/f, adj*
cittadino(-a)

citation [sitasjɔ̃] *nf* citazione *f*

cité [site] *nf* città *f inv*; **~ ouvrière**
quartiere *m* operaio; **~ universitaire**
campus *m inv* universitario

citer [site] *vt* citare; **~ (en exemple)**
citare (a esempio); **je ne veux ~
personne** non voglio fare nomi

citoyen, ne [sitwajɛ̃, jɛn] *nm/f*
cittadino(-a)

citron [sitʀɔ̃] *nm* limone *m*; **~ pressé**
spremuta di limone; **~ vert** limetta

citronnade [sitʀɔnad] *nf* limonata

citrouille [sitʀuj] *nf* zucca

civet [sive] *nm* (*Culin*) civet *m inv*
(*piatto a base di selvaggina marinata nel
vino rosso e cotta nel sangue*); **~ de
lièvre** civet di lepre

civière [sivjɛʀ] *nf* barella

civil, e [sivil] *adj* civile ■ *nm* (*Mil*)
civile *m*; **habillé en ~** in borghese;
dans le ~ da borghese; **mariage/
enterrement ~** matrimonio/funerale
civile

civilisation [sivilizasjɔ̃] *nf* civiltà *f inv*

clair, e [klɛʀ] *adj* chiaro(-a); (*pièce*)
luminoso(-a); (*peu consistant: sauce,
soupe*) liquido(-a) ■ *adv*: **voir ~** vedere
chiaro ■ *nm*: **~ de lune** chiaro di luna;
pour être ~ per essere chiaro; **y voir ~**

vederci chiaro; **bleu/rouge ~** azzurro/rosso chiaro; **par temps ~** quando non ci sono nuvole; **tirer qch au ~** mettere in chiaro qc; **il ne voit plus très ~** non ci vede più bene; **mettre au ~** mettere in bella copia; **le plus ~ de son temps/de son argent** la maggior parte del suo tempo/dei suoi soldi; **en ~** (non codé) non cifrato(-a); (c'est-à-dire) in altre parole

clairement [klɛʀmã] adv chiaramente

clairière [klɛʀjɛʀ] nf radura

clandestin, e [klãdɛstɛ̃, in] adj clandestino(-a); **passager ~** (passeggero) clandestino; **immigration ~e** immigrazione f clandestina

claque [klak] nf (gifle) schiaffo, sberla ▩ nm (chapeau) gibus m inv; **la ~** (Théâtre) la claque

claquer [klake] vi (drapeau, porte) sbattere; (coup de feu) produrre un rumore secco ▩ vt (porte) sbattere; (doigts) schioccare; (gifler) schiaffeggiare; **elle claquait des dents** batteva i denti; **se ~ un muscle** stirarsi un muscolo

claquettes [klakɛt] nfpl tip tap m inv

clarinette [klaʀinɛt] nf clarinetto

classe [klɑs] nf (Scol, Rail, fig) classe f; (leçon) lezione f; **un (soldat de) deuxième ~** un soldato semplice; **1ère/2ème ~** 1ª/2ª classe; **de ~** di classe; **faire la ~** fare lezione; **aller en ~** andare a scuola; **faire ses ~s** (Mil) fare il corso addestramento reclute ou CAR; **aller en ~ verte/de neige/de mer** andare in campagna/a sciare/al mare con la scuola; **~ dirigeante/ ouvrière** classe dirigente/operaia; **~ grammaticale** classe grammaticale; **~ sociale** classe ou ceto sociale; **~ touriste** classe turistica

classement [klɑsmã] nm classificazione f; (liste, rang: Scol) graduatoria, classifica; (: Sport) classifica; **premier au ~ général** (Sport) primo nella classifica generale

classer [klɑse] vt classificare; (idées) riordinare; (Jur: affaire) archiviare; **se ~ premier/dernier** classificarsi primo/ultimo

classeur [klɑsœʀ] nm (cahier) classificatore m, raccoglitore m; (meuble) classificatore m; **~ à feuillets mobiles** raccoglitore m a fogli mobili

classique [klasik] adj classico(-a) ▩ nm (œuvre, auteur) classico; **études ~s** studi mpl classici

clavecin [klav(ə)sɛ̃] nm clavicembalo

clavicule [klavikyl] nf clavicola

clé [kle] nf = clef

clef [kle] nf chiave f ▩ adj: **problème/ position ~** problema m/posizione f chiave inv; **mettre sous ~** mettere sotto chiave; **prendre la ~ des champs** svignarsela; **prix ~s en main** prezzo chiavi in mano; **livre/film à ~** libro/film che contiene allusioni velate a personaggi o fatti reali; **à la ~** alla fine; **je peux avoir ma ~?** posso avere la chiave?; **~ anglaise** ou **à molette** chiave inglese; **~ de contact** chiave di accensione; **~ de fa/de sol** chiave di basso/di sol; **~ d'ut** chiave di contralto; **~ de voûte** chiave di volta; **~ USB** chiavetta USB, penna USB

clergé [klɛʀʒe] nm clero

cliché [klife] nm (Photo) negativo; (Typo) cliché m inv; (Ling) cliché m inv, stereotipo

client, e [klijã, ãt] nm/f cliente m/f; (du docteur) paziente m/f

clientèle [klijãtɛl] nf clientela; (du docteur) pazienti mpl; **accorder sa ~ à** diventare cliente di; **retirer sa ~ à une maison** smettere di fare acquisti presso una ditta

cligner [kliɲe] vi: **~ des yeux** strizzare gli occhi; **~ de l'œil** fare l'occhiolino

clignotant, e [kliɲɔtã, ãt] adj lampeggiante ▩ nm (Auto) lampeggiatore m, freccia; (Écon, fig: indice de danger) spia

clignoter [kliɲɔte] vi lampeggiare; **~ des yeux** sbattere le palpebre

climat [klima] nm (aussi fig) clima m

climatisateur [klimatizatœʀ] nm climatizzatore m

climatisation [klimatizasjõ] nf climatizzazione f, condizionamento dell'aria

climatisé, e [klimatize] adj con aria condizionata

climatiseur [klimatizœʀ] nm
condizionatore m (d'aria); (Auto)
climatizzatore m

clin [klɛ̃] nm: ~ **d'œil** strizzatina
d'occhio; **en un ~ d'œil** in un batter
d'occhio

clinique [klinik] adj clinico(-a) ■ nf
clinica

clip [klip] nm (pince) clip f inv; (vidéo)
videoclip m inv

cliquer [klike] vi (Inform) cliccare;
~ **deux fois sur** cliccare due volte su

clochard, e [klɔʃaʀ, aʀd] nm/f
barbone(-a), vagabondo(-a)

cloche [klɔʃ] nf campana; (fam: niais)
stupido, salame m; (: les clochards)
barboni mpl; (chapeau) cloche f inv;
se faire sonner les ~s (fam) farsi
sgridare; ~ **à fromage**
copriformaggio m inv

clocher [klɔʃe] nm campanile m ■ vi
(fam) non andare, zoppicare; **de ~**
(péj: rivalités etc) di campanile

cloison [klwazɔ̃] nf (Constr) parete f
divisoria, tramezzo; (fig) barriera;
~ **étanche** (fig) compartimento
stagno

clonage [klonaʒ] nm clonazione f

cloner [klone] vt clonare

cloque [klɔk] nf bolla, vescica

clôture [klotyʀ] nf chiusura;
(barrière) recinzione f

clou [klu] nm chiodo; (Méd)
forunculo; **clous** nmpl (passage
clouté) strisce fpl pedonali, passaggio
pedonale; **pneus à ~s** pneumatici mpl
chiodati; **le ~ du spectacle** (fig) il clou
dello spettacolo; ~ **de girofle** chiodo
di garofano

clown [klun] nm clown m inv,
pagliaccio; **faire le ~** (fig) fare il
buffone

club [klœb] nm circolo, club m inv

CNRS [seenɛʀɛs] sigle m (= Centre
national de la recherche scientifique)
≈ CNR m inv

coaguler [kɔagyle] vi (aussi: **se
coaguler**) coagularsi

cobaye [kɔbaj] nm (Zool, fig) cavia

coca [kɔka] nm coca

cocaïne [kɔkain] nf cocaina

coccinelle [kɔksinɛl] nf coccinella

cocher [kɔʃe] nm vetturino, cocchiere
m ■ vt spuntare, segnare

cochon, ne [kɔʃɔ̃, ɔn] nm maiale m
■ nm/f (péj) sporcaccione(-a),
maiale(-a) ■ adj (livre, histoire)
sporco(-a), sconcio(-a); **avoir une
tête de ~** essere una testa dura;
~ **d'Inde** porcellino d'India; ~ **de lait**
porcellino da latte

cochonnerie [kɔʃɔnʀi] (fam) nf
porcheria

cocktail [kɔktɛl] nm cocktail m inv

cocorico [kɔkɔʀiko] excl, nm
chicchirichì m inv

cocotte [kɔkɔt] nf (en fonte) pentola
di ghisa; **ma ~** (fam) cocca mia; ~ **en
papier** ochetta di carta; ~® **(minute)**
pentola a pressione

code [kɔd] nm codice m; (Auto)
anabbagliante m; **se mettre en ~(s)**
(Auto) accendere gli anabbaglianti;
éclairage ~ luci fpl anabbaglianti;
phares ~(s) fari mpl anabbaglianti;
~ **à barres** codice a barre; ~ **civil**
codice civile; ~ **de caractère** (Inform)
codice di carattere; ~ **de la route**
codice della strada; ~ **machine** codice
m macchina inv; ~ **pénal** codice
penale; ~ **postal** codice postale;
~ **secret** codice segreto

> **FAUX AMIS**
> **code** ne se traduit pas par
> le mot italien **coda**.

cœur [kœʀ] nm cuore m; (Cartes)
cuori mpl; **affaire de ~** affare m di
cuore; **avoir bon/du ~** avere (buon)
cuore; **avoir mal au ~** (estomac) avere
la nausea; **contre son ~** (poitrine) al
cuore; **opérer qn à ~ ouvert** operare
qn a cuore aperto; **recevoir qn à ~
ouvert** accogliere qn a braccia
aperte; **parler à ~ ouvert** parlare a
cuore aperto; **de tout son ~** con tutto
il cuore; **avoir le ~ gros ou serré** avere
il cuore gonfio; **en avoir le ~ net**
vederci chiaro; **avoir le ~ sur la main**
avere il cuore in mano; **par ~** a
memoria; **de bon/grand ~** di cuore;
avoir à ~ de faire tenerci a fare; **cela
lui tient à ~** (ciò) gli sta a cuore;
prendre les choses à ~ prendersela a
cuore; **s'en donner à ~ joie** (s'amuser)
divertirsi come pazzi; **je suis de tout
~ avec toi** ti sono vicino;
~ **d'artichaut** cuore di carciofo; (fig)
rubacuori m inv; ~ **de l'été** cuore

dell'estate; **~ de la forêt** cuore della foresta; **~ de laitue** cuore di lattuga; **~ du débat** (fig) cuore del dibattito

coffre [kɔfʀ] nm (meuble) cassapanca; (coffre-fort) cassaforte f; (d'auto) bagagliaio; **avoir du ~** (fam) avere buoni polmoni

coffre-fort [kɔfʀəfɔʀ] nm cassaforte; **pourriez-vous mettre ceci dans le ~?** lo potrebbe mettere nella cassaforte?

coffret [kɔfʀɛ] nm cofanetto; **~ à bijoux** portagioie m inv

cognac [kɔɲak] nm cognac m inv

cogner [kɔɲe] vt (heurter: verres etc) urtare ■ vi (personne) battere; (volet, battant) battere; (moteur) picchiare in testa; **se cogner à** vr urtare contro; **~ sur/contre** battere su/contro; **~ à la porte/fenêtre** battere ou picchiare alla porta/finestra

cohérent, e [kɔeʀɑ̃, ɑ̃t] adj coerente

coiffé, e [kwafe] adj: **bien/mal ~** pettinato(-a)/spettinato(-a); **~ d'un chapeau** con in testa un cappello; **~ en arrière** con i capelli all'indietro; **~ en brosse** con i capelli a spazzola

coiffer [kwafe] vt (personne) pettinare; (colline, sommet) ricoprire; (Admin: sections, organismes) controllare; (fig: dépasser) superare; **se coiffer** vr pettinarsi; (se couvrir) coprirsi il capo; **~ qn d'un béret** mettere un berretto in testa a qn

coiffeur, -euse [kwafœʀ, øz] nm/f parrucchiere(-a)

coiffeuse [kwaføz] nf (table) toeletta

coiffure [kwafyʀ] nf (cheveux) pettinatura, acconciatura; (chapeau) copricapo m, cappello; **la ~** l'arte dell'acconciatura

coin [kwɛ̃] nm (de page, pièce, rue) angolo; (caisse) spigolo; (pour caler, fendre le bois) cuneo; (endroit) posto; (poinçon) punzone m; **l'épicerie du ~** il negozio di alimentari all'angolo; **dans le ~** in zona; **au ~ du feu** accanto al focolare; **du ~ de l'œil** con la coda dell'occhio; **regard/sourire en ~** sguardo/sorriso di sottecchi

coincé, e [kwɛ̃se] adj bloccato(-a), incastrato(-a); (fig: inhibé) bloccato(-a)

coïncidence [kɔɛ̃sidɑ̃s] nf coincidenza

coing [kwɛ̃] nm mela cotogna

col [kɔl] nm (de chemise) collo, colletto; (encolure, cou, de bouteille) collo; (de montagne) valico, passo; (de verre) orlo; **~ de l'utérus** collo dell'utero; **~ du fémur** collo del femore; **~ roulé** collo a dolcevita

colère [kɔlɛʀ] nf collera, ira; **une ~** un accesso ou attacco di collera; **être en ~ (contre qn)** essere in collera ou arrabbiato(-a) (con qn); **mettre qn en ~** fare arrabbiare qn; **se mettre en ~** arrabbiarsi

coléreux, -euse [kɔleʀø, øz] adj collerico(-a), irascibile

colin [kɔlɛ̃] nm nasello

colique [kɔlik] nf (Méd) diarrea; (douleurs) colica; (personne) rompiscatole m/f inv; (chose) rottura (di scatole); **~ néphrétique** colica renale

colis [kɔli] nm pacco, collo; **par ~ postal** come pacco postale

collaborer [kɔ(l)labɔʀe] vi: **~ (à)** collaborare (a)

collant, e [kɔlɑ̃, ɑ̃t] adj adesivo(-a); (robe etc) aderente; (péj: personne) appiccicoso(-a) ■ nm (en nylon) collant m inv; (en laine) calzamaglia

colle [kɔl] nf colla; (devinette) indovinello, domanda difficile; (Scol) punizione f, castigo; **~ de bureau** colla (da ufficio); **~ forte** colla forte

collecte [kɔlɛkt] nf colletta; **faire une ~** fare una colletta

collectif, -ive [kɔlɛktif, iv] adj collettivo(-a) ■ nm collettivo; **immeuble ~** condominio; **~ budgétaire** progetto di bilancio

collection [kɔlɛksjɔ̃] nf collezione f; (Édition) collana; (Comm: échantillons) campionario; **pièce de ~** pezzo da collezione; **faire (la) ~ de** fare collezione di; **(toute) une ~ de** (fig) una (bella) collezione di; **~ (de mode)** collezione

collectionner [kɔlɛksjɔne] vt collezionare

collectionneur, -euse [kɔlɛksjɔnœʀ, øz] nm/f collezionista m/f

collectivité [kɔlɛktivite] nf (*groupement*) gruppo, comunità f inv; **la ~** (*le public, l'ensemble des citoyens*) la collettività; (*vie en communauté*) la vita in comune; **~s locales** (*Admin*) enti mpl locali

collège [kɔlɛʒ] nm (*école*) ≈ scuola media; (*assemblée*) collegio; **~ d'enseignement secondaire** ≈ scuola media (*da 11 a 15 anni*); **~ électoral** collegio elettorale

● **COLLÈGE**
●
● Il *collège* è una scuola statale
● secondaria frequentata da ragazzi
● tra gli 11 e i 15 anni. I ragazzi
● seguono un programma stabilito
● a livello nazionale con diverse
● materie comuni ed alcune a scelta.
● Le scuole sono libere di stabilire i
● propri orari e di scegliere i propri
● metodi didattici. Prima di lasciare
● il "collège" i ragazzi vengono
● valutati in base al rendimento
● scolastico e al risultato di un
● esame ed ottengono il "brevet des
● collèges".

collégien, ne [kɔleʒjɛ̃, ɛn] nm/f studente(-essa) (di scuola media)
collègue [kɔ(l)lɛg] nm/f collega m/f
coller [kɔle] vt incollare; (*fam: mettre, fourrer*) sbattere, ficcare; (*Scol: fam*) punire; (*à un examen*) bocciare ■ vi (*être collant*) appiccicare, attaccare; (*adhérer*) aderire; **~ qch sur** incollare qc su; **~ son front à la vitre** incollare la fronte al vetro; **~ à** (*aussi fig*) aderire a; **~ qn** (*par une question*) fare a qn una domanda cui non sa rispondere
collier [kɔlje] nm (*bijou*) collana; (*de chien*) collare m; (*de tuyau*) fascetta; **~ (de barbe), barbe en ~** barba alla Cavour
colline [kɔlin] nf collina
collision [kɔlizjɔ̃] nf collisione f; **entrer en ~ (avec)** entrare in collisione (con)
collyre [kɔliʀ] nm collirio
colombe [kɔlɔ̃b] nf colomba
Colombie [kɔlɔ̃bi] nf Colombia

colonie [kɔlɔni] nf colonia; **~ (de vacances)** colonia
colonne [kɔlɔn] nf colonna; **en ~ par deux** in fila per due; **se mettre en ~ par deux/quatre** mettersi in fila per due/quattro; **~ de secours** squadra di soccorso; **~ (vertébrale)** colonna vertebrale
colorant, e [kɔlɔʀɑ̃, ɑ̃t] adj colorante ■ nm colorante m
colorer [kɔlɔʀe] vt colorare; **se colorer** vr colorarsi, colorirsi
colorier [kɔlɔʀje] vt colorare; **album à ~** album da colorare
coloris [kɔlɔʀi] nm tinta; **je le voudrais dans un autre ~** vorrei un colore diverso
colza [kɔlza] nm colza
coma [kɔma] nm coma m inv; **être dans le ~** essere in coma
combat [kɔ̃ba] vb voir **combattre** ■ nm (*Mil*) combattimento; (*fig*) lotta; **~ de boxe** incontro di pugilato; **~ de rues** rissa, zuffa (*per la strada*)
combattant, e [kɔ̃batɑ̃] adj combattente ■ nm combattente m; (*d'une rixe*) avversario, contendente m; **ancien ~** ex combattente
combattre [kɔ̃batʀ] vt, vi combattere
combien [kɔ̃bjɛ̃] adv (*interrogatif: quantité*) quanto; (*nombre*) quanti; (*exclamatif: comme, que*) quanto, come; **~ de** quanto(-a); **~ de temps** quanto tempo; **~ coûte/pèse ceci?** quanto costa/pesa questo?; **vous mesurez ~?** che taglia porta?; **ça fait ~?** (*prix*) quant'è?; **ça fait ~ en largeur?** quanto è largo?
combinaison [kɔ̃binezɔ̃] nf combinazione f; (*vêtement: spatiale, d'aviateur, de ski etc*) tuta; (*de femme: sous-vêtement*) sottoveste f; (*astuce*) espediente m
combiné [kɔ̃bine] nm (*aussi:* **combiné téléphonique**) ricevitore m; (*Ski*) combinata; (*vêtement de femme*) guaina, modellatore m
comble [kɔ̃bl] adj (*salle, maison*) pieno(-a) zeppo(-a), colmo(-a) ■ nm (*du bonheur, plaisir*) colmo; **combles** nmpl (*Constr*) sottotetto msg; **de fond en ~** da cima a fondo; **pour ~ de malchance** per colmo di sfortuna;

c'est le ~! è il colmo!; **sous les ~s** nel sottotetto

combler [kɔ̃ble] vt colmare; (désirs) appagare, esaudire; (personne) appagare; **~ qn de joie/d'honneurs** colmare qn di gioia/di onori

comédie [kɔmedi] nf commedia; **jouer la ~** (fig) fare ou recitare la commedia; **C~ française** voir encadré ci-dessous; **~ musicale** musical m inv

COMÉDIE FRANÇAISE

Fondata nel 1680 da Luigi XIV, la Comédie française è il teatro nazionale francese. La compagnia viene sovvenzionata dallo Stato e si esibisce soprattutto al Palais Royal di Parigi dove mette in scena principalmente i classici teatrali francesi.

comédien, ne [kɔmedjɛ̃, jɛn] nm/f (Théâtre) attore(-trice); (comique) attore(-trice) comico(-a); (fig: simulateur) commediante m/f; (: pitre) buffone(-a)

comestible [kɔmɛstibl] adj commestibile; **comestibles** nmpl (aliments) alimentari mpl

comique [kɔmik] adj comico(-a) ■ nm (artiste) comico; **le ~ de l'histoire, c'est...** il comico della storia è...

commandant [kɔmɑ̃dɑ̃] nm (gén, armée de l'air, Naut) comandante m; (Mil: grade) maggiore m; **~ (de bord)** (Aviat) comandante m (pilota)

commande [kɔmɑ̃d] nf (Comm) ordine m, ordinazione f; (Inform) comando; **commandes** nfpl (de voiture, d'avion) comandi mpl; **passer une ~ (de)** fare un ordine (di); **sur ~** ordinazione; **véhicule à double ~** veicolo a doppi comandi; **~ à distance** telecomando

commander [kɔmɑ̃de] vt comandare; (Comm, au restaurant) ordinare; **je peux ~, s'il vous plaît?** posso ordinare per favore?; (fig: nécessiter) imporre; **~ à** (Mil) comandare; (contrôler, maîtriser) dominare; **~ à qn de faire qch** ordinare a qn di fare qc

MOT-CLÉ

comme [kɔm] prép **1** (comparaison) come; **tout comme son père** proprio come suo padre, tutto suo padre; **fort comme un bœuf** forte come un toro; **il est petit comme tout** è proprio piccolo; **il est têtu comme c'est pas possible** ou **permis** (fam) è incredibilmente testardo
2 (manière) come; **comme ça** così; **comment ça va? - comme ça** come va? - così così; **comme ci, comme ça** così così; **faites comme cela** ou **ça** fate così; **on ne parle pas comme ça à...** non si parla così a...
3 (en tant que) come; **donner comme prix/heure** stabilire come prezzo/ora; **travailler comme secrétaire** lavorare come segretaria
■ conj **1** (ainsi que) come; **elle écrit comme elle parle** scrive come parla; **comme on dit** come si dice; **comme si** come se; **comme quoi...** (disant que) perciò..., per cui...; (d'où il s'ensuit que) ne consegue che...; **comme de juste** come è giusto (che sia); **comme il faut** come si deve
2 (au moment où, alors que) mentre, nel momento in cui; **il est parti comme j'arrivais** è partito mentre arrivavo
3 (parce que, puisque) siccome; **comme il était en retard,...** siccome era in ritardo, ...
■ adv (exclamation): **comme c'est bon/il est fort!** com'è buono/forte!

commencement [kɔmɑ̃smɑ̃] nm inizio; **commencements** nmpl (débuts) inizi mpl

commencer [kɔmɑ̃se] vt, vi iniziare, cominciare; **une citation commence l'article** l'articolo inizia con una citazione; **~ à** ou **de faire** iniziare ou cominciare a fare; **~ par qch/par faire qch** iniziare ou cominciare con qc/col fare qc; **le film commence à quelle heure?** a che ora comincia il film?

comment [kɔmɑ̃] adv come; **~?** (que dites-vous?) come?; **~!** (affirmatif: de quelle façon) come!; **et ~!** eccome!; **~ donc!** certamente!, come no!; **~ aurais-tu fait?** come avresti fatto?;

~ tu t'y serais pris? come ou cosa avresti fatto?; **~ faire?** come fare?; **~ se fait-il que...?** com'è che...?; **~ est-ce que ça s'appelle?** come si chiama?; **~ est-ce qu'on...?** come si...?; **le ~ et le pourquoi** il come e il perché

commentaire [kɔmɑ̃tɛʀ] nm commento; **~ (de texte)** (Scol) commento; **~ sur image** commento parlato

commerçant, e [kɔmɛʀsɑ̃, ɑ̃t] adj commerciale; (personne) portato(-a) per il commercio ■ nm/f commerciante m/f

commerce [kɔmɛʀs] nm commercio; **le petit ~** il commercio al minuto; **faire ~ de** commerciare in; (fig, péj) fare commercio di; **chambre de ~** camera di commercio; **livres de ~** libri contabili; **vendu dans le ~** in commercio; **vendu hors-~** fuori commercio; **~ en** ou **de gros** commercio all'ingrosso; **~ équitable** commercio equo e solidale; **~ extérieur** commercio (con l')estero; **~ intérieur** commercio interno

commercial, e, aux [kɔmɛʀsjal, o] adj (aussi péj) commerciale ■ nm: **les commerciaux** l'ufficio commerciale

commercialiser [kɔmɛʀsjalize] vt commercializzare

commissaire [kɔmisɛʀ] nm commissario; **~ aux comptes** revisore m dei conti; **~ du bord** commissario di bordo

commissariat [kɔmisaʀja] nm commissariato; (Admin) funzione f di commissario

commission [kɔmisjɔ̃] nf commissione f; **commissions** nfpl (achats) compere fpl, commissioni fpl; **~ d'examen** commissione d'esame

commode [kɔmɔd] adj comodo(-a); (air, personne) conciliante, accomodante; (personne): **pas ~** esigente, difficile ■ nf cassettone m, comò m inv

commun, e [kɔmœ̃, yn] adj comune; (identique) identico(-a); (péj) ordinario(-a) ■ nm: **cela sort du ~** è fuori del comune; **communs** nmpl (bâtiments) dipendenze fpl; **le ~ des mortels** i comuni mortali; **sans**

~e mesure senza paragone; **bien ~** bene m comune; **être ~ à** essere comune a; **en ~** in comune; **peu ~** poco comune; **d'un ~ accord** di comune accordo

communauté [kɔmynote] nf comunità f inv; **régime de la ~** (Jur) regime m di comunione dei beni

commune [kɔmyn] adj f voir **commun** ■ nf comune m

communication [kɔmynikasjɔ̃] nf comunicazione f; (de demande, dossier) trasmissione f; **communications** nfpl (routes, téléphone etc) comunicazioni fpl; **vous avez la ~** è in linea; **donnez-moi la ~** mi passi la comunicazione con; **avoir la ~ (avec)** avere la comunicazione (con); **mettre qn en ~ avec qn** mettere qn in comunicazione con qn; **~ avec préavis** comunicazione con preavviso; **~ interurbaine** comunicazione interurbana; **~ en PCV** telefonata a carico del destinatario

communier [kɔmynje] vi comunicarsi, fare la comunione; (fig) essere in comunione spirituale

communion [kɔmynjɔ̃] nf (Rel, fig) comunione f; **première ~, ~ solennelle** prima comunione

communiquer [kɔmynike] vt comunicare; (demande, dossier) trasmettere ■ vi comunicare; **se communiquer à** vr trasmettersi a; **~ avec** (suj: salle) comunicare con

communisme [kɔmynism] nm comunismo

communiste [kɔmynist] adj, nm/f comunista (m/f)

commutateur [kɔmytatœʀ] nm
(Élec) commutatore m

compact, e [kɔ̃pakt] adj
compatto(-a)

compagne [kɔ̃paɲ] nf compagna

compagnie [kɔ̃paɲi] nf compagnia;
tenir ~ à qn tenere ou fare compagnia
a qn; **fausser ~ à qn** piantare in asso
qn; **en ~ de** in compagnia di; **Dupont
et ~** (Comm) Dupont e soci; ... **et ~** ... e
compagnia bella; **~ aérienne**
compagnia aerea

compagnon [kɔ̃paɲɔ̃] nm
compagno, m; (autrefois: ouvrier)
artigiano

comparable [kɔ̃paʀabl] adj: **~ (à)**
paragonabile (a)

comparaison [kɔ̃paʀɛzɔ̃] nf
paragone m, confronto; **en ~ de, par
~ à** in confronto a; **en ~** in confronto;
par ~ in base a un confronto ou
paragone; **sans ~** (indubitablement)
sicuramente; **cet ouvrage est sans ~
avec les autres** non c'è paragone tra
quest'opera e le altre

comparer [kɔ̃paʀe] vt paragonare,
confrontare; **~ qch/qn à** ou **et qch/
qn** paragonare qc/qn a qc/qn,
confrontare qc/qn con qc/qn

compartiment [kɔ̃paʀtimã] nm (de
train) scompartimento; (case)
scomparto; **un ~ non-fumeurs** uno
scompartimento per non-fumatori

compas [kɔ̃pa] nm (Géom) compasso;
(Naut) bussola

compatible [kɔ̃patibl] adj: **~ (avec)**
compatibile (con)

compatriote [kɔ̃patʀijɔt] nm/f
compatriota m/f

compensation [kɔ̃pãsasjɔ̃] nf
(dédommagement) compenso,
risarcimento; (Banque, d'une dette)
compensazione f; **en ~** in compenso

compenser [kɔ̃pãse] vt compensare

compétence [kɔ̃petãs] nf
competenza

compétent, e [kɔ̃petã, ãt] adj
competente

compétition [kɔ̃petisjɔ̃] nf
competizione f; (Sport) competizione,
gara; **la ~** (Sport: activité) l'attività
agonistica; **être en ~ avec** essere in
competizione con; **~ automobile**
corse fpl automobilistiche

complément [kɔ̃plemã] nm (aussi
Ling) complemento; (surplus)
supplemento; (alimentaire, vitaminé)
integratore m; (reste) resto;
~ (circonstanciel) de lieu/d'agent
complemento di luogo/d'agente;
~ d'information (Admin)
informazioni fpl supplementari;
~ (d'objet) direct complemento
oggetto ou diretto; **~ (d'objet)
indirect** complemento indiretto;
~ de nom complemento di
specificazione; **pour tout ~
d'information...** per ulteriori
informazioni...

complémentaire [kɔ̃plemãtɛʀ] adj
complementare

complet, -ète [kɔ̃plɛ, ɛt] adj
completo(-a); (hôtel, cinéma) al
completo ■ nm (costume: aussi:
complet-veston) completo; **au
(grand) ~** al (gran) completo

complètement [kɔ̃plɛtmã] adv
completamente; (étudier etc) a fondo

compléter [kɔ̃plete] vt completare;
se compléter vr completarsi

complexe [kɔ̃plɛks] adj
complesso(-a) ■ nm (Psych)
complesso; **~ industriel/portuaire/
hospitalier** complesso industriale/
portuale/ospedaliero

complexé, e [kɔ̃plɛkse] adj
complessato(-a)

complication [kɔ̃plikasjɔ̃] nf (d'une
situation) complessità f inv; (difficulté,
ennui) complicazione f;
complications nfpl (Méd)
complicazioni fpl

complice [kɔ̃plis] nm/f complice m/f

compliment [kɔ̃plimã] nm
complimento; **compliments** nmpl
(félicitations) complimenti mpl,
congratulazioni fpl

compliqué, e [kɔ̃plike] adj
complicato(-a), complesso(-a)

comportement [kɔ̃pɔʀtəmã] nm
comportamento

comporter [kɔ̃pɔʀte] vt
comprendere; (impliquer)
comportare; **se comporter** vr
comportarsi

composer [kɔ̃poze] vt comporre ■ vi
(Scol) fare un compito in classe;
(transiger) venire a patti; **se ~ de**

essere composto(-a) da, comporsi di; ~ **un numéro** comporre un numero

compositeur, -trice [kɔ̃pozitœʀ, tʀis] nm/f (Mus, Typo) compositore(-trice)

composition [kɔ̃pozisjɔ̃] nf composizione f; (Scol) compito in classe, prova scritta; **de bonne ~** accomodante; **~ française** (Scol) tema in francese

composter [kɔ̃pɔste] vt (ticket) convalidare

compote [kɔ̃pɔt] nf frutta cotta (tagliata a pezzi); **~ de pommes** mele fpl cotte

compréhensible [kɔ̃pʀeɑ̃sibl] adj comprensibile

compréhensif, -ive [kɔ̃pʀeɑ̃sif, iv] adj comprensivo(-a)

comprendre [kɔ̃pʀɑ̃dʀ] vt capire, comprendere; (se composer de, inclure) comprendere; **se faire ~** farsi capire; **mal ~** capire male; **je ne comprends pas** non capisco

compresse [kɔ̃pʀɛs] nf compressa

compresser [kɔ̃pʀese] vt (Inform) zippare

comprimé, e [kɔ̃pʀime] adj: **air ~** aria compressa ■ nm (Méd) compressa

compris, e [kɔ̃pʀi, iz] pp de **comprendre** ■ adj (inclus) compreso(-a), incluso(-a); **~ entre...** (situé) situato(-a) tra...; **~?** capito?; **y/ non ~ la maison** compresa/esclusa la casa; **la maison ~e/non ~e** compresa/esclusa la casa; **service ~** servizio compreso; **100 euros tout ~** 100 euro tutto compreso

comptabilité [kɔ̃tabilite] nf contabilità f inv; **~ en partie double** contabilità in partita doppia

comptable [kɔ̃tabl] nm/f ragioniere(-a), contabile m/f ■ adj contabile; **~ de** responsabile di

comptant [kɔ̃tɑ̃] adv: **payer/acheter ~** pagare/comprare in contanti

compte [kɔ̃t] nm conto; **comptes** nmpl (comptabilité) conti mpl; **ouvrir un ~** aprire un conto; **rendre des ~s à qn** (fig) rendere conto a qn; **faire le ~ de** fare il conto di; **tout ~ fait** a conti fatti; **à ce ~-là** (dans ce cas) in questo caso; (à ce train-là) di questo passo;

en fin de ~; au bout du ~ (fig) in fin dei conti; **à bon ~** a buon mercato; **avoir son ~** (fig, fam: ivre) essere completamente sbronzo(-a); (à bout de force) non poterne proprio più; **pour le ~ de qn** per conto di qn; **pour son propre ~** per conto proprio; **sur le ~ de qn** sul conto di qn; **travailler à son ~** lavorare in proprio; **mettre qch sur le ~ de qn** (le rendre responsable) ritenere qn responsabile per qc; **prendre qch à son ~** assumersi la responsabilità di qc; **trouver son ~ à** trovare il proprio tornaconto a; **régler un ~** regolare un conto; **rendre ~ (à qn) de qch** rendere conto (a qn) di qc; **tenir ~ de qch/que** tenere conto di qc/che; **~ tenu de** tenuto conto di; **il a fait cela sans avoir tenu ~ de...** l'ha fatto senza tenere conto di...; **mettez-le sur mon ~** lo metta sul mio conto; **~ à rebours** conto alla rovescia; **~ chèque postal** conto corrente postale; **~ chèques** conto corrente; **~ client** conto attivo; **~ courant** conto corrente; **~ d'exploitation** conto commerciale; **~ de dépôt** conto di deposito; **~ fournisseur** conto passivo; **~ rendu** resoconto; (de film, livre) recensione f

compte-gouttes [kɔ̃tgut] nm inv contagocce m inv

compter [kɔ̃te] vt contare; (facturer) conteggiare, mettere in conto ■ vi contare; (être économe) essere economo(-a); (figurer): **~ parmi** figurare tra; **~ réussir/revenir** contare di riuscire/tornare; **~ sur** contare su; **~ avec qch/qn** tenere conto di qc/qn; **~ sans qch/qn** non tenere conto di qc/qn; **sans ~ que** senza contare che; **à ~ du 10 janvier** a partire dal 10 gennaio; **ça compte beaucoup pour moi** conta molto per me; **cela compte pour rien** non ha importanza; **je compte bien que** conto ou spero che

compteur [kɔ̃tœʀ] nm contatore m; **~ de vitesse** tachimetro

comptoir [kɔ̃twaʀ] nm banco; (ville coloniale) impresa commerciale (in possedimento coloniale)

con, conne [kɔ̃, kɔn] (fam!) adj coglione(-a) (fam!)

concentrer [kɔ̃sɑ̃tʀe] vt
concentrare; **se concentrer** vr
concentrarsi

concerner [kɔ̃sɛʀne] vt riguardare,
concernere; **en ce qui me concerne**
per quanto mi riguarda; **en ce qui
concerne ceci** per quanto riguarda
questo

concert [kɔ̃sɛʀ] nm (Mus) concerto;
(fig: de protestations etc) coro; **de ~**
(ensemble) insieme; (d'un commun
accord) d'intesa

concessionnaire [kɔ̃sesjɔnɛʀ] nm/f
concessionario(-a)

concevoir [kɔ̃s(ə)vwaʀ] vt
concepire, ideare; (enfant) concepire

concierge [kɔ̃sjɛʀʒ] nm/f
portinaio(-a), custode m/f; (d'hôtel)
portiere(-a)

concis, e [kɔ̃si, iz] adj conciso(-a)

conclure [kɔ̃klyʀ] vt concludere;
~ qch de (déduire) concludere ou
dedurre qc da qc; **~ au suicide**
concludere che si tratta di suicidio;
~ à l'acquittement pronunciarsi per
l'assoluzione; **~ un marché**
concludere un affare; **j'en conclus
que** ne concludo che

conclusion [kɔ̃klyzjɔ̃] nf
conclusione f; **conclusions** nfpl
(Jur) conclusioni fpl; **en ~** in
conclusione

conçois etc [kɔ̃swa] vb voir
concevoir

concombre [kɔ̃kɔ̃bʀ] nm cetriolo

concours [kɔ̃kuʀ] nm concorso;
(Scol) esame m; (aide, participation:
de personne) contributo; **recrutement
par voie de ~** assunzione f mediante
concorso; **apporter son ~ à** dare il
proprio contributo a; **~ de
circonstances** concorso di
circostanze; **~ hippique** concorso
ippico

concret, -ète [kɔ̃kʀɛ, ɛt] adj
concreto(-a); **musique concrète**
musica concreta

conçu, e [kɔ̃sy] pp de **concevoir**

concubinage [kɔ̃kybinaʒ] nm
convivenza

concurrence [kɔ̃kyʀɑ̃s] nf
concorrenza; **en ~ avec** in
concorrenza con; **jusqu'à ~ de** fino a;
~ déloyale concorrenza sleale

concurrent, e [kɔ̃kyʀɑ̃, ɑ̃t] adj
concorrente ◼ nm/f concorrente
m/f; (Scol) candidato(-a)

condamner [kɔ̃dɑne] vt
condannare; (porte, ouverture)
sopprimere, condannare; **~ qn à qch/
faire** condannare qn a qc/fare; **~ qn à
2 ans de prison** condannare qn a 2
anni di prigione; **~ qn à une amende**
condannare qn ad una multa

condensation [kɔ̃dɑ̃sasjɔ̃] nf
condensazione f

condition [kɔ̃disjɔ̃] nf condizione f;
en bonne ~ in buone condizioni;
conditions nfpl (tarif, prix,
circonstances) condizioni fpl; **sans ~**
senza condizioni; **à/sous ~ que** a
condizione che; **à/sous ~ de** a patto
di; **mettre en ~** (Sport) mettere in
forma; (Psych) condizionare; **~s
atmosphériques** condizioni
atmosferiche; **~s de vie** condizioni
di vita

conditionnement [kɔ̃disjɔnmɑ̃] nm
condizionamento

condoléances [kɔ̃dɔleɑ̃s] nfpl
condoglianze fpl

conducteur, -trice [kɔ̃dyktœʀ,
tʀis] adj conduttore(-trice) ◼ nm
conduttore m ◼ nm/f (Auto etc)
conducente m/f, guidatore(-trice);
(machine) manovratore(-trice),
conducente m/f

conduire [kɔ̃dɥiʀ] vt (véhicule,
délégation, troupeau, société) guidare;
(passager, enquête, chaleur, électricité)
condurre; (orchestre) dirigere; **se
conduire** vr comportarsi; **~ vers/à**
condurre ou portare verso/a; **~ qn
quelque part** condurre ou portare qn
da qualche parte; **se ~ bien/mal**
comportarsi bene/male

conduite [kɔ̃dɥit] nf (en auto) guida;
(comportement) condotta; (d'eau, gaz)
conduttura; **sous la ~ de** sotto la
guida di; **~ à gauche** (Auto) guida a
sinistra; **~ forcée** condotta forzata;
~ intérieure berlina

confection [kɔ̃fɛksjɔ̃] nf
preparazione f; (Couture) confezione f;
vêtement de ~ vestito confezionato

conférence [kɔ̃feʀɑ̃s] nf conferenza;
~ au sommet conferenza al vertice;
~ de presse conferenza f stampa inv

confesser [kɔ̃fese] vt confessare;
se confesser vr (Rel) confessarsi
confession [kɔ̃fesjɔ̃] nf confessione f
confetti [kɔ̃feti] nm coriandolo

> **FAUX AMIS**
> **confetti** signifie **dragées**
> en italien.

confiance [kɔ̃fjɑ̃s] nf fiducia; **avoir ~**
en avere fiducia in; **faire ~ à** confidare
in; **en toute ~** con la massima fiducia;
mettre qn en ~ guadagnarsi la fiducia
di qn; **de ~** di fiducia; **question/vote**
de ~ questione f/voto di fiducia;
inspirer ~ à ispirare fiducia a; **digne**
de ~ degno di fiducia; **~ en soi** fiducia
in se stessi
confiant, e [kɔ̃fjɑ̃, jɑ̃t] adj
fiducioso(-a); (en soi-même) sicuro(-a)
di sé
confidence [kɔ̃fidɑ̃s] nf confidenza
confidentiel, le [kɔ̃fidɑ̃sjɛl] adj
confidenziale
confier [kɔ̃fje] vt (travail,
responsabilité) affidare; (secret, pensée)
confidare; **~ à qn** affidare a qn; **se ~ à**
qn confidarsi con qn
confirmation [kɔ̃fiʀmasjɔ̃] nf
conferma; (Rel) cresima
confirmer [kɔ̃fiʀme] vt confermare;
~ qn dans ses fonctions
(ri)confermare qn nell'incarico; **~ qn**
dans une croyance rafforzare qn nel
suo convincimento; **~ qch à qn**
confermare qc a qn
confiserie [kɔ̃fizʀi] nf ≈ pasticceria;
confiseries nfpl (bonbons) dolciumi
mpl
confisquer [kɔ̃fiske] vt (Jur)
confiscare; (objet: provisoirement: à un
enfant) sequestrare
confit, e [kɔ̃fi, it] adj: **fruits ~s**
frutta candita; **~ d'oie** nm carne
d'oca cotta e conservata nel grasso di
cottura
confiture [kɔ̃fityʀ] nf confettura,
marmellata; **~ d'oranges** marmellata
d'arance
conflit [kɔ̃fli] nm conflitto; **~ armé**
conflitto armato
confondre [kɔ̃fɔ̃dʀ] vt confondere;
se confondre vr confondersi; **se ~ en**
excuses/remerciements
profondersi in scuse/ringraziamenti;
~ qch/qn avec confondere qc/qn con

conforme [kɔ̃fɔʀm] adj: **~ à**
conforme a; **~ à la commande** come
da ordine
conformément [kɔ̃fɔʀmemɑ̃] adv:
~ à conformemente a
conformer [kɔ̃fɔʀme] vt: **~ qch à**
conformare qc a; **se conformer à** vr
conformarsi a
confort [kɔ̃fɔʀ] nm comodità fpl,
comfort m inv; **tout ~** con tutti i
comfort
confortable [kɔ̃fɔʀtabl] adj
comodo(-a); (fig: salaire) buono(-a)
confronter [kɔ̃fʀɔ̃te] vt confrontare;
(témoins, accusés) mettere a confronto
confus, e [kɔ̃fy, yz] adj confuso(-a)
confusion [kɔ̃fyzjɔ̃] nf confusione f;
~ des peines (Jur) cumulo di pene
congé [kɔ̃ʒe] nm (vacances) ferie fpl;
(arrêt de travail, Mil) congedo; (avis de
départ) commiato, congedo; **en ~** (en
vacances) in ferie; (en arrêt de travail,
soldat) in congedo; **semaine/jour de**
~ settimana/giorno di ferie; **prendre**
~ de qn prendere congedo ou
congedarsi da qn; **donner son ~ à qn**
licenziare qn; **~ de maladie** congedo
per malattia; **~ de maternité**
congedo per maternità; **~s payés**
ferie retribuite
congédier [kɔ̃ʒedje] vt (employé)
licenziare
congélateur [kɔ̃ʒelatœʀ] nm
congelatore m
congeler [kɔ̃ʒ(ə)le] vt congelare
congestion [kɔ̃ʒɛstjɔ̃] nf
congestione f; **~ cérébrale**
congestione cerebrale; **~ pulmonaire**
congestione polmonare
congrès [kɔ̃gʀɛ] nm congresso
conifère [kɔnifɛʀ] nm conifera
conjoint, e [kɔ̃ʒwɛ̃, wɛ̃t] adj
congiunto(-a) ■ nm/f coniuge m/f
conjonctivite [kɔ̃ʒɔ̃ktivit] nf
congiuntivite f
conjoncture [kɔ̃ʒɔ̃ktyʀ] nf
congiuntura; **la ~ économique** la
congiuntura (economica)
conjugaison [kɔ̃ʒygɛzɔ̃] nf
coniugazione f
connaissance [kɔnɛsɑ̃s] nf
conoscenza; (personne connue)
conoscente m/f; **connaissances** nfpl
(savoir) conoscenze fpl, cognizioni fpl;

être sans ~ (*Méd*) essere privo di conoscenza; **perdre/reprendre ~** perdere/riprendere conoscenza; **à ma/sa ~** che io/lui sappia; **faire ~ avec qn** *ou* **la ~ de qn** fare conoscenza con qn *ou* la conoscenza di qn; **ravi d'avoir fait votre ~** è stato un piacere conoscerla; **c'est une vieille ~** è una vecchia conoscenza; **avoir ~ de** essere a conoscenza di; **prendre ~ de** esaminare; **en ~ de cause** con cognizione di causa; **de ~** conosciuto(-a)
connaisseur, -euse [kɔnɛsœʀ, øz] *nm/f* intenditore(-trice), conoscitore(-trice) ◾ *adj* da intenditore *inv*
connaître [kɔnɛtʀ] *vt* conoscere; **se connaître** *vr* conoscersi; **~ qn de nom/vue** conoscere qn di nome/vista; **ils se sont connus à Genève** si sono conosciuti a Ginevra; **s'y ~ en qch** essere esperto(-a) di qc
connecter [kɔnɛkte] *vt* collegare, connettere; **se ~ à Internet** collegarsi a Internet
connerie [kɔnʀi] (*fam!*) *nf* stronzata (*fam!*)
connexion [kɔnɛksjɔ̃] *nf* connessione *f*, collegamento; (*Inform*) connessione *f*
connu, e [kɔny] *pp de* **connaître** ◾ *adj* noto(-a), conosciuto(-a)
conquérir [kɔ̃keʀiʀ] *vt* conquistare
conquête [kɔ̃kɛt] *nf* conquista
consacrer [kɔ̃sakʀe] *vt* consacrare; **se consacrer à qch** *vr* dedicarsi a qc; **~ son temps/argent à faire** dedicare il proprio tempo/denaro a fare
conscience [kɔ̃sjɑ̃s] *nf* coscienza; **avoir/prendre ~ de** avere/prendere coscienza di; **avoir qch sur la ~** avere qc sulla coscienza; **perdre/reprendre ~** perdere/riacquistare conoscenza; **avoir bonne/mauvaise ~** avere/non avere la coscienza tranquilla; **en (toute) ~** in (tutta) coscienza; **~ professionnelle** coscienza professionale
consciencieux, -euse [kɔ̃sjɑ̃sjø, jøz] *adj* coscienzioso(-a)
conscient, e [kɔ̃sjɑ̃, jɑ̃t] *adj* (*Méd, délibéré*) cosciente; **~ de** conscio(-a) di, consapevole di, cosciente di

consécutif, -ive [kɔ̃sekytif, iv] *adj* consecutivo(-a); **être ~ à** essere conseguenza di
conseil [kɔ̃sɛj] *nm* consiglio; (*expert*): **~ en recrutement** consulente *m* di reclutamento del personale ◾ *adj*: **ingénieur-~** ingegnere *m* consulente; **tenir ~** tenere consiglio; **je n'ai pas de ~ à recevoir de vous** non sta a lei darmi consigli; **donner un ~/des ~s à qn** dare un consiglio/dei consigli a qn; **demander ~ à qn** chiedere consiglio a qn; **prendre ~ (auprès de qn)** farsi consigliare (da qn); **~ d'administration** consiglio d'amministrazione; **~ de classe/de discipline** consiglio di classe/di disciplina; **~ de guerre** consiglio di guerra; **~ de révision** consiglio di leva; **~ des ministres** consiglio dei ministri; **~ général** ≈ consiglio provinciale; **~ municipal** consiglio comunale; **~ régional** consiglio regionale
conseiller [kɔ̃seje] *vt* consigliare; **~ qch à qn** consigliare qc a qn; **~ à qn de faire qch** consigliare a qn di fare qc; **pouvez-vous me ~ un bon restaurant?** mi può consigliare un buon ristorante?
conseiller, -ère [kɔ̃seje, jɛʀ] *nm/f* consulente *m/f*; **~ matrimonial** consulente matrimoniale; **~ municipal** consigliere *m* comunale
consentement [kɔ̃sɑ̃tmɑ̃] *nm* consenso
consentir [kɔ̃sɑ̃tiʀ] *vt*: **~ (à qch/faire)** acconsentire (a qc/fare); **~ qch à qn** concedere *ou* consentire qc a qn
conséquence [kɔ̃sekɑ̃s] *nf* conseguenza; **conséquences** *nfpl* (*effet, répercussion*) conseguenze *fpl*; **en ~** di conseguenza; **ne pas tirer à ~** non essere grave; **sans ~** senza importanza; **lourd de ~** di grande importanza
conséquent, e [kɔ̃sekɑ̃, ɑ̃t] *adj* coerente; (*fam: important*) importante; **par ~** di conseguenza
conservateur, -trice [kɔ̃sɛʀvatœʀ, tʀis] *adj* conservatore(-trice) ◾ *nm/f* (*Pol, de musée*) conservatore(-trice) ◾ *nm* (*de produit*) conservante *m*

conservatoire [kɔ̃sɛʀvatwaʀ] *nm* (*de musique*) conservatorio; (*de comédiens*) ≈ accademia d'arte drammatica; (*Écologie*) area protetta

conserve [kɔ̃sɛʀv] *nf* (*gén pl: aliments*) scatolame *m*; **en ~** in scatola; **de ~** (*ensemble*) insieme; (*naviguer*) di conserva; **~s de poisson** pesce *m* in scatola

conserver [kɔ̃sɛʀve] *vt* conservare; **se conserver** *vr* conservarsi; **"~ au frais"** "conservare al fresco"

considérable [kɔ̃sideʀabl] *adj* considerevole, notevole

considération [kɔ̃sideʀasjɔ̃] *nf* considerazione *f*; **considérations** *nfpl* (*remarques, réflexions*) considerazioni *fpl*; **prendre en ~** prendere in considerazione; **ceci mérite ~** questo merita di essere preso in considerazione; **en ~ de** considerato(-a), dato(-a)

considérer [kɔ̃sideʀe] *vt* considerare; **~ que** (*estimer*) ritenere che; **~ qch comme** (*juger*) considerare qc

consigne [kɔ̃siɲ] *nf* (*de bouteilles, emballages*) deposito, cauzione *f*; (*de gare*) deposito *m* bagagli *inv*; (*Scol*) punizione *f*; (*Mil*) consegna; (*ordre, instruction*) ordine *m*, consegna; **~ automatique** armadietti *mpl* per deposito bagagli (*a gettone*); **~s de sécurité** istruzioni *fpl* per la sicurezza

consister [kɔ̃siste] *vi*: **~ en/dans** consistere in; (*être formé de*) essere costituito(-a) da, consistere di; **~ à faire** consistere nel fare

consoler [kɔ̃sɔle] *vt* consolare; **se ~ (de qch)** consolarsi (di qc)

consommateur, -trice [kɔ̃sɔmatœʀ, tʀis] *nm/f* consumatore(-trice); (*dans un café*) cliente *m/f*

consommation [kɔ̃sɔmasjɔ̃] *nf* consumo; (*Jur, boisson*) consumazione *f*; **de ~** (*biens*) di consumo; (*société*) dei consumi; **~ aux 100 km** (*Auto*) consumo ogni 100 km

consommer [kɔ̃sɔme] *vt, vi* consumare

consonne [kɔ̃sɔn] *nf* consonante *f*

constamment [kɔ̃stamɑ̃] *adv* costantemente

constant, e [kɔ̃stɑ̃, ɑ̃t] *adj* costante

constat [kɔ̃sta] *nm* constatazione *f*; (*de police: après un accident*) verbale *m*; **~ (à l'amiable)** constatazione amichevole; **~ d'échec** constatazione di fallimento

constatation [kɔ̃statasjɔ̃] *nf* constatazione *f*

constater [kɔ̃state] *vt* constatare; **~ que** constatare che

consterner [kɔ̃stɛʀne] *vt* costernare

constipé, e [kɔ̃stipe] *adj* stitico(-a); (*fig*) impacciato(-a)

constitué, e [kɔ̃stitɥe] *adj*: **~ de** costituito(-a) da; **bien/mal ~** di sana/ debole costituzione

constituer [kɔ̃stitɥe] *vt* costituire; **se ~ partie civile** costituirsi parte civile; **se ~ prisonnier** costituirsi

constructeur [kɔ̃stʀyktœʀ] *nm* costruttore *m*; **~ automobile** costruttore d'automobili

constructif, -ive [kɔ̃stʀyktif, iv] *adj* costruttivo(-a)

construction [kɔ̃stʀyksjɔ̃] *nf* costruzione *f*; (*de phrase, roman*) struttura

construire [kɔ̃stʀɥiʀ] *vt* costruire; **se construire**: **ça s'est beaucoup construit dans la région** si è costruito molto in questa zona

consul [kɔ̃syl] *nm* console *m*

consulat [kɔ̃syla] *nm* consolato

consultant, e [kɔ̃syltɑ̃, ɑ̃t] *adj, nm/f* consulente *m/f*

consultation [kɔ̃syltasjɔ̃] *nf* (*d'un expert*) consulenza; (*d'un dictionnaire*) consultazione *f*; (*séance: médicale*) visita; **consultations** *nfpl* (*Pol: pourparlers*) consultazioni *fpl*; **être en ~** essere in riunione; **le médecin est en ~** il medico sta visitando un paziente; **aller à la ~** (*Méd*) andare dal medico; **heures de ~** (*Méd*) orario di visita

consulter [kɔ̃sylte] *vt* consultare; (*montre*) guardare ▪ *vi* (*médecin*) ricevere; **se consulter** *vr* consultarsi

contact [kɔ̃takt] *nm* contatto; **au ~ de** a contatto con; **mettre/couper le ~** (*Auto*) mettere/togliere il contatto; **entrer en ~** venire a contatto; **se**

mettre en ~ avec qn mettersi in contatto con qn; **prendre ~ avec** (*relation d'affaires*) prendere contatto con; (*connaissance*) contattare

contacter [kɔ̃takte] *vt* contattare

contagieux, -euse [kɔ̃taʒjø, jøz] *adj* contagioso(-a)

contaminer [kɔ̃tamine] *vt* contaminare

conte [kɔ̃t] *nm* racconto; **~ de fées** fiaba

contempler [kɔ̃tɑ̃ple] *vt* contemplare

contemporain, e [kɔ̃tɑ̃pɔʀɛ̃, ɛn] *adj, nm/f* contemporaneo(-a)

contenir [kɔ̃t(ə)niʀ] *vt* contenere; **se contenir** *vr* contenersi, dominarsi

content, e [kɔ̃tɑ̃, ɑ̃t] *adj* contento(-a); **~ de qn/qch** contento di qn/qc; **~ de soi** contento(-a) di sé; **je serais ~ que tu...** sarei felice che tu...

contenter [kɔ̃tɑ̃te] *vt* accontentare; **se contenter de** *vr* accontentarsi di

contenu, e [kɔ̃t(ə)ny] *pp de* **contenir** ■ *adj* contenuto(-a) ■ *nm* contenuto; (*d'un conteneur, bateau*) carico

conter [kɔ̃te] *vt* raccontare; **en ~ de(s) belles à qn** raccontarne delle belle a qn

conteste [kɔ̃tɛst]: **sans ~** *adv* senza dubbio

contester [kɔ̃tɛste] *vt, vi* contestare

contexte [kɔ̃tɛkst] *nm* contesto

continent [kɔ̃tinɑ̃] *nm* continente *m*

continu, e [kɔ̃tiny] *adj* continuo(-a); (*courant*) **~** corrente *f* continua

continuel, le [kɔ̃tinɥɛl] *adj* continuo(-a)

continuer [kɔ̃tinɥe] *vt, vi* continuare; **se continuer** *vr* continuare; **vous continuez tout droit** continui dritto; **~ à** *ou* **de faire** continuare a fare

contourner [kɔ̃tuʀne] *vt* aggirare

contraceptif, -ive [kɔ̃tʀasɛptif, iv] *adj* contraccettivo(-a) ■ *nm* contraccettivo

contraception [kɔ̃tʀasɛpsjɔ̃] *nf* contraccezione *f*

contracté, e [kɔ̃tʀakte] *adj* contratto(-a); (*personne*) teso(-a); **article ~** (*Ling*) preposizione *f* articolata

contracter [kɔ̃tʀakte] *vt* contrarre; (*assurance*) stipulare; (*fig*) rendere teso(-a) *ou* nervoso(-a); **se contracter** *vr* contrarsi; (*fig*) innervosirsi

contractuel, le [kɔ̃tʀaktɥɛl] *adj* contrattuale ■ *nm/f* (*agent*) vigile(-essa) urbano(-a) (*esclusivamente per infrazioni al divieto di sosta*); (*employé*) impiegato(-a) avventizio

contradiction [kɔ̃tʀadiksjɔ̃] *nf* contraddizione *f*; **en ~ avec** in contraddizione con

contradictoire [kɔ̃tʀadiktwaʀ] *adj* contraddittorio(-a); **débat ~** dibattito in contraddittorio

contraignant, e [kɔ̃tʀɛɲɑ̃, ɑ̃t] *vb voir* **contraindre** ■ *adj* restrittivo(-a); (*engagement*) vincolante

contraindre [kɔ̃tʀɛ̃dʀ] *vt*: **~ qn à qch/faire qch** costringere qn a qc/ fare qc

contrainte [kɔ̃tʀɛ̃t] *nf* costrizione *f*, obbligo; **sans ~** liberamente

contraire [kɔ̃tʀɛʀ] *adj* contrario(-a) ■ *nm* contrario; **~ à** (*loi, raison*) contrario(-a) a; (*santé*) nocivo per; **au ~** al contrario, invece; **je ne peux pas dire le ~** non posso negarlo; **le ~ de** il contrario di

contrarier [kɔ̃tʀaʀje] *vt* contrariare; (*mouvement, action*) ostacolare

contrariété [kɔ̃tʀaʀjete] *nf* contrarietà *f inv*

contraste [kɔ̃tʀast] *nm* contrasto

contrat [kɔ̃tʀa] *nm* contratto; **~ de mariage** contratto di matrimonio; **~ de travail** contratto di lavoro

contravention [kɔ̃tʀavɑ̃sjɔ̃] *nf* contravvenzione *f*; (*pour stationnement interdit*) multa per sosta vietata; **dresser ~ à** fare una contravvenzione a

contre [kɔ̃tʀ] *prép* contro; **par ~** invece

contrebande [kɔ̃tʀəbɑ̃d] *nf* contrabbando; (*marchandise*) merce *f* di contrabbando; **faire la ~ de** fare contrabbando di

contrebas [kɔ̃tʀəbɑ]: **en ~** *adv* più in basso

contrebasse [kɔ̃tʀəbas] *nf* contrabbasso

contrecoup [kɔ̃tʀəku] nm
contraccolpo; **par ~** di riflesso
contredire [kɔ̃tʀədiʀ] vt
contraddire; **se contredire** vr
contraddirsi
contrefaçon [kɔ̃tʀəfasɔ̃] nf
contraffazione f; (faux: produit)
imitazione f; (: billet, signature) falso;
~ de brevet contraffazione di
brevetto
contre-indication [kɔ̃tʀɛ̃dikasjɔ̃]
(pl **~s**) nf controindicazione f
contre-indiqué, e [kɔ̃tʀɛ̃dike] (mpl
~s, fpl **~es**) adj controindicato(-a)
contremaître [kɔ̃tʀəmɛtʀ] nm
caporeparto; (Constr) capomastro
contre-plaqué [kɔ̃tʀəplake] (pl **~s**)
nm compensato
contresens [kɔ̃tʀəsɑ̃s] nm
controsenso; (de traduction) errore m
(di interpretazione), controsenso; **à ~**
a rovescio, in senso contrario
contretemps [kɔ̃tʀətɑ̃] nm
contrattempo; **à ~** (Mus) fuori
tempo; (fig) a sproposito
contribuer [kɔ̃tʀibɥe]: **~ à** vt
contribuire a
contribution [kɔ̃tʀibysjɔ̃] nf
contributo; **les contributions** nfpl
(Admin: bureaux) ufficio msg delle
imposte; **mettre à ~** ricorrere a; **~s
directes/indirectes** imposte fpl
dirette/indirette
contrôle [kɔ̃tʀol] nm controllo;
perdre/garder le ~ de son véhicule
perdere/mantenere il controllo del
veicolo; **~ continu** (Scol) sistema di
valutazione del profitto basato su
controlli periodici oltre che sull'esame di
fine anno; **~ d'identité** accertamento
di identità; **~ des changes** (Comm)
controllo dei cambi; **~ des
naissances** controllo delle nascite;
~ des prix controllo dei prezzi
contrôler [kɔ̃tʀole] vt controllare;
se contrôler vr controllarsi
contrôleur, -euse [kɔ̃tʀolœʀ, øz]
nm/f (de train, bus) controllore m;
~ aérien controllore di volo; **~ de la
navigation aérienne** controllore del
traffico aereo; **~ des postes** ispettore
m delle poste
controversé, e [kɔ̃tʀɔvɛʀse] adj
controverso(-a)

contusion [kɔ̃tyzjɔ̃] nf contusione f
convaincre [kɔ̃vɛ̃kʀ] vt (aussi Jur):
~ (de) convincere (di); **~ qn (de faire)**
convincere qn (a fare)
convalescence [kɔ̃valesɑ̃s] nf
convalescenza; **maison de ~**
convalescenziario
convenable [kɔ̃vnabl] adj (personne)
per bene; (tenue, manières) decente,
corretto(-a); (moment, endroit)
opportuno(-a); (salaire, travail)
accettabile
convenir [kɔ̃vniʀ] vi convenire; **~ à**
(être approprié à) addirsi ou confarsi a;
(être utile à) convenire a; (arranger,
plaire à) andare (bene) a; **il convient
de** (bienséant) è bene; **~ de** (admettre:
vérité, bien-fondé de qch) ammettere;
(fixer: date, somme etc) fissare,
stabilire; **~ que** (admettre) convenire
che; **~ de faire qch** decidere di
fare qc; **il a été convenu que/de
faire...** è stato deciso che/di fare...;
comme convenu come convenuto
ou stabilito
convention [kɔ̃vɑ̃sjɔ̃] nf
convenzione f; **conventions** nfpl
(règles, convenances) convenzioni fpl;
de ~ convenzionale; **~ collective**
contratto collettivo
conventionné, e [kɔ̃vɑ̃sjɔne] adj
convenzionato(-a)
convenu, e [kɔ̃vny] pp de **convenir**
■ adj convenuto(-a)
conversation [kɔ̃vɛʀsasjɔ̃] nf
conversazione f; (politique,
diplomatique) colloquio; **avoir de la ~**
saper conversare
convertir [kɔ̃vɛʀtiʀ] vt: **~ qn (à)**
convertire qn (a); **se convertir (à)**
vr convertirsi (a); **~ qch en** convertire
qc in
conviction [kɔ̃viksjɔ̃] nf convinzione
f; **sans ~** senza convinzione
convienne etc [kɔ̃vjɛn] vb voir
convenir
convivial, e [kɔ̃vivjal] adj conviviale;
(Inform) facile da usare
convocation [kɔ̃vɔkasjɔ̃] nf
convocazione f
convoquer [kɔ̃vɔke] vt convocare;
~ qn (à) convocare qn (a)
coopération [kɔɔpeʀasjɔ̃] nf
cooperazione f; **la C~ militaire/**

technique la cooperazione militare/ tecnica (*nell'ambito di accordi bilater ali tra la Francia e paesi in via di sviluppo*)

coopérer [kɔɔpeʀe] *vi*: **~ (à)** cooperare (a)

coordonné, e [kɔɔʀdɔne] *adj* coordinato(-a); **coordonnés** *nmpl* (*vêtements*) coordinati *mpl*

coordonner [kɔɔʀdɔne] *vt* coordinare

copain, copine [kɔpɛ̃, kɔpin] *nm/f* amico(-a) ▪ *adj*: **être ~ avec** essere in buoni rapporti con

copie [kɔpi] *nf* copia; (*Scol: feuille d'examen*) foglio; (*devoir*) compito; (*Typo*) manoscritto; **journaliste en mal de ~** giornalista a corto di ispirazione; **~ certifiée conforme** copia autenticata; **~ papier** (*Inform*) documento stampato

copier [kɔpje] *vt* copiare ▪ *vi* (*Scol*) copiare; **~ sur** copiare da

copieur [kɔpjœʀ] *nm* (*Scol*) copione(-a); (*aussi:* **photocopieur**) fotocopiatrice *f*

copieux, -euse [kɔpjø, jøz] *adj* (*repas, portion*) abbondante; (*notes, exemples*) copioso(-a)

copine [kɔpin] *nf voir* **copain**

coq [kɔk] *nm* gallo ▪ *adj inv*: **poids ~** (*Boxe*) peso gallo; **~ au vin** (*Culin*) galletto al vino; **~ de bruyère** (*Zool*) gallo cedrone; **~ de village** (*fig, péj*) rubacuori *m inv*

coque [kɔk] *nf* (*de noix*) guscio; (*de bateau*) scafo; (*d'auto*) scocca; (*d'avion*) carcassa; (*de mollusque*) tellina; **à la ~** (*Culin*) alla coque

coquelicot [kɔkliko] *nm* papavero

coqueluche [kɔklyʃ] *nf* pertosse *f*; **être la ~ de** (*fig*) essere il (la) beniamino(-a) di

coquet, te [kɔkɛ, ɛt] *adj* civettuolo(-a), frivolo(-a); (*bien habillé*) elegante; (*joli*) grazioso(-a); (*somme, salaire etc*) bello(-a)

coquetier [kɔk(ə)tje] *nm* portauovo *m inv*

coquillage [kɔkijaʒ] *nm* mollusco; (*coquille*) conchiglia

coquille [kɔkij] *nf* (*de mollusque*) conchiglia; (*de noix, d'œuf*) guscio; (*de beurre*) noce *f*; (*Typo*) refuso; **~ d'œuf**

(*couleur*) beige *inv* (molto chiaro); **~ de noix** guscio di noce; **~ St Jacques** cappa santa

coquin, e [kɔkɛ̃, in] *adj* (*enfant, sourire*) birichino(-a); (*histoire*) piccante, spinto(-a); (*regard*) malizioso(-a) ▪ *nm/f* (*péj*) furfante *m/f*, briccone(-a)

cor [kɔʀ] *nm* (*Mus*) corno; (*Méd*): **~ (au pied)** callo; **réclamer à ~ et à cri** (*fig*) invocare a gran voce *ou* con insistenza; **~ anglais** corno inglese; **~ de chasse** corno da caccia

corail, -aux [kɔʀaj, o] *nm* corallo

Coran [kɔʀɑ̃] *nm*: **le ~** il Corano

corbeau, x [kɔʀbo] *nm* (*aussi fig*) corvo

corbeille [kɔʀbɛj] *nf* (*panier, Inform*) cestino; (*Théâtre*) palco; (*à la Bourse*): **la ~** la corbeille; **~ à ouvrage** cestino da lavoro; **~ à pain** cestino del pane; **~ à papiers** cestino della carta straccia; **~ de mariage** (*fig*) regali *mpl* di matrimonio

corde [kɔʀd] *nf* corda; (*de tissu*) corda, trama; **les ~s** (*Boxe*) le corde; **la ~ sensible** il tasto giusto; **les (instruments à) ~s** (*Mus*) gli strumenti a corda; **tapis/semelles de ~** tappeto/suole *fpl* di corda; **tenir la ~** (*Athlétisme, Auto*) correre nella corsia interna; **tomber des ~s** piovere a catinelle; **tirer sur la ~** tirare la corda; **usé jusqu'à la ~** (*habit etc*) liso(-a); (*histoire etc*) troppo sfruttato(-a); **être sur la ~ raide** (*fig*) camminare sul filo del rasoio; **~ à linge** corda per stendere; **~ à nœuds** (*à la gym*) fune *f* con nodi; **~ à sauter** corda per saltare; **~ lisse** fune *f*; **~s vocales** corde vocali

cordée [kɔʀde] *nf* cordata

cordialement [kɔʀdjalmɑ̃] *adv* cordialmente

cordon [kɔʀdɔ̃] *nm* cordone *m*; **~ de police** cordone di polizia; **~ littoral** cordone litoraneo; **~ ombilical** cordone ombelicale; **~ sanitaire** cordone sanitario

cordonnerie [kɔʀdɔnʀi] *nf* bottega del calzolaio

cordonnier [kɔʀdɔnje] *nm* calzolaio

Corée [kɔʀe] *nf* Corea; **la ~ du Sud/ du Nord** la Corea del Sud/del Nord;

la **République démocratique populaire de** ~ la Repubblica democratica popolare della Corea

coriace [kɔʀjas] adj coriaceo(-a); (adversaire) duro(-a); (problème) arduo(-a)

corne [kɔʀn] nf corno; (de la peau) callo; ~ **d'abondance** corno dell'abbondanza; ~ **de brume** corno da nebbia

cornée [kɔʀne] nf cornea

corneille [kɔʀnɛj] nf cornacchia

cornemuse [kɔʀnəmyz] nf cornamusa; **joueur de** ~ suonatore m di cornamusa

cornet [kɔʀnɛ] nm (de glace) cono; (de frites, dragées) cartoccio; ~ **à piston** (Mus) cornetta

corniche [kɔʀniʃ] nf (d'armoire) cornice f, cimasa; (route) strada panoramica

cornichon [kɔʀniʃɔ̃] nm cetriolino (sott'aceto)

> **FAUX AMIS**
> **cornichon** ne se traduit pas par le mot italien **cornicione**.

corporel, le [kɔʀpɔʀɛl] adj corporale; (odeurs) corporeo(-a); **soins** ~s cura del corpo

corps [kɔʀ] nm corpo; **à son** ~ **défendant** suo malgrado; **à** ~ **perdu** a corpo morto; **le** ~ **diplomatique** il corpo diplomatico; **navire perdu** ~ **et biens** nave f perduta corpo e beni; **prendre** ~ prendere corpo; **faire** ~ **avec** fare tutt'uno con; ~ **et âme** anima e corpo; ~ **à** ~ nm, adv corpo a corpo; ~ **constitués** organi mpl costituzionali; ~ **consulaire** corpo consolare; ~ **d'armée** corpo d'armata; ~ **de ballet** corpo di ballo; ~ **de garde** corpo di guardia; ~ **du délit** corpo del reato; ~ **électoral** corpo elettorale; ~ **enseignant** corpo insegnante; ~ **étranger** corpo estraneo; ~ **expéditionnaire** task force f inv; ~ **législatif** organo legislativo; ~ **médical** corpo medico

correct, e [kɔʀɛkt] adj corretto(-a); (passable) decente

correcteur, -trice [kɔʀɛktœʀ, tʀis] nm/f (Scol) esaminatore(-trice); (Typo) correttore(-trice), revisore m

correction [kɔʀɛksjɔ̃] nf correzione f; (qualité) correttezza; (coups) lezione f; ~ **(des épreuves)** correzione di bozze; ~ **sur écran** (Inform) editing m inv allo schermo

correspondance [kɔʀɛspɔ̃dɑ̃s] nf corrispondenza; (de train, d'avion) coincidenza; **cours/vente par** ~ corso/vendita per corrispondenza

correspondant, e [kɔʀɛspɔ̃dɑ̃, ɑ̃t] adj corrispondente ■ nm/f corrispondente nm/f; (au téléphone) interlocutore(-trice) (telefonico(-a))

correspondre [kɔʀɛspɔ̃dʀ] vi corrispondere; (chambres) comunicare; ~ **à** corrispondere a; ~ **avec qn** tenere una corrispondenza con qn

corrida [kɔʀida] nf corrida

corridor [kɔʀidɔʀ] nm corridoio

corrigé [kɔʀiʒe] nm (Scol) versione f corretta; (Typo) bozza corretta

corriger [kɔʀiʒe] vt correggere; (punir) castigare; ~ **qn d'un défaut** (défaut) correggere un difetto di qn; **il l'a corrigé** l'ha picchiato; **se** ~ **de** correggersi da

corrompre [kɔʀɔ̃pʀ] vt corrompere

corruption [kɔʀypsjɔ̃] nf corruzione f

corse [kɔʀs] adj corso(-a) ■ nm/f: **Corse** corso(-a) ■ nf: **la C**~ la Corsica

corsé, e [kɔʀse] adj (café etc) forte; (problème etc) complicato(-a); (scabreux: histoire) piccante, scabroso(-a)

cortège [kɔʀtɛʒ] nm corteo

cortisone [kɔʀtizɔn] nf cortisone m

corvée [kɔʀve] nf faticaccia; (Mil) corvé f inv; **être de** ~ essere di corvée

cosmétique [kɔsmetik] nm cosmetico; (pour cheveux) fissatore m

cosmopolite [kɔsmɔpɔlit] adj cosmopolita

costaud, e [kɔsto, od] adj (personne) robusto(-a); (objet) solido(-a)

costume [kɔstym] nm (régional, de théâtre) costume m; (d'homme) vestito, abito

costumé, e [kɔstyme] adj in costume; (bal) in maschera; **être** ~ **en** essere vestito(-a) da

cote [kɔt] nf (d'une valeur boursière, d'un candidat etc) quotazione f; (d'une voiture) prezzo di listino; (d'un cheval, *mesure*) quota; (*de classement, d'un document*) segnatura; **avoir la ~** essere molto quotato(-a); **inscrit à la ~** quotato in Borsa; **~ d'alerte** livello di guardia; **~ de popularité** (livello di) popolarità; **~ mal taillée** (*fig*) compromesso

côte [kot] *nf* (*rivage, d'un tricot*) costa; (*pente*) pendio; (: *sur une route*) salita; (*Anat*) costola; (*Boucherie: d'agneau, de porc*) costoletta; **point de ~s** (*Tricot*) punto a costa; **~ à ~** fianco a fianco; **la ~** (**d'Azur**) la Costa Azzurra; **la C~ d'Ivoire** la Costa d'Avorio

côté [kote] *nm* (*du corps*) fianco; (*d'une boîte, feuille, direction*) parte *f*; (*de la route, d'un solide*) lato; (*fig: d'une affaire, d'un individu*) aspetto; **de 10 m de ~** con un lato di 10 m; **des deux ~s de la route** sui due lati della strada; **des deux ~s de la frontière** da una parte e dall'altra della frontiera; **de tous les ~s** da tutte le parti; **de quel ~ est-il parti?** da che parte è andato?; **de ce/ de l'autre ~** da questa/dall'altra parte; **d'un ~... de l'autre ~** (*alternative*) da un lato... dall'altro; **du ~ de** dalle parti di; **du ~ de Lyon** dalle parti di Lione; **de ~** (*marcher, regarder*) di traverso; (*être, se tenir*) di fianco *ou* lato; **laisser/mettre de ~** lasciare/ mettere da parte; **sur le ~ de** sul lato di; **de chaque ~** da ogni parte; **de chaque ~ (de)** da ogni parte (di); **du ~ gauche** sul lato sinistro; **de mon ~** (*quant à moi*) da ou per parte mia; **regarder de ~** guardare di traverso; **à ~** accanto; **à ~ de** accanto ou vicino a; (*fig*) rispetto a; **à ~ (de la cible)** fuori bersaglio; **être aux ~s de** (*aussi fig*) essere al fianco di

côtelette [kotlɛt] *nf* costoletta; (*sans os*) cotoletta

côtier, -ière [kotje, jɛʀ] *adj* costiero(-a)

cotisation [kɔtizasjɔ̃] *nf* (*à un club, syndicat*) quota; (*pour une pension etc*) contributo

cotiser [kɔtize] *vi*: **~ (à)** versare la propria quota (a); **se cotiser** *vr* fare la colletta

coton [kɔtɔ̃] *nm* cotone *m*; **drap/ robe de ~** lenzuolo/vestito di cotone; **~ hydrophile** cotone idrofilo

Coton-tige® [kɔtɔ̃tiʒ] (*pl* **Cotons- tiges®**) *nm* cotton fioc® *m inv*

cou [ku] *nm* collo

couchant [kuʃɑ̃] *adj*: **soleil ~** tramonto, calar *m inv* del sole

couche [kuʃ] *nf* strato; (*de bébé*) pannolino; (*Méd*) parto *msg*; **~s sociales** ceti *mpl* sociali

couché, e [kuʃe] *adj* disteso(-a); (*au lit*) a letto, coricato(-a)

coucher [kuʃe] *nm*: **~ de soleil** tramonto ■ *vt* (*personne: mettre au lit*) mettere a letto; (: *étendre*) coricare, adagiare; (: *loger*) alloggiare; (*objet*) distendere; (*écrire: idées*) scrivere ■ *vi* dormire; (*fam*): **~ avec qn** andare a letto con qn; **se coucher** *vr* (*pour dormir*) coricarsi, andare a letto *ou* a dormire; (*pour se reposer*) distendersi; (*se pencher*) inclinarsi; (*soleil*) tramontare; **à prendre avant le ~** da prendere prima di coricarsi

couchette [kuʃɛt] *nf* cuccetta

coucou [kuku] *nm* cuculo, cucù *m inv* ■ *excl* cucù

coude [kud] *nm* gomito; **~ à ~** gomito a gomito

coudre [kudʀ] *vt, vi* cucire

couette [kwɛt] *nf* (*édredon*) piumone *m*; **couettes** *nfpl* (*cheveux*) codini *mpl*

couffin [kufɛ̃] *nm* (*de bébé*) culla (portatile)

couler [kule] *vi* (*fleuve, liquide, sang*) scorrere; (*stylo, récipient*) perdere, colare; (*nez*) colare; (*bateau*) affondare, colare a picco ■ *vt* (*cloche, sculpture*) fondere; (*bateau*) affondare; (*fig: magasin, entreprise*) rovinare; (: *candidat*) silurare; (: *passer*): **~ une vie heureuse** trascorrere una vita felice; **se couler** *vr*: **se ~ dans** (*interstice etc*) infilarsi in; **faire ~** far scorrere; **faire ~ un bain** far scendere l'acqua per il bagno; **~ une bielle** (*Auto*) fondere una bronzina; **~ de source** essere la logica conseguenza; **~ à pic** colare a picco; **laisser ~** lasciar correre

couleur [kulœʀ] *nf* colore *m*; (*fig*) aspetto; (*Cartes*) colore *m*, seme *m*; **couleurs** *nfpl* (*du teint*) colorito *msg*; (*dans un tableau*) colori *mpl*; (*Mil*) bandiera *fsg*; **film/télévision en ~s** film/televisione *f* a colori; **de ~**

di colore; **sous ~ de faire** col pretesto di fare

couleuvre [kulœvʀ] *nf* biscia

coulisse [kulis] *nf* (*Tech*) guida (di scorrimento), scanalatura; **coulisses** *nfpl* (*Théâtre*) quinte *fpl*; **dans les ~s** (*fig*) dietro le quinte; **porte à ~** porta scorrevole

couloir [kulwaʀ] *nm* (*de maison, avion*) corridoio; (*sur la route*) corsia preferenziale; (*Sport*) corsia; **je voudrais une place côté ~** vorrei un posto sul corridoio

coup [ku] *nm* colpo; (*avec arme à feu*) sparo, colpo; (*frappé par une horloge*) rintocco; (*fam: fois*) volta; (*Échecs*) mossa; **à ~s de hache** a colpi di scure; **à ~s de marteau** a martellate; **être sur un ~** avere qualcosa per le mani; **en ~ de vent** veloce come il vento; **donner un ~ de corne à qn** dare una cornata a qn; **donner un ~ de chiffon** dare una passata con lo straccio; **avoir le ~** (*fig*) saperci fare; **boire un ~** bere (un bicchiere); **à tous les ~s** tutte le volte, ogni volta; **être dans le ~** essere al corrente della situazione; **être hors du ~** (*fig*) non averci niente a che fare; **il a raté son ~** ha fallito il colpo; **du ~** stando così le cose; **pour le ~** per una volta; **d'un seul ~** (*subitement*) di colpo; (*à la fois*) in una volta sola; **du premier ~** al primo colpo; **faire un ~ bas à qn** (*fig*) rifilare un colpo basso a qn; **et du même ~ je...** e già che ci sono,...; **à ~ sûr** a colpo sicuro; **après ~** a cose fatte, dopo; **~ sur ~** uno(-a) dopo l'altro(-a); **sur le ~** sul momento; **sous le ~ de** sotto l'effetto di; **tomber sous la ~ de la loi** incorrere in una sanzione penale; **~ bas** colpo basso; **~ d'éclat** azione *f* brillante; **~ d'envoi** calcio d'inizio (della partita); **~ d'essai** tentativo; **~ d'État** colpo di Stato; **~ d'œil** colpo d'occhio; **~ de chance** colpo di fortuna; **~ de chapeau** (*fig*) congratulazioni *fpl*; **~ de coude** gomitata; **~ de couteau** coltellata; **~ de crayon** tratto di matita; **~ de feu** sparo; **~ de filet** retata; **~ de foudre** (*fig*) colpo di fulmine; **~ de frein** frenata; **~ de fusil** colpo di fucile, fucilata; **~ de genou** ginocchiata;

~ de grâce colpo di grazia; **~ de main** (*aide*): **donner un ~ de main à qn** dare una mano a qn; **~ de maître** colpo da maestro; **~ de pied** calcio, pedata); **~ de pinceau** pennellata; **~ de poing** pugno; **~ de soleil** colpo di sole; **~ de sonnette** scampanellata; **~ de téléphone** telefonata; **~ de tête** (*fig*) colpo di testa; **~ de théâtre** (*fig*) colpo di scena; **~ de tonnerre** tuono; **~ de vent** colpo di vento; **~ du lapin** colpo di frusta *ou* della strega; **~ dur** brutto colpo; **~ fourré** brutto tiro *ou* tiro mancino; **~ franc** calcio di punizione; **~ sec** colpo secco

coupable [kupabl] *adj, nm/f* colpevole *m/f*; **~ de** colpevole di

coupe [kup] *nf* coppa; (*de cheveux, vêtement, pièce de tissu*) taglio; (*graphique, plan*) sezione *f*, spaccato; **machine vue en ~** macchina vista in sezione; **être sous la ~ de** essere in balia di; **faire des ~s sombres dans** operare tagli drastici in

couper [kupe] *vt* tagliare; (*livre broché*) tagliare le pagine di; (*appétit, eau*) togliere; (*fièvre*) stroncare; (*ajouter de l'eau: vin*) allungare, annacquare; **nous avons été coupés** è caduta la linea ■ *vi* tagliare; (*Cartes*) alzare; (: *avec l'atout*) prendere con la briscola; **se couper** *vr* tagliarsi; **je me suis coupé** mi sono tagliato; (*se contredire en témoignant etc*) contraddirsi; **se faire ~ les cheveux** farsi tagliare i capelli; **~ l'appétit à qn** togliere l'appetito a qn; **~ la parole à qn** interrompere qn; **~ les vivres à qn** togliere i viveri a qn; **~ le contact** *ou* **l'allumage** (*Auto*) togliere il contatto; **~ les ponts (avec qn)** tagliare i ponti (con qn)

couple [kupl] *nm* coppia; **~ de torsion** coppia di torsione

couplet [kuplɛ] *nm* (*Mus*) strofa; (*péj*) ritornello

coupole [kupɔl] *nf* cupola

coupon [kupɔ̃] *nm* (*ticket*) buono, tagliando; (*de tissu*) scampolo

coupure [kupyʀ] *nf* taglio; (*fig: entaille, brèche*) frattura; (*de journal, presse*) ritaglio; **~ d'eau** interruzione *f* dell'erogazione dell'acqua; **~ de courant** interruzione *f* della corrente

cour [kuʀ] nf (de ferme, jardin, d'immeuble) cortile m; (Jur, royale) corte f; **faire la ~ à qn** fare la corte a qn; **~ d'appel** corte d'appello; **~ d'assises** corte f d'assise; **~ de cassation** corte di cassazione; **~ de récréation** (Scol) cortile della scuola; **~ des comptes** (Admin) corte dei conti; **~ martiale** corte marziale

courage [kuʀaʒ] nm coraggio; (ardeur) impegno, volontà; **un peu de ~** un po' di coraggio; **je n'ai pas le ~** (énergie) non ne ho la forza; **bon ~!** coraggio!

courageux, -euse [kuʀaʒø, øz] adj coraggioso(-a)

couramment [kuʀamɑ̃] adv correntemente

courant, e [kuʀɑ̃, ɑ̃t] adj corrente ◼ nm corrente f; **être/mettre au ~ (de)** essere/mettere al corrente (di); **se tenir au ~ (de)** tenersi al corrente (di); **dans le ~ de** nel corso di; **~ octobre** durante il mese di ottobre; **le 10 ~** il 10 corrente mese; **est-ce qu'il y a de forts ~?** ci sono forti correnti?; **~ d'air** corrente d'aria; **~ électrique** corrente elettrica

courbature [kuʀbatyʀ] nf indolenzimento

courbe [kuʀb] adj curvo(-a) ◼ nf curva; **~ de niveau** curva di livello

coureur, -euse [kuʀœʀ, øz] nm/f corridore(-trice); (à pied) podista m/f ◼ adj m (péj) donnaiolo ◼ adj f (péj) cacciatrice di uomini; **~ automobile** corridore automobilista; **~ cycliste** corridore ciclista

courge [kuʀʒ] nf zucca

courgette [kuʀʒɛt] nf zucchino, zucchina

courir [kuʀiʀ] vi scorrere; (eau) scorrere; (Comm: intérêt) decorrere ◼ vt (épreuve, danger, risque) correre; **~ les cafés/bals** frequentare i caffè/balli; **~ les magasins** girare per i negozi; **le bruit court que...** corre voce che...; **par les temps qui courent** coi tempi che corrono; **~ après qn** correre dietro a qn; **laisser ~ qn/qch** lasciar perdere qn/qc; **faire ~ qn** fare correre qn; **tu peux (toujours) ~!** toglitelo (pure) dalla testa!

couronne [kuʀɔn] nf corona; **~ (funéraire ou mortuaire)** corona (funebre ou mortuaria)

courons etc [kuʀɔ̃] vb voir **courir**

courriel [kuʀjɛl] nm posta elettronica; **envoyer qch par ~** inviare qc per posta elettronica

courrier [kuʀje] nm posta; (rubrique) cronaca; **qualité ~** tipo lettera; **long/moyen ~** (Aviat) aereo a lungo/medio raggio; **est-ce que j'ai du ~?** c'è posta per me?; **~ du cœur** posta del cuore; **~ électronique** posta elettronica

courroie [kuʀwa] nf cinghia; **~ de transmission/de ventilateur** cinghia di trasmissione/del ventilatore

courrons etc [kuʀɔ̃] vb voir **courir**

cours [kuʀ] vb voir **courir** ◼ nm corso; (leçon: heure) lezione f; (Comm) prezzo; (fig: d'une maladie, des saisons) decorso; **donner libre ~ à** dare libero sfogo a; **avoir ~** (monnaie) avere corso legale; (fig) essere in uso; (Scol) avere lezione; **en ~** (année, travaux) in corso; **en ~ de route** strada facendo; **au ~ de** nel corso di; **le ~ du change** il (corso ou tasso di) cambio; **~ d'eau** corso d'acqua; **~ du soir** corso serale; **~ élémentaire** 2° e 3° anno della scuola elementare francese; **~ moyen** 4° e 5° anno della scuola elementare francese; **~ préparatoire** ≈ prima elementare; **~ supérieur** corso superiore

course [kuʀs] nf corsa; (trajet: du soleil) corso; (: d'un projectile) traiettoria; (excursion en montagne) ascensione f, scalata; (petite mission) commissione f; **courses** nfpl (achats) compere fpl, commissioni fpl; **faire les** ou **ses ~s** fare la spesa; (Équitation) corse fpl; **jouer aux ~s** giocare alle corse; **à bout de ~** esausto(-a); **~ à pied** gara podistica; **~ automobile** corsa automobilistica; **~ d'étapes** ou **par étapes** corsa a tappe; **~ d'obstacles** corsa a ostacoli; **~ de côte** (Auto) gara in salita; **~ de vitesse** gara di velocità; **~s de chevaux** corse dei cavalli

court, e [kuʀ, kuʀt] adj corto(-a) ◼ adv corto ◼ nm (de tennis) campo; **tourner ~** (action, projet) arenarsi; **couper ~ à...** tagliare corto...; **à ~ de** a corto di; **prendre qn de ~** cogliere qn di sorpresa; **ça fait ~** è un po' corto; **pour faire ~** per farla corta ou breve; **avoir le souffle ~** aver il fiato corto; **tirer à la ~e paille** tirare a sorte; **faire la ~e échelle à qn** aiutare qn a salire; **~ métrage** corto metraggio

court-circuit [kuʀsiʀkɥi] (pl **courts-circuits**) nm cortocircuito

courtoisie [kuʀtwazi] nf cortesia

couru [kuʀy] pp de **courir** ■ adj (spectacle etc) di successo; **c'est ~ (d'avance)!** (fam) andiamo sul sicuro!

cousais etc [kuzɛ] vb voir **coudre**

couscous [kuskus] nm cuscus m inv

cousin, e [kuzɛ̃, in] nm/f cugino(-a); (Zool) zanzara; **~ germain** primo cugino; **~ issu de germain** cugino di secondo grado

coussin [kusɛ̃] nm cuscino; (Tech) cuscinetto; **~ d'air** cuscino d'aria

cousu, e [kuzy] pp de **coudre** ■ adj: **~ d'or** ricco(-a) sfondato(-a)

coût [ku] nm costo; **le ~ de la vie** il costo della vita

couteau, x [kuto] nm coltello; **~ à cran d'arrêt** coltello a serramanico; **~ à pain/de cuisine** coltello da pane/da cucina; **~ de poche** coltello da tasca

coûter [kute] vt costare ■ vi: **~ à qn** costare a qn; **~ cher à qn** (fig) costare caro a qn; **combien ça coûte?** quanto costa?; **ça coûte trop cher** costa troppo; **coûte que coûte** a tutti i costi

coûteux, -euse [kutø, øz] adj costoso(-a)

coutume [kutym] nf costume m; (Jur) consuetudine f; **de ~** di solito

couture [kutyʀ] nf cucito; (art, activité) sartoria; (points) cucitura

couturier [kutyʀje] nm sarto

couturière [kutyʀjɛʀ] nf sarta

couvent [kuvɑ̃] nm convento

couver [kuve] vt, vi covare; **~ qn/qch des yeux** covare qn/qc con gli occhi

couvercle [kuvɛʀkl] nm coperchio

couvert, e [kuvɛʀ, ɛʀt] pp de **couvrir** ■ adj coperto(-a); (coiffé d'un chapeau) col cappello in testa ■ nm coperto; **couverts** nmpl (ustensiles) coperti mpl; (cuiller, couteau, fourchette) posate fpl; **~ de** coperto(-a) di; **bien ~** ben coperto(-a); **mettre le ~** apparecchiare; **service de 12 ~s en argent** servizio di posate d'argento da 12; **à ~** al coperto, al riparo; **sous le ~ de** sotto la responsabilità di; (sous l'apparence de) con il pretesto di

couverture [kuvɛʀtyʀ] nf (de lit) coperta; (de bâtiment, Assurances, Presse) copertura; (de livre, cahier) copertina; (fig: d'un espion) copertura; **~ de** (lettre etc) d'accompagnamento; **~ chauffante** termocoperta

couvre-lit [kuvʀəli] (pl **~s**) nm copriletto m inv

couvrir [kuvʀiʀ] vt coprire; (Zool) coprire, montare; **se couvrir** vr coprirsi; (temps) guastarsi; (se coiffer) mettersi il cappello; **~ qn/qch de** coprire qn/qc di; **se ~ de** coprirsi di

cow-boy [kɔbɔj] (pl **~s**) nm cow-boy m inv

crabe [kʀab] nm granchio

cracher [kʀaʃe] vi sputare ■ vt sputare; (fig: lave, injures) vomitare; **~ du sang** sputare sangue

crachin [kʀaʃɛ̃] nm pioggerella

craie [kʀɛ] nf gesso

craindre [kʀɛ̃dʀ] vt temere; **je crains que vous (ne) fassiez erreur** temo che si sbagli; **~ de/que** temere di/che; **crains-tu d'avoir tort?** temi di avere torto?

crainte [kʀɛ̃t] nf timore m; **soyez sans ~** non temete; **(de) ~ de/que** per timore di/che

craintif, -ive [kʀɛ̃tif, iv] adj timoroso(-a)

crampe [kʀɑ̃p] nf crampo; **j'ai une ~ à la jambe** ho un crampo alla gamba; **~ d'estomac** crampo allo stomaco

cramponner [kʀɑ̃pɔne]: **se ~ (à)** vr aggrapparsi (a)

cran [kʀɑ̃] nm (entaille, trou) buco; (de courroie) tacca; (courage) fegato; **être à ~** avere i nervi a fior di pelle; **~ de sûreté** sicura

crapaud [kʀapo] nm rospo

craquement [kʀakmɑ̃] nm scricchiolio

craquer [kʀake] vi (bruit) scricchiolare; (se briser) rompersi, cedere ■ vt: **~ une allumette** accendere un fiammifero; **j'ai**

craqué! sono crollato!; (*enthousiasmé*) mi ha fatto morire!

crasse [kʀas] *nf* sporcizia, sudiciume *m* ◼ *adj* (*fig: ignorance*) crasso(-a)

crasseux, -euse [kʀasø, øz] *adj* sudicio(-a), sozzo(-a)

cravache [kʀavaʃ] *nf* frustino, scudiscio

cravate [kʀavat] *nf* cravatta

crawl [kʀol] *nm* stile *m* libero, crawl *m inv*

crayon [kʀɛjɔ̃] *nm* matita; **écrire au** ~ scrivere a matita; **~ à bille** biro *f inv*; **~ de couleur** matita colorata; **~ optique** penna ottica

crayon-feutre [kʀɛjɔ̃føtʀ] (*pl* **crayons-feutres**) *nm* pennarello®

création [kʀeasjɔ̃] *nf* creazione *f*; (*univers*) creato

crèche [kʀɛʃ] *nf* (*de Noël*) presepio; (*garderie*) asilo nido

crédit [kʀedi] *nm* (*confiance, autorité*) considerazione *f*, credito; (*Écon*) credito; **crédits** *nmpl* (*fonds*) sovvenzioni *fpl*; **payer/acheter à** ~ pagare/comprare a rate; **faire** ~ **à qn** fare credito a qn

créditer [kʀedite] *vt*: ~ **un compte d'une somme** accreditare una somma su un conto

créer [kʀee] *vt* creare; (*Théâtre*) portare sulle scene

crémaillère [kʀemajɛʀ] *nf* (*aussi Rail*) cremagliera; **direction à** ~ (*Auto*) sterzo a cremagliera; **pendre la** ~ fare una festa per inaugurare la casa nuova

crème [kʀɛm] *nf* crema; (*du lait*) panna ◼ *adj inv* (*color*) crema *inv*; **un (café)** ~ ~ un cappuccino; **~ à raser** crema da barba; **~ Chantilly** panna montata; **~ fouettée** panna montata; **~ glacée** gelato; **~ solaire** crema solare; **je voudrais une ~ solaire d'indice 6** vorrei una crema solare con fattore di protezione 6

créneau, x [kʀeno] *nm* (*de fortification*) merlo; (*fig: espace disponible*) spazio libero; (*Comm: de vente*) nicchia di mercato; **faire un** ~ (*Auto*) posteggiare (*a marcia indietro tra due auto*)

crêpe [kʀɛp] *nf* (*galette*) crêpe *f inv*, crespella ◼ *nm* (*tissu*) crêpe *m inv*; (*de deuil*) fascia (di lutto); **semelle (de)** ~ suola di para; **~ de Chine** crêpe de Chine *m inv*

crêperie [kʀepʀi] *nf* crêperie *f inv*

crépuscule [kʀepyskyl] *nm* crepuscolo

cresson [kʀesɔ̃] *nm* crescione *m*

creuser [kʀøze] *vt* scavare; (*fig: problème, idée*) approfondire; **cela creuse** (*l'estomac*) mette appetito; **se** ~ **(la cervelle** *ou* **la tête**) spremersi le meningi

creux, -euse [kʀø, kʀøz] *adj* (*évidé*) cavo(-a), vuoto(-a); (*concave*) incavato(-a), cavo(-a); (*son, voix*) cavernoso(-a); (*fig: paroles, discours*) vuoto(-a) ◼ *nm* incavo, cavità *f inv*; (*fig: sur graphique, dans statistique*) abbassamento; **heures creuses** (*gén*) ore *fpl* calme *ou* morte; (*pour électricité, téléphone*) ore *fpl* di minore utenza; **mois/jours** ~ mesi *mpl*/ giorni *mpl* calmi *ou* di scarsa attività; **j'ai un** ~ **dans l'estomac** ho un buco allo stomaco

crevaison [kʀavɛzɔ̃] *nf* foratura

crevé, e [kʀave] *adj* (*pneu*) forato(-a); (*fam: fatigué*): **je suis** ~ sono distrutto *ou* stanco morto

crever [kʀave] *vt* bucare, forare ◼ *vi* (*pneu, automobiliste*) forare; (*abcès, outre, nuage*) scoppiare; (*fam: mourir*) crepare; **~ d'envie/de peur/de faim** crepare d'invidia/di paura/di fame; **~ l'écran** dominare lo schermo; **cela lui a crevé un œil** l'ha accecato ad un occhio

crevette [kʀavɛt] *nf*: **~ rose/grise** gamberetto

cri [kʀi] *nm* grido; (*d'animal: spécifique*) verso; **à grands** ~s a gran voce; **~s d'enthousiasme/de protestation** grida d'entusiasmo/ di protesta; **c'est le dernier** ~ è l'ultimo grido

criard, e [kʀijaʀ, aʀd] *adj* (*couleur*) chiassoso(-a); (*voix*) stridulo(-a), stridente

cric [kʀik] *nm* cric *m inv*

crier [kʀije] *vi* gridare; (*fig: grincer*) cigolare ◼ *vt* (*ordre, injure*) gridare; **sans** ~ **gare** senza preavviso; **~ au secours** gridare aiuto; **~ famine** piangere miseria; **~ grâce** implorare

mercé; **~ au scandale/meurtre**
gridare allo scandalo/all'assassino

crime [kʀim] nm (Jur) crimine m;
(meurtre) delitto; (fig) delitto, crimine

criminel, le [kʀiminɛl] adj (Jur)
penale; (fig: blâmable) criminale
■ nm/f criminale m/f; **~ de guerre**
criminale di guerra

crin [kʀɛ̃] nm crine m; **à tous ~s, à
tout ~** a oltranza

crinière [kʀinjɛʀ] nf criniera

crique [kʀik] nf cala

criquet [kʀikɛ] nm cavalletta

crise [kʀiz] nf (Méd) crisi f inv, attacco;
(Pol, Rel, Écon) crisi f inv; **~ cardiaque/
de foie** attacco cardiaco/di fegato;
~ de la foi crisi religiosa; **~ de nerfs**
crisi di nervi

cristal, -aux [kʀistal, o] nm
cristallo; **cristaux** nmpl (objets de
verre) cristalleria; **~ de plomb** cristallo
di piombo; **~ de roche** cristallo di
rocca; **cristaux de soude** carbonato
di sodio (in cristalli)

critère [kʀitɛʀ] nm criterio

critiquable [kʀitikabl] adj criticabile

critique [kʀitik] adj critico(-a) ■ nf
critica ■ nm critico; **la ~** (activité,
personne: d'art, littéraire) la critica

critiquer [kʀitike] vt criticare

Croatie [kʀɔasi] nf Croazia

crochet [kʀɔʃɛ] nm (pour suspendre,
accrocher) gancio; (tige, clef)
grimaldello; (détour) deviazione f;
(Tricot) uncinetto; **crochets** nmpl
(Typo) parentesi fsg quadra; **vivre aux
~s de qn** vivere alle spalle di qn; **~ du
gauche** (Boxe) gancio sinistro

crocodile [kʀɔkɔdil] nm coccodrillo

croire [kʀwaʀ] vt credere; **se ~ fort**
credersi forte; **~ à/en/que** credere a/
in/che; **~ être/faire** credere di
essere/di fare; **j'aurais cru que si...**
credevo che se...; **je n'aurais pas cru
cela (de lui)** non me lo sarei mai
aspettato; **vous croyez?** crede?;
vous ne croyez pas? non crede?;
~ (en Dieu) credere (in Dio)

croisade [kʀwazad] nf crociata

croisement [kʀwazmɑ̃] nm
(carrefour, Biol) incrocio

croiser [kʀwaze] vt incrociare ■ vi
(Naut) incrociare; **se croiser** vr
incrociarsi; **~ les jambes** incrociare

le gambe; **se ~ les bras** (aussi fig)
incrociare le braccia

croisière [kʀwazjɛʀ] nf crociera;
vitesse de ~ (Auto etc) velocità di
crociera

croissance [kʀwasɑ̃s] nf crescita;
troubles de la/maladie de ~ disturbi
mpl/malattia della crescita;
~ économique crescita economica

croissant, e [kʀwasɑ̃, ɑ̃t] vb voir
croître ■ adj crescente ■ nm
(gâteau) croissant m inv, cornetto;
(motif) mezzaluna; **~ de lune** spicchio
di luna

croître [kʀwatʀ] vi crescere; (jours)
allungarsi

croix [kʀwa] nf croce f; **en ~** adj, adv
a ou in croce; **la C~ Rouge** la Croce
Rossa

croque-monsieur [kʀɔkməsjø] nm
inv ≈ toast m inv

croquer [kʀɔke] vt masticare; (fruit)
mordere; (dessiner) schizzare ■ vi
essere croccante

croquis [kʀɔki] nm schizzo

crotte [kʀɔt] nf sterco, escrementi
mpl; **~!** (fam) accidenti!

crottin [kʀɔtɛ̃] nm (fromage) (piccolo)
formaggio di capra; **~ (de cheval)**
sterco (di cavallo)

croustillant, e [kʀustijɑ̃, ɑ̃t] adj
croccante; (fig) piccante

croûte [kʀut] nf crosta; (de vol-au-
vent) pasta sfoglia; **en ~** (Culin) in
crosta; **~ au fromage/aux
champignons** crostone m al
formaggio/ai funghi; **~ de pain**
crosta di pane; **~ terrestre** crosta
terrestre

croûton [kʀutɔ̃] nm (Culin) crostino;
(extrémité: du pain) punta

croyance [kʀwajɑ̃s] nf credenza

croyant, e [kʀwajɑ̃, ɑ̃t] vb voir
croire ■ adj, nm/f (Rel) credente m/f

CRS [seɛʀɛs] sigle fpl (= Compagnies
républicaines de sécurité) forza di polizia
per la sicurezza nazionale ■ sigle m
membro delle CRS

cru, e [kʀy] pp de **croire** ■ adj
crudo(-a); (grossier) spinto(-a) ■ nm
(vignoble) vigneto; (vin) vino; **monter
à ~** (cheval) cavalcare senza sella ou a
pelo; **de son (propre) ~** (fig) di
propria invenzione; **du ~** del luogo

crû [kʀy] pp de **croître**
cruauté [kʀyote] nf crudeltà f inv
cruche [kʀyʃ] nf brocca; (fam: imbécile) scemo(-a)
crucifix [kʀysifi] nm crocifisso
crudité [kʀydite] nf crudezza; (d'une couleur) violenza; **crudités** nfpl (Culin) verdure fpl crude
crue [kʀy] adj f voir **cru** ■ nf piena; **en ~** in piena
cruel, le [kʀyɛl] adj crudele
crus etc [kʀy] vb voir **croire**
crûs etc [kʀy] vb voir **croître**
crustacés [kʀystase] nmpl crostacei mpl
Cuba [kyba] nm Cuba
cubain, e [kybɛ̃, ɛn] adj cubano(-a) ■ nm/f: **Cubain, e** cubano(-a)
cube [kyb] nm cubo; **gros ~** motocicletta di grossa cilindrata; **mètre ~** metro cubo; **2 au ~ = 8** 2 al cubo = 8; **élever au ~** (Math) elevare al cubo
cueillette [kœjɛt] nf raccolta
cueillir [kœjiʀ] vt cogliere; (fig) acciuffare
cuiller [kɥijɛʀ] nf cucchiaio; **~ à café** cucchiaino (da caffè); **~ à soupe** cucchiaio
cuillère [kɥijɛʀ] nf = **cuiller**
cuillerée [kɥijʀe] nf cucchiaiata; (Culin): **~ à soupe/café** cucchiaio/ cucchiaino
cuir [kɥiʀ] nm cuoio, pelle f; (avant tannage) pelle f; **~ chevelu** cuoio capelluto
cuire [kɥiʀ] vt cuocere ■ vi cuocere; (picoter) bruciare; **bien/trop cuit** ben/troppo cotto; **pas assez cuit** poco cotto; **cuit à point** cotto a puntino
cuisine [kɥizin] nf cucina; **faire la ~** cucinare
cuisiné, e [kɥizine] adj: **plat ~** piatto pronto (da asporto)
cuisiner [kɥizine] vt cucinare, preparare; (fam) torchiare ■ vi cucinare
cuisinier, -ière [kɥizinje, jɛʀ] nm/f cuoco(-a)
cuisinière [kɥizinjɛʀ] nf cucina (economica)
cuisse [kɥis] nf coscia; (de mouton) coscotto

cuisson [kɥisõ] nf cottura
cuit, e [kɥi, kɥit] pp de **cuire** ■ adj cotto(-a); **bien/très ~e** ben cotta
cuivre [kɥivʀ] nm rame m; **les ~s** (Mus) gli ottoni; **~ jaune** ottone m; **~ (rouge)** rame
cul [ky] (fam!) nm culo (fam!); **~ de bouteille** fondo ou culo di bottiglia
culminant [kylminã] adj: **point ~** punto culminante
culot [kylo] nm (d'ampoule) attacco; (effronterie) faccia tosta, sfacciataggine f; **il a du ~** ha una bella faccia tosta
culotte [kylɔt] nf (pantalon) calzoni mpl, pantaloni mpl; (de femme): **(petite) ~** mutandine fpl, slip m inv; **~ de cheval** (fig) strato adiposo sulle cosce
culte [kylt] nm culto
cultivateur, -trice [kyltivatœʀ, tʀis] nm/f coltivatore(-trice)
cultivé, e [kyltive] adj (terre) coltivato(-a); (personne) colto(-a)
cultiver [kyltive] vt coltivare
culture [kyltyʀ] nf (du blé etc) coltivazione f, coltura; (connaissances etc) cultura; (Biol) coltura; **(champs de) ~s** coltivazioni; **~ physique** ginnastica
culturel, le [kyltyʀɛl] adj culturale
cumin [kymɛ̃] nm cumino
cure [kyʀ] nf cura; (Rel: fonction) funzione f di parroco; (: paroisse) parrocchia; (: maison) presbiterio; **faire une ~ de fruits** fare una cura a base di frutta; **n'avoir ~ de** non curarsi di; **~ d'amaigrissement** cura dimagrante; **~ de repos** periodo di riposo, **~ de sommeil** cura del sonno
curé [kyʀe] nm parroco, curato; **M. le ~** il (signor) parroco
cure-dent [kyʀdã] (pl **~s**) nm stuzzicadenti m inv
curieux, -euse [kyʀjø, jøz] adj curioso(-a) ■ nmpl (badauds) curiosi mpl
curiosité [kyʀjozite] nf curiosità f inv
curriculum vitae [kyʀikylɔm vite] nm inv curriculum vitae m inv
cutané, e [kytane] adj cutaneo(-a)
cuve [kyv] nf tino, vasca; (à mazout etc) cisterna

cuvette [kyvɛt] *nf* catinella, bacinella; (*du lavabo*) vaschetta; (*des w-c*) tazza; (*Géo*) conca

CV [seve] *sigle m* (*Auto*: = *cheval vapeur*) CV *m inv*; (*Admin*: = *curriculum vitae*) CV *m inv*

cybercafé [sibɛʀkafe] *nm* cybercaffè *m inv*

cyberculture [sibɛʀkultyʀ] *nf* cybercultura

cybernaute [sibɛʀnot] *nm/f* cybernauta *m/f*

cyberspace [sibɛʀspas] *nm* cyberespazio

cyclable [siklabl] *adj*: **piste ~** pista ciclabile

cycle [sikl] *nm* (*vélo*) bicicletta; (*naturel, biologique*) ciclo; (*Scol*) **1er ~** scuola secondaria inferiore e primo anno della scuola secondaria superiore; **2ème ~** ultimi tre anni della scuola secondaria superiore

cyclisme [siklism] *nm* ciclismo

cycliste [siklist] *nm/f* ciclista *m/f*

cyclomoteur [siklomɔtœʀ] *nm* ciclomotore *m*

cyclone [siklon] *nm* ciclone *m*

cygne [siɲ] *nm* cigno

cylindre [silɛ̄dʀ] *nm* cilindro; **moteur à 4 ~s** motore *m* a 4 cilindri

cylindrée [silɛ̄dʀe] *nf* cilindrata; **une (voiture de) grosse ~** un'auto di grossa cilindrata

cymbale [sɛ̄bal] *nf* piatti *mpl*

cynique [sinik] *adj* cinico(-a)

d

d' [d] *prép voir* **de**

dactylo [daktilo] *nf* (*aussi*: **dactylographe**) dattilografa; (*aussi*: **dactylographie**) dattilografia

dada [dada] *nm* pallino, chiodo fisso

daim [dɛ̃] *nm* (*Zool, peau*) daino; (*imitation*) pelle *f* scamosciata

dame [dam] *nf* signora; (*Cartes*) donna, regina; (*Échecs*) regina; **dames** *nfpl* (*jeu*) dama *fsg*; **les (toilettes des) ~s** la toilette delle signore; **~ de charité** dama di carità; **~ de compagnie** dama di compagnia

Danemark [danmark] *nm* Danimarca

danger [dɑ̃ʒe] *nm* pericolo; **être/mettre en ~** essere/mettere in pericolo; **être en ~ de mort** essere in pericolo di vita; **être hors de ~** essere fuori pericolo; **un ~ public** un pericolo pubblico

dangereux, -euse [dɑ̃ʒʀø, øz] *adj* pericoloso(-a); (*maladie*) grave

danois, e [danwa, waz] *adj* danese ■ *nm* (*langue*) danese *m*; (*chien*) alano (tedesco), danese ■ *nm/f*: **Danois, e** danese *m/f*

◯ MOT-CLÉ

dans [dã] *prép* **1** (*position, direction*) in; **c'est dans le tiroir/dans le salon** è nel cassetto/in salotto; **dans la boîte** nella scatola; **marcher dans la ville** camminare in città; **je l'ai lu dans le journal** l'ho letto sul giornale; **monter dans une voiture/le bus** salire in una macchina/sull'autobus; **dans la rue** per (la) strada; **elle a couru dans le salon** è corsa in salotto

2 (*provenance*) da; **je l'ai pris dans le tiroir/salon** l'ho preso dal cassetto/salotto; **boire dans un verre** bere da un bicchiere

3 (*temps*) tra, fra; **dans deux mois** tra *ou* fra due mesi; **dans quelques jours** tra *ou* fra qualche giorno

4 (*approximation*) circa; **dans les 20 euros/4 mois** circa 20 euro/4 mesi

danse [dãs] *nf* danza; **~ du ventre** danza del ventre; **~ moderne** danza moderna

danser [dãse] *vt* ballare ■ *vi* ballare; (*art*) danzare, ballare

danseur, -euse [dãsœR, øz] *nm/f* ballerino(-a); **en danseuse** (*cyclisme*) in piedi sui pedali; **~ de claquettes** ballerino(-a) di tip tap; **danseuse du ventre** danzatrice *f* del ventre

date [dat] *nf* data; **de longue/vieille/fraîche ~** di lunga/vecchia/fresca data; **ils se connaissent de longue ~** si conoscono da lunga data; **premier/dernier en ~** primo/ultimo in ordine di tempo; **prendre ~ avec qn** fissare (la data di) un appuntamento con qn; **faire ~** fare epoca; **~ de naissance** data di nascita; **~ limite** data di scadenza

dater [date] *vt* datare ■ *vi* essere datato(-a); **~ de** risalire a; **à ~ de** a decorrere da

datte [dat] *nf* dattero

dauphin [dofɛ̃] *nm* (*aussi fig*) delfino

davantage [davãtaʒ] *adv* di più; (*plus longtemps*) più a lungo; **~ de** più; **~ que** più di *ou* che

◯ MOT-CLÉ

de, d' [d] (*de + le = du, de + les = des*) *prép* **1** (*appartenance*) di; **le toit de la maison** il tetto della casa; **la voiture d'Élisabeth/de mes parents** l'auto di Élisabeth/dei miei genitori

2 (*moyen*) con; **suivre des yeux** seguire con gli occhi

3 (*provenance*) da; **il vient de Londres** viene da Londra; **elle est sortie du cinéma** è uscita dal cinema

4 (*caractérisation, mesure*): **un mur de brique** un muro di mattoni; **un billet de 50 euros** un biglietto da 50 euro; **une pièce de deux mètres de large** *ou* **large de deux mètres** una stanza di due metri di larghezza *ou* larga due metri; **un bébé de 10 mois** un bambino di 10 mesi; **12 mois de crédit/travail** 12 mesi di credito/lavoro; **de 14 à 18** da 14 a 18; **3 jours de libres** 3 giorni liberi; **de nos jours** ai giorni nostri; **être payé 20 euros de l'heure** essere pagato 20 euro all'ora

5 (*cause*) **mourir de faim** morire di fame; **rouge de colère** rosso(-a) dalla *ou* per la collera

6 (*devant infinitif*): **il est impossible de partir aujourd'hui** è impossibile partire oggi

■ *dét* (*partitif*) del(lo) (della) (*spesso omesso*); **du vin** del vino; **des pommes de terre** delle patate; **des enfants sont venus** sono venuti dei bambini; **pendant des mois** per mesi; **il mange de tout** mangia di tutto; **a-t-il du vin?** ha (del) vino?; **il n'a pas de chance/d'enfants** non ha fortuna/bambini

dé [de] *nm* (*à jouer*) dado; (*aussi:* **dé à coudre**) ditale *m*; **dés** *nmpl* (*jeu*) dadi *mpl*; **couper en dés** (*Culin*) tagliare a dadi; **les dés sont jetés** (*fig*) il dado è tratto

déballer [debale] *vt* (*marchandise*) sballare; (*fam*) mettere in piazza, spiattellare

débarcadère [debaRkadeR] *nm* imbarcadero

débardeur [debaRdœR] *nm* scaricatore *m*; (*maillot*) canottiera

débarquer [debaʀke] *vt, vi* sbarcare;
~ **chez qn** (*fam*) piombare da qn
débarras [debaʀɑ] *nm* ripostiglio,
sgabuzzino; **bon ~!** che liberazione!
débarrasser [debaʀɑse] *vt*: ~ **(de)**
(*local*) sgomberare (da); (*personne*)
sbarazzare (di); **se débarrasser de**
vr sbarazzarsi di; ~ **(la table)**
sparecchiare (la tavola)
débat [deba] *nm* dibattito; **débats**
nmpl (*Pol*) dibattito *msg*
débattre [debatʀ] *vt* (*question*)
dibattere; (*prix*) discutere; **se
débattre** *vr* dibattersi
débit [debi] *nm* (*d'un liquide*)
erogazione *f*; (*d'un fleuve*) portata;
(*élocution*) eloquio; (*d'un magasin*)
smercio; (*du trafic*) flusso; (*bancaire*)
addebito; **avoir un ~ de 10 euros**
avere un debito di 10 euro; **le ~ et le
crédit** il dare e l'avere; ~ **de boissons**
spaccio di bevande; ~ **de données**
(*Inform*) flusso di dati; ~ **de tabac**
tabaccheria
déblayer [debleje] *vt* sgomberare;
(*fig: affaires, travail*) sbrigare; ~ **le
terrain** (*fig*) spianare il terreno
débloquer [debloke] *vt* sbloccare;
(*fonds, aide*) stanziare ■ *vi* (*fam*)
blaterare; ~ **le crédit** (*Fin*) allentare la
stretta creditizia
déboîter [debwate] *vi* (*Auto*)
cambiare corsia; **se déboîter** *vr*
(*genou etc*) slogarsi, lussarsi
débordé, e [debɔʀde] *adj* (*fig:
personne*) stracarico(-a) di impegni
déborder [debɔʀde] *vi* (*rivière*)
straripare; (*eau, lait*) traboccare
■ *vt* (*Mil, Sport: un concurrent*)
aggirare; ~ **(de) qch** spingersi troppo
al di là di qc; ~ **de joie** traboccare di
gioia; ~ **de zèle** essere estremamente
zelante
débouché [debuʃe] *nm* sbocco; **au ~
de la vallée** allo sbocco della valle
déboucher [debuʃe] *vt* (*évier, tuyau
etc*) sturare; (*bouteille*) stappare ■ *vi*
(*aboutir*) sboccare; ~ **de/sur** sbucare
da/in; ~ **sur** (*fig*) sfociare in
debout [d(ə)bu] *adv*: **être ~** essere in
piedi; **être encore ~** (*fig: en état*) stare
ancora in piedi; **se mettre ~** mettersi
in piedi, alzarsi; **se tenir ~** stare in
piedi; "**~!**" "in piedi!"; **cette histoire

ne tient pas ~ questa storia non sta
in piedi *ou* non regge
déboutonner [debutone] *vt*
sbottonare; **se déboutonner** *vr*
(*aussi fig*) sbottonarsi
débraillé, e [debʀaje] *adj*
trasandato(-a)
débrancher [debʀɑ̃ʃe] *vt*
disinnestare; (*prise, fer à repasser*)
staccare
débrayage [debʀejaʒ] *nm* (*Auto*)
disinnesto della frizione; (*grève*)
sospensione *f* del lavoro
débrayer [debʀeje] *vi* (*Auto*)
rilasciare la frizione; (*cesser le travail*)
smontare, staccare; (: *fam*) entrare in
sciopero
débris [debʀi] *nm* coccio ■ *nmpl*
resti *mpl*
débrouillard, e [debʀujaʀ, aʀd] *adj*
sveglio(-a)
débrouiller [debʀuje] *vt* sbrogliare;
se débrouiller *vr* cavarsela,
sbrogliarsela
début [deby] *nm* inizio; **débuts** *nmpl*
(*Ciné, Sport etc*) esordio *msg*, debutto
msg; (*carrière*) inizi *mpl*; **un bon/
mauvais ~** un buon/cattivo inizio;
faire ses ~s fare il proprio debutto;
au ~ all'inizio; **dès le ~** fin dall'inizio
débutant, e [debytɑ̃, ɑ̃t] *adj, nm/f*
esordiente *m/f*, principiante *m/f*;
(*Théâtre*) debuttante *m/f*
débuter [debyte] *vi* debuttare; (*dans
une activité*) esordire; (*spectacle, cours
etc*) iniziare
décaféiné, e [dekafeine] *adj*
decaffeinato(-a)
décalage [dekalaʒ] *nm*
spostamento; (*écart*) differenza,
scarto; (*désaccord*) disaccordo;
(*temporel*) sfasamento; (*fig*) divario;
~ **horaire** differenza di fuso orario
décaler [dekale] *vt* spostare; ~ **de 10
cm/2 h** spostare di 10 cm/2 h
décapotable [dekapotabl] *adj*
decappottabile
décapsuleur [dekapsylœʀ] *nm*
apribottiglie *m inv*
décédé, e [desede] *adj* deceduto(-a)
décéder [desede] *vi* morire
décembre [desɑ̃bʀ] *nm* dicembre *m*;
voir aussi **juillet**
décennie [deseni] *nf* decennio

décent, e [desã, ãt] *adj* decente
déception [desɛpsjõ] *nf* delusione *f*
décès [desɛ] *nm* decesso; **acte de ~**
atto di morte *ou* di decesso
décevoir [des(ə)vwaʀ] *vt* deludere
décharge [deʃaʀʒ] *nf* (*dépôt d'ordures*)
discarica; (*Jur*) discarico, discolpa;
(*électrique, salve*) scarica; **à la ~ de** a
discarico di
décharger [deʃaʀʒe] *vt* scaricare;
(*Jur*) scagionare; **se décharger** *vr*
scaricarsi; **~ qn de** (*responsabilità,
tâche*) sollevare qn da; **~ sa colère
(sur)** (*fig*) sfogare la propria collera
(su); **~ sa conscience** (*fig*) scaricare la
propria coscienza; **se ~ dans** (*se
déverser*) scaricarsi in; **se ~ d'une
affaire sur qn** scaricare una faccenda
su qn
déchausser [deʃose] *vt* (*personne*)
togliere le scarpe a; (*skis*) togliere;
se déchausser *vr* togliersi le scarpe;
(*dent*) ballare, muoversi
déchet [deʃɛ] *nm* scarto; **déchets**
nmpl (*ordures*) rifiuti *mpl*; **~s
radiocatifs** scorie *fpl* radioattive
déchiffrer [deʃifʀe] *vt* decifrare;
(*musique, partition*) leggere
déchirant, e [deʃiʀã, ãt] *adj*
(*situation, nouvelle*) straziante; (*bruit,
cri*) lacerante
déchirement [deʃiʀmã] *nm* strappo;
(*chagrin*) lacerazione *f*, strazio;
déchirements *nmpl* (*de conflit*)
lacerazioni *fpl*
déchirer [deʃiʀe] *vt* strappare; (*fig:
personne, cœur*) straziare; (: *pays,
peuple*) lacerare, dilaniare; **se
déchirer** *vr* strapparsi; (*fig: peuple,
amants*) dilaniarsi; **se ~ un muscle/
un tendon** subire uno strappo
muscolare/del tendine
déchirure [deʃiʀyʀ] *nf* strappo;
~ musculaire strappo muscolare
décidé, e [deside] *adj* deciso(-a);
c'est ~ è deciso; **être ~ à faire** essere
deciso(-a) a fare
décidément [desidemã] *adv*
proprio, decisamente
décider [deside] *vt* decidere;
se décider *vr* (*personne*) decidersi;
(*suj: problème, affaire*) risolversi;
(*départ*) essere deciso(-a); **~ que/de
faire** decidere che/di fare; **~ qn (à**

faire qch) convincere qn (a fare qc);
~ de qch decidere di qc; **se ~ pour
qch/à qch/à faire** decidersi per qc/a
qc/a fare; **"décide-toi!"** "deciditi!"
décimal, e, aux [desimal, o] *adj*
decimale
décimètre [desimɛtʀ] *nm*
decimetro; **double ~** doppio
decimetro (*righello*)
décisif, -ive [desizif, iv] *adj*
decisivo(-a)
décision [desizjõ] *nf* decisione *f*;
prendre la/une ~ de faire prendere la
decisione di fare; **emporter** *ou* **faire
la ~** avere l'ultima parola
déclaration [deklaʀasjõ] *nf*
dichiarazione *f*; **~ (d'amour)**
dichiarazione (d'amore); **~ (de
changement de domicile)**
dichiarazione (di cambio di domicilio);
~ de décès denuncia di decesso; **~ de
guerre** dichiarazione di guerra; **~ (de
perte)** denuncia (di smarrimento);
~ (de sinistre)/(de vol) denuncia (di
sinistro)/(di furto); **~ d'impôts/de
revenus** dichiarazione *ou* denuncia
dei redditi; **~ de naissance** denuncia
di nascita
déclarer [deklaʀe] *vt* (*aussi Admin:
employés*) dichiarare; (*décès, naissance,
vol*) denunciare; (*revenus*) dichiarare,
denunciare; **se déclarer** *vr* (*feu*)
divampare; (*maladie*) manifestarsi;
(*amoureux*) dichiararsi; **se ~
favorable/prêt à** dichiararsi
favorevole/disposto a; **~ la guerre**
dichiarare guerra
déclencher [deklãʃe] *vt* (*aussi fig*) far
scattare, azionare; **se déclencher** *vr*
scattare
décliner [dekline] *vi* declinare ■ *vt*
(*aussi Ling*) declinare; (*nom, adresse*)
dichiarare; **se décliner** *vr* (*Ling*)
declinarsi
décoiffer [dekwafe] *vt* (*enlever le
chapeau*) togliere il cappello a;
(*déranger la coiffure*) spettinare; **se
décoiffer** *vr* (*v vt*) togliersi il cappello;
spettinarsi
déçois *etc* [deswa] *vb voir* **décevoir**
décollage [dekɔlaʒ] *nm* (*Aviat, Écon*)
decollo
décoller [dekɔle] *vt* staccare ■ *vi*
(*Aviat, Écon*) decollare; (*discipline,*

science) decollare, affermarsi;
se décoller *vr* staccarsi
décolleté, e [dekɔlte] *adj* (*robe,
femme*) scollato(-a); ■ *nm* scollatura;
(*épaules*) décolleté *m inv*
décolorer [dekɔlɔʀe] *vt* (*tissu*)
scolorire; (*cheveux*) decolorare;
se décolorer *vr* scolorirsi
décommander [dekɔmɑ̃de] *vt*
(*marchandise*) annullare l'ordinazione
di; (*réception*) disdire;
se décommander *vr* declinare un
invito; **~ des invités** disdire un invito
déconcerter [dekɔ̃sɛʀte] *vt*
sconcertare
décongeler [dekɔ̃ʒ(ə)le] *vt*
scongelare
déconner [dekɔne] *vi* (*fam: en
parlant*) sparare fesserie; (*faire des
bêtises*) fare idiozie; **sans ~** scherzi a
parte
déconseiller [dekɔ̃seje] *vt*: **~ qch (à
qn)** sconsigliare qc (a qn); **~ à qn de
faire** sconsigliare a qn di fare; **c'est
déconseillé** è sconsigliabile
décontracté, e [dekɔ̃tʀakte] *adj*
disteso(-a), rilassato(-a)
décontracter [dekɔ̃tʀakte] *vt*
(*muscle*) rilassare, distendere;
se décontracter *vr* rilassarsi,
distendersi
décor [dekɔʀ] *nm* (*d'un palais etc*)
arredo; (*paysage, Théâtre*) scenario;
changement de ~ (*fig*) cambio di
scena; **entrer dans le ~** (*fig*) uscire di
strada; **en ~ naturel** (*Ciné*) all'esterno
décorateur, -trice [dekɔʀatœʀ,
tʀis] *nm/f* decoratore(-trice); (*Ciné*)
scenografo(-a)
décoration [dekɔʀasjɔ̃] *nf*
decorazione *f*
décorer [dekɔʀe] *vt* decorare
décortiquer [dekɔʀtike] *vt* (*riz*)
mondare; (*amandes, arachides*)
sgusciare; (*fig*) analizzare
minuziosamente
découdre [dekudʀ] *vt* scucire;
se découdre *vr* scucirsi; **en ~** (*fig*)
darsele, venire alle mani
découper [dekupe] *vt* tagliare;
(*article de journal*) ritagliare; **se ~ sur**
stagliarsi su
décourager [dekuʀaʒe] *vt*
scoraggiare; **se décourager** *vr*

scoraggiarsi; **~ qn de faire/de qch**
dissuadere qn dal fare/da qc
décousu, e [dekuzy] *pp de* **découdre**
■ *adj* scucito(-a); (*fig*)
sconclusionato(-a)
découvert, e [dekuvɛʀ, ɛʀt] *pp de*
découvrir ■ *adj* scoperto(-a) ■ *nm*
(*bancaire*) scoperto; **à ~** (*Mil, fig*) allo
scoperto; (*Comm*) scoperto(-a); **à
visage ~** (*franchement*) apertamente
découverte [dekuvɛʀt] *nf* scoperta;
aller à la ~ (de) andare alla scoperta
(di)
découvrir [dekuvʀiʀ] *vt* scoprire;
(*casserole*) scoperchiare, scoprire;
(*apercevoir*) scorgere; (*voiture*)
decappottare; (*dévoiler, fig*) svelare
■ *vi* (*mer*) ritirarsi (*per effetto della
marea*); **se découvrir** *vr* (*ôter le
chapeau*) scoprirsi il capo; (*se
déshabiller, au lit*) scoprirsi; (*ciel*)
schiarirsi; **~ que** scoprire che; **se ~
des talents** scoprire di avere *ou*
scoprirsi dei talenti
décrire [dekʀiʀ] *vt* descrivere
décrocher [dekʀɔʃe] *vt* staccare;
(*fig: récompense, contrat etc*) (riuscire a)
strappare ■ *vi* alzare il ricevitore;
(*abandonner*) ritirarsi; (*perdre sa
concentration*) distrarsi; **se décrocher**
vr (*tableau, rideau*) staccarsi; **~ (le
téléphone)** (*pour répondre*) alzare il
ricevitore
déçu, e [desy] *pp de* **décevoir** ■ *adj*
deluso(-a)
dédaigner [dedeɲe] *vt* disdegnare;
~ de faire non degnarsi di fare
dédaigneux, -euse [dedeɲø, øz] *adj*
sdegnoso(-a)
dédain [dedɛ̃] *nm* sdegno
dedans [dədɑ̃] *adv* dentro ■ *nm*
interno; **là-~** là dentro; **au ~** dentro;
en ~ (*vers l'intérieur*) in dentro
dédicacer [dedikase] *vt* (*livre*): **~ (à
qn)** fare una dedica (a qn) su;
envoyer sa photo dédicacée
mandare la propria foto con dedica
dédier [dedje] *vt*: **~ à** dedicare a
dédommagement [dedɔmaʒmɑ̃]
nm risarcimento
dédommager [dedɔmaʒe] *vt*:
~ qn (de) risarcire qn (di); (*fig*)
ripagare qn (di)
dédouaner [dedwane] *vt* sdoganare

déduire [dedɥiʀ] vt: ~ **qch (de)** (ôter) detrarre qc (da); (conclure) dedurre qc (da)

défaillance [defajɑ̃s] nf (syncope) svenimento, mancamento; (fatigue) debolezza; (technique) mancato funzionamento; (morale) cedimento; ~ **cardiaque** collasso cardiaco

défaire [defɛʀ] vt disfare; (installation, échafaudage) smontare; (vêtement) slacciare; (cheveux) spettinare; **se défaire** vr (cheveux) spettinarsi; (fig: mariage etc) sciogliersi; **se ~ de** disfarsi di; ~ **ses bagages** disfare le valige; ~ **le lit** disfare il letto

défait, e [defɛ, ɛt] pp de **défaire** ■ adj disfatto(-a)

défaite [defɛt] nf disfatta

défaut [defo] nm difetto; ~ **de** (manque, carence) mancanza ou carenza di; ~ **de la cuirasse** (fig) punto debole, tallone m d'Achille; **en** ~ in fallo; **faire** ~ (manquer) mancare; **à** ~ **de** in mancanza di; **par** ~ (Jur) in contumacia; (Inform) per predefinizione ou default

défavorable [defavɔʀabl] adj sfavorevole

défavoriser [defavɔʀize] vt sfavorire, penalizzare

défectueux, -euse [defɛktɥø, øz] adj difettoso(-a)

défendre [defɑ̃dʀ] vt (aussi Jur, fig) difendere; (interdire) proibire, vietare; **se défendre** vr difendersi; ~ **à qn qch/de faire** proibire ou vietare a qn qc/di fare; **il est défendu de cracher** è vietato sputare; **c'est défendu** è proibito ou vietato; **il se défend** (fig) si difende, se la cava; **ça se défend** (fig) mi pare che regga; **se ~ de/ contre** difendersi da/contro; **se ~ de** (nier) negare; **se ~ de faire qch** guardarsi bene dal fare qc

défense [defɑ̃s] nf difesa; (d'éléphant etc) zanna; **ministre de la ~** ministro della difesa; **la ~ nationale** la difesa nazionale; **la ~ contre avions** la difesa contraerea; **"~ de fumer/ cracher"** "vietato fumare/sputare"; **"~ d'afficher/de stationnement"** "divieto di affissione/di sosta"; **prendre la ~ de qn** prendere le difese

di qn; ~ **des consommateurs** tutela del consumatore

défi [defi] nm sfida; **mettre qn au ~ de faire qch** sfidare qn a fare qc; **relever un ~** accettare una sfida

déficit [defisit] nm (Comm) deficit m; (Psych etc) carenza; **être en ~** essere in deficit; ~ **budgétaire** deficit di bilancio

défier [defje] vt sfidare; **se défier de** vr (se méfier) diffidare di; ~ **qn de faire qch** sfidare qn a fare qc; ~ **qn à** (jeu etc) sfidare qn a; ~ **toute comparaison** non temere confronti; ~ **toute concurrence** non temere la concorrenza

défigurer [defigyʀe] vt sfigurare; (fig: œuvre) travisare; (: vérité) travisare, falsare, distorcere

défilé [defile] nm (Géo) gola, stretta; (de soldats) sfilata; (de manifestants) corteo; **un ~ de** (voitures, visiteurs etc) un corteo di

défiler [defile] vi sfilare; **se défiler** vr svignarsela; **faire ~** far scorrere

définir [definiʀ] vt definire

définitif, -ive [definitif, iv] adj definitivo(-a)

définitive [definitiv] nf: **en ~ in** definitiva

définitivement [definitivmɑ̃] adv definitivamente

déformer [defɔʀme] vt deformare; (pensée, fait) travisare; **se déformer** vr deformarsi

défouler [defule] vr: **se défouler** sfogarsi

défunt, e [defœ̃, œ̃t] adj: **son ~ père** il suo defunto padre ■ nm/f defunto(-a)

dégagé, e [degaʒe] adj (ciel) sereno(-a), terso(-a); (vue) libero(-a); (ton, air) disinvolto(-a), spigliato(-a)

dégager [degaʒe] vt (exhaler) emanare, sprigionare; (zone etc) liberare; (troupes) disimpegnare; (désencombrer) sgomberare; (idée, aspect etc) evidenziare; (crédits) sbloccare, liberare; **se dégager** vr (odeur) sprigionarsi; (passage bloqué) liberarsi, sgomberarsi; (ciel) schiarirsi; **se ~ de** (se libérer) liberarsi da; ~ **sa parole** ritirare la parola data; ~ **qn de** (parole, engagement etc) liberare qn da; (*responsabilité*) sollevare qn da; **dégagé des obligations militaires** militesente

dégâts [dega] *nmpl*: **faire des ~** fare *ou* causare danni

dégel [deʒɛl] *nm* disgelo; (*fig: des prix etc*) scongelamento, sblocco; (: *des relations*) distensione *f*

dégeler [deʒ(ə)le] *vt* (*fig: prix etc*) scongelare, sbloccare; (: *atmosphère*) distendere ▪ *vi* sgelare; **se dégeler** *vr* (*fig*) distendersi

dégivrer [deʒivʀe] *vt* sbrinare

dégonflé, e [degɔ̃fle] *adj* sgonfio(-a) ▪ *nm/f* (*fam*) fifone(-a)

dégonfler [degɔ̃fle] *vt* sgonfiare ▪ *vi* sgonfiarsi; **se dégonfler** *vr* (*fam*) tirarsi indietro per la fifa

dégouliner [deguline] *vi* sgocciolare, colare

dégourdi, e [deguʀdi] *adj* sveglio(-a), svelto(-a)

dégourdir [deguʀdiʀ] *vt* (*sortir de l'engourdissement*) sgranchire; (*faire tiédir*) intiepidire; (*fig: personne*) svegliare, scaltrire; **se dégourdir** *vr*: **se ~ (les jambes)** sgranchirsi (le gambe)

dégoût [degu] *nm* disgusto

dégoûtant, e [degutɑ̃, ɑ̃t] *adj* (*aussi fig*) disgustoso(-a)

dégoûté, e [degute] *adj* schizzinoso(-a), schifiltoso(-a); **il n'est pas ~** è di bocca buona; **~ de** disgustato(-a) *ou* nauseato(-a) da

dégoûter [degute] *vt* (*aussi fig*) disgustare; **~ qn de qch** (*aussi fig*) far passare a qn la voglia di qc; **se ~ de** (*se lasser de*) stancarsi di

dégrader [degʀade] *vt* degradare; **se dégrader** *vr* degradarsi; (*relations, situation*) deteriorarsi

degré [dəgʀe] *nm* grado; (*escalier*) gradino; **brûlure au premier/ deuxième ~** ustione *f* di primo/ secondo grado; **équation du premier/deuxième ~** equazione *f* di primo/secondo grado; **le premier ~** (*Scol*) l'istruzione *f* elementare; **alcool à 90 ~s** alcol m a 90 gradi; **vin de 10 ~s** vino di 10 gradi; **par ~(s)** per gradi, gradualmente

dégressif, -ive [degʀesif, iv] *adj* decrescente; **tarif ~** tariffa a scalare

dégringoler [degʀɛ̃gɔle] *vi* ruzzolare; (*fig: prix, Bourse etc*) crollare ▪ *vt* (*escalier*) scendere a precipizio

déguisement [degizmɑ̃] *nm* travestimento

déguiser [degize] *vt* travestire; (*fig: réalité, fait*) mascherare; **se déguiser (en)** *vr* (*se costumer*) mascherarsi (da); (*pour tromper*) travestirsi (da)

déguster [degyste] *vt* degustare, assaggiare; (*fig*) assaporare, gustare; **qu'est-ce qu'il a dégusté!** (*fam: injures*) se l'è proprio sentite!; (: *coups*) quante se n'è buscate!

dehors [dəɔʀ] *adv* (*en plein air*) fuori ▪ *nm* esterno ▪ *nmpl* apparenze *fpl*; **mettre** *ou* **jeter ~** buttar fuori; **au ~** fuori; (*en apparence*) dal di fuori; **au ~ de** fuori da; **de ~** dal di fuori; **en ~** (*vers l'extérieur*) in fuori; **en ~ de** (*hormis*) all'infuori di, oltre a

déjà [deʒa] *adv* già; **quel nom, ~?** che nome, scusi?; **c'est ~ pas mal** già non è male; **as-tu ~ été en France?** sei già stato in Francia?; **c'est ~ quelque chose** è già qualcosa

déjeuner [deʒœne] *vi* (*matin*) far colazione; (*à midi*) pranzare ▪ *nm* (*aussi*: **petit déjeuner**) (prima) colazione *f*; (*à midi*) pranzo; **~ d'affaires** colazione di lavoro

delà [dəla] *prép, adv*: **par-~** al di là di, oltre; **en ~** più in là, oltre; **en ~ de** più in là, oltre; (*à l'extérieur de*) al di là di, oltre; **au-~** (*de*) al di là (di), oltre

délacer [delase] *vt* slacciare

délai [delɛ] *nm* (*attente*) termine *m*; (*sursis*) dilazione *f*; (*temps accordé: aussi*: **délais**) proroga; **sans ~** subito, immediatamente; **à bref ~** a breve scadenza, entro breve tempo; **dans les ~s** entro i termini previsti; **un ~ de 30 jours** una proroga di 30 giorni; **compter un ~ de livraison de 10 jours** calcolare un tempo di consegna di 10 giorni; **~ de livraison** termine *m* di consegna

délaisser [delese] *vt* abbandonare; (*négliger*) trascurare

délasser [delase] *vt* (*membres*) distendere; (*personne, esprit*) rilassare; **se délasser** *vr* rilassarsi, distendersi

délavé, e [delave] *adj* sbiadito(-a), scolorito(-a); (*terrain*) inzuppato(-a)

délayer [deleje] vt (Culin)
stemperare; (fig: pensée, idée, discours)
dilungarsi su

delco® [dɛlko] nm (Auto)
spinterogeno

délégué, e [delege] adj delegato(-a)
■ nm/f delegato(-a); (de la classe)
rappresentante m/f; (du personnel)
rappresentante m/f (del personale);
ministre ~ à ≈ sottosegretario a;
~ médical rappresentante m di
prodotti farmaceutici

déléguer [delege] vt delegare

délibéré, e [delibeʀe] adj
deliberato(-a); (déterminé)
risoluto(-a); **de propos ~** con
deliberato proposito

délicat, e [delika, at] adj
delicato(-a); (attentionné)
premuroso(-a); **procédés peu ~s**
metodi mpl poco delicati

délicatement [delikatmã] adv
delicatamente; (subtilement) con
delicatezza

délice [delis] nm delizia

délicieux, -euse [delisjø, jøz] adj
delizioso(-a)

délimiter [delimite] vt delimitare

délinquant, e [delɛ̃kã, ãt] adj, nm/f
delinquente m/f

délirer [deliʀe] vi delirare

délit [deli] nm reato; **~ de droit
commun** reato comune; **~ de fuite**
(reato di) omissione f di soccorso;
~ politique reato politico; **~ de
presse** reato di stampa

délivrer [delivʀe] vt rilasciare; **~ qn
de** (ennemis) liberare qn da; (fig)
sollevare ou liberare qn da

deltaplane® [dɛltaplan] nm
deltaplano

déluge [delyʒ] nm (aussi fig) diluvio

demain [d(ə)mɛ̃] adv domani;
~ matin/soir domani mattina/sera;
~ midi domani a mezzogiorno; **à ~** a
domani

demande [d(ə)mãd] nf (gén, Admin,
Écon) domanda; (revendication)
richiesta, domanda; (Jur) istanza; **à la
~ générale** a generale richiesta; **faire
sa ~ (en mariage)** fare una proposta
di matrimonio; **~ d'emploi** domanda
d'impiego; **"~s d'emploi"** "richieste di
lavoro"; **~ de naturalisation** richiesta

di naturalizzazione; **~ de poste**
domanda d'assunzione

demandé, e [d(ə)mãde] adj (article
etc): **très ~** molto richiesto(-a)

demander [d(ə)mãde] vt chiedere,
domandare; (un médecin, plombier)
chiamare; (vouloir engager: personnel)
cercare; (exiger, requérir, nécessiter)
richiedere; **~ qch à qn** chiedere ou
domandare qc a qn; **~ à qn de faire**
chiedere ou domandare a qn di fare;
~ de la ponctualité de esigere
puntualità da qn; **~ la main de qn**
(fig) chiedere la mano di qn; **~ des
nouvelles de qn** chiedere notizie di
qn; **~ l'heure/son chemin** chiedere
l'ora/la strada; **~ pardon à qn**
chiedere scusa a qn; **~ à ou de voir/
faire** chiedere di vedere/fare; **se ~ si/
pourquoi** chiedersi ou domandarsi
se/perché; **ils demandent
2 secrétaires et un ingénieur**
cercano 2 segretarie e un ingegnere;
~ la parole chiedere la parola;
~ la permission de chiedere il
permesso di; **je n'en demandais
pas davantage** non chiedevo ou
domandavo di più; **je me demande
comment tu as pu** mi chiedo
come tu abbia potuto; **je me le
demande** me lo chiedo; **on vous
demande au téléphone** la vogliono
al telefono; **il ne demande que ça/
qu'à faire ...** non chiede altro/che
di fare ...; **je ne demande pas
mieux que ...** non chiedo di meglio
che ...

demandeur, -euse [dəmãdœʀ, øz]
nm/f: **~ d'emploi** ≈ iscritto(-a) alle
liste di collocamento

démangeaison [demãʒɛzɔ̃] nf
prurito

démanger [demãʒe] vi prudere; **la
main me démange** (fig) mi sento
prudere le mani; **l'envie** ou **ça le
démange de faire ...** muore dalla
voglia di fare ...

démaquillant, e [demakijã, ãt] adj,
nm detergente (m)

démaquiller [demakije] vt
struccare; **se démaquiller** vr
struccarsi

démarche [demaʀʃ] nf (allure)
andatura, portamento; (intervention)

passo; (*fig: intellectuelle etc*) percorso; (*requête, tractation*) pratica; **faire** ou **entreprendre des ~s (auprès de qn)** avviare delle pratiche (presso qn)

démarrage [demaʀaʒ] *nm* partenza; (*Auto*) avviamento; (*Sport*) scatto; (*fig*) avvio, inizio; **~ en côte** partenza in salita

démarrer [demaʀe] *vi* partire; (*véhicule*) mettersi in moto; (*coureur: accélérer*) scattare; (*travaux, affaire*) iniziare, avviarsi ■ *vt* (*voiture*) mettere in moto; (*travail*) iniziare

démarreur [demaʀœʀ] *nm* (*Auto*) (motorino d')avviamento

démêler [demele] *vt* districare; (*fig*) sbrogliare

démêlés [demele] *nmpl* noie *fpl*, grane *fpl*

déménagement [demenaʒmɑ̃] *nm* trasloco; **entreprise/camion de ~** impresa/camion *m inv* di trasloco

déménager [demenaʒe] *vt* (*meubles*) spostare ■ *vi* traslocare

déménageur [demenaʒœʀ] *nm* traslocatore(-trice); (*entrepreneur*) titolare *m* di impresa di traslochi

démerder [demɛʀde] *vi* (*fam!*): **démerde-toi!** arrangiati come cazzo vuoi! (*fam!*)

démettre [demɛtʀ] *vt*: **~ qn de** dimettere qn da; **se démettre** *vr* (*épaule etc*) lussarsi, slogarsi; **se ~ (de ses fonctions)** dimettersi (dalle proprie funzioni)

demeurer [d(ə)mœʀe] *vi* abitare, dimorare; (*fig*) rimanere, restare; **en ~ là** non andare avanti

demi, e [dəmi] *adj* mezzo(-a) ■ *nm* (*Football*) mediano; **un ~** (*bière*) una birra; **il est deux heures et ~e** sono le due e mezza; **il est midi et ~** è mezzogiorno e mezzo; **à ~** a metà; (*sourd, idiot*) mezzo(-a); **fini/corrigé à ~** (*fig*) mezzo finito/corretto; **à la ~e** (*heure*) alla mezza; **~ de mêlée/ d'ouverture** (*Rugby*) mediano di spinta/d'apertura

demi-douzaine [dəmiduzɛn] (*pl ~s*) *nf* mezza dozzina

demi-finale [dəmifinal] (*pl ~s*) *nf* semifinale *f*

demi-frère [dəmifʀɛʀ] (*pl ~s*) *nm* fratellastro

demi-heure [dəmijœʀ] (*pl ~s*) *nf* mezz'ora

demi-journée [dəmiʒuʀne] (*pl ~s*) *nf* mezza giornata

demi-litre [dəmilitʀ] (*pl ~s*) *nm* mezzo litro

demi-livre [dəmilivʀ] (*pl ~s*) *nf* ≈ 250 grammi *mpl*, ≈ due etti e mezzo

demi-pension [dəmipɑ̃sjɔ̃] (*pl ~s*) *nf* mezza pensione *f*; (*lycée*) semiconvitti *mpl*; **être en ~** essere a mezza pensione

démis, e [demi, iz] *pp de* **démettre** ■ *adj* (*épaule etc*) lussato(-a)

demi-sœur [dəmisœʀ] (*pl ~s*) *nf* sorellastra

démission [demisjɔ̃] *nf* dimissioni *fpl*; **donner sa ~** dare le dimissioni

démissionner [demisjɔne] *vi* dimettersi, rassegnare le dimissioni

demi-tarif [dəmitaʀif] (*pl ~s*) *nm*: **voyager à ~** viaggiare con lo sconto del 50%

demi-tour [dəmituʀ] (*pl ~s*) *nm* dietro front *m inv*; **faire un ~** (*Mil etc*) fare dietro front; **faire ~** fare marcia indietro

démocratie [demɔkʀasi] *nf* democrazia; **~ libérale/populaire** democrazia liberale/popolare

démocratique [demɔkʀatik] *adj* democratico(-a); (*sport, moyen de transport etc*) popolare

démodé, e [demɔde] *adj* fuori moda *inv*, superato(-a)

demoiselle [d(ə)mwazɛl] *nf* signorina; (*vendeuse*) commessa, signorina; **~ d'honneur** damigella d'onore

démolir [demɔliʀ] *vt* (*aussi fig*) demolire

démon [demɔ̃] *nm* demonio; **le D~** il Demonio; **le ~ du jeu** il demone del gioco

démonstration [demɔ̃stʀasjɔ̃] *nf* dimostrazione *f*

démonter [demɔ̃te] *vt* (*aussi fig*) smontare; (*cavalier*) disarcionare; **se démonter** *vr* (*personne*) smontarsi

démontrer [demɔ̃tʀe] *vt* dimostrare

démouler [demule] *vt* (*gâteau*) sformare

démuni, e [demyni] *adj* (*sans argent*) a corto di denaro; **~ de** sprovvisto(-a) di

dénicher [deniʃe] vt stanare
dénier [denje] vt negare; **~ qch à qn**
negare qc a qn
dénivellation [denivelasjɔ̃] nf
dislivello
dénombrer [denɔ̃bʀe] vt contare;
(énumérer) calcolare
dénomination [denɔminasjɔ̃] nf
(nom) denominazione f
dénoncer [denɔ̃se] vt denunciare;
se dénoncer vr (auto)denunciarsi
dénouement [denumɑ̃] nm
conclusione f; (Théâtre) finale m
dénouer [denwe] vt sciogliere;
(cravate) slacciare; (fig) risolvere
denrée [dɑ̃ʀe] nf derrata; **~s
alimentaires** derrate alimentari
dense [dɑ̃s] adj denso(-a), fitto(-a);
(population, trafic) denso(-a); (fig:
style) conciso(-a), stringato(-a)
densité [dɑ̃site] nf densità f inv
dent [dɑ̃] nf (Anat, d'une machine)
dente m; **avoir/garder une ~ contre
qn** avere il dente avvelenato contro
qn; **avoir les ~s longues** avere grosse
ambizioni; **se mettre qch sous la ~**
mettere qc sotto i denti; **être sur les
~s** essere molto occupato(-a); **faire
ses ~s** mettere i denti; **à belles ~s** con
grande appetito; **en ~s de scie**
dentato(-a); **ne pas desserrer les ~s**
non aprir bocca; **~ de lait** dente di
latte; **~ de sagesse** dente del giudizio
dentaire [dɑ̃tɛʀ] adj (soins, hygiène)
dentale; (prothèse) dentario(-a);
cabinet ~ studio odontoiatrico;
école ~ scuola odontoiatrica
dentelle [dɑ̃tɛl] nf merletto, pizzo
dentier [dɑ̃tje] nm dentiera
dentifrice [dɑ̃tifʀis] adj
dentifricio(-a) ◼ nm dentifricio
dentiste [dɑ̃tist] nm/f dentista m/f
dentition [dɑ̃tisjɔ̃] nf (dents)
dentatura; (formation) dentizione f
dénué, e [denɥe] adj: **~ de** privo(-a) di
déodorant [deɔdɔʀɑ̃] nm
deodorante m
déontologie [deɔ̃tɔlɔʒi] nf
deontologia
dépannage [depanaʒ] nm
riparazione f; **service de ~** servizio di
assistenza (tecnica); (Auto) servizio di
soccorso; **camion de ~** (Auto) carro m
attrezzi inv

dépanner [depane] vt riparare; (fig)
dare una mano a, aiutare
dépanneuse [depanøz] nf carro m
attrezzi inv
dépareillé, e [depaʀeje] adj
scompagnato(-a)
départ [depaʀ] nm partenza; (d'un
employé: démission) dimissioni fpl;
(: licenciement) licenziamento; **à son ~**
alla sua partenza; **au ~** (au début)
all'inizio; **courrier au ~** posta in
partenza
département [depaʀtəmɑ̃] nm
(administratif) dipartimento,
≈ provincia; (d'université) istituto;
(de magasin) reparto; **~ ministériel**
ministero; **~ d'outre-mer**
dipartimento d'oltremare

◉ DÉPARTEMENT

La Francia si suddivide in 96 unità
amministrative chiamate
départements, ciascuna guidata
da un "préfet" nominato a livello
statale, e amministrata da un
"Conseil général". I départements
generalmente derivano il nome da
importanti luoghi geografici come
fiumi o monti.

dépassé, e [depase] adj
superato(-a); (fig) sopraffatto(-a)
dépasser [depase] vt superare; (être
en saillie sur) sporgere da ◼ vi (Auto)
sorpassare; (ourlet, jupon) pendere;
se dépasser vr (se surpasser) superare
se stesso(-a); **être dépassé** essere
superato(-a); **être dépassé par les
événements** essere travolto(-a) dagli
avvenimenti; **cela me dépasse**
(dérouter) sono sconcertato, non
riesco a capire
dépaysé, e [depeize] adj spaesato(-a)
dépaysement [depeizmɑ̃] nm
spaesamento, disorientamento;
(changement agréable) (piacevole)
cambiamento
dépêcher [depeʃe] vt inviare con
urgenza; **se dépêcher** vr sbrigarsi;
se ~ de faire qch sbrigarsi a fare qc
dépendance [depɑ̃dɑ̃s] nf (aussi
Méd) dipendenza; (bâtiment)
dépendance f inv

dépendre [depãdʀ] *vi* dipendere;
~ **de** dipendere da; **ça dépend**
dipende

dépens [depã] *nmpl*: **aux ~ de** a
spese di

dépense [depãs] *nf* spesa;
(*comptabilité*) uscita; (*de gaz, eau*)
consumo; (*de temps, de forces*)
dispendio; **une ~ de 100 euros** una
spesa di 100 euro; **pousser qn à la ~**
far fare una spesa a qn; **~s de
fonctionnement** spese di
funzionamento; **~ de temps** dispendio
di tempo; **~s d'investissement** spese
di investimento; **~ physique**
dispendio fisico; **~s publiques** spesa
fsg pubblica

dépenser [depãse] *vt* (*argent*)
spendere; (*gaz, eau, énergie*)
consumare; **se dépenser** *vr* (*bouger*)
muoversi; (*fig*) darsi da fare

dépeupler [depœple] *vt* spopolare;
se dépeupler *vr* spopolarsi

dépilatoire [depilatwaʀ] *adj*: **crème
~** crema depilatoria

dépister [depiste] *vt* (*maladie*)
scoprire, individuare; (*voleur*)
rintracciare; (*poursuivants*) depistare,
mettere fuori strada

dépit [depi] *nm* dispetto; **en ~ de**
(*malgré*) a dispetto di; **en ~ du bon
sens** contro ogni logica

dépité, e [depite] *adj* indispettito(-a),
stizzito(-a)

déplacé, e [deplase] *adj* (*propos*) fuori
posto *ou* luogo; **personne ~e**
profugo(-a)

déplacement [deplasmã] *nm*
spostamento; (*voyage*) viaggio,
trasferta; (*de fonctionnaire*)
trasferimento; (*Naut*) dislocamento;
en ~ in trasferta; **~ d'air** spostamento
d'aria; **~ de vertèbre** spostamento di
vertebra

déplacer [deplase] *vt* spostare;
**pouvez-vous ~ votre voiture, s'il
vous plaît?** può spostare la macchina,
per favore?; (*employé*) trasferire; (*fig:
conversation, sujet*) spostare i termini
di; **se déplacer** *vr* spostarsi; **se ~ en
voiture/avion** spostarsi in auto/
aereo

déplaire [deplɛʀ] *vi*: **~ (à qn)** non
piacere (a qn); **se déplaire** *vr*

(*quelque part*) non trovarsi bene;
ceci me déplaît questo non mi piace;
il cherche à nous ~ sta cercando di
irritarci

déplaisant, e [deplɛzã, ãt] *vb voir*
déplaire ▪ *adj* sgradevole, poco
piacevole

dépliant [deplijã] *nm* prospetto,
opuscolo

déplier [deplije] *vt* aprire, spiegare;
se déplier *vr* aprirsi, spiegarsi

déposer [depoze] *vt* (*mettre, poser*)
posare, (de)porre; (*à la banque,
caution*) depositare; (*passager*)
lasciare; (*serrure, rideau*) smontare;
(*roi*) deporre; (*Admin: dossier etc*)
presentare; (*Jur: plainte, réclamation*)
sporgere ▪ *vi* (*vin etc*) sedimentare;
(*Jur*): **~ (contre)** deporre (contro);
se déposer *vr* depositarsi; **~ son
bilan** (*Comm*) dichiarare fallimento

dépositaire [depoziteʀ] *nm/f* (*d'un
secret*) depositario(-a); (*Comm*)
rivenditore(-trice) autorizzato(-a);
~ agréé rivenditore(-trice)
autorizzato(-a)

déposition [depozisjɔ̃] *nf* (*Jur*)
deposizione *f*

dépôt [depo] *nm* deposito; (*de
candidature*) presentazione *f*; (*prison*)
cella; **mandat de ~** mandato di
carcerazione; **~ bancaire** deposito
bancario; **~ de bilan** dichiarazione *f* di
fallimento; **~ légal** deposito legale;
~ d'ordures deposito di rifiuti

dépourvu, e [depuʀvy] *adj*: **~ de**
sprovvisto(-a) di, privo(-a) di;
prendre qn au ~ prendere qn alla
sprovvista

dépression [depʀesjɔ̃] *nf* (*aussi
Météo*) depressione *f*; **~ (nerveuse)**
esaurimento (nervoso)

déprimant, e [depʀimã, ãt] *adj*
deprimente

déprimer [depʀime] *vt* deprimere

depuis [dəpɥi] *prép* da ▪ *adv* (*temps*)
da allora; **~ que** da quando; **~ qu'il
m'a dit ça** da quando me l'ha detto;
~ quand? da quando in qua?; **il habite
Paris ~ 1983/~ 5 ans** abita a Parigi dal
1983/da 5 anni; **~ quand le
connaissez-vous?** da quando lo
conoscete?; **je le connais ~ 9 ans** lo
conosco da 9 anni; **elle a téléphoné ~**

Valence ha telefonato da Valenza; **~ les plus petits jusqu'aux plus grands** dai più piccoli ai più grandi; **je ne lui ai pas parlé ~** da allora non gli ho più parlato; **~ lors** da allora

député [depyte] nm (Pol) deputato

dérangement [deʀɑ̃ʒmɑ̃] nm disturbo; (désordre) disordine m; **en ~** (téléphone) fuori servizio

déranger [deʀɑ̃ʒe] vt (personne) disturbare; (projet) scombussolare; (plans) scombinare; (objets, vêtements) spostare, mettere in disordine; **se déranger** vr disturbarsi; **est-ce que cela vous dérange si ...?** vi disturba se ...?; **je m'excuse de vous ~** mi scusi se la disturbo; **ça te dérangerait de faire ...?** ti dispiacerebbe fare ...?; **ne vous dérangez pas** non si disturbi

déraper [deʀape] vi (aussi fig) slittare; (personne) scivolare

dérégler [deʀegle] vt (mécanisme) guastare; (estomac) causar disturbi a; (habitudes, vie) scombinare; **se dérégler** vr guastarsi

dérisoire [deʀizwaʀ] adj (prix) irrisorio(-a); (solution) ridicolo(-a)

dérive [deʀiv] nf deriva; **aller à la ~** (Naut, fig) andare alla deriva; **~ des continents** deriva dei continenti

dérivé, e [deʀive] adj derivato(-a)

dermatologue [dɛʀmatɔlɔg] nm/f dermatologo(-a)

dernier, -ière [dɛʀnje, jɛʀ] adj, nm/f ultimo(-a); **lundi/le mois ~** lunedì/il mese scorso; **du ~ chic** all'ultimo grido; **le ~ cri** l'ultimo grido; **les ~s honneurs** gli estremi onori; **rendre le ~ soupir** esalare l'ultimo respiro; **en ~** per ultimo; **en ~ ressort** in ultima analisi; **avoir le ~ mot** avere l'ultima parola; **ce ~, cette dernière** quest'ultimo, quest'ultima

dernièrement [dɛʀnjɛʀmɑ̃] adv ultimamente

dérogation [deʀɔgasjɔ̃] nf deroga

dérouiller [deʀuje] vt: **se ~ les jambes** sgranchirsi le gambe

déroulement [deʀulmɑ̃] nm svolgimento

dérouler [deʀule] vt svolgere, srotolare; **se dérouler** vr (avoir lieu) svolgersi

dérouter [deʀute] vt dirottare; (fig) disorientare

derrière [dɛʀjɛʀ] prép, adv dietro ▪ nm (d'une maison) retro; (postérieur) sedere m; **les pattes/roues de ~** le zampe/ruote posteriori ou di dietro; **par ~** da dietro; (fig) alle spalle

des [de] prép + art déf voir **de**

dès [dɛ] prép fin da; **~ que** (aussitôt que) (non) appena; **~ à présent** da ora in poi; **~ réception** dal momento del ricevimento; **~ son retour** dal suo ritorno; **~ lors** da allora in poi; **~ lors que** (aussitôt que) (non) appena; (puisque, étant donné que) poiché, dato che

désaccord [dezakɔʀ] nm disaccordo

désagréable [dezagʀeabl] adj sgradevole

désagrément [dezagʀemɑ̃] nm fastidio, noia

désaltérer [dezalteʀe] vt, vi dissetare; **se désaltérer** vr dissetarsi; **ça désaltère** è dissetante

désapprobateur, -trice [dezapʀɔbatœʀ, tʀis] adj (regard, ton) di disapprovazione

désapprouver [dezapʀuve] vt disapprovare

désarmant, e [dezaʀmɑ̃, ɑ̃t] adj disarmante

désastre [dezastʀ] nm disastro

désastreux, -euse [dezastʀø, øz] adj disastroso(-a)

désavantage [dezavɑ̃taʒ] nm svantaggio

désavantager [dezavɑ̃taʒe] vt sfavorire, svantaggiare

descendre [desɑ̃dʀ] vt (escalier, montagne, rivière) scendere; (rue) percorrere, scendere; (valise, paquet) portare giù; (étagère etc) abbassare; (fam: personne) far fuori; (: boire) scolarsi ▪ vi (gén) scendere; (voix) abbassarsi, calare di volume; **~ à pied/en voiture** scendere a piedi/in macchina; **~ du train/d'un arbre/de cheval** scendere dal treno/da un albero/da cavallo; **où est-ce que je dois ~?** dove devo scendere?; **~ de** (famille) discendere da; **~ à l'hôtel** scendere all'albergo; **~ dans l'estime de qn** scendere nella stima di qn; **~ dans la rue** (manifester) scendere in piazza; **~ dans le Midi** scendere al sud; **~ en ville** scendere in città

descente [desãt] nf (aussi Ski) discesa; **au milieu de la ~** a metà discesa; **freiner dans les ~s** frenare in discesa; **~ de lit** scendiletto m inv; **~ (de police)** irruzione f (di polizia)

description [dɛskripsjɔ̃] nf descrizione f

déséquilibre [dezekilibʀ] nm (aussi fig) squilibrio; **en ~** in bilico; **un budget en ~** un bilancio che non quadra

désert, e [dezeʀ, ɛʀt] adj deserto(-a) ▪ nm deserto

désertique [dezeʀtik] adj desertico(-a)

désespéré, e [dezɛspeʀe] adj, nm/f disperato(-a); **état ~** (Méd) caso disperato

désespérer [dezɛspeʀe] vi disperare; **se désespérer** vr disperarsi; **~ de qch** disperare di qc; **~ de qn** aver perso le speranze per quanto riguarda qn; **~ de (pouvoir) faire qch** disperare di (poter) fare qc

désespoir [dezɛspwaʀ] nm disperazione f; **être/faire le ~ de qn** essere la disperazione di qn; **en ~ de cause** come ultima risorsa

déshabiller [dezabije] vt svestire, spogliare; **se déshabiller** vr svestirsi, spogliarsi

déshydraté, e [dezidʀate] adj disidratato(-a)

désigner [deziɲe] vt designare; (montrer) indicare

désinfectant, e [dezɛ̃fɛktã, ãt] adj, nm disinfettante (m)

désinfecter [dezɛ̃fɛkte] vt disinfettare

désintéressé, e [dezɛ̃teʀese] adj (généreux, bénévole) disinteressato(-a)

désintéresser [dezɛ̃teʀese] vt: **se ~ (de)** disinteressarsi (di)

désintoxication [dezɛ̃tɔksikasjɔ̃] nf (Méd) disintossicazione f; **faire une cure de ~** fare una cura disintossicante

désinvolte [dezɛ̃vɔlt] adj disinvolto(-a)

désir [deziʀ] nm desiderio

désirer [deziʀe] vt desiderare; **je désire ...** (formule de politesse) gradirei ...; **~ faire qch** desiderare (di) fare qc; **il désire que tu l'aides** desidera che tu l'aiuti; **ça laisse à ~** lascia a desiderare

désister [deziste] vr: **se désister** desistere; (candidat) ritirarsi

désobéir [dezɔbeiʀ] vi: **~ (à)** disobbedire (a)

désobéissant, e [dezɔbeisã, ãt] adj disubbidiente

désodorisant, e [dezɔdɔʀizã, ãt] adj, nm deodorante (m)

désolé, e [dezɔle] adj desolato(-a); **je suis ~, il n'y en a plus** sono desolato, non ce n'è più

désordonné, e [dezɔʀdɔne] adj disordinato(-a)

désordre [dezɔʀdʀ] nm disordine m; **désordres** nmpl (Pol: troubles, manifestations) disordini mpl; **en ~** in disordine; **dans le ~** (tiercé) non in ordine di arrivo

désormais [dezɔʀmɛ] adv ormai

desquelles [dekɛl] prép + pron voir **lequel**

desquels [dekɛl] prép + pron voir **lequel**

dessécher [deseʃe] vt (plante, peau) seccare; (terre, fig) inaridire; (volontairement: aliments etc) essiccare; **se dessécher** vr (plante, peau) seccarsi; (terre) inaridirsi

desserrer [deseʀe] vt (aussi fig) allentare; (poings, dents) schiudere; (objets alignés) distanziare; (Écon) aprire; **ne pas ~ les dents** non aprire bocca

dessert [desɛʀ] vb voir **desservir** ▪ nm (plat) dessert m inv

desservir [desɛʀviʀ] vt (ville, quartier) servire; (suj: vicaire: paroisse) prestare servizio presso; (nuire à: personne) nuocere a; **~ la table** sparecchiare la tavola

dessin [desɛ̃] nm (aussi Art) disegno; **le ~ industriel** il disegno tecnico; **~ animé** cartone m animato; **~ humoristique** vignetta umoristica

dessinateur, -trice [desinatœʀ, tʀis] nm/f disegnatore(-trice); (de bandes dessinées) vignettista m/f; **~ industriel** disegnatore m tecnico;

dessinatrice de mode disegnatrice f di moda

dessiner [desine] vt disegnare; (suj: robe) segnare; **se dessiner** vr (forme, solution) delinearsi

dessous [d(ə)su] adv sotto ▪ nm (de table, voiture) sotto, parte f inferiore; (étage inférieur): **les voisins/ l'appartement du ~** i vicini/ l'appartamento (del piano) di sotto ▪ nmpl (fig: de la politique, d'une affaire) retroscena mpl, risvolti mpl; (sous-vêtements) biancheria fsg intima; **en ~** (sous, plus bas) sotto; (fig: en catimini) di nascosto; **par ~** prép sotto; **de ~** da sotto; **de ~ le lit** da sotto il letto; **avoir le ~** avere la peggio

dessous-de-plat [dəsudpla] nm inv sottopiatto

dessus [d(ə)sy] adv sopra ▪ nm (de table, voiture) parte f superiore, sopra m inv; **les voisins/l'appartement du ~** i vicini/l'appartamento (del piano) di sopra; **en ~**, **par ~** sopra; **de ~** (da) sopra; **avoir/prendre/reprendre le ~** avere/prendere/riprendere il sopravvento; **bras ~ bras dessous** a braccetto, sottobraccio; **sens ~ dessous** sottosopra

dessus-de-lit [dəsydli] nm inv copriletto m inv

destin [dɛstɛ̃] nm destino

destinataire [dɛstinatɛʀ] nm/f (Postes) destinatario(-a); **aux risques et périls du ~** a rischio e pericolo del destinatario

destination [dɛstinasjɔ̃] nf destinazione f; **à ~ de ...** (avion, train, bateau) con destinazione ...; (voyageur) diretto(-a) a ...

destiner [dɛstine] vt: **~ à** (poste, personne, lettre) destinare a; **se ~ à l'enseignement** avviarsi all'insegnamento; **être destiné à** (sort, usage) essere destinato(-a) a; (suj: sort) essere riservato(-a) a

détachant [detaʃɑ̃] nm (nettoyant) smacchiatore m

détacher [detaʃe] vt (enlever, ôter) staccare; (délier) slegare; (Mil) distaccare; (vêtement: nettoyer) smacchiare; **se détacher** vr (gén, Sport) staccarsi; (chien, prisonnier) slegarsi; **~ qn (auprès de/à)** (Admin)

distaccare qn (presso/a); **se ~ (de qn ou qch)** staccarsi (da qn ou qc); **se ~ sur** stagliarsi su, spiccare su

détail [detaj] nm dettaglio; **prix de ~** prezzo al dettaglio; **au ~** al dettaglio; **faire/donner le ~ de** fare un elenco dettagliato di; (compte, facture) fare la specifica di; **en ~** nei dettagli

détaillant, e [detajɑ̃, ɑ̃t] nm/f dettagliante m/f

détaillé, e [detaje] adj dettagliato(-a)

détailler [detaje] vt (Comm) vendere al dettaglio; (énumérer) elencare dettagliatamente; (examiner) esaminare nei dettagli

détecter [detɛkte] vt rivelare

détective [detɛktiv] nm: **~ (privé)** detective m inv, investigatore m privato

déteindre [detɛ̃dʀ] vi (tissu) stingere, scolorire; (couleur) sbiadire; **~ sur** stingere e macchiare; (fig: influencer) influenzare

détendre [detɑ̃dʀ] vt (fil, élastique) allentare; (lessive, linge) stendere; (Phys: gaz) far espandere; (relaxer) rilassare, distendere; **se détendre** vr (ressort) scattare; (se reposer) distendersi; (se décontracter) rilassarsi

détenir [det(ə)niʀ] vt detenere; (objet) possedere; **~ le pouvoir** (Pol) detenere il ou essere al potere

détente [detɑ̃t] nf (aussi fig) distensione f; (d'une arme) grilletto; (Sport) scatto

détention [detɑ̃sjɔ̃] nf detenzione f; **~ préventive** custodia cautelare

détenu, e [det(ə)ny] pp de **détenir** ▪ nm/f detenuto(-a)

détergent [detɛʀʒɑ̃] nm detersivo

détériorer [deteʀjɔʀe] vt deteriorare, danneggiare; **se détériorer** vr (aussi fig) deteriorarsi

déterminé, e [detɛʀmine] adj determinato(-a); (fixé) stabilito(-a), determinato(-a)

déterminer [detɛʀmine] vt stabilire, determinare; **~ qn à faire qch** far decidere a qn di fare qc; **se ~ à faire qch** decidersi a fare qc

détester [detɛste] vt odiare, detestare

détour [detuR] nm deviazione f;
(*tournant, courbe*) svolta; (*fig:
subterfuge*) sotterfugio; **au ~ du
chemin** alla svolta del sentiero; **sans
~** (*fig*) senza giri di parole

détourné, e [deturne] *adj*
indiretto(-a)

détourner [deturne] *vt* (*rivière,
trafic*) deviare; (*avion*) dirottare; (*yeux,
tête*) voltare (dall'altra parte); (*de
l'argent*) sottrarre; (*conversation,
attention*) sviare; **se détourner** *vr*
(*tourner la tête*) voltarsi (dall'altra
parte); **~ qn de son devoir/travail**
distogliere qn dal suo dovere/lavoro

détraquer [detRake] *vt* guastare;
(*santé, estomac*) far male a, rovinare;
se détraquer *vr* (*v vt*) guastarsi;
rovinarsi

détriment [detRimã] *nm*: **au ~ de** a
scapito di

détroit [detRwa] *nm* stretto; **le ~ de
Gibraltar** lo stretto di Gibilterra

détruire [detRɥiR] *vt* (*aussi fig*)
distruggere

dette [dɛt] *nf* (*aussi fig*) debito; **~ de
l'État** debito dello Stato; **~ publique**
debito pubblico

DEUG [døg] *sigle m* (= *Diplôme d'études
universitaires générales*) diploma
universitario conseguito dopo due anni
di studi

deuil [dœj] *nm* lutto; **porter/prendre
le ~** portare/prendere il lutto; **être en
~** essere in lutto

deux [dø] *adj inv, nm inv* due (*m*) *inv*;
les ~ entrambi(-e); **ses ~ mains**
entrambe le sue mani; **tous les ~
jours/mois** ogni due giorni/mesi;
à ~ pas a due passi; **~ points**
(*ponctuation*) due punti; *voir aussi* **cinq**

deuxième [døzjɛm] *adj, nm/f*
secondo(-a); **~ classe** seconda classe;
voir aussi **cinquième**

deuxièmement [døzjɛmmã] *adv* in
secondo luogo

deux-pièces [døpjɛs] *nm inv* (*tailleur,
maillot de bain*) due pezzi *m inv*;
(*appartement*) bilocale *m*

deux-roues [døRu] *nm inv* veicolo a
due ruote

devais [dəvɛ] *vb voir* **devoir**

dévaluation [devalɥasjõ] *nf* (*aussi
Écon*) svalutazione f

devancer [d(ə)vãse] *vt* precedere;
(*distancer*) superare; (*prévenir,
anticiper*) prevenire; **~ l'appel** (*Mil*)
anticipare la chiamata alle armi

devant [d(ə)vã] *vb voir* **devoir** ■ *adv*
davanti ■ *prép* (*aussi fig*) davanti a
■ *nm* (*de maison, vêtement, voiture*)
davanti *m inv*; **prendre les ~s**
(*prévenir*) mettere le mani avanti; **j'ai
pris les ~s et j'ai appelé** l'ho
preceduto e ho chiamato io; **de ~**
anteriore; **par ~** (*boutonner*) (sul)
davanti; (*entrer, passer*) dal davanti;
aller au-~ de (*personne, difficultés*)
andare incontro a; (*désirs de qn*)
prevenire; **par-~ notaire** in presenza
del notaio

devanture [d(ə)vãtyR] *nf* (*façade*)
facciata; (*étalage*) esposizione f;
(*vitrine*) vetrina

développement [dev(ə)lɔpmã] *nm*
sviluppo; (*exposé*) svolgimento

développer [dev(ə)lɔpe] *vt* (*aussi
Photo*) sviluppare; **pouvez-vous ~
cette pellicule?** può sviluppare
questo rullino?; (*déplier*) dispiegare;
se développer *vr* svilupparsi

devenir [dəv(ə)niR] *vt* diventare,
divenire; **~ médecin** diventare *ou*
divenire medico; **que sont-ils
devenus?** che ne è stato di loro?

devez [dəve] *vb voir* **devoir**

déviation [devjasjõ] *nf* (*aussi Auto*)
deviazione f; **~ de la colonne
(vertébrale)** deviazione della
colonna vertebrale

devienne *etc* [dəvjɛn] *vb voir* **devenir**

deviner [d(ə)vine] *vt* indovinare

devinette [d(ə)vinɛt] *nf* indovinello

devis [d(ə)vi] *nm* preventivo;
~ descriptif descrizione f dei lavori;
~ estimatif preventivo di spesa

devise [dəviz] *nf* (*formule*) motto;
(*Écon*) moneta; **devises** *nfpl* (*argent*)
valuta *fsg*

dévisser [devise] *vt* svitare;
se dévisser *vr* svitarsi

devoir [d(ə)vwaR] *nm* dovere *m*;
(*Scol*) compito ■ *vt* (*argent, respect*):
~ qch à qn dovere qc a qn; **combien
est-ce que je vous dois?** quanto le
devo?; (*suivi de l'infinitif: obligation*):
il doit le faire deve farlo, lo deve fare;
(: *fatalité*): **cela devait arriver** doveva

succedere prima o poi; (: *intention*):
il doit partir demain deve partire
domani; (: *probabilité*): **il doit être
tard** dev'essere tardi; **se faire un ~ de
faire** farsi un dovere di fare; **se ~ de
faire qch** sentirsi in dovere di fare qc;
je devrais faire dovrei fare; **tu
n'aurais pas dû** non avresti dovuto;
comme il se doit come si deve; **se
mettre en ~ de faire qch** disporsi *ou*
prepararsi a fare qc; **derniers ~s**
onoranze *fpl* funebri; **vous devriez lui
en parler** dovrebbe parlargliene; **est-
ce que je dois vraiment m'en aller?**
devo andarmene davvero?; **je lui dois
beaucoup** gli devo molto; **~s de
vacances** compiti *mpl* per le vacanze
dévorer [devɔʀe] *vt* divorare; **~ qn/
qch des yeux** *ou* **du regard** divorare
qn/qc con gli occhi *ou* lo sguardo
dévoué, e [devwe] *adj* (*personne*)
devoto(-a); **être ~ à qn** essere
devoto(-a) a qn
dévouer [devwe] *vr*: **se dévouer** (*se
sacrifier*): **se ~ (pour)** sacrificarsi (per);
se ~ à (*se consacrer*) dedicarsi a
devrai [dəvʀe] *vb voir* **devoir**
dézipper [dezipe] *vt* (*Inform*)
dezippare
diabète [djabɛt] *nm* diabete *m*
diabétique [djabetik] *adj, nm/f*
diabetico(-a)
diable [djɑbl] *nm* diavolo; (*chariot à
deux roues*) carrello; **(petit) ~** (*enfant*)
diavoletto; **pauvre ~** (*clochard*)
povero diavolo; **une musique du ~**
una musica infernale; **il fait une
chaleur du ~** fa un caldo infernale;
avoir le ~ au corps avere il diavolo in
corpo; **habiter/être situé au ~**
abitare/trovarsi a casa del diavolo
diabolo [djabɔlo] *nm* (*jeu*) diabolo;
(*boisson*) limonata frizzante con sciroppo
alla frutta; **~ menthe** limonata frizzante
con sciroppo alla menta
diagnostic [djagnɔstik] *nm*
diagnosi *f*
diagnostiquer [djagnɔstike] *vt*
diagnosticare
diagonal, e, aux [djagɔnal, o] *adj*
diagonale
diagonale [djagɔnal] *nf* (*Math*)
diagonale *f*; **en ~** in diagonale; **lire en
~** (*fig*) dare una scorsa a

diagramme [djagʀam] *nm*
diagramma *m*
dialecte [djalɛkt] *nm* dialetto
dialogue [djalɔg] *nm* dialogo;
cesser/reprendre le ~ cessare/
riprendere il dialogo; **~ de sourds**
dialogo tra sordi
diamant [djamɑ̃] *nm* diamante *m*;
(*de vitrier*) diamante *m* tagliavetro *inv*
diamètre [djamɛtʀ] *nm* diametro
diapositive [djapozitiv] *nf* diapositiva
diarrhée [djaʀe] *nf* diarrea
dictateur [diktatœʀ] *nm* dittatore *m*
dictature [diktatyʀ] *nf* dittatura
dictée [dikte] *nf* dettato; **prendre
sous ~** scrivere sotto dettatura
dicter [dikte] *vt* (*aussi fig*) dettare
dictionnaire [diksjɔnɛʀ] *nm*
dizionario; **~ bilingue** dizionario
bilingue; **~ encyclopédique**
dizionario enciclopedico;
~ géographique dizionario geografico;
~ de langue dizionario di lingua
dièse [djɛz] *nm* (*Mus*) diesis *m inv*
diesel [djezɛl] *nm* diesel *m inv*; **un
(véhicule/moteur) ~** un (veicolo/
motore) diesel
diète [djɛt] *nf* dieta; **être à la ~** essere
a dieta
diététique [djetetik] *adj*
dietetico(-a) ■ *nf* dietetica; **magasin
~** negozio di prodotti dietetici
dieu, x [djø] *nm* (*aussi fig*) dio; **D~** Dio;
le bon D~ il buon Dio; **mon D~!** Dio
mio!, mio Dio!
différemment [difeʀamɑ̃] *adv*
differentemente
différence [difeʀɑ̃s] *nf* differenza;
à la ~ de a differenza di
différencier [difeʀɑ̃sje] *vt*
differenziare; **se différencier** *vr*:
se ~ (de) differenziarsi (da)
différent, e [difeʀɑ̃, ɑ̃t] *adj*: **~ (de)**
differente (da), diverso(-a) (da); **à ~es
reprises** a diverse *ou* più riprese; **pour
~es raisons** per diverse *ou* varie ragioni
différer [difeʀe] *vt* differire ■ *vi* (*être
différent*): **~ (de)** differire (da)
difficile [difisil] *adj* difficile; **faire le ~**
fare il difficile
difficilement [difisilmɑ̃] *adv*
(*marcher, s'expliquer etc*) con difficoltà;
~ compréhensible/lisible
difficilmente comprensibile/leggibile

difficulté [difikylte] *nf* difficoltà *f inv*; **faire des ~s (pour)** fare (delle) difficoltà (per); **en ~** (*bateau, alpiniste*) in difficoltà; **avoir de la ~ à faire qch** avere difficoltà a fare qc

diffuser [difyze] *vt* diffondere; (*Comm: livres, journaux*) distribuire

digérer [diʒeʀe] *vt* (*aussi fig*) digerire

digestif, -ive [diʒɛstif, iv] *adj* digestivo(-a) ■ *nm* digestivo

digestion [diʒɛstjɔ̃] *nf* digestione *f*; **bonne/mauvaise ~** buona/cattiva digestione

digne [diɲ] *adj* (*respectable*) degno(-a); **~ de qn/qch** degno(-a) di qn/qc; **~ d'intérêt/d'admiration** degno(-a) d'interesse/ d'ammirazione; **~ de foi** degno(-a) di fede

dignité [diɲite] *nf* dignità *f inv*

digue [dig] *nf* diga

dilemme [dilɛm] *nm* dilemma *m*

diligence [diliʒɑ̃s] *nf* (*véhicule, empressement*) diligenza; **faire ~** provvedere con sollecitudine

diluer [dilɥe] *vt* (*peinture, alcool*) diluire; (*fig, péj: discours etc*) annacquare

dimanche [dimɑ̃ʃ] *nm* domenica; **le ~ des Rameaux/de Pâques** la domenica delle Palme/di Pasqua; *voir aussi* **lundi**

dimension [dimɑ̃sjɔ̃] *nf* dimensione *f*

diminuer [diminɥe] *vt* diminuire; (*personne: dénigrer*) sminuire; (*tricot*) calare ■ *vi* diminuire

diminutif [diminytif] *nm* (*Ling, nom*) diminutivo

dinde [dɛ̃d] *nf* tacchina

dindon [dɛ̃dɔ̃] *nm* tacchino

dîner [dine] *nm* cena ■ *vi* cenare; **~ d'affaires** cena d'affari; **~ de famille** cena di famiglia

dingue [dɛ̃g] *adj* (*fam*) suonato(-a), folle

dinosaure [dinɔzɔʀ] *nm* dinosauro

diplomate [diplɔmat] *adj, nm/f* diplomatico(-a) ■ *nm* (*Culin*) diplomatico

diplomatie [diplɔmasi] *nf* diplomazia

diplôme [diplom] *nm* (*certificat*) diploma *m*; (*Univ: licence*) (diploma *m*

di) laurea; **avoir des ~s** avere dei titoli di studio; **~ d'études supérieures** diploma post-laurea per accedere all'esame di stato per l'insegnamento

diplômé, e [diplome] *adj, nm/f* diplomato(-a)

dire [diʀ] *vt* dire; (*suj: horloge etc*) segnare; **se dire** *vr* dirsi; (*se prétendre*): **se ~ malade** darsi (per) malato(-a) ■ *nm*: **au ~ de** a detta di; **leurs ~s** quanto affermano; **~ qch à qn** dire qc a qn; **~ à qn que** dire a qn che; **~ ce qu'on pense** dire ciò che si pensa; **~ à qn qu'il fasse** *ou* **de faire qch** dire a qn che faccia *ou* di fare qc; **n'avoir rien à ~ (à)** (*objecter*) non avere niente da ridire (su); **vouloir ~ que** (*signifier*) voler dire che; **cela me/ lui dit de faire** (*plaire*) mi/gli va di fare; **que dites-vous de ...?** che ne dite di ...?; **dis pardon** chiedi scusa; **dis merci** di' grazie; **on dit que ...** si dice che ...; **comme on dit** come si dice; **on dirait que** si direbbe che; **on dirait du vin** si direbbe vino; **ça ne me dit rien** non mi dice niente; **à vrai ~** a dire il vero; **pour ainsi ~** per così dire; **cela va sans ~** va da sé; **dis donc!** (*pour attirer attention*) senti un po'!; **et ~ que ...** e dire che ...; **ceci ou cela dit** detto ciò; **c'est dit, voilà qui est dit** siamo intesi; **il n'y a pas à ~** non c'è che dire; **c'est ~ s'il était content** per dire quant'era contento; **c'est beaucoup/peu ~** a dir molto/ poco; **c'est toi qui le dis** questo lo dici tu; **je ne vous le fais pas ~** lo dice lei stesso; **je te l'avait dit** te l'avevo detto; **je ne peux pas ~ le contraire** non posso dire il contrario; **tu peux le ~** puoi (ben) dirlo; **à qui le dis-tu** a chi lo dici; **cela ne se dit pas comme ça** non si dice così; **se ~ au revoir** dirsi arrivederci; **ça se dit ... en anglais** in inglese si dice ...

direct, e [diʀɛkt] *adj* (*aussi fig*) diretto(-a) ■ *nm* (*train*) diretto; **~ du gauche/du droit** (*boxe*) diretto sinistro/destro; **en ~** (*émission, reportage*) in diretta; **train/bus ~** treno/autobus diretto

directement [diʀɛktəmɑ̃] *adv* direttamente

directeur, -trice [dirɛktœr, tris]
adj (*principe*) ispiratore(-trice); (*fil*)
conduttore(-trice) ◼ *nm/f*
direttore(-trice); **comité ~** comitato
direttivo; **~ commercial/général**
direttore commerciale/generale;
~ du personnel direttore del
personale; **~ de thèse** relatore *m*

direction [dirɛksjɔ̃] *nf* (*aussi fig*)
direzione *f*; (*Auto*) sterzo; **sous la ~ de**
(*Mus*) sotto la direzione di; **en ~ de**
(*avion, train, bateau*) diretto(-a) a;
"toutes ~s" (*Auto*) "tutte le direzioni"

dirent [dir] *vb voir* **dire**

dirigeant, e [diriʒɑ̃, ɑ̃t] *adj, nm/f*
dirigente *m/f*

diriger [diriʒe] *vt* dirigere;
se diriger *vr* dirigersi; (*s'orienter*)
orientarsi; **~ sur** (*braquer: regard*)
dirigere verso; (: *arme*) puntare su

dis [di] *vb voir* **dire**

discerner [disɛrne] *vt* (*aussi fig*)
discernere

discipline [disiplin] *nf* disciplina

discipliner [disipline] *vt*
disciplinare; (*cheveux*) rendere docile

discontinu, e [diskɔ̃tiny] *adj*
discontinuo(-a)

discontinuer [diskɔ̃tinɥe] *vi*: **sans ~**
senza interruzione

discothèque [diskɔtɛk] *nf*
discoteca; **~ (de prêt)** discoteca (*con
dischi a prestito*)

discours [diskur] *vb, nm* (*aussi fig*)
discorso ◼ *nmpl* (*bavardages*) discorsi
mpl, chiacchiere *fpl*; **~ direct/indirect**
(*Ling*) discorso diretto/indiretto

discret, -ète [diskrɛ, ɛt] *adj*
discreto(-a); **un endroit ~** un luogo
appartato

discrétion [diskresjɔ̃] *nf* discrezione
f; **à ~** (*boisson etc*) a volontà, a piacere;
à la ~ de qn a discrezione di qn

discrimination [diskriminasjɔ̃] *nf*
discriminazione *f*; **sans ~**
indiscriminatamente

discussion [diskysjɔ̃] *nf*
discussione *f*

discutable [diskytabl] *adj* discutibile

discuter [diskyte] *vt* discutere ◼ *vi*:
~ (de) discutere (di)

dise [diz] *vb voir* **dire**

disjoncteur [disʒɔ̃ktœr] *nm* (*Élec*)
interruttore *m* automatico

disloquer [dislɔke] *vt* (*membre*)
slogare, lussare; (*chaise*) sfasciare;
(*troupe, manifestants*) disperdere;
se disloquer *vr* (*parti, empire*)
smembrarsi; **se ~ l'épaule** slogarsi *ou*
lussarsi la spalla

disons [dizɔ̃] *vb voir* **dire**

disparaître [disparɛtr] *vi* sparire,
scomparire; (*mourir*) scomparire;
faire ~ far sparire

disparition [disparisjɔ̃] *nf*
sparizione *f*, scomparsa

disparu, e [dispary] *pp de*
disparaître ◼ *nm/f* scomparso(-a);
être porté ~ essere dato(-a) per
disperso(-a)

dispensaire [dispɑ̃sɛr] *nm*
dispensario

dispenser [dispɑ̃se] *vt* (*attention,
soins*) dispensare; **~ qn de qch/de
faire qch** dispensare *ou* esonerare qn
da qc/dal fare qc; **se ~ de qch/de
faire qch** esimersi da qc/dal fare qc;
se faire ~ de qch farsi dispensare *ou*
esonerare da qc

disperser [dispɛrse] *vt* disperdere;
(*disséminer*) sparpagliare;
se disperser *vr* (*aussi fig*) disperdersi

disponible [dispɔnibl] *adj*
disponibile

disposé, e [dispoze] *adj* disposto(-a);
bien/mal ~ di buon/cattivo umore;
bien/mal ~ pour *ou* **envers qn** ben/
mal disposto(-a) nei confronti di *ou*
verso qn; **~ à** disposto(-a) a

disposer [dispoze] *vt* disporre ◼ *vi*:
vous pouvez ~ può andare; **~ de**
(*avoir, utiliser*) disporre di; **~ qn à qch/
faire qch** preparare qn a qc/fare qc;
se ~ à faire qch disporsi *ou* accingersi
a fare qc

dispositif [dispozitif] *nm*
dispositivo; **~ de sûreté** dispositivo di
sicurezza

disposition [dispozisjɔ̃] *nf*
(*arrangement, tendance, d'une loi*)
disposizione *f*; (*humeur*) umore *m*;
(*gén pl: préparatifs*) preparativi *mpl*;
(*aptitudes*) predisposizione *f*;
dispositions *nfpl* (*intentions*)
intenzioni *fpl*; **à la ~ de qn** a
disposizione di qn; **avoir qch à sa ~**
avere qc a (propria) disposizione; **se
mettre/être à la ~ de qn** mettersi/

essere a disposizione di qn; **à l'entière ~ de qn** a completa disposizione di qn

disproportionné, e [dispropɔʀsjɔne] *adj* sproporzionato(-a)

dispute [dispyt] *nf* litigio

disputer [dispyte] *vt* disputare; **se disputer** *vr* (*personnes*) litigare; (*match, combat*) disputarsi; **~ qch à qn** contendere qc a qn

disqualifier [diskalifje] *vt* squalificare; **se disqualifier** *vr* squalificarsi

disque [disk] *nm* disco; **le lancement du ~** il lancio del disco; **~ compact** compact disc *m inv*; **~ d'embrayage** (*Auto*) disco della frizione; **~ de stationnement** disco orario; **~ dur** (*Inform*) disco rigido, hard disk *m inv*; **~ laser** disco ottico; **~ système** disco di sistema

disquette [diskɛt] *nf* (*Inform*) dischetto; **~ à double/simple densité** dischetto a densità doppia/ semplice; **~ double face** dischetto a faccia *ou* facciata doppia/singola

dissertation [disɛʀtasjɔ̃] *nf* (*Scol*) tema *m*, composizione *f*

dissimuler [disimyle] *vt* dissimulare, nascondere; **se dissimuler** *vr* nascondersi

dissipé, e [disipe] *adj* (*élève*) indisciplinato(-a)

dissolvant, e [disɔlvɑ̃, ɑ̃t] *nm* solvente *m*

dissuader [disɥade] *vt* dissuadere; **~ qn de faire qch** dissuadere qn dal fare qc

distance [distɑ̃s] *nf* distanza; **à ~** (*aussi fig*) a distanza; **(situé) à ~** (*Inform*) a distanza, remoto(-a); **tenir qn/se tenir à ~** tenere qn/tenersi a distanza; **à une ~ de 10 km** a una distanza di 10 km; **à 10 km/2 ans de ~** a 10 km/2 anni di distanza; **prendre ses ~s** prendere le distanze; **garder ses ~s** mantenere le distanze; **tenir la ~** (*Sport*) reggere la distanza; **~ focale** (*Photo*) distanza focale

distancer [distɑ̃se] *vt* distanziare; **se laisser ~** lasciarsi distanziare

distant, e [distɑ̃, ɑ̃t] *adj* (*aussi fig*) distante; **~ de** (*lieu*) distante da; **~ de 5 km** (*d'un lieu*) distante 5 km

distillerie [distilʀi] *nf* distilleria

distinct, e [distɛ̃(kt), ɛ̃kt] *adj* distinto(-a)

distinctement [distɛ̃ktəmɑ̃] *adv* (*voir*) distintamente; (*parler*) chiaramente

distinctif, -ive [distɛ̃ktif, iv] *adj* distintivo(-a)

distingué, e [distɛ̃ge] *adj* distinto(-a)

distinguer [distɛ̃ge] *vt* distinguere; **se distinguer** *vr*: **se ~ (de)** distinguersi (da)

distraction [distʀaksjɔ̃] *nf* distrazione *f*

distraire [distʀɛʀ] *vt, vi* distrarre; (*somme d'argent*) sottrarre; **se distraire** *vr* distrarsi; **~ qn de qch** distrarre qn da qc; **~ l'attention** sviare l'attenzione

distrait, e [distʀɛ, ɛt] *pp de* **distraire** ■ *adj* distratto(-a)

distrayant, e [distʀɛjɑ̃, ɑ̃t] *vb voir* **distraire** ■ *adj* che distrae

distribuer [distʀibɥe] *vt* distribuire

distributeur, -trice [distʀibytœʀ, tʀis] *nm/f* (*Comm*) distributore(-trice) ■ *nm* (*Auto*) distributore *m*; **~ (automatique)** distributore (automatico); **~ de billets** (*Rail*) distributore di biglietti; (*Banque*) sportello automatico

dit [di] *pp de* **dire** ■ *adj* (*fixé*): **le jour ~** il giorno fissato *ou* stabilito; **X, ~ Pierrot** (*surnommé*) X, detto Pierrot

dites [dit] *vb voir* **dire**

divan [divɑ̃] *nm* divano

divers, e [divɛʀ, ɛʀs] *adj* (*varié*) vari(e), svariati(e); (*différent*) diversi(e); (*plusieurs*) diversi(e), vari(e); **"~"** (*rubrique*) "varie"; (*frais*) **~** (*Comm*) (spese *fpl*) varie

diversité [divɛʀsite] *nf* diversità *f inv*

divertir [divɛʀtiʀ] *vt* divertire; **se divertir** *vr* divertirsi

divertissement [divɛʀtismɑ̃] *nm* (*aussi Mus*) divertimento

diviser [divize] *vt* dividere; **se diviser en** *vr* dividersi in; **~ par** dividere per; **~ un nombre par un autre** dividere un numero per un altro

division [divizjɔ̃] *nf* (*gén, Math, Mil*) divisione *f*; **1ère/2ème ~** (*Sport*) serie *f* A/B; **~ du travail** divisione del lavoro

divorce [divɔʀs] *nm* divorzio; (*fig*) divergenza

divorcé, e [divɔʀse] *adj, nm/f*
divorziato(-a)

divorcer [divɔʀse] *vi*: **~ (de** *ou* **d'avec
qn)** divorziare (da qn)

divulguer [divylge] *vt* divulgare

dix [dis] *adj inv, nm inv* dieci *(m) inv*;
voir aussi **cinq**

dix-huit [dizɥit] *adj inv, nm inv*
diciotto *(m) inv*; *voir aussi* **cinq**

dix-huitième [dizɥitjɛm] *adj, nm/f*
diciottesimo(-a) ■ *nm* diciottesimo;
voir aussi **cinquième**

dixième [dizjɛm] *adj, nm/f*
decimo(-a) ■ *nm* decimo; *voir aussi*
cinquième

dix-neuf [diznœf] *adj inv, nm inv*
diciannove *(m) inv*; *voir aussi* **cinq**

dix-neuvième [diznœvjɛm] *adj,
nm/f* diciannovesimo(-a) ■ *nm*
diciannovesimo; *voir aussi*
cinquième

dix-sept [disɛt] *adj inv, nm inv*
diciassette *(m) inv*; *voir aussi* **cinq**

dix-septième [disɛtjɛm] *adj, nm/f*
diciassettesimo(-a) ■ *nm*
diciassettesimo; *voir aussi* **cinquième**

dizaine [dizɛn] *nf* decina; **une ~ de ...**
una decina di ...; **dire une ~ de
chapelet** recitare una posta del rosario

do [do] *nm (Mus)* do *m inv*

docile [dɔsil] *adj* docile

dock [dɔk] *nm (bassin)* bacino;
(hangar, bâtiment) magazzino;
~ flottant bacino galleggiante

docker [dɔkɛʀ] *nm* scaricatore *m* (di
porto)

docteur, e [dɔktœʀ] *nm/f (Méd)*
dottore *m*; **appelez un ~** chiamate un
dottore; *(Univ)* ≈ dottore di ricerca;
~ en médecine dottore in medicina

doctorat [dɔktɔʀa] *nm*:
~ d'Université ≈ dottorato (di ricerca)

doctrine [dɔktʀin] *nf* dottrina

document [dɔkymã] *nm* documento

documentaire [dɔkymãtɛʀ] *adj*
documentario(-a) ■ *nm*: **(film) ~**
documentario

documentation [dɔkymãtasjɔ̃] *nf*
(documents) documentazione *f*

documenter [dɔkymãte] *vt*
documentare; **se ~ (sur)**
documentarsi (su)

dodo [dodo] *nm*: **aller faire ~** andare a
(far la) nanna

dogue [dɔg] *nm* mastino

doigt [dwa] *nm* dito; **à deux ~s de** a
un pelo da; **un ~ de lait/whisky** *(fig)*
un dito di latte/whisky; **le petit ~** il
mignolo; **au ~ et à l'œil** *(obéir)* a
bacchetta; **désigner/montrer du ~**
indicare/mostrare col dito, additare;
connaître qch sur le bout du ~
conoscere qc a menadito; **mettre le ~
sur la plaie** mettere il dito sulla piaga;
~ de pied dito del piede

doit *etc* [dwa] *vb voir* **devoir**

dollar [dɔlaʀ] *nm* dollaro

domaine [dɔmɛn] *nm* proprietà *f inv*;
(fig) campo; **tomber dans le ~ public**
diventare di dominio pubblico; **dans
tous les ~s** in tutti i campi

domestique [dɔmɛstik] *adj*
domestico(-a); *(Comm: marché,
consommation)* interno(-a),
domestico(-a) ■ *nm/f* domestico(-a)

domicile [dɔmisil] *nm* domicilio;
à ~ a domicilio; **élire ~ à** eleggere
domicilio a; **sans ~ fixe** senza fissa
dimora; **~ conjugal** tetto coniugale;
~ légal domicilio legale

domicilié, e [dɔmisilje] *adj*: **être ~ à**
essere domiciliato(-a) a

dominant, e [dɔminã, ãt] *adj (aussi
fig)* dominante

dominer [dɔmine] *vt* dominare;
(concurrents) superare ■ *vi* dominare;
(être le plus nombreux) prevalere; **se
dominer** *vr (se maîtriser)* dominarsi,
controllarsi

domino [dɔmino] *nm* tessera del
domino; **dominos** *nmpl (jeu)*
domino *msg*

dommage [dɔmaʒ] *nm* danno; **c'est
~ de faire/que ...** è un peccato fare/
che ...; **~s corporels** danni fisici;
~s matériels danni materiali

dompter [dɔ̃(p)te] *vt (aussi fig)*
domare

dompteur, -euse [dɔ̃(p)tœʀ, øz]
nm/f domatore(-trice)

DOM-ROM [dɔmʀɔm], **DOM-TOM**
[dɔmtɔm] *sigle m inv*
(= *département(s) d'outre-mer et
région(s)/territoire(s) d'outre-mer*)
*provincias y territorios franceses de
ultramar*

don [dɔ̃] *nm* dono; **avoir des ~s pour**
essere portato(-a) per; **faire ~ de** fare

dono di; **~ en argent** elargizione *f*
in denaro
donc [dɔ̃k] *conj* (*en conséquence*)
quindi, dunque; (*après une digression*)
allora, dunque; **voilà ~ la solution**
ecco qui la soluzione; **je disais ~ que**
dunque, dicevo che; **c'est ~ que** allora
(significa che); **c'est ~ que j'avais
raison** allora avevo ragione io; **venez
~ dîner à la maison** su, venga a cena
da noi; **faites ~** e allora lo faccia!;
allons ~! su, andiamo!
donné, e [dɔne] *adj*: **le prix/jour ~**
(*convenu*) il dato prezzo/giorno; **c'est
~** (*pas cher*) è regalato; **étant ~ que ...**
dato che ...
donnée [dɔne] *nf* dato
donner [dɔne] *vt* dare; (*maladie*)
passare ■ *vi*: **~ sur** (*fenêtre, chambre*)
dare su; **se donner** *vr* darsi; **~ qch à
qn** dare qc a qn; **~ l'heure à qn** dire
l'ora a qn; **~ le ton** (*fig*) dare il tono;
~ à penser que far pensare che; **~ à
entendre que** dare ad intendere che;
faire ~ l'infanterie far intervenire la
fanteria; **~ dans** (*piège etc*) cadere in;
se ~ à fond à son travail darsi anima
e corpo al proprio lavoro; **s'en ~ (à
cœur joie)** (*fam*) darsi alla pazza
gioia; **se ~ du mal** *ou* **de la peine
(pour faire qch)** darsi un gran daffare
(per fare qc)

MOT-CLÉ

dont [dɔ̃] *pron rel* **1** (*appartenance*):
dont le/la il (la) cui; **la maison dont
le toit est rouge** la casa il cui tetto è
rosso; **la maison dont je vois le toit**
la casa di cui vedo il tetto; **l'homme
dont je connais la sœur** l'uomo di cui
conosco la sorella; **c'est le chien
dont le maître habite en face** è il
cane il cui padrone abita di fronte
2 (*parmi lesquel(le)s*): **2 livres, dont
l'un est gros** 2 libri, uno dei quali è
grosso; **il y avait plusieurs personnes,
dont Gabrielle** c'erano parecchie
persone, tra cui *ou* le quali Gabrielle;
10 blessés, dont 2 grièvement
10 feriti, di cui 2 gravemente
3 (*provenance, origine*) da cui; **le pays
dont il est originaire** il paese da cui
viene *ou* di cui è originario

4 (*façon*) in cui; **la façon dont il l'a
fait** il modo in cui l'ha fatto
5 (*au sujet de qui/quoi*): **ce dont je
parle** ciò di cui parlo; **le voyage dont
je t'ai parlé** il viaggio di cui ti ho
parlato; **le fils/livre dont il est si fier**
il figlio/libro di cui è tanto fiero

doré, e [dɔʀe] *adj* dorato(-a)
dorénavant [dɔʀenavɑ̃] *adv* d'ora in
poi, d'ora in avanti
dorer [dɔʀe] *vt* (*cadre*) dorare; **(faire)
~** (*poulet, gâteau*) (far) indorare; **se ~
au soleil** dorarsi al sole; **~ la pilule à
qn** indorare la pillola a qn
dorloter [dɔʀlɔte] *vt* coccolare; **se
faire ~** farsi coccolare
dormir [dɔʀmiʀ] *vi* dormire; (*fig:
ressources*) restare inattivo(-a); **ne
fais pas de bruit, il dort** non fare
rumore, sta dormendo; **~ à poings
fermés** dormire della grossa
dortoir [dɔʀtwaʀ] *nm* dormitorio
dos [do] *nm* schiena, dorso; (*de
vêtement*) schiena; (*de livre, cahier,
main*) dorso; (*d'un papier, chèque*) retro;
voir au ~ vedi a tergo; **robe
décolletée dans le ~** abito scollato
sulla schiena; **de ~** di spalle; **~ à ~**
schiena contro schiena; **sur le ~**
(*s'allonger*) supino(-a); **à ~ de** a dorso
di; **avoir bon ~** avere buone spalle;
se mettre qn à ~ inimicarsi qn
dosage [doza3] *nm* dosaggio
dose [doz] *nf* dose *f*; **forcer la ~** (*fig*)
rincarare la dose
doser [doze] *vt* dosare
dossier [dosje] *nm* (*renseignements,
fiches*) pratica, dossier *m inv*; (*chemise,
enveloppe*) cartella; (*de chaise*)
schienale *m*; (*Presse*) dossier; **le ~
social/monétaire** (*fig*) la questione
sociale/monetaria; **~ suspendu**
pratica rimasta in sospeso
douane [dwan] *nf* dogana; **passer
la ~** passare la dogana; **en ~**
(*marchandises, entrepôt*) fermo(-a)
in dogana
douanier, -ière [dwanje, jɛʀ] *adj*
doganale ■ *nm* doganiere *m*
double [dubl] *adj* doppio(-a) ■ *adv*
doppio ■ *nm* (*2 fois plus*): **le ~ (de)** il
doppio (di); (*autre exemplaire*)
doppione *m*; (*sosie*) sosia *m/f inv*; **à ~**

sens a doppio senso; **à ~ tranchant** a doppio taglio; **faire ~ emploi** essere in più; **à ~s commandes** con doppi comandi; **voir ~** vedere doppio; **en ~** (*exemplaire*) in duplice copia; **~ carburateur** carburatore m a doppio corpo; **~ messieurs/mixte** (*Tennis*) doppio maschile/misto; **~ toit** (*tente*) soprattetto; **~ vue** preveggenza

double-cliquer [dubl(ə)klike] vi (*Inform*) fare doppio clic

doubler [duble] vt (*multiplier par 2*) raddoppiare; (*vêtement, chaussures*) foderare; (*voiture, concurrent*) superare; (*film*) doppiare; (*acteur*) sostituire (con una controfigura) ■ vi raddoppiare; **se doubler** vr: **se ~ de** essere anche ou al tempo stesso; **~ (la classe)** (*Scol*) ripetere la classe; **~ un cap** (*Naut*) doppiare un capo; (*fig*) superare uno scoglio

doublure [dublyR] nf (*de vêtement*) fodera; (*acteur*) controfigura

douce [dus] adj voir **doux**

douceâtre [dusɑtR] adj dolciastro(-a)

doucement [dusmɑ̃] adv dolcemente; (*à voix basse*) sommessamente; (*lentement*) lentamente

douceur [dusœR] nf dolcezza; (*de peau*) morbidezza; (*de couleur, saveur*) delicatezza; (*de climat*) mitezza; **douceurs** nfpl (*friandises*) dolci mpl, dolciumi mpl; **en ~** (*filer*) di soppiatto

douche [duʃ] nf doccia; (*salle*): **~s** docce fpl; **prendre une ~** fare una doccia; **~ écossaise** (*fig*) doccia scozzese; **~ froide** (*fig*) doccia fredda

doucher [duʃe] vt fare la doccia a; (*mouiller*) inzuppare; (*fig: réprimander*) dare una lavata di capo a; (: *enthousiasme*) raggelare; **se doucher** vr farsi la doccia

doué, e [dwe] adj: **~ (de)** dotato(-a) (di); **être ~ pour** essere portato(-a) per

douille [duj] nf (*Élec*) portalampada m inv; (*de projectile*) bossolo

douillet, te [dujɛ, ɛt] adj (*péj: personne*) delicato(-a); (*lit*) morbido(-a); (*maison*) accogliente

douleur [dulœR] nf dolore m; **ressentir des ~s** avere dei dolori; **il a eu la ~ de perdre son père** ha sofferto la perdita di suo padre

douloureux, -euse [duluRø, øz] adj doloroso(-a); (*membre*) dolente

doute [dut] nm dubbio; **sans ~** probabilmente; **sans nul** ou **aucun ~** senza (alcun) dubbio; **hors de ~** fuori dubbio; **nul ~ que** non c'è dubbio che; **mettre en ~ (que)** mettere in dubbio (che)

douter [dute] vt: **~ (de/que)** dubitare (di/che); **se douter** vr: **se ~ que/de qch** sospettare che/di qc; **j'en doute** ne dubito; **je m'en doutais** lo sospettavo; **ne ~ de rien** non sospettare (di) niente

douteux, -euse [dutø, øz] adj dubbio(-a); (*temps*) incerto(-a); (*péj*) losco(-a)

doux, douce [du, dus] adj (*sucré, pas brusque, eau: non calcaire*) dolce; (*pente, vent, fig: drogue*) leggero(-a); (*lisse: peau*) liscio(-a), morbido(-a); (*saveur*) delicato(-a); (*couleur*) tenue; (*climat*) mite; (*région*) dal clima mite; **en douce** (*partir etc*) alla chetichella; **tout ~** adagio, piano

douzaine [duzɛn] nf dozzina; **une ~ (de)** una dozzina (di)

douze [duz] adj inv, nm inv dodici (m) inv; **les D~** (*membres de la CEE*) i Dodici; voir aussi **cinq**

douzième [duzjɛm] adj, nm/f dodicesimo(-a) ■ nm dodicesimo; voir aussi **cinquième**

dragée [dRaʒe] nf (*bonbon, Méd*) confetto

draguer [dRage] vt (*rivière*) dragare; (*fam: filles*) rimorchiare ■ vi (*fam*) rimorchiare

dramatique [dRamatik] adj drammatico(-a) ■ nf (*TV*) sceneggiato

drame [dRam] nm (*catastrophe, Théâtre*) dramma m; **~ familial** dramma famigliare

drap [dRa] nm (*de lit*) lenzuolo; (*tissu*) tessuto di lana; **~ de dessous/dessus** lenzuolo di sotto/sopra; **~ de plage** telo da mare

drapeau, x [dRapo] nm bandiera; (*en sport, de chef de gare etc*) bandierina; **sous les ~x** sotto le armi; **le ~ blanc** la bandiera bianca

drap-housse [dRaus] (pl **draps-housses**) nm lenzuolo con elastici agli angoli

dresser [dʀese] vt (mettre vertical)
drizzare, rizzare; (tente) montare;
(fig: liste, bilan, contrat) redigere,
stilare; (animal) addestrare;
se dresser vr ergersi; (sur la pointe des
pieds) rizzarsi; **~ l'oreille** drizzare gli
orecchi; **~ la table** apparecchiare
(la tavola); **~ qn contre qn d'autre**
aizzare qn contro qn altro; **~ un
procès-verbal à qn** stendere un
verbale a qn; **~ une contravention à
qn** fare una contravvenzione a qn
drogue [dʀɔg] nf droga; (péj)
intruglio; **~ douce/dure** droga
leggera/pesante
drogué, e [dʀɔge] nm/f drogato(-a)
droguer [dʀɔge] vt drogare; (malade)
imbottire di medicine; **se droguer** vr
(aux stupéfiants) drogarsi; (péj)
imbottirsi di medicine
droguerie [dʀɔgʀi] nf drogheria
(negozio di prodotti chimici per la casa)
droguiste [dʀɔgist] nm/f droghiere(-a)
droit, e [dʀwa, dʀwat] adj dritto(-a),
diritto(-a); (opposé à gauche)
destro(-a); (fig: loyal, franc) retto(-a);
■ adv (marcher, écrire) diritto, dritto
■ nm diritto; **droits** nmpl (taxes)
diritti mpl; **direct/crochet du ~** (Boxe)
diretto/gancio destro; **~ au but** ou **au
fait/au cœur** dritto al punto ou ai
fatti/al cuore; **avoir le ~ de** avere il
diritto di; **avoir ~ à** avere diritto a;
être en ~ de avere diritto di; **faire ~ à**
rendere giustizia a; **être dans son ~**
essere dalla parte della ragione; **à
bon ~** a buon diritto; **de quel ~?** con
quale ou che diritto?; **à qui de ~** a chi
di dovere; **avoir ~ de cité (dans)** (fig)
appartenere di diritto (a); **~ coutumier**
diritto consuetudinario; **~ de regard**
potere m di intervento; **~ de réponse**
diritto di replica; **~ de vote** diritto di
voto; **~s d'auteur** diritti d'autore;
~s de douane diritti doganali; **~s
d'inscription** tasse fpl d'iscrizione
droite [dʀwat] nf (direction, Pol)
destra; (Math) retta; **à ~ (de)** a destra
(di); **de ~** (Pol) di destra
droitier, -ière [dʀwatje, jɛʀ] adj che
usa la mano destra, destrimano inv
■ nm/f chi usa la mano destra,
destrimano m/f inv; **ce joueur est ~**
gioca con la destra

drôle [dʀol] adj (amusant) divertente,
buffo(-a); (bizarre) strano(-a);
un ~ de ... (bizarre) uno(-a) strano(-a)
...; **il faut avoir une ~ de patience
pour ...** ci vuole una bella pazienza
per ...
dromadaire [dʀɔmadɛʀ] nm
dromedario
du [dy] prép + art déf voir **de**
dû, due [dy] pp de **devoir** ■ adj
(somme) dovuto(-a) ■ nm (somme, fig)
dovuto; **dû à** (causé par) dovuto(-a) a
dune [dyn] nf duna
duplex [dyplɛks] nm (appartement)
appartamento su due piani;
émission en ~ trasmissione f in
collegamento
duquel [dykɛl] prép + pron voir **lequel**
dur, e [dyʀ] adj duro(-a); (climat, col)
rigido(-a); (lumière) violento(-a);
(œuf) sodo(-a) ■ nm (construction):
en ~ in muratura ■ adv (travailler,
taper etc) duramente ■ nf: **à la ~e**
duramente, severamente; **mener la
vie ~e à qn** rendere la vita dura ou
difficile a qn; **~ d'oreille** duro(-a)
d'orecchio
durant [dyʀɑ̃] prép durante; **~ des
mois, des mois ~** per mesi
durcir [dyʀsiʀ] vt indurire; (fig:
politique etc) irrigidire, inasprire ■ vi
indurire; **se durcir** vr indurirsi
durée [dyʀe] nf durata; **de courte/
longue ~** di breve/lunga durata;
pile de longue ~ pila a lunga durata;
pour une ~ illimitée per un periodo
illimitato
durement [dyʀmɑ̃] adv duramente
durer [dyʀe] vi durare
dureté [dyʀte] nf (v dur) durezza;
rigidità; violenza
durit® [dyʀit] nm (Auto) manicotto
di gomma
duvet [dyvɛ] nm peluria, lanugine f;
(sac de couchage en) ~ piumino
DVD abr m DVD m
dynamique [dinamik] adj
dinamico(-a)
dynamisme [dinamism] nm
dinamismo
dynamo [dinamo] nf dinamo f inv
dysenterie [disɑ̃tʀi] nf dissenteria
dyslexie [dislɛksi] nf dislessia

e

eau, x [o] *nf* acqua; **eaux** *nfpl* (*thermales*) acque *fpl*; **sans ~** (*whisky etc*) liscio(-a); **prendre l'~** (*chaussure etc*) far passare l'acqua; **prendre les ~x** bere le *ou* fare la cura delle acque; **tomber à l'~** (*fig*) andare a monte; **à l'~ de rose** all'acqua di rose; **~ bénite** acqua benedetta; **~ courante** acqua corrente; **~ de Cologne** acqua di Colonia; **~ de javel** candeggina, varechina; **~ de pluie** acqua piovana; **~ de toilette** acqua di toeletta, eau *f* *inv* de toilette; **~ distillée** acqua distillata; **~ douce** acqua dolce; **~ gazeuse** acqua gassata; **~ lourde** acqua pesante; **~ minérale** acqua minerale; **~ oxygénée** acqua ossigenata; **~ plate** acqua non gassata; **~ salée** acqua salata; **les E~x et Forêts** Corpo forestale (dello Stato); **~x ménagères** acque di scarico; **~x territoriales** acque territoriali; **~x usées** acque di rifiuto

eau-de-vie [odvi] (*pl* **eaux-de-vie**) *nf* acquavite *f*

ébène [ebɛn] *nf* ebano

ébéniste [ebenist] *nf* ebanista *m*

éblouir [ebluiʀ] *vt* abbagliare; (*fig*) affascinare; (: *émerveiller*) impressionare

éboueur [ebwœʀ] *nm* netturbino (*sul camion*)

ébouillanter [ebujãte] *vt* (*Culin*) sbollentare, scottare; **s'ébouillanter** *vr* scottarsi

éboulement [ebulmã] *nm* frana; (*amas*) ammasso di detriti

ébranler [ebʀãle] *vt* far tremare; (*rendre instable, fig: résolution*) far vacillare; (: *santé*) compromettere; **s'ébranler** *vr* (*partir*) mettersi in moto, avviarsi

ébullition [ebylisjɔ̃] *nf* ebollizione *f*; **en ~** (*aussi fig*) in ebollizione

écaille [ekaj] *nf* (*de poisson*) squama; (*de coquillage*) scaglia; (*matière*) tartaruga; (*de peinture etc*) crosta, squama

écailler [ekaje] *vt* (*poisson*) squamare; (*huître*) aprire; **s'écailler** *vr* scrostarsi

écart [ekaʀ] *nm* (*dans l'espace*) distanza; (*de prix etc*) differenza; (*de temps, embardée, mouvement*) scarto; **faire des ~s de langage** parlare in modo sconveniente; **à l'~** in disparte; **à l'~ de** distante da; **faire le grand ~** fare la spaccata; **avoir des ~s de conduite** sgarrare

écarté, e [ekaʀte] *adj* (*lieu*) appartato(-a), isolato(-a); (*ouvert*) allargato(-a); **les jambes ~es** a gambe divaricate; **les bras ~s** con le braccia aperte

écarter [ekaʀte] *vt* (*éloigner*) allontanare; (*séparer*) separare; (*ouvrir: bras*) allargare; (: *jambes*) divaricare; (: *rideau*) scostare; (*candidat, Cartes*) scartare; **s'écarter** *vr* (*parois*) allargarsi; (*jambes*) divaricarsi; (*s'éloigner*) allontanarsi; **s'~ de** (*aussi fig*) scostarsi da, allontanarsi da

échafaudage [eʃafodaʒ] *nm* (*Constr*) impalcatura, ponteggio; (*fig*) catasta

échalote [eʃalɔt] *nf* (*Culin*) scalogno

échange [eʃãʒ] *nm* scambio; **en ~ (de)** in cambio (di); **~s commerciaux/ culturels** scambi commerciali/ culturali; **~s de lettres** scambio di lettere; **~ de politesses** scambio di cortesie; **~ de vues** scambio di vedute *ou* opinioni

échanger [eʃɑ̃ʒe] *vt* scambiare; *(lettres, cadeaux)* scambiarsi; **~ qch (contre)** scambiare qc (con); **est-ce que je peux l'~, s'il vous plaît?** posso cambiarlo, per favore?; **~ qch avec qn** scambiare qc con qn

échantillon [eʃɑ̃tijɔ̃] *nm* campione *m*; *(fig)* saggio

échapper [eʃape] *vi*: **~ à** sfuggire a; **s'échapper** *vr* fuggire, scappare; *(gaz, eau)* fuoriuscire; **~ à qn** sfuggire a qn; **~ des mains de qn** sfuggire di mano a qn; **laisser ~** lasciarsi sfuggire; **l'~ belle** scamparla bella

écharpe [eʃarp] *nf (cache-nez)* sciarpa; *(de maire)* fascia; **avoir un bras en ~** *(Méd)* avere un braccio al collo; **prendre en ~** *(véhicule etc)* urtare di lato

échauffer [eʃofe] *vt (aussi fig)* scaldare; **s'échauffer** *vr (Sport)* riscaldarsi; *(dans la discussion)* scaldarsi, accalorarsi

échéance [eʃeɑ̃s] *nf* scadenza; **à brève/longue ~** a breve/lunga scadenza

échéant [eʃeɑ̃]: **le cas ~** *adv* all'occorrenza

échec [eʃɛk] *nm (d'une personne)* insuccesso; *(d'un projet)* fallimento, insuccesso; *(Échecs)* scacco; **échecs** *nmpl (jeu)* scacchi *mpl*; **~ et mat/au roi** scacco matto/al re; **mettre en ~** dare scacco; **tenir en ~** tenere in scacco; **faire ~ à** ostacolare

échelle [eʃɛl] *nf (aussi fig)* scala; **à l'~ de** in scala di; **sur une grande ~** su grande scala; **sur une petite ~** su scala ridotta; **faire la courte ~ à qn** fare scaletta a qn; **~ de corde** scala di corda

échelon [eʃ(ə)lɔ̃] *nm (d'échelle)* piolo; *(Admin, Sport)* livello, grado

échelonner [eʃ(ə)lɔne] *vt* scaglionare; **(versement) échelonné** (versamento) dilazionato

échiquier [eʃikje] *nm* scacchiera

écho [eko] *nm (aussi fig)* eco *f ou m*; **échos** *nmpl (Presse)* brevi notizie *fpl* di vita cittadina; **rester sans ~** *(suggestion etc)* restare senza

risposta; **se faire l'~ de** mettere in giro, spargere

échographie [ekɔgrafi] *nf* ecografia

échouer [eʃwe] *vi (tentative)* fallire; *(candidat)* essere bocciato(-a), essere respinto(-a); *(bateau)* arenarsi, incagliarsi; *(débris etc)* venir portato(-a) in secca; *(aboutir: personne dans un café etc)* andare a finire, capitare ■ *vt (bateau)* far arenare; **s'échouer** *vr* arenarsi

éclabousser [eklabuse] *vt* schizzare; *(fig)* infangare

éclair [eklɛr] *nm (aussi fig)* lampo; *(gâteau)* bignè allungato ripieno di crema al cioccolato o al caffè e ricoperto di glassa ■ *adj inv (voyage etc)* lampo *inv*

éclairage [eklɛraʒ] *nm* illuminazione *f*; *(lumière)* luce *f*; *(fig)* punto di vista; **~ indirect** luce indiretta

éclaircie [eklɛrsi] *nf* schiarita

éclaircir [eklɛrsir] *vt* schiarire; *(fig: énigme)* chiarire; *(Culin: sauce)* allungare; **s'éclaircir** *vr* schiarirsi; *(cheveux)* sfoltirsi; *(situation etc)* chiarirsi; **s'~ la voix** schiarirsi la voce

éclaircissement [eklɛrsismɑ̃] *nm* schiarimento; *(explication)* chiarimento

éclairer [eklɛre] *vt* illuminare; *(suj: personne)* fare luce su; *(fig: instruire)* illuminare; *(: rendre compréhensible)* chiarire ■ *vi*: **~ bien/mal** far molta/ poca luce; **s'éclairer** *vr* illuminarsi; *(situation etc)* chiarirsi; **s'~ à la bougie** farsi luce con una candela; **s'~ à l'électricité** avere l'illuminazione elettrica

éclat [ekla] *nm (de bombe, verre)* scheggia; *(du soleil etc)* splendore *m*; *(d'une cérémonie)* sfarzo, splendore; **faire un ~** *(scandale)* fare scalpore; **action d'~** azione *f* clamorosa; **voler en ~s** andare in frantumi; **des ~s de verre** schegge di vetro; **~ de rire** scoppio di risa; **~s de voix** rumore *msg* di voci

éclatant, e [eklatɑ̃, ɑ̃t] *adj (couleur)* luminoso(-a); *(lumière)* splendente; *(voix, son)* squillante; *(fig: évident)* lampante; *(succès, revanche)* strepitoso(-a), clamoroso(-a)

éclater [eklate] *vi (aussi fig: guerre, épidémie)* scoppiare; *(groupe, parti)*

sciogliersi, dividersi; **s'éclater** vr
(fam) divertirsi come un(-a)
matto(-a); ~ **de rire/en sanglots**
scoppiare a ridere/in singhiozzi
écluse [eklyz] nf chiusa
écœurant, e [ekœrɑ̃, ɑ̃t] adj
nauseante, nauseabondo(-a)
écœurer [ekœre] vt nauseare;
(démoraliser) scoraggiare
école [ekɔl] nf scuola; **aller à l'~**
andare a scuola; **faire ~** fare scuola;
~ **de danse/de dessin/de musique**
scuola di danza/di disegno/di
musica; ~ **de secrétariat** scuola
per segretarie (d'azienda);
~ **élémentaire** scuola elementare;
~ **hôtelière** scuola alberghiera;
~ **maternelle** scuola materna,
asilo; ~ **normale (d'instituteurs)**
istituto magistrale; ~ **normale**
supérieure istituto superiore per la
formazione degli insegnanti; ~ **primaire**
scuola elementare; ~ **privée/**
publique scuola privata/statale;
~ **secondaire** scuola media (inferiore
e superiore)

> ◦ **ÉCOLE**
>
> ◦ L'école maternelle è pubblica in
> ◦ Francia, e, anche se non
> ◦ obbligatoria, è frequentata da
> ◦ bambini tra i 2 e i 6 anni. In seguito
> ◦ i bambini si iscrivono all'école
> ◦ primaire fino agli 11 anni.

écolier, -ière [ekɔlje, jɛʀ] nm/f
scolaro(-a)
écologie [ekɔlɔʒi] nf ecologia
écologique [ekɔlɔʒik] adj
ecologico(-a)
écologiste [ekɔlɔʒist] nm/f
ecologista m/f
économe [ekɔnɔm] adj, nm/f
economo(-a)
économie [ekɔnɔmi] nf economia;
(d'argent, de temps) risparmio,
economia; **économies** nfpl (pécule)
risparmi mpl; **une ~ de temps/**
d'argent un risparmio di tempo/di
denaro; ~ **dirigée** economia
dirigistica
économique [ekɔnɔmik] adj
economico(-a)

économiser [ekɔnɔmize] vt
risparmiare, economizzare ■ vi
risparmiare
écorce [ekɔʀs] nf corteccia; (de fruit)
buccia, scorza
écorcher [ekɔʀʃe] vt (animal)
scuoiare; (égratigner) sbucciare; (fig:
une langue) storpiare; **s'~ le genou**
sbucciarsi il ginocchio
écorchure [ekɔʀʃyʀ] nf sbucciatura
écossais, e [ekɔsɛ, ɛz] adj scozzese
■ nm (langue) scozzese m ■ nm/f:
Écossais, e scozzese m/f
Écosse [ekɔs] nf Scozia
écouter [ekute] vt, vi ascoltare;
s'écouter vr dare troppo peso alla
propria salute; **si je m'écoutais** se
seguissi il mio istinto; **s'~ parler**
compiacersi delle proprie parole
écouteur [ekutœʀ] nm cuffia; (au
téléphone) ricevitore m; **écouteurs**
nmpl (Radio) auricolare msg, cuffie fpl
écran [ekʀɑ̃] nm schermo; **porter à**
l'~ (Ciné) portare sullo schermo; **faire**
~ fare schermo; **le petit ~** il piccolo
schermo; ~ **de fumée** cortina di
fumo; ~ **géant** maxischermo
écrasant, e [ekʀazɑ̃, ɑ̃t] adj
schiacciante
écraser [ekʀaze] vt (aussi fig)
schiacciare; (piéton) investire;
(ennemi, armée) annientare; (Inform)
sovrascrivere; **écrase(-toi)!** chiudi il
becco!, smettila!; **se faire ~** essere
investito(-a); **s'~ (au sol)** (avion)
schiantarsi (al suolo); **s'~ contre/sur**
schiantarsi contro/su
écrevisse [ekʀəvis] nf gambero
(di fiume)
écrire [ekʀiʀ] vt, vi scrivere; **s'écrire**
vr (réciproque) scriversi; **ça s'écrit**
comment? come si scrive?; ~ **à qn**
(que) scrivere a qn (di)
écrit, e [ekʀi, it] pp de **écrire** ■ adj:
bien ~ ben scritto(-a) ■ nm scritto;
mal ~ scritto(-a) male; **par ~** per
iscritto
écriteau, x [ekʀito] nm cartello
écriture [ekʀityʀ] nf scrittura;
écritures nfpl (Comm) scritture fpl
contabili; **les Écritures** le Scritture;
l'Écriture (sainte) la Sacra scrittura
écrivain [ekʀivɛ̃] nm scrittore(-trice)
écrou [ekʀu] nm (Tech) dado

écrouler [ekrule] *vr*: **s'écrouler**
(*aussi fig*) crollare
écru, e [ekry] *adj* écru *inv*
ecstasy [ekstazi] *nf* ecstasy *f*
écu [eky] *nm* scudo; (*monnaie*) ecu *m inv*
écume [ekym] *nf* schiuma; **~ de mer**
(*silicate*) schiuma di mare
écureuil [ekyrœj] *nm* scoiattolo
écurie [ekyri] *nf* scuderia
eczéma [ɛgzema] *nm* eczema *m*
EDF [ədeɛf] *sigle f* (= *Électricité de*
France) ≈ E.N.E.L. *m*
éditer [edite] *vt* (*livre*) pubblicare;
(*disque*) produrre; (*auteur, musicien*)
pubblicare le opere di; (*texte*) curare
(la pubblicazione di); (*Inform*)
modificare, fare l'editing di
éditeur, -trice [editœr, tris] *nm/f*
editore(-trice); (*rédacteur*)
redattore(-trice)
édition [edisjɔ̃] *nf* edizione *f*;
(*industrie du livre*) editoria; **~ sur**
écran (*Inform*) modifica su schermo,
editing *m inv*
édredon [edrədɔ̃] *nm* piumino
éducateur, -trice [edykatœr, tris]
adj educativo(-a); ■ *nm/f*
educatore(-trice); **~ spécialisé**
operatore specializzato
nell'assistenza ai bambini
handicappati
éducatif, -ive [edykatif, iv] *adj*
educativo(-a)
éducation [edykasjɔ̃] *nf* educazione
f; **bonne/mauvaise ~** buona/cattiva
educazione; **sans ~** maleducato(-a);
l'Éducation (Nationale) la Pubblica
Istruzione; **~ permanente**
educazione permanente; **~ physique**
(*Scol*) educazione fisica
éduquer [edyke] *vt* educare; **bien**
éduqué beneducato(-a); **mal**
éduqué maleducato(-a)
effacer [efase] *vt* (*aussi fig*)
cancellare; **s'effacer** *vr* sbiadire;
(*souvenir, erreur*) cancellarsi; (*personne*)
scansarsi
effarant, e [efarɑ̃, ɑ̃t] *adj*
sbalorditivo(-a)
effectif, -ive [efɛktif, iv] *adj*
effettivo(-a) ■ *nm* (*Mil, Scol, Comm*)
effettivo
effectivement [efɛktivmɑ̃] *adv*
effettivamente

effectuer [efɛktɥe] *vt* effettuare;
s'effectuer *vr* svolgersi
effervescent, e [efɛrvesɑ̃, ɑ̃t] *adj*
(*aussi fig*) effervescente
effet [efɛ] *nm* effetto; (*Comm*) effetto,
titolo; **effets** *nmpl* (*vêtements etc*)
effetti *mpl*; **faire de l'~** fare effetto;
(*nouvelle, décor*) far colpo; **sous l'~ de**
sotto l'effetto di; **en ~** in effetti;
à cet ~ a tal scopo; **avec ~ rétroactif** (*Jur: d'une loi, d'un*
jugement) con effetto retroattivo;
~ (de commerce) effetto (di
commercio); **~ de couleur/lumière**
effetto di colore/luce; **~ de serre**
effetto serra; **~ de style** effetto
stilistico; **~s de voix** effetti di voce;
~s spéciaux effetti speciali
efficace [efikas] *adj* (*personne*)
efficiente; (*action, médicament*)
efficace
efficacité [efikasite] *nf* (*v adj*)
efficienza; efficacia
effondrer [efɔ̃dre] *vr*: **s'effondrer**
crollare; (*blessé, coureur etc*) crollare,
accasciarsi
efforcer [eforse]: **s'efforcer** *vr*: **s'~ de**
faire sforzarsi di fare
effort [efor] *nm* sforzo; **faire un ~**
fare uno sforzo; **faire tous ses ~s** fare
ogni sforzo; **faire l'~ de...** fare lo
sforzo di...; **sans ~** senza sforzo; **~ de**
mémoire/de volonté sforzo di
memoria/di volontà
effrayant, e [efrɛjɑ̃, ɑ̃t] *adj*
spaventoso(-a), tremendo(-a); (*sens*
affaibli) tremendo(-a)
effrayer [efreje] *vt* spaventare;
s'effrayer (de) *vr* spaventarsi (per)
effréné, e [efrene] *adj* (*désir, course*)
sfrenato(-a); (*musique*) scatenato(-a)
effronté, e [efrɔ̃te] *adj* sfrontato(-a),
sfacciato(-a)
effroyable [efrwajabl] *adj*
spaventoso(-a)
égal, e, aux [egal, o] *adj* uguale;
(*terrain, surface*) uniforme, uguale;
(*constant: vitesse, rythme*) costante,
uniforme; (*équitable*) pari ■ *nm/f* pari
m/f; **être ~ a** essere uguale a; **ça lui**
est ~ per lui fa lo stesso; **c'est ~** fa lo
stesso; **sans ~** che non ha uguali;
à l'~ de a pari di; **d'~ à ~** da pari a pari

également [egalmã] *adv*
ugualmente; (*en outre, aussi*) anche

égaler [egale] *vt* uguagliare; **3 plus
3 égalent 6** 3 più 3 è uguale a 6

égaliser [egalize] *vt* (*sol, salaires*)
livellare; (*chances*) rendere uguale;
(*cheveux*) pareggiare ■ *vi* (*Sport*)
pareggiare

égalité [egalite] *nf* (*aussi Math*)
uguaglianza; (*de terrain, vitesse*)
uniformità; (*équité*) parità; **être à ~
(de points)** essere in pareggio *ou* a
pari punti; **~ d'humeur** stabilità di
umore; **~ de droits** uguaglianza di
diritti

égard [egaR] *nm* riguardo; **égards**
nmpl (*marques de respect*) riguardo
msg; **à cet ~** a questo proposito; **à
tous/certains ~s** sotto tutti gli/certi
aspetti; **eu ~ à** tenuto conto di, in
considerazione di; **par ~ pour** per
riguardo a; **sans ~ pour** senza
riguardo per; **à l' ~ de** nei confronti di;
(*en ce qui concerne*) per quanto
riguarda

égarer [egaRe] *vt* smarrire, perdere;
(*moralement*) fuorviare; **s'égarer** *vr*
smarrirsi; (*objet*) andare perso(-a);
(*fig: dans une discussion etc*) perdere
il filo

églefin [egləfɛ̃] *nm* (*Pêche*) eglefino

église [egliz] *nf* chiesa; **aller à l'~**
andare in chiesa; **l'Église
catholique/presbytérienne** la
Chiesa cattolica/presbiteriana

égoïsme [egoism] *nm* egoismo

égoïste [egoist] *adj, nm/f*
egoista *m/f*

égout [egu] *nm* fogna, fognatura;
eaux d'~ acque *fpl* di scolo

égoutter [egute] *vt* far sgocciolare
■ *vi* sgocciolare; **s'égoutter** *vr*
sgocciolare; (*eau*) gocciolare

égouttoir [egutwaR] *nm* scolapiatti
m inv

égratignure [egRatiɲyR] *nf* graffio

Égypte [eʒipt] *nf* Egitto

égyptien, ne [eʒipsjɛ̃, jɛn] *adj*
egiziano(-a); (*musée, art*) egizio(-a)
■ *nm/f*: **Égyptien, ne** egiziano(-a)

eh [e] *excl* ehi!; **eh bien!** questa, poi!;
eh bien? e allora?; **eh bien** (*donc*)
ebbene

élaborer [elabɔRe] *vt* elaborare

élan [elɑ̃] *nm* (*Zool*) alce *m*; (*Sport*)
rincorsa, slancio; (*de véhicule, objet en
mouvement*) spinta; (*fig: amoureux,
patriotique*) slancio; **prendre son
~/de l'~** prendere la rincorsa; **perdre
son ~** (*fig*) perdere l'entusiasmo
(iniziale)

élancer [elɑ̃se] *vr*: **s'élancer**
lanciarsi; (*fig: arbre, clocher*) svettare

élargir [elaRʒiR] *vt* allargare; (*Jur*)
scarcerare, rimettere in libertà;
s'élargir *vr* allargarsi

élastique [elastik] *adj* (*aussi fig*)
elastico(-a) ■ *nm* elastico

élection [elɛksjɔ̃] *nf* elezione *f*; **sa
terre/patrie d'~** la propria terra/
patria d'elezione; **~ partielle** elezione
parziale; **~s législatives** elezioni
legislative

électricien, ne [elɛktRisjɛ̃, jɛn]
nm/f elettricista *m/f*

électricité [elɛktRisite] *nf* elettricità
f inv; **fonctionner à l'~** funzionare a
elettricità; **allumer/éteindre l'~**
accendere/spegnere la luce;
~ statique elettricità statica

électrique [elɛktRik] *adj* (*aussi fig*)
elettrico(-a)

électrocuter [elɛktRɔkyte] *vt*
fulminare

électroménager [elɛktRomenaʒe]
adj: **appareils ~s** elettrodomestici
mpl ■ *nm*: **l'~** il settore degli
elettrodomestici

électronique [elɛktRɔnik] *adj*
elettronico(-a) ■ *nf* elettronica

élégance [elegãs] *nf* eleganza

élégant, e [elegã, ãt] *adj* elegante

élément [elemã] *nm* elemento;
éléments *nmpl* (*eau, air etc,
rudiments*) elementi *mpl*

élémentaire [elemãtɛR] *adj*
elementare

éléphant [elefã] *nm* elefante *m*; **~ de
mer** elefante marino

élevage [el(ə)vaʒ] *nm* allevamento

élève [elɛv] *nm/f* (*Scol*) alunno(-a);
(*disciple*) allievo(-a); **~ infirmière**
allieva infermiera

élevé, e [el(ə)ve] *adj* elevato(-a); (*fig*)
nobile; **bien ~** beneducato(-a); **mal ~**
maleducato(-a)

élever [el(ə)ve] *vt* (*enfant, bétail*)
allevare; (*hausser*) elevare; (*édifier*)

innalzare; (*protestation*) sollevare;
(*critique*) muovere; **s'élever** vr (*avion*)
alzarsi in volo; (*alpiniste*) salire;
(*clocher, montagne*) elevarsi; (*cri,
niveau*) alzarsi; (*difficultés*) sorgere;
~ **la voix/le ton** alzare la voce/il tono;
~ **qn au rang/grade de** elevare qn al
rango/grado di; ~ **un nombre au
carré/cube** elevare un numero al
quadrato/cubo; **s'~ contre qch**
insorgere contro qc; **s'~ à** (*suj: frais,
dégâts*) ammontare a

éleveur, -euse [el(ə)vœʀ, øz] nm/f
allevatore(-trice)

éliminatoire [eliminatwaʀ] adj
eliminatorio(-a) ■ nf (*Sport*)
eliminatoria

éliminer [elimine] vt eliminare

élire [eliʀ] vt eleggere; ~ **domicile à...**
eleggere il proprio domicilio a...

elle [εl] pron (*sujet*) ella, lei; (: *chose*)
essa; (*complément*) lei; ~**s** esse; ~ **a
gagné** (lei) ha vinto; ~ **est partie ce
matin** è partita stamattina

éloigné, e [elwaɲe] adj lontano(-a)

éloigner [elwaɲe] vt: ~ **(de)**
allontanare (da); (*fig: échéance, but*)
differire; (: *soupçons*) fugare;
s'éloigner vr: **s'~ (de)** allontanarsi
(da)

élu, e [ely] pp de **élire** ■ nm/f
eletto(-a)

Élysée [elize] nm: **l'~, le palais de
l'~** l'Eliseo, il palazzo dell'Eliseo; **les
Champs ~s** gli Champs Élysées

e-mail [imεl] nm e-mail f inv;
envoyer qch par ~ inviare qc per
e-mail

émail, -aux [emaj, o] nm smalto

émanciper [emɑ̃sipe] vt
emancipare; **s'émanciper** vr
emanciparsi

emballage [ɑ̃balaʒ] nm imballaggio;
~ **perdu** imballaggio a perdere

emballer [ɑ̃bale] vt imballare;
s'emballer vr (*moteur*) imballarsi;
(*cheval*) imbizzarrirsi; (*fig: fam*)
perdere il controllo; **il s'est emballé
pour cette idée** l'idea l'ha
entusiasmato

embarcadère [ɑ̃baʀkadεʀ] nm
imbarcadero

embarquement [ɑ̃baʀkəmɑ̃] nm
imbarco

embarquer [ɑ̃baʀke] vt imbarcare;
(*fam: voler*) sgraffignare; (: *arrêter*)
mettere dentro ■ vi (*personne*)
imbarcarsi; (*Naut*) imbarcare;
s'embarquer vr imbarcarsi; **s'~ dans**
(*affaire, aventure*) imbarcarsi in

embarras [ɑ̃baʀa] nm (*obstacle*)
ostacolo, complicazione f; (*confusion*)
imbarazzo; (*ennui*) impiccio, difficoltà
f inv; **être dans l'~** (*gêne financière*)
avere difficoltà finanziarie;
~ **gastrique** imbarazzo di stomaco

embarrassant, e [ɑ̃baʀasɑ̃, ɑ̃t] adj
(v vt) ingombrante; imbarazzante

embarrasser [ɑ̃baʀase] vt
ingombrare; (*troubler*) mettere in
imbarazzo ou in difficoltà; **s'~ de**
(*paquets, objets*) caricarsi di; **s'~ de
scrupules** farsi degli scrupoli

embaucher [ɑ̃boʃe] vt assumere;
s'embaucher comme vr lavorare
come

embêtement [ɑ̃bεtmɑ̃] nm grana,
noia

embêter [ɑ̃bete] vt seccare,
scocciare; **s'embêter** vr (*s'ennuyer*)
annoiarsi; **il ne s'embête pas!** (*iron*)
ha una bella faccia tosta!

emblée [ɑ̃ble]: **d'~** adv
immediatamente, al primo colpo

embouchure [ɑ̃buʃyʀ] nf (*Géo*) foce f;
(*Mus*) imboccatura, bocchino

embourber [ɑ̃buʀbe] vr:
s'embourber (*aussi fig*) impantanarsi

embouteillage [ɑ̃butejaʒ] nm
ingorgo

embranchement [ɑ̃bʀɑ̃ʃmɑ̃] nm
ramificazione f; (*routier, fig*) bivio;
(*Science*) sottotipo

embrasser [ɑ̃bʀase] vt (*aussi fig:
sujet, période*) abbracciare; (*donner
des baisers*) baciare; **s'embrasser** vr
(*réciproque*) abbracciarsi; baciarsi;
~ **une carrière/un métier**
abbracciare una carriera/un
mestiere; ~ **du regard** abbracciare
con lo sguardo

embrayage [ɑ̃bʀejaʒ] nm (*Auto*)
frizione f

embrouiller [ɑ̃bʀuje] vt (*fils*)
ingarbugliare; (*fig: idées, fiches,
personne*) confondere; **s'embrouiller**
vr (*personne*) confondersi

embruns [ɑ̃bʀœ̃] nmpl spruzzi mpl

embué, e [ãbɥe] *adj* appannato(-a); **yeux ~s de larmes** occhi velati di lacrime

émeraude [em(ə)ʀod] *nf* smeraldo ▪ *adj inv* verde smeraldo *inv*

émerger [emɛʀʒe] *vi* emergere

émeri [em(ə)ʀi] *nm*: **papier** *ou* **toile ~** carta smerigliata *ou* vetrata

émerveiller [emɛʀveje] *vt* meravigliare; **s'émerveiller** *vr*: **s'~ de** meravigliarsi di

émettre [emɛtʀ] *vt* emettere; (*Radio, TV*) trasmettere; (*vœu*) pronunciare ▪ *vi* (*Radio, TV*) trasmettere; **~ sur ondes courtes** trasmettere su onde corte

émeus *etc* [emø] *vb voir* **émouvoir**

émeute [emøt] *nf* sommossa

émigrer [emigʀe] *vi* emigrare

émincer [emɛ̃se] *vt* affettare sottile

émission [emisjɔ̃] *nf* (*d'un son*) emissione *f*; (*TV, Radio*) trasmissione *f*

emmêler [ãmele] *vt* (*fils etc*) ingarbugliare, intricare; (*cheveux*) intricare; (*fig*) confondere; **s'emmêler** *vr* (*fils etc*) ingarbugliarsi, intricarsi

emménager [ãmenaʒe] *vi* traslocare

emmener [ãm(ə)ne] *vt* condurre (con sé); (*comme otage*) portar via; **~ qn au cinéma/restaurant** portare qn al cinema/ristorante; **bien ~ une équipe** saper guidare una squadra

emmerder [ãmɛʀde] (*fam!*) *vt* rompere le palle a (*fam!*); **s'emmerder** *vr* essere scazzato(-a); **je t'emmerde!** fatti i cazzi tuoi! (*fam!*)

émoticone [emɔtikon] *nm* (*Inform*) faccina *f*

émotif, -ive [emɔtif, iv] *adj* emotivo(-a)

émotion [emɔsjɔ̃] *nf* emozione *f*; **avoir des ~s** (*fig*) prendersi uno spavento; **donner des ~s à** far prendere uno spavento a; **sans ~** senza emozione

émouvoir [emuvwaʀ] *vt* scuotere, turbare; (*toucher, attendrir*) commuovere; **s'émouvoir** *vr* (*v vt*) turbarsi; commuoversi

empaqueter [ãpakte] *vt* impacchettare

emparer [ãpaʀe]: **s'emparer de** *vr* impadronirsi di; (*comme otage etc*) catturare

empêchement [ãpɛʃmã] *nm* impedimento

empêcher [ãpeʃe] *vt* impedire; **~ qn de faire qch** impedire a qn di fare qc; **~ que qch (n')arrive/qn (ne) fasse** impedire che qc succeda/qn faccia; **il n'empêche que** ciò non toglie che; **je ne peux pas m'~ de penser** non posso fare a meno di pensare; **il n'a pas pu s'~ de rire** non ha potuto trattenersi dal ridere

empereur [ãpʀœʀ] *nm* imperatore(-trice)

empiffrer [ãpifʀe] *vr*: **s'empiffrer** (*péj*) abboffarsi, rimpinzarsi

empiler [ãpile] *vt* accatastare, impilare; **s'empiler** *vr* accatastarsi

empire [ãpiʀ] *nm* impero; (*fig*) influsso; **style E~** stile *m* Impero; **sous l'~ de** sotto l'influsso di

empirer [ãpiʀe] *vi* peggiorare

emplacement [ãplasmã] *nm* ubicazione *f*; **sur l'~ d'une ville disparue** dove un tempo era situata la città ora scomparsa

emploi [ãplwa] *nm* (*utilisation*) uso, impiego; (*poste*) impiego, posto di lavoro; (*Ling*) uso; **l'~** (*Comm, Écon*) l'occupazione *f*; **d'~ facile/délicat** facile/delicato da usare; **offre/demande d'~** offerta/domanda di lavoro; **le plein ~** la piena occupazione; **~ du temps** orario

employé, e [ãplwaje] *nm/f* impiegato(-a); **~ de banque** impiegato(-a) di banca; **~ de bureau** impiegato(-a) (d'ufficio); **~ de maison** domestico(-a)

employer [ãplwaje] *vt* usare, impiegare; (*ouvrier, main-d'œuvre*) occupare, impiegare; **~ la force/les grands moyens** ricorrere all'uso della forza/ai mezzi estremi; **s'~ à qch/à faire** darsi da fare per qc/per fare

employeur, -euse [ãplwajœʀ, øz] *nm/f* datore(-trice) di lavoro

empoigner [ãpwaɲe] *vt* afferrare; **s'empoigner** *vr* (*fig: réciproque*) azzuffarsi

empoisonner [ãpwazɔne] *vt* avvelenare; (*air, pièce*) appestare;

~ **qn** (fam: embêter) scocciare qn;
s'empoisonner vr avvelenarsi;
~ **l'atmosphère** (fig) rovinare
l'atmosfera; **il nous empoisonne
l'existence** ci rovina l'esistenza
emporter [ɑ̃pɔʀte] vt (se munir de)
portare (con sé); (en dérobant) portar
via; (emmener) portare, condurre;
(suj: courant, vent, avalanche)
trascinare (via); (: enthousiasme,
colère) trascinare; (: choc) travolgere;
(gagner, Mil) espugnare; (avantage,
prix) aggiudicarsi; **s'emporter** vr (de
colère) arrabbiarsi; **la maladie qui l'a
emporté** la malattia che l'ha portato
via; **l'~ (sur)** avere la meglio (su);
boissons/plats chauds à ~ bevande/
piatti caldi da asporto
empreinte [ɑ̃pʀɛt] nf (aussi fig)
impronta; **~s (digitales)** impronte
(digitali); **~ écologique** impronta
ecologica
empressé, e [ɑ̃pʀese] adj
premuroso(-a); (péj) zelante
empresser [ɑ̃pʀese] vr: **s'empresser**
affrettarsi; **s'~ auprès de qn** essere
premuroso(-a) con qn; **s'~ de faire** (se
hâter) affrettarsi a fare
emprisonner [ɑ̃pʀizɔne] vt
imprigionare
emprunt [ɑ̃pʀœ̃] nm prestito; **nom
d'~** falso nome; **~ d'État** ou **public**
prestito pubblico
emprunter [ɑ̃pʀœ̃te] vt (argent, livre)
prendere a ou in prestito; (route,
itinéraire) prendere, seguire; (fig: style,
manière) prendere a prestito, fare
proprio
ému, e [emy] pp de **émouvoir** ■ adj
commosso(-a)

 MOT-CLÉ

en [ɑ̃] prép **1** (endroit, direction) in;
habiter en France/ville abitare in
Francia/città; **aller en France/ville**
andare in Francia/città
2 (temps) in; **en été/juin** in estate/
giugno
3 (moyen) in; **en avion/taxi** in
aereo/taxi
4 (composition) di; **c'est en verre/
bois** è di vetro/legno; **un collier en
argent** una collana d'argento

5 (description, état): **une femme
(habillée) en rouge** una donna
vestita di rosso, una donna in rosso;
peindre qch en rouge dipingere qc
in ou di rosso; **en T/étoile** a T/stella;
en chemise/chaussettes in
camicia/calzini; **en soldat** da
soldato; **cassé en plusieurs
morceaux** rotto in più pezzi; **en
réparation** in riparazione; **partir
en vacances** partire in vacanza ou
per le vacanze; **en deuil** in lutto;
le même en plus grand lo stesso solo
più grande; **en bon diplomate, il n'a
rien dit** da buon diplomatico non ha
detto nulla; **en bonne santé** in
buona salute
6 (avec gérondif): **en travaillant/
dormant** lavorando/dormendo;
sortir en courant uscire correndo
ou di corsa
■ pron **1** (indéfini): **j'en ai** ne ho; **en
as-tu?** ne hai?; **je n'en veux pas** non
ne voglio; **j'en ai assez** ne ho
abbastanza; **combien y en a-t-il?**
quanti(-e) ce ne sono?; **où en étais-
je?** dov'ero rimasto?
2 (provenance) ne; **j'en viens** ne
vengo, vengo di là
3 (cause): **il en est malade** ne fa una
malattia; **il en perd le sommeil** ci
perde il sonno
4 (instrument, agent): **il en est aimé**
ne è amato
5 (complément de nom, d'adjectif, de
verbe): **j'en connais les dangers/
défauts** ne conosco i pericoli/difetti;
j'en suis fier/ai besoin ne sono fiero/
ne ho bisogno

encadrer [ɑ̃kadʀe] vt (aussi fig)
incorniciare; (employés, personnel)
dirigere, coordinare; (recrues) istruire;
(enfants) seguire, controllare; (Comm:
crédit) limitare
encaisser [ɑ̃kese] vt (aussi fig: coup,
défait) incassare
en-cas [ɑ̃kɑ] nm inv spuntino,
merenda
enceinte [ɑ̃sɛ̃t] adj f: **~ (de 6 mois)**
incinta (di 6 mesi) ■ nf (mur) cinta;
(espace) sala, aula; **~ (acoustique)**
cassa (acustica)
encens [ɑ̃sɑ̃] nm incenso

enchaîner [ɑ̃ʃene] vt incatenare; (mouvements, séquence) concatenare ▪ vi: ~ **(sur)** riallacciarsi (a)

enchanté, e [ɑ̃ʃɑ̃te] adj (ravi) lieto(-a), felice; (ensorcelé) incantato(-a); ~ **de faire votre connaissance** lieto di conoscerla

enchère [ɑ̃ʃɛʀ] nf offerta; **faire une** ~ fare un'offerta; **mettre/vendre aux** ~s mettere/vendere all'asta; **les ~s montent** la posta in gioco si fa sempre più alta; **faire monter les ~s** (fig) alzare la posta in gioco

enclencher [ɑ̃klɑ̃ʃe] vt (aussi fig) mettere in moto; **s'enclencher** vr innestarsi, avviarsi

encombrant, e [ɑ̃kɔ̃brɑ̃, ɑ̃t] adj ingombrante

encombrement [ɑ̃kɔ̃brəmɑ̃] nm ingombro; (de circulation) ingorgo; (des lignes téléphoniques) sovraccarico

encombrer [ɑ̃kɔ̃bre] vt ingombrare; (marché etc) affollare; **s'encombrer de** vr (bagages etc) caricarsi di; ~ **le passage** intralciare il passaggio

encore [ɑ̃kɔʀ] adv ancora; **il y travaille** ~ lavora ancora; **pas** ~ non ancora; ~**!** (insatisfaction) ancora!; ~ **une fois/deux jours** ancora una volta/due giorni; ~ **plus fort/mieux** ancora più forte/meglio; **hier** ~ solo ieri; **non seulement..., mais** ~ non solo..., ma anche; **on lui dira avant de partir, et** ~**!** glielo diranno tutt'al più prima di partire; ~ **pourrais-je le faire, si...** potrei anche farlo, se...; **si** ~ se soltanto, se almeno; **(et puis) quoi** ~? (e poi) che altro ancora?; ~ **que** conj benché, nonostante

encourager [ɑ̃kuraʒe] vt incoraggiare; ~ **qn à faire qch** incoraggiare qn a fare qc

encourir [ɑ̃kuriʀ] vt incorrere in

encre [ɑ̃kʀ] nf inchiostro; ~ **de Chine** inchiostro di china; ~ **indélébile/sympathique** inchiostro indelebile/simpatico

encyclopédie [ɑ̃siklɔpedi] nf enciclopedia

endetter [ɑ̃dete] vt indebitare; **s'endetter** vr indebitarsi

endive [ɑ̃div] nf endivia, cicoria belga

endormi, e [ɑ̃dɔrmi] pp de **endormir** ▪ adj (aussi fig) addormentato(-a)

endormir [ɑ̃dɔrmiʀ] vt (enfant, malade) addormentare; (fig: soupçons, ennemi etc) far tacere; (: ennuyer) far addormentare; (Méd: dent, nerf) anestetizzare; **s'endormir** vr (aussi fig) addormentarsi

endroit [ɑ̃drwa] nm posto, luogo; (d'un objet, d'une douleur) punto; (opposé à l'envers) diritto, dritto; **les gens de l'**~ la gente del posto; **à l'**~ (vêtement, objet) dalla parte giusta; **à l'**~ **de** (à l'égard de) nei confronti di; **par** ~s qua e là; **à cet** ~ a questo punto

endurance [ɑ̃dyrɑ̃s] nf resistenza

endurant, e [ɑ̃dyrɑ̃, ɑ̃t] adj resistente

endurcir [ɑ̃dyrsir] vt temprare; **s'endurcir** vr temprarsi

endurer [ɑ̃dyre] vt sopportare

énergétique [enɛrʒetik] adj energetico(-a)

énergie [enɛrʒi] nf energia; (fig: morale) vigore m, forza

énergique [enɛrʒik] adj energico(-a)

énervant, e [enɛrvɑ̃, ɑ̃t] adj irritante

énerver [enɛrve] vt innervosire; **s'énerver** vr innervosirsi

enfance [ɑ̃fɑ̃s] nf infanzia; **c'est l'**~ **de l'art** è un gioco da ragazzi; **petite** ~ prima infanzia; **souvenir/ami d'**~ ricordo/amico d'infanzia; **retomber en** ~ rimbambirsi

enfant [ɑ̃fɑ̃] nm/f bambino(-a); (fils, fille) figlio(-a); **petit** ~ bambino(-a) (piccolo(-a)); **bon** ~ bonaccione(-a); ~ **adoptif** figlio adottivo; ~ **de chœur** (Rel) chierichetto; (fig) angioletto; ~ **naturel** figlio(-a) naturale; ~ **prodige** bambino(-a) prodigio inv; ~ **unique** figlio(-a) unico(-a)

enfantin, e [ɑ̃fɑ̃tɛ̃, in] adj infantile; (simple) semplicissimo(-a)

enfer [ɑ̃fɛr] nm inferno; **allure/bruit d'**~ velocità/baccano infernale

enfermer [ɑ̃fɛrme] vt rinchiudere; **s'enfermer** vr rinchiudersi, chiudersi; **s'**~ **à clef** chiudersi a chiave; **s'**~ **dans la solitude/le mutisme** rinchiudersi nella solitudine/nel mutismo

enfiler [ɑ̃file] vt infilare; **s'enfiler dans** vr infilarsi in; ~ **qch dans** infilare qc in

enfin [ɑ̃fɛ̃] adv infine; (pour finir, finalement) finalmente; (pour conclure, eh bien!) insomma; (de résignation) mah!

enflammer [ɑ̃flɑme] vt dare fuoco a; (Méd, fig) infiammare; **s'enflammer** vr (v vt) prender fuoco; infiammarsi

enflé, e [ɑ̃fle] adj gonfio(-a); (péj: style) ampolloso(-a), gonfio(-a)

enfler [ɑ̃fle] vi gonfiarsi

enfoncer [ɑ̃fɔ̃se] vt (clou) piantare; (porte, côtes, lignes ennemies) sfondare; (fam: surpasser) battere ▪ vi (dans la vase etc) affondare, sprofondare; **s'enfoncer** vr sprofondare; **s'~ dans** (forêt, ville) inoltrarsi in, addentrarsi in; **~ qch dans** (faire pénétrer) conficcare qc in; **~ un chapeau sur la tête** calcarsi un cappello sulla testa; **s'~ dans la dette** cacciarsi in un mare di debiti

enfouir [ɑ̃fwiʀ] vt (dans le sol) sotterrare, seppellire; (dans un tiroir) cacciare, nascondere; **s'enfouir dans/sous** vr infilarsi in/sotto; **~ qch dans une poche** infilarsi qc in tasca

enfuir [ɑ̃fɥiʀ] vr: **s'enfuir** fuggire

engagement [ɑ̃gaʒmɑ̃] nm impegno; (contrat professionnel) assunzione f; (Mil: combat) scontro; (: recrutement) arruolamento; (Sport) ingaggio; **prendre l'~ de faire** prendersi l'impegno di fare; **sans ~** (Comm) senza impegno

engager [ɑ̃gaʒe] vt (embaucher) assumere; (commencer) iniziare; (lier: suj: promesse etc) impegnare; (impliquer) coinvolgere; (entraîner) trascinare; (argent) investire; (Sport) ingaggiare; **s'engager** vr (s'embaucher) farsi assumere; (Mil) arruolarsi; (: promettre, politiquement) impegnarsi; (négociations) avviarsi; **s'~ à faire qch** impegnarsi a fare qc; **s'~ dans** (rue, passage, fig: voie) imboccare; (: carrière) intraprendere; (: affaire, discussion) imbarcarsi in; (s'emboîter) incastrarsi in; **~ qn à faire/à qch** (inciter) esortare qn a fare/a qc; **~ qch dans** (faire pénétrer) introdurre qc in, far entrare qc in

engelures [ɑ̃ʒlyʀ] nfpl geloni mpl

engin [ɑ̃ʒɛ̃] nm macchina, congegno; (péj) affare m, arnese m; (missile) missile m; **~ blindé** mezzo blindato; **~ de terrassement** macchina di sterro; **~ (explosif)** ordigno (esplosivo); **~s (spéciaux)** missili mpl

engloutir [ɑ̃glutiʀ] vt inghiottire; (fig: dépenses) sperperare; **s'engloutir** vr inabissarsi

engouement [ɑ̃gumɑ̃] nm infatuazione f

engouffrer [ɑ̃gufʀe] vt (fam) ingurgitare; **s'engouffrer dans** vr (suj: eau) riversarsi in; (: vent) entrare in; (: personnes) precipitarsi in

engourdir [ɑ̃guʀdiʀ] vt (aussi fig) intorpidire; **s'engourdir** vr intorpidirsi

engrais [ɑ̃gʀɛ] nm concime m, fertilizzante m; **~ chimique** fertilizzante chimico; **~ minéral/naturel** concime minerale/naturale; **~ organique** fertilizzante organico; **~ vert** concime verde

engraisser [ɑ̃gʀese] vt (animal) ingrassare; (terre) concimare ▪ vi (péj: personne) ingrassare

engrenage [ɑ̃gʀənaʒ] nm (aussi fig) ingranaggio

engueuler [ɑ̃gœle] (fam) vt strapazzare, dare una lavata di testa a

enhardir [ɑ̃aʀdiʀ] vt imbaldanzire; **s'enhardir** vr farsi ardito(-a)

énigme [enigm] nf enigma m

enivrer [ɑ̃nivʀe] vt ubriacare; (fig: suj: parfums, succès) ubriacare, inebriare; **s'enivrer** vr ubriacarsi; **s'~ de** (fig) inebriarsi di

enjamber [ɑ̃ʒɑ̃be] vt scavalcare; (suj: pont etc) passare sopra

enjeu, x [ɑ̃ʒø] nm (aussi fig) posta (in gioco)

enjoué, e [ɑ̃ʒwe] adj allegro(-a)

enlaidir [ɑ̃lediʀ] vt, vi imbruttire

enlèvement [ɑ̃lɛvmɑ̃] nm (rapt) rapimento; **l'~ des ordures ménagères** la rimozione dei rifiuti domestici

enlever [ɑ̃l(ə)ve] vt togliere, levare; (vêtement, lunettes) togliersi; (Méd: organe) asportare; (ordures, meubles à déménager) portar via; (kidnapper) rapire; (prix, victoire, contrat etc)

ottenere, aggiudicarsi; (*Mil*)
espugnare; (*morceau de piano etc*)
eseguire con brio; **s'enlever** *vr*
(*tache*) venir via; **~ qch à qn** (*prendre*)
togliere qc a qn; **la maladie qui nous
l'a enlevé** la malattia che ce l'ha
portato via

enliser [ɑ̃lize] *vr*: **s'enliser**
sprofondare; (*fig: dialogue etc*)
insabbiarsi

enneigé, e [ɑ̃neʒe] *adj* (*pente, col*)
innevato(-a); (*maison*) coperto(-a) di
neve

ennemi, e [ɛnmi] *adj, nm/f*
nemico(-a); ◼ *nm* (*Mil, gén*) nemico;
être ~ de essere nemico di

ennui [ɑ̃nɥi] *nm* noia; (*difficulté*)
noia, fastidio; **avoir/s'attirer des ~s**
avere/tirarsi addosso delle noie *ou*
dei fastidi

ennuyer [ɑ̃nɥije] *vt* (*importuner*)
seccare, infastidire; (*lasser*) annoiare;
s'ennuyer *vr* (*se lasser*) annoiarsi; **si
cela ne vous ennuie pas** se non le
(di)spiace; **s'~ de qn/qch** sentire la
mancanza di qn/qc

ennuyeux, -euse [ɑ̃nɥijø, øz] *adj*
(*lassant*) noioso(-a); (*contrariant*)
seccante

énorme [enɔrm] *adj* enorme

énormément [enɔrmemɑ̃] *adv*
(*boire etc*) tantissimo; **~ de neige/
gens** moltissima neve/gente

enquête [ɑ̃kɛt] *nf* inchiesta,
indagine f

enquêter [ɑ̃kete] *vi*: **~ (sur)** indagare
(su)

enragé [ɑ̃raʒe] *adj* (*Méd*)
rabbioso(-a); (*furieux*) furibondo(-a);
(*fig: passionné: joueur etc*) accanito(-a)
◼ *nm/f*: **un ~ de** un fanatico di

enrageant, e [ɑ̃raʒɑ̃, ɑ̃t] *adj*
irritante, esasperante

enrager [ɑ̃raʒe] *vi* infuriarsi; **faire ~
qn** far infuriare qn

enregistrement [ɑ̃r(ə)ʒistrəmɑ̃]
nm registrazione f; **~ des bagages**
(*à l'aéroport*) check-in m inv;
~ magnétique registrazione
magnetica

enregistrer [ɑ̃r(ə)ʒistre] *vt*
registrare

enrhumer [ɑ̃ryme] *vr*: **s'enrhumer**
prendere il raffreddore

enrichir [ɑ̃riʃir] *vt* (*aussi fig*)
arricchire; **s'enrichir** *vr* arricchirsi

enrouer [ɑ̃rwe] *vr*: **s'enrouer**
diventare rauco(-a)

enrouler [ɑ̃rule] *vt* arrotolare,
avvolgere; **s'enrouler** *vr* arrotolarsi,
avvolgersi; **~ qch autour de**
avvolgere qc attorno a

enseignant, e [ɑ̃sɛɲɑ̃, ɑ̃t] *adj, nm/f*
insegnante m/f

enseignement [ɑ̃sɛɲ(ə)mɑ̃] *nm*
insegnamento; **~ ménager**
economia domestica; **~ primaire**
istruzione f elementare; **~ privé/
public** istruzione privata/pubblica;
~ secondaire istruzione secondaria;
~ technique istruzione tecnica

enseigner [ɑ̃sɛɲe] *vt, vi* insegnare;
~ qch à qn insegnare qc a qn; **~ à qn
que** insegnare a qn che

ensemble [ɑ̃sɑ̃bl] *adv* insieme,
assieme ◼ *nm* insieme m; (*vêtement
féminin*) completo; (*accord, harmonie*)
unità, armonia; (*résidentiel*)
complesso; **aller ~** (*être assorti*) star
bene insieme; **impression/idée d'~**
impressione f/idea d'insieme; **dans
l'~** nel complesso; **dans son ~** nel
complesso, nel suo insieme;
~ instrumental/vocal complesso
strumentale/vocale

ensoleillé, e [ɑ̃sɔleje] *adj*
soleggiato(-a)

ensuite [ɑ̃sɥit] *adv* (*dans une
succession: après*) poi, dopo; (*plus tard*)
poi; **~ de quoi** dopo di che

entamer [ɑ̃tame] *vt* (*pain, bouteille*)
cominciare, attaccare; (*hostilités,
pourparlers*) iniziare; (*fig: réputation*)
intaccare; (: *bonne humeur*) scalfire

entasser [ɑ̃tase] *vt* ammucchiare;
(*prisonniers etc*) ammassare, stipare;
s'entasser *vr* (*v vt*) ammucchiarsi;
ammassarsi, stiparsi

entendre [ɑ̃tɑ̃dr] *vt* sentire; (*accusé,
témoin*) ascoltare; (*comprendre*)
capire; (*vouloir dire*) intendere (dire);
s'entendre *vr* intendersi; (*se mettre
d'accord*) intendersi, accordarsi; **j'ai
entendu dire que** ho sentito dire che;
s'~ à qch intendersi di qc; **s'~ à faire
qch** essere bravo(-a) a fare qc;
~ parler de sentir parlare di; **~ raison**
intendere ragione; **~ être obéi/que**

(vouloir) intendere essere obbedito/ che; **je m'entends** intendiamoci, voglio dire; **entendons-nous** intendiamoci; **(cela) s'entend** si intende; **donner à/laisser ~ que** *(insinuer)* dare ad/lasciar intendere che; **qu'est-ce qu'il ne faut pas ~!** che cosa non mi tocca sentire!; **j'ai mal entendu** ho capito male; **je suis heureux de vous l'~ dire** sono contento di sentirvelo dire; **ça s'entend!** *(est audible)* si sente!; **je vous entends très mal** la sento molto male

entendu, e [ãtãdy] *pp de* **entendre** ▪ *adj (affaire)* deciso(-a); *(air)* d'intesa; **étant ~ que** beninteso che; **(c'est) ~!** siamo intesi!; **c'est ~** *(concession)* d'accordo; **bien ~!** certamente!

entente [ãtãt] *nf* intesa; *(accord, traité)* accordo; **à double ~** a doppio senso

enterrement [ãtɛʀmã] *nm* sepoltura; *(cérémonie, cortège)* funerale *m*

enterrer [ãtere] *vt (aussi fig: dispute)* seppellire; *(: projet)* insabbiare

entêtant, e [ãtɛtã, ãt] *adj* che stordisce

en-tête [ãtɛt] *(pl* **-s**) *nm* intestazione *f*; **enveloppe/papier à ~** busta/carta intestata

entêté, e [ãtete] *adj* testardo(-a)

entêter [ãtete]: **s'~ (à faire)** *vr* intestardirsi (a fare), ostinarsi (a fare)

enthousiasme [ãtuzjasm] *nm* entusiasmo; **avec ~** con entusiasmo

enthousiasmer [ãtuzjasme] *vt* entusiasmare; **s'enthousiasmer** *vr*: **s'~ (pour qch)** entusiasmarsi (per qc)

enthousiaste [ãtuzjast] *adj, nm/f* entusiasta *m/f*

entier, -ère [ãtje, jɛʀ] *adj (non entamé)* intero(-a); *(en totalité)* totale; *(total, complet)* totale, completo(-a); *(fig: caractère)* integro(-a), retto(-a) ▪ *nm (Math)* intero; **en ~** per intero, interamente; **se donner tout ~ à qch** dedicarsi completamente a qc; **lait ~** latte intero; **nombre ~** numero intero

entièrement [ãtjɛʀmã] *adv* interamente

entonnoir [ãtɔnwaʀ] *nm (ustensile)* imbuto; *(trou)* cratere *m*

entorse [ãtɔʀs] *nf (Méd)* storta; **~ à la loi** *(fig)* violazione *f* della legge; **~ au règlement** violazione *f* al regolamento; *(fig)* strappo al regola; **se faire une ~ à la cheville/au poignet** storcersi la caviglia/il polso

entourage [ãtuʀaʒ] *nm (personnes proches)* cerchia; *(ce qui enclôt)* cornice *f*

entourer [ãtuʀe] *vt* circondare; **s'entourer de** *vr* circondarsi di; **~ qch** circondare qc di; **~ qn de soins/prévenances** circondare di cure/premure; **s'~ de mystère/luxe** circondarsi di mistero/lusso; **s'~ de précautions** prendere tutte le precauzioni possibili

entracte [ãtʀakt] *nm* intervallo

entraide [ãtʀɛd] *nf* aiuto reciproco

entrain [ãtʀɛ̃] *nm* brio, lena; **avec ~** *(répondre)* con vivacità; *(travailler)* di buona lena; **faire qch sans ~** fare qc senza entusiasmo

entraînement [ãtʀɛnmã] *nm* allenamento; *(Tech)* trasmissione *f*; **manquer d'~** essere fuori allenamento; **~ à galet** avanzamento a rulli; **~ par ergots/par friction** *(Inform)* trascinamento a trattore/ad attrito

entraîner [ãtʀene] *vt (tirer, charrier, influencer)* trascinare; *(Tech)* azionare; *(emmener)* portare; *(mener à l'assaut)* condurre, guidare; *(Sport)* allenare; *(impliquer, causer)* comportare; **s'entraîner** *(Sport)* allenarsi; **~ qn à/à faire qch** *(inciter)* spingere qn a/a fare qc; **s'~ à qch/à faire qch** esercitarsi in qc/a fare qc

entraîneur, -euse [ãtʀenœʀ, øz] *nm/f* allenatore(-trice)

entre [ãtʀ] *prép* fra, tra; **l'un d'~ eux/ nous** uno di loro/noi; **le meilleur d'~ eux/nous** il migliore tra loro/noi; **ils préfèrent rester ~ eux** preferiscono stare per conto loro; **~ autres (choses)** tra l'altro; **~ nous,...** tra noi,...; **ils se battent ~ eux** lottano tra di loro

entrecôte [ãtʀəkot] *nf* entrecôte *f inv*

entrée [ãtʀe] *nf* entrata, ingresso; **où est l'~?** dov'è l'entrata?; *(d'une personne, au cinéma, à une exposition)* ingresso; (*Culin*) primo (piatto); (*Comm*) entrata, importazione f; (*Inform*) input m inv, voce f; **entrées** nfpl: **avoir ses ~s chez/auprès de** avere libero accesso a casa di/presso; **erreur d'~** errore m di input; **faire son ~ dans** (*lieu, fig*) fare il proprio ingresso in; **d'~** fin dall'inizio; **~ de service/des artistes** ingresso di servizio/degli artisti; **~ en matière** introduzione f; **~ en scène** entrata in scena; **~ en vigueur** entrata in vigore; **"~ interdite"** "vietato l'ingresso"; **"~ libre"** "ingresso libero"

entrefilet [ãtrəfilɛ] nm trafiletto
entremets [ãtrəmɛ] nm dessert m inv
entrepôt [ãtrəpo] nm deposito, magazzino; **~ frigorifique** magazzino frigorifero
entreprendre [ãtrəprãdr] vt intraprendere; **~ qn sur un sujet** intrattenere qn su un argomento; **~ de faire qch** accingersi a fare qc
entrepreneur [ãtrəprənœr] nm (*Jur, Écon*) imprenditore m; **~ de pompes funèbres** impresario di pompe funebri; **~ (en bâtiment)** imprenditore (edile)
entreprise [ãtrəpriz] nf impresa; **~ agricole** azienda agricola; **~ de travaux publics** impresa di lavori pubblici
entrer [ãtre] vi entrare; (*objet*): **(faire) ~ qch dans** fare entrare qc in ▪ vt far entrare; (*Inform*) immettere, inserire; **~ dans** (*gén*) entrare in; (*heurter*) entrare in collisione con; (*partager: vues, craintes de qn*) condividere; (*faire partie de*) rientrare in; **~ au couvent/à l'hôpital** entrare in convento/ospedale; **~ en fureur** andare su tutte le furie; **~ en ébullition** entrare in ebollizione; **~ en scène** entrare in scena; **~ dans le système** (*Inform*) entrare nel sistema; **laisser ~ qn** far entrare qn; **laisser ~ qch** lasciar entrare qc; **faire ~** (*visiteur*) far entrare
entre-temps [ãtrətã] adv frattanto, intanto
entretenir [ãtrət(ə)nir] vt (*maison, voiture*) provvedere alla manutenzione di; (*feu*) alimentare; (*amitié, relations*) coltivare;

(*famille, maîtresse*) mantenere; **s'entretenir** vr: **s'~ (de qch)** intrattenersi (su qc); **~ qn (de qch)** intrattenere qn (su qc); **~ qn dans l'erreur** mantenere qn nell'errore
entretien [ãtrətjɛ̃] nm (*d'une maison, service*) manutenzione f; (*d'une famille*) mantenimento; (*discussion, audience*) colloquio; **~s** (*pourparlers: gén pl*) colloqui mpl; **frais d'~** spese fpl di manutenzione
entrevoir [ãtrəvwar] vt (*aussi fig*) intravedere
entrevue [ãtrəvy] nf colloquio, incontro
entrouvert, e [ãtruvɛr, ɛrt] adj socchiuso(-a)
énumérer [enymere] vt enumerare
envahir [ãvair] vt invadere
envahissant, e [ãvaisã, ãt] adj (*péj*) invadente
enveloppe [ãv(ə)lɔp] nf (*de lettre*) busta; (*Tech*) rivestimento, guaina; **mettre sous ~** mettere in una busta; **~ à fenêtre** busta a finestra; **~ autocollante** busta autoadesiva; **~ budgétaire** dotazione f finanziaria
envelopper [ãv(ə)lɔpe] vt avvolgere; **s'~ dans un châle/une couverture** avvolgersi in uno scialle/una coperta
enverrai etc [ãvɛre] vb voir **envoyer**
envers [ãvɛr] prép verso, nei confronti di ▪ nm (*d'une feuille*) verso; (*d'une étoffe, d'un vêtement*) rovescio; (*fig: d'un problème*) altro lato, altra faccia; **à l'~** (*aussi fig*) alla rovescia; **~ et contre tous** *ou* **tout** malgrado tutti gli ostacoli
envie [ãvi] nf invidia; (*souhait, sur la peau*) voglia; (*autour des ongles*) pellicina intorno alle unghie; **avoir ~ de qch/de faire qch** aver voglia di qc/di fare qc; **j'ai ~ que...** vorrei che...; **donner à qn l'~ de qch/de faire qch** far venire a qn la voglia di qc/di fare qc; **ça lui fait ~** ne ha voglia
envier [ãvje] vt invidiare; **~ qch à qn** invidiare qc a qn; **n'avoir rien à ~ à** non aver niente da invidiare a
envieux, -euse [ãvjø, jøz] adj, nm/f invidioso(-a)
environ [ãvirɔ̃] adv circa; **3 h/2 km ~, ~ 3 h/2 km** 3 ore/2 km circa, circa 3 ore/2 km

environnant, e [ãviʀɔnã, ãt] *adj*
circostante

environnement [ãviʀɔnmã] *nm*
ambiente *m*

environs [ãviʀɔ̃] *nmpl* dintorni *mpl*;
aux ~ de nei dintorni di; (*fig: temps, somme*) circa, all'incirca

envisager [ãvizaʒe] *vt* esaminare;
(*prendre en considération*) considerare;
~ de faire avere intenzione *ou*
prevedere di fare

envoler [ãvɔle] *vr*: **s'envoler** (*oiseau, feuille*) volar via; (*avion*) decollare,
alzarsi in volo; (*fig: espoir, illusion*)
sparire

envoyé, e [ãvwaje] *nm/f* inviato(-a)
■ *adj*: **bien ~** (*remarque, réponse*)
ben mirato(-a), molto pertinente;
~ spécial (*Presse*) inviato(-a)
speciale; **~ permanent** (*Presse*)
corrispondente *m/f*

envoyer [ãvwaje] *vt* (*lettre, paquet*)
spedire, mandare; (*émissaire, mission*)
inviare, mandare; (*projectile, ballon*)
lanciare; **~ une gifle à qn** mollare una
sberla a qn; **~ une critique à qn** fare
una critica a qn; **~ les couleurs** alzare la
bandiera; **~ chercher qn/qch** mandare
a chiamare qn/a cercare qc; **~ par le
fond** (*Naut*) affondare; **s'~ un apéritif**
(*fam*) bersi *ou* prendersi un aperitivo

éolien, ne [eɔljɛ̃, jɛn] *adj* eolico(-a);
énergie ~ne energia eolica

épagneul, e [epaɲœl] *nm/f*
épagneul *m inv*

épais, se [epɛ, ɛs] *adj* spesso(-a);
(*sauce, liquide, brouillard*) denso(-a);
(*ténèbres, forêt*) fitto(-a); (*péj: esprit*)
ottuso(-a)

épaisseur [epɛsœʀ] *nf* (*d'un mur*)
spessore *m*; (*du brouillard*) densità *f inv*

épanouir [epanwiʀ] *vr*: **s'épanouir**
(*fleur*) sbocciare; (*visage*) illuminarsi;
(*fig*) fiorire

épargne [epaʀɲ] *nf* risparmio;
l'~-logement forma di risparmio con
facilitazioni in vista dell'acquisto di un
immobile

épargner [epaʀɲe] *vt, vi* risparmiare;
~ qch à qn risparmiare qc a qn

éparpiller [epaʀpije] *vt*
sparpagliare; (*fig: efforts*) disperdere;
s'éparpiller *vr* sparpagliarsi; (*se
disperser: manifestants, fig*) disperdersi

épatant, e [epatã, ãt] (*fam*) *adj*
straordinario(-a), splendido(-a)

épater [epate] *vt* stupire;
(*impressionner*) sbalordire

épaule [epol] *nf* (*Anat, Culin*) spalla

épave [epav] *nf* (*bateau, fig*) relitto;
(*véhicule*) rottame *m*

épée [epe] *nf* spada

épeler [ep(ə)le] *vt* pronunciare
lettera per lettera, fare lo spelling di;
comment s'épelle ce mot? come si
scrive questa parola?

éperon [epʀɔ̃] *nm* sperone *m*

épervier [epɛʀvje] *nm* (*Zool*)
sparviere *m*; (*Pêche*) giacchio

épi [epi] *nm* spiga; **~ de cheveux**
ciuffo ribelle; **stationnement/se
garer en ~** parcheggio/parcheggiare
a spina di pesce

épice [epis] *nf* spezia

épicé, e [epise] *adj* (*aussi fig*) piccante

épicer [epise] *vt* aromatizzare,
condire (con spezie); (*fig*) rendere
piccante

épicerie [episʀi] *nf* negozio di
(generi) alimentari; (*produits*)
provviste *fpl*; **~ fine** generi *mpl*
alimentari di lusso

épicier, -ière [episje, jɛʀ] *nm/f*
negoziante *m/f* di generi alimentari

épidémie [epidemi] *nf* epidemia

épiderme [epidɛʀm] *nm*
epidermide *f*

épier [epje] *vt* spiare

épilepsie [epilɛpsi] *nf* epilessia

épiler [epile] *vt* depilare; **s'~ les
jambes/les sourcils** depilarsi le
gambe/le sopracciglia; **se faire ~**
farsi depilare; **crème à ~** crema
depilatoria; **pince à ~** pinzetta per
sopracciglia

épinards [epinaʀ] *nmpl* spinaci *mpl*

épine [epin] *nf* spina; **~ dorsale** spina
dorsale

épingle [epɛ̃gl] *nf* spillo; **tirer son ~
du jeu** tirarsi d'impiccio; **tiré à quatre
~s** in ghingheri, elegantissimo(-a);
monter qch en ~ mettere qc in
evidenza; **virage en ~ à cheveux**
curva a gomito; **~ à chapeau**
spillone *m*; **~ à cheveux** forcina;
~ de cravate fermacravatta *m inv*;
~ de nourrice *ou* **de sûreté** *ou* **double**
spilla da balia

épisode [epizɔd] *nm* episodio;
  roman/film à ~s romanzo/film *m inv*
  a puntate
épisodique [epizɔdik] *adj*
  episodico(-a)
épluche-légumes [eplyʃlegym] *nm*
  inv pelapatate *m inv*
éplucher [eplyʃe] *vt* sbucciare; *(fig:
  texte, dossier)* spulciare
épluchures [eplyʃyʀ] *nfpl* bucce *fpl*
éponge [epɔ̃ʒ] *nf* spugna ▪ *adj*: **tissu
  ~** spugna; **passer l'~ (sur)** *(fig)* dare
  un colpo di spugna a; **jeter l'~** *(fig)*
  gettare la spugna; **~ métallique**
  paglietta di ferro
éponger [epɔ̃ʒe] *vt* asciugare; *(fig:
  dette, déficit)* riassorbire; **s'~ le front**
  asciugarsi la fronte
époque [epɔk] *nf* epoca; **d'~** *(meuble)*
  d'epoca; **à cette ~** a quell'epoca;
  à l'~ où/de all'epoca in cui/di; **faire ~**
  fare epoca
épouse [epuz] *nf* sposa
épouser [epuze] *vt (personne, idées)*
  sposare; *(mouvement)* aderire a
épousseter [epuste] *vt* spolverare
épouvantable [epuvɑ̃tabl] *adj*
  spaventoso(-a)
épouvantail [epuvɑ̃taj] *nm*
  spaventapasseri *m inv*; *(fig)*
  spauracchio
épouvante [epuvɑ̃t] *nf* spavento;
  film/livre d'~ film/libro dell'orrore
épouvanter [epuvɑ̃te] *vt*
  terrorizzare
époux [epu] *nm* sposo; **les époux**
  nmpl gli sposi
épreuve [epʀœv] *nf* prova; *(Photo)*
  negativo; *(Typo)* bozza; **à l'~ des
  balles/du feu** *(vêtement)* a prova di
  proiettile/di fuoco; **à toute ~** a tutta
  prova; **mettre à l'~** mettere alla
  prova; **~ de force** *(fig)* prova di forza;
  ~ de résistance prova di resistenza;
  ~ de sélection *(Sport)* eliminatoria
éprouver [epʀuve] *vt* provare;
  (machine) testare; *(personne: mettre à
  l'épreuve)* mettere alla prova;
  (difficultés etc) avere, incontrare
épuisé, e [epɥize] *adj* esausto(-a);
  (stock, livre) esaurito(-a)
épuisement [epɥizmɑ̃] *nm*
  spossatezza; *(des ressources etc)*
  esaurimento; **jusqu'à ~ du stock**

ou **des stocks** fino a esaurimento
  delle scorte
épuiser [epɥize] *vt (fatiguer)*
  spossare, sfinire; *(stock, ressources etc)*
  esaurire; **s'épuiser** *vr (se fatiguer)*
  spossarsi; *(stock)* esaurirsi
épuisette [epɥizɛt] *nf (Pêche)* guadino
équateur [ekwatœʀ] *nm* equatore *m*
équation [ekwasjɔ̃] *nf* equazione *f*;
  mettre en ~ mettere in forma di
  equazione; **~ du premier/second
  degré** equazione di primo/secondo
  grado
équerre [ekɛʀ] *nf (pour dessiner,
  mesurer)* squadra; *(pour fixer)* pezzo
  metallico di rinforzo a T o a L; **à l'~, en ~**
  a squadra; **d'~** a squadra; **les jambes
  en ~** con le gambe a squadra; **double
  ~** squadra a T
équilibre [ekilibʀ] *nm* equilibrio;
  être/mettre en ~ essere/mettere
  in equilibrio; **avoir le sens de l'~**
  avere il senso dell'equilibrio; **garder
  l'~** tenersi in equilibrio; **perdre l'~**
  perdere l'equilibrio; **en ~ instable** in
  equilibrio instabile; **~ budgétaire**
  pareggio di bilancio
équilibré, e [ekilibʀe] *adj*
  equilibrato(-a)
équilibrer [ekilibʀe] *vt (budget)*
  pareggiare; *(charge)* equilibrare;
  s'équilibrer *vr (poids)* equilibrarsi,
  bilanciarsi; *(fig)* bilanciarsi
équipage [ekipaʒ] *nm* equipaggio;
  en grand ~ in ghingheri
équipe [ekip] *nf* squadra; *(péj)*
  banda; **travailler par ~s** *(à l'usine)*
  lavorare a turni; **travailler en ~**
  lavorare in gruppo; **faire ~ avec**
  lavorare con; **~ de chercheurs**
  gruppo *ou* équipe *f inv* di ricercatori;
  ~ de nuit turno di notte; **~ de
  sauveteurs** squadra di salvataggio;
  ~ de secours squadra di soccorso
équipé, e [ekipe] *adj* attrezzato(-a)
équipement [ekipmɑ̃] *nm (d'un
  sportif)* attrezzatura,
  equipaggiamento; *(d'une cuisine)*
  attrezzatura; **biens/dépenses d'~**
  bene/spese strutturali; **~s sportifs**
  impianti sportivi; **~s collectifs**
  strutture *fpl* pubbliche; **(le ministère
  de) l'Équipement** *(Admin)* il
  Ministero dei lavori pubblici

équiper [ekipe] vt (sportif etc)
equipaggiare; (voiture, cuisine)
attrezzare; (région) dotare di
infrastrutture; **s'équiper** vr (sportif)
equipaggiarsi, attrezzarsi; (région,
pays) dotarsi di infrastrutture; **~ qn
de** equipaggiare qn di; attrezzare qn
di; **~ qch de** attrezzare qc di

équipier, -ière [ekipje, jɛʀ] nm/f
compagno(-a) di squadra

équitation [ekitasjɔ̃] nf equitazione
f; **faire de l'~** fare equitazione

équivalent, e [ekivalɑ̃, ɑ̃t] adj, nm
equivalente (m)

équivaloir [ekivalwaʀ]: **~ à** vt
equivalere a

érable [eʀabl] nm acero

érafler [eʀɑfle] vt graffiare; **s'~
(la main/les jambes)** graffiarsi
(la mano/le gambe)

éraflure [eʀɑflyʀ] nf graffio

ère [ɛʀ] nf era; **en l'an 1050 de notre
~** nel 1050 dopo Cristo; **l'~ chrétienne**
l'era cristiana

érection [eʀɛksjɔ̃] nf erezione f

éroder [eʀɔde] vt erodere

érotique [eʀɔtik] adj erotico(-a)

errer [eʀe] vi errare, vagare

erreur [eʀœʀ] nf errore m; **tomber/
être dans l'~** cadere/essere in errore;
induire qn en ~ trarre qn in inganno;
par ~ per sbaglio; **faire ~** commettere
un errore; **il doit y avoir une ~** ci
dev'essere un errore; **~ d'écriture/
d'impression** errore di ortografia/
di stampa; **~ de date** errore di data;
~ de fait/de jugement errore di
fatto/di giudizio; **~ judiciaire** errore
giudiziario; **~ matérielle** errore di
trascrizione; **~ tactique** errore tattico

éruption [eʀypsjɔ̃] nf eruzione f; (fig:
de joie, folie) impeto, accesso

es [ɛ] vb voir **être**

ès [ɛs] prép: **licencié ès lettres/
sciences** laureato in scienze/lettere;
docteur ès lettres dottore in lettere

ESB abr f (= Encéphalopathie
Spongiforme Bovine) BSE f

escabeau, x [ɛskabo] nm (tabouret)
sgabello; (échelle) scala a libretto

escalade [ɛskalad] nf scalata;
l'~ de la guerre/violence
l'escalation f inv della guerra/
violenza; **~ artificielle** arrampicata

artificiale; **~ libre** arrampicata libera,
free-climbing m inv

escalader [ɛskalade] vt scalare

escale [ɛskal] nf scalo; **faire ~ (à)** fare
scalo (a); **vol sans ~** volo senza scalo;
~ technique scalo tecnico

escalier [ɛskalje] nm scala, scale fpl;
dans l'~ ou **les ~s** sulle scale;
descendre l'~ ou **les ~s** scendere le
scale; **~ à vis** ou **en colimaçon** scala a
chiocciola; **~ de secours/de service**
scala di soccorso/di servizio;
~ roulant ou **mécanique** scala
mobile

escalope [ɛskalɔp] nf scaloppina

escamoter [ɛskamɔte] vt far sparire

escapade [ɛskapad] nf: **faire une ~**
fare una scappatella

escargot [ɛskaʀgo] nm lumaca

escarpé, e [ɛskaʀpe] adj
scosceso(-a), ripido(-a)

esclavage [ɛsklavaʒ] nm
schiavitù f inv

esclave [ɛsklav] nm/f schiavo(-a);
être ~ de qn/qch (fig) essere
schiavo(-a) di qn/qc

escompte [ɛskɔ̃t] nm sconto

escrime [ɛskʀim] nf scherma; **faire
de l'~** tirare di scherma

escroc [ɛskʀo] nm truffatore(-trice),
imbroglione(-a)

escroquer [ɛskʀɔke] vt (personne)
imbrogliare; (argent) sottrarre

escroquerie [ɛskʀɔkʀi] nf raggiro,
truffa

espace [ɛspas] nm spazio; **manquer
d'~** non avere spazio sufficiente;
~ publicitaire spazio pubblicitario;
~ vital spazio vitale

espacer [ɛspase] vt distanziare;
(visites) diradare; **s'espacer** vr
(visites etc) diradarsi

espadon [ɛspadɔ̃] nm pesce m
spada inv

espadrille [ɛspadʀij] nf espadrille f inv

Espagne [ɛspaɲ] nf Spagna

espagnol, e [ɛspaɲɔl] adj
spagnolo(-a) ▪ nm (langue) spagnolo
▪ nm/f: **Espagnol, e** spagnolo(-a)

espèce [ɛspɛs] nf specie f inv;
espèces nfpl (Comm) contanti mpl;
une ~ de una specie di; **~ de
maladroit/de brute!** razza di
incapace/d'idiota!; **de toute ~** di ogni
specie; **en l'~** nella fattispecie; **payer
en ~s** pagare in contanti; **l'~ humaine**

la specie umana; **cas d'~** caso particolare

espérance [ɛspeʀɑ̃s] nf speranza; **contre toute ~** contro ogni speranza; **~ de vie** (Démographie) aspettativa di vita, vita media

espérer [ɛspeʀe] vt sperare ■ vi aspettarsi; **j'espère (bien)** lo spero (proprio ou bene); **~ que/faire qch/avoir fait qch** sperare che/di fare qc/di aver fatto qc; **~ en qn/qch** sperare in qn/qc; **je n'en espérais pas tant** non mi aspettavo tanto

espiègle [ɛspjɛgl] adj birichino(-a)

espion, ne [ɛspjɔ̃, jɔn] nm/f spia ■ adj: **bateau/avion ~** battello m/aereo m spia inv

espionnage [ɛspjɔnaʒ] nm spionaggio; **film/roman d'~** film/romanzo di spionaggio; **~ industriel** spionaggio industriale

espionner [ɛspjɔne] vt spiare

espoir [ɛspwaʀ] nm speranza; **avoir bon ~ que...** avere la speranza che...; **garder l'~ que...** nutrire la speranza che...; **dans l'~ de/que** sperando di/che; **reprendre ~** riprendere a sperare; **un ~ de la boxe/du ski** una speranza del pugilato/dello sci; **c'est sans ~** è senza speranza

esprit [ɛspʀi] nm spirito; (pensée, intellect) mente f; **l'~ de parti/de clan** lo spirito di partito/di clan; **paresse/vivacité d'~** pigrizia/vivacità mentale; **l'~ d'une loi/réforme** lo spirito di una legge/riforma; **l'~ d'équipe/de compétition** lo spirito di gruppo/di competizione; **dans mon ~ à mio avviso, secondo me; **faire de l'~** fare dello spirito; **reprendre ses ~s** riprendere i sensi, ritornare in sé; **perdre l'~** impazzire; **avoir bon/mauvais ~** essere di animo buono/cattivo; **avoir l'~ à faire qch** aver voglia di fare qc; **avoir l'~ critique** avere spirito critico; **~s chagrins** anime meste; **~ de contradiction** spirito di contraddizione; **~ de corps** spirito di corpo; **~ de famille** senso della famiglia; **l'~ malin** (le diable) lo spirito maligno

esquimau, de, x [ɛskimo, od] adj eschimese ■ nm (langue) eschimese m; (glace) gelato ricoperto di

cioccolato ■ nm/f: **Esquimau, de** eschimese m/f; **chien ~** cane m eschimese

essai [ɛsɛ] nm prova; (d'une voiture) collaudo; (Rugby) meta; (Litt) saggio; **essais** nmpl (Sport, Auto) collaudo msg; **à l'~** in prova; **~ gratuit** (Comm) campione m gratuito

essaim [ɛsɛ̃] nm (aussi fig) sciame m

essayer [ɛseje] vt provare; (méthode) sperimentare ■ vi provare; **~ de faire qch** provare a ou cercare di fare qc; **essayez un peu!** (menace) provateci solo!; **s'~ à faire qch** provare a fare qc; **s'~ à qch** cimentarsi in qc

essence [ɛsɑ̃s] nf (aussi fig) essenza; (carburant) benzina; **par ~** per definizione; **prendre** ou **faire de l'~** far benzina; **je suis en panne d'~** sono rimasto senza benzina; **~ de café** estratto di caffè; **~ de citron/de lavande** essenza di limone/di lavanda; **~ de térébenthine** essenza di trementina, acquaragia

essentiel, le [ɛsɑ̃sjɛl] adj essenziale ■ nm essenziale m; **être ~ à** essere fondamentale per; **c'est l'~** è la cosa più importante; **l'~ de** (la majeure partie) il grosso di

essieu, x [ɛsjø] nm (Auto) assale m

essor [ɛsɔʀ] nm (de l'économie etc) sviluppo; **prendre son ~** (fig) prendere il volo

essorer [ɛsɔʀe] vt (linge) strizzare; (machine à laver) centrifugare; (salade) scolare

essoreuse [ɛsɔʀøz] nf centrifuga

essouffler [ɛsufle] vt lasciare senza fiato; **s'essouffler** vr restare senza fiato; (fig: écrivain) perdere l'ispirazione; (économie) arrancare

essuie-glace [ɛsɥiglas] nm tergicristallo

essuyer [ɛsɥije] vt asciugare; (épousseter) spolverare; (fig: subir) subire; **s'essuyer** vr asciugarsi; **~ la vaisselle** asciugare i piatti

est¹ [ɛ] vb voir **être**

est² [ɛst] nm est m ■ adj inv orientale, (ad) est inv; **à l'~** (situation) all'est; (direction) a est; **à l'~ de** a est di; **les pays de l'E~** i paesi dell'Est

est-ce que [ɛskə] adv: **~ c'est cher?** è caro?; **~ c'était bon?** era buono?;

quand est-ce qu'il part? quando (è che) parte?; **où est-ce qu'il va?** dove va?; **qui est-ce qui le connaît/a fait ça?** chi lo conosce/ha fatto questo?

esthéticienne [ɛstetisjɛn] nf estetista f

esthétique [ɛstetik] adj estetico(-a) ■ nf estetica; **~ industrielle** design m inv

estimation [ɛstimasjɔ̃] nf stima, valutazione f; **d'après mes ~s** secondo i miei calcoli

estime [ɛstim] nf stima; **avoir de l'~ pour qn** avere stima di qn

estimer [ɛstime] vt (respecter, expertiser) stimare; (évaluer) valutare; **~ que/être...** ritenere che/di essere...; **s'~ satisfait/heureux** ritenersi soddisfatto/felice; **j'estime cette distance à 6 km** ritengo che la distanza sia di 6 km

estival, e, aux [ɛstival, o] adj estivo(-a); **station ~e** località di villeggiatura

estivant, e [ɛstivã, ãt] nm/f villeggiante m/f

estomac [ɛstɔma] nm stomaco; **avoir l'~ creux** avere un buco nello stomaco; **avoir mal à l'~** avere male allo stomaco

estragon [ɛstʀagɔ̃] nm dragoncello

estuaire [ɛstɥɛʀ] nm estuario

et [e] conj e; **et aussi** e anche; **et lui** e lui; **et puis?** e poi?; **et alors** ou **(puis) après?** (qu'importe!) e allora?; (ensuite) e allora?, e poi?

étable [etabl] nf stalla

établi, e [etabli] adj (réputation) solido(-a); (usage, préjugé) radicato(-a); (vérité) accertato(-a); (gouvernement) al potere; (coutumes) consolidato(-a); (ordre) costituito(-a) ■ nm banco

établir [etabliʀ] vt (relations, usage, record) stabilire; (liste) compilare; (entreprise) impiantare; (papiers d'identité) rilasciare; (facture) emettere; (fig: réputation, droit) fondare; (fait, culpabilité) dimostrare; (personne: aider à s'établir) sistemare; **s'établir** vr (entente) stabilirsi; (silence) calare; **s'~ (à son compte)** mettersi in proprio; **s'~ à/près de** stabilirsi a/presso

établissement [etablismã] nm (de relations) instaurazione f; (de papiers) rilascio; (de facture) emissione f; (de liste) compilazione f; (d'entreprise, peuple) insediamento; (de fait, culpabilité) dimostrazione f; (entreprise) impresa; **~ commercial** impresa commerciale; **~ de crédit** istituto di credito; **~ hospitalier** istituto ospedaliero; **~ industriel** stabilimento industriale; **~ public** locale m pubblico; **~ scolaire** istituto scolastico

étage [etaʒ] nm (d'immeuble) piano; (Aviat, Géo) stadio; **c'est à quel ~?** a che piano si trova?; **habiter à l'~/au deuxième ~** abitare al primo piano/al secondo piano; **maison à deux ~s** casa a due piani; **de bas ~** di basso livello; (médiocre) di bassa lega

étagère [etaʒɛʀ] nf (rayon) ripiano, scaffale m; (meuble) scansia

étai [etɛ] nm puntello

étain [etɛ̃] nm stagno; **pot en ~** (Orfèvrerie) vaso in peltro

étais etc [etɛ] vb voir **être**

étaler [etale] vt (carte, nappe) stendere, spiegare; (peinture) stendere; (beurre) spalmare; (paiements, dates) scaglionare; (exposer: marchandises) esporre; (richesses, connaissances) ostentare; **s'étaler** vr (liquide) spandersi; (luxe etc) venire ostentato(-a); (fam) cadere lungo(-a) disteso(-a); **s'~ sur** (suj: paiements etc) essere scaglionato(-a) su

étalon [etalɔ̃] nm (mesure) campione m (di misura); (cheval) stallone m; **l'~-or** (Écon) il tallone aureo

étanche [etãʃ] adj stagno(-a); (vêtement) impermeabile; **cloison ~** (fig) compartimento stagno; **~ à l'air** a tenuta d'aria

étang [etã] nm stagno

étant [etã] vb voir **être**; voir aussi **donné**

étape [etap] nf tappa; **faire ~ à** fare tappa a; **brûler les ~s** (fig) bruciare le tappe

état [eta] nm stato; (gouvernement): **l'État** lo Stato; (liste, inventaire) distinta; (physique, mentale) stato, condizione f; **être boucher de son ~** fare il macellaio di professione; **en**

bon/mauvais ~ in buono/cattivo
stato; **en ~ (de marche)** funzionante;
remettre en ~ rimettere a posto;
hors d'~ fuori uso; **être en ~/hors d'~
de faire qch** essere/non essere in
condizione di fare qc; **en tout ~ de
cause** in ogni caso; **être dans tous
ses ~s** essere fuori di sé; **faire ~ de**
dichiarare; **être en ~ d'arrestation**
(Jur) essere in stato di arresto; **en ~ de
grâce** (Rel, fig) in stato di grazia; **en ~
d'ivresse** in stato di ubriachezza;
~ civil stato civile; **~ d'alerte** stato di
allerta; **~ d'esprit** stato d'animo;
l'~ d'urgence lo stato di emergenza;
~ de choses (situation) stato delle
cose; **~ de guerre** stato di guerra;
~ des lieux controllo dello stato dei
locali; **~ de santé** stato di salute; **~ de
siège** stato di assedio; **~ de veille**
stato di veglia; **~s de service** (Mil,
Admin) stato di servizio; **les États du
Golfe** i paesi del Golfo

États-Unis [etazyni] nmpl: **les ~
(d'Amérique)** gli Stati Uniti (d'America)

etc. abr adv (= et c(a)etera) ecc.

et c(a)etera [ɛtsetera] adv eccetera

été [ete] pp de **être** ■ nm estate f; **en
~** in estate

éteindre [etɛ̃dʀ] vt (aussi fig)
spegnere; **pouvez-vous ~ la lumière?**
può spegnere la luce?; **je n'arrive pas
à ~ le chauffage** non riesco a
spegnere il riscaldamento; (Jur: dette)
estinguere; **s'éteindre** vr spegnersi

éteint, e [etɛ̃, ɛ̃t] pp de **éteindre**
■ adj (aussi fig) spento(-a); **tous feux
~s** (rouler) a fari spenti

étendre [etɑ̃dʀ] vt stendere; (diluer)
allungare; (fig: pouvoirs,
connaissances) estendere; (: affaires
etc) ingrandire; **s'étendre** vr
estendersi; **s'~ (sur)** (personne)
stendersi (su); (fig: expliquer)
dilungarsi (su)

étendu, e [etɑ̃dy] adj esteso(-a)

éternel, le [etɛʀnɛl] adj (Rel, gén)
eterno(-a); **les neiges ~les** le nevi
eterne

éternité [etɛʀnite] nf eternità f inv;
il y a une ~ que... è una vita
che...; **de toute ~** da sempre

éternuement [etɛʀnymɑ̃] nm
starnuto

éternuer [etɛʀnɥe] vi starnutire

êtes [ɛt(z)] vb voir **être**

étiez [etje] vb voir **être**

étinceler [etɛ̃s(ə)le] vi scintillare;
(fig) brillare

étincelle [etɛ̃sɛl] nf (aussi fig)
scintilla

étiquette [etikɛt] nf (aussi fig)
etichetta; **sans ~** (Pol) indipendente,
che non appartiene a nessuno
schieramento politico

étirer [etire] vt distendere, stirare;
s'étirer vr stirarsi, distendersi;
(convoi, route): **s'~ sur plusieurs
kilomètres** estendersi per chilometri;
~ ses bras/jambes stirare le braccia/
gambe

étoile [etwal] nf stella; (signe
typographique) stelletta ■ adj:
danseur ~ primo ballerino; **la bonne/
mauvaise ~ de qn** la buona/cattiva
stella di qn; **à la belle ~** all'aperto;
~ de mer stella marina; **~ filante**
stella cadente ou filante; **~ polaire**
stella polare

étoilé, e [etwale] adj stellato(-a)

étonnant, e [etɔnɑ̃, ɑ̃t] adj
sorprendente; (valeur intensive)
straordinario(-a)

étonnement [etɔnmɑ̃] nm stupore
m, meraviglia; **à mon grand ~...** con
mio grande stupore..., con mia
grande meraviglia...

étonner [etɔne] vt stupire,
sorprendere, meravigliare; **s'~ que/
de** stupirsi che/di, meravigliarsi che/
di; **cela m'étonne (que)** mi sembra
strano (che)

étouffer [etufe] vt soffocare;
(fig: nouvelle) mettere a tacere
■ vi (aussi fig) soffocare; **s'étouffer**
vr (en mangeant) soffocarsi

étourderie [etuʀdəʀi] nf
sbadataggine f; **faute d'~** errore di
distrazione

étourdi, e [etuʀdi] adj sbadato(-a)

étourdir [etuʀdiʀ] vt stordire

étourdissement [etuʀdismɑ̃] nm
stordimento

étrange [etʀɑ̃ʒ] adj strano(-a)

étranger, -ère [etʀɑ̃ʒe, ɛʀ] adj
straniero(-a); (pas de la famille, non
familier) estraneo(-a) ■ nm/f (v adj)
straniero(-a); estraneo(-a) ■ nm:

l'~ l'estero; **à l'~** all'estero; **de l'~**
dall'estero
étrangler [etʀɑ̃gle] vt strangolare,
strozzare; (fig: presse, libertés)
soffocare; **s'étrangler** vr strozzarsi;
(se resserrer) presentare una strozzatura

🔵 **MOT-CLÉ**

être [ɛtʀ] vi 1 (exister, se trouver)
essere; (avec attribut: état, description)
essere; **je ne serai pas ici demain**
non sarò qui domani; **il est fort** è
forte; **il est instituteur** è maestro,
fa il maestro; **vous êtes fatigué** lei è
stanco; **soit un triangle ABC** dato un
triangolo ABC
2: **être à** (appartenir) essere di; **le
livre est à Paul** il libro è di Paul; **c'est
à moi/eux** è mio/loro
3: **être de** (provenance, origine) essere
di; **être de Genève/de la même
famille** essere di Ginevra/della stessa
famiglia
4 (date): **nous sommes le 5 juin**
(oggi) è il 5 giugno
■ vb aux 1 essere; **être arrivé/allé**
essere arrivato/andato; **il est parti**
è partito
2 (forme passive) essere; **être fait par**
essere fatto da; **il a été promu** è stato
promosso
3: **être à** (obligation) essere da;
c'est à réparer è da riparare; **il est à
espérer/souhaiter que...** c'è da
sperare/augurarsi che...
■ vb impers 1: **il est** (+ adj) è; **il est
impossible de le faire** è impossibile
farlo; **il serait facile de...** sarebbe
facile...
2 (heure): **il est 10 heures, c'est
10 heures** sono le 10; **il est 1 heure**
è l'una; **il est minuit** è mezzanotte
3 (emphatique): **c'est moi** sono io;
c'est à lui de le faire tocca ou sta a
lui farlo
■ nm (individu, nature intime) essere m;
être humain essere umano

étrennes [etʀɛn] nfpl strenne fpl;
(gratifications) mancia fsg a fine anno
étrier [etʀije] nm staffa
étroit, e [etʀwa, wat] adj stretto(-a);
(fig: péj: idées) ristretto(-a); **à l'~** (vivre,

être logé) senza spazio sufficiente;
~ d'esprit di vedute limitate
étude [etyd] nf studio; (Scol) sala di
studio; **études** nfpl (Scol) studi mpl;
faire des ~s studiare; **être à l'~** essere
allo studio; **faire des ~s de droit/
médecine** studiare legge/medicina;
~s secondaires/supérieures studi
secondari/superiori; **~ de cas** studio
di un caso tipo; **~ de faisabilité** studio
di fattibilità; **~ de marché** ricerca di
mercato
étudiant, e [etydjɑ̃, jɑ̃t] nm/f
studente(-essa) ■ adj
studentesco(-a)
étudier [etydje] vt, vi studiare
étui [etɥi] nm astuccio, custodia
eu, e [y] pp de **avoir**
euh [ø] excl ehm
euro [øʀo] nm euro m inv
Europe [øʀɔp] nf Europa; **l'~ centrale**
l'Europa centrale; **l'~ verte** l'Europa
verde
européen, ne [øʀɔpeɛ̃, ɛn] adj
europeo(-a) ■ nm/f: **Européen, ne**
europeo(-a)
eus etc [y] vb voir **avoir**
eux [ø] pron (fonction sujet) loro, essi;
(fonction objet) loro; **~, ils ont fait...**
(loro) ou (essi) hanno fatto...
évacuer [evakɥe] vt evacuare;
(toxines) espellere
évader [evade] vr: **s'évader** evadere
évaluer [evalɥe] vt valutare
évangile [evɑ̃ʒil] nm vangelo; (texte
de la Bible): **Évangile** Vangelo; **ce
n'est pas l'Évangile** (fig) non è il
vangelo
évanouir [evanwiʀ] vr: **s'évanouir**
svenire; (fig: disparaître) svanire
évanouissement [evanwismɑ̃] nm
svenimento
évaporer [evapɔʀe] vr: **s'évaporer**
evaporare
évasion [evazjɔ̃] nf evasione f;
littérature d'~ letteratura di
evasione; **~ des capitaux** fuga di
capitali; **~ fiscale** evasione fiscale
éveillé, e [eveje] adj sveglio(-a)
éveiller [eveje] vt svegliare; (curiosité
etc) destare; **s'éveiller** vr svegliarsi;
(fig) risvegliarsi
événement [evɛnmɑ̃] nm
avvenimento; **un ~ historique** un

evento storico; **un heureux ~** un felice evento

éventail [evãtaj] *nm* ventaglio; **en ~** a ventaglio

éventualité [evãtɥalite] *nf* eventualità *finv*; **dans l'~ de** nell'eventualità di; **parer à toute ~** far fronte a ogni evenienza

éventuel, le [evãtɥɛl] *adj* eventuale

éventuellement [evãtɥɛlmã] *adv* eventualmente

évêque [evɛk] *nm* vescovo

évidemment [evidamã] *adv* evidentemente

évidence [evidãs] *nf* evidenza; *(fait)* cosa evidente; **se rendre à l'~** arrendersi all'evidenza; **nier l'~** negare l'evidenza; **à l'~** in modo evidente; **de toute ~** evidentemente; **en ~** in evidenza; **mettre en ~** mettere in evidenza, evidenziare

évident, e [evidã, ãt] *adj* evidente; **ce n'est pas ~** non è poi così semplice

évier [evje] *nm* lavello, acquaio

éviter [evite] *vt* evitare; **~ de faire/ que qch ne se passe** evitare di fare/ che succeda qc; **~ qch à qn** evitare qc a qn

évoluer [evɔlɥe] *vi* evolversi; *(enfant)* svilupparsi; *(danseur, avion)* compiere evoluzioni

évolution [evɔlysjɔ̃] *nf* evoluzione *f*; *(d'enfant)* sviluppo; **évolutions** *nfpl* *(d'avion etc)* evoluzioni *fpl*

évoquer [evɔke] *vt* evocare; *(mentionner)* citare, accennare a; *(Jur)* avocare

ex- [ɛks] *préf* ex; **son ~mari** il suo ex marito; **son ~femme** la sua ex moglie

exact, e [ɛgza(kt), ɛgzakt] *adj* esatto(-a); **l'heure ~e** l'ora esatta

exactement [ɛgzaktəmã] *adv* esattamente

ex aequo [ɛgzeko] *adv* ex aequo ■ *adj inv*: **classé 1er ~** classificato primo ex aequo

exagéré, e [ɛgzaʒeʀe] *adj* esagerato(-a)

exagérer [ɛgzaʒeʀe] *vt, vi* esagerare; **sans ~** senza esagerare; **s'~ qch** esagerare qc; **il ne faut pas/rien ~** non esageriamo

examen [ɛgzamɛ̃] *nm* esame *m*; **à l'~** all'esame; **~ blanc** esercizio che

simula l'esame; **~ d'entrée** esame di ammissione; **~ de conscience** esame di coscienza; **~ de la vue** esame della vista; **~ final** esame finale; **~ médical** visita medica

examinateur, -trice [ɛgzaminatœʀ, tʀis] *nm/f* (*Scol*) esaminatore(-trice)

examiner [ɛgzamine] *vt* esaminare

exaspérant, e [ɛgzaspeʀã, ãt] *adj* esasperante

exaspérer [ɛgzaspeʀe] *vt* esasperare

exaucer [ɛgzose] *vt* esaudire

excéder [ɛksede] *vt* (*dépasser*) eccedere, superare; (*agacer*) esasperare; **excédé de fatigue** sfinito; **excédé de travail** sfinito dal lavoro

excellent, e [ɛkselã, ãt] *adj* eccellente, ottimo(-a)

excentrique [ɛksãtʀik] *adj* eccentrico(-a)

excepté, e [ɛksɛpte] *adj*: **les élèves ~s** salvo *ou* tranne *ou* eccetto gli alunni ■ *prép*: **~ les élèves** salvo *ou* tranne gli alunni; **~ si/quand...** tranne se/quando...; **~ que** eccetto *ou* tranne che

exception [ɛksɛpsjɔ̃] *nf* eccezione *f*; **faire ~/une ~** fare eccezione/ un'eccezione; **sans ~** senza eccezioni; **à l'~ de** a eccezione di; **mesure/loi d'~** misura/legge speciale

exceptionnel, le [ɛksɛpsjɔnɛl] *adj* eccezionale

exceptionnellement [ɛksɛpsjɔnɛlmã] *adv* eccezionalmente

excès [ɛksɛ] *nm* eccesso ■ *nmpl* (*abus*) eccessi *mpl*; **à l'~** (*boire, manger*) eccessivamente, esageratamente; (*économe, timide*) oltremodo; **tomber dans l'~ inverse** andare da un estremo all'altro; **avec ~** smoderatamente; **sans ~** senza eccedere; **~ de langage** libertà di linguaggio; **~ de pouvoir** abuso di potere; **~ de vitesse** eccesso di velocità; **~ de zèle** eccesso di zelo

excessif, -ive [ɛksesif, iv] *adj* eccessivo(-a)

excitant, e [ɛksitã, ãt] *adj, nm* eccitante (*m*)

excitation [ɛksitasjɔ̃] *nf* eccitazione *f*

exciter [ɛksite] vt eccitare; (fig: sentiment, sensation) destare, suscitare; **s'exciter** vr eccitarsi; ~ qn à (la révolte, au combat) istigare qn a

exclamer [ɛksklame] vr: **s'exclamer** esclamare; **"zut", s'exclama-t-il** "accidenti", esclamò

exclure [ɛksklyʀ] vt escludere

exclusif, -ive [ɛksklyzif, iv] adj esclusivo(-a); (Comm: agent) unico(-a); **avec la mission exclusive/dans le but ~ de** con il solo scopo di

exclusion [ɛksklyzjɔ̃] nf esclusione f; **à l'~ de** a esclusione di

exclusivité [ɛksklyzivite] nf esclusiva; **en ~** in esclusiva; **film passant en ~** film in prima visione

excursion [ɛkskyʀsjɔ̃] nf escursione f; **faire une ~** fare un'escursione

excuse [ɛkskyz] nf scusa; **excuses** nfpl (expression de regret) scuse fpl; **faire des ~s** scusarsi; **mot d'~** (Scol) giustificazione f; **faire/présenter ses ~s** fare/presentare le proprie scuse; **lettre d'~s** lettera di scuse

excuser [ɛkskyze] vt scusare; (dispenser): ~ **qn de qch** esentare qn da qc; **s'excuser** vr scusarsi; **"excusez-moi"** "(mi) scusi"; **se faire ~** scusarsi di non poter essere presente, chiedere di essere giustificato(-a)

exécuter [ɛgzekyte] vt eseguire; (prisonnier) giustiziare; **s'exécuter** vr decidersi

exemplaire [ɛgzɑ̃plɛʀ] adj, nm esemplare (m)

exemple [ɛgzɑ̃pl] nm esempio; **par ~** ad ou per esempio; (valeur intensive) questa poi!; **sans ~** senza pari; **donner l'~** dare l'esempio; **prendre ~ sur qn** prendere esempio da qn; **suivre l'~ de qn** seguire l'esempio di qn; **à l'~ de** sull'esempio di; **servir d'~ (à qn)** servire di esempio (a qn); **pour l'~** come esempio

exercer [ɛgzɛʀse] vt esercitare; (former) allenare ■ vi esercitare; **s'exercer** vr esercitarsi; (sportif) allenarsi; **s'~ à faire qch** esercitarsi a fare qc

exercice [ɛgzɛʀsis] nm esercizio; **l'~** (activité sportive) la ginnastica; **à l'~** (Mil) in esercitazione; **en ~** (juge) in carica; (médecin) che esercita (la professione); **dans l'~ de ses fonctions** nell'esercizio delle proprie funzioni; **~s pour sciogliere i muscoli** esercizi per sciogliere i muscoli

exhiber [ɛgzibe] vt esibire; **s'exhiber** vr esibirsi

exhibitionniste [ɛgzibisjɔnist] nm/f esibizionista m/f

exigeant, e [ɛgziʒɑ̃, ɑ̃t] adj esigente

exiger [ɛgziʒe] vt esigere

exil [ɛgzil] nm esilio; **en ~** in esilio

exiler [ɛgzile] vt esiliare; **s'exiler** vr andare in esilio

existence [ɛgzistɑ̃s] nf esistenza; **dans l'~** durante la vita; **moyens d'~** mezzi mpl di sussistenza

exister [ɛgziste] vi esistere; **il existe un...** c'è un...; **il existe des...** ci sono dei...

exorbitant, e [ɛgzɔʀbitɑ̃, ɑ̃t] adj esorbitante

exotique [ɛgzɔtik] adj esotico(-a)

expédier [ɛkspedje] vt spedire, inviare; (troupes, renfort) inviare; (péj: travail) sbrigare in fretta; ~ **par la poste** spedire per posta; ~ **par bateau/avion** spedire per nave/via aerea

expéditeur, -trice [ɛkspeditœʀ, tʀis] nm/f mittente m/f

expédition [ɛkspedisjɔ̃] nf spedizione f; ~ **punitive** spedizione punitiva

expérience [ɛkspeʀjɑ̃s] nf esperienza; (scientifique) esperimento; **avoir de l'~** avere esperienza; **faire l'~ de qch** fare l'esperienza di qc; ~ **d'électricité/de chimie** esperimento elettrico/di chimica

expérimenté, e [ɛkspeʀimɑ̃te] adj esperto(-a), provetto(-a)

expérimenter [ɛkspeʀimɑ̃te] vt sperimentare

expert, e [ɛkspɛʀ, ɛʀt] adj: ~ **en** esperto in ou di ■ nm esperto(-a); ~ **en assurances** perito assicurativo

expert-comptable [ɛkspɛʀkɔ̃tabl] (pl **experts-comptables**) nm ragioniere m

expirer [ɛkspiʀe] vi (passeport, bail) scadere; (respirer) espirare; (litt: mourir) spirare

explication [ɛksplikasjɔ̃] nf
spiegazione f; **~ de texte** (Scol)
spiegazione del testo

explicite [ɛksplisit] adj esplicito(-a)

expliquer [ɛksplike] vt spiegare;
s'expliquer vr spiegarsi; **~ (à qn)
comment/que** spiegare (a qn) come/
che; **ceci explique que/comment...**
questo spiega che/come...; **son
erreur s'explique** si spiega il suo
errore

exploit [ɛksplwa] nm prodezza,
exploit m inv

exploitant [ɛksplwatɑ̃] nm (Agr)
coltivatore m; **les petits ~s** (Agr) i
piccoli coltivatori

exploitation [ɛksplwatasjɔ̃] nf (v vt)
sfruttamento; gestione f; **~ agricole**
(entreprise) azienda agricola

exploiter [ɛksplwate] vt (mine, fig,
péj) sfruttare; (entreprise, ferme)
gestire

explorer [ɛksplɔʀe] vt esplorare

exploser [ɛksploze] vi esplodere,
scoppiare; (fig) scoppiare

explosif, -ive [ɛksplozif, iv] adj
esplosivo(-a) ■ nm esplosivo

explosion [ɛksplozjɔ̃] nf esplosione
f; **~ de colère** scoppio di collera; **~ de
joie** esplosione di gioia; **~
démographique** esplosione
demografica

exportateur, -trice [ɛkspɔʀtatœʀ,
tʀis] adj esportatore(-trice) ■ nm
esportatore m

exportation [ɛkspɔʀtasjɔ̃] nf
esportazione f

exporter [ɛkspɔʀte] vt esportare

exposant [ɛkspozɑ̃] nm espositore
m; (Math) esponente m

exposé, e [ɛkspoze] adj esposto(-a)
■ nm (Scol, conférence) esposizione f;
~ à l'est/au sud esposto(-a) a est/a
sud; **bien ~** con una buona
esposizione; **très ~** molto esposto(-a)

exposer [ɛkspoze] vt esporre;
s'exposer à vr esporsi a; **~ qn/qch
à** esporre qn/qc a; **~ sa vie** rischiare
la vita

exposition [ɛkspozisjɔ̃] nf
esposizione f; **temps d'~** (Photo)
tempo di esposizione

exprès¹ [ɛkspʀɛ] adv apposta; **faire ~
de faire qch** fare apposta a fare qc;

il l'a fait/ne l'a pas fait **~** l'ha fatto/
non l'ha fatto apposta

exprès², expresse [ɛkspʀɛs] adj
(ordre) espresso(-a), esplicito(-a);
(défense) assoluto(-a); (Postes):
lettre/colis ~ lettera/pacco espresso;
envoyer qch en ~ spedire qc per
espresso

express [ɛkspʀɛs] adj, nm: **(café) ~**
(caffè) espresso; **(train) ~** (treno)
espresso

expressif, -ive [ɛkspʀɛsif, iv] adj
espressivo(-a)

expression [ɛkspʀɛsjɔ̃] nf
espressione f; **réduit à sa plus simple
~** ridotto alla sua più semplice
espressione; **liberté/moyens d'~**
libertà/mezzi mpl di espressione;
~ toute faite frase f fatta

exprimer [ɛkspʀime] vt esprimere;
(jus, liquide) spremere; **s'exprimer** vr
esprimersi; **bien s'~** esprimersi
bene; **s'~ en français** esprimersi in
francese

expulser [ɛkspylse] vt espellere;
(locataire) sfrattare

exquis, e [ɛkski, iz] adj squisito(-a);
(temps) stupendo(-a)

extasier [ɛkstazje] vr: **s'extasier:
s'~ sur** estasiarsi davanti a, andare in
estasi davanti a

exténuer [ɛkstenɥe] vt estenuare

extérieur, e [ɛksteʀjœʀ] adj
esterno(-a); (commerce, politique)
estero(-a); (calme, gaieté) esteriore
■ nm (d'une maison, d'un récipient)
esterno; (d'une personne) aspetto
esteriore; **contacts avec l'~**
(d'un pays) contatti mpl con l'estero;
à l'~ all'esterno, fuori; (fig: à l'étranger)
all'estero; (Sport: coureur, cheval)
esterno(-a)

externat [ɛksteʀna] nm (Scol)
esternato

externe [ɛksteʀn] adj esterno(-a)
■ nm/f (Scol) esterno(-a); (étudiant en
médecine) studente(-essa) in medicina
che fa pratica ospedaliera

extincteur [ɛkstɛ̃ktœʀ] nm
estintore m

extinction [ɛkstɛ̃ksjɔ̃] nf estinzione
f; (d'un incendie) estinzione f,
spegnimento; **~ de voix** (Méd)
abbassamento di voce

extra [ɛkstʀa] *adj inv* di prima
qualità, ottimo(-a) ■ *nm* extra *m inv*;
(*employé*) avventizio ■ *préf* extra
extraire [ɛkstʀɛʀ] *vt* estrarre; ~ **qch
de** estrarre qc da
extrait, e [ɛkstʀɛ, ɛt] *pp de* **extraire**
■ *nm* (*de plante*) estratto; (*de film*)
provino; (*de livre*) brano, passaggio;
~ **de naissance** estratto (del
certificato) di nascita
extraordinaire [ɛkstʀaɔʀdinɛʀ] *adj*
straordinario(-a); **par ~** per caso, per
ipotesi; **mission/envoyé ~** missione
f/inviato speciale; **ambassadeur ~**
ambasciatore *m* straordinario;
assemblée ~ assemblea straordinaria
extravagant, e [ɛkstʀavagɑ̃, ɑ̃t] *adj*
stravagante
extraverti, e [ɛkstʀavɛʀti] *adj*
estroverso(-a)
extrême [ɛkstʀɛm] *adj* estremo(-a)
■ *nm* estremo; **les ~s** gli estremi;
d'un ~ à l'autre da un estremo
all'altro; **à l'~** all'estremo; **à l'~
rigueur** al limite, al massimo
extrêmement [ɛkstʀɛmmɑ̃] *adv*
estremamente
Extrême-Orient [ɛkstʀɛmɔʀjɑ̃] *nm*
Estremo Oriente *m*
extrémité [ɛkstʀemite] *nf* estremità
f inv; (*situation*) situazione *f* critica;
(*geste désespéré*) gesto estremo;
extrémités *nfpl* (*pieds et mains*)
estremità *fpl inv*; **à la dernière ~**
(*à l'agonie*) in fin di vita
exubérant, e [ɛgzybeʀɑ̃, ɑ̃t] *adj*
(*végétation*) rigoglioso(-a); (*caractère*)
esuberante

f

F, f [ɛf] *abr* (= *féminin*) f.; (= *franc*) fr.;
(= *Fahrenheit*) F; (*appartement*):
un F2/F3 un bilocale/trilocale
fa [fa] *nm inv* (*Mus*) fa *m inv*
fabricant [fabʀikɑ̃] *nm*
fabbricante *m*
fabrication [fabʀikasjɔ̃] *nf*
fabbricazione *f*
fabrique [fabʀik] *nf* fabbrica
fabriquer [fabʀike] *vt* (*aussi fig*)
fabbricare; **qu'est-ce qu'il fabrique?**
(*fam*) (che) cosa combina?; ~ **en série**
fabbricare *ou* produrre in serie
fac [fak] (*fam*) *abr f* = **faculté**
façade [fasad] *nf* facciata; (*fig*)
facciata, parvenza; (*Auto*) frontalino
face [fas] *nf* faccia; (*fig*) aspetto
■ *adj*: **le côté ~** il diritto; **perdre/
sauver la ~** perdere/salvare la faccia;
regarder qn en ~ guardare in faccia
qn; **la maison/le trottoir d'en ~** la
casa/il marciapiede di fronte; **en ~
de** (*aussi fig*) di fronte a; **de ~** (*portrait,
place*) di faccia; ~ **à** (*vis-à-vis de, fig*)
di fronte a; **faire ~ à qn/qch** far
fronte a *ou* affrontare qn/qc; **faire ~
à la demande** (*Comm*) far fronte alla

domanda; **~ à ~** uno(-a) di fronte
all'altro(-a)

fâché, e [fɑʃe] adj arrabbiato(-a);
(désolé) spiacente; **être ~ avec qn**
avercela con qn

fâcher [fɑʃe] vt far arrabbiare;
se fâcher vr: **se ~ (contre qn)**
arrabbiarsi (con qn); **se ~ avec qn**
(se brouiller) litigare con qn

facile [fasil] adj (aussi péj) facile;
(personne, caractère) facile,
conciliante; **une femme ~** una donna
facile ou di facili costumi; **~ à faire**
facile da fare ou a farsi; **personne ~ à
tromper** persona facile da ingannare

facilement [fasilmã] adv
facilmente; (au moins) almeno,
facilmente

facilité [fasilite] nf facilità; (moyen,
occasion, possibilité) opportunità f inv;
facilités nfpl (possibilités, Comm)
facilitazioni fpl, agevolazioni fpl;
il a la ~ de rencontrer des gens ha
l'opportunità di incontrare gente;
~s de crédit/de paiement
agevolazioni ou facilitazioni di
credito/di pagamento

faciliter [fasilite] vt facilitare,
agevolare

façon [fasɔ̃] nf modo, maniera;
(d'une robe etc) fattura; (imitation):
châle ~ cachemire scialle m tipo
cachemire; **façons** nfpl complimenti
mpl; **faire des ~s** (péj: être affecté) fare
moine; (: faire des histoires) fare
complimenti ■ adj (personne) alla
mano; (déjeuner) alla buona; **de
quelle ~ l'a-t-il fait?** in che modo l'ha
fatto?; **sans ~** adv senza
complimenti; **d'une autre ~** in un
altro modo; **en aucune ~** in alcun
modo, in nessun caso; **de ~
agréable/agressive** in modo
piacevole/aggressivo; **de ~ à faire/à
ce que** in modo da fare/che; **de
(telle) ~ que** in modo (tale) che; **de
toute ~** ad ogni modo, comunque;
~ de parler per modo di dire; **travail à
~** lavoro artigianale eseguito senza fornire
il materiale

facteur, -trice [faktœʀ, tʀis] nm/f
postino(-a) ■ nm (Math, fig) fattore
m; **~ d'orgues** (Mus) fabbricante m
di organi; **~ de pianos** (Mus)

fabbricante m di pianoforti; **~ rhésus**
fattore RH

facture [faktyʀ] nf fattura; (de gaz,
de téléphone etc) bolletta; (d'un artisan,
artiste) stile m, tecnica

facultatif, -ive [fakyltatif, iv] adj
facoltativo(-a); (arrêt de bus)
facoltativo(-a), a richiesta

faculté [fakylte] nf (aussi Univ)
facoltà f inv

fade [fad] adj (goût) insipido(-a);
(couleur) scialbo(-a), smorto(-a); (fig)
insulso(-a)

faible [fɛbl] adj debole; (voix, lumière)
fievole, fioco(-a); (élève, rendement etc)
scarso(-a) ■ nm: **le ~ de qn/qch** il
punto debole di qn/qc; **avoir un ~
pour qn/qch** avere un debole per
qn/qc; **~ d'esprit** debole di mente

faiblesse [fɛbles] nf debolezza;
(de rendement etc) scarsità

faiblir [feblir] vi (lumière) affievolirsi;
(vent, résistance etc) calare, diminuire;
(ennemi) cedere

faïence [fajɑ̃s] nf ceramica

faillir [fajiʀ] vi: **j'ai failli tomber/lui
dire** ero lì lì per cadere/dirgli; **~ à une
promesse/un engagement** venir
meno a una promessa/un impegno

FAUX AMIS
faillir ne se traduit pas par
le mot italien **fallire**.

faillite [fajit] nf (Comm): **être en/
faire ~** essere in/andare in fallimento;
~ frauduleuse bancarotta
fraudolenta

faim [fɛ̃] nf fame f; **avoir ~** avere
fame; **la ~ dans le monde** la fame nel
mondo; **rester sur sa ~** avere ancora
fame; (fig) rimanere deluso(-a) ou
insoddisfatto(-a); **~ d'amour/de
richesse** sete f d'amore/di ricchezza

fainéant, e [fɛneɑ̃, ɑ̃t] adj, nm/f
fannullone(-a)

⬤ MOT-CLÉ

faire [fɛʀ] vt **1** (fabriquer, produire) fare;
faire du vin/une offre/un film fare il
vino/un'offerta/un film; **faire du
bruit/des taches/des dégâts** fare
rumore/delle macchie/dei danni
2 (effectuer: travail, opération) fare;
que faites-vous? che cosa fa?; **faire**

la lessive fare il bucato; **faire les courses/le ménage** fare compere/le pulizie; **qu'a-t-il fait de sa valise?** che cosa ne ha fatto della valigia?; **que faire?** che fare?; **tu fais bien de me le dire** fai bene a dirmelo; **faire les magasins/l'Europe** (visiter, parcourir) girare (per) i negozi/l'Europa 3 (études, sport) **faire du droit** fare legge; **faire du violon/piano** suonare il violino/piano 4 (simuler) **faire le malade/l'ignorant** fare il malato/l'ignorante 5 (transformer, avoir un effet sur): **faire de qn un frustré/avocat** fare di qn un frustrato/avvocato; **ça ne me fait rien** la cosa mi lascia indifferente; **cela/ça ne fait rien** non fa niente; **faire que** (impliquer) fare sì che; **n'avoir que faire de qch** non sapere che farsene di qc 6 (calculs, prix, mesures): **2 et 2 font 4** 2 più 2 uguale a 4; **9 divisé par 3 fait 3** 9 diviso 3 uguale a 3; **ça fait 10 m/15 euros** sono 10 m/15 euro; **je vous le fais 10 euros** (j'en demande 10 euro) glielo faccio a 10 euro; voir **mal** 7: **ne faire que**: **il ne fait que critiquer** non fa (altro) che criticare 8 (dire) dire; **"vraiment?" fit-il** "davvero?" disse ou fece 9 (maladie) avere; **faire du diabète/de la tension/de la fièvre** avere il diabete/la pressione alta/la febbre ■ vi 1 (agir, s'y prendre) fare; **il faut faire vite** bisogna fare presto; **comment a-t-il fait?** come ha fatto?; **faites comme chez vous** fate come a casa vostra 2 (paraître) sembrare; **faire vieux/démodé** avere un'aria vecchia/fuori moda; **faire petit** sembrare piccolo; **ça fait bien** va bene ■ vb substitut fare; **remets-le en place - je viens de le faire** rimettilo a posto - l'ho appena fatto; **ne le casse pas comme je l'ai fait** non romperlo che l'ho appena fatto; **je peux le voir? - faites!** posso vederlo? - faccia pure! ■ vb impers 1: **il fait beau** è bello, fa bel tempo; voir aussi **jour**; **froid** etc 2 (temps écoulé, durée): **ça fait 5 ans/heures qu'il est parti** sono 5 anni/ore che è partito; **ça fait 2 ans/heures**

qu'il y est è lì da 2 anni/ore ■ vb semi-aux: **faire** (+ infinitif) far(e); **faire tomber/bouger qch** far cadere/muovere qc; **faire réparer qch** far riparare qc; **que veux-tu me faire croire/comprendre?** che cosa vuoi farmi credere/capire?; **il m'a fait traverser la rue** mi ha fatto attraversare la strada; **faire faire la vaisselle à qn** far lavare i piatti a qn ■ **se faire** vr 1 (vin) invecchiare; (fromage) maturare 2: **cela se fait beaucoup** si fa spesso; **cela ne se fait pas** non si fa 3: **se faire** (+ nom ou pron): **se faire une jupe** farsi una gonna; **se faire des amis** farsi degli amici; **se faire du souci** stare in pensiero, preoccuparsi; **il ne s'en fait pas** non se la prende; **sans s'en faire** senza prendersela; **se faire des illusions** farsi delle illusioni; **se faire beaucoup d'argent** fare molti soldi 4: **se faire** (+ adj: devenir): **se faire vieux** diventare vecchio; (délibérément) fare in modo da sembrare vecchio; **se faire beau** farsi bello 5: **se faire à** (s'habituer) abituarsi a; **je n'arrive pas à me faire à la nourriture/au climat** non riesco ad abituarmi al cibo/al clima 6: **se faire** (+ infinitif) farsi; **se faire examiner la vue/opérer** farsi controllare la vista/operare; **il va se faire tuer/punir** si farà ammazzare/punire; **il s'est fait aider** si è fatto aiutare; **se faire faire un vêtement** farsi fare un vestito; **se faire ouvrir (la porte)/aider (par qn)** farsi aprire (la porta)/aiutare (da qn); **se faire montrer/expliquer qch** farsi mostrare/spiegare qc 7 (impersonnel): **comment se fait-il/faisait-il que?** come mai?; **il peut se faire que...** può darsi che...

faire-part [fɛʀpaʀ] nm inv: ~ **de mariage/décès** partecipazione f di nozze/morte
faisan, e [fəzɑ̃, an] nm/f fagiano(-a)
faisons [fəzɔ̃] vb voir **faire**
fait¹ [fɛ] vb voir **faire** ■ nm fatto; **être le ~ de** (typique de) essere tipico(-a) di;

(*causé par*) essere opera di; **être au ~ de** essere al corrente di; **au ~** (*à propos*) a proposito; **aller droit/en venir au ~** andare dritto/venire al punto; **mettre qn au ~** mettere qn al corrente; **de ~** *adj, adv* di fatto; **du ~ que** per il fatto che, dato che; **du ~ de ceci** a causa di ciò; **de ce ~** di conseguenza, perciò; **en ~** in effetti, di fatto; **en ~ de repas/vacances** in fatto di pasti/vacanze; **prendre ~ et cause pour qn** prendere le difese di qn; **prendre qn sur le ~** cogliere qn sul fatto; **hauts ~s** (*exploits*) gesta *fpl*; **dire à qn son ~** dire a qn il fatto suo; **les ~s et gestes de qn** vita, morte e miracoli di qn; **~ accompli** fatto compiuto; **~ d'armes** fatto d'arme; **~ divers** fatto di cronaca

fait², e [fɛ, fɛt] *pp de* **faire** ■ *adj* (*fromage, melon*) maturo(-a); (*yeux*) truccato(-a); (*ongles*) dipinto(-a); **un homme ~** un uomo fatto; **c'en est ~ de lui** per lui è finita; **c'en est ~ de notre tranquillité** è finita la pace; **tout ~** (*préparé à l'avance*) già pronto; **idée toute ~e** idea preconcetta; **c'est bien ~ (pour lui)** gli sta bene

faites [fɛt] *vb voir* **faire**

falaise [falɛz] *nf* scogliera

falloir [falwaʀ] *vb impers* (*besoin*): **il va ~ 100 euros** ci vorranno 100 euro; (*obligation*): **il faut faire les lits** bisogna fare i letti; (*hypothèse*): **il faut qu'il ait oublié/qu'il soit malade** deve essersene dimenticato/ essere malato; (*fatalité*): **il a fallu qu'il l'apprenne** ha dovuto impararlo; **s'en falloir** *vr*: **il s'en faut de 100 euros (pour...)** mancano 100 euro (per...); **il me faut/faudrait 100 euros** ho bisogno/avrei bisogno di 100 euro; **il vous faut tourner à gauche après l'église** deve girare a sinistra dopo la chiesa; **nous avons ce qu'il (nous) faut** abbiamo quello che (ci) occorre; **il faut que je fasse les lits** devo fare i letti; **il a fallu que je parte** sono dovuto partire; **il faudrait qu'elle rentre** dovrebbe tornare a casa; **il faut toujours qu'il s'en mêle** deve sempre impicciarsene; **comme il faut** *adj, adv* (*bien, convenable*) come si

deve, per bene; **il t'en faut peu!** ti basta poco!; **il s'en faut de beaucoup qu'il soit...** è tutt'altro che..., è ben lungi dall'essere...; **il s'en est fallu de peu que...** c'è mancato poco che...; **tant s'en faut!** (*bien loin de*) tutt'altro; **... ou peu s'en faut** ... o quasi, ... o poco ci manca; **il ne fallait pas** (*pour remercier*) non doveva (disturbarsi); **faut le faire!** non è da tutti!; **il faudrait que...** bisognerebbe che...

famé, e [fame] *adj*: **mal ~** malfamato(-a)

fameux, -euse [famø, øz] *adj* (*illustre: parfois péj*) famoso(-a); (*bon: repas, plat etc*) ottimo(-a); (*intensif*): **un ~ problème** un vero problema; **ce n'est pas ~** non è un gran che

familial, e, aux [familjal, jo] *adj* familiare

familiarité [familjaʀite] *nf* familiarità; **prendre des ~s avec qn** prendersi delle libertà con qn

familier, -ière [familje, jɛʀ] *adj* (*aussi Ling*) familiare; (*entretien*) confidenziale; (*cavalier, impertinent*) troppo disinvolto(-a) *ou* familiare ■ *nm* frequentatore *m* abituale

famille [famij] *nf* famiglia; **il a de la ~ à Paris** ha dei parenti a Parigi; **de ~** (*bijoux, secrets*) di famiglia; (*dîner, fête*) in famiglia

famine [famin] *nf* carestia

fanatique [fanatik] *adj, nm/f* fanatico(-a)

faner [fane] *vr*: **se faner** (*fleur*) appassire, avvizzire; (*couleur, tissu*) sbiadire

fanfare [fɑ̃faʀ] *nf* fanfara; **en ~** rumorosamente

fantaisie [fɑ̃tezi] *nf* (*spontanéité*) estro, fantasia; (*caprice*) voglia, capriccio; (*Mus, Litt*) fantasia ■ *adj*: **bijou ~** (oggetto di) bigiotteria; **pain de ~** pane *m* speciale; **agir selon sa ~** agire a modo proprio *ou* come pare e piace

fantasme [fɑ̃tasm] *nm* fantasia, illusione *f*

fantastique [fɑ̃tastik] *adj* fantastico(-a); (*prix*) esorbitante

fantôme [fɑ̃tom] *nm* fantasma *m*

faon [fɑ̃] *nm* cerbiatto

FAQ [ɛfaky] *sigle f* (= *foire aux questions*) FAQ *fpl*, domande *fpl* frequenti

farce [faʀs] *nf* (*viande*) ripieno; (*blague*) scherzo; (*Théâtre*) farsa; **magasin de ~s et attrapes** negozio di oggetti per scherzi

farcir [faʀsiʀ] *vt* (*viande*) farcire; (*fig*): **~ qch de** imbottire *ou* infarcire qc di; **se farcir** *vr* (*fam: corvée*) beccarsi; (*personne*) sorbirsi

farder [faʀde] *vt* truccare; (*vérité*) camuffare, mascherare; **se farder** *vr* truccarsi

farine [faʀin] *nf* farina; **~ de blé/ maïs** farina di frumento/di granturco; **~ lactée** farina lattea

farouche [faʀuʃ] *adj* feroce; (*personne: peu sociable*) scontroso(-a), poco socievole; **une femme peu ~** (*péj*) una donna facile

fart [faʀt] *nm* (*Ski*) sciolina

fascination [fasinasjɔ̃] *nf* (*fig*) fascino

fasciner [fasine] *vt* affascinare

fascisme [faʃism] *nm* fascismo

fasse *etc* [fas] *vb voir* **faire**

fastidieux, -euse [fastidjø, jøz] *adj* fastidioso(-a)

fatal, e [fatal] *adj* fatale

fatalité [fatalite] *nf* fatalità *f inv*

fatidique [fatidik] *adj* fatidico(-a)

fatigant, e [fatigɑ̃, ɑ̃t] *adj* faticoso(-a), stancante; (*agaçant*) seccante, scocciante

fatigue [fatig] *nf* fatica

fatigué, e [fatige] *adj* stanco(-a); (*estomac, foie*) in disordine

fatiguer [fatige] *vt* (*aussi fig*) stancare; (*Tech*) sottoporre a sforzo ◼ *vi* (*moteur*) far fatica; **se fatiguer** *vr* stancarsi, affaticarsi; (*fig*): **se ~ de** stancarsi di; **se ~ à faire qch** affannarsi a fare qc

fauché, e [foʃe] (*fam*) *adj* in bolletta *inv*, al verde *inv*

faucher [foʃe] *vt* (*aussi fig*) falciare; (*fam: voler*) fregare

faucon [fokɔ̃] *nm* falco

faudra [fodʀa] *vb voir* **falloir**

faufiler [fofile] *vt* (*Couture*) imbastire; **se faufiler** *vr*: **se ~ dans/ parmi/entre** infilarsi *ou* intrufolarsi in/tra

faune [fon] *nf* (*Zool: fig: péj*) fauna ◼ *nm* fauno; **~ marine** fauna marina

fausse [fos] *adj voir* **faux²**

faussement [fosmɑ̃] *adv* (*accuser*) ingiustamente; (*croire*) erroneamente

fausser [fose] *vt* (*objet*) deformare, storcere; (*serrure*) forzare; (*fig: résultat, données*) alterare, falsare; **~ compagnie à qn** piantare in asso qn

faut [fo] *vb voir* **falloir**

faute [fot] *nf* errore *m*, sbaglio; (*manquement, Rel*) colpa, mancanza; (*Football etc*) fallo; **c'est de sa/ma ~** è colpa sua/mia; **être en ~** essere in colpa; **par la ~ de** per colpa di; **prendre qn en ~** cogliere qn in fallo; **~ de** (*temps, d'argent*) per *ou* in mancanza di; **sans ~** senz'altro; **~ de mieux...** in mancanza di meglio...; **~ d'inattention/d'orthographe** errore di distrazione/di ortografia; **~ de frappe** errore di battitura; **~ de goût** scelta di cattivo gusto; **~ professionnelle** mancanza *ou* errore professionale

fauteuil [fotœj] *nm* poltrona; **~ à bascule** sedia a dondolo; **~ club** (*ampia*) poltrona di cuoio; **~ d'orchestre** (*Théâtre*) poltrona di platea; **~ roulant** sedia a rotelle

fautif, -ive [fotif, iv] *adj* (*incorrect*) inesatto(-a), errato(-a); (*responsable*) colpevole ◼ *nm/f* colpevole *m/f*; **il est ~** è colpa sua

fauve [fov] *nm* (*animal*) belva; (*peintre*) fauve *m* ◼ *adj* (*couleur*) fulvo(-a)

faux¹ [fo] *nf* (*Agr*) falce *f*

faux², fausse [fo, fos] *adj* falso(-a); (*inexact*) sbagliato(-a); (*barbe, dent etc*) finto(-a); (*voix*) stonato(-a); (*piano*) scordato(-a); (*simulé*): **fausse modestie** falsa modestia ◼ *adv* (*Mus*): **jouer/chanter ~** stonare ◼ *nm* (*peinture, billet*) falso; (*opposé au vrai*): **le ~** il falso; **le ~ numéro** il numero sbagliato; **faire fausse route** sbagliare strada; **faire ~ bond à qn** fare un bidone a qn; **fausse alerte** falso allarme *m*; **fausse clé** chiave *f* falsa; **fausse couche** aborto spontaneo; **fausse joie** gioia di breve durata; **fausse note** (*Mus, fig*) stonatura, nota falsa; **~ ami** (*Ling*) falso amico; **~ col** solino, colletto staccabile; **~ départ** (*Sport, fig*) falsa partenza; **~ frais** *nmpl* spese *fpl* accessorie; **~ frère** (*fig: péj*) Giuda *m inv*; **~ mouvement** movimento falso; **~ nez** naso finto; **~ nom** nome *m* falso; **~ pas** (*aussi fig*) passo falso; **~ témoignage** (*délit*) falsa testimonianza

faux-filet [fofilɛ] (*pl* **~s**) *nm* controfiletto

faveur [favœʀ] *nf* favore *m*, piacere *m*; (*ruban*) nastro; **faveurs** *nfpl* (*d'une femme etc*) favori *mpl*; **avoir la ~ de qn** godere del favore di qn; **régime/ traitement de ~** condizioni *mpl*/ trattamento di favore; **à la ~ de** col favore di; (*grâce à*) grazie a; **en ~ de qn/qch** a favore di qn/qc

favorable [favɔʀabl] *adj* favorevole

favori, te [favɔʀi, it] *adj* preferito(-a) ■ *nm* (*champion, cheval*) favorito(-a); **favoris** *nmpl* (*barbe*) favoriti *mpl*

favoriser [favɔʀize] *vt* favorire

fax [faks] *nm* fax *m inv*; **quel est le numéro de ~?** qual è il numero di fax?

fécond, e [fekɔ̃, ɔ̃d] *adj* (*aussi fig*) fecondo(-a)

féconder [fekɔ̃de] *vt* fecondare

féculent [fekylɑ̃] *nm* farinaceo

fédéral, e, aux [fedeʀal, o] *adj* federale

fédération [fedeʀasjɔ̃] *nf*: **la F~ française de football** la Federazione francese del gioco del calcio; **la F~ italienne de football** la Federazione italiana del gioco del calcio

fée [fe] *nf* fata

feignant, e [fɛɲɑ̃, ɑ̃t] *nm/f, adj* = **fainéant**

feindre [fɛ̃dʀ] *vt* fingere ■ *vi* fingere, far finta; **~ de faire** fingere *ou* far finta di fare

fêler [fele] *vt* incrinare; **se fêler** *vr* incrinarsi

félicitations [felisitasjɔ̃] *nfpl* congratulazioni *fpl*, felicitazioni *fpl*

féliciter [felisite] *vt*: **~ qn (de qch/ d'avoir fait qch)** congratularsi con qn (per qc/per aver fatto qc); **se ~ de qch/d'avoir fait qch** rallegrarsi di qc/di aver fatto qc

félin, e [felɛ̃, in] *adj* felino(-a) ■ *nm* felino

femelle [fəmɛl] *nf* femmina ■ *adj* (*panthère, éléphant*) femmina *inv*

féminin, e [feminɛ̃, in] *adj* femminile; (*parfois péj*) effeminato(-a) ■ *nm* (*Ling*) femminile *m*

féministe [feminist] *adj, nm/f* femminista *m/f*

femme [fam] *nf* donna; (*épouse*) moglie *f*; **être très ~** essere molto femminile; **jeune ~** giovane donna; **~ au foyer** casalinga; **~ célibataire/ mariée** donna nubile/sposata; **~ d'affaires** donna d'affari; **~ d'intérieur** donna di casa; **~ de chambre** cameriera; **~ de ménage** donna delle pulizie; **~ de tête** donna intelligente e determinata; **~ du monde** donna di mondo; **~ fatale** femme fatale *f inv*

fémur [femyʀ] *nm* femore *m*

fendre [fɑ̃dʀ] *vt* spaccare; (*fig: foule, flots*) fendere; **se fendre** *vr* creparsi, incrinarsi; **~ l'air** fendere l'aria

fenêtre [f(ə)nɛtʀ] *nf* finestra; (*ae train*) finestrino; **regarder par la ~** guardare dalla finestra; **je voudrais une place côté ~** vorrei un posto vicino al finestrino; **~ à guillotine** finestra a ghigliottina; **~ de lancement** (*Espace*) finestra di lancio

fenouil [fənuj] *nm* finocchio

fente [fɑ̃t] *nf* fessura; (*dans un vêtement*) spacco

fer [fɛʀ] *nm* ferro; **fers** *nmpl* (*Méd: forceps*) forcipe *msg*; **santé de ~** salute *f* di ferro; **avoir une main de ~** avere polso; **mettre aux ~s** mettere ai ferri; **au ~ rouge** a fuoco; **en ~ à cheval** a ferro di cavallo; **~ à friser** arricciacapelli *m inv*; **~ (à repasser)** ferro (da stiro); **~ à souder** saldatore *m*; **~ à vapeur** ferro a vapore; **~ de lance** (*Mil*) punta di lancia; (*fig*) punta di diamante; **~ forgé** ferro battuto

ferai *etc* [fəʀe] *vb voir* **faire**

fer-blanc [fɛʀblɑ̃] (*pl* **fers-blancs**) *nm* latta

férié, e [feʀje] *adj*: **jour ~** giorno festivo

> **FAUX AMIS**
> **giorno feriale** signifie **jour ouvrable** en italien.

ferions *etc* [fərjɔ̃] *vb voir* **faire**

ferme [fɛʀm] *adj* fermo(-a); *(sol, chair)* sodo(-a) ■ *adv*: **travailler ~** lavorare sodo ■ *nf (exploitation)* azienda fattoria; *(maison)* fattoria; **discuter ~** discutere animatamente; **tenir ~** tenere duro

fermé, e [fɛʀme] *adj (aussi fig)* chiuso(-a)

ferment [fɛʀmɑ̃] *nm* fermento; **~s lactiques** fermenti *mpl* lattici

fermenter [fɛʀmɑ̃te] *vi* fermentare; *(fig)* essere in fermento

fermer [fɛʀme] *vt* chiudere; *(lumière, radio, télévision)* spegnere ■ *vi (porte, valise)* chiudersi; **à quelle heure fermez-vous?** a che ora chiudete?; *(entreprise)* chiudere; **se fermer** *vr* chiudersi; **~ à clef** chiudere a chiave; **~ au verrou** chiudere col catenaccio; **~ les yeux (sur qch)** *(fig)* chiudere un occhio (su qc); **se ~ à** *(pitié, amour)* chiudere il proprio cuore a

> **FAUX AMIS**
> **fermer** ne se traduit pas par le mot italien **fermare**.

fermeté [fɛʀməte] *nf* fermezza

fermeture [fɛʀmətyʀ] *nf* chiusura; **jour/heure de ~** *(Comm)* giorno/ora di chiusura; **~ éclair®** *ou* **à glissière** cerniera *f ou* chiusura *f* lampo® *inv*

fermier, -ière [fɛʀmje, jɛʀ] *adj*: **beurre/cidre ~** burro/sidro di fattoria ■ *nm/f (locataire)* fattore(-essa); *(propriétaire)* proprietario(-a) di azienda agricola ■ *nf (femme de fermier)* fattoressa

féroce [feʀɔs] *adj* feroce

ferons [fərɔ̃] *vb voir* **faire**

ferrer [feʀe] *vt (cheval)* ferrare; *(chaussure)* chiodare; *(canne)* guarnire di ferro (sulla punta); *(poisson)* tirare all'amo

ferroviaire [feʀɔvjɛʀ] *adj* ferroviario(-a)

ferry(-boat) [feʀe(bot)] *(pl* **~s** *ou* **ferries)** *nm* ferry(-boat) *m inv*, nave *f* traghetto *inv*

fertile [fɛʀtil] *adj (aussi fig)* fertile; **~ en événements/incidents** ricco(-a) di avvenimenti/incidenti

fervent, e [fɛʀvɑ̃, ɑ̃t] *adj* fervente

fesse [fɛs] *nf* gluteo, natica; **les ~s** il sedere

fessée [fese] *nf* sculacciata

festin [fɛstɛ̃] *nm* banchetto

festival [fɛstival] *nm* festival *m inv*

festivités [fɛstivite] *nfpl* festeggiamenti *mpl*

fêtard [fɛtaʀ] *(péj) nm* festaiolo

fête [fɛt] *nf* festa; *(du nom)* onomastico; **faire la ~** fare la bella vita; **faire ~ à qn** far festa a qn; **se faire une ~ de** pregustare; **jour de ~** giorno festivo *ou* di festa; **les ~s (de fin d'année)** le feste (di fine anno); **salle/comité des ~s** salone/comitato delle feste; **la ~ des Mères/des Pères** la festa della mamma/del papà; **la F~ Nationale** la festa nazionale; **~ de charité** festa di beneficenza; **~ foraine** parco dei divertimenti, luna-park *m inv*; **~ mobile** festa mobile

fêter [fete] *vt* festeggiare

feu¹ [fø] *adj inv*: **~ le roi** il defunto re; **~ son père** il suo defunto padre

feu², x [fø] *nm* fuoco; *(signal lumineux)* luce *f*; *(de cuisinière)* fuoco, fiamma; *(fig: ardeur)* fuoco, foga; *(: sensation de brûlure)* bruciore *m*; **feux** *nmpl (éclat, lumière)* luce *fsg*; *(de signalisation)* semaforo *msg*; **tous ~x éteints** *(Naut, Auto)* a luci spente; **au ~!** al fuoco!; **à ~ doux/vif** *(Culin)* a fuoco moderato/ vivo; **à petit ~** *(Culin, fig)* a fuoco lento; **faire ~** *(avec arme)* far fuoco; **ne pas faire long ~** *(fig)* avere breve durata; **commander le ~** *(Mil)* ordinare (di aprire) il fuoco; **tué au ~** *(Mil)* ucciso in combattimento; **mettre à ~** *(fusée)* lanciare; **pris entre deux ~x** *(fig)* preso tra due fuochi; **en ~** in fiamme; **être tout ~ tout flamme (pour)** far fuoco e fiamme (per); **avoir le ~ sacré** avere il fuoco sacro; **prendre ~** prendere fuoco; **mettre le ~ à** dare fuoco a; **faire du ~** accendere il fuoco; **avez-vous du ~?** ha da accendere?; **donner le ~ vert à qch/qn** *(fig)* dare via libera a qc/qn; **s'arrêter aux ~x** *ou* **au ~ rouge** fermarsi al semaforo *ou* al rosso; **~ arrière** *(Auto)* fanale *m* posteriore; **~ d'artifice** fuoco d'artificio; *(spectacle)* fuochi *mpl* d'artificio;

~ **de camp** falò *m inv*, fuoco di campo;
~ **de cheminée** fuoco (del caminetto);
~ **de joie** falò *m inv*; ~ **de paille** (*fig*)
fuoco di paglia; ~ **orange/rouge/
vert** (*Auto*) (semaforo) giallo/rosso/
verde *m*; ~**x de brouillard/de
croisement** (*Auto*) fari *mpl*
fendinebbia *inv*/anabbaglianti; ~**x de
position/de stationnement** (*Auto*)
luci di posizione/di stazionamento;
~**x de route** (*Auto*) luci di profondità,
abbaglianti *mpl*

feuillage [fœjaʒ] *nm* fogliame *m*

feuille [fœj] *nf* (*d'arbre*) foglia; (*de
papier*) foglio; (*d'un livre*) pagina; (*de
métal*) foglio, lamiera; **rendre ~
blanche** (*Scol*) consegnare il foglio
bianco; ~ **d'impôts** modulo per la
dichiarazione dei redditi; ~ **d'or** foglia
d'oro; ~ **de chou** (*fam: péj*) giornaletto
(*di poco conto*); ~ **de déplacement**
(*Mil*) foglio di trasferta; ~ **de paye/de
maladie** foglio *m* paga *inv*/di
malattia; ~ **de présence** foglio di
presenza; ~ **de route** (*Comm*) foglio di
viaggio; ~ **de température** tabella
termometrica *ou* della temperatura;
~ **de vigne** (*Bot*) foglia di vite; (*sur
statue*) foglia di fico; ~ **volante** foglio
volante

feuillet [fœjɛ] *nm* foglietto

feuilleté, e [fœjte] *adj* (*Culin*): **pâte
~e** pasta sfoglia; (*verre*) laminato(-a)
▪ *nm* sfogliata

feuilleter [fœjte] *vt* sfogliare

feuilleton [fœjtɔ̃] *nm* (*Typo, Radio*)
feuilleton *m inv*, romanzo a puntate;
(*TV*) serie *f* televisiva, serial *m inv*;
(*partie*) puntata

feutre [føtʀ] *nm* feltro; (*chapeau*)
cappello di feltro; (*stylo*) pennarello

feutré, e [føtʀe] *adj* (*en lavage*)
infeltrito(-a); (*pas*) felpato(-a);
(*atmosphère, bruit*) ovattato(-a)

fève [fɛv] *nf* fava; (*dans la galette des
Rois*) fava o figurina che si nasconde in un
dolce tipico dell'Epifania

février [fevʀije] *nm* febbraio; *voir
aussi* **juillet**

FFF *abr* = *Fédération française de
football*

fiable [fjabl] *adj* affidabile

fiançailles [fjɑ̃saj] *nfpl*
fidanzamento *msg*

fiancé, e [fjɑ̃se] *nm/f* fidanzato(-a)
▪ *adj*: **être ~ (à)** essere fidanzato(-a)
(con)

fiancer [fjɑ̃se] *vr*: **se fiancer**: **se ~
(avec)** fidanzarsi (con)

fibre [fibʀ] *nf* fibra; **avoir la ~
paternelle/militaire** avere la stoffa
del padre/del soldato; ~ **de verre**
fibra di vetro; ~ **optique** fibra ottica

ficeler [fis(ə)le] *vt* legare

ficelle [fisɛl] *nf* spago; (*pain*) piccola
baguette *f inv*, filoncino; **ficelles** *nfpl*
(*fig: procédés cachés*) trucchi *mpl*,
astuzie *fpl*; **tirer sur la ~** (*fig*) tirare
la corda

fiche [fiʃ] *nf* scheda; (*Inform*) record *m
inv*; (*Élec*) spina; ~ **de paye** foglio *m*
paga *inv*; ~ **signalétique** (*Police*)
scheda segnaletica; ~ **technique**
scheda tecnica

ficher [fiʃe] *vt* schedare; (*planter*):
~ **qch dans** conficcare *ou* piantare qc
in; (*fam*): **il ne fiche rien** non combina
niente; **se ficher dans** *vr* (*s'enfoncer*)
ficcarsi *ou* cacciarsi in; ~ **qn à la porte**
(*fam*) sbattere qn fuori; **cela me fiche
la trouille** (*fam*) (questo) mi fa venire
ou dà la tremarella; **fiche-le dans un
coin** (*fam*) sbattilo *ou* ficcalo in un
angolo; **fiche(-moi) le camp** (*fam*)
togliti dai piedi; **fiche-moi la paix**
(*fam*) non rompere; **se ~ de qn** (*fam*)
prendere in giro qn; **se ~ de qch** (*fam*)
fregarsene di qc

fichier [fiʃje] *nm* schedario; (*Inform*)
file *m inv*; ~ **actif** *ou* **en cours
d'utilisation** (*Inform*) file attivo;
~ **d'adresses** indirizzario

fichu¹, e [fiʃy] *pp de* **ficher** ▪ *adj* (*fam:
inutilisable*) andato(-a), da buttare;
(*intensif*): ~ **temps** tempaccio; **être ~
de** (*fam*) essere capace di; **mal ~** (*fam*)
conciato(-a) male; **bien ~** (*fam*) ben
fatto(-a)

fichu² [fiʃy] *nm* (*foulard*) scialletto

fictif, -ive [fiktif, iv] *adj* fittizio(-a);
(*valeur*) convenzionale; (*promesse*)
falso(-a)

fiction [fiksjɔ̃] *nf* (*imagination*)
fantasia; (*fait imaginé*) finzione *f*

fidèle [fidɛl] *adj* fedele; (*appareil*)
preciso(-a) ▪ *nm/f* (*Rel*): **les ~s** i fedeli

fidélité [fidelite] *nf* fedeltà;
~ **conjugale** fedeltà coniugale

fier¹ [fje]: **se fier à** vr fidarsi di, fare affidamento su

fier², fière [fje, fjɛʀ] adj: **~ (de)** fiero(-a) (di); **avoir fière allure** avere un gran bell'aspetto

fierté [fjɛʀte] nf fierezza

fièvre [fjevʀ] nf (Méd) febbre f; (fig) eccitazione f (febbrile); **avoir de la ~/39 de ~** avere la febbre/39 di febbre; **~ jaune/typhoïde** febbre gialla/tifoidea

fiévreux, -euse [fjevʀø, øz] adj febbricitante; (fig) febbrile

figer [fiʒe] vt (sang, sauce) rapprendere; (mode de vie etc) fossilizzare, paralizzare; (fig: personne) irrigidire; **se figer** vr (sang, huile) rapprendersi; (fig: personne) irrigidirsi; (: institutions etc) fossilizzarsi

fignoler [fiɲɔle] vt rifinire (con cura minuziosa)

figue [fig] nf fico (frutto)

figuier [figje] nm fico (albero)

figurant, e [figyʀɑ̃, ɑ̃t] nm/f comparsa

figure [figyʀ] nf (aussi fig) figura; (visage) viso, faccia; **se casser la ~** (fam) cadere; **faire ~ de** fare la figura di; **faire bonne ~** fare bella figura; **faire triste ~** aver l'aria triste; **prendre ~** prendere forma; **~ de rhétorique/de style** figura retorica/di stile

figuré, e [figyʀe] adj figurato(-a)

figurer [figyʀe] vi figurare ▪ vt raffigurare, rappresentare; **se ~ qch/que** figurarsi ou immaginarsi qc/che; **figurez-vous que...** si figuri che...

fil [fil] nm filo; (textile de lin) (filo di) lino; **au ~ des heures/années** col passare delle ore/degli anni; **le ~ d'une histoire/de ses pensées** il filo di una storia/dei propri pensieri; **de ~ en aiguille** poco a poco, un po' alla volta; **ne tenir qu'à un ~** (vie, réussite etc) essere appeso(-a) a un filo; **donner du ~ à retordre à qn** dare del filo da torcere a qn; **donner/recevoir un coup de ~** fare/ricevere una telefonata; **~ à coudre/à pêche** filo da cucito/da pesca; **~ à plomb** filo a piombo; **~ à souder** filo per saldatura; **~ de fer** filo di ferro; **~ de**

fer barbelé filo spinato; **~ électrique** filo elettrico

file [fil] nf fila; **à la ~** in fila; **prendre la ~** mettersi in fila ou coda; **prendre la ~ de droite** (Auto) mettersi nella fila di destra; **se mettre en ~** (Auto) mettersi in coda; **stationner en double ~** (Auto) parcheggiare in doppia fila; **à la** ou **en ~ indienne** in fila indiana; **~ (d'attente)** fila

filer [file] vt (aussi fig) filare; (personne) pedinare; (fam): **~ qch à qn** rifilare qc a qn ▪ vi (bas, maille) smagliarsi; (liquide, pâte) filare; (fam: partir) filarsela; **~ à l'anglaise** filare all'inglese; **~ doux** rigare dritto; **~ un mauvais coton** essere in cattive acque

filet [filɛ] nm rete f; (à cheveux) reticella, retina; (Culin) filetto ▪ nm (d'eau, sang) filo; **tendre un ~** (suj: police) tendere una trappola; **~ (à bagages)** (Rail) rete f portabagagli inv; **~ (à provisions)** borsa di rete per la spesa

filiale [filjal] nf (Comm) filiale f

filière [filjɛʀ] nf (hiérarchique, administrative) trafila; (industrielle, nucléaire etc) filiera; **suivre la ~** (dans sa carrière) fare la gavetta

fille [fij] nf (opposé à garçon, à femme mariée) ragazza; (opposé à fils) figlia; (à l'école) femmina; (péj) prostituta; **petite ~** ragazzina; **vieille ~** zitella; **~ de joie** (prostituée) donna di strada, prostituta; **~ de salle** (dans un restaurant) cameriera (di sala); (dans un hôpital) inserviente f

fillette [fijɛt] nf ragazzina

filleul, e [fijœl] nm/f figlioccio(-a)

film [film] nm (pour photo) pellicola; (œuvre) film m inv; (couche) strato; **~ d'animation** film d'animazione; **~ muet/parlant** film muto/parlato; **~ policier** film poliziesco

fils [fis] nm figlio; (Rel): **le F~ (de Dieu)** il Figlio di Dio; **~ à papa** (péj) figlio di papà; **~ de famille** rampollo di famiglia benestante

filtre [filtʀ] nm filtro; **"~ ou sans ~?"** (cigarette) "con o senza filtro?"; **~ à air** (Auto) filtro dell'aria

filtrer [filtʀe] vt filtrare; (fig: candidats, nouvelles etc) passare al vaglio ▪ vi (aussi fig) filtrare

fin¹ [fɛ̃] *nf* fine *f*; (*gén pl*: *but*) fine *m*, scopo; **fins** *nfpl* (*desseins*) fini *mpl*, scopi *mpl*; **à (la) ~ mai/juin** a fine maggio/giugno; **en ~ de journée/semaine** alla fine della giornata/settimana; **prendre ~** avere fine, terminare; **mener à bonne ~** condurre in porto *ou* a buon fine; **toucher à sa ~** volgere al termine; **mettre ~ à qch** mettere *ou* porre fine a qc; **mettre ~ à ses jours** mettere *ou* porre fine ai propri giorni; **à la ~** (*enfin*) in definitiva, dopotutto; **sans ~** senza fine; (*sans cesse*) in continuazione; **à cette ~** (*pour ce faire*) a tal fine, a questo scopo; **à toutes ~s utiles** per ogni evenienza; **~ de non-recevoir** (*Jur, Admin*) irricevibilità; **~ de section** (*de ligne d'autobus*) fine *f* della tratta

fin², e [fɛ̃, fin] *adj* (*mince*) fine, sottile; (*: visage, taille*) sottile; (*poudre, sable*) fine; (*sel*) fino(-a); (*esprit, personne, remarque*) sottile, acuto(-a) ■ *adv* (*moudre, couper*) fine, sottile ■ *nm*: **vouloir jouer au plus ~ (avec qn)** voler giocare d'astuzia (con qn); **c'est ~!** (*iron*) molto astuto!; **avoir la vue/l'ouïe ~e** avere la vista/l'udito fine; **le ~ fond de...** la parte più remota di...; **le ~ mot de...** (*histoire, affaire*) il punto fondamentale di...; **or ~** oro fino; **linge ~** biancheria fine; **repas ~** pasto raffinato; **vin ~** vino pregiato; **~ gourmet** buongustaio; **~ prêt** perfettamente pronto, prontissimo; **~ soûl** ubriaco fradicio; **~ tireur** abile tiratore *m*; **~e mouche** (*fig*) vecchia volpe *f*; **~es herbes** (*Culin*) erbe *fpl* aromatiche

final, e [final] *adj* finale ■ *nm* (*Mus*) finale *m*; **quart/8èmes/16èmes de ~e** (*Sport*) quarti/ottavi *mpl*/sedicesimi *mpl* di finale

finale [final] *nf* (*Sport*) finale *f*

finalement [finalmã] *adv* (*à la fin*) infine; (*après tout*) in definitiva

finance [finãs] *nf* finanza; **moyennant ~** previo pagamento

financer [finãse] *vt* finanziare

financier, -ière [finãsje, jɛʀ] *adj* finanziario(-a) ■ *nm* finanziere *m*

finesse [finɛs] *nf* (*aussi fig*) finezza; **finesses** *nfpl* finezze *fpl*; **~ d'esprit**

acutezza d'ingegno; **~ de goût** finezza di gusto

fini, e [fini] *adj* finito(-a); (*travail, vêtement*): **bien/mal ~** ben/mal rifinito(-a); (*valeur intensive*): **un artiste ~** un artista perfetto; **un égoïste ~** un egoista fatto e finito ■ *nm* (*d'un objet manufacturé*) prodotto finito

finir [finiʀ] *vt* finire; (*être placé en fin de: période, livre etc*) chiudere, finire ■ *vi*: **~ (de faire qch)** finire (di fare qc); **~ quelque part** finire da qualche parte; **~ par qch/par faire qch** finire con qc/col *ou* per fare qc; **il finit par m'agacer** finisce con l'infastidirmi; **~ en pointe/en tragédie** finire a punta/in tragedia; **en ~ (avec qn/qch)** finirla *ou* farla finita (con qn/qc); **à n'en plus ~** (*discussions*) a non finire; (*route*) che non finisce più; **il va mal ~** farà una brutta fine; **c'est bientôt fini?** (*reproche*) la finiamo?

finition [finisjɔ̃] *nf* rifinitura

finlandais, e [fɛ̃lɑ̃dɛ, ɛz] *adj* finlandese ■ *nm/f*: **Finlandais, e** finlandese *m/f* ■ *nm* (*langue*) finlandese *m*

Finlande [fɛ̃lɑ̃d] *nf* Finlandia

fioul [fjul] *nm* olio combustibile; **~ domestique** gasolio da riscaldamento

firme [fiʀm] *nf* ditta

■ **FAUX AMIS**
firme ne se traduit pas par le mot italien **firma**.

fis [fi] *vb voir* **faire**

fisc [fisk] *nm* fisco

fiscal, e, aux [fiskal, o] *adj* fiscale

fiscalité [fiskalite] *nf* fiscalità; (*charges*) tasse *fpl*, imposte *fpl*

fissure [fisyʀ] *nf* fessura, crepa; (*fig*) incrinatura

fissurer [fisyʀe] *vr*: **se fissurer** creparsi

fit [fi] *vb voir* **faire**

fixation [fiksasjɔ̃] *nf* (*d'un objet*) fissaggio; (*d'une date*) fissare *m inv*; (*d'un prix*) determinazione *f*; (*Psych*) fissazione *f*; (*de ski*): **~ (de sécurité)** attacco

fixe [fiks] *adj* fisso(-a) ■ *nm* (*salaire de base*) fisso; **à heure ~** ad un'ora fissa; **à date ~** sempre alla stessa data; **menu à prix ~** menù a prezzo fisso

fixé, e [fikse] *adj:* être ~ (sur) (*savoir à quoi s'en tenir*) avere le idee chiare (su), saperla lunga (su); **à l'heure ~e** all'ora fissata; **au jour ~** il giorno fissato *ou* stabilito

fixer [fikse] *vt* fissare; ~ **qch à/sur** (*attacher*) fissare qc a/su; ~ **son regard/son attention sur** fissare lo sguardo/l'attenzione su; ~ **son choix sur qch** scegliere qc; **se ~ quelque part** (*personne*) stabilirsi da qualche parte; **se ~ sur** (*suj: regard, attention*) fissarsi su

flacon [flakɔ̃] *nm* flacone *m*, boccetta

flageolet [flaʒɔlɛ] *nm* (*Mus*) flagioletto; (*Culin*) fagiolo nano

flagrant, e [flagrɑ̃, ɑ̃t] *adj* (*erreur, injustice*) evidente, palese; **prendre qn en ~ délit** (*Jur*) cogliere qn in flagranza di reato; (*fig*) cogliere qn in flagrante

flair [flɛʀ] *nm* (*du chien, fig*) fiuto

flairer [flɛʀe] *vt* (*aussi fig*) fiutare

flamand, e [flamɑ̃, ɑ̃d] *adj* fiammingo(-a) ■ *nm* (*langue*) fiammingo ■ *nm/f:* **Flamand, e** fiammingo(-a)

flamant [flamɑ̃] *nm* (*Zool*) fenicottero

flambant [flɑ̃bɑ̃] *adv:* ~ **neuf** nuovo fiammante

flambé, e [flɑ̃be] *adj* alla fiamma *inv*, flambé *inv*

flambée [flɑ̃be] *nf* fiammata; (*fig*): ~ **de violence** ondata di violenza; (*Comm*): ~ **des prix** impennata dei prezzi

flamber [flɑ̃be] *vi* bruciare, ardere ■ *vt* (*poulet*) fiammeggiare; (*aiguille*) scaldare (*per sterilizzare*)

flamboyer [flɑ̃bwaje] *vi* fiammeggiare; (*fig*) scintillare, sfavillare

flamme [flɑm] *nf* fiamma; (*d'une cuisinière*) fiamma, fuoco; (*fig: ardeur*) ardore *m*; **en ~s** in fiamme

flan [flɑ̃] *nm* (*Culin*) flan *m inv* (*tipo di sformato*); **en rester comme deux ronds de ~** restare di stucco

flanc [flɑ̃] *nm* fianco; **à ~ de montagne/colline** sul fianco della montagna/collina; **tirer au ~** (*fam*) battere la fiacca, poltrire; **prêter le ~ à** (*fig: critiques etc*) prestare il fianco a

flancher [flɑ̃ʃe] *vi* cedere

flanelle [flanɛl] *nf* flanella

flâner [flɑne] *vi* andare a zonzo, gironzolare

flanquer [flɑ̃ke] *vt* (*être accolé à*) fiancheggiare; ~ **qch sur/dans** (*fam: mettre*) sbattere *ou* schiaffare qc su/in; ~ **par terre** scaraventare per terra; ~ **à la porte** sbattere fuori; ~ **la frousse à qn** mettere fifa a qn; **être flanqué de** (*suj: personne*) essere scortato(-a) *ou* fiancheggiato(-a) da

flaque [flak] *nf* (*d'eau*) pozzanghera; (*d'huile, de sang etc*) chiazza

flash [flaʃ] (*pl* **~es**) *nm* (*Photo*) flash *m inv*; **au** ~ (*prendre une photo*) con il flash; ~ **d'information** (*TV, Radio*) notiziario *m* flash *inv*; ~ **publicitaire** (*TV, Ciné*) spot *m inv* pubblicitario

flatter [flate] *vt* adulare, lusingare; (*suj: honneurs, amitié*) lusingare; (*caresser*) accarezzare; **se ~ de qch/de pouvoir faire** vantarsi di qc/di poter fare

flatteur, -euse [flatœʀ, øz] *adj* lusinghiero(-a) ■ *nm/f* adulatore(-trice)

flèche [flɛʃ] *nf* freccia; (*de clocher*) guglia; (*de grue*) braccio; (*trait d'esprit, critique*) frecciata; **monter en** ~ (*fig*) salire alle stelle *ou* vertiginosamente; **partir comme une** ~ partire come un razzo

fléchette [fleʃɛt] *nf* freccetta; **fléchettes** *nfpl* (*jeu*) freccette *fpl*

flétrir [fletʀiʀ] *vt* far appassire, far avvizzire; (*peau, visage*) avvizzire, sciupare; (*fig*): ~ **la mémoire de qn** infangare la memoria di qn; **se flétrir** *vr* (*fleur, teint*) appassire

fleur [flœʀ] *nf* fiore *m*; **être en** ~ (*arbre*) essere in fiore; **tissu/papier à** ~**s** tessuto/carta a fiori; **la (fine) ~ de** (*fig*) il (fior)fiore di; **être** ~ **bleue** essere sentimentale; **à ~ de peau** a fior di pelle; **à ~ de terre** raso terra; **faire une** ~ **à qn** fare un favore a qn; ~ **de lis** giglio

fleuri, e [flœʀi] *adj* (*aussi fig: style*) fiorito(-a); (*papier, tissu*) a fiori; (*teint, nez*) colorito(-a)

fleurir [flœʀiʀ] *vi* (*aussi fig*) fiorire ■ *vt* (*tombe*) mettere fiori su; (*chambre*) ornare di fiori

fleuriste [flœʀist] nm/f fiorista m/f, fioraio(-a)

fleuve [flœv] nm (aussi fig) fiume m; **roman-/discours-~** romanzo m/ discorso m fiume inv

flexible [flɛksibl] adj (aussi fig) flessibile

flic [flik] (fam: péj) nm piedipiatti m inv, sbirro

flipper [n flipœʀ, vb flipe] nm flipper m inv ■ vi (fam) essere giù di corda; (exalté) essere fuori

flirter [flœʀte] vi flirtare

flocon [flɔkɔ̃] nm fiocco; (détergent) scaglia; **~s d'avoine** fiocchi d'avena

flore [flɔʀ] nf flora; **~ bactérienne** flora batterica; **~ microbienne** flora batterica

florissant, e [flɔʀisɑ̃, ɑ̃t] vb voir **fleurir** ■ adj (entreprise, commerce) fiorente, florido(-a); (santé, mine) florido(-a); (teint) sano(-a)

flot [flo] nm (marée, fig: de touristes) marea; (: de paroles) fiume m; **flots** nmpl (de la mer) flutti mpl, onde fpl; **mettre à ~** mettere in acqua; (fig) rimettere in sesto; **être à ~** galleggiare; (fig) rimanere ou stare a galla; **à ~** (couler) a fiumi

flottant, e [flɔtɑ̃, ɑ̃t] adj galleggiante; (vêtement) largo(-a); (cours, barème) fluttuante

flotte [flɔt] nf (Naut) flotta; (fam: eau, pluie) acqua

flotter [flɔte] vi (bateau, bois) galleggiare; (odeur) aleggiare; (drapeau, cheveux) sventolare; (fig: vêtements) ballare, essere troppo largo(-a); (Écon: monnaie) fluttuare ■ vb impers (fam: pleuvoir): **il flotte** piove ■ vt (bois) flottare; **faire ~** (bois) far fluitare, far trasportare dalla corrente

flotteur [flɔtœʀ] nm galleggiante m

flou, e [flu] adj (photo) sfocato(-a); (dessin, forme) sfumato(-a); (fig: idée) vago(-a); (robe) morbido(-a), vaporoso(-a)

fluide [flɥid] adj fluido(-a); (circulation etc) scorrevole ■ nm fluido

fluor [flyɔʀ] nm fluoro

fluorescent, e [flyɔʀesɑ̃, ɑ̃t] adj fluorescente

flûte [flyt] nf (Mus) flauto; (verre) flûte m inv; (pain) filoncino; **~!** accidenti!; **petite ~** flauto piccolo; **~ traversière/à bec** flauto traverso/a becco; **~ de Pan** flauto di Pan

flux [fly] nm flusso; **le ~ et le reflux** (aussi fig) il flusso e il riflusso

foc [fɔk] nm (Naut) fiocco

foi [fwa] nf (Rel) fede f; **sous la ~ du serment** sotto (il vincolo del) giuramento; **avoir ~ en** aver fede in; **ajouter ~ à** prestar fede a; **faire ~** (prouver) far fede; **digne de ~** degno di fede; **sur la ~ de** in base alla testimonianza di; **bonne ~** buonafede f; **mauvaise ~** malafede f; **être de bonne/mauvaise ~** essere in buonafede/malafede; **ma ~!** mah!

foie [fwa] nm fegato; **~ gras** fegato d'oca

foin [fwɛ̃] nm fieno; **faire les ~s** fare il fieno; **faire du ~** (fig: fam) fare un putiferio

foire [fwaʀ] nf fiera; (fête foraine) luna park m inv; (fam) baraonda; **faire la ~** (fig: fam) far baldoria; **~ aux questions** FAQ fpl, domande fpl frequenti; **~ (exposition)** fiera

fois [fwa] nf volta; **2 ~ 2** 2 per ou volte 2; **deux/quatre ~ plus grand (que)** due/quattro volte più grande (di); **une ~** (passé) una volta; (futur) un giorno, una volta; **encore une ~** ancora una volta; **une (bonne) ~ pour toutes** una volta per tutte, una buona volta; **une ~ que c'est fait** una volta fatto; **une ~ parti/couché, il...** una volta partito/a letto, egli...; **à la ~** (ensemble) contemporaneamente, insieme; **à la ~ grand et beau** allo stesso tempo grande e bello; **des ~** (parfois) a ou alle volte; **chaque ~ que** ogni volta che; **si des ~...** (fam) se alle volte ou per caso...; **non, mais des ~!** (fam) ma insomma!; **il était une ~...** c'era una volta...

fol [fɔl] adj voir **fou**

folie [fɔli] nf follia; **la ~ des grandeurs** le manie di grandezza; **faire des ~s** fare follie

folklorique [fɔlklɔʀik] adj folcloristico(-a)

folle [fɔl] adj f, nf voir **fou**

follement [fɔlmã] *adv* follemente; (*drôle etc*) terribilmente

foncé, e [fɔ̃se] *adj* scuro(-a); **bleu/ rouge ~** blu/rosso scuro

foncer [fɔ̃se] *vt* scurire; (*Culin: moule etc*) foderare ■ *vi* scurirsi; (*fam: aller vite*) filare; **~ sur** (*fam*) avventarsi su

fonction [fɔ̃ksjɔ̃] *nf* funzione *f*; (*poste*) carica; **fonctions** *nfpl* (*activité, pouvoirs, corporelles*) funzioni *fpl*; **entrer en ses ~s** assumere una carica; **reprendre ses ~s** riassumere le proprie funzioni; **voiture/maison de ~** macchina/casa di rappresentanza; **faire ~ de** (*suj: personne*) svolgere le mansioni di; (*: chose*) fungere da; **la ~ publique** la pubblica amministrazione

fonctionnaire [fɔ̃ksjɔnɛʀ] *nm/f* impiegato(-a) statale

fonctionner [fɔ̃ksjɔne] *vi* funzionare; **faire ~** far funzionare

fond [fɔ̃] *nm* fondo; (*d'un tableau, décor, scène*) sfondo; (*opposé à la forme*) sostanza, contenuto; (*petite quantité*): **un ~ de verre/bouteille** un goccio; (*Sport*): **le ~** il fondo; **course/épreuve de ~** gara/prova di fondo; **au ~ de** in fondo a; **aller au ~ des choses** andare a fondo; **le ~ de sa pensée** i suoi pensieri più profondi; **sans ~** senza fondo; **toucher le ~** (*aussi fig*) toccare il fondo; **envoyer par le ~** (*couler*) affondare; **à ~** (*connaître*) a fondo; (*visser, soutenir*) fino in fondo; **à ~ (de train)** (*fam*) a tutta birra; **dans le ~, au ~** (*en somme*) in fondo; **de ~ en comble** (*complètement*) da cima a fondo; *voir aussi* **fonds**; **~ de teint** fondo tinta; **~ sonore** sottofondo (*musicale*)

fondamental, e, aux [fɔ̃damãtal, o] *adj* fondamentale

fondant, e [fɔ̃dã, ãt] *adj* (*neige, glace*) che si scioglie; (*poire*) che si scioglie in bocca ■ *nm* (*pâtisserie*) fondente *m*

fondation [fɔ̃dasjɔ̃] *nf* fondazione *f*; **fondations** *nfpl* (*d'une maison*) fondamenta *fpl*; **travaux de ~** (*Constr*) lavori *mpl* di fondazione

fondé, e [fɔ̃de] *adj* (*récit*) attendibile; (*accusation*) fondato(-a); **bien ~**

fondato(-a); **mal ~** infondato(-a); **être ~ à croire** avere fondate ragioni per credere

fondement [fɔ̃dmã] *nm* fondamento; **fondements** *nmpl* (*d'une théorie, de la société*) fondamenti *mpl*; **sans ~** (*rumeur etc*) senza fondamento, infondato(-a)

fonder [fɔ̃de] *vt* fondare; (*fig*): **~ qch sur** fondare *ou* basare qc su; **se ~ sur qch** (*suj: personne*) basarsi su qc; **~ un foyer** (*se marier*) mettere su casa *ou* famiglia

fonderie [fɔ̃dʀi] *nf* fonderia

fondre [fɔ̃dʀ] *vt* (*métal, fig: couleurs etc*) fondere; (*neige, sucre, sel*) sciogliere ■ *vi* fondere; (*neige, glace*) sciogliersi; (*fig: argent, courage*) svanire; (*se précipiter*): **~ sur** piombare su; **se fondre** *vr* fondersi; **faire ~** (*neige, sucre etc*) sciogliere; **~ en larmes** sciogliersi in lacrime

fonds [fɔ̃] *nm* (*de bibliothèque*) fondo; (*Comm*): **~ (de commerce)** impresa commerciale; (*fig*): **~ de probité** riserva di probità ■ *nmpl* (*argent*) fondi *mpl*; **être en ~** avere disponibilità finanziarie; **à ~ perdus** a fondo perduto; **mise de ~** investimento (di capitali); **le F~ monétaire international** il Fondo monetario internazionale; **~ de roulement** fondo di rotazione *ou* d'esercizio; **~ publics** fondi pubblici

fondu, e [fɔ̃dy] *adj* (*beurre, métal*) fuso(-a); (*neige*) sciolto(-a); (*fig: couleurs*) sfumato(-a) ■ *nm* (*Ciné*) dissolvenza; **~ enchaîné** dissolvenza incrociata

fondue [fɔ̃dy] *nf* (*Culin*): **~ (savoyarde)** fonduta (al formaggio); **~ bourguignonne** fondue *f inv* bourguignonne *inv*

font [fɔ̃] *vb voir* **faire**

fontaine [fɔ̃tɛn] *nf* (*source*) fonte *f*; (*construction*) fontana

fonte [fɔ̃t] *nf* (*de la neige*) scioglimento; (*d'un métal*) fusione *f*; (*métal*) ghisa; **en ~ émaillée** di ghisa smaltata; **la ~ des neiges** lo scioglimento delle nevi

foot(ball) [fut(bol)] *nm* (*Sport*) calcio, football *m*; **jouer au foot(ball)** giocare a calcio

footballeur, -euse [futbolœʀ, øz]
nm/f calciatore(-trice)
footing [futiŋ] *nm*: **faire du ~** fare
footing *ou* jogging
forain, e [fɔʀɛ̃, ɛn] *adj* ambulante
■ *nm/f (marchand)* venditore(-trice)
ambulante; *(bateleur)* chi si esibisce
alle fiere; *(fête foraine)* giostraio(-a)
forçat [fɔʀsa] *nm* forzato
force [fɔʀs] *nf* forza; **forces** *nfpl*
(physiques, Mil, navales etc) forze *fpl*;
(effectifs): **d'importantes ~s de
police** ingenti forze di polizia; **avoir
de la ~** avere forza, essere forte; **être
à bout de ~** essere allo stremo delle
forze; **de toutes mes/ses ~s** con
tutte le mie/sue forze; **à la ~ du
poignet** *(fig)* col sudore della fronte;
à ~ de faire a forza di fare; **arriver en
~** arrivare in forze; **de ~** *(prendre,
enlever etc)* di forza, a viva forza; **par la
~** con la forza; **à toute ~** *(absolument)*
ad ogni costo, a tutti i costi; **cas de ~-
majeure** caso di forza maggiore;
faire ~ de rames/voiles far forza di
remi/vele; **être de ~ à faire qch**
essere in grado di fare qc; **dans la ~ de
l'âge** nel pieno vigore degli anni; **de
première ~** di primo ordine; **par la ~
des choses/de l'habitude** per forza di
cose/d'abitudine; **la ~ armée** le forze
armate; **la ~ publique** la forza
pubblica; **les ~s de l'ordre** le forze
dell'ordine; **~ centrifuge/d'inertie**
forza centrifuga/d'inerzia; **~ d'âme/
de caractère** forza d'animo/di
carattere; **~ de dissuasion** deterrente
m; **~ de frappe** force de frappe *f inv*;
~ de la nature forza della natura; **~s
d'intervention** *(Mil, Police)* forze
d'intervento
forcé, e [fɔʀse] *adj* forzato(-a); **c'est
~!** è inevitabile!
forcément [fɔʀsemɑ̃] *adv* per forza;
pas ~ non necessariamente
forcer [fɔʀse] *vt* forzare; *(moteur)*
sforzare ■ *vi (Sport, gén)* forzare; **~ qn
à faire qch** *(contraindre)* costringere
qn a fare qc; **~ qn à une action
immédiate** costringere qn ad agire
immediatamente; **se ~ à faire qch**
(s'obliger à) costringersi a fare qc; **se ~
au travail** costringersi a lavorare; **~ la
main à qn** forzare la mano a qn; **~ la**

dose rincarare la dose; **~ l'allure**
forzare l'andatura; **~ l'attention/le
respect** imporsi all'attenzione/al
rispetto; **~ la consigne** forzare la
consegna
forestier, -ière [fɔʀɛstje, jɛʀ] *adj*
forestale
forêt [fɔʀɛ] *nf* foresta; **Office
national des ~s** *(Admin)* ente nazionale
per la protezione delle zone boschive;
~ vierge foresta vergine
forfait [fɔʀfɛ] *nm (Comm)* forfait *m
inv*; *(crime)* misfatto, infamia;
déclarer ~ *(Sport)* dichiarare forfait;
gagner par ~ vincere per forfait;
travailler à ~ lavorare a forfait
forfaitaire [fɔʀfetɛʀ] *adj*
forfettario(-a)
forge [fɔʀʒ] *nf* fucina
forgeron [fɔʀʒəʀɔ̃] *nm* fabbro
formaliser [fɔʀmalize] *vr*:
se formaliser: **se ~ (de)** formalizzarsi
(per)
formalité [fɔʀmalite] *nf* formalità *f inv*
format [fɔʀma] *nm* formato
formater [fɔʀmate] *vt (disque)*
formattare; **non formaté** non
formattato
formation [fɔʀmasjɔ̃] *nf* formazione
f; **en ~** *(voler, évoluer)* in formazione;
~ permanente/continue formazione
permanente/continua;
~ professionnelle formazione
professionale; **la ~ des adultes** la
formazione degli adulti
forme [fɔʀm] *nf* forma; **formes** *nfpl*
(bonnes manières, d'une femme) forme
fpl; **en ~ de poire** a forma di pera;
sous ~ de sotto forma di; **être en
(bonne/pleine) ~, avoir la ~** *(Sport
etc)* essere in (buona/piena) forma;
en bonne et due ~ *(Admin)* nella
debita forma; **y mettre les ~s** agire
con garbo *ou* tatto; **sans autre ~ de
procès** *(fig)* senza tante cerimonie;
pour la ~ pro forma, per esigenze di
forma
formel, le [fɔʀmɛl] *adj (preuve,
décision)* categorico(-a), definitivo(-a);
(logique, politesse) formale
formellement [fɔʀmɛlmɑ̃] *adv*
formalmente
former [fɔʀme] *vt* formare; *(lettre
etc)* formulare; **se former** *vr*

formarsi; (*organe, organisme*) svilupparsi

formidable [fɔʀmidabl] *adj* formidabile; (*excellent*) fantastico(-a), formidabile

formulaire [fɔʀmylɛʀ] *nm* formulario, modulo

formule [fɔʀmyl] *nf* formula; (*formulaire*) modulo; **selon la ~ consacrée** come si suol dire; **~ de politesse** formula di cortesia; (*en fin de lettre*) formula epistolare

fort, e [fɔʀ, fɔʀt] *adj* forte; (*mer*) grosso(-a), agitato(-a) ■ *adv* forte; (*frapper, serrer*) forte, con forza; (*beaucoup, très*) molto ■ *nm* (*édifice, point fort*) forte *m*; **c'est un peu ~!** questa poi!, questa è proprio grossa!; **à plus ~e raison** a maggior ragione; **avoir ~ à faire avec qn** avere un bel da fare con qn; **se faire ~ de faire** dirsi sicuro(-a) di fare; **~ bien/peu** molto bene/poco; **au plus ~ de** nel bel mezzo di; **~e tête** testardo(-a)

forteresse [fɔʀtəʀɛs] *nf* fortezza

fortifiant, e [fɔʀtifjɑ̃, jɑ̃t] *adj, nm* ricostituente (*m*)

fortune [fɔʀtyn] *nf* fortuna; (*sort*): **des ~s diverses** destini *mpl* diversi; **faire ~** fare fortuna; **avoir de la ~** possedere una fortuna *ou* delle ricchezze; **de ~** (*improvisé*) di fortuna; (*compagnon*) di avventura; **bonne ~** fortuna; **mauvaise ~** cattiva *ou* mala sorte *f*

fortuné, e [fɔʀtyne] *adj* facoltoso(-a), ricco(-a)

fosse [fos] *nf* fossa; **~ à purin** fossa da letame; **~ aux lions/aux ours** fossa dei leoni/degli orsi; **~ commune** fossa comune; **~ (d'orchestre)** buca dell'orchestra; **~ septique** fossa settica; **~s nasales** fosse nasali

fossé [fose] *nm* fosso, fossato; (*fig*) abisso

fossette [fosɛt] *nf* fossetta

fossile [fosil] *adj, nm* fossile (*m*)

fou, fol, folle [fu, fɔl] *adj* (*personne*) pazzo(-a), matto(-a), folle; (*regard, fam: extrême*) folle; (: *très grand*): **ça prend un temps ~** prende una marea di tempo ■ *nm/f* pazzo(-a), matto(-a) ■ *nm* (*d'un roi*) buffone *m*, giullare *m*; (*Échecs*) alfiere *m*; (*Zool*):

~ de Bassan sula; **herbe folle** erbaccia; **mèche folle** ciuffo ribelle; **aiguille folle** ago impazzito; **~ à lier** matto(-a) da legare; **~ furieux/folle furieuse** pazzo(-a) furioso(-a); **être ~ de** (*sport, art etc*) andare pazzo(-a) per; (*personne*) essere pazzo(-a) di; (*chagrin, joie, colère*) essere pazzo(-a) *ou* folle di; **faire le ~** (*enfant etc*) fare il matto; **avoir le ~ rire** avere la ridarella

foudre [fudʀ] *nf* fulmine *m*; (*fig: colère*) collera; **s'attirer les ~s de qn** attirarsi le ire di qn

foudroyant, e [fudʀwajɑ̃, ɑ̃t] *adj* (*rapidité, succès*) fulmineo(-a), folgorante; (*maladie, poison, regard*) fulminante

fouet [fwɛ] *nm* (*aussi Culin*) frusta; **de plein ~** in pieno

fouetter [fwete] *vt* frustare; (*fig: suj: pluie, vagues, vent*) sferzare; (*Culin: blanc d'œuf*) sbattere; (: *crème*) montare

fougère [fuʒɛʀ] *nf* felce *f*

fougue [fug] *nf* foga, impeto

fougueux, -euse [fugø, øz] *adj* focoso(-a)

fouille [fuj] *nf* (*de suspect, local*) perquisizione *f*; (*de quartier*) perlustrazione *f*; **fouilles** *nfpl* (*archéologiques*) scavi *mpl*

fouiller [fuje] *vt* (*suspect, local*) perquisire; (*quartier*) battere, perlustrare; (*creuser*) scavare; (*étude etc*) approfondire ■ *vi* (*archéologue*) scavare, fare scavi; **~ dans/parmi** frugare *ou* rovistare in/tra

fouillis [fuji] *nm* confusione *f*

foulard [fulaʀ] *nm* foulard *m inv*

foule [ful] *nf* folla; (*beaucoup de*): **une ~ de** una massa *ou* gran quantità di; **les ~s** le masse; **venir en ~** (*aussi fig*) venire in massa

foulée [fule] *nf* (*Sport*) falcata; **dans la ~ de** sulla scia di

fouler [fule] *vt* pigiare; **se fouler** *vr* (*fam: se fatiguer*) ammazzarsi (di fatica); **se ~ la cheville/le bras** slogarsi la caviglia/il braccio; **~ aux pieds** (*fig: lois, principe*) calpestare; **~ le sol de son pays** calcare *ou* calpestare il suolo della patria

foulure [fulyʀ] *nf* slogatura

four [fuʀ] nm forno; (*Théâtre: échec*)
fiasco; **allant au ~** da forno
fourche [fuʀʃ] nf forcone m; (*de
bicyclette*) forcella; (*d'une route*) bivio
fourchette [fuʀʃɛt] nf (*aussi
Statistiques*) forchetta; **~ à dessert**
forchetta da dolce *ou* dessert
fourgon [fuʀgɔ̃] nm (*Auto*) furgone
m; (*Rail*) bagagliaio; **~ mortuaire**
carro funebre
fourgonnette [fuʀgɔnɛt] nf
furgoncino, camioncino
fourmi [fuʀmi] nf formica; **avoir des
~s dans les jambes/mains** (*fig*) avere
un formicolio alle gambe/mani
fourmilière [fuʀmiljɛʀ] nf (*aussi fig*)
formicaio
fourmiller [fuʀmije] vi pullulare;
~ de brulicare *ou* pullulare di
fourneau, x [fuʀno] nm fornello
fourni, e [fuʀni] adj folto(-a); **bien/
mal ~ (en)** (*magasin etc*) ben/mal
fornito(-a) (di)
fournir [fuʀniʀ] vt fornire; (*effort*)
compiere; (*magasin, école*): **~ en**
rifornire di; **~ qch à qn** fornire qc a qn;
~ qn en rifornire qn di; **se ~ chez** vr
rifornirsi di
fournisseur, -euse [fuʀnisœʀ, øz]
nm/f fornitore(-trice)
fourniture [fuʀnityʀ] nf fornitura;
fournitures nfpl (*matériel,
équipement*) materiali mpl, forniture
fpl; **~s de bureau** forniture per ufficio;
~s scolaires articoli mpl per la scuola
fourrage [fuʀaʒ] nm foraggio
fourré, e [fuʀe] adj (*bonbon, chocolat*)
ripieno(-a); (*manteau, botte*)
foderato(-a) (di pelliccia),
boscaglia ■ nm folto,
fourrer [fuʀe] (*fam*) vt (*mettre*): **~ qch
dans** cacciare *ou* ficcare qc in; **se
fourrer dans/sous** vr cacciarsi *ou*
ficcarsi in/sotto
fourrière [fuʀjɛʀ] nf (*pour chiens*)
canile m municipale; (*pour voitures*)
deposito (delle auto rimosse dalla
polizia)
fourrure [fuʀyʀ] nf pelliccia; **col de ~**
collo di pelliccia
foutre [futʀ] (*fam!*) vt = **ficher**
foutu, e [futy] (*fam!*) adj (*fam:
inutilisable*) andato(-a), da buttare;
(*intensif*): **~ temps** tempaccio; **être ~**

de (*fam*) essere capace di; **mal ~** (*fam*)
conciato(-a) male; **bien ~** (*fam*) ben
fatto(-a)
foyer [fwaje] nm (*d'une cheminée, d'un
four*) focolare m, fuoco; (*fig: d'incendie,
infection*) focolaio; (: *de civilisation*)
nucleo originario; (*famille*) famiglia;
(*domicile*) casa, domicilio; (*Théâtre*)
ridotto, foyer m inv; (*local de réunion*)
centro, ritrovo; (*résidence: de vieillards,
d'étudiants*) casa; (*salon*) sala (di
ritrovo); (*Optique, Photo*) fuoco;
lunettes à double ~ occhiali mpl a
lenti bifocali
fracassant, e [fʀakasɑ̃, ɑ̃t] adj
clamoroso(-a)
fraction [fʀaksjɔ̃] nf frazione f; **une ~
de seconde** una frazione di secondo
fracture [fʀaktyʀ] nf frattura; **~ de
la jambe** frattura della gamba; **~ du
crâne** frattura del cranio; **~ ouverte**
frattura esposta
fracturer [fʀaktyʀe] vt (*coffre,
serrure*) scassinare; (*os, membre*)
fratturare; **se ~ la jambe/le crâne**
fratturarsi la gamba/il cranio
fragile [fʀaʒil] adj fragile; (*fig:
estomac, santé, situation*) delicato(-a)
fragilité [fʀaʒilite] nf (*v adj*) fragilità;
delicatezza
fragment [fʀagmɑ̃] nm frammento;
(*d'un discours, texte*) brano, passo
fraîche [fʀɛʃ] adj voir **frais**
fraîcheur [fʀɛʃœʀ] nf freschezza
fraîchir [fʀeʃiʀ] vi rinfrescare,
rinfrescarsi
frais, fraîche [fʀɛ, fʀɛʃ] adj
fresco(-a); (*accueil, réception*)
freddo(-a) ■ adv: **il fait ~** fa fresco
■ nm: **mettre au ~** mettere in fresco
■ nmpl (*dépenses*) spese fpl; **le voilà ~!**
(*iron*) ora sì che sta fresco!; **~ et dispos**
fresco e riposato; **à boire/servir ~** da
bere/servire freddo *ou* fresco;
~ débarqué de sa province appena
giunto dalla sua provincia; **prendre le
~** prendere il fresco; **faire des ~**
sostenere delle spese; **à grands/peu
de ~** con grande/poca spesa; **faire les
~ de** fare le spese di; **faire les ~ de la
conversation** essere l'argomento
della conversazione; **rentrer dans
ses ~** rientrare nelle spese; **en être
pour ses ~** rimetterci le spese; (*fig*)

restare con le pive nel sacco;
~ d'entretien nmpl spese di
manutenzione; **~ de déplacement/
de logement** nmpl spese di viaggio/
di alloggio; **~ de scolarité** tasse fpl
scolastiche; **~ généraux** spese generali
fraise [fʀɛz] nf (Bot) fragola; (Tech)
fresa; (de dentiste) trapano; **~ des bois**
fragola di bosco
framboise [fʀɑ̃bwaz] nf lampone m
franc, franche [fʀɑ̃, fʀɑ̃ʃ] adj
(personne, attitude) franco(-a),
schietto(-a); (visage) aperto(-a);
(refus, coupure) netto(-a); (couleur)
intenso(-a); (intensif) vero(-a) e
proprio(-a); (exempt): **~ de port**
franco di porto; (zone, port)
franco(-a); (boutique) in esenzione
doganale, duty free inv ■ adv: **parler
~** dire le cose come stanno ■ nm
(Hist: monnaie) franco; **ancien ~, ~
léger** vecchio franco; **nouveau ~, ~
lourd** nuovo franco; **~ belge/français**
(Hist) franco belga/francese; **~ suisse**
franco svizzero
français, e [fʀɑ̃sɛ, ɛz] adj francese
■ nm (langue) francese m ■ nm/f:
Français, e francese
France [fʀɑ̃s] nf Francia; **~ 2, ~ 3**
canali televisivi nazionali

○ **FRANCE TÉLÉVISION**
○
○ In Francia ci sono due canali
○ televisivi statali: France 2 e France
○ 3, un canale regionale. France 2 è
○ un canale di interesse generale e
○ di svago mentre France 3 offre
○ programmi culturali oltre ai
○ notiziari regionali.

franche [fʀɑ̃ʃ] adj f voir **franc**
franchement [fʀɑ̃ʃmɑ̃] adv
francamente; (tout à fait, vraiment)
veramente; (escl) questa poi!, adesso
basta!
franchir [fʀɑ̃ʃiʀ] vt (obstacle, aussi fig)
superare; (seuil, ligne, rivière)
oltrepassare, superare; (distance)
percorrere
franchise [fʀɑ̃ʃiz] nf franchezza;
(douanière, d'impôt etc) franchigia; **en
toute ~** in tutta franchezza; **~ de
bagages** bagaglio in franchigia

franc-maçon [fʀɑ̃masɔ̃] (pl **~s**) nm
massone m
franco [fʀɑ̃ko] adv (Comm): **~ (de
port)** franco (di porto)
francophone [fʀɑ̃kɔfɔn] adj, nm/f
francofono(-a)
franc-parler [fʀɑ̃paʀle] nm inv:
avoir son ~ non avere peli sulla lingua
frange [fʀɑ̃ʒ] nf frangia; (de cheveux)
frangia, frangetta
frangipane [fʀɑ̃ʒipan] nf crema
pasticciera alle mandorle
frappant, e [fʀapɑ̃, ɑ̃t] adj
impressionante, sorprendente
frappé, e [fʀape] adj (vin, café)
ghiacciato(-a), freddo(-a); (personne):
~ de/par qch colpito(-a) da qc; **~ de
panique** preso(-a) dal panico; **(être)
~ de stupeur** (rimanere)
sbigottito(-a)
frapper [fʀape] vt colpire; (monnaie)
coniare; **se frapper** vr angosciarsi;
~ à la porte bussare (alla porta);
~ dans ses mains battere le mani;
~ du poing sur battere il pugno su;
~ un grand coup (fig) colpire
energicamente ou drasticamente
fraternel, le [fʀatɛʀnɛl] adj
fraterno(-a)
fraternité [fʀatɛʀnite] nf fraternità
fraude [fʀod] nf frode f; **passer qch
en ~** far passare qc di frodo ou di
contrabbando; **~ électorale** broglio
elettorale; **~ fiscale** frode fiscale
frayeur [fʀɛjœʀ] nf spavento, panico
fredonner [fʀədɔne] vt canticchiare,
canterellare
freezer [fʀizœʀ] nm freezer m inv,
congelatore m
frein [fʀɛ̃] nm freno; **mettre un ~ à**
(fig) porre freno a; **sans ~** (sans limites)
sfrenato(-a); **~ à main** freno a mano;
~ moteur freno motore; **~ à
disques/à tambours** freni a disco/a
tamburo
freiner [fʀene] vi, vt frenare
frêle [fʀɛl] adj esile, gracile
frelon [fʀəlɔ̃] nm calabrone m
frémir [fʀemiʀ] vi (de peur, froid)
tremare; (de joie) fremere; (bouillir)
sobbollire; (feuille etc) stormire
frêne [fʀɛn] nm frassino
fréquemment [fʀekamɑ̃] adv
frequentemente, di frequente

fréquent, e [fʀekɑ̃, ɑ̃t] adj frequente
fréquentation [fʀekɑ̃tasjɔ̃] nf
frequentazione f; **fréquentations**
nfpl (relations): **de bonnes ~s** buone
compagnie fpl; **une mauvaise ~** una
cattiva compagnia
fréquenté, e [fʀekɑ̃te] adj (rue,
établissement): **très/mal ~** molto/mal
frequentato(-a)
fréquenter [fʀekɑ̃te] vt frequentare;
se fréquenter vr frequentarsi
frère [fʀɛʀ] nm (aussi fig) fratello;
(Rel) frate m; **partis/pays ~s** partiti
mpl/paesi mpl fratelli
fresque [fʀɛsk] nf affresco
fret [fʀɛ(t)] nm (prix) nolo, noleggio;
(cargaison, chargement) carico
friand, e [fʀijɑ̃, fʀijɑ̃d] adj: **~ de**
ghiotto(-a) ou goloso(-a) di ■ nm
(Culin) pasta sfoglia ripiena di carne
tritata; (: sucré) pasticcino fondente alla
pasta di mandorle
friandise [fʀijɑ̃diz] nf dolcino
fric [fʀik] (fam) nm grana
friche [fʀiʃ]: **en ~** adj, adv (Agr, fig)
incolto(-a)
friction [fʀiksjɔ̃] nf frizione f; (fig)
attrito
frigidaire® [fʀiʒidɛʀ] nm frigorifero
frigorifique [fʀigɔʀifik] adj
frigorifero(-a)
frileux, -euse [fʀilø, øz] adj
freddoloso(-a); (fig) cauto(-a),
timoroso(-a)
frimer [fʀime] vi fare lo (la)
sbruffone(-a)
fringale [fʀɛ̃gal] nf: **avoir la ~** avere
una gran fame
fringues [fʀɛ̃g] (fam) nfpl vestiti mpl
fripé, e [fʀipe] adj sgualcito(-a),
spiegazzato(-a)
frire [fʀiʀ] vt, vi friggere
frisé, e [fʀize] adj riccio(-a), ricciuto(-a);
(chicorée) ~e indivia riccia
frisson [fʀisɔ̃] nm brivido
frissonner [fʀisɔne] vi tremare; (fig:
eau, feuillage) agitarsi, fremere
frit, e [fʀi, fʀit] pp de **frire** ■ adj
fritto(-a); **(pommes) ~es** patate fpl ou
patatine fpl fritte
frite [fʀit] nf patatina (fritta)
friteuse [fʀitøz] nf padella (per
friggere); **~ électrique** friggitrice f
(elettrica)

friture [fʀityʀ] nf (huile) olio per
friggere; (plat): **~ (de poissons)**
frittura di pesce; (Radio) crepitio,
ronzio; **fritures** nfpl (aliments frits)
frittura fsg, fritto msg
froid, e [fʀwa, fʀwad] adj freddo(-a)
■ nm freddo; (absence de sympathie)
freddezza; **il fait ~** fa freddo; **manger
~** mangiare cibi freddi; **avoir/prendre
~** aver/prendere freddo; **à ~** a freddo;
les grands ~s il cuore dell'inverno;
jeter un ~ (fig) gelare l'atmosfera;
être en ~ avec qn non essere in buoni
rapporti con qn; **battre ~ à qn** trattare
qn freddamente ou con freddezza
froidement [fʀwadmɑ̃] adv
freddamente
froisser [fʀwase] vt sgualcire,
spiegazzare; (fig: personne) offendere;
se froisser vr sgualcirsi,
spiegazzarsi; (se vexer) offendersi;
se ~ un muscle stirarsi un muscolo
frôler [fʀole] vt sfiorare; (fig:
catastrophe, échec) sfiorare, rasentare
fromage [fʀɔmaʒ] nm formaggio;
~ blanc tipo di ricotta cremosa; **~ de
tête** pasticcio di carne di maiale,
soppressata
froment [fʀɔmɑ̃] nm frumento,
grano
froncer [fʀɔ̃se] vt (tissu) arricciare,
increspare; **~ les sourcils** aggrottare
le sopracciglia
front [fʀɔ̃] nm (Anat) fronte f; (Mil,
Météo, fig) fronte m; **aller au/être sur
le ~** (Mil) andare/essere al fronte;
avoir le ~ de faire qch avere la faccia
tosta ou la sfacciataggine di fare qc;
de ~ frontalmente; (rouler) fianco a
fianco; (simultanément)
contemporaneamente; **faire ~ à**
fronteggiare, far fronte a; **~ de mer**
lungomare m
frontalier, -ière [fʀɔ̃talje, jɛʀ] adj di
frontiera ou confine ■ nm/f:
(travailleurs) ~s frontalieri mpl
frontière [fʀɔ̃tjɛʀ] nf frontiera,
confine m; (fig) limite m, confine;
poste/ville ~ posto/città di frontiera
frotter [fʀɔte] vi sfregare ■ vt
sfregare, strofinare; **se ~ à** (fig) avere
a che fare con; **~ une allumette**
sfregare un fiammifero; **se ~ les
mains** (fig) fregarsi le mani

fruit [fʀɥi] nm (aussi fig) frutto; **fruits** nmpl (de la terre, de la chasse) frutti mpl; **un kilo de ~s** un chilo di frutta; **~s de mer** frutti di mare; **~s secs** frutta fsg secca

fruité, e [fʀɥite] adj (vin) fruttato(-a)

fruitier, -ière [fʀɥitje, jɛʀ] adj: **arbre ~** albero da frutto ■ nm/f fruttivendolo(-a)

frustrer [fʀystʀe] vt frustrare; **~ qn de qch** defraudare qn di qc

fuel(-oil) [fjul(ɔjl)] (pl fuels-(oils)) nm = fioul

fugace [fygas] adj fuggevole, fugace

fugitif, -ive [fyʒitif, iv] adj (lueur, amour) fuggevole, fugace; (prisonnier etc) fuggiasco(-a) ■ nm/f fuggiasco(-a)

fugue [fyg] nf (d'un enfant, Mus) fuga

fuir [fɥiʀ] vt (bruit, foule) sfuggire a, evitare; (responsabilité) sottrarsi a ■ vi fuggire; (gaz, eau) fuoriuscire; (robinet, tuyau) perdere; **le robinet fuit** il rubinetto perde

fuite [fɥit] nf fuga; (écoulement) perdita, fuoriuscita; **être/mettre en ~** essere/mettere in fuga; **prendre la ~** fuggire, darsi alla fuga

fulgurant, e [fylgyʀɑ̃, ɑ̃t] adj (vitesse, progrès) fulmineo(-a); (intuition) folgorante

fumé, e [fyme] adj (Culin) affumicato(-a)

fumée [fyme] nf fumo; **partir en ~** (fig) andare in fumo; **la ~ me dérange** il fumo mi dà fastidio

fumer [fyme] vi fumare; **ça ne vous dérange pas que je fume?** le dà fastidio se fumo? ■ vt fumare; (jambon, poisson) affumicare; (terre, champ) concimare

fûmes [fym] vb voir **être**

fumeur, -euse [fymœʀ, øz] nm/f fumatore(-trice); **compartiment (pour) ~s/non-~s** scompartimento (per) fumatori/non fumatori; **~ passif** fumatore(-trice) passivo(-a)

fumier [fymje] nm letame m

funérailles [fyneʀaj] nfpl funerale msg, funerali mpl

fur [fyʀ]: **au ~ et à mesure (que)** adv man mano (che), via via (che); **au ~ et à mesure de leur progression** a seconda della loro progressione

furet [fyʀɛ] nm furetto

fureter [fyʀ(ə)te] (péj) vi ficcare il naso

fureur [fyʀœʀ] nf furore m, ira; (crise de colère) accesso di furore ou ira; **la ~ du jeu** la passione del gioco; **faire ~** far furore

furie [fyʀi] nf furia; **en ~** (mer) infuriato(-a)

furieux, -euse [fyʀjø, jøz] adj furioso(-a); **être ~ contre qn** essere infuriato(-a) con qn

furoncle [fyʀɔ̃kl] nm foruncolo

furtif, -ive [fyʀtif, iv] adj furtivo(-a)

fus [fy] vb voir **être**

fusain [fyzɛ̃] nm (Bot) fusaggine f; (Art) carboncino

fuseau, x [fyzo] nm (pantalon) fuseaux mpl (con la staffa); (pour filer) fuso; **en ~** (jambes, colonne) affusolato(-a); **~ horaire** fuso orario

fusée [fyze] nf razzo; **~ éclairante** segnale m luminoso, razzo di segnalazione

fusible [fyzibl] nm fusibile m

fusil [fyzi] nm fucile m; **~ à deux coups** doppietta; **~ sous-marin** fucile subacqueo

fusillade [fyzijad] nf fucilata; (combat) sparatoria

fusiller [fyzije] vt fucilare; **~ qn du regard** fulminare qn con lo sguardo

fusionner [fyzjɔne] vi fondersi

fût [fy] vb voir **être** ■ nm (tonneau) fusto, barile m; (de canon) affusto; (d'arbre, de colonne) fusto

futé, e [fyte] adj astuto(-a), furbo(-a)

futile [fytil] adj futile; (personne) frivolo(-a)

futur, e [fytyʀ] adj futuro(-a) ■ nm (avenir, Ling) futuro; **au ~** (Ling) al futuro; **~ antérieur** futuro anteriore

fuyard, e [fɥijaʀ, aʀd] nm/f fuggiasco(-a), fuggitivo(-a)

g

gâcher [gɑʃe] vt (gâter: travail, vacances, vie) rovinare; (gaspiller) sprecare, sciupare; (plâtre, mortier) impastare

gâchis [gɑʃi] nm (désordre) caos m inv; (gaspillage) spreco

gaffe [gaf] nf (instrument) gaffa, mezzomarinaro; (fam: erreur) gaffe f inv; **faire ~** (fam) fare attenzione

gage [gaʒ] nm (aussi fig) pegno; **gages** nmpl (salaire) salario; (garantie) garanzia; **mettre en ~** impegnare; **laisser en ~** lasciare in pegno

gagnant, e [gaɲɑ̃, ɑ̃t] adj: **billet/ numéro ~** biglietto/numero vincente ■ adv: **jouer ~** (aux courses) giocare sul vincente ■ nm/f (à la loterie etc) vincitore(-trice)

gagne-pain [gaɲpɛ̃] nm inv mezzo di sostentamento

gagner [gaɲe] vt (concours, procès, pari) vincere; (somme d'argent, revenu) guadagnare; (aller vers, envahir) raggiungere; (suj: maladie, feu) propagarsi a; (: sommeil, faim, fatigue) avere il sopravvento su ■ vi vincere;

~ qn/l'amitié de qn conquistare qn/ l'amicizia di qn; **~ du temps/de la place** guadagnare tempo/spazio; **~ sa vie** guadagnarsi da vivere; **~ du terrain** (aussi fig) guadagnare terreno; **~ qn de vitesse** (aussi fig) battere qn in velocità; **~ à faire qch** (s'en trouver bien) guadagnarci a fare qc; **~ en élégance/rapidité** guadagnare in eleganza/rapidità; **il y gagne** ci guadagna

gai, e [ge] adj allegro(-a); (couleurs, pièce) allegro(-a), vivace; (un peu ivre) allegro(-a), brillo(-a)

gaiement [gemɑ̃] adv allegramente

gaieté [gete] nf allegria; **de ~ de cœur** a cuor leggero

gain [gɛ̃] nm (revenu) reddito; (bénéfice) guadagno, profitto; (au jeu) vincita; (fig: de temps, place) risparmio; (avantage, lucre) guadagno; **avoir/ obtenir ~ de cause** (fig) averla vinta

gala [gala] nm gala m inv; **soirée de ~** serata di gala

galant, e [galɑ̃, ɑ̃t] adj galante; (femme) leggero(-a); **en ~e compagnie** in dolce compagnia

galerie [galRi] nf (aussi Théâtre) galleria; (de voiture) portapacchi m inv; (fig: spectateurs) pubblico; **~ de peinture** galleria di pittura; **~ marchande** galleria con negozi

galet [galɛ] nm ciottolo; (Tech) rullo; **galets** nmpl (petites pierres) ciottoli mpl

galette [galɛt] nf tortino; (crêpe) crêpe f inv di grano saraceno; (biscuit) tipo di biscotto secco; **~ des Rois** dolce tipico della festa dell'Epifania

galipette [galipɛt] nf: **faire des ~s** fare delle capriole

Galles [gal] nfpl: **le pays de ~** il Galles

gallois, e [galwa, waz] adj gallese m/f ■ nm/f: **Gallois, e** gallese m/f ■ nm (langue) gallese m

galon [galɔ̃] nm (Mil, décoratif) gallone m; **prendre du ~** (Mil) salire di grado; (fig) ottenere una promozione

galop [galo] nm galoppo; **au ~** al galoppo; **~ d'essai** (fig) esame m simulato

galoper [galɔpe] vi galoppare

gambader [gɑ̃bade] vi saltellare

gamin, e [gamɛ̃, in] nm/f
ragazzino(-a); (enfant) bambino(-a)
■ adj birichino(-a)

gamme [gam] nf (Mus) scala; (fig)
gamma

gang [gɑ̃g] nm gang f inv

gant [gɑ̃] nm guanto; **prendre des ~s**
(fig) essere cauto(-a); **relever le ~** (fig)
raccogliere il guanto; **~s de boxe**
guantoni mpl; **~s de caoutchouc**
guanti di gomma; **~ de crin** guanto di
crine; **~ de toilette** guanto di spugna

garage [gaʀaʒ] nm (abri) garage m
inv; (entreprise) autofficina; **~ à vélos**
rimessa per le biciclette

garagiste [gaʀaʒist] nm/f
(propriétaire) garagista m/f;
(mécanicien) garagista, meccanico

garantie [gaʀɑ̃ti] nf garanzia; **(bon
de) ~** (tagliando di) garanzia; **~ de
bonne exécution** garanzia di buona
esecuzione

garantir [gaʀɑ̃tiʀ] vt garantire; **~ de
qch** (protéger) garantire qc; **je vous
garantis que...** le garantisco che...;
garanti 2 ans/pure laine garantito
2 anni/pura lana

garçon [gaʀsɔ̃] nm ragazzo; (fils)
figlio; (célibataire) scapolo; **petit ~**
bambino; **jeune ~** ragazzo;
~ boucher/d'écurie garzone m del
macellaio/di stalla; **~ coiffeur**
apprendista m parrucchiere; **~ de
bureau** fattorino; **~ de café**
cameriere m; **~ de courses** fattorino;
~ manqué maschiaccio

garde [gaʀd] nm (de prisonnier, soldat)
guardia; (de domaine etc) guardiano
■ nf (Mil, Sport, Typo etc) guardia;
de ~ di turno, di guardia; **mettre en ~**
mettere in guardia; **mise en ~** messa
in guardia; **prendre ~ (à)** fare
attenzione (a); **être sur ses ~s** stare
in guardia; **monter la ~** montare la
guardia; **avoir la ~ des enfants**
(après divorce) avere la custodia dei
bambini; **~ à vue** nm (Jur) fermo (di
polizia); **~ champêtre** nm guardia
campestre; **~ d'enfants** nf baby-
sitter f inv; **~ d'honneur** nf guardia
d'onore; **~ des Sceaux** nm
guardasigilli m inv; **~ descendante/
montante** nf guardia smontante/
montante; **~ du corps** nm guardia

del corpo; **~ forestier** nm guardia
forestale; **~ mobile** nm ou f guardia
mobile

garde-boue [gaʀdəbu] nm inv
parafango

garde-chasse [gaʀdəʃas] (pl **gardes-
chasse(s)**) nm guardiacaccia m inv

garder [gaʀde] vt (conserver)
conservare; (: sur soi: vêtement,
chapeau) tenere; (: attitude)
mantenere, tenere; (surveiller)
sorvegliare; **se garder** vr (aliment:
se conserver) conservarsi; **~ le lit/la
chambre** restare ou rimanere a letto/
in camera; **~ la ligne** mantenere la
linea; **~ le silence** osservare il
silenzio; **~ à vue** (Jur) sorvegliare a
vista; **se ~ de faire qch** guardarsi dal
fare qc; **pêche/chasse gardée**
riserva di pesca/di caccia

garderie [gaʀdəʀi] nf asilo m nido inv

garde-robe [gaʀdəʀɔb] (pl **~s**) nf
guardaroba m inv

gardien, ne [gaʀdjɛ̃, jɛn] nm/f
(garde) custode m/f, guardiano(-a);
(de prison) guardia, agente m di
custodia; (de domaine, réserve, musée)
custode m/f; (de phare, cimetière, fig:
garant) guardiano(-a); (d'immeuble)
portiere(-a); **~ de but** portiere m; **~ de
la paix** vigile m; **~ de nuit** guardia
notturna

gare [gaʀ] nf (Rail) stazione f ■ excl:
~ à... attenzione a...; **~ à ne pas...**
attenzione a non...; **~ à toi** guai a te;
sans crier ~ senza avvisare; **~ de
triage** stazione di smistamento;
~ maritime stazione marittima;
~ routière stazione degli autobus;
(camions) stazione di camion

> **FAUX AMIS**
> **gare** ne se traduit pas par
> le mot italien **gara**.

garer [gaʀe] vt posteggiare,
parcheggiare; **se garer** vr (véhicule,
personne) posteggiare, parcheggiare;
(pour laisser passer) scansarsi; **est-ce
que je peux me ~ ici?** posso
parcheggiare qui?

garni, e [gaʀni] adj (plat) con
contorno ■ nm appartamento
ammobiliato

garniture [gaʀnityʀ] nf (Culin:
légumes) contorno; (: persil etc)

decorazione f; (: *farce*) ripieno; (*décoration*) ornamento; (*protection*) guarnizione f; **~ de cheminée** ornamenti mpl per caminetto; **~ de frein** (*Auto*) guarnizione di freno; **~ périodique** assorbente m igienico

gars [gɑ] nm (*garçon*) ragazzo; (*homme*) tipo

Gascogne [gaskɔɲ] nf Guascogna

gas-oil [gazwal] nm gasolio

gaspiller [gaspije] vt sprecare, sperperare

gastronome [gastrɔnɔm] nm/f buongustaio(-a)

gastronomique [gastrɔnɔmik] adj: **menu ~** nm menu m gastronomico

gâteau, x [gɑto] nm dolce m, torta ■ adj inv (*fam*): **papa/maman ~** papà/mamma che stravede per i figli; **~ d'anniversaire** torta di compleanno; **~ de riz** dolce m di riso; **~ sec** biscotto

gâter [gɑte] vt viziare; (*plaisir, vacances*) rovinare; **se gâter** vr (*dent, fruit, temps*) guastarsi; (*situation*) mettersi male

gauche [goʃ] adj sinistro(-a); (*personne, style: maladroit*) goffo(-a) ■ nm (*Boxe*): **direct du ~** diretto sinistro ■ nf (*Pol*) sinistra; **à ~** a sinistra; **à/à la ~ de** a/alla sinistra di; **de ~** (*Pol*) di sinistra

gaucher, -ère [goʃe, ɛR] adj, nm/f mancino(-a)

gauchiste [goʃist] adj sinistroide ■ nm/f estremista m/f di sinistra

gaufre [gofR] nf (*pâtisserie*) cialda; (*de cire*) favo

gaufrette [gofRɛt] nf wafer m inv

gaulois, e [golwa, waz] adj gallico(-a); (*grivois*) salace ■ nm/f: **Gaulois, e** gallo(-a)

gaz [gɑz] nm inv gas m inv ■ nmpl (*flatulences*) gas m inv, flatulenza; **mettre les ~** (*Auto*) dare gas; **chambre à ~** camera a gas; **masque à ~** maschera f antigas inv; **ça sent le ~** sento odore di gas; **~ butane** gas butano; **~ carbonique** anidride f carbonica; **~ de ville** gas di città; **~ en bouteilles** gas in bombole; **~ hilarant/lacrymogène** gas esilarante/lacrimogeno; **~ naturel/propane** gas naturale/propano

gaze [gɑz] nf garza

gazette [gazɛt] nf gazzetta

gazeux, -euse [gazø, øz] adj gassoso(-a); **eau/boisson gazeuse** acqua/bibita gassata

gazoduc [gazodyk] nm gasdotto

gazon [gazɔ̃] nm (*herbe*) erba; (*pelouse*) prato all'inglese; **motte de ~** zolla d'erba

geai [ʒɛ] nm (*Zool*) ghiandaia

géant, e [ʒeɑ̃, ɑ̃t] adj gigante, gigantesco(-a) ■ nm/f gigante m

geindre [ʒɛ̃dR] vi gemere

gel [ʒɛl] nm gelo; (*fig: des salaires, prix*) congelamento, blocco; (*produit de beauté*) gel m inv; **~ douche** gel doccia m inv

gélatine [ʒelatin] nf gelatina

gelée [ʒ(ə)le] nf gelatina; (*Météo*) gelata, gelo; **viande en ~** carne f in gelatina; **~ blanche** brina; **~ royale** pappa reale

geler [ʒ(ə)le] vt ghiacciare; (*fig: prix, salaires, négociations*) congelare ■ vi (*sol, eau*) ghiacciare; (*personne*) congelare; **il gèle** gela

gélule [ʒelyl] nf pillola, capsula

Gémeaux [ʒemo] nmpl (*Astrol*) Gemelli; **être (des) ~** essere dei Gemelli

gémir [ʒemiR] vi gemere

gênant, e [ʒenɑ̃, ɑ̃t] adj (*meuble, objet*) ingombrante; (*fig: histoire, personne*) imbarazzante

gencive [ʒɑ̃siv] nf gengiva

gendarme [ʒɑ̃daRm] nm gendarme m, ≈ carabiniere m

gendarmerie [ʒɑ̃daRməRi] nf (*corps*) ≈ corpo dei carabinieri; (*caserne, bureaux*) ≈ caserma dei carabinieri

gendre [ʒɑ̃dR] nm genero

gêné, e [ʒene] adj imbarazzato(-a), confuso(-a); (*dépourvu d'argent*) in difficoltà (economiche); **tu n'es pas ~!** che faccia tosta!

gêner [ʒene] vt (*incommoder*) disturbare, dar fastidio; (*encombrer*) intralciare; (*déranger*) dar fastidio a; (*embarrasser*) mettere a disagio, mettere in imbarazzo; **se gêner** vr farsi scrupolo; **je vais me ~!** (*iron*) non mi farò certo dei problemi!; **ne vous gênez pas!** (*iron*) non fate complimenti!

général, e, aux [ʒeneʀal, o] *adj*
generale ■ *nm* (*Mil*) generale *m*; **en ~**
in genere, in generale; **à la**
satisfaction ~e con soddisfazione
generale; **à la demande ~e** a
generale richiesta; **assemblée/grève**
~e assemblea/sciopero generale;
culture/médecine ~e cultura/
medicina generale; **répétition ~e**
prova generale

généralement [ʒeneʀalmɑ̃] *adv*
generalmente; **~ parlant**
generalmente parlando

généraliser [ʒeneʀalize] *vt*
(*globaliser*) generalizzare; (*étendre*)
diffondere ■ *vi* generalizzare;
se généraliser *vr* diffondersi

généraliste [ʒeneʀalist] *nm* (*Méd*)
(medico) generico

génération [ʒeneʀasjɔ̃] *nf*
generazione *f*

généreux, -euse [ʒeneʀø, øz] *adj*
generoso(-a)

générique [ʒeneʀik] *adj* generico(-a)
■ *nm* (*Ciné, TV*) titoli *mpl* di testa

générosité [ʒeneʀozite] *nf*
generosità

genêt [ʒ(ə)nɛ] *nm* (*Bot*) ginestra

génétique [ʒenetik] *adj* genetico(-a)
■ *nf* genetica

Genève [ʒ(ə)nɛv] *n* Ginevra

génial, e, aux [ʒenjal, o] *adj* geniale

génie [ʒeni] *nm* (*personne, don, Mil*)
genio; **de ~** (*homme, idée etc*) geniale;
bon/mauvais ~ genio buono/
cattivo; **avoir du ~** essere geniale;
~ civil genio civile

genièvre [ʒənjɛvʀ] *nm* ginepro;
grain de ~ seme *m* di ginepro

génisse [ʒenis] *nf* giovenca; **foie de ~**
fegato di manza

génital, e, aux [ʒenital, o] *adj*
genitale

génois, e [ʒenwa, waz] *adj* genovese
■ *nm/f*: **Génois, e** genovese *m/f* ■ *nf*
(*gâteau*) pan *m inv* di Spagna

genou, x [ʒ(ə)nu] *nm* ginocchio; **à ~x**
in ginocchio; **se mettre à ~x** mettersi
in ginocchio; **prendre qn sur ses ~x**
prendere qn sulle ginocchia

genre [ʒɑ̃ʀ] *nm* genere *m*; **se donner**
un ~ atteggiarsi; **avoir bon ~**
presentarsi bene; **avoir mauvais ~**
avere un aspetto poco raccomandabile

gens [ʒɑ̃] *nmpl, in alcune locuzioni nfpl*
gente *fsg*; **de braves ~** brava gente;
les ~ d'Église/du monde la gente di
chiesa/di mondo; **jeunes/vieilles ~**
giovani *mpl*/vecchi *mpl*; **~ de maison**
domestici *mpl*

gentil, le [ʒɑ̃ti, ij] *adj* gentile;
(*enfant: sage*) bravo(-a), buono(-a);
(*sympathique: endroit etc*) carino(-a);
c'est très ~ à vous è molto gentile da
parte sua

gentillesse [ʒɑ̃tijɛs] *nf* gentilezza,
cortesia

gentiment [ʒɑ̃timɑ̃] *adv*
gentilmente, cortesemente

géographie [ʒeɔgʀafi] *nf* geografia

géologie [ʒeɔlɔʒi] *nf* geologia

géomètre [ʒeɔmɛtʀ] *nm/f*:
(**arpenteur-)~** geometra *m/f*

géométrie [ʒeɔmetʀi] *nf* geometria;
à ~ variable (*Aviat*) a geometria
variabile

géométrique [ʒeɔmetʀik] *adj*
geometrico(-a)

géranium [ʒeʀanjɔm] *nm* geranio

gérant, e [ʒeʀɑ̃, ɑ̃t] *nm/f*
gestore(-trice); **~ d'immeuble**
amministratore(-trice)

gerbe [ʒɛʀb] *nf* (*de fleurs*) mazzo;
(*de blé*) covone *m*; (*d'eau*) zampillo;
(*fig*) fascio

gercé, e [ʒɛʀse] *adj* screpolato(-a)

gerçure [ʒɛʀsyʀ] *nf* screpolatura

gérer [ʒeʀe] *vt* gestire

germain, e [ʒɛʀmɛ̃, ɛn] *adj voir*
cousin

germe [ʒɛʀm] *nm* (*de blé, soja etc*)
germoglio; (*microbe, fig*) germe *m*

germer [ʒɛʀme] *vi* germinare

geste [ʒɛst] *nm* (*aussi fig*) gesto; **un ~**
de générosité un gesto di generosità;
s'exprimer par ~s esprimersi a gesti;
faire un ~ de refus fare un gesto di
diniego; **il fit un ~ de la main pour**
m'appeler fece un cenno con la mano
per chiamarmi; **pas un ~!** nessuno si
muova!

gestion [ʒɛstjɔ̃] *nf* gestione *f*; **~ de**
fichier(s) (*Inform*) gestione di file

gibier [ʒibje] *nm* selvaggina; (*fig*)
preda

gicler [ʒikle] *vi* schizzare

gifle [ʒifl] *nf* schiaffo, sberla; (*fig:*
affront) schiaffo (morale)

gifler [ʒifle] vt schiaffeggiare, prendere a schiaffi

gigantesque [ʒigɑ̃tɛsk] adj (aussi fig) gigantesco(-a)

gigot [ʒigo] nm (de mouton) cosciotto

gigoter [ʒigɔte] vi dimenarsi, dibattersi

gilet [ʒilɛ] nm (de costume) gilè m inv, panciotto; (pull) pullover m inv; (sous-vêtement) canottiera; ~ **de sauvetage** giubbotto di salvataggio; ~ **pare-balles** giubbotto antiproiettile

gin [dʒin] nm gin m inv

gingembre [ʒɛ̃ʒɑ̃bʀ] nm zenzero

girafe [ʒiʀaf] nf giraffa

giratoire [ʒiʀatwaʀ] adj: **sens** ~ senso di rotazione

girofle [ʒiʀɔfl] nf: **clou de** ~ chiodo di garofano

girouette [ʒiʀwɛt] nf (aussi fig) banderuola

gitan, e [ʒitɑ̃, an] nm/f gitano(-a), zingaro(-a)

gîte [ʒit] nm (maison) alloggio; (du lièvre) tana; ~ **rural** ≈ agriturismo

givre [ʒivʀ] nm brina

givré, e [ʒivʀe] adj: **citron** ~ sorbetto di limone (servito nella buccia); (fam: un peu fou) suonato(-a)

glace [glas] nf ghiaccio; (crème glacée) gelato; (verre) vetro; (miroir) specchio; (de voiture) finestrino; **glaces** nfpl (Géo) ghiacci mpl; **de** ~ (fig: accueil, visage) glaciale; **rester de** ~ rimanere di ghiaccio; **rompre la** ~ (fig) rompere il ghiaccio

glacé, e [glase] adj ghiacciato(-a); (main) gelato(-a); (fig: rire, accueil) gelido(-a)

glacer [glase] vt ghiacciare, gelare; (main, visage) gelare; (boisson) ghiacciare; (Culin: gâteau) glassare; (papier, tissu) lucidare; ~ **qn** (fig: intimider) raggelare qn

glacial, e, aux [glasjal, jo] adj (aussi fig) glaciale

glacier [glasje] nm (Géo) ghiacciaio; (marchand) gelataio; ~ **suspendu** ghiacciaio sospeso

glacière [glasjɛʀ] nf ghiacciaia

glaçon [glasɔ̃] nm pezzo di ghiaccio; (pour boisson) cubetto di ghiaccio

glaïeul [glajœl] nm gladiolo

glaise [glɛz] nf creta, argilla

gland [glɑ̃] nm ghianda; (Anat) glande m

glande [glɑ̃d] nf ghiandola

glissade [glisad] nf (par jeu) scivolata; (chute) scivolone m; **faire des** ~**s** fare degli scivoloni

glissant, e [glisɑ̃, ɑ̃t] adj scivoloso(-a)

glissement [glismɑ̃] nm scorrimento; (fig: de sens, tendance) slittamento; ~ **de terrain** smottamento, frana

glisser [glise] vi scivolare; (terrain, planche) essere scivoloso(-a) ▪ vt (fig: mot, conseil) sussurrare; **se glisser** vr (erreur etc) insinuarsi; ~ **qch sous/dans** far scivolare qc sotto/in; ~ **sur** (fig: détail, fait) sorvolare; **se** ~ **dans/entre** (personne) infilarsi in/tra

global, e, aux [glɔbal, o] adj globale

globe [glɔb] nm globo; **sous** ~ sotto una campana di vetro; ~ **oculaire** globo oculare; ~ **terrestre** globo terrestre

globule [glɔbyl] nm: ~ **blanc/rouge** globulo bianco/rosso

gloire [glwaʀ] nf gloria

glousser [gluse] vi chiocciare; (rire) ridacchiare

glouton, ne [glutɔ̃, ɔn] adj ingordo(-a)

gluant, e [glyɑ̃, ɑ̃t] adj appiccicoso(-a)

glucose [glykoz] nm glucosio

glycine [glisin] nf glicine m

GO [ʒeo] sigle fpl (= grandes ondes) OL fpl ▪ sigle m (= gentil organisateur) appellativo degli organizzatori nei villaggi del Club Méditerranée

goal [gol] nm (football) portiere m

gobelet [gɔblɛ] nm (en plastique) bicchiere m; (en métal) calice m; (à dés) bussolotto

goéland [gɔelɑ̃] nm gabbiano

goélette [gɔelɛt] nf goletta

goinfre [gwɛ̃fʀ] adj ingordo(-a) ▪ nm ingordo

golf [gɔlf] nm golf m inv; ~ **miniature** minigolf m inv

golfe [gɔlf] nm golfo; **le** ~ **d'Aden** il golfo di Aden; **le** ~ **de Gascogne** il golfo di Guascogna; **le** ~ **du Lion** il golfo del Leone; **le** ~ **Persique** il golfo Persico

gomme [gɔm] nf gomma; **boule de ~** palla di gomma; **pastille de ~** gomma da masticare; **c'est un type à la ~** quello lì non vale niente

gommer [gɔme] vt (effacer) cancellare; (enduire de gomme) ingommare; (détails etc) attenuare

gonflé, e [gɔ̃fle] adj gonfio(-a); **être ~** (fam) avere una bella faccia tosta

gonfler [gɔ̃fle] vt (pneu, ballon, fig: importance) gonfiare ■ vi gonfiarsi; (Culin: pâte) lievitare

gonzesse [gɔ̃zɛs] (fam) nf donna

gorge [gɔʀʒ] nf (Anat, Géo) gola; (poitrine) seno; (rainure) scanalatura; **avoir mal à la ~** avere mal di gola; **avoir la ~ serrée** avere la gola serrata

gorgée [gɔʀʒe] nf sorso, sorsata; **boire à petites ~s** bere a piccoli sorsi; **boire à grandes ~s** bere a grandi sorsate

gorille [gɔʀij] nm gorilla m inv

gosse [gɔs] (fam) nm/f marmocchio(-a)

goudron [gudʀɔ̃] nm (asphalte) asfalto; (du tabac) catrame m

goudronner [gudʀɔne] vt (route etc) asfaltare

gouffre [gufʀ] nm baratro, voragine f; (fig) rovina

goulot [gulo] nm collo; **boire au ~** bere a canna ou dalla bottiglia

goulu, e [guly] adj ingordo(-a), avido(-a)

gourde [guʀd] nf (récipient) borraccia; (fam) testa di rapa

gourdin [guʀdɛ̃] nm randello

gourmand, e [guʀmɑ̃, ɑ̃d] adj goloso(-a)

gourmandise [guʀmɑ̃diz] nf golosità; (bonbon) leccornia, ghiottoneria

gousse [gus] nf (de vanille etc) baccello; **~ d'ail** spicchio d'aglio

goût [gu] nm gusto, sapore m; **goûts** nmpl: **chacun ses ~s** i gusti sono gusti; **le (bon) ~** il (buon) gusto; **de bon/mauvais ~** di buon/cattivo gusto; **avoir du/manquer de ~** avere/non avere gusto; **avoir bon/ mauvais ~** (aliment) avere un buon/ cattivo sapore; (personne) avere buon/cattivo gusto; **avoir du ~ pour** avere buon gusto per; **prendre ~ à** prendere gusto a; **à mon ~** a mio parere

goûter [gute] vt (essayer) assaggiare; **je peux ~?** potrei assaggiarlo?; (apprécier) gustare; (la liberté, l'amour) godersi ■ vi (à 4 heures) fare merenda ■ nm (à 4 heures) merenda; **~ à, ~ de** assaggiare; **~ d'anniversaire** festicciola di compleanno; **~ d'enfants** merenda dei bambini

goutte [gut] nf goccia; (Méd) gotta; **gouttes** nfpl (Méd) gocce fpl; **une ~ de whisky** un goccio di whisky; **~ à ~** (verser, couler) goccia a goccia

goutte-à-goutte [gutagut] nm inv (Méd) flebo f inv; **alimenter au ~** nutrire con la flebo

gouttière [gutjɛʀ] nf grondaia

gouvernail [guvɛʀnaj] nm timone m

gouvernement [guvɛʀnəmɑ̃] nm governo; **membre du ~** membro del governo

gouverner [guvɛʀne] vt governare; (fig: acte, émotion) dominare

grâce [gʀɑs] nf (Rel, faveur, charme, Jur) grazia; (bienveillance) onore m; **grâces** nfpl (Rel) grazie fpl; **de bonne ~** volentieri; **de mauvaise ~** malvolentieri; **dans les bonnes ~s de qn** nelle grazie di qn; **faire ~ à qn de qch** risparmiare qc a qn; **rendre ~(s) à** rendere grazie a; **demander ~** chiedere grazia; **droit de/recours en ~** (Jur) diritto di/domanda di grazia; **~ à** grazie a

gracieux, -euse [gʀasjø, jøz] adj grazioso(-a); (mouvement, gestes) aggraziato(-a); **à titre ~** a titolo gratuito; **concours ~** (aide bénévole) partecipazione f volontaria

grade [gʀad] nm (Mil) grado; (Univ) titolo (universitario); **monter en ~** salire di grado

gradin [gʀadɛ̃] nm gradinata; **gradins** nmpl (de stade) gradinate fpl; **en ~s** a terrazza

FAUX AMIS
gradin ne se traduit pas par le mot italien **gradino**.

gradué, e [gʀadɥe] adj graduato(-a); (exercices) graduato(-a)

graduel, le [gʀadɥɛl] adj graduale

graduer [gʀadɥe] vt graduare

graffiti [gʀafiti] *nmpl* scritte *fpl*,
graffiti *mpl*

grain [gʀɛ̃] *nm* (de blé, d'orge etc)
chicco; (d'un papier, tissu, de la peau)
grana; (de chapelet) grano; (averse)
acquazzone *m*; **un ~ de** (fig: petite
quantité) un pizzico di; **mettre son ~
de sel** (fig) immischiarsi, voler sempre
dire la propria; **~ de beauté** neo; **~ de
café** chicco di caffè; **~ de poivre**
grano di pepe; **~ de poussière**
granello di polvere; **~ de raisin** acino
d'uva; **~ de sable** (fig) granello

graine [gʀɛn] *nf* seme *m*; **mauvaise
~** (mauvais sujet) erba cattiva (fig);
une ~ de voyou un pezzo di
delinquente

graissage [gʀesaʒ] *nm*
lubrificazione *f*

graisse [gʀɛs] *nf* grasso; (lubrifiant)
lubrificante *m*

graisser [gʀese] *vt* (machine, auto)
lubrificare; (tacher) ungere

graisseux, -euse [gʀesø, øz] *adj*
unto(-a); (Anat) adiposo(-a)

grammaire [gʀa(m)mɛʀ] *nf*
grammatica

gramme [gʀam] *nm* grammo

grand, e [gʀɑ̃, gʀɑ̃d] *adj* grande;
(voyage, période) lungo(-a); (bruit)
forte ▪ *adv*: **~ ouvert** spalancato(-a);
voir ~ vedere le cose in grande; **de ~
matin** di primo mattino; **en ~** in
grande; **un ~ homme/artiste** un
grande uomo/artista; **avoir ~ besoin
de** avere un gran bisogno di; **il est ~
temps de** è (ormai) ora di; **son ~ frère**
suo fratello maggiore; **il est assez ~
pour** è abbastanza grande per; **au ~
air** all'aperto; **au ~ jour** (aussi fig) alla
luce del giorno; **~ blessé** ferito grave;
~s brûlés grandi ustionati *mpl*;
~ écart spaccata; **~ ensemble**
complesso residenziale; **~ livre**
(Comm) libro mastro; **~ magasin**
grande magazzino; **~ malade** malato
grave; **~ mutilé** mutilato grave;
~ public grande pubblico; **~e
personne** grande *m*, adulto; **~e
surface** ipermercato; **~es écoles**
*istituti a livello universitario ad accesso
selettivo*; **~es lignes** (Rail) linee *fpl*
principali; **~es vacances** vacanze *fpl*
estive

grand-chose [gʀɑ̃ʃoz] *nm/f inv*: **ce
n'est pas ~** non è un gran che

Grande-Bretagne [gʀɑ̃dbʀətaɲ] *nf*
Gran Bretagna

grandeur [gʀɑ̃dœʀ] *nf* grandezza;
~ nature (portrait etc) in grandezza
naturale

grandiose [gʀɑ̃djoz] *adj*
grandioso(-a)

grandir [gʀɑ̃diʀ] *vi* (enfant, arbre)
crescere; (bruit, hostilité) aumentare,
crescere ▪ *vt* (suj: vêtement,
chaussure) far sembrare più alto(-a);
(fig) nobilitare

grand-mère [gʀɑ̃mɛʀ] (pl **grand(s)-
mères**) *nf* nonna

grand-peine [gʀɑ̃pɛn]: **à ~** *adv* a
malapena

grand-père [gʀɑ̃pɛʀ] (pl **grands-
pères**) *nm* nonno

grands-parents [gʀɑ̃paʀɑ̃] *nmpl*
nonni *mpl*

grange [gʀɑ̃ʒ] *nf* fienile *m*

granit [gʀanit] *nm* granito

graphique [gʀafik] *adj* grafico(-a)
▪ *nm* grafico

grappe [gʀap] *nf* (Bot, fig) grappolo;
~ de raisin grappolo d'uva

gras, grasse [gʀɑ, gʀɑs] *adj*
grasso(-a); (Typo) grassetto ▪ *nm*
(Culin) grasso; **faire la ~se matinée**
alzarsi tardi; **matière ~se** grassi *mpl*

grassement [gʀasmɑ̃] *adv*
(grossièrement: rire) sguaiatamente;
(payé: généreusement) lautamente

gratifiant, e [gʀatifjɑ̃, jɑ̃t] *adj*
gratificante

gratin [gʀatɛ̃] *nm* (Culin) gratin *m inv*;
au ~ al gratin; **tout le ~ parisien** (fig)
tutta la crema parigina

gratiné, e [gʀatine] *adj* (Culin)
gratinato(-a); (fam) eccezionale

gratis [gʀatis] *adv, adj* gratis *inv*

gratitude [gʀatityd] *nf* gratitudine *f*

gratte-ciel [gʀatsjɛl] *nm inv*
grattacielo

gratter [gʀate] *vt* grattare; (enlever)
grattare via; **se gratter** *vr* grattarsi

gratuit, e [gʀatɥi, ɥit] *adj* (aussi fig)
gratuito(-a)

grave [gʀav] *adj* grave; (personne, air)
serio(-a), grave ▪ *nm* (Mus) suono
grave; **ce n'est pas (si) ~ (que ça)!** non
è poi così grave!; **blessé ~** ferito grave

gravement [gʀavmɑ̃] *adv*
gravemente
graver [gʀave] *vt* (*Inform*)
masterizzare; **~ qch dans son esprit/
sa mémoire** imprimere qc nella
propria mente/propria memoria
graveur [gʀavœʀ] *nm* incisore *m*;
(*Inform*) masterizzatore *m*; **~ de CD/
DVD** masterizzatore *m* (di) CD/DVD
gravier [gʀavje] *nm* ghiaia
gravillons [gʀavijɔ̃] *nmpl* ghiaietta
fsg, ghiaino *msg*
gravir [gʀaviʀ] *vt* inerpicarsi per
gravité [gʀavite] *nf* (*gén, Phys*)
gravità; (*de personne, air*) serietà,
gravità
graviter [gʀavite] *vi*: **~ autour de**
(*aussi fig*) gravitare intorno a
gravure [gʀavyʀ] *nf* (*d'un nom,
reproduction*) incisione *f*
gré [gʀe] *nm*: **à son ~** di proprio
gradimento; **au ~ de...** secondo...;
contre le ~ de qn contro la volontà di
qn; **de son (plein) ~** spontaneamente,
di propria iniziativa; **de ~ ou de force**
per amore o per forza; **de bon ~**
di buon grado; **bon ~ mal ~** volente
o nolente; **de ~ à ~** (*Comm*)
consensualmente; **savoir ~ à qn de
qch** essere grato(-a) a qn di qc
grec, grecque [gʀɛk] *adj* greco(-a)
■ *nm* (*langue*) greco ■ *nm/f*: **Grec,
Grecque** greco(-a)
Grèce [gʀɛs] *nf* Grecia
greffe [gʀɛf] *nf* (*Agr, Méd*) innesto
■ *nm* (*Jur*) cancelleria; **~ du cœur/du
rein** trapianto di cuore/del rene
greffer [gʀefe] *vt* (*Bot, Méd: tissu*)
innestare; (*Méd: organe*) trapiantare,
innestare; **se greffer** *vr*: **se ~ sur qch**
innestarsi su qc
grêle [gʀɛl] *adj* gracile ■ *nf*
grandine *f*
grêler [gʀele] *vb impers*: **il grêle**
grandina
grêlon [gʀelɔ̃] *nm* chicco di grandine
grelot [gʀəlo] *nm* sonaglio
grelotter [gʀələte] *vi* tremare
grenade [gʀənad] *nf* granata; (*Bot*)
melagrana; **~ lacrymogène** bomba
lacrimogena
grenadine [gʀənadin] *nf* granatina
grenier [gʀənje] *nm* (*de maison*)
solaio, soffitta; (*de ferme*) fienile *m*

grenouille [gʀənuj] *nf* rana
grès [gʀɛ] *nm* arenaria, grès *m*
grève [gʀɛv] *nf* (*d'ouvriers*) sciopero;
(*plage*) greto; **se mettre en/faire
~** mettersi in/fare sciopero;
~ bouchon sciopero parziale; **~ de la
faim** sciopero della fame; **~ de
solidarité** sciopero di solidarietà;
~ du zèle sciopero bianco; **~ perlée**
sciopero a singhiozzo; **~ sauvage**
sciopero selvaggio; **~ sur le tas**
sciopero con occupazione del posto
di lavoro; **~ surprise** sciopero a
sorpresa; **~ tournante** sciopero a
scacchiera
gréviste [gʀevist] *nm/f* scioperante
m/f
grièvement [gʀijɛvmɑ̃] *adv*
gravemente; **~ blessé/atteint**
gravemente ferito/colpito
griffe [gʀif] *nf* (*d'animal*) unghia,
artiglio; (*fig: d'un couturier, parfumeur*)
firma
griffer [gʀife] *vt* graffiare
grignoter [gʀiɲɔte] *vt* (*pain, fromage*)
sgranocchiare; (*fig: terrain, argent,
temps*) mangiare poco a poco ■ *vi*
(*chipoter*) rosicchiare
gril [gʀil] *nm* griglia, graticola
grillade [gʀijad] *nf* grigliata
grillage [gʀijaʒ] *nm* (*treillis*)
inferriata, grata; (*clôture*) rete *f*
metallica
grille [gʀij] *nf* (*portail*) cancello;
(*clôture*) grata, inferriata; (*fig: de mots
croisés*) griglia; (*statistique*) griglia,
tabella; **~ (des programmes)**
(*Radio, TV*) palinsesto; **~ des salaires**
tabella salariale
grille-pain [gʀijpɛ̃] *nm inv* tostapane
m inv
griller [gʀije] *vt* (*aussi*: **faire griller**:
pain) tostare, abbrustolire; (: *viande*)
cuocere alla griglia; (*café*) tostare;
(*fig: ampoule, résistance*) bruciare
■ *vi* bruciare; **~ un feu rouge** passare
col rosso
grillon [gʀijɔ̃] *nm* grillo
grimace [gʀimas] *nf* smorfia; **faire
des ~** (*pour faire rire*) fare le boccacce
grimper [gʀɛ̃pe] *vt* salire ■ *vi* (*route,
terrain*) inerpicarsi; (*fig: prix, nombre*)
salire ■ *nm*: **le ~** (*Sport*) la roccia;
~ à/sur arrampicarsi su

grincer [gʀɛ̃se] vi (porte, roue)
cigolare; (plancher) scricchiolare;
~ **des dents** digrignare i denti
grincheux, -euse [gʀɛ̃ʃø, øz] adj
scontroso(-a), scorbutico(-a)
grippe [gʀip] nf influenza; **avoir la ~**
avere l'influenza; **prendre qn/qch en**
~ (fig) prendere qn/qc in antipatia;
~ **aviaire** influenza aviaria
grippé, e [gʀipe] adj (moteur)
grippato(-a); **être ~** (personne) essere
influenzato(-a)
gris, e [gʀi, gʀiz] adj (couleur)
grigio(-a); (ivre) brillo(-a) ■ nm
grigio; **il fait ~** è nuvoloso; **faire ~e**
mine avere il muso lungo; **faire ~e**
mine à qn guardare di brutto qn;
~ **perle** grigio perla inv
grisaille [gʀizaj] nf grigiore m
griser [gʀize] vt (fig: suj: vitesse,
victoire) inebriare, ubriacare; **se ~ de**
(fig) inebriarsi di
grive [gʀiv] nf tordo
Groenland [gʀɔɛnlɑ̃d] nm
Groenlandia
grogner [gʀɔɲe] vi (porc) grugnire;
(chien) ringhiare; (fig: personne)
brontolare
grognon, ne [gʀɔɲɔ̃, ɔn] adj
musone(-a)
grommeler [gʀɔm(ə)le] vi
borbottare, brontolare
gronder [gʀɔ̃de] vi (canon, moteur)
rombare; (tonnerre) brontolare;
(animal) ringhiare; (fig: révolte,
mécontentement) ribollire, stare per
scoppiare ■ vt sgridare

> **FAUX AMIS**
> **gronder** ne se traduit pas
> par le mot italien
> **grondare**.

gros, grosse [gʀo, gʀos] adj
grosso(-a); (obèse) grasso(-a); (bruit)
forte ■ adv: **risquer ~** rischiare
grosso ■ nm (Comm): **le ~** commercio
all'ingrosso; **écrire ~** avere una
scrittura grossa; **gagner ~**
guadagnare forte; **en ~** grosso modo,
a grandi linee; **vente en ~** vendita
all'ingrosso; **prix de ~** prezzo
all'ingrosso; **par ~ temps** col brutto
tempo; **par ~ se mer** con mare
mosso; **le ~ de** (troupe, fortune) il
grosso di; **en avoir ~ sur le cœur**

avere il magone; ~ **intestin** intestino
crasso ou grosso; ~ **lot** primo premio;
~ **mot** parolaccia; ~ **œuvre** (Constr)
rustico, opere fpl in muratura; ~ **plan**
(Photo) primo piano; ~ **porteur**
(Aviat) jumbo m inv; ~ **sel** sale m
grosso; ~ **titre** (Presse) titolone m;
~**se caisse** (Mus) grancassa
groseille [gʀozɛj] nf (Bot) ribes m inv;
~ **à maquereau** uva spina; ~
(blanche) ribes (bianco); ~ **(rouge)**
ribes (rosso)
grosse [gʀos] adj voir **gros** ■ nf
(Comm) grossa
grossesse [gʀosɛs] nf gravidanza;
~ **nerveuse** gravidanza isterica
grosseur [gʀosœʀ] nf grandezza,
dimensioni fpl; (corpulence)
robustezza; (tumeur) rigonfiamento
grossier, -ière [gʀosje, jɛʀ] adj
(vulgaire) volgare; (laine) grezzo(-a);
(travail, erreur) grossolano(-a)
grossièrement [gʀosjɛʀmɑ̃] adv
grossolanamente; (avec rudesse)
sgarbatamente; (en gros, à peu près)
approssimativamente; **se tromper ~**
sbagliarsi di grosso
grossièreté [gʀosjɛʀte] nf
grossolanità; (impolitesse,
incorrection) volgarità; (mot, propos)
scurrilità f inv
grossir [gʀosiʀ] vi ingrassare; (fig:
nombre, bruit) crescere; (rivière, eaux)
ingrossarsi ■ vt (suj: vêtement)
ingrossare; (: microscope, lunette)
ingrandire; (augmenter: nombre,
importance) aumentare; (exagérer:
histoire, erreur) gonfiare, ingigantire
grossiste [gʀosist] nm/f (Comm)
grossista m/f
grotesque [gʀɔtɛsk] adj
grottesco(-a)
grotte [gʀɔt] nf grotta
groupe [gʀup] nm gruppo; **cabinet**
de ~ studio professionale; **médecine**
de ~ medicina di gruppo; ~ **de parole**
gruppo di supporto; ~ **de pression**
gruppo di pressione; ~ **électrogène**
gruppo elettrogeno; ~ **sanguin**
gruppo sanguigno; ~ **scolaire**
complesso scolastico
grouper [gʀupe] vt raggruppare;
(ressources, moyens) raccogliere; **se**
grouper vr raggrupparsi, riunirsi

grue [gʀy] nf (de chantier, Zool, Ciné) gru f inv; **faire le pied de ~** (fam) aspettare a lungo in piedi

GSM [ʒeɛsɛm] nm, adj GSM (m)

guépard [gepaʀ] nm ghepardo

guêpe [gɛp] nf vespa

guère [gɛʀ] adv (avec adjectif, adverbe, verbe): **ne... ~** non molto; **il n'y a ~ que lui qui est content** solo lui è contento

guérilla [geʀija] nf guerriglia

guérillero [geʀijeʀo] nm guerrigliero

guérir [geʀiʀ] vt, vi guarire; **~ de** (Méd) guarire da

guérison [geʀizɔ̃] nf guarigione f

guérisseur, -euse [geʀisœʀ, øz] nm/f guaritore(-trice)

guerre [gɛʀ] nf guerra; **en ~** in guerra; **faire la ~** fare (la) guerra a; **de ~ lasse** (fig) rinunciando a combattere; **de bonne ~** senza ipocrisia; **~ atomique** guerra atomica; **~ civile/mondiale** guerra civile/mondiale; **~ d'usure/de tranchées** guerra di logoramento/di trincea; **~ de religion** guerra di religione; **~ froide/sainte** guerra fredda/santa; **~ préventive** guerra preventiva; **~ totale** guerra globale

guerrier, -ière [gɛʀje, jɛʀ] adj, nm/f guerriero(-a)

guet [gɛ] nm: **faire le ~** stare in agguato

guet-apens [gɛtapɑ̃] (pl **guets-apens**) nm agguato; (machination) tranello

guetter [gete] vt (épier) spiare; (attendre) aspettare con impazienza; (pour surprendre) fare la posta a; (suj: maladie, scandale) incombere su

gueule [gœl] nf (d'animal) bocca, fauci fpl; (du canon, tunnel) bocca; (fam: visage) faccia; (: bouche) becco; **ta ~!** (fam) chiudi il becco!; **avoir la ~ de bois** (fam) avere i postumi della sbornia

FAUX AMIS
gueule ne se traduit pas par le mot italien **gola**.

gueuler [gœle] (fam) vi urlare, sbraitare

gui [gi] nm vischio

guichet [giʃɛ] nm sportello; **les ~s** (à la gare, au théâtre) la biglietteria;

jouer à ~s fermés recitare con il tutto esaurito

guide [gid] nm guida ■ nf (fille scout) guida; **guides** nfpl (d'un cheval) guida fsg; **est-ce que l'un des ~s parle italien?** c'è una guida che parla italiano?; **est-ce que vous avez un ~ en français?** avete una guida in francese?

guider [gide] vt guidare

guidon [gidɔ̃] nm manubrio

guillemets [gijmɛ] nmpl: **entre ~** tra virgolette

guindé, e [gɛ̃de] adj compassato(-a)

guirlande [giʀlɑ̃d] nf (de fleurs) ghirlanda; (de papier) festone m; **~ de Noël** festone natalizio; **~ lumineuse** festone luminoso

guise [giz] nf: **à votre ~** come le pare; **en ~ de** (en manière de, comme) a mo' di; (à la place de) a guisa di

guitare [gitaʀ] nf chitarra; **~ sèche** chitarra senza amplificatore

gymnase [ʒimnɑz] nm palestra

gymnaste [ʒimnast] nm/f ginnasta m/f

gymnastique [ʒimnastik] nf ginnastica; **~ corrective/rythmique** ginnastica correttiva/ritmica

gynécologie [ʒinekɔlɔʒi] nf ginecologia

gynécologique [ʒinekɔlɔʒik] adj ginecologico(-a)

gynécologue [ʒinekɔlɔg] nm/f ginecologo(-a)

h

habile [abil] *adj* abile
habileté [abilte] *nf* abilità *f inv*
habillé, e [abije] *adj* vestito(-a);
(*chic*) elegante; **~ de** (*Tech*)
rivestito(-a) di
habiller [abije] *vt* vestire; (*objet*)
rivestire; **s'habiller** *vr* vestirsi;
(*mettre des vêtements chic*) vestirsi
elegante; **s'~ de/en** vestirsi da;
s'~ chez/à vestirsi da/a
habit [abi] *nm* (*costume*) tenuta;
habits *nmpl* (*vêtements*) abiti *mpl*,
vestiti *mpl*; **prendre l'~** (*Rel*) prendere
ou vestire l'abito; **~ (de soirée)** abito
da sera
habitant, e [abitã, ãt] *nm/f* abitante
m/f; **loger chez l'~** alloggiare presso
privati
habitation [abitasjõ] *nf*
abitazione *f*; **~s à loyer modéré** case
fpl popolari
habiter [abite] *vt* (*maison, ville*)
abitare in; (*suj: sentiment, envie*)
animare ■ *vi*: **~ à/dans** abitare a/in;
il habite Paris/la province abita a
Parigi/in provincia; **~ chez** *ou* **avec
qn** abitare da *ou* presso *ou* con qn;

il habite rue Montmartre abita in
rue Montmartre; **où habitez-vous?**
dove abita?
habitude [abityd] *nf* abitudine *f*;
avoir l'~ de faire avere l'abitudine di
fare; **avoir l'~ de qch** essere
abituato(-a) a qc; **avoir l'~ des
enfants** essere abituato(-a) ai
bambini; **prendre l'~ de faire qch**
prendere l'abitudine di fare qc;
perdre une ~ perdere un'abitudine;
d'~ di solito; **comme d'~** come al
solito; **par ~** per abitudine
habitué, e [abitɥe] *adj*: **être ~ à**
essere abituato(-a) a ■ *nm/f*
(*d'une maison*) assiduo(-a)
frequentatore(-trice); (*client*)
habitué *m/f inv*, cliente *m/f* abituale
habituel, le [abitɥɛl] *adj* abituale,
consueto(-a)
habituer [abitɥe] *vt*: **~ qn à qch/à
faire** abituare qn a qc/a fare;
s'habituer *vr*: **s'~ à/à faire** abituarsi
a/a fare
hache ['aʃ] *nf* ascia
hacher ['aʃe] *vt* tritare; (*entrecouper,
interrompre*) spezzare, interrompere;
~ menu tritare fine *ou* minutamente
hachis ['aʃi] *nm* (*Culin*) trito; **~ de
viande** trito di carne
haie ['ɛ] *nf* (*gén, Équitation*) siepe *f*;
(*Sport*) ostacolo; (*fig: de personnes*) fila;
200 m/400 m ~s 200 m/400 m
ostacoli; **~ d'honneur** picchetto
d'onore
haillons ['ajõ] *nmpl* stracci *mpl*,
cenci *mpl*
haine ['ɛn] *nf* odio
haïr ['aiʀ] *vt* odiare; **se haïr** *vr*
odiarsi
hâlé, e ['ɑle] *adj* abbronzato(-a)
haleine [alɛn] *nf* fiato; **perdre ~**
perdere il fiato; **à perdre ~** a
perdifiato; **avoir mauvaise ~** avere
l'alito cattivo; **reprendre ~** riprendere
fiato; **hors d'~** senza fiato,
trafelato(-a); **tenir en ~** tenere col
fiato sospeso; **de longue ~** di ampio
respiro
haleter ['alte] *vi* ansimare
hall ['ol] *nm* hall *f inv*, atrio
halle ['al] *nf* mercato coperto;
halles *nfpl* (*marché principal*) mercati
generali

hallucination [alysinasjɔ̃] nf
allucinazione f; ~ **collective**
allucinazione collettiva

halte ['alt] nf sosta; (escale) tappa;
(Rail) fermata; **~!** alt!; **faire ~** fermarsi

haltère [altɛʀ] nm (à boules, disques)
peso, manubrio; **haltères** nmpl:
faire des ~s fare (sollevamento) pesi,
fare pesistica

haltérophilie [alteʀɔfili] nf
sollevamento pesi, pesistica

hamac ['amak] nm amaca

hameau, x ['amo] nm frazione f

hameçon [amsɔ̃] nm amo

hanche ['ɑ̃ʃ] nf anca

handball ['ɑ̃dbal] (pl **~s**) nm
pallamano f

handicapé, e ['ɑ̃dikape] adj, nm/f
handicappato(-a); **~ mental/
physique** handicappato(-a) mentale/
fisico; **~ moteur** spastico(-a)

hangar ['ɑ̃gaʀ] nm capannone m;
(Aviat) hangar m inv

hanneton ['antɔ̃] nm maggiolino

hanter ['ɑ̃te] vt (suj: fantôme) abitare;
(fig) ossessionare

hantise ['ɑ̃tiz] nf ossessione f

harceler ['aʀsəle] vt (Mil) non dare
tregua a; (Chasse) incalzare; (fig)
assillare, tormentare; **~ de questions**
assillare con domande

hardi, e ['aʀdi] adj ardito(-a),
audace

hareng ['aʀɑ̃] nm arringa; **~ saur**
arringa affumicata

hargne ['aʀɲ] nf astio

hargneux, -euse ['aʀɲø, øz] adj
astioso(-a); (chien) ringhioso(-a)

haricot ['aʀiko] nm fagiolo; **~ blanc**
fagiolo bianco; **~ rouge** fagiolo rosso;
~ vert fagiolino

harmonica [aʀmɔnika] nm
armonica (a bocca)

harmonie [aʀmɔni] nf armonia

harmonieux, -euse [aʀmɔnjø, øz]
adj armonioso(-a)

harpe ['aʀp] nf arpa

hasard ['azaʀ] nm caso; **au ~** a caso,
a casaccio; **par ~** per caso; **comme
par ~** guarda caso; **à tout ~** per ogni
evenienza, ad ogni buon conto

hâte ['ɑt] nf fretta, premura; **à la ~**
alla bell'e meglio, frettolosamente;
en ~ in fretta; **avoir ~ de** aver fretta di

hâter ['ɑte] vt affrettare, accelerare;
se hâter vr affrettarsi; **se ~ de**
affrettarsi a

hâtif, -ive ['ɑtif, iv] adj
affrettato(-a), frettoloso(-a); (fruit,
légume) precoce

hausse ['os] nf aumento; (de fusil)
alzo; **à la ~** al rialzo; **en ~** in aumento

hausser ['ose] vt alzare; **~ les
épaules** alzare le spalle; **se ~ sur la
pointe des pieds** alzarsi sulla punta
dei piedi

haut, e ['o, 'ot] adj alto(-a); (fig:
intelligence) superiore ▪ adv in alto
▪ nm alto, parte f superiore; (d'un
arbre, d'une montagne) cima; **de 3 m de
~** alto(-a) 3 m; **~ de 2 m/5 étages**
alto(-a) 2 m/5 piani; **en ~e montagne**
in alta montagna; **des ~s et des bas**
(fig) degli alti e bassi; **en ~ lieu** in alto
loco; **à ~e voix, tout ~** ad alta voce;
du ~ de dalla cima di; **tomber de ~**
cadere dall'alto; (fig) provare una
forte delusione; **dire qch bien ~** dire
qc chiaro e tondo; **prendre qch de
(très) ~** reagire a qc con (molta)
arroganza; **traiter qn de ~** trattare
qn dall'alto in basso; **de ~ en bas**
dall'alto in basso; (lire) da cima a
fondo; **~ en couleur** variopinto(-a),
colorito(-a); (personne) pittoresco(-a);
plus ~ più in alto, più su; (dans un
texte) sopra; (parler) più forte; **en ~** in
alto, in cima; (dans une maison) di
sopra; **en ~ de** in cima a; **"~ les
mains!"** "mani in alto!"; **~e coiffure**
haute coiffure f inv, alta moda
dell'acconciatura; **~e couture** alta
moda; **~ débit** banda larga; **~e
fidélité** alta fedeltà; **~e finance** alta
finanza; **~e trahison** alto tradimento

hautain, e ['otɛ̃, ɛn] adj
altezzoso(-a), altero(-a)

hautbois ['obwa] nm oboe m

hauteur ['otœʀ] nf altezza; (Géo)
altura; (fig: noblesse) elevatezza;
(: arrogance) alterigia, altezzosità;
à ~ de ad altezza di; **à ~ des yeux**
all'altezza degli occhi; **à la ~ de** (aussi
fig) all'altezza di; **à la ~** (fig) all'altezza

haut-parleur ['opaʀlœʀ] (pl **~s**) nm
altoparlante m

hebdomadaire [ɛbdɔmadɛʀ] adj, nm
settimanale m

hébergement [ebɛRʒəmɑ̃] nm
alloggiamento; **l'~ est prévu** è
previsto l'alloggio
héberger [ebɛRʒe] vt ospitare,
alloggiare; (réfugiés) dare asilo a
hébergeur [ebɛRʒœR] nm (Internet)
host m inv
hébreu, x [ebRø] adj ebraico(-a),
ebreo(-a) ■ nm ebraico
hectare [ɛktaR] nm ettaro
hein ['ɛ̃] excl eh?; **tu m'approuves, ~?**
approvi, vero?; **Paul est venu, ~?** Paul
è venuto, eh?; **j'ai mal fait/eu tort, ~?**
ho fatto male/sbagliato, eh?; **que
fais-tu, ~?** ehi, che stai facendo?
hélas ['elɑs] excl ahimè! ■ adv
purtroppo
héler ['ele] vt chiamare
hélice [elis] nf elica; **escalier en ~**
(à vis) scala a chiocciola
hélicoptère [elikɔptɛR] nm
elicottero
helvétique [ɛlvetik] adj elvetico(-a)
hématome [ematom] nm
ematoma m
hémisphère [emisfɛR] nm: **~ nord/
sud** emisfero nord/sud
hémorragie [emɔRaʒi] nf
emorragia; **~ cérébrale/interne**
emorragia cerebrale/interna;
~ nasale emorragia nasale
hémorroïdes [emɔRɔid] nfpl
emorroidi fpl
hennir ['eniR] vi nitrire
hépatite [epatit] nf epatite f
herbe [ɛRb] nf erba; **en ~** (aussi fig)
in erba; **touffe/brin d'~** ciuffo/filo
d'erba
herbicide [ɛRbisid] nm erbicida m
herboriste [ɛRbɔRist] nm/f
erborista m/f
héréditaire [eRediteR] adj
ereditario(-a)
hérisson ['eRisɔ̃] nm riccio
héritage [eRitaʒ] nm (aussi fig)
eredità f inv; **faire un (petit) ~** entrare
in possesso di una (piccola) eredità
hériter [eRite] vi: **~ de qch (de qn)**
ereditare qc (da qn)
héritier, -ière [eRitje, jɛR] nm/f
erede m/f
hermétique [ɛRmetik] adj (aussi fig)
ermetico(-a)
hermine [ɛRmin] nf ermellino

hernie ['ɛRni] nf ernia
héroïne [eRɔin] nf (aussi drogue) eroina
héroïque [eRɔik] adj eroico(-a)
héron ['eRɔ̃] nm airone m
héros ['eRo] nm eroe m
hésitant, e [ezitɑ̃, ɑ̃t] adj esitante
hésitation [ezitasjɔ̃] nf esitazione f
hésiter [ezite] vi: **~ (à faire)** esitare
(a fare); **je le dis sans ~** lo dico senza
esitare; **~ entre** esitare tra; **~ sur qch**
essere incerto(-a) su qc
hétérosexuel, le [eteRɔsɛkɥɛl] adj
eterosessuale
hêtre ['ɛtR] nm faggio
heure [œR] nf ora; **c'est l'~** è ora;
quelle ~ est-il? che ore sono?, che ora
è?; **pourriez-vous me donner l'~, s'il
vous plaît?** potrebbe dirmi l'ora, per
cortesia?; **2 ~s (du matin)** le 2 (di
notte ou del mattino); **à la bonne ~**
alla buon'ora, finalmente; **être à l'~**
essere puntuale; (montre) essere
giusto(-a); **mettre à l'~** regolare;
100 km à l'~ 100(km) all'ora; **à toute ~**
~ a tutte le ore, in ogni momento;
24 ~s sur 24 24 ore su 24; **à l'~ qu'il est**
a quest'ora; **une ~ d'arrêt** un'ora di
sosta; **sur l'~** all'istante; **pour l'~** per
ora; **d'~ en ~** ogni ora; (d'une heure à
l'autre) da un momento all'altro;
d'une ~ à l'autre da un momento
all'altro; **de bonne ~** di buon'ora; **le
bus passe à l'~** l'autobus passa in
orario; **2 ~s de marche/travail** 2 ore
di marcia/lavoro; **à l'~ actuelle**
attualmente; **à quelle ~ ouvre le
musée/magasin?** a che ora apre il
museo/negozio?; **à quelle ~ ...?** a che
ora ...?; **~ d'été/locale** ora estiva/
locale; **~ de pointe** ora di punta; **~s
de bureau** orario msg di ufficio; **~s
supplémentaires** straordinari mpl
heureusement [œRøzmɑ̃] adv
fortunatamente, per fortuna
heureux, -euse [œRø, øz] adj
(personne, visage) felice, lieto(-a);
(nature, caractère) gioviale; (chanceux)
fortunato(-a); (judicieux) felice; **être ~
de qch/faire** essere contento(-a) di
qc/fare; **être ~ que** essere felice ou
lieto(-a) che; **s'estimer ~ de qch/que**
ritenersi fortunato(-a) per qc/che;
encore ~ que... bene che..., meno
male che...

heurt ['œʀ] nm urto; **heurts** nmpl (fig: bagarre) scontri mpl; (: désaccord) contrasti mpl

heurter ['œʀte] vt urtare; (fig) offendere; **se heurter** vr urtare; (voitures, personnes) urtarsi; (couleurs, tons) contrastare; **se ~ à** (fig) imbattersi in; **~ qn de front** prendere qn di petto

hexagone [ɛgzagɔn] nm esagono; **l'H~** (la France) la Francia (data la sua forma vagamente esagonale)

hiberner [ibɛʀne] vi andare in letargo

hibou, x ['ibu] nm gufo

hideux, -euse ['idø, øz] adj orrendo(-a), ributtante

hier [jɛʀ] adv ieri; **~ matin/soir** ieri mattina/sera; **~ midi** ieri a mezzogiorno; **toute la journée/la matinée d'~** tutta la giornata/la mattina di ieri

hiérarchie ['jeʀaʀʃi] nf gerarchia

hindou, e [ɛ̃du] adj indù; (Indien) indiano(-a) ■ nm/f: **Hindou, e** indù m/f; (croyant) induista m/f

hippique [ipik] adj ippico(-a)

hippisme [ipism] nm ippica

hippodrome [ipɔdʀom] nm ippodromo

hippopotame [ipɔpɔtam] nm ippopotamo

hirondelle [iʀɔ̃dɛl] nf rondine f

hisser ['ise] vt issare; **se hisser** vr: **se ~ sur** issarsi su

histoire [istwaʀ] nf storia; (chichis: gén pl) storie fpl; **histoires** nfpl (ennuis) storie fpl; **l'~ de France** la storia di Francia; **l'~ sainte** la storia sacra; **~ de faire qch** (fig) giusto ou tanto per fare qc; **une ~ de** una questione di

historique [istɔʀik] adj storico(-a) ■ nm (exposé, récit): **faire l'~ de** fare la cronistoria di

hiver [ivɛʀ] nm inverno; **en ~** in ou d'inverno

hivernal, e, aux [ivɛʀnal, o] adj invernale

hiverner [ivɛʀne] vi svernare

HLM ['aʃɛlɛm] sigle m ou f (= habitations à loyer modéré) ≈ case fpl popolari

hobby ['ɔbi] nm hobby m inv

hocher ['ɔʃe] vt: **~ la tête** scuotere la testa

hockey ['ɔkɛ] nm: **~ (sur glace/gazon)** hockey m (su ghiaccio/prato)

hold-up ['ɔldœp] nm inv rapina

hollandais, e ['ɔlɑ̃dɛ, ɛz] adj olandese ■ nm (langue) olandese m ■ nm/f: **Hollandais, e** olandese m/f; **les H~** gli olandesi

Hollande ['ɔlɑ̃d] nf Olanda ■ nm: **hollande** formaggio olandese

homard ['ɔmaʀ] nm astice m

homéopathique [ɔmeɔpatik] adj omeopatico(-a)

homicide [ɔmisid] nm omicidio; **~ involontaire** omicidio preterintenzionale

hommage [ɔmaʒ] nm omaggio; **rendre ~ à** rendere omaggio a; **en ~ de** in segno di; **faire ~ de qch à qn** dare qc in omaggio a qn; **présenter ses ~s** presentare i propri omaggi

homme [ɔm] nm uomo; **l'~ de la rue** l'uomo della strada; **~ à tout faire** uomo di fatica; **~ d'affaires** uomo d'affari; **~ d'Église** uomo di Chiesa; **~ d'État** uomo di Stato; **~ de loi** uomo di legge; **~ de main** sicario; **~ de paille** uomo di paglia, prestanome m inv; **~ des cavernes** uomo delle caverne

homogène [ɔmɔʒɛn] adj omogeneo(-a)

homologue [ɔmɔlɔg] nm/f omologo(-a)

homologué, e [ɔmɔlɔge] adj omologato(-a)

homonyme [ɔmɔnim] nm omonimo(-a)

homosexuel, le [ɔmɔsɛksɥɛl] adj omosessuale

Hongrie ['ɔ̃gʀi] nf Ungheria

hongrois, e ['ɔ̃gʀwa, waz] adj ungherese ■ nm (langue) ungherese m ■ nm/f: **Hongrois, e** ungherese m/f

honnête [ɔnɛt] adj onesto(-a); (satisfaisant) discreto(-a)

honnêtement [ɔnɛtmɑ̃] adv (v adj) onestamente; discretamente

honnêteté [ɔnɛtte] nf onestà

honneur [ɔnœʀ] nm onore m; **honneurs** nmpl (marques de distinction) onori mpl; **l'~ lui revient** (mérite) è tutto merito suo; **à qui ai-je**

l'~? con chi ho l'onore di parlare?;
cela me/te fait ~ (ciò) mi/ti fa onore;
"j'ai l'~ de..." "ho l'onore di..."; **en l'~
de** (personne) in onore di; (événement)
in occasione di; **faire ~ à**
(engagements) onorare; (famille, fig:
repas etc) fare onore a; **être à l'~** avere
preminenza, avere il posto d'onore;
être en ~ essere in auge; **membre
d'~** membro onorario; **table d'~**
tavolo d'onore
honorable [ɔnɔrabl] adj (personne)
rispettabile; (suffisant) onorevole
honoraire [ɔnɔrɛr] adj onorario(-a);
honoraires nmpl (d'un médecin, d'un
avocat etc) onorario msg; **professeur ~**
professore onorario
honorer [ɔnɔre] vt onorare; (suj:
sentiment, qualité) fare onore a; **~ qn
de** onorare qn di; **s'~ de** onorarsi di
honte ['ɔ̃t] nf vergogna; **avoir ~ de**
vergognarsi di, provare vergogna per;
faire ~ à qn essere la vergogna di qn
honteux, -euse ['ɔ̃tø, øz] adj
vergognoso(-a)
hôpital, -aux [ɔpital, o] nm
ospedale m; **où est l'~ le plus proche?**
dov'è l'ospedale più vicino?
hoquet ['ɔkɛ] nm singhiozzo; **avoir le
~** avere il singhiozzo
horaire [ɔrɛr] adj orario(-a) ■ nm
orario; **horaires** nmpl (conditions,
heures de travail) orario msg; **~ souple**
orario flessibile ou elastico; **~ à la
carte** ou **flexible** ou **mobile** orario
flessibile ou elastico
horizon [ɔrizɔ̃] nm (aussi fig)
orizzonte m; **horizons** nmpl (fig)
orizzonti mpl; **sur l'~** all'orizzonte
horizontal, e, aux [ɔrizɔ̃tal, o] adj
orizzontale
horloge [ɔrlɔʒ] nf orologio;
~ parlante (Tél) ora esatta
horloger, -ère [ɔrlɔʒe, ɛr] nm/f
orologiaio(-a)
hormis ['ɔrmi] prép salvo, tranne
horoscope [ɔrɔskɔp] nm oroscopo
horreur [ɔrœr] nf orrore m; **quelle ~!**
che orrore!; **avoir ~ de qch** detestare
qc, avere orrore di qc; **cela me fait ~**
(ciò) mi fa orrore
horrible [ɔribl] adj orribile,
orrendo(-a)
horrifier [ɔrifje] vt far inorridire

hors ['ɔr] prép (sauf) salvo; **~ de** fuori
di ou da; **~ de propos** fuori luogo;
être ~ de soi essere fuori di sé;
~ d'usage fuori uso; **~ ligne**
eccezionale, senza pari; (Inform)
scollegato(-a); **~ pair** eccezionale,
senza pari; **~ série** (sur mesure) fuori
serie; (exceptionnel) eccezionale;
~ service fuori servizio
hors-bord ['ɔrbɔr] nm inv fuoribordo
m inv
hors-d'œuvre ['ɔrdœvr] nm inv
antipasto
hors-la-loi ['ɔrlalwa] nm inv
fuorilegge m inv
hors-taxe [ɔrtaks] adj ≈ al netto di IVA
hortensia [ɔrtɑ̃sja] nm ortensia
hospice [ɔspis] nm ospizio, ricovero
hospitalier, -ière [ɔspitalje, jɛr] adj
(accueillant) ospitale; (Méd: service,
centre) ospedaliero(-a)
hospitaliser [ɔspitalize] vt
ricoverare (in ospedale),
ospedalizzare
hospitalité [ɔspitalite] nf ospitalità f
inv; **offrir l'~ à qn** offrire ospitalità
a qn
hostie [ɔsti] nf ostia
hostile [ɔstil] adj: **~ (à)** ostile (a)
hostilité [ɔstilite] nf ostilità f inv;
hostilités nfpl (Mil) ostilità fpl
hôte [ot] nm/f ospite m/f; **~ payant**
ospite pagante
hôtel [otɛl] nm albergo, hotel m inv;
aller à l'~ andare in albergo; **~ de ville**
municipio; **~ (particulier)** palazzina
signorile

⊕ **HÔTELS**

⊕ Gli alberghi in Francia sono
⊕ classificati in 6 categorie, da zero
⊕ ("non classé") a cinque stelle.
⊕ I prezzi includono l'IVA ma non la
⊕ colazione. In alcune città viene
⊕ applicata ai clienti degli alberghi
⊕ una piccola tassa turistica, la
⊕ "taxe de séjour".

hôtellerie [otɛlri] nf (profession)
industria alberghiera; (auberge)
locanda
hôtesse [otɛs] nf (maîtresse de maison)
padrona di casa; (dans une agence, une

foire) hostess *f inv*; **~ (d'accueil)**
hostess *f inv*; **~ (de l'air)** hostess *f inv*
houblon ['ublɔ̃] *nm* luppolo
houille ['uj] *nf* carbone *m* (fossile);
~ blanche carbone bianco
houle ['ul] *nf* onda (lunga)
houleux, -euse ['ulø, øz] *adj* (*mer*)
mosso(-a); (*fig: discussion etc*)
burrascoso(-a)
hourra ['uʀa] *nm, excl* urrà *m inv*,
evviva *m inv*
housse ['us] *nf* fodera; **~ (penderie)**
sacco *ou* custodia per abiti
houx ['u] *nm* agrifoglio
hublot ['yblo] *nm* oblò *m inv*
huche ['yʃ] *nf*: **~ à pain** madia per il
pane
huer ['ɥe] *vt* fischiare ▪ *vi* stridere (*di
gufo e civetta*)
huile [ɥil] *nf* olio; (*fam: personne
importante*) pezzo grosso; **mer d'~**
mare calmo come l'olio; **faire tache
d'~** (*fig*) estendersi a macchia d'olio;
~ d'arachide olio (di semi) di arachide;
~ de foie de morue olio di fegato di
merluzzo; **~ de ricin** olio di ricino;
~ de table olio da tavola;
~ détergente (*Auto*) olio detergente;
~ essentielle olio essenziale;
~ solaire olio solare
huissier [ɥisje] *nm* usciere *m*; (*Jur*)
ufficiale *m* giudiziario
huit ['ɥi(t)] *adj inv, nm inv* otto *inv*;
samedi en ~ (*non questo sabato*)
sabato prossimo; **dans ~ jours** tra
otto giorni; *voir aussi* **cinq**
huitaine ['ɥitɛn] *nf*: **une ~ de** (circa)
otto; **une ~ de jours** otto giorni
(circa), una settimana
huitième ['ɥitjɛm] *adj, nm/f*
ottavo(-a) ▪ *nm* ottavo; *voir aussi*
cinquième
huître [ɥitʀ] *nf* ostrica
humain, e [ymɛ̃, ɛn] *adj* umano(-a)
▪ *nm* umano
humanitaire [ymanitɛʀ] *adj*
umanitario(-a)
humanité [ymanite] *nf* umanità
humble [œ̃bl] *adj* umile
humer ['yme] *vt* annusare, fiutare
humeur [ymœʀ] *nf* umore *m*;
(*irritation*) stizza; **de bonne/
mauvaise ~** di buon/cattivo umore;
cela m'a mis de mauvaise/bonne ~

(*ciò*) mi ha messo di cattivo/buon
umore; **je suis de mauvaise/bonne
~** sono di cattivo/buon umore;
être d'~ à faire qch essere in vena
di fare qc
humide [ymid] *adj* umido(-a); (*route*)
bagnato(-a)
humilier [ymilje] *vt* umiliare; **s'~
devant qn** umiliarsi davanti a qn
humilité [ymilite] *nf* umiltà
humoristique [ymɔʀistik] *adj*
umoristico(-a)
humour [ymuʀ] *nm* umorismo; **il a
un ~ particulier** ha un umorismo
particolare; **avoir de l'~** avere il senso
dell'umorismo, avere humour; **~ noir**
umorismo nero
huppé, e ['ype] (*fam*) *adj*
altolocato(-a)
hurlement ['yʀləmɑ̃] *nm* ululato;
(*personne*) urlo
hurler ['yʀle] *vi* (*animal, fig: vent etc*)
ululare; (*personne*) urlare; (*fig: couleurs
etc*) fare a pugni (*fig*); **~ à la mort** (*suj:
chien*) ululare *ou* abbaiare alla luna
hutte ['yt] *nf* capanna, capanno
hydratant, e [idʀatɑ̃, ɑ̃t] *adj*
idratante
hydraulique [idʀolik] *adj*
idraulico(-a)
hydravion [idʀavjɔ̃] *nm*
idrovolante *m*
hydrogène [idʀɔʒɛn] *nm* idrogeno
hydroglisseur [idʀɔglisœʀ] *nm* (*sur
ailerons*) aliscafo; (*sur coussin d'air*)
hovercraft *m inv*
hyène [jɛn] *nf* iena
hygiène [iʒjɛn] *nf* igiene *f*;
~ corporelle/intime igiene
personale/intima
hygiénique [iʒenik] *adj* igienico(-a)
hymne [imn] *nm* inno; **~ national**
inno nazionale
hyperlien [ipɛʀljɛ̃] *nm* hyperlink *m
inv*, link *m inv* ipertestuale
hypermarché [ipɛʀmaʀʃe] *nm*
ipermercato
hypermétrope [ipɛʀmetʀɔp] *adj*
ipermetrope
hypertension [ipɛʀtɑ̃sjɔ̃] *nf*
ipertensione *f*
hypnose [ipnoz] *nf* ipnosi *f inv*
hypnotiser [ipnɔtize] *vt*
ipnotizzare

hypocrisie [ipɔkʀizi] *nf* ipocrisia
hypocrite [ipɔkʀit] *adj, nm/f*
  ipocrita *m/f*
hypothèque [ipɔtɛk] *nf* ipoteca
hypothèse [ipɔtɛz] *nf* ipotesi *f inv*;
  dans l'~ où… nell'ipotesi che…
hystérique [isteʀik] *adj* isterico(-a)

◆

I

iceberg [ajsbɛʀg] *nm* iceberg *m inv*
ici [isi] *adv* qui, qua; **jusqu'~** fin qui;
  (*temporel*) finora; **d'~ là** da qui ad
  allora; (*en attendant*) nel frattempo;
  d'~ peu fra poco
icône [ikɔn] *nf* (*aussi Inform*) icona
idéal, e, aux [ideal, o] *adj* ideale
  ■ *nm* ideale *m*; **l'~ serait de/que**
  l'ideale sarebbe/che
idéaliste [idealist] *adj* idealistico(-a)
  ■ *nm/f* idealista *m/f*
idée [ide] *nf* idea; **se faire des ~s**
  farsi delle idee; **agir/vivre selon
  son ~** agire/vivere a modo proprio;
  avoir dans l'~ que avere idea che;
  avoir ~ que aver idea che; **mon ~,
  c'est que…** secondo me…; **je n'en ai
  pas la moindre ~** non ne ho la minima
  ou la più pallida idea; **à l'~ de/que**
  all'idea di/che; **en voilà des ~s!**
  (*désapprobation*) che bella trovata!;
  avoir des ~s larges/étroites essere
  di ampie/ristrette vedute; **venir à
  l'~ de qn** venire in mente a qn; **avoir
  des ~s noires** vedere (tutto) nero;
  ~ fixe idea fissa; **~s reçues**
  preconcetti *mpl*

identifiant [idɑ̃tifjɑ̃] nm (Inform) identificativo, nome m utente inv

identifier [idɑ̃tifje] vt identificare; **~ qch/qn à** identificare qc/qn con; **s'~ avec** ou **à qch/qn** (héros etc) identificarsi con qc/qn

identique [idɑ̃tik] adj: **~ (à)** identico(-a) (a)

identité [idɑ̃tite] nf identità f inv

idiot, e [idjo, idjɔt] adj, nm/f idiota m/f

idole [idɔl] nf idolo

if [if] nm (Bot) tasso

ignoble [iɲɔbl] adj ignobile; (taudis, nourriture) immondo(-a), ripugnante

ignorant, e [iɲɔrɑ̃, ɑ̃t] adj: **~ de** (pas informé de) ignaro(-a) di ■ nm/f ignorante m/f; **~ en** (une matière quelconque) ignorante in; **faire l'~** fare lo (la) gnorri

ignorer [iɲɔre] vt ignorare; (plaisir, guerre, souffrance) non conoscere; **j'ignore comment/si** non so come/ se; **~ que** ignorare che; **je n'ignore pas que...** (lo) so che...; **je l'ignore** lo ignoro, non lo so

il [il] pron (personne) egli, lui; (animal, chose) esso; (en tournure impersonnelle): **il fait froid** fa freddo; (en interrogation): **Pierre est-il arrivé?** Pierre è arrivato?; **il a gagné** (lui) ha vinto; **il est parti ce matin** è partito stamattina; voir aussi **avoir**

île [il] nf isola; **les ~s** (les Antilles) le Antille; **l'~ de Beauté** la Corsica; **l'~-Maurice** le Mauritius; **les ~s anglo-normandes/Britanniques** le isole Normanne/Britanniche; **les ~s Cocos** ou **Keeling** le isole Cocos ou Keeling; **les ~s Cook** le isole Cook; **les ~s Vierges** le isole Vergini

illégal, e, aux [i(l)legal, o] adj illegale

illimité, e [i(l)limite] adj illimitato(-a)

illisible [i(l)lizibl] adj illeggibile

illogique [i(l)lɔʒik] adj illogico(-a)

illuminer [i(l)lymine] vt illuminare; **s'illuminer** vr illuminarsi

illusion [i(l)lyzjɔ̃] nf illusione f; **se faire des ~s** farsi (delle) illusioni, illudersi; **faire ~** gettare polvere negli occhi; **~ d'optique** illusione ottica

illustration [i(l)lystrasjɔ̃] nf illustrazione f

illustré, e [i(l)lystre] adj illustrato(-a) ■ nm (périodique) rotocalco, rivista (illustrata); (pour enfants) giornalino

illustrer [i(l)lystre] vt illustrare; **s'illustrer** vr (personne) distinguersi

îlotier [i(l)lotje] nm poliziotto di quartiere

ils [il] pron essi, loro; **~ ont gagné** (loro) hanno vinto; **~ sont en vacances** sono in vacanza

image [imaʒ] nf immagine f; (tableau, représentation) immagine, raffigurazione f; **~ d'Épinal** immagine stereotipata; **~ de marque** (Comm: d'un produit) immagine commerciale; (: d'une personne, entreprise) immagine; **~ pieuse** santino

imagé, e [imaʒe] adj (langage, style) figurato(-a)

imaginaire [imaʒinɛr] adj immaginario(-a); **nombre ~** (Math) numero immaginario

imagination [imaʒinasjɔ̃] nf immaginazione f, fantasia; **avoir de l'~** avere immaginazione ou fantasia

imaginer [imaʒine] vt immaginare; (expédient, mesure) escogitare, ideare; **s'imaginer** vr immaginarsi; **~ que** immaginare che; **~ de faire qch** pensare di fare qc; **j'imagine qu'il a voulu plaisanter** immagino che abbia voluto scherzare; **qu'allez-vous ~ là?** cosa va a pensare?; **s'~ que/pouvoir faire qch** credere che/ di poter fare qc; **s'~ à 60 ans/en vacances** immaginarsi a 60 anni/in vacanza; **ne t'imagine pas que** non credere che

imbécile [ɛ̃besil] adj, nm/f imbecille m/f

imbu, e [ɛ̃by] adj: **~ de** (préjugés, idées) pieno(-a) di; **~ de soi-même/sa supériorité** pieno(-a) di sé/della propria superiorità

imitateur, -trice [imitatœr, tris] nm/f imitatore(-trice)

imitation [imitasjɔ̃] nf imitazione f; **un sac ~ cuir** una borsa in finta pelle ou in similpelle; **c'est en ~ cuir** è di finta pelle ou di similpelle; **à l'~ de** imitando, sul modello di

imiter [imite] vt imitare; **il se leva et je l'imitai** si alzò ed io lo imitai

immangeable [ɛ̃mɑ̃ʒabl] *adj*
immangiabile
immatriculation [imatʀikylasjɔ̃] *nf*
immatricolazione *f*

⬥ **IMMATRICULATION**
⬥
⬥ Le ultime due cifre delle targhe
⬥ degli autoveicoli in Francia
⬥ riportano il "département" di
⬥ immatricolazione. Per esempio le
⬥ auto immatricolate nella "Ville de
⬥ Paris" riportano il numero 75.

immatriculer [imatʀikyle] *vt*
immatricolare; (*à la sécurité sociale
etc*) iscrivere; **se faire ~**
immatricolarsi; iscriversi; **voiture
immatriculée dans la Sarthe** auto
con targa della Sarthe
immédiat, e [imedja, jat] *adj*
immediato(-a) ■ *nm*: **dans l'~** per il
momento; **dans le voisinage ~ de**
nelle immediate vicinanze di
immédiatement [imedjatmɑ̃] *adv*
immediatamente
immense [i(m)mɑ̃s] *adj*
immenso(-a)
immerger [imɛʀʒe] *vt* immergere;
s'immerger *vr* immergersi
immeuble [imœbl] *nm* (*bâtiment*)
palazzo, edificio ■ *adj* (*Jur: bien*)
immobile; **~ de rapport** immobile *m*
redditizio; **~ locatif** immobile in
locazione
immigration [imigʀasjɔ̃] *nf*
immigrazione *f*
immigré, e [imigʀe] *nm/f*
immigrato(-a)
imminent, e [iminɑ̃, ɑ̃t] *adj*
imminente
immobile [i(m)mɔbil] *adj*
immobile; (*pièce de machine*) fisso(-a);
rester/se tenir ~ rimanere/stare
immobile
immobilier, -ière [imɔbilje, jɛʀ] *adj*
immobiliare ■ *nm*: **l'~** (*Comm*) il
settore immobiliare; (*Jur*) i beni
immobili; *voir aussi* **promoteur**
immobiliser [imɔbilize] *vt*
immobilizzare; (*circulation, affaires*)
immobilizzare, paralizzare; (*véhicule:
stopper*) fermare; (*empêcher de
fonctionner: machine, avion etc*)

bloccare; **s'immobiliser** *vr*
(*personne*) immobilizzarsi; (*machine,
véhicule*) fermarsi
immoral, e, aux [i(m)mɔʀal, o] *adj*
immorale
immortel, le [imɔʀtɛl] *adj*
immortale
immunisé, e [im(m)ynize] *adj*
immunizzato(-a)
immunité [imynite] *nf* (*Biol, Jur*)
immunità *f inv*; **~ diplomatique/
parlementaire** immunità
diplomatica/parlamentare
impact [ɛ̃pakt] *nm* impatto; (*d'une
personne*) influenza, impatto; **point
d'~** punto d'impatto
impair, e [ɛ̃pɛʀ] *adj* dispari *inv* ■ *nm*
gaffe *f inv*; **numéros ~s** numeri *mpl*
dispari
impardonnable [ɛ̃paʀdɔnabl] *adj*
imperdonabile; **vous êtes ~ d'avoir
fait cela** ciò che ha fatto è
imperdonabile
imparfait, e [ɛ̃paʀfɛ, ɛt] *adj*
imperfetto(-a); (*guérison*)
incompleto(-a), non perfetto(-a)
■ *nm* (*Ling*) imperfetto
impartial, e, aux [ɛ̃paʀsjal, o] *adj*
imparziale
impasse [ɛ̃pɑs] *nf* (*cul-de-sac*) strada
senza uscita, vicolo cieco; (*fig*)
impasse *f inv*; **faire une ~** (*Scol*) *non
studiare una parte del programma
sperando che non venga richiesta
all'esame*; **être dans l'~** (*négociations*)
essere in un vicolo cieco;
~ budgétaire mancanza temporanea
di fondi
impassible [ɛ̃pasibl] *adj* impassibile
impatience [ɛ̃pasjɑ̃s] *nf* impazienza;
avec ~ con impazienza;
mouvement/signe d'~ gesto/segno
di impazienza
impatient, e [ɛ̃pasjɑ̃, jɑ̃t] *adj*
impaziente; **~ de faire qch**
impaziente di fare qc
impatienter [ɛ̃pasjɑ̃te] *vt*
spazientire; **s'impatienter** *vr*: **s'~
(de/contre)** spazientirsi (per/con)
impeccable [ɛ̃pekabl] *adj*
impeccabile; (*fam*) perfetto(-a)
impensable [ɛ̃pɑ̃sabl] *adj*
impensabile; (*événement arrivé*)
incredibile

impératif, -ive [ɛ̃peratif, iv] *adj*
imperativo(-a) ■ *nm* (*Ling*)
imperativo; **impératifs** *nmpl*
(*prescriptions: d'une charge, fonction*)
dettami *mpl*, principi *mpl*; (*de la mode*)
dettami

impératrice [ɛ̃peratris] *nf*
imperatrice *f*

imperceptible [ɛ̃pɛrsɛptibl] *adj*
impercettibile

impérial, e, aux [ɛ̃perjal, o] *adj*
imperiale

impérieux, -euse [ɛ̃perjø, jøz] *adj*
imperioso(-a)

impérissable [ɛ̃perisabl] *adj* (*écrit*)
immortale; (*souvenir, gloire*)
imperituro(-a)

imperméable [ɛ̃pɛrmeabl] *adj*
impermeabile; (*fig: personne*): ~ **à**
refrattario(-a) a ■ *nm* impermeabile
m; ~ **à l'air** a tenuta d'aria

impertinent, e [ɛ̃pɛrtinã, ãt] *adj*
impertinente

impitoyable [ɛ̃pitwajabl] *adj*
spietato(-a); (*argumentation*)
inoppugnabile

implanter [ɛ̃plɑ̃te] *vt* introdurre;
(*Méd, usine, industrie*) impiantare;
s'implanter *vr*: **s'~ dans** installarsi
in; (*race, immigrants*) insediarsi in;
(*idée, usage*) radicarsi in

impliquer [ɛ̃plike] *vt* implicare; ~ **qn**
(dans) (*dans un complot*) coinvolgere
qn (in); ~ **qch/que** implicare qc/che

impoli, e [ɛ̃pɔli] *adj* sgarbato(-a),
maleducato(-a); (*manières*)
sgarbato(-a)

impopulaire [ɛ̃pɔpylɛr] *adj*
impopolare

importance [ɛ̃pɔrtɑ̃s] *nf*
importanza; **avoir de l'~** (*question*)
avere importanza; (*personne*) essere
importante; **sans ~** senza
importanza; **quelle ~?** che
importanza ha?; **d'~** importante

important, e [ɛ̃pɔrtã, ãt] *adj*
importante; (*quantitativement:
somme, retard etc*) notevole,
considerevole; (*gamme de produits*)
ampio(-a), vasto(-a); (*péj: airs, ton,
personne*) sostenuto(-a) ■ *nm*:
l'~ (est de/que) l'importante *m* (è
che); **c'est ~ à savoir** è importante
saperlo

importateur, -trice [ɛ̃pɔrtatœr,
tris] *adj, nm/f* importatore(-trice);
pays ~ de blé paese importatore di
grano

importation [ɛ̃pɔrtasjɔ̃] *nf*
importazione *f*

importer [ɛ̃pɔrte] *vt* importare ■ *vi*
(*être important*) importare; ~ **à qn**
importare a qn; **il importe de/que** è
importante che; **peu m'importe** (*je
n'ai pas de préférence*) (per me) fa lo
stesso; (*je m'en moque*) non mi
importa; **peu importe!** non importa!;
peu importe que non importa che;
peu importe le prix, nous paierons
non importa il prezzo, pagheremo;
voir aussi **n'importe**

importun, e [ɛ̃pɔrtœ̃, yn] *adj*
importuno(-a) ■ *nm* importuno(-a)

importuner [ɛ̃pɔrtyne] *vt*
importunare; (*bruit, interruptions*)
disturbare

imposant, e [ɛ̃pozã, ãt] *adj*
imponente; (*considérable: majorité*)
notevole

imposer [ɛ̃poze] *vt* (*taxer*) tassare;
(*faire accepter*) imporre; **s'imposer** *vr*
imporsi; (*être importun*) essere
importuno(-a); ~ **qch à qn** imporre
qc a qn; ~ **les mains** (*Rel*) imporre le
mani; **en ~ (à)** (*impressionner*)
mettere soggezione (a); (*personne,
présence*) incutere rispetto; **ça
s'impose!** è essenziale!

impossible [ɛ̃posibl] *adj* impossibile
■ *nm*: **l'~** l'impossibile; ~ **à faire**
impossibile da fare *ou* a farsi; **il est ~
que** è impossibile che; **il est ~
d'arriver** è impossibile arrivare; **il
m'est ~ de le faire** mi è impossibile
farlo; **faire l'~** fare l'impossibile; **si,
par ~** se, per assurdo

imposteur [ɛ̃pɔstœr] *nm*
impostore *m*

impôt [ɛ̃po] *nm* tassa, imposta;
payer des ~s pagare le tasse; **payer
1000 euros d'~s** pagare 1000 euro di
tasse; ~ **direct/indirect** imposta
diretta/indiretta; ~ **foncier** imposta
fondiaria; ~ **sur la fortune** imposta
patrimoniale; ~ **sur le chiffre
d'affaires** imposta sul giro d'affari;
~ **sur le revenu** imposta sul reddito;
~ **sur le RPP** imposta sul reddito delle

persone fisiche; **~ sur les plus values** imposta sull'aumento del capitale; **~ sur les sociétés** imposta sugli utili delle società; **~s locaux** imposte locali

impotent, e [ɛ̃pɔtɑ̃, ɑ̃t] *adj* invalido(-a); **il est ~ d'un bras** è invalido ad un braccio

impraticable [ɛ̃pratikabl] *adj* (*projet, idée*) inattuabile, irrealizzabile; (*piste, chemin*) impraticabile

imprécis, e [ɛ̃presi, iz] *adj* impreciso(-a)

imprégner [ɛ̃preɲe] *vt:* **~ (de)** impregnare (di); (*lieu, air: de lumière*) inondare (di); **s'imprégner de** *vr* impregnarsi di; (*fig: langue étrangère*) assimilare; **une lettre imprégnée d'ironie** una lettera carica d'ironia

imprenable [ɛ̃prənabl] *adj* imprendibile, inespugnabile; **vue ~** vista panoramica (assicurata)

impression [ɛ̃presjɔ̃] *nf* impressione *f*; (*d'étouffement*) sensazione *f*; (*émotion*): **faire/produire une vive ~** fare/produrre una viva impressione; (*d'un ouvrage, d'un tissu*) stampa; (*dessin, motif*) motivo *ou* disegno (stampato); **faire bonne/mauvaise ~** fare buona/cattiva impressione; **donner l'~ d'être...** dare l'impressione di essere...; **donner une ~ de/l'~ que** dare un'impressione di/l'impressione che; **avoir l'~ de/que** avere l'impressione di/che; **faire ~** (*film, orateur, déclaration etc*) fare colpo, colpire; **~s de voyage** impressioni di viaggio

impressionnant, e [ɛ̃presjɔnɑ̃, ɑ̃t] *adj* impressionante; (*discours*) brillante; (*monument*) imponente

impressionner [ɛ̃presjɔne] *vt* impressionare

imprévisible [ɛ̃previzibl] *adj* imprevedibile

imprévu, e [ɛ̃prevy] *adj* imprevisto(-a) ■ *nm* imprevisto; **en cas d'~** in caso d'imprevisti; **sauf ~** salvo imprevisti

imprimante [ɛ̃primɑ̃t] *nf* (*Inform*) stampante *f*; **~ à aiguilles/à jet d'encre** stampante ad aghi/a getto d'inchiostro; **~ à marguerite** stampante a margherita; **~ (à) laser**

stampante *f* laser *inv*; **~ (ligne par) ligne** stampante parallela; **~ matricielle** stampante a matrice; **~ thermique** stampante termica

imprimé, e [ɛ̃prime] *adj* stampato(-a) ■ *nm* modulo, stampato; (*Postes*) stampa; (*tissu*) tessuto stampato; (*dans une bibliothèque*) pubblicazione *f*; **un ~ à fleurs/pois** (*tissu*) un tessuto stampato a fiori/pois

imprimer [ɛ̃prime] *vt* stampare; (*direction, empreinte, marque*) imprimere; (*visa, cachet*) apporre, imprimere

imprimerie [ɛ̃primri] *nf* (*technique*) stampa; (*établissement, atelier*) tipografia, stamperia

imprimeur [ɛ̃primœr] *nm* tipografo

impropre [ɛ̃prɔpr] *adj* improprio(-a); **~ à** (*suj: personne*) inadatto(-a) a, non idoneo(-a) per; (: *chose*) inadatto(-a) a, non indicato(-a) per

improviser [ɛ̃prɔvize] *vt, vi* improvvisare; **s'improviser** *vr* (*secours, réunion*) essere improvvisato(-a); **s'~ cuisinier** improvvisarsi cuoco; **~ qn cuisinier** far fare il cuoco a qn

improviste [ɛ̃prɔvist]: **à l'~** *adv* all'improvviso

imprudence [ɛ̃prydɑ̃s] *nf* imprudenza

imprudent, e [ɛ̃prydɑ̃, ɑ̃t] *adj* imprudente, incauto(-a)

impuissant, e [ɛ̃pɥisɑ̃, ɑ̃t] *adj, nm* impotente (*m*); **~ à faire qch** incapace di fare qc

impulsif, -ive [ɛ̃pylsif, iv] *adj* impulsivo(-a)

impulsion [ɛ̃pylsjɔ̃] *nf* (*aussi fig*) impulso; **sous l'~ de leurs chefs...** spinti dai loro capi...

inabordable [inabɔrdabl] *adj* (*lieu*) inaccessibile; (*cher*) troppo caro(-a), proibitivo(-a)

inacceptable [inaksɛptabl] *adj* inaccettabile

inaccessible [inaksesibl] *adj* inaccessibile; (*objectif*) irraggiungibile; **~ à** (*insensible à: suj: personne*) insensibile a

inachevé, e [inaʃ(ə)ve] *adj* (*travail, esquisse*) incompiuto(-a); (*devoir*) non

portato(-a) a termine; (*maison*) non
terminato(-a)

inactif, -ive [inaktif, iv] *adj*
inattivo(-a); (*commerce*) stagnante,
inattivo(-a); (*remède*) inefficace

inadapté, e [inadapte] *adj* (*Psych*)
disadattato(-a) ■ *nm/f* (*péj*)
disadattato(-a); ~ à inadatto(-a) a

inadéquat, e [inadekwa(t), kwat]
adj inadeguato(-a)

inadmissible [inadmisibl] *adj*
inammissibile

inadvertance [inadvɛrtɑ̃s]: par ~
adv inavvertitamente

inanimé, e [inanime] *adj* (*matière*)
inanimato(-a); (*corps, personne*)
esanime, inanimato(-a); tomber ~
cadere esanime

inanition [inanisjɔ̃] *nf*: tomber
d'~ crollare per la fame e lo
sfinimento

inaperçu, e [inapɛrsy] *adj*: passer ~
passare inosservato(-a)

inapte [inapt] *adj* (*personne*): ~ à
(qch/faire qch) inadatto(-a) a (qc/
fare qc); (*Mil*) inabile

inattendu, e [inatɑ̃dy] *adj*
inatteso(-a), inaspettato(-a) ■ *nm*:
l'~ l'imprevisto

inattentif, -ive [inatɑ̃tif, iv] *adj*
disattento(-a); ~ à (*se souciant peu de*)
incurante di

inattention [inatɑ̃sjɔ̃] *nf*
disattenzione *f*; une minute d'~ un
attimo di disattenzione; par ~ per
disattenzione; faute/erreur d'~
errore *m* di distrazione

inaugurer [inogyre] *vt* inaugurare

inavouable [inavwabl] *adj*
inconfessabile

incalculable [ɛ̃kalkylabl] *adj*
incalcolabile; un nombre ~ de un
numero incalcolabile di

incapable [ɛ̃kapabl] *adj* (*aussi Jur*)
incapace; ~ de faire qch incapace di
fare qc

incapacité [ɛ̃kapasite] *nf* (*aussi Jur*)
incapacità; être dans l'~ de faire
essere nell'impossibilità di fare; ~ de
travail inabilità al lavoro;
~ électorale (*Jur*) perdita del diritto
di voto; ~ partielle/totale invalidità
parziale/totale; ~ permanente
invalidità permanente

incarcérer [ɛ̃karsere] *vt* incarcerare

incassable [ɛ̃kasabl] *adj* (*verre*)
infrangibile; (*fil*) resistente

incendie [ɛ̃sɑ̃di] *nm* incendio;
~ criminel incendio doloso; ~ de
forêt incendio boschivo

incendier [ɛ̃sɑ̃dje] *vt* incendiare; (*fig*:
accabler de reproches) strapazzare;
(: *visage*: *suj*: *fièvre*) accendere,
arrossare

incertain, e [ɛ̃sɛrtɛ̃, ɛn] *adj*
incerto(-a)

incertitude [ɛ̃sɛrtityd] *nf* incertezza

incessamment [ɛ̃sesamɑ̃] *adv* al più
presto, a momenti

incident, e [ɛ̃sidɑ̃, ɑ̃t] *adj* (*Jur, Ling*)
incidentale ■ *nm* incidente *m*;
~ de frontière incidente di frontiera;
~ de parcours incidente di percorso;
~ diplomatique incidente
diplomatico; ~ technique incidente
tecnico

incinérer [ɛ̃sinere] *vt* (*ordures*)
incenerire; (*cadavre*) cremare

incisive [ɛ̃siziv] *nf* (*Anat*) incisivo

inciter [ɛ̃site] *vt*: ~ qn à (faire) qch
incitare qn a (fare) qc

inclinable [ɛ̃klinabl] *adj* inclinabile;
siège à dossier ~ sedile *m* a schienale
inclinabile

inclination [ɛ̃klinasjɔ̃] *nf*
inclinazione *f*, propensione *f*;
montrer de l'~ pour les sciences
mostrare inclinazione per le scienze;
~s égoïstes/altruistes tendenze *fpl*
egoistiche/altruistiche; ~ de (la) tête
inchino (*col capo*); ~ (du buste)
inchino

incliner [ɛ̃kline] *vt* inclinare; (*tête*)
chinare ■ *vi*: ~ à qch/à faire essere
incline a qc/a fare; s'incliner *vr*
(*personne*) inchinarsi; (*chemin, pente*)
declinare; (*toit*) declinare; ~ la tête *ou*
le front (*pour saluer*) chinare la testa;
s'~ (devant) inchinarsi (davanti *ou* di
fronte a)

inclure [ɛ̃klyr] *vt* includere; (*billet,
chèque*) accludere, allegare

inclus, e [ɛ̃kly, -yz] *pp de* **inclure**
■ *adj* incluso(-a); est-ce que le
service est ~? il servizio è compreso?;
(*joint à un envoi*) allegato(-a)

incognito [ɛ̃kɔɲito] *adv* in incognito
■ *nm*: garder l'~ mantenere l'incognito

incohérent, e [ɛ̃kɔeRɑ̃, ɑ̃t] *adj*
incoerente

incollable [ɛ̃kɔlabl] *adj* (*riz*) che non
attacca; **il est ~** (*fam: personne*) è
imbattibile

incolore [ɛ̃kɔlɔR] *adj* incolore

incommoder [ɛ̃kɔmɔde] *vt*: ~ **qn**
dare fastidio a qn, infastidire qn

incomparable [ɛ̃kɔ̃paRabl] *adj*
incomparabile; (*choses: dissemblable*)
non comparabile

incompatible [ɛ̃kɔ̃patibl] *adj*:
~ **(avec)** incompatibile (con)

incompétent, e [ɛ̃kɔ̃petɑ̃, ɑ̃t] *adj*:
~ **(en)** incompetente (in)

incomplet, -ète [ɛ̃kɔ̃plɛ, ɛt] *adj*
incompleto(-a)

incompréhensible [ɛ̃kɔ̃pReɑ̃sibl]
adj incomprensibile

incompris, e [ɛ̃kɔ̃pRi, iz] *adj*
incompreso(-a)

inconcevable [ɛ̃kɔ̃s(ə)vabl] *adj*
inconcepibile; (*extravagant: chapeau
etc*) incredibile

inconfortable [ɛ̃kɔ̃fɔRtabl] *adj*
(*aussi fig*) scomodo(-a)

incongru, e [ɛ̃kɔ̃gRy] *adj*
sconveniente

inconnu, e [ɛ̃kɔny] *adj*
sconosciuto(-a), ignoto(-a); (*joie,
sensation, visage*) sconosciuto(-a)
■ *nm/f* sconosciuto(-a); (*étranger,
tiers*) persona ignota ■ *nm*:
l'~ l'ignoto

inconnue [ɛ̃kɔny] *nf* incognita

inconsciemment [ɛ̃kɔ̃sjamɑ̃] *adv*
inconsciamente

inconscient, e [ɛ̃kɔ̃sjɑ̃, jɑ̃t] *adj*
(*évanoui*) privo(-a) di sensi;
(*irréfléchi*) incosciente;
(*mouvement, geste, sentiment*)
inconscio(-a) ■ *nm* (*Psych*)
inconscio; ~ **de** (*événement extérieur*)
inconsapevole di; (*conséquences*)
ignaro(-a) di

inconsidéré, e [ɛ̃kɔ̃sideRe] *adj*
(*propos, zèle*) sconsiderato(-a);
(*placement*) avventato(-a)

inconsistant, e [ɛ̃kɔ̃sistɑ̃, ɑ̃t] *adj*
inconsistente

inconsolable [ɛ̃kɔ̃sɔlabl] *adj*
inconsolabile

incontestable [ɛ̃kɔ̃tɛstabl] *adj*
incontestabile

incontinent, e [ɛ̃kɔ̃tinɑ̃, ɑ̃t] *adj*
(*Méd*) incontinente ■ *adv*
incontinente, seduta stante

incontournable [ɛ̃kɔ̃tuRnabl] *adj*
inevitabile

incontrôlable [ɛ̃kɔ̃tRolabl] *adj*
incontrollabile

inconvénient [ɛ̃kɔ̃venjɑ̃] *nm*
inconveniente *m*; **si vous n'y voyez
pas d'~** se lei non ha nulla in
contrario; **y a-t-il un ~ à ce que nous
nous rencontrions jeudi?** potremmo
eventualmente incontrarci giovedì?

incorporer [ɛ̃kɔRpɔRe] *vt*
incorporare; ~ **(dans)** (*paragraphe:
dans un livre*) inserire (in); (*personne:
dans une société etc*) ammettere (in);
(*œufs etc*) aggiungere (a); ~ **qn dans**
(*affecter*) assegnare qn a

incorrect, e [ɛ̃kɔRɛkt] *adj* (*impropre:
phrase, terme*) inesatto(-a),
scorretto(-a); (*dessin, réglage,
interprétation*) inesatto(-a);
(*inconvenant, déloyal*) scorretto(-a)

incorrigible [ɛ̃kɔRiʒibl] *adj*
incorreggibile

incrédule [ɛ̃kRedyl] *adj* incredulo(-a)

incroyable [ɛ̃kRwajabl] *adj*
incredibile

incruster [ɛ̃kRyste] *vt* (*Art: insérer*):
~ **qch dans** inserire qc in; (*: décorer*):
~ **qch de** incrostare qc di; (*récipient,
radiateur*) incrostare; **s'incruster** *vr*
incrostarsi; (*fig: invité*) piantare le
tende, mettere radici

inculpé, e [ɛ̃kylpe] *nm/f*
imputato(-a)

inculper [ɛ̃kylpe] *vt*: ~ **(de)** incolpare
(di)

inculquer [ɛ̃kylke] *vt*: ~ **qch à qn**
inculcare qc a qn

Inde [ɛ̃d] *nf* India

indécent, e [ɛ̃desɑ̃, ɑ̃t] *adj* indecente

indécis, e [ɛ̃desi, iz] *adj* (*victoire,
contours, temps*) incerto(-a);
(*personne*) indeciso(-a)

indéfendable [ɛ̃defɑ̃dabl] *adj*
indifendibile; (*fig: cause, point de vue*)
insostenibile

indéfini, e [ɛ̃defini] *adj*
indefinito(-a); (*mot*)
indeterminato(-a); (*Ling: article*)
indeterminativo(-a); **passé ~** passato
prossimo

indéfiniment [ɛ̃definimɑ̃] adv
all'infinito

indéfinissable [ɛ̃definisabl] adj
indefinibile

indélébile [ɛ̃delebil] adj indelebile

indélicat, e [ɛ̃delika, at] adj
indelicato(-a); (malhonnête)
scorretto(-a), disonesto(-a)

indemne [ɛ̃dɛmn] adj indenne

indemniser [ɛ̃dɛmnize] vt: ~ (qn de
qch) indennizzare ou risarcire (qn di
qc); **se faire ~** farsi risarcire

indemnité [ɛ̃dɛmnite] nf
(dédommagement) indennizzo;
(allocation) indennità f inv; **~ de
licenciement** liquidazione f; **~ de
logement** indennità di alloggio;
~ journalière de chômage sussidio
giornaliero di disoccupazione;
~ parlementaire indennità
parlamentare

indépendamment [ɛ̃depɑ̃damɑ̃]
adv indipendentemente; **~ de**
(en faisant abstraction de)
indipendentemente da, a prescindere
da; (par surcroît, en plus) oltre a, in
aggiunta a

indépendance [ɛ̃depɑ̃dɑ̃s] nf
indipendenza; **~ matérielle**
indipendenza economica

indépendant, e [ɛ̃depɑ̃dɑ̃, ɑ̃t] adj
indipendente; **~ de** indipendente da;
travailleur ~ lavoratore m autonomo;
chambre ~e camera indipendente

indescriptible [ɛ̃dɛskʀiptibl] adj
indescrivibile

indésirable [ɛ̃deziʀabl] adj
(personne) indesiderabile, non
gradito(-a)

indestructible [ɛ̃dɛstʀyktibl] adj
(matière) indistruttibile; (marque,
impression) incancellabile, indelebile;
(lien) indissolubile

indéterminé, e [ɛ̃detɛʀmine] adj
indeterminato(-a); (impression,
contours, goût) indefinito(-a),
indeterminato(-a); (sens d'un mot, d'un
passage) non ben definito(-a)

index [ɛ̃dɛks] nm indice m;
mettre qn/qch à l'~ mettere qn/qc
all'indice

indicateur, -trice [ɛ̃dikatœʀ, tʀis]
nm/f (de la police) informatore(-trice)
▪ nm (instrument, Écon) indicatore m;

(livre, brochure): **~ immobilier** guida
immobiliare ▪ adj: **panneau ~**
cartello indicatore; **tableau ~**
pannello ou quadro indicatore; **~ des
chemins de fer** orario ferroviario;
~ de rues stradario; **~ de
changement de direction** (Auto)
indicatore di direzione, freccia

indicatif [ɛ̃dikatif] nm (Ling)
indicativo; (Radio) sigla (musicale);
(téléphonique) prefisso; **quel est l'~ de
Rome?** qual è il prefisso per Roma?
▪ adj: **à titre ~** a titolo indicativo;
~ d'appel (Radio) indicativo di
chiamata

indication [ɛ̃dikasjɔ̃] nf indicazione
f; (mode d'emploi) istruzioni fpl;
(marque, signe) segno; **indications**
nfpl (directives: d'une personne, d'un
médecin) indicazioni fpl; **~ d'origine**
(Comm) luogo d'origine

indice [ɛ̃dis] nm (d'une maladie, de
fatigue) segno, indice m; (Police, Jur)
indizio; (Écon, Science, Tech) indice;
(Admin) livello; **~ d'octane** numero
d'ottani; **~ de la production
industrielle** indice della produzione
industriale; **~ de protection** fattore
m di protezione; **~ de réfraction**
indice di rifrazione; **~ de traitement**
(Admin) livello retributivo; **~ des prix**
indice (generale) dei prezzi; **~ du coût
de la vie** indice del costo della vita;
~ inférieur (Inform) indice (sottoscritto)

indicible [ɛ̃disibl] adj indicibile

indien, ne [ɛ̃djɛ̃, jɛn] adj (d'Amérique,
d'Inde) indiano(-a) ▪ nm/f: **Indien, ne**
indiano(-a)

indifféremment [ɛ̃diferamɑ̃] adv
indifferentemente

indifférence [ɛ̃diferɑ̃s] nf
indifferenza

indifférent, e [ɛ̃diferɑ̃, ɑ̃t] adj
indifferente; **~ à qn/qch** indifferente
a qn/qc; **parler de choses ~es** parlare
del più e del meno; **ça m'est ~ (que...)**
mi è indifferente (che...)

indigène [ɛ̃diʒɛn] adj indigeno(-a);
(coutume etc) indigeno(-a), locale
▪ nm/f indigeno(-a)

indigeste [ɛ̃diʒɛst] adj indigesto(-a)

indigestion [ɛ̃diʒɛstjɔ̃] nf
indigestione f; **avoir une ~** non aver
digerito

indigne [ɛ̃diɲ] *adj* indegno(-a);
~ **de** indegno(-a) di
indigner [ɛ̃diɲe] *vt* indignare; **s'~
(de qch)** *(se fâcher)* indignarsi (per qc);
s'~ contre qn adirarsi con qn
indiqué, e [ɛ̃dike] *adj* indicato(-a);
ce n'est pas très ~ *(opportun, conseillé)*
non è molto indicato; **remède/
traitement ~** *(prescrit)* medicina/
cura indicata
indiquer [ɛ̃dike] *vt* indicare;
(déterminer: date, lieu etc) stabilire;
(dénoter: suj: traces, regard etc) rivelare,
indicare; ~ **qch/qn du doigt** additare
qc/qn; **à l'heure indiquée** all'ora
stabilita; **pourriez-vous m'~ les
toilettes/l'heure ?** potrebbe
indicarmi la toilette/dirmi l'ora?
indiscipliné, e [ɛ̃disipline] *adj*
indisciplinato(-a); *(fig: cheveux etc)*
ribelle
indiscret, -ète [ɛ̃diskʀɛ, ɛt] *adj*
indiscreto(-a)
indiscutable [ɛ̃diskytablə] *adj*
indiscutibile
indispensable [ɛ̃dispɑ̃sablə] *adj*
indispensabile; ~ **à qn/pour faire qch**
indispensabile a qn/per fare qc
indisposé, e [ɛ̃dispoze] *adj*
indisposto(-a)
indistinct, e [ɛ̃distɛ̃(kt), ɛ̃kt] *adj*
indistinto(-a)
indistinctement [ɛ̃distɛ̃ktəmɑ̃] *adv*
in modo confuso, indistintamente;
tous les Français ~ tutti i francesi
indistintamente
individu [ɛ̃dividy] *nm* individuo
individuel, le [ɛ̃dividɥɛl] *adj*
individuale; *(cas)* singolo(-a);
(maison) unifamiliare ■ *nm/f (Sport)*
atleta *m/f* non tesserato(-a);
chambre ~le camera singola;
propriété ~le proprietà privata
indolore [ɛ̃dɔlɔʀ] *adj* indolore
Indonésie [ɛ̃dɔnezi] *nf* Indonesia
indu, e [ɛ̃dy] *adj*: **à des heures ~es**
a ore impossibili
indulgent, e [ɛ̃dylʒɑ̃, ɑ̃t] *adj*
indulgente
industrialiser [ɛ̃dystʀijalize] *vt*
industrializzare; **s'industrialiser** *vr*
industrializzarsi
industrie [ɛ̃dystʀi] *nf* industria;
petite/moyenne/grande ~ piccola/

media/grande industria;
~ **automobile** industria
automobilistica; ~ **du livre/du
spectacle** industria del libro/dello
spettacolo; ~ **légère/lourde**
industria leggera/pesante; ~ **textile**
industria tessile
industriel, le [ɛ̃dystʀijɛl] *adj, nm*
industriale *(m)*
inébranlable [inebʀɑ̃lablə] *adj*
(masse, colonne, rocher) solido(-a),
indistruttibile; *(personne: déterminé,
inflexible)* determinato(-a);
(: courageux) imperturbabile;
(résolution) fermo(-a); *(conviction, foi,
certitude)* incrollabile
inédit, e [inedi, it] *adj* inedito(-a)
inefficace [inefikas] *adj (remède,
moyen)* inefficace; *(machine, personne)*
inefficiente
inégal, e, aux [inegal, o] *adj (gén)*
disuguale; *(joueurs, somme)* ineguale;
(lutte, combat) impari *inv*; *(irrégulier:
rythme, pouls)* ineguale, irregolare;
(changeant: humeur) incostante,
mutevole; *(imparfait: œuvre, écrivain)*
discontinuo(-a)
inégalable [inegalablə] *adj*
ineguagliabile
inégalé, e [inegale] *adj (record)*
imbattuto(-a)
inégalité [inegalite] *nf*
disuguaglianza; *(de lutte, combat)*
disparità *f inv*; **inégalités** *nfpl (dans
une œuvre)* imperfezioni *fpl*; ~ **de deux
hauteurs** diversità *f inv* tra due
altezze; ~**s d'humeur** sbalzi *mpl*
d'umore; ~**s de terrain** irregolarità *fpl*
del terreno
inépuisable [inepɥizablə] *adj*
inesauribile; **il est ~ sur ce sujet** è
inesauribile su questo argomento
inerte [inɛʀt] *adj* inerte
inespéré, e [inɛspeʀe] *adj*
insperato(-a)
inestimable [inɛstimablə] *adj*
inestimabile
inévitable [inevitablə] *adj*
inevitabile; *(obstacle)* impossibile da
evitare; *(hum: habituel, rituel)*
immancabile
inexact, e [inɛgza(kt), akt] *adj*
inesatto(-a); *(non ponctuel)* non
puntuale

inexcusable | 176

inexcusable [inɛkskyzabl] *adj*
imperdonabile

inexplicable [inɛksplikabl] *adj*
inesplicabile, inspiegabile

in extremis [inɛkstʀemis] *adv, adj*
in extremis *inv*

infaillible [ɛ̃fajibl] *adj* infallibile

infarctus [ɛ̃faʀktys] *nm*: ~ **(du
myocarde)** infarto (del miocardio)

infatigable [ɛ̃fatigabl] *adj*
infaticabile, instancabile

infect, e [ɛ̃fɛkt] *adj* (*cloaque, bourbier*)
fetido(-a), puzzolente; (*odeur, goût,
temps*) schifoso(-a); (*personne*)
abietto(-a)

infecter [ɛ̃fɛkte] *vt* (*atmosphère, eau*)
appestare; (*Méd*) infettare;
s'infecter *vr* (*plaie*) infettarsi

infection [ɛ̃fɛksjɔ̃] *nf* (*puanteur*)
fetore *m*, puzza; (*Méd*) infezione *f*

inférieur, e [ɛ̃feʀjœʀ] *adj* inferiore
■ *nm/f* subalterno(-a), inferiore *m/f*;
~ **à** inferiore a

infernal, e, aux [ɛ̃fɛʀnal, o] *adj*
infernale; (*rythme, galop*)
indiavolato(-a); (*fam: enfant*)
pestifero(-a)

infidèle [ɛ̃fidɛl] *adj* infedele;
~ **à** (*devoir, promesse*) non fedele a

infiltrer [ɛ̃filtʀe] *vr*: **s'infiltrer**:
s'~ dans infiltrarsi in; (*vent, lumière*)
infiltrarsi in, filtrare in

infime [ɛ̃fim] *adj* pessimo(-a),
(*nombre, détail*) minuscolo(-a)

infini, e [ɛ̃fini] *adj* infinito(-a);
(*conversation*) interminabile ■ *nm*
(*Math, Photo*) infinito; **à l'~** all'infinito;
s'étendre à l'~ estendersi all'infinito;
un nombre ~ de un numero infinito di

infiniment [ɛ̃finimɑ̃] *adv*
infinitamente

infinité [ɛ̃finite] *nf*: **une ~ de**
un'infinità di

infinitif, -ive [ɛ̃finitif, iv] *nm* (*Ling*)
infinito ■ *adj* (*mode, proposition*)
infinitivo(-a)

infirme [ɛ̃fiʀm] *adj, nm/f*
invalido(-a); ~ **de guerre** invalido di
guerra; ~ **du travail** invalido del
lavoro; ~ **mental** minorato (psichico);
~ **moteur** spastico

infirmerie [ɛ̃fiʀməʀi] *nf* infermeria

infirmier, -ière [ɛ̃fiʀmje, jɛʀ] *nm/f*
infermiere(-a) ■ *adj*: **élève ~(-ière)**

allievo(-a) infermiere(-a); **infirmière
chef** caposala *f inv*; **infirmière
diplômée** infermiera diplomata;
infirmière visiteuse infermiera a
domicilio

infirmité [ɛ̃fiʀmite] *nf* infermità *f
inv*, menomazione *f*

inflammable [ɛ̃flamabl] *adj*
infiammabile

inflation [ɛ̃flasjɔ̃] *nf* inflazione *f*;
~ **galopante/rampante** inflazione
galoppante/strisciante

influençable [ɛ̃flyɑ̃sabl] *adj*
influenzabile

influence [ɛ̃flyɑ̃s] *nf* influenza; (*d'un
médicament*) effetto

influencer [ɛ̃flyɑ̃se] *vt* influenzare

influent, e [ɛ̃flyɑ̃, ɑ̃t] *adj* influente

infobulle [ɛ̃fobyl] *nf* (*Inform*) icona
dell'help

informaticien, ne [ɛ̃fɔʀmatisjɛ̃,
jɛn] *nm/f* informatico(-a)

information [ɛ̃fɔʀmasjɔ̃] *nf* (*gén,
Inform*) informazione *f*; (*enquête,
étude*) **voyage d'~** viaggio di studio;
(*Presse, TV: nouvelle*) notizia; (*Jur*)
istruttoria, inchiesta; **informations**
nfpl (*Radio*) giornale *m* radio *inv*,
notiziario; **journal d'~** giornale *m*
d'informazione

informatique [ɛ̃fɔʀmatik] *nf*
informatica

informatiser [ɛ̃fɔʀmatize] *vt*
informatizzare

informer [ɛ̃fɔʀme] *vt*: ~ **qn (de)**
informare qn (di) ■ *vi* (*Jur*): ~ **contre
qn/sur qch** aprire un'istruttoria su
qn/qc; **s'informer** *vr*: **s'~ (de/sur/si)**
informarsi (di/su/se)

infos [ɛ̃fo] *nfpl* = **informations**

infraction [ɛ̃fʀaksjɔ̃] *nf* infrazione *f*;
être en ~ (*Auto*) essere in
contravvenzione

infranchissable [ɛ̃fʀɑ̃ʃisabl] *adj*
insuperabile, insormontabile

infrarouge [ɛ̃fʀaʀuʒ] *adj*
infrarosso(-a) ■ *nm* (raggio)
infrarosso

infrastructure [ɛ̃fʀastʀyktyʀ] *nf*
infrastruttura; (*d'une voie de chemin de
fer*) piano di posa; (*d'une route*) piano
stradale; **infrastructures** *nfpl* (*d'un
pays etc*) infrastrutture *fpl*;
~ **touristique/hôtelière/routière**

infrastruttura turistica/alberghiera/
stradale

infuser [ɛ̃fyze] vt lasciare in
infusione ■ vi: **(laisser) ~** lasciare in
infusione

infusion [ɛ̃fyzjɔ̃] nf infuso, infusione f

ingénier [ɛ̃ʒenje] vr: **s'ingénier:**
s'~ à faire qch ingegnarsi a fare qc

ingénierie [ɛ̃ʒeniʀi] nf ingegneria;
~ génétique ingegneria genetica

ingénieur [ɛ̃ʒenjœʀ] nm ingegnere
m; **~ agronome** dottore m in agraria;
~ chimiste dottore m in chimica;
~ des mines ingegnere minerario;
~ du son tecnico del suono

ingénieux, -euse [ɛ̃ʒenjø, jøz] adj
ingegnoso(-a)

ingrat, e [ɛ̃gʀa, at] adj ingrato(-a)

ingrédient [ɛ̃gʀedjã] nm
ingrediente m

inhabité, e [inabite] adj
disabitato(-a)

inhabituel, le [inabitɥɛl] adj
insolito(-a)

inhibition [inibisjɔ̃] nf inibizione f

inhumain, e [inymɛ̃, ɛn] adj
inumano(-a), disumano(-a)

inimaginable [inimaʒinabl] adj
inimmaginabile

ininterrompu, e [inɛ̃teʀɔ̃py] adj
ininterrotto(-a)

initial, e, aux [inisjal, o] adj iniziale;
initiales nfpl (d'un nom, sigle etc)
iniziali fpl

initiation [inisjasjɔ̃] nf iniziazione f

initiative [inisjativ] nf iniziativa;
prendre l'~ de qch/de faire qch
prendere l'iniziativa di qc/di fare qc;
avoir de l'~ avere iniziativa; **esprit d'~**
spirito d'iniziativa; **qualités d'~**
iniziativa; **à ou sur l'~ de qn** su
iniziativa di qn; **de sa propre ~** di
propria iniziativa

initier [inisje] vt: **~ qn à** iniziare qn a;
s'initier à vr (métier, profession etc)
acquisire le basi di, imparare

injecter [ɛ̃ʒɛkte] vt iniettare

injection [ɛ̃ʒɛksjɔ̃] nf (Méd) iniezione
f; (Écon: de capitaux, crédits)
immissione f; **à ~** (moteur, système) a
iniezione; **~ intraveineuse** iniezione
intravenosa; **~ sous-cutanée**
iniezione sottocutanea

injure [ɛ̃ʒyʀ] nf ingiuria

injurier [ɛ̃ʒyʀje] vt ingiuriare,
insultare

injurieux, -euse [ɛ̃ʒyʀjø, jøz] adj
ingiurioso(-a)

injuste [ɛ̃ʒyst] adj: **~ (avec/envers**
qn) ingiusto(-a) (con/nei confronti
di qn)

injustice [ɛ̃ʒystis] nf ingiustizia

inlassable [ɛ̃lɑsabl] adj instancabile

inné, e [i(n)ne] adj innato(-a)

innocent, e [inɔsã, ãt] adj, nm/f
innocente m/f; **faire l'~** fare
l'innocente

innocenter [inɔsãte] vt (personne)
considerare innocente; (Jur: accusé)
assolvere; (suj: déclaration etc)
scagionare

innombrable [i(n)nɔ̃bʀabl] adj
innumerevole

innover [inɔve] vt innovare,
rinnovare ■ vi: **~ en art/matière**
d'art introdurre innovazioni in arte/
materia d'arte

inoccupé, e [inɔkype] adj
(appartement, siège) libero(-a);
(personne, vie) inoperoso(-a)

inodore [inɔdɔʀ] adj inodore,
inodoro(-a)

inoffensif, -ive [inɔfɑ̃sif, iv] adj
inoffensivo(-a), innocuo(-a);
(plaisanterie) innocuo(-a)

inondation [inɔ̃dasjɔ̃] nf
inondazione f; (fig) invasione f

inonder [inɔ̃de] vt inondare,
allagare; (personne: suj: pluie)
inzuppare; (fig: suj: personnes)
invadere, riversarsi su

inopportun, e [inɔpɔʀtœ̃, yn] adj
inopportuno(-a)

inoubliable [inublijabl] adj
indimenticabile

inouï, e [inwi] adj (violence, vitesse)
inaudito(-a); (événement, nouvelle)
incredibile

inox [inɔks] adj di acciaio inox ou
inossidabile ■ nm acciaio inox ou
inossidabile

inquiet, -ète [ɛ̃kjɛ, ɛ̃kjɛt] adj (par
nature) inquieto(-a); (momentanément)
preoccupato(-a), inquieto(-a) ■ nm/f
ansioso(-a); **~ de qch/au sujet de qn**
preoccupato(-a) per qc/qn

inquiétant, e [ɛ̃kjetã, ãt] adj (affaire,
situation) inquietante, preoccupante;

(état d'un malade) preoccupante;
(sinistre) inquietante
inquiéter [ɛ̃kjete] vt (alarmer)
preoccupare; (harceler) disturbare,
molestare; (suj: police) causare fastidi
a; **s'inquiéter** vr: **s'~ (de)**
preoccuparsi (di)
inquiétude [ɛ̃kjetyd] nf inquietudine
f, apprensione f; **donner de l'~** ou **des
~s à qn** preoccupare qn; **avoir de l'~**
ou **des ~s au sujet de** essere
preoccupato(-a) per ou riguardo a
insaisissable [ɛ̃sezisabl] adj (fugitif,
ennemi) inafferrabile; (nuance,
différence) impercettibile; (Jur: bien)
impignorabile
insalubre [ɛ̃salybʀ] adj insalubre
insatisfait, e [ɛ̃satisfɛ, ɛt] adj
insoddisfatto(-a)
inscription [ɛ̃skʀipsjɔ̃] nf iscrizione
f; (caractères écrits ou gravés) scritta;
(indication: sur un écriteau etc)
indicazione f, scritta; (à une
institution) iscrizione
inscrire [ɛ̃skʀiʀ] vt iscrivere;
(nom, date) annotare, segnare; (dans
la pierre, le métal) incidere; (sur une
liste) iscrivere, segnare; (pour un
rendez-vous etc) (far) segnare;
s'inscrire vr iscriversi; **~ qn à**
iscrivere qn a; **s'~ (à)** iscriversi (a);
s'~ dans (suj: projet etc) rientrare in;
s'~ en faux contre qch smentire qc;
(Jur) impugnare qc
insecte [ɛ̃sɛkt] nm insetto
insecticide [ɛ̃sɛktisid] adj, nm
insetticida (m)
insensé, e [ɛ̃sɑ̃se] adj insensato(-a)
insensible [ɛ̃sɑ̃sibl] adj insensibile;
(imperceptible) impercettibile; **~ au
froid/à la chaleur** insensibile al
freddo/al caldo
inséparable [ɛ̃sepaʀabl] adj: **~ (de)**
inseparabile (da); **inséparables**
nmpl (oiseaux) inseparabili mpl
insigne [ɛ̃siɲ] nm distintivo ■ adj
insigne
insignifiant, e [ɛ̃siɲifjɑ̃, jɑ̃t] adj
insignificante
insinuer [ɛ̃sinɥe] vt: **que voulez-
vous ~?** che cosa vuole insinuare?;
s'insinuer dans vr insinuarsi in
insipide [ɛ̃sipid] adj insipido(-a); (fig)
insipido(-a), insulso(-a)

insister [ɛ̃siste] vi: **~ (sur)** insistere
(su); **~ pour qch/pour faire qch**
insistere per (ottenere) qc/per fare qc
insolation [ɛ̃sɔlasjɔ̃] nf insolazione f
insolent, e [ɛ̃sɔlɑ̃, ɑ̃t] adj insolente;
(bonheur, luxe) sfacciato(-a) ■ nm/f
impertinente m/f, insolente m/f
insolite [ɛ̃sɔlit] adj insolito(-a)
insomnie [ɛ̃sɔmni] nf insonnia;
avoir des ~s soffrire d'insonnia
insouciant, e [ɛ̃susjɑ̃, jɑ̃t] adj
(nonchalant) spensierato(-a);
(imprévoyant) incurante, noncurante
insoupçonnable [ɛ̃supsɔnabl] adj
insospettabile
insoupçonné, e [ɛ̃supsɔne] adj
insospettato(-a)
insoutenable [ɛ̃sut(ə)nabl] adj
(argument, opinion) insostenibile;
(lumière, chaleur, fig) insopportabile
inspecter [ɛ̃spɛkte] vt ispezionare;
(personne) esaminare
inspecteur, -trice [ɛ̃spɛktœʀ, tʀis]
nm/f ispettore(-trice); **~ d'Académie**
≈ provveditore m agli studi; **~ (de
police)** ispettore m (di polizia); **~ des
finances** ispettore del Ministero delle
Finanze; **~ des impôts** ispettore delle
imposte; **~ (de l'enseignement)
primaire** ispettore scolastico
inspection [ɛ̃spɛksjɔ̃] nf ispezione f;
~ des Finances ≈ ispettorato delle
Finanze; **~ du Travail** ispettorato del
lavoro
inspirer [ɛ̃spiʀe] vt ispirare;
(intentions) motivare; (suj: santé, état:
inquiétude etc) destare ■ vi inspirare;
s'inspirer de qch vr ispirarsi a qc,
trarre ispirazione da qc; **ça ne
m'inspire pas beaucoup/vraiment
pas** (ciò) non mi ispira molto/affatto
instable [ɛ̃stabl] adj instabile;
(personne, population) nomade
installation [ɛ̃stalasjɔ̃] nf (vvt)
sistemazione f; installazione f; **une ~
de fortune/provisoire** una
sistemazione di fortuna/provvisoria;
l'~ électrique l'impianto elettrico; **~s
portuaires** attrezzature fpl portuali;
~s de loisirs attrezzature fpl
ricreative; **~s industrielles**
attrezzature fpl industriali
installer [ɛ̃stale] vt (gén) sistemare;
(tente) montare; (gaz, électricité,

téléphone) installare; (*fonctionnaire, magistrat*) insediare; **s'installer** vr installarsi; (*fig: peur, épidémie*) diffondersi; **~ une salle de bains dans une pièce** installare un bagno in una stanza; **s'~ à l'hôtel/chez qn** sistemarsi in albergo/a casa di qn

instance [ɛ̃stɑ̃s] *nf* istanza; **les ~s internationales** (*Admin*) le autorità internazionali; **affaire en ~** pratica in corso; **courrier en ~** posta in partenza; **être en ~ de divorce** essere in attesa di divorzio; **train en ~ de départ** treno in partenza; **en première ~** (*Jur*) in prima istanza

instant, e [ɛ̃stɑ̃] *adj* insistente ■ *nm* istante *m*, attimo; (*moment présent*) presente; (*temps très court*): **un ~** un istante *ou* attimo; **sans perdre un ~** senza perdere un istante; **en un ~** in un attimo *ou* istante; **dans un ~** tra un attimo; (*tout de suite*) subito; **je l'ai vu à l'~** l'ho visto subito; **à l'~ (même) où** (*proprio*) nel momento in cui; **à chaque ~, à tout ~** a ogni istante, in ogni momento; **pour l'~** per il momento; **par ~s** a tratti; **de tous les ~s** ininterrotto(-a); **dès l'~ où** *ou* **que...** dal momento che; **attendez un ~** aspetti un momento

instantané, e [ɛ̃stɑ̃tane] *adj* istantaneo(-a) ■ *nm* (*Photo*) istantanea

instar [ɛ̃staʀ]: **à l'~ de** *prép* alla maniera di, sull'esempio di

instaurer [ɛ̃stɔʀe] *vt* instaurare; **s'instaurer** *vr* instaurarsi

instinct [ɛ̃stɛ̃] *nm* istinto; **avoir l'~ des affaires/du commerce** avere il senso degli affari/del commercio; **d'~** d'istinto, istintivamente; **faire qch d'~** fare qc d'istinto; **~ grégaire** istinto gregario; **~ de conservation** istinto di conservazione

instinctivement [ɛ̃stɛ̃ktivmɑ̃] *adv* istintivamente

instituer [ɛ̃stitɥe] *vt* istituire; (*débat*) promuovere; (*Rel: évêque*) nominare; (*héritier*) istituire, nominare; **s'instituer** *vr* (*relations*) instaurarsi; **s'~ défenseur d'une cause** erigersi a difensore di una causa

institut [ɛ̃stity] *nm* istituto; **membre de l'I~** membro dell'Istituto

di Francia; **~ de beauté** istituto di bellezza; **~ médico-légal** istituto di medicina legale; **I~ universitaire de technologie** istituto a livello universitario per l'insegnamento della tecnologia

instituteur, -trice [ɛ̃stitytœʀ, tʀis] *nm/f* maestro(-a) elementare

institution [ɛ̃stitysjɔ̃] *nf* istituzione *f*; (*collège, école privée*) istituto; **institutions** *nfpl* (*structures politiques et sociales*) istituzioni *fpl*

instructif, -ive [ɛ̃stʀyktif, iv] *adj* istruttivo(-a)

instruction [ɛ̃stʀyksjɔ̃] *nf* istruzione *f*; (*Jur: investigation*) istruttoria; (: *de procès*) istruzione; **instructions** *nfpl* (*ordres, mode d'emploi*) istruzioni *fpl*; **~ civique** educazione *f* civica; **~ ministérielle/préfectorale** (*Admin: directive*) circolare *f* ministeriale/ prefettizia; **~ professionnelle/ religieuse** istruzione professionale/ religiosa; **~ publique/primaire** istruzione pubblica/elementare

instruire [ɛ̃stʀɥiʀ] *vt* (*élèves, procès*) istruire; (*recrues*) addestrare; **s'instruire** *vr* (*se cultiver*) istruirsi; **s'~ auprès de qn de qch** (*s'informer*) informarsi presso qn su qc; **~ qn de qch** (*informer*) informare qn di qc

instruit, e [ɛ̃stʀɥi, it] *pp de* **instruire** ■ *adj* istruito(-a)

instrument [ɛ̃stʀymɑ̃] *nm* (*outil, Mus*) strumento; **~ à cordes/à vent** (*Mus*) strumento a corde/a fiato; **~ à percussion** (*Mus*) strumento a percussione; **~ de mesure** strumento di misura; **~ de musique** strumento musicale; **~ de travail** strumento di lavoro

insu [ɛ̃sy] *nm*: **à l'~ de qn** (*en cachette de*) all'insaputa di qn; (*inconsciemment*) senza rendersene conto, inconsciamente; **à son ~** a sua insaputa

insuffisant, e [ɛ̃syfizɑ̃, ɑ̃t] *adj* insufficiente; (*travail*) inadeguato(-a); **~ en maths** (*personne*) insufficiente in matematica

insulaire [ɛ̃sylɛʀ] *adj* insulare; (*attitude*) chiuso(-a)

insuline [ɛ̃sylin] *nf* insulina

insulte [ɛ̃sylt] *nf* insulto

insulter [ɛ̃sylte] vt insultare

insupportable [ɛ̃sypɔʀtabl] adj insopportabile

insurmontable [ɛ̃syʀmɔ̃tabl] adj insormontabile; (angoisse, aversion) invincibile

intact, e [ɛ̃takt] adj intatto(-a)

intarissable [ɛ̃taʀisabl] adj inesauribile

intégral, e, aux [ɛ̃tegʀal, o] adj integrale; **nu ~** nudo integrale

intégralement [ɛ̃tegʀalmɑ̃] adv integralmente

intégralité [ɛ̃tegʀalite] nf totalità; **dans son ~** nella sua interezza

intégrant, e [ɛ̃tegʀɑ̃, ɑ̃t] adj: **faire partie ~e de qch** fare parte integrante di qc

intègre [ɛ̃tegʀ] adj integro(-a)

intégrer [ɛ̃tegʀe] vt integrare ■ vi (argot universitaire): **~ à l'ENA** essere ammesso all'ENA; **s'intégrer** vr: **s'~ à/ dans qch** integrarsi in qc

intégrisme [ɛ̃tegʀism] nm integralismo

intellectuel, le [ɛ̃telɛktɥɛl] adj, nm/f intellettuale m/f; (péj) intellettuale, intellettualoide m/f

intelligence [ɛ̃teliʒɑ̃s] nf intelligenza; (personne) intelligenza, mente f; (compréhension): **~ de qch** comprensione f di qc; (complicité): **regard/sourire d'~** sguardo/sorriso d'intesa; (accord): **vivre en bonne/ mauvaise ~ avec qn** vivere/non vivere in buona armonia con qn; **intelligences** nfpl: **avoir des ~s dans la place** (Mil, fig) avere dei contatti nell'ambiente; **être d'~ avec qn** essere connivente con qn; **~ artificielle** intelligenza artificiale

intelligent, e [ɛ̃teliʒɑ̃, ɑ̃t] adj intelligente; **~ en affaires** abile in affari

intelligible [ɛ̃teliʒibl] adj intelligibile

intempéries [ɛ̃tɑ̃peʀi] nfpl intemperie fpl

intenable [ɛ̃t(ə)nabl] adj (situation) insostenibile; (chaleur, enfant) insopportabile

intendant, e [ɛ̃tɑ̃dɑ̃, ɑ̃t] nm/f (Mil) furiere m; (Scol) economo m; (d'une propriété) amministratore(-trice)

intense [ɛ̃tɑ̃s] adj intenso(-a)

intensif, -ive [ɛ̃tɑ̃sif, iv] adj intensivo(-a); **cours ~** corso intensivo; **~ en capital** fortemente capitalizzato(-a); **~ en main d'œuvre** ad alta intensità di lavoro

intenter [ɛ̃tɑ̃te] vt: **~ un procès contre** ou **à qn** intentare un processo contro qn; **~ une action contre** ou **à qn** intentare causa contro qn

intention [ɛ̃tɑ̃sjɔ̃] nf intenzione f; (but, objectif) intento; **avec** ou **dans l'~ de nuire** con l'intento di nuocere; **avoir l'~ de faire qch** avere intenzione di fare qc; **dans l'~ de faire qch** con l'intenzione ou l'intento di fare qc; **à l'~ de qn** (collecte) a favore di qn; (cadeau, prière etc) per qn; (fête) in onore di qn; (film, ouvrage) diretto(-a) a qn; **à cette ~** a questo scopo; **sans ~** involontariamente; **faire qch sans mauvaise ~** fare qc senza cattive intenzioni; **agir dans une bonne ~** agire a fin di bene

intentionné, e [ɛ̃tɑ̃sjɔne] adj: **bien/ mal ~** bene/male intenzionato(-a)

interactif, -ive [ɛ̃teʀaktif, iv] adj (aussi Inform) interattivo(-a)

intercepter [ɛ̃teʀsɛpte] vt intercettare

interchangeable [ɛ̃teʀʃɑ̃ʒabl] adj intercambiabile

interdiction [ɛ̃teʀdiksjɔ̃] nf divieto, proibizione f; (Jur) interdizione f; (Rel) interdetto; **~ de faire qch** divieto ou proibizione di fare qc; **~ de séjour** (Jur) divieto di soggiorno

interdire [ɛ̃teʀdiʀ] vt (gén) vietare, proibire; (Admin, Rel: personne) interdire; (journal, livre) vietare; **~ qch à qn** vietare ou proibire qc a qn; **~ à qn de faire qch** vietare ou proibire a qn di fare qc; (suj: chose) impedire a qn di fare qc; **s'~ qch** (excès etc) astenersi da qc; **il s'interdit d'y penser** si rifiuta di pensarci

interdit, e [ɛ̃teʀdi, it] pp de **interdire** ■ adj (stupéfait, frappé d'interdit): (livre) vietato(-a) ■ nm (exclusive): **prononcer l'~ contre qn** colpire qn con l'interdetto; (interdiction) divieto, proibizione f; **film ~ aux moins de 18/13 ans** film vietato ai minori di 18/13 anni; **sens ~** senso vietato;

stationnement ~ sosta vietata, divieto di sosta; ~ **de chéquier** colpito dal divieto di emettere assegni; ~ **de séjour** colpito(-a) da divieto di soggiorno

intéressant, e [ɛ̃teʀesɑ̃, ɑ̃t] adj interessante; **faire l'~** cercare di rendersi interessante

intéressé, e [ɛ̃teʀese] adj interessato(-a); (motifs) d'interesse ■ nm/f: **l'~, e** l'interessato(-a); **les ~s** gli interessati

intéresser [ɛ̃teʀese] vt interessare; (Comm: employés: aux bénéfices) far partecipare; **ça n'intéresse personne** non interessa a nessuno; ~ **qn à qch** interessare qn a qc; ~ **qn dans une affaire** (partenaire) cointeressare qn ad un affare; **s'~ à qn/à ce que fait qn/qch** interessarsi a qn/a ciò che fa qn/qc; **s'~ à une science/un sport** interessarsi di una scienza/uno sport

intérêt [ɛ̃teʀɛ] nm (aussi Comm) interesse m; **intérêts** nmpl (d'une personne, d'un groupe) interessi mpl; **porter de l'~ à qn** interessarsi a qn; **avoir/n'avoir pas ~ à faire qch** avere/non avere interesse a fare qc; **il y a ~ à...** (idée d'utilité) conviene...; **avoir des ~s dans une compagnie** avere degli interessi in un'azienda; ~ **composé** interesse composto

intérieur, e [ɛ̃teʀjœʀ] adj (paroi, commerce, cour, communication) interno(-a); (calme, joie, voix, monologue) interiore ■ nm: **l'~** (d'une maison, d'un pays) l'interno; **à l'~ (de)** all'interno (di); **de l'~** (fig) dall'interno; **ministère de l'I~** ministero degli Interni; **un ~ bourgeois/confortable** (décor, mobilier) una casa borghese/comoda; **tourner (une scène) en ~** (Ciné) girare (una scena) in interni; **vêtement/chaussures d'~** abito/scarpe fpl da casa; **veste d'~** giacca da camera

intérieurement [ɛ̃teʀjœʀmɑ̃] adv (au dedans) internamente; (mentalement, secrètement) dentro di sé, tra sé e sé

intérim [ɛ̃teʀim] nm interim m inv; **par ~** (provisoire) ad interim; **faire de l'~** lavorare come lavoratore interinale

intérimaire [ɛ̃teʀimɛʀ] adj (travail, travailleur) interinale; (ministre) ad interim ■ nm/f (personne) lavoratore(-trice) interinale

interlocuteur, -trice [ɛ̃tɛʀlɔkytœʀ, tʀis] nm/f interlocutore(-trice); ~ **valable** valido interlocutore

intermédiaire [ɛ̃tɛʀmedjɛʀ] adj intermedio(-a) ■ nm/f intermediario(-a) ■ nm: **sans ~** direttamente; **intermédiaires** nmpl (Comm) intermediari mpl; **par l'~ de** tramite

interminable [ɛ̃tɛʀminabl] adj interminabile

intermittence [ɛ̃tɛʀmitɑ̃s] nf: **par ~** in modo discontinuo; (travailler) a periodi

internat [ɛ̃tɛʀna] nm (situation d'interne) internato; (Scol: établissement) interno, convitto; (: élèves) interni mpl; (Méd: fonction) internato; (: concours) concorso per accedere all'internato

international, e, aux [ɛ̃tɛʀnasjɔnal, o] adj internazionale ■ nm/f (Sport: joueur) nazionale m/f

internaute [ɛ̃tɛʀnot] nm/f internauta m/f

interne [ɛ̃tɛʀn] adj interno(-a) ■ nm/f (Scol, Méd) interno(-a)

Internet [ɛ̃tɛʀnɛt] nm: **l'~** Internet f

interpeller [ɛ̃tɛʀpəle] vt (appeler) chiamare; (apostropher) apostrofare; (suj: police) fermare; (Pol) interpellare

interphone [ɛ̃tɛʀfɔn] nm (de bureau) interfono; (d'un appartement) citofono

interposer [ɛ̃tɛʀpoze] vt interporre, frapporre; **s'interposer** vr (obstacle) interporsi, frapporsi; (dans une bagarre) intromettersi; (s'entremettre) interporsi; **par personnes interposées** per interposta persona

interprète [ɛ̃tɛʀpʀɛt] nm/f interprete m/f; **être l'~ de qn/de qch** farsi interprete di qn/di qc; **pourriez-vous nous servir d'~?** ci potrebbe fare da interprete?

interpréter [ɛ̃tɛʀpʀete] vt interpretare

interrogatif, -ive [ɛ̃tɛʀɔgatif, iv] adj (gén, Ling) interrogativo(-a)

interrogation [ɛ̃tɛʀɔgasjɔ̃] nf interrogazione f; ~ **écrite/orale** (Scol)

compito in classe/interrogazione f;
~ directe/indirecte (Ling)
proposizione f interrogativa diretta/
indiretta

interrogatoire [ɛ̃teʀɔgatwaʀ] nm
(aussi fig) interrogatorio

interroger [ɛ̃teʀɔʒe] vt interrogare;
(données, ordinateur) consultare,
interrogare; **s'interroger** vr
interrogarsi; **~ qn (sur qch)**
interrogare qn (su qc); **~ qn du regard**
guardare qn interrogativamente

interrompre [ɛ̃teʀɔ̃pʀ] vt
interrompere; **s'interrompre** vr
interrompersi

interrupteur [ɛ̃teʀyptœʀ] nm
interruttore m

interruption [ɛ̃teʀypsjɔ̃] nf
interruzione f; **sans ~** senza
interruzione; **~ (volontaire) de
grossesse** interruzione (volontaria)
di gravidanza

intersection [ɛ̃teʀsɛksjɔ̃] nf
intersezione f

intervalle [ɛ̃teʀval] nm intervallo; **à
deux mois d'~** dopo un intervallo di
due mesi; **à ~s rapprochés** a intervalli
ravvicinati; **par ~s** a intervalli; **dans
l'~** nel frattempo

intervenir [ɛ̃teʀvəniʀ] vi
intervenire; (survenir, se produire: fait)
sopraggiungere, intervenire; (accord)
essere raggiunto(-a); **~ dans**
intervenire in; **~ auprès de qn/en
faveur de qn** intervenire presso qn/in
favore di qn; **la police a dû ~** la polizia
è dovuta intervenire

intervention [ɛ̃teʀvɑ̃sjɔ̃] nf
intervento; **~ (chirurgicale)** (Méd)
intervento (chirurgico); **prix d'~**
(Écon) prezzo d'intervento; **~ armée**
intervento armato

interview [ɛ̃teʀvju] nf intervista

intestin, e [ɛ̃tɛstɛ̃, in] adj:
querelles/luttes ~es liti fpl/lotte fpl
intestine ■ nm intestino; **~ grêle**
intestino tenue

intime [ɛ̃tim] adj, nm/f intimo(-a)

intimider [ɛ̃timide] vt intimidire

intimité [ɛ̃timite] nf intimità f inv;
dans l'~ nell'intimità; (aussi sans
formalités) tra pochi intimi

intolérable [ɛ̃tɔleʀabl] adj
intollerabile

intox [ɛ̃tɔks] nf (fam)
condizionamento

intoxication [ɛ̃tɔksikasjɔ̃] nf
intossicazione f; (fig)
condizionamento; **~ alimentaire**
intossicazione alimentare

intoxiquer [ɛ̃tɔksike] vt intossicare;
(fig) condizionare; **s'intoxiquer** vr
intossicarsi

intraitable [ɛ̃tʀɛtabl] adj
(intransigeant) inflessibile,
intransigente; (adversaire)
irriducibile

intransigeant, e [ɛ̃tʀɑ̃ziʒɑ̃, ɑ̃t] adj
intransigente; (doctrine) intollerante

intrépide [ɛ̃tʀepid] adj intrepido(-a);
(résistance) incrollabile

intrigue [ɛ̃tʀig] nf intrigo; (d'une
pièce, d'un roman) intreccio, trama;
(liaison amoureuse) tresca

intriguer [ɛ̃tʀige] vi intrigare,
brigare ■ vt incuriosire, insospettire

introduction [ɛ̃tʀɔdyksjɔ̃] nf
introduzione f; (d'eau, de la fumée)
penetrazione f; **~ aux
mathématiques** (ouvrage)
introduzione alla matematica;
paroles/chapitre d'~ parole fpl/
capitolo d'introduzione; **lettre d'~**
lettera di presentazione

introduire [ɛ̃tʀɔdɥiʀ] vt introdurre;
(Inform) introdurre, inserire;
s'introduire vr (techniques, usages)
venire introdotto(-a); (voleur)
introdursi; (personne: un groupe, club)
introdursi, entrare; (eau, fumée)
entrare, penetrare; **~ à qch** (personne)
introdurre a qc; **~ qn auprès de qn/
dans un club** (présenter) introdurre qn
presso qn/in un club; **~ au clavier**
introdurre ou inserire da tastiera

introuvable [ɛ̃tʀuvabl] adj
introvabile

intrus, e [ɛ̃tʀy, yz] nm/f intruso(-a)

intuition [ɛ̃tɥisjɔ̃] nf intuizione f;
avoir une ~ avere un'intuizione; **avoir
l'~ de qch** intuire qc; **avoir de l'~**
avere intuito

inusable [inyzabl] adj indistruttibile

inutile [inytil] adj inutile

inutilement [inytilmɑ̃] adv
inutilmente

inutilisable [inytilizabl] adj
inutilizzabile

invalide [ɛ̃valid] *adj, nm/f* invalido(-a) ▪ *nm*: ~ **de guerre** invalido di guerra; ~ **du travail** invalido del lavoro

invariable [ɛ̃vaʀjabl] *adj (loi, Ling, mot)* invariabile; *(habitudes)* immutabile; *(temps)* stabile

invasion [ɛ̃vazjɔ̃] *nf (aussi fig)* invasione *f*

inventaire [ɛ̃vɑ̃tɛʀ] *nm* inventario; **faire un** ~ fare un inventario

inventer [ɛ̃vɑ̃te] *vt* inventare; *(histoire, excuse)* inventare, inventarsi; ~ **de faire qch** immaginarsi di fare qc

inventeur, -trice [ɛ̃vɑ̃tœʀ, tʀis] *nm/f* inventore(-trice)

inventif, -ive [ɛ̃vɑ̃tif, iv] *adj* ricco(-a) di inventiva

invention [ɛ̃vɑ̃sjɔ̃] *nf* invenzione *f*; **manquer d'**~ mancare d'inventiva

inverse [ɛ̃vɛʀs] *adj* inverso(-a) ▪ *nm*: **l'**~ l'inverso, il contrario; **en proportion** ~ in proporzione inversa; **dans l'ordre/dans le sens** ~ nell'ordine/nel senso inverso; **dans le sens** ~ **des aiguilles d'une montre** in senso antiorario; **en sens** ~ in senso inverso; **à l'**~ al contrario

inversement [ɛ̃vɛʀsəmɑ̃] *adv* inversamente

inverser [ɛ̃vɛʀse] *vt* invertire

investir [ɛ̃vɛstiʀ] *vt* investire; *(Mil: ville, position)* assalire, investire ▪ *vi* investire; **s'investir** *vr (Psych)* investire; ~ **qn de** *(d'une fonction, d'un pouvoir)* investire qn di

investissement [ɛ̃vɛstismɑ̃] *nm* investimento

invisible [ɛ̃vizibl] *adj* invisibile; **il est ~ aujourd'hui** *(fig)* oggi è irreperibile

invitation [ɛ̃vitasjɔ̃] *nf* invito; **à/sur l'**~ **de qn** su invito di qn; **carte/lettre d'**~ biglietto/lettera d'invito

invité, e [ɛ̃vite] *nm/f* invitato(-a)

inviter [ɛ̃vite] *vt* invitare; ~ **qn à faire qch** invitare qn a fare qc

invivable [ɛ̃vivabl] *adj* insopportabile, impossibile

involontaire [ɛ̃vɔlɔ̃tɛʀ] *adj* involontario(-a)

invoquer [ɛ̃vɔke] *vt* invocare; *(excuse, argument)* addurre; *(jeunesse, ignorance)* addurre (come scusa); ~ **la**

clémence/le secours de qn invocare la clemenza/l'aiuto di qn

invraisemblable [ɛ̃vʀɛsɑ̃blabl] *adj* inverosimile; *(bizarre)* incredibile

iode [jɔd] *nm* iodio

irai *etc* [iʀe] *vb voir* **aller**

Irak [iʀak] *nm* Iraq *m*

irakien, ne [iʀakjɛ̃, jɛn] *adj* iracheno(-a) ▪ *nm/f*: **Irakien, ne** iracheno(-a)

Iran [iʀɑ̃] *nm* Iran *m*

iranien, ne [iʀanjɛ̃, jɛn] *adj* iraniano(-a) ▪ *nm (langue)* iraniano ▪ *nm/f*: **Iranien, ne** iraniano(-a)

irions *etc* [iʀjɔ̃] *vb voir* **aller**

iris [iʀis] *nm (Bot)* iris *f*; *(Anat)* iride *f*

irlandais, e [iʀlɑ̃dɛ, ɛz] *adj* irlandese *m/f* ▪ *nm (langue)* irlandese *m* ▪ *nm/f*: **Irlandais, e** irlandese *m/f*

Irlande [iʀlɑ̃d] *nf* Irlanda, *(État)* (Repubblica d')Irlanda, Eire *m*; **la mer d'**~ il mar d'Irlanda; ~ **du Nord** Irlanda del Nord, Ulster *m*; ~ **du Sud** Eire *m*

ironie [iʀɔni] *nf* ironia; ~ **du sort** ironia della sorte

ironique [iʀɔnik] *adj* ironico(-a)

ironiser [iʀɔnize] *vi* ironizzare

irons *etc* [iʀɔ̃] *vb voir* **aller**

irradier [iʀadje] *vi (lumière)* irradiarsi, irradiare; *(douleur)* diffondersi ▪ *vt* irradiare

irraisonné, e [iʀezɔne] *adj (geste, acte)* inconsulto(-a); *(crainte)* irragionevole

irrationnel, le [iʀasjɔnɛl] *adj* irrazionale

irréalisable [iʀealizabl] *adj* irrealizzabile

irrécupérable [iʀekypeʀabl] *adj* irrecuperabile

irréel, le [iʀeɛl] *adj* irreale; **(mode)** ~ *(Ling)* modo irreale *ou* dell'irrealtà

irréfléchi, e [iʀefleʃi] *adj (personne)* sventato(-a); *(geste, mouvement)* involontario(-a); *(propos, acte)* inconsulto(-a), avventato(-a)

irrégularité [iʀegylaʀite] *nf* irregolarità *f inv*; **irrégularités** *nfpl* irregolarità *fpl*

irrégulier, -ière [iʀegylje, jɛʀ] *adj* irregolare; *(élève, athlète)* incostante; *(travail, effort)* irregolare, discontinuo(-a); *(peu honnête: agent, homme d'affaires)* scorretto(-a)

irrémédiable [iʀemedjabl] *adj*
irrimediabile
irremplaçable [iʀɑ̃plasabl] *adj*
insostituibile
irréparable [iʀepaʀabl] *adj* non
riparabile; (*fig: tort, perte*) irreparabile
irréprochable [iʀepʀɔʃabl] *adj*
irreprensibile
irrésistible [iʀezistibl] *adj*
irresistibile
irrésolu, e [iʀezɔly] *adj* irresoluto(-a)
irrespectueux, -euse [iʀɛspɛktɥø,
øz] *adj* irrispettoso(-a)
irresponsable [iʀɛspɔ̃sabl] *adj*
irresponsabile
irriguer [iʀige] *vt* irrigare
irritable [iʀitabl] *adj* irritabile
irriter [iʀite] *vt* irritare; **s'~ contre
qn/de qch** irritarsi con qn/per qc
irruption [iʀypsjɔ̃] *nf* irruzione *f*;
faire ~ dans un endroit/chez qn fare
irruzione in un luogo/in casa di qn
Islam [islam] *nm* (*Rel*): **l'~** l'Islam *m*
islamique [islamik] *adj* islamico(-a)
Islande [islɑ̃d] *nf* Islanda
isolant, e [izɔlɑ̃, ɑ̃t] *adj, nm* isolante (*m*)
isolation [izɔlasjɔ̃] *nf*: **~ acoustique/
thermique** isolamento acustico/
termico
isolé, e [izɔle] *adj* isolato(-a)
isoler [izɔle] *vt* isolare; **s'isoler** *vr*
isolarsi
Israël [isʀaɛl] *nm* Israele *m*
israélien, ne [isʀaeljɛ̃, jɛn] *adj*
israeliano(-a) ■ *nm/f*: **Israélien, ne**
israeliano(-a)
israélite [isʀaelit] *adj* israelitico(-a)
■ *nm/f*: **Israélite** israelita *m/f*
issu, e [isy] *adj*: **~ de** (*famille, milieu*)
proveniente da; (*fig: résultant de*)
nato(-a) da
issue [isy] *nf* (*d'un endroit, d'une rue*)
uscita; (*de l'eau, la vapeur*) sfogo;
(*solution*) via d'uscita; (*fin, résultat*)
esito; **à l'~ de** alla fine di; **chemin/
rue sans ~** strada/via senza uscita;
~ de secours uscita di sicurezza
Italie [itali] *nf* Italia
italien, ne [italjɛ̃, jɛn] *adj*
italiano(-a) ■ *nm* (*langue*) italiano
■ *nm/f*: **Italien, ne** italiano(-a)
italique [italik] *nm*: **(mettre un
mot) en ~(s)** (mettere una parola) in
corsivo

itinéraire [itineʀɛʀ] *nm* itinerario
IUT [iyte] *sigle m = Institut Universitaire
de Technologie*
IVG [iveʒe] *sigle f = interruption
(volontaire) de grossesse*
ivoire [ivwaʀ] *nm* avorio
ivre [ivʀ] *adj* ubriaco(-a); **~ de colère**
cieco(-a) di collera; **~ de bonheur**
ebbro(-a) di felicità; **~ mort**
ubriaco(-a) fradicio
ivrogne [ivʀɔɲ] *nm/f* ubriaco(-a)

j' [ʒ] *pron voir* **je**
jacinthe [ʒasɛ̃t] *nf* giacinto; **~ des bois** giacinto dei boschi
jadis [ʒadis] *adv* un tempo, una volta
jaillir [ʒajiʀ] *vi (liquide)* zampillare, scaturire; *(lumière)* balenare all'improvviso; *(fig: cri, foule, etc)* levarsi all'improvviso; *(gratte-ciel)* ergersi
jais [ʒɛ] *nm (minéral)* jais *m inv*, giaietto; **(d'un noir) de ~** nero(-a) come il carbone
jalousie [ʒaluzi] *nf* gelosia
jaloux, -se [ʒalu, uz] *adj* geloso(-a); **être ~ de qn/qch** essere geloso(-a) di qn/qc
jamais [ʒamɛ] *adv* mai; **~ de la vie!** neanche per sogno!; **ne... ~** non... mai; **si ~...** se per caso..., se mai...; **à (tout) ~, pour ~** per sempre
jambe [ʒɑ̃b] *nf* gamba; *(d'un cheval)* zampa; **à toutes ~s** a gambe levate
jambon [ʒɑ̃bɔ̃] *nm* prosciutto; **~ cru/fumé** prosciutto crudo/affumicato
jante [ʒɑ̃t] *nf* cerchio, cerchione *m*
janvier [ʒɑ̃vje] *nm* gennaio; *voir aussi* **juillet**

Japon [ʒapɔ̃] *nm* Giappone *m*
japonais, e [ʒapɔnɛ, ɛz] *adj* giapponese ■ *nm (langue)* giapponese *m* ■ *nm/f:* **Japonais, e** giapponese *m/f*
jardin [ʒaʀdɛ̃] *nm* giardino; **~ botanique** orto botanico; **~ d'acclimatation** giardino zoologico, zoo; **~ d'enfants** giardino d'infanzia, asilo; **~ japonais** giardino giapponese; **~ potager** orto; **~ public** giardino pubblico; **~s suspendus** giardini pensili
jardinage [ʒaʀdinaʒ] *nm* giardinaggio
jardiner [ʒaʀdine] *vi* dedicarsi al giardinaggio
jardinier, -ière [ʒaʀdinje, jɛʀ] *nm/f* giardiniere(-a); **~ paysagiste** paesaggista *m/f*
jardinière [ʒaʀdinjɛʀ] *nf (de fenêtre)* giardiniera; **~ d'enfants** maestra d'asilo; **~ (de légumes)** *(Culin)* giardiniera
jargon [ʒaʀgɔ̃] *nm* gergo
jarret [ʒaʀɛ] *nm (Anat)* garretto; *(Culin)* stinco
jauge [ʒoʒ] *nf (capacité: d'un récipient)* capacità *f inv*; *(: d'un navire)* stazza; *(instrument)* calibro; **~ (de niveau) d'huile** indicatore *m* del livello dell'olio
jaune [ʒon] *adj* giallo(-a) ■ *nm* giallo; *(aussi:* **jaune d'œuf)** rosso d'uovo, tuorlo ■ *nm/f:* **J~** asiatico(-a), giallo(-a); *(briseur de grève)* crumiro(-a) ■ *adv:* **rire ~** *(fam)* ridere forzatamente
jaunir [ʒoniʀ] *vt, vi* ingiallire
jaunisse [ʒonis] *nf* itterizia
Javel [ʒavɛl] *nf voir* **eau**
javelot [ʒavlo] *nm* giavellotto; **faire du ~** fare lancio del giavellotto
je [ʒə] *pron* io
jean [dʒin] *nm (Textile)* jeans *m inv*; *(pantalon)* jeans *mpl*
Jésus-Christ [ʒezykʀi(st)] *n* Gesù Cristo; **600 avant/après ~** 600 avanti/dopo Cristo
jet¹ [dʒɛt] *nm (avion)* jet *m inv*, aereo a reazione
jet² [ʒɛ] *nm* lancio; *(jaillissement)* getto, zampillo; **premier ~** *(ébauche)* prima stesura; **de premier ~** *(fig: ébauche)* di getto; **arroser au ~**

annaffiare con un tubo flessibile;
d'un (seul) ~ di getto; **du premier ~** al
primo colpo; **~ d'eau** zampillo, getto
d'acqua; (*fontaine*) fontana
jetable [ʒ(ə)tabl] *adj* usa e getta *inv*
jetée [ʒəte] *nf* (*digue*) molo; (*Aviat*)
passerella
jeter [ʒ(ə)te] *vt* gettare; (*se défaire de*)
buttare *ou* gettare via; (*lumière, son*)
diffondere; **~ qch à qn** gettare *ou*
buttare qc a qn; **~ l'ancre** gettare
l'ancora; **~ les bras en avant/la tête
en arrière** buttare le braccia in
avanti/la testa all'indietro; **~ le
trouble/l'effroi parmi...** seminare lo
scompiglio/il terrore tra...; **~ un coup
d'œil (à)** dare un'occhiata (a); **~ un
sort à qn** fare il malocchio a qn; **~ qn
dans la misère** gettare qn nella
miseria; **~ qn dans l'embarras**
mettere qn in difficoltà; **~ qn dehors/
en prison** sbattere qn fuori/in
prigione; **~ l'éponge** (*fig*) gettare la
spugna; **~ des fleurs à qn** (*fig*) tessere
le lodi di qn; **~ la pierre à qn** scagliare
la prima pietra contro qn; **se ~
contre/dans/sur** gettarsi contro/in/
su; **se ~ dans** (*suj: fleuve*) sfociare in;
se ~ par la fenêtre buttarsi dalla
finestra; **se ~ à l'eau** (*fig*) buttarsi
jeton [ʒ(ə)tɔ̃] *nm* gettone *m*;
jetons *nmpl* (*de présence*) gettone
(di presenza)
jette *etc* [ʒɛt] *vb voir* **jeter**
jeu, x [ʒø] *nm* gioco; (*Tennis*) partita;
(*Ciné, Mus, Théâtre*) interpretazione *f*;
(*d'un engrenage*) gioco, movimento;
un ~ de clés/d'aiguilles una serie di
chiavi/di aghi; **par ~** per gioco *ou*
scherzo; **d'entrée de ~** fin dall'inizio;
cacher son ~ (*fig*) nascondere le
proprie intenzioni; **c'est le ~** *ou* **la
règle du ~** è il gioco, sono le regole;
c'est un ~ (d'enfant)! è un gioco da
ragazzi!; **il a beau ~ de critiquer ton
attitude** è facile per lui criticare il tuo
atteggiamento; **être/remettre en ~**
(*Football*) essere/rimettere in gioco;
être/entrer/mettre en ~ (*fig*) essere/
entrare/mettere in gioco; **entrer
dans le ~** (*fig*) entrare nel gioco;
entrer dans le ~ de qn fare causa
comune con qn; **se piquer/se
prendre au ~** lasciarsi prendere dal

gioco; **jouer gros ~** rischiare grosso;
~ d'échecs gioco degli scacchi;
~ d'écritures (*Comm*) transazione
puramente formale; **~ d'orgue(s)**
registro d'organo; **~ de boules** gioco
delle bocce; (*endroit*) campo di bocce;
~ de cartes gioco di carte; (*paquet*)
mazzo di carte; **~ de construction**
costruzioni *fpl*; **~ de hasard** gioco
d'azzardo; **~ de l'oie** gioco dell'oca;
~ de massacre (*fig*) massacro; **~ de
mots** gioco di parole; **~ de patience**
gioco di pazienza; **~ de physionomie**
mimica; **~ de société** gioco di società;
~x de lumière giochi di luce; **J~x
olympiques** giochi olimpici,
Olimpiadi *fpl*
jeudi [ʒødi] *nm* giovedì *m inv*; *voir
aussi* **lundi**; **~ saint** giovedì santo
jeun [ʒœ̃]: **à ~** *adv* a digiuno
jeune [ʒœn] *adj* giovane ■ *adv*: **faire
~** avere un'aria giovanile; **s'habiller ~**
vestirsi in modo giovanile; **les ~s** i
giovani; **~ fille** ragazza; **~ homme**
giovanotto, ragazzo; **~ loup** giovane
m rampante; **~ premier** attor *m*
giovane; **~ gens** giovani *mpl*; **~s
mariés** giovani sposi *mpl*
jeûne [ʒøn] *nm* digiuno
jeunesse [ʒœnɛs] *nf* giovinezza,
gioventù *f inv*; (*apparence*) giovinezza;
la ~ (*les jeunes*) la gioventù
joaillier, -ière [ʒɔaje, jɛR] *nm/f*
gioielliere(-a)
joie [ʒwa] *nf* gioia
joindre [ʒwɛ̃dR] *vt* unire,
congiungere; (*à une lettre*) accludere,
allegare; (*à un mail*) allegare;
(*personne: réussir à contacter*)
raggiungere, trovare ■ *vi* (*se toucher*)
combaciare; **se joindre** *vr* unirsi;
~ les deux bouts (*fig*) sbarcare il
lunario; **se ~ à** unirsi a
joint, e [ʒwɛ̃] *pp de* **joindre** ■ *adj*
(*pièces etc*) accluso(-a), allegato(-a)
■ *nm* (*articulation, assemblage*)
giuntura; (*de robinet*) guarnizione *f*;
(*de carrelage*) fuga; **sauter à pieds ~s**
saltare a piè pari; **~ à** (*un paquet, une
lettre etc*) accluso(-a) *ou* allegato(-a) a;
pièce ~e (documento) allegato;
chercher/trouver le ~ (*fig*) cercare/
trovare il verso giusto; **~ de cardan**
giunto cardanico; **~ de culasse**

guarnizione f della testata;
~ universel giunto universale

joli, e [ʒɔli] *adj* grazioso(-a), carino(-a); **une ~e somme/situation** una bella somma/situazione; **c'est du ~!** (*iron*) bella roba!; **un ~ gâchis** un bel pasticcio; **c'est bien ~ mais...** sta bene, ma...

jonc [ʒɔ̃] *nm* (*Bot*) giunco; (*bague*) anello a cerchio; (*bracelet*) braccialetto a cerchio

jonction [ʒɔ̃ksjɔ̃] *nf* congiunzione f; **(point de) ~** (*de routes, fleuves*) confluenza; **opérer une ~** (*Mil etc*) stabilire il collegamento

jongleur, -euse [ʒɔ̃glœR, øz] *nm/f* giocoliere(-a)

jonquille [ʒɔ̃kij] *nf* giunchiglia

Jordanie [ʒɔRdani] *nf* Giordania

joue [ʒu] *nf* guancia; **mettre en ~** prendere di mira

jouer [ʒwe] *vt* (*partie, jeu*) fare; (*carte, coup*) giocare; (*somme d'argent, fig: réputation etc*) giocarsi; (*pièce de théâtre, film*) dare; (*rôle*) interpretare; (*sentiment*) simulare, fingere; (*morceau de musique*) eseguire, suonare ▪ *vi* giocare; (*Mus*) suonare; (*Ciné, Théâtre*) recitare; (*bois, porte*) deformarsi; **~ sur** (*miser*) puntare su; **~ de** (*Mus*) suonare; **~ du couteau** maneggiare il coltello; **~ des coudes** farsi largo con i gomiti; **~ à** (*jeu, sport*) giocare a; **~ au héros** far l'eroe; **~ en faveur de qn/qch** giocare a favore di qn/qc; **~ avec** (*sa santé etc*) scherzare con; **se ~ de** (*difficultés*) non badare a; **se ~ de qn** prendersi gioco di qn; **~ un tour à qn** fare uno scherzo a qn; **~ la comédie** (*fig*) fare *ou* recitare la commedia; **~ à la baisse/hausse** (*Bourse*) giocare al ribasso/rialzo; **~ serré** fare un gioco prudente; **~ de malchance/malheur** essere sfortunato(-a); **~ sur les mots** giocare sulle parole; **à toi/nous de ~** (*fig*) tocca a te/a noi; **~ aux courses** giocare alle corse

jouet [ʒwɛ] *nm* giocattolo; **être le ~ de** (*fig: illusion etc*) essere vittima di

joueur, -euse [ʒwœR, øz] *nm/f* giocatore(-trice); (*musique*) suonatore(-trice) ▪ *adj* giocherellone(-a); **être beau/**

mauvais ~ (*fig*) sapere/non sapere perdere

jouir [ʒwiR]: **~ de** *vt* (*avoir*) godere di; (*savourer*) godersi

jour [ʒuR] *nm* giorno; (*clarté*) luce f; (*fig: aspect*): **sous un ~ favorable/ nouveau** sotto una luce favorevole/ nuova; (*ouverture*) apertura; (*Couture*): **mouchoir à ~** fazzoletto ricamato a giorno; **jours** *nmpl* (*vie*) giorni *mpl*; **de nos ~s** al giorno d'oggi; **un ~** (*dans le passé, futur*) un giorno; **tous les ~s** tutti i giorni; **de ~** di giorno; **de ~ en ~** di giorno in giorno; **d'un ~ à l'autre** da un giorno all'altro; **du ~ au lendemain** dall'oggi al domani; **au ~ le ~** giorno per giorno; **il fait ~** è giorno; **en plein ~** (*lit*) in piena luce; (*au milieu de la journée*) in pieno giorno; (*fig*) alla luce del sole; **au ~** alla luce del sole; **au petit ~** all'alba; **au grand ~** (*fig*) alla luce del sole; **mettre au ~** riportare alla luce; **être à ~** essere aggiornato(-a); **mettre à ~** aggiornare; **mise à ~** aggiornamento; **donner le ~ à** dare alla luce; **voir le ~** nascere; **se faire ~** (*fig*) venire a galla; **~ férié** giorno festivo

journal, -aux [ʒuRnal, o] *nm* giornale m; (*personnel*) diario; **le J~ officiel (de la République française)** ≈ la Gazzetta Ufficiale; **~ de bord** giornale di bordo; **~ de mode** giornale di moda; **~ parlé** giornale m radio *inv*; **~ télévisé** telegiornale m

journalier, -ière [ʒuRnalje, jɛR] *adj* giornaliero(-a), quotidiano(-a); (*banal*) quotidiano(-a) ▪ *nm/f* bracciante *m/f*

journalisme [ʒuRnalism] *nm* giornalismo

journaliste [ʒuRnalist] *nm/f* giornalista *m/f*

journée [ʒuRne] *nf* giornata; **la ~ continue** (*Admin*) l'orario continuato

joyau, x [ʒwajo] *nm* (*aussi fig*) gioiello

joyeux, -euse [ʒwajø, øz] *adj* allegro(-a); **~ Noël!** buon Natale!; **~ anniversaire!** buon compleanno!

jubiler [ʒybile] *vi* esultare

judas [ʒyda] *nm* spioncino

judiciaire [ʒydisjɛR] *adj* giudiziario(-a)

judicieux, -euse [ʒydisjø, jøz] *adj*
giudizioso(-a)

judo [ʒydo] *nm* judo

juge [ʒyʒ] *nm* (*aussi Sport, fig*) giudice
m; ~ **d'instruction** giudice istruttore
; ~ **de paix** giudice conciliatore *ou* di
pace; ~ **de touche** (*Football*)
guardalinee *m inv*; ~ **des enfants**
giudice del tribunale minorile

jugé [ʒyʒe]: **au** ~ *adv* a occhio e croce

jugement [ʒyʒmɑ̃] *nm* giudizio;
(*Jur*) sentenza; ~ **de valeur** giudizio
di valore

juger [ʒyʒe] *vt* giudicare ■ *nm*:
au ~ a occhio e croce; ~ **qn/qch**
satisfaisant *etc* giudicare qn/qc
soddisfacente *ecc*; ~ **bon de faire...**
giudicare *ou* ritenere opportuno
fare...; ~ **que** ritenere che; ~ **de qch**
giudicare qc; **jugez de ma surprise**
immagini la mia sorpresa

juif, -ive [ʒɥif, ʒɥiv] *adj* ebraico(-a)
■ *nm/f*: **Juif, -ive** ebreo(-a)

juillet [ʒɥijɛ] *nm* luglio; **au mois de** ~
nel mese di luglio; **en** ~ in *ou* a luglio;
le premier ~ il primo luglio; **arriver le**
2 ~ arrivare il 2 luglio; **début/fin** ~
all'inizio/alla fine di luglio; **pendant**
le mois de ~ durante il mese di luglio;
au mois de ~ **de l'année prochaine** a
luglio del prossimo anno; **tous les**
ans en ~ ogni anno a luglio

⬤ **14 JUILLET**
⬤
⬤ In Francia il 14 luglio si celebra,
⬤ con parate, musica, balli e fuochi
⬤ d'artificio, la presa della Bastiglia
⬤ durante la rivoluzione francese.
⬤ A Parigi si svolge una parata
⬤ militare lungo gli Champs-Élysées
⬤ cui assiste anche il Presidente.

---

juin [ʒɥɛ̃] *nm* giugno; *voir aussi* **juillet**

jumeau, jumelle, x [ʒymo, ɛl] *adj*,
nm/f gemello(-a); **maisons jumelles**
villetta *fsg* bifamiliare (*con parete in*
comune)

jumeler [ʒym(ə)le] *vt* (*Tech*)
accoppiare, abbinare; (*villes*)
gemellare; **roues jumelées** ruote *fpl*
doppie; **billets de loterie jumelés**
biglietti *mpl* di lotteria in serie doppia;
pari jumelé accoppiata

jumelle [ʒymɛl] *vb voir* **jumeler**
■ *adj, nf voir* **jumeau**; **jumelles** *nfpl*
(*instrument*) binocolo *msg*

jument [ʒymɑ̃] *nf* giumenta

jungle [ʒœ̃gl] *nf* (*aussi fig*) giungla

jupe [ʒyp] *nf* gonna

jupon [ʒypɔ̃] *nm* sottogonna

juré [ʒyʀe] *nm* giurato ■ *adj*: **ennemi**
~ nemico giurato

jurer [ʒyʀe] *vt* giurare ■ *vi* (*dire des*
jurons) imprecare, bestemmiare;
(*être mal assorti: couleurs etc*):
~ **(avec)** fare a pugni (con); ~ **de**
faire/que (*s'engager, affirmer*) giurare
di fare/che; **j'en jurerais** ci giurerei;
je n'en jurerais pas non ci giurerei;
~ **de qch** poter giurare su qc; **ils ne**
jurent que par lui si fidano
ciecamente di lui; **je vous jure!**
ma dico io!

juridique [ʒyʀidik] *adj* (*action*)
giudiziario(-a), legale; (*acte, études*)
giuridico(-a)

juron [ʒyʀɔ̃] *nm* imprecazione *f*,
bestemmia

jury [ʒyʀi] *nm* (*Jur*) giuria; (*Scol*)
commissione *f*

jus [ʒy] *nm* succo; (*de viande*) sugo;
(*fam: courant*) corrente *f* elettrica;
(: *café*) caffè *m inv*; ~ **d'orange** succo
d'arancia; ~ **de fruits** succo di frutta;
~ **de pommes/de raisins** succo di
mela/d'uva; ~ **de tomates** succo di
pomodoro

jusque [ʒysk]: **jusqu'à** *prép* fino a;
jusqu'au matin/soir fino al mattino/
a sera; **jusqu'à ce que** finché; **jusqu'à**
présent *ou* **maintenant** finora;
~ **sur/dans** fin sopra/dentro; ~ **vers**
fin verso; ~**-là** (*temps*) fino ad allora;
(*espace*) fin lì *ou* là; **jusqu'ici** (*temps*)
finora; (*espace*) fin qui

justaucorps [ʒystokɔʀ] *nm* (*Danse,*
Sport) body *m inv*

juste [ʒyst] *adj* giusto(-a); (*exact,*
précis) preciso(-a); (*étroit*) stretto(-a);
(*insuffisant*) scarso(-a) ■ *adv* giusto;
(*étroitement*) di misura; (*seulement*)
giusto, appena; **chanter** ~ essere
intonato(-a); **pouvoir tout** ~ **faire**
qch riuscire appena a fare qc; **j'ai eu** ~
assez de place pour... ho avuto
appena lo spazio sufficiente per...;
au ~ esattamente; **comme de** ~

naturalmente; **le ~ milieu** il giusto
mezzo; **à ~ titre** a buon diritto
justement [ʒystəmɑ̃] *adv*
giustamente; **c'est ~ ce qu'il fallait
faire** è proprio quello che bisognava
fare
justesse [ʒystɛs] *nf* giustezza;
(*exactitude, précision*) esattezza; **de ~**
per un pelo, di misura
justice [ʒystis] *nf* giustizia; **rendre la
~** amministrare la giustizia; **traduire
en ~** citare in giudizio; **obtenir ~**
ottenere giustizia; **rendre ~ à qn**
rendere giustizia a qn; **se faire ~** farsi
giustizia; (*se suicider*) suicidarsi
justificatif, -ive [ʒystifikatif, iv] *adj*
giustificativo(-a) ■ *nm* giustificativo
justifier [ʒystifje] *vt* giustificare;
(*disculper*) scagionare; (*confirmer,
prouver*) confermare; **se justifier** *vr*
giustificarsi; scagionarsi; **~ de**
provare, dimostrare; **non justifié** non
giustificato; **justifié à droite/
gauche** (*Typo*) giustificato a destra/
a sinistra
juteux, -euse [ʒytø, øz] *adj*
succoso(-a), sugoso(-a); (*fam: qui
rapporte*) fruttuoso(-a)
juvénile [ʒyvenil] *adj* giovanile

K

K, k [kɑ] *abr* (= *kilo*) k; (*Inform:
= kilooctet*) KB *m inv*
kaki [kaki] *adj inv* cachi *inv*, kaki *inv*
kangourou [kɑ̃guʀu] *nm* canguro
karaté [kaʀate] *nm* karatè *m*
kascher [kaʃɛʀ] *adj inv* kasher *inv*
kayak [kajak] *nm* kayak *m inv*
képi [kepi] *nm* képi *m inv*
kermesse [kɛʀmɛs] *nf* fiera,
kermesse *f inv*; (*fête villageoise*) sagra
kidnapper [kidnape] *vt* rapire
kilo [kilo] *nm* chilo
kilogramme [kilɔgʀam] *nm*
chilogrammo
kilométrage [kilɔmetʀaʒ] *nm*
chilometraggio; **faible ~** basso
chilometraggio
kilomètre [kilɔmɛtʀ] *nm* chilometro;
~s (à l')heure chilometri orari
kilométrique [kilɔmetʀik] *adj*
chilometrico(-a); **compteur ~**
contachilometri *m inv*
kinésithérapeute [kineziteʀapøt]
nm/f fisioterapista *m/f*
kiosque [kjɔsk] *nm* (*de jardin*) gazebo;
(*à journaux, à fleurs*) chiosco, edicola;
(*Tél etc*) cabina (telefonica)

kiwi [kiwi] *nm* kiwi *m inv*

klaxon [klaksɔn] *nm* clacson *m inv*

klaxonner [klaksɔne] *vi* suonare il clacson

km *abr* (= *kilomètre*) km

km/h *abr* (= *kilomètres/heure*) km/h

K.-O. [kao] *adj inv* (*Boxe, fig*) K. O. *inv*

Kosovar, e [kɔsɔvaʀ] *nm/f* kosovaro(a) *inv* ▪ *adj* kosovaro(a)

Kosovo [kɔsɔvo] *nm* Kosovo

kyste [kist] *nm* cisti *f inv*

---

l' [l] *dét voir* **le**

la [la] *nm* (*Mus*) la *m inv* ▪ *dét, pron voir* **le**

là [la] *adv* là, lì; (*ici*) qui; (*dans le temps*) a quel punto, in quel momento; **est-ce que Catherine est là?** c'è Caterina?; **elle n'est pas là** non c'è; **c'est là que** è là *ou* lì che; **là où** (là) dove; **de là** (*fig*) da lì; **par là** (*fig*) con questo, con ciò; **tout est là** è tutto qui; (*fig*) tutto qui; *voir aussi* **-ci, celui**

là-bas [lɑbɑ] *adv* laggiù

laboratoire [labɔʀatwaʀ] *nm* laboratorio; **~ d'analyses** laboratorio di analisi; **~ de langues** laboratorio linguistico

laborieux, -euse [labɔʀjø, jøz] *adj* (*tâche*) laborioso(-a); (*vie*) operoso(-a); **classes laborieuses** classi *fpl* lavoratrici

labourer [labuʀe] *vt* arare; (*fig*) lacerare

labyrinthe [labiʀɛ̃t] *nm* (*aussi fig*) labirinto

lac [lak] *nm* lago; **les Grands L~s** i Grandi Laghi; **~ Léman** lago Lemano

lacet [lasɛ] nm (de chaussure) stringa, laccio; (de route) tornante m; (piège) laccio; **chaussures à ~s** scarpe fpl con i lacci

lâche [laʃ] adj (poltron) vigliacco(-a), vile; (tissu, nœud, fil) allentato(-a), lento(-a); (flottant: vêtement) largo(-a); (morale, mœurs) rilassato(-a) ■ nm/f vigliacco(-a)

lâcher [laʃe] nm (de ballons, d'oiseaux) lancio ■ vt lasciare; (ce qui tombe: sac, verre) lasciar cadere; (oiseau, animal: libérer) liberare; (fig: mot, remarque) lasciarsi sfuggire; (Sport: distancer) distaccare; (abandonner: personne) piantare, lasciare ■ vi (fil) allentarsi; (amarres) mollarsi; (freins) cedere; **~ les amarres** mollare gli ormeggi; **~ les chiens (contre qn)** sguinzagliare i cani (dietro a qn); **~ prise** (fig) mollare (la presa)

lacrymogène [lakʁimɔʒɛn] adj lacrimogeno(-a)

lacune [lakyn] nf lacuna

là-dedans [ladədɑ̃] adv (dans un lieu, objet) là ou qui dentro; (fig) in ciò

là-dessous [ladsu] adv là ou qui sotto; (fig) sotto

là-dessus [ladsy] adv là ou qui sopra; (fig) con questo, detto ciò; (: à ce sujet) in proposito

lagune [lagyn] nf laguna (di atollo)

là-haut [lao] adv lassù

laid, e [lɛ, lɛd] adj (aussi fig) brutto(-a)

laideur [lɛdœʁ] nf bruttezza; (fig: bassesse) bruttura

lainage [lɛnaʒ] nm (vêtement) indumento di lana; (étoffe) tessuto di lana

laine [lɛn] nf lana; **pure ~** pura lana; **~ à tricoter** lana per lavori a maglia; **~ de verre** lana di vetro; **~ peignée** lana pettinata; **~ vierge** lana vergine

laïque [laik] adj, nm/f laico(-a)

laisse [lɛs] nf guinzaglio; **tenir en ~** tenere al guinzaglio

laisser [lese] vt, vb aux lasciare; **~ qch à qn** lasciare qc a qn; **~ qn faire** lasciar fare qn; **se ~ exploiter** lasciarsi sfruttare; **se ~ aller** lasciarsi andare; **laisse-toi faire** lasciati convincere; **rien ne laisse à penser que...** niente fa pensare che...; **cela ne laisse pas de surprendre** ciò non finisce di sorprendere; **~ qn tranquille** lasciare in pace qn

laisser-aller [leseale] nm inv (désinvolture) noncuranza; (péj) trascuratezza

laissez-passer [lesepase] nm inv lasciapassare m inv

lait [lɛ] nm latte m; **frère/sœur de ~** fratello/sorella di latte; **~ concentré/condensé** latte concentrato/condensato; **~ de beauté** latte di bellezza; **~ de chèvre/vache** latte di capra/mucca; **~ démaquillant** latte detergente; **~ écrémé/entier** latte scremato/intero; **~ en poudre** latte in polvere; **~ maternel** latte materno

laitage [lɛtaʒ] nm latticino

laiterie [lɛtʁi] nf caseificio

laitier, -ière [letje, lɛtjɛʁ] adj (produit, industrie) lattiero(-a); (vache) da latte ■ nm/f lattaio(-a)

laiton [lɛtɔ̃] nm ottone m

laitue [lety] nf lattuga

lambeau, x [lɑ̃bo] nm (aussi fig) brandello; **en ~x** a brandelli

lame [lam] nf (de couteau, rasoir, d'épée) lama; (lamelle) lamina; (vague) onda; **~ de fond** onda improvvisa; **~ de rasoir** lametta da barba

lamelle [lamɛl] nf (petite lame, Bot) lamella; (petit morceau) lamella, lamina; **couper en ~s** tagliare a lamelle

lamentable [lamɑ̃tabl] adj pietoso(-a), penoso(-a)

lamenter [lamɑ̃te] vr: **se lamenter**: **se ~ (sur)** (se plaindre) lamentarsi (di)

lampadaire [lɑ̃padɛʁ] nm (de salon) lampada a stelo; (dans la rue) lampione m

lampe [lɑ̃p] nf lampada; **~ à alcool** lampada a spirito; **~ à arc** lampada ad arco; **~ à bronzer** lampada a raggi ultravioletti; **~ à pétrole** lampada a petrolio; **~ à souder** cannello per saldare; **~ de poche** pila; **~ halogène** lampada alogena; **~ témoin** spia luminosa

lance [lɑ̃s] nf (arme) lancia; **~ à eau** lancia; **~ d'arrosage** lancia da irrigazione; **~ d'incendie** idrante m

lancée [lɑ̃se] nf: **être/continuer sur sa ~** essere trascinato(-a) dall'impeto

lancement [lɑ̃smɑ̃] nm lancio; (d'un bateau) varo; **offre de ~** offerta di lancio

lance-pierres [lɑ̃spjɛʀ] nm inv fionda

lancer [lɑ̃se] nm (Sport) lancio; (Pêche) pesca a lancio ■ vt lanciare; (bateau) varare; (qn sur un sujet) portare; (mandat d'arrêt) spiccare; (emprunt) emettere; (moteur) avviare, mettere in moto; **se lancer** vr lanciarsi; **~ qch à qn** lanciare qc a qn; **~ un appel** lanciare un appello; **se ~ dans** (discussion, aventure) lanciarsi in; (les affaires, la politique) buttarsi in; **~ du poids** nm lancio del peso

landau [lɑ̃do] nm carrozzina

lande [lɑ̃d] nf landa

langage [lɑ̃gaʒ] nm linguaggio; **~ d'assemblage** (Inform) linguaggio di assemblaggio; **~ de programmation** (Inform) linguaggio di programmazione; **~ évolué** (Inform) linguaggio evoluto; **~ machine** (Inform) linguaggio m macchina inv

langouste [lɑ̃gust] nf aragosta

langoustine [lɑ̃gustin] nf scampo

langue [lɑ̃g] nf (Anat, Culin, Ling) lingua; **tirer la ~ (à)** mostrare la lingua (a); **donner sa ~ au chat** rinunciare a capire ou a indovinare; **de ~ française** di lingua francese; **quelles ~s parlez-vous?** che lingue parla?; **~ de bois** politichese m; (péj) discorsi mpl vuoti e stereotipati; **~ de terre** lingua di terra; **~ maternelle** lingua madre; **~ verte** gergo, argot m inv; **~s vivantes** lingue moderne; **~s étrangères** lingue straniere

langueur [lɑ̃gœʀ] nf languore m

languir [lɑ̃giʀ] vi languire; **se languir** vr languire; **faire ~ qn** far soffrire qn

lanière [lanjɛʀ] nf (de fouet) cordone m; (de valise, bretelle) cinghia

lanterne [lɑ̃tɛʀn] nf (portable, électrique) lanterna; (de voiture) luce f (di posizione); **~ rouge** (fig) fanalino di coda; **~ vénitienne** lanterna veneziana

laper [lape] vt lappare

lapidaire [lapidɛʀ] adj (aussi fig) lapidario(-a); **musée ~** lapidario

lapin [lapɛ̃] nm coniglio; (fourrure) lapin m inv; **coup du ~** colpo violento (alla nuca); **poser un ~ à qn** fare un bidone a qn; **~ de garenne** coniglio selvatico

Laponie [laponi] nf Lapponia

laps [laps] nm: **~ de temps** lasso di tempo

laque [lak] nf, nm lacca

laquelle [lakɛl] pron voir **lequel**

larcin [laʀsɛ̃] nm furtarello

lard [laʀ] nm (graisse) lardo; **~ maigre** pancetta

lardon [laʀdɔ̃] nm (Culin) pezzetto di pancetta; (fam: enfant) bimbo, marmocchio

large [laʀʒ] adj largo(-a); (fig: généreux) generoso(-a) ■ adv: **voir ~** essere di ampie vedute ■ nm (largeur): **5m de ~** 5m di larghezza; (mer): **le ~** il largo; **au ~ de** al largo di; **ne pas en mener ~** sentirsi a disagio; **calculer ~** fare un calcolo approssimativo; **~ d'esprit** di larghe vedute

largement [laʀʒəmɑ̃] adv ampiamente, largamente; (au minimum) come minimo, tranquillamente; (de loin) di gran lunga; (donner etc) generosamente; **il a ~ le temps** ha tutto il tempo che vuole; **il a ~ de quoi vivre** ha largamente di che vivere

largesse [laʀʒɛs] nf (générosité) generosità, larghezza; **largesses** nfpl (dons) elargizioni fpl

largeur [laʀʒœʀ] nf (aussi fig) larghezza

larguer [laʀge] vt (fam: personne, emploi) mollare, sbarazzarsi di; **~ les amarres** mollare gli ormeggi

larme [laʀm] nf (de joie, douleur) lacrima; **en ~s** in lacrime; **une ~ de** (whisky, alcool) un goccio di; **pleurer à chaudes ~s** piangere a calde lacrime

larmoyer [laʀmwaje] vi (yeux) lacrimare; (se plaindre) piagnucolare

larvé, e [laʀve] adj (fig: conflit, guerre) latente

laryngite [laʀɛ̃ʒit] nf laringite f

las, lasse [lɑ, lɑs] adj stanco(-a); **~ de qch/de faire qch** stanco(-a) di qc/di fare qc

laser [lazɛʀ] nm: **(rayon) ~** (raggio) laser m inv; **chaîne** ou **platine ~** lettore m di compact disc; **disque ~** compact disc m inv

lasse [lɑs] adj f voir **las**

lasser [lɑse] vt stancare; (personne, patience) logorare, stancare; **se lasser de** vr stancarsi di

latéral, e, aux [lateʀal, o] adj laterale

latin, e [latɛ̃, in] adj latino(-a) ■ nm (langue) latino ■ nm/f: **Latin, e** latino(-a); **y perdre son ~** non capirci niente

latitude [latityd] nf latitudine f; **avoir la ~ de faire** (fig) avere la libertà di fare; **à 48 degrés de ~ nord** a 48 gradi di latitudine nord; **sous toutes les ~s** (fig) in tutto il mondo

lauréat, e [lɔʀea, at] nm/f vincitore(-trice)

> **FAUX AMIS**
> **lauréat** ne se traduit pas par le mot italien **laureato**.

laurier [lɔʀje] nm (Bot) alloro, lauro; (Culin) alloro; **lauriers** nmpl (fig: honneurs) allori mpl

lavable [lavabl] adj lavabile

lavabo [lavabo] nm (de salle de bains) lavabo, lavandino; **lavabos** nmpl (toilettes) toilette f inv

lavage [lavaʒ] nm lavaggio; **~ d'estomac** lavanda gastrica; **~ d'intestin** clistere m; **~ de cerveau** lavaggio del cervello

lavande [lavɑ̃d] nf (aussi Bot) lavanda

lave [lav] nf lava

lave-linge [lavlɛ̃ʒ] nm inv lavatrice f, lavabiancheria f inv

laver [lave] vt lavare; **se laver** vr lavarsi; **se ~ les dents** lavarsi i denti; **se ~ les mains** lavarsi le mani; **se ~ les mains de qch** (fig) lavarsi le mani di qc; **~ la vaisselle** lavare i piatti; **~ le linge** fare il bucato; **~ qn de** (accusation) scagionare qn da

laverie [lavʀi] nf: **~ (automatique)** lavanderia (automatica)

lavette [lavɛt] nf (chiffon) spugnetta; (brosse) spazzolino (per i piatti); (fig: péj: homme) smidollato

laveur, -euse [lavœʀ, øz] nm/f (de carreaux) pulitore(-trice) di vetri; (voitures) lavamacchine m/f inv

lave-vaisselle [lavvɛsɛl] nm inv lavastoviglie f inv

lavoir [lavwaʀ] nm lavatoio

laxatif, -ive [laksatif, iv] adj lassativo(-a) ■ nm lassativo

layette [lɛjɛt] nf corredino (da neonato)

 MOT-CLÉ

le, l', la [lə, l, la] (pl **les**) art déf **1** il (la); **le livre/la pomme/l'arbre** il libro/la mela/l'albero; **les étudiants** gli studenti; **les voitures** le automobili

2 (indiquant la possession): **se casser la jambe** rompersi la ou una gamba; **levez la main** alzate la mano; **avoir les yeux gris/le nez rouge** avere gli occhi grigi/il naso rosso

3 (temps): **le matin/soir** adv la mattina/sera; **le jeudi** (d'habitude) di ou il giovedì; **(ce jeudi-là)** quel ou il giovedì

4 (distribution, fraction) al (alla), il (la); **10 euros le mètre/kilo** 10 euro al metro/chilo; **le tiers/quart de** il terzo/quarto di

■ pron **1** (personne: mâle) lo; (: femelle) la; (: pl) li (le); **je le/la vois** lo/la vedo; **je les vois** li/le vedo

2 (animal, chose: singulier) lo (la); (: pl) li (le); **je le/la vois** lo/la vedo; **je les vois** li/le vedo

3 (remplaçant une phrase): **je ne le savais pas** non lo sapevo; **il était riche et ne l'est plus** era ricco e non lo è più

lécher [leʃe] vt leccare; (suj: flamme) lambire; (tableau, livre etc) forbire; **se lécher** vr leccarsi; **~ les vitrines** guardare le vetrine

lèche-vitrines [lɛʃvitʀin] nm inv: **faire du ~** guardare le vetrine

leçon [l(ə)sɔ̃] nf (aussi fig) lezione f; **faire la ~** fare lezione; **faire la ~ à** (fig) fare la predica a; **~ de choses** (Scol) metodo didattico a livello elementare per scienze naturali, fisica e chimica; **~s de conduite** lezioni di guida; **~s particulières** lezioni private

lecteur, -trice [lɛktœʀ, tʀis] nm/f (aussi Univ) lettore(-trice) ■ nm

(*Tech*): ~ **de cassettes** mangiacassette *m inv*; ~ **de disquette(s)** *ou* **de disque** (*Inform*) unità disco *f inv*; ~ **CD** lettore *m* di CD; ~ **compact-disc** lettore di compact disc; ~ **DVD** lettore di DVD; ~ **MP3** lettore MP3

lecture [lɛktyʀ] *nf* lettura; **en première/seconde** ~ (*Pol: loi*) in prima/seconda lettura

ledit, ladite [ledi, ladit] (*pl* **lesdits, lesdites**) *dét* il suddetto (la suddetta)

légal, e, aux [legal, o] *adj* legale

légaliser [legalize] *vt* legalizzare

légalité [legalite] *nf* legalità; **être dans/sortir de la** ~ essere nella/uscire dalla legalità

légendaire [leʒɑ̃dɛʀ] *adj* leggendario(-a); (*fig: rire, bonne humeur*) proverbiale

légende [leʒɑ̃d] *nf* (*mythe*) leggenda; (*de carte, plan, monnaie, médaille*) legenda; (*de texte, dessin*) didascalia

léger, -ère [leʒe, ɛʀ] *adj* leggero(-a); (*erreur*) lieve, piccolo(-a); (*retard, peine*) lieve, leggero(-a); **blessé** ~ persona lievemente ferita; **à la légère** alla leggera, con leggerezza

légèrement [leʒɛʀmɑ̃] *adv* con leggerezza; ~ **plus grand** leggermente più grande; ~ **en retard** leggermente in ritardo

légèreté [leʒɛʀte] *nf* leggerezza

Légion d'honneur *nf voir encadré ci-dessous*

🔸 **LÉGION D'HONNEUR**

Istituita da Napoleone nel 1802 per premiare i servizi resi allo Stato la *Légion d'honneur* è un prestigioso ordine cavalleresco francese capeggiato dal Presidente della Repubblica, il Grand Maître. I membri ricevono un compenso annuale esentasse.

législatif, -ive [leʒislatif, iv] *adj* legislativo(-a)

législatives [leʒislativ] *nfpl* (elezioni *fpl*) politiche *fpl*

légitime [leʒitim] *adj* legittimo(-a); **en état de** ~ **défense** (*Jur*) per legittima difesa

legs [lɛg] *nm* (*aussi fig*) eredità *f inv*

léguer [lege] *vt*: ~ **qch (à qn)** (*Jur*) lasciare in eredità qc (a qn); (*fig: tradition, pouvoir*) tramandare qc (a qn)

légume [legym] *nm* verdura, ortaggio; ~**s secs** legumi *mpl* secchi; ~**s verts** verdura fresca

lendemain [lɑ̃dmɛ̃] *nm*: **le** ~ il giorno dopo, l'indomani *m*; **le** ~ **matin/soir** l'indomani mattina/sera; **le** ~ **de** il giorno dopo; **au** ~ **de** il giorno dopo; **penser au** ~ pensare al domani; **sans** ~ senza futuro; **de beaux** ~**s** un felice seguito *ou* esito; **des** ~**s qui chantent** un futuro felice

lent, e [lɑ̃, lɑ̃t] *adj* lento(-a)

lentement [lɑ̃tmɑ̃] *adv* lentamente

lenteur [lɑ̃tœʀ] *nf* lentezza; **lenteurs** *nfpl* (*actions, décisions lentes*) lungaggini *fpl*

lentille [lɑ̃tij] *nf* (*Optique*) lente *f*; (*Bot, Culin*) lenticchia; ~ **d'eau** (*Bot*) lenticchia d'acqua; ~**s de contact** lenti a contatto

léopard [leɔpaʀ] *nm* leopardo; **tenue** ~ tuta mimetica

lèpre [lɛpʀ] *nf* lebbra

▎**FAUX AMIS**
lèpre ne se traduit pas par le mot italien **lepre**.

lequel, laquelle [ləkɛl, lakɛl] (*mpl* **lesquels**, *fpl* **lesquelles**) (*à* + *lequel* = **auquel**, *de* + *lequel* = **duquel** *etc*) *pron* (*interrogatif*) quale; (*relatif: personne: sujet*) il (la) quale, che; (: *objet*) che; (: *après préposition*) quale, cui; (: *chose*) cui ■ *adj*: **auquel cas** nel qual caso; **il prit un livre,** ~ **livre...** prese un libro, che...; ~**/duquel des deux?** quale/di quale dei due?; **un homme sur la compétence duquel on ne peut compter** un uomo sulla cui competenza non si può contare

les [le] *dét voir* **le**

lesbienne [lɛsbjɛn] *nf* lesbica

lesdits, lesdites [ledi, dit] *dét voir* **ledit**

léser [leze] *vt* (*intérêt*) ledere; (*Méd: organe*) ledere, danneggiare

lésiner [lezine] *vi*: ~ **(sur)** lesinare (su)

lésion [lezjɔ̃] *nf* lesione *f*; ~**s cérébrales** lesioni cerebrali

lesquels, lesquelles [lekɛl] *pron voir* **lequel**

lessive [lesiv] *nf* (*poudre à laver*) detersivo; (*linge, opération*) bucato; **faire la ~** fare il bucato

lessiver [lesive] *vt* lavare (con detersivo)

lest [lɛst] *nm* zavorra; **jeter** *ou* **lâcher du ~** (*fig*) fare delle concessioni (per salvare la situazione)

leste [lɛst] *adj* (*personne, mouvement*) svelto(-a); (*désinvolte: manières*) disinvolto(-a); (*osé: plaisanterie*) spinto(-a)

lettre [lɛtʀ] *nf* lettera; **lettres** *nfpl* (*Art, Scol*) lettere *fpl*; **à la ~** (*fig: obéir*) alla lettera; **par ~** (*dire, informer*) per lettera; **en ~s majuscules** *ou* **capitales** a lettere maiuscole; **en toutes ~s** per esteso; **~ anonyme** lettera anonima; **~ de change** cambiale *f*; **~ de crédit** lettera di credito; **~ de noblesse** pedigree *m inv*; **~ de voiture** lettera di vettura; **~ morte, rester ~ morte** rimanere lettera morta; **~ ouverte** (*Pol, de journal*) lettera aperta; **~ piégée** pacco *m* bomba *inv*

leucémie [løsemi] *nf* leucemia

leur [lœʀ] *adj* loro ■ *pron* (*objet indirect*) loro; (*après un autre pronom à la troisième personne*) (a) loro; (*possessif*): **le/la ~, les ~s** il/la loro, i (le) loro; **je ~ ai dit la vérité** ho detto loro la verità; **je le ~ ai donné** l'ho dato a loro, gliel'ho dato; **~ maison** la loro casa; **~s amis** i loro amici; **à ~ avis** secondo loro; **à ~ approche** quando si sono avvicinati; **à ~ vue** alla loro vista

levain [ləvɛ̃] *nm* (*de boulanger*) lievito; **sans ~** azimo

levé, e [ləve] *adj*: **être ~** essere alzato(-a) *ou* in piedi ■ *nm*: **~ de terrain** rilievo (topografico); **à mains ~es** (*vote*) per alzata di mano; **au pied ~** su due piedi

levée [ləve] *nf* (*Postes*) levata; (*Cartes*) presa; **~ d'écrou** rilascio; **~ de boucliers** (*fig*) levata di scudi; **~ de terre** argine *m*; **~ de troupes/en masse** arruolamento di truppe/in massa; **~ du corps** rimozione *f* della salma

lever [l(ə)ve] *vt* alzare; (*interdiction, siège, séance*) togliere; (*difficulté*) rimuovere; (*impôts*) riscuotere; (*armée*) arruolare; (*Chasse*) stanare; (*fam: fille*) sedurre ■ *vi* (*Culin*) lievitare; (*semis, graine*) spuntare; **se lever** *vr* (*gén, brouillard*) alzarsi; (*soleil*) sorgere; (*jour*) spuntare ■ *nm*: **~ du jour** spuntar *m* del giorno; **~ de soleil** sorgere *m* del sole; **au ~ (de soleil)** al sorgere del sole; **ça va se ~** sta tornando il sereno, sta schiarendo; **~ de rideau** *spettacolo breve che precede la rappresentazione principale*; **au ~ du rideau** all'alzarsi del sipario

levier [ləvje] *nm* (*aussi fig*) leva; **faire ~ sur** far leva su; **~ de changement de vitesse** leva del cambio; **~ de commande** leva di comando

lèvre [lɛvʀ] *nf* labbro; **du bout des ~s** (*manger*) svogliatamente; (*rire, parler, répondre*) a fior di labbra; **petites/ grandes ~s** (*Anat*) piccole/grandi labbra

lévrier [levrije] *nm* levriere *m*

levure [l(ə)vyʀ] *nf*: **~ de boulanger** lievito di fornaio; **~ chimique** lievito chimico; **~ de bière** lievito di birra

lexique [lɛksik] *nm* (*glossaire*) lessico

lézard [lezaʀ] *nm* (*Zool, peau*) lucertola

lézarde [lezaʀd] *nf* crepa

liaison [ljɛzɔ̃] *nf* (*rapport*) collegamento, legame *m*; (*Rail, Aviat etc*) collegamento; (*relation amoureuse*) relazione *f*; (*Culin*) amalgama *m*; (*Phonétique*) liaison *m inv*, legamento; **entrer/être en ~ avec** entrare/essere in contatto con; **~ (de transmission de données)** collegamento di dati; **~ radio** collegamento *m* radio *inv*; **~ téléphonique** collegamento telefonico

liane [ljan] *nf* liana

liasse [ljas] *nf* (*de billets*) mazzetto; (*de lettres*) fascio, mazzo

Liban [libã] *nm* Libano

libeller [libele] *vt* (*lettre, rapport*) redigere; (*chèque, mandat*): **~ (au nom de)** intestare a

libellule [libelyl] *nf* libellula

libéral, e, aux [libeʀal, o] *adj, nm/f*
liberale *m/f*; **les professions ~es** le
libere professioni
libérer [libeʀe] *vt* liberare; (*soldat*)
congedare; (*Écon: échanges
commerciaux*) liberalizzare; **se libérer**
vr (*de rendez-vous*) liberarsi; **~ qn de**
liberare qn da
liberté [libeʀte] *nf* libertà *f inv*;
libertés *nfpl* (*privautés*) libertà *fpl*;
mettre/être en ~ mettere/essere in
libertà; **en ~ provisoire** in libertà
provvisoria; **en ~ surveillée** in libertà
vigilata; **en ~ conditionnelle** in
libertà condizionata; **~ d'action/
d'association** libertà d'azione/di
associazione; **~ d'esprit/d'opinion**
libertà di pensiero/di opinione; **~ de
conscience/de culte** libertà di
coscienza/di culto; **~ de la presse**
libertà di stampa; **~ syndicale/de
réunion** libertà di associazione
sindacale/di riunione; **~s
individuelles** libertà *fpl* individuali;
~s publiques diritti *mpl* civili
libraire [libʀɛʀ] *nm/f* libraio(-a)
librairie [libʀeʀi] *nf* libreria
libre [libʀ] *adj* libero(-a);
(*enseignement, école*) privato(-a);
~ de (*contrainte, obligation*) libero(-a)
da; **avoir le champ ~** avere campo
libero; **la place est ~?** è libero questo
posto?; **vente ~** (*Comm: produit*)
libera vendita; **être en vente ~**
(*Comm: produit*) essere venduto(-a)
liberamente; **~ arbitre** libero
arbitrio; **~ concurrence** libera
concorrenza; **~ entreprise** libera
impresa
libre-échange [libʀeʃaʒ] *nm* libero
scambio
libre-service [libʀəsɛʀvis] (*pl* **libres-
services**) *nm* (*magasin, restaurant*)
self-service *m inv*
Libye [libi] *nf* Libia
licence [lisãs] *nf* (*Comm, liberté,
poétique, de mœurs*) licenza; (*Sport*)
tessera; (*diplôme*) titolo universitario
rilasciato dopo tre anni di studio,
≈ laurea breve
licencié, e [lisãsje] *nm/f* (*Scol*): **~ en
lettres/en droit** chi possiede una
"*licence*" in lettere/in diritto; (*Sport*)
tesserato(-a)

licenciement [lisãsimã] *nm*
licenziamento
licencier [lisãsje] *vt* licenziare
licite [lisit] *adj* lecito(-a)
lie [li] *nf* (*du vin, cidre*) feccia
lié, e [lje] *adj*: **être très ~ avec qn** (*fig*)
essere molto legato(-a) a qn; **être ~
par** (*serment, promesse*) essere
legato(-a) da; **avoir partie ~e (avec
qn)** far lega (con qn)
liège [ljɛʒ] *nm* sughero
lien [ljɛ̃] *nm* legaccio, laccio; (*fig:
analogie*) legame *m*, nesso; (: *rapport
affectif, culturel*) legame, vincolo; **~ de
famille** vincolo familiare; **~ de
parenté** vincolo di parentela
lier [lje] *vt* (*gén, fig, Culin*) legare;
(*joindre*) collegare; **se ~ (avec qn)** fare
amicizia (con qn); **~ qch à** (*attacher*)
legare qc a; (*associer*) collegare qc a;
~ amitié (avec) fare amicizia (con);
~ conversation (avec) attaccare
discorso (con); **~ connaissance
(avec)** fare conoscenza (con)
lierre [ljɛʀ] *nm* edera
lieu, x [ljø] *nm* luogo; **lieux** *nmpl*
(*habitation, salle*): **vider/quitter les
~x** sgomberare, sloggiare; **arriver/
être sur les ~x** (*d'un accident,
manifestation*) arrivare/essere sul
posto *ou* luogo; **en ~ sûr** al sicuro; **en
haut ~** in alto loco; **en premier ~** in
primo luogo; **en dernier ~** infine;
avoir ~ aver luogo; **avoir ~ de faire**
avere motivo di fare; **tenir ~ de** (*faire
office de*) fare da; **donner ~ à** dar luogo
a; **au ~ de** invece di; **au ~ qu'il y aille**
invece che vada lui; **~ commun** luogo
comune; **~ de départ** luogo di
partenza; **~ de naissance** luogo di
nascita; **~ de rendez-vous** punto di
ritrovo, luogo dell'appuntamento;
~ de travail posto di lavoro;
~ géométrique luogo geometrico;
~ public luogo pubblico
lieu-dit [ljødi] (*pl* **lieux-dits**) *nm*
località *f inv*
lieutenant [ljøt(ə)nã] *nm* tenente *m*;
~ de vaisseau tenente di vascello
lièvre [ljɛvʀ] *nm* lepre *f*; **lever un ~**
(*fig*) sollevare una questione spinosa
ligament [ligamã] *nm* legamento
ligne [liɲ] *nf* linea; **en ~** (*Inform*) in
linea; **en ~ droite** in linea retta;

"**à la ~**" "a capo"; **garder la ~** (*silhouette féminine*) mantenere la linea; **entrer en ~ de compte** andar tenuto in considerazione; **~ d'arrivée** traguardo; **~ d'horizon** linea dell'orizzonte; **~ de but** linea di fondo; **~ de conduite** linea di condotta; **~ de départ** linea di partenza; **~ de flottaison** linea di galleggiamento; **~ de mire** linea di mira; **~ de touche** linea laterale; **~ directrice** linea direttrice; **~ fixe** (*Tél*) linea fissa; **~ médiane** linea mediana; **~ ouverte** émission à **~ ouverte** trasmissione *f* in linea diretta (con gli ascoltatori)
lignée [liɲe] *nf* stirpe *f*, famiglia
ligoter [ligɔte] *vt* (*bras, personne*) legare; (*fig*) incatenare
ligue [lig] *nf* lega; **~ arabe** lega araba
lilas [lila] *nm* lillà *m inv*
limace [limas] *nf* lumaca
limande [limɑ̃d] *nf* (*poisson*) limanda
lime [lim] *nf* (*Tech*) lima; (*Bot*) lime *m inv*; **~ à ongles** limetta per le unghie
limer [lime] *vt* limare
limitation [limitasjɔ̃] *nf* limitazione *f*, limite *m*; **sans ~ de temps** senza limiti nel tempo; **~ de vitesse** limite di velocità; **~ des armements** limitazione degli armamenti; **~ des naissances** controllo delle nascite
limite [limit] *nf* (*de terrain, d'un pays*) confine *m*; (*partie ou point extrême, fig*) limite *m*; **dans la ~ de** nei limiti di; **à la ~** (*au pire*) al limite; **sans ~s** senza limiti; **vitesse ~** velocità limite ou massima; **charge ~** carico limite ou massimo; **cas ~** caso *m* limite *inv*; **date ~ de vente** data di scadenza; "**date ~ de consommation...**" "da consumarsi preferibilmente entro il..."; **prix ~** prezzo limite; **~ d'âge** limite d'età
limiter [limite] *vt* (*restreindre*) limitare; (*délimiter*) delimitare; **se limiter** *vr*: **se ~** (**à qch/à faire**) limitarsi (a qc/a fare)
limitrophe [limitʀɔf] *adj*: **~ (de)** limitrofo(-a) (a)
limoger [limɔʒe] *vt* (*Pol*) silurare, rimuovere da un incarico
limon [limɔ̃] *nm* limo, fango
limonade [limɔnad] *nf* gazzosa
lin [lɛ̃] *nm* lino

linceul [lɛ̃sœl] *nm* sudario
linge [lɛ̃ʒ] *nm* (*serviettes etc*) biancheria; (*pièce de tissu*) panno; (*lessive*) bucato; **~ (de corps)** biancheria intima; **~ (de toilette)** biancheria da bagno; **~ sale** biancheria sporca
lingerie [lɛ̃ʒʀi] *nf* biancheria (intima)
lingot [lɛ̃go] *nm* lingotto
linguistique [lɛ̃gɥistik] *adj* linguistico(-a) ■ *nf* linguistica
lion, ne [ljɔ̃, ɔn] *nm/f* leone(-essa); (*Astrol*): **L~** Leone; **être (du) L~** essere del Leone; **~ de mer** leone marino
lionceau, x [ljɔ̃so] *nm* leoncino
liqueur [likœʀ] *nf* liquore *m*
liquidation [likidasjɔ̃] *nf* liquidazione *f*; **~ judiciaire** liquidazione giudiziaria
liquide [likid] *adj* liquido(-a) ■ *nm* (*Phys, gén*) liquido; (*Comm*): **en ~** in contanti; **je n'ai pas de ~** non ho contanti; **air ~** aria liquida
liquider [likide] *vt* liquidare
lire [liʀ] *nf* (*monnaie*) lira ■ *vt, vi* (*aussi fig*) leggere; **~ qch à qn** leggere qc a qn
lis [lis] *vb voir* **lire** ■ *nm* = **lys**
lisible [lizibl] *adj* leggibile
lisière [lizjɛʀ] *nf* (*de forêt, bois*) limite *m*, margine *m*; (*de tissu*) cimosa
lisons [lizɔ̃] *vb voir* **lire**
lisse [lis] *adj* liscio(-a)
liste [list] *nf* lista; **faire la ~ de** fare la lista di; **~ civile** appannaggio; **~ d'attente** lista d'attesa; **~ de mariage** lista di matrimonio; **~ électorale** lista elettorale; **~ noire** lista nera
listing [listiŋ] *nm* (*Inform*) stampato (*su modulo continuo*)
lit [li] *nm* (*gén, de rivière*) letto; **faire son ~** fare il letto; **aller/se mettre au ~** andare/mettersi a letto; **prendre le ~** (*malade etc*) mettersi a letto; **d'un premier ~** (*Jur: enfant*) di primo letto; **~ d'enfant** lettino; **~ de camp** brandina
literie [litʀi] *nf* articoli *mpl* per il letto
litige [litiʒ] *nm* controversia; **en ~** (*point, cas*) controverso(-a)
litre [litʀ] *nm* litro
littéraire [liteʀɛʀ] *adj* (*œuvre, critique, langue*) letterario(-a); (*personne*) letterato(-a)

littéral, e, aux [liteʀal, o] *adj* letterale

littérature [liteʀatyʀ] *nf* letteratura

littoral, e, aux [litɔʀal, o] *adj, nm* litorale *(m)*

livide [livid] *adj* livido(-a)

livraison [livʀɛzɔ̃] *nf* consegna; **~ à domicile** consegna a domicilio

livre [livʀ] *nm* (*gén*) libro; (*imprimerie*): **le ~** l'editoria ▪ *nf* (*poids*) libbra; (*monnaie*) (*lira*) sterlina; **traduire qch à ~ ouvert** tradurre a vista; **~ blanc** libro bianco; **~ d'or** libro d'oro; (*pour visiteurs*) registro degli ospiti; **~ de bord** (*Naut*) libro di bordo; **~ de chevet** lettura preferita; **~ de comptes** libro contabile; **~ de cuisine** libro di cucina; **~ de messe** messale *m*; **~ de poche** libro tascabile; **~ verte** sterlina verde

livré, e [livʀe] *adj*: **~ à** (*l'anarchie etc*) abbandonato(-a) a; **~ à soi-même** abbandonato(-a) a se stesso(-a)

livrer [livʀe] *vt* consegnare; (*secret, information*) rivelare; **se livrer à** *vr* (*se confier à*) confidarsi con; (*se rendre*) consegnarsi a; (*s'abandonner à: débauche etc*) abbandonarsi a; (*faire: pratiques, travail, enquête*) dedicarsi a; (: *sport*) darsi a; **~ bataille** dare battaglia

livret [livʀɛ] *nm* (*petit livre, d'opéra*) libretto; **~ de caisse d'épargne** libretto di risparmio; **~ de famille** *libretto contenente dati ufficiali riguardo lo stato di famiglia*; **~ scolaire** pagella

livreur, -euse [livʀœʀ, øz] *nm/f* fattorino, addetto(-a) alla consegna

local, e, aux [lɔkal, o] *adj, nm* locale *(m)*

localité [lɔkalite] *nf* località *f inv*

locataire [lɔkatɛʀ] *nm/f* inquilino(-a), affittuario(-a)

location [lɔkasjɔ̃] *nf* affitto; (*de voiture etc*) noleggio; (*de billets, places*) prenotazione *f*; **"~ de voitures"** "autonoleggio"

locomotive [lɔkɔmɔtiv] *nf* (*Rail, fig*) locomotiva

locution [lɔkysjɔ̃] *nf* locuzione *f*

loge [lɔʒ] *nf* (*Théâtre: d'artiste*) camerino; (: *de spectateurs*) palco; (*de concierge*) portineria; (*de franc-maçon*) loggia

logement [lɔʒmɑ̃] *nm* alloggio; (*Pol, Admin*): **le ~** gli alloggi; **chercher un ~** cercare alloggio; **construire des ~s bon marché** costruire degli alloggi popolari; **crise du ~** crisi *f inv* degli alloggi; **~ de fonction** (*Admin*) alloggio per uso foresteria

loger [lɔʒe] *vt* alloggiare, dare alloggio a; (*suj: hôtel, école*) ospitare, alloggiare ▪ *vi* abitare, vivere; **se loger** *vr* alloggiare; **se ~ dans** (*suj: balle, flèche*) conficcarsi in

logeur, -euse [lɔʒœʀ, øz] *nm/f* affittacamere *m/f inv*

logiciel [lɔʒisjɛl] *nm* (*Inform*) software *m inv*

logique [lɔʒik] *adj* logico(-a) ▪ *nf* logica; **c'est ~** è logico

logo [lɔgo] *nm* (*Comm*) logo *m inv*, logotipo

loi [lwa] *nf* (*aussi fig*) legge *f*; **avoir force de ~** aver forza di legge; **faire la ~** dettar legge; **livre/tables de la ~** (*Rel*) libro/tavole *fpl* della legge; **la ~ de la jungle/du plus fort** la legge della giungla/del più forte; **proposition/projet de ~** proposta/progetto di legge; **~ d'orientation** legge di orientamento

loin [lwɛ̃] *adv* lontano; **plus ~** più avanti, più in là; **moins ~ (que)** meno lontano (di); **~ de** lontano da; **c'est ~ d'ici?** è molto lontano da qui?; **pas ~ de 1 000 euros** quasi 1000 euro; **au ~** in lontananza; **de ~** da lontano; (*fig*) di gran lunga; **il revient de ~** (*fig*) l'ha scampata bella; **de ~ en ~** di tanto in tanto; **aussi ~ que...** lontano quanto...; **~ de là** (*bien au contraire*) al contrario

lointain, e [lwɛ̃tɛ̃, ɛn] *adj* lontano(-a) ▪ *nm*: **dans le ~** in lontananza

loir [lwaʀ] *nm* ghiro

loisir [lwaziʀ] *nm*: **heures de ~** tempo *msg* libero; **loisirs** *nmpl* (*temps libre*) tempo *msg* libero; (*activités*) svaghi *mpl*, passatempi *mpl*; **prendre/avoir le ~ de faire qch** prendersi/avere il tempo per fare qc; **(tout) à ~** con comodo; (*autant qu'on le désire*) a piacere, a volontà

londonien, ne [lɔ̃dɔnjɛ̃, jɛn] *adj* londinese ▪ *nm/f*: **Londonien, ne** londinese *m/f*

Londres [lɔ̃dʀ] n Londra
long, longue [lɔ̃, lɔ̃g] adj lungo(-a)
■ adv: **en dire/savoir ~** dirla/saperla
lunga ■ nm: **de 5 m de ~** di 5 metri di
lunghezza; **faire ~ feu** fare cilecca; **ne
pas faire ~ feu** durare poco; **au ~
cours** (Naut: navigation, capitaine) di
lungo corso; **de longue date, de
longue durée** di vecchia data; **de
longue haleine** di ampio respiro;
être ~ à faire (personne) metterci
tanto tempo a fare; **en ~** (être couché,
mis) per lungo; **(tout) le ~ de** (rue,
bord) lungo (tutto(-a)); **tout au ~ de**
(année, vie) per tutto(-a), nel corso di;
marcher de ~ en large camminare
avanti e indietro; **en ~ et en large** (fig:
étudier, examiner) approfonditamente,
in lungo e in largo
longer [lɔ̃ʒe] vt costeggiare
longiligne [lɔ̃ʒilin] adj longilineo(-a)
longitude [lɔ̃ʒityd] nf longitudine f;
à 45 degrés de ~ nord a 45 gradi di
longitudine nord
longtemps [lɔ̃tɑ̃] adv (parler, jouer)
molto, per molto tempo, a lungo;
avant ~ tra non molto; **pour/
pendant ~** per molto tempo; **je n'en
ai pas pour ~** non ne ho per molto;
elle/il en a pour ~ (à) le/gli occorrerà
molto tempo (per); **mettre ~ à faire
qch** metterci molto a fare qc; **ça ne
va pas durer ~** non durerà molto ou a
lungo; **il y a/n'y a pas ~ que je
travaille/l'ai rencontré** è/non è da
molto che lavoro/che l'ho incontrato;
il y a ~ que je n'ai pas travaillé non
lavoro da molto tempo
longue [lɔ̃g] adj f voir **long** ■ nf:
à la ~ (finalement) a lungo andare,
alla lunga
longuement [lɔ̃gmɑ̃] adv (longtemps:
parler, regarder) a lungo, lungamente;
(en détail: expliquer, raconter)
dettagliatamente
longueur [lɔ̃gœʀ] nf lunghezza;
longueurs nfpl (fig: d'un film, livre)
lungaggini fpl; **une ~ de (piscine)** una
vasca; **sur une ~ de 10 km** per 10 km;
en ~ (mettre, être) per lungo; **tirer en ~**
tirare per le lunghe; **à ~ de journée**
tutto il giorno; **d'une ~** (Sport: gagner,
battre) per una lunghezza; **~ d'onde**
lunghezza d'onda

loquet [lɔkɛ] nm (de porte)
catenaccio, paletto
lorgner [lɔʀɲe] vt (personne)
sbirciare; (place, objet) adocchiare
lors [lɔʀ]: **~ de** prép (au moment de) al
momento di; (pendant) all'epoca di;
~ même que quand'anche
lorsque [lɔʀsk] conj quando
losange [lɔzɑ̃ʒ] nm losanga; (Géom)
rombo; **en ~** a losanga
lot [lo] nm (part, position) partita,
lotto; (quantité): **un ~ de...** una
partita di...; (de loterie) premio; (fig:
destin) destino, sorte f; (Comm)
partita; (Inform) batch m inv; **~ de
consolation** premio di consolazione
loterie [lɔtʀi] nf (aussi fig) lotteria;
L~ nationale Lotteria nazionale
lotion [losjɔ̃] nf lozione f; **~ après
rasage** lozione dopobarba; **~
capillaire** lozione per capelli
lotissement [lɔtismɑ̃] nm area
lottizzata; (parcelle) lottizzazione f
loto [loto] nm (jeu d'enfant) tombola;
(jeu de hasard) lotto

⬡ **LOTO**
⬡
⬡ Il Loto è una lotteria statale che
⬡ assegna grossi premi in denaro.
⬡ I partecipanti scelgono 6 tra 49
⬡ numeri e l'entità del premio è
⬡ proporzionale alla quantità di
⬡ numeri indovinati. I risultati
⬡ vengono trasmessi per televisione
⬡ due volte alla settimana.

lotte [lɔt] nf (Zool) rana pescatrice;
(Culin) coda di rospo
louange [lwɑ̃ʒ] nf: **à la ~ de qn/qch**
in elogio a qn/qc; **louanges** nfpl
(compliments) lodi fpl
loubard [lubaʀ] nm teppista m/f
louche [luʃ] adj losco(-a) ■ nf
mestolo
loucher [luʃe] vi (personne) essere
strabico(-a); **~ sur qch** (fig)
desiderare avidamente qc
louer [lwe] vt (suj: propriétaire)
affittare, dare in affitto; (: locataire)
affittare, prendere in affitto; (voiture,
téléviseur etc) noleggiare; (place de
cinéma, de train etc) prenotare;
(personne, qualités, bontés, Rel: Dieu)

lodare; **"à ~"** (*maison*, *magasin*) "affittasi", "in affitto"; **se ~ de qch/ d'avoir fait qch** vantarsi di qc/di aver fatto qc; **je voudrais ~ une voiture** vorrei noleggiare una macchina

loup [lu] *nm* lupo; (*poisson*) branzino, spigola; (*masque*) mascherina; **jeune ~** giovane *m* ambizioso; **~ de mer** lupo di mare

loupe [lup] *nf* (*Optique*) lente *f* (d'ingrandimento); **à la ~** (*fig*) nei dettagli; **~ de noyer** (*Menuiserie*) radica di noce

> **FAUX AMIS**
> **loupe** ne se traduit pas par le mot italien **lupa**.

louper [lupe] (*fam*) *vt* (*train etc*) perdere; (*examen*) essere bocciato a

lourd, e [luʀ, luʀd] *adj* (*aussi fig*) pesante; (*chaleur*, *temps*) afoso(-a), pesante; (*impôts*) gravoso(-a), pesante; (*parfum*, *vin*) carico(-a) ■ *adv*: **peser ~** pesare molto; **~ de** (*conséquences*, *menaces*) carico(-a) di; (*fatigue*, *sommeil*) pieno(-a) di; **artillerie/industrie ~e** artiglieria/ industria pesante

lourdaud, e [luʀdo, od] (*péj*) *adj* (*au physique*) maldestro(-a); (*au moral*) zoticone(-a)

lourdement [luʀdəmɑ̃] *adv* pesantemente; **se tromper ~** sbagliarsi di grosso

> **FAUX AMIS**
> **lourd** ne se traduit pas par le mot italien **lordo**.

loutre [lutʀ] *nf* lontra; (*fourrure*) (pelliccia di) lontra

louveteau, x [luv(ə)to] *nm* (*Zool*) lupacchiotto; (*scout*) lupetto

louvoyer [luvwaje] *vi* (*Naut*) bordeggiare; (*fig*) destreggiarsi, barcamenarsi

loyal, e, aux [lwajal, o] *adj* leale

loyauté [lwajote] *nf* lealtà

loyer [lwaje] *nm* affitto; **~ de l'argent** tasso di interesse del denaro

lu [ly] *pp de* **lire**

lubie [lybi] *nf* ghiribizzo, capriccio

lubrifiant [lybʀifjɑ̃] *nm* lubrificante *m*

lubrifier [lybʀifje] *vt* lubrificare

lubrique [lybʀik] *adj* (*regard*) libidinoso(-a)

lucarne [lykaʀn] *nf* abbaino

lucide [lysid] *adj* lucido(-a)

lucratif, -ive [lykʀatif, iv] *adj* redditizio(-a); **à but non ~** non a scopo di lucro

lueur [lɥœʀ] *nf* bagliore *m*; (*pâle*) chiarore *m*, luce *f*; (*fig: de désir*, *colère*) lampo; (: *de raison*, *d'intelligence*) sprazzo, lampo; (: *d'espoir*) barlume *m*

luge [lyʒ] *nf* slittino; **faire de la ~** andare in slittino

lugubre [lygybʀ] *adj* lugubre

 MOT-CLÉ

lui¹ [lɥi] *pron* **1** (*objet indirect*: *mâle*) gli; (: *femelle*) le; **je lui ai parlé** gli/le ho parlato; **il lui a offert un cadeau** gli/ le ho fatto un regalo
2 (*après préposition*, *dans comparaison*) lui; **elle est contente de lui** è contenta di lui; **je le connais mieux que lui** la conosco meglio di lui
3 (*sujet*, *forme emphatique*) lui; **lui, il est à Paris** lui è a Parigi
4: **lui-même** (*humain*) egli stesso; (*chose*, *animal*) esso stesso; (*après prép*) sé; **il a agi de lui-même** ha agito da solo
5 (*objet direct*) se stesso; (*sujet*: *humain*) egli stesso; (: *non humain ou inanimé*) esso stesso; **ce livre est à lui** questo libro è suo; **c'est à lui de jouer** tocca a lui giocare; **c'est lui qui l'a fait** è stato lui a farlo, l'ha fatto lui; **c'est lui que je vois** io vedo lui; **avec lui** con lui

lui² [lɥi] *pp de* **luire**

luire [lɥiʀ] *vi* (*gén*) luccicare; (*étoiles*, *lune*) risplendere

lumière [lymjɛʀ] *nf* luce *f*; (*fig*: *personne intelligente*) luminare *m*, genio; **lumières** *nfpl* (*d'une personne*) lumi *mpl*; **à la ~ de** (*aussi fig*) alla luce di; **à la ~ électrique** con la luce elettrica; **faire de la ~** fare luce; **faire (toute) la ~ sur** (*fig*) fare (piena) luce su; **mettre qch en ~** (*fig*) mettere in luce qc; **~ du jour** luce del giorno; **~ du soleil** luce del sole

luminaire [lyminɛʀ] *nm* lume *m*

lumineux, -euse [lyminø, øz] *adj* (*aussi fig*) luminoso(-a)

lunatique [lynatik] *adj* lunatico(-a)
lundi [lœ̃di] *nm* lunedì *m inv*;
  on est ~ è lunedì; **le ~ 20 août** lunedì
  20 agosto; **il est venu ~** è venuto
  lunedì; **le(s) ~(s)** *(chaque lundi)* di *ou* al
  lunedì; **"à ~"** "a lunedì"; **~ de Pâques**
  pasquetta; **~ de Pentecôte** lunedì di
  Pentecoste
lune [lyn] *nf* luna; **pleine/nouvelle ~**
  luna piena/nuova; **être dans la ~**
  avere la testa fra le nuvole; **~ de miel**
  luna di miele
lunette [lynɛt] *nf*: **~s** *nfpl* occhiali
  mpl; **~ arrière** *(Auto)* lunotto;
  ~ d'approche *(Optique)* telescopio;
  ~s de plongée occhiali da sub; **~s de
  soleil** occhiali da sole; **~s noires**
  occhiali scuri
lustre [lystʀ] *nm* *(de plafond)*
  lampadario; *(fig: éclat)* lustro
lustrer [lystʀe] *vt* lustrare,
  lucidare; *(poil d'un animal)* lucidare;
  (vêtement: user) logorare, rendere
  liso(-a)
luth [lyt] *nm* liuto
lutin [lytɛ̃] *nm* folletto
lutte [lyt] *nf* lotta; **de haute ~** a viva
  forza; **~ des classes** lotta di classe;
  ~ libre *(Sport)* lotta libera

> **FAUX AMIS**
> **lutte** ne se traduit pas par
> le mot italien **lutto**.

lutter [lyte] *vi* lottare; **~ pour/contre
  qn/qch** lottare per/contro qn/qc
luxe [lyks] *nm* lusso; **un ~ de** *(fig:
  détails, précautions)* una profusione di;
  de ~ di lusso
Luxembourg [lyksɑ̃buʀ] *nm*
  Lussemburgo
luxer [lykse] *vt*: **se ~ l'épaule/le
  genou** lussarsi la spalla/il ginocchio
luxueux, -euse [lyksɥø, øz] *adj*
  lussuoso(-a)
lycée [lise] *nm* liceo; **~ technique**
  istituto tecnico superiore

> **LYCÉE**
>
> In Francia i ragazzi frequentano il
> "collège" tra gli 11 e i 15 anni e poi
> vanno al *lycée* fino ai 18.

lycéen, ne [liseɛ̃, ɛn] *nm/f*
  liceale *m/f*

lyophilisé, e [ljɔfilize] *adj*
  liofilizzato(-a)
lyrique [liʀik] *adj* lirico(-a); **artiste/
  théâtre ~** cantante/teatro lirico;
  comédie ~ operetta
lys [lis] *nm* giglio

m

M [ɛm] *abr* (= *Monsieur*) sig.

m' [m] *pron voir* **me**

ma [ma] *dét voir* **mon**

macaron [makaʀɔ̃] *nm* (*gâteau*) ≈ amaretto; (*insigne*) insegna rotonda; (*natte*) treccia (*arrotolata sull'orecchio*)

macaroni [makaʀɔni] *nm* maccheroni *mpl*; **~ au fromage** *ou* **au gratin** maccheroni al formaggio *ou* gratinati

macédoine [masedwan] *nf*: **~ de fruits** macedonia; **~ de légumes** verdura mista

macérer [maseʀe] *vi, vt* macerare

mâcher [mɑʃe] *vt* masticare; **ne pas ~ ses mots** non avere peli sulla lingua; **~ le travail à qn** (*fig*) far trovare la pappa pronta a qn

machin [maʃɛ̃] (*fam*) *nm* coso, aggeggio; (*personne*): **M~** Coso(-a), Tizio(-a)

machinal, e, aux [maʃinal, o] *adj* meccanico(-a)

machination [maʃinasjɔ̃] *nf* macchinazione *f*

machine [maʃin] *nf* macchina; (*fam: personne*): **M~** Cosa; **faire ~ arrière** (*Naut*) far macchina indietro; (*fig*) fare marcia indietro; **~ à coudre/écrire** macchina da *ou* per cucire/scrivere; **~ à laver** lavatrice *f*; **~ à sous** slot machine *f inv*; **~ à tricoter** macchina per maglieria; **~ à vapeur** macchina a vapore

machiste [ma(t)ʃist] *adj, nm/f* maschilista *m/f*

mâchoire [mɑʃwaʀ] *nf* mascella; (*Tech*) ganascia; **~ de frein** ganascia del freno

mâchonner [mɑʃɔne] *vt* masticare

maçon [masɔ̃] *nm* (*constructeur*) muratore *m*; (*franc-maçon*) massone *m*

maçonnerie [masɔnʀi] *nf* edilizia; (*murs*) muratura; (*franc-maçonnerie*) massoneria

macrobiotique [makʀɔbjɔtik] *adj* macrobiotico(-a)

Madame [madam] (*pl* **Mesdames**) *nf* signora; **~ Dupont** la signora Dupont; **occupez-vous de ~** si occupi della signora; **bonjour ~** buongiorno (signora); **~** (*sur lettre*) Gentile Signora; **chère ~** cara signora; (*sur lettre*) Gentile Signora; **madame la Directrice** la (signora) Direttrice; **Mesdames** (le) signore

madeleine [madlɛn] *nf* (*gâteau*) maddalena

Mademoiselle [madmwazɛl] (*pl* **Mesdemoiselles**) *nf* signorina; **~ Dupont** la signorina Dupont; **occupez-vous de ~** si occupi della signorina; **bonjour ~** buongiorno (signorina); **~** (*sur lettre*) Gentile Signorina; **chère ~** cara signorina; (*sur lettre*) Gentile Signorina; **Mesdemoiselles** (le) signorine

madère [madɛʀ] *nm* (*vin*) madera *m inv*

magasin [magazɛ̃] *nm* (*boutique*) negozio; (*entrepôt*) magazzino; (*d'une arme*) serbatoio; (*Photo*) magazzino, caricatore *m*; **en ~** (*Comm*) in magazzino; **faire les ~s** andare per negozi; **~ d'alimentation** negozio di generi alimentari

magazine [magazin] nm (revue)
rivista; (radiodiffusé, télévisé) rubrica
Maghreb [magrɛb] nm Magreb m
magicien, ne [maʒisjɛ̃, jɛn] nm/f
mago(-a)
magie [maʒi] nf magia; ~ **noire**
magia nera
magique [maʒik] adj magico(-a)
magistral, -aux [maʒistral, o] adj
magistrale; (ton) severo(-a),
autoritario(-a); (fam: gifle etc)
sonoro(-a); **enseignement/cours ~**
insegnamento/corso cattedratico
magistrat [maʒistra] nm
magistrato
magnétique [maɲetik] adj
magnetico(-a)
magnétophone [maɲetɔfɔn] nm
registratore m; ~ **à cassettes**
registratore m a cassette,
mangianastri m inv
magnétoscope [maɲetɔskɔp] nm
videoregistratore m
magnifique [maɲifik] adj
magnifico(-a)
magret [magrɛ] nm: ~ **de canard**
filetto d'anatra
mai [mɛ] nm maggio; voir aussi
juillet

maigre [mɛgʀ] adj magro(-a); (fig:
végétation) scarso(-a) ■ adv: **faire ~**
mangiare di magro; **jours ~s** giorni
mpl di magro
maigreur [mɛgʀœʀ] nf magrezza;
(de végétation) scarsezza
maigrir [megʀiʀ] vi dimagrire ■ vt
(suj: vêtement): ~ **qn** far sembrare più
magro(-a) qn
mail [mɛl] nm (e-)mail f inv
maille [mɑj] nf maglia; **avoir ~ à
partir avec qn** avere a che dire con
qn; ~ **à l'endroit/l'envers** maglia
diritta/rovescia
maillet [majɛ] nm maglio; (de
croquet) mazza
maillon [mɑjɔ̃] nm (d'une chaîne) anello
maillot [majo] nm maglia, maglietta;
(de danseur) calzamaglia; (de sportif)
maglia; (lange de bébé) fasce fpl; ~ **(de
bain)** costume m da bagno; ~ **de
corps** canottiera; (avec manches)
maglietta; ~ **deux pièces** costume m
due pezzi; ~ **jaune** (Cyclisme) maglia
gialla; ~ **une pièce** costume m intero
main [mɛ̃] nf (Anat) mano f; (de
papier) blocco di 25 fogli; **la ~ dans la ~**
mano nella mano; **à une ~** con una
mano; **à deux ~s** con due mani; **à la ~**
(tenir, avoir) in mano; (faire, tricoter etc)
a mano; **se donner la ~** darsi la mano;
donner ou **tendre la ~ à qn** dare ou
tendere la mano a qn; **se serrer la ~**
stringersi la mano; **serrer la ~ à qn**
stringere la mano a qn; **demander la
~ d'une femme** chiedere la mano di
una donna; **sous la ~** sotto mano;
haut les ~s mani in alto; **à ~ levée**
(Art) a mano libera; **à ~s levées**
(voter) per alzata di mano; **attaque à
~ armée** aggressione f a mano
armata; **à ~ droite/gauche** a
destra/sinistra; **de première ~**

(*renseignement, voiture*) di prima mano; **de ~ de maître** con maestria; **à remettre en ~s propres** da consegnare direttamente al destinatario; **faire ~ basse sur qch** fare man bassa di qc; **mettre la dernière ~ à qch** dare gli ultimi ritocchi a qc; **mettre la ~ à la pâte** (*fig*) occuparsi personalmente di qc; **avoir qch/qn bien en ~** tenere qc/qn in pugno; **prendre qch en ~** (*fig*) prendere in mano qc; **avoir la ~** (*Cartes*) essere di mano; **céder/passer la ~** (*Cartes*) cedere/passare la mano; **forcer la ~ à qn** forzare la mano a qn; **s'en laver les ~s** (*fig*) lavarsene le mani; **se faire/perdre la ~** farsi/perdere la mano; **en un tour de ~** (*fig*) in un batter d'occhio; **~ courante** corrimano

main-d'œuvre [mɛ̃dœvʀ] (*pl* **mains-d'œuvre**) *nf* manodopera

mainmise [mɛ̃miz] *nf* dominio; **avoir la ~ sur** (*fig*) avere il controllo di

mains-libres [mɛ̃libʀ] *adj inv* (*kit*) vivavoce *inv*; (*téléphone*) con (dispositivo) vivavoce

manœuvre [manœvʀ] *nf* manovra ◼ *nm* manovale *m*; **fausse ~** manovra sbagliata

manœuvrer [manœvʀe] *vt* manovrare ◼ *vi* manovrare, far manovra; (*agir adroitement, Mil*) manovrare

maint, e [mɛ̃, mɛ̃t] *adj* molto(-a), parecchio(-a); **à ~es reprises** a più riprese

maintenant [mɛ̃t(ə)nɑ̃] *adv* ora, adesso; **~ que** ora ou adesso che

maintenir [mɛ̃t(ə)niʀ] *vt* (*retenir, soutenir*) sostenere, reggere; (*entretenir, garder, tenir*) mantenere; (*contenir: foule*) trattenere; (*conserver*) confermare, mantenere; (*affirmer: opinion*) sostenere; **se maintenir** *vr* mantenersi; (*préjugé*) durare; **le malade se maintient** le condizioni del malato sono stazionarie

maintien [mɛ̃tjɛ̃] *nm* mantenimento; (*attitude*) contegno; **~ de l'ordre** mantenimento dell'ordine

maire [mɛʀ] *nm* sindaco

mairie [meʀi] *nf* (*endroit*) municipio, comune *m*; (*administration*) comune *m*

mais [mɛ] *conj* ma; **~ non!** ma no!; **~ enfin** in fondo, dopo tutto; (*indignation*) ma insomma!; **~ encore?** e allora?

maïs [mais] *nm* gran(o)turco, mais *m*

maison [mɛzɔ̃] *nf* casa; (*Comm*) casa, ditta; (*famille*): **ami de la ~** amico di famiglia ◼ *adj inv* (*tarte, confiture*) fatto(-a) in casa *ou* casereccio(-a); (*fig: genre, esprit*) casalingo(-a); (*fam*) con i fiocchi; **à la ~** a casa; **fils de la ~** figlio; **~ centrale** carcere *m*; **~ close** casa chiusa; **~ d'arrêt** istituto di pena; **~ de campagne** casa di campagna; **~ de correction** riformatorio; **~ de la culture** centro culturale; **~ de passe** casa di appuntamenti; **~ de repos** clinica per convalescenti; **~ de retraite** casa di riposo, ospizio; **~ de santé** casa di cura; **~ des jeunes** centro ricreativo per i giovani; **~mère** casa madre

maître, maîtresse [mɛtʀ, mɛtʀɛs] *nm/f* padrone(-a); (*Scol*) maestro(-a) ◼ *nm* (*peintre etc*) maestro; (*titre: Jur*): **M~** (*avocat*) (l')avvocato; (*notaire*) (il) notaio ◼ *adj* (*principal, essentiel*) principale; **être ~ de** (*soi-même*) essere padrone di; **être/rester ~ de la situation** avere/mantenere il controllo della situazione; **se rendre ~ de** (*pays, ville*) impadronirsi di; (*situation*) assumere il controllo di; (*incendie*) domare; **passer ~ dans l'art de** diventar maestro nell'arte di; **une maîtresse femme** una donna energica; **être ~ à une couleur** avere la carta più alta di un dato seme; **maison de ~** casa signorile; **voiture de ~** automobile *m* con autista; **~ à**

penser guida intellettuale;
~ auxiliaire (*Scol*) supplente *m/f*;
~ chanteur ricattatore(-trice);
~ d'armes maestro d'armi; **~ d'école**
maestro(-a) di scuola *ou* elementare;
~ d'hôtel (*domestique*) maggiordomo;
(*d'hôtel*) maître *m inv*; **~ d'œuvre**
(*Constr*) direttore *m* dei lavori;
~ d'ouvrage (*Constr*) committente *m*,
ente *m* appaltante; **~ de chapelle**
maestro di cappella; **~ de
conférences** (*Univ*) *docente non
titolare di cattedra*, ≈ professore(-essa)
associato(-a); **~ de maison** padrone
di casa; **~ nageur** bagnino; **~ queux**
capocuoco (*sulle navi*)

maîtresse [mɛtʀɛs] *nf* amante *f*;
~ d'école maestra di scuola *ou*
elementare; **~ de maison** (*hôtesse*)
padrona di casa; (*ménagère*) casalinga

maîtrise [metʀiz] *nf* (*aussi*: **maîtrise
de soi**) autocontrollo; (*habileté*)
maestria, perizia; (*suprématie,
domination*) dominio; (*diplôme*)
≈ laurea; (*contremaîtres et chefs
d'équipe*) capireparto *mpl* e
capisquadra *mpl*

maîtriser [metʀize] *vt* (*cheval,
incendie*) domare; (*forcené*) bloccare;
(*sujet*) padroneggiare; (*émotion*)
dominare; **se maîtriser** *vr*
dominarsi, controllarsi

majestueux, -euse [maʒɛstɥø, øz]
adj maestoso(-a)

majeur, e [maʒœʀ] *adj* maggiore;
(*Jur*) maggiorenne ■ *nm/f* (*Jur*)
maggiorenne *m/f* ■ *nm* (*doigt*)
medio; **en ~e partie** per la maggior
parte; **la ~e partie de** la maggior
parte di; **lac M~** lago Maggiore

majorer [maʒɔʀe] *vt* maggiorare

majoritaire [maʒɔʀitɛʀ] *adj* (*groupe,
parti*) di maggioranza,
maggioritario(-a); (*Jur: associé, gérant*)
maggioritario(-a); **système/scrutin
~** sistema *m*/scrutinio maggioritario

majorité [maʒɔʀite] *nf* (*Jur*)
maggiore età *f inv*; (*des voix etc, parti*)
maggioranza; (*généralité*) maggior
parte *f*; **en ~** in maggioranza; **avoir la
~** avere la maggioranza; **la ~
silencieuse** la maggioranza
silenziosa; **~ absolue** maggioranza
assoluta; **~ civile/pénale** maggiore

età civile/penale; **~ électorale** età
minima per votare; **~ relative**
maggioranza relativa

majuscule [maʒyskyl] *adj, nf*:
(lettre) ~ (lettera) maiuscola

mal, maux [mal, mo] *nm* male *m*;
(*difficulté, peine*) difficoltà *f inv* ■ *adv*
male ■ *adj m*: **c'est ~ (de faire)** è
male (fare); **être ~** (*mal installé*) stare
scomodo(-a); **se sentir/se trouver ~**
sentirsi/star male; **être ~ avec qn**
essere in urto con qc; **il comprend ~**
ha difficoltà di comprensione; **il a ~
compris** ha capito male; **~ tourner**
(*situation*) finire *ou* andare male;
(*personne*) prendere una brutta piega;
dire du ~ de qn parlar male di qn; **ne
vouloir de ~ à personne** non voler
male a nessuno; **il n'a rien fait de ~**
non ha fatto nulla di male; **penser du
~ de qn** pensare male di qn; **ne voir
aucun ~ à** non veder(ci) nulla di male
nel; **avoir du ~ à faire qch** stentare *ou*
far fatica a fare qc; **sans penser** *ou*
songer à ~ senza pensare male;
craignant ~ faire temendo di far
male; **faire du ~ à qn** fare (del) male a
qn; **il n'y a pas de ~** non è niente; **se
donner du ~ pour faire qch** darsi da
fare per fare qc; **se faire ~** farsi male;
se faire ~ au pied farsi male a un
piede; **ça fait ~** fa male; **j'ai ~ (ici)** mi
fa male (qui); **j'ai ~ au dos** ho mal di
schiena; **avoir ~ à la tête/aux dents**
avere mal di testa/di denti; **avoir ~ au
cœur** avere la nausea; **avoir le ~ de
l'air** avere il mal d'aria; **avoir le ~ du
pays** avere nostalgia della propria
terra; **prendre ~** prendersi un
malanno; **~ de la route** mal d'auto;
~ de mer mal di mare; **~ en point** *adj
inv* mal ridotto(-a); **maux de ventre**
disturbi *mpl* intestinali

malade [malad] *adj* malato(-a)
■ *nm/f* malato(-a), ammalato(-a);
tomber ~ ammalarsi; **être ~ du cœur**
essere malato(-a) di cuore; **~ mental**
malato mentale; **grand ~** malato
grave; **cela me rend ~** mi fa star male

maladie [maladi] *nf* malattia; (*fig*)
mania; **être rongé par la ~** essere
divorato dalla malattia; **~ bleue**
morbo blu; **~ de peau** malattia della
pelle

maladif, -ive [maladif, iv] *adj*
malaticcio(-a); (*pâleur*)
cadaverico(-a); (*curiosité, besoin, peur*)
morboso(-a)

maladresse [maladʀɛs] *nf*
goffaggine *f*; (*gaffe*) gaffe *f inv*

maladroit, e [maladʀwa, wat] *adj*
maldestro(-a); (*malavisé, balourd*)
inopportuno(-a)

malaise [malɛz] *nm* (*aussi fig*)
malessere *m*; **avoir un ~** accusare un
malessere

malaria [malaʀja] *nf* malaria

malaxer [malakse] *vt* (*pétrir*)
impastare; (*mêler*) mescolare

malbouffe [malbuf] *nf* (*fam*): **la ~**
junk food *m inv*

malchance [malʃɑ̃s] *nf* sfortuna;
(*mésaventure*) disavventura; **par ~** per
disgrazia, sfortunatamente; **quelle
~!** che sfortuna!

malchanceux, -euse [malʃɑ̃sø, øz]
adj sfortunato(-a)

mâle [mɑl] *nm* (*aussi Tech*) maschio
■ *adj* maschio(-a); **prise ~** (*Élec*) spina

malédiction [malediksjɔ̃] *nf*
maledizione *f*

malentendant, e [malɑ̃tɑ̃dɑ̃, ɑ̃t]
nm/f: **les ~s** i non udenti

malentendu [malɑ̃tɑ̃dy] *nm*
malinteso; **il y a eu un ~** c'è stato un
malinteso

malfaçon [malfasɔ̃] *nf* difetto di
fabbricazione

malfaisant, e [malfəzɑ̃, ɑ̃t] *adj*
malefico(-a), malvagio(-a)

malfaiteur [malfɛtœʀ] *nm*
malfattore *m*

malfamé, e [malfame] *adj*
malfamato(-a)

malgache [malgaʃ] *adj*
malgascio(-a) ■ *nm* malgascio
■ *nm/f*: **Malgache** malgascio(-a)

malgré [malgʀe] *prép* malgrado,
nonostante; **~ soi/lui** suo malgrado;
~ tout malgrado *ou* nonostante
tutto

malheur [malœʀ] *nm* sfortuna;
(*événement*) sventura, disgrazia; **par ~**
sfortunatamente, disgraziatamente;
quel ~! che sfortuna!; (*ennui,
inconvénient*) che guaio!; **faire un ~**
(*fam: un éclat*) fare una pazzia; (: *avoir
du succès*) far furore

■ **FAUX AMIS**
malheur ne se traduit pas
par le mot italien **malore**.

malheureusement [malœʀøzmɑ̃]
adv sfortunatamente,
disgraziatamente

malheureux, -euse [malœʀø, øz]
adj infelice; (*accident, geste*)
spiacevole, deplorevole; (*adversaire,
candidat*) sfortunato(-a); (*insignifiant*)
misero(-a) ■ *nm/f* infelice *m/f*,
sventurato(-a); (*indigent, miséreux*)
bisognoso(-a); **la malheureuse
femme/victime** la povera donna/
vittima; **avoir la main malheureuse**
(*au jeu*) aver la mano poco felice; (*tout
casser*) avere le mani di burro; **les ~** gli
infelici; (*indigents*) i bisognosi

malhonnête [malɔnɛt] *adj*
disonesto(-a)

malhonnêteté [malɔnɛtte] *nf*
disonestà

malice [malis] *nf* malizia; **par ~** con
malizia

malicieux, -euse [malisjø, jøz] *adj*
malizioso(-a)

malin, -igne [malɛ̃, maliɲ] *adj* (*f gén*
maline: astucieux, intelligent)
astuto(-a), furbo(-a); (*malicieux:
sourire*) malizioso(-a); (*Méd*)
maligno(-a); **faire le ~** fare il furbo;
éprouver un ~ plaisir à trovare un
piacere maligno a; **c'est ~!** (*iron*) che
furbo!

malingre [malɛ̃gʀ] *adj*
mingherlino(-a), gracile

malle [mal] *nf* (*coffre, bagage*) baule *m*;
(*Auto*): **~ arrière** bagagliaio *ou* baule
posteriore

mallette [malɛt] *nf* (*valise, pour
document*) valigetta; (*coffret*)
cofanetto; **~ de voyage** valigetta
da viaggio

malmener [malməne] *vt*
malmenare, maltrattare; (*fig:
adversaire*) stracciare

malodorant, e [malɔdɔʀɑ̃, ɑ̃t] *adj*
maleodorante

malpoli, e [malpɔli] *nm/f*
maleducato(-a)

malsain, e [malsɛ̃, ɛn] *adj*
malsano(-a); (*littérature*) immorale

malt [malt] *nm* (*Bot*) malto; **pur ~**
(*whisky*) whisky *m inv* puro malto

Malte [malt] *nf* Malta

maltraiter [maltʀɛte] *vt*
maltrattare; (*critiquer, éreinter*)
tartassare

malveillance [malvɛjɑ̃s] *nf* (*hostilité*)
malevolenza; (*Jur*) dolo

malversation [malvɛʀsasjɔ̃] *nf*
malversazione *f*

mal-vivre [malvivʀ] *nm inv* (*fam*)
male *m* di vivere

maman [mamɑ̃] *nf* mamma

mamelle [mamɛl] *nf* mammella

mamelon [mam(ə)lɔ̃] *nm* (*Anat*)
capezzolo; (*petite colline*) collinetta

mamie [mami] (*fam*) *nf* nonna; (*mon
amie*) amica mia

mammifère [mamifɛʀ] *nm*
mammifero

mammouth [mamut] *nm*
mammut *m inv*

manche [mɑ̃ʃ] *nf* (*d'un vêtement*)
manica; (*d'un jeu, tournoi*) manche *f
inv* ■ *nm* (*d'un outil, d'une casserole*)
manico; (*fam: maladroit*)
imbranato(-a); **la M~** la Manica; **faire
la ~** (*chanteur des rues etc*) fare il giro
col cappello; (*mendier*) chiedere
l'elemosina; **~ à air** *nf* (*Aviat*) manica
a vento; **~ à balai** *nm* manico di
scopa; (*Aviat*) cloche *f inv*; (*Inform*)
joystick *m inv*

manchette [mɑ̃ʃɛt] *nf* (*de chemise*)
polsino; (*coup*) colpo inferto con
l'avambraccio; (*titre large*) titolone *m*
(*in prima pagina*); **faire la ~ des
journaux** finire in prima pagina

manchot, e [mɑ̃ʃo, ɔt] *adj* monco(-a)
■ *nm* (*Zool*) pinguino

mandarine [mɑ̃daʀin] *nf*
mandarino

mandat [mɑ̃da] *nm* (*postal*) vaglia *m
inv*; (*d'un député, président, procuration,
Police*) mandato; **toucher un ~**
riscuotere un vaglia; **~ d'amener**
mandato di accompagnamento;
~ d'arrêt mandato di arresto;
~ de dépôt mandato di carcerazione;
~ de perquisition mandato di
perquisizione

mandataire [mɑ̃datɛʀ] *nm/f*
(*représentant, délégué*) rappresentante
m/f; (*Jur*) mandatario(-a)

manège [manɛʒ] *nm* maneggio; (*à la
foire*) giostra; (*fig*) maneggi *mpl*; **faire**

un tour de ~ fare un giro in giostra;
~ de chevaux de bois giostra

manette [manɛt] *nf* manetta, leva;
~ de jeu (*Inform*) joystick *m inv*

mangeable [mɑ̃ʒabl] *adj* mangiabile

mangeoire [mɑ̃ʒwaʀ] *nf* mangiatoia

manger [mɑ̃ʒe] *vt* mangiare;
(*fortune, capital*) mangiarsi ■ *vi*
mangiare; **est-ce qu'on peut ~
quelque chose?** potremmo mangiare
qualcosa?

mangue [mɑ̃g] *nf* mango

maniable [manjabl] *adj* (*outil,
voiture*) maneggevole; (*voilier*)
manovrabile; (*fig: personne*)
malleabile

maniaque [manjak] *adj, nm/f*
maniaco(-a)

manie [mani] *nf* mania

manier [manje] *vt* (*argent, appareil*)
maneggiare; (*idées, mots, sentiments*)
destreggiarsi con; (*peuple, camion*)
manovrare; **se manier** *vr* (*fam*)
sbrigarsi, spicciarsi

manière [manjɛʀ] *nf* maniera,
modo; (*genre, style*) maniera, stile *m*;
manières *nfpl* (*genre, attitude*) modi
mpl, maniere *fpl*; (*chichis*) smancerie
fpl, smorfie *fpl*; **de ~ à** in modo da;
de telle ~ que in modo (tale) che;
de cette ~ in questo modo;
d'une ~ générale in linea generale;
de toute ~ ad ogni modo, comunque;
d'une certaine ~ in un certo senso;
manquer de ~s mancare di
educazione; **faire des ~s** (*chichis*) fare
smorfie; (*se montrer difficile*) fare
complimenti; **sans ~s** senza
complimenti; **employer la ~ forte**
usare la maniera forte;
complément/adverbe de ~
complemento/avverbio di modo *ou*
maniera

maniéré, e [manjeʀe] *adj*
affettato(-a)

manifestant, e [manifɛstɑ̃, ɑ̃t]
nm/f manifestante *m/f*,
dimostrante *m/f*

manifestation [manifɛstasjɔ̃] *nf*
manifestazione *f*

manifeste [manifɛst] *adj*
manifesto(-a), palese ■ *nm* manifesto

manifester [manifɛste] *vt*
manifestare ■ *vi* (*Pol*) manifestare;

se manifester vr manifestarsi; (*personne, témoin etc*) farsi vivo(-a)

manigancer [manigɑ̃se] vt combinare, ordire

manipulation [manipylasjɔ̃] nf (*aussi Méd*) manipolazione f; (*de colis*) movimentazione f; (*d'un groupe, individu*) strumentalizzazione f; **~s électorales** (*péj*) brogli mpl elettorali; **~ génétique** manipolazione genetica

manipuler [manipyle] vt manipolare; (*colis*) maneggiare; (*fig*) strumentalizzare

manivelle [manivɛl] nf manovella

mannequin [mankɛ̃] nm manichino; (*Mode: femme*) indossatrice f, modella; **taille ~** taglia regolare; **elle a la taille ~** ha un fisico da indossatrice

manoir [manwaʀ] nm maniero

manque [mɑ̃k] nm mancanza f; (*Méd*) astinenza; **manques** nmpl (*lacunes*) lacune fpl; **par ~ de** per mancanza di; **~ à gagner** mancato guadagno

manqué, e [mɑ̃ke] adj fallito(-a), mancato(-a); (*essai*) fallito(-a); **garçon ~** maschiaccio

manquer [mɑ̃ke] vi mancare; (*expérience*) fallire ▪ vt (*coup, objectif*) mancare, fallire; (*photo*) sbagliare; (*personne*) non trovare; (*cours, réunion, rendez-vous*) non andare a; (*occasion*) perdere ▪ vb impers: **il (nous) manque encore 10 euros** (*ci*) mancano ancora 10 euro; **il manque des pages** mancano delle pagine; **l'argent qui leur manque** i soldi che mancano loro; **la voix lui manqua** gli mancò la voce; **~ à qn** (*absent etc*) mancare a qn; **à** (*règles etc*) trasgredire; **~ de** (*argent, preuves*) non avere; (*Comm: d'un article*) essere senza; (*patience, imagination etc*) mancare di; **ne pas ~ à qn** (*se venger*) farla pagare a qn; **ne pas ~ de faire** non mancare di fare; **il a manqué (de) se tuer** (*ci*) è mancato poco che si ammazzasse; **il ne manquerait plus que...** ci mancherebbe solo che...; **je n'y manquerai pas** non mancherò

mansarde [mɑ̃saʀd] nf mansarda

mansardé, e [mɑ̃saʀde] adj: **chambre ~e** camera mansardata

manteau, x [mɑ̃to] nm cappotto; (*de cheminée*) cappa; **sous le ~** (*publié, vendu*) sotto banco, clandestinamente

manucure [manykyʀ] nm/f manicure m/f inv

manuel, le [manɥɛl] adj, nm manuale (m) ▪ nm/f persona più portata per le attività manuali; **travailleur ~** lavoratore m manuale

manufacture [manyfaktyʀ] nf manifattura

manufacturé, e [manyfaktyʀe] adj: **produit/article ~** manufatto

manuscrit, e [manyskʀi, it] adj manoscritto(-a) ▪ nm manoscritto

manutention [manytɑ̃sjɔ̃] nf (*Comm*) movimentazione f

mappemonde [mapmɔ̃d] nf mappamondo

maquereau, x [makʀo] nm (*entremetteur, proxénète*) ruffiano; (*souteneur*) protettore m; (*Zool*) sgombro

maquette [makɛt] nf (*d'une sculpture*) bozzetto; (*Typo*) menabò m inv; (*d'un décor, bâtiment*) plastico; (*véhicule*) modellino

maquillage [makijaʒ] nm trucco; (*fraude*) falsificazione f

maquiller [makije] vt (*aussi statistique etc*) truccare; (*passeport*) falsificare; (*vérité*) snaturare; (*Théâtre, Ciné etc*) truccare; **se maquiller** vr truccarsi; **~ une voiture** cambiare la carrozzeria di una macchina rubata

maquis [maki] nm (*Géo*) macchia; (*fig*) ginepraio, intrico; (*Mil*) ≈ Resistenza

maraîcher, -ère [maʀeʃe, ɛʀ] adj orticolo(-a) ▪ nm/f orticoltore(-trice); **culture maraîchère** orticoltura

marais [maʀɛ] nm palude f; **~ salant** salina

marasme [maʀasm] nm (*Écon, Pol*) ristagno; (*accablement, apathie*) abbattimento, depressione f

marathon [maʀatɔ̃] nm maratona

marbre [maʀbʀ] nm marmo; (*Typo*) bancone m; **rester de ~** rimanere di sasso

marc [maʀ] nm (*de pommes*) residuo dopo la spremitura; (*eau de vie*) grappa; **~ de café** fondo di caffè; **~ de raisin** vinaccia

marchand, e [maʁʃɑ̃, ɑ̃d] nm/f
negoziante m/f, commerciante m/f;
(au marché) (venditore(-trice))
ambulante m/f ■ adj: **prix/valeur
~(e)** prezzo/valore m commerciale;
qualité ~e qualità corrente; **le ~ de
sable a passé** è ora di andare a nanna;
~ au détail commerciante al
dettaglio; **~ de biens** agente m
immobiliare; **~ de canons** (péj)
trafficante m d'armi; **~ de charbon**
venditore m di carbone; **~ de
couleurs** droghiere m; **~ de cycles**
negoziante di biciclette; **~ de fruits**
fruttivendolo(-a); **~ de journaux**
giornalaio(-a); **~ de légumes**
ortolano(-a); **~ de poisson**
pescivendolo(-a); **~ de tableaux/
tapis** venditore m di quadri/tappeti;
~ de vins vinaio, commerciante di
vini; **~ des quatre saisons**
fruttivendolo; **~ en gros**
commerciante all'ingrosso
marchander [maʁʃɑ̃de] vt
contrattare (l'acquisto di), discutere
sul prezzo di; (éloges) lesinare ■ vi
mercanteggiare
marchandise [maʁʃɑ̃diz] nf merce f
marche [maʁʃ] nf (d'escalier) scalino,
gradino; (activité, Mus) marcia;
(promenade) camminata; (allure,
démarche) andatura, passo; (d'une
horloge) movimento; (du temps)
scorrere m inv; (progrès) avanzata;
(d'une affaire) andamento;
(fonctionnement, d'un service)
funzionamento; **à une heure de ~** a
un'ora di marcia ou cammino; **dans le
sens de la ~** (Rail) nel senso di marcia;
monter/prendre en ~ salire sul/
prendere il treno in corsa; **mettre en
~** mettere in moto, avviare; **remettre
qch en ~** rimettere qc in moto; **se
mettre en ~** (personne) mettersi in
cammino ou marcia; (machine)
mettersi in moto ou funzione; **faire ~
arrière** fare marcia indietro, fare
retromarcia; **~ arrière** (Auto)
retromarcia; **~ à suivre** strada ou via
da seguire; (sur notice) procedimento
marché [maʁʃe] nm mercato;
(accord) contratto; (affaire) affare m;
par dessus le ~ per giunta, per di più;
faire son ~ fare la spesa; **mettre le ~**

en main à qn dare l'aut aut a qn;
faire du ~ noir comprare e vendere
al mercato nero; **~ à terme/au
comptant** (Bourse) mercato a
termine/a pronti; **~ aux fleurs**
mercato dei fiori; **~ aux puces**
mercato delle pulci; **M~ commun**
Mercato Comune; **~ du travail**
mercato del lavoro; **~ noir** mercato
nero
marcher [maʁʃe] vi camminare;
(Mil) marciare; (voiture, train) andare;
(usine, mécanisme) funzionare, andare;
(réussir: affaires, études) andare bene;
(fam: consentir) starci; (: croire
naïvement) cascarci; **la farce a réussi,
tout le monde a marché** lo scherzo è
riuscito, ci sono cascati tutti; **~ sur**
camminare su, calpestare; (Mil: ville
etc) marciare su; **~ dans** (herbe etc)
camminare su, calpestare; (flaque)
mettere i piedi in; **faire ~ qn** (pour rire)
prendere in giro qn; (pour tromper)
darla a bere a qn; **comment est-ce
que ça marche?** come funziona?
marcheur, -euse [maʁʃœʁ, øz]
nm/f camminatore(-trice)
mardi [maʁdi] nm martedì m inv;
M~ gras Martedì grasso; voir aussi
lundi
mare [maʁ] nf stagno, laghetto;
~ de sang lago di sangue

> **FAUX AMIS**
> **mare** ne se traduit pas par
> le mot italien **mare**.

marécage [maʁekaʒ] nm palude f
marécageux, -euse [maʁekaʒø,
øz] adj paludoso(-a), acquitrinoso(-a)
maréchal, -aux [maʁeʃal, o] nm
maresciallo; **~ des logis** (Mil)
sergente m
marée [maʁe] nf marea; (poissons)
pesce m fresco (di mare); **contre
vents et ~s** (fig) superando ogni
ostacolo; **~ basse** bassa marea;
~ d'équinoxe marea equinoziale;
~ descendante riflusso; **~ haute** alta
marea; **~ humaine** marea umana;
~ montante flusso; **~ noire** onda nera
marelle [maʁɛl] nf: **(jouer à) la ~**
(giocare a) campana ou settimana
margarine [maʁgaʁin] nf margarina
marge [maʁʒ] nf margine m; **en ~ a**
margine; **en ~ de** (fig: de la société, des

affaires etc) ai margini di; (: *qui se rapporte à)* in margine a;
~ bénéficiaire (*Comm*) margine di utile; **~ d'erreur/de sécurité** margine d'errore/di sicurezza

marginal, e, aux [maʁʒinal, o] *adj* marginale; (*asocial*) emarginato(-a) ■ *nm/f* emarginato(-a)

marguerite [maʁɡəʁit] *nf* (*Bot*) margherita

mari [maʁi] *nm* marito

mariage [maʁjaʒ] *nm* matrimonio; (*fig*) accostamento; **~ blanc** matrimonio non consumato; **~ civil** matrimonio civile; **~ d'amour/ d'intérêt/de raison** matrimonio d'amore/d'interesse/di convenienza; **~ religieux** matrimonio religioso

marié, e [maʁje] *adj* sposato(-a) ■ *nm/f* sposo(-a); **les ~s** gli sposi; **les (jeunes) ~s** gli sposini

marier [maʁje] *vt* sposare; (*fig*) sposare, combinare; **se marier** *vr* sposarsi; **se ~ (avec)** sposarsi (con); (*fig*) sposarsi (con), combinarsi (con)

marijuana [maʁiʒwana] *nf* marijuana

marin, e [maʁɛ̃, in] *adj* marino(-a); (*carte*) nautico(-a); (*lunette*) da marina ■ *nm* (*navigateur*) navigatore *m*; (*matelot*) marinaio; **avoir le pied ~** avere il piede marino; (*fig*) non perdere la calma

marine [maʁin] *adj f voir* **marin** ■ *nf* marina; (*couleur*) blu *m inv* (scuro) ■ *adj inv* (*couleur*) blu *inv* (scuro) ■ *nm* (*Mil*) marine *m inv*; **~ à voiles** barche *fpl* a vela; **~ de guerre/marchande** marina militare/mercantile

mariner [maʁine] *vt* (*poisson etc*) marinare ■ *vi* essere marinato(-a); **faire ~ qn** (*fig: fam*) far aspettare qn

marionnette [maʁjɔnɛt] *nf* (*aussi fig*) marionetta, burattino; **marionnettes** *nfpl* (*spectacle*) spettacolo di marionette

maritalement [maʁitalmɑ̃] *adv*: **vivre ~** convivere

maritime [maʁitim] *adj* marittimo(-a); (*Naut: aviation*) navale

mark [maʁk] *nm* marco

marmelade [maʁməlad] *nf* marmellata; **en ~** (*fig*) in poltiglia; **~ d'oranges** marmellata d'arance

marmite [maʁmit] *nf* pentolone *m*, marmitta

marmonner [maʁmɔne] *vt* borbottare

marmotter [maʁmɔte] *vt* biascicare

Maroc [maʁɔk] *nm* Marocco

maroquinerie [maʁɔkinʁi] *nf* pelletteria

marquant, e [maʁkɑ̃, ɑ̃t] *adj* (*événement*) memorabile; (*personnage*) importante

marque [maʁk] *nf* segno; (*initiales: sur linge, vêtement*) cifre *fpl*; (*trace: de pas, doigts*) traccia, impronta; (*fig: d'affection, de joie*) manifestazione *f*; (*Sport, Jeu*) punteggio; (*Comm: d'entreprise, cachet, contrôle*) marchio; (: *de produit, de disques*) marca; **à vos ~s!** (*Sport*) ai posti di partenza!; **de ~** (*produit*) di marca; (*fig: personnage, hôte*) di riguardo; **~ de fabrique** marca *ou* marchio di fabbrica; **~ déposée** marchio registrato

marquer [maʁke] *vt* (*gén*) segnare; (*linge, drap*) cifrare; (*bétail*) marchiare; (*suj: chose, fig: personne: impressionner*) lasciare il segno su; (*Sport: joueur*) marcare; (*accentuer: mesure, différence*) sottolineare; (*manifester: assentiment, refus*) esprimere; (: *intérêt*) dimostrare ■ *vi* (*tampon, coup*) lasciare il segno; (*événement, personnalité*) fare epoca; (*Sport*) segnare; **~ qch de/à/par** (*signaler, indiquer*) segnare *ou* marcare qc con/a; **~ qn de son influence/ empreinte** influenzare profondamente qn; **~ un temps d'arrêt** segnare una battuta d'arresto; **~ le pas** (*fig*) segnare il passo; **un jour à ~ d'une pierre blanche** un giorno indimenticabile; **~ les points** segnare i punti

marqueterie [maʁkɛtʁi] *nf* intarsio

marquis, e [maʁki, iz] *nm/f* marchese(-a) ■ *nf* (*auvent: d'une gare*) pensilina; (*d'une maison*) tettoia (*sopra l'ingresso*)

marraine [maʁɛn] *nf* madrina

marrant, e [maʁɑ̃, ɑ̃t] *adj* (*fam*) spassoso(-a), buffo(-a); **pas ~** (*personne, caractère*) triste

marre [maʁ] (*fam*) *adv*: **en avoir ~ de** essere stufo(-a) di, averne abbastanza di

marrer [maʀe] vr: **se marrer** (fam) divertirsi

marron, ne [maʀɔ̃, ɔn] nm (fruit) marrone m, castagna ▪ adj inv (couleur) marrone ▪ adj (péj, faux) abusivo(-a); ~**s glacés** marrons glacés mpl

marronnier [maʀɔnje] nm ippocastano

mars [maʀs] nm marzo; voir aussi **juillet**

Marseillaise [maʀsɛjɛz] nf voir encadré ci-dessous

⚬ **MARSEILLAISE**

⚬ La Marsigliese è stato l'inno
⚬ nazionale francese fin dal 1879.
⚬ Le parole del "Chant de guerre
⚬ de l'armée du Rhin", come si
⚬ chiamava originariamente la
⚬ canzone, sono state scritte su
⚬ musica anonima dal capitano
⚬ Rouget de Lisle nel 1792. Adottata
⚬ come marcia dal battaglione di
⚬ Marsiglia, diventò famosa come
⚬ la Marsigliese.

Marseille [maʀsɛj] n Marsiglia

marteau [maʀto] nm (outil) martello; (de porte) battaglio, batacchio; ~ **pneumatique** martello pneumatico

marteau-piqueur [maʀtopikœʀ] (pl **marteaux-piqueurs**) nm martello pneumatico

marteler [maʀtəle] vt martellare; (mots, phrases) scandire

martien, ne [maʀsjɛ̃, jɛn] adj marziano(-a)

martyr, e [maʀtiʀ] nm/f, adj martire m/f; **enfants** ~**s** bambini vittime di abusi da parte dei genitori

martyre [maʀtiʀ] nm martirio; **souffrir le** ~ soffrire le pene dell'inferno

martyriser [maʀtiʀize] vt martirizzare; (fig: enfant) sottoporre a violenza

marxiste [maʀksist] adj marxista, marxistico(-a) ▪ nm/f marxista m/f

mascara [maskaʀa] nm mascara m inv

masculin, e [maskylɛ̃, in] adj (gén) maschile; (voix, traits) mascolino(-a) ▪ nm maschile m

masochiste [mazɔfist] adj masochistico(-a), masochista ▪ nm/f masochista m/f

masque [mask] nm (aussi fig) maschera; (Méd) maschera da anestesia; ~ **à gaz/à oxygène** maschera antigas/ad ossigeno; ~ **de beauté** maschera di bellezza; ~ **de plongée** maschera subacquea

masquer [maske] vt mascherare

massacre [masakʀ] nm massacro; **jeu de** ~ (à la foire) tiro al fantoccio; (fig) macello, scempio

massacrer [masakʀe] vt (aussi fig) massacrare

massage [masaʒ] nm massaggio

masse [mas] nf (gén, Science, Élec) massa; (de cailloux, mots) mucchio; (maillet) mazza; **masses** nfpl: **les** ~**s paysannes/laborieuses** le masse fpl contadine/dei lavoratori; **la** ~ (péj: peuple) la massa; **la grande** ~ **des...** la grande maggioranza di...; **une** ~ **de, des** ~**s de** (fam) un sacco ou mucchio di; **en** ~ adv, adj in massa; ~ **monétaire** massa monetaria; ~ **salariale** monte m salari inv

masser [mase] vt ammassare; (pétrir: personne, jambe) massaggiare; **se masser** vr ammassarsi

masseur, -euse [masœʀ, øz] nm/f massaggiatore(-trice) ▪ nm apparecchio per massaggi, massaggiatore m

massif, -ive [masif, iv] adj massiccio(-a); (départs, déportations etc) in massa ▪ nm (montagneux) massiccio; (de fleurs) cespuglio; **M~ Central** Massiccio centrale

massue [masy] nf mazza; **argument** ~ argomento schiacciante

mastic [mastik] nm mastice m

mastiquer [mastike] vt (aliment) masticare; (fente, vitre) stuccare

mat, e [mat] adj opaco(-a); (teint) olivastro(-a); (bruit, son) sordo(-a), smorzato(-a) ▪ adj inv (Échecs): **le roi est** ~ scacco matto

mât [mɑ] nm (Naut) albero; (poteau, perche) palo

match [matʃ] *nm* incontro,
partita; ~ **aller/retour** incontro
ou partita di andata/di ritorno;
~ **nul** pareggio; **faire** ~ **nul**
pareggiare
matelas [mat(ə)lɑ] *nm* materasso;
~ **à ressorts** materasso a molle;
~ **pneumatique** materassino
gonfiabile
matelot [mat(ə)lo] *nm* marinaio
mater [mate] *vt* domare; (*fam*)
sbirciare
matérialiser [materjalize] *vt*
materializzare; **se matérialiser** *vr*
(*rêve, projet*) materializzarsi
matérialiste [materjalist] *adj*
materialistico(-a), materialista
◾ *nm/f* materialista *m/f*
matériau [materjo] *nm*
materiale *m*; **matériaux** *nmpl*
(*documents*) materiale *msg*; ~**x de**
construction materiali da
costruzione
matériel, le [materjɛl] *adj*
materiale; (*fig: péj: personne*)
materialista ◾ *nm* (*équipement*)
attrezzatura, materiale *m*; (*Inform*)
hardware *m inv*; **il n'a pas le temps** ~
de le faire non ha il tempo materiale
di farlo; ~ **d'exploitation** (*Comm*)
impianti *mpl*; ~ **roulant** (*Rail*)
materiale *m* rotabile
maternel, le [maternɛl] *adj*
materno(-a)
maternelle [maternɛl] *nf* (*aussi:*
école maternelle) scuola materna,
asilo
maternité [maternite] *nf*
maternità; (*établissement*) clinica
ostetrica; maternità *f inv*
mathématique [matematik] *adj*
matematico(-a); **mathématiques**
nfpl (*science*) matematica *fsg*
maths [mat] *nfpl* matematica
matière [matjer] *nf* materia;
(*fig: d'un livre etc*) materia, argomento;
en ~ **de** in materia *ou* fatto di;
donner ~ **à** dare adito a; ~ **grise**
materia grigia; ~ **plastique** materie
fpl plastiche; ~**s fécales** feci *fpl*;
~**s grasses** grassi *mpl*; ~**s premières**
materie prime
Matignon [matiɲõ] *nm voir encadré*
ci-dessous

matin [matɛ̃] *nm* mattina, mattino;
le ~ (*pendant le matin*) al *ou* il mattino,
di mattina; **dimanche** ~ domenica
mattina; **jusqu'au** ~ fino al mattino;
le lendemain ~ l'indomani mattina;
hier/demain ~ ieri/domani mattina;
du ~ **au soir** dalla mattina alla sera;
tous les ~**s** tutte le mattine; **une**
heure du ~ una di notte; **à demain**
~! a domattina!; **un beau** ~ un bel
giorno; **de grand/bon** ~ di prima
mattina/buon mattino; **tous les**
dimanches ~**s** la domenica mattina,
ogni domenica mattina
matinal, e, aux [matinal, o] *adj*
mattutino(-a); **être** ~ essere
mattiniero(-a)
matinée [matine] *nf* mattinata;
(*réunion*) riunione *f* pomeridiana;
(*spectacle*) spettacolo pomeridiano,
matinée *f inv*; **en** ~ in diurna
matou [matu] *nm* gatto (maschio)
matraque [matrak] *nf* (*de malfaiteur*)
randello; (*de policier*) manganello
matricule [matrikyl] *nf* (*aussi:*
registre matricule) registro
matricolare, matricola ◾ *nm* (*aussi:*
numéro matricule: *Mil, Admin*)
numero di matricola
matrimonial, e, aux
[matrimɔnjal, o] *adj* matrimoniale
maudit, e [modi, it] *adj*
maledetto(-a)
maugréer [mogree] *vi* brontolare,
borbottare
maussade [mosad] *adj* (*air, personne*)
scontroso(-a), imbronciato(-a);
(*propos*) pessimista; (*ciel, temps*)
uggioso(-a)
mauvais, e [mɔvɛ, ɛz] *adj*
cattivo(-a); (*faux*): **le** ~ **numéro/**
moment il numero/momento
sbagliato ◾ *nm* cattivo ◾ *adv*:
il fait ~ è brutto (tempo); **sentir** ~
puzzare; **la mer est** ~**e** il mare è

cattivo; ~ **coucheur** orso; ~ **coup**
(*fig*) brutto tiro; ~ **garçon** cattivo;
~ **joueur** chi non sa perdere; ~ **pas**
brutta posizione *f* ou situazione *f*;
~ **payeur** debitore *m* moroso;
~**e plaisanterie** scherzo di cattivo
gusto; ~ **traitements**
maltrattamenti *mpl*; ~**e herbe**
erbaccia; ~**e langue** malalingua;
~**e passe** brutta situazione *f*;
(*période*) brutto periodo; ~**e tête**
testone(-a), gran testardo(-a)
mauve [mov] *adj* (*couleur*) color
malva *inv* ◼ *nf* (*Bot*) malva
maux [mo] *nmpl voir* **mal**
maximum [maksimɔm] *adj*
massimo(-a) ◼ *nm* massimo; **elle a**
le ~ de chances pour réussir è quasi
sicuro che ce la faccia; **atteindre un/**
son ~ raggiungere il massimo; **au ~**
adv al massimo
mayonnaise [majɔnɛz] *nf*
maionese *f*
mazout [mazut] *nm* nafta;
chaudière/poêle à ~ caldaia/stufa
a nafta
me [mə] *pron* mi, me; **il ne m'a pas vu**
non mi ha visto; **il me le donne** me lo
da; **je m'ennuie** mi annoio; **je m'en**
vais me ne vado
mec [mɛk] (*fam*) *nm* tizio, tipo
mécanicien, ne [mekanisjɛ̃, jɛn]
nm/f meccanico *m*; (*Rail*)
macchinista *m/f*; **pouvez-vous nous**
envoyer un ~? può mandare un
meccanico?; ~ **de bord/navigant**
(*Aviat*) tecnico di volo
mécanique [mekanik] *adj*
meccanico(-a) ◼ *nf* meccanica; **s'y**
connaître en ~ intendersi di
meccanica; **ennui ~** noie *fpl* al motore
mécanisme [mekanism] *nm*
meccanismo; ~ **du taux de change**
meccanismo del tasso di cambio
méchamment [meʃamɑ̃] *adv* con
cattiveria, malvagiamente
méchanceté [meʃɑ̃ste] *nf* cattiveria,
malvagità *f inv*
méchant, e [meʃɑ̃, ɑ̃t] *adj* (*personne,*
sourire) cattivo(-a), malvagio(-a);
(*enfant, animal*) cattivo(-a); (*intensive*)
formidabile; **une ~e affaire** un brutto
affare; **de ~e humeur** di cattivo
umore

mèche [mɛʃ] *nf* (*d'une lampe, bougie*)
stoppino; (*d'un explosif*) miccia; (*Méd*)
zaffo, tampone *m*; (*d'un vilebrequin,*
d'une perceuse) punta; (*de fouet*)
sverzino; (*de cheveux: coupés*) ciocca;
(: *d'une autre couleur*) ciocca, mèche *f*
inv; **se faire faire des ~s** farsi fare le
mèche; **vendre la ~** svelare un
segreto; **être de ~ avec qn** essere in
combutta con qc
méchoui [meʃwi] *nm* montone *m*
allo spiedo
méconnaissable [mekɔnɛsabl] *adj*
irriconoscibile
méconnaître [mekɔnɛtʀ] *vt*
(*ignorer*) ignorare; (*méjuger*)
misconoscere
mécontent, e [mekɔ̃tɑ̃, ɑ̃t] *adj*
scontento(-a) ◼ *nm* insoddisfatto
mécontentement [mekɔ̃tɑ̃tmɑ̃] *nm*
scontento, malcontento
médaille [medaj] *nf* medaglia; (*Rel*)
medaglietta
médaillon [medajɔ̃] *nm* (*aussi Culin*)
medaglione *m*; **en ~** (*carte etc*) nel
riquadro
médecin [med(ə)sɛ̃] *nm* medico;
appelez un ~ chiamate un medico;
~ **de famille/du bord** medico di
famiglia/di bordo; ~ **généraliste/**
légiste medico generico/legale;
~ **traitant** medico curante
médecine [med(ə)sin] *nf* medicina;
(*profession*) professione *f* medica;
~ **du travail** medicina del lavoro;
~ **générale/infantile** medicina
generale/infantile; ~ **légale/**
préventive medicina legale/
preventiva
médiatique [medjatik] *adj*
mediatico(-a)
médical, e, aux [medikal, o] *adj*
medico(-a); **visiteur** ou **délégué ~**
informatore *m* scientifico ou medico
médicament [medikamɑ̃] *nm*
medicinale *m*, farmaco
médiéval, e, aux [medjeval, o] *adj*
medi(o)evale
médiocre [medjɔkʀ] *adj* mediocre
méditer [medite] *vt*, *vi* meditare;
~ **sur qch/de faire qch** meditare su
qc/di fare qc
Méditerranée [meditɛʀane] *nf*:
la (mer) ~ il (mar) Mediterraneo

méditerranéen, ne [mediteʀaneɛ̃, ɛn] *adj* mediterraneo(-a) ∎ *nm/f:* **Méditerranéen, ne** mediterraneo(-a)

méduse [medyz] *nf* medusa

méfait [mefɛ] *nm* misfatto, malefatta; **méfaits** *nmpl* (*ravages*) danni *mpl*

méfiance [mefjɑ̃s] *nf* diffidenza

méfiant, e [mefjɑ̃, jɑ̃t] *adj* diffidente

méfier [mefje] *vr:* **se méfier** fare attenzione; **se ~ de** diffidare di, non fidarsi di; (*faire attention*) fare attenzione a

mégaoctet [megaɔktɛ] *nm* megabyte *m inv*

mégarde [megaʀd] *nf:* **par ~** inavvertitamente

mégère [meʒɛʀ] (*péj*) *nf* megera

mégot [mego] *nm* cicca, mozzicone *m*

meilleur, e [mɛjœʀ] *adj* migliore ∎ *adv:* **il fait ~ qu'hier** fa più bello di ieri ∎ *nm:* **le ~** (*personne*) il migliore; (*chose*) il meglio ∎ *nf:* **la ~e** la migliore; **le ~ des deux** il migliore dei due; **de ~e heure** prima; **~ marché** meno caro, più conveniente

mél [mel] *nm* e-mail *f inv*

mélancolie [melãkɔli] *nf* malinconia

mélancolique [melãkɔlik] *adj* malinconico(-a); (*Méd*) melanconico(-a)

mélange [melãʒ] *nm* mescolanza; (*de café, essence etc*) miscela; **sans ~** (*pur*) puro(-a); (*parfait: bonheur etc*) perfetto(-a), senza ombre

mélanger [melãʒe] *vt* mescolare, mischiare; **se mélanger** *vr* mescolarsi, mischiarsi; **vous mélangez tout!** lei si confonde!

mélatonine [melatɔnin] *nf* melatonina

mêlée [mele] *nf* (*aussi Rugby, fig*) mischia

mêler [mele] *vt* mescolare, mischiare; **se mêler** *vr* mescolarsi; **~ à/avec** mescolare a/con; **se ~ à/ avec** mescolarsi a/con; **se ~ de** (*suj: personne*) immischiarsi in, impicciarsi di; **~ qn à une affaire** coinvolgere qn in una faccenda; **mêle-toi de tes affaires!** fatti gli affari tuoi!

mélodie [melɔdi] *nf* melodia

mélodieux, -euse [melɔdjø, jøz] *adj* melodioso(-a)

melon [m(ə)lɔ̃] *nm* (*Bot*) melone *m*; (*aussi:* **chapeau melon**) bombetta; **~ d'eau** cocomero, anguria

membre [mãbʀ] *nm* membro; (*Anat*) arto, membro; **~ de phrase** (*Ling*) membro del periodo; **être ~ de** essere membro di; **les États ~s de l'UE** i paesi membri della UE; **~ (viril)** membro (virile)

mémé [meme] (*fam*) *nf* nonnina; (*vieille femme*) vecchietta

 MOT-CLÉ

même [mɛm] *adj* **1** (*avant le nom*) stesso(-a); **en même temps** nello stesso tempo, contemporaneamente; **ils ont les mêmes goûts** hanno gli stessi gusti
2 (*après le nom: renforcement*): **il est la loyauté même** è la lealtà fatta persona; **ce sont ses paroles mêmes** sono le sue stesse parole
∎ *pron*: **le(la) même** lo(la) stesso(-a)
∎ *adv* **1** (*renforcement*): **il n'a même pas pleuré** non ha nemmeno pianto; **même lui l'a dit** lo ha detto anche lui, lo ha detto lui stesso; **ici même** proprio qui
2: **à même**; **à même la bouteille** direttamente dalla bottiglia; **à même la peau** direttamente sulla pelle; **être à même de faire** essere in grado di fare
3: **de même**; **faire de même** fare lo stesso; **lui de même** lui altrettanto; **de même que** come anche; **il en va de même pour** lo stesso dicasi per
4: **même si** *conj* anche se

mémoire [memwaʀ] *nf* (*aussi Inform*) memoria; (*souvenir*) ricordo, memoria ∎ *nm* (*Admin, Jur*) memoria; (*Scol: petite thèse*) ≈ tesina; **mémoires** *nmpl* (*chroniques etc*) memorie *fpl*; **avoir la ~ des visages** essere fisionomista; **avoir la ~ des chiffres** ricordare facilmente i numeri; **n'avoir aucune ~** non avere memoria; **avoir de la ~** avere memoria; **à la ~ de** alla *ou* in memoria di; **pour ~** a titolo informativo; **de ~ d'homme** a memoria d'uomo; **de ~** a memoria; **mettre en ~** (*Inform*) memorizzare;

~ **de maîtrise** ≈ tesi *f inv* di laurea;
~ **morte** ROM *f inv*; ~ **non volatile** *ou*
rémanente memoria non volatile;
~ **vive** RAM *f inv*
mémorable [memɔʀabl] *adj*
memorabile

menace [mənas] *nf* minaccia; ~ **en**
l'air minaccia campata in aria

menacer [mənase] *vt* minacciare;
~ **qn de qch/faire qch** minacciare qn
di qc/fare qc; **la séance menaçait**
d'être longue la seduta minacciava di
durare a lungo

ménage [menaʒ] *nm* (*travail*) pulizie
fpl; (*couple*) coppia; (*famille, Admin*)
famiglia; **faire le ~** fare le pulizie;
faire des ~s andare a servizio;
monter son ~ mettere su casa;
se mettre en ~ (avec) andare a
convivere (con); **heureux en ~**
felicemente sposato; **faire bon/**
mauvais ~ avec qn andare/non
andare d'accordo con qn; ~ **à trois**
triangolo, ménage *m inv* a tre; ~ **de**
poupée servizio da cucina per
bambini

ménagement [menaʒmɑ̃] *nm*
riguardo; **ménagements** *nmpl*
(*attentions, égards*) riguardi *mpl*; **sans**
~ senza riguardi

ménager¹ [menaʒe] *vt* (*personne,*
groupe) trattare con riguardo;
(*ressources*) gestire con oculatezza;
(*temps*) risparmiare; (*vêtements, santé*)
avere cura di; (*arranger: entretien,*
transition) combinare; (*installer:*
escalier) installare; (: *ouverture*)
praticare; **se ménager** *vr*
riguardarsi; **se ~ qch** assicurarsi qc;
~ **qch à qn** preparare qc a qn

ménager², -ère [menaʒe, ɛʀ] *adj*
domestico(-a); **enseignement ~**
economia domestica; **appareils ~s**
elettrodomestici *mpl*; **eaux**
ménagères acque *fpl* di scarico
(domestiche); **ordures ménagères**
immondizie *fpl*

ménagère [menaʒɛʀ] *nf* (*femme*)
casalinga; (*service de couverts*) servizio
di posate

nendiant, e [mɑ̃djɑ̃, jɑ̃t] *nm/f*
mendicante *m/f*, accattone(-a)
■ *nm* dessert di nocciole, mandorle, uva
passa, fichi secchi

mendier [mɑ̃dje] *vi, vt* mendicare,
elemosinare

mener [m(ə)ne] *vt* condurre; (*fig:*
diriger) dirigere, guidare ■ *vi*: ~ **(à la**
marque) (*Sport*) condurre; ~ **à/dans/**
chez *vt* portare a/in/da; ~ **qch à**
bonne fin/à terme/à bien condurre
ou portare qc a buon fine/a termine/
in porto; ~ **à rien** non portare a nulla;
~ **à tout** aprire molti sbocchi

meneur, -euse [mənœʀ, øz] *nm/f*
capo *m*; (*péj*) agitatore(-trice);
~ **d'hommes** capo; ~ **de jeu** (*Radio,*
TV) conduttore(-trice)

méningite [menɛ̃ʒit] *nf* meningite *f*

ménopause [menopoz] *nf*
menopausa

menotte [mənɔt] *nf* manina;
menottes *nfpl* (*bracelets*) manette *fpl*;
passer les ~s à qn ammanettare qn

mensonge [mɑ̃sɔ̃ʒ] *nm* bugia,
menzogna

mensonger, -ère [mɑ̃sɔ̃ʒe, ɛʀ] *adj*
falso(-a)

mensualité [mɑ̃syalite] *nf* mensilità
f inv; **par ~s** a rate mensili

mensuel, le [mɑ̃sɥɛl] *adj* mensile
■ *nm/f* (*employé*) salariato(-a) (*pagato*
mensilmente) ■ *nm* (*Presse*) mensile *m*

mensurations [mɑ̃syʀasjɔ̃] *nfpl*
misure *fpl*

mental, e, aux [mɑ̃tal, o] *adj*
mentale

mentalité [mɑ̃talite] *nf*
mentalità *f inv*

menteur, -euse [mɑ̃tœʀ, øz] *nm/f*
bugiardo(-a)

menthe [mɑ̃t] *nf* menta; ~ **(à l'eau)**
menta

mention [mɑ̃sjɔ̃] *nf* (*note, référence*)
menzione *f*, cenno; (*Scol, Univ*):
~ **passable** ≈ sufficienza; **être reçu à**
un examen avec la ~ bien essere
promosso a un esame con buono;
avec ~ très ~ con lode; **faire ~ de** fare
menzione di, accennare a; **"rayer la ~**
inutile" (*Admin*) "cancellare la voce
che non interessa"

mentionner [mɑ̃sjɔne] *vt*
menzionare

mentir [mɑ̃tiʀ] *vi* mentire; ~ **à qn**
mentire a qn

menton [mɑ̃tɔ̃] *nm* mento; **double/**
triple ~ doppio/triplo mento

menu, e [məny] *adj* minuto(-a);
(*voix*) sottile; (*peu important*)
piccolo(-a), minuto(-a) ▪ *adv*:
couper/hacher ~ tagliare/tritare fine
▪ *nm* menù *m inv*; **par le ~** (*raconter*)
per filo e per segno; **~ touristique**
menù turistico; **~e monnaie**
spiccioli *mpl*

menuiserie [mənyizʀi] *nf* (*métier,
local*) falegnameria; (*Constr*)
serramenti *mpl* e pavimenti *mpl* (in
legno); **plafond en ~** soffitto di legno

menuisier [mənyizje] *nm*
falegname *m*

méprendre [mepʀɑ̃dʀ] *vr*:
se méprendre sbagliarsi; **à s'y
~** tanto da trarre in inganno

mépris [mepʀi] *pp de* **méprendre**
▪ *nm* (*dédain*) disprezzo; **au ~ de** a
dispetto di

méprisable [mepʀizabl] *adj*
spregevole, ignobile

méprisant, e [mepʀizɑ̃, ɑ̃t] *adj*
sprezzante

méprise [mepʀiz] *nf* malinteso

mépriser [mepʀize] *vt* disprezzare

mer [mɛʀ] *nf* mare *m*; (*marée*) marea;
~ fermée mare chiuso; **en ~** in mare;
prendre la ~ mettersi in mare;
en haute/pleine ~ in alto mare;
les ~s du Sud i mari del Sud; **la ~
Adriatique/Baltique/Caspienne** il
mar Adriatico/Baltico/Caspio; **la ~
des Antilles** ou **des Caraïbes** il mar
delle Antille ou dei Caraibi; **la ~ de
Corail** il mare dei Coralli; **la ~ Égée** il
mare Egeo; **la ~ Ionienne** il mare
Ionio; **la ~ Morte/Noire/Rouge** il
mar Morto/Nero/Rosso; **la ~ du
Nord** il mare del Nord; **la ~ des
Sargasses** il mar dei Sargassi;
la ~ Tyrrhénienne il mar Tirreno

mercenaire [mɛʀsənɛʀ] *nm*
mercenario

mercerie [mɛʀsəʀi] *nf* merceria

merci [mɛʀsi] *excl* grazie ▪ *nm*: **dire
~ à qn** dire grazie a qn ▪ *nf* mercé;
à la ~ de qn/qch alla mercé di qn/qc;
~ beaucoup molte grazie; **~ de/pour**
grazie di/per; **non, ~** no grazie; **sans
~** spietato(-a), senza pietà

mercredi [mɛʀkʀədi] *nm* mercoledì
m inv; *voir aussi* **lundi**; **~ des Cendres**
Mercoledì delle Ceneri

mercure [mɛʀkyʀ] *nm* mercurio

merde [mɛʀd] (*fam!*) *nf* merda (*fam!*)
▪ *excl* merda (*fam!*); (*à un examen*) in
bocca al lupo!

mère [mɛʀ] *nf* madre *f* ▪ *adj* madre;
~ adoptive madre adottiva;
~ célibataire ragazza *f* madre *inv*;
~ de famille madre di famiglia;
~ porteuse madre surrogata

merguez [mɛʀgɛz] *nf* salsiccia
piccante (*tipica della cucina
nordafricana*)

méridional, e, aux [meʀidjɔnal, o]
adj, nm/f meridionale *m/f*

meringue [məʀɛ̃g] *nf* meringa

mérite [meʀit] *nm* merito; **le ~ (de
ceci) lui revient** il merito (di questo) è
tutto suo; **ne pas avoir de ~ à faire
qch** non avere alcun merito a fare qc

mériter [meʀite] *vt* meritare,
meritarsi; **il mérite qu'on fasse...**
merita che si faccia...

merle [mɛʀl] *nm* merlo

merveille [mɛʀvɛj] *nf* meraviglia;
faire ~/des ~s fare miracoli ou prodigi;
à ~ a meraviglia; **les sept ~s du
monde** le sette meraviglie del mondo

merveilleux, -euse [mɛʀvɛjø, øz]
adj meraviglioso(-a)

mes [me] *dét voir* **mon**

mésange [mezɑ̃ʒ] *nf* (*Zool*) cincia;
~ bleue cinciarella

mésaventure [mezavɑ̃tyʀ] *nf*
disavventura

Mesdames [medam] *nfpl voir*
Madame

Mesdemoiselles [medmwazɛl] *nfpl
voir* **Mademoiselle**

mesquin, e [mɛskɛ̃, in] *adj*
meschino(-a)

mesquinerie [mɛskinʀi] *nf*
meschinità *f inv*

message [mesaʒ] *nm* messaggio;
est-ce que je peux laisser un ~?
potrei lasciare un messaggio?;
~ d'erreur (*Inform*) messaggio
d'errore; **~ de guidage** (*Inform*)
prompt *m inv*; **~ publicitaire** spot *m
inv*; **~ téléphoné** telegramma *m*
dettato per telefono

messager, -ère [mesaʒe, ɛʀ] *nm/f*
messaggero(-a)

messagerie [mesaʒʀi]:
~ (électronique) *nf* posta elettronica;

~ **instantanée** messaggistica immediata

messe [mɛs] *nf* messa; **aller à la ~** andare a messa; ~ **basse** messa bassa; **faire des ~s basses** (*fig, péj*) confabulare; ~ **de minuit** messa di mezzanotte; ~ **noire** messa nera

Messieurs [mesjø] *nmpl voir* **Monsieur**

mesure [m(ə)zyʀ] *nf* misura; (*évaluation*) misurazione *f*, misura; (*Mus: cadence*) tempo; (*disposition, acte*) misura, provvedimento; ~ **de longueur/capacité** misura di lunghezza/capacità; **prendre des ~s** prendere delle misure *ou* dei provvedimenti; **sur ~** su misura; **à la ~ de** (*personne*) all'altezza di; (*chambre etc*) a misura di; **dans la ~ où** nella misura in cui; **dans la ~ de** nei limiti di; **dans une certaine ~** entro certi limiti; **à ~ que** man mano che; **en ~** (*Mus*) a tempo; **être en ~ de** essere in grado di; **dépasser la ~** (*fig*) oltrepassare i limiti, passare la misura; **unité/système de ~** unità/sistema di misura

mesurer [məzyʀe] *vt* misurare; (*risque, portée d'un acte*) valutare; ~ **qch à** (*proportionner*) commisurare qc a; **se ~ avec/à qn** misurarsi con qn; **il mesure 1 m 80** è alto 1,80 m

métal, -aux [metal, o] *nm* metallo

métallique [metalik] *adj* metallico(-a)

météo [meteo] *nf* (*bulletin*) bollettino meteorologico; (*service*) servizio meteorologico

météorologie [meteɔʀɔlɔʒi] *nf* meteorologia; (*service*) servizio meteorologico

méthadone [metadɔn] *nf* metadone *m*

méthode [metɔd] *nf* metodo; (*livre, ouvrage*) corso

méticuleux, -euse [metikylø, øz] *adj* meticoloso(-a)

métier [metje] *nm* (*profession, occupation: gén*) mestiere *m*, professione *f*; (: *manuel, artisanal*) mestiere; (*technique, expérience*) pratica, esperienza; (*aussi:* **métier à tisser**) telaio; **être du ~** essere del mestiere

métis, se [metis] *nm/f, adj* meticcio(-a)

métrage [metʀaʒ] *nm* metratura; (*longueur de tissu*) metratura, metraggio; (*Ciné*) metraggio; **long/moyen/court ~** lungo/medio/corto metraggio

mètre [mɛtʀ] *nm* metro; **un cent/huit cents ~s** (*Sport*) i cento/ottocento metri; ~ **carré** metro quadrato *ou* quadrato; ~ **cube** metro cubo

métrique [metʀik] *adj*: **système ~** sistema *m* metrico ⬛ *nf* metrica

métro [metʀo] *nm* metrò *m inv*, metropolitana

métropole [metʀɔpɔl] *nf* (*capitale*) metropoli *f inv*; (*pays*) madrepatria (*rispetto ai possedimenti coloniali*)

mets [mɛ] *vb voir* **mettre** ⬛ *nm* piatto, vivanda

metteur [metœʀ] *nm*: ~ **en scène** (*Théâtre, Ciné*) regista *m/f*

mettre [mɛtʀ] *vt* mettere; (*vêtements*) mettere, mettersi; (*faire fonctionner: chauffage, électricité*) accendere; **se mettre** *vr* (*se placer*) mettersi; ~ **en bouteille/en sac** imbottigliare/insaccare; ~ **en marche** mettere in moto; ~ **en pages** impaginare; ~ **à la poste** imbucare; ~ **au pluriel** mettere al plurale; ~ **du temps/2 heures à faire qch** metterci del tempo/2 ore a fare qc; **mets ton gilet** mettiti la maglia; **faire ~ le gaz/l'électricité** far mettere il gas/l'elettricità; **qu'est-ce qu'il mis sur la carte?** che cos'ha messo *ou* scritto sulla scheda?; **mettons que...** mettiamo che...; ~ **du sien** (*dépenser, dans une affaire*) metterci del proprio; **où ça se met?** dove si deve mettere?; **se ~ au lit** mettersi a letto; **se ~ qn à dos** inimicarsi qn; **se ~ de l'encre sur les doigts** macchiarsi le dita con l'inchiostro; **se ~ bien/mal avec qn** mettersi bene/male con qn; **se ~ en maillot de bain** mettersi in costume da bagno; **n'avoir rien à se ~** non avere niente da mettersi; **se ~ à faire** mettersi a fare; **se ~ au piano** (*s'asseoir*) mettersi al piano; (*apprendre*) mettersi a studiare pianoforte; **se ~ au travail/à l'étude**

mettersi al lavoro/a studiare; **se ~ au régime** mettersi in dieta
meuble [mœbl] *nm* mobile *m*; (*Jur*) bene *m* mobile ■ *adj* (*sol, terre*) friabile; **biens ~s** (*Jur*) beni *mpl* mobili
meublé, e [mœble] *adj*: **chambre ~e** camera ammobiliata ■ *nm* (*pièce*) stanza ammobiliata; (*appartement*) appartamento ammobiliato
meubler [mœble] *vt* arredare; (*fig*) riempire, occupare ■ *vi* arredare; **se meubler** *vr* arredare la propria casa
meugler [møgle] *vi* muggire
meule [møl] *nf* (*à broyer*) macina; (*à aiguiser, à polir*) mola; (*de foin, blé*) covone *m*; (*de fromage*) forma
meunier, -ière [mønje, jɛʀ] *nm* mugnaio(-a) ■ *nf*: **(à la) meunière** (*sole*) alla mugnaia
meurs *etc* [mœʀ] *vb voir* **mourir**
meurtre [mœʀtʀ] *nm* omicidio, assassinio
meurtrier, -ière [mœʀtʀije, ijɛʀ] *nm/f* omicida *m/f*, assassino(-a) ■ *adj* micidiale; (*accident*) mortale; (*fureur, instinct*) omicida
meurtrir [mœʀtʀiʀ] *vt* ammaccare; (*fig*) ferire, straziare
meus *etc* [mœ] *vb voir* **mouvoir**
meute [mœt] *nf* (*de chiens*) muta; (*de personnes*) ressa
mexicain, e [mɛksikɛ̃, ɛn] *adj* messicano(-a) ■ *nm/f*: **Mexicain, e** messicano(-a)
Mexico [mɛksiko] *n* Città del Messico
Mexique [mɛksik] *nm* Messico
Mgr *abr* (= *Monseigneur*) Mons.
mi [mi] *nm* (*Mus*) mi *m inv* ■ *préf*: **à la mi-janvier** a metà gennaio; **mi-bureau, mi-chambre** metà ufficio, metà camera; **à mi-jambes** a mezza gamba; **à mi-corps** a mezzo busto; **à mi-hauteur/-pente** a mezza altezza/collina
miauler [mjole] *vi* miagolare
miche [miʃ] *nf* pagnotta
mi-chemin [miʃmɛ̃]: **à ~** *adv* a metà strada
mi-clos, e [miklo, kloz] (*mpl ~, fpl ~es*) *adj* socchiuso(-a), semichiuso(-a)
micro [mikʀo] *nm* microfono; (*Inform*) personal computer *m inv*

microbe [mikʀɔb] *nm* microbo
microfibre [mikʀofibʀ] *nf* microfibra
micro-onde [mikʀoɔ̃d] (*pl ~s*) *nf*: **four à ~s** forno a microonde
micro-ordinateur [mikʀoɔʀdinatœʀ] (*pl ~s*) *nm* personal computer *m inv*
microscope [mikʀɔskɔp] *nm* microscopio; **~ électronique** microscopio elettronico
microscopique [mikʀɔskɔpik] *adj* microscopico(-a)
midi [midi] *nm* mezzogiorno; **le M~** (*de la France*) il Sud della Francia; **à ~** a mezzogiorno; **tous les ~s** tutti i giorni a mezzogiorno; **le repas de ~** il pasto di mezzogiorno, il pranzo; **en plein ~** (*intorno*) a mezzogiorno; (*sud*) verso sud
mie [mi] *nf* mollica
miel [mjɛl] *nm* miele *m*; **être tout ~** (*fig*) essere tutto(-a) miele
mielleux, -euse [mjelø, øz] (*péj*) *adj* mellifluo(-a)
mien, ne [mjɛ̃, mjɛn] *adj* mio(-a) ■ *pron*: **le(la) ~(ne)** il (la) mio(-a); **les ~s/les ~nes** i miei/le mie; **les ~s** (*ma famille*) i miei
miette [mjɛt] *nf* briciola; **en ~s** (*fig*) in briciole; **ne pas perdre une ~ du discours** non perdere una virgola del discorso

○ **MOT-CLÉ**

mieux [mjø] *adv* **1** (*comparatif*): **mieux (que)** meglio (di); **elle travaille/mange mieux** lavora/ mangia meglio; **elle va mieux** sta meglio; **aimer mieux** preferire; **j'attendais mieux de vous** mi aspettavo di più da voi; **qui mieux est** ancora meglio, per di più; **crier à qui mieux mieux** fare a chi grida di più; **de mieux en mieux** di bene in meglio
2 (*superlatif*) meglio; **ce que je sais le mieux** quello che so meglio; **les livres les mieux faits** i libri fatti meglio
■ *adj* **1** (*plus à l'aise, en meilleure forme*) meglio; **se sentir mieux** sentirsi meglio
2 (*plus satisfaisant, plus joli*) meglio, migliore; **c'est mieux ainsi** è meglio

così; **c'est le mieux des deux** è il migliore dei due; **le/la mieux, les mieux** il/la migliore, i (le) migliori; **demandez-lui, c'est le mieux** chiedetelo a lui, è il migliore; **il est mieux sans moustache** sta meglio senza baffi; **il est mieux que son frère** è meglio di suo fratello 3: **au mieux** al massimo; **au mieux avec** in ottimi rapporti con; **pour le mieux** nel modo migliore, per il meglio ⬛ nm 1 meglio; **faute de mieux** in mancanza di meglio 2: **de mon/ton mieux** del mio/tuo meglio; **faire de son mieux** fare del proprio meglio; **du mieux qu'il peut** meglio che può

mignon, ne [miɲɔ̃, ɔn] adj carino(-a)

migraine [migʀɛn] nf emicrania

mijoter [miʒɔte] vt cuocere a fuoco lento; (préparer) preparare; (fig) architettare ⬛ vi cuocere a fuoco lento

milieu, x [miljø] nm mezzo, metà f inv; (centre) centro; (fig: aussi: **juste milieu**) giusta via di mezzo; (Biol, entourage) ambiente m; (pègre) **le ~** la malavita; **au ~ de** (champ, fig: bruit, danger) in mezzo a; (hiver) in pieno(-a); (année, repos) a metà; **au beau** ou **en plein ~ (de)** nel bel mezzo (di); **~ de terrain** (Football: joueur) centrocampista m; (: joueurs) centrocampo

militaire [militɛʀ] adj, nm militare (m); **marine/aviation ~** marina/aviazione f militare; **service ~** servizio militare

militant, e [militɑ̃, ɑ̃t] adj, nm/f militante m/f

militer [milite] vi (personne) militare; **~ pour/contre** (suj: personne) schierarsi a favore di/contro; (: arguments, raisons) deporre a favore/sfavore di

mille [mil] adj inv, nm inv mille (m) ⬛ adj: **page ~** pagina mille ⬛ nm: **~ marin** miglio marino ou nautico; **mettre dans le ~** fare centro; voir aussi **cinq**

millefeuille [milfœj] nm (Bot) millefoglio; (Culin) millefoglie m inv

millénaire [milenɛʀ] nm millennio ⬛ adj (aussi fig) millenario(-a)

mille-pattes [milpat] nm inv millepiedi m inv

millet [mijɛ] nm miglio

milliard [miljaʀ] nm miliardo

milliardaire [miljaʀdɛʀ] adj, nm/f miliardario(-a)

millier [milje] nm migliaio; **un ~ (de)** un migliaio (di); **par ~s** a migliaia

milligramme [miligʀam] nm milligrammo

millimètre [milimɛtʀ] nm millimetro

million [miljɔ̃] nm milione m; **deux ~s de** due milioni di

millionnaire [miljɔnɛʀ] adj, nm/f milionario(-a)

mime [mim] nm/f mimo m ⬛ nm arte f del mimo, mimica

mimer [mime] vt mimare; (singer) fare l'imitazione di

minable [minabl] adj pietoso(-a)

mince [mɛ̃s] adj sottile; (fig: profit, connaissance) scarso(-a), magro(-a); (: prétexte) debole ⬛ excl: **~ alors!** accidenti!

minceur [mɛ̃sœʀ] nf sottigliezza

mincir [mɛ̃siʀ] vi dimagrire

mine [min] nf (figure, physionomie) faccia; (extérieur, dehors) aria, aspetto; (d'un crayon, explosif) mina; (gisement, fig: ressource) miniera; **mines** nfpl (péj) smorfie fpl, moine fpl; **les M~s** (Admin) ente preposto allo studio del terreno e del sottosuolo; **tu as une bonne ~ aujourd'hui** ti trovo bene oggi; **avoir mauvaise ~** avere una brutta cera; **faire grise ~ à qn** accogliere qn freddamente; **faire ~ de** faire far finta di fare; **ne pas payer de ~** non sembrare un granché; **~ de rien** come se niente fosse; **~ à ciel ouvert** miniera a cielo aperto; **~ de charbon** miniera di carbone

miner [mine] vt corrodere, erodere; (Mil, forces, santé) minare

minerai [minʀɛ] nm minerale m

minéral, e, aux [mineʀal, o] adj, nm minerale (m)

minéralogique [mineʀalɔʒik] adj mineralogico(-a); **plaque ~** targa di immatricolazione; **numéro ~** numero di immatricolazione

minet, te [minɛ, ɛt] *nm/f*
micino(-a), gattino(-a); (*péj*)
fighetto(-a)

mineur, e [minœʀ] *adj* minore;
(*personne*) minorenne ▪ *nm/f* (*Jur*)
minore *m/f*, minorenne *m/f* ▪ *nm*
minatore *m*; (*Mil*) geniere *m*
guastatore; **~ de fond** minatore in
sotterraneo

miniature [minjatyʀ] *adj* in
miniatura ▪ *nf* miniatura; **en ~** (*fig*)
in miniatura

minibus [minibys] *nm* minibus *m inv*,
pulmino

minier, -ière [minje, jɛʀ] *adj*
minerario(-a); (*pays*) di miniere

mini-jupe [miniʒyp] (*pl* **~s**) *nf*
minigonna

minime [minim] *adj* (*fait*)
insignificante; (*salaire, perte*)
irrisorio(-a) ▪ *nm/f* (*Sport*) giovane
atleta *m/f* (*tra i 13 e 15 anni*)

minimessage [minimesaʒ] *nm*
messaggino

minimiser [minimize] *vt*
minimizzare

minimum [minimɔm] *adj*
minimo(-a) ▪ *nm* minimo; **un ~ de**
un minimo di; **au ~** come minimo,
almeno; **~ vital** salario minimo;
(*niveau de vie*) livello minimo di
sussistenza

ministère [ministɛʀ] *nm* (*Pol, Rel*)
ministero; **~ public** (*Jur*) pubblico
ministero

ministre [ministʀ] *nm* (*Pol, Rel*)
ministro; **~ d'État** ministro senza
portafoglio

Minitel® [minitɛl] *nm sistema
informativo di videotext*, ≈ Videotel *m*

⬢ **MINITEL**

⬢ Il *Minitel* è un piccolo terminale che
⬢ originariamente France-Télécom
⬢ forniva gratuitamente agli
⬢ abbonati. Serve come un elenco
⬢ telefonico computerizzato e
⬢ fornisce informazioni sugli orari
⬢ dei treni, le quotazioni di borsa
⬢ e le offerte di lavoro. Tramite il
⬢ telefono si accede ai servizi, che
⬢ vengono poi addebitati sulla
⬢ bolletta telefonica. Nonostante

l'importanza sempre maggiore
di Internet il *Minitel* continua a
far parte della vita quotidiana
dei francesi.

minoritaire [minɔʀitɛʀ] *adj*
minoritario(-a)

minorité [minɔʀite] *nf* minoranza;
(*d'une personne*) minore età; **être en ~**
essere in minoranza; **mettre en ~**
(*Pol*) mettere in minoranza

minuit [minɥi] *nm* mezzanotte *f*

minuscule [minyskyl] *adj*
minuscolo(-a) ▪ *nf*: (**lettre**) **~**
(lettera) minuscola

minute [minyt] *nf* minuto; (*instant*)
istante *m*, momento; (*Jur*) originale *m*
▪ *excl*: **~!** un momento!; **d'une ~ à
l'autre** da un momento all'altro, a
momenti; **à la ~** all'istante, sull'istante;
entrecôte/steak ~ costata/bistecca
cucinata sul momento

minuter [minyte] *vt* calcolare
precisamente la durata di

minuterie [minytʀi] *nf* timer *m inv*;
(*d'un escalier*) interruttore *m* a tempo

minutieux, -euse [minysjø, jøz] *adj*
minuzioso(-a)

mirabelle [miʀabɛl] *nf* mirabella
(*tipo di prugna*); (*eau de vie*) acquavite *f*
di mirabella

miracle [miʀakl] *nm* miracolo;
faire/accomplir des ~s fare/
compiere miracoli

mirage [miʀaʒ] *nm* miraggio

mire [miʀ] *nf* (*d'un fusil*) mira; (*TV*)
monoscopio; **point de ~** bersaglio;
(*fig*) polo di attrazione; **ligne de ~**
linea di tiro

miroir [miʀwaʀ] *nm* specchio

miroiter [miʀwate] *vi* luccicare,
scintillare; **faire ~ qch à qn** far
balenare qc davanti agli occhi di qn

mis, e [mi, miz] *pp de* **mettre** ▪ *adj*
(*couvert, table*) apparecchiato(-a);
bien/mal ~ (*personne*) vestito(-a)
bene/male

mise [miz] *nf* (*argent: au jeu*) posta,
puntata; (*tenue*) abbigliamento,
tenuta; **être de ~** essere
opportuno(-a); **~ à feu** accensione *f*;
~ à jour (*aussi Inform*)
aggiornamento; **~ à mort** uccisione *f*;
~ à pied sospensione *f* dal lavoro;

~ à prix prezzo *m* base *inv*;
~ au point (*Photo*) messa a fuoco;
(*fig*) chiarimento; **~ de fonds**
apporto di capitale; **~ en bouteilles**
imbottigliamento; **~ en plis**
messa in piega; **~ en scène**
realizzazione *f*, regia; **~ en service**
entrata in funzione; **~ sur pied**
realizzazione *f*
miser [mize] *vt* (*enjeu*) puntare;
~ sur puntare; (*fig*) contare su
misérable [mizeʀabl] *adj* miserabile,
misero(-a); (*honteux, mesquin*)
miserabile ▪ *nm/f* miserabile *m/f*,
disgraziato(-a)
misère [mizeʀ] *nf* miseria;
misères *nfpl* (*ennuis*) noie *fpl*;
(*méchancetés*) dispetti *mpl*; **tomber
dans la ~** cadere in miseria; **salaire
de ~** salario da fame; **faire des ~s
à qn** fare dispetti a qn; **~ noire**
miseria nera
missile [misil] *nm* missile *m*;
~ autoguidé/balistique missile
autoguidato/balistico; **~ de
croisière/stratégique** missile da
crociera/strategico
mission [misjɔ̃] *nf* missione *f*; **partir
en ~** (*Admin, Pol*) andare in missione;
~ de reconnaissance (*Mil*) missione
di ricognizione
missionnaire [misjɔnɛʀ] *nm/f* (*Rel*)
missionario(-a)
mité, e [mite] *adj* tarmato(-a)
mi-temps [mitɑ̃] *nf* (*Sport: période*)
tempo; (: *pause*) intervallo; **à ~**
(*travailler, travail*) part-time *inv*,
a mezza giornata
miteux, -euse [mitø, øz] *adj*
misero(-a), miserabile
mitigé, e [mitiʒe] *adj* moderato(-a)
mitoyen, ne [mitwajɛ̃, jɛn] *adj*
(*mur, cloison*) divisorio(-a); (*Jur*) di
proprietà comune; **maisons ~nes**
case *fpl* confinanti *ou* attigue
mitrailler [mitʀaje] *vt* mitragliare;
(*photographier*) bombardare di
fotografie
mitraillette [mitʀajɛt] *nf*
mitra *m inv*
mitrailleuse [mitʀajøz] *nf*
mitragliatrice *f*
mi-voix [mivwa]: **à ~** *adv* sottovoce,
a bassa voce

mixage [miksaʒ] *nm* (*Ciné*)
missaggio, mixage *m inv*
mixer, mixeur [miksœʀ] *nm* (*Culin*)
frullatore *m*
mixte [mikst] *adj* misto(-a);
cuisinière ~ cucina con fornelli a gas
ed elettrici
mixture [mikstyʀ] *nf* mistura;
(*boisson: péj*) intruglio; (*fig*)
miscuglio
Mlle (*pl* **~s**) *abr* (= *Mademoiselle*) sig.na
MM *abr* (= *Messieurs*) Sigg.
Mme (*pl* **~s**) *abr* (= *Madame*) Sig.ra
mobile [mɔbil] *adj* mobile;
(*population*) nomade ▪ *nm* (*cause,
motif*) movente *m*; (*Phys*) mobile *m*
mobilier, -ière [mɔbilje, jɛʀ] *adj*
(*Jur*) mobiliare ▪ *nm* mobilio,
mobili *mpl*; **effets ~s** valori *mpl*
mobiliari; **valeurs mobilières** titoli
mpl mobiliari; **vente mobilière**
vendita mobiliare; **saisie mobilière**
(*Jur*) sequestro di beni mobili
mobiliser [mɔbilize] *vt* (*Mil, fig*)
mobilitare
mocassin [mɔkasɛ̃] *nm* mocassino
moche [mɔʃ] (*fam*) *adj* brutto(-a)
modalité [mɔdalite] *nf* modalità *f
inv*; **~s de paiement** modalità *fpl* di
pagamento
mode [mɔd] *nf* moda ▪ *nm*
(*de production, d'exploitation*)
metodo; (*Ling, Mus, Inform*) modo;
travailler dans la ~ (*commerce,
industrie*) lavorare nel settore della
moda; **à la ~** di moda; **~ d'emploi**
istruzioni *fpl* (per l'uso); **~ de
paiement** modalità *fpl* di
pagamento; **~ de vie** stile *m* di vita;
~ dialogué (*Inform*) modo
conversazionale
modèle [mɔdɛl] *nm* modello; (*Art:
sujet*) soggetto; (: *personne qui pose*)
modello(-a) ▪ *adj* modello *inv*;
~ courant *ou* **de série** (*Comm*)
modello di serie; **~ déposé** (*Comm*)
modello depositato; **~ réduit**
modello in scala ridotta
modeler [mɔd(ə)le] *vt* modellare;
~ qch sur/d'après modellare qc su
modem [mɔdɛm] *nm* modem *m inv*
modéré, e [mɔdeʀe] *adj*
moderato(-a); (*prix*) modico(-a)
▪ *nm/f* (*Pol*) moderato(-a)

modérer [mɔdeʀe] vt moderare;
se modérer vr moderarsi

moderne [mɔdɛʀn] adj moderno(-a)
■ nm (Art) moderno, arte f moderna;
(ameublement): **le ~** il moderno, lo stile
moderno

moderniser [mɔdɛʀnize] vt
(intérieur) rimodernare;
(équipement, procédé) modernizzare;
se moderniser vr modernizzarsi

modeste [mɔdɛst] adj modesto(-a)

modestie [mɔdɛsti] nf modestia;
fausse ~ falsa modestia

modifier [mɔdifje] vt modificare;
se modifier vr modificarsi

modique [mɔdik] adj modico(-a)

module [mɔdyl] nm modulo;
~ lunaire modulo lunare

moelle [mwal] nf midollo;
jusqu'à la ~ (fig) fino al midollo;
~ épinière midollo spinale

moelleux, -euse [mwalø, øz] adj
(étoffe, siège) morbido(-a), soffice;
(vin) pastoso(-a); (voix, son, chocolat)
vellutato(-a)

mœurs [mœʀ] nfpl condotta fsg;
(manières) modi mpl, maniere fpl;
(pratiques sociales) costumi mpl,
usanze fpl; (mode de vie) stile msg
di vita, abitudini fpl; (d'une espèce
animale) abitudini fpl; **femme
de mauvaises ~** donna da facili
costumi; **passer dans les ~**
entrare nel costume; **contraire
aux bonnes ~** contrario alla
morale

moi [mwa] pron (sujet) io; (objet direct)
mi; (objet indirect) me ■ nm (Psych) io
m inv; **c'est ~ qui l'ai fait** l'ho fatto io;
c'est ~ que vous avez appelé? mi ha
chiamato?; **apporte-le-~** portamelo;
donnez m'en datemene; **avec ~** con
me; **~, je...** io...

moi-même [mwamɛm] pron io
stesso(-a); (complément) me
stesso(-a)

moindre [mwɛ̃dʀ] adj (comparatif)
minore, inferiore; (superlatif)
minimo(-a); **le/la ~ de** il/la minore di;
c'est la ~ des choses mi sembra il
minimo

moine [mwan] nm monaco,
frate m

moineau, x [mwano] nm passero

○ MOT-CLÉ

moins [mwɛ̃] adv 1 (comparatif):
moins (que) meno (di); **il a 3 ans de
moins que moi** ha 3 anni meno di me;
moins grand que meno grande di;
**moins je travaille, mieux je me
porte** meno lavoro meglio sto
2 (superlatif): **le moins** meno; **c'est ce
que j'aime le moins** è ciò che mi piace
meno; **le moins doué** il meno dotato;
la moins douée la meno dotata; **au
moins, du moins** almeno; **pour le
moins** perlomeno
3: **moins de** (quantité, nombre) meno;
moins de sable/d'eau meno sabbia/
acqua; **moins de livres/gens** meno
libri/gente; **moins de 2 ans/100
euros** meno di 2 anni/100 euro;
moins de midi non ancora
mezzogiorno
4: **de/en moins** in meno; **100 euros/
3 jours de moins** 100 euro/3 giorni in
meno; **trois livres en moins** tre libri
in meno; **de l'argent en moins** soldi
in meno; **le soleil en moins** senza il
sole; **de moins en moins** sempre
meno
5: **à moins de** conj a meno di; **à
moins que** conj a meno che; **à moins
de faire** a meno di non far si faccia; **à
moins que tu ne fasses** a meno che
tu non faccia; **à moins d'un accident**
salvo incidenti
■ prép: **4 moins 2** 4 meno 2; **il est
moins 10** mancano 10; **il fait moins
5** siamo a meno cinque
■ conj: **moins 2** meno 2

mois [mwa] nm mese m; (salaire,
somme due) mensilità f inv, mensile m;
treizième ~ (Comm) tredicesima;
double ~ (Comm) doppia mensilità

moisi, e [mwazi] adj ammuffito(-a)
■ nm muffa

moisir [mwaziʀ] vi (aussi fig)
ammuffire, fare la muffa ■ vt fare
ammuffire

moisissure [mwazisyʀ] nf muffa

moisson [mwasɔ̃] nf mietitura;
(céréales) messe f, raccolto; **une ~ de
souvenirs** una folla di ricordi; **une ~
de renseignements** una messe di
informazioni

moissonner [mwasɔne] vt mietere
moissonneuse [mwasɔnøz] nf
mietitrice f
moite [mwat] adj (peau, mains)
umidiccio(-a); (atmosphère, chaleur)
umido(-a)
moitié [mwatje] nf metà f inv; **sa ~**
(épouse) la sua metà; **la ~ de** la metà
di; **la ~ du temps/des gens** la metà
del tempo/della gente; **à la ~ de** a
metà di; **~ moins grand** alto la metà;
~ plus long più lungo la metà; **à ~** a
metà; **à ~ prix** a metà prezzo; **se**
mettre de ~ partecipare per metà;
moitié moitié metà e metà
molaire [mɔlɛʀ] nf molare m
molester [mɔlɛste] vt (brutaliser)
malmenare
molle [mɔl] adj f voir **mou**
mollement [mɔlmɑ̃] adv (couché)
mollemente; (protester)
timidamente; (péj) svogliatamente
mollet [mɔlɛ] nm (Anat) polpaccio
■ adj m: **œuf ~** uovo bazzotto
molletonné, e [mɔltɔne] adj
felpato(-a)
mollir [mɔliʀ] vi (jambes, fig: personne)
cedere; (Naut: vent) calare; (fig:
courage, résolution) venir meno
mollusque [mɔlysk] nm mollusco
môme [mom] (fam) nm/f (enfant)
ragazzino(-a) ■ nf (fille, femme) tipa
moment [mɔmɑ̃] nm momento;
ce n'est pas le ~ non è il momento; **à**
un certain ~ a un certo momento; **à**
un ~ donné a un certo punto; **à quel**
~? in che momento?; **au même ~**
nello stesso momento; **pour un bon**
~ per un bel po'; **pour le ~** per il
momento; **au ~ de** al momento di;
au ~ où nel momento in cui; **à tout ~**
tutti i momenti; (continuellement)
continuamente; **en ce ~** in questo
momento; **sur le ~** al momento; **par**
~s a tratti; **d'un ~ à l'autre** da un
momento all'altro; **du ~ où** ou **que** dal
momento che; **n'avoir pas un ~ à soi**
non aver un momento per sé;
derniers ~s ultimi momenti
momentané, e [mɔmɑ̃tane] adj
momentaneo(-a)
momentanément [mɔmɑ̃tanemɑ̃]
adv momentaneamente
momie [mɔmi] nf mummia

mon, ma [mɔ̃, ma] (pl **mes**) dét (il)
mio, (la) mia, (i) miei, (le) mie; **~ père**
mio padre; **ma maison** casa mia, la
mia casa; **mes gants** i miei guanti;
une de mes amies una mia amica
Monaco [mɔnako] nm: **(la**
principauté de) ~ (il principato di)
Monaco
monarchie [mɔnaʀʃi] nf monarchia;
~ absolue/parlementaire monarchia
assoluta/parlamentare
monastère [mɔnastɛʀ] nm
monastero
mondain, e [mɔ̃dɛ̃, ɛn] adj
mondano(-a); (peintre, écrivain) che
frequenta l'alta società ■ nm/f
mondano(-a); **carnet ~** cronaca
mondana
monde [mɔ̃d] nm mondo; **le beau/**
grand ~ il bel/gran mondo; **il y a du ~**
(beaucoup de gens) c'è molta gente;
(quelques personnes) c'è gente; **y a-t-il**
du ~ dans le salon? c'è qualcuno in
salotto?; **beaucoup/peu de ~** molta/
poca gente; **mettre au ~** mettere al
mondo; **l'autre ~** l'altro mondo; **tout**
le ~ tutti mpl; **pas le moins du ~** per
niente, affatto; **se faire un ~ de qch**
dare un'importanza esagerata a qc;
tour du ~ giro del mondo; **homme/**
femme du ~ uomo/donna di mondo
mondial, e, aux [mɔ̃djal, o] adj
mondiale
mondialement [mɔ̃djalmɑ̃] adv
universalmente, in tutto il mondo
monégasque [mɔnegask] adj
monegasco(-a) ■ nm/f:
Monégasque monegasco(-a)
monétaire [mɔnetɛʀ] adj
monetario(-a)
moniteur, -trice [mɔnitœʀ, tʀis]
nm/f (de ski) maestro(-a); (d'éducation
physique) istruttore(-trice); (de colonie
de vacances) animatore(-trice) ■ nm
(Méd): **~ cardiaque** monitor m inv
cardiaco; (Inform) monitor m inv;
~ d'auto-école istruttore m di guida
monnaie [mɔnɛ] nf moneta; **avoir**
de la ~ avere moneta ou spiccioli;
faire de la ~ cambiare; **avoir/faire la**
~ de 50 euros avere da cambiare/
cambiare 50 euro; **faire/donner à qn**
la ~ de 50 euros cambiare 50 euro a
qn; **rendre à qn la ~ (sur 20 euros)**

dare a qn il resto (di 20 euro); **servir de ~ d'échange** (*fig*) servire da moneta di scambio; **payer en ~ de singe** ripagare solo a chiacchiere; **c'est ~ courante** è (cosa) di ordinaria amministrazione; **gardez la ~** tenga pure il resto; **désolé, je n'ai pas de ~** mi dispiace, non ho spiccioli; **avez-vous de la ~?** ha da cambiare?; **~ légale** moneta legale

monologue [mɔnɔlɔg] *nm* monologo; **~ intérieur** monologo interiore

monologuer [mɔnɔlɔge] *vi* fare un monologo

monopole [mɔnɔpɔl] *nm* monopolio

monotone [mɔnɔtɔn] *adj* monotono(-a)

monovolume [mɔnɔvɔlym] *adj, nm* (*Auto*) monovolume (*f*) *inv*

Monsieur [məsjø] (*pl* **Messieurs**) *nm* signore *m*; **~ Dupont** il signor Dupont; **occupez-vous de ~** si occupi del signore; **bonjour ~** buongiorno (signore); **~** (*sur lettre*) Egregio Signore; **cher ~** caro signore; (*sur lettre*) Gentile Signore; **Messieurs** (i) signori

monstre [mɔ̃stʀ] *nm* mostro ■ *adj* (*fam*) mostruoso(-a), enorme; **un travail ~** un lavoro mostruoso; **~ sacré** mostro sacro

monstrueux, -euse [mɔ̃stʀyø, øz] *adj* mostruoso(-a)

mont [mɔ̃] *nm*: **par ~s et par vaux** in giro per il mondo; **le ~ de Vénus** il monte di Venere; **le M~ Blanc** il Monte Bianco

montage [mɔ̃taʒ] *nm* montaggio; (*d'une affaire financière*) organizzazione *f*; (*Élec*) collegamento; **~ sonore** montaggio sonoro

montagnard, e [mɔ̃taɲaʀ, aʀd] *adj, nm/f* montanaro(-a)

montagne [mɔ̃taɲ] *nf* montagna; **une ~ de** (*fig: quantité*) una montagna di; **la haute/moyenne ~** l'alta/la media montagna; **les ~s Rocheuses** le montagne Rocciose; **~s russes** montagne russe

montagneux, -euse [mɔ̃taɲø, øz] *adj* montuoso(-a)

montant, e [mɔ̃tɑ̃, ɑ̃t] *adj* (*mouvement*) ascendente; (*chemin*) in

salita; (*robe, corsage*) accollato(-a); (*col, marée*) alto(-a) ■ *nm* (*somme, total*) importo, ammontare *m*; (*d'une fenêtre*) stipite *m*; (*d'un lit*) spalliera; (*d'une échelle*) montante *m*

monte-charge [mɔ̃tʃaʀʒ] *nm inv* montacarichi *m inv*

montée [mɔ̃te] *nf* (*escalade*) arrampicata; (*chemin, côte*) salita; **au milieu de la ~** a metà salita

monter [mɔ̃te] *vi* salire; (*Cartes*) gettare una carta più alta ■ *vt* (*escalier, marches, côte*) salire; (*valise, déjeuner*) portare su; (*machine: assembler*) montare; (*Couture: manches, col*) attaccare; (*Théâtre: pièce*) allestire; (*affaire, société*) mettere su; (*coup*) organizzare; **se monter** *vr* (*s'équiper*) rifornirsi; **se ~ à** (*frais, réparation*) ammontare a; **~ à pied/en voiture** andare su *ou* salire a piedi/in macchina; **~ dans un train/avion/taxi** salire su un treno/ aereo/taxi; **~ sur/à** (*arbre, échelle*) salire su; **~ à cheval/à bicyclette** salire *ou* montare a cavallo/in bicicletta; **~ à l'assaut** andare all'assalto; **~ à bord** salire a bordo; **~ en grade** salire di grado; **~ sur les planches** calcare le scene; **~ à la tête de qn** (*vin, fig*) dare alla testa a qn; **~ à la tête à qn** dare alla testa a qn; **~ la tête à qn** montare la testa a qn; **~ qch en épingle** gonfiare qc; **~ la garde** montare la guardia; **~ son ménage** mettere su casa; **~ son trousseau** farsi il corredo

montgolfière [mɔ̃gɔlfiɛʀ] *nf* mongolfiera

montre [mɔ̃tʀ] *nf* orologio (da polso); **~ en main** orologio alla mano; **faire ~ de** far sfoggio di; (*faire preuve de*) far mostra di; **contre la ~** (*Sport*) a cronometro; **~ de plongée** orologio subacqueo

montrer [mɔ̃tʀe] *vt* mostrare; (*suj: panneau, flèche*) indicare; (*fig: décrire, dépeindre*) descrivere; **se montrer** *vr* apparire; **~ qch à qn** mostrare qc a qn; **~ qch du doigt** additare qc; **se ~ habile/à la hauteur/intelligent** (di)mostrarsi abile/all'altezza/ intelligente; **pouvez-vous me ~ où c'est?** può mostrarmi dov'è, per favore?

monture [mɔ̃tyʀ] *nf* (*bête*) cavalcatura; (*d'une bague, de lunettes*) montatura

monument [mɔnymɑ̃] *nm* monumento; ~ **aux morts** monumento ai caduti

moquer [mɔke]: **se moquer de** *vr* prendere in giro, burlarsi di; (*fam: se désintéresser de*) infischiarsene di

moquette [mɔkɛt] *nf* moquette *finv*

moqueur, -euse [mɔkœʀ, øz] *adj* beffardo(-a)

moral, e, aux [mɔʀal, o] *adj* morale ▪ *nm* morale *m*; **au ~, sur le plan ~** sul piano morale; **avoir le ~ à zéro** avere il morale a terra

morale [mɔʀal] *nf* morale *f*; **faire la ~ à qn** fare la morale a qn

moralité [mɔʀalite] *nf* moralità *f inv*; (*conclusion, enseignement*) morale *f*

morceau, x [mɔʀso] *nm* pezzo; (*d'une œuvre*) brano; **couper/ déchirer/mettre en ~x** tagliare/ strappare/fare a pezzi

morceler [mɔʀsəle] *vt* (*terrain*) frazionare, lottizzare

mordant, e [mɔʀdɑ̃, ɑ̃t] *adj* mordace; (*froid*) pungente ▪ *nm* (*aussi Chim*) mordente *m*

mordiller [mɔʀdije] *vt* mordicchiare

mordre [mɔʀdʀ] *vt* morsicare, mordere; (: *lime, ancre, vis*) mordere; (: *fig: froid*) penetrare in ▪ *vi* (*poisson*) abboccare; ~ **dans** (*fruit, gâteau*) addentare; ~ **sur** (*fig*) oltrepassare; ~ **à qch** (*comprendre, aimer*) ingranare in qc; ~ **à l'hameçon** abboccare

mordu, e [mɔʀdy] *pp de* **mordre** ▪ *adj* (*amoureux*) innamorato(-a) ▪ *nm/f* (*de voile etc*) patito(-a), fanatico(-a)

morfondre [mɔʀfɔ̃dʀ] *vr*: **se morfondre** annoiarsi (ad aspettare)

morgue [mɔʀg] *nf* (*arrogance*) tracotanza; (*lieu*) obitorio

morne [mɔʀn] *adj* cupo(-a), triste

morose [mɔʀoz] *adj* cupo(-a), imbronciato(-a); (*marché*) fiacco(-a), stagnante

mors [mɔʀ] *nm* morso

morse [mɔʀs] *nm* (*Zool*) tricheco; (*Tél*) (alfabeto) morse *m inv*

morsure [mɔʀsyʀ] *nf* morso; (*du froid*) morsa; (*plaie*) morsicatura

mort, e [mɔʀ, mɔʀt] *pp de* **mourir** ▪ *nf* morte *f* ▪ *adj* morto(-a) ▪ *nm/f* (*dépouille mortelle, défunt*) morto(-a) ▪ *nm* (*Cartes*) morto; **de ~** (*silence, pâleur etc*) di morte; **à ~** (*blessé etc*) a morte; **à la ~ de qn** alla morte di qn; **à la vie, à la ~** per sempre; ~ **ou vif** vivo(-a) o morto(-a); ~ **de peur** morto(-a) di paura; ~ **de fatigue** morto(-a) di stanchezza, stanco(-a) morto(-a); ~**s et blessés** morti e feriti; **faire le ~** fare il morto; (*fig*) non farsi sentire; **se donner la ~** darsi la morte; ~ **clinique** morte clinica

mortalité [mɔʀtalite] *nf* mortalità; ~ **infantile** mortalità infantile

mortel, le [mɔʀtɛl] *adj* mortale; (*fig: froid, chaleur*) tremendo(-a); (: *soirée*) di una noia mortale ▪ *nm/f* mortale *m/f*

mort-né, e [mɔʀne] (*mpl* ~**s**, *fpl* ~**es**) *adj* nato(-a) morto(-a); (*fig*) abortivo(-a)

mortuaire [mɔʀtɥɛʀ] *adj* (*cérémonie, couronne, drap*) funebre; **avis ~s** necrologio; **chapelle ~** cappella mortuaria; **domicile ~** domicilio in cui è avvenuto il decesso

morue [mɔʀy] *nf* merluzzo; (*Culin*) baccalà *m inv*

mosaïque [mɔzaik] *nf* (*aussi fig*) mosaico; **parquet ~** parquet *m inv* a mosaico

Moscou [mɔsku] *n* Mosca

mosquée [mɔske] *nf* moschea

mot [mo] *nm* parola; (*bon mot etc*) battuta (di spirito) ▪ *adv* in modo letterale ▪ *nm* traduzione *f* letterale; **écrire/recevoir un ~** scrivere/ ricevere due righe; **le ~ de la fin** la battuta finale; ~ **à ~** *adj* letterale; **à ces ~s** udite ou a queste parole; **sur ces ~s** detto questo; **en un ~** in breve, in una parola; ~ **pour ~** parola per parola; **à ~s couverts** per sottintesi; **avoir le dernier ~** avere l'ultima parola; **prendre qn au ~** prendere qn in parola; **se donner le ~** passarsi parola; **avoir son ~ à dire** avere da dire la propria; **avoir des ~s avec qn** litigare con qn; ~ **d'ordre** *ou* **de passe** parola d'ordine; ~**s croisés** parole crociate

motard [mɔtaʀ] nm motociclista m; (de la police) agente m in motocicletta

motel [mɔtɛl] nm motel m inv

moteur, -trice [mɔtœʀ, tʀis] adj (Anat, Physiol) motorio(-a); (Tech) motore(-trice); (Auto): **à 4 roues motrices** a 4 ruote motrici ■ nm motore m; (fig: personne) fautore m; **à ~** a motore; **~ à deux/quatre temps** motore a due/quattro tempi; **~ à explosion** motore a scoppio; **~ à réaction** motore a reazione; **~ de recherche** (Inform) motore m di ricerca; **~ thermique** motore termico

motif [mɔtif] nm motivo; **motifs** nmpl (Jur: d'une loi, d'un jugement) motivazione f

motivation [mɔtivasjɔ̃] nf motivazione f

motiver [mɔtive] vt motivare

moto [mɔto] nf moto f inv; **~ de trial** moto da trial; **~ verte** sport motociclistico che comprende il motocross, l'enduro e il trial

motocycliste [mɔtɔsiklist] nm/f motociclista m/f

motorisé, e [mɔtɔʀize] adj motorizzato(-a)

motrice [mɔtʀis] nf (Rail) motrice f ■ adj f voir **moteur**

motte [mɔt] nf: **~ de terre** zolla di terra; **~ de beurre** pane ou panetto di burro; **~ de gazon** zolla erbosa

mou, mol, molle [mu, mɔl] adj molle; (matelas) morbido(-a); (personne) fiacco(-a); (résistance) debole, fiacco(-a) ■ nm (homme mou) pappamolle m/f inv; (abats) polmone m; **avoir les jambes molles** avere le gambe molli; **donner du ~** allentare

mouche [muʃ] nf mosca; (Escrime) bottone m; (sur une cible) centro; **prendre la ~** prendersela; **faire ~** fare centro; **bateau-~** battello per gite sulla Senna; **~ tsé-tsé** mosca f tse-tse inv

moucher [muʃe] vt (enfant) soffiare il naso a; (chandelle, lampe) smoccolare; (fig) dare una lavata di capo a; **se moucher** vr soffiarsi il naso

moucheron [muʃʀɔ̃] nm moscerino

mouchoir [muʃwaʀ] nm fazzoletto; **~ en papier** fazzoletto di carta

moudre [mudʀ] vt macinare

moue [mu] nf smorfia; **faire la ~** fare il broncio

mouette [mwɛt] nf gabbiano

moufle [mufl] nf muffola, manopola; (Tech) bozzello

mouillé, e [muje] adj bagnato(-a)

mouiller [muje] vt (humecter) inumidire; (tremper) bagnare; (couper, diluer) diluire, annacquare; (ragoût, sauce) allungare; (mine) posare; (ancre) gettare ■ vi (Naut) ormeggiarsi, ancorarsi; **se mouiller** vr bagnarsi; (fam) compromettersi; **~ l'ancre** gettare l'ancora

moulant, e [mulɑ̃, ɑ̃t] adj attillato(-a), aderente

moule [mul] vb voir **moudre** ■ nf mitilo, cozza ■ nm stampo, forma; (modèle plein) forma; (à pâté de sable) stampino; **~ à gâteaux** stampo per dolci; **~ à gaufre** stampo per cialde; **~ à tarte** tortiera

mouler [mule] vt fabbricare (da stampo), foggiare; (couler substance) fondere; (prendre empreinte) fare il calco di; (lettre) scrivere in bella calligrafia; (suj: vêtement, bas) modellare; **~ qch sur** (fig) modellare qc su

moulin [mulɛ̃] nm mulino; (fam) motore m; **~ à café** macinacaffè m inv; **~ à eau** mulino ad acqua; **~ à légumes** passaverdure m inv; **~ à paroles** (fig) chiacchierone(-a); **~ à poivre** macinapepe m inv; **~ à prières** mulino di preghiera; **~ à vent** mulino a vento

moulinet [mulinɛ] nm mulinello

moulinette® [mulinɛt] nf passaverdure m inv

moulu, e [muly] pp de **moudre** ■ adj (café) macinato(-a)

mourant, e [muʀɑ̃, ɑ̃t] vb voir **mourir** ■ adj morente, moribondo(-a); (feu) morente; (son, voix) fievole, fioco(-a); (regard, yeux) spento(-a) ■ nm/f moribondo(-a)

mourir [muʀiʀ] vi morire; **~ de faim** morire di fame; **~ de froid** morire di freddo; **~ d'ennui** (fig) annoiarsi a morte; **~ de rire** morire dal ridere; **~ de vieillesse** morire di vecchiaia; **~ assassiné** morire ammazzato; **~ d'envie de faire** morire dalla voglia

di fare; **être las à ~** essere stanco(-a)
morto(-a); **s'ennuyer à ~** annoiarsi a
morte

mousse [mus] nf (Bot) muschio; (de
l'eau, d'un shampooing) schiuma; (de
champagne, bière) schiuma, spuma;
(dessert) mousse f inv; (en caoutchouc
etc) gommapiuma; (pâté): **~ de foie
gras** mousse di fegato d'oca ■ nm
(Naut) mozzo; **bain de ~**
bagnoschiuma m inv; **bas ~** collant m
inv stretch; **balle ~** palla di
gommapiuma; **~ à raser** schiuma da
barba; **~ carbonique** schiuma f
antincendio inv; **~ de nylon** (tissu)
stretch m inv di nylon

mousseline [muslin] nf mussola;
pommes ~ (Culin) purè m inv di patate

mousser [muse] vi fare schiuma

mousseux, -euse [musø, øz] adj
con la schiuma ■ nm: **(vin) ~** (vino)
spumante m

mousson [musɔ̃] nf monsone m

moustache [mustaʃ] nf baffi mpl;
moustaches nfpl (d'animal) baffi mpl

moustachu, e [mustaʃy] adj
baffuto(-a)

moustiquaire [mustikɛʀ] nf
zanzariera

moustique [mustik] nm zanzara

moutarde [mutaʀd] nf (Bot) senape
f; (condiment) senape f ■ adj inv
senape inv

mouton [mutɔ̃] nm pecora; (mâle)
montone m; (péj) pecora, pecorone
m; **moutons** nmpl (fig: petits nuages)
pecorelle fpl; (flocons de poussière)
fiocco ou bioccolo di polvere

mouvement [muvmã] nm
movimento; (d'un terrain, sol)
ondulazione f; (mécanisme: de montre)
meccanismo; (fig: de colère, d'humeur)
moto; (de prix, valeurs) andamento;
en ~ in movimento; **mettre qch en ~**
mettere in moto qc; **M~ de libération
de la femme** movimento di
liberazione della donna; **~ d'humeur**
moto di stizza; **~ d'opinion** tendenza
dell'opinione pubblica; **le ~ perpétuel**
il moto perpetuo

mouvementé, e [muvmãte] adj
movimentato(-a); (récit) animato(-a)

mouvoir [muvwaʀ] vt muovere;
se mouvoir vr muoversi

moyen, ne [mwajɛ̃, jɛn] adj
medio(-a); (élève, résultat) mediocre
■ nm mezzo, modo; **moyens** nmpl
(intellectuels) capacità fpl; (physiques)
doti fpl; (ressources pécuniaires) mezzi
mpl; **au ~ de** per mezzo di, mediante;
y a-t-il ~ de...? c'è modo di...?; **par
quel ~?** in che modo?; **avec les ~s du
bord** (fig) con i mezzi di cui si dispone;
par tous les ~s in tutti i modi, con
ogni mezzo; **employer les grands
~s** far uso di tutte le proprie risorse;
par ses propres ~s coi propri mezzi;
M~ Âge medioevo; **~ d'expression**
mezzo di espressione; **~ de
locomotion** mezzo di locomozione;
~ de transport mezzo di trasporto;
~ terme medio termine

moyennant [mwajɛnã] prép (somme
d'argent) dietro pagamento di,
pagando; **~ quoi** dopodiché

moyenne [mwajɛn] nf media; (Scol)
sufficienza; **en ~** in media; **~ d'âge**
età f inv media; **~ entreprise** (Comm)
media impresa

Moyen-Orient [mwajɛnɔʀjã] nm
Medio Oriente m

moyeu, x [mwajø] nm mozzo

MST [ɛmɛste] sigle f = maladie
sexuellement transmissible

mû, mue [my] pp de **mouvoir**

muer [mɥe] vi (oiseau) fare la muda;
(serpent, mammifère) fare la muta;
(jeune garçon) cambiare voce; **se ~ en**
vr mutarsi in

muet, te [mɥɛ, mɥɛt] adj, nm/f
muto(-a) ■ nm: **le ~** il cinema muto;
~ d'admiration/d'étonnement
muto(-a) per l'ammirazione/
lo stupore

mufle [myfl] nm muso; (goujat,
malotru) zoticone(-a), cafone(-a)
■ adj cafone(-a)

mugir [myʒiʀ] vi muggire; (fig)
ululare

muguet [mygɛ] nm mughetto

mule [myl] nf (Zool) mula; (fig) mulo;
mules nfpl (pantoufles) pantofole fpl

mulet [mylɛ] nm (mammifère) mulo;
(poisson) cefalo

multiethnique [myltiɛtnik] adj
multietnico(-a)

multinationale [myltinasjɔnal] nf
multinazionale f

multiple [myltipl] *adj* molteplice; (*nombre*) multiplo(-a) ■ *nm* multiplo
multiplication [myltiplikasjɔ̃] *nf* moltiplicazione *f*
multiplier [myltiplije] *vt* moltiplicare; **se multiplier** *vr* moltiplicarsi
multiracial, e [myltiʀasjal] *adj* multirazziale
multisalle(s) [myltisal] *adj* (*cinéma*) multisala
multivitaminé, e [myltivitamine] *adj* multivitaminico(-a)
municipal, e, aux [mynisipal, o] *adj* comunale, municipale
municipalité [mynisipalite] *nf* (*corps municipal*) amministrazione *f* comunale; (*commune*) comune *m*
munir [myniʀ] *vt*: ~ **qn/qch de** munire qn/qc di; **se** ~ **de** *vr* armarsi *ou* munirsi di
munitions [mynisjɔ̃] *nfpl* munizioni *fpl*
mur [myʀ] *nm* (*aussi fig*) muro; (*rondins*) palizzata; **faire le** ~ (*interne, soldat*) saltare il muro; **les ~s de la ville** le mura della città; ~ **du son** muro del suono
mûr, e [myʀ] *adj* maturo(-a)
muraille [myʀaj] *nf* muraglia
mural, e, aux [myʀal, o] *adj* murale; (*étagère, bibliothèque*) a muro ■ *nm* (*Art*) murale *m*
mûre [myʀ] *nf* (*du mûrier*) mora (di gelso); (*de la ronce*) mora
muret [myʀɛ] *nm* muretto
mûrir [myʀiʀ] *vi, vt* maturare
murmure [myʀmyʀ] *nm* mormorio; **murmures** *nmpl* (*plaintes*) proteste *fpl*; ~ **d'approbation/d'admiration** mormorio di approvazione/di ammirazione
murmurer [myʀmyʀe] *vi* mormorare
muscade [myskad] *nf* (*Bot: aussi:* **noix muscade**) noce *f* moscata
muscat [myska] *nm* moscato
muscle [myskl] *nm* muscolo
musclé, e [myskle] *adj* muscoloso(-a); (*fig*) energico(-a), deciso(-a)
museau, x [myzo] *nm* muso
musée [myze] *nm* museo; (*de peinture*) pinacoteca

museler [myz(ə)le] *vt* mettere la museruola a; (*fig*) imbavagliare
muselière [myzəljɛʀ] *nf* museruola
musette [myzɛt] *nf* tascapane *m*
musical, e, aux [myzikal, o] *adj* musicale
music-hall [myzikol] (*pl* ~**s**) *nm* varietà *m inv*
musicien, ne [myzisjɛ̃, jɛn] *adj* che si intende di musica ■ *nm/f* musicista *m/f*
musique [myzik] *nf* musica; (*fanfare*) banda; **faire de la** ~ far musica; (*jouer d'un instrument*) suonare; ~ **de chambre** musica da camera; ~ **de film** musica da film; ~ **de fond** musica di sottofondo; ~ **militaire** banda militare

musulman, e [myzylmɑ̃, an] *adj, nm/f* mu(s)sulmano(-a)
mutation [mytasjɔ̃] *nf* (*Admin*) trasferimento; (*Biol*) mutazione *f*
muter [myte] *vt* (*Admin*) trasferire
mutilé, e [mytile] *nm/f* mutilato(-a) **grand** ~ grande invalido; ~ **de guerre** mutilato di guerra; ~ **du travail** mutilato del lavoro
mutiler [mytile] *vt* mutilare; (*fig*) danneggiare
mutin, e [mytɛ̃, in] *adj* birichino(-a), sbarazzino(-a) ■ *nm* (*Mil, Naut*) ammutinato
mutinerie [mytinʀi] *nf* ammutinamento
mutisme [mytism] *nm* mutismo
mutuel, le [mytɥɛl] *adj* reciproco(-a); **établissement/ société d'assurance ~le** (*cassa*) mutua

mutuelle [mytɥɛl] *nf* (cassa) mutua
myope [mjɔp] *adj, nm/f* miope *m/f*
myosotis [mjɔzɔtis] *nm*
  nontiscordardimé *m inv*
myrtille [miʀtij] *nf* mirtillo
mystère [mistɛʀ] *nm* mistero
mystérieux, -euse [misteʀjø, jøz]
  adj misterioso(-a)
mystifier [mistifje] *vt* mistificare
mythe [mit] *nm* mito
mythologie [mitɔlɔʒi] *nf* mitologia

n' [n] *adv voir* **ne**
nacre [nakʀ] *nf* madreperla
nage [naʒ] *nf* nuoto; **traverser/
  s'éloigner à la ~** attraversare/
  allontanarsi a nuoto; **en ~** in un
  bagno di sudore; **~ indienne** stile *m*
  alla marinara; **~ libre** stile *m* libero;
  ~ papillon stile *m* a farfalla
nageoire [naʒwaʀ] *nf* pinna
nager [naʒe] *vi* nuotare; (*fig*) non
  sapere che pesci pigliare ■ *vt* (*le crawl
  etc*) nuotare a; **~ dans des vêtements**
  ballare nei vestiti; **~ dans le bonheur**
  essere fuori di sé dalla gioia
nageur, -euse [naʒœʀ, øz] *nm/f*
  nuotatore(-trice)
naïf, naïve [naif, naiv] *adj*
  ingenuo(-a)
nain, e [nɛ̃, nɛn] *nm/f, adj* nano(-a)
naissance [nesɑ̃s] *nf* nascita;
  donner ~ à (*enfant*) mettere al
  mondo; (*fig: rumeurs, soupçons*) far
  nascere; **prendre ~** nascere; **aveugle
  de ~** cieco dalla nascita; **Français de
  ~** francese di nascita; **à la ~ des
  cheveux** all'attaccatura dei capelli;
  lieu de ~ luogo di nascita

naître [nɛtʀ] vi nascere; ~ **de**
(résulter) nascere da; **il est né en 1960**
è nato nel 1960; **il naît plus de filles
que de garçons** nascono più
femmine che maschi; **faire ~** (fig:
soupçons, sentiment) far nascere
naïveté [naivte] nf ingenuità f inv
nana [nana] (fam) nf ragazza
nappe [nap] nf tovaglia; ~ **d'eau**
falda acquifera; ~ **de brouillard**
banco di nebbia; ~ **de gaz** coltre f di
gas; ~ **de mazout** chiazza di nafta
napperon [napʀɔ̃] nm centrino;
~ **individuel** tovaglietta americana
naquit etc [naki] vb voir **naître**
narguer [naʀge] vt sfidare
narine [naʀin] nf narice f
natal, e [natal] adj natale
natalité [natalite] nf natalità
natation [natasjɔ̃] nf nuoto; **faire
de la ~** fare nuoto
natif, -ive [natif, iv] adj nativo(-a);
(inné) innato(-a); ~ **de** (originaire)
nativo(-a) di
nation [nasjɔ̃] nf nazione f; **les N~s
Unies** le Nazioni Unite
national, e, aux [nasjɔnal, o] adj
nazionale; **nationaux** nmpl
(citoyens) connazionali mpl; **obsèques
~es** funerali mpl di stato
nationale [nasjɔnal] nf: (**route**) ~
(strada) statale f
nationaliser [nasjɔnalize] vt
nazionalizzare
nationalisme [nasjɔnalism] nm
nazionalismo
nationalité [nasjɔnalite] nf
nazionalità f inv, cittadinanza; **il est
de ~ française** è di nazionalità
francese
natte [nat] nf (tapis) stuoia; (cheveux)
treccia
naturaliser [natyʀalize] vt
(personne) naturalizzare; (animal,
plante) acclimatare
nature [natyʀ] nf natura ■ adj
(Culin) al naturale; (personne)
naturale, spontaneo(-a) ■ adv (Culin)
(al) naturale; (thé) senza niente;
café ~ caffè nero; **payer en ~** pagare
in natura; **peint d'après ~** dipinto
dal vero; **être de ~ à faire qch** essere
tale da fare qc; ~ **morte** natura
morta

naturel, le [natyʀɛl] adj naturale
■ nm indole f, carattere m; (aisance)
naturalezza; **au ~** (Culin) al naturale
naturellement [natyʀɛlmɑ̃] adv
(par tempérament, facilement) con
naturalezza; (bien sûr, évidemment)
naturalmente
naufrage [nofʀaʒ] nm naufragio;
(fig) rovina; **faire ~** naufragare
nausée [noze] nf (aussi fig) nausea;
avoir la ~ ou **des ~s** avere la nausea
nautique [notik] adj nautico(-a);
sports ~s sport mpl nautici
naval, e [naval] adj navale
navet [navɛ] nm rapa; (péj: film)
filmaccio
navette [navɛt] nf (objet) navetta,
spola; (en car etc) navetta; **faire la ~
(entre)** (aussi fig) fare la spola (tra);
~ **spatiale** navetta spaziale
navigateur [navigatœʀ] nm
(Aviat, Naut) navigatore m; (Inform)
browser m inv
navigation [navigasjɔ̃] nf
navigazione f; **compagnie de ~**
compagnia di navigazione
naviguer [navige] vi navigare
navire [naviʀ] nm nave f;
~ **marchand/de guerre** nave
mercantile/da guerra
navrer [navʀe] vt rattristare; **je suis
navré (de/de faire/que)** sono
spiacente ou desolato (di/di fare/che)
ne [nə] adv non
né, e [ne] pp de **naître** ■ adj: **un
comédien né** un attore nato; **né en
1960** nato(-a) nel 1960; **née Dupont**
nata Dupont; **bien né** di buona
famiglia; **né de... et de...** (sur acte de
naissance etc) figlio(-a) di... e di...; **né
d'une mère française** nato(-a) da
madre francese
néanmoins [neɑ̃mwɛ̃] adv tuttavia,
(ciò) nondimeno
néant [neɑ̃] nm nulla m inv; **réduire à
~** annientare; (espoir) distruggere
nécessaire [nesesɛʀ] adj
necessario(-a) ■ nm: **faire le ~** fare il
necessario; **est-il ~ que je m'en aille?**
è necessario che me ne vada?; **il est ~
de...** è necessario...; **n'emporter que
le strict** ~ prendere con sé solo lo
stretto necessario; ~ **de couture**
astuccio da lavoro; ~ **de toilette** (sac)

necessaire *m inv* da toilette; **~ de voyage** necessaire *m inv* da viaggio

nécessité [nesesite] *nf* necessità *f inv*; **se trouver dans la ~ de faire qch** trovarsi nella necessità di fare qc; **par ~** per necessità

nécessiter [nesesite] *vt* necessitare di

nectar [nɛktaʀ] *nm* nettare *m*

néerlandais, e [neɛʀlɑ̃dɛ, ɛz] *adj* nederlandese ■ *nm* (*langue*) nederlandese *m* ■ *nm/f*: **Néerlandais, e** nederlandese *m/f*

nef [nɛf] *nf* navata

néfaste [nefast] *adj* nefasto(-a)

négatif, -ive [negatif, iv] *adj* negativo(-a) ■ *nm* (*Photo*) negativo

négligé, e [negliʒe] *adj* (*en désordre*) trascurato(-a), trasandato(-a) ■ *nm* negligé *m inv*

négligeable [negliʒabl] *adj* trascurabile

négligent, e [negliʒɑ̃, ɑ̃t] *adj* negligente

négliger [negliʒe] *vt* trascurare; (*avis*) non tener conto di, non ascoltare; (*précautions*) trascurare di prendere; **se négliger** *vr* trascurarsi; **~ de faire qch** trascurare di fare qc

négociant, e [negɔsjɑ̃, jɑ̃t] *nm/f* negoziante *m/f*

négociation [negɔsjasjɔ̃] *nf* negoziato; **~s collectives** contrattazioni *fpl* sindacali

négocier [negɔsje] *vt* negoziare; (*virage*) prendere bene; (*obstacle*) aggirare ■ *vi* (*Pol*) negoziare

nègre [nɛgʀ] (*péj*) *nm* negro ■ *adj* negro(-a)

neige [nɛʒ] *nf* neve *f*; **battre les œufs en ~** montare le uova a neve; **~ carbonique** neve carbonica; **~ fondue** (*par terre*) neve sciolta; **~ poudreuse** neve farinosa

neiger [neʒe] *vi* nevicare

nénuphar [nenyfaʀ] *nm* ninfea

néon [neɔ̃] *nm* neon *m inv*

néo-zélandais, e [neozelɑ̃dɛ, ɛz] (*mpl ~*, *fpl* **néo-zélandaises**) *adj* neozelandese ■ *nm/f*: **Néo-Zélandais, e** neozelandese *m/f*

nerf [nɛʀ] *nm* nervo; (*fig: vigueur*) nerbo; **nerfs** *nmpl* (*équilibre nerveux*) nervi *mpl*; **être** *ou* **vivre sur les ~s**

essere *ou* vivere costantemente in tensione; **être à bout de ~s** avere i nervi a fior di pelle; **passer ses ~s sur qn** sfogare il proprio nervosismo su qn

nerveux, -euse [nɛʀvø, øz] *adj* nervoso(-a); (*voiture*) scattante

nervosité [nɛʀvozite] *nf* nervosismo

n'est-ce pas? [nɛspɑ] *adv*: "c'est bon, ~?" "è buono, vero?"; "il a peur, ~?" "ha paura, vero?"; "~ que c'est bon?" "vero che è buono?"; **lui, ~, il peut se le permettre** lui, vero, se lo può permettere

Net [nɛt] *nm* (*Internet*): **le ~** Internet *f*; **surfer sur le ~** navigare in Internet

net, nette [nɛt] *adj* netto(-a); (*propre, sans tache*) pulito(-a) ■ *adv* (*refuser*) categoricamente, nettamente ■ *nm*: **mettre au ~** mettere in bella copia; **s'arrêter ~** fermarsi di colpo; **la lame a cassé ~** la lama si è troncata di netto; **faire place ~te** fare piazza pulita; **~ d'impôt** al netto d'imposta

nettement [nɛtmɑ̃] *adv* chiaramente; (*distinctement*) nitidamente, chiaramente; **~ mieux/meilleur** nettamente meglio/migliore

netteté [nɛte] *nf* nitidezza, chiarezza

nettoyage [netwajaʒ] *nm* pulizia, pulitura; **~ à sec** lavaggio a secco

nettoyer [netwaje] *vt* pulire; (*fig*) ripulire

neuf¹ [nœf] *adj inv*, *nm inv* nove (*m*) *inv*; *voir aussi* **cinq**

neuf², neuve [nœf, nœv] *adj* nuovo(-a) ■ *nm*: **repeindre à ~** ridipingere a nuovo; **remettre à ~** rimettere a nuovo; **quoi de ~?** cosa c'è di nuovo?

neutre [nøtʀ] *adj* neutro(-a); (*Pol, fig*) neutrale ■ *nm* (*Ling*) neutro

neuve [nœv] *adj voir* **neuf²**

neuvième [nœvjɛm] *adj*, *nm/f* nono(-a) ■ *nm* nono; *voir aussi* **cinquième**

neveu, x [n(ə)vø] *nm* nipote *m* (*di zio, zia*)

nez [ne] *nm* naso; (*d'avion etc*) muso; **rire au ~ de qn** ridere in faccia a qn; **avoir du ~** avere naso; **avoir le ~ fin**

avere buon naso *ou* fiuto; ~ à ~ **avec** faccia a faccia con; **à vue de** ~ a prima vista

ni [ni] *conj*: **ni l'un ni l'autre ne sont...** né l'uno né l'altro sono...; **il n'a rien vu ni entendu** non ha visto né sentito nulla

niche [niʃ] *nf* cuccia; (*de mur*) nicchia; (*farce*) tiro

nicher [niʃe] *vi* nidificare; **se ~ dans** (*oiseau*) fare il nido in; (*personne: se blottir*) rannicchiarsi in; (: *se cacher*) nascondersi in

nid [ni] *nm* (*aussi fig*) nido; **~ d'abeilles** (*Couture, Textile*) nido d'api; **~ de poule** buca

nièce [njɛs] *nf* nipote *f* (*di zio, zia*)

nier [nje] *vt* negare

Nil [nil] *nm* Nilo

n'importe [nɛ̃pɔʀt] *adv*: **"~!"** "non fa niente!"; **~ qui** chiunque; **~ quoi** qualsiasi cosa; **~ où** dovunque; **~ quoi!** (*fam: désapprobation*) sciocchezze!; **~ lequel/laquelle d'entre nous** uno(-a) qualsiasi di noi; **~ quel/quelle** qualsiasi, qualunque; **à ~ quel prix** a qualsiasi prezzo; **~ quand** in qualsiasi momento; **~ comment, il part ce soir** comunque sia, parte stasera; **~ comment** (*sans soin: travailler etc*) alla bell'e meglio

niveau, x [nivo] *nm* livello; **au ~ de** (*à la hauteur de*) all'altezza di, al livello di; (*à côté de, fig: en ce qui concerne*) a livello di; **de ~ (avec)** dello stesso livello (di); **le ~ de la mer** il livello del mare; **~ (à bulle)** livella; **~ (d'eau)** livello idrico; **~ de vie** tenore *m* di vita; **~ social** livello sociale

niveler [niv(ə)le] *vt* (*aussi fig*) livellare

noble [nɔbl] *adj, nm/f* nobile *m/f*

noblesse [nɔblɛs] *nf* nobiltà

noce [nɔs] *nf* nozze *fpl*; (*gens*) invitati *mpl* (alle nozze); **il l'a épousée en secondes ~s** l'ha sposata in seconde nozze; **faire la ~** (*fam*) fare baldoria; **~s d'argent/d'or/de diamant** nozze d'argento/d'oro/di diamante

nocif, -ive [nɔsif, iv] *adj* nocivo(-a)

nocturne [nɔktyʀn] *adj* notturno(-a) ■ *nf* (*Sport*) notturna; (*d'un magasin*) apertura notturna

Noël [nɔɛl] *nm ou f*: **la (fête de) ~** la festa di Natale, il Natale

nœud [nø] *nm* (*de corde, Naut, fig: d'une question*) nodo; (*ruban*) fiocco; (*fig: liens*) vincolo; **~ de l'action** (*Théâtre etc*) nodo dell'azione; **~ coulant** nodo scorsoio; **~ de vipères** (*fig*) covo di vipere; **~ gordien** nodo gordiano; **~ papillon** farfallino

noir, e [nwaʀ] *adj* nero(-a); (*race, personne*) negro(-a), nero(-a); (*obscur, sombre*) buio(-a), scuro(-a); (*roman, film*) noir *inv* ■ *nm/f* negro(-a), nero(-a) ■ *nm* (*couleur, matière*) nero; (*obscurité*): **dans le ~** nell'oscurità ■ *adv*: **au ~** (*travailler*) in nero; (*acheter, vendre*) al mercato nero; **il fait ~** fa buio

noircir [nwaʀsiʀ] *vi* annerire ■ *vt* annerire; (*fig*) screditare

noire [nwaʀ] *nf* (*Mus*) semiminima

noisette [nwazɛt] *nf* nocciola; (*de beurre etc*) noce *f* ■ *adj* (*yeux*) (color) nocciola *inv*

noix [nwa] *nf* noce *f*; **une ~ de beurre** una noce di burro; **à la ~** (*fam*) che non vale niente; **~ de cajou** noce di acagiù; **~ de coco** noce di cocco; **~ de veau** (*Culin*) noce di vitello; **~ muscade** noce moscata

nom [nɔ̃] *nm* nome *m*; **connaître qn de ~** conoscere qn di nome; **au ~ de** in nome di; **~ d'une pipe** *ou* **d'un chien!** (*fam*) perbacco!, accidenti!; **~ de Dieu!** (*fam!*) per Dio!; **~ commun** nome comune; **~ composé** nome composto; **~ d'emprunt** nome fittizio; (*d'écrivain*) pseudonimo; **~ de famille** cognome *m*; **~ de fichier** (*fam*) nome di file; **~ de jeune fille** cognome *m* da ragazza; **~ déposé** nome depositato; **~ propre** nome proprio

nomade [nɔmad] *adj, nm/f* nomade *m/f*

nombre [nɔ̃bʀ] *nm* (*Math, Ling*) numero; **venir en ~** giungere numerosi(-e); **depuis ~ d'années** da molti anni; **ils sont au ~ de 3** sono in 3; **au ~ de mes amis** tra i miei amici; **sans ~** innumerevoli; **(bon) ~ de** un buon numero di; **~ entier/premier** numero intero/primo

nombreux, -euse [nɔ̃bʀø, øz] *adj* (*avec nom pl*) numerosi(-e), molti(-e);

(avec nom sg) numeroso(-a);
peu ~ poco numeroso(-a); **de ~ cas**
numerosi casi
nombril [nɔ̃bʀi(l)] nm ombelico
nommer [nɔme] vt (baptiser,
dénommer) battezzare; (qualifier)
chiamare; (mentionner, citer) fare il
nome di, citare; (désigner, choisir)
nominare; **se nommer** vr: **il se**
nomme Jean si chiama Jean; (se
présenter) presentarsi, dire il proprio
nome; **un nommé Leduc** un certo
Leduc
non [nɔ̃] adv (réponse) no; (avec loin,
sans, seulement) non; **Paul est venu,**
~? Paul è venuto, vero?; **c'est**
sympa, ~? è simpatico, no?;
répondre ou **dire que ~** rispondere
ou dire di no; **~ (pas) que...** non che...;
~ plus; moi ~ plus neanch'io,
nemmeno io; **je préférais que ~**
preferivo di no; **il se trouve que ~** si
dà il caso di no; **je pense que ~** penso
di no; **je suis sûr que ~** sono sicuro di
no; **mais ~, ce n'est pas mal** ma no,
non è (poi) male; **~ mais...!** no ma...!;
~ mais des fois! ma ti (ou vi ou le)
pare!; **~ loin/seulement** non
lontano/solo
non alcoolisé, e [nɔ̃alkɔɔlize] adj
analcolico(-a)
nonchalant, e [nɔ̃ʃalɑ̃, ɑ̃t] adj
indifferente, svogliato(-a)
non-fumeur, -euse [nɔ̃fymœʀ, øz]
(mpl **~s**, fpl **non-fumeuses**) nm/f non
fumatore(-trice)
nonne [nɔn] nf suora

> **FAUX AMIS**
> **nonne** ne se traduit pas
> par le mot italien **nonna**.

non-sens [nɔ̃sɑ̃s] nm nonsenso,
controsenso
nord [nɔʀ] nm nord m inv ▪ adj inv
nord inv, settentrionale; **au ~**
(situation) al nord; (direction) a nord;
au ~ de a nord di; **perdre le ~** perdere
la bussola; voir aussi **pôle**; **sud**
nord-est [nɔʀɛst] nm inv nordest m inv
nord-ouest [nɔʀwɛst] nm inv
nordovest m inv
normal, e, aux [nɔʀmal, o] adj
normale
normale [nɔʀmal] nf norma; (Géom)
normale f

normalement [nɔʀmalmɑ̃] adv
normalmente; (en principe) salvo
imprevisti
normand, e [nɔʀmɑ̃, ɑ̃d] adj
normanno(-a) ▪ nm/f: **Normand, e**
normanno(-a)
Normandie [nɔʀmɑ̃di] nf
Normandia
norme [nɔʀm] nf norma; (Tech)
norma, standard m inv
Norvège [nɔʀvɛʒ] nf Norvegia
norvégien, ne [nɔʀveʒjɛ̃, jɛn] adj
norvegese ▪ nm (langue) norvegese m
▪ nm/f: **Norvégien, ne** norvegese m/f
nos [no] dét voir **notre**
nostalgie [nɔstalʒi] nf nostalgia
nostalgique [nɔstalʒik] adj
nostalgico(-a)
notable [nɔtabl] adj notevole
▪ nm/f notabile m/f
notaire [nɔtɛʀ] nm notaio
notamment [nɔtamɑ̃] adv in
particolare, specialmente
note [nɔt] nf (Mus, annotation) nota;
(Scol) voto; (facture) conto; (billet,
notice) nota, appunto; **prendre des**
~s prendere appunti; **prendre ~ de**
prendere nota di; **forcer la ~**
esagerare, calcare la mano; **une ~ de**
tristesse/de gaieté una nota di
tristezza/di allegria; **~ de service**
circolare f interna
noter [nɔte] vt (écrire) annotare,
segnare; (remarquer) notare, tener
presente; (Scol) dare un voto a;
(Admin) esprimere una valutazione
su; **notez bien que...** notate che...,
osservate che...
notice [nɔtis] nf cenno, nota;
(brochure): **~ explicative** istruzioni fpl
per l'uso
notifier [nɔtifje] vt: **~ qch à qn**
notificare qc a qn
notion [nosjɔ̃] nf nozione f
notoire [nɔtwaʀ] adj notorio(-a);
le fait est ~ è un fatto notorio
notre [nɔtʀ] (pl **nos**) dét (il) nostro,
(la) nostra; voir aussi **mon**
nôtre [notʀ] pron: **le/la ~** il (la)
nostro(-a) ▪ adj nostro(-a); **les ~s** i
(le) nostri(-e); **soyez des ~s** si unisca
a noi
nouer [nwe] vt annodare; (fig:
alliance, amitié) stringere; **se nouer** vr

(*pièce de théâtre*): **c'est là où l'intrigue se noue** è in quel punto che si intreccia l'intrigo; **~ la conversation** attaccar discorso; **avoir la gorge nouée** avere la gola serrata

noueux, -euse [nwø, øz] *adj* (*racine, bâton, main*) nodoso(-a); (*vieillard*) scarno(-a)

nourrice [nuʀis] *nf* balia; **mettre en ~** (*enfant*) mettere a balia

nourrir [nuʀiʀ] *vt* (*aussi fig: haine etc*) nutrire; (*donner les moyens de subsister*) dar da mangiare a; **logé nourri** con vitto e alloggio; **bien/mal nourri** ben/mal nutrito; **~ au sein** allattare; **se ~ de légumes** nutrirsi di verdure; **se ~ de rêves** nutrirsi di sogni

nourrissant, e [nuʀisɑ̃, ɑ̃t] *adj* nutriente

nourriture [nuʀityʀ] *nf* cibo, nutrimento

nous [nu] *pron* noi; (*objet direct*) ci; (*objet indirect*) ci, ce; **avec ~** con noi; **~ avons gagné** (noi) abbiamo vinto; **~ sommes en vacances** siamo in vacanza; **il ~ le dit** ce lo dice; **il ~ en a parlé** ce ne ha parlato

nouveau, nouvel, nouvelle, -x [nuvo, nuvɛl] *adj* nuovo(-a); (*avant le nom: succession ou répétition*) neo ▪ *nm/f* nuovo(-a) ▪ *nm*: **il y a du ~** c'è del nuovo; **de ~, à ~** di nuovo; **~ riche** nuovo(-a) ricco(-a); **nouvelle vague** *adj* (*gén, Ciné*) della nouvelle vague; **~ venu** nuovo arrivato; **nouvelle venue** nuova arrivata; **Nouvel An** Anno Nuovo, Nuovo Anno; **~x mariés** sposi *mpl* novelli

nouveau-né, e [nuvone] (*mpl* **~s**, *fpl* **~es**) *adj, nm/f* neonato(-a)

nouveauté [nuvote] *nf* novità *f inv*

nouvel [nuvɛl] *adj m voir* **nouveau**

nouvelle [nuvɛl] *adj f voir* **nouveau** ▪ *nf* notizia; (*Litt*) novella; **nouvelles** *nfpl* (*Presse, TV*) notizie *fpl*; **je suis sans ~s de lui** non ho sue notizie

Nouvelle-Calédonie [nuvɛlkaledɔni] *nf* Nuova Caledonia

Nouvelle-Zélande [nuvɛlzelɑ̃d] *nf* Nuova Zelanda

novembre [nɔvɑ̃bʀ] *nm* novembre *m*; *voir aussi* **juillet**

noyade [nwajad] *nf* annegamento

noyau, x [nwajo] *nm* (*de fruit*) nocciolo; (*Biol, Phys, Géo, fig: centre*) nucleo; (*fig: d'artistes, résistants etc*) gruppo

noyer [nwaje] *nm* noce *m* ▪ *vt* annegare; (*fig: submerger*) sommergere; (: *délayer*) annacquare; **se noyer** *vr* annegare, affogare; (*suicide*) annegarsi; **se ~ dans** (*fig: détails etc*) perdersi in; **~ son chagrin** annegare il proprio dispiacere; **~ son moteur** ingolfare il motore; **être noyé par la foule** essere inghiottito dalla folla; **~ le poisson** menare il can per l'aia

nu, e [ny] *adj* nudo(-a); (*fil*) scoperto(-a) ▪ *nm* (*Art*) nudo; **le nu intégral** il nudo integrale; **(les) pieds nus** a piedi nudi; **(la) tête nue** a capo scoperto; **à mains nues** a mani nude; **se mettre nu** mettersi nudo(-a); **mettre à nu** mettere a nudo

nuage [nɥaʒ] *nm* nuvola; (*de fumée, poussière*) nuvola, nube *f*; **sans ~s** (*fig: bonheur etc*) senza nubi; **être dans les ~s** (*distrait*) essere tra le nuvole; **~ de lait** goccia di latte

nuageux, -euse [nɥaʒø, øz] *adj* nuvoloso(-a)

nuance [nɥɑ̃s] *nf* sfumatura; **il y a une ~ (entre...)** c'è una leggera differenza (tra...); **une ~ de tristesse** un'ombra di tristezza

nuancer [nɥɑ̃se] *vt* (*pensée, opinion*) esprimere con garbo

nucléaire [nykleɛʀ] *adj* nucleare ▪ *nm*: **le ~** il nucleare

nudiste [nydist] *nm/f* nudista *m/f*

nuée [nɥe] *nf*: **une ~ de** un grappolo di, un nugolo di

nuire [nɥiʀ] *vi*: **~ (à qn/qch)** nuocere (a qn/qc)

nuisible [nɥizibl] *adj* nocivo(-a); **animal ~** animale *m* nocivo

nuit [nɥi] *nf* notte *f*; **5 ~s de suite** 5 notti di seguito; **payer sa ~** pagare il pernottamento; **il fait ~** è notte, fa buio; **cette ~** questa notte; **de ~** (*vol, service*) notturno(-a); **~ blanche** notte in bianco; **~ de noces** notte di nozze; **~ de Noël** notte di Natale; **~ des temps; la ~ des temps** la notte dei tempi

nul, nulle [nyl] *adj (aucun)*
nessuno(-a); *(minime, non valable)*
nullo(-a); *(péj)* decisamente mediocre
■ *pron* nessuno; **résultat ~, match ~**
(Sport) pari; **~le part** da nessuna
parte; **être ~ (en)** non valere niente
(in)
nullement [nylmɑ̃] *adv* affatto, per
niente
numéro [nymeʀo] *nm* numero; *(fig)*:
un (drôle de) ~ una bella sagoma,
un bel tipo; **faire** *ou* **composer un ~**
fare *ou* comporre un numero;
~ d'identification personnel
numero di identificazione personale;
~ d'immatriculation *ou*
minéralogique numero di targa;
~ de téléphone numero di telefono;
~ vert numero verde
numéroter [nymeʀote] *vt* numerare
nuque [nyk] *nf* nuca
nu-tête [nytɛt] *adj inv* a capo
scoperto
nutritif, -ive [nytʀitif, iv] *adj*
nutritivo(-a)
nylon [nilɔ̃] *nm* nylon *m*

O

oasis [ɔazis] *nf* oasi *f inv*
obéir [ɔbeiʀ] *vi*: **~ (à)** obbedire (a),
ubbidire (a)
obéissance [ɔbeisɑ̃s] *nf* obbedienza,
ubbidienza
obéissant, e [ɔbeisɑ̃, ɑ̃t] *adj*
obbediente, ubbidiente
obèse [ɔbɛz] *adj* obeso(-a)
obésité [ɔbezite] *nf* obesità
objecter [ɔbʒɛkte] *vt* obiettare;
~ qch à opporre qc a; **~ (à qn) que**
obiettare (a qn) che
objecteur [ɔbʒɛktœʀ] *nm*: **~ de
conscience** obiettore *m* di coscienza
objectif, -ive [ɔbʒɛktif, iv] *adj*
oggettivo(-a); *(impartial)*
ob(b)iettivo(-a) ■ *nm* obiettivo; **~ à
focale variable** ob(b)iettivo a focale
variabile; **~ grand angulaire**
(obiettivo) grandangolare *m*
objection [ɔbʒɛksjɔ̃] *nf* obiezione *f*;
~ de conscience obiezione di coscienza
objectivité [ɔbʒɛktivite] *nf*
oggettività *f*; *(impartialité)*
obiettività *f*
objet [ɔbʒɛ] *nm* oggetto; **être** *ou* **faire
l'~ de** essere oggetto di; **sans ~** *(sans*

fondement) infondato(-a); **(bureau des) ~s trouvés** (ufficio degli) oggetti smarriti; **~ d'art** oggetto d'arte *ou* artistico; **~s de toilette** articoli *mpl* da toilette; **~s personnels** effetti *mpl* personali

obligation [ɔbligasjɔ̃] *nf* (*gén, morale*) obbligo; (*Jur, Comm*) obbligazione *f*; **sans ~ d'achat** senza impegno; **être dans l'~ de faire qch** vedersi costretto(-a) a fare qc; **avoir l'~ de faire qch** avere la necessità di fare qc; **~s familiales** doveri *mpl* familiari; **~s militaires** obblighi militari; **~s mondaines** doveri *mpl* mondani

obligatoire [ɔbligatwaʀ] *adj* obbligatorio(-a)

obligatoirement [ɔbligatwaʀmɑ̃] *adv* obbligatoriamente; (*fatalement*) inevitabilmente

obligé, e [ɔbliʒe] *adj*: **~ de faire** obbligato(-a) a fare; **être très ~ à qn** (*redevable*) essere molto grato(-a) a qn; **je suis (bien) ~ (de le faire)** sono obbligato (a farlo)

obliger [ɔbliʒe] *vt* (*contraindre*): **~ qn à qch/faire qch** obbligare qn a qc/fare qc; (*Jur*) vincolare; (*rendre service à*) fare cosa gradita a

oblique [ɔblik] *adj* obliquo(-a); **en ~** in diagonale

oblitérer [ɔblitere] *vt* obliterare

obnubiler [ɔbnybile] *vt* (*personne*) ossessionare; (*faculté mentales etc*) offuscare

obscène [ɔpsɛn] *adj* osceno(-a)

obscur, e [ɔpskyʀ] *adj* (*aussi fig*) oscuro(-a); (*pièce, endroit*) buio(-a), scuro(-a)

obscurcir [ɔpskyʀsiʀ] *vt* oscurare; (*fig*) offuscare, rendere poco chiaro(-a); **s'obscurcir** *vr* oscurarsi, offuscarsi

obscurité [ɔpskyʀite] *nf* oscurità; **dans l'~** al buio

obsédé, e [ɔpsede] *nm/f*: **un ~ de** un maniaco di; **~(e) sexuel(le)** maniaco(-a) sessuale

obséder [ɔpsede] *vt* ossessionare; **être obsédé par** essere ossessionato da

obsèques [ɔpsɛk] *nfpl* esequie *fpl*

observateur, -trice [ɔpsɛʀvatœʀ, tʀis] *adj, nm/f* osservatore(-trice)

observation [ɔpsɛʀvasjɔ̃] *nf* osservazione *f*; (*d'un règlement etc*) osservanza; **en ~** (*Méd*) in osservazione; **avoir l'esprit d'~** avere spirito d'osservazione

observatoire [ɔpsɛʀvatwaʀ] *nm* osservatorio

observer [ɔpsɛʀve] *vt* osservare; **s'observer** *vr* (*se surveiller*) controllarsi; **faire ~ qch à qn** (*le lui dire*) fare osservare qc a qn

obsession [ɔpsesjɔ̃] *nf* ossessione *f*; **avoir l'~ de** avere l'ossessione di

obstacle [ɔpstakl] *nm* (*aussi fig*) ostacolo; **faire ~ à** ostacolare

obstiné, e [ɔpstine] *adj* ostinato(-a)

obstiner [ɔpstine] *vr*: **s'obstiner** ostinarsi; **s'~ à faire qch** ostinarsi a fare qc; **s'~ sur qch** ostinarsi *ou* impuntarsi su qc

obstruer [ɔpstʀye] *vt* ostruire; **s'obstruer** *vr* ostruirsi

obtenir [ɔptəniʀ] *vt* ottenere; **~ de pouvoir faire qch** ottenere di poter fare qc; **~ qch à qn** ottenere qc per qn; **~ de qn qu'il fasse** ottenere che qn faccia; **~ satisfaction** ottenere soddisfazione

obturateur [ɔptyʀatœʀ] *nm* otturatore *m*; **~ à rideau** otturatore a tendina

obus [ɔby] *nm* granata

occasion [ɔkazjɔ̃] *nf* occasione *f*; **à plusieurs ~s** in molte occasioni; **à cette/la première ~** in questa/alla prima occasione; **avoir l'~ de faire** avere l'occasione di fare; **être l'~ de** essere occasione *ou* motivo di; **à l'~** eventualmente; **à l'~ de** in occasione di; **d'~** d'occasione; (*voiture*) di seconda mano

occasionnel, le [ɔkazjɔnɛl] *adj* occasionale

occasionner [ɔkazjɔne] *vt* causare, procurare; **~ qch à qn** causare *ou* procurare qc a qn

occident [ɔksidɑ̃] *nm* occidente *m*; **l'O~** (*Pol*) l'Occidente

occidental, e, aux [ɔksidɑ̃tal, o] *adj, nm/f* occidentale *m/f*

occupation [ɔkypasjɔ̃] *nf* occupazione *f*; **l'O~** l'occupazione (*della Francia da parte dei tedeschi*)

occupé, e [ɔkype] *adj* occupato(-a); **la ligne est ~e** la linea è occupata

occuper [ɔkype] *vt* occupare; **s'occuper** *vr*: **s'~ à qch** tenersi occupato(-a) con qc; **s'~ de** occuparsi di; **ça occupe trop de place** occupa troppo spazio

occurrence [ɔkyrɑ̃s] *nf*: **en l'~** in questo caso

> **FAUX AMIS**
> **occurrence** ne se traduit pas par le mot italien **occorrenza**.

océan [ɔseɑ̃] *nm* oceano; **l'~ Indien** l'oceano Indiano

octet [ɔktɛ] *nm* (Inform) byte *m inv*

octobre [ɔktɔbʀ] *nm* ottobre *m*; *voir aussi* **juillet**

oculiste [ɔkylist] *nm/f* oculista *m/f*

odeur [ɔdœʀ] *nf* odore *m*; **mauvaise ~** cattivo odore

odieux, -euse [ɔdjø, jøz] *adj* odioso(-a); (*enfant*) insopportabile

odorant, e [ɔdɔʀɑ̃, ɑ̃t] *adj* odoroso(-a)

odorat [ɔdɔʀa] *nm* odorato; **avoir l'~ fin** avere l'odorato fino

œil [jœj] (*pl* **yeux**) *nm* (Anat) occhio; (*d'une aiguille*) cruna; **avoir un ~ au beurre noir** *ou* **poché** avere un occhio nero *ou* pesto; **à l'~** (*fam*) gratis; **à l'~ nu** a occhio nudo; **avoir l'~ (à)** stare attento(-a) a; **avoir l'~ sur qn, tenir qn à ~** tenere d'occhio qn; **faire de l'~ à qn** fare l'occhiolino a qn; **voir qch d'un bon/mauvais ~** vedere qc di buon/cattivo occhio; **à l'~ vif** con gli occhi vispi; **à mes/ses yeux** per me/lui; **de ses propres yeux** con i propri occhi; **fermer les yeux (sur)** (*fig*) chiudere un occhio (su); **ne pas pouvoir fermer l'~** non riuscire a chiudere occhio; **~ pour ~, dent pour dent** occhio per occhio, dente per dente; **les yeux fermés** (*en toute confiance*) ad occhi chiusi; **pour les beaux yeux de qn** (*fig*) per i begli occhi di qn; **~ de verre** occhio di vetro

œillade [œjad] *nf*: **lancer une ~/faire des ~s (à)** ammiccare (a)

œillères [œjɛʀ] *nfpl* paraocchi *msg*; **avoir des ~** (*fig: péj*) avere il paraocchi

œillet [œjɛ] *nm* (Bot) garofano; (*trou, bordure rigide*) occhiello

œuf [œf] *nm* uovo; **étouffer qch dans l'~** soffocare qc sul nascere; **~ à la coque** uovo alla coque; **~ au plat** uovo al tegame *ou* all'occhio di bue; **~ de Pâques** uovo di Pasqua; **~ dur** uovo sodo; **~ mollet/poché** uovo bazzotto/in camicia; **~s brouillés** uova strapazzate

œuvre [œvʀ] *nf* opera ■ *nm* (Constr): **le gros ~** il rustico; **œuvres** *nfpl* (*actes*) opere *fpl*; **être/se mettre à l'~** essere/mettersi all'opera; **mettre en ~** (*moyens*) mettere in opera; (*plan, loi, projet*) attuare; **bonnes ~s** opere buone; **~ d'art** opera d'arte; **~s de bienfaisance** opere di beneficenza

offense [ɔfɑ̃s] *nf* offesa; (*Rel*) peccato

offenser [ɔfɑ̃se] *vt* offendere; **s'~ de qch** offendersi per qc

offert, e [ɔfɛʀ, ɛʀt] *pp de* **offrir**

office [ɔfis] *nm* ufficio ■ *nm ou f* (*pièce*) tinello; **faire ~ de** fungere da; **d'~** d'ufficio; **bons ~s** (*Pol*) buoni uffici; **~ du tourisme** ente *m ou* ufficio del turismo

---

※ **OFFICE DU TOURISME**
※
※ Per avere una cartina della zona o
※ ottenere informazioni su alberghi,
※ ristoranti o luoghi da visitare la
※ cosa migliore è rivolgersi ad un
※ "office du tourisme" o un "syndicat
※ d'initiative". Gli uffici turistici
※ forniscono speciali bollettini
※ meteorologici per escursionisti
※ e naviganti.

---

officiel, le [ɔfisjɛl] *adj* ufficiale; (*voiture*) di rappresentanza ■ *nm/f* autorità *f inv*; (*Sport*) ufficiale *m* di gara

officier [ɔfisje] *nm* (Mil, Naut) ufficiale *m* ■ *vi* (Rel) officiare, ufficiare; **~ de l'état-civil** ufficiale di stato civile; **~ de police** ufficiale di polizia; **~ ministériel** pubblico ufficiale

officieux, -euse [ɔfisjø, jøz] *adj* ufficioso(-a)

offrande [ɔfʀɑ̃d] *nf* offerta

offre [ɔfʀ] *vb voir* **offrir** ■ *nf* offerta; **"~s d'emploi"** "offerte di lavoro"; **~ d'emploi** offerta d'impiego;

~ publique d'achat offerta pubblica d'acquisto; **~s de service** offerta di servizi

offrir [ɔfʀiʀ] *vt*: **~ (à)** offrire (a); *(en cadeau)* regalare (a); **s'offrir** *vr (suj: occasion, plaisir)* offrirsi; *(se payer: vacances, voiture)* regalarsi; **~ (à qn) de faire qch** offrire (a qn) di fare qc; **~ à boire à qn** offrire da bere a qn; **~ ses services à qn** offrire i propri servigi a qn; **~ le bras à qn** offrire il braccio a qn; **s'~ à faire qch** offrirsi di fare qc; **s'~ comme guide/en otage** offrirsi come guida/in ostaggio; **s'~ aux regards** mostrarsi; **je vous offre un verre** le offro qualcosa da bere

OGM [ɔʒem] *sigle m* (= *organisme génétiquement modifié*) OGM *m*, organismo geneticamente modificato

oie [wa] *nf* oca; **~ blanche** *(fig, péj)* (ragazza) ingenua

oignon [ɔɲɔ̃] *nm* cipolla; *(de tulipe etc)* bulbo; *(Méd)* callo; **ce ne sont pas tes ~s** *(fam)* non sono cavoli tuoi; **petits ~s** cipolline *fpl*

oiseau, x [wazo] *nm* uccello; **~ de nuit** uccello notturno; **~ de proie** (uccello) rapace *m*

oisif, -ive [wazif, iv] *adj, nm/f* ozioso(-a)

oléoduc [ɔleɔdyk] *nm* oleodotto

olive [ɔliv] *nf* oliva; *(type d'interrupteur)* interruttore *m* a oliva ∎ *adj inv* verde oliva *inv*

olivier [ɔlivje] *nm* ulivo, olivo; *(bois)* olivo

OLP [ɔɛlpe] *sigle f* (= *Organisation de libération de la Palestine*) OLP *f*

olympique [ɔlɛ̃pik] *adj (record, stade)* olimpico(-a); *(champion)* olimpionico(-a); **piscine ~** piscina olimpionica

ombragé, e [ɔ̃bʀaʒe] *adj* ombroso(-a), ombreggiato(-a)

ombre [ɔ̃bʀ] *nf* ombra; **à l'~** all'ombra; *(fam: en prison)* dietro le sbarre; **à l'~ de** *(aussi fig)* all'ombra di; **donner/faire de l'~** dare/fare ombra; **dans l'~** nell'ombra; **vivre dans l'~** *(fig)* vivere nell'ombra; **laisser qch dans l'~** *(fig)* lasciare qc nell'ombra; **il n'y a pas l'~ d'un doute** non c'è

ombra di dubbio; **~ à paupières** ombretto; **~ portée** ombra portata; **~s chinoises** ombre cinesi

omelette [ɔmlɛt] *nf* omelette *f inv*, frittata; **~ au fromage/au jambon** frittata *ou* omelette al formaggio/al prosciutto; **~ aux herbes** frittata *ou* omelette alle erbe; **~ baveuse** frittata *ou* omelette poco cotta all'interno; **~ flambée** frittata *ou* omelette alla fiamma; **~ norvégienne** dolce di meringa e pan di Spagna servito caldo, con gelato all'interno

omettre [ɔmɛtʀ] *vt* omettere, tralasciare; **~ de faire qch** omettere *ou* tralasciare di fare qc

omoplate [ɔmɔplat] *nf* scapola

on [ɔ̃] *pron* si; *(nous)* ci; **on peut le faire ainsi** si può fare così; **on les a attaqués** sono stati attaccati; **on vous demande au téléphone** chiedono di lei al telefono, la vogliono al telefono; **on va y aller demain** ci andremo domani; **autrefois, on croyait...** una volta si credeva...; **on ne peut plus: on ne peut plus stupide** *adv* estremamente stupido

oncle [ɔ̃kl] *nm* zio

onctueux, -euse [ɔ̃ktɥø, øz] *adj* *(liquide)* oleoso(-a); *(savon)* cremoso(-a); *(aliment, saveur)* vellutato(-a)

onde [ɔ̃d] *nf* onda; **sur l'~** *(eau)* sull'acqua; **sur les ~s** alla radio; **mettre en ~s** mettere *ou* mandare in onda; **grandes ~s** onde lunghe; **petites ~s** onde medie; **~ de choc** onda d'urto; **~ porteuse** onda portante; **~s courtes** onde corte; **~s moyennes** onde medie; **~s sonores** onde sonore

ondée [ɔ̃de] *nf* acquazzone *m*

on-dit [ɔ̃di] *nm inv* diceria

onduler [ɔ̃dyle] *vi* ondeggiare; *(cheveux)* essere ondulato(-a); *(route)* serpeggiare

onéreux, -euse [ɔneʀø, øz] *adj* oneroso(-a); **à titre ~** *(Jur)* a titolo oneroso

ongle [ɔ̃gl] *nm* unghia; **manger/ronger ses ~s** mangiarsi le unghie; **se faire les ~s** darsi lo smalto (sulle unghie)

ont [ɔ̃] *vb voir* **avoir**

ONU [ɔny] *sigle f* (= *Organisation des Nations unies*) O.N.U. *f*

onze ['ɔ̃z] *adj inv, nm inv* undici (*m*) *inv* ■ *nm* (*Football*): **le ~ de France** la nazionale francese (di calcio); *voir aussi* **cinq**

onzième ['ɔ̃zjɛm] *adj, nm/f* undicesimo(-a) ■ *nm* undicesimo; *voir aussi* **cinquième**

OPA [ɔpea] *sigle f* (= *offre publique d'achat*) OPA *f inv*

opaque [ɔpak] *adj* (*vitre, verre*) opaco(-a); (*brouillard, nuit*) impenetrabile

opéra [ɔpera] *nm* opera; (*édifice, théâtre*) teatro dell'Opera

opérateur, -trice [ɔperatœr, tris] *nm/f* operatore(-trice); **~ (de prise de vues)** operatore cinematografico, cameraman *m inv*

opération [ɔperasjɔ̃] *nf* operazione *f*; **salle d'~** sala operatoria; **table d'~** tavolo operatorio; **~ à cœur ouvert** (*Méd*) operazione a cuore aperto; **~ de sauvetage** operazione di salvataggio; **~ publicitaire** operazione pubblicitaria

opératoire [ɔperatwar] *adj* (*manœuvre, méthode*) operatorio(-a); (*choc etc*) postoperatorio(-a); **bloc ~** reparto chirurgico

opérer [ɔpere] *vt* operare; (*sauvetage*) effettuare; (*addition*) fare, eseguire ■ *vi* agire, operare; (*Méd*) operare; **s'opérer** *vr* avvenire; **~ qn des amygdales/du cœur** operare qn alle tonsille/al cuore; **se faire ~** farsi operare; **se faire ~ des amygdales/du cœur** farsi operare alle tonsille/al cuore

opérette [ɔperɛt] *nf* operetta

opiner [ɔpine] *vi*: **~ de la tête** assentire (con un cenno del capo); **~ à** dare il proprio assenso a

opinion [ɔpinjɔ̃] *nf* opinione *f*; **avoir bonne/mauvaise ~ de** avere una buona/cattiva opinione di; **l'~ (publique)** l'opinione (pubblica); **~ américaine** opinione pubblica americana; **~ ouvrière** opinione del proletariato

opportun, e [ɔpɔrtœ̃, yn] *adj* opportuno(-a); **en temps ~** al momento opportuno

opportuniste [ɔpɔrtynist] *nm/f* opportunista *m/f* ■ *adj* opportunistico(-a)

opposant, e [ɔpozɑ̃, ɑ̃t] *adj* avverso(-a), contrario(-a); **opposants** *nmpl* (*à un régime, projet*) oppositori *mpl*; (*membres de l'opposition*) membri *mpl* dell'opposizione

opposé, e [ɔpoze] *adj* opposto(-a); (*couleurs*) contrastante; (*contre*): **~ à** contrario(-a) a ■ *nm*: **l'~** (*côté, sens, opposé*) l'opposto; (*d'une opinion, action*) il contrario; **être ~ à** (*suj: personne*) essere contrario(-a) a; **il est tout l'~ de son frère** è tutto l'opposto di suo fratello; **à l'~** (*fig*) al contrario; **à l'~ de** (*du côté opposé à*) dalla parte opposta di; (*fig*) in contraddizione con; (: *contrairement à*) al contrario di, contrariamente a

opposer [ɔpoze] *vt* contrapporre; (*rapprocher, comparer*) paragonare; (*suj: conflit, questions d'intérêt*) dividere; (*résistance*) opporre; **s'opposer** *vr* opporsi; **~ qch à** (*comme obstacle, objection*) opporre qc a; (*en contraste*) contrapporre qc a; **s'~ à** opporsi a; **sa religion s'y oppose** la sua religione vi si oppone; **s'~ à ce que qn fasse** opporsi al fatto che qn faccia

opposition [ɔpozisjɔ̃] *nf* opposizione *f*; (*de couleurs*) contrasto; **l'~** (*Pol*) l'opposizione; **par ~** al contrario; **par ~ à** al contrario di; **entrer en ~ avec qn** entrare in conflitto con qn; **être en ~ avec** essere in conflitto con; (*idées, conduite*) essere in contraddizione con; **faire ~ à un chèque** bloccare un assegno

oppressant, e [ɔpresɑ̃, ɑ̃t] *adj* opprimente, oppressivo(-a)

oppresser [ɔprese] *vt* opprimere; **se sentir oppressé** sentirsi oppresso

oppression [ɔpresjɔ̃] *nf* oppressione *f*

opprimer [ɔprime] *vt* (*peuple, faibles*) opprimere; (*la liberté, l'opinion*) soffocare

opter [ɔpte] *vi*: **~ pour** optare per; **~ entre** scegliere tra

opticien, ne [ɔptisjɛ̃, jɛn] *nm/f* ottico *m*

optimisme [ɔptimism] *nm*
ottimismo
optimiste [ɔptimist] *adj*
ottimistico(-a) ■ *nm/f* ottimista *m/f*
option [ɔpsjɔ̃] *nf* opzione *f*, scelta;
(*Scol*) materia complementare;
(*Comm, Auto*) optional *m inv*; (*Jur*)
opzione *f*; **matière à ~** (*Scol*) materia
facoltativa; **texte à ~** testo
facoltativo; **~ par défaut** (*Inform*)
opzione per default
optique [ɔptik] *adj* ottico(-a); (*verres*)
d'ottica ■ *nf* ottica; (*commerce,
industrie*) settore *m* dell'ottica; (*fig*)
ottica, prospettiva
or [ɔʀ] *nm* oro ■ *conj* ora, orbene;
d'or (*fig*) d'oro; **en or** d'oro, in oro;
(*fig: occasion*) d'oro; **un mari/enfant
en or** un marito/bambino d'oro;
affaire en or (*achat*) affare *m* d'oro;
(*commerce*) miniera d'oro; **plaqué or**
placcato in oro; **or blanc/jaune** oro
bianco/giallo; **or noir** oro nero
orage [ɔʀaʒ] *nm* temporale *m*; (*fig*)
burrasca
orageux, -euse [ɔʀaʒø, øz] *adj*
temporalesco(-a); (*saison, contrée*)
soggetto(-a) a temporali; (*fig*)
burrascoso(-a)
oral, e, aux [ɔʀal, o] *adj* orale ■ *nm*
(*Scol*) orale *m*; **par voie ~e** (*Méd*) per
via orale
orange [ɔʀɑ̃ʒ] *nf* arancia ■ *adj inv*
arancione *inv*, arancio *inv*; **~ amère**
arancia amara; **~ pressée** spremuta
d'arancia; **~ sanguine** arancia
sanguigna
orangé, e [ɔʀɑ̃ʒe] *adj* arancione *inv*,
arancio *inv*
orangeade [ɔʀɑ̃ʒad] *nf* aranciata
oranger [ɔʀɑ̃ʒe] *nm* arancio
orateur [ɔʀatœʀ] *nm* oratore *m*
orbite [ɔʀbit] *nf* orbita; **placer un
satellite sur ~, mettre un satellite
en ~** mettere in orbita un satellite;
dans l'~ de (*fig*) nell'orbita di; **mettre
sur ~** (*fig*) mettere in orbita
orchestre [ɔʀkɛstʀ] *nm* orchestra;
(*Théâtre, Ciné*) platea
orchidée [ɔʀkide] *nf* orchidea
ordinaire [ɔʀdinɛʀ] *adj* ordinario(-a);
(*coutumier: maladresse etc*) solito(-a),
abituale; (*modèle, qualité*) comune,
ordinario(-a) ■ *nm* (*habituel, moyen*):

intelligence au-dessus de l'~
intelligenza fuori dall'ordinario,
intelligenza non comune; (*menu*)
rancio ■ *nf* (*essence*) normale *f*;
d'~ di solito; **à l'~** di solito
ordinateur [ɔʀdinatœʀ] *nm*
computer *m inv*; **mettre sur ~** inserire
su elaboratore *ou* computer;
~ domestique computer domestico;
~ individuel *ou* **personnel** personal
computer; **~ portable** computer
portatile
ordonnance [ɔʀdɔnɑ̃s] *nf*
organizzazione *f*; (*groupement,
disposition*) ordine *m*, disposizione *f*;
(*Méd*) ricetta (medica); (*Jur, Mil*)
ordinanza; **~ de non-lieu** ordinanza
di non luogo a procedere; **officier d'~**
ufficiale *m* d'ordinanza; **pouvez-vous
me faire une ~?** può farmi una ricetta
medica?
ordonné, e [ɔʀdɔne] *adj* ordinato(-a)
ordonner [ɔʀdɔne] *vt* ordinare;
(*meubles, appartement*) mettere in
ordine; (*Méd*) prescrivere, ordinare;
s'ordonner *vr* (*faits, maisons*)
disporsi; **~ à qn de faire** ordinare a qn
di fare; **~ le huis clos** (*Jur*) ordinare
un'udienza a porte chiuse
ordre [ɔʀdʀ] *nm* ordine *m*; **ordres**
nmpl (*Rel*): **être/entrer dans les ~s**
aver preso/prendere i voti; **payer à l'~
de** (*Comm*) pagare all'ordine di; **d'~
pratique** di ordine pratico; **(mettre)
en ~** (mettere) in ordine; **avoir de l'~**
essere ordinato(-a); **procéder par ~**
procedere per ordine; **par ~ d'entrée
en scène** (*Théâtre etc*) in ordine di
comparizione; **mettre bon ~ à**
sistemare; **rentrer dans l'~** ritornare
alla normalità; **je n'ai pas d'~ à
recevoir de vous** non ricevo ordini da
lei; **être aux ~s de qn/sous les ~s de
qn** essere agli ordini di qn/alle
dipendenze di qn; **jusqu'à nouvel ~**
fino a nuovo ordine; **rappeler qn à l'~**
richiamare qn all'ordine; **donner (à
qn) l'~ de** ordinare (a qn) di; **dans le
même/dans un autre ~ d'idées** nello
stesso/in un altro ordine di idee;
de premier/second ~ di prim'/
second'ordine; **~ de grandeur** ordine
di grandezza; **~ de grève** ordine di
sciopero; **~ de mission** (*Mil*) ordine

di missione; **~ de route** *ordine di
raggiungere la propria sede di servizio*;
~ du jour *(d'une réunion, Mil)* ordine
del giorno; **à l'~ du jour** *(fig)* all'ordine
del giorno; **~ public** ordine pubblico
ordure [ɔʀdyʀ] *nf* immondizia,
sporcizia; *(propos, écrit)* sconcezza,
porcheria; **ordures** *nfpl (balayures,
déchets)* immondizie *fpl*, spazzatura
fsg; **~s ménagères** spazzatura
oreille [ɔʀɛj] *nf (Anat)* orecchio;
(Tech: d'un écrou) aletta; *(de marmite,
tasse)* manico; **avoir de l'~** avere
orecchio; **avoir l'~ fine** avere
l'orecchio fino; **l'~ basse** con le
orecchie basse; **se faire tirer l'~** farsi
pregare; **parler/dire qch à l'~ de qn**
parlare/dire qc all'orecchio di qn
oreiller [ɔʀeje] *nm* guanciale *m*
oreillons [ɔʀɛjɔ̃] *nmpl (Méd)*
orecchioni *mpl*
ores [ɔʀ]: **d'~ et déjà** *adv* fin d'ora
orfèvrerie [ɔʀfɛvʀəʀi] *nf* oreficeria;
(ouvrage) argenteria
organe [ɔʀgan] *nm* organo; *(véhicule,
instrument)* veicolo, organo; *(d'un
chanteur, orateur)* voce *f*; *(fig:
représentant)* portavoce *m/f inv*; **~s de
commande/de transmission** *(Tech)*
organi di comando/di trasmissione
organigramme [ɔʀganigʀam] *nm*
organigramma *m*; *(des opérations)*
ordinogramma *m*
organique [ɔʀganik] *adj*
organico(-a)
organisateur, -trice [ɔʀganizatœʀ,
tʀis] *nm/f* organizzatore(-trice)
organisation [ɔʀganizasjɔ̃] *nf*
organizzazione *f*; **O~ des Nations
unies** Organizzazione delle Nazioni
Unite; **O~ du traité de l'Atlantique
Nord** Organizzazione del Trattato
Nord Atlantico; **O~ mondiale de la
santé** Organizzazione Mondiale
della Sanità
organiser [ɔʀganize] *vt* organizzare;
s'organiser *vr* organizzarsi; *(choses)*
sistemarsi
organisme [ɔʀganism] *nm*
organismo
organiste [ɔʀganist] *nm/f*
organista *m/f*
orgasme [ɔʀgasm] *nm* orgasmo
orge [ɔʀʒ] *nf* orzo

orgue [ɔʀg] *nm (Mus)* organo;
orgues *nfpl*: **~s basaltiques** basalti
mpl colonnari; **~ de Barbarie**
organetto (di Barberia); **~ électrique**
organo elettrico; **~ électronique**
organo elettronico
orgueil [ɔʀgœj] *nm* orgoglio;
(arrogance, suffisance) orgoglio,
superbia; **avoir l'~ de ses enfants**
essere orgoglioso(-a) dei propri figli;
il est l'~ de sa famille è l'orgoglio della
famiglia
orgueilleux, -euse [ɔʀgøjø, øz] *adj*
orgoglioso(-a)
oriental, e, aux [ɔʀjɑ̃tal, o] *adj*
orientale ■ *nm/f*: **Oriental, e**
orientale *m/f*
orientation [ɔʀjɑ̃tasjɔ̃] *nf*
orientamento; *(d'un journal)*
orientamento, indirizzo; **avoir le
sens de l'~** avere il senso
dell'orientamento; **course d'~** corsa
a orientamento; **~ professionnelle**
orientamento professionale; *(service)*
orientazione *f* professionale
orienté, e [ɔʀjɑ̃te] *adj (fig: article,
journal)* con un certo indirizzo *ou*
orientamento; **bien/mal ~**
(appartement) ben/mal orientato(-a)
ou esposto(-a); **~ au sud** esposto(-a)
a sud
orienter [ɔʀjɑ̃te] *vt* orientare;
(voyageur, recherches, élève) orientare,
indirizzare; **s'orienter** *vr* orientarsi;
s'~ vers *(fig: recherches, études)*
orientarsi *ou* indirizzarsi verso
origan [ɔʀigɑ̃] *nm* origano
originaire [ɔʀiʒinɛʀ] *adj* originario(-a);
être ~ de essere originario(-a) di
original, e, aux [ɔʀiʒinal, o] *adj*
originale ■ *nm/f (fam)* originale *m/f*
■ *nm* originale *m*
origine [ɔʀiʒin] *nf* origine *f*; *(d'un
message, appel téléphonique)*
provenienza; *(d'une révolution,
réussite)* causa; **origines** *nfpl (d'une
personne)* origini *fpl*; **d'~** *(nationalité,
pays)* d'origine; *(pneus etc)* originale;
(bureau postal) di provenienza;
dès l'~ fin da principio; **à l'~** all'inizio,
in origine; **à l'~ de** all'origine di;
avoir son ~ dans qch aver origine in
ou da qc; **les ~s de la vie** le origini
della vita

originel, le [ɔʀiʒinɛl] *adj* originale

orme [ɔʀm] *nm* olmo

ornement [ɔʀnəmɑ̃] *nm*
ornamento; **ornements** *nmpl*:
~s sacerdotaux paramenti *mpl*
sacerdotali

orner [ɔʀne] *vt* ornare; (*discours*)
infiorare; **~ qch de** ornare *ou* decorare
qc con

ornière [ɔʀnjɛʀ] *nf* solco; **sortir de
l'~** (*fig*) uscire da una situazione
difficile

orphelin, e [ɔʀfəlɛ̃, in] *adj, nm/f*
orfano(-a); **~ de mère/de père**
orfano(-a) di madre/di padre

orphelinat [ɔʀfəlina] *nm*
orfanotrofio

orteil [ɔʀtɛj] *nm* dito del piede;
gros ~ alluce *m*

orthographe [ɔʀtɔgʀaf] *nf*
ortografia

ortie [ɔʀti] *nf* ortica; **~ blanche**
ortica bianca

os [ɔs] *nm* osso; **sans os**
(*Boucherie*) senz'osso; **os à moelle**
ossobuco; **os de seiche** osso
di seppia

osciller [ɔsile] *vi* oscillare; **~ entre**
(*fig*) oscillare *ou* tentennare tra

osé, e [oze] *adj* (*démarche, tentative*)
audace; (*plaisanterie, scène*) audace,
osé *inv*

oseille [ozɛj] *nf* (*Bot*) acetosella;
(*fam: argent*) grana, quattrini *mpl*

oser [oze] *vt* osare ◼ *vi* osare;
~ faire qch osare fare qc; **je n'ose pas**
non oso

osier [ozje] *nm* (*Bot*) salice *m* da
vimini; **d'~, en ~** di vimini

osseux, -euse [ɔsø, øz] *adj*
osseo(-a); (*main, visage*) ossuto(-a)

otage [ɔtaʒ] *nm* ostaggio; **prendre
qn comme/en ~** prendere qn come/
in ostaggio

OTAN [ɔtɑ̃] *sigle f* (= *Organisation du
traité de l'Atlantique Nord*) NATO *f*

otarie [ɔtaʀi] *nf* otaria

ôter [ote] *vt* togliere; **~ qch de**
togliere qc da; **~ qch à qn** togliere
qc a qn; **6 ôté de 10 égale 4** 10 meno
6 uguale 4

otite [ɔtit] *nf* otite *f*

ou [u] *conj* o; **ou... ou** o... o; **ou bien**
oppure, o

où [u] *pron rel* **1** (*lieu*) in cui, dove;
la chambre où il était la camera in
cui *ou* dove si trovava; **la ville où je
l'ai rencontré** la città in cui l'ho
incontrato; **la pièce d'où il est sorti**
la stanza da cui è uscito; **le village
d'où je viens** il paese da cui vengo;
les villes par où il est passé le città
per *ou* da cui è passato
2 (*temps, état*) in cui; **le jour où il est
parti** il giorno in cui è partito; **au prix
où c'est** al prezzo a cui è
◼ *adv* **1** (*interrogatif*) dove; **où est-il?**
dov'è?; **où va-t-il?** dove va?; **par où?**
da dove?; **d'où vient que...?** com'è
che...?
2 (*relatif*) dove; **je sais où il est** so dov'è;
où que l'on aille dovunque si vada

ouate ['wat] *nf* ovatta; **tampon d'~**
batuffolo di cotone; **~ de cellulose**
ovatta di cellulosa; **~ hydrophile**
cotone *m* idrofilo

oubli [ubli] *nm* (*acte*): **l'~ de** il
dimenticare; (*étourderie, négligence*)
dimenticanza; (*absence de souvenirs*)
oblio; **tomber dans l'~** cadere
nell'oblio

oublier [ublije] *vt* dimenticare,
dimenticarsi (di), scordare, scordarsi
(di); (*laisser quelque part, négliger*)
dimenticare; (*ne pas voir: erreurs etc*)
tralasciare, trascurare; (*ne pas mettre:
virgule, nom*) dimenticare (di mettere);
s'oublier *vr* non pensare a se
stesso(-a); (*euph*) sporcare, fare i
propri bisogni; **~ que/de faire qch**
dimenticare *ou* dimenticarsi che/di
fare qc, scordare *ou* scordarsi che/di
fare qc; **~ l'heure** lasciar passare l'ora;
j'ai oublié ma clé/mon passeport ho
dimenticato la chiave/il passaporto

ouest [wɛst] *nm* ovest *m inv* ◼ *adj inv*
(*côte, longitude*) ovest *inv*; (*région*)
occidentale; **l'O~** (*région de France*)
l'Ovest della Francia; (*Pol: l'Occident*)
l'Ovest, l'Occidente; **à l'~ (de)** a ovest
(di); **vent d'~** vento dell'ovest

ouf ['uf] *excl* ah!

oui ['wi] *adv* sì; **répondre (par) ~**
rispondere di sì; **répondre par un ~**
rispondere con un sì; **mais ~, bien sûr**

ma sì, certo; **je suis sûr que ~** sono
sicuro di sì; **je pense que ~** penso di sì;
pour un ~ ou pour un non per un
nonnulla
ouï-dire ['widiʀ] *nm inv*: **par ~** per
sentito dire
ouïe [wi] *nf* udito; **ouïes** *nfpl (de
poisson)* branchie *fpl*; *(d'un violon)*
apertura a forma di esse
ouragan [uʀagɑ̃] *nm (aussi fig)* uragano
ourlet [uʀlɛ] *nm (Couture)* orlo; *(de
l'oreille)* elice *f*; **faire un ~ à** fare l'orlo a;
faux ~ *(Couture)* orlo finto
ours [uʀs] *nm* orso; **~ blanc/brun**
orso bianco/bruno; **~ (en peluche)**
orsacchiotto (di peluche); **~ mal
léché** bifolco; **~ marin** otaria
oursin [uʀsɛ̃] *nm* riccio (di mare)
ourson [uʀsɔ̃] *nm* orsetto
ouste [ust] *excl* su, via di qua!
outil [uti] *nm* attrezzo, utensile *m*;
~ de travail attrezzo di lavoro
outiller [utije] *vt* attrezzare,
equipaggiare
outrage [utʀaʒ] *nm* oltraggio; **faire
subir les derniers ~s à** *(femme)* usare
violenza a; **~ à la pudeur** *(Jur)*
oltraggio al pudore; **~ à magistrat**
(Jur) oltraggio ad un magistrato;
~ aux bonnes mœurs *(Jur)* oltraggio
alla morale
outrance [utʀɑ̃s] *nf* eccesso; **à ~** a
oltranza
outre [utʀ] *nf* otre *m* ■ *prép* oltre a
■ *adv*: **passer ~** passare oltre; **passer
~ à** procedere a; **en ~** inoltre; **~ que**
oltre a; **~ mesure** eccessivamente
outre-Atlantique [utʀatlɑ̃tik] *adv*
oltreoceano
outre-mer [utʀəmɛʀ] *adv*
oltremare; **d'~** d'oltremare
ouvert, e [uvɛʀ, ɛʀt] *pp de* **ouvrir**
■ *adj* aperto(-a); *(Méd: fracture)*
esposto(-a); **campagne ~e** campagna
ufficiale; **à bras ~s** a braccia aperte;
à livre ~ *(lire)* correntemente; **à cœur
~** a cuore aperto; **est-ce ~ au
public?** è aperto al pubblico?; **quand
est-ce que le musée est ~?** quando è
aperto il museo?
ouvertement [uvɛʀtəmɑ̃] *adv*
apertamente
ouverture [uvɛʀtyʀ] *nf* apertura;
(Mus) ouverture *f inv*; **ouvertures**

nfpl (offres, propositions) preliminari
mpl; **heures d'~** *(Comm)* orario *msg* di
apertura; **jours d'~** *(Comm)* giorni *mpl*
d'apertura; **~ d'esprit** apertura
mentale; **~ (du diaphragme)** *(Photo)*
apertura (del diaframma)
ouvrable [uvʀabl] *adj*: **jour ~** giorno
feriale *ou* lavorativo; **heures ~s** orario
msg d'ufficio
ouvrage [uvʀaʒ] *nm (travail,
occupation)* lavoro, opera; *(objet:
Couture, Tricot, Art)* lavoro; *(Mil, écrit,
livre)* opera; **panier** *ou* **corbeille à ~**
cestino da lavoro; **~ à l'aiguille** lavoro
di cucito; **~ d'art** opera d'arte
ouvre-boîte(s) [uvʀəbwat] *nm inv*
apriscatole *m inv*
ouvre-bouteille(s) [uvʀəbutɛj] *nm
inv* apribottiglie *m inv*
ouvreuse [uvʀøz] *nf* maschera
ouvrier, -ière [uvʀije, ijɛʀ] *nm/f, adj*
operaio(-a); **classe ouvrière** classe
operaia; **~ agricole** operaio agricolo;
~ qualifié operaio qualificato *ou*
specializzato; **~ spécialisé** operaio
non qualificato
ouvrir [uvʀiʀ] *vt* aprire; *(Méd: abcès)*
incidere ■ *vi* aprire; **à quelle heure
ouvrez-vous?** a che ora aprite?;
(cours, scène) iniziare; **s'ouvrir** *vr*
aprirsi; **~/s'~ sur** dare su; **~ l'œil** *(fig)*
tenere gli occhi aperti; **~ l'appétit à
qn** stuzzicare l'appetito a qn; **~ des
horizons/perspectives** aprire degli
orizzonti/delle prospettive; **~ l'esprit**
aprire la mente; **~ une session**
(Inform) aprire una sessione; **~ à
cœur/trèfle** *(Cartes)* aprire a cuori/
fiori; **s'~ à** *(amour, art)* aprirsi a; **s'~ à
qn (de qch)** aprirsi con qn (su qc);
s'~ les veines tagliarsi le vene
ovaire [ɔvɛʀ] *nm* ovaia
ovale [ɔval] *adj* ovale
OVNI, ovni [ɔvni] *sigle m (= objet
volant non identifié)* UFO *m inv*
oxyder [ɔkside] *vr*: **s'oxyder**
ossidarsi
oxygène [ɔksiʒɛn] *nm* ossigeno;
il me faut une cure d'~ ho bisogno
di ossigenarmi
oxygéné, e [ɔksiʒene] *adj*: **cheveux
~s** capelli *mpl* ossigenati; **eau ~e**
acqua ossigenata
ozone [ozon] *nm* ozono

P

pacifique [pasifik] *adj* pacifico(-a)
■ *nm*: **le P~, l'océan P~** il Pacifico,
l'oceano Pacifico
pack [pak] *nm* (*Rugby*) pacchetto;
(*de bouteilles, pots*) confezione *f*
pacotille [pakɔtij] (*péj*) *nf*
paccottiglia; **de ~** da quattro soldi
pacte [pakt] *nm* patto; **~ d'alliance**
patto di alleanza; **~ de non-
agression** patto di non aggressione
pagaille [pagaj] *nf* caos *m inv*,
disordine *m*; **en ~** (*en grande quantité*)
in gran quantità; (*en désordre*)
disordinatamente, in disordine
page [paʒ] *nf* pagina ■ *nm* paggio;
mise en ~ impaginazione *f*; **être
à la ~** essere à la page; **~ blanche**
pagina bianca; **~ d'accueil**
(*Inform*) home page *f inv*; **~ de
garde** guardia; **~ Web** (*Inform*)
pagina Web
paiement [pɛmã] *nm* = **payement**
païen, ne [pajɛ̃, pajɛn] *adj*
pagano(-a); (*impie*) empio(-a) ■ *nm/f*
pagano(-a)
paillasson [pajasɔ̃] *nm* (*tapis-brosse*)
zerbino

paille [paj] *nf* paglia; (*pour boire*)
cannuccia; **être sur la ~** essere sul
lastrico; **~ de fer** paglietta, paglia di
ferro
pain [pɛ̃] *nm* pane *m*; (*Culin: de
poisson, légumes*) sformato; **petit ~**
panino; **~ au chocolat** involtino di
pasta sfoglia con cioccolato; **~ bis/
complet** pane nero/integrale;
~ d'épice(s) panpepato; **~ de
campagne** pane casereccio; **~ de
cire** pane di cera; **~ de mie** pan *m*
carré *inv*; **~ de seigle** pane di segale;
~ de sucre pan di zucchero;
~ fantaisie pane venduto al pezzo;
~ grillé pane tostato; **~ noir** pane
nero; **~ perdu** pane raffermo inzuppato
in latte e uovo e fritto; **~ viennois** *tipo di
pane dolce*
pair, e [pɛʀ] *adj, nm* pari (*m*) *inv*; **aller
ou marcher de ~ (avec)** andare di pari
passo (con); **au ~** (*Fin*) alla pari;
valeur au ~ valore *m* alla pari; **jeune
fille au ~** ragazza alla pari
paire [pɛʀ] *nf* paio; **une ~ de
lunettes/tenailles** un paio di
occhiali/tenaglie; **les deux font la ~**
quei due si sono trovati
paisible [pezibl] *adj* (*personne,
caractère*) pacifico(-a), tranquillo(-a);
(*ville, sommeil, vie, lac*) tranquillo(-a)
paix [pɛ] *nf* pace *f*; **faire la ~ avec**
fare la pace con; **vivre en ~ avec**
vivere in pace con; **avoir la ~** stare in
pace
Pakistan [pakistã] *nm* Pakistan *m*
palais [palɛ] *nm* palazzo; (*Anat*)
palato; **le P~ Bourbon** *sede
dell'Assemblée Nationale*; **le P~ de
Justice** il palazzo di giustizia; **le P~
de l'Élysée** il palazzo dell'Eliseo;
~ des expositions palazzo delle
esposizioni
pâle [pal] *adj* pallido(-a); **~ de colère/
d'indignation** pallido d'ira/
d'indignazione; **bleu/vert ~** azzurro/
verde pallido
Palestine [palɛstin] *nf* Palestina
palette [palɛt] *nf* tavolozza; (*de
produits*) gamma; (*plateau de
chargement*) pallet *m inv*
pâleur [palœʀ] *nf* pallore *m*
palier [palje] *nm* (*d'escalier*)
pianerottolo; (*d'une machine*)

cuscinetto; (d'un graphique) tracciato piatto; (fig) fase f di stabilità; **en ~** in piano, su un tratto pianeggiante; **par ~s** (procéder) per gradi

pâlir [pɑliʀ] vi impallidire; (couleur) sbiadire; **faire ~ qn** fare impallidire qn

pallier [palje] vi, vt: **~ (à)** (manque etc) sopperire a

palme [palm] nf (ramo di) palma; (symbole) palma; (de plongeur) pinna; **~s académiques** onorificenza per meriti nell'ambito della Pubblica Istruzione

palmé, e [palme] adj palmato(-a)

palmier [palmje] nm palma

pâlot, e [pɑlo, ɔt] adj palliduccio(-a)

palourde [paluʀd] nf vongola

palper [palpe] vt palpare

palpitant, e [palpitɑ̃, ɑ̃t] adj (film, récit) appassionante; (aventure) eccitante

palpiter [palpite] vi palpitare

paludisme [palydism] nm malaria, paludismo

pamphlet [pɑ̃flɛ] nm libello, pamphlet m inv

pamplemousse [pɑ̃pləmus] nm pompelmo

pan [pɑ̃] nm (d'un manteau, rideau) lembo; (d'un prisme, d'une tour) faccia, lato; (partie: d'affiche etc) pannello ■ excl pam m; **~ de chemise** lembo di camicia; **~ de mur** (parte f di) muro

panache [panaʃ] nm pennacchio; **avoir du ~** (fig) avere una certa prestanza; **aimer le ~** (fig) amare i bei gesti

panaché, e [panaʃe] adj: **œillet ~** garofano screziato ■ nm (aussi: **bière panachée**) birra con la gazzosa; **glace ~e** gelato misto; **salade ~e** insalata mista

pancarte [pɑ̃kaʀt] nf cartello

pancréas [pɑ̃kʀeas] nm pancreas m inv

pané, e [pane] adj impanato(-a)

panier [panje] nm cesto, cesta, cestino; (Sport) canestro; (à diapositives) caricatore m; **mettre au ~** cestinare; **c'est un ~ percé** ha le mani bucate; **~ à provisions** sporta (della spesa); **~ à salade** (Culin) scolainsalata m inv; (Police) cellulare m; **~ de crabes** (fig) nido di vipere

panier-repas [panjeʀ(ə)pɑ] (pl **paniers-repas**) nm cestino da viaggio

panique [panik] nf panico ■ adj: **peur/terreur ~** timor m panico

paniquer [panike] vt gettare nel panico ■ vi essere preso(-a) dal panico

panne [pan] nf (d'un mécanisme) guasto; (Théâtre) particina; **mettre en ~** (Naut) mettere in cappa; **être/ tomber en ~** essere/rimanere in panne; **il y a eu une ~ de courant** è mancata la corrente; **tomber en ~ d'essence** ou **sèche** restare a secco; **la télévision est en ~** la TV è rotta; **ma voiture est en ~** la mia macchina ha avuto un guasto; **~ d'électricité** guasto elettrico

panneau, x [pano] nm pannello; (écriteau) cartello; (Archit) elemento prefabbricato; (Couture) telo; **donner/tomber dans le ~** (fig) cadere nella rete; **~ d'affichage** bacheca; **~ de signalisation** cartello stradale; **~ électoral** tabellone m elettorale; **~ indicateur** cartello indicatore; **~ publicitaire** cartellone m pubblicitario

panoplie [panɔpli] nf (d'arguments etc) serie f inv; **~ de pompier/ d'infirmière** costume m da pompiere/ da infermiera

panorama [panɔʀama] nm panorama m

panse [pɑ̃s] nf (Zool) rumine m

pansement [pɑ̃smɑ̃] nm fasciatura; **~ adhésif** cerotto

pantalon [pɑ̃talɔ̃] nm (aussi: **pantalons, paire de pantalons**) pantaloni mpl, calzoni mpl; **~ de golf** pantaloni ou calzoni da golf; **~ de pyjama** pantaloni ou calzoni del pigiama; **~ de ski** pantaloni ou calzoni da sci

panthère [pɑ̃tɛʀ] nf pantera; (fourrure) leopardo

pantin [pɑ̃tɛ̃] nm (aussi péj) burattino, fantoccio

pantoufle [pɑ̃tufl] nf pantofola

paon [pɑ̃] nm pavone m

papa [papa] nm papà m inv

pape [pap] nm papa m

paperasse [papʀas] (péj) nf scartoffia

paperasserie [papʀasʀi] (*péj*) *nf*
scartoffie *fpl*

papeterie [papɛtʀi] *nf* fabbricazione
f della carta; (*usine*) cartiera;
(*magasin*) cartoleria; (*articles*) (articoli
mpl di) cancelleria

papier [papje] *nm* carta; (*feuille*)
foglio *ou* pezzo di carta; (*article*)
pezzo, articolo; (*écrit officiel*)
documento; **papiers** *nmpl*
(*documents, notes: aussi:* **papiers
d'identité**) documenti *mpl*; **sur le ~**
(*théoriquement*) sulla carta; **jeter une
phrase sur le ~** mettere una frase per
iscritto; **noircir du ~** imbrattare fogli
ou carte; **~ à dessin** carta da disegno;
~ à lettres carta da lettere; **~ à pliage
accordéon** carta a moduli continui;
~ bible carta velina; **~ bulle** carta
gialla; **~ buvard** carta assorbente;
~ calque carta da lucido; **~ carbone**
cartacarbone *f*; **~ collant** carta
adesiva; **~ couché** carta patinata;
~ (d')aluminium carta stagnola *ou*
d'alluminio; **~ d'Arménie** *carta
aromatica da bruciare per profumare
ambienti*; **~ d'emballage** carta da
imballaggio; **~ de brouillon** carta da
brutta copia; **~ de soie** carta di seta;
~ de tournesol cartina al tornasole;
~ de verre carta vetrata; **~ en continu**
modulo continuo; **~ glacé** carta
satinata; **~ gommé** carta gommata;
~ hygiénique carta igienica;
~ journal carta da giornale; **~ kraft**
carta da pacchi; **~ mâché** cartapesta;
~ machine carta da macchina;
~ peint carta da parati; **~ pelure** carta
velina; **~ thermique** carta termica

papillon [papijɔ̃] *nm* farfalla; (*fam:
contravention*) multa; (*Tech: écrou*)
dado ad alette; **~ de nuit** farfalla
notturna, falena

papillote [papijɔt] *nf* (*pour cheveux*)
cartina per arricciare i capelli; **en ~**
(*Culin*) al cartoccio

papoter [papɔte] *vi* cianciare

paquebot [pak(ə)bo] *nm*
transatlantico

pâquerette [pɑkʀɛt] *nf*
margheritina, pratolina

Pâques [pɑk] *nfpl, nm* Pasqua;
faire ses ~ celebrare *ou* fare la Pasqua;
l'île de ~ l'isola di Pasqua; **joyeuses**

~! buona Pasqua!; **de ~** pasquale,
di Pasqua; **lundi de ~** Pasquetta;
œufs de ~ *voir encadré ci-dessous*

⚫ **ŒUFS DE PÂQUES**
⚫
⚫
⚫ In Francia si dice che le uova di
⚫ Pasqua, *œufs de Pâques*, vengono
⚫ portate dalle campane che
⚫ arrivano in volo da Roma e le
⚫ depositano nei giardini delle case.

paquet [pakɛ] *nm* pacchetto; (*ballot*)
fagotto; (*colis*) pacco; (*fig*): **un ~ de**
un mucchio di; **paquets** *nmpl*
(*bagages*) bagagli *mpl*; **mettre le ~**
(*fam*) mettercela tutta; **un ~ de
cigarettes, s'il vous plaît** un
pacchetto di sigarette, per favore;
~ de mer ondata

paquet-cadeau [pakɛkado] (*pl*
paquets-cadeaux) *nm* pacco *m*
regalo *inv*; **pouvez-vous me faire un
~, s'il vous plaît?** mi fa un pacchetto
regalo, per favore?

⚪ **MOT-CLÉ**

par [paʀ] *prép* **1** (*cause*) per; (*agent*) da;
(*auteur*) di; **par amour** per amore;
peint par un grand artiste dipinto
da un grande artista
2 (*lieu, direction*): **passer par Lyon/
par la côte** passare per Lione/per la
costa; **par la fenêtre** (*jeter, regarder*)
dalla finestra; **par terre** per terra; **par
le haut/bas** dall'alto/dal basso; **par
ici** di qui; **par où?** da dove?; **par là** di
là; **par-ci, par-là** di qua, di là
3 (*fréquence, distribution*) per, a; **3 fois
par semaine** 3 volte per *ou* alla
settimana; **3 par jour/par personne**
3 al giorno/per persona; **par
centaines** a centinaia; **2 par 2** 2 a 2
4 (*moyen*) per; **par la poste** per posta;
finir/commencer par finire/
cominciare con; **finir/commencer
par faire qch** finire/cominciare con il
fare qc

parabolique [paʀabɔlik] *adj*
parabolico(-a)

parachute [paʀaʃyt] *nm* paracadute
m inv; **~ ventral** paracadute ventrale

arachutiste [paraʃytist] nm/f
paracadutista m/f
arade [parad] nf (Mil) parata,
sfilata; (de cirque, bateleurs) sfilata;
(Escrime, Boxe) parata; (défense,
riposte): **trouver la ~ à une attaque**
parare un attacco; **faire ~ de qch** fare
sfoggio di qc; **de ~** adj da parata;
(superficiel) esteriore
aradis [paradi] nm paradiso;
~ terrestre Paradiso terrestre
aradoxe [paradɔks] nm paradosso
araffine [parafin] nf paraffina
arages [paraʒ] nmpl paraggi mpl;
dans les ~ (de) nei paraggi (di)
aragraphe [paragraf] nm
paragrafo
araître [parɛtr] vi (apparaître)
apparire; (Presse) uscire; (se montrer,
venir) comparire; (sembler) sembrare
■ vb impers: **il paraît que** sembra ou
pare che; **il me paraît que** mi sembra
ou pare che; **il paraît absurde de/
préférable que** sembra assurdo/
preferibile che; **laisser ~ qch**
manifestare qc; **~ en justice**
comparire in giudizio; **~ en scène/en
public/à l'écran** comparire ou
apparire sulla scena/in pubblico/
sullo schermo; **il ne paraît pas son
âge** non dimostra la sua età; **il aime ~**
gli piace farsi vedere ou notare
arallèle [paralɛl] adj parallelo(-a);
(police) segreto(-a); (marché) nero(-a);
(société, énergie) alternativo(-a);
(école) non ufficialmente
riconosciuto(-a) ■ nm parallelo
■ nf parallela; **faire un ~ entre** fare
un parallelo tra; **en ~** in parallelo;
mettre en ~ paragonare
aralyser [paralize] vt paralizzare
aramédical, e, aux
[paramedikal, o] adj: **personnel ~**
personale m paramedico
araphrase [parafraz] nf
parafrasi f inv
arapluie [paraplɥi] nm ombrello;
~ à manche télescopique ombrello
pieghevole; **~ atomique/nucléaire**
ombrello atomico/nucleare; **~ pliant**
ombrello pieghevole
arasite [parazit] nm parassita m
■ nm/f, adj parassita m; **parasites**
nmpl (Tél) interferenze fpl

parasol [parasɔl] nm ombrellone m
paratonnerre [paratɔnɛr] nm
parafulmine m
parc [park] nm parco; (pour le bétail)
recinto; (d'enfant) box m inv; **~ de
munitions** deposito di munizioni;
~ à huîtres vivaio di ostriche;
~ automobile (d'un pays) parco m
macchine inv, veicoli mpl in
circolazione; (d'une société) parco
autovetture; (dei divertimenti) parco
(dei divertimenti); **~ d'attractions** parco
(dei) divertimenti; **~ de
stationnement** parcheggio;
~ national parco nazionale;
~ naturel parco naturale;
~ zoologique giardino zoologico
parcelle [parsɛl] nf frammento,
briciola; (fig) briciolo; (de terrain)
appezzamento
parce que [pars(ə)kə] conj perché
parchemin [parʃəmɛ̃] nm
pergamena
parc(o)mètre [park(ɔ)mɛtr] nm
parchimetro
parcourir [parkurir] vt (trajet,
distance) percorrere; (lieu, bois, suj:
vibration) attraversare; (journal,
article, livre) dare una scorsa a; **~ qch
des yeux/du regard** far scorrere gli
occhi/lo sguardo su qc
parcours [parkur] vb voir **parcourir**
■ nm percorso; **sur le ~** sul percorso;
~ du combattant (Mil) percorso di
guerra
par-dessous [pard(ə)su] prép, adv
sotto
pardessus [pardəsy] nm soprabito,
cappotto
par-dessus [pard(ə)sy] prép sopra
■ adv (al di) sopra; **~ le marché** per di
più, per giunta
par-devant [pard(ə)vɑ̃] prép davanti
a ■ adv sul davanti
pardon [pardɔ̃] nm scusa, perdono
■ excl scusi!, scusa!; (politesse,
demander de répéter) come?, scusi?,
scusa?, prego?; **demander ~ à qn (de
qch/d'avoir fait qch)** chiedere
perdono a qn (per qc/per aver fatto
qc); **je vous demande ~** chiedo scusa
pardonner [pardɔne] vt perdonare;
~ qch à qn perdonare qc a qn; **qui ne
pardonne pas** (maladie) che non
perdona; (erreur) fatale

pare-brise [paʀbʀiz] *nm inv*
parabrezza *m inv*
pare-chocs [paʀʃɔk] *nm inv* paraurti
m inv
pareil, le [paʀɛj] *adj* uguale,
identico(-a); (*similaire, tel*) simile;
▪ *adv*: **habillés ~** vestiti uguale *ou* allo
stesso modo); **faire ~** fare la stessa
cosa; **un courage/livre ~** un
coraggio/libro simile; **de ~s livres** dei
libri così; **j'en veux un ~** ne voglio uno
così; **rien de ~** niente del genere; **ses
~s** i suoi simili; **ne pas avoir son (sa)
~(le)** essere impareggiabile; **~ à**
uguale a; **sans ~** senza pari, unico(-a);
c'est du ~ au même se non è zuppa è
pan bagnato (*fig*); **en ~ cas** in un caso
del genere *ou* simile; **rendre la ~le à
qn** rendere la pariglia a qn
parent, e [paʀɑ̃, ɑ̃t] *nm/f* parente
m/f ▪ *adj* (*fig: analogue*) simile;
parents *nmpl* (*père et mère*) genitori
mpl; (*famille, proches*) parenti *mpl*;
être ~s/~ de qn essere parenti/
parente di qn; **~s adoptifs** genitori
adottivi; **~s en ligne directe** parenti
in linea diretta; **~s par alliance**
parenti acquisiti
parenté [paʀɑ̃te] *nf* parentela; (*fig:
entre caractères*) affinità *f inv*
parenthèse [paʀɑ̃tɛz] *nf* parentesi *f
inv*; **ouvrir/fermer la ~** aprire/
chiudere la parentesi; **entre ~s** fra
parentesi; **mettre entre ~s** mettere
da parte
paresse [paʀɛs] *nf* pigrizia
paresseux, -euse [paʀesø, øz] *adj*
pigro(-a), (*Zool*) bradipo
parfait, e [paʀfɛ, ɛt] *adj* perfetto(-a)
▪ *nm* (*Ling*) perfetto; (*Culin*)
semifreddo ▪ *excl* perfetto!
parfaitement [paʀfɛtmɑ̃] *adv*
perfettamente ▪ *excl* certo!; **cela lui
est ~ égal** gli è del tutto indifferente
parfois [paʀfwa] *adv* a volte, talvolta
parfum [paʀfœ̃] *nm* profumo; (*de
tabac, vin*) aroma *m*; (*goût: de glace,
milk-shake*) gusto; **quels ~s avez-
vous?** che gusti avete?
parfumé, e [paʀfyme] *adj*
profumato(-a); **~ au café** (*aromatisé*)
al (gusto di) caffè
parfumer [paʀfyme] *vt* profumare;
(*crème, gâteau*) aromatizzare;

se parfumer *vr* profumarsi;
(*d'habitude*) usare profumo
parfumerie [paʀfymʀi] *nf*
profumeria; **rayon ~** reparto
profumeria
pari [paʀi] *nm* scommessa;
P~ mutuel urbain ≈ Totip *m*

parier [paʀje] *vt* scommettere;
j'aurais parié que si/non avrei
scommesso di sì/no
Paris [paʀi] *n* Parigi *f*
parisien, ne [paʀizjɛ̃, jɛn] *adj*
parigino(-a) ▪ *nm/f*: **Parisien, ne**
parigino(-a)
parjure [paʀʒyʀ] *nm* spergiuro
▪ *nm/f* spergiuro(-a)
parking [paʀkiŋ] *nm* parcheggio
parlant, e [paʀlɑ̃, ɑ̃t] *adj* (*fig:
portrait, image*) parlante;
(*: comparaison, preuve*) eloquente
▪ *adv*: **généralement ~**
generalmente parlando; **cinéma ~**
(cinema *m inv*) sonoro
parlement [paʀləmɑ̃] *nm*
parlamento
parlementaire [paʀləmɑ̃tɛʀ] *adj*,
nm/f parlamentare *m/f*
parler [paʀle] *nm* parlata ▪ *vi*
parlare; **~ de qch/qn** parlare di qc/
qn; **~ (à qn) de** parlare (a qn) di;
~ de faire qch parlare di fare qc;
~ pour qn (*intercéder*) parlare in favore
di qn; **~ le/en français** parlare il/in
francese; **~ affaires/politique**
parlare di affari/politica; **~ en
dormant** parlare nel sonno; **~ du nez**
parlare col naso; **~ par gestes** parlare
a gesti; **~ en l'air** fare discorsi campati
in aria; **sans ~ de** (*fig*) per non parlare
di; **tu parles!** stai scherzando!; **les**

faits parlent d'eux-mêmes i fatti parlano da soli; **n'en parlons plus** non parliamone più; **parlez-vous italien?** parla italiano?; **je ne parle pas italien** non parlo italiano; **est-ce que je peux ~ à ...?** posso parlare con ...?

parloir [paʀlwaʀ] *nm* parlatorio

parmi [paʀmi] *prép* tra, fra

paroi [paʀwa] *nf* parete *f*; **~ (rocheuse)** parete (rocciosa)

paroisse [paʀwas] *nf* parrocchia

parole [paʀɔl] *nf* parola; *(ton, débit de voix)* eloquio; **paroles** *nfpl* (*Mus: d'une chanson*) parole *fpl*; **la bonne ~** *(Rel)* la buona novella; **tenir ~** mantenere la parola; **n'avoir qu'une ~** essere di parola; **avoir/prendre la ~** avere/prendere la parola; **demander/obtenir la ~** chiedere/ottenere la parola; **donner la ~ à qn** dare la parola a qn; **perdre la ~** (*fig*) ammutolire; **croire qn sur ~** credere a qn sulla parola; **prisonnier sur ~** detenuto in libertà vigilata; **temps de ~** *(TV, Radio etc)* spazio dedicato al dibattito; **histoire sans ~s** vignetta senza parole; **ma ~!** caspita!; **~ d'honneur** parola d'onore

parquet [paʀkɛ] *nm* parquet *m inv*; **le ~** *(Jur)* ≈ la procura della Repubblica

parrain [paʀɛ̃] *nm* padrino; *(d'un nouvel adhérent)* socio presentatore

parrainage [paʀɛnaʒ] *nm*: **~ d'enfant** adozione a distanza

parrainer [paʀene] *vt* patrocinare; *(nouvel adhérent)* presentare; *(suj: entreprise)* sponsorizzare

pars [paʀ] *vb voir* **partir**

parsemer [paʀsəme] *vt* (*suj: feuilles, papiers*) essere sparpagliato(-a) su; **~ qch de** cospargere qc di; **un devoir parsemé de fautes** un compito infarcito di errori

part [paʀ] *vb voir* **partir** ■ *nf* parte *f*; *(de gâteau, fromage)* porzione *f*; *(Fin: titre)* quota; **prendre ~ à** *(débat etc)* prendere parte a; *(soucis, douleur de qn)* partecipare a; **faire ~ de qch à qn** mettere qn al corrente di qc; **pour ma ~** per quanto mi riguarda; **à ~ entière** di pieno diritto; **de la ~ de** da parte di; **c'est de la ~ de qui?** *(au téléphone)* chi lo desidera?; *(cherchant une femme)* chi la desidera?; **de toute(s) ~(s)** da tutte le parti, da ogni parte; **de ~ et d'autre** da entrambe le parti; **de ~ en ~** da una parte all'altra; **d'une ~... d'autre ~** da una parte... dall'altra; **nulle/quelque ~** da nessuna/qualche parte; **autre ~** in un altro posto; **à ~** a parte; *(de côté)* da parte; **à ~ cela** a parte questo; **pour une large/bonne ~** in larga/buona parte; **prendre qch en bonne/mauvaise ~** prendere qc bene/male; **faire la ~ des choses** fare delle distinzioni; **faire la ~ du feu** *(fig)* salvare il salvabile; **faire la ~ trop belle à qn** dare a qn più di quanto gli/le spetta

partage [paʀtaʒ] *nm* spartizione *f*; *(de responsabilité etc)* divisione *f*; *(Pol: de suffrages)* parità *f inv*; **donner/recevoir qch en ~** dare/ricevere qc in sorte; **sans ~** assoluto(-a)

partager [paʀtaʒe] *vt* (*répartir: domaine, fortune*) suddividere; *(couper, diviser: gâteau, ville)* dividere; *(fig)* condividere; **se partager** *vr* (*héritage, actions*) spartirsi, dividersi; **~ qch avec qn** dividere qc con qn; **~ la joie de qn/la responsabilité d'un acte** condividere la gioia di qn/la responsabilità di un atto

partenaire [paʀtənɛʀ] *nm/f* (*gén, Pol*) partner *m/f*; *(Sport)* compagno(-a) di squadra; *(fig)* interlocutore(-trice); **~s sociaux** parti *fpl ou* forze *fpl* sociali

parterre [paʀtɛʀ] *nm* (*de fleurs*) aiuola; *(Théâtre)* platea

parti [paʀti] *nm* (*Pol*) partito; *(groupe)* gruppo; *(décision)* decisione *f*; **un beau** *ou* **riche ~** *(personne à marier)* un buon partito; **tirer ~ de** trarre profitto da; **prendre le ~ de faire qch** prendere la decisione di fare qc; **prendre le ~ de qn** schierarsi con qn; **prendre ~ pour/contre qn** schierarsi a favore di/contro qn; **prendre ~** prendere posizione; **prendre son ~ de qch** rassegnarsi a qc; **par ~ pris** per partito preso

partial, e, aux [paʀsjal, o] *adj* parziale

participant, e [paʀtisipɑ̃, ɑ̃t] *nm/f* partecipante *m/f*; *(d'une société)* socio(-a)

participation [paʀtisipasjɔ̃] nf
(aussi Comm) partecipazione f;
la ~ aux frais/bénéfices la
partecipazione alle spese/agli utili;
la ~ ouvrière la partecipazione
operaia; **"avec la ~ de"** "con la
partecipazione di"
participer [paʀtisipe]: **~ à** vt
partecipare a; **~ de** vt partecipare di
particularité [paʀtikylaʀite] nf
particolarità f inv
particulier, -ière [paʀtikylje, jɛʀ]
adj particolare; (personnel, propre)
personale, particolare; (privé:
entretien, audience) privato(-a) ■ nm
(Admin) privato; **"~ vend..."** (Comm)
"privato vende..."; **~ à** proprio(-a) di;
en ~ in particolare; (en privé) in
privato
particulièrement [paʀtikyljɛʀmɑ̃]
adv particolarmente
partie [paʀti] nf (gén, Mus, Jur) parte
f; (profession, spécialité) campo,
mestiere m; (de cartes, tennis etc)
partita; (fig: lutte, combat) partita; **en
~** in parte; **faire ~ de qch** fare parte di
qc; **prendre qn à ~** prendersela con
qn; **en grande/en majeure ~** in gran/
per la maggior parte; **ce n'est que ~
remise** la faccenda è solo rinviata;
avoir ~ liée avec qn essere in
combutta con qn; **~ civile** (Jur) parte
civile; **~ publique** (Jur) pubblico
ministero; **~ de campagne**
scampagnata; **~ de pêche**; **aller faire
une ~ de pêche** andare a pesca
partiel, le [paʀsjɛl] adj parziale
■ nm (Scol) parte f di un esame
partir [paʀtiʀ] vi partire; (s'éloigner)
andare via; (pétard) esplodere;
(bouchon) venire via; (cris) levarsi;
(tache) sparire; **~ de** (quitter,
commencer à) partire da; (date,
abonnement) decorrere da; **~ pour/à**
partire per; **~ de rien** partire dal nulla;
à ~ de (a partire) da; **le train/le bus
part à quelle heure?** a che ora parte il
treno/l'autobus?
partisan, e [paʀtizɑ̃, an] nm/f (d'un
parti, régime) sostenitore(-trice);
(pendant la guerre) partigiano(-a)
■ adj di parte; **être ~ de qch/faire
qch** essere favorevole a qc/fare qc
partition [paʀtisjɔ̃] nf (Mus) spartito

partout [paʀtu] adv dappertutto,
dovunque; **~ où il allait** ovunque
andasse; **de ~** dappertutto; **trente/
quarante ~** (Tennis) trenta/quaranta
pari
paru, e [paʀy] pp de **paraître**
parution [paʀysjɔ̃] nf (d'un livre)
uscita, pubblicazione f
parvenir [paʀvəniʀ]: **~ à** vt giungere
a, arrivare a; (à ses fins, à la fortune)
raggiungere; **à faire qch** riuscire a
fare qc; **faire ~ qch à qn** far pervenire
qc a qn
pas¹ [pɑ] nm passo; **~ à ~** passo passo;
au ~ al passo; **de ce ~** all'istante;
marcher à grands ~ camminare a
grandi passi; **mettre qn au ~** mettere
qn in riga; **au ~ de gymnastique/de
course** a passo cadenzato/di corsa; **à
~ de loup** con passo felpato; **faire les
cent ~** andare avanti e indietro,
andare su e giù; **faire les premiers ~**
(aussi fig) fare i primi passi; **retourner
ou revenir sur ses ~** ritornare sui
propri passi; **se tirer d'un mauvais ~**
trarsi d'impaccio; **sur le ~ de la porte**
sulla soglia; **le ~ de Calais** (détroit) lo
stretto di Calais; **~ de porte** (fig)
caparra versata per l'affitto di un locale ad
uso commerciale

🔵 MOT-CLÉ

pas² [pɑ] adv **1** (avec ne, non etc): **ne...
pas** non...; **je ne vais pas à l'école**
non vado a scuola; **il ne ment pas**
non mente; **je ne mange pas de pain**
non mangio pane; **il ne la voit pas/
ne l'a pas vue/ne la verra pas** non la
vede/non l'ha vista/non la vedrà; **ils
n'ont pas de voiture** non hanno la
macchina; **il m'a dit de ne pas le
faire** mi ha detto di non farlo; **non
pas que...** non che...; **je n'en sais pas
plus** non so niente di più; **il n'y avait
pas plus de 200 personnes** non
c'erano più di 200 persone; **ce n'est
pas sans hésitation que...** non è
senza esitazione che...; **je ne
reviendrai pas de sitôt** non torno
tanto presto
2 (sans ne etc): **pas moi** non io, io no;
(renforçant l'opposition): **elle travaille,
(mais) lui pas** ou **pas lui** lei lavora,

(ma) lui no; *(dans des réponses négatives)*: **pas de sucre, merci!** niente zucchero, grazie!; **une pomme pas mûre** una mela non matura; **pas plus tard qu'hier** non più tardi di ieri; **pas du tout** niente affatto, per niente; **pas encore** non ancora; **ceci est à vous ou pas?** è vostro o no?

3: **pas mal** *adv* piuttosto, parecchio; *(passablement)* discretamente; *(assez bien)* abbastanza; *(plutôt bien)* piuttosto; **pas mal de** *(beaucoup de)* parecchio(-a); **ils ont pas mal d'enfants/d'argent** hanno parecchi bambini/soldi; **avoir pas mal de chance** essere molto fortunato(-a)

passage [pɑsaʒ] *nm* passaggio; *(du temps)* passare *m inv*; *(extrait: d'un livre etc)* passo, brano; **sur le ~ du cortège** *(itinéraire)* lungo il tragitto del corteo; **"laissez/n'obstruez pas le ~"** "lasciare libero il passaggio"; **de ~** di passaggio; **au ~** passando; **~ à niveau** passaggio a livello; **~ à tabac** fracco di botte; **~ à vide** giro a vuoto; *(fig)* brutto periodo; **~ clouté** strisce *fpl* pedonali, passaggio pedonale; **~ interdit** divieto di transito; **~ protégé** incrocio con diritto di precedenza; **~ souterrain** sottopassaggio

passager, -ère [pɑsaʒe, ɛʀ] *adj* passeggero(-a); *(rue etc)* molto frequentato(-a) ■ *nm/f* passeggero(-a); **~ clandestin** (passeggero(-a)) clandestino(-a)

passant, e [pɑsɑ̃, ɑ̃t] *adj (rue, endroit)* molto frequentato(-a) ■ *nm/f* passante *m/f* ■ *nm (d'une ceinture etc)* passante *m*; **en ~** *(remarquer)* di sfuggita, en passant; **venir voir qn en ~** fare una capatina da qn

passe [pɑs] *nf (Sport)* passaggio; *(Naut)* stretto ■ *nm (passe-partout)* passe-partout *m inv*; **être en ~ de faire** stare per fare; **être dans une bonne/mauvaise ~** *(fig)* avere un buon/brutto periodo; **~ d'armes** *(fig)* battibecco; **~s (magnétiques)** gesti *mpl* dell'ipnotizzatore

passé, e [pɑse] *adj (événement, temps)* passato(-a); *(couleur, tapisserie)*

sbiadito(-a) ■ *nm (aussi Ling)* passato ■ *prép*: **~ 10 heures/7 ans** dopo 10 ore/7 anni; **dimanche ~** domenica scorsa; **les vacances ~es** le vacanze passate; **il est ~ midi** *ou* **midi ~** è mezzogiorno passato; **par le ~** in passato; **~ de mode** passato di moda; **~ simple/composé** *(Ling)* passato remoto/passato prossimo; **~ ce poids** oltre questo peso

passe-partout [pɑspaʀtu] *nm inv (clé)* passe-partout *m inv*, chiave *f* universale ■ *adj inv (tenue, phrase)* adatto(-a) per tutte le occasioni

passeport [pɑspɔʀ] *nm* passaporto

passer [pɑse] *vi* passare; *(pour rendre visite)*: **~ (chez qn)** passare (da qn); *(être digéré, avalé: repas, vin)* andare giù; *(accusé, projet de loi)*: **~ devant** venire prima; *(réplique, plaisanterie)* essere tollerato(-a), passare; *(film, émission etc)* esserci; *(personne)*: **~ à la radio/télévision** andare alla radio/televisione; *(couleur, papier)* sbiadire ■ *vt* passare; *(permettre: faute, bêtise)*: **~ qch (à qn)** lasciar passare qc (a qn); *(enfiler: vêtement)* infilarsi; *(café, thé, soupe)* colare; *(film, pièce)* dare; *(disque)* mettere; *(couleur, suj: lumière)* sbiadire; **se passer** *vr (scène, action)* svolgersi; *(arriver)*: **que s'est-il passé?** cos'è successo?; *(se dérouler: entretien etc)* svolgersi; **~ qch à qn** *(stylo, grippe, message)* passare qc a qn; **~ par** *(lieu)* passare per *ou* da; *(intermédiaire, expérience)* passare attraverso; **~ sur** *(faute, détails)* sorvolare su; **~ dans les mœurs/l'usage** entrare nell'uso; **~ devant/derrière qn/qch** passare davanti/dietro a qn/qc; **~ avant qch/qn** *(fig)* venire prima di qc/qn; **laisser ~** *(air, personne)* lasciar passare; *(occasion, erreur)* lasciarsi sfuggire; **~ dans la classe supérieure** *(Scol)* passare nella classe superiore; **~ en** *ou* **la seconde/troisième** *(Auto)* passare in seconda/terza; **~ une** *ou* **à la radio/visite médicale** fare una radiografia/visita medica; **ce film passe au cinéma Lumière** al Lumière danno questo film; **~ aux aveux** decidersi a confessare; **~ à l'action** passare all'azione; **~ inaperçu** passare inosservato; **~ outre (à qch)**

passare sopra (qc); **il passe pour avoir fait** si dice che abbia fatto; **~ pour riche/un imbécile/un cousin** passare per ricco/un imbecille/un cugino; **~ à table/au salon/à côté** andare a tavola/in soggiorno/di là; **~ à l'opposition/à l'ennemi** passare all'opposizione/al nemico; **ne faire que ~** fermarsi solo un attimo; **passe encore de...** passi ancora che...; **faire ~ à qn le goût/l'envie de qch** far passare a qn il gusto/la voglia di qc; **faire ~ qch** ou **qn pour** far passare qc ou qn per; **passons** non facciamoci caso; **~ son tour** saltare il proprio turno; **~ qch en fraude** far passare qc di contrabbando; **~ la tête/la main par la portière** infilare la testa/la mano attraverso la portiera; **je vous passe Nathalie** (au téléphone) le passo Nathalie; **~ la parole à qn** passare la parola a qn; **~ qn par les armes** passare qn per le armi; **~ commande** fare un ordine; **~ un marché/accord** stipulare ou concludere un contratto/accordo; **se ~ les mains sous l'eau/de l'eau sur le visage** sciacquarsi le mani/il viso; **cela se passe de commentaires** questo non ha bisogno di commenti; **se ~ de qch** fare a meno di qc

passerelle [pɑsʀɛl] nf passerella; (Naut): **~ (de commandement)** plancia

passe-temps [pɑstɑ̃] nm inv passatempo

passeur [pɑsœʀ] nm passeur m inv

passif, -ive [pasif, iv] adj passivo(-a) ■ nm (Ling, Comm) passivo

passion [pasjɔ̃] nf passione f; **avoir la ~ de** avere la passione di; **fruit de la ~** frutto della passione; **la ~ du jeu/de l'argent** la passione del gioco/del denaro

passionnant, e [pasjɔnɑ̃, ɑ̃t] adj appassionante

passionné, e [pasjɔne] adj (tempérament) passionale; (amour, description) appassionato(-a) ■ nm/f: **~ de/pour** appassionato(-a) di

passionner [pasjɔne] vt appassionare; (débat, discussion) vivacizzare; **se ~ pour qch** appassionarsi a ou per qc

passoire [paswaʀ] nf colino

pastèque [pastɛk] nf cocomero, anguria

pasteur [pastœʀ] nm pastore m

pasteuriser [pastœʀize] vt pastorizzare

pastille [pastij] nf pastiglia, pasticca; (de papier etc) pallino; **~s pour la toux** pastiglie per la tosse

patate [patat] nf patata; **~ douce** patata dolce

patauger [patoʒe] vi (pour s'amuser) sguazzare; (avec effort) avanzare a stento; **~ dans** (fig) ingarbugliarsi in

pâte [pat] nf pasta; (à frire) pastella; **pâtes** nfpl (macaroni etc) pasta fsg; **fromage à ~ dure/molle** formaggio a pasta dura/molle; **~ à choux** pasta da bignè; **~ à modeler** plastilina®; **~ à papier** pasta di carta; **~ brisée** pasta frolla; **~ d'amandes** pasta di mandorle; **~ de fruits** gelatina; **~ feuilletée** pasta sfoglia

pâté [pate] nm (charcuterie) pâté m inv; (tache d'encre) macchia d'inchiostro; **~ de foie** pâté di fegato; **~ de lapin** pâté di coniglio; **~ de maisons** isolato; **~ (de sable)** formina (di sabbia); **~ en croûte** pâté in crosta

pâtée [pate] nf pastone m

patente [patɑ̃] nf (Comm) tassa di esercizio

> FAUX AMIS
> **patente** ne se traduit pas par le mot italien **patente**.

paternel, le [patɛʀnɛl] adj paterno(-a)

pâteux, -euse [patø, øz] adj (encre) denso(-a); (substance) pastoso(-a); **avoir la bouche/langue pâteuse** avere la bocca/lingua impastata

pathétique [patetik] adj patetico(-a)

patience [pasjɑ̃s] nf pazienza; (Cartes) solitario; **être à bout de ~** stare per perdere la pazienza; **perdre/prendre ~** perdere la/avere pazienza

patient, e [pasjɑ̃, jɑ̃t] adj paziente ■ nm/f (Méd) paziente m/f

patienter [pasjɑ̃te] vi pazientare

patin [patɛ̃] nm pattino; (sport) pattinaggio; (pièce de tissu) pattina; **~ (de frein)** (Tech) ceppo (del freno);

~**s (à glace)** pattini (da ghiaccio);
~**s à roulettes** pattini a rotelle
patinage [patinaʒ] *nm* pattinaggio;
~ **artistique** pattinaggio artistico;
~ **de vitesse** pattinaggio di velocità
patiner [patine] *vi* pattinare;
(*embrayage, roue, voiture*) slittare;
se patiner *vr* coprirsi di una patina
patineur, -euse [patinœʀ, øz] *nm/f*
pattinatore(-trice)
patinoire [patinwaʀ] *nf* pista di
pattinaggio
pâtir [patiʀ]: ~ **de** *vt* patire a causa
di, risentire di
pâtisserie [patisʀi] *nf* pasticceria;
(*à la maison*) preparazione *f* di dolci;
pâtisseries *nfpl* (*gâteaux*) dolci *mpl*,
pasticceria
pâtissier, -ière [patisje, jɛʀ] *nm/f*
pasticciere(-a)
patois [patwa] *nm* patois *m inv*,
dialetto
patrie [patʀi] *nf* patria
patrimoine [patʀimwan] *nm*
patrimonio; ~ **génétique** *ou*
héréditaire (*Biol*) patrimonio
ereditario

JOURNÉES DU PATRIMOINE

Il termine *les Journées du patrimoine*
indica un periodo dell'anno in cui
le residenze statali vengono
aperte al pubblico durante il fine
settimana. Questa rara
opportunità di visitare prestigiose
istituzioni come i ministeri e
l'Eliseo ha reso estremamente
popolari le *Journées du patrimoine*.

patriotique [patʀijɔtik] *adj*
patriottico(-a)
patron, ne [patʀɔ̃, ɔn] *nm/f* (*chef*)
principale *m/f*, capo *m*; (*propriétaire*)
padrone(-a), proprietario(-a); (*Méd*)
primario *m*; (*Rel*) patrono(-a) ■ *nm*
(*Couture*) (carta)modello; ~**s et**
employés datori *mpl* di lavoro e
dipendenti *mpl*; ~ **de thèse** (*Univ*)
relatore(-trice)
patronat [patʀɔna] *nm* padronato,
datori *mpl* di lavoro
patronner [patʀɔne] *vt* patrocinare,
appoggiare

patrouille [patʀuj] *nf* (*Mil, de police*)
pattuglia; (*mission*) missione *f*; ~ **de**
chasse (*Aviat*) pattuglia di caccia;
~ **de reconnaissance** pattuglia di
ricognizione
patte [pat] *nf* zampa; (*de poche*)
patta; (*de portefeuille*) linguetta;
~**s (de lapin)** basette *fpl*; **à ~s**
d'éléphant a zampa d'elefante;
~**s d'oie** (*fig: rides*) zampe *fpl* di gallina;
~**s de mouche** (*fig: écriture*) zampe di
gallina
pâturage [patyʀaʒ] *nm* pascolo
paume [pom] *nf* palmo
paumé, e [pome] (*fam*) *adj* perso(-a),
perduto(-a)
paupière [popjɛʀ] *nf* palpebra
pause [poz] *nf* pausa
pauvre [povʀ] *adj, nm/f* povero(-a);
les pauvres *nmpl* i poveri; ~ **en**
calcium povero(-a) di calcio
pauvreté [povʀəte] *nf* povertà *f inv*
pavé, e [pave] *adj* lastricato(-a) ■ *nm*
(*bloc de pierre*) pavé *m inv*, cubetto di
porfido; (*pavage, pavement*)
pavimentazione *f* stradale, lastricato;
(*bifteck*) grossa bistecca; (*fam: livre*
etc) mattone *m*; **être sur le ~** (*fig*)
essere in mezzo alla strada; ~
numérique (*Inform*) tastiera
numerica; ~ **publicitaire** spazio
pubblicitario
pavillon [pavijɔ̃] *nm* (*belvédère, Mus,*
Anat) padiglione *m*; (*maisonnette, villa*)
villetta, villino; (*Naut: drapeau*)
bandiera; ~ **de complaisance**
bandiera *f* ombra *inv ou* di comodo
payant, e [pɛjɑ̃, ɑ̃t] *adj* (*spectateur*)
pagante; (*billet, spectacle*) a
pagamento; (*fig: entreprise*)
redditizio(-a); **c'est ~** è a pagamento
paye [pɛj] *nf* paga
payement [pɛjmɑ̃] *nm* pagamento
payer [peje] *vt* pagare ■ *vi* (*métier*)
rendere; (*effort, tactique etc*) pagare;
il me l'a fait ~ 10 euros me l'ha fatto
pagare 10 euro; ~ **qn de** (*ses efforts,*
peines) ripagare qn per; ~ **qch à qn**
pagare qc a qn; **ils nous ont payé le**
voyage ci hanno pagato il viaggio;
~ **qn de retour** contracambiare *ou*
ricambiare qn; ~ **par chèque/en**
espèces pagare con un assegno/in
contanti; ~ **cher qch** (*aussi fig*) pagare

caro qc; **~ de sa personne** pagare di
persona; **~ d'audace** dar prova
d'audacia; **cela ne paie pas de mine**
non ha l'aria molto allettante; **se ~
qch** concedersi qc; **se ~ de mots**
limitarsi a parlare; **se ~ la tête de qn**
prendersi gioco di qn; **est-ce que je
peux ~ par carte de crédit?** posso
pagare con la carta di credito?
pays [pɛi] *nm* paese *m*; (*région*)
regione *f*; **du ~** nostrano(-a), locale;
le ~ de Galles il Galles
paysage [peizaʒ] *nm* paesaggio
paysan, ne [peizɑ̃, an] *nm/f*
contadino(-a); (*péj*) bifolco(-a),
zotico(-a) ■ *adj* contadino(-a)
Pays-Bas [peiba] *nmpl*: **les ~** i Paesi
Bassi
PDA [pedea] *sigle m* (= *personal digital
assistant*) PDA *m inv*, computer *m inv*
palmare
PDG [pedeʒe] *sigle m* = *président
directeur général*
péage [peaʒ] *nm* pedaggio; (*endroit*)
casello; **autoroute/pont à ~**
autostrada/ponte *m* a pedaggio
peau, x [po] *nf* (*Anat, Zool*) pelle *f*;
(*Bot*) buccia; (*du lait, de la peinture*)
pellicina; **gants de ~** guanti *mpl* di
pelle; **être bien/mal dans sa ~** stare/
non stare bene con se stessi; **se
mettre dans la ~ de qn** mettersi nei
panni di qn; **faire ~ neuve** cambiare
completamente; **~ d'orange** (*Méd*)
buccia d'arancia; **~ de chamois** pelle
di daino
pêche [pɛʃ] *nf* (*sport, fruit*) pesca;
(*endroit*) riserva di pesca; **aller à la ~**
andare a pesca; **avoir la ~** (*fam*)
sentirsi in forma; **à la ligne** pesca
con la lenza; **~ sous-marine** pesca
subacquea
péché [peʃe] *nm* peccato; **~ mignon**
debolezza
pécher [peʃe] *vi* peccare; (*chose*)
avere delle pecche; **~ contre la
bienséance/les bonnes mœurs**
peccare contro la buona creanza/la
morale
pêcher [peʃe] *nm* (*Bot*) pesco ■ *vi, vt*
pescare; **~ au chalut** pescare con la
rete a strascico
pêcheur [pɛʃœʀ] *nm* pescatore *m*;
~ de perles pescatore di perle

pécheur, -eresse [peʃœʀ, peʃʀɛs]
nm/f peccatore(-trice)
pédagogie [pedagɔʒi] *nf* pedagogia
pédagogique [pedagɔʒik] *adj*
pedagogico(-a); **formation ~**
formazione *f* degli insegnanti
pédale [pedal] *nf* pedale *m*; **mettre
la ~ douce** usare il guanto di velluto
pédalo [pedalo] *nm* pedalò *m inv*,
moscone *m*
pédant, e [pedɑ̃, ɑ̃t] (*péj*) *adj*
pedante ■ *nm/f* pedante *m/f*
pédestre [pedɛstʀ] *adj*: **tourisme ~**
escursionismo a piedi; **randonnée ~**
(*activité*) escursionismo a piedi;
(*excursion*) escursione *f* a piedi;
chemin ~ sentiero
pédiatre [pedjatʀ] *nm/f* pediatra *m/f*
pédicure [pedikyʀ] *nm/f* pedicure
m/f inv
pédophile [pedɔfil] *adj, nm/f*
pedofilo(-a)
pègre [pɛgʀ] *nf* malavita
peigne [pɛɲ] *vb voir* **peindre,
peigner** ■ *nm* pettine *m*
peigner [peɲe] *vt* pettinare; **se
peigner** *vr* pettinarsi
peignoir [peɲwaʀ] *nm* (*chez le
coiffeur*) peignoir *m inv*, mantellina;
(*de sportif*) accappatoio; (*déshabillé*)
vestaglia; **~ de bain** accappatoio;
~ de plage copricostume *m inv*
peindre [pɛ̃dʀ] *vt* (*mur*) tinteggiare;
(*carrosserie, objet*) pitturare,
verniciare; (*paysage, fig*) dipingere;
(*personne*) ritrarre
peine [pɛn] *nf* (*affliction*) dolore *m*,
dispiacere *m*; (*mal, effort*) fatica;
(*difficulté*) difficoltà *f inv*; (*punition, Jur*)
pena; **faire de la ~ à qn** rattristare qn;
prendre la ~ de faire prendersi la
briga di fare; **se donner de la ~** darsi
da fare; **ce n'est pas la ~ que vous
fassiez/de faire** non vale la pena che
faccia/di fare; **avoir de la ~ à faire**
fare fatica a fare; **donnez-vous/
veuillez vous donner la ~ d'entrer** si
accomodi, prego; **pour la ~** per il
disturbo; **c'est ~ perdue** è fatica
sprecata; **à ~** (*presque*) appena;
(*difficilement*) con difficoltà; **il y a à ~
huit jours** sono appena otto giorni; **à
~ était-elle sortie/montée dans la
voiture que....** era appena uscita/

salita in macchina che...; **c'est à ~ si
j'ai pu me retenir** mi sono trattenuto
a stento; **sous ~ d'être puni** i
trasgressori saranno puniti; **défense
d'afficher sous ~ d'amende** divieto di
affissione sotto pena di multa;
~ capitale pena capitale; **~ de mort**
pena di morte

peiner [pene] *vi* far fatica ■ *vt*
addolorare, affliggere

peintre [pɛtʀ] *nm* pittore(-trice);
~ (en bâtiment) imbianchino

peinture [pɛtyʀ] *nf* (*d'un objet*)
verniciatura; (*de bâtiment*)
tinteggiatura; (*tableau, toile, murale*)
dipinto; (*Art*) pittura; (*couche de
couleur, couleur*) vernice *f*; **refaire les
~s d'un appartement** ritinteggiare le
pareti di un appartamento; **ne pas
pouvoir voir qn en ~** non poter
vedere qn; **"~ fraîche"** "vernice
fresca"; **~ brillante** vernice lucida;
~ laquée vernice a lacca; **~ mate**
vernice opaca

péjoratif, -ive [peʒɔʀatif, iv] *adj*
peggiorativo(-a)

pêle-mêle [pɛlmɛl] *adv* alla rinfusa

peler [pəle] *vt* sbucciare, pelare ■ *vi*
spellarsi

pèlerin [pɛlʀɛ̃] *nm* pellegrino

pèlerinage [pɛlʀinaʒ] *nm*
pellegrinaggio; (*lieu*) meta di
pellegrinaggio

pelle [pɛl] *nf* pala, badile *m*; (*d'enfant*)
paletta; **~ à gâteau/tarte** paletta per
dolci; **~ mécanique** pala meccanica

> **FAUX AMIS**
> **pelle** ne se traduit pas par
> le mot italien **pelle**.

pellicule [pelikyl] *nf* pellicola; (*pour
appareil photo*) rullino; **pellicules** *nfpl*
(*Méd*) forfora *fsg*; **je voudrais une
~ de 36 poses** vorrei un rullino da
36 pose

pelote [p(ə)lɔt] *nf* (*de fil, laine*)
gomitolo; (*d'épingles*) puntaspilli *m
inv*; **~ (basque)** (*balle, jeu*) pelota,
palla basca

peloton [p(ə)lɔtɔ̃] *nm* (*Mil*) plotone
m; (*groupe, Sport*) gruppo; (*de
pompiers, gendarmes*) squadra;
~ d'exécution plotone d'esecuzione

pelotonner [p(ə)lɔtɔne] *vr*:
se pelotonner raggomitolarsi

pelouse [p(ə)luz] *nf* prato

peluche [p(ə)lyʃ] *nf* peluzzo, peletto;
animal en ~ animale di peluche

pelure [p(ə)lyʀ] *nf* buccia; **~ d'oignon**
buccia di cipolla

pénal, e, aux [penal, o] *adj* penale

pénalité [penalite] *nf* penale *f*;
(*Sport*) penalità *f inv*

penchant [pãʃã] *nm*: **un ~ à faire qch**
un'inclinazione a fare qc; **avoir un ~
pour qch** avere un debole per qc

pencher [pãʃe] *vi* pendere ■ *vt*
inclinare; (*tête: en avant*) chinare; **se
pencher** *vr* chinarsi; **se ~ sur** piegarsi
su; (*fig: problème*) prendere in esame;
se ~ au dehors sporgersi; **~ pour**
propendere per

pendant¹ [pãdã] *prép* per; (*au cours
de*) durante; **~ toute la journée** per
tutta la giornata; **~ les heures de
travail** durante le ore di lavoro; **~ que**
mentre

pendant², e [pãdã, ãt] *adj* (*bras,
jambes, langue*) penzoloni *inv*,
penzolante; (*Admin, Jur*) pendente
■ *nm*: **être le ~ de** essere il pendant *m
inv* di; (*fig*) assomigliare a; **faire ~ à**
fare da pendant a; **~s d'oreilles**
orecchini *mpl* pendenti

pendentif [pãdãtif] *nm* ciondolo,
pendaglio

penderie [pãdʀi] *nf* (*meuble*)
armadio; (*placard*) guardaroba

pendre [pãdʀ] *vt* appendere;
(*personne*) impiccare ■ *vi* pendere;
se ~ (à) (*se suicider*) impiccarsi (a);
se ~ à (*se suspendre*) appendersi *ou*
aggrapparsi a; **~ à** pendere da; **~ qch
à** appendere qc a

pendule [pãdyl] *nf* orologio a
pendolo, pendola ■ *nm* (*de sourcier*)
pendolino; (*Phys*) pendolo

pénétrer [penetʀe] *vi* penetrare ■ *vt*
penetrare; (*mystère, secret*)
penetrare; **~ dans/à l'intérieur de**
penetrare in/all'interno di; **se ~ de
qch** far proprio qc

pénible [penibl] *adj* (*astreignant*)
faticoso(-a); (*douloureux*) penoso(-a),
doloroso(-a); (*personne, caractère*)
pesante; **il m'est ~ de...** è penoso
per me...

péniblement [peniblemã] *adv* a
fatica

péniche [peniʃ] nf chiatta; ~ de débarquement (Mil) mezzo da sbarco

pénicilline [penisilin] nf penicillina

péninsule [penɛ̃syl] nf penisola

pénis [penis] nm pene m

pénitence [penitɑ̃s] nf penitenza; être/mettre en ~ essere/mettere in castigo; faire ~ fare penitenza

pénitencier [penitɑ̃sje] nm penitenziario

pénombre [penɔ̃bʀ] nf penombra

pensée [pɑ̃se] nf pensiero; (Bot) viola del pensiero; en ~ mentalmente; représenter qch par la ou en ~ immaginare qc

penser [pɑ̃se] vi pensare ■ vt pensare; (concevoir) concepire; ~ à pensare a; (anniversaire, faire qch) ricordarsi di; ~ que pensare che; ~ à faire qch pensare a fare qc; ~ faire qch pensare di fare qc; ~ du bien/du mal de qn/qch pensare bene/male di qn/qc; faire ~ à far pensare a; n'y pensons plus non pensiamoci più; il ne dit pas ce qu'il pense non dice ciò che pensa; qu'en pensez-vous? cosa ne pensa?; je le pense aussi penso anch'io; je ne le pense pas non penso, je ne pense pas comme vous non la penso come lei; j'aurais pensé que si/non penserei di sì/no; je pense que oui/non penso di sì/no; vous n'y pensez pas! non ci pensi nemmeno!; sans ~ à mal senza pensare male

pensif, -ive [pɑ̃sif, iv] adj pensoso(-a), pensieroso(-a)

pension [pɑ̃sjɔ̃] nf pensione f; (école) collegio; prendre ~ chez qn stare a pensione da qn; prendre ~ dans un hôtel stare in albergo; prendre qn en ~ prendere qn a pensione; mettre en ~ (enfant) mettere in collegio; ~ alimentaire (d'étudiant) borsa di studio; (de divorcée) alimenti mpl; ~ complète pensione completa; ~ d'invalidité pensione d'invalidità; ~ de famille pensione (familiare); ~ de guerre pensione di guerra

pensionnaire [pɑ̃sjɔnɛʀ] nm/f pensionante m/f; (Scol) convittore(-trice)

pensionnat [pɑ̃sjɔna] nm collegio, convitto

pente [pɑ̃t] nf pendenza; (surface oblique, descente) pendio; en ~ in pendenza; remonter la ~ (fig) risalire la china

Pentecôte [pɑ̃tkot] nf Pentecoste f; lundi de ~ lunedì di Pentecoste

pénurie [penyʀi] nf penuria; ~ de main d'œuvre penuria di manodopera

pépé [pepe] (fam) nm nonnino

pépin [pepɛ̃] nm (Bot) seme m, semino; (fam: ennui) guaio, grana; (: parapluie) ombrello

pépinière [pepinjɛʀ] nf vivaio

perçant, e [pɛʀsɑ̃, ɑ̃t] adj (regard, yeux) penetrante; (cri, voix, vue) acuto(-a)

percepteur, -trice [pɛʀsɛptœʀ, tʀis] nm esattore m

perception [pɛʀsɛpsjɔ̃] nf percezione f; (d'impôts etc) riscossione f; (bureau) esattoria

percer [pɛʀse] vt forare, bucare; (oreilles, narines) bucare; (abcès) incidere; (trou, fenêtre, tunnel) aprire; (suj: lumière, soleil: obscurité, nuage) squarciare; (mystère, énigme) svelare; (suj: bruit: oreilles, tympan) perforare ■ vi (aube, soleil, dent) spuntare; (ironie) trapelare; (réussir: artiste) sfondare; ~ une dent (suj: bébé) mettere un dente

perceuse [pɛʀsøz] nf trapano; ~ à percussion trapano a percussione

percevoir [pɛʀsəvwaʀ] vt percepire; (taxe, impôt) riscuotere

perche [pɛʀʃ] nf (Zool) pesce m persico; (pièce de bois, métal) pertica; ~ à son (TV, Radio, Ciné) giraffa

percher [pɛʀʃe] vt: ~ qch sur mettere qc in cima a; se percher vr appollaiarsi

perchoir [pɛʀʃwaʀ] nm (dans le poulailler) posatoio; (bâton) trespolo; (fig) presidenza dell'Assemblée Nationale

perçois etc [pɛʀswa] vb voir percevoir

perçu, e [pɛʀsy] pp de percevoir

percussion [pɛʀkysjɔ̃] nf percussione f

percuter [pɛʀkyte] vt colpire, urtare; (suj: véhicule) urtare ■ vi: ~ contre cozzare contro; (*exploser*) esplodere contro

perdant, e [pɛʀdɑ̃, ɑ̃t] *nm/f* perdente *m/f* ■ *adj* perdente

perdre [pɛʀdʀ] *vt* perdere; (*argent*) sprecare; (*personne*) rovinare ■ *vi* perdere; **se perdre** *vr* perdersi; **il ne perd rien pour attendre** (*menace*) prima o dopo gliela farò pagare; **j'ai perdu mon portefeuille/passeport** ho perso il portafoglio/passaporto; **je me suis perdu** mi sono perso

perdrix [pɛʀdʀi] *nf* pernice *f*

perdu, e [pɛʀdy] *pp de* **perdre** ■ *adj* perso(-a), perduto(-a); (*enfant, chien, objet*) smarrito(-a); (*isolé*) sperduto(-a); (*Comm: emballage*) a perdere; (*désemparé: personne*) smarrito(-a), perso(-a); (*malade, blessé*) spacciato(-a); **à vos moments ~s** nei ritagli di tempo

père [pɛʀ] *nm* padre *m*; **pères** *nmpl* (*ancêtres*) padri *mpl*; **de ~ en fils** di padre in figlio; **~ de famille** padre di famiglia; **mon ~** (*Rel*) padre; **le ~ Noël** Babbo Natale *m*

perfection [pɛʀfɛksjɔ̃] *nf* perfezione *f*; **à la ~** *adv* alla perfezione

perfectionné, e [pɛʀfɛksjɔne] *adj* perfezionato(-a)

perfectionner [pɛʀfɛksjɔne] *vt* perfezionare; **se ~ en anglais** perfezionarsi nell'inglese

perforer [pɛʀfɔʀe] *vt* perforare

performant, e [pɛʀfɔʀmɑ̃, ɑ̃t] *adj* (*produit*) competitivo(-a); (*appareil*) dalle elevate prestazioni

perfusion [pɛʀfyzjɔ̃] *nf* flebo *f*

péril [peʀil] *nm* pericolo; **au ~ de sa vie** rischiando la vita; **à ses risques et ~s** a suo rischio e pericolo

périmé, e [peʀime] *adj* superato(-a); (*passeport, billet*) scaduto(-a)

périmètre [peʀimɛtʀ] *nm* perimetro

période [peʀjɔd] *nf* periodo; **~ de l'ovulation/d'incubation** periodo dell'ovulazione/d'incubazione

périodique [peʀjɔdik] *adj* periodico(-a) ■ *nm* periodico; **garniture** *ou* **serviette ~** assorbente *m* igienico

périphérique [peʀifeʀik] *adj* periferico(-a); (*Radio*) *che trasmette da un paese confinante* ■ *nm* (*Inform*)

unità *f inv* periferica; (*Auto*): **(boulevard) ~** circonvallazione *f*

périr [peʀiʀ] *vi* perire; (*navire*) naufragare

périssable [peʀisabl] *adj* deperibile

perle [pɛʀl] *nf* (*aussi fig*) perla; (*de plastique, verre*) perlina; (*de rosée, sang, sueur*) goccia

permanence [pɛʀmanɑ̃s] *nf* permanenza; (*Admin: local*) sede *f* di un servizio (*ad orario continuato*); (: *service*) servizio ad orario continuato; (*Méd*) astanteria; (*Scol*) sala di studio (sorvegliata); **assurer une ~** (*service public, bureaux*) garantire un servizio ad orario continuato; **être de ~** essere di turno *ou* di servizio; **en ~** costantemente, sempre

permanent, e [pɛʀmanɑ̃, ɑ̃t] *adj* permanente; (*liaison, contrôle*) continuo(-a); (*collaboration*) continuativo(-a); (*spectacle*) continuato(-a) ■ *nf* (*Coiffure*) permanente *f* ■ *nm* (*d'un syndicat, parti*) funzionario

perméable [pɛʀmeabl] *adj* permeabile; **~ à** (*fig*) sensibile a

permettre [pɛʀmɛtʀ] *vt* permettere; **rien ne permet de penser que...** niente lascia pensare che...; **~ à qn de faire qch** permettere a qn di fare qc; **se ~ qch** concedersi qc; **se ~ de faire qch** permettersi di fare qc; **permettez!** mi permetta!

permis, e [pɛʀmi, iz] *pp de* **permettre** ■ *nm* licenza, permesso; **~ d'inhumer** autorizzazione *f* di inumazione; **~ de chasse/pêche** licenza di caccia/pesca; **~ de conduire** patente *f* (di guida); **~ de construire** licenza edilizia; **~ de séjour/travail** permesso di soggiorno/lavoro; **~ poids lourds** ≈ patente *f* (di guida) C

permission [pɛʀmisjɔ̃] *nf* permesso; (*Mil*) licenza; (: *papier*) (foglio di) licenza; **en ~** (*Mil*) in licenza; **avoir la ~ de faire qch** avere il permesso di fare qc

Pérou [peʀu] *nm* Perù *m*

perpétuel, le [pɛʀpetɥɛl] *adj* continuo(-a); (*dignité, fonction*) a vita; (*éternel*) eterno(-a)

perpétuité [pɛʀpetɥite] *nf*: **à ~** *adj, adv* a vita; **être condamné à ~** essere condannato all'ergastolo

perplexe [pɛʀplɛks] *adj* perplesso(-a)

perquisitionner [pɛʀkizisjɔne] *vi* fare una perquisizione

perron [peʀɔ̃] *nm* gradini *mpl* (d'ingresso)

perroquet [peʀɔkɛ] *nm* pappagallo

perruche [peʀyʃ] *nf* pappagallino

perruque [peʀyk] *nf* parrucca

persécuter [pɛʀsekyte] *vt* perseguitare

persévérer [pɛʀsevere] *vi* perseverare; **~ à croire que** continuare a credere che; **~ dans qch** perseverare in qc

persil [pɛʀsi] *nm* prezzemolo

Persique [pɛʀsik] *adj*: **le golfe ~** il golfo Persico

persistant, e [pɛʀsistɑ̃, ɑ̃t] *adj* persistente; (*Bot*) persistente, sempreverde; **arbre à feuillage ~** albero sempreverde

persister [pɛʀsiste] *vi* persistere; **~ dans qch** persistere in qc; **~ à faire qch** persistere a fare qc

personnage [pɛʀsɔnaʒ] *nm* personaggio; (*individu*) tipo, individuo; (*Peinture*) figura

personnalité [pɛʀsɔnalite] *nf* personalità *f inv*

personne [pɛʀsɔn] *nf* persona ◼ *pron* nessuno; (*quelqu'un*) chiunque; **il n'y a ~** non c'è nessuno; **10 euros par ~** 10 euro a testa; **en ~** (*soi-même*) in persona; **j'irai voir en ~** andrò a vedere di persona; **première/troisième ~** (*Ling*) prima/terza persona; **~ à charge** (*Jur*) persona a carico; **~ âgée** persona anziana; **~ civile** *ou* **morale** (*Jur*) persona giuridica

personnel, le [pɛʀsɔnɛl] *adj* personale; (*égoïste*) egoista ◼ *nm* personale *m*; **j'ai des idées ~les à ce sujet** ho idee mie a questo proposito; **service du ~** ufficio del personale

personnellement [pɛʀsɔnɛlmɑ̃] *adv* (*en personne*) personalmente; **connaître qn ~** conoscere qn personalmente

perspective [pɛʀspɛktiv] *nf* prospettiva; **perspectives** *nfpl* (*horizons*) prospettive *fpl*; **en ~** (*fig*) in vista

perspicace [pɛʀspikas] *adj* perspicace

perspicacité [pɛʀspikasite] *nf* perspicacia

persuader [pɛʀsɥade] *vt*: **~ qn (de qch/de faire qch)** persuadere qn (di qc/a fare qc); **j'en suis persuadé** ne sono convinto

persuasif, -ive [pɛʀsɥazif, iv] *adj* persuasivo(-a), convincente

perte [pɛʀt] *nf* perdita; (*fig: morale*) rovina; **pertes** *nfpl* (*personnes tuées*, *Comm*) perdite *fpl*; **à ~** (*Comm*) in perdita; **à ~ de vue** a perdita d'occhio; (*fig: discourir*) all'infinito; **en pure ~** inutilmente; **courir à sa ~** rovinarsi con le proprie mani; **être en ~ de vitesse** (*fig*) essere in ribasso; **avec ~ et fracas** di peso; **~ de chaleur/d'énergie** perdita di calore/di energia; **~ sèche** perdita secca; **~s blanches** perdite bianche

pertinent, e [pɛʀtinɑ̃, ɑ̃t] *adj* pertinente

perturbation [pɛʀtyʀbasjɔ̃] *nf* (*dans un service public*) scompiglio; (*agitation, trouble*) sconvolgimento; **~ (atmosphérique)** perturbazione *f* (atmosferica)

perturber [pɛʀtyʀbe] *vt* (*réunion, émission*) disturbare; (*transports*) disturbare il regolare funzionamento di; (*personne*) turbare

pervers, e [pɛʀvɛʀ, ɛʀs] *adj, nm/f* perverso(-a); **effet ~** effetto perverso

pervertir [pɛʀvɛʀtiʀ] *vt* (*dépraver*) corrompere; (*changer*) alterare

pesant, e [pəzɑ̃, ɑ̃t] *adj* pesante ◼ *nm*: **il vaut son ~ d'or** vale tanto oro quanto pesa

pèse-personne [pɛzpɛʀsɔn] (*pl* **~(s)**) *nm* bilancia *f* pesapersone *inv*

peser [pəze] *vt* pesare; (*considérer, comparer*) soppesare ◼ *vi* pesare; **~ cent kilos/peu** pesare cento chili/poco; **~ sur** (*levier*) far forza su; (*fig*) pesare su; **~ à qn** pesare a qn

pessimiste [pesimist] *adj* pessimista, pessimistico(-a) ◼ *nm/f* pessimista *m/f*

peste [pɛst] nf (Méd, fig) peste f
pétale [petal] nm petalo
pétanque [petɑ̃k] nf: **la ~** (il gioco
del)le bocce fpl

> ⊛ **PÉTANQUE**
> ⊛
> ⊛ La pétanque, che ha avuto origine
> ⊛ nel sud della Francia, è una
> ⊛ variante del gioco delle bocce che
> ⊛ si gioca su diverse superfici dure.
> ⊛ Stando con i piedi uniti i giocatori
> ⊛ gettano bocce d'acciaio verso un
> ⊛ pallino di legno.

pétard [petaʀ] nm petardo; (de
cotillon) cagnara
péter [pete] vi (grenade) scoppiare;
(casser) spaccarsi; (fam) scoreggiare
pétillant, e [petijɑ̃, ɑ̃t] adj frizzante;
(regard) scintillante
pétiller [petije] vi (flamme, feu)
scoppiettare; (mousse, champagne)
frizzare; (joie, yeux) brillare;
~ d'intelligence essere brillante
petit, e [p(ə)ti, it] adj piccolo(-a);
(pluie) sottile; (salaire) esiguo(-a);
(mesquin) piccolo(-a), meschino(-a)
■ nm/f bambino(-a), piccolo(-a)
■ nm (d'un animal) piccolo; **~ chat/
voyage** gattino/viaggetto; **~e
colline/promenade** collinetta/
passeggiatina; **la classe des ~s** la
classe dei piccoli; **faire des ~s** fare i
piccoli; **en ~** in piccolo; **mon ~**
piccolino; (menaçant) bello mio; **ma
~e** piccolina; (menaçant) bella mia;
pauvre ~ poverino; **pour ~s et
grands** per grandi e piccini; **les tout-
~s** i piccini, i più piccoli; **~ à ~** poco a
poco; **le ~ déjeuner est à quelle
heure?** a che ora si può fare
colazione?; **~(e) ami(e)** ragazzo(-a)
(fidanzato); **~ déjeuner** (prima)
colazione f; **~ doigt** mignolo; **~ écran**
(télévision) piccolo schermo; **~ four**
pasticcino; **~ pain** panino; **~e
monnaie** spiccioli mpl; **~e vérole**
vaiolo; **~s pois** piselli mpl; **les ~es
annonces** gli annunci economici; **~es
gens** (aux revenus modestes) gente f
modesta
petite-fille [pətitfij] (pl petites-
filles) nf nipote f (di nonni)

petit-fils [pətifis] (pl petits-fils) nm
nipote m (di nonni)
pétition [petisjɔ̃] nf petizione f;
faire signer une ~ far firmare una
petizione
petits-enfants [pətizɑ̃fɑ̃] nmpl
nipoti mpl (di nonni)
pétrin [petʀɛ̃] nm madia; **dans le ~**
(fig) nei pasticci ou guai
pétrir [petʀiʀ] vt (pâte) impastare;
(argile, cire) plasmare; (objet) stringere
forte
pétrole [petʀɔl] nm petrolio; **lampe/
poêle à ~** lampada/stufa a petrolio;
~ lampant cherosene m, petrolio
lampante
pétrolier, -ière [petʀolje, jɛʀ] adj
(industrie) petrolifero(-a); (pays)
produttore(-trice) di petrolio ■ nm
(navire) petroliera; (financier)
petroliere m; (technicien) tecnico
petrolifero

 MOT-CLÉ

peu [pø] adv **1** poco; **il boit peu** beve
poco; **il est peu bavard** è poco
loquace; **peu avant/après** poco
prima/dopo; **depuis peu** da poco
2: **peu de** poco(-a); **avoir peu de pain**
avere poco pane; **il a peu d'espoir** ha
poche speranze; **pour peu de temps**
per poco tempo; **c'est (si) peu de
chose** è poca cosa; **à peu de frais** con
poca spesa
3 (locutions): **peu à peu** poco a poco;
à peu près circa, più o meno; **à peu
près 10 kg/10 euros** circa 10 kg/
10 euro
■ nm **1**: **le peu de gens qui** le poche
persone che; **le peu de sable qui** la
poca sabbia che; **le peu de courage
qui nous restait** il poco coraggio che
ci restava
2: **un peu** un poco; **un petit peu** un
pochino; **un peu d'espoir** un po' di
speranza; **elle est un peu grande** è
un po' grande; **essayez un peu!**
provateci un po'!; **un peu plus/moins
de** un po' più/meno di; **un peu plus
et il la blessait** ci è mancato poco che
non la ferisse; **pour peu qu'il fasse**
per poco che faccia; **pour un peu, il...**
per un po', (egli)...

■ *pron*: **peu le savent** pochi *mpl* lo sanno; **avant** *ou* **sous peu** tra poco, fra breve; **de peu** poco; **il a gagné de peu** ha guadagnato poco; **il s'en est fallu de peu (qu'il ne le blesse)** ci è mancato poco (che non lo ferisse); **éviter qch de peu** evitare qc di *ou* per poco; **il est de peu mon cadet** è di poco più giovane di me

peuple [pœpl] *nm* popolo; **un ~ de vacanciers** una folla di vacanzieri; **il y a du ~** c'è molta gente

peupler [pœple] *vt* popolare; **se peupler** *vr* popolarsi

peuplier [pøplije] *nm* pioppo

peur [pœR] *nf* paura; **avoir ~ (de/de faire/que)** aver paura (di/di fare/che); **j'ai ~ qu'il ne soit trop tard** ho paura che sia troppo tardi; **j'ai ~ qu'il (ne) vienne (pas)** ho paura che (non) venga; **prendre ~** prendere paura, spaventarsi; **faire ~ à qn** fare paura a qn, spaventare qn; **de ~ de/que** per paura di/che

peureux, -euse [pørø, øz] *adj* pauroso(-a); (*effrayé*) impaurito(-a)

peut [pø] *vb voir* **pouvoir**

peut-être [pøtɛtR] *adv* forse; **~ bien (qu'il fera/est)** può anche darsi (che faccia/sia); **~ que** può darsi che; **~ fera-t-il beau dimanche** può darsi che domenica faccia bello, forse domenica farà bello

phare [faR] *nm* faro ■ *adj*: **produit ~** prodotto di punta; **se mettre en ~s, mettre ses ~s** mettere gli abbaglianti; **~s de recul** (*Auto*) luci *fpl* della retromarcia

pharmacie [faRmasi] *nf* farmacia; (*produits*) medicinali *mpl*; (*armoire*) armadietto dei medicinali

pharmacien, ne [faRmasjɛ̃, jɛn] *nm/f* farmacista *m/f*

phénomène [fenɔmɛn] *nm* fenomeno

philosophe [filɔzɔf] *nm/f, adj* filosofo(-a)

philosophie [filɔzɔfi] *nf* filosofia

phobie [fɔbi] *nf* fobia

phoque [fɔk] *nm* foca

phosphorescent, e [fɔsfɔResɑ̃, ɑ̃t] *adj* fosforescente

photo [fɔto] *nf* foto *f inv* ■ *adj*: **appareil/pellicule ~** macchina/pellicola fotografica; **en ~** in fotografia; **prendre (qn) en ~** fotografare (qn); **aimer/faire de la ~** amare la/occuparsi di fotografia; **pourriez-vous nous prendre en ~, s'il vous plaît?** può farci una foto, per favore?; **~ d'identité** fototessera; **~ en couleurs** foto a colori

photocopie [fɔtɔkɔpi] *nf* fotocopia

photocopier [fɔtɔkɔpje] *vt* fotocopiare

photocopieuse [fɔtɔkɔpjøz] *nf* fotocopiatrice *f*

photographe [fɔtɔgRaf] *nm/f* fotografo(-a)

photographie [fɔtɔgRafi] *nf* fotografia; **faire de la ~** occuparsi di fotografia

photographier [fɔtɔgRafje] *vt* fotografare

phrase [fRɑz] *nf* frase *f*; **faire des ~s** parlare in punta di forchetta; **sans ~s** senza giri di parole

physicien, ne [fizisjɛ̃, jɛn] *nm/f* fisico *m*

physique [fizik] *adj* fisico(-a) ■ *nm* fisico ■ *nf* fisica; **au ~** fisicamente

physiquement [fizikmɑ̃] *adv* fisicamente

pianiste [pjanist] *nm/f* pianista *m/f*

piano [pjano] *nm* piano(forte) *m*; **~ à queue** piano(forte) a coda; **~ mécanique** pianola

pianoter [pjanɔte] *vi* strimpellare al pianoforte; **~ sur** (*table, vitre*) tamburellare su

pic [pik] *nm* (*instrument*) piccone *m*; (*montagne*) picco; (*Zool*) picchio; **à ~** a picco; **arriver/tomber à ~** arrivare/cadere a proposito; **couler à ~** (*bateau*) colare a picco; **~ à glace** piccozza

pichet [piʃɛ] *nm* brocchetta

picorer [pikɔRe] *vt* (*oiseau*) becchettare; (*personne: grignoter*) mangiucchiare

pie [pi] *nf* gazza; (*fig: femme*) chiacchierona ■ *adj inv*: **cheval/vache ~** cavallo/mucca pezzato/a

pièce [pjɛs] *nf* (*d'un logement*) stanza, locale *m*; (*Théâtre*) opera (teatrale); (: *représentation*) spettacolo; (*d'un* *mécanisme, d'une collection, d'un jeu)* pezzo; *(d'or, d'argent)* moneta; *(Couture)* toppa, pezza; *(document, de drap)* pezza; *(de bétail, gibier)* capo; **une ~ de poisson** un pesce; **dix euro ~** dieci euro al pezzo; **mettre en ~s** mandare in pezzi, fare a pezzi; **vendre à la ~** vendere al pezzo; **travailler/payer à la ~** lavorare/pagare a cottimo; **créer/inventer de toutes ~s** inventare di sana pianta; **maillot une ~** costume *m* intero; **un deux-~s cuisine** un (appartamento di) due stanze più cucina; **un trois-~s** un (appartamento di) tre stanze; **tout d'une ~** in un pezzo solo; *(personne)* tutto d'un pezzo; **en ~s détachées (à monter)** in kit, da montare; **~ à conviction** elemento di prova; **~ d'eau** laghetto; **~ d'identité** documento; **~ de rechange** pezzo di ricambio; **~ de résistance** *(plat)* piatto forte; **~ jointe** *(de e-mail)* allegato; **~ montée** torta a più piani; **~s détachées** pezzi di ricambio; **~s justificatives** pezze d'appoggio

pied [pje] *nm (Anat, Poésie, d'un meuble)* piede *m*; *(d'une table)* gamba; *(d'un mur)* base *f*; **au ~ de** ai piedi di; **~s nus** *ou* **nu-~s** a piedi nudi; **à ~** a piedi; **à ~ sec** senza bagnarsi i piedi; **être à ~ d'œuvre** essere pronto(-a) a cominciare; **au ~ de la lettre** alla lettera; **au ~ levé** immediatamente, su due piedi; **de ~ en cap** dalla testa ai piedi; **en ~** in piedi; **avoir ~** toccare *(in acqua)*; **avoir le ~ marin** avere il piede marino; **perdre ~** *(fig)* perdere la bussola; **sur ~** *(debout)* in piedi; *(rétabli)* in sesto; **vendre sur ~** *(Agr)* vendere prima della raccolta; **mettre sur ~** *(affaire etc)* mettere in piedi; **mettre à ~** *(employé)* licenziare; **sur le ~ de guerre** sul piede di guerra; **sur un ~ d'égalité** su un piede di parità; **sur ~ d'intervention** pronto(-a) ad intervenire; **faire du ~ à qn** fare piedino a qn; **mettre les ~s quelque part** mettere piede da qualche parte; **faire des ~s et des mains** darsi un gran da fare; **mettre qn au ~ du mur** mettere qn alle strette; **quel ~, ce film!** stupendo questo film!; **c'est le**

~! *(fam)* stupendo!; **se lever du bon ~** partire col piede giusto; **il s'est levé du ~ gauche** alzarsi con la luna di traverso; **faire un ~ de nez à** fare marameo a; **au ~ du lit** ai piedi del letto; **~ de salade/tomate** piantina di insalata/pomodoro; **~ de vigne** ceppo di vite

pied-noir [pjenwaʀ] *(pl* **pieds-noirs)** *nm/f* francese *m/f* nato(-a) in Algeria

piège [pjɛʒ] *nm* trappola; *(fig)* tranello, trabocchetto; **prendre au ~** prendere in trappola; **tomber dans un ~** cadere in una trappola

piéger [pjeʒe] *vt (animal)* prendere con una trappola; *(avec une bombe, mine)* munire di un ordigno esplosivo; *(fig)* intrappolare; **lettre piégée** pacco *m* bomba *inv*; **voiture piégée** autobomba

piercing [pjɛʀsiŋ] *nm* piercing *m inv*

pierre [pjɛʀ] *nf* pietra; **mur de ~s sèches** muro a secco; **faire d'une ~ deux coups** prendere due piccioni con una fava; **~ à briquet** pietrina (per accendino); **~ de taille** pietra da taglio; **~ de touche** pietra di paragone; **~ fine** pietra fine; **~ ponce** pietra pomice; **~ tombale** pietra tombale

pierreries [pjɛʀʀi] *nfpl* pietre *fpl* preziose

piétiner [pjetine] *vi (trépigner)* pestare i piedi; *(marquer le pas)* avanzare molto lentamente; *(fig)* segnare il passo ▪ *vt* calpestare

piéton, ne [pjetɔ̃, ɔn] *nm/f* pedone *m/f* ▪ *adj* pedonale

piétonnier, -ière [pjetɔnje, jɛʀ] *adj* pedonale

pieu, x [pjø] *nm* palo, piolo; *(fam)* letto

pieuvre [pjœvʀ] *nf* piovra

pieux, -euse [pjø, pjøz] *adj* pio(-a)

pigeon [piʒɔ̃] *nm* piccione *m*; **~ voyageur** piccione viaggiatore

piger [piʒe] *(fam)* *vt* capire ▪ *vi* capire

pigiste [piʒist] *nm/f (typographe)* compositore(-trice) *(pagato un tanto a riga)*; *(journaliste)* giornalista *m/f* freelance *inv*

pignon [piɲɔ̃] *nm (d'un mur, d'un engrenage)* pignone *m*; *(graine)* pinolo;

avoir ~ sur rue nm (fig) avere un'attività ben avviata

pile [pil] nf (tas) mucchio, pila; (d'un pont) pilone m; (Élec) pila ■ adj: **le côté ~** croce f ■ adv (net) di botto; (à temps) a proposito, al momento giusto; **à deux heures ~** alle due in punto; **jouer à ~ ou face** fare a testa o croce; **~ ou face?** testa o croce?

piler [pile] vt pestare

pilier [pilje] nm pilastro; (Rugby) pilone m; **~ de bar** assiduo frequentatore m di bar

piller [pije] vt saccheggiare

pilote [pilɔt] nm pilota m ■ adj pilota inv; **~ d'essai** (pilota) collaudatore m; **~ de chasse** pilota di caccia; **~ de course** pilota da corsa; **~ de ligne** pilota di linea

piloter [pilɔte] vt pilotare; (fig: personne) guidare; **piloté par menu** (Inform) comandato mediante menù

pilule [pilyl] nf pillola; **prendre la ~** prendere la pillola

piment [pimɑ̃] nm peperoncino; (fig) pepe m; **~ rouge** peperoncino rosso

pimenté, e [pimɑ̃te] adj al peperoncino; (épicé fortement) piccante

pin [pɛ̃] nm pino; **~ maritime** pino marittimo; **~ parasol** pino da pinoli

pinard [pinaʀ] (fam) nm vino

pince [pɛ̃s] nf (outil) pinza; (d'un homard, crabe) tenaglia, pinza; (Couture: pli) pince f inv; **~ à épiler** pinzetta; **~ à linge** molletta da bucato; **~ à sucre** molletta per lo zucchero; **~ universelle** pinza universale; **~s de cycliste** mollette fpl da ciclista (per il fondo dei pantaloni)

pincé, e [pɛ̃se] adj (air) altezzoso(-a); (sourire) forzato(-a); (mince: nez, bouche) sottile ■ nf: **une ~e de sel/ poivre** un pizzico di sale/pepe

pinceau, x [pɛ̃so] nm pennello

pincer [pɛ̃se] vt pizzicare; (suj: vêtement) stringere; (Couture) fare delle pince a; **se ~ le doigt** pizzicarsi il dito; **se ~ le nez** tapparsi il naso

pinède [pinɛd] nf pineta

pingouin [pɛ̃gwɛ̃] nm pinguino

ping-pong [piŋpɔ̃g] (pl ~s) nm ping-pong m inv

pinson [pɛ̃sɔ̃] nm fringuello

pintade [pɛ̃tad] nf faraona

pion, ne [pjɔ̃, ɔn] nm/f (péj Scol) sorvegliante m/f ■ nm (Échecs) pedone m; (Dames) pedina

pionnier [pjɔnje] nm pioniere m

pipe [pip] nf pipa; **~ de bruyère** pipa di radica

piquant, e [pikɑ̃, ɑ̃t] adj (barbe, fig: critique) pungente; (saveur) piccante; (fig: conversation) arguto(-a), vivace ■ nm spina; (de hérisson) aculeo; (fig) nota piccante

pique [pik] nf picca; (fig) frecciata ■ nm (Cartes) picche fpl

pique-nique [piknik] (pl ~s) nm picnic m inv

pique-niquer [piknike] vi fare un picnic

piquer [pike] vt pungere; (planter): **~ qch dans** appuntare qc su; (fixer): **~ qch à/sur** puntare qc a/su; (Méd) fare un'iniezione a; (: tuer) sopprimere; (suj: serpent) mordere; (: fumée) far bruciare; (: vers, insecte: meuble) tarlare; (: poivre, piment) pizzicare; (Couture: tissu, vêtement) impunturare; (intérêt, curiosité etc) stuzzicare; (fam: prendre) prendere; (: voler, dérober) fregare; (: arrêter) pizzicare, beccare ■ vi (oiseau, avion) scendere in picchiata; (saveur) pizzicare; **se piquer** vr pungersi; (se faire une piqûre) farsi un'iniezione; (se vexer) offendersi; **se ~ de** piccarsi ou vantarsi di; **il se pique de philosophie** si picca di essere un esperto di filosofia; **~ sur** scendere in picchiata su; **~ du nez** (avion) precipitare, cadere in picchiata; (dormir) cadere dal sonno; **~ une tête** (plonger) lanciarsi a capofitto; **~ un galop** partire al galoppo; **~ un cent mètres** fare una corsa; **~ une crise** avere una crisi di nervi; **~ au vif** (fig) pungere sul vivo

piquet [pike] nm (pieu) picchetto, paletto; (de tente) picchetto; **mettre un élève au ~** mettere un alunno in castigo; **~ de grève** picchetto di sciopero; **~ d'incendie** squadra antincendio

piqûre [pikyʀ] nf puntura; (Méd) iniezione f, puntura; (Couture) impuntura; (de ver) tarlatura; (tache) macchiolina; **faire une ~ à qn** fare un'iniezione *ou* una puntura a qn

piratage [piʀataʒ] *nm* (*Inform*) pirateria informatica

pirate [piʀat] *nm* pirata *m*; (*Inform*) hacker *m/f inv*, pirata *m* informatico ■ *adj* (*émetteur, station*) pirata *inv*; **~ de l'air** pirata dell'aria, dirottatore *m*

pirater [piʀate] *vt* realizzare un'edizione pirata di ■ *vi* (*Inform*) fare pirateria informatica

pire [piʀ] *adj* peggiore ■ *nm*: **le ~** il peggio; **le/la ~** il/la peggiore; **le ~ de tout est de faire** la cosa peggiore è fare; **au ~** alla peggio, mal che vada

pis [pi] *nm* (*de vache*) mammella; (*pire*): **le ~** il peggio ■ *adj* peggio *inv* ■ *adv*: **faire ~** fare di peggio; **de mal en ~** di male in peggio; **qui ~ est** quello che è peggio; **au ~ aller** alla peggio, mal che vada

piscine [pisin] *nf* piscina; **~ couverte** piscina coperta; **~ en plein air** piscina scoperta *ou* all'aperto; **~ olympique** piscina olimpionica

pissenlit [pisɑ̃li] *nm* dente *m* di leone

pistache [pistaʃ] *nf* pistacchio

piste [pist] *nf* pista; (*d'un animal*) pista, tracce *fpl*; **être sur la ~ de qn** essere sulle tracce di qn; **~ cavalière** sentiero per equitazione; **~ cyclable** pista ciclabile; **~ sonore** colonna sonora

pistolet [pistɔlɛ] *nm* (*arme*) pistola; (*à peinture, vernis*) pistola a spruzzo; **~ à air comprimé** pistola ad aria compressa; **~ à bouchon** pistola a tappo; **~ à eau** pistola ad acqua

pistolet-mitrailleur [pistɔlɛmitʀajœʀ] (*pl* **pistolets-mitrailleurs**) *nm* pistola mitragliatrice

piston [pistɔ̃] *nm* (*Tech*) stantuffo, pistone *m*; (*fig*) raccomandazione *f*; **cornet/trombone à ~s** cornetta/trombone *m* a pistoni

pistonner [pistɔne] *vt* (*candidat*) raccomandare

piteux, -euse [pitø, øz] *adj* (*résultat*) pietoso(-a); (*mine, air*) abbacchiato(-a); **en ~ état** in uno stato pietoso

pitié [pitje] *nf* pietà; **sans ~** *adj* senza pietà; **faire ~** fare pena; **par ~,...** per

pietà,...; **il me fait ~** mi fa pena; **avoir ~ de qn** avere pietà di qn

pitoyable [pitwajabl] *adj* pietoso(-a)

pittoresque [pitɔʀɛsk] *adj* pittoresco(-a)

PJ [peʒi] *sigle f = police judiciaire* ■ *sigle fpl* (*= pièces jointes*) all.

placard [plakaʀ] *nm* (*armoire*) armadio a muro; (*affiche, écriteau*) manifesto; (*Typo*) prima bozza in colonna; **~ publicitaire** manifesto pubblicitario

place [plas] *nf* posto; (*de ville, Écon*) piazza; (*prix*) biglietto; **en ~** (*mettre*) a posto; **de ~ en ~** qua e là; **sur ~** sul posto; **faire une enquête sur ~** fare un'inchiesta sul posto; **faire de la ~** fare posto; **faire ~ à qch** lasciar passare qc; **prendre ~** prendere posto; **ça prend de la ~** occupa molto posto; **à votre ~...** al suo posto...; **remettre qn à sa ~** rimettere qn al suo posto; **ne pas rester/tenir en ~** non riuscire a star fermo(-a); **à la ~ de** (*en échange*) al posto di; **une quatre ~s** un'auto a quattro posti; **il y a 20 ~s assises/debout** ci sono 20 posti a sedere/in piedi; **je voudrais réserver deux ~s** vorrei prenotare due posti; **~ d'honneur** posto d'onore; **~ forte** piazzaforte *f*; **~s arrière/avant** sedili *mpl* posteriori/anteriori

placé, e [plase] *adj* (*Équitation*) piazzato(-a); **haut ~** (*fig: personne*) altolocato(-a); **être bien/mal ~** (*objet*) essere sistemato(-a) bene/male; (*spectateur*) avere un buon/brutto posto; (*concurrent*) essere piazzato(-a) bene/male; **être bien/mal ~ pour faire** essere in una buona/brutta posizione per fare

placement [plasmɑ̃] *nm* sistemazione *f*; (*Fin*) investimento; **agence/bureau de ~** agenzia/ufficio di collocamento

placer [plase] *vt* mettere; (*procurer un emploi à*) sistemare; (*fig: marchandises*) piazzare; (: *capital*) investire; (: *mot*: *introduire dans la conversation*) dire; (: *histoire*) raccontare; (*récit etc*: *localiser*) ambientare; (*pays*) situare; **se placer** *vr* mettersi; (*cheval*) piazzarsi; **~ qn dans un emploi/chez qn** sistemare qn in un impiego/da qn;

~ qn sous les ordres de qn mettere qn agli ordini di qn

plafond [plafɔ̃] nm (d'une pièce) soffitto; (Aviat, Écon) plafond m inv; (fig) limite m massimo

plage [plaʒ] nf spiaggia; (station) località f inv balneare; (fig) fascia; (de disque) brano; **~ arrière** (Auto) cappelliera

plaider [plede] vi (avocat) difendere una causa; (plaignant) intentare causa ■ vt patrocinare; **~ l'irresponsabilité/la légitime défense** sostenere la tesi dell'irresponsabilità/della legittima difesa; **~ coupable/non coupable** dichiararsi colpevole/non colpevole; **~ pour/en faveur de qn** (fig) sostenere ou difendere la causa di qn

plaidoyer [plɛdwaje] nm (Jur) arringa; (fig) apologia

plaie [plɛ] nf piaga, ferita

plaignant, e [plɛɲɑ̃, ɑ̃t] vb voir **plaindre** ■ nm/f, adj (Jur) querelante m/f

plaindre [plɛ̃dʀ] vt compatire; **se plaindre** vr lamentarsi; **se ~ (à qn) (de qn/qch)** lamentarsi (con qn) (di qn/qc); **se ~ de** (souffrir) accusare; **se ~ que** lamentarsi perché (+ indicatif)

plaine [plɛn] nf pianura

plain-pied [plɛ̃pje]: **de ~** adv allo stesso livello; (fig) senza difficoltà; **de ~ avec** allo stesso livello di

plainte [plɛ̃t] nf lamento, gemito; (doléance) lagnanza, lamentela; **porter ~** (Jur) sporgere denuncia

plaire [plɛʀ] vi piacere; **se plaire** vr (quelque part) trovarsi ou star bene; **cela me plaît** (questo) mi piace; **essayer de ~ à qn** cercare di piacere a qn; **se ~ à faire** divertirsi ou provare piacere a fare; **elle plaît aux hommes** (lei) piace agli uomini; **ce qu'il vous plaira** come vuole; **s'il vous plaît** per favore ou piacere

plaisance [plɛzɑ̃s] nf (aussi: **navigation de plaisance**) navigazione f da diporto

plaisant, e [plɛzɑ̃, ɑ̃t] adj piacevole, gradevole; (histoire, anecdote) divertente

plaisanter [plɛzɑ̃te] vi scherzare ■ vt (personne) prendere in giro;

pour ~ per scherzo; **on ne plaisante pas avec cela** non si scherza con queste cose; **tu plaisantes!** ma tu scherzi!

plaisanterie [plɛzɑ̃tʀi] nf scherzo

plaisir [plezir] nm piacere m; **boire/ manger avec ~** bere/mangiare con piacere; **faire ~ à qn** far piacere a qn; **ça me fait ~** (questo) mi fa piacere; **prendre ~ à qch/à faire qch** prendere gusto a qc/a fare qc; **j'ai le ~ de...** ho il piacere di...; **M et Mme Renault ont le ~ de vous faire part de...** Il Sig. e la Sig.ra Renault hanno il piacere di annunciarvi...; **se faire un ~ de faire qch** essere felicissimo(-a) di fare qc; **faites-moi le ~ de...** mi faccia il piacere di...; **à ~** a piacere, a piacimento; (sans raison) senza motivo; **au ~ (de vous revoir)** spero di rivederla; **faire qch pour le** ou **par** ou **pour son ~** fare qc per il gusto ou piacere di farlo

plaît [plɛ] vb voir **plaire**

plan, e [plɑ̃, an] adj piano(-a) ■ nm piano; (Ciné) inquadratura; (roman, devoir) schema m; (ville, d'un bâtiment) pianta; **au premier ~** (photo etc) in primo piano; **au second/à l'arrière ~** in secondo piano/sullo sfondo; **laisser en ~** piantare in asso; **rester en ~** rimanere in sospeso; **mettre qch au premier ~** (fig) mettere qc in primo piano; **de premier/second ~** (personnage etc) di primo/secondo piano; **sur tous les ~s** da tutti i punti di vista; **sur le ~ sexuel** dal punto di vista sessuale; **~ d'action** piano d'azione; **~ d'eau** specchio d'acqua; **~ de cuisson** piano di cottura; **~ de travail** (dans une cuisine) piano di lavoro; **~ de vol** (Aviat) piano di volo; **~ directeur** (Mil) carta particolareggiata; (Écon) piano generale

planche [plɑ̃ʃ] nf (de bois) asse f, tavola; (dans un livre, de dessins) tavola, illustrazione f; (de salades etc) aiuola; (d'un plongeoir) pedana; **les planches** nfpl (Théâtre) le scene, il palcoscenico; **en ~s** adj di assi; **faire la ~** (dans l'eau) fare il morto; **avoir du pain sur la ~** avere di fronte una mole di lavoro; **~ à découper/à**

pain tagliere m; ~ **à dessin** tavola da disegno; ~ **à repasser** asse f da stiro; ~ **(à roulettes)** skate-board m inv; ~ **(à voile)** windsurf m inv, tavola a vela; ~ **de salut** (fig) ancora di salvezza

plancher [plɑ̃ʃe] nm (entre deux étages) solaio; (sol) pavimento; (fig) livello minimo ■ vi lavorare sodo

planer [plane] vi (oiseau) librarsi; (avion) planare; (fumée, odeur) aleggiare; (être détaché) essere con la testa tra le nuvole; (à cause de la drogue) volare; ~ **sur** (fig: danger, mystère) incombere su

planète [planɛt] nf pianeta m

planeur [plancœʀ] nm aliante m

planifier [planifje] vt pianificare

planning [planiŋ] nm (de travail) programma m di lavoro; ~ **familial** consultorio

plant [plɑ̃] nm piantina

plante [plɑ̃t] nf pianta; ~ **du pied** pianta del piede; ~ **d'appartement** pianta da appartamento; ~ **verte** pianta da appartamento

planter [plɑ̃te] vt piantare; (échelle) sistemare; (décors) allestire; **se planter** vr (fam: se tromper) sbagliarsi; ~ **qch dans** piantare qc in; ~ **de/en vignes** piantare a vigna; ~ **une allée d'arbres** piantare degli alberi in un viale; ~ **là** (abandonner) piantare là; **se ~ dans/devant** piantarsi in/davanti a

plaque [plak] nf (d'ardoise, de verre) lastra; (de revêtement) piastra; (d'eczéma, dentaire) placca; (avec inscription) targa; ~ **chauffante** piastra (elettrica); ~ **d'identité** piastrina di riconoscimento; ~ **de beurre** panetto di burro; ~ **de chocolat** tavoletta di cioccolata; ~ **de cuisson** piano di cottura; ~ **de four** placca da forno; ~ **d'immatriculation** ou **minéralogique** targa (automobilistica); ~ **de propreté** piastra di protezione (per maniglie); ~ **sensible** (Photo) lastra sensibile; ~ **tournante** (fig) fulcro, centro

plaqué, e [plake] nm (métal): ~ **or/ argent** placcatura in oro/argento; (bois): ~ **acajou** impiallacciatura in mogano ■ adj: ~ **or/argent** placcato(-a) oro/argento

plaquer [plake] vt (bijou, Rugby) placcare; (bois) impiallacciare; (aplatir) appiattire; (fam: laisser tomber) piantare; **se ~ contre** appiattirsi contro; ~ **qn contre** schiacciare qn contro

plaquette [plakɛt] nf (de chocolat) tavoletta; (de beurre) panetto; (livre) libricino; (de pilules) scatoletta; (Inform) piastrina; ~ **de frein** nf (Auto) pastiglia del freno

plastique [plastik] adj plastico(-a) ■ nm plastica ■ nf (arts) plastica; (d'une statue) plasticità; **objet/ bouteille en ~** oggetto/bottiglia di plastica

plastiquer [plastike] vt far saltare col plastico

plat, e [pla, at] adj piatto(-a); (talons) basso(-a); (cheveux) liscio(-a) ■ nm piatto ■ adj (pneu) a terra; (batterie) scarico(-a); **à ~** (personne: fatigué) a terra; (d'une route) piano; **le premier/ deuxième ~** la prima/seconda portata, il primo/secondo piatto; **le ~ de la main** il palmo della mano; **à ~ ventre** adv a pancia in giù, bocconi; (tomber) lungo(-a) disteso(-a); **à ~** adv orizzontalmente; ~ **cuisiné** piatto precotto; ~ **de résistance** piatto forte ou principale; ~ **du jour** piatto del giorno; ~**s préparés** cibi mpl precotti

platane [platan] nm platano

plateau, x [plato] nm (support) vassoio; (d'une table) piano; (d'une balance, de tourne-disque) piatto; (Géo) altopiano; (fig: d'un graphique) tracciato piano (elevato); (Ciné) set m inv; **sur le ~** (TV) in studio; ~ **à fromage** piatto per i formaggi

plate-bande [platbɑ̃d] (pl **plates- bandes**) nf aiuola

plate-forme [platfɔʀm] (pl **plates- formes**) nf (aussi Pol) piattaforma; (de quai) marciapiede m; (plateau) altopiano; ~ **de forage** piattaforma di trivellazione; ~ **pétrolière** piattaforma petrolifera

platine [platin] nm platino ■ nf (d'un tourne-disque) piatto ■ adj inv platino inv; ~ **cassette** piastra di registrazione; ~ **compact-disc** lettore m compact disc ou CD; ~ **disque** piatto; ~ **laser** lettore m laser

plâtre [plɑtʀ] nm gesso; (statue, motif décoratif) stucco; **plâtres** nmpl (revêtements) intonaco msg; **avoir un bras dans le ~** avere un braccio ingessato

plein, e [plɛ̃, plɛn] adj pieno(-a); (jument) gravido(-a) ■ prép: **avoir de l'argent ~ les poches** avere le tasche piene di soldi ■ nm: **faire le ~** (d'essence) fare il pieno; **faire le ~ des voix** ottenere il massimo dei voti; **faire le ~ de la salle** registrare un pienone; **les ~s** il grassetto ou neretto; **avoir les mains ~es** avere le mani occupate; **à ~es mains** (ramasser) a piene mani; (empoigner) saldamente; **à ~, en ~** pienamente; **à ~ régime** a pieno regime; (fig) a tutta birra; **à ~ temps, à temps ~** a tempo pieno; **en ~ air** all'aria aperta; **jeux de ~ air** giochi mpl all'aria aperta; **la mer est ~e** c'è l'alta marea; **en ~e mer** in alto mare; **en ~ rue** in mezzo alla strada; **en ~ milieu** proprio nel mezzo; **en ~ jour/~ nuit** in pieno giorno/piena notte; **en ~e croissance** in piena crescita; **en ~ sur** (juste sur) proprio su; **en avoir ~ le dos** (fam) averne le tasche piene; **le ~, s'il vous plaît** il pieno, per favore; **~s pouvoirs** pieni poteri mpl

pleurer [plœʀe] vi piangere ■ vt (regretter) rimpiangere; (mort de qn) piangere; **~ sur** (personne) piangere per; (sort) piangere su; **~ de rire** avere le lacrime agli occhi dal gran ridere

pleurnicher [plœʀniʃe] vi piagnucolare, frignare

pleurs [plœʀ] nmpl: **en ~** in lacrime

pleut [plø] vb voir **pleuvoir**

pleuvoir [pløvwaʀ] vb impers, vi piovere; **il pleut** piove; **il pleut des cordes** ou **à verse** ou **à torrents** piove a dirotto ou a catinelle, diluvia

pli [pli] nm piega; (ligne, ride) ruga; (enveloppe): **mettre sous ~** mettere in busta ■ nm (Admin) plico; (Cartes) presa; **prendre le ~ de faire qch** prendere l'abitudine di fare qc; **ça ne va pas faire un ~** puoi contarci; **faux ~** (brutta) piega, grinza

pliant, e [plijɑ̃, plijɑ̃t] adj pieghevole ■ nm seggiolino pieghevole

plier [plije] vt piegare; (table pliante) chiudere ■ vi piegarsi; **se plier à** vr piegarsi a; **~ bagage** (fig) far fagotto

plisser [plise] vt (chiffonner) spiegazzare; (faire des plis) pieghettare, fare delle pieghe in; (front) corrugare; (bouche) increspare; **se plisser** vr spiegazzarsi

plomb [plɔ̃] nm piombo; (d'une cartouche) pallino; (Pêche, d'un colis) piombino; (d'une porte scellée) sigillo di piombo; (Élec): **~ (fusible)** fusibile m; **sommeil de ~** sonno di piombo; **soleil de ~** solleone m

plomberie [plɔ̃bʀi] nf idraulica; (installation) impianto idraulico

plombier [plɔ̃bje] nm idraulico

plonge [plɔ̃ʒ] nf: **faire la ~** fare il/la lavapiatti inv

plongeant, e [plɔ̃ʒɑ̃, ɑ̃t] adj (vue) dall'alto inv; (tir) spiovente; (décolleté) profondo(-a)

plongée [plɔ̃ʒe] nf immersione f; (Ciné, TV) ripresa dall'alto; **sous-marin en ~** sottomarino in immersione; **faire de la ~ (sous-marine)** fare il sub(acqueo) ou sommozzatore; (Sport: sans scaphandre) fare immersione

plongeoir [plɔ̃ʒwaʀ] nm trampolino

plongeon [plɔ̃ʒɔ̃] nm tuffo

plonger [plɔ̃ʒe] vi tuffarsi; (sous-marin) immergersi ■ vt immergere; (enfoncer) affondare; **~ dans un sommeil profond** sprofondare in un sonno profondo; **~ dans l'obscurité** sprofondare nell'oscurità; **~ qn dans l'embarras** gettare qn nell'imbarazzo

plongeur, -euse [plɔ̃ʒœʀ, øz] nm/f tuffatore(-trice); (qui fait de la plongée sous-marine) sommozzatore(-trice); (de restaurant) lavapiatti m/f inv

plu [ply] pp de **plaire, pleuvoir**

pluie [plɥi] nf (aussi fig) pioggia; **une ~ brève/fine** una pioggia breve/sottile; **retomber en ~** ricadere a pioggia; **sous la ~** sotto la pioggia

plume [plym] nf penna, piuma; (matelas) piuma; (pour écrire, fig) penna; **dessin à la ~** disegno a penna

plupart [plypaʀ] nf: **la ~** la maggior parte; **la ~ d'entre nous** la maggior parte di noi; **la ~ du temps** (per) la maggior parte del tempo; (*très souvent*) per lo più; **dans la ~ des cas** nella maggior parte dei casi; **pour la ~** per lo più, in maggioranza

luriel [plyʀjɛl] *nm* plurale *m*; **au ~** al plurale

O **MOT-CLÉ**

lus [ply] *adv* 1 (*forme négative*): **ne... plus** non... più; **je n'ai plus d'argent** non ho più soldi; **il ne travaille plus** non lavora più

2 (*comparatif*) più; (*superlatif*): **le plus** il più; **plus grand/intelligent (que)** più grande/intelligente (di); **le plus grand/intelligent** il più grande/ intelligente; **(tout) au plus** tutt'al più, al massimo; **plus d'intelligence/ de possibilités (que)** più intelligenza/ possibilità (di)

3 (*davantage*) più; **il travaille plus (que)** lavora più (di); **plus il travaille, plus il est heureux** più lavora, più è felice; **il était plus de minuit** era mezzanotte passata; **plus de 3 heures/4 kilos** più di 3 ore/4 chili; **3 heures/kilos de plus que** 3 ore/chili più di; **de plus en plus** sempre più; **il a 3 ans de plus que moi** ha 3 anni più di me; **plus de pain** più pane; **plus de 10 personnes** più di 10 persone; **sans plus** e niente più; **de plus** (*en supplément*) in più; (*en outre*) inoltre, per di più; **3 kilos en plus** 3 chili in più; **en plus de** oltre (a); **d'autant plus que** tanto più che; **qui plus est** per di più, per giunta; **plus ou moins** più o meno; **ni plus ni moins** né più né meno
■ *prép*: **4 plus 2** 4 più 2

lusieurs [plyzjœʀ] *dét, pron* parecchi(-e), molti(-e); **ils sont ~** ce ne sono parecchi *ou* molti

lus-value [plyvaly] (*pl* **~s**) *nf* (*Écon*) plusvalenza; (*budgétaire*) eccedenza

lutôt [plyto] *adv* piuttosto; **fais ~ comme ça** fai piuttosto così; **~ que (de) faire qch** piuttosto che fare qc; **~ grand/rouge** piuttosto grande/ rosso

luvieux, -euse [plyvjø, jøz] *adj* piovoso(-a)

PME [peɛmə] *sigle fpl* (= *petites et moyennes entreprises*) ≈ PMI *fpl*

PMU [peɛmy] *sigle m* (= *pari mutuel urbain*) *sistema di scommesse sui cavalli*

PNB [peɛnbe] *sigle m* (= *produit national brut*) PNL *m inv*

pneu, x [pnø] *nm* pneumatico, gomma; (*message*) lettera per posta pneumatica; **j'ai un ~ crevé** ho una ruota a terra

pneumonie [pnømɔni] *nf* polmonite *f*; **~ atypique** polmonite atipica

poche [pɔʃ] *nf* tasca; (*faux pli, sous les yeux*) borsa; (*d'eau, de pus*) sacca; (*Zool*) marsupio ■ *nm* (*livre*) tascabile *m*; **de ~** tascabile; **en être de sa ~** pagare di tasca propria; **c'est dans la ~** è cosa fatta; **lampe de ~** pila

pochette [pɔʃɛt] *nf* busta, bustina; (*sac: de femme*) bustina, pochette *f inv*; (*: d'homme*) borsello; (*sur veston*) taschino; (*mouchoir*) fazzoletto da taschino; **~ d'allumettes** (fiammiferi) minerva® *mpl*; **~ de disque** copertina di disco; **~ surprise** bustina con dentro caramelle e sorprese

podcast [pɔdkast] *nm* podcast *m*

podcaster [pɔdkaste] *vi* fare un podcast

poêle [pwɑl] *nm* stufa ■ *nf*: **~ (à frire)** padella

poème [pɔɛm] *nm* poesia; (*long*) poema *m*

poésie [pɔezi] *nf* poesia

poète [pɔɛt] *nm* poeta *m* ■ *adj*: **une femme ~** una poetessa

poids [pwɑ] *nm* peso; (*fig: d'un impôt*) onere *m*; **prendre/perdre du ~** ingrassare/dimagrire; **faire le ~** (*fig*) essere all'altezza; **avoir un ~ sur la conscience** avere un peso sulla coscienza; **~ et haltères** sollevamento *msg* pesi *inv*, pesistica *fsg*; **de ~** *adj* (*argument*) rilevante, importante; **~ coq/mouche/ moyen/plume** (*Boxe*) peso gallo/ mosca/medio/piuma; **~ lourd** (*Boxe*) peso massimo; (*camion*) camion *m inv*, TIR *m inv*; (*: Admin*) automezzo pesante; **~ mort** (*aussi fig*) peso morto; **~ utile** carico utile

poignant, e [pwaɲɑ̃, ɑ̃t] *adj* struggente

poignard [pwaɲaʀ] nm pugnale m
poignarder [pwaɲaʀde] vt
pugnalare
poigne [pwaɲ] nf stretta (della
mano); **~ de fer** stretta ou mano
d'acciaio; (*fermeté*) polso; **à ~** di polso
poignée [pwaɲe] nf (*de sel, dragées*)
manciata; (*de cheveux*) ciuffo; (*fig:
d'hommes*) pugno; (*de valise, porte*)
maniglia; (*pour attraper un objet chaud*)
presina; **~ de main** stretta di mano
poignet [pwaɲɛ] nm polso; (*d'une
chemise*) polsino
poil [pwal] nm pelo; (*Anat*) pelo, peli
mpl; **avoir du ~ sur la poitrine** avere il
petto villoso ou coperto di peli; **à ~**
(*fam*) nudo(-a); **au ~** (*fam*)
perfetto(-a); **de tout ~** di ogni sorta;
être de bon/mauvais ~ (*fam*) essere
di buon/cattivo umore; **~ à gratter**
polverina che provoca prurito
poilu, e [pwaly] adj peloso(-a)
poinçonner [pwɛ̃sɔne] vt
(*marchandise*) contrassegnare; (*bijou
etc*) punzonare; (*billet, ticket*) forare
poing [pwɛ̃] nm pugno; **dormir à ~s
fermés** dormire della grossa
point [pwɛ̃] nm punto ▪ adv = **pas**;
ne... ~ non... affatto; **faire le ~** (*Naut,
fig*) fare il punto; **faire le ~ sur** fare il
punto su; **en tout ~** da ogni punto di
vista; **sur le ~ de faire qch** sul punto
di fare qc; **au ~ de faire qch** al punto
di fare qc; **au ~ que** al punto che; **à tel
~ que** a un punto tale che; **(mettre)
au ~** (*mécanisme, affaire*) (mettere) a
punto; (*appareil de photo*) (mettere) a
fuoco; **à ~** (*Culin*) a puntino; (*viande*)
normale; (*nommé*) al momento
giusto; **du ~ de vue de** dal punto di
vista di; **~ chaud** (*Mil, Pol*) punto
caldo; **~ culminant** cima, vetta; (*fig*)
punto culminante; **~ d'arrêt/
d'arrivée** punto di arresto/d'arrivo;
~ d'eau sorgente f, punto d'acqua;
~ d'exclamation/d'interrogation
punto esclamativo/interrogativo;
~ de chaînette/croix/mousse punto
catenella/croce/legaccio; **~ de chute**
punto di caduta; (*fig*) tappa; **~ de
côté** fitta al fianco; **~ de départ**
punto di partenza; **~ de jersey** maglia
rasata; **~ de non-retour** punto di non
ritorno; **~ de repère** punto di

riferimento; **~ de tige** punto erba;
~ de vente punto m vendita *inv*; **~ de
vue** (*paysage*) vista; (*fig*) punto di
vista; **~ faible** punto debole; **~ final**
punto; **~ mort; au ~ mort** (*Auto*) in
folle; (*affaire, entreprise*) a un punto
morto; **~ noir** (*sur le visage*) punto
nero; (*Auto*) punto pericoloso;
(*difficulté*) intoppo; **~s cardinaux**
punti mpl cardinali; **~s de suspension**
puntini mpl di sospensione
pointe [pwɛ̃t] nf punta; (*allusion
moqueuse*) frecciata; **pointes** nfpl
(*Danse: chaussons*) scarpette fpl da
ballerina; **être à la ~ de qch** (*fig*)
essere all'avanguardia in qc; **faire/
pousser une ~ jusqu'à** fare una
puntata (fino) a; **sur la ~ des pieds**
in punta di piedi; **en ~** a punta;
de ~ (*industries*) di punta; (*vitesse*)
massimo(-a); **heures/jours de ~**
ore/giorni di punta; **faire du 180
en ~** toccare punte di 180 km/h;
faires des ~s danzare sulle punte;
~ d'asperge punta d'asparago;
~ de courant sovraccarico di
corrente; **~ de vitesse** punta
massima di velocità
pointer [pwɛ̃te] vt (*cocher*) spuntare;
(*employés*) controllare (l'entrata e
l'uscita di); (*diriger*) puntare ▪ vi
(*employé*) timbrare il cartellino;
(*pousses, jour*) spuntare; **~ les oreilles**
drizzare le orecchie; **note pointée**
nota puntata
pointeur [pwɛ̃tœʀ] nm (*Inform*)
puntatore m
pointillé [pwɛ̃tije] nm linea
punteggiata; (*Art*) tecnica
divisionista
pointilleux, -euse [pwɛ̃tijø, øz] adj
pignolo(-a)
pointu, e [pwɛ̃ty] adj (*clocher*)
aguzzo(-a); (*chapeau*) a punta *inv*;
(*son*) acuto(-a); (*fig: analyse*) sottile;
(: *formation*) molto specialistico(-a)
pointure [pwɛ̃tyʀ] nf numero
point-virgule [pwɛ̃viʀgyl] (*pl
points-virgules*) nm punto e virgola
poire [pwaʀ] nf pera; (*fam, péj:
imbécile, sot*) pollo; (*à injections, à
lavement*) peretta; **~ électrique**
peretta (della luce)
poireau, x [pwaʀo] nm porro

poirier [pwarje] nm pero; **faire le ~**
fare la verticale

pois [pwa] nm pisello; *(sur une étoffe)*
pois m inv, pallino; **à ~ a pois** ou **pallini**;
~ cassés piselli secchi spaccati;
~ chiche cece m; **~ de senteur** pisello
odoroso

poison [pwazɔ̃] nm veleno

poisseux, -euse [pwasø, øz] adj
appiccicoso(-a)

poisson [pwasɔ̃] nm pesce m;
(Astrol): **P~s** Pesci; **être (des) P~s**
essere dei Pesci; **~ d'avril** pesce
d'aprile; **~ rouge** pesce rosso;
~ volant pesce volante

poissonnerie [pwasɔnri] nf
pescheria

poissonnier, -ière [pwasɔnje, jɛr]
nm/f pescivendolo(-a) ■ nf pesciera

poitrine [pwatrin] nf petto; *(seins)*
seno, petto

poivre [pwavr] nm pepe m; **~ blanc/**
gris/vert pepe bianco/nero/verde;
~ moulu/en grains pepe macinato/
in grani; **~ et sel** adj sale e pepe

poivron [pwavrɔ̃] nm peperone m;
~ rouge/vert peperone rosso/verde

polaire [pɔlɛr] adj polare ■ nm
(tissu, pull) pile m

pôle [pol] nm polo; **le ~ Nord/Sud** il
polo Nord/Sud; **~ d'attraction** polo
d'attrazione; **~ de développement**
polo di sviluppo; **~ positif/négatif**
polo positivo/negativo

poli, e [pɔli] adj *(personne, refus)*
educato(-a), cortese; *(surface)*
levigato(-a), liscio(-a)

> **FAUX AMIS**
> **poli** ne se traduit pas par
> le mot italien **pulito**.

police [pɔlis] nf polizia; *(Assurances)*:
~ d'assurance polizza
d'assicurazione; **être dans la ~** essere
nella polizia; **assurer la ~ de** ou **dans**
(d'une assemblée etc) garantire il
servizio d'ordine in; **peine de simple**
~ contravvenzione f; **~ de caractère**
(Typo, Inform) serie f completa di
caratteri; **~ des mœurs** (squadra del)
buoncostume f; **~ judiciaire** polizia
giudiziaria; **~ secours** (squadra)
volante f; **~ secrète** polizia segreta

policier, -ière [pɔlisje, jɛr] adj di
polizia, poliziesco(-a) ■ nm

poliziotto; *(aussi: **roman policier**)*
romanzo poliziesco, giallo

polio(myélite) [pɔljo(mjelit)] nf
polio(mielite) f

polir [pɔlir] vt levigare, lucidare; *(fig)*
lisciare

> **FAUX AMIS**
> **polir** ne se traduit pas par
> le mot italien **pulire**.

politesse [pɔlitɛs] nf buona
educazione f; *(civilité)* cortesia;
politesses nfpl convenevoli mpl;
devoir/rendre une ~ à qn dovere/
restituire un favore a qn

politicien, ne [pɔlitisjɛ̃, jɛn] nm/f
politico m; *(péj)* politicante m/f ■ adj
politicante

politique [pɔlitik] adj politico(-a)
■ nf politica ■ nm politico;
~ étrangère/intérieure politica
estera/interna

politiquement [pɔlitikmɑ̃] adv
politicamente; **~ correct**
politicamente corretto

pollen [pɔlɛn] nm polline m

polluant, e [pɔlɥɑ̃, ɑ̃t] adj
inquinante; **produit ~** prodotto
inquinante

polluer [pɔlɥe] vt inquinare

pollution [pɔlɥsjɔ̃] nf inquinamento

polo [pɔlo] nm *(Sport)* polo; *(chemise)*
polo f inv

Pologne [pɔlɔɲ] nf Polonia

polonais, e [pɔlɔnɛ, ɛz] adj
polacco(-a) ■ nm *(langue)* polacco
■ nm/f: **Polonais, e** polacco(-a)

poltron, ne [pɔltrɔ̃, ɔn] adj
vigliacco(-a)

polycopier [pɔlikɔpje] vt
ciclostilare

Polynésie [pɔlinezi] nf Polinesia;
la ~ française la Polinesia francese

polyvalent, e [pɔlivalɑ̃, ɑ̃t] adj
polivalente; *(personne)* eclettico(-a);
(professeur, inspecteur) che assolve
incarichi diversi ■ nm ispettore m
fiscale

pommade [pɔmad] nf pomata

pomme [pɔm] nf *(fruit)* mela; *(boule*
décorative) pomo; **un steak ~s (frites)**
bistecca e patatine (fritte); **tomber**
dans les ~s *(fam)* svenire; **~ d'Adam**
pomo d'Adamo; **~ d'arrosoir** cipolla;
~ de pin pigna; **~ de terre** patata; **~s**

allumettes patatine fritte (*tagliate sottili*); ~**s vapeur** patate cotte al vapore

pommette [pɔmɛt] *nf* (*Anat*) zigomo; **avoir les ~s rouges** avere le guance rosse

pommier [pɔmje] *nm* melo

pompe [pɔ̃p] *nf* pompa; **en grande ~** in pompa magna; ~ **à eau** pompa dell'acqua; ~ **(à essence)** pompa della benzina; (*distributeur*) distributore *m* di benzina; ~ **à huile** pompa dell'olio; ~ **à incendie** pompa *f* antincendio *inv*; ~ **de bicyclette** pompa della bicicletta; ~**s funèbres** pompe funebri

pomper [pɔ̃pe] *vt* pompare; (*absorber*) assorbire ■ *vi* pompare

pompeux, -euse [pɔ̃pø, øz] (*péj*) *adj* pomposo(-a), ampolloso(-a)

pompier [pɔ̃pje] *nm* pompiere *m* ■ *adj m* (*style*) pomposo(-a)

pompiste [pɔ̃pist] *nm/f* benzinaio(-a)

poncer [pɔ̃se] *vt* levigare

ponctuation [pɔ̃ktɥasjɔ̃] *nf* punteggiatura

ponctuel, le [pɔ̃ktɥɛl] *adj* puntuale; (*Tech*) puntiforme; (*fig: opération*) singolo(-a)

pondéré, e [pɔ̃deʀe] *adj* (*personne*) posato(-a)

pondre [pɔ̃dʀ] *vt* (*œufs*) deporre, fare; (*fig: fam*) partorire ■ *vi* deporre *ou* fare le uova

poney [pɔnɛ] *nm* pony *m inv*

pont [pɔ̃] *nm* ponte *m*; **faire le ~** (*entre deux jours fériés*) fare il ponte; ~ **d'or à qn** fare ponti d'oro a qn; ~ **à péage** ponte a pedaggio; ~ **aérien** ponte aereo; ~ **arrière/avant** (*Auto*) asse *m* posteriore/anteriore; ~ **basculant** ponte ribaltabile; ~ **d'envol** ponte di volo *ou* lancio; ~ **de graissage** ponte d'ingrassaggio; ~ **élévateur** ponte sollevatore; ~ **roulant** carroponte *m*; ~ **suspendu** ponte sospeso; ~ **tournant** ponte girevole; **P~s et Chaussées** (*Admin*) ≈ Genio civile

pont-levis [pɔ̃lvi] (*pl* **ponts-levis**) *nm* ponte *m* levatoio

pop [pɔp] *adj inv* pop *inv* ■ *nf* musica pop

populaire [pɔpylɛʀ] *adj* popolare

popularité [pɔpylaʀite] *nf* popolarità

population [pɔpylasjɔ̃] *nf* popolazione *f*; ~ **active** popolazione attiva; ~ **agricole/civile/ouvrière** popolazione agraria/civile/operaia

populeux, -euse [pɔpylø, øz] *adj* popoloso(-a)

porc [pɔʀ] *nm* maiale *m*; (*péj*) porco; (*peau*) cinghiale *m*

porcelaine [pɔʀsəlɛn] *nf* porcellana

porc-épic [pɔʀkepik] (*pl* **porcs-épics**) *nm* porcospino

porche [pɔʀʃ] *nm* androne *m*

porcherie [pɔʀʃəʀi] *nf* (*aussi fig*) porcile *m*

> **FAUX AMIS**
> **porcherie** ne se traduit pas par le mot italien **porcheria**.

pore [pɔʀ] *nm* poro

porno [pɔʀno] *adj* porno *inv* ■ *nm* (*genre*) porno; (*film*) film porno

port [pɔʀ] *nm* porto; (*Inform*) porta; (*allure*) portamento; (*d'un colis, d'une lettre*) affrancatura; **le ~ d'un uniforme** l'indossare un'uniforme; **arriver à bon ~** (*personne*) arrivare sano(-a) e salvo(-a); (*chose*) arrivare in buono stato; ~ **d'arme** porto d'armi; ~ **d'attache** (*Naut*) porto d'immatricolazione; (*fig*) base *f*; ~ **d'escale** porto di scalo; ~ **de commerce** porto mercantile; ~ **de pêche** porto di pesca; ~ **dû** (*Comm*) porto assegnato; ~ **franc** porto franco; ~ **payé** (*Comm*) franco di porto; ~ **pétrolier** porto petrolifero; ~ **série/parallèle/USB** (*Inform*) porta seriale/parallela/USB

portable [pɔʀtabl(ə)] *nm* (*ordinateur*) computer *m inv* portatile; (*téléphone*) cellulare *m* ■ *adj* portatile

portail [pɔʀtaj] *nm* (*d'un parc*) cancellata; (*d'une cathédrale, Inform*) portale *m*

portant, e [pɔʀtɑ̃, ɑ̃t] *adj* (*parties, murs*) portante; **être bien/mal ~** (*personne*) stare bene/male

portatif, -ive [pɔʀtatif, iv] *adj* portatile

porte [pɔʀt] *nf* porta; (*d'une véhicule*) portiera; (*d'un meuble*) anta; **mettre**

qn à la ~ mettere qn alla porta;
prendre la ~ andarsene; **à ma/sa ~**
(tout près) dietro l'angolo; **faire du ~ à
~** (Comm) vendere porta a porta;
journée ~s ouvertes giornata di
apertura al pubblico; **~ à ~** nm
(Comm) porta a porta m inv;
~ d'entrée porta d'ingresso;
~ (d'embarquement) (Aviat)
cancello; **~ de secours** porta di
sicurezza; **~ de service** porta di
servizio

orté, e [pɔrte] adj: **être ~ sur qch**
avere un debole per qc; **être ~ à faire
qch** essere incline a fare qc

orte-avions [pɔrtavjɔ̃] nm inv
portaerei f inv

orte-bagages [pɔrtbagaʒ] nm inv
(d'une bicyclette, moto) portapacchi m
inv; (Auto) portabagagli m inv

orte-bonheur [pɔrtbɔnœr] nm inv
portafortuna m inv

orte-clefs [pɔrtəkle] nm inv
portachiavi m inv

orte-documents [pɔrtdɔkymã]
nm inv portacarte m inv

ortée [pɔrte] nf (aussi fig) portata;
(d'une chienne etc) nidiata, cucciolata;
(Mus) pentagramma m; **à (la) ~ (de)**
raggiungibile (da); **hors de ~ (de)** non
raggiungibile (da); **à ~ de la main/di
voix** a portata di mano/di voce; **à la ~
de qn** alla portata di qn; **à la ~ de
toutes les bourses** alla portata di tutti

ortefeuille [pɔrtəfœj] nm (gén, Pol,
Bourse) portafoglio; **faire un lit en ~**
fare il sacco al letto

ortemanteau, x [pɔrt(ə)mãto] nm
attaccapanni m inv

orte-monnaie [pɔrtmɔnɛ] nm inv
portamonete m inv, borsellino

orte-parole [pɔrtparɔl] nm inv
portavoce m inv

orter [pɔrte] vt portare; (suj:
femme: fœtus) portare in grembo; (fig:
supporter) sopportare; (responsabilité,
patronyme) avere; (suj: jambes)
reggere; (: arbre: fleurs, fruits)
produrre; (traces de fatigue) recare;
(inscrire) segnare ■ vi (voix, cri)
sentirsi bene; (regard) essere
acuto(-a); (canon) avere una gittata;
(radar) avere un raggio; (coup) fare
centro; (fig: mots, argument) avere

effetto; **se porter** vr (personne): **se ~
bien/mal** stare bene/male; **se ~ vers**
portarsi ou spostarsi verso; **se ~
partie civile** costituirsi parte civile;
se ~ garant farsi garante; **se ~
candidat à** presentarsi come
candidato a; **~ qch/qn quelque part**
portare qc/qn da qualche parte; **~ sur**
(suj: édifice) poggiare su; (: accent)
cadere su; (: bras, tête) urtare contro;
(: critique, conférence) riguardare; **~ de
l'argent au crédit d'un compte**
versare dei soldi su un conto; **elle
portait le nom de Rosalie** portava il
nome di Rosalia; **~ qn au pouvoir**
portare qn al potere; **~ secours/
bonheur à qn** portare aiuto/fortuna
a qn; **~ son âge** dimostrare la propria
età; **~ un toast** fare un brindisi;
~ atteinte à (l'honneur etc) attentare
a; **se faire ~ malade** darsi malato(-a);
~ un jugement sur qn/qch formulare
un giudizio su qn/qc; **~ un livre/récit
à l'écran** adattare un libro/racconto
per lo schermo; **~ une cuillère à sa
bouche** portare un cucchiaio alla
bocca; **~ son attention/regard sur**
rivolgere l'attenzione/lo sguardo
verso; **~ son effort sur** dirigere i
propri sforzi su; **~ un fait à la
connaissance de qn** portare un fatto
a conoscenza di qn; **~ à croire** indurre
ou portare a credere

porteur, -euse [pɔrtœr, øz] nm/f
fattorino(-a) ■ nm (de bagages)
facchino; (en montagne, Comm: d'un
chèque) portatore m; (d'une obligation)
possessore m, detentore m ■ adj
portatore(-trice); **gros ~** (avion) cargo
m inv, jumbo (jet) m inv; **au ~** (chèque
etc) al portatore; **être ~ de bonnes
nouvelles** portare buone notizie

porte-voix [pɔrtəvwa] nm inv
megafono

portier [pɔrtje] nm portiere m

portière [pɔrtjɛr] nf portiera; (d'un
train) sportello

portion [pɔrsjɔ̃] nf (de nourriture)
porzione f; (d'héritage, partie) parte f;
(de terrain, route) pezzo

porto [pɔrto] nm (vin) porto

portrait [pɔrtrɛ] nm ritratto; **elle
est le ~ de sa mère** è il ritratto di sua
madre

portrait-robot [pɔʀtʀɛʀɔbo] (pl **portraits-robots**) nm identikit m inv
portuaire [pɔʀtɥɛʀ] adj portuale
portugais, e [pɔʀtygɛ, ɛz] adj portoghese ■ nm (langue) portoghese m ■ nm/f: **Portugais, e** portoghese m/f
Portugal [pɔʀtygal] nm Portogallo
pose [poz] nf (de moquette etc) messa in opera; (de rideau) montaggio; (position, d'un modèle) posa; **(temps de) ~** (Photo) (tempo di) posa
posé, e [poze] adj posato(-a)
poser [poze] vt posare; (moquette, papier peint) posare, mettere in opera; (rideaux) montare; (question, problème, difficulté) porre; (sa candidature) presentare; (chiffre) scrivere; (principe, conditions) stabilire, porre; (personne: mettre en valeur) imporre ■ vi (modèle) posare; **se poser** vr (oiseau, avion) posarsi; (question, problème) porsi; **~ qn à** lasciare qn a; **~ un problème à qn** costituire un problema per qn; **~ son/un regard sur qn/qch** posare lo sguardo su qn/qc; **se ~ en** (personne) atteggiarsi a
positif, -ive [pozitif, iv] adj positivo(-a)
position [pozisjɔ̃] nf posizione f; **être dans une ~ difficile/délicate** essere in una posizione difficile/delicata; **prendre ~** (fig) prendere posizione
posologie [pozɔlɔʒi] nf posologia
posséder [posede] vt possedere; (fam: duper) fregare
possession [posesjɔ̃] nf possesso; (avoir, bien) possedimento; **être/ entrer en ~ de qch** essere/entrare in possesso di qc; **en sa/ma ~** in suo/ mio possesso; **prendre ~ de qch** impadronirsi di qc; **être en ~ de toutes ses facultés** essere nel pieno possesso delle proprie facoltà
possibilité [posibilite] nf possibilità f inv; **possibilités** nfpl (moyens) possibilità fpl; (d'un pays, d'une découverte) potenziale msg; **avoir la ~ de faire qch** avere la possibilità di fare qc
possible [posibl] adj possibile; (acceptable, supportable: situation, atmosphère): **(ne)... pas ~** impossibile ■ nm: **faire (tout) son ~** fare tutto il possibile; **il est ~ que** è possibile che;

autant que ~ per quanto possibile; **si (c'est) ~** se possibile; **(ce n'est) pas ~!** (étonnement) incredibile!, assurdo!; **comme c'est pas ~** (fam) che di più non si può; **le plus/moins de livres ~** il maggior/minor numero possibile di libri; **le plus/moins d'eau ~** la maggiore/minore quantità d'acqua possibile; **aussitôt/dès que ~** non appena possibile; **gentil au ~** estremamente gentile
postal, e, aux [pɔstal, o] adj postale; **sac ~** sacco postale
poste [pɔst] nf posta ■ nm (Mil, fonction) posto; (de budget) voce f; **postes** nfpl poste fpl; **P~s et Télécommunications** Poste e Telecomunicazioni; **mettre à la ~** imbucare; **~ 31** (Tél) interno 31; **~ d'essence** distributore m di benzina; **~ d'incendie** idrante m; **~ de commandement** (Mil etc) posto di comando; **~ de contrôle** posto di controllo; **~ de douane** dogana; **~ de nuit** (Ind) turno di notte; **~ de péage** casello; **~ de pilotage** (Aviat) posto di pilotaggio; **~ de radio** radio f inv; **~ de secours** (posto di) pronto soccorso; **~ de télévision** televisore m; **~ de travail** stazione f di lavoro; **~ (de police)** commissariato (di polizia); **~ émetteur** (Radio) emittente f; **~ restante** fermo posta m inv
poster [vb poste, n pɔstɛʀ] vt (lettre, colis) imbucare; (soldats) disporre, piazzare ■ nm poster m inv, manifesto; **se poster** vr appostarsi; **où est-ce que je peux ~ ces cartes postales?** dove posso imbucare queste cartoline?
postérieur, e [pɔsteʀjœʀ] adj posteriore ■ nm (fam) didietro m inv, sedere m
postuler [pɔstyle] vt sollecitare
pot [po] nm vaso; (à eau, lait) brocca; **avoir du ~** (fam) avere fortuna; **boire/prendre un ~** (fam) bere qualcosa; **découvrir le ~ aux roses** scoprire gli altarini; **~ à tabac** barattolo per il tabacco); **~ d'échappement** (Auto) marmitta, tubo di scappamento; **~ (de chambre)** vaso da notte; **~ de fleurs** vaso di fiori; (plante) pianta

•**otable** [pɔtabl] *adj* (*eau*) potabile; (*fig: travail, nourriture*) passabile

•**otage** [pɔtaʒ] *nm* minestra

•**otager, -ère** [pɔtaʒe, ɛʀ] *adj*: **plante potagère** ortaggio; (*cultures*) di ortaggi; (**jardin**) **~** orto

•**ot-au-feu** [pɔtofø] *nm inv* (*mets*) lesso *ou* bollito misto; (*viande*) bollito ▪ *adj inv* (*fam: personne*) casalingo(-a)

•**ot-de-vin** [pɔdvɛ̃] (*pl* **pots-de-vin**) *nm* bustarella

•**ote** [pɔt] (*fam*) *nm* amico

•**oteau, x** [pɔto] *nm* palo; **~ d'arrivée/de départ** linea del traguardo/di partenza; **~ (d'exécution)** palo (della fucilazione); **~ indicateur** cartello stradale; **~ télégraphique** palo del telegrafo; **~x (de but)** palo (della porta)

•**otelé, e** [pɔt(ə)le] *adj* paffuto(-a), rotondetto(-a)

•**otentiel, le** [pɔtɑ̃sjɛl] *adj, nm* potenziale (*m*)

•**oterie** [pɔtʀi] *nf* ceramica

•**otier** [pɔtje] *nm* vasaio

•**otiron** [pɔtiʀɔ̃] *nm* zucca

•**ou, x** [pu] *nm* pidocchio

•**oubelle** [pubɛl] *nf* pattumiera, bidone *m* della spazzatura

•**ouce** [pus] *nm* pollice *m*; **se tourner** *ou* **se rouler les ~s** (*fig*) girarsi i pollici; **manger sur le ~** mangiare di corsa

•**oudre** [pudʀ] *nf* polvere *f*; (*fard*) cipria; (*explosif*) polvere da sparo; **en ~** in polvere; **~ à canon** polvere da cannone; **~ à éternuer** polvere da starnuto; **~ à priser** tabacco da fiuto *ou* da naso; **~ à récurer** detersivo abrasivo in polvere; **~ de riz** cipria

•**oudreuse** [pudʀøz] *nf* neve *f* farinosa

•**oudrier** [pudʀije] *nm* portacipria *m inv*

•**ouffer** [pufe] *vi*: **~ (de rire)** scoppiare a ridere

•**oulailler** [pulaje] *nm* pollaio; (*Théâtre: fam*) piccionaia, loggione *m*

•**oulain** [pulɛ̃] *nm* puledro; (*fig*) allievo

•**oule** [pul] *nf* gallina; (*Sport*) girone *m*; (*fam: maîtresse*) amichetta; (: *fille de mœurs légères*) sgualdrinella; **~ d'eau** gallinella d'acqua;

~ mouillée (*fig*) fifone(-a); **~ pondeuse** gallina ovaiola

poulet [pulɛ] *nm* pollastro, galletto; (*Culin*) pollo; (*fam*) piedipiatti *m inv*

poulie [puli] *nf* puleggia, carrucola

pouls [pu] *nm* polso; **prendre le ~ de qn** sentire il polso a qn

poumon [pumɔ̃] *nm* polmone *m*; **~ artificiel** *ou* **d'acier** polmone d'acciaio

poupée [pupe] *nf* bambola; **jouer à la ~** giocare con le bambole; **de ~** (*très petit*) minuscolo(-a); **maison de ~** casa da bambola

pour [puʀ] *prép* per ▪ *nm*: **le ~ et le contre** il pro e il contro; **~ que** perché, affinché; **~ faire/avoir fait** per fare/aver fatto; **mot ~ mot** parola per parola; **jour ~ jour** giorno per giorno; **~ 20 euros d'essence** 20 euro di benzina; **10 ~ cent** 10 per cento; **10 ~ cent des gens** il 10 per cento delle persone; **~ ton anniversaire** per il tuo compleanno; **fermé ~ (cause de) travaux** chiuso per lavori; **c'est ~ cela que...** è per questo che...; **~ de bon** per davvero; **~ quoi faire?** per fare (che cosa)?; **je n'y suis ~ rien** non c'entro affatto *ou* per niente; **être ~ beaucoup dans qch** essere molto coinvolto(-a); **ce n'est pas ~ dire, mais...** (*fam*) non è per dire ma...; **il a parlé ~ moi** ha parlato per me; **~ un Français, il parle bien suédois** per essere francese, parla bene lo svedese; **~ riche qu'il soit** per quanto ricco sia; **la femme qu'il a eue ~ mère** la donna che ha avuto per madre; **~ moi, il a tort** per me ha torto; **~ ce qui est de...** per quanto riguarda...; **~ peu que** per poco che; **~ autant que** per quanto; **~ toujours** per sempre

pourboire [puʀbwaʀ] *nm* mancia; **combien de ~ est-ce qu'il faut laisser?** quanto devo lasciare di mancia?

pourcentage [puʀsɑ̃taʒ] *nm* percentuale *f*; **travailler au ~** lavorare a provvigione

pourchasser [puʀʃase] *vt* dare la caccia a, inseguire

pourparlers [puʀpaʀle] *nmpl* trattative *fpl*; **être en ~ avec** essere in trattative con

pourpre [puʀpʀ] *adj* (rosso)
porpora *inv*

pourquoi [puʀkwa] *adv, conj* perché
■ *nm*: **le ~ (de)** il perché (di); **~ dis-tu
cela?** perché dici così?; **~ pas?** perché
no?; **c'est ~...** è per questo che...

pourrai *etc* [puʀe] *vb voir* **pouvoir**

pourri, e [puʀi] *adj* (*aussi fig*)
marcio(-a); (*temps, hiver*) umido(-a),
piovoso(-a) ■ *nm* marcio

pourriel [puʀjɛl] *nm* (*Internet*)
spamming *m inv*

pourrir [puʀiʀ] *vi* marcire; (*fig:
situation*) deteriorarsi ■ *vt* far
marcire; (*fig: corrompre*) corrompere;
(: *gâter*) viziare

pourriture [puʀityʀ] *nf* putrefazione
f; (*ce qui est pourri: aussi fig*) marciume
m, marcio

poursuite [puʀsɥit] *nf*
inseguimento; (*Jur*) procedimento,
azione *f*; (*fig*) perseguimento;
(: *continuation*) proseguimento;
poursuites *nfpl* (*Jur*) azione *f*
giudiziaria; **(course)** ~ (*Cyclisme*)
(corsa a) inseguimento; (*fig*) ricerca

poursuivre [puʀsɥivʀ] *vt* inseguire;
(*relancer*) rincorrere; (*obséder*)
perseguitare; (*fig: fortune, but*)
perseguire; (*continuer: voyage, études*)
proseguire ■ *vi* proseguire;
se poursuivre *vr* proseguire,
continuare; **~ qn en justice** (*Jur*)
perseguire qn in giudizio

pourtant [puʀtɑ̃] *adv* eppure; **et ~**
eppure; **mais ~** eppure; **c'est ~ facile**
eppure è facile

> **FAUX AMIS**
> **pourtant** ne se traduit
> pas par le mot italien
> **pertanto**.

pourtour [puʀtuʀ] *nm* perimetro

pourvoir [puʀvwaʀ] *vt* (*Comm*):
~ qn en rifornire qn di ■ *vi*: **~ à qch**
provvedere a qc; (*emploi*) coprire qc;
se pourvoir *vr* (*Jur*) ricorrere; **~ qn de
qch** (*recommandation etc*) fornire qc a
qn; **~ qch de** (*dispositifs etc*) dotare qc di

pourvu, e [puʀvy] *pp de* **pourvoir**
■ *adj*: **~ de** provvisto(-a) *ou* fornito(-a)
di; **~ que** purché

pousse [pus] *nf* crescita; (*bourgeon*)
germoglio; **~s de bambou** germogli
di bambù

poussée [puse] *nf* spinta; (*Méd*)
accesso; (*fig: des prix*) impennata;
(: *révolutionnaire*) ondata; (: *d'un parti
politique*) improvvisa crescita; **donner
une ~** dare una spinta

pousser [puse] *vt* spingere; (*émettre:
soupir*) emettere; (*recherches etc*)
approfondire ■ *vi* (*croître*) crescere;
(*fig: ville*) spuntare; (*personne*)
spingersi; **se pousser** *vr* farsi in là;
~ qn à qch/à faire qch spingere qn a
qc/a fare qc; **faire ~** (*plante*) coltivare
~ qn à bout far uscire qn dai gangheri,
il a poussé la gentillesse jusqu'à... è
stato così gentile da...

poussette [pusɛt] *nf* passeggino

poussière [pusjɛʀ] *nf* polvere *f*; **une
~** un granello di polvere; **200 euros et
des ~s** 200 euro e rotti; **~ de charbon**
polvere di carbone

poussiéreux, -euse [pusjeʀø, øz]
adj polveroso(-a); (*teint*) terreo(-a)

poussin [pusɛ̃] *nm* pulcino

poutre [putʀ] *nf* trave *f*; **~s
apparentes** travi *fpl* a vista

MOT-CLÉ

pouvoir [puvwaʀ] *nm* potere *m*;
(*Jur: procuration*) procura; **le pouvoir**
(*Pol: dirigeants*) il potere
pouvoirs *nmpl* (*surnaturels,
attributions*) poteri *mpl*; **pouvoir
absorbant** capacità *f inv* di
assorbimento, potere assorbente;
pouvoir calorifique potere calorico;
pouvoir d'achat potere d'acquisto;
les pouvoirs publics i pubblici
poteri
■ *vb semi-aux* potere; **je ne peux pas
le réparer** non posso ripararlo; **déçu
de ne pas pouvoir le faire** deluso di
non poterlo fare; **tu ne peux pas
savoir!** non puoi saperle!; **je n'en
peux plus** non ne posso più; **je ne
peux pas dire le contraire** non posso
dire il contrario; **j'ai fait tout ce que
j'ai pu** ho fatto tutto quello che ho
potuto; **qu'est-ce que je pouvais
bien faire?** che cosa mai potevo fare?;
tu peux le dire puoi dirlo; **il aurait
pu le dire!** avrebbe potuto dirlo!;
vous pouvez aller au cinéma potete
andare al cinema; **il a pu avoir un**

accident potrebbe aver avuto un incidente

■ vb impers potere; **il peut arriver que...** può succedere che...; **il pourrait pleuvoir** potrebbe piovere ■ vt potere; **on ne peut mieux** meglio non si può

■ vi: **il se peut que** può darsi che; **cela se pourrait** può darsi

●**rairie** [pʀeʀi] nf prateria
●**raline** [pʀalɛ̃] nf pralina
●**raticable** [pʀatikabl] adj (route) praticabile; (projet) realizzabile
●**ratiquant, e** [pʀatikɑ̃, ɑ̃t] adj praticante
●**ratique** [pʀatik] nf pratica; (coutume) prassi f inv, pratica ■ adj pratico(-a); (horaire etc) comodo(-a), pratico(-a); **dans la ~** in pratica; **mettre en ~** mettere in pratica
●**ratiquement** [pʀatikmɑ̃] adv praticamente
●**ratiquer** [pʀatike] vt praticare; (méthode) applicare; (genre de vie) condurre ■ vi praticare
●**ré** [pʀe] nm prato
●**réados** [pʀeado] nmpl preadolescenti mpl
●**réalable** [pʀealabl] adj preliminare ■ nm condizione f preliminare; **sans avis ~** senza preavviso; **au ~** prima (di tutto)
●**réambule** [pʀeɑ̃byl] nm preambolo; (fig) preludio; **sans ~** senza preamboli
●**réau, x** [pʀeo] nm (d'un monastère, d'une prison) cortile m; (d'une cour d'école) portico
●**réavis** [pʀeavi] nm: **~ (de licenciement)** preavviso (di licenziamento); **communication avec ~** comunicazione f con preavviso; **~ de congé** preavviso
●**récaution** [pʀekosjɔ̃] nf precauzione f; **sans ~** incautamente; **prendre des/ses ~s** prendere delle/le proprie precauzioni; **pour plus de ~** per maggior sicurezza; **~s oratoires** caute osservazioni fpl
●**récédemment** [pʀesedamɑ̃] adv precedentemente, in precedenza
●**récédent, e** [pʀesedɑ̃, ɑ̃t] adj precedente ■ nm precedente m;

sans ~ senza precedenti; **le jour ~** il giorno prima ou precedente
précéder [pʀesede] vt (dans le temps) precedere
prêcher [pʀeʃe] vt, vi predicare
précieux, -euse [pʀesjø, jøz] adj prezioso(-a); (bois) pregiato(-a); (Litt) del preziosismo
précipice [pʀesipis] nm precipizio; **au bord du ~** (fig) sull'orlo del precipizio
précipitamment [pʀesipitamɑ̃] adv precipitosamente
précipitation [pʀesipitasjɔ̃] nf precipitazione f; **~s (atmosphériques)** precipitazioni (atmosferiche)
précipité, e [pʀesipite] adj (respiration) affannoso(-a); (pas) affrettato(-a); (démarche, départ) precipitoso(-a)
précipiter [pʀesipite] vt (faire tomber) gettare giù, far precipitare; (hâter: pas, départ) affrettare; **se précipiter** vr (battements du cœur) accelerare; (respiration) diventare affannoso(-a); (événements) precipitare; **se ~ sur/vers** gettarsi ou buttarsi su/verso; **se ~ au devant de qn** correre incontro a qn
précis, e [pʀesi, iz] adj preciso(-a) ■ nm compendio
précisément [pʀesizemɑ̃] adv con precisione, precisamente; (dans une réponse) esattamente; **ma vie n'est pas ~ distrayante** la mia vita non è proprio divertente; **c'est ~ pour cela que je viens vous voir** è proprio per questo che vengo da lei
préciser [pʀesize] vt precisare; **se préciser** vr andare delineandosi
précision [pʀesizjɔ̃] nf precisione f; **précisions** nfpl (plus amples détails) precisazioni fpl
précoce [pʀekɔs] adj precoce
préconçu, e [pʀekɔ̃sy] (péj) adj preconcetto(-a)
préconiser [pʀekɔnize] vt raccomandare
prédécesseur [pʀedesesœʀ] nm predecessore m
prédilection [pʀedilɛksjɔ̃] nf predilezione f; **de ~** prediletto(-a)
prédire [pʀediʀ] vt predire

prédominer [pʀedɔmine] vi
predominare
préface [pʀefas] nf prefazione f; (fig)
preludio
préfecture [pʀefɛktyʀ] nf
prefettura; (ville) ≈ capoluogo di
provincia; ~ **de police** questura

● **PRÉFECTURE**
○
○ Ciascuno dei 96 "départements"
○ in cui è suddivisa
○ amministrativamente la Francia
○ fa capo ad una préfecture.

préférable [pʀefeʀabl] adj
preferibile; **il est ~ de faire...** è
preferibile fare...; **être ~ à** essere
preferibile rispetto a
préféré, e [pʀefeʀe] adj, nm/f
preferito(-a)
préférence [pʀefeʀɑ̃s] nf preferenza;
de ~ preferibilmente; **de/par ~ à** prép
piuttosto che; **avoir une ~ pour qn/
qch** avere una predilezione per qn/qc;
par ordre de ~ in ordine di preferenza;
obtenir la ~ (sur qn) essere
preferito(-a) rispetto (a qn)
préférer [pʀefeʀe] vt: **~ (à)** preferire
(a); **~ faire qch** preferire fare qc;
je préférerais du thé preferirei del tè
préfet [pʀefɛ] nm prefetto; **~ de
police** questore m
préhistorique [pʀeistɔʀik] adj
preistorico(-a); (très ancien)
preistorico(-a), antidiluviano(-a)
préjudice [pʀeʒydis] nm pregiudizio,
danno; **porter ~ à qn/qch** recare
danno a qn/qc; **au ~ de qn/qch** a
danno di qn/qc
préjugé [pʀeʒyʒe] nm pregiudizio,
preconcetto; **avoir un ~ contre qn/
qch** avere pregiudizi nei confronti di
qn/qc; **bénéficier d'un ~ favorable**
essere considerato(-a)
favorevolmente
prélasser [pʀelase] vr: **se prélasser**
lasciarsi andare
prélèvement [pʀelɛvmɑ̃] nm
raccolta; (Méd) prelievo; **faire un ~ de
sang** fare un prelievo di sangue
prélever [pʀel(ə)ve] vt raccogliere;
(organe) prelevare; (argent): **~ (sur)**
prelevare (da)

prématuré, e [pʀematyʀe] adj
prematuro(-a)
premier, -ière [pʀəmje, jɛʀ] adj,
nm/f primo(-a) ■ nm (premier étage)
primo piano; **au ~ abord** a prima
vista, di primo acchito; **au ou du ~
coup** al primo colpo; **de ~ ordre** di
prim'ordine; **à la première occasion**
alla prima occasione; **de première
qualité** di prima qualità; **de ~ choix**
di prima scelta; **de première
importance** di primaria importanza;
de première nécessité di prima
necessità; **le ~ venu** il primo venuto;
jeune ~ attor m giovane; **première
classe** prima classe; **le ~ de l'an** il
primo dell'anno; **première
communion** prima comunione;
enfant du ~ lit figlio di primo letto;
en ~ lieu in primo luogo; **~ âge** (d'un
enfant) primi mesi di vita; **P~ ministre**
Primo Ministro
premièrement [pʀəmjɛʀmɑ̃] adv
innanzitutto; (dans une énumération)
primo
prémonition [pʀemɔnisjɔ̃] nf
premonizione f
prenant, e [pʀənɑ̃, ɑ̃t] vb voir
prendre ■ adj (film, livre) avvincente;
(activité) impegnativo(-a)
prénatal, e [pʀenatal] adj prenatale
(allocation) di maternità
prendre [pʀɑ̃dʀ] vt prendere; (un
bain, une douche) fare; (billet, essence,
photographie) fare; (nouvelles, avis)
chiedere; (attitude) assumere;
(risques) correre; (du poids) mettere
su; (de la valeur) acquistare; (vacances,
repos) prendersi; (coûter: temps, place,
argent) richiedere; (demander: somme,
prix) volere, chiedere; (prélever:
cotisation) prelevare; (coincer): **se ~
les doigts dans** prendersi le dita in
■ vi (liquide, peinture) rapprendersi;
(ciment) prendere; (bouture, vaccin)
attecchire; (plaisanterie, mensonge)
attaccare; (incendie) iniziare;
(allumette) accendersi; (se diriger):
~ à gauche prendere a sinistra;
~ qch à qn prendere qc a qn; **~ qn par
la main/dans ses bras** prendere qn
per mano/tra le braccia; **~ au piège**
prendere in trappola; **~ la relève** dare
il cambio; **~ la défense de qn**

prendre le difese di qn;
~ **l'air** prendere una boccata d'aria;
~ **son temps** indugiare; ~ **l'eau**
(*embarcation*) imbarcare acqua;
~ **sa retraite** andare in pensione;
~ **la fuite** fuggire; ~ **son origine/sa**
source (*mot, rivière*) nascere; ~ **congé**
de qn congedarsi da qn; ~ **de l'âge**
avanzare negli anni; ~ **ses**
dispositions pour partir en voyage
fare i preparativi per un viaggio;
~ **des notes** prendere appunti; ~ **le lit**
mettersi a letto; ~ **sur soi** (*supporter*)
sopportare; ~ **sur soi de faire qch**
assumersi l'impegno di fare qc;
~ **de l'intérêt à qch** interessarsi a qc;
~ **qch au sérieux** prendere qc sul
serio; ~ **qch pour prétexte** addurre
qc come pretesto; ~ **qn à témoin**
chiamare qn come testimone; **à tout**
~ tutto sommato; ~ **qn en faute/**
flagrant délit cogliere qn in fallo/
flagrante; **s'en** ~ **à** prendersela con;
se ~ **pour** credersi; **s'y** ~ **d'amitié/**
d'affection pour qn provare
amicizia/affetto per qn; **s'y** ~
procedere; **il faudra s'y** ~ **à l'avance**
bisognerà occuparsene in anticipo;
s'y ~ **à deux fois** tentare più volte; **se**
~ **par la main/par le cou/par la taille**
prendersi per mano/per il collo/per la
vita; **d'où prend-on le ferry pour ...**
dove si prende il traghetto per ...

preneur [pʀənœʀ] *nm*: **trouver** ~
trovare un acquirente; **être** ~ essere
interessato(-a) all'acquisto

prénom [pʀenɔ̃] *nm* nome *m* (di
battesimo)

préoccupation [pʀeɔkypasjɔ̃] *nf*
preoccupazione *f*

préoccuper [pʀeɔkype] *vt*
preoccupare; (*absorber*) occupare;
se ~ **de qch/de faire qch**
preoccuparsi per qc/di fare qc

préparatifs [pʀepaʀatif] *nmpl*
preparativi *mpl*

préparation [pʀepaʀasjɔ̃] *nf*
preparazione *f*; (*Chim, Culin,*
Pharmacie) preparato; (*Scol*) compito
(*di preparazione alla lezione successiva*)

préparer [pʀepaʀe] *vt* preparare;
se préparer *vr* prepararsi; **se** ~ (**à**
qch/à faire qch) prepararsi (a qc/a
fare qc); ~ **qn à** preparare qn a; ~ **qch**

à qn (*surprise etc*) preparare qc a qn;
(*suj: sort*) avere in serbo qc per qn

prépondérant, e [pʀepɔ̃deʀɑ̃, ɑ̃t]
adj (*rôle*) principale; (*place*) di primo
piano; (*influence*) preponderante;
(*voix*) decisivo(-a)

préposé, e [pʀepoze] *adj*: ~ (**à qch**)
addetto(-a) (a qc) ▪ *nm* addetto(-a);
(*Admin: facteur*) postino(-a),
portalettere *m/f inv*; (*de la douane*)
doganiere *m*; (*de vestiaire*)
guardarobiere(-a)

préposition [pʀepozisjɔ̃] *nf*
preposizione *f*

près [pʀɛ] *adv* vicino; ~ **de** *prép* vicino
a; (*de mourir*) sul punto di; (*environ*)
circa; **de** ~ *adv* (*examiner*)
attentamente; (*suivre*) da vicino;
à 5 mn ~ 5 minuti più, 5 minuti meno;
à cela ~ **que** a parte il fatto che; **je ne**
suis pas ~ **de lui pardonner** non ci
penso neanche a perdonarlo; **on**
n'est pas à un jour ~ un giorno in più
o in meno non cambia nulla; **est-ce**
qu'il y a une banque ~ **d'ici?** c'è una
banca qui vicino?

présage [pʀezaʒ] *nm* presagio

presbyte [pʀɛsbit] *adj* presbite

presbytère [pʀɛsbiteʀ] *nm*
canonica

prescription [pʀɛskʀipsjɔ̃] *nf*
prescrizione *f*

prescrire [pʀɛskʀiʀ] *vt* prescrivere;
(*suj: circonstances*) esigere; **se**
prescrire *vr* (*Jur*) prescriversi

présence [pʀezɑ̃s] *nf* presenza *f*;
(*écrivain*) influenza; **en** ~ **de** in
presenza di; (*fig: incidents etc*) di
fronte a; **en** ~ (*armées, parties*) a
confronto; **faire acte de** ~ fare atto
di presenza; ~ **d'esprit** presenza di
spirito

présent, e [pʀezɑ̃, ɑ̃t] *adj* presente;
(*époque*) presente, attuale ▪ *nm*
presente *m* ▪ *nf* (*Comm: lettre*):
la ~**e** la presente; **les présents** *nmpl*
i presenti; **à** ~ ora, adesso; **dès à** ~
(*fin*) da ora; **jusqu'à** ~ finora; **à** ~ **que**
ora che

présentation [pʀezɑ̃tasjɔ̃] *nf*
presentazione *f*; (*d'un spectacle, vue*)
apparire *m inv*; (*allure, apparence*)
presenza; **faire les** ~**s** fare le
presentazioni

présenter [pʀezɑ̃te] vt presentare; (condoléances, excuses) porgere ■ vi (personne): ~ **mal/bien** presentarsi male/bene; **se présenter** vr presentarsi; **je vous présente Nadine** le presento Nadine; **se ~ bien/mal** (affaire) presentarsi bene/male

préservatif [pʀezɛʀvatif] nm preservativo

préserver [pʀezɛʀve] vt: ~ **qn/qch de** preservare qn/qc da

président [pʀezidɑ̃] nm presidente m; ~ **de la République** presidente della Repubblica; ~ **directeur général** presidente e amministratore delegato; ~ **du jury** (Jur) presidente della giuria; (d'examen) presidente della commissione

présidentiel, le [pʀezidɑ̃sjɛl] adj presidenziale; **présidentielles** nfpl (élections) (elezioni fpl) presidenziali fpl

présider [pʀezide] vt: ~ **(à)** presiedere (a)

presque [pʀɛsk] adv quasi; ~ **toujours/rien** quasi sempre/niente; ~ **pas** poco o niente; ~ **pas de** pochissimo(-a); **il n'y avait ~ personne** non c'era quasi nessuno; **la voiture s'arrêta ~** l'auto quasi si fermò; **la ~ totalité (de)** quasi tutti(-e)

presqu'île [pʀɛskil] nf penisola

pressant, e [pʀesɑ̃, ɑ̃t] adj pressante; (personne) insistente

presse [pʀɛs] nf (dispositif) pressa; (: Imprimerie) pressa (tipografica); (journalisme) stampa; **heures/moments de ~** (dans un magasin) ore fpl/momenti mpl di maggiore affluenza; (dans une activité) ore/momenti di massima attività; **mettre sous ~** dare alle stampe; **ouvrage sous ~** opera in corso di stampa; **avoir bonne/mauvaise ~** (fig) avere una buona/cattiva stampa; ~ **d'information/d'opinion** stampa d'informazione/di opinione; ~ **du cœur/féminine** stampa rosa/femminile

pressé, e [pʀese] adj (personne) frettoloso(-a); (lettre, besogne) urgente ■ nm: **aller/courir au plus ~** occuparsi di ciò che è più urgente; **être ~ de faire qch** avere

fretta di fare qc; **orange ~e** spremuta di arancia

pressentiment [pʀesɑ̃timɑ̃] nm presentimento

pressentir [pʀesɑ̃tiʀ] vt presentire; ~ **qn comme ministre** interpellare qn per la carica di ministro

presse-papiers [pʀɛspapje] nm inv fermacarte m inv

presser [pʀese] vt (fruit) spremere; (éponge) strizzare; (interrupteur) premere; (personne: harceler) pressare; (affaire, événement) affrettare ■ vi incalzare; **se presser** vr (se hâter) affrettarsi, sbrigarsi; (se grouper) accalcarsi; ~ **qn de faire qch** sollecitare qn a fare qc; **le temps presse** il tempo stringe; **rien ne presse** non c'è fretta; **se ~ contre qn** stringersi contro qn; ~ **le pas/l'allure** affrettare il passo/l'andatura; ~ **qn entre/dans ses bras** stringere qn tra le braccia

pressing [pʀesiŋ] nm (repassage) stiratura a vapore; (magasin) lavasecco m ou f inv

pression [pʀesjɔ̃] nf pressione f; (bouton) bottone m a pressione; **faire ~ sur qn/qch** fare pressioni su qn/qc; **sous ~** sotto pressione; **bière à la ~** birra alla spina; ~ **artérielle** pressione arteriosa; ~ **atmosphérique** pressione atmosferica

prestataire [pʀestatɛʀ] nm/f beneficiario(-a); ~ **de services** (Comm) operatore(-trice) del settore terziario

prestation [pʀestasjɔ̃] nf prestazione f; (allocation) indennità f inv; (d'une assurance) copertura; ~ **de serment** giuramento; ~ **de service** prestazione di servizi; ~**s familiales** assegni mpl familiari

prestidigitateur, -trice [pʀestidiʒitatœʀ, tʀis] nm/f prestigiatore(-trice)

prestige [pʀestiʒ] nm prestigio

prestigieux, -euse [pʀestiʒjø, jøz] adj prestigioso(-a)

présumer [pʀezyme] vt: ~ **que** presumere ou supporre che; ~ **de qn/qch** sopravvalutare qn/qc; ~ **qn coupable/innocent** presumere che qn sia colpevole/innocente

prêt, e [pʀɛ, pʀɛt] *adj* pronto(-a)
■ *nm* prestito; **~ à faire qch**
pronto(-a) a fare qc; **~ à toute
éventualité** pronto(-a) per ogni
eventualità; **~ à tout** pronto(-a) a
tutto; **à vos marques, ~s? partez!**
pronti, attenti, via!; **~ sur gages**
prestito su pegno; **quand est-ce que
mes photos seront ~es?** quando
saranno pronte le mie foto?

prêt-à-porter [pʀɛtapɔʀte]
(*pl* **prêts-à-porter**) *nm* prêt-à-porter
m inv

prétendre [pʀetɑ̃dʀ] *vt*: **~ faire qch/
que** pretendere di fare qc/che; **~ à**
pretendere a

prétendu, e [pʀetɑ̃dy] *adj* sedicente

prétentieux, -euse [pʀetɑ̃sjø, jøz]
adj pretenzioso(-a)

prétention [pʀetɑ̃sjɔ̃] *nf* pretenziosità
f inv; (*revendication, ambition*) pretesa;
sans ~ senza pretese

prêter [pʀete] *vt* (*livre, argent*)
prestare; (*caractère, propos*) attribuire;
se prêter *vr* (*tissu, cuir*) cedere; **se ~ à
qch** prestarsi a qc; **tu me le prêtes?**
me lo presti?; **~ à** (*commentaires,
équivoque*) dare adito a; **~ à rire** far
ridere; **~ assistance à** prestare
assistenza a; **~ attention/l'oreille**
prestare attenzione/orecchio; **~ de
l'importance à qch** attribuire
importanza a qc; **~ serment** prestare
giuramento; **~ sur gages** prestare su
pegno; **pouvez-vous me ~ de
l'argent?** mi può prestare dei soldi?

prétexte [pʀetɛkst] *nm* pretesto;
sous aucun ~ per nessuna ragione;
sous ~/le ~ que/de col pretesto che/di

prétexter [pʀetɛkste] *vt* addurre a
pretesto; **~ que** addurre a pretesto il
fatto che

prêtre [pʀɛtʀ] *nm* prete *m*,
sacerdote *m*

preuve [pʀœv] *nf* prova; **jusqu'à
~ du contraire** fino a prova contraria;
faire ~ de dar prova di; **faire ses
~s** mostrare le proprie capacità;
~ matérielle (*Jur*) prova fisica; **~ par
neuf** prova del nove

prévaloir [pʀevalwaʀ] *vi* prevalere;
se prévaloir de qch *vr* (*tirer parti de*)
avvalersi di qc; (*tirer vanité de*) vantarsi
di qc

prévenant, e [pʀev(ə)nɑ̃, ɑ̃t] *adj*
premuroso(-a)

prévenir [pʀev(ə)niʀ] *vt* (*éviter,
anticiper*) prevenire; **~ qn (de qch)**
(*avertir*) avvertire *ou* avvisare qn (di
qc); (*informer*) avvisare *ou* informare
qn (di qc); **~ qn contre qch/qn**
prevenire qn contro qc/qn; **~ qn en
faveur de qch/qn** predisporre qn in
favore di qc/qn

préventif, -ive [pʀevɑ̃tif, iv] *adj*
preventivo(-a); **prison préventive**
carcere *m* preventivo

prévention [pʀevɑ̃sjɔ̃] *nf*
prevenzione *f*; (*Jur*) carcere *m*
preventivo; **~ routière** (*organisation*)
ente per la prevenzione degli incidenti
stradali; (*service*) insieme di misure
per la prevenzione degli incidenti
stradali

prévenu, e [pʀev(ə)ny] *adj*: **être ~
contre de qn** essere prevenuto(-a) nei
confronti di qn ■ *nm/f* imputato(-a);
être ~ en faveur de qn essere ben
disposto(-a) verso qn

prévision [pʀevizjɔ̃] *nf*: **~s** previsioni
fpl; **en ~ de qch** in previsione di qc;
~s météorologiques previsioni
meteorologiche

prévoir [pʀevwaʀ] *vt* prevedere

prévoyant, e [pʀevwajɑ̃, ɑ̃t] *vb voir*
prévoir ■ *adj* previdente

prévu [pʀevy] *pp de* **prévoir**

prier [pʀije] *vi, vt* pregare; **~ qn de
faire** pregare qn di fare; **~ qn à dîner/
d'assister à une réunion** invitare qn a
cena/ad assistere ad una riunione; **se
faire ~** farsi pregare; **je vous en prie**
prego; **je vous prie de faire** la prego
di fare

prière [pʀijeʀ] *nf* preghiera; **"~ de..."**
"si prega di..."

primaire [pʀimeʀ] *adj* (*enseignement*)
elementare; (*inspecteur*)
scolastico(-a); (*péj*) primitivo(-a);
(*Peinture: couleurs*) fondamentale
■ *nm* (*Scol*): **le ~** l'istruzione *f*
elementare; (*Écon*) (*settore*
m) primario; **ère ~** (*Géo*) era primaria

prime [pʀim] *nf* premio; (*Comm:
cadeau*) omaggio, regalo ■ *adj*: **de ~
abord** di primo acchito; **~ de risque**
premio di rischio; **~ de transport**
premio di trasporto

primer [pʀime] vt premiare ▪ vi
prevalere; **~ sur qch** prevalere su qc
primevère [pʀimvεʀ] nf primula
primitif, -ive [pʀimitif, iv] adj
primitivo(-a); (état, texte)
originario(-a) ▪ nm/f primitivo(-a)
prince [pʀε̃s] nm principe m;
~ charmant principe azzurro; **~ de
Galles** nm (Textile) principe di Galles;
~ héritier principe ereditario
princesse [pʀε̃sεs] nf principessa
principal, e, aux [pʀε̃sipal, o] adj
principale ▪ nm: **le ~** l'essenziale m;
(Scol: d'un collège) ≈ preside m; (Fin)
capitale m ▪ nf (Ling): **(proposition)
~e** (proposizione f) principale f
principe [pʀε̃sip] nm principio m;
principes nmpl (sociaux, politiques)
principi mpl; **partir du ~ que** partire
dal principio che; **pour le ~** per
principio; **de ~** (accord) di massima;
(hostilité) a priori; **par ~** per principio;
en ~ in linea di massima
printemps [pʀε̃tɑ̃] nm primavera
priorité [pʀijɔʀite] nf priorità f inv;
(Auto) precedenza; **en ~** per
primo(-a), innanzitutto; **avoir la ~
(sur)** aver la precedenza (su); **~ à
droite** precedenza a destra
pris, e [pʀi, pʀiz] pp de **prendre**
▪ adj (place, journée, mains)
occupato(-a); (personne)
impegnato(-a), occupato(-a); (billets)
venduto(-a); (Méd: nez) chiuso(-a);
(: gorge) infiammato(-a); (crème, glace)
rappreso(-a); **être ~ de** (peur) essere
colto(-a) da; (fatigue) essere
sopraffatto(-a) da; **la place est ~e?** è
occupato questo posto?
prise [pʀiz] nf (d'une ville, Sport, Élec)
presa; (Pêche) (pesce m) pescato;
(Chasse) cacciagione f; (point d'appui)
appiglio, presa; **en ~** (Auto) con la
marcia più alta; **être aux ~s avec qn**
(fig) essere alle prese con qn; **lâcher ~**
lasciare la presa; **donner ~ à** (fig) dare
adito a; **avoir ~ sur qn** avere un
ascendente su qn; **~ à partie** azione
giuridica contro un magistrato; **~ d'eau**
presa d'acqua; **~ d'otages** presa di
ostaggi; **~ de contact** presa di
contatto; **~ de courant** presa di
corrente; **~ de sang** prelievo di
sangue; **~ de son** registrazione f

audio inv; **~ de tabac** presa di
tabacco; **~ multiple de terre** (Élec)
presa multipla di terra; **~ de vue**
(Photo) fotografia; **~ de vue(s)** ripresa
(cinematografica); **~ en charge** (par
un taxi) diritto fisso di corsa; (par la
sécurité sociale) assunzione f di spese;
~ péritel presa f SCART inv
priser [pʀize] vt (tabac) fiutare;
(héroïne) sniffare; (estimer, apprécier)
stimare
prison [pʀizɔ̃] nf carcere m, prigione
f; (fig) prigione f; **aller/être en ~**
andare/essere in carcere ou prigione;
être condamné à cinq ans de ~
essere condannato a cinque anni di
carcere ou prigione
prisonnier, -ière [pʀizɔnje, jεʀ]
nm/f (détenu) detenuto(-a); (soldat)
prigioniero(-a) ▪ adj prigioniero(-a);
faire qn ~ fare qn prigioniero(-a)
privé, e [pʀive] adj privato(-a);
~ de privo(-a) di; **en ~** in privato;
dans le ~ (Écon) nel (settore)
privato
priver [pʀive] vt: **~ qn de qch** (droits,
sommeil) privare qn di qc; (dessert)
togliere qc a qn; **se ~ (de qch)** vr
privarsi (di qc); **se ~ de faire qch**
rinunciare a fare qc; **ne pas se ~ de
faire** non rinunciare a fare
privilège [pʀivilεʒ] nm privilegio
prix [pʀi] nm prezzo; (récompense)
premio; **mettre à ~** (aux enchères)
mettere all'asta; **au ~ fort** a un prezzo
elevatissimo; **acheter qch à ~ d'or**
comprare qc a peso d'oro; **hors de ~**
carissimo(-a); **à aucun ~** a nessun
costo; **à tout ~** ad ogni costo; **grand
~ automobile** gran premio (di
formula uno); **~ conseillé** prezzo
consigliato; **~ d'achat/de revient/de
vente** prezzo d'acquisto/di costo/di
vendita
probable [pʀɔbabl] adj probabile
probablement [pʀɔbabləmɑ̃] adv
probabilmente; **... "~"** (dans une
réponse) ... "è probabile"
problème [pʀɔblεm] nm problema m
procédé [pʀɔsede] nm (méthode)
procedimento, processo; (conduite)
comportamento, modo di fare
procéder [pʀɔsede] vi procedere;
~ à (aussi Jur) procedere a

procès [pʀɔsɛ] nm (Jur) processo; **intenter un ~** intentare causa; **être en ~ avec qn** avere una causa in corso con qn; **faire le ~ de qn/qch** (fig) fare il processo a qn/qc; **sans autre forme de ~** senza tante formalità

processus [pʀɔsesys] nm processo

procès-verbal [pʀɔsɛvɛʀbal] (pl **procès-verbaux**) nm (Jur, relation) verbale m; **avoir un ~** prendere una contravvenzione

prochain, e [pʀɔʃɛ̃, ɛn] adj prossimo(-a) ◼ nm prossimo; **à la ~e!, à la ~e fois!** (fam) a presto!, arrivederci!; **un jour ~** nei prossimi giorni

prochainement [pʀɔʃɛnmɑ̃] adv prossimamente

proche [pʀɔʃ] adj vicino(-a); (ami) stretto(-a); (parent, cousin) prossimo(-a); **proches** nmpl (parents) parenti mpl; **l'un de ses ~** (amis) uno dei suoi amici; **être ~ (de)** essere vicino(-a) (a); **de ~ en ~** poco a poco, progressivamente

proclamer [pʀɔklame] vt proclamare; (résultat d'un examen) pubblicare

procuration [pʀɔkyʀasjɔ̃] nf (écrit, Jur) procura, delega; **donner ~ à qn** conferire una procura a qn; **voter/ acheter par ~** votare/acquistare per procura

procurer [pʀɔkyʀe] vt: **~ qch à qn** procurare qc a qn; **se procurer** vr procurarsi

procureur [pʀɔkyʀœʀ] nm: **~ (de la République)** procuratore m (della Repubblica); **~ général** procuratore generale

prodige [pʀɔdiʒ] nm prodigio

prodiguer [pʀɔdige] vt: **~ (à)** prodigare (a)

producteur, -trice [pʀɔdyktœʀ, tʀis] adj produttore(-trice) ◼ nm/f produttore(-trice); (Radio, TV) produttore m esecutivo; **société productrice** (Ciné) società f inv produttrice

productif, -ive [pʀɔdyktif, iv] adj produttivo(-a)

production [pʀɔdyksjɔ̃] nf produzione f

productivité [pʀɔdyktivite] nf produttività f inv

produire [pʀɔdɥiʀ] vt produrre ◼ vi (investissement etc) rendere; **se produire** vr (acteur) esibirsi; (changement) prodursi; (événement) verificarsi

produit, e [pʀɔdɥi, it] pp de **produire** ◼ nm prodotto; (profit) proventi mpl; (Math) risultato; **~ d'entretien** prodotto per la pulizia della casa; **~ des ventes** proventi delle vendite; **~ national brut** prodotto nazionale lordo; **~ net** prodotto netto; **~ pour la vaisselle** detersivo per i piatti; **~s agricoles** prodotti agricoli; **~s alimentaires** prodotti alimentari; **~s de beauté** prodotti di bellezza

prof. [pʀɔf] abr (= professeur) Prof.

proférer [pʀɔfeʀe] vt proferire

professeur, e [pʀɔfesœʀ] nm/f professore(-essa); **~ (de faculté)** professore(-essa) universitario(-a)

profession [pʀɔfesjɔ̃] nf professione f; **faire ~ de** fare professione di; **de ~** di professione; **"sans ~"** "disoccupato"; (femme mariée) "casalinga"

professionnel, le [pʀɔfesjɔnɛl] adj professionale; (écrivain, sportif) professionista; (sport) professionistico(-a) ◼ nm/f professionista m/f; (ouvrier qualifié) operaio(-a) specializzato

profil [pʀɔfil] nm profilo; (d'une voiture) linea; **de ~** di profilo; **~ des ventes** profilo delle vendite; **~ psychologique** profilo psicologico

profit [pʀɔfi] nm profitto; (avantage) profitto, vantaggio; **au ~ de qn** a vantaggio di qn; **au ~ de qch** a beneficio di qc; **tirer ou retirer ~ de qch** trarre profitto da qc; **mettre à ~ qch** mettere a frutto qc; **~s et pertes** (Comm) profitti mpl e perdite fpl

profitable [pʀɔfitabl] adj (action) vantaggioso(-a); (leçon) proficuo(-a)

profiter [pʀɔfite]: **~ de** vt approfittare di; **~ de ce que...** approfittare del fatto che...; **~ à qn/ qch** (entreprise etc) rendere ou fruttare a qn/qc; **~ à qn** (aliment etc) giovare a qn

profond, e [pʀɔfɔ̃, ɔ̃d] adj profondo(-a); (erreur) grave; **au plus ~**

de nel profondo di; **la France ~e** la Francia rurale

profondément [pʀɔfɔ̃demɑ̃] *adv* profondamente

profondeur [pʀɔfɔ̃dœʀ] *nf* profondità *f inv*; **l'eau a quelle ~?** quanto è profonda l'acqua?; **~ de champ** (*Photo*) profondità di campo

programme [pʀɔgʀam] *nm* programma *m*; **au ~ de ce soir** (*TV*) in programma stasera

programmer [pʀɔgʀame] *vt* programmare

programmeur, -euse [pʀɔgʀamœʀ, øz] *nm/f* (*Inform*) programmatore(-trice)

progrès [pʀɔgʀɛ] *nm* progresso; **faire des ~, être en ~** fare progressi

progresser [pʀɔgʀese] *vi* (*mal, troupes, inondation*) avanzare; (*élève, recherche*) progredire

progressif, -ive [pʀɔgʀesif, iv] *adj* progressivo(-a)

proie [pʀwa] *nf* preda; **être la ~ de** (*suj: maison, forêt: flammes etc*) essere in preda a; (: *personne*) essere vittima di; **être en ~ à** (*doute, douleur*) essere in preda a

projecteur [pʀɔʒɛktœʀ] *nm* proiettore *m*

projectile [pʀɔʒɛktil] *nm* proiettile *m*

projection [pʀɔʒɛksjɔ̃] *nf* proiezione *f*; **conférence avec ~s** conferenza con proiezione di diapositive (*ou* film)

projet [pʀɔʒɛ] *nm* progetto; (*ébauche*) abbozzo, bozza; **faire des ~s** fare progetti; **~ de loi** disegno di legge

projeter [pʀɔʒ(ə)te] *vt* (*ombre, film etc*) proiettare; (*envisager*) progettare; **~ de faire qch** progettare di fare qc

prolétaire [pʀɔletɛʀ] *nm/f* proletario

prolongement [pʀɔlɔ̃ʒmɑ̃] *nm* prolungamento; **prolongements** *nmpl* (*fig: suites, conséquences*) sviluppi *mpl*, conseguenze *fpl*

prolonger [pʀɔlɔ̃ʒe] *vt* prolungare; (*billet*) estendere la validità di; (*délai*) prorogare; (*suj: chose*) essere il prolungamento di; **se prolonger** *vr* (*leçon, repas*) protrarsi; (*route, chemin*) continuare

promenade [pʀɔm(ə)nad] *nf* passeggiata; **faire une ~** fare una passeggiata; **partir en ~** andarsene a

spasso; **~ à pied** passeggiata (a piedi); **~ à vélo/en voiture** giro in bicicletta/in macchina

promener [pʀɔm(ə)ne] *vt* portare a spasso; (*fig*) portarsi dietro; **se promener** *vr* (*à pied*) passeggiare; (*en voiture*) fare un giro; **~ les doigts/la main/le regard sur qch** far scorrere le dita/la mano/lo sguardo su qc

promesse [pʀɔmɛs] *nf* promessa; **la ~ de qch/de faire qch/que** la promessa di qc/di fare qc/che; **~ d'achat/de vente** (*Jur*) contratto preliminare d'acquisto/di vendita

promettre [pʀɔmɛtʀ] *vt* promettere; ▪ *vi* promettere bene; **se ~ de faire qch** ripromettersi di fare qc; **~ qch à qn** promettere qc a qn; **~ à qn de faire qch** promettere a qn di fare qc

promiscuité [pʀɔmiskɥite] *nf* promiscuità *f inv*

promontoire [pʀɔmɔ̃twaʀ] *nm* promontorio

promoteur, -trice [pʀɔmɔtœʀ, tʀis] *nm/f* promotore(-trice); **~ (immobilier)** costruttore *m* edile

promotion [pʀɔmɔsjɔ̃] *nf* promozione *f*; (*Scol: élèves d'une même année*) corso; **article en ~** (*Comm*) articolo in offerta speciale; **~ des ventes** (*Comm*) promozione delle vendite

promouvoir [pʀɔmuvwaʀ] *vt* promuovere

prompt, e [pʀɔ̃(pt), pʀɔ̃(p)t] *adj* pronto(-a); (*changement*) improvviso(-a); **~ à qch/faire qch** pronto a qc/fare qc

prôner [pʀone] *vt* (*louer*) esaltare; (*préconiser*) raccomandare

pronom [pʀɔnɔ̃] *nm* pronome *m*

prononcer [pʀɔnɔ̃se] *vt* pronunciare; (*souhait, vœu*) esprimere; ▪ *vi*: **~ bien/mal** avere una buona/cattiva pronuncia; (*Jur*) pronunciarsi; **se prononcer** *vr* pronunciarsi; **se ~ en faveur de/contre qch/qn** pronunciarsi in favore di/contro qc/qn; **ça se prononce comment?** come si pronuncia?; **comment est-ce que ça se prononce?** come si pronuncia?

prononciation [pʀɔnɔ̃sjasjɔ̃] *nf* pronuncia; (*d'un jugement*) lettura;

avoir une bonne/mauvaise ~ avere una buona/cattiva pronuncia

pronostic [pʀɔnɔstik] nm (Méd) prognosi f inv; (fig: aussi: **pronostics**: prévision) pronostico

propagande [pʀɔpagɑ̃d] nf propaganda; **faire de la ~ pour qch** fare propaganda per qc

propager [pʀɔpaʒe] vt propagare; **se propager** vr propagarsi

prophète, prophétesse [pʀɔfɛt, etɛs] nm/f (Rel) profeta(-essa); (augure, devin) indovino(-a)

prophétie [pʀɔfesi] nf profezia

propice [pʀɔpis] adj propizio(-a)

proportion [pʀɔpɔʀsjɔ̃] nf proporzione f; **proportions** nfpl (d'un édifice, du visage) proporzioni fpl; **en ~** in proporzione; **à/en ~ de** in proporzione a; **hors de ~** sproporzionato(-a); **toute(s) ~(s) gardée(s)** fatte le debite proporzioni

propos [pʀɔpo] nm (paroles) parole fpl, discorsi mpl; (intention, but) proposito, intenzione f; (sujet): **à quel ~?** a che proposito?; **à ~ de** a proposito di; **à tout ~** ad ogni istante; **à ce ~** a questo proposito; **à ~** a proposito; **hors de ~, mal à ~** a sproposito

proposer [pʀɔpoze] vt proporre; **~ de faire qch (à qn)** proporre di fare qc (a qn); **se ~ (pour faire qch)** offrirsi (di fare qc); **se ~ de faire qch** proporsi di fare qc

proposition [pʀɔpozisjɔ̃] nf proposta; (Ling) proposizione f; **sur la ~ de** su proposta di; **~ de loi** proposta di legge

propre [pʀɔpʀ] adj (pas sale, net) pulito(-a); (cahier, copie) ordinato(-a); (travail) ben fatto(-a); (enfant) che non ha più bisogno di pannolini; (fig: honnête: personne) onesto(-a); (: affaire, argent) pulito(-a); (intensif possessif, Ling) proprio(-a); (particulier, spécifique): **~ à** proprio(-a) di, caratteristico(-a) di; (convenable, approprié): **~ à** adatto(-a) a; (de nature à): **~ à faire qch** adatto(-a) a fare qc ■ nm: **mettre** ou **recopier au ~** mettere ou ricopiare in bella; **le ~ de** (apanage, particularité) la caratteristica di; **au ~** (Ling) in senso

proprio; **avoir qch en ~** avere qc in proprio; **appartenir à qn en ~** essere di proprietà di qn; **~ à rien** (péj: personne) buono(-a) a nulla, incapace m/f

proprement [pʀɔpʀəmɑ̃] adv (avec propreté) come si deve; (exclusivement, littéralement) propriamente; **à ~ parler** a dire il vero; **le village ~ dit** il paese vero e proprio

propreté [pʀɔpʀəte] nf pulizia; (Scol) ordine m

propriétaire [pʀɔpʀijetɛʀ] nm/f proprietario(-a); (d'une maison: pour le locataire) padrone(-a) di casa; **~ (immobilier)** proprietario di immobili; **~ récoltant** coltivatore m diretto; **~ terrien** proprietario terriero

propriété [pʀɔpʀijete] nf proprietà f inv; **~ artistique et littéraire** proprietà artistica e letteraria; **~ industrielle** proprietà industriale

propulser [pʀɔpylse] vt (missile, engin) spingere; (projeter) scagliare

prose [pʀoz] nf prosa

prospecter [pʀɔspɛkte] vt (terrain) esplorare; (Comm: région) scandagliare

prospectus [pʀɔspɛktys] nm (feuille) volantino pubblicitario; (dépliant) dépliant m inv pubblicitario

prospère [pʀɔspɛʀ] adj prospero(-a)

prospérer [pʀɔspere] vi prosperare

prosterner [pʀɔstɛʀne] vr: **se prosterner** prosternarsi

prostituée [pʀɔstitɥe] nf prostituta

prostitution [pʀɔstitysjɔ̃] nf prostituzione f

protecteur, -trice [pʀɔtɛktœʀ, tʀis] adj protettore(-trice); (Écon: régime, système) protezionistico(-a); (péj: air, ton) superiore ■ nm/f protettore(-trice)

protection [pʀɔtɛksjɔ̃] nf protezione f; **~ civile** protezione civile; **~ judiciaire** (des mineurs) protezione giuridica; **~ maternelle et infantile** ente per la protezione della donna incinta e del bambino fino a 6 anni

protéger [pʀɔteʒe] vt proteggere; (aider: personne, carrière) appoggiare; **se ~ de qch/contre qch** proteggersi ou ripararsi da qc

protège-slip [pʀɔtɛʒslip] *nm*
salvaslip *m inv*

protéine [pʀɔtein] *nf* proteina

protestant, e [pʀɔtɛstɑ̃, ɑ̃t] *adj,
nm/f* protestante *m/f*

protestation [pʀɔtɛstasjɔ̃] *nf*
protesta

protester [pʀɔtɛste] *vi*: ~ **(contre
qch)** protestare (contro qc); ~ **de son
innocence** protestare la propria
innocenza

prothèse [pʀɔtɛz] *nf* protesi *f inv*;
~ **dentaire** protesi dentaria; *(science)*
odontotecnica

protocole [pʀɔtɔkɔl] *nm* protocollo;
chef du ~ capo del protocollo;
~ **d'accord** protocollo d'accordo;
~ **opératoire** *(Méd)* protocollo
operatorio

proue [pʀu] *nf* prua

prouesse [pʀuɛs] *nf* prodezza;
(iron: action remarquable) impresa

prouver [pʀuve] *vt* provare;
(montrer: reconnaissance etc)
dimostrare

provenance [pʀɔv(ə)nɑ̃s] *nf*
provenienza; *(d'une famille)* origine *f*;
avion/train en ~ de aereo/treno
proveniente da

provenir [pʀɔv(ə)niʀ]: ~ **de** *vt*
provenire da; *(résulter de: cause)*
derivare da

proverbe [pʀɔvɛʀb] *nm* proverbio

province [pʀɔvɛ̃s] *nf* provincia

proviseur [pʀɔvizœʀ] *nm* preside *m*

provision [pʀɔvizjɔ̃] *nf* *(réserve)*
provvista, scorta; *(acompte)* anticipo;
(Comm: dans un compte) copertura;
provisions *nfpl* *(vivres)* provviste *fpl*;
faire ~ de qch fare provvista di qc;
placard/armoire à ~s dispensa

provisoire [pʀɔvizwaʀ] *adj*
provvisorio(-a); **mise en liberté ~**
libertà provvisoria

provisoirement [pʀɔvizwaʀmɑ̃]
adv provvisoriamente

provocant, e [pʀɔvɔkɑ̃, ɑ̃t] *adj*
(agressif) provocatorio(-a); *(excitant)*
provocante

provoquer [pʀɔvɔke] *vt* *(causer,
défier)* provocare; *(aveux, explications)*
sollecitare; ~ **qn à** incitare *ou*
spingere qn a; *(à une violence)* istigare
qn a

proxénète [pʀɔksenɛt] *nm*
protettore *m*

proximité [pʀɔksimite] *nf*
prossimità *f inv*; **à ~** nelle vicinanze;
à ~ de in prossimità di

prudemment [pʀydamɑ̃] *adv*
prudentemente

prudence [pʀydɑ̃s] *nf* prudenza;
par (mesure de) ~ per prudenza

prudent, e [pʀydɑ̃, ɑ̃t] *adj* prudente;
(réservé) riservato(-a); **ce n'est pas ~**
non è prudente; **soyez ~!** sia prudente!

prune [pʀyn] *nf* prugna, susina

pruneau, x [pʀyno] *nm* prugna secca

prunier [pʀynje] *nm* susino, prugno

PS [pees] *sigle m* (= *post-scriptum*) P.S.
m inv; = *parti socialiste*

pseudonyme [psødɔnim] *nm*
pseudonimo; *(de comédien)* nome *m*
d'arte

psychanalyse [psikanaliz] *nf*
psicanalisi *f inv*

psychiatre [psikjatʀ] *nm/f*
psichiatra *m/f*

psychiatrique [psikjatʀik] *adj*
psichiatrico(-a)

psychique [psiʃik] *adj* psichico(-a)

psychologie [psikɔlɔʒi] *nf*
psicologia

psychologique [psikɔlɔʒik] *adj*
psicologico(-a)

psychologue [psikɔlɔg] *nm/f*
psicologo(-a)

pu [py] *pp de* **pouvoir**

puanteur [pɥɑ̃tœʀ] *nf* fetore *m*,
puzzo

pub [pyb] *nf* *(fam: publicité)* pubblicità

public, -ique [pyblik] *adj*
pubblico(-a) ■ *nm* pubblico; **en ~** in
pubblico; **interdit au ~** vietato al
pubblico; **le grand ~** il grande
pubblico

publicitaire [pyblisitɛʀ] *adj*
pubblicitario(-a); *(vente)*
promozionale ■ *nm/f*
pubblicitario(-a); **rédacteur/
dessinateur ~** redattore *m*/
disegnatore *m* pubblicitario

publicité [pyblisite] *nf* pubblicità *f
inv*; **faire trop de ~ autour de qch/qn**
fare troppa pubblicità a qc/qn

publier [pyblije] *vt* pubblicare

publipostage [pyblipɔstaʒ] *nm*
distribuzione *f* di massa

publique [pyblik] *adj f voir* **public**
puce [pys] *nf* (*Zool*) pulce; (*Inform*)
chip *m inv*; **les ~s** (*marché aux puces*) il
mercatino delle pulci; **mettre la ~ à
l'oreille de qn** mettere la pulce
nell'orecchio a qn
pudeur [pydœr] *nf* pudore *m*
pudique [pydik] *adj* pudico(-a)
puer [pɥe] (*péj*) *vi* puzzare ▪ *vt*
puzzare di
puéricultrice [pɥerikyltris] *nf*
puericultrice *f*
puéril, e [pɥeril] *adj* puerile
puis [pɥi] *vb voir* **pouvoir** ▪ *adv* poi;
et ~ e poi; **et ~ après!** e allora?; **et ~
quoi encore?** non esageriamo!
puiser [pɥize] *vt*: **~ (dans)** (*aussi fig*)
attingere (da)
puisque [pɥisk] *conj* dato che, visto
che, poiché; **~ je te le dis!** visto che te
lo dico io!
puissance [pɥisɑ̃s] *nf* potenza;
deux (à la) ~ cinq due (elevato) alla
quinta; **les ~s occultes** le forze
occulte
puissant, e [pɥisɑ̃, ɑ̃t] *adj* potente
puits [pɥi] *nm* pozzo; **~ artésien**
pozzo artesiano; **~ de mine** pozzo da
miniera; **~ de science** pozzo di
scienza
pull(-over) [pyl(ɔvœr)] (*pl* **~s**) *nm*
pullover *m inv*, golf *m inv*
pulluler [pylyle] *vi* pullulare
pulpe [pylp] *nf* polpa
pulvériser [pylverize] *vt* (*solide, fig:
adversaire, record*) polverizzare;
(*liquide*) nebulizzare
punaise [pynɛz] *nf* (*Zool*) cimice *f*;
(*clou*) puntina (da disegno)
punch[1] [pɔ̃ʃ] *nm* (*boisson*) punch *m inv*
punch[2] [pœnʃ] *nm* (*Boxe: de frappe*)
potenza; **il a du ~** ha grinta
punir [pynir] *vt* punire; **~ qn de qch**
punire qn per qc
punition [pynisjɔ̃] *nf* punizione *f*
pupille [pypij] *nf* (*Anat*) pupilla
▪ *nm/f* (*enfant*) pupillo; **~ de l'État**
orfano(-a) affidato(-a) all'assistenza
pubblica; **~ de la Nation** orfano(-a) di
guerra
pupitre [pypitr] *nm* (*Scol*) banco;
(*Rel, Mus*) leggio; (*Inform*) console *f
inv*; **~ de commande** quadro di
comando

pur, e [pyr] *adj* puro(-a); (*whisky, gin*)
liscio(-a); (*air, ciel*) terso(-a);
(*intentions*) disinteressato(-a) ▪ *nm*
puro; **~ et simple** puro(-a) e semplice;
en ~e perte inutilmente; **~e laine**
pura lana
purée [pyre] *nf*: **~ (de pommes de
terre)** purè *m inv* (di patate); **~ de
marrons** crema di castagne; **~ de
pois** (*fig*) nebbione *m*; **~ de tomates**
passato di pomodori
purement [pyrmɑ̃] *adv* puramente
purgatoire [pyrgatwar] *nm*
purgatorio
purger [pyrʒe] *vt* (*conduite, freins*)
spurgare; (*Méd*) purgare; (*Jur: peine*)
scontare; (*Pol*) epurare
pur-sang [pyrsɑ̃] *nm* purosangue
m inv
pus [py] *vb voir* **pouvoir** ▪ *nm* pus *m*
putain [pytɛ̃] (*fam!*) *nf* puttana
(*fam!*); **~!** (*fam!*) cazzo! (*fam!*); **ce/
cette ~ de...** questo cazzo di... (*fam!*)
puzzle [pœzl] *nm* puzzle *m inv*; (*fig*)
mosaico
PV [peve] *sigle m = procès-verbal*
pyjama [piʒama] *nm* pigiama *m*
pyramide [piramid] *nf* piramide *f*;
~ humaine (*à moto etc*) piramide
umana
Pyrénées [pirene] *nfpl* Pirenei *mpl*

q

QI [kyi] *sigle m* (= *quotient intellectuel*) Q.I. *m inv*

quadra [k(w)adʀa] *nm/f* (*fam:* = *quadragénaire*) quarantenne *m/f*

quadragénaire [k(w)adʀaʒenɛʀ] *nm/f* quarantenne *m/f*

quadruple [k(w)adʀypl] *adj* quadruplo(-a) ■ *nm* quadruplo

quai [ke] *nm* (*d'un port*) banchina, molo; (*d'une gare*) marciapiede *m*; (*d'un cours d'eau, canal*) argine *m*; **être à ~** (*navire*) essere in banchina; (*train*) essere al binario; **le Q~ d'Orsay** *il Ministero degli esteri francese*; **le Q~ des Orfèvres** *la centrale del dipartimento di polizia francese*

qualification [kalifikasjɔ̃] *nf* qualificazione *f*; (*désignation*) definizione *f*; (*aptitude*) qualifica; **~ professionnelle** qualifica professionale

qualifier [kalifje] *vt* (*aussi Ling, Sport*) qualificare; **se qualifier** *vr* (*Sport*) qualificarsi; **~ qch/qn de** (*appeler*) definire qc/qn; **~ qch de crime** definire qc un reato; **~ qn de sot** dare

a qn dello stupido; **être qualifié pour** essere qualificato(-a) per

qualité [kalite] *nf* qualità *f inv*; (*titre, fonction*) qualifica; **en ~ de** in qualità di; **ès ~s** nell'esercizio delle proprie funzioni; **avoir ~ pour** essere qualificato(-a) per; **de ~** di qualità; **rapport ~-prix** rapporto qualità-prezzo

quand [kɑ̃] *conj* quando ■ *adv* quando; **~ arrivera-t-il?** quando arriva?; **~ je serai riche, j'aurai une belle maison** quando sarò ricco avrò una bella casa; **~ même** comunque; **tu exagères ~ même** però esageri; **~ bien même** quand'anche

quant [kɑ̃]: **~ à** *prép* quanto a; **~ à moi,...** quanto a me, ...; **il n'a rien dit ~ à ses projets** non ha detto niente riguardo ai suoi progetti

quantité [kɑ̃tite] *nf* quantità *f inv*; **une** *ou* **des ~(s) de** (*grand nombre*) una quantità di, un mucchio di; **en (grande) ~** in (grande) quantità; **en ~s industrielles** in grosse quantità; **du travail en ~** molto lavoro, una quantità di lavoro; **~ de** una grande quantità di, molti(-e)

quarantaine [kaʀɑ̃tɛn] *nf* (*nombre*): **une ~ (de)** una quarantina (di); (*âge*): **avoir la ~** essere sulla quarantina; (*isolement*) quarantena; **mettre en ~** (*aussi fig*) mettere in quarantena

quarante [kaʀɑ̃t] *adj inv, nm inv* quaranta *(m) inv*; *voir aussi* **cinq**

quart [kaʀ] *nm* quarto *m*; (*partie d'un litre*): **un ~ de** un quarto di; (*surveillance: Naut, gén*) turno di guardia; **une kilo** *ou* **et ~** un chilo e un quarto; **le ~ de** il quarto di; **2 h et** *ou* **un ~** le 2 e un quarto; **1 h moins le ~** l'una meno un quarto; **il est moins le ~** manca un quarto; **être de/prendre le ~** essere di/montare la guardia; **au ~ de tour** (*fig*) immediatamente; **~ d'heure** quarto d'ora; **~ de tour** quarto di giro; **~s de finale** (*Sport*) quarti di finale

quartier [kaʀtje] *nm* (*d'une ville*) quartiere *m*; (*partie*) quarto; (*de fruit*) spicchio; (*de fromage*) grosso pezzo; **quartiers** *nmpl* (*Mil*) caserma *fsg*; (*Blason*) quarti *mpl*; **cinéma/salle de ~** cinema *m inv* di quartiere; **avoir ~**

libre essere libero(-a); (*Mil*) essere in libera uscita; **ne pas faire de ~** non risparmiare nessuno;
~ commerçant/résidentiel quartiere commerciale/residenziale; **~ général** quartier generale

uartz [kwaʀts] *nm* quarzo

uasi [kazi] *adv* quasi ▪ *préf*: **~-certitude** certezza quasi totale; **~-totalité** quasi totalità

uasiment [kazimɑ̃] *adv* quasi

uatorze [katɔʀz] *adj, nm inv* quattordici (*m*) *inv*; *voir aussi* **cinq**

uatorzième [katɔʀzjɛm] *adj inv, nm/f* quattordicesimo(-a) ▪ *nm* quattordicesimo; *voir aussi* **cinquième**

uatre [katʀ] *adj inv, nm inv* quattro *inv*; **à ~ pattes** a quattro zampe; **être tiré à ~ épingles** essere in ghingheri; **faire les ~ cents coups** condurre una vita dissipata; **se mettre en ~ pour qn** farsi in quattro per qn; **monter/descendre (l'escalier) ~ à ~** salire/scendere le scale a quattro a quattro; **à ~ mains** a quattro mani; *voir aussi* **cinq**

uatre-vingt-dix [katʀəvɛ̃dis] *adj inv, nm inv* novanta (*m*) *inv*; *voir aussi* **cinq**

uatre-vingt-dixième
[katʀ(ə)vɛ̃dizjɛm] *adj, nm/f* novantesimo(-a) ▪ *nm* novantesimo; *voir aussi* **cinquième**

uatre-vingtième [katʀəvɛ̃tjɛm] *adj, nm/f* ottantesimo(-a) ▪ *nm* ottantesimo; *voir aussi* **cinquième**

uatre-vingts [katʀəvɛ̃] *adj inv, nm inv* ottanta (*m*) *inv*; *voir aussi* **cinq**

uatrième [katʀijɛm] *adj, nm/f* quarto(-a); *voir aussi* **cinquième**

uatuor [kwatyɔʀ] *nm* (*Mus, fig*) quartetto

MOT-CLÉ

ue [kə] *conj* **1** (*introduisant complétive*) che; **il sait que tu es là** sa che tu sei qui; **je veux que tu acceptes** voglio che tu accetti; **il a dit que oui** ha detto di sì
2 (*reprise d'autres conjonctions*): **quand il rentrera et qu'il aura mangé** quando rientrerà e avrà mangiato;

si vous y allez et que vous décidez de revenir de bonne heure ... se ci andate e (se) decidete di tornare presto...
3 (*en tête de phrase: hypothèse, souhait etc*): **qu'il le veuille ou non** che (lo) voglia o no; **qu'il fasse ce qu'il voudra!** che faccia pure quello che vuole!
4 (*après comparatif*) di; **plus grand que** più grande di; *voir aussi* **plus**
5 (*temps*): **elle venait à peine de sortir qu'il se mit à pleuvoir** era appena uscita che si mise a piovere; **il y a 4 ans qu'il est parti** sono 4 anni che è partito
6 (*attribut*): **c'est une erreur que de croire...** è un errore credere che...
7 (*but*): **tenez-le qu'il ne tombe pas** tenetelo che non cada
8 (*seulement*): **ne... que**; **il ne boit que de l'eau** beve solo acqua, non beve che acqua
▪ *adv* **1** (*exclamation*): **qu'il** *ou* **qu'est-ce qu'il est bête!** com'è stupido!, che stupido!; **qu'il** *ou* **qu'est-ce qu'il court vite!** quanto corre!, come corre veloce!; **que de livres!** quanti libri!
2 (*relatif*) che; **l'homme que je vois** l'uomo che vedo; **le livre que tu lis il** libro che leggi; (*temps*): **un jour que j'étais...** un giorno che *ou* in cui mi trovavo...
3 (*interrogatif*) che (cosa), cosa; (*discriminatif*) cosa; **que fais-tu?, qu'est-ce que tu fais?** che fai?, che cosa fai?; **que préfères-tu, celui-ci ou celui-là?** cosa preferisci, questo o quello?; **que fait-il dans la vie?** che (cosa) fa nella vita?, cosa fa nella vita?; **qu'est-ce que c'est?** che cos'è?; **que faire?** che fare?; *voir aussi* **plus**; **aussi**; *voir aussi* **autant**

Québec [kebɛk] *n* Quebec *m*

MOT-CLÉ

quel, quelle [kɛl] *adj* **1** (*interrogatif*) quale, che; **quel livre?** che *ou* quale libro?; **dans quels pays êtes-vous allés?** in quali paesi siete andati?; **quels acteurs préférez-vous?**

quelconque | 288

quali attori preferite?; **de quel auteur va-t-il parler?** di quale autore parlerà?; **quel est ce livre?** che libro è questo?
2 (*exclamatif*) che; **quelle surprise/coïncidence!** che sorpresa/coincidenza!; **quel dommage qu'il soit parti!** che peccato che sia partito!
3: **quel que soit** (*personne*) chiunque sia; (*chose, animal*) qualunque sia; **quel que soit le coupable** chiunque sia il colpevole; **quel que soit votre avis** qualsiasi sia il vostro parere ■ *pron interrog* quale; **de tous ces enfants, quel est le plus intelligent?** di tutti questi bambini, qual è il più intelligente?

quelconque [kɛlkɔ̃k] *adj* qualsiasi, qualunque; (*médiocre*) mediocre; **pour une raison ~** per qualche motivo *ou* ragione

MOT-CLÉ

quelque [kɛlk] *adj* **1** qualche (*seguito dal singolare*); **il a dit quelques mots de remerciement** ha detto qualche parola di ringraziamento; **cela fait quelque temps que je ne l'ai (pas) vu** è da un po' di tempo che non lo vedo; **quelque espoir** qualche speranza; **il habite à quelque distance d'ici** abita un po' lontano da qui; **il a quelques amis** ha qualche amico; **a-t-il quelques amis?** ha qualche amico?, ha amici?; **les quelques enfants qui...** i pochi bambini che...; **les quelques livres qui...** i pochi libri che...; **20 kg et quelque(s)** 20 kg e qualcosa
2: **quelque... que** qualsiasi, che; **quelque livre qu'il choisisse** qualsiasi libro scelga; **(par) quelque temps qu'il fasse** con qualsiasi tempo
3: **quelque chose** *pron* qualcosa; **quelque chose d'autre** qualcos'altro; **y être pour quelque chose** entrarci; **faire quelque chose à qn** fare qualcosa a qn; **puis-je faire quelque chose pour vous?** posso fare qualcosa per lei?
4: **quelque part** da qualche parte

5: **en quelque sorte** in un certo senso ■ *adv* **1** (*environ, à peu près*) circa; **une route de quelque 100 mètres** una strada di circa 100 metri
2: **quelque peu** un po'

quelquefois [kɛlkəfwa] *adv* qualche volta

quelques-uns, unes [kɛlkəzœ̃, yn] *pron* alcuni(-e); **~ des lecteurs** alcuni lettori

quelqu'un [kɛlkœ̃] *pron* qualcuno(-a); **~ d'autre** qualcun altro

qu'en dira-t-on [kɑ̃diʀatɔ̃] *nm inv* chiacchiere *fpl*

querelle [kəʀɛl] *nf* lite *f*, disputa; **chercher ~ à qn** cercar lite con qn

quereller [kəʀele] *vr*: **se quereller** litigare

qu'est-ce que [kɛskə] *vb + conj* voir **que, qui**

qu'est-ce qui [kɛski] *vb + conj* voir **que, qui**

question [kɛstjɔ̃] *nf* domanda; (*problème*) questione *f*; **il a été ~ de...** si è trattato di...; **il est ~ de les emprisonner** si parla di metterli in carcere; **c'est une ~ de temps/d'habitude** è una questione di tempo/di abitudine; **de quoi est-il ~?** di che si tratta?; **il n'en est pas ~** non se ne parla neppure; **en ~** in questione; **hors de ~** fuori discussione; **je ne me suis jamais posé la ~** non mi sono mai posto la domanda; **(re)mettre en ~** (ri)mettere in discussione; **poser la ~ de confiance** (*Pol*) chiedere la fiducia; **~ d'actualité** (*Presse*) argomento di attualità; **~ piège** domanda *f* trabocchetto *inv*; **~ subsidiaire** domanda di riserva; **~s économiques/sociales** questioni economiche/sociali

questionnaire [kɛstjɔnɛʀ] *nm* questionario

questionner [kɛstjɔne] *vt* interrogare; **~ qn sur qch** interrogare qn su qc

quête [kɛt] *nf* (*collecte*) questua; (*recherche*) ricerca; **faire la ~** (*à l'église*) fare la questua; (*dans la rue*) chiedere soldi ai passanti; **se mettre en ~ de qch** mettersi alla ricerca di qc

quetsche [kwɛtʃ] nf susina, prugna
queue [kø] nf coda; (de lettre, note) gambo; (fig: d'une casserole, poêle) manico; (: d'un fruit, d'une feuille) picciolo; (: file de personnes) coda, fila; **en ~ (de train)** in coda (al treno); **faire la ~** fare la coda ou la fila; **se mettre à la ~** mettersi in coda ou fila; **histoire sans ~ ni tête** storia senza capo né coda; **à la ~ leu leu** in fila indiana; **finir en ~ de poisson** finire in niente; (film) avere un finale deludente; **~ de cheval** coda di cavallo; **~ de poisson**; **faire une ~ de poisson à qn** (Auto) tagliare la strada a qn dopo un sorpasso

MOT-CLÉ

qui [ki] pron **1** (interrogatif) chi; **qui (est-ce qui?)** chi è?; **je ne sais pas qui c'est** non so chi sia; **à qui est ce sac?** di chi è questa borsa?; **à qui parlais-tu?** con chi parlavi?
2 (relatif) che; (: après prép) cui; **la femme qui travaille** la donna che lavora; **l'ami de qui je vous ai parlé** l'amico di cui vi ho parlato; **la dame chez qui je suis allé** la signora da cui sono andato; **la personne avec qui je l'ai vu** la persona con cui l'ho visto **3** (sans antécédent): **amenez qui vous voulez** portate chi volete; **qui que ce soit** chiunque sia

quiconque [kikɔ̃k] pron chiunque
quille [kij] nf birillo; (Naut) chiglia; **(jeu de) ~s** birilli mpl
quincaillerie [kɛ̃kajʀi] nf ferramenta fpl; (magasin) negozio di ferramenta
quinqua [kɛ̃ka] nm/f (fam: = quinquagénaire) cinquantenne m/f
quinquagénaire [kɛ̃kaʒenɛʀ] nm/f cinquantenne m/f
quinte [kɛ̃t] nf: **~ (de toux)** accesso di tosse
quintuple [kɛ̃typl] adj quintuplo(-a) ◾ nm: **le ~ de** il quintuplo di
quinzaine [kɛ̃zɛn] nf: **une ~ (de)** una quindicina (di); **une ~ (de jours)** quindici giorni mpl, due settimane fpl; **~ commerciale** ou **publicitaire** (due settimane di) vendite fpl promozionali

quinze [kɛ̃z] adj inv, nm inv quindici (m) inv; **demain en ~** domani a quindici; **dans ~ jours** tra quindici giorni; **le ~ de France** (Rugby) la nazionale di rugby; voir aussi **cinq**
quinzième [kɛ̃zjɛm] adj, nm/f quindicesimo(-a) ◾ nm quindicesimo; voir aussi **cinquième**
quiproquo [kipʀɔko] nm qui pro quo m inv
quittance [kitãs] nf ricevuta, quietanza
quitte [kit] adj: **être ~ envers qn** non avere più debiti verso qn; (fig) essere pari con qn; **être ~ de** (obligation) essere libero(-a) da; **en être ~ à bon compte** cavarsela a buon mercato; **~ à faire qch** a costo di fare qc; **~ ou double** (jeu) lascia o raddoppia; **c'est du ~ ou double** qui si rischia il tutto per tutto
quitter [kite] vt lasciare; (fig: espoir, illusion) perdere; (suj: crainte, énergie) abbandonare; (vêtement) togliere; **se quitter** vr lasciarsi; **~ la route** (véhicule) uscire di strada; **ne quittez pas** (au téléphone) resti in linea; **ne pas ~ qn d'une semelle** stare sempre dietro a qn
qui-vive [kiviv] nm inv: **être sur le ~** essere sul chi vive

MOT-CLÉ

quoi [kwa] pron interrog **1** (interrogation directe) (che) cosa; **quoi de plus beau que...?** cosa c'è di più bello di...?; **quoi de neuf?** ci sono novità?; **quoi encore?** e cosa ancora?; **et puis quoi encore!** e poi, cosa ancora?; **quoi?** (qu'est-ce que tu dis?) cosa?
2 (interrogation directe avec prép) (che) cosa; **à quoi penses-tu?** a cosa pensi?; **de quoi parlez-vous?** di (che) cosa ou che parlate?; **en quoi puis-je vous aider?** come la posso aiutare?; **à quoi bon?** a che pro?
3 (interrogation indirecte) (che) cosa; **dis-moi à quoi ça sert** dimmi a (che) cosa ou che serve; **je ne sais pas à quoi il pense** non so a cosa pensi ◾ pron rel **1** ciò, che; **ce à quoi tu penses** ciò che pensi; **de quoi écrire**

di che scrivere, qualcosa per scrivere;
il n'a pas de quoi se l'acheter non ha
i soldi per comprarlo; **il y a de quoi
être fier** c'è di che essere fieri, c'è da
esserne fieri; **merci - il n'y a pas de
quoi** grazie - non c'è di che
2 (*locutions*): **après quoi** dopo di che;
sur quoi al che; **sans quoi, faute de
quoi** altrimenti; **comme quoi** il che
dimostra
3: **quoi qu'il arrive** accada quel che
accada, qualunque cosa accada; **quoi
qu'il en soit** sia quel che sia; **quoi
qu'elle fasse** qualunque cosa faccia;
**si vous avez besoin de quoi que ce
soit** di qualunque cosa abbiate
bisogno
■ *excl* cosa!

quoique [kwak] *conj* benché,
sebbene
quotidien, ne [kɔtidjɛ̃, jɛn] *adj*
quotidiano(-a) ■ *nm* (*journal*)
quotidiano; (*vie quotidienne*) vita
quotidiana; **les grands ~s** i grandi
quotidiani
quotidiennement [kɔtidjɛnmɑ̃]
adv quotidianamente

R, r [ɛR] *abr* = route; rue; recommandé
rabais [Rabɛ] *nm* ribasso, sconto;
au ~ a prezzo ridotto
rabaisser [Rabese] *vt* (*rabattre*)
ridurre; (*dénigrer*) sminuire; (*prix*)
ribassare
rabattre [RabatR] *vt* (*couvercle,
siège*) chiudere; (*col, visière*)
abbassare; (*Couture*) spianare;
(*Tennis: balle*) ribattere; (*gibier*)
spingere verso i cacciatori; (*somme
d'un prix*) ribassare; (*orgueil,
prétentions*) far abbassare; (*Tricot:
mailles*) diminuire; **se rabattre** *vr*
abbassarsi, chiudersi; (*véhicule,
coureur: changer de direction*) stringere
bruscamente (di lato); **se ~ sur**
ripiegare su
rabbin [Rabɛ̃] *nm* rabbino
rabougri, e [RabugRi] *adj*
rachitico(-a)
raccommoder [Rakɔmɔde]
vt rammendare; (*fam*)
riconciliare; **se ~ avec** *vr* (*fam*)
far pace con
raccompagner [Rakɔ̃paɲe] *vt*
riaccompagnare

raccord [Rakɔʀ] nm (Tech, Ciné) raccordo; **~ de maçonnerie** raccordo in muratura; **~ de peinture** ritocco

raccorder [Rakɔʀde] vt collegare; (routes) collegare, raccordare; **se raccorder à** vr essere collegato(-a) a; (fig) ricollegarsi a; **~ qn au réseau du téléphone** allacciare qn alla rete telefonica

raccourci [RakuRsi] nm scorciatoia; (fig) scorcio; **en ~** in sintesi

raccourcir [RakuRsiR] vt accorciare ■ vi accorciarsi

raccrocher [RakRɔʃe] vt riappendere; (fig: affaire) salvare ■ vi (Tél) riattaccare, riagganciare; **se raccrocher à** vr aggrapparsi a; **ne raccrochez pas** (Tél) rimanga in linea

race [Ras] nf razza; **de ~** di razza

rachat [Raʃa] nm riscatto

racheter [Raʃ(ə)te] vt (acheter de nouveau) ricomp(e)rare; (acheter davantage de): **~ du lait/3 œufs** comprare altro latte/altre 3 uova; (acheter d'occasion) comperare (d'occasione); (part, firme) rilevare; (pension, Rel, défaut, prisonnier) riscattare; **se racheter** vr riscattarsi; **~ un candidat** dare a uno studente la votazione minima per consentirgli di superare l'esame

racial, e, aux [Rasjal, o] adj razziale

racine [Rasin] nf radice f; **~ carrée/ cubique** radice quadrata/cubica; **prendre ~** (fig) mettere radici

racisme [Rasism] nm razzismo

raciste [Rasist] adj razzista ■ nm/f razzista m/f

racket [Rakɛt] nm racket m inv

raclée [Rakle] nf (fam: correction) sacco di botte; (défaite) batosta

racler [Rakle] vt (casserole, plat) grattare, pulire; (frotter rudement) raschiare; (tache, boue) raschiare via; (fig: instrument de musique) strimpellare; (suj: chose: frotter contre) sfregare contro; **se ~ la gorge** raschiarsi la gola

racontars [Rakɔ̃taR] nmpl pettegolezzi mpl, dicerie fpl

raconter [Rakɔ̃te] vt: **~ (à)** raccontare (a)

radar [RadaR] nm radar m inv

rade [Rad] nf rada; **en ~ de Toulon** nella rada di Tolone; **laisser/rester en ~** (fig) abbandonare/essere abbandonato(-a)

radeau, x [Rado] nm zattera; **~ de sauvetage** zattera di salvataggio

radiateur [RadjatœR] nm radiatore m; **~ électrique** radiatore elettrico

radiation [Radjasjɔ̃] nf radiazione f; (d'une inscription hypothécaire) cancellazione f

radical, e, aux [Radikal, o] adj radicale; (infaillible: moyen) infallibile ■ nm (Ling, Math) radicale m

radieux, -euse [Radjø, jøz] adj radioso(-a)

radin, e [Radɛ̃, in] adj (fam) tirchio(-a)

radio [Radjo] nf radio f inv; (Méd: radioscopie) radioscopia; (radiographie) radiografia ■ nm radiotelegrafista m; **à la ~** alla radio; **passer à la ~** andare in onda; **faire/se faire faire une ~** (des reins/poumons) fare/farsi fare una radiografia ou lastra; **~ libre** nf radio libera

radioactif, -ive [Radjoaktif, iv] adj radioattivo(-a)

radiocassette [Radjokasɛt] nf radioregistratore m (a cassette)

radiographie [RadjɔgRafi] nf radiografia; (photo) radiografia, lastra

radiophonique [Radjɔfɔnik] adj radiofonico(-a)

radio-réveil [RadjɔRevɛj] (pl **radios-réveils**) nm radiosveglia

radis [Radi] nm ravanello; **~ noir** rafano

radoter [Radɔte] vi farneticare

radoucir [RadusiR] vt raddolcire; **se radoucir** vr raddolcirsi

rafale [Rafal] nf (de vent, d'arme) raffica; (d'applaudissements) coro; **souffler en ~s** soffiare a raffiche; **tir en ~** tiro a raffiche; **~ de mitrailleuse** raffica di mitragliatrice

raffermir [RafɛRmiR] vt (tissus, muscle) rassodare; (fig) rafforzare; **se raffermir** vr rassodarsi; (fig) rafforzarsi

raffiner [Rafine] vt raffinare

raffinerie [RafinRi] nf raffineria

raffoler [Rafɔle]: **~ de** vt andar pazzo(-a) per

rafle [ʀɑfl] nf (police) retata
rafler [ʀɑfle] (fam) vt razziare
rafraîchir [ʀafʀeʃiʀ] vt rinfrescare;
(boisson, dessert) raffreddare; (fig)
dare una rinfrescata a ▪ vi: **mettre
du vin/une boisson à ~** mettere il
vino/una bevanda in fresco;
se rafraîchir vr (temps) rinfrescare;
(personne) rinfrescarsi; **~ la mémoire**
ou **les idées à qn** rinfrescare la
memoria a qn
rafraîchissant, e [ʀafʀeʃisɑ̃, ɑ̃t] adj
(boisson) rinfrescante; (brise)
fresco(-a)
rafraîchissement [ʀafʀeʃismɑ̃] nm
(aussi: **rafraîchissement de la
température**) diminuzione f della
temperatura, abbassamento della
temperatura; (boisson) bevanda
fresca; **rafraîchissements** nmpl
(boissons, glaces etc) rinfreschi mpl
rafting [ʀaftiŋ] nm rafting m
rage [ʀaʒ] nf (Méd) rabbia; **faire ~**
(tempête, incendie) infuriare; **~ de
dents** fortissimo mal di denti
ragot [ʀago] (fam) nm pettegolezzo
ragoût [ʀagu] nm spezzatino,
stufato

> **FAUX AMIS**
> **ragoût** ne se traduit pas
> par le mot italien **ragù**.

raide [ʀɛd] adj (droit: cheveux)
liscio(-a); (ankylosé, guindé, dur)
rigido(-a); (tendu) teso(-a); (escarpé)
ripido(-a); (fam: surprenant)
incredibile; (: sans argent) in bolletta;
(fort: alcool) forte; (osé, licencieux)
spinto(-a) ▪ adv (en pente raide)
ripidamente; **ça c'est un peu ~!**
figuriamoci!; **tomber ~ mort** cadere
morto stecchito
raideur [ʀɛdœʀ] nf rigidità,
rigidezza; (d'une pente) ripidezza
raidir [ʀediʀ] vt (muscles, membres)
irrigidire; (câble, fil de fer) tendere;
se raidir vr irrigidirsi; (câble) tendersi
raie [ʀɛ] nf (Zool) razza; (rayure, des
cheveux) riga
raifort [ʀefɔʀ] nm rafano, cren m inv
rail [ʀaj] nm rotaia; (chemins de fer)
ferrovia; **les ~s** il binario; **par ~** per
ferrovia
railler [ʀaje] vt prendere in giro,
canzonare

rainure [ʀenyʀ] nf scanalatura
raisin [ʀɛzɛ̃] nm uva; **raisins** nmpl
uva fsg; **~ blanc/noir** uva bianca/
nera; **~ muscat** uva moscata; **~s secs**
uva passa, uvette fpl
raison [ʀɛzɔ̃] nf ragione f; (motif,
prétexte) ragione f, motivo; **avoir ~**
avere ragione; **donner ~ à qn** dare
ragione a qn; **avoir ~ de qn/qch**
avere ragione di qn/qc; **se faire une ~**
farsi una ragione; **perdre/recouvrer
la ~** perdere/ritrovare l'uso della
ragione; **ramener qn à la ~**
ricondurre qn alla ragione;
demander ~ à qn de chiedere ragione
a qn di; **ne pas entendre ~** non sentir
ragione; **plus que de ~** più del
necessario; **~ de plus, à plus forte ~** a
maggior ragione; **en ~ de**
(proportionnellement à) in proporzione
a; (à cause de) dato(-a); **à ~ de** (au taux
de) in ragione di; (à proportion de) in
proporzione a; **sans ~** senza motivo;
pour la simple ~ que per il semplice
motivo che; **pour quelle ~ dit-il ceci?**
per quale motivo lo dice?; **il y a
plusieurs ~s à cela** ciò è dovuto a vari
motivi; **~ d'État** ragione di Stato;
~ d'être ragione d'essere; **~ sociale**
(Comm) ragione sociale
raisonnable [ʀɛzɔnabl] adj
ragionevole
raisonnement [ʀɛzɔnmɑ̃] nm
ragionamento
raisonner [ʀɛzɔne] vi ragionare ▪ vt
(personne) far ragionare; (attitude:
justifier) giustificare; **se raisonner** vr
rimanere lucido(-a)
rajeunir [ʀaʒœniʀ] vt ringiovanire;
(attribuer un âge moins avancé à) dare
meno anni a; (fig) rimodernare;
(: personnel) rinnovare ▪ vi
ringiovanire
rajouter [ʀaʒute] vt aggiungere;
~ que... aggiungere che...; **en ~**
caricare la dose, esagerare
rajuster [ʀaʒyste] vt (cravate, coiffure)
(ri)aggiustarsi; (salaires, prix)
adeguare, ritoccare; (machine)
regolare; (tir etc) aggiustare;
se rajuster vr rimettersi a posto
ralenti [ʀalɑ̃ti] nm: **au ~** al
rallentatore; **tourner au ~** (Auto)
essere al minimo

ralentir [ʀalɑ̃tiʀ] vt, vi rallentare;
  se ralentir vr rallentare
râler [ʀɑle] vi rantolare; (fam)
  brontolare
rallier [ʀalje] vt (rassembler)
  radunare; (rejoindre: troupe)
  raggiungere; (parti) aderire a; (gagner
  à sa cause: auditeur) guadagnarsi il
  consenso di; (: suffrages) raccogliere;
  se rallier à vr aderire a
rallonge [ʀalɔ̃ʒ] nf prolunga; (argent)
  supplemento; (fig: de crédit etc)
  estensione f
rallonger [ʀalɔ̃ʒe] vt allungare;
  (délai) prorogare ◼ vi allungarsi
rallye [ʀali] nm (Sport) rally m inv;
  (Pol) raduno
ramassage [ʀamɑsaʒ] nm raccolta;
  ~ scolaire servizio di scuolabus
ramasser [ʀamɑse] vt raccogliere;
  (objet tombé ou par terre) raccogliere,
  raccattare; (cahiers d'élèves)
  raccogliere, ritirare; (cartes à jouer etc)
  prendere su; (fam: arrêter) portare
  dentro; **se ramasser** vr (se pelotonner)
  raggomitolarsi; (: pour bondir)
  accovacciarsi
ramassis [ʀamɑsi] (péj) nm
  accozzaglia
rambarde [ʀɑ̃baʀd] nf parapetto
rame [ʀam] nf (aviron) remo; (de
  métro) convoglio; (de papier) risma;
  faire force de ~s remare con forza;
  ~ de haricots palo di sostegno per
  piante di fagioli
rameau, x [ʀamo] nm ramoscello;
  (fig) ramo; **les R~x** la domenica delle
  Palme
ramener [ʀam(ə)ne] vt riportare;
  (rabattre: couverture, visière): **~ qch sur**
  abbassare qc su; **se ramener** vr
  (fam: arriver) arrivare; **~ qch à** (réduire,
  Math) ridurre qc a; **~ qn à la vie**
  rianimare qn; **~ qn à la raison**
  ricondurre qn alla ragione; **se ~ à**
  (se réduire à) ridursi a
ramer [ʀame] vi remare
ramollir [ʀamɔliʀ] vt rammollire;
  se ramollir vr rammollirsi, rammollire
rampe [ʀɑ̃p] nf rampa; (d'escalier)
  ringhiera; (Théâtre) ribalta; **passer la
  ~** (toucher le public) colpire il pubblico;
  ~ de balisage luci fpl di pista; **~ de
  lancement** rampa di lancio

ramper [ʀɑ̃pe] vi (aussi péj) strisciare;
  (plante) arrampicarsi
rancard [ʀɑ̃kaʀ] nm (fam: rendez-
  vous) appuntamento; (renseignement)
  informazione f confidenziale
rancart [ʀɑ̃kaʀ] nm (fam): **mettre au
  ~** (objet) buttare via; (projet) scartare;
  (personne) liberarsi di
rance [ʀɑ̃s] adj rancido(-a)
rancœur [ʀɑ̃kœʀ] nf rancore m
rançon [ʀɑ̃sɔ̃] nf riscatto; **la ~ du
  succès** il prezzo del successo
rancune [ʀɑ̃kyn] nf rancore m;
  garder ~ à qn (de qch) serbare
  rancore a qn (per qc); **sans ~!** senza
  rancore!
rancunier, -ière [ʀɑ̃kynje, jɛʀ] adj
  astioso(-a)
randonnée [ʀɑ̃dɔne] nf escursione f;
  la ~ (activité) l'escursionismo
rang [ʀɑ̃] nm (de spectateurs, d'un
  cortège) fila; (groupe de soldats) riga;
  (de perles) filo; (de tricot, de crochet)
  giro; (grade, d'un dignitaire, condition
  sociale) rango; (d'un officier) grado;
  (position dans un classement) posto;
  rangs nmpl (Mil) ranghi mpl; **se
  mettre en ~s/sur un ~** mettersi in
  riga; **sur 3 ~s** su 3 file; **se mettre en ~s
  par 4** mettersi in fila per 4; **se mettre
  sur les ~s** (fig) entrare in lizza; **au
  premier/dernier ~** (classement, fig) al
  primo/ultimo posto; (rangée de sièges)
  in prima/ultima fila; **rentrer dans le
  ~** rientrare nei ranghi; **au ~ de** tra;
  avoir ~ de avere il grado di
rangé, e [ʀɑ̃ʒe] adj (vie) ordinato(-a);
  (personne) posato(-a)
rangée [ʀɑ̃ʒe] nf fila
ranger [ʀɑ̃ʒe] vt mettere in ordine,
  riordinare; (voiture dans la rue)
  parcheggiare; (classer, arranger)
  disporre, sistemare; **se ranger** vr
  (se placer) disporsi; (véhicule,
  conducteur, piéton: s'écarter) scansarsi;
  (: s'arrêter) fermarsi; (s'assagir)
  mettere la testa a posto; **se ~ à** (avis)
  schierarsi con
ranimer [ʀanime] vt rianimare;
  (colère, douleur, souvenir) risvegliare;
  (feu) ravvivare
rapace [ʀapas] nm rapace m ◼ adj
  (péj) rapace; **~ diurne/nocturne**
  rapace diurno/notturno

râpe [ʀɑp] nf (Culin) grattugia; (à bois) raspa

râper [ʀɑpe] vt (Culin) grattugiare; (gratter, racler) raspare

rapide [ʀapid] adj (coureur, voiture, cheval) veloce; (mouvement) rapido(-a), veloce; (prompt: personne, intelligence) svelto(-a); (guérison, décision, Photo) rapido(-a) ▪ nm (d'un cours d'eau) rapida; (train) rapido

rapidement [ʀapidmɑ̃] adv rapidamente

rapiécer [ʀapjese] vt rappezzare, rattoppare

rappel [ʀapel] nm richiamo; (Théâtre etc) richiesta di bis; (de salaire) pagamento di arretrati; (d'une aventure, d'une date) ricordo; (de limitation de vitesse: sur écriteau) continua; **descente en ~** (Alpinisme) discesa a corda doppia; **à l'ordre** richiamo all'ordine

rappeler [ʀap(ə)le] vt richiamare; (chien, docteur etc) chiamare; (acteur) richiamare (in scena); (faire se souvenir) ricordare; **se rappeler** vr ricordare, ricordarsi; **se ~ que...** ricordare ou ricordarsi che...; **~ qn à la vie** richiamare qn in vita; **~ qn à la décence** rammentare a qn le regole della decenza; **ça rappelle la Provence** ricorda la Provenza; **~ à qn qch/de faire qch** ricordare a qn qc/di fare qc; **pouvez-vous ~ plus tard?** la prego di richiamare più tardi

rapport [ʀapɔʀ] nm (compte rendu) rapporto, relazione f; (de police) rapporto; (de médecin légiste) referto; (profit: d'une terre, d'un immeuble) reddito, rendita; (lien, analogie, Math, Tech) rapporto; **rapports** nmpl (relations, contacts) rapporti mpl; **avoir ~ à** riguardare; **être en ~ avec** essere in relazione con; **être/se mettre en ~ avec qn** essere/mettersi in contatto con qn; **par ~ à** (comparé à) rispetto a; (à propos de) riguardo a; **sous le ~ de** dal punto di vista di; **sous tous (les) ~s** da tutti i punti di vista; **~ qualité-prix** rapporto qualità-prezzo; **~s (sexuels)** rapporti (sessuali)

rapporter [ʀapɔʀte] vt riportare; (apporter davantage) portare ancora; (revenir avec, ramener) tornare con; (Couture: poche, morceau de tissu) applicare; (suj: investissement, activité) rendere; (relater: faits, propos) riferire; (Jur) annullare ▪ vi (investissement, activité) rendere; (péj: gén SCOL) far la spia; **~ qch à** (rendre) riportare qc a; (relater) riferire qc a; (fig: rattacher, ramener) ricondurre ou ricollegare qc a; **se rapporter à** vr riferirsi a; **s'en ~ à qn/au jugement de qn** rimettersi a qn/al giudizio di qn

rapprochement [ʀapʀɔʃmɑ̃] nm ravvicinamento; (analogie, rapport) accostamento

rapprocher [ʀapʀɔʃe] vt avvicinare; (réunions, visites) rendere più frequente; (réunir: personnes) ravvicinare; (associer, comparer) confrontare; **se rapprocher** vr avvicinarsi; (fig: familles, pays) ravvicinarsi; **~ qch (de)** avvicinare qc (a); **se ~ de** avvicinarsi a

raquette [ʀaket] nf racchetta

rare [ʀɑʀ] adj raro(-a); (main d'œuvre, denrées) scarso(-a); (cheveux, herbe) rado(-a); **se faire** ~ diventare raro(-a); (fig: personne) farsi vedere poco

rarement [ʀaʀmɑ̃] adv raramente, di rado

ras, e [ʀɑ, ʀɑz] adj (tête, cheveux) rasato(-a); (poil, mesure, cuillère) raso(-a); (herbe) basso(-a) ▪ adv (couper) cortissimo(-a); **faire table ~e** fare tabula rasa; **en ~e campagne** in aperta campagna; **à ~ bords** fino all'orlo; **au ~ de l'eau** a fior d'acqua; **au ~ du mur** rasente il muro; **en avoir ~ le bol** (fam) averne piene le scatole; **~ du cou** (pull, robe) girocollo inv

raser [ʀaze] vt (barbe, cheveux) rasare; (menton, personne) radere; (fam: ennuyer) annoiare a morte; (démolir: quartier) radere al suolo; (frôler: obstacle, surface) rasentare, sfiorare; **se raser** vr radersi; (fam: s'ennuyer) annoiarsi a morte

rasoir [ʀazwaʀ] nm rasoio; **~ de sûreté** ou **mécanique** rasoio di sicurezza; **~ électrique** rasoio elettrico

rassasier [ʀasazje] vt saziare; **être rassasié** essere sazio

rassemblement [ʀasɑ̃bləmɑ̃] nm (groupe) assembramento; (Pol) unione f; **le ~** (Mil) l'adunata

rassembler [ʀasɑ̃ble] vt radunare; (objets épars, documents, matériaux) raccogliere; **se rassembler** vr radunarsi; **~ ses idées** raccogliere le idee; **~ ses esprits** riprendersi; **~ son courage** raccogliere il proprio coraggio

rassurer [ʀasyʀe] vt tranquillizzare, rassicurare; **se rassurer** vr tranquillizzarsi; **rassure-toi** tranquillizzati

rat [ʀa] nm (Zool) topo, ratto; (danseuse) giovane allieva della scuola di ballo dell'Opera; **~ musqué** topo muschiato

rate [ʀat] nf milza

raté, e [ʀate] adj (tentative, opération) fallito(-a); (vacances, spectacle) mal riuscito(-a) ▪ nm/f fallito(-a) ▪ nm (d'arme à feu) cilecca; (fig) carenza; **faire un ~** fare cilecca; **le moteur a des ~s** il motore perde colpi

râteau, x [ʀɑto] nm rastrello

rater [ʀate] vi (coup de feu) far cilecca; (affaire, projet etc) fallire ▪ vt (cible, balle) mancare; (train, occasion) perdere; (démonstration, devoir) sbagliare; (échouer à: examen) essere bocciato(-a) a; **~ son coup** far cilecca; **elle a raté son gâteau** la torta non le è riuscita; **nous avons raté notre train** abbiamo perso il treno

ration [ʀasjɔ̃] nf razione f; (fig) dose f; **~ alimentaire** razione alimentare giornaliera

RATP [ɛʀatepe] sigle f (= Régie autonome des transports parisiens) azienda di trasporti parigina

rattacher [ʀataʃe] vt (animal, cheveux) legare di nuovo; (incorporer: Admin etc) annettere; (fil électrique) collegare; (fig: relier) ricollegare; (: lier) legare; **se ~ à** vr (fig) ricollegarsi a

rattraper [ʀatʀape] vt (fugitif, animal échappé) riprendere; (retenir, empêcher de tomber) trattenere; (atteindre, rejoindre) raggiungere; (réparer: imprudence, erreur) rimediare a; **se rattraper** vr (regagner) ricuperare; (se dédommager d'une privation) rifarsi; (réparer une gaffe etc) riprendersi;

se ~ (à) (se raccrocher) aggrapparsi (a); **~ son retard/le temps perdu** ricuperare il ritardo/il tempo perduto

rature [ʀatyʀ] nf cancellatura

rauque [ʀok] adj roco(-a)

ravage [ʀavaʒ] nm: **~s** nmpl devastazioni fpl, danni mpl

ravi, e [ʀavi] adj estasiato(-a); **être ~ de/que** essere felicissimo(-a) ou lietissimo(-a) di/che

ravin [ʀavɛ̃] nm gola, burrone m

ravir [ʀaviʀ] vt (enchanter) entusiasmare, incantare; **~ qch à qn** (enlever de force) strappare qc a qn; **à ~** meravigliosamente; **être beau à ~** essere stupendo

raviser [ʀavize] vr: **se raviser** cambiare idea

ravissant, e [ʀavisɑ̃, ɑ̃t] adj incantevole, bellissimo(-a)

ravisseur, -euse [ʀavisœʀ, øz] nm/f rapitore(-trice)

ravitailler [ʀavitaje] vt rifornire; **se ravitailler (en)** vr fare rifornimento ou rifornirsi (di)

raviver [ʀavive] vt ravvivare; (douleur) risvegliare

rayé, e [ʀeje] adj rigato(-a)

rayer [ʀeje] vt (érafler) rigare; (barrer, raturer) depennare; (d'une liste) radiare

rayon [ʀejɔ̃] nm raggio m; (étagère) ripiano, scaffale m; (de grand magasin) reparto; (fig: domaine) campo; (d'une ruche) favo; **rayons** nmpl (radiothérapie) raggi mpl; **dans un ~ de...** (périmètre) in un raggio di...; **~ d'action** raggio d'azione; **~ de braquage** (Auto) raggio di sterzata; **~ de soleil** raggio di sole; **~ laser** raggio m laser inv; **~ vert** raggio verde; **~s cosmiques** raggi cosmici; **~s infrarouges/ultraviolets** raggi infrarossi/ultravioletti; **~s X** raggi x

rayonnement [ʀejɔnmɑ̃] nm (de soleil) irraggiamento; (ionisant) radiazione f; (fig) influenza

rayonner [ʀejɔne] vi (chaleur, énergie, avenues) irradiarsi; (fig: être radieux) essere raggiante; (touristes) andare in giro (partendo da uno stesso punto)

rayure [ʀejyʀ] nf riga; (éraflure) graffio, riga; (rainure, d'un fusil) rigatura; **à ~s** a righe

raz-de-marée [ʀɑdmaʀe] nm inv
maremoto; (fig) terremoto
ré [ʀe] nm (Mus) re m inv
réaction [ʀeaksjɔ̃] nf reazione f;
par ~ come reazione; **avion/moteur
à ~** aereo/motore a reazione; **~ en
chaîne** (aussi fig) reazione a catena
réadapter [ʀeadapte] vt riadattare;
(Méd) rieducare; **se ~ (à)** riadattarsi
(a)
réagir [ʀeaʒiʀ] vi reagire; **~ à/contre**
(chose, personne) reagire a/contro;
~ contre reagire contro; **~ sur**
ripercuotersi su
réalisateur, -trice [ʀealizatœʀ,
tʀis] nm/f (Radio, TV, Ciné)
regista m/f
réalisation [ʀealizasjɔ̃] nf
realizzazione f; (création, œuvre)
creazione f
réaliser [ʀealize] vt realizzare;
se réaliser vr realizzarsi; **~ que**
realizzare che
réaliste [ʀealist] adj realista; (détail,
chanson) realistico(-a) ■ nm/f
realista m/f
réalité [ʀealite] nf realtà f inv; **en ~**
in realtà; **dans la ~** nella realtà
réanimation [ʀeanimasjɔ̃] nf
rianimazione f; **service de ~** reparto
di rianimazione
rébarbatif, -ive [ʀebaʀbatif, iv] adj
sgradevole; (style) barboso(-a)
rebattu, e [ʀ(ə)baty] adj trito(-a)
rebelle [ʀəbɛl] nm/f, adj ribelle m/f;
~ à (la patrie etc) ribelle a; (un art, un
sujet) refrattario(-a) a
rebeller [ʀ(ə)bele] vr: **se rebeller**
ribellarsi; **se ~ contre** ribellarsi a
rebondir [ʀ(ə)bɔ̃diʀ] vi rimbalzare;
(fig: procès, action) riaprirsi
rebord [ʀ(ə)bɔʀ] nm (d'une table)
bordo, orlo; (d'une fenêtre) davanzale
m; (d'un fossé) orlo
rebours [ʀ(ə)buʀ]: **à ~** adv (brosser,
caresser) contropelo; (tourner)
all'inverso; **comprendre à ~** capire il
contrario
rebrousser [ʀ(ə)bʀuse] vt (cheveux)
spazzolare all'indietro; **~ les poils** fare
il contropelo; **~ chemin** tornare
indietro
rebuter [ʀ(ə)byte] vt ripugnare a;
(attitude, manières) urtare

récalcitrant, e [ʀekalsitʀɑ̃, ɑ̃t] adj
ricalcitrante; (caractère, esprit) ribelle
récapituler [ʀekapityle] vt
ricapitolare
receler [ʀ(ə)səle] vt (produit d'un vol)
fare ricettazione di; (malfaiteur,
déserteur, secret) nascondere; (fig:
contenir) racchiudere
receleur, -euse [ʀ(ə)səlœʀ, øz] nm/f
ricettatore(-trice)
récemment [ʀesamɑ̃] adv
recentemente, di recente
recensement [ʀ(ə)sɑ̃smɑ̃] nm
(de la population) censimento;
(des ressources etc) inventario
recenser [ʀ(ə)sɑ̃se] vt (population)
censire; (ressources etc) inventariare;
(dénombrer) enumerare
récent, e [ʀesɑ̃, ɑ̃t] adj recente
récépissé [ʀesepise] nm (Comm)
ricevuta
récepteur, -trice [ʀesɛptœʀ, tʀis]
adj ricevente ■ nm ricevitore m;
~ (de papier) (Inform) casella di
ricezione; **~ (de radio)**
radioricevitore m
réception [ʀesɛpsjɔ̃] nf ricevimento;
(Radio, TV) ricezione f; (d'un membre:
dans une assemblée etc) ammissione f;
(accueil) accoglienza; (bureau)
reception f inv; (pièces) sala per
ricevimenti; (Sport: après un saut)
atterraggio; (: du ballon) presa; **jour/
heures de ~** giorno/orario msg di
ricevimento; (Méd) giorno/orario msg
di ambulatorio
réceptionniste [ʀesɛpsjɔnist] nm/f
receptionist m/f inv
recette [ʀ(ə)sɛt] nf (Culin, fig) ricetta;
(Comm) incasso; (Admin) esattoria,
ricevitoria; **recettes** nfpl (Comm:
rentrées d'argent) entrate fpl; **faire ~**
(spectacle, exposition) avere molto
successo; **~ postale** ricevitoria
postale
recevoir [ʀ(ə)səvwaʀ] vt ricevere;
(émission, image, chaîne) ricevere,
prendere; (coups, correction) prendere;
(blessure, modifications) subire;
(solution) trovare; (Scol: candidat)
promuovere; (Jur: plainte) accogliere
■ vi ricevere; **se recevoir** vr (athlète)
atterrare, ricadere; **il reçoit de 8 à 10**
riceve dalle 8 alle 10; **il m'a reçu à 2 h**

mi ha ricevuto alle 2; **~ qn à dîner**
avere qn a cena; **être reçu** (à un
examen) essere promosso; **être bien/
mal reçu** essere accolto bene/male

rechange [R(ə)ʃãʒ]: **de ~** adj (pièces,
vêtements) di ricambio; (roue) di
scorta; (fig: politique, plan)
alternativo(-a)

recharge [R(ə)ʃaRʒ] nf ricambio,
ricarica

rechargeable [R(ə)ʃaRʒabl] adj
ricaricabile

recharger [R(ə)ʃaRʒe] vt ricaricare

réchaud [Reʃo] nm (Culin) fornelletto
portatile; (chauffe-plat) scaldavivande
m inv

réchauffer [Reʃofe] vt riscaldare;
se réchauffer vr riscaldarsi;
(température) salire

rêche [Rɛʃ] adj ruvido(-a)

recherche [R(ə)ʃɛRʃ] nf ricerca;
(raffinement) ricercatezza;
recherches nfpl (de la police etc)
ricerche fpl; **être/se mettre à la ~ de**
essere/mettersi alla ricerca di

recherché, e [R(ə)ʃɛRʃe] adj (rare)
raro(-a); (entouré, demandé) (molto)
richiesto(-a); (raffiné, précieux)
ricercato(-a)

rechercher [R(ə)ʃɛRʃe] vt ricercare;
(objet égaré, main-d'œuvre, faveur, cause)
cercare; (reprendre) riprendere;
"~ et remplacer" (Inform) "ricerca e
sostituisci"

rechute [R(ə)ʃyt] nf ricaduta; **faire** ou
avoir une ~ avere una ricaduta

récidiver [Residive] vi (aussi fig)
essere recidivo(-a)

récif [Resif] nm scogliera

récipient [Resipjã] nm recipiente m

réciproque [ResipRɔk] adj
reciproco(-a) **■** nf: **rendre la ~**
rendere la pariglia

récit [Resi] nm racconto

récital [Resital] nm recital m inv

réciter [Resite] vt recitare

réclamation [Reklamasjõ] nf
reclamo; **service des ~s** ufficio reclami

réclame [Reklam] nf pubblicità f inv;
faire de la ~ (pour qch/qn) fare
pubblicità a qc (a qc/qn); **article en ~**
articolo in offerta speciale

réclamer [Reklame] vt reclamare;
(aide) invocare; (nécessiter, requérir:

suj: chose) richiedere **■** vi reclamare;
se ~ de qn farsi forte dell'appoggio
di qn

réclusion [Reklyzjõ] nf reclusione f;
~ à perpétuité carcere m a vita,
ergastolo

recoin [Rəkwɛ̃] nm recesso

reçois etc [Rəswa] vb voir **recevoir**

récolte [Rekɔlt] nf raccolta; (produits
récoltés) raccolto

récolter [Rekɔlte] vt raccogliere;
(fam: ennuis, coups) beccarsi

recommandé, e [R(ə)kɔmãde] adj
raccomandato(-a) **■** nm (Postes):
en ~ per raccomandata

recommander [R(ə)kɔmãde] vt
raccomandare; (suj: qualités etc)
rendere degno(-a) di considerazione;
(Postes: paquet, lettre) spedire per
raccomandata; **~ qch à qn**
raccomandare qc a qn; **~ à qn de
faire** raccomandare a qn di fare; **~ qn
auprès de qn/à qn** raccomandare qn
a qn; **il est recommandé de faire** si
raccomanda di fare; **se ~ à qn**
raccomandarsi a qn

recommencer [R(ə)kɔmãse] vt
ricominciare; (erreur) rifare **■** vi
ricominciare; **~ à faire** ricominciare a
fare; **ne recommence pas!** non
ricominciare!

récompense [Rekõpãs] nf
ricompensa; (prix) premio; **recevoir
qch en ~** ricevere qc come
ricompensa

récompenser [Rekõpãse] vt
ricompensare; **~ qn de** ou **pour qch**
ricompensare qn per qc

réconcilier [Rekõsilje] vt riconciliare;
se réconcilier vr: **se ~ (avec)**
riconciliarsi (con); **~ qn avec qn/qch**
riconciliare qn con qn/qc

reconduire [R(ə)kõdɥiR] vt
riaccompagnare; (Jur: contrat, grève
etc) rinnovare; (Pol) prorogare

réconfort [RekõfɔR] nm conforto

réconforter [RekõfɔRte] vt
confortare; (fig) tirare su

reconnaissance [R(ə)kɔnɛsãs] nf
riconoscimento; (gratitude)
riconoscenza; (Mil) ricognizione f;
en ~ (Mil) in ricognizione;
~ de dette (Jur) ricognizione di
debito

reconnaissant, e [R(ə)kɔnɛsã, ãt]
vb voir **reconnaître** ■ *adj*
riconoscente, grato(-a); **je vous
serais ~ de bien vouloir...** le sarei
grato di voler...

reconnaître [R(ə)kɔnɛtR] *vt*
riconoscere; (*Mil: terrain*) perlustrare;
~ qn/qch à riconoscere qn/qc da;
~ que riconoscere che; **~ à qn**
(*qualités etc*) riconoscere a qn; **se ~
quelque part** (*s'y retrouver*) orientarsi

reconnu, e [R(ə)kɔny] *pp de*
reconnaître ■ *adj* riconosciuto(-a);
(*auteur*) affermato(-a)

reconstituer [R(ə)kɔ̃stitɥe] *vt*
ricostruire; (*Biol: tissus etc*) rigenerare

reconstruire [R(ə)kɔ̃stRɥiR] *vt*
ricostruire

reconvertir [R(ə)kɔ̃vɛRtiR] *vt* (*usine*)
riconvertire; (*personnel, troupes*)
riciclare; **se ~ dans** (*un métier, une
branche*) riqualificarsi e passare a

record [R(ə)kɔR] *nm* record m *inv*,
primato ■ *adj* (*vitesse, chiffre*) record
inv; **battre tous les ~s** (*fig*) battere
ogni record; **en un temps ~** a tempo
di record; **à une vitesse ~** a velocità
record; **~ du monde** record *ou*
primato mondiale

recoupement [R(ə)kupmã] *nm*: **par
~** grazie a un confronto (*da fonti
diverse*); **faire un ~** fare un confronto
(*da fonti diverse*)

recouper [R(ə)kupe] *vt* (*tranche*)
tagliare di nuovo; (*vêtement*)
cambiare il taglio di ■ *vi* (*Cartes*)
tagliare di nuovo; **se recouper** *vr*
(*témoignages*) concordare

recourber [R(ə)kuRbe] *vt* curvare

recourir [R(ə)kuRiR] *vi* correre di
nuovo; **~ à** *vt* ricorrere a

recours [R(ə)kuR] *vb voir* **recourir**
■ *nm* (*Jur*) ricorso; **avoir ~ à** fare
ricorso a; **en dernier ~** come ultima
risorsa; **c'est sans ~** non c'è via
d'uscita; **~ en grâce** (*Jur*) domanda
di grazia

recouvrer [R(ə)kuvRe] *vt* ricuperare;
(*impôts, créance*) riscuotere

recouvrir [R(ə)kuvRiR] *vt* ricoprire;
(*cacher, masquer*) nascondere; (*suj:
étude, concept: embrasser*) abbracciare;
se recouvrir *vr* (*se superposer*)
sovrapporsi

récréation [RekReasjɔ̃] *nf*
ricreazione f; (*Scol*) ricreazione,
intervallo

recroqueviller [R(ə)kRɔk(ə)vije] *vr*:
se recroqueviller (*plantes, feuilles*)
accartocciarsi; (*personne*)
rannicchiarsi, raggomitolarsi

recrudescence [R(ə)kRydesãs] *nf*
recrudescenza

recruter [R(ə)kRyte] *vt* (*Mil, adeptes*)
reclutare; (*personnel, collaborateurs*)
assumere

rectangle [Rɛktãgl] *nm* rettangolo;
~ blanc (*TV*) simbolo che indica i
programmi non adatti ai bambini

rectangulaire [RɛktãgylɛR] *adj*
rettangolare

rectificatif, -ive [Rɛktifikatif, iv]
adj (*état, compte, note*) di rettifica *inv*
■ *nm* rettifica

rectifier [Rɛktifje] *vt* rettificare

rectiligne [Rɛktiliɲ] *adj* rettilineo(-a)

recto [Rɛkto] *nm* (*d'une feuille*) recto

reçu, e [R(ə)sy] *pp de* **recevoir** ■ *adj*
(*opinion, usage*) acquisito(-a) ■ *nm*
(*Comm*) ricevuta; **je peux avoir un ~,
s'il vous plaît?** potrei avere una
ricevuta per favore?

recueil [Rəkœj] *nm* raccolta

recueillir [R(ə)kœjiR] *vt* raccogliere;
(*accueillir*) accogliere; **se recueillir** *vr*
raccogliersi

recul [R(ə)kyl] *nm* (*d'une armée*)
arretramento; (*fig: d'une épidémie*)
regresso; (: *pour juger*) distacco;
(*d'une arme à feu*) rinculo; **avoir un
mouvement de ~** indietreggiare;
prendre du ~ indietreggiare; (*fig*)
distaccarsi; **avec le ~** a distanza di
tempo

reculé, e [R(ə)kyle] *adj* lontano(-a),
fuori mano *inv*; (*lointain dans le temps*)
remoto(-a)

reculer [R(ə)kyle] *vi* indietreggiare;
(*fig: épidémie, civilisation*) regredire;
(: *se dérober, hésiter*) tirarsi indietro
■ *vt* spostare più indietro; (*mur,
frontières*) spostare più in là; (*fig:
possibilités, limites*) estendere; (: *date,
livraison, décision*) rinviare; **~ devant**
(*danger, difficulté*) indietreggiare
davanti a; **~ pour mieux sauter** (*fig*)
peggiorare le cose rimandando la
decisione

reculons [R(ə)kylɔ̃]: **à ~** *adv*
all'indietro, a ritroso

récupérer [Rekypere] *vt, vi*
recuperare

récurer [Rekyre] *vt* pulire
(raschiando); **poudre à ~** detersivo
abrasivo in polvere

reçut [Rəsy] *vb voir* **recevoir**

recycler [R(ə)sikle] *vt* riciclare; (*Scol*)
orientare verso un altro indirizzo di
studi; **se recycler** *vr* seguire un
corso di aggiornamento
professionale

rédacteur, -trice [Redaktœr, tRis]
nm/f redattore(-trice); **~ en chef**
redattore *m* capo *inv*; **~ publicitaire**
redattore pubblicitario

rédaction [Redaksjɔ̃] *nf* redazione *f*;
(*d'un contrat*) stesura; (*Scol*) tema *m*,
composizione *f*

redescendre [R(ə)desɑ̃dR] *vi*
ridiscendere ⊠ *vt* (*bagages etc*)
riportare giù; (*pente etc*) ridiscendere

rédiger [Rediʒe] *vt* redigere

redire [R(ə)diR] *vt* ridire; **avoir/
trouver à ~ à qch** avere/trovare da
ridire su qc

redoubler [R(ə)duble] *vt* (*Scol: classe*)
ripetere; (*Ling: lettre*) raddoppiare
⊠ *vi* raddoppiare; (*tempête, vent*)
aumentare (d'intensità); (*Scol*)
ripetere (l'anno); **~ d'amabilité**
diventare doppiamente gentile

redoutable [R(ə)dutabl] *adj* temibile

redouter [R(ə)dute] *vt* temere;
~ que/de faire temere che/di fare

redressement [R(ə)drɛsmɑ̃] *nm* (*de
l'économie etc*) risanamento; **~ fiscal**
rettifica dell'imposta dovuta; **maison
de ~** riformatorio

redresser [R(ə)drese] *vt* raddrizzare;
(*fig: situation, économie*) risanare;
se redresser *vr* raddrizzarsi; (*se tenir
très droit*) stare diritto(-a); (*fig: pays*)
riprendersi; **~ (les roues)** (*Auto*)
raddrizzare le ruote

réduction [Redyksjɔ̃] *nf* riduzione *f*;
en ~ *adv* (*en plus petit, en miniature*) in
miniatura; **y a-t-il une ~ pour les
enfants?** ci sono riduzioni per i
bambini?

réduire [Redɥiʀ] *vt* ridurre; (*rebelles*)
sottomettere; (*Culin: jus, sauce*) far
ispessire; **se réduire à/en** *vr* ridursi

a/in; **~ qn au silence/à la misère**
ridurre qn al silenzio/in miseria; **~ qch
à/en** ridurre qc a/in; **en être réduit à**
essere ridotto a

réduit, e [Redɥi, it] *pp de* **réduire**
⊠ *adj* ridotto(-a) ⊠ *nm* bugigattolo,
sgabuzzino

rééducation [Reedykasjɔ̃] *nf*
rieducazione *f*; (*de délinquants*)
rieducazione, recupero; **centre de ~**
centro di fisioterapia

réel, le [Reɛl] *adj* reale; (*intensif: avant
le nom*) vero(-a) ⊠ *nm:* **le ~** il reale

réellement [Reɛlmɑ̃] *adv* realmente

réexpédier [Reɛkspedje] *vt* rispedire

refaire [R(ə)fɛR] *vt* rifare; (*santé,
force*) riacquistare; **se refaire** *vr* (*en
santé, argent etc*) riprendersi; **se ~ une
santé** rimettersi; **se ~ à qch**
riabituarsi a qc; **être refait** (*fam*)
essere fregato

réfectoire [RefɛktwaR] *nm* refettorio

référence [Referɑ̃s] *nf* riferimento;
références *nfpl* (*garanties*) referenze
fpl; **faire ~ à** fare riferimento a;
ouvrage de ~ opera di consultazione;
ce n'est pas une ~ (fig) questo non
vuol dire (nulla); **"~s exigées"** (*sur
petite annonce*) "si chiedono referenze"

référer [Refere]: **se référer à** *vr*
(*ami, avis*) ricorrere a; (*texte, définition*)
rifarsi a; (*se rapporter à*) riferirsi a;
en ~ à qn sottoporre il caso a qn

refermer [R(ə)fɛRme] *vt* richiudere;
se refermer *vr* richiudersi

refiler [R(ə)file] *vt* (*fam*): **~ qch à qn**
rifilare qc a qn

réfléchi, e [Refleʃi] *adj* (*personne,
Ling*) riflessivo(-a); (*action, décision*)
ponderato(-a)

réfléchir [RefleʃiR] *vt, vi* riflettere; **~ à**
ou **sur** riflettere su; **c'est tout réfléchi**
ci ho pensato bene

reflet [R(ə)flɛ] *nm* riflesso;
reflets *nmpl* (*du soleil, de la lumière*)
riflesso *msg*; (*d'une étoffe, des cheveux*)
riflessi *mpl*

refléter [R(ə)flete] *vt* riflettere; (*fig:
traduire*) rispecchiare; (: *exprimer*)
esprimere; **se refléter** *vr* riflettersi;
(*fig*) rispecchiarsi

réflexe [Reflɛks] *nm* riflesso;
(*réaction*) reazione *f* istintiva ⊠ *adj*
(*acte*) riflesso(-a); (*mouvement*)

automatico(-a); **avoir de bons ~s** avere buoni riflessi; **~ conditionné** riflesso condizionato

réflexion [Reflɛksjɔ̃] *nf* riflessione *f*; (*remarque*) osservazione *f*; **réflexions** *nfpl* (*méditations*) riflessioni *fpl*; **sans ~** senza riflettere; **~ faite, à la/après ~** a pensarci bene; **cela demande ~** è bene rifletterci su; **délai de ~** periodo di riflessione; **groupe de ~** gruppo di esperti

réflexologie [Reflɛksɔlɔʒi] *nf* riflessologia

réforme [RefɔRm] *nf* riforma; (*de la discipline*) ristabilimento; **la R~** (*Rel*) la Riforma

réformer [RefɔRme] *vt* (*institutions, Mil*) riformare; (*règle, discipline*) ristabilire

refouler [R(ə)fule] *vt* (*envahisseurs*) respingere; (*liquide*) far rifluire; (*fig: larmes, colère*) reprimere; (*Psych*) rimuovere

refrain [R(ə)fRɛ̃] *nm* (*d'une chanson, fig*) ritornello; (*air*) motivo

refréner [RəfRene] *vt* frenare

réfrigérateur [RefRiʒeRatœR] *nm* frigorifero

refroidir [R(ə)fRwadiR] *vt* (*aussi fig*) raffreddare ■ *vi* raffreddarsi; **se refroidir** *vr* (*prendre froid: personne*) prendere freddo; (*temps, fig: ardeur, sentiments*) raffreddarsi

refroidissement [R(ə)fRwadismɑ̃] *nm* raffreddamento; (*grippe, rhume*) raffreddore *m*

refuge [R(ə)fyʒ] *nm* rifugio; (*pour piétons*) salvagente *m*; **chercher/ trouver ~ auprès de qn** cercare/ trovare rifugio presso qn; **demander ~ à qn** chiedere asilo a qn

réfugié, e [Refyʒje] *adj, nm/f* rifugiato(-a), profugo(-a)

réfugier [Refyʒje] *vr*: **se réfugier** rifugiarsi; (*fig*) rifugiarsi, trovare rifugio

refus [R(ə)fy] *nm* rifiuto; (*Scol*) bocciatura; **ce n'est pas de ~** (*fam*) non dico di no

refuser [R(ə)fyze] *vt* rifiutare; (*Scol: candidat*) respingere ■ *vi* (*Équitation*) rifiutare l'ostacolo; **~ qch à qn** negare qc a qn; **~ de faire** rifiutarsi di fare; **~ du monde** mandare via delle

persone; **se ~ à faire qch** rifiutarsi di fare qc; **se ~ à qn** rifiutare di concedersi a qn; **il ne se refuse rien** non si fa mancare niente

regagner [R(ə)gaɲe] *vt* riguadagnare; (*lieu, place*) ritornare a; **~ le temps perdu** riguadagnare il tempo perduto; **~ du terrain** riguadagnare terreno

régal [Regal] *nm* delizia; **c'est un (vrai) ~** è una (vera) delizia; **elle est un ~ pour les yeux** è un piacere guardarla

régaler [Regale] *vt*: **~ qn** offrire un buon pranzo a qn; **se régaler** *vr* (*faire un bon repas*) concedersi un bel pranzetto; (*fig*) godersela; **c'est moi qui régale aujourd'hui!** oggi offro io!

FAUX AMIS
régaler ne se traduit pas par le mot italien *regalare*.

regard [R(ə)gaR] *nm* sguardo; **parcourir/menacer du ~** percorrere/ minacciare con lo sguardo; **au ~ de** per quanto riguarda; **en ~** di fronte; (*traduction*) a fronte; **en ~ de** rispetto a

regardant, e [R(ə)gaRdɑ̃, ɑ̃t] *adj*: **très/peu ~ (sur)** molto/poco attento(-a) (a); (*péj*) molto/poco parsimonioso(-a) (con)

regarder [R(ə)gaRde] *vt* guardare; (*envisager, considérer*) considerare; (*être orienté vers: suj: maison*) affacciarsi su, essere rivolto(-a) verso; (*concerner*) riguardare ■ *vi* guardare; **~ la télévision** guardare la televisione; **~ qn/qch comme** considerare qn/qc; **~ (qch) dans le dictionnaire/l'annuaire** cercare (qc) nel dizionario/nell'elenco telefonico; **~ par la fenêtre** guardare dalla finestra; **~ (à) qch** *(dépense, détails)* guardare *ou* badare a; **dépenser sans ~** non badare a spese; **cela me regarde** è una cosa che mi riguarda

régie [Reʒi] *nf* (*Admin*) gestione *f* pubblica; (*Comm, Ind*) nome dato ad *alcune aziende di stato*; (*Ciné, Théâtre*) regia; (*Radio, TV*) sala di registrazione; **la ~ d'État** la gestione statale

régime [Reʒim] *nm* regime *m*; (*Méd*) dieta, regime *m*; (*de bananes*) casco; (*de dattes*) grappolo; **se mettre au/**

suivre un ~ mettersi a/seguire una dieta; **~ sans sel** dieta senza sale; **à bas/haut ~** (Auto) a basso/alto numero di giri; **à plein ~** a pieno regime; **~ matrimonial** regime matrimoniale

régiment [ʀeʒimɑ̃] nm reggimento; **un ~ de** (fig: fam) un reggimento di; **un copain de ~** un amico di naia

région [ʀeʒjɔ̃] nf regione f; **la ~ parisienne** la zona di Parigi

> ● **RÉGION**
>
> La Francia si suddivide in 22 régions,
> ciascuna delle quali è composta
> da diversi "départements".
> Ciascuna région è amministrata
> da un "conseil régional", i cui
> membri, "les conseillers
> régionaux", vengono eletti per
> un periodo di sei anni tramite
> elezioni regionali. L'espressione
> "la région" viene anche usata per
> indicare il consiglio regionale.

régional, e, aux [ʀeʒjɔnal, o] adj regionale

régir [ʀeʒiʀ] vt (suj: loi, règle) disciplinare; (Ling) reggere

régisseur [ʀeʒisœʀ] nm (d'un domaine) amministratore m; (Ciné, TV) segretario(-a) di produzione; (Théâtre) direttore m di scena

registre [ʀəʒistʀ] nm registro; **~ de comptabilité** (libro) mastro; **~ de l'état civil** registro di stato civile

réglage [ʀeglaʒ] nm (d'une machine) regolazione f, messa a punto; (d'un moteur) messa a punto

règle [ʀɛgl] nf regola, norma; (instrument) riga, righello; (de grammaire, de la poésie) regola; (Rel): **la ~** la regola; **règles** nfpl (Physiol) mestruazioni fpl; **j'ai pour ~ de ne pas me fâcher** per principio non mi arrabbio; **en ~** in regola; **être/se mettre en ~** essere/mettersi in regola; **dans ou selon les ~s** secondo le regole; **être de ~** essere di regola; **c'est la ~ que...** succede regolarmente che...; **en ~ générale** di regola, in generale; **~ à calcul** regolo

calcolatore; **~ de trois** (Math) regola del tre semplice

réglé, e [ʀegle] adj (affaire) sistemato(-a); (vie, personne) regolato(-a); (papier) a righe; **bien ~e** (femme) che ha il ciclo regolare

règlement [ʀɛgləmɑ̃] nm (de l'emploi du temps) organizzazione f; (d'un problème) soluzione f; (d'une facture, d'un fournisseur) pagamento, saldo; (Admin: arrêté) decreto; (Admin, gén: règles, statuts) regolamento; **~ à la commande** pagamento anticipato; **~ en espèces/par chèque** pagamento in contanti/con assegno; **~ de compte(s)** regolamento di conti; **~ intérieur** regolamento interno; **~ judiciaire** liquidazione f giudiziaria

réglementaire [ʀɛgləmɑ̃tɛʀ] adj regolamentare

réglementation [ʀɛgləmɑ̃tasjɔ̃] nf regolamentazione f; (règlements) normativa

réglementer [ʀɛgləmɑ̃te] vt regolamentare

régler [ʀegle] vt (mécanisme, machine) regolare; (moteur) mettere a punto; (modalités etc) fissare; (emploi du temps etc) organizzare; (question, problème, conflit) risolvere; (note, facture, dette, fournisseur) rigare; (papier) rigare; **~ qch sur** regolare qc su; **~ son compte à qn** regolare i conti con qn; **~ un compte avec qn** regolare un conto con qn

réglisse [ʀeglis] nf liquirizia; **pâte/bâton de ~** pasta/bastoncino di liquirizia

règne [ʀɛɲ] nm regno; **le ~ végétal/animal** il regno vegetale/animale

régner [ʀeɲe] vi regnare

regorger [ʀ(ə)gɔʀʒe] vi: **~ de** traboccare di

regret [ʀ(ə)gʀɛ] nm (nostalgie) rimpianto; (repentir, remords) rimpianto, rammarico; **à ~** a malincuore; **avec ~** con dispiacere ou rincrescimento; **à mon grand ~** con mio grande dispiacere ou rincrescimento; **être au ~ de devoir/ne pas pouvoir faire...** essere spiacente di dovere/di non poter fare...; **j'ai le ~ de vous informer que...** sono dolente di informarla che...

regrettable [R(ə)gRetabl] *adj*
spiacevole, increscioso(-a); **il est ~
que** è un peccato che

regretter [R(ə)gRete] *vt (jeunesse,
personne partie)* rimpiangere; *(action
commise etc)* pentirsi di; *(déplorer)*
disapprovare; *(non-réalisation d'un
projet etc)* essere dispiaciuto(-a) per;
elle regrette que/de/d'avoir fait
le (di)spiace che/di/di aver fatto;
je regrette mi (di)spiace

regrouper [R(ə)gRupe] *vt*
raggruppare; **se regrouper** *vr*
raggrupparsi

régulier, -ière [Regylje, jɛR] *adj*
regolare; *(exact, ponctuel: employé)*
preciso(-a); *(constant: élève, écrivain)*
costante; *(fam: correct, loyal)*
corretto(-a); **clergé ~** clero regolare;
armées/troupes régulières eserciti
mpl/truppe *fpl* regolari

régulièrement [RegyljɛRmã] *adv*
regolarmente; *(normalement)* di
regola

rehausser [Rəose] *vt* rialzare; *(fig)*
dare maggior risalto a

rein [Rɛ̃] *nm* rene *m*; **reins** *nmpl*
(Anat: dos, muscles du dos) reni *fpl*;
avoir mal aux ~s avere male ai reni;
~ artificiel rene artificiale

reine [Rɛn] *nf* regina; **~ mère** regina
madre

reine-claude [Rɛnklod] *(pl* **reines-
claudes)** *nf* (Regina) claudia

réinscriptible [Reɛ̃skRiptibl] *adj*
(CD, DVD) riscrivibile

réinsertion [Reɛ̃sɛRsjõ] *nf*
reinserimento

réintégrer [Reɛ̃tegRe] *vt (lieu)*
ritornare a; *(fonctionnaire)* reintegrare

rejaillir [R(ə)ʒajiR] *vi* schizzare; *(fig)*
ricadere su

rejet [Rəʒɛ] *nm* rigetto; *(d'un candidat)*
bocciatura; *(d'offres)* rifiuto; *(Poésie)*
*tipo di enjambement costituito di una
sola parola*; *(Bot)* germoglio, pollone
m; **phénomène de ~** *(Méd)* fenomeno
di rigetto

rejeter [Rəʒ(ə)te] *vt* rigettare;
(écarter: offres, candidat) respingere;
~ un mot à la fin d'une phrase
spostare una parola alla fine di una
frase; **se ~ sur qch** *(accepter faute de
mieux)* ripiegare su qc; **~ la tête/les**

épaules **en arrière** gettare la testa/le
spalle all'indietro; **~ la responsabilité
de qch sur qn** scaricare la
responsabilità di qc su qn

rejoindre [R(ə)ʒwɛ̃dR] *vt*
raggiungere; *(suj: route etc)*
congiungersi con; **se rejoindre** *vr*
(personnes) ritrovarsi, ricongiungersi;
(routes) congiungersi; *(fig:
observations, arguments)* coincidere; **je
te rejoins au café** ti raggiungo al bar

réjouir [ReʒwiR] *vt* rallegrare; **se
réjouir** *vr* rallegrarsi; **se ~ de qch/
faire qch** essere felice di qc/di fare qc;
se ~ que essere felice che

réjouissances [Reʒwisãs] *nfpl (joie
collective)* giubilo *msg*; *(fête)*
festeggiamenti *mpl*

relâche [Rəlɑʃ] *nf*: **faire ~** *(navire)* fare
scalo; *(Ciné)* essere chiuso per turno
di riposo; **jour de ~** *(Ciné)* giorno di
riposo; **sans ~** senza posa, senza
sosta

relâché, e [R(ə)lɑʃe] *adj (discipline)*
rilassato(-a)

relâcher [R(ə)lɑʃe] *vt (cordes,
discipline)* allentare; *(animal,
prisonnier)* rilasciare, liberare ■ *vi*
(Naut) fare scalo; **se relâcher** *vr*
(cordes, discipline) allentarsi; *(élève etc)*
lasciarsi andare

relais [R(ə)lɛ] *nm (Sport)*: **(course de)
~** *(corsa a)* staffetta; *(Radio, TV)*
ripetitore *m*; **satellite ~** satellite *m* per
telecomunicazioni; **ville ~** tappa;
servir de ~ *(entre deux personnes)* fare
da tramite; **équipe de ~** *(dans une
usine etc)* squadra di turno; *(Sport)*
squadra della staffetta; **travail par ~**
lavoro a turni; **prendre le ~ de qn**
dare il cambio a qn; *(fig)* continuare
l'operato di qn; **je prends le ~**
continuo io; **~ de poste** stazione *f* di
posta; **~ routier** ≈ autogrill *m inv* per
camionisti

relancer [R(ə)lãse] *vt (balle, fig: projet
etc)* rilanciare; *(moteur)* rimettere in
moto; *(personne: harceler)* assillare

relatif, -ive [R(ə)latif, iv] *adj*
relativo(-a); **~ à** relativo a

relation [R(ə)lasjõ] *nf* relazione *f*;
relations *nfpl (rapports: avec d'autres
personnes)* rapporti *mpl*;
(connaissances, amis) conoscenze *fpl*;

avoir des ~s (*personnes influentes*) avere delle conoscenze; **être/entrer en ~(s) avec** essere/mettersi in contatto con; **mettre qn en ~(s) avec** mettere qn in contatto con; **avoir** *ou* **entretenir des ~s avec** intrattenere rapporti con; **~s internationales** relazioni internazionali; **~s publiques** pubbliche relazioni; **~s (sexuelles)** rapporti (sessuali)

relaxer [Rəlakse] vt rilassare; (*Jur: détenu*) rilasciare; **se relaxer** vr rilassarsi

relayer [R(ə)leje] vt (*collaborateur etc*) dare il cambio a; (*Radio, TV*) ritrasmettere (*tramite ripetitore o satellite*); **se relayer** vr darsi il cambio

reléguer [R(ə)lege] vt relegare; **~ au second plan** relegare in secondo piano; **se sentir relégué** sentirsi relegato

relève [Rələv] nf cambio; (*personnes*) chi dà il cambio; **prendre la ~** dare il cambio

relevé, e [Rəl(ə)ve] adj (*bord de chapeau*) rialzato(-a); (*manches*) rimboccato(-a); (*virage*) sopraelevato(-a); (*fig: conversation, style*) elevato(-a); (: *sauce, plat*) piccante ■ nm (*liste*) lista, nota; (*de cotes*) rilevamento; (*facture*) fattura; (*lecture: d'un compteur*) lettura; **~ d'identité bancaire** estremi mpl di un conto bancario; **~ de compte** estratto m conto inv

relever [Rəl(ə)ve] vt (*remettre debout*) rialzare; (*vitre, store, col*) tirare su; (*pays, économie*) risollevare; (*niveau de vie, salaire*) alzare; (*style, conversation*) alzare il livello di; (*plat, sauce*) insaporire; (*sentinelle, équipe*) dare il cambio a; (*souligner: points*) sottolineare; (*remarquer, constater*) rilevare; (*répliquer à: remarque, défi*) raccogliere; (*noter: adresse, dessin*) annotare; (: *plan*) mettere giù; (: *cotes etc*) rilevare; (*compteur*) leggere; (*ramasser: cahiers, copies*) raccogliere; (*Tricot: maille*) riprendere (*una maglia lasciata in attesa o già lavorata*) ■ vi (*jupe, bord*) tirare su; **~ qn de** (*Rel: vœux*) liberare *ou* sciogliere qn da; (*fonctions*) sollevare

qn da; **~ la tête** (*aussi fig*) rialzare la testa; **se relever** vr (*se remettre debout*) rialzarsi; (*sortir du lit*) alzarsi; (*fig*): **se ~ (de)** riprendersi (da); **~ de** (*maladie*) rimettersi da; (*être du ressort de*) essere di competenza di; (*Admin: dépendre de*) dipendere da; (*fig: être du domaine de*) rientrare nell'ambito di

relief [Rəljɛf] nm rilievo; **reliefs** nmpl (*restes*) resti mpl; **en ~** in rilievo; (*photographie*) tridimensionale; **mettre en ~** (*fig*) mettere in rilievo *ou* risalto; **donner du ~ à** (*fig*) far risaltare

relier [Rəlje] vt collegare; (*livre*) rilegare; **~ qch à** collegare qc a; **livre relié cuir** libro rilegato in pelle

religieux, -euse [R(ə)liʒjø, jøz] adj religioso(-a) ■ nm religioso ■ nf religiosa; (*gâteau*) bignè ripieno di crema al cioccolato o al caffè e ricoperto di glassa

religion [R(ə)liʒjɔ̃] nf religione f; (*piété, dévotion*) fede f; **entrer en ~** prendere i voti

relire [R(ə)liʀ] vt rileggere; **se relire** vr rileggere ciò che si è scritto

reluire [R(ə)lɥiʀ] vi risplendere, brillare

remanier [R(ə)manje] vt rimaneggiare; (*Pol: ministère*) rimpastare

remarquable [R(ə)maʀkabl] adj notevole; (*orateur, médecin*) ottimo(-a)

remarque [R(ə)maʀk] nf osservazione f; (*écrite*) nota

remarquer [R(ə)maʀke] vt (*voir*) notare; (*dire*): **~ que** osservare che; **faire ~ (à qn) que** fare notare (a qn) che; **faire ~ qch (à qn)** fare notare qc (a qn); **remarquez que...** noti che...; **se remarquer** vr (*être apparent*) notarsi; **se faire ~** (*péj*) farsi notare

rembourrer [Rãbuʀe] vt imbottire

remboursement [Rãbuʀsəmã] nm rimborso; **envoi contre ~** spedizione f contro assegno

rembourser [Rãbuʀse] vt rimborsare

remède [R(ə)mɛd] nm (*médicament*) farmaco, medicina; (*thérapeutique, traitement*) cura, rimedio; (*fig*) rimedio; **trouver un ~ à** (*Méd*) trovare una cura per; (*fig*) trovare rimedio a

remémorer [ʀ(ə)memɔʀe] *vr*: **se remémorer** rammentarsi

remerciement [ʀ(ə)mɛʀsimã]: **~s** *nmpl* ringraziamenti *mpl*; **(avec) tous mes ~s** vivi ringraziamenti

remercier [ʀ(ə)mɛʀsje] *vt* ringraziare; (*congédier: employé*) licenziare; **~ qn de qch/d'avoir fait qch** ringraziare qn di *ou* per qc/per aver fatto qc; **non, je vous remercie** no, la ringrazio

remettre [ʀ(ə)mɛtʀ] *vt* rimettere; (*ajouter*) mettere ancora; (*rétablir: personne*) rimettere in forze; (*rendre, restituer*) ridare; (*donner: paquet, prix*) consegnare; (*ajourner, reporter*) rimandare, rinviare; **se remettre** *vr* ristabilirsi; **se ~ de** rimettersi *ou* riprendersi da; **s'en ~ à** (*personne, avis*) rimettersi *ou* affidarsi a; **se ~ à faire** rimettersi a fare; **se ~ à qch** riprendere qc; **~ qch en place** rimettere qc a posto; **~ qn à sa place** (*fig*) rimettere qn al suo posto; **~ une pendule à l'heure** regolare un orologio; **~ un moteur/une machine en marche** rimettere in moto un motore/una macchina; **~ en état/en ordre/en usage** rimettere a posto/in ordine/in uso; **~ en cause/question** rimettere in questione; **~ sa démission** consegnare le proprie dimissioni; **~ qch à plus tard** rimandare qc a più tardi; **~ qch à neuf** rimettere a nuovo qc

remise [ʀ(ə)miz] *nf* (*d'un colis, d'une récompense*) consegna; (*rabais, réduction*) riduzione *f*; (*lieu, local*) rimessa; **~ à neuf** rimessa a nuovo; **~ de fonds** rimessa di fondi; **~ de peine** (*Jur*) condono della pena; **~ en cause** rimessa in questione; **~ en jeu** (*Football*) rimessa in gioco; **~ en marche** rimessa in moto; **~ en ordre** riordinamento; **~ en question** rimessa in questione

remontant [ʀ(ə)mõtã] *nm* cordiale *m*, tonico

remonte-pente [ʀ(ə)mõtpãt] (*pl* **~s**) *nm* ski-lift *m inv*

remonter [ʀ(ə)mõte] *vi* risalire; (*jupe*) salire ■ *vt* risalire; (*pantalon,* col, *fig: moral*) tirare su; (*limite, niveau*) rialzare; (*moteur, meuble*) rimontare; (*garde-robe, collection*) rifare; (*montre, mécanisme*) ricaricare; **~ à** (*dater de*) risalire a; **~ en voiture** risalire in macchina; **~ le moral à qn** tirare su di morale qn

remontrer [ʀ(ə)mõtʀe] *vt* (*montrer de nouveau*): **~ qch (à qn)** rimostrare qc (a qn); **en ~ à qn** (*fig*) mostrare di saperla più lunga di qn

remords [ʀ(ə)mɔʀ] *nm* rimorso; **avoir des ~** avere dei rimorsi

remorque [ʀ(ə)mɔʀk] *nf* rimorchio; **prendre en ~** prendere a rimorchio; **être en ~** essere rimorchiato(-a); **être à la ~** (*fig*) farsi trainare

remorquer [ʀ(ə)mɔʀke] *vt* rimorchiare, trainare

remorqueur [ʀ(ə)mɔʀkœʀ] *nm* rimorchiatore *m*

remous [ʀəmu] *nm* (*à l'arrière d'un navire*) risucchio; (*d'une rivière*) mulinello; **remous** *nmpl* (*fig*) agitazione *f*

rempart [ʀɑ̃paʀ] *nm* bastione *m*; (*fig*) scudo; **remparts** *nmpl* (*murs d'enceinte*) mura *fpl*

remplaçant, e [ʀɑ̃plasɑ̃, ɑ̃t] *nm/f* sostituto(-a); (*Théâtre*) doppio *m*; (*Scol*) supplente *m/f*

remplacement [ʀɑ̃plasmã] *nm* sostituzione *f*; (*job, Scol*) supplenza; **assurer le ~ de qn** sostituire qn; **faire des ~s** (*professeur*) fare delle supplenze; (*médecin*) sostituire altri medici

remplacer [ʀɑ̃plase] *vt* sostituire, rimpiazzare; (*pneu, ampoule*) sostituire

rempli, e [ʀɑ̃pli] *adj* pieno(-a); **~ de** pieno di

remplir [ʀɑ̃pliʀ] *vt* riempire; (*questionnaire, fiche*) compilare; (*obligations, formalité*) adempiere a; (*fonction, rôle*) assolvere; (*conditions*) soddisfare; **se remplir** *vr* riempirsi; **~ qch de** riempire qc di; **~ qn de** (*joie, admiration*) riempire qn di

remporter [ʀɑ̃pɔʀte] *vt* riprendere, portare via; (*fig: victoire, succès*) riportare

remuant, e [ʀəmɥɑ̃, ɑ̃t] *adj* agitato(-a)

remue-ménage [ʀ(ə)mymenaʒ] nm
inv confusione f, trambusto
remuer [ʀəmɥe] vt (meuble, objet)
spostare; (partie du corps) muovere;
(café, salade, sauce) mescolare;
(émouvoir) toccare, commuovere ■ vi
muoversi; **se remuer** vr muoversi;
(fig: se démener) darsi da fare
rémunérer [ʀemyneʀe] vt
remunerare
renard [ʀ(ə)naʀ] nm volpe f
renchérir [ʀɑ̃ʃeʀiʀ] vi rincarare;
~ (sur) (fig) esagerare (in)
rencontre [ʀɑ̃kɔ̃tʀ] nf (aussi Sport)
incontro; (de cours d'eau) confluenza;
faire la ~ de qn incontrare qn; **aller à
la ~ de qn** andare incontro a qn;
amis/amours de ~ amici mpl/amori
mpl occasionali
rencontrer [ʀɑ̃kɔ̃tʀe] vt incontrare;
se rencontrer vr incontrarsi; (fleuves)
confluire; (véhicules) scontrarsi
rendement [ʀɑ̃dmɑ̃] nm (d'un
travailleur, d'un investissement)
rendimento; (d'une culture, d'une
machine) rendimento, resa; **à plein ~**
al massimo dell'efficienza
rendez-vous [ʀɑ̃devu] nm inv
appuntamento; (lieu) (punto di)
ritrovo; **recevoir sur ~** ricevere per
appuntamento; **donner ~ à qn** dare
appuntamento a qn; **fixer un ~ à qn**
fissare un appuntamento a qn; **avoir
~ (avec qn)** avere (un) appuntamento
(con qn); **j'ai ~ avec ...** ho un
appuntamento con ...; **prendre ~
(avec qn)** prendere (un)
appuntamento (con qn); **je voudrais
prendre ~** vorrei prendere un
appuntamento; **prendre ~ chez le
médecin** prendere un appuntamento
dal medico; **~ orbital** appuntamento
in orbita; **~ spatial** appuntamento
spaziale
rendre [ʀɑ̃dʀ] vt rendere; (livre,
argent etc) rendere, restituire; (otages)
restituire; (salut, une politesse)
ricambiare; (sang, aliments) vomitare;
(sons) emettere; (verdict, jugement)
emettere; **se rendre** vr arrendersi;
se ~ quelque part andare ou recarsi
da qualche parte; **se ~ compte de
qch** rendersi conto di qc; **~ la vue/
l'espoir à qn** restituire ou rendere la

vista/la speranza a qn; **~ la liberté**
restituire ou rendere la libertà; **~ la
monnaie** dare il resto; **~ visite à qn**
far visita a qn; **se ~ à** (arguments etc)
arrendersi a; (ordres) ottemperare a;
se ~ insupportable rendersi
insopportabile
rênes [ʀɛn] nfpl redini fpl
renfermé, e [ʀɑ̃fɛʀme] adj (fig:
personne) chiuso(-a) ■ nm: **sentir le ~**
avere odore di chiuso
renfermer [ʀɑ̃fɛʀme] vt racchiudere,
contenere; **se ~ sur soi-même**
(rin)chiudersi in se stesso(-a)
renforcer [ʀɑ̃fɔʀse] vt rinforzare,
rafforzare; **~ qn dans ses opinions**
rafforzare qn nelle sue opinioni
renfort [ʀɑ̃fɔʀ] nm: **en ~** di rinforzo;
renforts nmpl (Mil, gén) rinforzi mpl;
à grand ~ de con molto(-a), con
abbondante uso di
renfrogné, e [ʀɑ̃fʀɔɲe] adj
accigliato(-a)
renier [ʀənje] vt rinnegare;
(engagements) venir meno a
renifler [ʀ(ə)nifle] vi tirar su col naso
■ vt (tabac, odeur) annusare, fiutare
renne [ʀɛn] nm renna
renom [ʀənɔ̃] nm fama; **vin de grand
~** vino rinomato
renommé, e [ʀ(ə)nɔme] adj
rinomato(-a), famoso(-a)
renommée [ʀ(ə)nɔme] nf fama
renoncer [ʀ(ə)nɔ̃se] **~ à** vt
rinunciare a; **~ à faire qch** rinunciare
a fare qc; **j'y renonce** ci rinuncio
renouer [ʀənwe] vt (cravate, lacets)
riannodare; (fig: conversation)
riprendere; (: liaison) riallacciare;
~ avec (tradition, habitude) riprendere;
~ avec qn riallacciare i rapporti con qn
renouveler [ʀ(ə)nuv(ə)le] vt
rinnovare; (eau d'une piscine,
pansement) cambiare; (exploit, méfait)
ripetere; **se renouveler** vr
rinnovarsi; (incident) ripetersi
renouvelable [ʀ(ə)nuv(ə)labl] adj
(contrat, bail, énergie) rinnovabile;
(expérience) ripetibile
renouvellement [ʀ(ə)nuvɛlmɑ̃] nm
rinnovo; (d'un usage, d'une mode)
rinnovarsi m inv; (d'exploit) ripetizione
f; (de pansement) cambio; (d'incident)
ripetersi m inv

rénover [ʀenɔve] vt rimettere a nuovo; (*enseignement, méthodes*) rinnovare

renseignement [ʀɑ̃sɛɲmɑ̃] nm informazione f; **prendre des ~s sur** prendere informazioni su; **(guichet des) ~s** (sportello delle) informazioni; **service des ~s** servizio informazioni; **agent de ~s** agente m segreto; **les ~s généraux** ≈ l'ufficio politico della questura

renseigner [ʀɑ̃sɛɲe] vt: **~ qn (sur)** informare qn (su); (*suj: expérience, document*) fornire informazioni su; **se renseigner** vr informarsi

rentabilité [ʀɑ̃tabilite] nf redditività f inv

rentable [ʀɑ̃tabl] adj redditizio(-a)

rente [ʀɑ̃t] nf rendita; **~ viagère** rendita vitalizia

rentrée [ʀɑ̃tʀe] nf rientro; **~ (d'argent)** entrata; **la ~ (des classes)** la riapertura delle scuole; **la ~ (parlementaire)** la ripresa dell'attività parlamentare; **faire sa ~** tornare sulle scene

- ◉ **RENTRÉE (DES CLASSES)**
- ◉
- ◉ La *rentrée (des classes)*, in
- ◉ settembre, rappresenta un
- ◉ momento importante della vita
- ◉ francese. Alunni ed insegnanti
- ◉ ritornano a scuola e la vita sociale
- ◉ e politica inizia di nuovo dopo la
- ◉ lunga pausa estiva.

rentrer [ʀɑ̃tʀe] vi (*entrer de nouveau*) rientrare; (*entrer*) entrare; (*revenir chez soi*) rientrare, rincasare ◼ vt (*foins*) portare dentro; (*véhicule etc*) mettere dentro; (*chemise dans pantalon etc*) infilare; (*griffes*) rinfoderare; (*train d'atterrissage*) far rientrare; (*fig: larmes, colère*) reprimere; **~ le ventre** tirare in dentro la pancia; **~ dans** rientrare in; (*entrer*) entrare in; (*heurter*) andare a sbattere contro; **~ dans l'ordre** ritornare alla normalità; **~ dans ses frais** rientrare nelle spese; **je rentre mardi** torno a casa martedì

renverse [ʀɑ̃vɛʀs] nf: **à la ~** adv all'indietro, riverso(-a)

renverser [ʀɑ̃vɛʀse] vt (*faire tomber*) rovesciare; (*piéton*) investire; (*liquide: volontairement*) versare; (*retourner*) capovolgere; (*intervertir*) invertire; (*fig: tradition, ordre établi*) sconvolgere; (: *ministère, gouvernement*) rovesciare; (*stupéfier*) sbalordire; **se renverser** vr rovesciarsi; (*véhicule*) capovolgersi; **~ la tête/le corps (en arrière)** rovesciare la testa/il corpo all'indietro; **se ~ (en arrière)** piegarsi all'indietro; **~ la vapeur** dare il controvapore; (*fig*) fare un'inversione di marcia

renvoi [ʀɑ̃vwa] nm rinvio; (*d'un employé*) licenziamento; (*d'un élève*) espulsione f; (*éructation*) rutto

renvoyer [ʀɑ̃vwaje] vt (*faire retourner*) rimandare; (*faire partir*) mandare via; (*congédier: élève*) espellere; (: *domestique, employé*) licenziare; (*balle, son*) rinviare; (*colis etc*) rimandare indietro; (*lumière*) riflettere; **~ qch (à)** (*ajourner, différer*) rimandare qc (a); **~ qch à qn** rimandare qc a qn; **~ qn à** (*fig: référer*) rimandare qn a

repaire [ʀ(ə)pɛʀ] nm (*aussi fig*) covo

répandre [ʀepɑ̃dʀ] vt (*liquide*) versare, spargere; (*gravillons, sable, fig: terreur, joie*) spargere; (*chaleur, fig: nouvelle, usage*) diffondere; (*odeur*) spandere; **se répandre** vr (*liquide*) versarsi; (*odeur, fumée*) spandersi; (*foule*) sparpagliarsi; (*fig: épidémie, mode*) diffondarsi; **se ~ en** (*injures*) prorompere in; (*compliments*) profondersi in

répandu, e [ʀepɑ̃dy] pp de **répandre** ◼ adj (*courant*) diffuso(-a); **papiers ~s par terre/sur un bureau** carte f pl sparse per terra/su una scrivania

réparation [ʀepaʀasjɔ̃] nf riparazione f; **réparations** nf pl (*travaux*) lavori m pl di riparazione; **en ~** in riparazione; **demander à qn ~ de** (*offense etc*) chiedere a qn riparazione di

réparer [ʀepaʀe] vt riparare; (*fig: offense, erreur*) riparare a; **où est-ce que je peux le faire ~?** dove lo posso portare a riparare?

repartie [ʀepaʀti] nf risposta pronta; **avoir de la** ou **l'esprit de ~** avere la risposta pronta

épartir [ʀ(ə)paʀtiʀ] vi ripartire; (fig: affaire) rimettersi in moto; ~ **à zéro** ripartire da zero

épartir [ʀepaʀtiʀ] vt ripartire, suddividere; **se répartir** vr (travail, rôles) spartirsi; ~ **sur** (étaler: dans le temps) ripartire in; ~ **en** (classer, diviser) suddividere in

épartition [ʀepaʀtisjɔ̃] nf ripartizione f, suddivisione f; (de rôles) assegnazione f

epas [ʀ(ə)pɑ] nm pasto; **à l'heure des** ~ all'ora dei pasti

epassage [ʀ(ə)pɑsaʒ] nm stiratura

epasser [ʀ(ə)pɑse] vi ripassare ▪ vt (vêtement) stirare; (examen, film) ridare; (leçon, rôle) ripassare

epentir [ʀəpɑ̃tiʀ] nm pentimento; **se repentir** vr pentirsi; **se ~ de qch/ d'avoir fait qch** pentirsi di qc/di aver fatto qc

épercussions [ʀepɛʀkysjɔ̃] nfpl (fig) ripercussioni fpl

épercuter [ʀepɛʀkyte] vt (son, echo) rinviare; (hausse des prix) far ripercuotere; (consignes, informations) trasmettere; (impôt, taxe) fare la traslazione di; **se répercuter** vr ripercuotersi; **se ~ sur** (fig) ripercuotersi su

epère [ʀ(ə)pɛʀ] nm (punto di) riferimento; (Tech) segno di riferimento; **point de ~** punto di riferimento

epérer [ʀ(ə)peʀe] vt individuare; (abri, ennemi) individuare, localizzare; **se repérer** vr orientarsi; **se faire ~** farsi scoprire ou notare

épertoire [ʀepɛʀtwaʀ] nm repertorio; (de carnet) rubrica; (Inform) directory f inv; (indicateur) guida

épéter [ʀepete] vt ripetere; (nouvelle, secret) riferire; (Théâtre: rôle) provare ▪ vi (Théâtre etc) fare le prove; **se répéter** vr ripetersi; **je te répète que...** ti ripeto che...; **pouvez-vous ~, s'il vous plaît?** può ripetere per favore?

épétition [ʀepetisjɔ̃] nf ripetizione f; (Théâtre) prova; **répétitions** nfpl (leçons particulières) ripetizioni fpl; **armes à ~** armi fpl a ripetizione; ~ **générale** (Théâtre) prova generale

répit [ʀepi] nm tregua; (fig) tregua, respiro; **sans ~** senza tregua

replier [ʀ(ə)plije] vt ripiegare; **se replier** vr (troupes) ripiegare, ritirarsi; **se ~ sur soi-même** rinchiudersi in se stesso

réplique [ʀeplik] nf (repartie, fig) risposta; (objection) replica; (Théâtre) battuta; (copie) copia; **donner la ~ à** (Théâtre) dare la battuta a; (fig) ribattere a; **sans ~** che non ammette repliche

répliquer [ʀeplike] vi replicare, rispondere; (avec impertinence, riposter) rispondere; ~ **à/que** replicare ou rispondere a/che

répondeur [ʀepɔ̃dœʀ] nm: ~ **automatique** (Tél) segreteria telefonica

répondre [ʀepɔ̃dʀ] vi rispondere; ~ **à** vt rispondere a; ~ **que/de** rispondere che/di

réponse [ʀepɔ̃s] nf risposta; **avec ~ payée** (Postes) con risposta pagata; **avoir ~ à tout** avere sempre la risposta pronta; **en ~ à** in risposta a; **carte-/bulletin-~** cartolina/ bollettino per la risposta

reportage [ʀ(ə)pɔʀtaʒ] nm servizio, reportage m inv; (en direct) cronaca; **le ~** (genre, activité) il reportage

reporter¹ [ʀəpɔʀte] vt riportare; ~ **(à)** (ajourner) rinviare (a); ~ **qch sur** (affection) riversare qc su; (suffrages) trasferire qc su; **se ~ à** (époque) riandare a; (document, texte) rifarsi a

reporter² [ʀəpɔʀtɛʀ] nm reporter m inv

repos [ʀ(ə)po] nm riposo; (fig) pace f, tranquillità f inv; ~! (Mil) riposo!; **en/au ~** a riposo; **de tout ~** di tutto riposo

reposant, e [ʀ(ə)pozɑ̃, ɑ̃t] adj riposante; (sommeil) ristoratore(-trice)

reposer [ʀ(ə)poze] vt posare di nuovo; (rideaux, carreaux) rimettere; (question, problème) riproporre; (délasser) riposare ▪ vi riposare; (personne) **ici repose...** qui riposa...; **se reposer** vr riposarsi; ~ **sur** (suj: bâtiment, fig) poggiare su; **se ~ sur qn** fare affidamento su qn

repoussant, e [R(ə)pusɑ̃, ɑ̃t] *adj*
ripugnante

repousser [R(ə)puse] *vi* rispuntare,
rincrescere ▪ *vt* respingere;
(*tentation*) resistere a; (*rendez-vous,
entrevue*) rimandare; (*répugner*)
ripugnare; (*tiroir*) richiudere; (*table*)
spingere indietro

reprendre [R(ə)pRɑ̃dR] *vt* riprendere;
(*se resservir de*) prendere ancora;
(*Comm: racheter*) ritirare, prendere
indietro; (*Comm: firme, entreprise*)
rilevare; (*refaire: article etc*) rivedere;
(*jupe, pantalon*) fare delle modifiche a;
(*émission, pièce*) ridare ▪ *vi*
riprendere; (*affaires, industrie*)
riprendersi; **se reprendre** *vr*
riprendersi; **s'y ~** rimetterci;
~ courage/des forces riprendere
coraggio/le forze; **~ la route**
rimettersi in strada; **~ connaissance**
riprendere conoscenza; **~ haleine** *ou*
son souffle riprendere fiato; **~ la
parole** riprendere la parola; **je
viendrai te ~ à 4 h** vengo a riprenderti
alle 4; **je reprends** stavo dicendo

représentant, e [R(ə)pRezɑ̃tɑ̃, ɑ̃t]
nm/f rappresentante *m/f*; (*type,
spécimen*) esempio

représentation [R(ə)pRezɑ̃tasjɔ̃] *nf*
rappresentazione *f*; (*de pays, maison
de commerce*) rappresentanza; **faire
de la ~** (*Comm*) fare il rappresentante;
frais de ~ (*d'un diplomate*) spese *fpl* di
rappresentanza

représenter [R(ə)pRezɑ̃te] *vt*
rappresentare; **se représenter** *vr*
(*occasion*) ripresentarsi; (*se figurer*)
immaginarsi; **se ~ à** (*examen,
élections*) ripresentarsi a

répression [RepResjɔ̃] *nf* repressione
f; **mesures de ~** misure repressive

réprimer [RepRime] *vt* reprimere

repris, e [R(ə)pRi, iz] *pp de*
reprendre ▪ *nm*: **~ de justice**
pregiudicato

reprise [R(ə)pRiz] *nf* ripresa; (*de ville*)
riconquista; (*d'un article*) correzione *f*;
(*de jupe, pantalon*) modifica; (*Théâtre,
TV etc*) replica; (*Comm: d'un article
usagé*) ritiro; (*de location*) somma
dovuta al precedente affittuario per
mobilio ceduto o lavori effettuati;
(*raccommodage*) rammendo;

la ~ des hostilités la ripresa delle
ostilità; **la ~ d'une entreprise** il
rilevare di un'impresa; **à plusieurs ~s**
a più riprese

repriser [R(ə)pRize] *vt* rammendare
aiguille/coton à ~ ago/cotone *m* da
rammendo

reproche [R(ə)pRɔʃ] *nm* rimprovero;
(*critique, objection*) critica; **ton/air de
~** tono/aria di rimprovero; **faire ~ à
qn de qch** rimproverare qc a qn; **sans
~(s)** irreprensibile

reprocher [R(ə)pRɔʃe] *vt*: **~ qch à qn**
rimproverare qc a qn; **se ~ qch/
d'avoir fait qch** rimproverarsi qc/
d'aver fatto qc

reproduction [R(ə)pRɔdyksjɔ̃] *nf*
riproduzione *f*; **droits de ~** diritti *mpl*
di riproduzione; **~ interdite**
riproduzione vietata

reproduire [R(ə)pRɔdɥiR] *vt*
riprodurre; **se reproduire** *vr*
riprodursi; (*faits, erreurs*) verificarsi
di nuovo

reptile [Reptil] *nm* rettile *m*

république [Repyblik] *nf* repubblica
R~ arabe du Yémen Repubblica Araba
dello Yemen; **R~ Centrafricaine**
Repubblica centroafricana; **R~ de
Corée** Repubblica di Corea;
R~ démocratique allemande
Repubblica Democratica Tedesca;
R~ dominicaine Repubblica
Dominicana; **R~ fédérale
d'Allemagne** Repubblica Federale
Tedesca; **R~ d'Irlande** Repubblica
d'Irlanda; **R~ populaire de Chine**
Repubblica Popolare Cinese;
**R~ populaire démocratique de
Corée** Repubblica Democratica
Popolare della Corea del Nord;
R~ populaire du Yémen Repubblica
Democratica Popolare dello Yemen

répugnant, e [Repyɲɑ̃, ɑ̃t] *adj*
ripugnante, disgustoso(-a)

répugner [Repyɲe]: **~ à** *vt* ripugnare
a; **je répugne à la violence/à mentir**
la violenza/mentire mi ripugna

réputation [Repytasjɔ̃] *nf*
reputazione *f*, fama; **avoir la ~
d'être...** aver fama di essere...;
connaître qn/qch de ~ conoscere
qn/qc di *ou* per fama; **de ~ mondiale**
di fama mondiale

réputé, e [Repyte] *adj* rinomato(-a);
être ~ **pour** essere rinomato(-a) per
requérir [RəkeRiR] *vt* chiedere;
(*nécessiter*) richiedere
requête [Rəkɛt] *nf* richiesta; (*Jur*)
istanza, domanda
requin [Rəkɛ̃] *nm* (*aussi fig*) pescecane
m, squalo
requis, e [Rəki, iz] *pp de* **requérir**
■ *adj* richiesto(-a)
RER [ɛRøɛR] *sigle m* (= *Réseau express
régional*) rete metropolitana periferica di
Parigi
rescapé, e [Rɛskape] *nm/f*
superstite *m/f*
rescousse [Rɛskus] *nf*: **aller/venir à
la ~ de** correre/venire in aiuto a;
appeler qn à la ~ chiedere l'aiuto *ou* il
soccorso di qn
réseau, x [Rezo] *nm* rete *f*; (*de veines*)
reticolo; ~ **routier** rete stradale

éservation [RezɛRvasjõ] *nf*
prenotazione *f*; **j'ai confirmé ma ~
par fax** ho confermato la
prenotazione per fax
éserve [RezɛRv] *nf* riserva; (*d'un
magasin: entrepôt*) magazzino;
(*circonspection, discrétion*) riserbo,
riservatezza; (*retenue*) riserbo;
réserves *nfpl* (*de gaz, nutritives*)
riserve *fpl*; **officier de ~** ufficiale *m* di
riserva; **sous toutes ~s** con le debite
riserve; **sous ~ de** con riserva di; **sans
~** senza riserve; **avoir/mettre/tenir
qch en ~** avere/mettere/tenere qc da
parte; **de ~** di riserva, di scorta;
~ **naturelle** riserva naturale
éservé, e [RezɛRve] *adj* (*circonspect*)
riservato(-a); (*table, place*)
prenotato(-a), riservato(-a); ~ **à/
pour** riservato(-a) a; **chasse/pêche
~e** riserva di caccia/pesca

réserver [RezɛRve] *vt* (*retenir*)
prenotare; (*réponse, diagnostic*)
riservarsi di dare; (*mettre de côté,
garder*) riservare; ~ **qch à qn** (*place etc*)
prenotare qc per qn; (*fig: surprise*)
riservare qc a qn; **se ~ qch** riservarsi
qc; **se ~ de faire qch** riservarsi di
fare qc; **se ~ le droit de faire qch**
riservarsi il diritto di fare qc; **j'ai
réservé une table au nom de ...**
ho riservato un tavolo a nome ...;
**je voudrais ~ une chambre pour
deux personnes** vorrei prenotare
una camera doppia
réservoir [RezɛRvwaR] *nm*
serbatoio
résidence [Rezidɑ̃s] *nf* residenza;
(*groupe d'immeubles*) complesso
residenziale; **(en) ~ surveillée** (*Jur*)
(agli) arresti domiciliari; ~ **principale**
prima casa; ~ **secondaire** seconda
casa; ~ **universitaire** casa dello
studente
résidentiel, le [Rezidɑ̃sjɛl] *adj*
residenziale
résider [Rezide] *vi*: ~ **à/dans/en**
(*personne*) risiedere a/in; ~ **dans/en**
(*fig: chose*) consistere in
résidu [Rezidy] *nm* residuo
résigner [Rezine] *vt* (*fonction, emploi*)
rassegnare; **se résigner** *vr*
rassegnarsi; **se ~ à qch/faire qch**
rassegnarsi a qc/fare qc
résilier [Rezilje] *vt* rescindere
résistance [Rezistɑ̃s] *nf* resistenza;
la R~ la Resistenza
résistant, e [Rezistɑ̃, ɑ̃t] *adj*
resistente ■ *nm/f* resistente *m/f*,
partigiano(-a)
résister [Reziste] *vi* resistere; ~ **à** *vt*
resistere a
résolu, e [Rezɔly] *pp de* **résoudre**
■ *adj* risoluto(-a), deciso(-a);
être ~ à qch/faire qch essere deciso
a qc/fare qc
résolution [Rezɔlysjõ] *nf* soluzione *f*;
(*fermeté*) risoluzione *f*; (*décision*)
risoluzione, decisione *f*; (*Inform*)
risoluzione *f*; **prendre la ~ de**
prendere la decisione di; **bonnes ~s**
buoni propositi *mpl*
résolve *etc* [Rezɔlv] *vb voir* **résoudre**
résonner [Rezɔne] *vi* risuonare; ~ **de**
risuonare di

résorber [RezɔRbe] vr: **se résorber** riassorbirsi; (*tumeur*) regredire; (*fig: déficit, chômage*) essere riassorbito(-a)

résoudre [RezudR] vt risolvere; ~ **qn à faire qch** convincere qn a fare qc; ~ **de faire qch** decidere di fare qc; **se ~ à qch/faire qch** risolversi *ou* decidersi a qc/fare qc

respect [Rɛspɛ] nm rispetto; **respects** nmpl: **présenter ses ~s à qn** presentare i propri rispetti a qn; **tenir qn en ~** tenere a bada qn

respecter [Rɛspɛkte] vt rispettare; **le lexicographe qui se respecte** (*fig*) un lessicografo che si rispetti

respectueux, -euse [Rɛspɛktɥø, øz] adj rispettoso(-a); **à une distance respectueuse** a debita distanza; ~ **de** rispettoso(-a) di

respiration [RɛspiRasjɔ̃] nf respirazione f; (*normale, bruyante*) respiro; **faire une ~ complète** inspirare ed espirare; **retenir sa ~** trattenere il respiro; ~ **artificielle** respirazione artificiale

respirer [RɛspiRe] vi respirare ■ vt respirare; (*odeur, parfum*) aspirare; (*santé*) sprizzare; (*calme, paix*) esprimere

resplendir [RɛsplãdiR] vi risplendere; (*fig: visage*): ~ **(de)** risplendere (di)

responsabilité [Rɛspɔ̃sabilite] nf responsabilità f inv; (*charge*) carica; **accepter/refuser la ~ de** assumersi/ rifiutare la responsabilità di; **prendre ses ~s** assumersi le proprie responsabilità; **décliner toute ~** declinare ogni responsabilità; ~ **civile/pénale** responsabilità civile/ penale; ~ **collective/morale** responsabilità collettiva/morale

responsable [Rɛspɔ̃sabl] adj: ~ **(de)** responsabile (di) ■ nm/f responsabile m/f

ressaisir [R(ə)seziR] vr: **se ressaisir** riprendersi

ressasser [R(ə)sase] vt (*remords*) rimuginare; (*redire*) ripetere continuamente

ressemblance [R(ə)sãblãs] nf somiglianza

ressemblant, e [R(ə)sãblã, ãt] adj somigliante

ressembler [R(ə)sãble]: ~ **à** vt assomigliare a, somigliare a; **se ressembler** vr assomigliarsi, somigliarsi

ressentiment [R(ə)sãtimã] nm risentimento

ressentir [R(ə)sãtiR] vt sentire, provare; **se ~ de** risentire di

resserrer [R(ə)seRe] vt (*pores*) restringere; (*nœud, boulon, cercle de gens*) stringere; (*fig*) rinsaldare; **se resserrer** vr stringersi; **se ~ (autour de)** stringersi (intorno a)

resservir [R(ə)seRviR] vt (*plat: servir nouveau*): ~ **qch (à qn)** servire di nuovo qc (a qn); (: *servir davantage de*) ~ **de qch (à qn)** servire ancora un po' di qc (a qn); (*personne*): ~ **qn (d'un plat*) servire di nuovo qn ■ vi servire di nuovo; **se ~ de** servirsi nuovamente di

ressort [RəsɔR] vb voir **ressortir** ■ nm (*pièce*) molla; (*force morale*) energia; **en dernier ~** (*Jur*) in ultima istanza; (*finalement*) in ultima analisi, alla fin fine; **être du ~ de** essere di competenza di

ressortir [RəsɔRtiR] vi uscire di nuovo, riuscire; (*contraster*) risaltare spiccare ■ vt tirare fuori; **il ressort de ceci que...** da questo risulta che...; ~ **à** (*Admin, Jur*) essere di competenza di; **faire ~ qch** (*fig*) mettere in risalto qc

ressortissant, e [R(ə)sɔRtisã, ãt] nm/f cittadino(-a)

ressource [R(ə)suRs] nf: **avoir la ~ d** avere la possibilità di; **ressources** nfpl (*moyens, matériels, fig*) risorse fpl; **leur seule ~ était de** la loro unica risorsa era di; ~**s d'énergie** risorse energetiche

ressusciter [Resysite] vt, vi risuscitare

restant, e [Rɛstã, ãt] adj rimasto(-a ■ nm resto; **un ~ de** degli avanzi di; (*fig: vestige*) dei resti di

restaurant [RɛstɔRã] nm ristorante m; **manger au ~** mangiare al ristorante; **pouvez-vous m'indique un bon ~?** mi può indicare un buon ristorante?; ~ **d'entreprise** mensa aziendale; ~ **universitaire** mensa universitaria

restauration [RɛstɔRasjɔ̃] *nf*
restaurazione *f*; (*Art*) restauro;
(*hôtellerie*) ristorazione *f*; ~ **rapide** fast
food *m inv*

restaurer [RɛstɔRe] *vt* restaurare;
se restaurer *vr* ristorarsi, rifocillarsi

reste [Rɛst] *nm* (*restant, Math*) resto;
(*de trop*) avanzo; (*d'espoir, de tendresse*)
residuo; **restes** *nmpl* (*Culin*) avanzi
mpl; (*d'une cité, dépouille mortelle*) resti
mpl; **utiliser un ~ de poulet** utilizzare
degli avanzi di pollo; **faites ceci, je
me charge du ~** lei faccia questo, del
resto mi occupo io; **pour le ~, quant
au ~** per il resto, quanto al resto;
le ~ du temps/des gens il resto
del tempo/della gente; **avoir du
temps/de l'argent de ~** avere
tempo/denaro d'avanzo; **et tout le ~**
e tutto il resto; **ne voulant pas être
ou demeurer en ~** non volendo essere
da meno; **partir sans attendre *ou*
demander son ~** (*fig*) andarsene
senza insistere *ou* fiatare; **du *ou* au ~**
del resto

rester [Rɛste] *vi* restare, rimanere
◼ *vb impers*: **il reste du pain** avanza
del pane; **il me reste 2 œufs** ho
ancora due uova; **il reste du temps**
resta *ou* rimane un po' di tempo;
il reste 10 minutes restano dieci
minuti; **il me reste assez de temps**
mi resta *ou* rimane tempo a
sufficienza; **voilà tout ce qui me
reste** questo è tutto quello che mi
resta *ou* rimane; **ce qui me reste à
faire** quello che mi resta *ou* rimane da
fare; **(il) reste à savoir/établir si...**
resta da sapere/stabilire se...; **il reste
que, il n'en reste pas moins que...**
resta *ou* rimane il fatto che...; **en ~ à**
(*stade, menaces*) fermarsi a; **restons-
en là** lasciamo perdere; ~ **immobile/
assis** restare *ou* rimanere immobile/
seduto; ~ **sur sa faim/une
impression** restare *ou* rimanere con
la fame/con un'impressione; **il a failli
y ~** per poco non ci restava *ou*
rimaneva; **il y est resté** ci è restato
ou rimasto

restituer [Rɛstitɥe] *vt* (*objet, somme*):
~ **qch (à qn)** restituire qc (a qn); (*texte,
inscription*) ricostruire; (*son*)
riprodurre

restreindre [RɛstRɛ̃dR] *vt* limitare,
ridurre; **se restreindre** *vr* limitarsi

restriction [Rɛstriksjɔ̃] *nf* riduzione
f; (*condition*) restrizione *f*;
restrictions *nfpl* (*rationnement*)
razionamento *msg*; **faire des ~s** avere
delle riserve; **sans ~** senza riserve

résultat [Rezylta] *nm* risultato;
(*d'une entrevue, négociation*) risultato,
esito; **résultats** *nmpl* (*d'un examen,
des élections*) risultati *mpl*; **exiger/
obtenir des ~s** esigere/ottenere dei
risultati; **~s sportifs** risultati sportivi

résulter [Rezylte] ~ **de** *vt* risultare
da, derivare da; **il résulte de ceci
que...** da questo risulta *ou* deriva
che...

résumé [Rezyme] *nm* riassunto;
(*ouvrage succinct*) riassunto,
compendio; **faire le ~ de** riassumere;
en ~ in sintesi, riassumendo

résumer [Rezyme] *vt* riassumere;
se résumer *vr* riassumere; **se ~ à**
riassumersi in

résurrection [RezyRɛksjɔ̃] *nf*
risurrezione *f*; (*fig*) rifioritura

rétablir [Retablir] *vt* ristabilire;
(*courant*) ripristinare; **se rétablir** *vr*
ristabilirsi; (*silence, calme*) ritornare;
~ **qn dans son emploi** reintegrare qn
nel suo impiego; ~ **qn dans ses droits**
ristabilire i diritti di qn; **se ~ (sur la
barre)** tirarsi su con le braccia (sulla
sbarra)

rétablissement [Retablismɑ̃] *nm*
ristabilimento; (*du courant*) ripristino;
(*de la monarchie*) restaurazione *f*;
(*retour à la santé*) guarigione *f*; **faire
un ~** (*Gymnastique etc*) tirarsi su con le
braccia (alla sbarra)

retaper [R(ə)tape] *vt* rimettere in
sesto; (*redactylographier*) ribattere

retard [R(ə)taR] *nm* ritardo; **arriver
en ~** arrivare in ritardo; **être en ~**
essere in ritardo; (*dans paiement,
travail, pays*) essere indietro; **être en ~
(de 2 heures)** essere in ritardo (di 2
ore); **avoir un ~ de 2 heures** (*Sport*)
avere un ritardo di 2 ore; **avoir un ~ de
2 km** (*Sport*) essere indietro di 2 km;
rattraper son ~ recuperare il ritardo;
avoir du ~ essere in ritardo; (*sur un
programme*) essere indietro; **prendre
du ~** (*train, avion*) ritardare; (*montre*)

rimanere indietro; **sans ~** (le plus tôt possible) senza indugio; **~ à l'allumage** (Auto) ritardo di accensione; **désolé d'être en ~** scusi il ritardo; **nous sommes en ~ de 10 minutes** siamo in ritardo di 10 minuti; **le vol a deux heures de ~** il volo ha due ore di ritardo; **~ scolaire** ritardo negli studi

retardataire [ʀ(ə)taʀdatɛʀ] adj ritardatario(-a); (idées) superato(-a) ■ nm/f ritardatario(-a)

retardement [ʀ(ə)taʀdəmɑ̃] : **à ~** adj (mine) a scoppio ritardato; (mécanisme) a tempo; **dispositif à ~** (Photo) autoscatto; **bombe à ~** bomba a scoppio ritardato

retarder [ʀ(ə)taʀde] vt ritardare; (personne) fare perdere tempo a; (montre) mettere indietro ■ vi (horloge, montre) essere indietro; (: d'habitude) rimanere indietro; (fig: personne) essere rimasto(-a) indietro; **~ qn/qch (de 3 mois)** ritardare qn/qc (di 3 mesi); **je retarde (d'une heure)** il mio orologio è indietro (di un'ora)

retenir [ʀət(ə)niʀ] vt trattenere; (se rappeler: chanson, date) ricordarsi di; (suggestion, proposition: accepter) prendere in considerazione; (réserver: place, chambre) prenotare; (Math) riportare; **se retenir** vr (euph) trattenerla; **se ~ (à)** aggrapparsi (a); **se ~ (de faire qch)** trattenersi (dal fare qc); **~ un rire/un sourire** trattenere una risata/un sorriso; **~ qn (de faire)** impedire a qn (di fare); **~ qch (sur)** (somme) trattenere qc (da); **~ son souffle** ou **haleine** trattenere il respiro; **~ qn à dîner** trattenere qn a cena; **je pose 3 et je retiens 2** scrivo 3 e riporto 2

retentir [ʀ(ə)tɑ̃tiʀ] vi risuonare, riecheggiare; **~ de** (salle) risuonare ou riecheggiare di; (fig) riecheggiare di; **~ sur** vt (fig) ripercuotersi su

retentissant, e [ʀ(ə)tɑ̃tisɑ̃, ɑ̃t] adj (voix) sonoro(-a); (choc) rumoroso(-a); (fig: succès etc) strepitoso(-a)

retenue [ʀət(ə)ny] nf (somme prélevée) ritenuta, trattenuta; (Math) riporto; (Scol) punizione f; (modération, réserve) ritegno; (Auto) coda

réticence [ʀetisɑ̃s] nf reticenza; **sans ~** adv senza esitazioni

réticent, e [ʀetisɑ̃, ɑ̃t] adj reticente

rétine [ʀetin] nf retina

retiré, e [ʀ(ə)tiʀe] adj ritirato(-a); (quartier) fuori mano inv

retirer [ʀ(ə)tiʀe] vt ritirare; (vêtement, lunettes) togliersi; **se retirer** vr ritirarsi; **~ qch à qn** togliere qc a qn; **~ qn/qch de** tirare fuori qn/qc da; **~ un bénéfice/des avantages de** trarre ou ricavare un utile/dei vantaggi da; **se ~ de** ritirarsi da

retomber [ʀ(ə)tɔ̃be] vi ricadere; (atterrir: sauteur, cheval) atterrare; **~ sur qn** (responsabilité, frais) ricadere su qn; **~ malade** riammalarsi; **~ dans l'erreur** ricadere nell'errore

rétorquer [ʀetɔʀke] vt: **~ que** ribattere che

retouche [ʀ(ə)tuʃ] nf (à une peinture, photographie) ritocco; (à un vêtement) modifica; **faire une ~ à** dare un ritocco a; fare una modifica a

retoucher [ʀ(ə)tuʃe] vt (photographie, tableau) ritoccare; (vêtement) modificare

retour [ʀ(ə)tuʀ] nm ritorno; (Comm, Postes: renvoi) rinvio; **au ~** al ritorno; **pendant le ~** durante il ritorno; **à mon/ton ~** al mio/tuo ritorno; **au ~ de** al ritorno di; **être de ~ (de)** essere di ritorno (da); **de ~ à Lyon/chez moi** ritornato(-a) a Lione/a casa; **"de ~ dans 10 minutes"** "torno tra 10 minuti"; **en ~** adv in cambio; **par ~ du courrier** a stretto giro di posta; **par un juste ~ des choses, il a dû payer une amende** ha dovuto pagare una multa, come era giusto; **match ~** partita di ritorno; **~ en arrière** (fig, Ciné, Litt) rievocazione f, flashback m inv; (mesure) passo indietro; **~ à l'envoyeur** (Postes) rinvio al mittente; **~ (automatique) à la ligne** (Inform) a capo ou ritorno automatico; **~ aux sources** (fig) ritorno alle origini; **~ de bâton** guadagno illecito; **~ de chariot** ritorno del carrello; **~ de flamme** (aussi fig: passion) ritorno di fiamma; **~ de manivelle** (fig) contraccolpo; **~ offensif** nuovo attacco (sferrato dopo aver indietreggiato)

retourner [R(ə)tuRne] vt (dans l'autre sens) girare; (arme) rivolgere; (sac, vêtement, terre, foin) rivoltare; (émouvoir: personne) sconvolgere; (renvoyer) rispedire; (restituer): **~ qch à qn** restituire qc a qn ■ vi: **~ quelque part/vers/chez** ritornare da qualche parte/verso/da; **se retourner** vr girarsi, voltarsi; (voiture) ribaltarsi; (fig fam) cavarsela; **~ à** (état initial, activité) ritornare a; **s'en ~** vr ritornarsene; **se ~ contre qn/qch** (fig) ribellarsi contro qn/qc; (suj: chose) ritorcersi contro qn/qc; **savoir de quoi il retourne** sapere di (che) cosa si tratta; **~ en arrière** ou **sur ses pas** ritornare indietro ou sui propri passi; **~ aux sources** ritornare alle origini; **avoir le temps de se ~** avere il tempo di reagire

retrait [R(ə)tRε] nm ritiro; (d'un tissu au lavage) restringimento; **en ~** (porte, bâtiment) rientrante; **se tenir en ~** starsene in disparte; **écrire en ~** far rientrare dal margine; **~ du permis (de conduire)** ritiro della patente

retraite [R(ə)tRεt] nf (d'une armée) ritirata; (d'un employé) pensione f; (asile, refuge, Rel) ritiro; **être/mettre à la ~** essere/mettere in pensione; **prendre sa ~** andare in pensione; **~ anticipée** prepensionamento; **~ aux flambeaux** fiaccolata

retraité, e [R(ə)tRεte] adj, nm/f pensionato(-a)

retrancher [R(ə)tRɑ̃ʃe] vt (passage, détails) sopprimere; (couper, aussi fig) tagliare; **~ qch de** (nombre, somme) detrarre qc da; **se ~ derrière/dans** (Mil, fig) trincerarsi dietro/in

rétrécir [RetResiR] vt restringere ■ vi restringersi; **se rétrécir** vr restringersi

rétro [RetRo] adj inv rétro inv ■ nm (fam) = **rétroviseur**

rétroprojecteur [RetRopRɔʒεktœR] nm lavagna luminosa

rétrospectif, -ive [RetRɔspεktif, iv] adj retrospettivo(-a) ■ nf retrospettiva

rétrospectivement [RetRɔspεktivmɑ̃] adv retrospettivamente

retrousser [R(ə)tRuse] vt (pantalon) arrotolare; (jupe) tirarsi su; (manches) rimboccare; (fig: nez, lèvres) arricciare

retrouvailles [R(ə)tRuvɑj] nfpl: **les ~** (d'amis) il ritrovarsi

retrouver [R(ə)tRuve] vt ritrovare; (reconnaître) riconoscere; (revoir) rivedere; (rejoindre) raggiungere; **se retrouver** vr ritrovarsi; (s'orienter) orientarsi; **se ~ seul/sans argent** trovarsi solo/senza soldi; **se ~ quelque part** ritrovarsi da qualche parte; **se ~ dans** (calculs, désordre) raccapezzarsi in; **s'y ~** (rentrer dans ses frais) rientrare nelle spese; **je ne retrouve plus mon portefeuille** non trovo più il portafoglio

rétroviseur [RetRɔvizœR] nm (specchietto) retrovisore m

réunion [Reynjɔ̃] nf unione f; (de preuves, fonds) raccolta; (de amis, séance, congrès) riunione f; **~ électorale** riunione per designare le candidature; **~ sportive** riunione sportiva

réunir [ReyniR] vt riunire; (preuves, fonds, papiers) raccogliere; (rapprocher, rattacher) unire; **se réunir** vr riunirsi; (s'allier: états) unirsi; (chemins etc) congiungersi; (cours d'eau) confluire; **~ qch à** unire qc a

réussi, e [Reysi] adj riuscito(-a)

réussir [ReysiR] vi (personne, tentative) riuscire, avere successo; (plante, culture) crescere bene; (personne: à un examen) passare, essere promosso(-a) ■ vt (examen) passare; **~ à faire qch** riuscire a fare qc; **j'ai réussi le soufflé** il soufflé mi è riuscito; **le travail/le mariage lui réussit** il lavoro/il matrimonio gli fa bene

réussite [Reysit] nf (d'une tentative, d'un projet) successo, buona riuscita; (de personne) successo; (Cartes) solitario

revaloir [R(ə)valwaR] vt: **je vous revaudrai cela** la ripagherò per questo

revanche [R(ə)vɑ̃ʃ] nf rivincita; **prendre sa ~ (sur)** prendersi la rivincita (su); **en ~** in compenso

rêve [Rεv] nm sogno; **paysage/silence de ~** paesaggio/silenzio irreale; **la voiture/maison de ses ~s**

l'auto/la casa dei suoi sogni; **~ éveillé** sogno a occhi aperti

réveil [ʀevɛj] nm risveglio; (pendule) sveglia; **au ~, je... al** mio risveglio, io...; **sonner le ~** (Mil) suonare la sveglia

réveiller [ʀeveje] vt svegliare; (fig) risvegliare; **se réveiller** vr svegliarsi, (fig) risvegliarsi, ridestarsi; **pouvez-vous me ~ à 7 heures, s'il vous plaît?** vorrei essere svegliato alle 7, per favore

réveillon [ʀevejɔ̃] nm cenone m della vigilia di Natale; (de la Saint-Sylvestre) cenone di Capodanno; (soirée) veglione m

réveillonner [ʀevejɔne] vi fare il cenone ou veglione

révélateur, -trice [ʀevelatœʀ, tʀis] adj rivelatore(-trice) ■ nm (Photo) rivelatore m

révéler [ʀevele] vt rivelare; **se révéler** vr rivelarsi; **se ~ facile/faux** rivelarsi facile/falso

revenant, e [ʀ(ə)vənɑ̃, ɑ̃t] nm/f spirito, fantasma m

revendeur, -euse [ʀ(ə)vɑ̃dœʀ, øz] nm/f rivenditore(-trice)

revendication [ʀ(ə)vɑ̃dikasjɔ̃] nf rivendicazione f; **journée de ~** giornata di protesta

revendiquer [ʀ(ə)vɑ̃dike] vt rivendicare ■ vi (Pol) attuare azioni di protesta

revendre [ʀ(ə)vɑ̃dʀ] vt (d'occasion) rivendere; (détailler) vendere (al dettaglio); **à ~** (en abondance) da vendere; **avoir du talent/de l'énergie à ~** avere talento/energia da vendere

revenir [ʀəv(ə)niʀ] vi ritornare, tornare; **~ à** (études, projet) riprendere; (équivaloir à) equivalere a; (part, honneur, responsabilité) toccare ou spettare a; (souvenir, nom) venire in mente a; **~ (à qn)** (santé, appétit, courage) tornare (a qn); **~ de** (fig: maladie, étonnement) riprendersi da; **~ sur** (question, sujet) tornare su; (promesse, engagement) rimangiarsi; **faire ~** (Culin) far rosolare; **la rumeur m'est revenue que...** mi è giunta voce che...; **cela (nous) revient cher/à 100 euros** (ci) costa caro/100 euro;

~ à la charge tornare alla carica; **~ à soi** tornare in sé; **je n'en reviens pas** (surprise) non riesco a capacitarmene; **~ sur ses pas** tornare sui propri passi; **cela revient au même** fa lo stesso; **cela revient à dire que** ciò equivale a dire che; **~ de loin** (fig) averla scampata bella

revenu, e [ʀəv(ə)ny] pp de **revenir** ■ nm reddito; **revenus** nmpl (financiers) reddito msg, entrate fpl

rêver [ʀeve] vi sognare ■ vt sognare; **~ de/à** sognare; **~ que/de qch/faire qch** sognare che/qc/di fare qc

réverbère [ʀevɛʀbɛʀ] nm lampione m

réverbérer [ʀevɛʀbeʀe] vt riverberare, riflettere

revers [ʀ(ə)vɛʀ] nm rovescio; (de la main) dorso; (d'un veston, de pantalon) risvolto; **d'un ~ de main** con un manrovescio; **le ~ de la médaille** (fig) il rovescio della medaglia; **prendre à ~** attaccare alle spalle; **~ de fortune** rovescio di fortuna

revêtement [ʀ(ə)vɛtmɑ̃] nm rivestimento

revêtir [ʀ(ə)vetiʀ] vt (vêtement) indossare; (fig: forme, caractère) assumere; **~ qn de** vestire qn di ou con; (fig: autorité) investire qn di; **~ qch de** (carreaux, boiserie, asphalte) rivestire qc di; (fig: apparence etc) rivestire qc di ou con; (signature, visa) munire qc di

rêveur, -euse [ʀevœʀ, øz] adj (personne) sognatore(-trice); (air, yeux) sognante ■ nm/f sognatore(-trice)

revient [ʀəvjɛ̃] vb voir **revenir** ■ nm: **prix de ~** (Comm) prezzo di costo

revigorer [ʀ(ə)vigɔʀe] vt rinvigorire

revirement [ʀ(ə)viʀmɑ̃] nm improvviso mutamento

réviser [ʀevize] vt rivedere; (Scol) ripassare; (machine, installation) revisionare

révision [ʀevizjɔ̃] nf revisione f; (Scol) ripasso; **conseil de ~** (Mil) consiglio di leva; **faire ses ~s** (Scol) fare un ripasso, ripassare; **la ~ des 10 000 km** (Auto) la revisione a 10.000 km

revivre [ʀ(ə)vivʀ] vi, vt rivivere; **faire ~** fare rivivere

revoir [ʀ(ə)vwaʀ] vt rivedere; (Scol) ripassare ■ nm: **au ~** arrivederci;

se revoir vr rivedersi; **au ~ Monsieur/Madame** arrivederla; **dire au ~ à qn** salutare qn

révoltant, e [ʀevɔltɑ̃, ɑ̃t] *adj* rivoltante

révolte [ʀevɔlt] *nf* rivolta

révolter [ʀevɔlte] *vt* disgustare, indignare; **se révolter** *vr:* **se ~ (contre)** ribellarsi (contro); **se ~ (à)** indignarsi (di fronte a)

révolu, e [ʀevɔly] *adj* passato(-a); *(fini)* passato(-a), trascorso(-a); **âgé de 18 ans ~s** che ha 18 anni compiuti; **après 3 ans ~s** trascorsi 3 anni

révolution [ʀevɔlysjɔ̃] *nf* rivoluzione *f;* **être en ~** essere in rivolta; **la ~ industrielle** la rivoluzione industriale; **la R~ française** la rivoluzione francese

révolutionnaire [ʀevɔlysjɔnɛʀ] *adj, nm/f* rivoluzionario(-a)

revolver [ʀevɔlvɛʀ] *nm* pistola; *(à barillet)* rivoltella, revolver *m inv*

révoquer [ʀevɔke] *vt* destituire; *(arrêt, contrat, donation)* revocare

revue [ʀ(ə)vy] *nf (aussi Mil)* rivista; *(inventaire, examen)* rassegna; **passer en ~** *(aussi fig: régiment)* passare in rassegna; **~ de (la) presse** rassegna *f* stampa *inv*

rez-de-chaussée [ʀed(ə)ʃose] *nm inv* pianterreno, pianoterra *m inv*

RF [ɛʀɛf] *sigle f =* République française

Rhin [ʀɛ̃] *nm* Reno

rhinocéros [ʀinɔseʀɔs] *nm* rinoceronte *m*

Rhône [ʀon] *nm* Rodano

rhubarbe [ʀybaʀb] *nf* rabarbaro

rhum [ʀɔm] *nm* rum *m inv*, rhum *m inv*

rhumatisme [ʀymatism] *nm* reumatismo; **avoir des ~s** avere i reumatismi

rhume [ʀym] *nm* raffreddore *m;* **le ~ des foins** il raffreddore da fieno; **~ de cerveau** rinite *f*

ricaner [ʀikane] *vi* sogghignare; *(avec gêne)* ridacchiare

riche [ʀiʃ] *adj* ricco(-a); **les ~s** i ricchi; **~ en** ricco(-a) di; **~ de** *(expérience, espérances)* pieno(-a) di

richesse [ʀiʃɛs] *nf* ricchezza; **richesses** *nfpl (argent, possessions)* ricchezze *fpl;* **la ~ en vitamines d'un**

aliment la ricchezza di vitamine di un alimento

ricochet [ʀikɔʃɛ] *nm* rimbalzo; **faire ~** rimbalzare; *(fig)* avere delle ripercussioni; **faire des ~s** *(sur l'eau)* giocare a rimbalzello; **par ~** di rimbalzo; *(fig)* di riflesso *ou* rimbalzo

ride [ʀid] *nf* ruga; *(fig)* increspatura

rideau, x [ʀido] *nm (de fenêtre)* tenda; *(Théâtre)* sipario; *(fig: d'arbres, de verdure)* cortina; **tirer/ouvrir les ~x** tirare/aprire le tende; **~ de fer** *(d'une devanture)* saracinesca; *(Pol)* cortina di ferro

rider [ʀide] *vt* coprire di rughe; *(fig)* increspare; **se rider** *vr (avec l'âge)* raggrinzirsi; *(de contrariété)* corrugarsi

ridicule [ʀidikyl] *adj* ridicolo(-a) ■ *nm* ridicolo; *(état, travers)* ridicolaggine *f;* **tourner qn en ~** mettere qn in ridicolo

ridiculiser [ʀidikylize] *vt* ridicolizzare; **se ridiculiser** *vr* rendersi ridicolo(-a)

rien [ʀjɛ̃] *pron:* (ne)... **~** niente, nulla ■ *nm:* **un petit ~** *(cadeau)* una cosuccia; **qu'est-ce que vous avez? - ~** che cos'ha? - niente; **il n'a ~ dit/fait** non ha detto/fatto niente *ou* nulla; **il n'a ~** *(n'est pas blessé)* non ha niente; **de ~!** di niente!, prego!; **n'avoir peur de ~** non avere paura di niente; **a-t-il jamais ~ fait pour nous?** ha fatto mai niente *ou* nulla per noi?; **~ d'intéressant** niente di interessante; **~ d'autre** nient'altro; **~ du tout** niente di niente; **~ que** solo per; **~ que pour lui faire plaisir** solo per fargli piacere; **~ que la vérité** solo la verità; **~ que cela** solo questo; **des ~s** *(delle)* sciocchezze; **un ~ de** un pochino di; **en un ~ de temps** in un baleno

rieur, -euse [ʀ(i)jœʀ, ʀ(i)jøz] *adj* ridanciano(-a); *(yeux, expression)* ridente

rigide [ʀiʒid] *adj* rigido(-a)

rigoler [ʀigɔle] *vi* ridere; *(s'amuser)* divertirsi; *(plaisanter)* scherzare

rigolo, te [ʀigɔlo, ɔt] *(fam) adj (marrant)* spassoso(-a), divertente; *(curieux, étrange)* strano(-a) ■ *nm/f* mattacchione(-a); *(péj)* tipo(-a) poco serio(-a)

rigoureusement [ʀiɡuʀøzmɑ̃] *adv* rigorosamente; ~ **vrai/interdit** rigorosamente vero/vietato

rigoureux, -euse [ʀiɡuʀø, øz] *adj* rigoroso(-a); (*climat*) rigido(-a); (*châtiment*) severo(-a)

rigueur [ʀiɡœʀ] *nf* rigore *m*; **de ~** (*terme, délai*) improrogabile; "**tenue de soirée de ~**" "è di rigore l'abito da sera"; **être de ~** essere di rigore; **à la ~** al limite; **tenir ~ à qn de qch** avercela con qn per qc

rillettes [ʀijɛt] *nfpl* (*Culin*) specie di pâté à base di carne di maiale o oca

rime [ʀim] *nf* rima; **n'avoir ni ~ ni raison** non avere alcun senso

rinçage [ʀɛ̃saʒ] *nm* sciacquatura; (*de machine à laver*) risciacquo

rincer [ʀɛ̃se] *vt* sciacquare, risciacquare; **se ~ la bouche** sciacquarsi la bocca

ringard, e [ʀɛ̃ɡaʀ, aʀd] (*péj*) *adj* fuori moda, superato(-a)

riposter [ʀipɔste] *vi* rispondere ■ *vt*: ~ **que** rispondere che; ~ **à** rispondere a

rire [ʀiʀ] *vi* ridere; (*se divertir*) divertirsi; (*plaisanter*) scherzare ■ *nm* (*éclat de rire*) risata; (*façon de rire*) riso; **le ~** il riso; ~ **de** ridere di; **se ~ de** ridersene di; **tu veux ~!** ma tu scherzi!; ~ **aux éclats/aux larmes** ridere fragorosamente/fino alle lacrime; ~ **sous cape** ridere sotto i baffi; ~ **au nez de qn** ridere in faccia a qn; **pour ~** per ridere

risible [ʀizibl] *adj* ridicolo(-a)

risque [ʀisk] *nm* rischio; **aimer le ~** amare il rischio; **l'attrait du ~** il fascino del rischio; **prendre un ~/des ~s** rischiare; **à ses ~s et périls** a suo rischio e pericolo; **au ~ de** col rischio di; ~ **d'incendie** rischio incendio

risqué, e [ʀiske] *adj* rischioso(-a); (*plaisanterie, histoire*) spinto(-a)

risquer [ʀiske] *vt* rischiare; (*allusion, comparaison, question*) arrischiare; (*Mil, gén: offensive, opération*) tentare; **tu risques qu'on te renvoie** rischi di farti licenziare; **ça ne risque rien** non corre alcun rischio; **il risque de se tuer** rischia di ammazzarsi; **ce qui risque de se produire** quello che può succedere; **il ne risque pas de**

recommencer non c'è pericolo che ricominci; **se ~ dans** arrischiarsi in; **se ~ à qch/faire qch** azzardare qc/azzardarsi a fare qc; ~ **le tout pour le tout** rischiare il tutto per tutto

rissoler [ʀisɔle] *vi, vt*: (**faire**) ~ **de la viande/des légumes** (fare) rosolare la carne/la verdura

ristourne [ʀistuʀn] *nf* (*Comm*) sconto

rite [ʀit] *nm* rito; ~**s d'initiation** riti d'iniziazione

rivage [ʀivaʒ] *nm* riva

rival, e, aux [ʀival, o] *adj, nm/f* rivale *m/f*; **sans ~** impareggiabile

rivaliser [ʀivalize] *vi*: ~ **avec** rivaleggiare con; ~ **d'élégance/de générosité avec qn** rivaleggiare in eleganza/in generosità con qn

rivalité [ʀivalite] *nf* rivalità *f inv*

rive [ʀiv] *nf* riva

riverain, e [ʀiv(ə)ʀɛ̃, ɛn] *adj* rivierasco(-a); (*d'une route, rue: propriété*) che dà sulla strada ■ *nm/f* (*d'un fleuve, lac*) rivierasco(-a); (*d'une route, rue*) abitante *m/f*; (: *Jur*) frontista *m/f*

rivière [ʀivjɛʀ] *nf* fiume *m*; ~ **de diamants** collana di diamanti

riz [ʀi] *nm* riso; ~ **au lait** crema di riso cotto nel latte

rizière [ʀizjɛʀ] *nf* risaia

RMI [ɛʀɛmi] *sigle m* (= *revenu minimum d'insertion*) sussidio erogato alle persone più bisognose

RN [ɛʀɛn] *sigle f* (= *route nationale*) ≈ S.S. *f*

robe [ʀɔb] *nf* (*vêtement féminin*) vestito, abito; (*de juge, d'avocat*) toga; (*d'ecclésiastique*) tonaca; (*d'un animal*) mantello; ~ **de baptême** vestitino da battesimo; ~ **de chambre** vestaglia; ~ **de grossesse** abito *m ou* vestito *m* pré-maman *inv*; ~ **de mariée** abito da sposa; ~ **de soirée** abito da sera

▌ **FAUX AMIS**
  robe ne se traduit pas par le mot italien **roba**.

robinet [ʀɔbinɛ] *nm* rubinetto; ~ **du gaz** rubinetto del gas; ~ **mélangeur** (rubinetto) miscelatore *m*

robot [ʀɔbo] *nm* robot *m inv*; ~ **de cuisine** robot da cucina

robuste [ʀɔbyst] *adj* robusto(-a), forte

robustesse [ʀɔbystɛs] *nf* robustezza

roc [ʀɔk] *nm* roccia

rocade [ʀɔkad] *nf* (*Auto*) tangenziale *f*

rocaille [ʀɔkaj] *nf* (*pierraille*) pietraia; (*terrain caillouteux*) terreno sassoso; (*jardin*) giardino roccioso ◼ *adj*: **style ~** stile *m* rocaille

roche [ʀɔʃ] *nf* roccia; **~s éruptives/ calcaires** rocce eruttive/calcaree

rocher [ʀɔʃe] *nm* (*bloc*) scoglio; (*matière*) roccia; (*Anat*) rocca

rocheux, -euse [ʀɔʃø, øz] *adj* roccioso(-a); **les (montagnes) Rocheuses** le montagne Rocciose

rodage [ʀɔdaʒ] *nm* rodaggio; **en ~** in rodaggio

rôder [ʀode] *vi* rodare; (*péj: de façon suspecte*) aggirarsi

rôdeur, -euse [ʀodœʀ, øz] *nm/f* vagabondo(-a); (*péj*) teppista *m/f*

rogne [ʀɔɲ] *nf*: **être en ~** essere incavolato(-a); **mettre en ~** far incavolare; **se mettre en ~** incavolarsi

rogner [ʀɔɲe] *vt* (*ongles*) tagliare; (*cuir, plaque de métal etc*) rifilare; (*fig*) lesinare su ◼ *vi*: **~ sur** (*fig*) lesinare su; **~ les ailes (à)** (*fig*) tarpare le ali (a)

rognons [ʀɔɲɔ̃] *nmpl* (*Culin*) rognoni *mpl*

roi [ʀwa] *nm* re *m inv*; **les R~s mages** i Re Magi; **le jour** *ou* **la fête des R~s, les R~s** l'Epifania

◉ **FÊTE DES ROIS**

◉ Il 6 gennaio si celebra la *fête des*
◉ *Rois*. Al presepio vengono aggiunte
◉ le statuette dei Re Magi e la gente
◉ mangia la "galette des Rois", un
◉ dolce piatto dove viene nascosto
◉ un ciondolo di porcellana, la "fève".
◉ Chi trova il ciondolo è re o regina
◉ per quel giorno e può scegliersi un
◉ partner.

rôle [ʀol] *nm* ruolo; (*Ciné, Théâtre, fig*) parte *f*, ruolo; **jouer un ~ important dans...** giocare un ruolo importante in...

romain, e [ʀɔmɛ̃, ɛn] *adj* romano(-a); (*Typo*) tondo(-a) ◼ *nm/f*: **Romain, e** romano(-a)

roman, e [ʀɔmɑ̃, an] *adj* (*Archit*) romanico(-a); (*Ling*) romanzo(-a) ◼ *nm* romanzo; **~ d'espionnage** romanzo di spionaggio; **~ noir** romanzo nero; **~ policier** (romanzo) giallo

romancer [ʀɔmɑ̃se] *vt* romanzare

romancier, -ière [ʀɔmɑ̃sje] *nm/f* romanziere(-a)

romanesque [ʀɔmanɛsk] *adj* romanzesco(-a); (*sentimental, rêveur*) romantico(-a)

roman-feuilleton [ʀɔmɑ̃fœjtɔ̃] (*pl* **romans-feuilletons**) *nm* romanzo a puntate

romanichel, le [ʀɔmaniʃɛl] *nm/f* zingaro(-a)

romantique [ʀɔmɑ̃tik] *adj* romantico(-a)

romarin [ʀɔmaʀɛ̃] *nm* rosmarino

rompre [ʀɔ̃pʀ] *vt* rompere; (*entretien*) interrompere ◼ *vi* (*se séparer: fiancés*) rompere; **se rompre** *vr* rompersi; **~ avec** rompere con; **applaudir à tout ~** applaudire fragorosamente; **~ la glace** (*fig*) rompere il ghiaccio; **rompez (les rangs)!** (*Mil*) rompete le righe!; **se ~ les os** *ou* **le cou** rompersi l'osso del collo

rompu, e [ʀɔ̃py] *pp de* **rompre** ◼ *adj* (*fourbu*) stremato(-a); **~ à** (*art, discipline*) esperto(-a) in

ronchonner [ʀɔ̃ʃɔne] (*fam*) *vi* brontolare, mugugnare

rond, e [ʀɔ̃, ʀɔ̃d] *adj* rotondo(-a); (*fam: ivre*) sbronzo(-a); (*sincère, décidé*) schietto(-a) ◼ *nm* cerchio ◼ *adv*: **tourner ~** (*moteur*) girare bene; **je n'ai plus un ~** (*fam*) non ho più una lira; **ça ne tourne pas ~** (*fig*) c'è qualcosa che non quadra; **pour faire un compte ~** per fare il conto tondo; **avoir le dos ~** avere la schiena curva; **en ~** (*s'asseoir, danser*) in cerchio; **faire des ~s de jambe** (*fig*) fare dei salamelecchi; **~ de serviette** portatovagliolo

ronde [ʀɔ̃d] *nf* (*Mil, gén*) ronda; (*danse, des enfants*) girotondo; (*Mus*) semibreve *f*; **à 10 km à la ~** nel raggio di 10 km; **passer qch à la ~** passarsi *ou* far girare qc

rondelet, te [ʀɔ̃dlɛ, ɛt] *adj* rotondetto(-a), grassottello(-a);

(*fig: somme*) discreto(-a); (: *bourse*) gonfio(-a)
rondelle [ʀɔ̃dɛl] *nf* (*Tech*) rondella; (*tranche*) fettina
rond-point [ʀɔ̃pwɛ̃] (*pl* **ronds-points**) *nm* piazza (circolare), rotonda; (*Auto*) rotatoria
ronflement [ʀɔ̃fləmɑ̃] *nm* russare *m inv*; (*de moteur*) ronzio; (*de poêle*) borbottio
ronfler [ʀɔ̃fle] *vi* (*personne*) russare; (*moteur*) ronzare; (*poêle*) borbottare
ronger [ʀɔ̃ʒe] *vt* rosicchiare; (*suj: rouille*) corrodere; (: *mal*) consumare; (: *pensée*) rodere; **~ son frein** mordere il freno; **se ~ d'inquiétude/de souci** tormentarsi, angosciarsi; **se ~ les ongles** mangiarsi le unghie; **se ~ les sangs** rodersi
rongeur [ʀɔ̃ʒœʀ] *nm* roditore *m*
ronronner [ʀɔ̃ʀɔne] *vi* (*chat*) fare le fusa; (*fig: moteur*) ronzare
rosbif [ʀɔsbif] *nm* roast-beef *m inv*, rosbif *m inv*
rose [ʀoz] *nf* (*fleur*) rosa; (*vitrail*) rosone *m* ■ *nm* (*couleur*) rosa *m inv* ■ *adj* rosa *inv*; **~ bonbon** *adj* rosa confetto *inv*; **~ des sables** rosa del deserto; **~ des vents** rosa dei venti
rosé, e [ʀoze] *adj* rosato(-a); (*vin*) **~** (*vino*) rosato, (*vin*) rosé *m inv*
roseau, x [ʀozo] *nm* canna
rosée [ʀoze] *adj f voir* **rosé** ■ *nf* rugiada; **une goutte de ~** una goccia di rugiada
rosier [ʀozje] *nm* rosaio
rossignol [ʀɔsiɲɔl] *nm* (*Zool*) usignolo; (*crochet*) grimaldello
rotation [ʀɔtasjɔ̃] *nf* rotazione *f*; **par ~** a rotazione; **~ des cultures** rotazione delle colture; **~ des stocks** (*Comm*) rinnovo delle scorte
roter [ʀɔte] (*fam*) *vi* ruttare
rôti [ʀɔti] *nm* arrosto; **un ~ de bœuf/porc** un arrosto di manzo/maiale
rotin [ʀɔtɛ̃] *nm* rattan *m inv*
rôtir [ʀɔtiʀ] *vt* (*aussi:* **faire rôtir**) arrostire ■ *vi* arrostire; **se ~ au soleil** arrostire *ou* arrostirsi al sole
rôtisserie [ʀɔtisʀi] *nf* rosticceria
rôtissoire [ʀɔtiswaʀ] *nf* girarrosto
rotule [ʀɔtyl] *nf* rotula
rouage [ʀwaʒ] *nm* ingranaggio

roue [ʀu] *nf* ruota; **faire la ~** (*paon, Gymnastique*) fare la ruota; **descendre en ~ libre** (*Auto*) andare in folle; **~s avant/arrière** ruote anteriori/posteriori; **pousser à la ~** dare una mano; **grande ~** (*à la foire*) ruota panoramica; **~ à aubes** ruota a pale; **~ de secours** ruota di scorta; **~ dentée** ruota dentata
rouer [ʀwe] *vt*: **~ qn de coups** pestare qn di santa ragione
rouge [ʀuʒ] *adj, nm/f* rosso(-a) ■ *nm* rosso; (*vin*) **~** (*vino*) rosso; **passer au ~** (*signal*) diventare rosso; (*automobiliste*) passare col rosso; **porter au ~** (*métal*) arroventare; **sur la liste ~** (*Tél*) non incluso(-a) nell'elenco telefonico; **~ de honte/de colère** rosso(-a) per la vergogna/dalla collera; **se fâcher tout ~** andare in bestia; **voir ~** vedere rosso; **~ à joues** fard *m inv*; **~ (à lèvres)** rossetto
rouge-gorge [ʀuʒgɔʀʒ] (*pl* **rouges-gorges**) *nm* pettirosso
rougeole [ʀuʒɔl] *nf* morbillo
rougeoyer [ʀuʒwaje] *vi* rosseggiare
rouget [ʀuʒɛ] *nm* triglia
rougeur [ʀuʒœʀ] *nf* (*du ciel, de l'incendie*) rosso; (*du visage*) rossore *m*; **rougeurs** *nfpl* (*Méd*) macchie *fpl* rosse
rougir [ʀuʒiʀ] *vi* diventare rosso(-a); (*de honte, timidité, plaisir*) arrossire
rouille [ʀuj] *nf* ruggine *f*; (*Culin*) salsa provenzale piccante servita col pesce ■ *adj inv* color ruggine *inv*
rouillé, e [ʀuje] *adj* arrugginito(-a)
rouiller [ʀuje] *vt, vi* (*métal*) arrugginire; **se rouiller** *vr* arrugginirsi
roulant, e [ʀulɑ̃, ɑ̃t] *adj* (*meuble*) su *ou* a rotelle; (*surface, trottoir*) mobile; **matériel ~** (*Rail*) materiale *m* rotabile; **personnel ~** (*Rail*) personale *m* viaggiante; **table ~e** carrello
rouleau, x [ʀulo] *nm* rotolo; (*de machine à écrire, à peinture*) rullo; (*à mise en plis*) bigodino; (*Sport*) avvitamento; (*vague*) cavallone *m*; **être au bout du ~** (*fig*) essere agli sgoccioli; **~ à pâtisserie** mattarello; **~ compresseur** rullo compressore; **~ de pellicule** rullino

roulement [Rulmā] *nm*
rotolamento; (*de véhicule*) passaggio;
(*bruit: de véhicule*) rombo; (: *du
tonnerre*) brontolio; (*rotation:
d'ouvriers*) rotazione *f*; (: *de capitaux*)
circolazione *f*; **par ~** a rotazione; **~ (à
billes)** cuscinetto (a sfere); **~ d'yeux**
roteare *m inv* degli occhi; **~ de
tambour** rullo di tamburo

rouler [Rule] *vt* (far) rotolare; (*tissu,
tapis, cigarette*) arrotolare; (*Culin:
pâte*) spianare; (*fam: tromper, duper*)
fregare ■ *vi* (*bille, boule, dé*) rotolare;
(*voiture, train*) andare, viaggiare;
(*automobiliste, cycliste*) andare,
procedere; (*bateau*) rollare; (*tonnerre*)
brontolare; **~ en bas de** (*personne:
dégringoler*) ruzzolare giù da; **~ sur**
(*suj: conversation*) vertere su; **se ~
dans** (*boue*) rotolarsi in; (*couverture*)
avvolgersi in; **~ qn dans la farine**
(*fam*) infinocchiare qn; **~ les épaules**
muovere le spalle (camminando);
~ les hanches ancheggiare; **~ les "r"**
pronunciare la "r"; **~ sur l'or** sguazzare
nell'oro; **~ (sa bosse)** andare in giro

roulette [Rulɛt] *nf* rotella; (*jeu*)
roulette *f inv*; **table/fauteuil à ~s**
tavolo/poltrona a rotelle; **la ~ russe**
la roulette russa

roulis [Ruli] *nm* rollio

roulotte [Rulɔt] *nf* (*de bohémiens,
forains*) carrozzone *m*

roumain, e [Rumɛ̃, ɛn] *adj*
rumeno(-a), romeno(-a) ■ *nm*
(*langue*) rumeno, romeno ■ *nm/f*:
Roumain, e rumeno(-a), romeno(-a)

Roumanie [Rumani] *nf* Romania

rouquin, e [Rukɛ̃, in] (*péj*) *nm/f*
rosso(-a) (di capelli)

rouspéter [Ruspete] (*fam*) *vi*
brontolare

rousse [Rus] *adj voir* **roux**

roussir [RusiR] *vt* (*herbe*) bruciare;
(*linge*) strinare ■ *vi* diventare
rossiccio(-a); **faire ~ la viande/
les oignons** far rosolare la carne/
le cipolle

route [Rut] *nf* strada; **par (la) ~** su
strada; **il y a 3 heures de ~** ci sono
3 ore di strada; **en ~** strada facendo;
en ~! andiamo!; **en cours de ~** strada
facendo; **mettre en ~** (*voiture,
moteur*) avviare; **se mettre en ~**
avviarsi, partire; **faire ~ vers** dirigersi
verso; **faire fausse ~** (*fig*) essere fuori
strada; **quelle ~ dois-je prendre pour
aller à ...?** che strada devo prendere
per andare a ...?; **~ nationale** strada
statale

routier, -ière [Rutje, jɛR] *adj*
stradale ■ *nm* (*camionneur*)
camionista *m*; (*restaurant*) ristorante
m (frequentato) da camionisti; (*scout*)
rover *m inv*; (*cycliste*) stradista *m*;
vieux ~ vecchia volpe *f*

routine [Rutin] *nf* routine *f inv*,
abitudine *f*; **visite/contrôle de ~**
visita/controllo di routine

routinier, -ière [Rutinje, jɛR] *adj*
(*péj: travail*) monotono(-a); (*personne,
esprit*) abitudinario(-a)

rouvrir [RuvRiR] *vt, vi* riaprire;
se rouvrir *vr* riaprirsi

roux, rousse [Ru, Rus] *adj* rosso(-a);
(*personne*) rosso(-a) (di capelli) ■ *nm/f*
rosso(-a) di capelli ■ *nm* (*Culin*)
preparazione base per salse fatta di burro
fuso e farina

royal, e, aux [Rwajal, o] *adj* reale;
(*fig: festin, cadeau*) principesco(-a); (:
indifférence, paix) totale

royaume [Rwajom] *nm* regno; **le ~
des cieux** il regno dei cieli

royauté [Rwajote] *nf* (*dignité*) dignità
f inv regale; (*régime*) monarchia

ruban [Rybā] *nm* nastro; (*pour ourlet,
couture*) fettuccia; **~ adhésif** nastro
adesivo; **~ carbone** nastro carbonato

rubéole [Rybeɔl] *nf* rosolia

rubis [Rybi] *nm* rubino; **payer ~ sur
l'ongle** pagare sull'unghia

rubrique [RybRik] *nf* (*titre, catégorie*)
voce *f*, categoria; (*Presse*) rubrica

ruche [Ryʃ] *nf* arnia, alveare *m*

rude [Ryd] *adj* (*barbe, toile, brosse*)
ruvido(-a); (*métier, tâche, épreuve*)
duro(-a); (*climat*) rigido(-a); (*bourru:
manières, voix*) rude, rozzo(-a); **un ~
paysan/montagnard** un rude
contadino/montanaro; **une ~ peur**
una gran strizza; **être mis à ~
épreuve** essere messo a dura prova

rudement [Rydmā] *adv* (*tomber*)
malamente; (*traiter, reprocher*)
duramente; (*fam: très*) molto; **j'ai ~
faim** ho una fame tremenda; **elle est
~ belle** è tremendamente bella

rudimentaire [ʀydimɑ̃tɛʀ] *adj*
rudimentale

rudiments [ʀydimɑ̃] *nmpl*
rudimenti *mpl*

rue [ʀy] *nf* strada; (*suivi de nom propre*)
via; **être/jeter qn à la ~** essere/
gettare qn sulla strada

ruée [ʀɥye] *nf* corsa; **la ~ vers l'or** la
corsa all'oro

ruelle [ʀɥɛl] *nf* viuzza, stradina

ruer [ʀɥe] *vi* (*cheval*) scalciare;
se ruer *vr*: **se ~ sur** gettarsi su; **se ~
vers/dans/hors de** precipitarsi
verso/in/fuori da; **~ dans les
brancards** recalcitrare

rugby [ʀygbi] *nm* rugby *m inv*; **~ à
quinze** rugby *m inv*; **~ à treize** *rugby
con tredici giocatori*

rugir [ʀyʒiʀ] *vi* ruggire; (*fig*) urlare
■ *vt* urlare

rugueux, -euse [ʀygø, øz] *adj*
rugoso(-a)

ruine [ʀɥin] *nf* (*d'un régime,
d'espérances*) crollo; (*d'une entreprise*)
rovina; (*restes d'un édifice*) rudere *m*;
ruines *nfpl* (*décombres*) rovine *fpl*;
tomber en ~ cadere in rovina; **être au
bord de la ~** (*fig*) essere sull'orlo del
fallimento

ruiner [ʀɥine] *vt* rovinare; **se ruiner**
vr rovinarsi

ruineux, -euse [ʀɥinø, øz] *adj*
terribilmente caro(-a)

ruisseau, x [ʀɥiso] *nm* (*cours d'eau*)
ruscello; (*caniveau*) cunetta, canale *m*
di scolo; **~x de larmes/sang** fiumi di
lacrime/sangue

ruisseler [ʀɥis(ə)le] *vi* (*eau, pluie,
larmes*) scorrere; (*mur, arbre, visage*)
gocciolare; **~ d'eau/de pluie**
gocciolare d'acqua/di pioggia; **~ de
larmes/sueur** grondare di lacrime/di
sudore; **~ de lumière** sfavillare di luce

rumeur [ʀymœʀ] *nf* brusio;
(*nouvelle*) voce *f*

> **FAUX AMIS**
> **rumeur** ne se traduit pas
> par le mot italien **rumore**.

ruminer [ʀymine] *vt* ruminare; (*fig*)
rimuginare ■ *vi* ruminare

rupture [ʀyptyʀ] *nf* rottura; **être en
~ de ban** (*fig*) essere in rotta con la
società; **être en ~ de stock** (*Comm*)
non avere scorte sufficienti

rural, e, aux [ʀyʀal, o] *adj* rurale;
les ruraux *nmpl* la gente di
campagna

ruse [ʀyz] *nf* astuzia; **par ~** con
l'astuzia

rusé, e [ʀyze] *adj* astuto(-a)

russe [ʀys] *adj* russo(-a) ■ *nm*
(*langue*) russo ■ *nm/f*: **Russe**
russo(-a)

Russie [ʀysi] *nf* Russia; **la ~ blanche**
la Bielorussia; **la ~ Soviétique** la
Repubblica Sovietica Russa

rustine [ʀystin] *nf* toppa adesiva
(*per camere d'aria*)

rustique [ʀystik] *adj* rustico(-a);
(*plante*) resistente

rythme [ʀitm] *nm* ritmo; **au ~ de
10 par jour** al ritmo di 10 al giorno

rythmé, e [ʀitme] *adj* ritmato(-a)

S

s' [s] *pron voir* **se**

sa [sa] *dét voir* **son**

sable [sabl] *nm* sabbia; **~s mouvants** sabbie mobili

sablé, e [sable] *adj* (*allée*) cosparso(-a) di sabbia ▪ *nm* frollino; **pâte ~e** (*Culin*) pasta frolla

sabler [sable] *vt* cospargere di sabbia; **~ le champagne** (*fig*) festeggiare a champagne

sabot [sabo] *nm* (*chaussure, de cheval*) zoccolo; (*Tech*) ceppo; **~ (de Denver)** (*Auto*) morsetto *m* bloccaruota *inv*; **~ de frein** ganascia (del freno)

saboter [sabote] *vt* (*installation, négociation*) sabotare; (*travail, morceau de musique*) rovinare

sac [sak] *nm* sacco; **mettre à ~** (*ville etc*) saccheggiare; **~ à dos** zaino; **~ à main** borsetta; **~ à provisions** borsa della spesa; **~ de couchage** sacco a pelo; **~ de plage** borsa da spiaggia; **~ de voyage** borsa *ou* sacca da viaggio

saccadé, e [sakade] *adj* (*gestes, voix*) a scatti

saccager [sakaʒe] *vt* saccheggiare

saccharine [sakaʀin] *nf* saccarina

sachet [saʃɛ] *nm* sacchetto; (*shampooing*) bustina; **thé en ~s** tè in bustine; **~ de thé** bustina di tè

sacoche [sakɔʃ] *nf* borsa

sacré, e [sakʀe] *adj* sacro(-a); (*fam: satané*) maledetto(-a)

sacrement [sakʀəmɑ̃] *nm* sacramento; **administrer les derniers ~s à qn** amministrare l'Estrema Unzione a qn

sacrifice [sakʀifis] *nm* sacrificio; **faire le ~ de** fare il sacrificio di

sacrifier [sakʀifje] *vt* (*gén*) sacrificare; **se sacrifier** *vr* sacrificarsi; **~ à** (*à mode, tradition*) sacrificare a; **articles sacrifiés** (*Comm*) articoli a prezzi stracciati

sacristie [sakʀisti] *nf* sagrestia

sadique [sadik] *adj, nm/f* sadico(-a)

safran [safʀɑ̃] *nm* zafferano

sage [saʒ] *adj* assennato(-a); (*enfant*) buono(-a), bravo(-a) ▪ *nm* saggio

sage-femme [saʒfam] (*pl* **sages-femmes**) *nf* levatrice *f*, ostetrica

sagesse [saʒɛs] *nf* saggezza; (*d'un enfant*) bontà *f inv*

Sagittaire [saʒitɛʀ] *nm* (*Astrol*) Sagittario; **être (du) ~** essere del Sagittario

Sahara [saaʀa] *nm:* **le ~** il Sahara

saignant, e [sɛɲɑ̃, ɑ̃t] *adj* (*viande*) al sangue; (*blessure, plaie*) sanguinante

saigner [seɲe] *vi* sanguinare ▪ *vt* (*personne: Méd*) salassare; (: *fig*) dissanguare; (*animal: égorger*) sgozzare; **~ qn à blanc** (*fig*) dissanguare qn; **~ du nez** avere sangue dal naso

saillir [sajiʀ] *vi* sporgere ▪ *vt* (*Élevage*) montare; **faire ~** (*muscles etc*) far sporgere

sain, e [sɛ̃, sɛn] *adj* sano(-a); (*climat, habitation*) salubre; (*affaire, entreprise*) in buona salute; **~ et sauf** sano e salvo; **~ d'esprit** sano(-a) di mente

saindoux [sɛ̃du] *nm* strutto

saint, e [sɛ̃, sɛ̃t] *adj, nm/f* (*aussi fig*) santo(-a); **la S~e Vierge** la Santa Vergine

sainteté [sɛ̃tte] *nf* santità *f inv*; **sa S~ le pape** Sua Santità il Papa

sais *etc* [sɛ] *vb voir* **savoir**

saisie [sezi] *nf* (*Jur*) sequestro; **à la ~** (*texte*) in fase di battitura;

~ **(de données)** (Inform) inserimento ou immissione f (di dati)

saisir [sezir] vt afferrare; (fig: occasion, prétexte) cogliere; (suj: sensations, émotions) prendere; (Inform) inserire, immettere; (Culin) passare a fuoco vivo; (Jur: biens) sequestrare; (: personne) sequestrare i beni di; (: publication interdite) mettere sotto sequestro; **se saisir de** vr (personne) impadronirsi di; **être saisi** (de douleur, d'étonnement) essere colto da; ~ **un tribunal d'une affaire** portare una causa in tribunale

saisissant, e [sezisã, ãt] adj impressionante, sorprendente; (froid) pungente

saison [sezõ] nf stagione f; **la belle/ mauvaise** ~ la bella/cattiva stagione; **être de** ~ essere opportuno(-a); **en/ hors** ~ (Tourisme) durante la/fuori stagione; **haute/basse** ~ (Tourisme) alta/bassa stagione; **morte** ~ (Tourisme) stagione morta; **la** ~ **des pluies/des amours** la stagione delle piogge/degli amori

saisonnier, -ière [sezɔnje, jɛʀ] adj (produits, travail) stagionale; (maladie) di stagione ■ nm stagionale m

salade [salad] nf insalata; (fam: confusion) pasticcio; **salades** nfpl (fam): **raconter des ~s** raccontare delle fandonie; **haricots en ~** fagiolini mpl in insalata; ~ **d'endives** insalata di cicoria belga; ~ **de concombres** insalata di cetrioli; ~ **de fruits** macedonia (di frutta); ~ **de laitues** insalata di lattuga; ~ **de tomates** insalata di pomodori; ~ **niçoise** insalata f niçoise inv ou nizzarda; ~ **russe** insalata russa

saladier [saladje] nm insalatiera

salaire [salɛʀ] nm salario, stipendio; (fig) compenso, ricompensa; **un ~ de misère** un salario ou uno stipendio da fame; ~ **brut** salario ou stipendio lordo; ~ **de base** salario ou stipendio di base; ~ **minimum interprofessionnel de croissance** salario minimo garantito; ~ **net** salario ou stipendio netto

salarié, e [salarje] adj, nm/f dipendente m/f

salaud [salo] (fam!) nm stronzo (fam!)

sale [sal] adj sporco(-a); (fig: histoire, plaisanterie) sconcio(-a); (: avant le nom: fam) brutto(-a)

salé, e [sale] adj (aussi fig: note, facture) salato(-a); (Culin: conservé au sel) sotto sale; (fig: histoire, plaisanterie) piccante ■ nm (porc salé) carne f di maiale salata; **bien** ~ ben salato(-a); **petit** ~ carne di maiale per bollito leggermente salata

saler [sale] vt salare

saleté [salte] nf sporcizia; (fig: action vile, chose sans valeur) porcheria; (: obscénité) sconcezza; (: microbe etc) impurità f inv; **vivre dans la** ~ vivere nella sporcizia

salière [saljɛʀ] nf saliera

salir [salir] vt sporcare; (fig: personne, réputation) insozzare, macchiare; **se salir** vr (aussi fig) sporcarsi

salissant, e [salisã, ãt] adj (tissu, couleur) che sporca; (métier) in cui ci si sporca

salle [sal] nf sala; (pièce: gén) sala, stanza; (d'hôpital) corsia; **faire** ~ **comble** fare il pienone; ~ **à manger** sala da pranzo; ~ **commune** (d'hôpital) corsia; ~ **d'arme** sala d'armi; ~ **d'attente** sala d'attesa; ~ **d'eau** stanza da bagno; ~ **d'embarquement** (à l'aéroport) imbarco; ~ **d'exposition** salone m ou sala di esposizione; ~ **d'opération** (d'hôpital) sala operatoria; ~ **de bain(s)** bagno; ~ **de bal/de danse** sala da ballo; ~ **de cinéma** cinema m inv; ~ **de classe** aula; ~ **de concert** sala (per) concerti; ~ **de consultation** sala di consultazione; ~ **de douches** docce fpl; ~ **de jeux** sala f giochi inv; ~ **de projection** sala di proiezione; ~ **de séjour** soggiorno; ~ **de spectacle** (Théâtre) teatro; (Ciné) sala, cinema m inv; ~ **des machines** sala f macchine inv; ~ **des ventes** reparto m vendite inv; ~ **obscure** cinema m inv

salon [salõ] nm (pièce, mobilier, littéraire) salotto; (exposition périodique) salone m; ~ **de coiffure** parrucchiere m; ~ **de thé** sala da tè

salope [salɔp] (fam!) nf troia (fam!), puttana (fam!)

saloperie [salɔpʀi] (fam!) nf porcheria; (action vile) porcata

salopette [salɔpɛt] nf (de travail) tuta; (pantalon) salopette f inv

salsifis [salsifi] nm (Bot) barba di becco

salubre [salybʀ] adj salubre

saluer [salɥe] vt salutare

salut [saly] nm (sauvegarde) salvezza, scampo; (Rel) salvezza; (geste, parole d'accueil, Mil) saluto ◼ excl (fam: pour dire bonjour) ciao, salve; (: pour dire au revoir) ciao; (style relevé) salve; ~ **public** salute f pubblica

salutations [salytasjɔ̃] nfpl saluti mpl; **recevez mes ~ distinguées** ou **respectueuses** distinti saluti

samedi [samdi] nm sabato; voir aussi **lundi**

SAMU [samy] sigle m (= service d'assistance médicale d'urgence) ≈ pronto soccorso

sanction [sɑ̃ksjɔ̃] nf sanzione f; (conséquence) (inevitabile) conseguenza; **prendre des ~s contre** prendere dei provvedimenti contro

sanctionner [sɑ̃ksjɔne] vt (loi, décret, usage) sancire, sanzionare; (punir) sanzionare

sandale [sɑ̃dal] nf sandalo

sandwich [sɑ̃dwi(t)ʃ] nm panino (imbottito), sandwich m inv; **être pris en ~ (entre)** essere bloccato (tra); **je voudrais un ~ au jambon/fromage** vorrei un panino con il prosciutto/formaggio

sang [sɑ̃] nm sangue m; **être en ~** essere insanguinato(-a); **jusqu'au ~** (mordre, pincer) a sangue; **se faire du mauvais ~** farsi sangue cattivo; **~ bleu** sangue blu

sang-froid [sɑ̃fʀwa] nm inv sangue freddo; **garder son ~** mantenere il sangue freddo; **perdre/retrouver son ~** perdere/riprendere il controllo (di sé); **faire qch de ~** fare qc a sangue freddo

sanglant, e [sɑ̃glɑ̃, ɑ̃t] adj (visage, mains, arme) insanguinato(-a); (bataille, combat, affront) sanguinoso(-a)

sangle [sɑ̃gl] nf cinghia; **sangles** nfpl (pour lit etc) piano msg di tela; **lit de ~(s)** branda (con piano di tela)

sanglier [sɑ̃glije] nm cinghiale m

sanglot [sɑ̃glo] nm singhiozzo

sangloter [sɑ̃glɔte] vi singhiozzare

sangsue [sɑ̃sy] nf sanguisuga

sanguin, e [sɑ̃gɛ̃, in] adj sanguigno(-a)

sanitaire [sanitɛʀ] adj sanitario(-a); **sanitaires** nmpl (salle de bain et w.c.) servizi mpl (igienici); **installation/appareil ~** impianto sanitario

sans [sɑ̃] prép senza; **~ qu'il s'en aperçoive** senza che se ne accorga; **~ scrupules** senza scrupoli; **~ manches** senza maniche

sans-abri [sɑ̃zabʀi] nm/f inv senzatetto m/f inv

sans-emploi [sɑ̃zɑ̃plwa] nm/f inv disoccupato(-a)

sans-gêne [sɑ̃ʒɛn] adj inv sfrontato(-a) ◼ nm inv sfrontatezza

santé [sɑ̃te] nf salute f; **avoir une ~ de fer** avere una salute di ferro; **avoir une ~ délicate** essere cagionevole di salute; **être en bonne ~** essere in buona salute; **boire à la ~ de qn** bere alla salute di qc; **à la ~ de** alla salute di; **à votre/ta ~!** alla vostra/tua salute!; **la ~ publique** la sanità pubblica; **service de ~** (dans un port etc) servizio di quarantena

saoudien, ne [saudjɛ̃, jɛn] adj saudita ◼ nm/f: **Saoudien, ne** arabo(-a) (saudita)

saoul, e [su, sul] adj = **soûl**

saper [sape] vt (aussi fig) scalzare; **se saper** vr (fam) vestirsi

sapeur-pompier [sapœʀpɔ̃pje] (pl **sapeurs-pompiers**) nm pompiere m

saphir [safiʀ] nm (pierre précieuse) zaffiro; (d'électrophone) puntina

sapin [sapɛ̃] nm abete m; **~ de Noël** albero di Natale

sarcastique [saʀkastik] adj sarcastico(-a)

Sardaigne [saʀdɛɲ] nf Sardegna

sardine [saʀdin] nf sardina; **~s à l'huile** sardine sott'olio

SARL [ɛsaɛʀɛl] sigle f (= société à responsabilité limitée) S.r.l.

sarrasin [saʀazɛ̃] nm grano saraceno

SARS [saʀ] nf SRAS (syndrome respiratoire aigu sévère)

satané, e [satane] adj dannato(-a)

satellite [satelit] nm (Astron, Pol) satellite m; **pays ~** paese m satellite; **retransmis par ~** (Radio, TV) ritrasmesso via satellite; ~ (artificiel) satellite (artificiale)

satin [satɛ̃] nm raso

satire [satiʀ] nf satira; **faire la ~ de** fare la satira di

satirique [satiʀik] adj satirico(-a)

satisfaction [satisfaksjɔ̃] nf soddisfazione f; **à ma grande ~** con mia grande soddisfazione; **obtenir ~** ricevere soddisfazione; **donner ~ (à)** (suj: employé, méthode) dare soddisfazione (a); **donner ~ à** (qn qui exige, pose des conditions) soddisfare

satisfaire [satisfɛʀ] vt soddisfare; **se ~ de** vr accontentarsi di; **~ à** soddisfare

satisfaisant, e [satisfəzɑ̃, ɑ̃t] adj soddisfacente

satisfait, e [satisfɛ, ɛt] pp de **satisfaire** ■ adj: **~ (de)** soddisfatto(-a) (di)

saturer [satyʀe] vt (aussi fig) saturare; **~ qn/qch de** saturare qn/qc di; **être saturé de qch** essere saturo di qc

sauce [sos] nf salsa; **en ~** con salsa; **~ salade** condimento per l'insalata; **~ aux câpres** salsa ai capperi; **~ blanche** salsa bianca; **~ chasseur** salsa alla cacciatora; **~ mayonnaise** maionese f; **~ piquante** salsa piccante; **~ suprême** salsa suprema; **~ tomate** salsa di pomodoro; **~ vinaigrette** salsa f vinaigrette inv

saucière [sosjɛʀ] nf salsiera

saucisse [sosis] nf salsiccia

saucisson [sosisɔ̃] nm salame m; **~ à l'ail** salame con l'aglio; **~ sec** salame m

sauf¹ [sof] prép salvo, tranne; **~ que...** tranne che...; **~ si...** (excepté) salvo che...; (à moins que) a meno che...; **~ avis contraire** salvo parere contrario; **~ empêchement** salvo impedimento; **~ erreur** salvo errori; **~ imprévu** salvo imprevisti

sauf², sauve [sof, sov] adj salvo(-a); **laisser la vie sauve à qn** risparmiare qn

sauge [soʒ] nf salvia

saugrenu, e [sogʀəny] adj strampalato(-a), strano(-a)

saule [sol] nm salice m; **~ pleureur** salice piangente

saumon [somɔ̃] nm salmone m ■ adj inv (couleur) (color) salmone inv

saupoudrer [supudʀe] vt: **~ qch de** (de sel, chapelure, sucre) cospargere qc di, spolverare qc di; (fig: de citations etc) infarcire qc di

saur [sɔʀ] adj m: **hareng ~** aringa affumicata

saut [so] nm salto, balzo; (Sport) salto; (Ski) trampolino; **faire un ~** fare un salto; **faire un ~ chez qn** fare un salto da qn; **au ~ du lit** appena giù dal letto; **~ en hauteur/longueur/à la perche** salto in alto/in lungo/con l'asta; **le ~ à la corde** il salto della corda; **~ de page** (Inform) salto pagina; **~ en parachute** lancio col paracadute; **~ périlleux** salto mortale

sauter [sote] vi saltare; (corde) rompersi ■ vt saltare; **~ dans/sur/ vers** saltare in/su/verso; **faire ~** far saltare; **~ à pieds joints** saltare a piedi uniti; **~ à cloche pied** saltellare su un piede solo; **~ en parachute** lanciarsi col paracadute; **~ à la corde** saltare con la corda; **~ à bas du lit** saltar giù dal letto; **~ de joie** fare salti di gioia; **~ de colère** saltare dalla rabbia; **~ au cou de qn** saltare al collo di qn; **~ d'un sujet à l'autre** saltare di palo in frasca; **~ aux yeux** saltare agli occhi; **~ au plafond** (fig) scattare

sauterelle [sotʀɛl] nf cavalletta

sautiller [sotije] vi saltellare

sauvage [sovaʒ] adj selvatico(-a); (lieu) sperduto(-a); (peuplade, mœurs) selvaggio(-a); (non officiel: camping, vente etc) libero(-a) ■ nm/f (primitif) selvaggio(-a); (brute, barbare) selvaggio(-a); (timide) selvatico(-a)

sauve [sov] adj f voir **sauf**

sauvegarde [sovgaʀd] nf salvaguardia, tutela; **sous la ~ de** sotto la salvaguardia ou tutela di; **disquette/fichier de ~** disco/file m inv di backup ou di riserva

sauvegarder [sovgaʀde] vt salvaguardare, tutelare; (Inform: enregistrer) salvare; (: copier) fare una copia di backup ou di riserva

sauve-qui-peut [sovkipø] nm inv fuggi fuggi m inv ■ excl si salvi chi può

sauver [sove] *vt* salvare; (*récupérer: navire, entreprise*) soccorrere; **se sauver** *vr* (*s'enfuir*) scappare; (*fam: partir*) filarsela; **~ qn de** (*naufrage, désespoir*) trarre in salvo qn da; **~ la vie à qn** salvare la vita a qn; **~ les apparences** salvare le apparenze

sauvetage [sov(ə)taʒ] *nm* salvataggio; **ceinture de ~** cintura di salvataggio; **brassière** *ou* **gilet de ~** giubbotto di salvataggio; **~ en montagne** soccorso alpino

sauveteur [sov(ə)tœʀ] *nm* soccorritore *m*

sauvette [sovɛt]: **à la ~** *adv* (*se marier etc*) frettolosamente; **vente à la ~** vendita ambulante abusiva

sauveur [sovœʀ] *nm* salvatore *m*; **le S~** (*Rel*) il Salvatore

savant, e [savã, ãt] *adj* (*personne*) dotto(-a), colto(-a); (*édition, revue*) dotto(-a); (*calé*) esperto(-a); (*compliqué*) difficile; (*habile: démonstration, combinaison*) sapiente ■ *nm* studioso(-a), scienziato(-a); **animal ~** animale *m* addomesticato

saveur [savœʀ] *nf* (*aussi fig*) sapore *m*

savoir [savwaʀ] *nm* sapere *m* ■ *vt* sapere; **se savoir** *vr* (*chose: être connu*) sapersi; **~ que/si/comment/ combien** sapere che/se/come/ quanto; **~ nager/se montrer ferme** saper nuotare/mostrarsi risoluto; **se ~ malade** sapere di essere malato; **il faut ~ que...** bisogna dire che...; **tu ne peux pas ~ combien...** non immagini nemmeno quanto...; **vous n'êtes pas sans ~...** lei certo non ignora che...; **je crois ~ que...** credo di sapere che...; **je n'en sais rien** non ne so nulla; **à ~** cioè, vale a dire; **à ~ que...** cioè..., ossia...; **faire ~ qch à qn** far sapere qc a qn; **ne rien vouloir ~** non volerne sapere; **pas que je sache** non che io sappia; **sans le ~** senza saperlo; **en ~ long** saperla lunga; **je ne sais pas** non lo so; **je ne sais pas parler italien** non so l'italiano; **savez-vous où je peux ...?** sa dove posso ...?

savon [savɔ̃] *nm* sapone *m*; (*morceau*) saponetta, sapone; **passer un ~ à qn** (*fam*) dare una lavata di capo a qn

savonner [savɔne] *vt* insaponare; **se savonner** *vr* insaponarsi; **se ~ les mains/pieds** insaponarsi le mani/ i piedi

savonnette [savɔnɛt] *nf* saponetta

savourer [savuʀe] *vt* gustare, assaporare

savoureux, -euse [savuʀø, øz] *adj* gustoso(-a)

saxo(phone) [saksɔ(fɔn)] *nm* sassofono

scabreux, -euse [skabʀø, øz] *adj* (*dangereux*) rischioso(-a); (*indécent*) scabroso(-a)

scandale [skɑ̃dal] *nm* scandalo; **provoquer un ~** provocare uno scandalo; **faire ~** fare scandalo; **au grand ~ de...** con grande indignazione di...; **faire du ~** fare baccano

scandaleux, -euse [skɑ̃dalø, øz] *adj* scandaloso(-a)

scandinave [skɑ̃dinav] *adj* scandinavo(-a) ■ *nm/f*: **Scandinave** scandinavo(-a)

Scandinavie [skɑ̃dinavi] *nf* Scandinavia

scarabée [skaʀabe] *nm* scarabeo

scarlatine [skaʀlatin] *nf* scarlattina

scarole [skaʀɔl] *nf* scarola

sceau, x [so] *nm* (*cachet officiel*) sigillo; (*fig: signe manifeste*) impronta; **sous le ~ du secret** sotto il vincolo del segreto

sceller [sele] *vt* sigillare; (*barreau, chaîne etc*) fissare; (*fig: réconciliation, engagement*) suggellare

scénario [senaʀjo] *nm* (*Ciné: description des scènes*) sceneggiatura; (: *sujet*) soggetto; (*idée, plan*) piano, schema

scène [sɛn] *nf* scena; **la ~** (*art dramatique*) il teatro, il palcoscenico; (*fig: dispute bruyante*) scenata; **la ~ politique/internationale** la scena politica/internazionale; **sur le devant de la ~** (*en pleine actualité*) in primo piano; **entrer en ~** entrare in scena; **par ordre d'entrée en ~** in ordine di apparizione; **mettre en ~** (*Théâtre, Ciné, fig*) mettere in scena; **porter à/adapter pour la ~** adattare per il teatro; **faire une ~ (à qn)** fare una scenata (a qn); **~ de ménage** scenata tra marito e moglie

sceptique [sɛptik] *adj, nm/f* scettico(-a)

schéma [ʃema] *nm* schema *m*
schématique [ʃematik] *adj* schematico(-a)
sciatique [sjatik] *adj*: **nerf ~** nervo sciatico ■ *nf* (*Méd*) sciatica
scie [si] *nf* sega; (*fam: péj: rengaine*) tiritera; (: *personne*) lagna; **~ à bois** sega da legno; **~ à découper** sega da traforo; **~ à métaux** sega metallica; **~ circulaire** sega circolare; **~ sauteuse** seghetto da traforo
sciemment [sjamɑ̃] *adv* coscientemente
science [sjɑ̃s] *nf* scienza; (*savoir-faire*) perizia; **les ~s** (*Scol*) le scienze; **~s appliquées** scienze applicate; **~s expérimentales** scienze sperimentali; **~s humaines/sociales** scienze umanistiche/sociali; **~s naturelles** scienze naturali; **~s occultes** scienze occulte; **~s po** scienze politiche
science-fiction [sjɑ̃sfiksjɔ̃] (*pl* **sciences-fictions**) *nf* fantascienza
scientifique [sjɑ̃tifik] *adj* scientifico(-a) ■ *nm/f* scienziato(-a); (*étudiant*) studente(-essa) di discipline scientifiche
scier [sje] *vt* segare
scierie [siʀi] *nf* segheria
scintiller [sɛ̃tije] *vi* scintillare
sciure [sjyʀ] *nf*: **~ (de bois)** segatura (di legno)
sclérose [skleʀoz] *nf* (*Méd, fig*) sclerosi *f*; **~ artérielle** arteriosclerosi *f inv*, sclerosi delle arterie; **~ en plaques** sclerosi a placche
scolaire [skɔlɛʀ] *adj* scolastico(-a); **l'année ~** l'anno scolastico; (*à l'université*) l'anno accademico; **en âge ~** in età scolare
scolariser [skɔlaʀize] *vt* (*pays, région*) dotare di scuole; **être scolarisé** andare a scuola
scolarité [skɔlaʀite] *nf* istruzione *f* scolastica; (*durée des études*) anni *mpl* di scuola; **frais de ~** retta *fsg*; **la ~ obligatoire** la scuola dell'obbligo
scooter [skutœʀ] *nm* scooter *m inv*
score [skɔʀ] *nm* punteggio; (*électoral*) risultato
scorpion [skɔʀpjɔ̃] *nm* scorpione *m*; (*Astrol*): **S~** Scorpione; **être (du) S~** essere dello Scorpione

scotch [skɔtʃ] *nm* (*whisky*) scotch *m inv*; **S~®** (*adhésif*) scotch® *m inv*
scout, e [skut] *adj* scoutistico(-a) ■ *nm/f* scout *m/f*
script [skʀipt] *nm* (*écriture*) stampatello; (*Ciné*) sceneggiatura
scrupule [skʀypyl] *nm* scrupolo; **être sans ~s** essere senza scrupoli; **se faire un ~ de qch** farsi scrupolo di qc
scruter [skʀyte] *vt* scrutare
scrutin [skʀytɛ̃] *nm* scrutinio; **ouverture/clôture d'un ~** inizio/termine di uno scrutinio; **~ à deux tours** scrutinio a due tornate; **~ de liste** scrutinio di lista; **~ majoritaire/proportionnel** scrutinio maggioritario/proporzionale; **~ uninominal** scrutinio uninominale
sculpter [skylte] *vt* scolpire
sculpteur [skyltœʀ] *nm* scultore *m*
sculpture [skyltyʀ] *nf* scultura; **~ sur bois** scultura in legno
se [sə] *pron* si; **se voir comme l'on est** vedersi come si è; **ils s'aiment** si amano; **cela se répare facilement** si ripara facilmente; **se casser la jambe/laver les mains** rompersi una gamba/lavarsi le mani
séance [seɑ̃s] *nf* (*d'assemblée, de tribunal*) seduta; (*récréative, musicale*) spettacolo; **ouvrir/lever la ~** aprire/togliere la seduta; **régler une affaire ~ tenante** sistemare una questione seduta stante
seau, x [so] *nm* secchio; **~ à glace** secchiello per il ghiaccio
sec, sèche [sɛk, sɛʃ] *adj* (*aussi fig: bruit, ton*) secco(-a); (*région, fig: cœur, personne*) arido(-a); (: *départ, démarrage*) brusco(-a) ■ *nm*: **tenir au ~** tenere all'asciutto ■ *adv* (*démarrer*) bruscamente; **je le prends ~** (*sans eau*) lo prendo liscio; **à pied ~** senza bagnarsi i piedi; **à ~** (*cours d'eau, source*) in secca; (*personne*) a corto di idee; (*à court d'argent*) al verde; **une toux sèche** una tosse secca; **avoir la gorge sèche** avere la gola secca; **boire ~** (*beaucoup*) bere forte
sécateur [sekatœʀ] *nm* cesoie *fpl* da giardiniere
sèche [sɛʃ] *adj f voir* **sec** ■ *nf* (*fam*) sigaretta

èche-cheveux [sɛʃʃəvø] nm inv
asciugacapelli m inv
èche-linge [sɛʃlɛ̃ʒ] nm inv
asciugabiancheria m inv
èchement [sɛʃmɑ̃] adv seccamente
écher [seʃe] vt (linge, objet mouillé)
asciugare; (dessécher: peau, blé, bois)
seccare; (: étang) prosciugare; (fam:
Scol: classe, cours) marinare, bigiare
■ vi (linge, objet mouillé) asciugarsi;
(herbe, blé, fleur) seccarsi; (fam:
candidat) fare scena muta; **se sécher**
vr (après le bain) asciugarsi
écheresse [sɛʃʀɛs] nf (du climat, sol)
aridità f inv; (absence de pluie) siccità f
inv; (fig: du ton, style etc) secchezza
échoir [seʃwaʀ] nm (à linge)
stendibiancheria m inv
econd, e [s(ə)gɔ̃, ɔ̃d] adj (deuxième)
secondo(-a) ■ nm (adjoint, assistant)
braccio destro, aiuto; (étage) secondo
(piano); (Naut) secondo; **en ~** (en
second rang) in seconda; **trouver son
~ souffle** ritrovare vigore, riprendere
le energie; **être dans un état ~** essere
stordito(-a) ou inebetito(-a); **doué de
~e vue** dotato di sesto senso; **de ~e
main** di seconda mano
econdaire [s(ə)gɔ̃dɛʀ] adj
secondario(-a); (Méd: effets)
collaterale
econde [s(ə)gɔ̃d] nf (partie d'une
minute) secondo; (Scol, Auto) seconda;
voyager en ~ viaggiare in seconda
(classe)
econder [s(ə)gɔ̃de] vt (assister)
assistere, aiutare; (favoriser)
assecondare
ecouer [s(ə)kwe] vt scuotere;
(passagers) sballottare; **se secouer** vr
scuotersi; (personne: fam) darsi una
mossa; **~ la poussière d'un tapis**
scuotere la polvere da un tappeto;
~ la tête scuotere la testa
ecourir [s(ə)kuʀiʀ] vt soccorrere
ecourisme [s(ə)kuʀism] nm
(premiers soins) pronto soccorso;
(sauvetage) salvataggio
ecouriste [s(ə)kuʀist] nm/f
soccorritore(-trice)
ecours [s(ə)kuʀ] vb voir **secourir**
■ nm soccorso; (aide) aiuto ■ nmpl
(aide financière, à un malade) soccorsi
mpl; **cet outil lui a été d'un grand ~**

questo strumento gli è stato di
grande aiuto; (équipes de secours)
squadra di soccorso; **au ~!** aiuto!;
appeler au ~ chiamare aiuto;
appeler qn à son ~ chiamare qn in
aiuto; **aller au ~ de qn** accorrere in
aiuto di qn; **porter ~ à qn** portare
soccorso a qn; **les premiers ~** i primi
soccorsi; **le ~ en montagne** il
soccorso alpino

▫ **ÉQUIPES DE SECOURS**
▫
▫ I numeri da chiamare in caso
▫ d'emergenza sono: Polizia (Police)
▫ 17; Ambulanza (SAMU) 15; Vigili del
▫ fuoco (Sapeurs-Pompiers) 18.

secousse [s(ə)kus] nf scossa;
(fig: choc psychologique) colpo;
~ sismique/tellurique scossa
sismica/tellurica
secret, -ète [səkʀɛ, ɛt] adj
segreto(-a); (intérieur: vie, pensée)
interiore; (renfermé: personne)
chiuso(-a) ■ nm segreto; (discrétion
absolue) segretezza; **en ~** in segreto;
au ~ (prisonnier) rinchiuso(-a);
~ d'État segreto di stato; **~ de
fabrication** segreto di fabbricazione;
~ professionnel segreto
professionale
secrétaire [s(ə)kʀetɛʀ] nm/f
segretario(-a) ■ nm (meuble)
secrétaire m inv; **~ d'ambassade**
segretario(-a) d'ambasciata; **~ d'État**
≈ sottosegretario di Stato; **~ de
direction** segretario(-a) di direzione;
~ de mairie segretario comunale;
~ de rédaction segretario(-a) di
redazione; **~ général** segretario
generale; **~ médicale** assistente m/f
di un medico (ou dentista)
secrétariat [s(ə)kʀetaʀja] nm
(d'organisme) segretariato;
(d'entreprise, d'école) segreteria;
~ d'État segreteria di stato;
apprendre le ~ studiare per fare la
segretaria
secteur [sɛktœʀ] nm settore m;
(d'une ville) circoscrizione f; **branché
sur le ~** (Élec) collegato alla rete;
fonctionne sur pile et ~ funziona a
pile e a elettricità; **le ~ privé/public**

il settore privato/pubblico; **le ~ primaire/secondaire/tertiaire** il settore primario/secondario/ terziario

section [sɛksjɔ̃] nf sezione f; (d'une route, rivière) tratto; (de parcours d'autobus) tratta; (d'un chapitre, d'une œuvre) estratto, sezione; (d'une entreprise) reparto; (université) dipartimento; **~ rythmique/des cuivres** (Mus) sezione ritmica/di ottoni; **tube de ~ 6,5 mm** tubo di 6,5 mm di sezione

sectionner [sɛksjɔne] vt sezionare; **se sectionner** vr (câble) rompersi

sécu [seky] nf (fam: = sécurité sociale) voir **sécurité**

sécurité [sekyʀite] nf sicurezza; **la ~ nationale/internationale** la sicurezza nazionale/internazionale; **être en ~** essere al sicuro; **dispositif/ système de ~** dispositivo/sistema di sicurezza; **mesures de ~** misure fpl di sicurezza; **la ~ de l'emploi** la sicurezza del lavoro; **la ~ routière** la sicurezza stradale; **la ~ sociale** ≈ la Previdenza Sociale

sédentaire [sedɑ̃tɛʀ] adj sedentario(-a)

séduction [sedyksjɔ̃] nf seduzione f

séduire [sedɥiʀ] vt sedurre

séduisant, e [sedɥizɑ̃, ɑ̃t] vb voir **séduire** ■ adj seducente

ségrégation [segʀegasjɔ̃] nf segregazione f; **~ raciale** segregazione razziale

seigle [sɛgl] nm segale f

seigneur [sɛɲœʀ] nm signore m; **le S~** (Rel) il Signore

sein [sɛ̃] nm seno; **au ~ de** in seno a; **donner le ~ à** (bébé) allattare; **nourrir au ~** allattare al seno

séisme [seism] nm sisma m

seize [sɛz] adj inv, nm inv sedici (m) inv; voir aussi **cinq**

seizième [sɛzjɛm] adj, nm/f sedicesimo(-a) ■ nm sedicesimo; voir aussi **cinquième**

séjour [seʒuʀ] nm soggiorno

séjourner [seʒuʀne] vi soggiornare; (suj: chose) rimanere

sel [sɛl] nm sale m; (fig: esprit, piquant) spirito; **~ de cuisine** sale da cucina; **~ de table** sale da tavola; **~ fin** sale

fino; **~ gemme** salgemma m; **~s de bain** sali da bagno

sélection [selɛksjɔ̃] nf selezione f; **faire/opérer une ~ parmi** fare/ operare una selezione tra; **épreuve de ~** (Sport) prova di selezione; **~ naturelle** selezione naturale; **~ professionnelle** selezione professionale

sélectionner [selɛksjɔne] vt selezionare

self-service [sɛlfsɛʀvis] (pl **~s**) adj, nm self-service (m) inv

selle [sɛl] nf (de cheval, Culin) sella; (d bicyclette, motocyclette) sellino; **selle** nfpl (Méd) feci fpl; **aller à la ~** (Méd) andare di corpo; **se mettre en ~** montare in sella

seller [sele] vt sellare

selon [s(ə)lɔ̃] prép secondo; (en fonctio de) a seconda di, secondo; **~ que** a seconda che; **~ moi** secondo me

semaine [s(ə)mɛn] nf settimana; **en ~** durante la settimana, in settimana; **la ~ de quarante heures** la settimana di quaranta ore; **la ~ du blanc/du livre** (Comm) la settimana del bianco/del libro; **la ~ sainte** la settimana santa; **vivre à la petite ~** vivere alla giornata

semblable [sɑ̃blabl] adj: **~ (à)** simile (a) ■ nm simile m; **de ~s mésaventures/calomnies** simili disavventure fpl/calunnie fpl

semblant [sɑ̃blɑ̃] nm: **un ~ d'intérêt de vérité** una parvenza d'interesse/d verità; **faire ~ (de faire qch)** far finta (di fare qc)

sembler [sɑ̃ble] vb impers, vi sembrare; **il semble inutile/bon de...** sembra inutile/opportuno...; **il semble (bien) que/ne semble pas que** sembra (proprio) che/non sembra che; **il me semble (bien) que vous avez raison** mi sembra ou mi pare (proprio) che lei abbia ragione; **il me semble le connaître** mi sembr ou pare di conoscerlo; **cela leur semblait cher/pratique** gli sembrav caro/pratico; **~ être** sembrare di essere; **comme/quand bon lui semble** come/quanto vuole lui, come/quanto gli pare; **me semble-t il, à ce qu'il me semble** a quanto par

emelle [s(ə)mɛl] nf (de chaussure)
suola; (: intérieure) soletta; (d'un ski)
soletta, suola; **battre la ~** battere i
piedi per terra per scaldarsi; (fig)
restare ad aspettare

emer [s(ə)me] vt (graines, fig:
poursuivants) seminare; (: éparpiller)
diffondere, spargere; **~ la discorde/
terreur parmi** seminare zizzania/il
terrore tra; **semé de difficultés/
d'erreurs** seminato di difficoltà/di
errori

emestre [s(ə)mɛstʀ] nm semestre m

éminaire [seminɛʀ] nm seminario

emi-remorque [səmiʀəmɔʀk] (pl
~s) nf semirimorchio ■ nm (camion)
autoarticolato

emoule [s(ə)mul] nf (farine)
semolino; **~ de maïs** semola di mais;
~ de riz semola di riso

énat [sena] nm senato

énateur [senatœʀ] nm
senatore(-trice)

ens [sɑ̃s] vb voir **sentir** ■ nm senso;
sens nmpl (sensualité) sensi mpl;
avoir le ~ des affaires/de la mesure
avere il senso degli affari/della
misura; **en dépit du bon ~** contro
ogni buon senso; **tomber sous
le ~** andare da sé, essere evidente;
ça n'a pas de ~ non ha senso; **en
ce ~ que** nel senso che; **en un ~,
dans un ~** in un certo senso; **à mon
~** secondo me; **dans le ~ des
aiguilles d'une montre** in senso
orario; **dans le ~ de la longueur/
largeur** nel senso della lunghezza/
larghezza; **dans le mauvais ~** nel
senso sbagliato; **bon ~** buon senso;
reprendre ses ~ riprendere i sensi;
~ commun senso comune;
~ dessus dessous sottosopra;
~ figuré/propre senso figurato/
proprio; **~ interdit/unique** senso
vietato/unico

ensation [sɑ̃sasjɔ̃] nf (effet de
surprise) colpo; **faire ~** far colpo; **à ~**
(péj: journal) sensazionalistico(-a)

ensationnel, le [sɑ̃sasjɔnɛl] adj
sensazionale

ensé, e [sɑ̃se] adj sensato(-a)

ensibiliser [sɑ̃sibilize] vt
sensibilizzare; **~ qn (à)** sensibilizzare
qn (a)

sensibilité [sɑ̃sibilite] nf
sensibilità f inv

sensible [sɑ̃sibl] adj sensibile;
~ à sensibile a

sensiblement [sɑ̃sibləmɑ̃] adv
(notablement) notevolmente; (à peu
près) pressapoco; **ils ont ~ le même
poids** hanno pressapoco lo stesso
peso

sensiblerie [sɑ̃sibləʀi] nf
sentimentalismo

sensuel, le [sɑ̃sɥɛl] adj sensuale

sentence [sɑ̃tɑ̃s] nf sentenza

sentier [sɑ̃tje] nm sentiero

sentiment [sɑ̃timɑ̃] nm sentimento;
(conscience, impression) sensazione f,
impressione f; (avis, opinion) parere m;
avoir le ~ de/que avere la sensazione
ou l'impressione di/che; **recevez mes
~s respectueux/dévoués** voglia
gradire i miei più distinti/cordiali
saluti; **veuillez agréer l'expression
de mes ~s distingués** voglia gradire i
miei più distinti saluti; **faire du ~** (péj)
fare il sentimentale; **si vous me
prenez par les ~s...** se fa leva sui miei
sentimenti...

sentimental, e, aux [sɑ̃timɑ̃tal, o]
adj sentimentale

sentinelle [sɑ̃tinɛl] nf (Mil)
sentinella; **en ~** di sentinella

sentir [sɑ̃tiʀ] vt sentire; (apprécier,
goûter) gustare; (avoir une odeur de)
avere un odore di; (fig: dénoter) sapere
di ■ vi (exhaler une mauvaise odeur)
puzzare; **~ l'odeur de** sentire l'odore
di; **~ une rose** annusare una rosa;
~ bon/mauvais avere un buon/
cattivo odore; **se ~ bien/mal à l'aise**
sentirsi/non sentirsi a proprio agio;
se ~ mal sentirsi male; **se ~ le
courage/la force de faire qch**
sentirsela di fare qc; **se ~ coupable de
faire qch** sentirsi colpevole nel fare
qc; **ne plus se ~ de joie** essere fuori di
sé dalla gioia; **ne pas pouvoir ~ qn**
(fam) non poter soffrire qn; **je ne me
sens pas bien** non mi sento bene

séparation [sepaʀasjɔ̃] nf
separazione f; **~ de biens** (Jur)
separazione f dei beni; **~ de corps**
(Jur) separazione legale; **~ des
pouvoirs** (Pol) separazione f dei
poteri

séparé, e [separe] *adj* separato(-a);
~ **de** separato(-a) da
séparément [separemɑ̃] *adv*
separatamente
séparer [separe] *vt* separare;
se séparer *vr* separarsi; *(prendre
congé: amis etc)* lasciarsi; *(route, tige
etc)* dividersi; ~ **qch de** separare
qc da; ~ **qch par/au moyen de**
dividere qc con/per mezzo di;
se ~ (de) *(se détacher)* staccarsi (da);
se ~ de *(époux, objet personnel)*
separarsi da; ~ **une pièce/un jardin
en deux** dividere in due una stanza/
un giardino
sept [sɛt] *adj inv, nm inv* sette *(m) inv*;
voir aussi **cinq**
septante [sɛptɑ̃t] *adj inv, nm inv*
(Belgique, Suisse) settanta *(m) inv*
septembre [sɛptɑ̃bʀ] *nm* settembre
m; *voir aussi* **juillet**
septicémie [sɛptisemi] *nf*
setticemia
septième [sɛtjɛm] *adj, nm/f*
settimo(-a) ■ *nm* settimo; **être au ~
ciel** essere al settimo cielo; *voir aussi*
cinquième
séquelles [sekɛl] *nfpl* postumi *mpl*;
(fig) conseguenze *fpl*
serbe [sɛʀb(ə)] *adj* serbo(-a)
Serbie [sɛʀbi] *nf* Serbia
serein, e [səʀɛ̃, ɛn] *adj* sereno(-a)
sergent [sɛʀʒɑ̃] *nm* sergente *m*
série [seʀi] *nf* serie *f*; *(de clefs)* mazzo;
(de casseroles) batteria; **en ~** in serie;
de ~ *(voiture)* di serie; **hors ~** fuori
serie; **imprimante ~** *(Inform)*
stampante *f* seriale; **soldes de fin de
~s** saldi *mpl* di fine serie; ~ **noire**
(roman policier) giallo; *(suite de
malheurs)* periodo sfortunato;
~ **(télévisée)** *(feuilleton)* serie
(televisiva)
sérieusement [seʀjøzmɑ̃] *adv*
seriamente; **il parle ~** parla
seriamente, dice sul serio; **~?**
davvero?
sérieux, -euse [seʀjø, jøz] *adj*
serio(-a); *(client, renseignement)*
affidabile; *(important: différence,
augmentation)* notevole ■ *nm* serietà;
garder son ~ restare serio(-a);
manquer de ~ non essere serio(-a);
prendre qch/qn au ~ prendere sul

serio qc/qn; **se prendre au ~**
prendersi troppo sul serio; **tu es ~?**
parli sul serio?; **c'est ~?** è vero?;
ce n'est pas ~ *(idée de critique)* non
è serio
serin [s(ə)ʀɛ̃] *nm* canarino
seringue [s(ə)ʀɛ̃g] *nf* siringa
serment [sɛʀmɑ̃] *nm* giuramento;
faire le ~ de giurare di; **témoigner
sous ~** testimoniare sotto
giuramento
sermon [sɛʀmɔ̃] *nm (aussi péj)*
sermone *m*, predica
séropositif, -ive [seʀopozitif, iv]
adj, nm/f sieropositivo(-a)
serpent [sɛʀpɑ̃] *nm* serpente *m*;
~ **à lunettes** serpente dagli occhiali;
~ **à sonnettes** serpente a sonagli;
~ **monétaire (européen)** serpente
monetario (europeo)
serpenter [sɛʀpɑ̃te] *vi* serpeggiare,
snodarsi
serpillière [sɛʀpijɛʀ] *nf* strofinaccio
(per pavimenti)
serre [sɛʀ] *nf* serra; **serres** *nfpl*
(griffes) artigli *mpl*; ~ **chaude/froide**
serra calda/fredda
serré, e [seʀe] *adj (tissu, réseau,
écriture)* fitto(-a); *(habits, passagers,
lutte)* stretto(-a); *(partie, match)*
serrato(-a); *(café)* ristretto(-a)
■ *adv*: **jouer ~** giocare con prudenza;
écrire ~ scrivere fitto; **avoir le
cœur ~** avere una stretta al cuore;
avoir la gorge ~e avere un nodo
in gola
serrer [seʀe] *vt* stringere; *(poings,
mâchoires)* stringere, serrare;
(rapprocher: personnes, livres, lignes)
avvicinare ■ *vi*: ~ **à droite/gauche**
stringere a destra/a sinistra; **se
serrer** *vr* stringersi; ~ **la main à qn**
stringere la mano a qn; ~ **qn dans ses
bras/contre son cœur** stringere qn
tra le braccia/al petto; ~ **la gorge/le
cœur à qn** serrare la gola/stringere il
cuore a qn; ~ **les dents** stringere i
denti; ~ **qn de près** incalzare qn; ~ **le
trottoir** accostarsi al marciapiede;
~ **à droite/gauche** portarsi a destra/
sinistra; **se ~ contre qn** stringersi a
qn; **se ~ les coudes** aiutarsi *ou*
sostenersi a vicenda; **se ~ la ceinture**
tirare la cinghia; ~ **la vis à qn** punire

severamente qn; **~ les rangs** serrare le file

serrure [seʀyʀ] *nf* serratura

serrurier [seʀyʀje] *nm* fabbro *(per serrature, lucchetti)*

sert *etc* [seʀ] *vb voir* **servir**

servante [seʀvɑ̃t] *nf* domestica

serveur, -euse [seʀvœʀ, øz] *nm/f* *(de restaurant, extra)* cameriere(-a); *(Cartes)* mazziere(-a); *(Tennis)* battitore(-trice) ■ *nm* *(Tél)* server *m*; **~ de données** server *m inv* di dati

serviable [seʀvjabl] *adj* servizievole

service [seʀvis] *nm* servizio; *(linge de table)* biancheria da tavola; *(aide, faveur)* favore *m*, piacere *m*; **services** *nmpl* *(prestations, Écon)* servizi *mpl*; **premier/second ~** *(série de repas)* primo/secondo turno; **~ compris/non compris** servizio compreso/escluso; **faire le ~** servire; **être en ~ chez qn** *(domestique)* essere a servizio da qn; **être au ~ de** *(patron, patrie)* essere al servizio di; **être au ~ de qn** *(personne, voiture)* essere a disposizione di qn; **porte de ~** porta di servizio; **rendre ~ (à qn)** *(suj: objet, outil)* essere utile a, servire a; **il aime rendre ~** gli piace rendersi utile; **rendre un ~ à qn** rendere un servizio a qn, fare un piacere a qn; **reprendre du ~** riprendere servizio; **heures de ~** orario di servizio; **être de ~** essere in servizio; **avoir 25 ans de ~** avere 25 anni di servizio; **être/mettre en ~** essere/mettere in funzione; **hors ~** fuori servizio; **être en ~ commandé** svolgere un incarico ufficiale; **~ à café/à thé** servizio da caffè/da tè; **~ à glaces** servizio da gelato; **~ après vente** servizio (di) assistenza clienti; **~ d'ordre** servizio d'ordine; **~ funèbre** servizio funebre; **~ militaire** servizio militare; **~ public** servizio pubblico; **~s secrets** servizi segreti; **~s sociaux** servizi sociali

⬤ **SERVICE MILITAIRE**
⬤
⬤ Fino al 1997, tutti i francesi ritenuti
⬤ idonei dovevano svolgere 10 mesi
⬤ di *service militaire* dopo aver
⬤ compiuto 18 anni. Gli studenti
⬤ potevano rimandare la chiamata

⬤ alle armi, e chi voleva fare
⬤ obiezione di coscienza doveva
⬤ svolgere due anni di servizi sociali.
⬤ Ora il servizio militare non è più
⬤ obbligatorio.

serviette [seʀvjɛt] *nf* *(de table)* tovagliolo; *(de toilette)* asciugamano; *(porte-documents)* cartella; **~ éponge** asciugamano di spugna; **~ hygiénique** assorbente *m*

servir [seʀviʀ] *vt* servire; *(rente, pension, intérêts)* versare ■ *vi* *(Tennis)* servire; *(Cartes)* dare le carte; **se servir** *vr* *(prendre d'un plat)* servirsi; **~ qch (à qn)** *(plat, boisson)* servire qc (a qn); **~ qn** *(suj: mémoire, circonstances)* servire qn, aiutare qn; **se ~ chez qn** *(s'approvisionner)* servirsi da qn; **se ~ de** servirsi di; **~ à qn** servire a qn; **ça m'a servi pour faire...** mi è servito per fare...; **~ à qch/faire qch** servire a qc/fare qc; **qu'est-ce que je vous sers?** che cosa le servo?; **est-ce que je peux vous ~ quelque chose?** posso offrirle qualcosa?; **vous êtes servi?** è servito?; **ça peut ~** può servire; **ça peut encore ~** può ancora servire; **à quoi cela sert-il (de faire)?** a che cosa serve (fare)?; **cela ne sert à rien** non serve a niente; **~ (à qn) de secrétaire** fare da segretaria (a qn); **~ la messe** servir messa; **~ une cause** servire una causa; **~ les intérêts de qn** servire gli interessi di qn; **~ à dîner/déjeuner à qn** servire il pranzo/la cena a qn; **~ le dîner à 18 h** servire la cena alle 6; **sers-toi!** serviti pure!

serviteur [seʀvitœʀ] *nm* servitore *m*

ses [se] *dét voir* **son**

seuil [sœj] *nm* soglia; **recevoir qn sur le ~ (de sa maison)** accogliere qn sulla soglia (di casa); **au ~ de** *(fig)* alle soglie di; **~ de rentabilité** *(Comm)* soglia di redditività

seul, e [sœl] *adj* solo(-a) ■ *adv*: **vivre ~** vivere solo ■ *nm/f*: **j'en veux un ~** ne voglio uno solo; **une ~e** una sola; **le ~ livre/homme** l'unico libro/uomo; **~ ce livre/cet homme, ce livre/cet homme ~** solo questo libro/quest'uomo; **lui ~ peut...** solo lui

peut...; **à lui (tout) ~** da solo;
d'un ~ coup (*subitement*) di colpo;
parler tout ~ parlare da solo;
faire qch (tout) ~ fare qc da solo;
~ à ~ a quattr'occhi; **il en reste un
~** ne resta uno solo; **pas une ~e**
nemmeno una

seulement [sœlmɑ̃] *adv* solo,
solamente, soltanto; **~ hier** solo ieri;
**il consent, ~ il demande des
garanties** è d'accordo ma chiede delle
garanzie; **non ~... mais aussi** *ou*
encore non solo... ma anche

sève [sɛv] *nf* linfa; (*fig*) vigore *m*

sévère [sevɛʀ] *adj* severo(-a)

sexe [sɛks] *nm* sesso; **le ~ fort/faible**
il sesso forte/debole

sexuel, le [sɛksɥɛl] *adj* sessuale;
acte ~ atto sessuale

shampooing [ʃɑ̃pwɛ̃] *nm* shampoo
m inv; **se faire un ~** farsi uno
shampoo; **~ colorant/traitant**
shampoo colorante/trattante

shiatzu [ʃiatsu] *nm* shiatsu *m inv*

short [ʃɔʀt] *nm* calzoncini *mpl* corti,
shorts *mpl*

MOT-CLÉ

si [si] *adv* 1 (*oui*) sì; **Paul n'est pas
venu? - si!** Paul è venuto? - sì!; **je suis
sûr que si** sono sicuro di sì; **je vous
assure que si** le assicuro di sì; **il m'a
répondu que si** mi ha risposto di sì;
je préférerais que si preferirei di sì;
j'admets que si lo ammetto
2 (*tellement*): **si gentil/rapidement**
così gentile/rapidamente; **si rapide
qu'il soit** per quanto sia rapido
■ *conj* se; **si tu veux** se vuoi; **je me
demande si** mi chiedo se; **si
seulement** se soltanto, se solo; **si ce
n'est...** se non...; **si ce n'est que** salvo
(per il fatto) che, se non fosse che; **si
bien que** cosicché; **si tant est que**
supposto che, ammettendo che;
(tant et) si bien que... tanto che...,
gira e rigira...; **s'il pouvait
(seulement) venir!** se solo potesse
venire!; **s'il le fait, c'est que...** se lo fa,
significa che...; **s'il est aimable, eux
par contre...** lui è tanto cortese
quanto loro...
■ *nm* (*Mus*) si *m inv*

Sicile [sisil] *nf* Sicilia

SIDA, sida [sida] *sigle m* (= *syndrome
immunodéficitaire acquis*) AIDS *m*

sidéré, e [sideʀe] *adj* sbalordito(-a)

sidérurgie [sideʀyʀʒi] *nf* siderurgia

siècle [sjɛkl] *nm* secolo; **le ~ des
lumières/de l'atome** il secolo dei
lumi/dell'atomo

siège [sjɛʒ] *nm* sede *f*; (*pliant, d'une
voiture*) sedile *m*; (*dans une assemblée,
d'un député*) seggio; (*Mil*) assedio;
lever le ~ togliere l'assedio; **mettre le
~ devant une ville** cingere d'assedio
una città; **se présenter par le ~** (*Méd:
nouveau-né*) presentarsi col podice;
~ arrière/avant (*Auto*) sedile
posteriore/anteriore; **~ baquet** sedile
(di auto sportiva); **~ social** (*Comm*)
sede sociale

siéger [sjeʒe] *vi* (*député*) sedere;
(*assemblée, tribunal*) aver sede; (*se
trouver*) risiedere, trovarsi

sien, ne [sjɛ̃, sjɛn] *pron*: **le ~, la ~ne**
il suo, la sua; **les ~s, les ~nes** i suoi,
le sue; **y mettre du ~** metterci del
proprio; **faire des ~nes** (*fam*) farne
una delle proprie; **les ~s** (*sa famille*)
i suoi

sieste [sjɛst] *nf* sonnellino; **faire la ~**
fare un sonnellino

sifflement [siflemɑ̃] *nm* fischio;
(*de la vapeur, du vent*) sibilo

siffler [sifle] *vi* fischiare; (*personne:
chanter*) fischiare, fischiettare;
(*serpent*) sibilare ■ *vt* (*air, chanson*)
fischiare, fischiettare; (*animal, pièce,
fille*) fischiare a; (*faute, fin d'un match,
départ*) fischiare; (*fam: verre, bouteille*)
tracannare, scolarsi

sifflet [siflɛ] *nm* (*instrument*)
fischietto; (*sifflement*) fischio;
sifflets *nmpl* (*de mécontentement*)
fischi *mpl*; **coup de ~** fischio

siffloter [siflɔte] *vi, vt* fischiettare

sigle [sigl] *nm* sigla

signal, -aux [siɲal, o] *nm* segnale *m*;
donner le ~ de dare il segnale a;
~ d'alarme segnale d'allarme;
~ d'alerte segnale d'allarme;
~ de détresse segnale di soccorso;
~ horaire segnale orario; **~ optique/
sonore** segnale ottico/sonoro;
signaux (lumineux) (*Auto*)
segnaletica *fsg* (luminosa);

signaux routiers segnali stradali, segnaletica stradale

signalement [siɲalmɑ̃] *nm* connotati *mpl*

signaler [siɲale] *vt* segnalare; **~ qch à qn/(à qn) que** segnalare qc a qn/(a qn) che; **~ qn à la police** segnalare qn alla polizia; **se signaler (par)** *vr* segnalarsi (per), distinguersi (per); **se ~ à l'attention de qn** segnalarsi all'attenzione di qn; **je voudrais ~ un vol** vorrei denunciare un furto

signature [siɲatyʀ] *nf* firma

signe [siɲ] *nm* segno; **ne pas donner ~ de vie** non dar segno di vita; **c'est bon/mauvais ~** è buon/cattivo segno; **c'est ~ que** è segno che; **faire un ~ de la tête/main** fare un cenno *ou* un segno con la testa/mano; **faire ~ à qn** (*fig*) farsi vivo(-a) con qn; **faire ~ à qn d'entrer** far segno *ou* cenno a qn di entrare; **en ~ de** in segno di; **le ~ de la croix** il segno della croce; **~ de ponctuation** segno di interpunzione; **~ du zodiaque** segno zodiacale; **~s particuliers** segni particolari

signer [siɲe] *vt* firmare; **se signer** *vr* farsi il segno della croce, segnarsi; **où dois-je ~?** dove devo firmare?

significatif, -ive [siɲifikatif, iv] *adj* significativo(-a)

signification [siɲifikasjɔ̃] *nf* significato

signifier [siɲifje] *vt* (*vouloir dire*) significare; **~ qch (à qn)** (*faire connaître*) comunicare qc (a qn); (*Jur*) notificare qc (a qn)

silence [silɑ̃s] *nm* silenzio; (*Mus*) pausa; **garder le ~ sur qch** mantenere il silenzio su qc; **passer sous ~** passare sotto silenzio; **réduire au ~** ridurre al silenzio; **"~!"** "silenzio!"

silencieux, -euse [silɑ̃sjø, jøz] *adj* silenzioso(-a) ■ *nm* silenziatore *m*

silhouette [silwɛt] *nf* (*dessin*) silhouette *f inv*; (*lignes, contour, figure*) linea

sillage [sijaʒ] *nm* (*aussi fig*) scia; **dans le ~ de** (*fig*) nella scia di, sulle orme di

sillon [sijɔ̃] *nm* solco

sillonner [sijɔne] *vt* percorrere; (*creuser: suj: rides, crevasses*) solcare

simagrées [simagʀe] *nfpl* moine *fpl*, smancerie *fpl*

similaire [similɛʀ] *adj* similare, affine

similicuir [similikɥiʀ] *nm* similpelle *f*

similitude [similityd] *nf* somiglianza, similitudine *f*

simple [sɛ̃pl] *adj* semplice; (*péj: naïf*) sempliciotto(-a) ■ *nm* (*Tennis*): **~ messieurs/dames** singolo *ou* singolare *m* maschile/femminile; **simples** *nfpl* (*Méd: plantes médicinales*) semplici *mpl*; **une ~ objection/formalité** una semplice obiezione/formalità; **un ~ employé** un semplice impiegato; **un ~ particulier** un privato cittadino; **cela varie du ~ au double** può arrivare a raddoppiare; **dans le plus ~ appareil** nudo(-a); **réduit à sa plus ~ expression** ridotto alla sua forma più elementare; **~ course** (*billet*) di sola andata; **~ d'esprit** sempliciotto(-a); **~ soldat** soldato semplice

simplicité [sɛ̃plisite] *nf* semplicità *f inv*; (*candeur*) ingenuità *f inv*; **en toute ~** con grande naturalezza

simplifier [sɛ̃plifje] *vt* semplificare

simuler [simyle] *vt* simulare; (*suj: substance, revêtement*) simulare, imitare

simultané, e [simyltane] *adj* simultaneo(-a)

sincère [sɛ̃sɛʀ] *adj* sincero(-a); **mes ~s condoléances** le (mie) sentite condoglianze

sincèrement [sɛ̃sɛʀmɑ̃] *adv* sinceramente

sincérité [sɛ̃seʀite] *nf* sincerità *f inv*; **en toute ~** in tutta sincerità

singe [sɛ̃ʒ] *nm* scimmia

singer [sɛ̃ʒe] *vt* scimmiottare

singeries [sɛ̃ʒʀi] *nfpl* smorfie *fpl*

singulariser [sɛ̃gylaʀize] *vt* rendere singolare; **se singulariser** *vr* (*personne*) farsi notare

singularité [sɛ̃gylaʀite] *nf* (*d'une toilette*) stravaganza; (*d'un fait*) singolarità

singulier, -ière [sɛ̃gylje, jɛʀ] *adj, nm* singolare (*m*)

sinistre [sinistʀ] *adj* sinistro(-a); (*appartement, soirée*) tetro(-a) ■ *nm* (*incendie*) sinistro; **un ~ imbécile/crétin** un povero imbecille/cretino

sinistré, e [sinistʀe] *adj, nm/f*
sinistrato(-a)

sinon [sinõ] *conj (autrement)*
altrimenti; *(sauf)* tranne (che);
~ aujourd'hui... se non oggi...

sinueux, -euse [sinɥø, øz] *adj*
sinuoso(-a); *(fig: raisonnement)*
tortuoso(-a)

sinus [sinys] *nm* seno

sinusite [sinyzit] *nf* sinusite *f*

sirène [siʀɛn] *nf* sirena; **~ d'alarme**
sirena d'allarme

sirop [siʀo] *nm* sciroppo; **~ contre la
toux** sciroppo per la tosse; **~ de
framboise/de menthe** sciroppo di
lampone/alla menta

siroter [siʀote] *vt* sorseggiare

sismique [sismik] *adj* sismico(-a)

site [sit] *nm (environnement)* luogo;
(paysage, environnement) paesaggio;
(d'une ville etc: emplacement)
ubicazione *f*; **~s naturels/
historiques** siti *mpl* naturali/storici;
~s touristiques località *fpl* turistiche;
~ (pittoresque) paesaggio
(pittoresco); **~ Web** *(Inform)* sito

sitôt [sito] *adv*: **~ parti** (non) appena
partito; **~ après** subito dopo; **pas de
~** non tanto presto, non così presto;
~ (après) que (non) appena

situation [sitɥasjõ] *nf (d'un édifice,
d'une ville)* ubicazione *f*; *(d'une
personne, circonstances)* situazione *f*;
(emploi, place, poste) posto; **être en ~
de faire qch** *(bien placé pour)* essere in
grado di fare qc; **~ de famille** stato di
famiglia

situé, e [sitɥe] *adj*: **bien/mal ~** ben/
mal ubicato(-a); **~ à/près de**
situato(-a) a/vicino a

situer [sitɥe] *vt* situare, collocare;
(en pensée) ambientare; **se situer** *vr*:
se ~ à/dans/près de trovarsi a/in/
vicino a

six [sis] *adj inv, nm inv* sei *(m) inv; voir
aussi* **cinq**

sixième [sizjɛm] *adj, nm/f* sesto(-a)
◆ *nm* sesto; *voir aussi* **cinquième**

skaï® [skaj] *nm* skai® *m inv*

ski [ski] *nm (objet)* sci *m inv*; **une paire
de ~s** un paio di sci; **faire du ~** sciare;
aller faire du ~ andare a sciare;
~ alpin sci alpino; **~ de fond** sci di
fondo; **~ de piste** sci da discesa;

~ de randonnée sci-alpinismo;
~ évolutif sci acrobatico; **~ nautique**
sci nautico

skier [skje] *vi* sciare

skieur, -euse [skjœʀ, skjøz] *nm/f*
sciatore(-trice)

slip [slip] *nm* slip *m inv*

slogan [slogã] *nm* slogan *m inv*

SMIC [smik] *sigle m* = *salaire minimum
interprofessionnel de croissance*

◆ **SMIC**
◆
◆ In Francia, lo *SMIC* è la paga oraria
◆ minima legalmente riconosciuta
◆ per i lavoratori sopra i 18 anni.
◆ È legato ad un indice e si innalza
◆ ogni qualvolta il costo della vita
◆ aumenta del 2%.

---

smoking [smokiŋ] *nm* smoking *m inv*

SMS *nm* sms *m inv*

SNCF [ɛsɛnseɛf] *sigle f* (= *Société
nationale des chemins de fer français*)
≈ FF.SS.

snob [snob] *adj, nm/f* snob *m/f*

snobisme [snobism] *nm* snobismo

sobre [sobʀ] *adj* sobrio(-a); **~ de**
(gestes, compliments) parco(-a) di

sobriquet [sobʀikɛ] *nm* soprannome
m, nomignolo

social, e, aux [sosjal, o] *adj* sociale

socialisme [sosjalism] *nm*
socialismo

socialiste [sosjalist] *adj, nm/f*
socialista *m/f*

société [sosjete] *nf* società *f inv*;
la bonne/haute ~ la buona/alta
società; **rechercher/se plaire dans
la ~ de** cercare/amare la compagnia
di; **l'archipel de la S~** l'arcipelago
della Società; **la ~ d'abondance/
de consommation** la società
del benessere/dei consumi;
~ à responsabilité limitée società
a responsabilità limitata;
~ anonyme società per azioni; **~
d'investissement à capital variable**
fondo di investimento; **~ de capitaux**
società di capitali; **~ de services**
società di servizi; **~ par actions**
società per azioni; **~ savante**
associazione *f* scientifica

sociologie [sosjolozi] *nf* sociologia

socle [sɔkl] *nm* zoccolo
socquette [sɔkɛt] *nf* calzino
sœur [sœʀ] *nf* sorella; (*religieuse*) suora, sorella; **~ Élisabeth** (*Rel*) suor Elisabetta; **~ aînée/cadette** sorella maggiore/minore; **~ de lait** sorella di latte
soi [swa] *pron* sé; **cela va de ~** va da sé
soi-disant [swadizɑ̃] *adj inv* sedicente, cosiddetto ▪ *adv* in apparenza, apparentemente
soie [swa] *nf* seta; (*de porc, sanglier*) setola; **~ sauvage** seta selvatica
soierie [swaʀi] *nf* (*industrie*) seteria; (*tissu*) seta
soif [swaf] *nf* (*aussi fig*) sete *f*; **avoir ~** avere sete; **donner ~ (à qn)** far venire sete (a qn)
soigné, e [swaɲe] *adj* (*personne, mains, tenue*) curato(-a); (*travail*) accurato(-a); (*fam: facture*) salato(-a); **un rhume ~** un bel raffreddore
soigner [swaɲe] *vt* curare; (*s'occuper de: enfant, malade, invités*) prendersi cura di
soigneux, -euse [swaɲø, øz] *adj* (*propre*) ordinato(-a); (*méticuleux*) accurato(-a); **~ de sa personne/de sa santé** che ha cura di sé/della propria salute
soi-même [swamɛm] *pron* se stesso
soin [swɛ̃] *nm* cura; **soins** *nmpl* (*à un malade, hygiène*) cure *fpl*; (*attentions, prévenance*) premure *fpl*, attenzioni *fpl*; **avoir** *ou* **prendre ~ de qch/qn** avere *ou* prendersi cura di qc/qn; **avoir** *ou* **prendre ~ de faire qch** avere cura di fare qc, badare di fare qc; **sans ~** *adj* trascurato(-a) ▪ *adv* senza cura, trascuratamente; **~s de la chevelure/de beauté/du corps** cura *fsg* dei capelli/di bellezza/del corpo; **les ~s du ménage** la cura della casa; **les premiers ~s** primo soccorso; **aux bons ~s de** presso; **être aux petits ~s pour qn** essere pieno(-a) di premure per qn; **confier qn aux ~s de qn** affidare qn alle cure di qn
soir [swaʀ] *nm* sera ▪ *adv*: **dimanche ~** domenica sera; **il fait frais le ~** di *ou* la sera fa fresco; **ce ~** questa sera; **"à ce ~!"** "a stasera!"; **la veille au ~** la sera prima; **sept/dix heures du ~** sette/

dieci di sera; **le repas/journal du ~** il pasto/giornale della sera; **hier/demain ~** ieri/domani sera
soirée [swaʀe] *nf* serata, sera; (*réception*) serata, ricevimento; **donner un film/une pièce en ~** (*Ciné, Théâtre*) dare uno spettacolo serale
soit [swa] *vb voir* **être** ▪ *conj* (*à savoir*) cioè ▪ *adv* (*marque l'assentiment*) va bene, e sia; **~..., ~...** (*en corrélation*) o... o...; **~ l'un, ~ l'autre** o uno o l'altro; **~ que..., ~ que...** sia che... o che...
soixantaine [swasɑ̃tɛn] *nf*: **une ~ (de)** una sessantina (di); **avoir la ~** essere sulla sessantina
soixante [swasɑ̃t] *adj inv, nm inv* sessanta (*m*) *inv*; *voir aussi* **cinq**
soixante-dix [swasɑ̃tdis] *adj inv, nm inv* settanta (*m*) *inv*; *voir aussi* **cinq**
soixante-dixième [swasɑ̃tdizjɛm] *adj, nm/f* settantesimo(-a) ▪ *nm* settantesimo; *voir aussi* **cinquième**
soixantième [swasɑ̃tjɛm] *adj, nm/f* sessantesimo(-a) ▪ *nm* sessantesimo; *voir aussi* **cinquième**
soja [sɔʒa] *nm* soia; **germes de ~** germi *mpl* di soia
sol [sɔl] *nm* (*de logement*) pavimento; (*territoire*) terra, suolo; (*Agr, Géo*) suolo, terreno; (*Mus*) sol *m inv*; **coucher sur le ~** dormire per terra
solaire [sɔlɛʀ] *adj* solare
soldat [sɔlda] *nm* soldato; **S~ inconnu** Milite *m* ignoto; **~ de plomb** soldatino di piombo
solde [sɔld] *nf* paga militare ▪ *nm* (*Comm*) saldo; **soldes** *nm ou fpl* (*Comm*) saldi *mpl*; **à la ~ de qn** (*péj*) al soldo di qn; **en ~** (*vendre, acheter*) in saldo, in liquidazione; **aux ~s** in saldo; **~ à payer/débiteur** saldo debitore; **~ créditeur** saldo creditore
solder [sɔlde] *vt* (*compte*) saldare; (*marchandise*) liquidare, svendere; **se solder par** (*opération, entreprise*) concludersi con; **article soldé (à) 10 euros** articolo venduto in saldo a 10 euro
sole [sɔl] *nf* sogliola
soleil [sɔlej] *nm* sole *m*; (*feu d'artifice*) girandola; (*acrobatie*) piroetta; (*Bot*) girasole *m*; **il y a** *ou* **il fait du ~** c'è il sole; **au ~** al sole; **en plein ~** in pieno sole; **le ~ levant/couchant** il levar/

calar del sole; **le ~ de minuit** il sole di mezzanotte

solennel, le [sɔlanɛl] *adj* solenne

solfège [sɔlfɛʒ] *nm* solfeggio

solidaire [sɔlidɛʀ] *adj* solidale; **être ~ de** essere solidale con

solidarité [sɔlidaʀite] *nf* solidarietà; *(de mécanismes, phénomènes)* interdipendenza; **par ~ (avec)** *(cesser le travail)* come gesto di solidarietà (nei confronti di); **contrat de ~** contratto di solidarietà

solide [sɔlid] *adj* solido(-a); *(amitié)* saldo(-a); *(personne, estomac)* robusto(-a) ■ *nm* solido; **un ~ coup de poing** *(fam)* un bel pugnone; **une ~ engueulade** *(fam)* una solenne lavata di capo; **avoir les reins ~s** *(fig)* avere le spalle robuste; **~ au poste** *(fig)* presente, a fare il proprio dovere a qualsiasi costo

soliste [sɔlist] *nm/f* solista *m/f*

solitaire [sɔlitɛʀ] *adj* solitario(-a); *(isolé: arbre, maison)* isolato(-a) ■ *nm/f* solitario(-a) ■ *nm (diamant, jeu)* solitario

solitude [sɔlityd] *nf* solitudine *f*

solliciter [sɔlisite] *vt* sollecitare; **~ qn (de faire qch)** sollecitare qn (a fare qc)

sollicitude [sɔlisityd] *nf* sollecitudine *f*

soluble [sɔlybl] *adj* solubile; *(problème etc)* risolvibile

solution [sɔlysjɔ̃] *nf* soluzione *f*; **~ de continuité** soluzione di continuità; **~ de facilité** soluzione di comodo

solvable [sɔlvabl] *adj* solvibile

sombre [sɔ̃bʀ] *adj* scuro(-a); *(fig: personne, visage, humeur)* cupo(-a); *(: avenir)* oscuro(-a); **une ~ brute** un bruto

sombrer [sɔ̃bʀe] *vi (bateau)* affondare; **~ corps et biens** affondare, sprofondare; **~ dans la misère/dans le désespoir** sprofondare nella miseria/nella disperazione

sommaire [sɔmɛʀ] *adj* sommario(-a) ■ *nm* sommario; **faire le ~ de** fare il sunto di; **exécution ~** esecuzione *f* sommaria

somme [sɔm] *nf* somma; *(fig: d'efforts, de travail)* mole *f*, grande

quantità *f inv* ■ *nm*: **faire un ~** fare un sonnellino; **faire la ~ de** fare la somma di; **en ~** insomma, tutto sommato; **~ toute** tutto sommato

sommeil [sɔmɛj] *nm* sonno; **avoir ~** avere sonno; **avoir le ~ léger** avere il sonno leggero; **en ~** *(fig)* inattivo(-a)

sommeiller [sɔmeje] *vi* sonnecchiare

sommet [sɔmɛ] *nm (d'une montagne, tour, d'un arbre)* sommità *f inv*, cima; *(Géom, conférence, fig: de la hiérarchie)* vertice *m*; *(: de la perfection, gloire)* sommo; **l'air pur des ~s** l'aria pura di montagna

sommier [sɔmje] *nm (d'un lit)* rete *f*; **~ à lattes** rete a doghe; **~ métallique** rete *f* (metallica); **~ à ressorts** rete a molle

somnambule [sɔmnɑ̃byl] *nm/f* sonnambulo(-a)

somnifère [sɔmnifɛʀ] *nm* sonnifero

somnoler [sɔmnɔle] *vi* sonnecchiare

somptueux, -euse [sɔ̃ptɥø, øz] *adj* sontuoso(-a)

son¹, sa [sɔ̃, sa] *(pl* **ses***) dét (masculin)* (il) suo; *(féminin)* (la) sua; *(valeur indéfinie)* il proprio, la propria; **~ livre** il suo libro; **sa chambre** la sua camera; **~ père/frère** suo padre/fratello; **sa mère/sœur** sua madre/sorella

son² [sɔ̃] *nm* suono; *(Radio, TV)* volume *m*; *(résidu de mouture)* crusca; *(sciure: pour bourrer)* segatura; **~ et lumière** *adj inv* luci e suoni

sondage [sɔ̃daʒ] *nm* sondaggio; **~ (d'opinion)** sondaggio (d'opinione)

sonde [sɔ̃d] *nf* sonda; *(Naut)* scandaglio; **~ à avalanche** *sonda per la ricerca di vittime di valanghe*; **~ spatiale** sonda spaziale

sonder [sɔ̃de] *vt* sondare; *(Naut)* scandagliare; *(bagages)* controllare; *(fig)* scrutare; *(: opinion)* sondare; **~ le terrain** *(fig)* sondare il terreno

songe [sɔ̃ʒ] *nm* sogno

songer [sɔ̃ʒe] ■ *vt (rêver à)* sognare (di); *(penser à, envisager)* pensare a; **~ que** pensare che

songeur, -euse [sɔ̃ʒœʀ, øz] *adj* pensieroso(-a); **ça me laisse ~** mi dà da pensare

sonnant, e [sɔnɑ̃, ɑ̃t] *adj*: **espèces ~es et trébuchantes** denaro *msg* contante; **à huit heures ~es** alle otto in punto

sonné, e [sɔne] *adj* (*fam: fou*) suonato(-a); **il est midi ~** è mezzogiorno suonato; **il a quarante ans bien ~s** ha quarant'anni suonati

sonner [sɔne] *vi* suonare ■ *vt* (*cloche, réveil*) suonare; (*domestique, infirmière*) chiamare; **~ qn** (*fam: suj: nouvelle, choc*) sbalordire qn; **~ du clairon** suonare la tromba; **~ bien/mal** (*phrase, mot*) suonar bene/male; **~ creux** (*être vide*) suonare vuoto; (*résonner*) risuonare; **~ faux** (*instrument*) stonare; (*rire*) suonare falso; **~ les heures** suonare le ore; **minuit vient de ~** è appena scoccata la mezzanotte; **~ chez qn** suonare alla porta di qn, suonare a qn

sonnerie [sɔnri] *nf* (*son: du téléphone*) squillo; (: *de réveil*) sveglia; (*d'horloge*) carillon *m*; (*sonnette*) campanello; (*mécanisme d'horloge*) suoneria; **~ d'alarme** campanello d'allarme; **~ de clairon** squillo di tromba

sonnette [sɔnɛt] *nf* campanello; **~ d'alarme** campanello d'allarme; **~ de nuit** campanello (di urgenza)

sonore [sɔnɔr] *adj* sonoro(-a); **effets ~s** effetti *mpl* sonori

sonorisation [sɔnɔrizasjɔ̃] *nf* sonorizzazione *f*; (*matériel, installations*) impianto acustico

sonorité [sɔnɔrite] *nf* sonorità *f inv*

sophistiqué, e [sɔfistike] *adj* sofisticato(-a)

sorbet [sɔrbɛ] *nm* sorbetto

sorcier, -ière [sɔrsje, jɛr] *nm/f* stregone (strega) ■ *adj*: **ce n'est pas ~** (*fam*) non è poi così difficile

sordide [sɔrdid] *adj* sordido(-a)

sort [sɔr] *vb voir* **sortir** ■ *nm* sorte *f*; **un coup du ~** un tiro del destino; **c'est une ironie du ~** ironia della sorte; **le ~ en est jeté** il dado è tratto; **tirer au ~** tirare a sorte; **tirer qch au ~** tirare qc a sorte, sorteggiare qc; **jeter un ~** gettare il malocchio

sorte [sɔrt] *vb voir* **sortir** ■ *nf* specie *f inv*, sorta; **une ~ de** una specie di; **de la ~** in questo modo, così; **en quelque ~** in un certo qual modo; **de ~ à** in modo da; **de (telle) ~ que, en ~ que** in modo (tale) che; (*si bien que*) in modo

(*tale*) da; **faire en ~ que/de** fare in modo che/da; **quelle ~ de ...?** che tipo di ...?

sortie [sɔrti] *nf* uscita; (*Mil*) sortita; (*fig: attaque verbale*) sfuriata; (*d'un gaz, de l'eau*) fuoriuscita; (*promenade, tour*) passeggiata, giro; (*Inform: d'imprimante*) uscita, output *m inv*; **les ~s** (*Comm*) le uscite; **à sa ~...** quanto è uscito(-a); **à la ~ de l'école/de l'usine** all'uscita di scuola/dalla fabbrica; **à la ~ de ce nouveau modèle** all'uscita di questo nuovo modello; **"~ de camions"** "passo carraio"; **où est la ~?** dov'è l'uscita?; **~ de bain** (*vêtement*) accappatoio; **~ de secours** uscita di sicurezza; **~ papier** copia stampata

sortilège [sɔrtilɛʒ] *nm* sortilegio

sortir [sɔrtir] *nm*: **au ~ de l'hiver** sul finire dell'inverno, alla fine dell'inverno ■ *vi* uscire; (*bourgeon, plante*) spuntare; (*s'échapper: eau, fumée*) fuoriuscire ■ *vt* tirar fuori; (*mener dehors, promener*) portar fuori; (*produit, modèle*) far uscire; (*fam: expulser: personne*) sbattere fuori; (*Inform: sur papier*) stampare; **~ de** (*maladie, accident*) venire fuori da; (*rôle, cadre, compétence*) esulare da; (*fig: famille, université*) (pro)venire da; **~ du théâtre** uscire dal teatro; **~ de l'hôpital/de prison** uscire dall'ospedale/di prigione; **~ de la route** uscire di strada; **~ des rails** uscire dai binari, deragliare; **~ de ses gonds** (*fig*) uscire dai gangheri; **~ du système** (*Inform*) uscire dal sistema; **~ de table** alzarsi da tavola; **~ les mains de ses poches** tirar fuori le mani dalle tasche; **~ qn d'affaire/ d'embarras** trarre qn d'impaccio; **se ~ de** (*d'une situation*) tirarsi fuori da; **s'en ~** (*malade*) cavarsela; (*d'une difficulté etc*) venirne fuori, cavarsela

sosie [sɔzi] *nm* sosia *m inv*

sot, sotte [so, sɔt] *adj, nm/f* stupido(-a), sciocco(-a)

sottise [sɔtiz] *nf* stupidità *f inv*; (*propos, acte*) sciocchezza, stupidaggine *f*

sou [su] *nm*: **être près de ses ~s** essere molto attaccato ai soldi; **être sans le ~** essere al verde; **économiser ~ à ~** risparmiare fino al centesimo;

n'avoir pas un ~ de bon sens non
avere un briciolo di buon senso;
de quatre ~s (sans valeur) da quattro
soldi

soubresaut [subʀəso] nm (de peur
etc) sussulto; (d'un cheval) scarto;
(d'un véhicule) sobbalzo

souche [suʃ] nf (d'un arbre) ceppo;
(d'un registre, carnet) matrice f, madre
f; **dormir comme une ~** dormire
come un ghiro; **de vieille ~** da molte
generazioni; **carnet à ~s** libretto a
madre e figlia

souci [susi] nm preoccupazione f;
(Bot) calendola; **se faire du ~** essere
preoccupato(-a); **avoir (le) ~ de**
preoccuparsi di; **~s financiers**
preoccupazioni economiche

soucier [susje]: **se soucier de** vr
preoccuparsi di

soucieux, -euse [susjø, jøz] adj
preoccupato(-a); **~ de son
apparence** che bada al proprio
aspetto; **peu ~ de/que...** noncurante
di/del fatto che...; **être ~ que le
travail soit bien fait** tenerci che il
lavoro sia fatto bene

soucoupe [sukup] nf piattino;
~ volante disco volante

soudain, e [sudɛ̃, ɛn] adj
improvviso(-a) ■ adv
improvvisamente

soude [sud] nf soda; **~ caustique**
soda caustica

souder [sude] vt saldare; (fig: amis,
organismes) unire; **se souder** vr (os)
saldarsi

soudure [sudyʀ] nf saldatura;
faire la ~ (Comm) assicurare
l'approvvigionamento tra una
stagione e l'altra; (fig: assurer une
transition) assicurare la transizione

souffle [sufl] nm soffio; (respiration)
respiro; (d'une explosion) spostamento
d'aria; (d'un ventilateur) aria; (du vent)
soffio, alito; (fig: créateur etc) alito;
retenir son ~ trattenere il respiro;
avoir du/manquer de ~ aver/non
aver fiato; **être à bout de ~** avere il
fiato grosso; **avoir le ~ court** avere il
fiato corto; **un ~ d'air** ou **de vent** un
soffio d'aria ou di vento; **second ~**
(fig: regain d'énergie, d'activité) ripresa;
~ au cœur (Méd) soffio (al cuore)

soufflé, e [sufle] adj (Culin) a soufflé;
(fam: personne) sbalordito(-a) ■ nm
(Culin) soufflé m inv

souffler [sufle] vi (vent) soffiare;
(personne: haleter) ansimare; (: pour
éteindre etc): **~ sur** soffiare su ■ vt
(feu, bougie) soffiare su; (chasser:
poussière, fumée) soffiar via; (Tech, Jeux)
soffiare; (détruire: suj: explosion)
spazzar via; **~ qch à qn** (réponse,
leçon) suggerire qc a qn; **~ qch à qn**
(fam: voler) soffiare qc a qn; **~ son rôle
à qn** suggerire la parte a qn; **laisser ~**
(fig: personne, animal) lasciar
riprendere fiato a qn; **ne pas ~ mot**
(ne rien dire) non fiatare

souffrance [sufʀɑ̃s] nf sofferenza;
en ~ (marchandise) in giacenza;
(affaire) in sospeso

souffrant, e [sufʀɑ̃, ɑ̃t] adj
sofferente

souffre-douleur [sufʀədulœʀ] nm
inv zimbello

souffrir [sufʀiʀ] vi soffrire ■ vt (faim,
soif) soffrire; (torture) subire;
(admettre) ammettere; **~ de** (maladie,
solitude) soffrire di; **~ des dents** aver
mal di denti; **ne pas pouvoir ~ qch/
que...** non poter soffrire qc/che...,
non sopportare qc/che...; **faire ~ qn**
far soffrire qn; (suj: dents, blessure etc)
far male a

soufre [sufʀ] nm zolfo

souhait [swɛ] nm augurio; **tous nos
~s pour la nouvelle année** i migliori
auguri di buon anno nuovo; **riche à ~**
ricchissimo(-a); **marcher à ~**
funzionare benissimo; **"à vos ~s!"**
"salute!"

souhaitable [swɛtabl] adj
auspicabile

souhaiter [swete] vt augurare; **~ le
bonjour/la bonne année à qn**
augurare il buongiorno/buon anno a
qn; **~ bon voyage/bonne route à qn**
augurare buon viaggio a qn; **il est à ~
que** c'è da sperare che

soûl, e [su, sul] adj (ivre) ubriaco(-a)
■ nm: **boire tout son ~** bere a
volontà; **manger tout son ~**
mangiare a sazietà; **~ de musique/
plaisirs** ebbro(-a) di musica/piacere

soulagement [sulaʒmɑ̃] nm
sollievo

soulager [sulaʒe] vt (personne) sollevare da; (mal, douleur, peine) alleviare; ~ **qn de** (fardeau) alleggerire qn di; ~ **qn de son portefeuille** (hum) alleggerire qn del portafoglio

soûler [sule] vt ubriacare; (fig) inebriare; **se soûler** vr ubriacarsi; (fig) inebriarsi

soulever [sul(ə)ve] vt sollevare; **se soulever** vr sollevarsi; (couvercle etc) sollevare; **cela (me) soulève le cœur** mi dà il voltastomaco

soulier [sulje] nm scarpa; **une paire de ~s** un paio di scarpe; ~ **bas** scarpe basse; **~s à talons** scarpe coi tacchi; **~s plats** scarpe basse

souligner [suliɲe] vt sottolineare

soumettre [sumɛtr] vt (pays, rebelles) sottomettere; ~ **qn à** (règlement, épreuve) sottoporre qn a; ~ **qch à** (analyse, personne) sottoporre qc a; **se ~ (à)** (se rendre, obéir) sottomettersi (a); **se ~ à** (formalités, exigences) sottoporsi a

soumis, e [sumi, iz] pp de **soumettre** ▪ adj sottomesso(-a); **revenus ~ à l'impôt** redditi mpl soggetti all'imposta

soumission [sumisjɔ̃] nf sottomissione f; (Comm) offerta

soupçon [supsɔ̃] nm sospetto; **un ~ de** (petite quantité) un pizzico di, un goccio di; **avoir ~ de** sospettare; **au dessus de tout ~** al di sopra di ogni sospetto

soupçonner [supsɔne] vt sospettare; ~ **que** sospettare che; ~ **qn de qch/d'être** sospettare qn di qc/di essere

soupçonneux, -euse [supsɔnø, øz] adj sospettoso(-a)

soupe [sup] nf minestra, zuppa; **~ à l'oignon** zuppa di cipolla; **~ au lait** adj inv (fig) irascibile; **~ de poisson** zuppa di pesce; **~ populaire** mensa dei poveri

souper [supe] vi cenare ▪ nm cena; **avoir soupé de qch** (fam) averne fin sopra i capelli di qc

soupeser [supəze] vt soppesare

soupière [supjɛr] nf zuppiera

soupir [supir] nm sospiro; (Mus) pausa di semiminima; ~ **d'aise/de soulagement** sospiro di sollievo;

rendre le dernier ~ esalare l'ultimo respiro

soupirer [supire] vi sospirare; **~ après qch** sospirare qc

souple [supl] adj (branche, fig: règlement) flessibile; (col, cuir) morbido(-a); (membres, corps, personne) agile; (fig: esprit, caractère: qui s'adapte) duttile; (: démarche, taille: gracieux) sciolto(-a), agile; **disque(tte) ~** (Inform) disco m ou dischetto m floppy inv

souplesse [suplɛs] nf (v adj) flessibilità; morbidezza; agilità; duttilità; scioltezza, agilità; **en ~, avec ~** (atterrir, rebondir etc) dolcemente, morbidamente

source [surs] nf sorgente f; (fig: cause, point de départ) origine f; (: d'une information) fonte f; **sources** nfpl (textes originaux) fonti fpl; **prendre sa ~ à/dans** (suj: cours d'eau) nascere da; **tenir qch de bonne ~/de ~ sûre** sapere qc da buona fonte/da fonte sicura; **~ d'eau minérale** sorgente di acqua minerale; **~ de chaleur** fonte di calore; **~ lumineuse** sorgente luminosa; **~ thermale** sorgente termale

sourcil [sursi] nm sopracciglio

sourciller [sursije] vi: **sans ~** senza batter ciglio

sourd, e [sur, surd] adj sordo(-a); (couleur) smorzato(-a); (lutte) nascosto(-a), segreto(-a) ▪ nm/f sordo(-a); **être ~ à** (fig) essere sordo(-a) a

sourdine [surdin] nf (Mus) sordina; **en ~** in sordina; **mettre une ~ à** (fig) moderare

sourd-muet, sourde-muette [surmye, surdmyɛt] (mpl **sourds-muets**, fpl **sourdes-muettes**) adj, nm/f sordomuto(-a)

souriant, e [surjã, jãt] vb voir **sourire** ▪ adj sorridente

sourire [surir] nm sorriso ▪ vi sorridere; ~ **à qn** (aussi fig) sorridere a qn; **faire un ~ à qn** fare un sorriso a qn; **garder le ~** essere sempre sorridente, avere sempre il sorriso sulle labbra

souris [suri] vb voir **sourire** ▪ nf topo; (Inform) mouse m inv

sournois, e [suʀnwa, waz] *adj* subdolo(-a)

sous [su] *prép* sotto; **~ la pluie/le soleil** sotto la pioggia/il sole; **~ mes yeux** sotto i miei occhi; **~ terre** sotto terra; **~ vide** sotto vuoto; **~ les coups/les critiques** sotto i colpi/le critiche; **~ le choc** sotto choc; **~ l'influence/l'action de** sotto l'influsso/l'azione di; **~ les ordres/la protection de** agli ordini/sotto la protezione di; **~ telle rubrique/lettre** sotto tale voce/lettera; **~ antibiotiques** sotto (l'effetto di) antibiotici; **~ Louis XIVe** sotto Luigi XIV; **~ cet angle/ce rapport** sotto questo angolo/questo aspetto; **~ peu** tra poco

sous-bois [subwa] *nm inv* sottobosco

souscrire [suskʀiʀ]: **~ à** *vt* sottoscrivere; *(fig)* aderire a

sous-directeur, -trice [sudiʀɛktœʀ, tʀis] *(mpl* **~s**, *fpl* **sous-directtrices)** *nm/f* vicedirettore(-trice)

sous-entendre [suzɑ̃tɑ̃dʀ] *vt* sottintendere

sous-entendu, e [suzɑ̃tɑ̃dy] *(mpl* **~s**, *fpl* **~es)** *adj* sottinteso(-a) ■ *nm* sottinteso

sous-estimer [suzɛstime] *vt* sottovalutare

sous-jacent, e [suʒasɑ̃, ɑ̃t] *(pl* **~s**, *pl* **~es)** *adj* sottostante; *(fig: idée, difficulté)* recondito(-a)

sous-louer [sulwe] *vt*: **~ à qn** subaffittare a qn

sous-marin, e [sumaʀɛ̃, in] *(mpl* **~s**, *fpl* **~es)** *adj (flore, volcan)* sottomarino(-a); *(navigation, pêche)* subacqueo(-a) ■ *nm* sommergibile *m*, sottomarino

soussigné, e [susiɲe] *adj*: **je ~...** il (la) sottoscritto(-a)... ■ *nm/f*: **le ~** il sottoscritto; **les ~s** i (le) sottoscritti(-e)

sous-sol [susɔl] *(pl* **~s)** *nm (d'une construction)* seminterrato, scantinato; *(Géo)* sottosuolo; **en ~** in seminterrato

sous-titre [sutitʀ] *(pl* **~s)** *nm* sottotitolo

soustraction [sustʀaksjɔ̃] *nf* sottrazione *f*

soustraire [sustʀɛʀ] *vt*: **~ (à)** sottrarre (a); **se ~ à** sottrarsi a

sous-traitant [sutʀɛtɑ̃] *(pl* **~s)** *nm* subappaltatore *m*

sous-traiter [sutʀete] *vt* subappaltare ■ *vi (devenir sous-traitant)* ottenere in subappalto; *(faire appel à un sous-traitant)* subappaltare

sous-vêtement [suvɛtmɑ̃] *(pl* **~s)** *nm* indumento intimo; **sous-vêtements** *nmpl* biancheria *fsg* intima

soutane [sutan] *nf* tonaca

soute [sut] *nf* stiva; **~ à bagages** bagagliaio

soutenir [sut(ə)niʀ] *vt* sostenere; *(choc)* sopportare; *(intérêt, effort)* tener vivo(-a); **se soutenir** *vr (s'aider mutuellement)* sostenersi a vicenda; *(être soutenable: point de vue)* reggere; *(sur ses jambes)* reggersi, sostenersi; **~ que** sostenere che; **~ la comparaison avec** reggere il confronto con; **~ le regard de qn** sostenere lo sguardo di qn

soutenu, e [sut(ə)ny] *pp de* **soutenir** ■ *adj (attention, efforts)* costante, continuo(-a); *(style)* forbito(-a); *(couleur)* intenso(-a), carico(-a)

souterrain, e [suteʀɛ̃, ɛn] *adj* sotterraneo(-a) ■ *nm (passaggio)* sotterraneo

soutien [sutjɛ̃] *nm* sostegno, appoggio; *(Mil)* appoggio; **apporter son ~ à** dare il proprio sostegno *ou* appoggio a; **~ de famille** *(Admin)* sostegno della famiglia

soutien-gorge [sutjɛ̃gɔʀʒ] *(pl* **soutiens-gorge)** *nm* reggiseno, reggipetto

soutirer [sutiʀe] *vt*: **~ qch à qn** *(argent)* spillare qc a qn; *(promesse)* strappare qc a qn

souvenir [suv(ə)niʀ] *nm* ricordo; *(cadeau, objet)* souvenir *m inv*, ricordo **se souvenir** *vr*: **se ~ de/que** ricordarsi di/che; **garder le ~ de** conservare il ricordo di; **en ~ de** in ricordo di; **avec mes affectueux/meilleurs ~s,...** affettuosi/cordiali saluti...

souvent [suvɑ̃] *adv* spesso; **peu ~** di rado; **le plus ~** di solito

souverain, e [suv(ə)ʀɛ̃, ɛn] *adj* sovrano(-a); *(fig: remède)* molto

efficace; (: *mépris*) sommo(-a) ■ *nm/f*
sovrano(-a); **le ~ pontife** il Sommo
pontefice

soyeux, -euse [swajø, øz] *adj*
setoso(-a); (*fig: reflets, cheveux*) di seta

spacieux, -euse [spasjø, jøz] *adj*
spazioso(-a)

spaghettis [spageti] *nmpl*
spaghetti *mpl*

sparadrap [spaʀadʀa] *nm* cerotto

spatial, e, aux [spasjal, o] *adj*
spaziale

speaker, ine [spikœʀ, kʀin] *nm/f*
(*Radio, TV*) annunciatore(-trice)

spécial, e, aux [spesjal, o] *adj*
speciale; (*bizarre*) particolare

spécialement [spesjalmã] *adv*
particolarmente; (*tout exprès*)
apposta; **pas ~** non in modo
particolare

spécialiser [spesjalize] *vt*: **se ~**
specializzarsi

spécialiste [spesjalist] *nm/f*
specialista *m/f*

spécialité [spesjalite] *nf* specialità *f*
inv; (*Scol*) indirizzo; **je voudrais
goûter une ~ locale** vorrei assaggiare
una specialità del posto; **~ médicale**
specialità medica; **~
pharmaceutique** specialità
farmaceutica

spécifier [spesifje] *vt* specificare

spécimen [spesimɛn] *nm* esemplare
m, modello; (*revue, manuel etc*) copia
di saggio ■ *adj* esemplare

spectacle [spɛktakl] *nm* spettacolo;
se donner en ~ (*péj*) dare spettacolo
(di sé); **pièce/revue à grand ~**
commedia/rivista spettacolare;
au ~ de... alla vista di...

spectaculaire [spɛktakylɛʀ] *adj*
spettacolare

spectateur, -trice [spɛktatœʀ,
tʀis] *nm/f* spettatore(-trice)

spéculer [spekyle] *vi*: **~ (sur)**
speculare (su)

spéléologie [speleɔlɔʒi] *nf*
speleologia

sperme [spɛʀm] *nm* sperma *m*

sphère [sfɛʀ] *nf* sfera; **~ d'activité/
d'influence** sfera d'attività/
d'influenza

spirale [spiʀal] *nf* spirale *f*; **en ~** a
spirale

spirituel, le [spiʀitɥɛl] *adj*
spirituale; (*fin, piquant*) spiritoso(-a);
musique ~le musica sacra;
concert ~ concerto di musica
sacra

splendide [splãdid] *adj* splendido(-a)

spontané, e [spɔ̃tane] *adj*
spontaneo(-a)

spontanéité [spɔ̃taneite] *nf*
spontaneità *f inv*

sport [spɔʀ] *nm* sport *m inv* ■ *adj inv*:
vêtement/ensemble ~ vestito/
completo sportivo; (*fair-play*)
sportivo(-a); **faire du ~** fare dello
sport; **~ d'équipe** sport a squadre;
~ d'hiver sport invernale; **~ de
combat** sport di combattimento;
~ individuel sport individuale

sportif, -ive [spɔʀtif, iv] *adj, nm/f*
sportivo(-a); **les résultats ~s** i
risultati sportivi

spot [spɔt] *nm* spot *m inv*;
~ (publicitaire) spot (pubblicitario)

square [skwaʀ] *nm* giardinetto
pubblico

squelette [skəlɛt] *nm* scheletro

squelettique [skəletik] *adj*
scheletrico(-a)

stabiliser [stabilize] *vt* stabilizzare

stable [stabl] *adj* stabile

stade [stad] *nm* stadio

stadier [stadje] *nm* *addetto al
mantenimento dell'ordine negli stadi*

stage [staʒ] *nm* stage *m inv*; (*d'avocat
stagiaire*) tirocinio, pratica

stagiaire [staʒjɛʀ] *nm/f* tirocinante
m/f; (*Pol*) stagista *m/f* ■ *adj*: **avocat
~** praticante procuratore *m*

stagner [stagne] *vi* ristagnare

stand [stãd] *nm* (*d'exposition, de foire*)
stand *m inv*; **~ de ravitaillement**
(*Auto, Cyclisme*) posto di rifornimento;
~ de tir tiro a segno

standard [stãdaʀ] *adj inv* standard
inv ■ *nm* (*type, norme*) standard *m inv*;
(*téléphonique*) centralino

standardiste [stãdaʀdist] *nm/f*
centralinista *m/f*

standing [stãdiŋ] *nm* livello sociale;
immeuble de grand ~ stabile *m* di
lusso

starter [staʀtɛʀ] *nm* (*Auto, Sport*)
starter *m inv*; **mettre le ~** mettere lo
starter

station [stasjɔ̃] *nf* stazione *f*;
(*posture*) posizione *f*; ~ **balnéaire**
stazione balneare; ~ **de graissage**
(*dans un garage*) stazione di
ingrassaggio; ~ **de lavage** (*dans un
garage*) autolavaggio; ~ **de ski**
stazione sciistica; ~ **de sports d'hiver**
stazione sciistica; ~ **de taxis**
posteggio di taxi; ~ **thermale**
stazione termale

stationnement [stasjɔnmɑ̃] *nm*
sosta; **zone de ~ interdit** zona di
sosta vietata; ~ **alterné** sosta vietata
a giorni alterni

stationner [stasjɔne] *vi* sostare

station-service [stasjɔ̃sɛʀvis]
(*pl* **stations-service**) *nf* stazione *f*
di servizio

statistique [statistik] *nf* statistica
◾ *adj* statistico(-a)

statue [staty] *nf* statua

statu quo [statykwo] *nm*: **maintenir
le ~** mantenere lo status quo

statut [staty] *nm* posizione *f*, status
m inv; **statuts** *nmpl* (*Jur, Admin: d'une
association, société*) statuto *msg*

statutaire [statytɛʀ] *adj* statutario(-a)

Sté *abr* (= *société*) Soc.

steak [stɛk] *nm* bistecca

sténo(graphie) [stenɔ(ɡʀafi)] *nf*
stenografia; **prendre en sténo**
stenografare

stérile [steʀil] *adj* sterile

stérilet [steʀilɛ] *nm* (*Méd*) spirale *f*

stériliser [steʀilize] *vt* sterilizzare

stéroïde [steʀɔid] *nm* steroide *m*

stimulant, e [stimylɑ̃, ɑ̃t] *adj*
stimolante ◾ *nm* (*Méd*) stimolante *m*;
(*fig*) stimolo, incentivo

stimuler [stimyle] *vt* stimolare

stipuler [stipyle] *vt* (*énoncer:
condition, garantie*) stabilire; (*préciser:
détail*) specificare; ~ **que** stabilire che

stock [stɔk] *nm* (*Comm: de
marchandises*) stock *m inv*, scorte *fpl*;
(*Fin: d'or*) riserva; (*fig*) riserva, scorta;
en ~ in magazzino

stocker [stɔke] *vt* immagazzinare;
(*déchets*) accumulare, ammassare

stop [stɔp] *nm* stop *m inv*; (*auto-stop*)
autostop *m inv* ◾ *excl*: ~! stop!, alt!

stopper [stɔpe] *vt* bloccare, fermare;
(*Couture*) fare un rammendo invisibile
a ◾ *vi* fermarsi

store [stɔʀ] *nm* (*de bois*) tapparella;
(*de tissu*) tendina avvolgibile; (*de
magasin*) tendone *m*

strabisme [stʀabism] *nm* strabismo

strapontin [stʀapɔ̃tɛ̃] *nm*
strapuntino; (*fig*) posto secondario
ou poco importante

stratégie [stʀateʒi] *nf* strategia

stratégique [stʀateʒik] *adj*
strategico(-a)

stress [stʀɛs] *nm* stress *m inv*

stressant, e [stʀesɑ̃, ɑ̃t] *adj*
stressante

stresser [stʀese] *vt* stressare

strict, e [stʀikt] *adj* (*obligation,
principes, interprétation*) rigoroso(-a);
(*parents, décor*) severo(-a); (*tenue,
langage*) castigato(-a); **c'est son droit
le plus ~** è un suo inoppugnabile
diritto; **dans la plus ~e intimité** nella
più stretta intimità; **au sens ~ du
mot** nel senso stretto del termine;
le ~ nécessaire lo stretto necessario;
le ~ minimum il minimo
indispensabile

strident, e [stʀidɑ̃, ɑ̃t] *adj*
stridulo(-a)

string [stʀiŋ] *nm* tanga *m inv*

strophe [stʀɔf] *nf* strofa

structure [stʀyktyʀ] *nf* struttura;
~**s d'accueil** struttura di accoglienza;
~**s touristiques** strutture turistiche

studieux, -euse [stydjø, jøz] *adj*
(*élève*) studioso(-a); (*vacances, retraite*)
di studio

studio [stydjo] *nm* studio; (*logement*)
monolocale *m*

stupéfait, e [stypefɛ, ɛt] *adj*
stupefatto(-a), stupito(-a)

stupéfiant, e [stypefjɑ̃, jɑ̃t] *adj*
stupefacente ◾ *nm* (*Méd*)
stupefacente *m*

stupéfier [stypefje] *vt* sbalordire;
(*étonner*) stupire

stupeur [stypœʀ] *nf* stupore *m*

stupide [stypid] *adj* stupido(-a)

stupidité [stypidite] *nf* stupidità;
(*propos, acte*) stupidaggine *f*

style [stil] *nm* stile *m*; **meuble de ~**
mobile *m* in stile; **robe de ~** abito
d'epoca; **en ~ télégraphique** con stile
telegrafico; ~ **administratif** stile
burocratico; ~ **de vie** stile di vita;
~ **journalistique** stile giornalistico

stylé, e [stile] *adj* impeccabile
styliste [stilist] *nm/f* stilista *m/f*
stylo [stilo] *nm* penna, biro *f inv*; **~ à
encre** penna stilografica; **~ (à) bille**
penna a sfera
su, e [sy] *pp de* **savoir** ▪ *nm*: **au su de**
a saputa di
suave [sɥav] *adj* soave
subalterne [sybaltɛʀn] *adj, nm/f*
subalterno(-a)
subconscient [sypkɔ̃sjɑ̃] *nm*
subconscio, subcosciente *m*
subir [sybiʀ] *vt* subire; (*traitement,
opération*) sottoporsi a, subire;
(*examen*) sostenere
subit, e [sybi, it] *adj* improvviso(-a),
repentino(-a)
subitement [sybitmɑ̃] *adv*
improvvisamente
subjectif, -ive [sybʒɛktif, iv] *adj*
soggettivo(-a)
subjonctif [sybʒɔ̃ktif] *nm* (*Ling*)
congiuntivo
subjuguer [sybʒyge] *vt* soggiogare
submerger [sybmɛʀʒe] *vt*
sommergere; (*fig: suj: douleur*)
sopraffare
subordonné, e [sybɔʀdɔne] *adj*
(*Ling*) subordinato(-a) ▪ *nm/f* (*Admin,
Mil*) subordinato(-a), subalterno(-a);
~ à (*personne, résultats*)
subordinato(-a) a
subrepticement [sybʀɛptismɑ̃] *adv*
furtivamente
subside [sybzid] *nm* sussidio
subsidiaire [sybzidjɛʀ] *adj*:
question ~ questione *f* accessoria
subsister [sybziste] *vi* (*monument,
erreur*) rimanere; (*personne, famille*)
sopravvivere
substance [sypstɑ̃s] *nf* sostanza;
en ~ in sostanza, sostanzialmente
substituer [sypstitɥe] *vt* sostituire;
se ~ à qn sostituirsi a qn; (*pour évincer*)
sostituire qn
substitut [sypstity] *nm* (*magistrat*)
sostituto; (*succédané*) surrogato
subterfuge [syptɛʀfyʒ] *nm*
sotterfugio
subtil, e [syptil] *adj* sottile
subvenir [sybvəniʀ]: **~ à** *vt*
provvedere a
subvention [sybvɑ̃sjɔ̃] *nf*
sovvenzione *f*

subventionner [sybvɑ̃sjɔne] *vt*
sovvenzionare
suc [syk] *nm* succo; **~s gastriques**
succhi gastrici
succéder [syksede]: **~ à** *vt* (*directeur,
roi*) succedere a; (*dans une série*)
seguire; **se succéder** *vr* succedersi,
susseguirsi
succès [syksɛ] *nm* successo; **avec ~**
con successo; **sans ~** senza successo;
avoir du ~ avere successo; **à ~** di
successo; **~ de librairie** best-seller *m
inv*; **~ (féminins)** successo (con le
donne)
successeur [syksesœʀ] *nm*
successore *m*
successif, -ive [syksesif, iv] *adj*
successivo(-a)
succession [syksesjɔ̃] *nf* (*série*) serie
f; (*Jur, Pol*) successione *f*; **prendre la ~
de** succedere a
succomber [sykɔ̃be] *vi* morire; **~ (à)**
(*fig*) soccombere (a)
succulent, e [sykylɑ̃, ɑ̃t] *adj*
succulento(-a)
succursale [sykyʀsal] *nf* succursale
f; **magasin à ~s multiples** negozio
con più succursali
sucer [syse] *vt* succhiare; **~ son
pouce** succhiarsi il pollice
sucette [sysɛt] *nf* (*bonbon*) lecca lecca
m inv; (*de bébé*) succhiotto
sucre [sykʀ] *nm* zucchero; **morceau
de ~** zolletta (di zucchero);
~ cristallisé zucchero granulare;
~ d'orge zucchero d'orzo; **~ de
betterave** zucchero di barbabietola;
~ de canne zucchero di canna; **~ en
morceaux** zucchero a zollette; **~ en
poudre** zucchero in polvere; **~ glace**
zucchero a velo
sucré, e [sykʀe] *adj* zuccherato(-a);
(*au goût: vin, fruits etc*) dolce; (*péj: ton,
voix*) sdolcinato(-a), zuccheroso(-a)
sucrer [sykʀe] *vt* zuccherare;
se sucrer *vr* mettersi lo zucchero;
(*fam: faire des bénéfices*) riempirsi le
tasche; **~ qn** servire lo zucchero a qn
sucrerie [sykʀəʀi] *nf* zuccherificio;
sucreries *nfpl* (*bonbons*) dolciumi *mpl*
sucrier, -ière [sykʀije, ijɛʀ] *adj*
zuccheriero(-a), saccarifero(-a) ▪ *nm*
(*fabricant*) zuccheriere *m*; (*récipient*)
zuccheriera

sud [syd] nm sud m inv ■ adj inv (côte) meridionale; (façade, pôle) sud inv; **au ~** al sud; **au ~ de** a sud di

sud-africain, e [sydafʀikɛ̃, ɛn] (mpl **~s**, fpl **~es**) adj sudafricano(-a) ■ nm/f: **Sud-Africain, e** sudafricano(-a)

sud-américain, e [sydameʀikɛ̃, ɛn] (mpl **sud-americains**, fpl **sud-americaines**) adj sudamericano(-a) ■ nm/f: **Sud-Americain, e** sudamericano(-a)

sud-est [sydɛst] nm inv sudest m inv ■ adj inv sudorientale

sud-ouest [sydwɛst] nm inv sudovest m inv ■ adj inv sudoccidentale

Suède [sɥed] nf Svezia

suédois, e [sɥedwa, waz] adj svedese ■ nm/f: **Suédois, e** svedese m/f ■ nm (langue) svedese m

suer [sɥe] vi sudare; (mur, plâtre) trasudare ■ vt (fig: exhaler) trasudare; **~ à grosses gouttes** grondare di sudore

sueur [sɥœʀ] nf sudore m; **en ~** sudato(-a); **avoir des ~s froides** sudare freddo; **donner à qn des ~s froides** far sudare freddo a qn

suffire [syfiʀ] vi bastare; **se suffire** vr bastare a se stesso(-a); **~ à qn** bastare a qn; **~ pour qch/pour faire qch** bastare per qc/per fare qc; **cela lui suffit** gli basta; **il suffit d'une négligence pour que...** basta una negligenza perché...; **cela suffit pour les irriter/qu'ils se fâchent** è quanto basta per farli arrabbiare/perché si arrabbino; **"ça suffit!"** "basta!"

suffisamment [syfizamɑ̃] adv: **~ (de)** abbastanza

suffisant, e [syfizɑ̃, ɑ̃t] adj sufficiente; (personne, air, ton) di sufficienza

suffixe [syfiks] nm suffisso

suffoquer [syfɔke] vt soffocare; (nouvelle etc) sbalordire ■ vi soffocare; **~ de colère/d'indignation** soffocare dalla collera/dall'indignazione

suffrage [syfʀaʒ] nm suffragio; (voix) voto; (du public etc) consenso; **~ universel/direct/indirect** suffragio universale/diretto/indiretto; **~s exprimés** totale msg dei voti

suggérer [sygʒeʀe] vt suggerire; **~ qch à qn** suggerire qc a qn; **~ (à qn) que/de faire** suggerire (a qn) che/di fare

suggestion [sygʒɛstjɔ̃] nf suggerimento; (Psych) suggestione f

suicide [sɥisid] nm suicidio ■ adj: **opération ~** missione f suicida

suicider [sɥiside] vr: **se suicider** suicidarsi

suie [sɥi] nf fuliggine f

suisse [sɥis] adj svizzero(-a) ■ nm (bedeau) cerimoniere m ecclesiastico ■ nf: **la S~** Svizzera ■ nm/f: **Suisse** svizzero(-a)

suite [sɥit] nf (continuation, escorte) seguito; (série: de maisons, rues, Math) serie f inv; (conséquence, résultat) conseguenza; (ordre, liaison logique) filo, logica; (dans hôtel, Mus) suite f inv; **suites** nfpl (d'une maladie, chute) postumi mpl; **prendre la ~ de** (directeur etc) succedere a; **donner ~ à** (requête) far seguito a; (projet) attuare, realizzare; **faire ~ à** far seguito a; **(faisant) ~ à votre lettre du...** facendo seguito alla Vostra lettera del...; **sans ~** incoerente; **de ~** (d'affilée) di seguito; (immédiatement) subito; **par la ~** in seguito; **à la ~** di seguito; **à la ~ de** (derrière) dietro a; (en conséquence de) in seguito a; **par ~ de** a causa di; **avoir de la ~ dans les idées** essere perseverante; **attendre la ~ des événements** attendere il corso degli eventi

suivant, e [sɥivɑ̃, ɑ̃t] vb voir **suivre** ■ adj seguente ■ prép secondo; **~ que** a seconda che, secondo che; **"au ~!"** "avanti il prossimo!"

suivi, e [sɥivi] pp de **suivre** ■ adj (régulier) regolare, continuo(-a); (Comm: article) di cui è assicurata la fornitura; (cohérent) coerente ■ nm (d'une affaire) controllo; **très/peu ~** (cours, feuilleton etc) molto/poco seguito(-a)

suivre [sɥivʀ] vt seguire; (consigne) rispettare, attenersi a; (Comm: article) continuare la fornitura di ■ vi seguire; **se suivre** vr succedersi, susseguirsi; (être cohérent: raisonnement) filare; **~ des yeux** seguire con gli occhi; **faire ~** (lettre) inoltrare; **~ son cours** (suj: enquête, maladie) seguire il proprio corso; **"à ~"** "continua"

sujet, te [syʒɛ, ɛt] adj: **être ~ à** essere ou andare soggetto(-a) a ◼ nm/f (d'un souverain etc) suddito(-a) ◼ nm soggetto; (matière) soggetto, argomento; (raison) motivo; **un ~ de dispute/mécontentement** un motivo di disputa/malcontento; **c'est à quel ~?** a che proposito?; **avoir ~ de se plaindre** aver motivo di lamentarsi; **un mauvais ~** un cattivo soggetto; **au ~ de** riguardo a, a proposito di; **~ à caution** dubbio(-a), poco attendibile; **~ d'examen** (Scol) materia d'esame; **~ d'expérience** (Biol etc) soggetto di un esperimento; **~ de conversation** argomento di conversazione

super [sypɛʀ] adj inv (fam) fantastico(-a)

superbe [sypɛʀb] adj splendido(-a), magnifico(-a) ◼ nf (orgueil) superbia

superficie [sypɛʀfisi] nf superficie f

superficiel, le [sypɛʀfisjɛl] adj superficiale

superflu, e [sypɛʀfly] adj superfluo(-a) ◼ nm: **le ~** il superfluo

supérieur, e [sypeʀjœʀ] adj superiore; (air, sourire) di superiorità ◼ nm superiore m ◼ nm/f (Rel): **Mère ~e** Madre f superiora; **à l'étage ~** al piano superiore; **~ à** superiore a; **~ en nombre** superiore per numero

supériorité [sypeʀjɔʀite] nf superiorità; **~ numérique** superiorità numerica

supermarché [sypɛʀmaʀʃe] nm supermercato

superposer [sypɛʀpoze] vt sovrapporre; **se superposer** vr sovrapporsi; **lits superposés** letti mpl a castello

superpuissance [sypɛʀpɥisɑ̃s] nf superpotenza

superstitieux, -euse [sypɛʀstisjø, jøz] adj superstizioso(-a)

superviser [sypɛʀvize] vt soprintendere a

supplanter [syplɑ̃te] vt soppiantare

suppléant, e [sypleɑ̃, ɑ̃t] adj, nm/f supplente m/f; **médecin ~** medico supplente ou sostituto

suppléer [syplee] vt (mot manquant etc) aggiungere; (lacune, défaut) supplire a; (professeur, juge) sostituire; **~ à** (manque, défaut, qualité) supplire a; (chose manquante) sostituire

supplément [syplemɑ̃] nm supplemento; **un ~ de travail** del lavoro straordinario; **un ~ de frites** una porzione extra di patatine fritte; **un ~ de 10 euros** (à payer) un supplemento di 10 euro; **en ~** (au menu etc) in più, in supplemento; **~ d'information** informazioni fpl supplementari

supplémentaire [syplemɑ̃tɛʀ] adj (crédits, délai) supplementare; (contrôles, train, bus etc) straordinario(-a)

supplication [syplikasjɔ̃] nf (Rel) supplica; **supplications** nfpl (adjurations) suppliche fpl

supplice [syplis] nm supplizio; **être au ~** soffrire le pene dell'inferno

supplier [syplije] vt supplicare

support [sypɔʀ] nm supporto; **~ audio-visuel** mezzo audiovisivo; **~ publicitaire** mezzo ou veicolo pubblicitario

supportable [sypɔʀtabl] adj (douleur, température) sopportabile; (procédé, conduite) ammissibile

supporter [n sypɔʀtɛʀ, vb sypɔʀte] nm supporter m/f inv ◼ vt sopportare; (poids, édifice) reggere, sostenere; (Sport) sostenere, fare il tifo per

supposer [sypoze] vt supporre; (suj: chose) presupporre; **~ que** supporre che; **en supposant** ou **à ~ que** supponendo che

suppositoire [sypozitwaʀ] nm supposta

suppression [sypʀesjɔ̃] nf soppressione f

supprimer [sypʀime] vt sopprimere; (clause, mot) eliminare; (cause, douleur, personne) sopprimere, eliminare; **~ qch à qn** togliere qc a qn

suprême [sypʀɛm] adj supremo(-a); (bonheur, habileté) eccezionale; (ultime: espoir, effort) estremo(-a); **les honneurs ~s** gli estremi onori

O MOT-CLÉ

sur [syʀ] *prép* 1 su, sopra; **pose-le sur la table** posalo sul tavolo; **je n'ai pas d'argent sur moi** non ho denaro con me; **avoir de l'influence sur** avere influenza su; **avoir un accident sur accident** avere un incidente dopo l'altro; **sur ce** *adv* detto ciò
2 (*direction*) verso; **en allant sur Paris** andando verso Parigi
3 (*à propos de*) su; **un livre/une conférence sur Balzac** un libro/una conferenza su Balzac
4 (*proportion, mesures*) su; **un sur 10** uno su 10; **sur 20, 2 sont venus** sono venuti 2 su 20; **4 m sur 2** 4 m per 2

sûr, e [syʀ] *adj* sicuro(-a); **~ de qch/ que** (*personne*) sicuro(-a) di qc/che, certo(-a) di qc/che; **peu ~** poco sicuro(-a); **être ~ de qn** essere sicuro(-a) di qn; **~ et certain** certissimo(-a); **~ de soi** sicuro(-a) di sé; **le plus ~ est de...** la cosa più sicura è...
surcharge [syʀʃaʀʒ] *nf* sovraccarico; (*correction, ajout*) correzione *f*; (*Philatélie*) sovrastampa; **prendre des passagers en ~** prendere più passeggeri di quanto consentito; **~ de bagages** sovrappeso; **~ de travail** sovraccarico di lavoro
surcharger [syʀʃaʀʒe] *vt* sovraccaricare; (*texte*) correggere; (*timbre-poste*) sovrastampare
surcroît [syʀkʀwa] *nm* aumento; **par** *ou* **de ~** per di più; **en ~** in aggiunta
surdité [syʀdite] *nf* sordità; **atteint de ~ totale** affetto da sordità totale
sûrement [syʀmɑ̃] *adv* sicuramente; **~ pas** no di certo
surenchère [syʀɑ̃ʃɛʀ] *nf* (*aux enchères*) offerta superiore, rilancio; (*sur prix fixe*) rincaro; **~ de violence** escalation *f inv* di violenza; **~ électorale** promesse *fpl* elettorali
surenchérir [syʀɑ̃ʃeʀiʀ] *vi* (*Comm*) rincarare; (*fig*) rilanciare, fare un'offerta maggiore
surestimer [syʀɛstime] *vt* sopravvalutare
sûreté [syʀte] *nf* sicurezza; (*Jur*) garanzia; **être/mettre en ~** essere/ mettere al sicuro; **pour plus de ~** per

maggiore sicurezza; **attentat/crime contre la ~ de l'État** attentato/ crimine contro la sicurezza dello stato; **la S~ (nationale)** ≈ la Pubblica Sicurezza
surf [sœʀf] *nm* surf *m inv*; **faire du ~** fare surf
surface [syʀfas] *nf* superficie *f*; **~ plane/courbe** (*Géom*) superficie piana/curva; **faire ~** riemergere; **en ~** in superficie; (*fig*) superficialmente; **la pièce fait 100 m² de ~** la stanza ha una superficie di 100 m²; **~ de réparation** (*Sport*) area di rigore; **~ porteuse** *ou* **de sustentation** (*Aviat*) superficie di sostentazione
surfait, e [syʀfɛ, ɛt] *adj* sopravvalutato(-a)
surfer [syʀfe] *vi* fare surf; **~ sur Internet** navigare in Internet
surgelé, e [syʀʒale] *adj* surgelato(-a)
surgir [syʀʒiʀ] *vi* sorgere; (*personne, véhicule*) spuntare; (*fig: problème, dilemme*) sorgere, nascere
surhumain, e [syʀymɛ̃, ɛn] *adj* sovrumano(-a)
sur-le-champ [syʀləʃɑ̃] *adv* all'istante
surlendemain [syʀlɑ̃d(ə)mɛ̃] *nm*: **le ~** due giorni dopo; **le ~ de...** due giorni dopo...; **le ~ soir** la sera di due giorni dopo
surmenage [syʀmənaʒ] *nm* (*Méd*) surmenage *m*; **le ~ intellectuel** il sovraffaticamento intellettuale
surmener [syʀməne] *vt* affaticare eccessivamente; **se surmener** *vr* affaticarsi eccessivamente
surmonter [syʀmɔ̃te] *vt* (*suj: coupole etc*) sovrastare; (*vaincre: difficulté, obstacle*) superare; (: *chagrin, colère*) vincere
surnaturel, le [syʀnatyʀɛl] *adj* soprannaturale; (*beauté*) straordinario(-a) ■ *nm*: **le ~** il soprannaturale
surnom [syʀnɔ̃] *nm* soprannome *m*
surnombre [syʀnɔ̃bʀ] *nm*: **être en ~** essere in soprannumero
surpeuplé, e [syʀpœple] *adj* sovrappopolato(-a)
surplace [syʀplas] *nm* (*Cyclisme*) surplace *m inv*; **faire du ~** (*fig*) non andare né avanti né indietro

urplomber [syRplɔ̃be] vi essere a strapiombo ■ vt essere a strapiombo su; (*dominer*) sovrastare

urplus [syRply] nm eccedenza, surplus m inv; ~ **de bois/tissu** rimanenza di legno/tessuto; **au ~** d'altronde, per giunta; ~ **américains** materiale militare lasciato dagli americani dopo la guerra e svenduto

urprenant, e [syRpRənɑ̃, ɑ̃t] vb voir **surprendre** ■ adj sorprendente

urprendre [syRpRɑ̃dR] vt sorprendere; (*secret*) scoprire; (*clin d'œil*) intercettare; (*en rendant visite*) fare una sorpresa a; ~ **la vigilance de qn** eludere la sorveglianza di qn; ~ **la bonne foi de qn** abusare della buona fede di qn; **se ~ à faire qch** sorprendersi a fare qc

urpris, e [syRpRi, iz] pp de **surprendre** ■ adj sorpreso(-a); ~ **de/que** sorpreso(-a) di/che

urprise [syRpRiz] nf sorpresa; **faire une ~ à** qn fare una sorpresa a qn; **voyage sans ~s** viaggio senza sorprese; **avoir la ~ de** avere la sorpresa di; **par ~** di sorpresa

urprise-partie [syRpRizparti] (*pl* surprises-parties) nf festa, festicciola

ursaut [syRso] nm sussulto, sobbalzo; **en ~** (*se réveiller*) di soprassalto; ~ **d'énergie** guizzo di energia; ~ **d'indignation** sussulto di indignazione

ursauter [syRsote] vi sussultare, sobbalzare

ursis [syRsi] nm rinvio; (*Jur*) condizionale f; **condamné à 5 mois (de prison) avec ~** condannato a 5 mesi (di prigione) con condizionale; **on lui a accordé le ~** gli è stata concessa la condizionale; ~ **(d'appel** ou **d'incorporation)** (*Mil*) rinvio di chiamata

urtout [syRtu] adv soprattutto; **il songe ~ à ses propres intérêts** pensa innanzi tutto ai suoi interessi; **il aime le sport, ~ le football** ama lo sport, soprattutto il calcio; **cet été, il a ~ fait de la pêche** quest'estate si è dedicato soprattutto alla pesca; ~ **pas d'histoires!** soprattutto niente storie!; ~ **pas!** no di certo!; ~ **pas lui!** lui men che mai!; ~ **que...** tanto più che...

surveillance [syRvɛjɑ̃s] nf sorveglianza; **être sous la ~ de** qn essere sotto la sorveglianza di qn; **sous ~ médicale** sotto controllo medico; **la ~ du territoire** i servizi di controspionaggio

surveillant, e [syRvɛjɑ̃, ɑ̃t] nm/f sorvegliante m/f; (*de prison*) guardia f

⊕ **SURVEILLANT**

⊕ Nelle scuole superiori francesi gli
⊕ insegnanti non sorvegliano gli
⊕ alunni durante la ricreazione.
⊕ Questo lavoro viene svolto da
⊕ studenti universitati chiamati
⊕ *surveillants* (o "pions").

surveiller [syRveje] vt sorvegliare; **se surveiller** vr controllarsi; ~ **son langage** controllare il proprio linguaggio; ~ **sa ligne** badare alla linea

survenir [syRvəniR] vi (*changement*) verificarsi; (*personne*) arrivare; **un incident est survenu** c'è stato un incidente

survêtement [syRvɛtmɑ̃] nm tuta (da ginnastica)

survie [syRvi] nf sopravvivenza; (*Rel*) immortalità f inv; **équipement de ~** attrezzatura di sopravvivenza; **une ~ de quelques mois** qualche mese di vita

survivant, e [syRvivɑ̃, ɑ̃t] vb voir **survivre** ■ nm/f superstite m/f

survivre [syRvivR] vi sopravvivere; ~ **à** sopravvivere a; **la victime a peu de chances de ~** la vittima ha poche possibilità di sopravvivere

survoler [syRvɔle] vt (*lieu, question*) sorvolare; (*fig: livre, écrit*) dare una veloce scorsa a

survolté, e [syRvɔlte] adj (*Élec: appareil*) survoltato(-a); (*fig: personne, ambiance*) sovreccitato(-a)

sus [sy(s)] vb voir **savoir** ■ prép: **en ~ de** in aggiunta a; **en ~** in più; ~ **à...!** abbasso...!; ~ **au tyran!** abbasso il tiranno!; ~ **à** in aggiunta a

susceptible [sysɛptibl] adj suscettibile; ~ **d'amélioration** ou **d'être amélioré** suscettibile di

miglioramenti; **~ de faire** (*capacité*)
capace di ou in grado di fare; **il est ~
de faire...** (*probabilité*) è probabile
che faccia...

susciter [sysite] vt (*obstacles, ennuis*)
creare; (*admiration, enthousiasme*)
suscitare

suspect, e [syspε(kt), εkt] *adj*
sospetto(-a) ■ *nm/f* (*Jur*)
sospetto(-a); **être peu ~ de** non
essere sospettato(-a) di

suspecter [syspεkte] vt sospettare;
~ qn d'être/d'avoir fait qch sospettare
qn di essere/di aver fatto qc; **~ qch de
qch/faire** sospettare qc di qc/di fare

suspendre [syspãdʀ] vt sospendere;
(*accrocher, fixer*): **~ (à)** appendere (a);
se ~ à vr (*s'accrocher à*) attaccarsi a

suspendu, e [syspãdy] *pp de*
suspendre ■ *adj* sospeso(-a); **~ à/
au dessus de** sospeso(-a) a/sopra a;
voiture bien/mal ~e automobile con
buone/cattive sospensioni; **être ~
aux lèvres de qn** pendere dalle labbra
di qn

suspens [syspã]: **en ~** *adv* in sospeso;
tenir en ~ tenere in sospeso

suspense [syspεns] *nm* suspense *f*

suspension [syspãsjõ] *nf*
sospensione *f*; (*lustre*) lampadario;
en ~ (*particules*) in sospensione;
~ d'audience sospensione di una seduta

suture [sytyʀ] *nf*: **point de ~** punto
di sutura

svelte [svεlt] *nf* slanciato(-a), snello(-a)

SVP [εsvepe] *sigle* (= *s'il vous plaît*) P.F.

syllabe [si(l)lab] *nf* sillaba

symbole [sɛ̃bɔl] *nm* simbolo;
~ graphique (*Inform*) icona, simbolo
grafico

symbolique [sɛ̃bɔlik] *adj* simbolico(-a)
■ *nf* (*d'une religion, culture*) simbolica;
(*science des symboles*) simbologia

symboliser [sɛ̃bɔlize] vt
simboleggiare

symétrique [simetʀik] *adj*
simmetrico(-a)

sympa [sɛ̃pa] *adj inv voir*
sympathique

sympathie [sɛ̃pati] *nf* simpatia;
(*condoléances*) condoglianze *fpl*;
accueillir avec ~ (*projet etc*) accogliere
positivamente; **avoir de la ~ pour qn**
provare simpatia per qn; **témoignages**

de ~ (*lors d'un deuil*) condoglianze *fpl*;
croyez à toute ma ~ voglia gradire i
miei più cordiali saluti

sympathique [sɛ̃patik] *adj*
simpatico(-a)

sympathisant, e [sɛ̃patizã, ãt]
nm/f simpatizzante *m/f*

sympathiser [sɛ̃patize] vi
(*s'entendre*) andare d'accordo; (*se
fréquenter*) frequentarsi; **~ avec qn**
andare d'accordo con qn

symphonie [sɛ̃fɔni] *nf* sinfonia

symptôme [sɛ̃ptom] *nm* sintomo

synagogue [sinagɔg] *nf* sinagoga

syncope [sɛ̃kɔp] *nf* (*Méd, Mus*)
sincope *f*; **tomber en ~** avere una
sincope

syndic [sɛ̃dik] *nm* amministratore *m*

syndical, e, aux [sɛ̃dikal, o] *adj*
sindacale; **centrale ~e** sindacato

syndicaliste [sɛ̃dikalist] *nm/f*
sindacalista *m/f*

syndicat [sɛ̃dika] *nm* (*d'ouvriers,
employés*) sindacato; (*autre association
d'intérêts*) organizzazione *f*;
~ d'initiative azienda di soggiorno;
~ de producteurs sindacato di
produttori; **~ de propriétaires**
consorzio di proprietari; **~ patronal**
sindacato dei datori di lavoro

syndiqué, e [sɛ̃dike] *adj* (*ouvrier,
employé*) iscritto(-a) a sindacato; **non
~** non iscritto(-a) a sindacato

syndiquer [sɛ̃dike] *vr*: **se syndiquer**
organizzarsi in sindacato; (*adhérer*)
iscriversi a un sindacato

synonyme [sinɔnim] *adj*
sinonimico(-a); ■ *nm* sinonimo;
être ~ de essere sinonimo di

syntaxe [sɛ̃taks] *nf* sintassi *f inv*

synthèse [sɛ̃tεz] *nf* sintesi *f*; **faire la
~ de** fare la sintesi di

synthétique [sɛ̃tetik] *adj* sintetico(-a)

Syrie [siʀi] *nf* Siria

systématique [sistematik] *adj*
sistematico(-a); (*péj*) dogmatico(-a)

système [sistεm] *nm* sistema *m*;
le ~ D l'arte di arrangiarsi; **~ décimal**
sistema decimale; **~ expert** sistema
esperto; **~ d'exploitation à disques**
(*Inform*) sistema operativo a dischi;
~ métrique sistema metrico;
~ nerveux sistema nervoso;
~ solaire sistema solare

t

t' [t] pron voir **te**

ta [ta] dét voir **ton¹**

tabac [taba] nm tabacco ■ adj inv: **(couleur) ~** (color) tabacco inv; **passer qn à ~** (fam) pestare qn di santa ragione; **faire un ~** (fam) fare furore; **(débit** ou **bureau de) ~** tabaccheria; **~ à priser** tabacco da fiuto ou da naso; **~ blond/brun** tabacco biondo/scuro; **~ gris** trinciato forte

tabagisme [tabaʒism] nm tabagismo; **~ passif** fumo passivo

table [tabl] nf tavola, tavolo; (invités) tavolata; (liste, numérique) tavola, tabella; **à ~!** a tavola!; **se mettre à ~** mettersi a tavola; (fig: fam) vuotare il sacco; **mettre** ou **dresser/desservir la ~** apparecchiare/sparecchiare (la tavola); **faire ~ rase de** fare tabula rasa di; **une ~ pour 4, s'il vous plaît** un tavolo per 4 per favore; **~ à repasser** asse f da stiro; **~ basse** tavolino; **~ d'écoute** impianto per l'intercettazione di comunicazioni telefoniche; **~ d'harmonie** tavola armonica; **~ d'hôte** menù m inv a prezzi fissi; **~ de chevet** ou **de nuit** comodino; **~ de cuisson** piano di cottura; **~ de lecture** (Mus) piatto (giradischi); **~ de multiplication** tavola pitagorica; **~ de toilette** tavolino da toilette; **~ des matières** indice m; **~ ronde** (débat) tavola rotonda; **~ roulante** carrello; **~ traçante** (Inform) tavola di tracciamento

tableau, x [tablo] nm (Art, reproduction, fig) quadro; (panneau) tabellone m, quadro; (schéma) tabella, tavola; **~ chronologique** tavola cronologica; **~ d'affichage** tabellone m; **~ de bord** (Auto) cruscotto; (Aviat) pannello ou quadro portastrumenti; **~ de chasse** carniere m; **~ de contrôle** pannello ou quadro di controllo; **~ de maître** quadro d'autore; **~ noir** lavagna

tablette [tablɛt] nf (planche) ripiano; **~ de chocolat** tavoletta di cioccolato

tablier [tablije] nm grembiule m; (de pont) piattaforma; (de cheminée) parafuoco

tabou, e [tabu] nm, adj tabù (m) inv

tabouret [taburɛ] nm sgabello

tac [tak] nm: **du ~ au ~** per le rime

tache [taʃ] nf macchia; (point) macchiolina; **faire ~ d'huile** estendersi a macchia d'olio; **~ de rousseur** ou **de son** lentiggine f, efelide f; **~ de vin** (sur la peau) voglia di vino ou fragola

tâche [taʃ] nf compito; **travailler à la ~** lavorare a cottimo

tacher [taʃe] vt (aussi fig) macchiare; **se tacher** vr macchiarsi

tâcher [taʃe] vi: **~ de faire** cercare di fare

tacheté, e [taʃte] adj: **~ (de)** punteggiato(-a) (di)

tact [takt] nm tatto; **avoir du ~** avere tatto

tactique [taktik] adj tattico(-a) ■ nf tattica

taie [tɛ] nf: **~ (d'oreiller)** federa (di guanciale)

taille [tɑj] nf taglio; (de plante) potatura; (milieu du corps, d'un vêtement) vita; (hauteur) statura; (grandeur, grosseur: d'une personne) taglia; (: d'un objet) grandezza, dimensioni fpl; (Comm: mesure) taglia, misura; (*fig: envergure*) levatura; **de ~ à faire** in grado di fare; **de ~** (*important*) grosso(-a); **quelle ~ faites-vous?** che taglia ha?

taille-crayon(s) [tɑjkʀɛjɔ̃] *nm inv* temperamatite *m inv*

tailler [tɑje] *vt* tagliare; (*arbre, plante*) potare; (*crayon*) temperare; **se tailler** *vr* (*ongles, barbe*) tagliarsi; (*victoire*) ottenere; (*fig: réputation*) farsi; (*fam: s'enfuir*) tagliare la corda; **~ dans la chair/le bois** incidere nella carne/nel legno; **~ grand/petit** (*suj: vêtement*) avere una foggia ampia/stretta

tailleur [tɑjœʀ] *nm* (*couturier*) sarto; (*vêtement de dames*) tailleur *m inv*; **en ~** (*assis*) alla turca, a gambe incrociate; **~ de diamants** tagliatore *m* di diamanti

taillis [tɑji] *nm* bosco ceduo

taire [tɛʀ] *vt* tacere ■ *vi*: **faire ~ qn** far tacere qn; **faire ~ qch** (*fig*) mettere a tacere qc; **se taire** *vr* tacere; **tais-toi!** taci!, stai zitto!

talc [talk] *nm* talco

talent [talɑ̃] *nm* talento; **talents** *nmpl* (*personnes*) talenti *mpl*, persone *fpl* di talento; **avoir du ~** avere talento

talkie-walkie [tokiwoki] (*pl* **talkies-walkies**) *nm* walkie-talkie *m inv*

talon [talɔ̃] *nm* (*Anat*) tallone *m*, calcagno; (*de chaussure*) tacco; (*chaussette*) tallone *m*; (*de jambon*) fondo; (*pain*) cantuccio; (*de chèque, billet*) talloncino, matrice *f*; **être sur les ~s de qn** stare alle calcagna di qn; **tourner/montrer les ~s** (*fig*) alzare i tacchi; **~s aiguilles** tacchi a spillo; **~s plats** tacchi bassi

talus [taly] *nm* (*Géo*) scarpata; (*d'orchestre*) fossa; **~ de déblai** terrapieno *ou* scarpata di scavo; **~ de remblai** terrapieno

tambour [tɑ̃buʀ] *nm* (*Mus, Tech, Auto*) tamburo; (*musicien*) tamburino; (*porte*) porta girevole; **sans ~ ni trompette** alla chetichella

tambourin [tɑ̃buʀɛ̃] *nm* tamburello

tambouriner [tɑ̃buʀine] *vi*: **~ contre** tamburellare su

tamisé, e [tamize] *adj* (*fig: lumière*) smorzato(-a), attenuato(-a); (*ambiance*) ovattato(-a)

tampon [tɑ̃pɔ̃] *nm* tampone *m*; (*Rail*) respingente *inv*, tampone; (*fig*) cuscinetto; (*Inform: aussi:* **mémoire tampon**) memoria *f* tampone *inv*, memoria di transito; (*bouchon: de caoutchouc, bois*) tappo; (*cachet, timbre*) timbro; **solution ~** soluzione *f* tampone *inv*; (*aussi:* **tampon hygiénique**) tampone, assorbente *m* interno; **~ à récurer** paglietta; **~ buvard** tampone di carta assorbente; **~ encreur** tampone (per timbri)

tamponner [tɑ̃pɔne] *vt* (*essuyer*) tamponare, asciugare; (*heurter*) tamponare; (*avec un timbre*) timbrare; **se tamponner** *vr* (*voitures*) tamponarsi

tamponneuse [tɑ̃pɔnøz] *adj*: **autos ~s** autoscontro *msg*

tandem [tɑ̃dɛm] *nm* tandem *m inv*; (*fig: personnes*) duo *m inv*

tandis [tɑ̃di]: **~ que** *conj* mentre

tanguer [tɑ̃ge] *vi* beccheggiare

tant [tɑ̃] *adv* tanto; **~ de** (*sable, eau etc*) tanto(-a); **~ que** (*tellement*) tanto che; (*comparatif*) tanto quanto; **~ mieux** tanto meglio, meglio così; **~ mieux pour lui** tanto meglio per lui **~ pis** pazienza; **~ pis pour lui** peggio per lui; **un ~ soit peu** un minimo; **s'il est un ~ soit peu subtil, il comprendra** se ha un minimo di acume capirà; **~ bien que mal** bene o male; **~ s'en faut** altro che, tutt'altro

tante [tɑ̃t] *nf* zia

tantôt [tɑ̃to] *adv* (*parfois*): **~... ~** a volte... a volte, ora... ora; (*cet après-midi*) oggi pomeriggio

taon [tɑ̃] *nm* tafano

tapage [tapaʒ] *nm* chiasso, baccano; (*fig*) scalpore *m*; **~ nocturne** (*Jur*) schiamazzi *mpl* notturni

tapageur, -euse [tapaʒœʀ, øz] *adj* chiassoso(-a)

tape [tap] *nf* pacca

tape-à-l'œil [tapalœj] *adj inv* vistoso(-a)

taper [tape] *vt* (*personne*) picchiare; (*porte*) bussare a; (*lettre, cours*) batter (a macchina); (*Inform*) introdurre da tastiera; (*fam*): **~ 10 euros** spillare 10 euro a qn ■ *vi* (*soleil*) picchiare; **se taper** *vr* (*fam: travail*) sorbirsi; (: *boire, manger*) sbafarsi; **~ sur qn** picchiare qn; (*fig*) sparlare di

qn; **~ sur qch** (*clou, table etc*) battere
su qc; **~ à** (*porte etc*) bussare a; **~ dans**
(*se servir*) metter mano a; **~ des**
mains/pieds battere le mani/i piedi;
~ (à la machine) battere (a macchina)

tapi, e [tapi] *adj*: **~ dans/derrière**
(*blotti*) rannicchiato(-a) *ou*
accovacciato(-a) in/dietro; (*caché*)
annidato(-a) *ou* nascosto(-a) in/dietro

tapis [tapi] *nm* tappeto; (*fig: de gazon,*
neige) manto; **être sur le ~** (*fig*) essere
oggetto della conversazione; **mettre**
sur le ~ (*fig*) mettere sul tappeto;
aller/envoyer au ~ (*Boxe*) andare/
mandare al tappeto; **~ de sol** (*de*
tente) pavimento rinforzato;
~ de souris tappetino del mouse;
~ roulant nastro trasportatore

tapisser [tapise] *vt* tappezzare

tapisserie [tapisʀi] *nf* tappezzeria;
(*broderie, travail*) ricamo; **faire ~** (*fig*)
fare tappezzeria

tapissier, -ière [tapisje, jɛʀ] *nm/f*:
~(-décorateur) tappezziere(-a)

tapoter [tapɔte] *vt* dare colpetti a *ou* su

taquiner [takine] *vt* stuzzicare,
punzecchiare

tard [taʀ] *adv* tardi ■ *nm*: **sur le ~** sul
tardi; (*vers la fin de la vie*) tardi; **au plus**
~ al più tardi, al massimo; **plus ~** più
tardi; **il est trop ~** è troppo tardi

tarder [taʀde] *vi* tardare; **il me tarde**
d'être non vedo l'ora di essere; **sans**
(plus) ~ senza indugio

tardif, -ive [taʀdif, iv] *adj* (*heure*)
tardo(-a); (*talent, fruit*) tardivo(-a)

tarif [taʀif] *nm* tariffa; **voyager à**
plein ~/à ~ réduit viaggiare a tariffa
intera/ridotta

tarir [taʀiʀ] *vi* inaridirsi; (*fig*) languire
■ *vt* prosciugare; (*fig*) esaurire

tarte [taʀt] *nf* crostata; **~ à la crème**
crostata alla crema; **~ aux pommes**
crostata di mele

> **FAUX AMIS**
> **tarte** ne se traduit pas par
> le mot italien **torta**.

tartine [taʀtin] *nf* tartina; **~ beurrée**
fetta di pane imburrata; **~ de miel**
fetta di pane con miele

tartiner [taʀtine] *vt* spalmare;
fromage à ~ formaggio da spalmare

tartre [taʀtʀ] *nm* (*des dents*) tartaro;
(*de chaudière*) incrostazione *f*

tas [ta] *nm* mucchio, ammasso; **un ~**
de (*fig*) un sacco *ou* mucchio di; **en ~**
ammucchiato(-a), ammasso(-a);
dans le ~ (*fig*) nel mucchio, a
casaccio; **formé sur le ~** che si è
formato lavorando

tasse [tas] *nf* tazza; **boire la ~** (*en se*
baignant) bere; **~ à café** tazzina da
caffè; **~ à thé** tazza da tè

tassé, e [tase] *adj*: **bien ~** (*café etc*)
forte

tasser [tase] *vt* (*terre, neige*) pigiare;
(*entasser*): **~ qch dans** stipare qc in;
se tasser *vr* (*sol, terrain*) assestarsi;
(*personne: avec l'âge*) rimpicciolire; (*fig:*
problème) sistemarsi, accomodarsi

tâter [tate] *vt* tastare; (*avec un objet*)
toccare; (*fig*) saggiare; **se tâter** *vr*
riflettere, interrogarsi a lungo; **~ de**
(*prison etc*) provare, sperimentare;
~ le terrain (*fig*) tastare il terreno

tatillon, ne [tatijɔ̃, ɔn] *adj*
pignolo(-a)

tâtonnement [tatɔnmɑ̃] *nm*: **par ~s**
(*fig*) per tentativi

tâtonner [tatɔne] *vi* (*aussi fig*)
procedere a tastoni *ou* per tentativi

tâtons [tatɔ̃]: **à ~** *adv*: **chercher/**
avancer à ~ cercare/avanzare a
tastoni *ou* tentoni; (*fig*) a tentoni,
alla cieca

tatouer [tatwe] *vt* tatuare

taudis [todi] *nm* topaia, tugurio

taule [tol] (*fam*) *nf* galera, gattabuia

taupe [top] *nf* talpa

taureau, x [tɔʀo] *nm* toro; (*Astrol*):
T~ Toro; **être (du) T~** essere del Toro

taux [to] *nm* tasso; **~ d'escompte**
tasso di sconto; **~ d'intérêt** tasso
d'interesse; **~ de mortalité** tasso di
mortalità

taxe [taks] *nf* tassa, imposta;
(*douanière*) dazio; **toutes ~s comprises**
al lordo d'imposta; **~ à** *ou* **sur la**
valeur ajoutée imposta sul valore
aggiunto; **~ de base** (*Tél*) canone *m*;
~ de séjour tassa di soggiorno

taxer [takse] *vt* tassare; **~ qn de** (*fig:*
qualifier de) definire; (: *accuser de*)
tacciare di

taxi [taksi] *nm* taxi *m inv*, tassì *m inv*;
pouvez-vous m'appeler un ~, s'il
vous plaît? può chiamarmi un taxi
per favore?

Tchécoslovaquie [tʃekɔslɔvaki] nf
Cecoslovacchia

tchèque [tʃɛk] adj ceco(-a) ■ nm/f:
Tchèque ceco(-a) ■ nm (langue) ceco

Tchétchène [tʃet] nm/f ceceno

tchétchène [tʃet] adj ceceno

Tchétchénie [tʃetʃeni] nf Cecenia

te [tə] pron ti; (réfléchi) ti, te; **je dois te
le dire** te lo devo dire; **il ne peut pas
te voir** non può vederti; **tu te perdras**
ti perderai; **tu t'en souviens** te ne
ricordi

technicien, ne [tɛknisjɛ̃, jɛn] nm/f
tecnico(-a)

technico-commercial, e
[tɛknikokɔmɛʀsjal] (pl **technico-
commerciaux**) adj tecnico-
commerciale

technique [tɛknik] adj tecnico(-a)
■ nf tecnica

techniquement [tɛknikmɑ̃] adv
tecnicamente

techno [tɛkno] adj techno inv ■ nf
(fam: Mus) musica techno; (fam)
= **technologie**

technologie [tɛknɔlɔʒi] nf tecnologia

technologique [tɛknɔlɔʒik] adj
tecnologico(-a)

teck [tɛk] nm teck m inv

tee-shirt [tiʃœʀt] (pl **~s**) nm
maglietta, t-shirt f inv

teindre [tɛ̃dʀ] vt tingere; **se teindre**
vr: **se ~ (les cheveux)** tingersi (i capelli)

teint, e [tɛ̃, tɛ̃t] pp de **teindre** ■ adj
tinto(-a) ■ nm (du visage: permanent)
carnagione f; (momentané) colorito;
grand ~ adj inv (tissu) dal colore
solido; **bon ~** adj inv (couleur)
resistente; (personne) convinto(-a)

teinté, e [tɛ̃te] adj (verres, lunettes)
(leggermente) colorato(-a); (bois)
tinto(-a); **~ acajou** tinta mogano inv;
~ de (leggermente) tinto(-a) di; (fig)
con una sfumatura di

teinter [tɛ̃te] vt (aussi fig) tingere

teinture [tɛ̃tyʀ] nf tintura; **~ d'iode**
(Méd) tintura di iodio; **~ d'arnica**
tintura di arnica

teinturerie [tɛ̃tyʀʀi] nf tintoria

teinturier, -ière [tɛ̃tyʀje, jɛʀ] nm/f
tintore(-a); **aller chez ~** andare in
tintoria ou lavanderia

tel, telle [tɛl] adj (pareil) tale;
(comme): **~ un/des...** come un/dei...;

(indéfini) certo(-a), dato(-a); **une ~le
quantité de** una ou certa data
quantità di; **un ~/de ~s...** (intensif) un
tale/tali...; **rien de ~** (non c'è) niente
di meglio; **~ quel** tale quale; **~ que**
come

télé [tele] nf (= télévision) tivù f inv;
à la ~ alla tivù

télécabine [telekabin] nf (benne)
cabinovia

télécarte [telekaʀt] nf scheda
telefonica

téléchargeable [teleʃaʀʒabl] adj
(Inform) scaricabile

télécharger [teleʃaʀʒe] vt (Inform)
scaricare

télécommande [telekɔmɑ̃d] nf
telecomando

télécopieur [telekɔpjœʀ] nm fax m inv

télédistribution [teledistʀibysjɔ̃] nf
televisione f via cavo

télégramme [telegʀam] nm
telegramma m; **~ téléphoné**
telegramma ricevuto telefonicamente

télégraphier [telegʀafje] vt, vi
telegrafare

téléguider [telegide] vt teleguidare;
(fig) comandare a distanza

télématique [telematik] nf
telematica ■ adj telematico(-a)

téléobjectif [teleɔbʒɛktif] nm
teleobiettivo

téléopérateur, trice
[teleɔpeʀatœʀ, tʀis] nm/f
operatore(-trice) telefonico(a)

télépathie [telepati] nf telepatia

télépéage [telepeaʒ] nm telepass®
m inv

téléphérique [teleferik] nm
teleferica

téléphone [telefɔn] nm telefono;
avoir le ~ avere il telefono; **au ~** al
telefono; **~ arabe** tam-tam m inv
(fig); **~ avec appareil photo**
telefonino con fotocamera; **~ rouge**
telefono rosso; **~ sans fil** (telefono)
cordless m inv

téléphoner [telefɔne] vt, vi telefonare
~ à telefonare a; **est-ce que je peux ~
d'ici?** posso telefonare da qui?

téléphonique [telefɔnik] adj
telefonico(-a); **cabine/appareil ~**
cabina/apparecchio telefonico;
conversation/appel ~

conversazione/chiamata telefonica;
liaison ~ collegamento telefonico
téléprospection [telepʀɔspeksjɔ̃]
nf televendita
téléréalité [teleʀealite] nf televendita
télescope [teleskɔp] nm telescopio
télescoper [teleskɔpe] vt
tamponare; **se télescoper** vr
scontrarsi
téléscripteur [teleskʀiptœʀ] nm
telescrivente f
télésiège [telesjɛʒ] nm seggiovia
téléski [teleski] nm ski-lift m inv,
sciovia; **~ à archets/à perche** ski-lift
ad ancora/a piattello
téléspectateur, -trice
[telespɛktatœʀ, tʀis] nm/f
telespettatore(-trice)
télétravail [teletʀavaj] nm
telelavoro
télévente [televɑ̃t] nf televendita
téléviseur [televizœʀ] nm
televisore m
télévision [televizjɔ̃] nf (système)
televisione f; **(poste de) ~**
apparecchio televisivo, televisione;
avoir la ~ avere la televisione; **à la ~**
alla televisione; **~ en circuit fermé**
televisione a circuito chiuso;
~ numérique TV f inv digitale;
~ par câble televisione via cavo
télex [telɛks] nm telex m inv
telle [tɛl] adj voir **tel**
tellement [tɛlmɑ̃] adv tanto,
talmente; **~ plus grand/cher (que)**
talmente più grande/caro (che);
~ d'eau tanta di quell'acqua; **il était ~
fatigué qu'il s'est endormi** era
talmente ou così stanco che si è
addormentato; **il s'est endormi ~ il
était fatigué** si è addormentato
tanto era stanco; **pas ~** non molto
ou tanto; **pas ~ fort/lentement** non
molto forte/lentamente; **il ne
mange pas ~** non mangia un gran che
téméraire [temeʀɛʀ] adj
temerario(-a)
témoignage [temwaɲaʒ] nm (Jur,
fig) testimonianza
témoigner [temwaɲe] vt
manifestare ■ vi (Jur) testimoniare;
~ que testimoniare che; (fig)
dimostrare che; **~ de** (confirmer)
testimoniare

témoin [temwɛ̃] nm (aussi Sport)
testimone m/f; (fig: preuve)
testimonianza ■ adj campione inv,
modello inv; **~ le fait que... lo**
conferma il fatto che...; **être ~ de**
essere testimone di; **prendre à ~**
prendere come ou a testimone;
appartement ~ appartamento m
tipo inv; **~ à charge** testimone a
carico; **T~ de Jéhovah** Testimone m/f
di Geova; **~ de moralité** garante m
morale; **~ oculaire** testimone oculare
tempe [tɑ̃p] nf tempia
tempérament [tɑ̃peʀamɑ̃] nm
(caractère) temperamento; (santé)
costituzione f; **à ~** (vente, achat) a
rate; **avoir du ~** aver temperamento;
(propension à l'amour) essere un tipo
sensuale
température [tɑ̃peʀatyʀ] nf
temperatura; **prendre la ~ de**
misurare la febbre a; (fig) tastare il
polso a; **avoir ou faire de la ~** avere la
ou un po' di febbre; **feuille/courbe de
~** cartella/curva della temperatura
tempête [tɑ̃pɛt] nf (à terre) tempesta;
(en mer) burrasca; **vent de ~** vento di
tempesta; (fig) aria di burrasca;
~ d'injures/de mots torrente m di
insulti/di parole; **~ de neige**
tempesta ou tormenta di neve; **~ de
sable** tempesta di sabbia
temple [tɑ̃pl] nm (aussi fig) tempio
temporaire [tɑ̃pɔʀɛʀ] adj
temporaneo(-a)
temps [tɑ̃] nm tempo ■ nmpl: **les ~
changent** i tempi cambiano; **les ~
sont durs** sono tempi duri; **il fait
beau/mauvais ~** fa bel/brutto
tempo; **passer/employer son ~ à
faire qch** passare/impiegare il
proprio tempo a fare qc; **avoir le
~/tout le ~/juste le ~** avere il tempo/
tutto il tempo/appena il tempo;
avoir du ~ de libre avere (del) tempo
libero; **avoir fait son ~** (fig) aver fatto
il proprio tempo; **en ~ de paix/
guerre** in tempo di pace/guerra;
en ~ utile (prescrit) in tempo utile;
en ~ utile ou **voulu** a tempo debito;
de ~ en ~, de ~ à autre di tanto in
tanto, ogni tanto; **en même ~**
contemporaneamente, allo stesso
tempo; **à ~** (partir, arriver) in tempo;

pendant ce ~ nel frattempo;
travailler à plein-~/à mi-~ lavorare
a tempo pieno/part-time; **à ~ partiel**
part-time inv; **dans le ~** un tempo;
de tout ~ sempre; **du ~ que** quando;
au/du ~/dans le ~ où quando, al
tempo in cui; **quel ~ fait-il?** che
tempo fa?; **~ chaud** tempo caldo;
~ d'accès (Inform) tempo di accesso;
~ d'arrêt battuta d'arresto; **~ de pose**
(Photo) tempo di posa; **~ froid** tempo
freddo; **~ mort** (Sport) interruzione f;
(Comm) tempo morto; **~ partagé**
(Inform) divisione f di tempo, time-
sharing m inv; **~ réel** (Inform) tempo
reale

tenable [t(ə)nabl] adj (fig)
sostenibile, sopportabile

tenace [tənas] adj tenace

tenant, e [tənã, ãt] adj voir **séance**
■ nm/f (Sport): **~ du titre**
detentore(-trice) del titolo ■ nm:
d'un seul ~ tutto intero; **les ~s et les
aboutissants** (fig) gli annessi e i
connessi

tendance [tãdãs] nf tendenza;
~ à aver tendenza ou tendere a; **~ à la
hausse/baisse** (Fin, Comm) tendenza
al rialzo/ribasso

tendeur [tãdœʀ] nm elastico (per
fissare oggetti sul portapacchi); (de
câble, attache) tenditore m; (de tente)
tirante m

tendre [tãdʀ] adj tenero(-a); (couleur,
bleu) tenue ■ vt tendere; (donner,
offrir) porgere; (tapisserie): **tendu de
soie** tappezzato di seta; **se tendre** vr
(corde) tendersi; (relations) diventare
teso(-a); **~ à qch/à faire** tendere a
qc/a fare; **~ l'oreille** tendere
l'orecchio; **~ le bras/la main** tendere
il braccio/la mano; **~ la perche à qn**
(fig) venire in aiuto a qn

tendrement [tãdʀəmã] adv
teneramente

tendresse [tãdʀɛs] nf tenerezza;
tendresses nfpl (caresses etc)
affettuosità fpl

tendu, e [tãdy] pp de **tendre** ■ adj
teso(-a)

ténèbres [tenɛbʀ] nfpl tenebre fpl

teneur [tənœʀ] nf tenore m;
~ en cuivre percentuale f ou tenore
di rame

tenir [t(ə)niʀ] vt (avec la main, un
objet) tenere; (magasin, hôtel) gestire;
(promesse) mantenere ■ vi tenere; (à
(neige, gel) durare; (survivre) resistere;
se tenir vr (exposition, conférence) aver
luogo, tenersi; (personne, monument)
stare; **se ~ debout/droit** stare in
piedi/diritto; **bien/mal se ~**
comportarsi bene/male; **se ~ à qch**
tenersi a qc; **s'en ~ à qch** attenersi a
qc; **~ à** (personne, chose) tenere a;
(dépendre de) dipendere da; (avoir pour
cause) essere dovuto(-a) a; **~ à faire**
tenere ou tenerci a fare; **~ à ce que qn
fasse qch** tenere ou tenerci che qn
faccia qc; **~ de** (ressembler à)
assomigliare a; **ça ne tient qu'à lui**
dipende solo da lui; **~ qn pour**
considerare qn; **~ qch de qn** (histoire)
aver sentito qc da qn; (qualité, défaut)
aver preso qc da qn; **~ une réunion/
un débat** tenere una riunione/un
dibattito; **~ la caisse/les comptes**
tenere la cassa/i conti; **~ un rôle**
avere un ruolo; **~ de la place**
occupare posto; **~ l'alcool** reggere
l'alcool; **~ bon/le coup** (personne)
resistere, tenere duro; (objet)
resistere; **~ 3 jours/2 mois** resistere
3 giorni/2 mesi; **~ au chaud/à l'abri**
tenere al caldo/al riparo; **~ chaud**
(suj: manteau) tenere caldo; **~ au
chaud** (café, plat) tenere in caldo;
~ prêt tener pronto; **~ parole**
mantenere la parola; **~ en respect**
tenere a bada; **~ sa langue** (fig)
tenere la lingua a posto; **tiens/tenez,
voilà le stylo!** tieni/tenga, ecco le
penna!; **tiens, Pierre!** to', Pierre!;
tiens? (surprise) guarda un po'!; **tiens-
toi bien!** (pour informer) tieni forte!;
(à table) stai composto!

tennis [tenis] nm (Sport) tennis m inv;
(aussi: **court de tennis**) campo
da tennis ■ nm ou f pl: **chaussures
de ~** scarpe fpl da tennis; **~ de table**
ping-pong m

tennisman [tenisman] nm
tennista m

tension [tãsjõ] nf (aussi fig) tensione
f; (Méd) pressione f; **faire** ou **avoir
de la ~** avere la pressione alta;
~ nerveuse/raciale tensione
nervosa/razziale

tentation [tãtasjõ] nf tentazione f
tentative [tãtativ] nf tentativo;
~ **d'évasion/de suicide** tentativo
d'evasione/di suicidio
tente [tãt] nf tenda; ~ **à oxygène**
tenda a ossigeno
tenter [tãte] vt tentare; ~ **qch/de
faire** tentare qc/di fare; **être tenté de
penser/croire** essere tentato di
pensare/credere; ~ **sa chance**
tentare la fortuna
tenture [tãtyʀ] nf tappezzeria
tenu, e [t(ə)ny] pp de **tenir** ■ adj:
bien ~ ben tenuto(-a); **mal** ~
tenuto(-a) male; **être** ~ **de faire/de
ne pas faire/à qch** essere tenuto a
fare/a non fare/a qc
ter [tɛʀ] adj (adresse): **16** ~ 16/3
terme [tɛʀm] nm termine m; (Fin)
scadenza, termine; (loyer) affitto;
être en bons/mauvais ~**s avec qn**
essere/non essere in buoni rapporti
con qn; **en d'autres** ~**s** in altri termini,
in altre parole; **vente/achat à** ~
(Comm) vendita/acquisto a termine;
au ~ **de** al termine di; **à court/
moyen/long** ~ a breve/medio/lungo
termine; **moyen** ~ via di mezzo; **à** ~
(Méd: accoucher, né) a termine; **avant**
~ adj prematuro(-a) ■ adv avanti
tempo; **mettre un** ~ **à** porre termine
a; **toucher à son** ~ volgere al termine
terminaison [tɛʀminɛzõ] nf (Ling)
desinenza
terminal, e, aux [tɛʀminal, o] adj
terminale ■ nm (Inform) terminale m;
(pétrolier) stazione f terminale; (gare,
aérogare) terminal m inv
terminale [tɛʀminal] nf (Scol) ultimo
anno della scuola media superiore
terminer [tɛʀmine] vt terminare;
(nourriture, boisson) finire; **un revers
termine la manche** la manica
termina con un risvolto; **se terminer**
vr finire; **se** ~ **par/en** (repas, chansons)
finire con; (pointe, boule) terminare
con/a; **quand est-ce que le
spectacle se termine?** quando finisce
lo spettacolo?
terne [tɛʀn] adj (couleur, teint)
smorto(-a); (fig: personne, style)
scialbo(-a); (: regard, œil) spento(-a)
ternir [tɛʀniʀ] vt sbiadire; (fig:
honneur, réputation) offuscare;

se ternir vr perdere la brillantezza;
(fig: réputation) offuscarsi
terrain [tɛʀɛ̃] nm terreno; **sur le** ~
(fig) sul posto; **gagner/perdre du** ~
(fig) guadagnare/perdere terreno;
~ **d'atterrissage** campo d'atterraggio;
~ **d'aviation** campo d'aviazione;
~ **d'entente** terreno d'incontro ou
d'intesa; ~ **de camping** campeggio;
~ **de football/golf** campo da calcio/
golf; ~ **de jeu** campo m giochi inv;
(Sport) terreno di gioco; ~ **de rugby**
campo da rugby; ~ **de sport** campo
sportivo; ~ **vague** terreno
abbandonato
terrasse [tɛʀas] nf terrazza, terrazzo;
(d'un café) tavolini mpl all'aperto;
culture en ~**s** coltivazione a terrazze;
s'asseoir à la ~ (d'un café) sedersi fuori
terrasser [tɛʀase] vt (fig: adversaire)
atterrare; (suj: maladie etc) stroncare
terre [tɛʀ] nf (gén, aussi Élec) terra;
terres nfpl (terrains, propriété) terre
fpl; **travail de la** ~ lavoro della terra;
en ~ (pipe, poterie) di ou in terracotta;
mettre en ~ (plante etc) piantare;
(personne) seppellire; **à/par** ~ (mettre,
être) a/per terra; ~ **à** ~ (d'un café)
terra terra inv; ~ **cuite**
terracotta; ~ **de bruyère** terra di
brughiera; **la T~ de Feu** la Terra del
Fuoco; **la** ~ **ferme** la terraferma;
~ **glaise** argilla; **la T~ promise/Sainte**
la Terra promessa/Santa
terreau [tɛʀo] nm terriccio
terre-plein [tɛʀplɛ̃] (pl ~**s**) nm
terrapieno
terrestre [tɛʀɛstʀ] adj terrestre;
(Rel, gén: choses, problèmes) terreno(-a)
terreur [tɛʀœʀ] nf terrore m;
régime/politique de la ~ regime m/
politica del terrore
terrible [tɛʀibl] adj terribile; (fam)
fantastico(-a); **pas** ~, **ce livre** non è
granché, questo libro
terrien, ne [tɛʀjɛ̃, jɛn] adj (paysan)
contadino(-a), campagnolo(-a)
■ nm/f (non martien etc) terrestre m/f;
propriétaire ~ proprietario terriero
terrier [tɛʀje] nm (de lapin) tana;
(chien) terrier m inv
terrifier [tɛʀifje] vt terrorizzare
terrine [tɛʀin] nf (récipient) terrina;
(Culin) pâté m inv

territoire [tɛʀitwaʀ] nm (Pol) territorio
terroriser [tɛʀɔʀize] vt terrorizzare
terrorisme [tɛʀɔʀism] nm terrorismo
terroriste [tɛʀɔʀist] nm/f terrorista
m/f ◼ adj terrorista, terroristico(-a)
tertiaire [tɛʀsjɛʀ] adj terziario(-a)
◼ nm terziario
tes [te] dét voir ton¹
test [tɛst] nm (Méd, Scol, Psych) test m
inv; ~ de niveau test m inv (per la
determinazione del quoziente intellettivo
dell'individuo)
testament [tɛstamɑ̃] nm (Jur, fig)
testamento; (Rel): T~ Testamento;
faire son ~ fare testamento
tester [tɛste] vt testare
testicule [tɛstikyl] nm testicolo
tétanos [tetanos] nm tetano
têtard [tɛtaʀ] nm girino
tête [tɛt] nf testa; (Football) colpo di
testa; il a une ~ sympathique
(visage) ha una faccia simpatica;
il a une ~ de plus qu'elle è più alto
di lei di una testa; gagner d'une
(courte) ~ vincere per una testa;
de la ~ aux pieds dalla testa ai piedi;
de ~ (wagon, voiture) di testa; calculer
de ~ calcolare mentalmente; en ~ in
testa; en ~ à ~ (parler, entretien) a tu
per tu; ils ont mangé en ~ à ~ hanno
mangiato loro due da soli; par ~ (par
personne) a testa; la ~ basse a testa
bassa; la ~ en bas, la ~ la première a
testa in giù, di testa; avoir la ~ dure
(fig) avere la testa dura; être à/
prendre la ~ de qch essere/mettersi a
capo di qc; elle est à la ~ de sa classe
è la più brava della classe; faire une ~
(Football) colpire di testa; faire la ~
(fig: bouder) fare il broncio; se mettre
en ~ de faire mettersi in testa di fare;
perdre la ~ (fig: s'affoler) andare fuori
di testa; (: devenir fou) impazzire;
tenir ~ à qn tener testa a qn; ça ne va
pas la ~? (fam) sei fuori?; ~ brûlée
(fig) testa calda; ~ chercheuse
testata autoguidata; ~ d'affiche
(Théâtre etc) attore(-trice) principale;
~ d'enregistrement/d'impression
testina di registrazione/di stampa;
~ de bétail capo di bestiame; ~ de
lecture testina (di lettura); ~ de ligne
(Transports) capolinea m; ~ de liste
(Pol) capolista m/f; ~ nucléaire

testata nucleare; ~ de mort teschio;
~ de pont (Mil, fig) testa di ponte;
~ de série (Tennis) testa di serie;
~ de taxi stazione f di taxi; ~ de Turc
(fig) zimbello
tête-à-queue [tɛtakø] nm inv: faire
un ~ fare un testa-coda
téter [tete] vt: ~ (sa mère) poppare
(dalla mamma)
tétine [tetin] nf (de vache) mammella;
(de caoutchouc) tettarella; (sucette)
ciuccio, ciucciotto
têtu, e [tety] adj testardo(-a),
cocciuto(-a)
texte [tɛkst] nm testo; (Scol: d'un
devoir, examen) enunciato; ~s choisis
(passage) brani mpl ou passi mpl scelti;
apprendre son ~ (Théâtre, Ciné)
imparare la propria parte; un ~ de loi
un testo di legge
textile [tɛkstil] adj tessile ◼ nm fibra
tessile; le ~ l'industria tessile
Texto® [tɛksto] nm messaggino,
SMS m inv
texture [tɛkstyʀ] nf (d'une matière)
struttura
TGV [teʒeve] sigle m = train à grande
vitesse

◼ **TGV**

◼ Il TGV, (train à grande vitesse), è un
◼ treno ad alta velocità che è stato
◼ introdotto nel 1981, nel tentativo
◼ di fare concorrenza al trasporto
◼ aereo ed automobilistico. Può
◼ raggiungere i 300 km all'ora ed
◼ è il secondo treno più veloce del
◼ mondo. Per viaggiare su questo
◼ treno è necessario avere una
◼ prenotazione e i biglietti di solito
◼ costano più di quelli dei treni
◼ normali.

thaïlandais, e [tajlɑ̃dɛ, ɛz] adj
tailandese ◼ nm/f: Thaïlandais, e
tailandese m/f
Thaïlande [tajlɑ̃d] nf Tailandia
thé [te] nm tè m inv, the m inv;
prendre/faire le ~ prendere/fare il
tè ou the; ~ au citron/au lait tè ou
the al limone/al latte
théâtral, e, aux [teatʀal, o] adj
teatrale

théâtre [teɑtʀ] nm teatro; (fig: péj) messa in scena; **le ~ de** (fig: lieu) il teatro di; **faire du ~** fare del teatro; **~ filmé** produzioni teatrali filmate
théière [tejɛʀ] nf teiera
thème [tɛm] nm tema m; (Scol: traduction) traduzione f (verso la lingua straniera); **~ astral** tema astrale
théologie [teɔlɔʒi] nf teologia
théorie [teɔʀi] nf teoria; **en ~** in teoria; **~ musicale** teoria musicale
théorique [teɔʀik] adj teorico(-a)
thérapie [teʀapi] nf terapia
thermal, e, aux [tɛʀmal, o] adj termale; **station/cure ~e** stazione f/cura termale
thermomètre [tɛʀmɔmɛtʀ] nm termometro
thermos® [tɛʀmos] nm/f: **(bouteille) ~** thermos® m inv
thermostat [tɛʀmɔsta] nm termostato
thèse [tɛz] nf tesi f; **pièce/roman à ~** opera teatrale/romanzo a tesi
thon [tɔ̃] nm tonno
thym [tɛ̃] nm timo
tibia [tibja] nm tibia
TIC nf (= technologies de l'information et de la communication) TIC
tic [tik] nm (mouvement nerveux) tic m inv; **~ de langage** tic verbale
ticket [tikɛ] nm (de bus, métro) biglietto; **je peux avoir un ~ de caisse, s'il vous plaît?** potrei avere lo scontrino per favore?; **~ de caisse** scontrino; **~ de quai** biglietto di accesso (ai binari); **~ de rationnement** bollino della tessera annonaria; **~ modérateur** (quote-part de frais médicaux) ticket m inv; **~ repas** ou **restaurant** buono m pasto inv
tiède [tjɛd] adj tiepido(-a) ■ adv: **boire ~** bere tiepido
tiédir [tjediʀ] vi intiepidire, intiepidirsi
tien, ne [tjɛ̃, tjɛn] adj tuo(-a) ■ pron: **le(la) ~(ne)** il/la tuo(-a); **les ~s/les ~nes** i tuoi/le tue; **les ~s** (ta famille) i tuoi
tiens [tjɛ̃] vb, excl voir **tenir**
tiercé [tjɛʀse] nm (aux courses) ≈ Totip m
tiers, tierce [tjɛʀ, tjɛʀs] adj terzo(-a) ■ nm (Jur: inconnu) terzi mpl;

(Assurances): **assurance au ~** assicurazione f contro terzi; (fraction) terzo; **le ~ monde** il terzo mondo; **~ payant** (Méd, Pharmacie) pagamento diretto da parte dell'ente mutualistico di prestazioni medico-ospedaliere; **~ provisionnel** (Fin) acconto d'imposta
tige [tiʒ] nf (de fleur, plante) stelo, gambo; (branche d'arbre) fusto; (baguette) asta
tignasse [tiɲas] (péj) nf zazzera
tigre [tigʀ] nm tigre f
tigré, e [tigʀe] adj tigrato(-a); (peau, fruit) macchiettato(-a), chiazzato(-a)
tigresse [tigʀɛs] nf (Zool) tigre f (femmina); (fig) donna gelosa e aggressiva
tilleul [tijœl] nm tiglio; (boisson) infuso di tiglio
timbre [tɛ̃bʀ] nm (aussi Mus) timbro; (aussi: **timbre-poste**) francobollo; (sonnette) campanello; **~ dateur** datario; **~ fiscal** marca da bollo; **~ tuberculinique** (Méd) prova della tubercolina
timbré, e [tɛ̃bʀe] adj (enveloppe) affrancare; (fam: fou) suonato(-a); **avoir une voix bien ~e** avere un bel timbro di voce; **papier ~** carta da bollo
timide [timid] adj timido(-a)
timidement [timidmɑ̃] adv timidamente
timidité [timidite] nf timidezza
tintamarre [tɛ̃tamaʀ] nm chiasso, baccano
tinter [tɛ̃te] vi (cloche) rintoccare; (argent, clefs) tintinnare
tique [tik] nf (Zool) zecca
tir [tiʀ] nm tiro; **~ à l'arc** tiro con l'arco; **~ au fusil** tiro col fucile; **~ au pigeon** tiro al piccione; **~ d'obus** tiro di granate; **~ de barrage** fuoco di sbarramento; **~ de mitraillette** raffica di mitra
tirage [tiʀaʒ] nm (Photo, Typo, Inform) stampa; (feuilles) stampato; (d'un journal etc: nombre d'exemplaires) tiratura; (: édition) edizione f; (d'une cheminée, d'un poêle) tiraggio; (de loterie) estrazione f; (fig: désaccord) attrito; **~ au sort** sorteggio
tire [tiʀ] nf: **voleur à la ~** scippatore m; **vol à la ~** scippo

tiré, e [tiʀe] adj (visage, traits) tirato(-a) ■ nm (Comm) trattario, trassato; ~ **par les cheveux** tirato per i capelli; ~ **à part** estratto
tire-bouchon [tiʀbuʃɔ̃] (pl ~**s**) nm cavatappi m inv
tirelire [tiʀliʀ] nf salvadanaio
tirer [tiʀe] vt tirare; (fermer: porte, trappe, volet) chiudere; (choisir: carte, lot) scegliere; (conclusion, morale) trarre; (Comm: chèque) emettere; (loterie) estrarre; (en faisant feu: balle, coup) sparare, tirare; (: animal) sparare a; (journal, livre, Photo) stampare ■ vi tirare; (faire feu) sparare; **se tirer** vr (fam) tagliare la corda; **s'en ~** cavarsela; **il s'en est tiré** se l'è cavata; ~ **qch de** (extraire) tirar fuori qc da, estrarre qc da; (le jus d'un citron) spremere qc da; (un son d'un instrument) ottenere qc da; ~ **qn de** (embarras, mauvaise affaire) tirare fuori qn da; ~ **sur** (corde, poignée) tirare; (faire feu sur) sparare ou tirare a; (pipe, cigarette) dare una tirata a; (fig: avoisiner, approcher de) tirare a; ~ **à l'arc/à la carabine** tirare con l'arco/con la carabina; ~ **avantage/parti de** trarre vantaggio da; ~ **les cartes** (dire la bonne aventure) fare ou leggere le carte; ~ **à sa fin** essere agli sgoccioli; ~ **la langue** mostrare la lingua; ~ **en longueur** tirare per le lunghe; ~ **6 mètres** (Naut) pescare 6 metri; ~ **son nom/son origine de** trarre il proprio nome/la propria origine da; ~ **une substance d'une matière première** ricavare ou estrarre una sostanza da una materia prima
tiret [tiʀe] nm trattino, lineetta
tireur, -euse [tiʀœʀ, øz] nm/f (Mil) tiratore(-trice); (Comm) traente m/f; **bon ~** buon tiratore; ~ **d'élite** tiratore m scelto; **tireuse de cartes** cartomante f
tiroir [tiʀwaʀ] nm cassetto
tiroir-caisse [tiʀwaʀkɛs] (pl **tiroirs-caisses**) nm (registratore m di) cassa
tisane [tizan] nf tisana
tisser [tise] vt (aussi fig) tessere
tissu¹, e [tisy] adj: ~ **de** intessuto(-a) di
tissu² [tisy] nm (aussi fig) tessuto; **qu'est-ce que c'est comme ~?** di che stoffa è?; ~ **de mensonges** castello di menzogne

tissu-éponge [tisyepɔ̃ʒ] (pl **tissus-éponges**) nm spugna
titre [titʀ] nm (gén, Sport, Comm, Chim) titolo; **en ~** (champion, responsable) ufficiale; **à juste ~** a buon diritto; **à quel ~?** a che titolo?; **à aucun ~** per nessuna ragione; **au même ~** allo stesso modo; **au même ~ que** così come; **au ~ de la coopération** a titolo di cooperazione; **à ~ d'exemple** come esempio; **à ~ d'exercice** come esercizio; **à ~ exceptionnel** in via eccezionale; **à ~ amical** come amico; **à ~ d'information/d'essai** a titolo informativo/di prova; **à ~ gracieux** gratuitamente; **à ~ provisoire** in via provvisoria; **à ~ privé/consultatif** a titolo privato/di consultazione; ~ **courant** titolo corrente; ~ **de propriété** atto di proprietà; ~ **de transport** biglietto
tituber [titybe] vi barcollare, vacillare
titulaire [tityleʀ] adj titolare ■ nm/f (Admin) titolare m/f; **être ~ de** essere titolare di
toast [tost] nm fetta di pane tostato; (de bienvenue) brindisi m inv; **porter un ~ à qn** fare un brindisi ou brindare a qn
toboggan [tɔbɔgã] nm scivolo; (Auto) cavalcavia m inv (in metallo)
toc [tɔk] nm: **en ~** falso(-a)
tocsin [tɔksɛ̃] nm campane fpl a martello
tohu-bohu [tɔybɔy] nm inv (désordre) caos m inv, baraonda; (tumulte) trambusto
toi [twa] pron (sujet) tu; (complément) te, ti; **je veux partir avec ~** voglio partire con te; **lève-~!** alzati!; **c'est ~ qui l'as fait?** l'hai fatto tu?
toile [twal] nf tela; (bâche) telo; **grosse ~** tela rada; **tisser sa ~** (araignée) tessere la propria tela; ~ **cirée** tela cerata; ~ **d'araignée** ragnatela; ~ **de fond** (fig) sfondo; ~ **de jute/lin** tela di iuta/lino; ~ **de tente** telo di tenda; ~ **émeri** tela smeriglio
toilette [twalɛt] nf toilette f inv, toeletta; **toilettes** nfpl (W.C.) gabinetto, toilette fsg; **les ~s des**

dames/des messieurs il gabinetto *ou* la toilette delle donne/degli uomini; **faire sa ~** (*se laver*) lavarsi; **faire la ~ de** (*animal*) fare la toeletta a; (*texte*) dare la pulitura a; **articles de ~** articoli *mpl* da toilette; **où sont les ~s?** dov'è la toilette?; **~ intime** igiene *f* intima

toi-même [twamɛm] *pron* tu stesso

toit [twa] *nm* tetto; **~ ouvrant** (*Auto*) tettuccio apribile

toiture [twatyʀ] *nf* copertura

tôle [tol] *nf* lamiera; **tôles** *nfpl* (*carrosserie*) carrozzeria; **~ d'acier** lamiera d'acciaio; **~ ondulée** lamiera ondulata

tolérable [tɔleʀabl] *adj* tollerabile

tolérant, e [tɔleʀɑ̃, ɑ̃t] *adj* tollerante

tolérer [tɔleʀe] *vt* tollerare

tollé [tɔ(l)le] *nm*: **un ~ (d'injures/de protestations)** un coro generale (d'insulti/di proteste)

tomate [tɔmat] *nf* pomodoro

tombe [tɔ̃b] *nf* tomba

tombeau, x [tɔ̃bo] *nm* tomba; **à ~ ouvert** (*fig*) a rotta di collo

tombée [tɔ̃be] *nf*: **à la ~ du jour** *ou* **de la nuit** al tramonto, sul far della notte

tomber [tɔ̃be] *vi* cadere; (*prix, température*) scendere; (*personne, fête etc*) capitare ■ *vt*: **~ la veste** togliersi la giacca; **~ bien/mal** (*vêtement*) cadere bene/male; **~ sur** (*rencontrer*) imbattersi in; (*attaquer*) piombare su; **~ de fatigue/de sommeil** cascare dalla stanchezza/dal sonno; **~ à l'eau** (*fig*) andare a monte; **~ juste** (*opération, calcul*) dare una cifra tonda; **~ en panne** restare in panne; **~ en ruine** cadere in rovina; **ça tombe bien/mal** (*fig*) capita a proposito/ sproposito; **il est bien/mal tombé** (*fig*) gli è andata bene/male

tombola [tɔ̃bɔla] *nf* tombola

tome [tɔm] *nm* tomo

ton¹, ta [tɔ̃, ta] (*pl* **tes**) *dét* (il) tuo, (la) tua, (i) tuoi, (le) tue; *voir aussi* **mon**

ton² [tɔ̃] *nm* tono; **élever** *ou* **hausser le ~** alzare il tono; **donner le ~** dare il tono; **si vous le prenez sur ce ~** se la prende su questo tono; **de bon ~** di buon gusto; **~ sur ~** in tonalità diverse (dello stesso colore)

tonalité [tɔnalite] *nf* (*au téléphone*) segnale *m*; (*de couleur, Mus*) tonalità *f inv*; (*ton*) tono

tondeuse [tɔ̃døz] *nf* (*à gazon*) tosaerba *m inv*; (*de coiffeur*) rasoio (*per tagliare i capelli*); (*pour la tonte*) tosatrice *f*

tondre [tɔ̃dʀ] *vt* tosare; (*pelouse*) tagliare; (*cheveux*) rasare

tonifier [tɔnifje] *vi, vt* (*air, eau, peau, organisme*) tonificare

tonique [tɔnik] *adj* (*médicament, lotion*) tonico(-a); (*fig: air, froid*) tonificante; (: *personne, idée*) stimolante ■ *nm* tonico ■ *nf* (*Mus*) tonica

tonne [tɔn] *nf* tonnellata

tonneau, x [tɔno] *nm* (*à vin, cidre*) botte *f*; **jauger 2 000 ~x** (*Naut*) stazzare 2000 tonnellate; **faire des ~x** (*voiture*) ribaltarsi più volte; (*avion*) fare dei mulinelli

tonnelle [tɔnɛl] *nf* pergolato (a cupola)

tonner [tɔne] *vi* tuonare; **~ contre qn/qch** inveire contro qn/qc; **il tonne** tuona

tonnerre [tɔnɛʀ] *nm* tuono; **du ~** (*fam*) formidabile, fantastico(-a); **coup de ~** (*fig*) fulmine *m* a ciel sereno; **~ d'applaudissements** uragano di applausi

tonus [tɔnys] *nm* (*des muscles*) tono; (*d'une personne*) dinamismo

top [tɔp] *nm*: **au 3ème ~** al terzo rintocco (*del segnale orario*) ■ *adj*: **~ secret** top secret *inv*

topinambour [tɔpinɑ̃buʀ] *nm* topinambur *m inv*

torche [tɔʀʃ] *nf* torcia; **se mettre en ~** (*parachute*) non aprirsi

torchon [tɔʀʃɔ̃] *nm* strofinaccio

tordre [tɔʀdʀ] *vt* (*chiffon*) torcere; (*barre, fig: visage*) storcere; **se tordre** *vr* (*barre, roue*) piegarsi; (*ver, serpent*) contorcersi; **se ~ le pied/bras** storcersi il piede/braccio; **se ~ de douleur/de rire** contorcersi dal dolore/dalle risate

tordu, e [tɔʀdy] *pp de* **tordre** ■ *adj* (*fig*) strambo(-a)

tornade [tɔʀnad] *nf* tornado

torrent [tɔʀɑ̃] *nm* torrente *m*; **il pleut à ~s** diluvia

torsade [tɔʀsad] nf treccia; (Archit) tortiglione m

torse [tɔʀs] nm torso

tort [tɔʀ] nm torto; **avoir ~** avere torto; **être dans son ~** essere dalla parte del torto; **donner ~ à qn** dare torto a qn; **causer du ~ à** arrecare danno a; **en ~** in torto; **à ~ a torto; à ~ ou à raison** a torto o a ragione; **à ~ et à travers** (parler) a vanvera; (dépenser) senza badarci; **aux ~s de** (Jur) contro

torticolis [tɔʀtikɔli] nm torcicollo

tortiller [tɔʀtije] vt attorcigliare; (ses doigts) tormentarsi; **se tortiller** vr contorcersi

tortionnaire [tɔʀsjɔnɛʀ] nm/f torturatore(-trice)

tortue [tɔʀty] nf (Zool) tartaruga, testuggine f; (fig) tartaruga

tortueux, -euse [tɔʀtɥø, øz] adj tortuoso(-a)

torture [tɔʀtyʀ] nf tortura

torturer [tɔʀtyʀe] vt torturare; (fig) tormentare

tôt [to] adv presto; **~ ou tard** presto o tardi; **si ~** così presto; **au plus ~** al più presto, quanto prima; **plus ~** prima; **il eut ~ fait de faire...** fece presto a fare...

total, e, aux [tɔtal, o] adj, nm totale (m); **au ~** in totale; (fig) tutto sommato; **faire le ~** fare il totale

totalement [tɔtalmɑ̃] adv completamente

totaliser [tɔtalize] vt totalizzare

totalitaire [tɔtalitɛʀ] adj totalitario(-a)

totalité [tɔtalite] nf totalità; **en ~** totalmente

toubib [tubib] (fam) nm medico

touchant, e [tuʃɑ̃, ɑ̃t] adj commovente

touche [tuʃ] nf tasto; (de violon) tastiera; (Peinture etc) tocco, pennellata; (fig: de couleur, nostalgie) tocco; (Rugby) linea laterale; (Football: aussi: **remise en touche**) rimessa laterale; (aussi: **ligne de touche**) linea laterale; (Escrime) stoccata; **en ~** (Rugby, Football) in fallo laterale; **avoir une drôle de ~** essere conciato(-a) in modo strano; **~ de commande** (Inform) tasto di comando; **~ de fonction** (Inform)

tasto operativo ou funzionale; **~ de retour** (Inform) tasto del ritorno

toucher [tuʃe] nm tatto; (Mus) tocco ■ vt toccare; (atteindre: d'un coup de feu etc) colpire; (affecter: pays, peuple) colpire, toccare; (émouvoir) commuovere, toccare; (concerner) riguardare, toccare; (contacter par téléphone, lettre) raggiungere, rintracciare; (recevoir: prix, récompense) ricevere; (: salaire, argent, chèque) riscuotere; (aborder: problème, sujet) affrontare; **se toucher** vr toccarsi; **au ~** al tatto; **~ à qch** (frôler) toccare qc; (salaire, conditions) modificare; (vie privée, mode de vie) riguardare; **~ au but** (fig) giungere alla meta; **je vais lui en ~ un mot** gliene parlerò; **~ à sa fin/son terme** volgere alla fine/al termine

touffe [tuf] nf ciuffo; **~ d'herbe** ciuffo d'erba

touffu, e [tufy] adj (haie, forêt) fitto(-a); (cheveux) folto(-a); (fig: style, texte) complesso(-a)

toujours [tuʒuʀ] adv sempre; (encore) ancora; **~ plus** sempre più; **pour ~** per sempre; **depuis ~** da sempre; **~ est-il que** fatto sta che; **essaie ~** prova pure

toupie [tupi] nf trottola

tour [tuʀ] nf (aussi Échecs) torre f; (immeuble) grattacielo ■ nm giro; (Sport: aussi: **tour de piste**) giro (di pista); (d'être servi, Pol) turno; (tournure: de la situation etc) piega; (circonférence): **de 3 m de ~** di 3 m di circonferenza; (fig: ruse, stratagème) scherzo, tiro; (de prestidigitation etc) numero; (de cartes) gioco (di prestigio); (de potier, à bois, métaux) tornio; **faire le ~ de** fare il giro di; (fig: questions, possibilités) esaminare; **faire un ~** fare un giro; **faire le ~ de l'Europe** fare il giro dell'Europa; **faire 2 ~s** (danseur etc) fare 2 giravolte; (toupie, hélice) fare 2 giri; **fermer à double ~** chiudere a doppia mandata; **c'est mon/son ~** tocca a me/te; **c'est au ~ de Philippe** tocca a Philippe; **à ~ de rôle, ~ à ~** a turno; **à ~ de bras** con tutta la forza delle braccia; (fig) con accanimento; **en un ~ de main** in men che non si dica; **~ d'horizon** nm

(fig) panoramica; **~ de chant** nm
recital m inv; **~ de contrôle** nf torre di
controllo; **~ de force** nm faticaccia,
tour m inv de force; **~ de garde** nm
turno di guardia; **~ de lancement** nf
torre di lancio; **~ de main** nf abilità f
inv manuale; **~ de passe-passe** nm
gioco di prestigio; **~ de poitrine** nm
giro (di) petto; **~ de reins** nm
lombaggine f; **~ de taille** nm (giro di)
vita; **~ de tête** nm giro (di) testa

tourbe [tuʀb] nf torba

tourbillon [tuʀbijɔ̃] nm vortice m

tourbillonner [tuʀbijɔne] vi (aussi
fig) turbinare; (eau, rivière) formare
vortici

tourelle [tuʀɛl] nf torretta

tourisme [tuʀism] nm turismo;
office de ~ ufficio turistico; **agence
de ~** agenzia turistica; **avion de ~**
aereo da turismo; **voiture de ~**
macchina privata; **faire du ~** fare del
turismo

touriste [tuʀist] nm/f turista m/f

touristique [tuʀistik] adj
turistico(-a)

tourment [tuʀmɑ̃] nm tormento

tourmenter [tuʀmɑ̃te] vt, vr:
se tourmenter tormentarsi

tournage [tuʀnaʒ] nm (d'un film)
riprese fpl

tournant, e [tuʀnɑ̃, ɑ̃t] adj (feu,
scène) girevole; (chemin) tortuoso(-a);
(escalier) a chiocciola; (mouvement) di
aggiramento ■ nm (de route) curva;
(fig: dans la vie, politique) svolta; voir
aussi **grève**; **plaque**

tournée [tuʀne] nf (du facteur,
boucher) giro; (d'artiste, de politicien)
tournée f inv; **payer une ~** offrire un
giro di consumazioni; **faire la ~ de**
fare il giro di; **~ électorale** tornata
elettorale; **~ musicale** tournée
musicale

tourner [tuʀne] vt girare; (sauce,
mélange) mescolare; (Naut: cap)
doppiare; (fig: difficulté, obstacle)
aggirare ■ vi girare; (changer de
direction: voiture, personne) girare,
voltare; (lait etc) andare a male; **se tourner** vr
girarsi, voltarsi; **se ~ vers** girarsi ou
voltarsi verso; (personne: pour
demander) rivolgersi a; (profession,

carrière) orientarsi verso; **bien/mal ~**
(personne) prendere una buona/
cattiva strada; (fig: chose) andare
bene/male; **~ autour de** girare
intorno a; (péj: importuner) ronzare
intorno a; **~ autour du pot** (fig)
menare il can per l'aia; **~ à/en**
degenerare in; **~ à la pluie** volgere
alla pioggia; **~ au rouge** diventare
rosso; **~ en ridicule** mettere in
ridicolo; **~ le dos à** voltare le spalle a
la schiena a; (fig) voltare le spalle a;
~ court non avere seguito; **se ~ les
pouces** starsene con le mani in mano;
~ la tête voltare ou girare la testa; **~ la
tête à qn** (fig) fare girare la testa a qn;
~ de l'œil svenire; **~ la page** (fig)
voltare pagina; **tournez à gauche/
droite au prochain carrefour** al
prossimo incrocio giri a destra/sinistra

FAUX AMIS
tourner ne se traduit pas
par le mot italien **tornare**.

tournesol [tuʀnəsɔl] nm (Bot)
girasole m

tournevis [tuʀnəvis] nm cacciavite
m inv

tournoi [tuʀnwa] nm torneo; **~ de
bridge/de tennis** torneo di bridge/di
tennis; **~ des 5 nations** (Rugby)
torneo delle 5 nazioni

tournure [tuʀnyʀ] nf (Ling: syntaxe)
forma; (: d'une phrase) costruzione f;
la ~ des choses/événements la
piega delle cose/degli avvenimenti;
la ~ de qch (évolution) l'evoluzione di
qc; **prendre ~** prendere forma;
~ d'esprit forma mentis

tourte [tuʀt] nf (Culin) torta salata

tourterelle [tuʀtəʀɛl] nf tortora

tous [tu] dét, pron voir **tout**

Toussaint [tusɛ̃] nf: **la ~** (la festa di)
Ognissanti m inv

tousser [tuse] vi tossire

○ MOT-CLÉ

tout, e [tu, tut] (mpl **tous**, fpl **toutes**)
adj **1** (avec article) tutto(-a); **tout le
lait** tutto il latte; **toute la semaine**
tutta la settimana; **toutes les trois/
deux semaines** ogni tre/due
settimane; **tout le temps** tutto il
tempo; **tout le monde** tutti mpl;

c'est tout le contraire è tutto il contrario; **tout un livre** tutto un libro; **c'est toute une affaire** è una cosa seria; **toutes les nuits** tutte le notti; **toutes les fois que...** tutte le volte che...; **tous les deux/trois** tutti e due/tre

2 (*sans article*): **à tout âge/à toute heure** a ogni età/ogni ora; **pour toute nourriture/vêtement, il avait...** come unico cibo/vestito aveva...; **à toute vitesse** a tutta velocità; **de tous côtés** ou **de toutes parts** da ogni parte, da tutte le parti; **à tout hasard** ad ogni buon conto, per ogni evenienza

■ *pron* tutto; **il a tout fait** ha fatto tutto; **je les vois tous/toutes** li vedo tutti/tutte; **nous y sommes tous allés** ci siamo andati tutti; **en tout** in tutto; **tout ce qu'il sait** tutto ciò che sa; **en tout et pour tout** in tutto e per tutto; **tout ou rien** tutto o niente; **c'est tout** questo è tutto; **tout ce qu'il y a de plus aimable** tutto ciò che c'è di più piacevole

■ *nm* tutto; **du tout au tout** del tutto; **le tout est de...** l'essenziale è...; **pas du tout** niente affatto, per niente

■ *adv* **1** (**toute** *avant adj f commençant par consonne ou h aspiré*) (*très, complètement*): **elle était tout émue** era tutta commossa; **elle était toute petite** era piccola piccola; **tout près** ou **à côté** qui vicino; **le tout premier** il primo in assoluto; **tout seul** da solo; **le livre tout entier** tutto il libro; **tout en haut** (proprio) in cima; **tout droit** (sempre) diritto; **tout ouvert** completamente aperto; **parler tout bas** parlare sommessamente; **tout simplement/doucement** semplicemente/piano piano

2: **tout en** mentre; **tout en travaillant** mentre lavorava (ou lavoravano *ecc*), lavorando

3: **tout d'abord** innanzitutto; **tout à coup** tutt'a un tratto; **tout à fait** (*complètement*: fini, prêt) del tutto; (*exactement*: vrai, juste, identique) perfettamente; **"tout à fait!"** "certamente!"; **tout à l'heure** (*passé*) poco fa; (*futur*) tra poco; **à tout à l'heure!** a tra poco!; **tout de même**

però, lo stesso; **tout de suite** subito; **tout terrain** ou **tous terrains** *adj inv* fuoristrada *inv*

toutefois [tutfwa] *adv* tuttavia
toutes [tut] *dét, pron voir* **tout**
toux [tu] *nf* tosse *f*; **j'ai la ~** ho la tosse
toxicomane [tɔksikɔman] *adj* tossicodipendente
toxique [tɔksik] *adj* tossico(-a), velenoso
trac [tʀak] *nm* fifa; (*Théâtre*) paura da palcoscenico; **avoir le ~** avere fifa
tracasser [tʀakase] *vt* tormentare, assillare; **se tracasser** *vr* preoccuparsi; **il n'a pas été tracassé par la police** non ha avuto noie con la polizia
trace [tʀas] *nf* traccia; (*de doigts*) impronta; **suivre à la ~ qn** seguire le tracce di qn; **~s de freinage** tracce di frenata; **~s de pas** orme *fpl*; **~s de pneus** tracce di pneumatici
tracer [tʀase] *vt* (*mot*) scrivere; (*route, ligne*) tracciare
tract [tʀakt] *nm* volantino
tracteur [tʀaktœʀ] *nm* trattore *m*
traction [tʀaksjɔ̃] *nf* trazione *f*; **~ arrière** trazione posteriore; **~ avant** trazione anteriore; **~ électrique/ mécanique** trazione elettrica/ meccanica
tradition [tʀadisjɔ̃] *nf* tradizione *f*
traditionnel, le [tʀadisjɔnɛl] *adj* tradizionale
traducteur, -trice [tʀadyktœʀ, tʀis] *nm/f* traduttore(-trice) ■ *nm* (*Inform*) (*programma m*) traduttore *m*; **~ interprète** traduttore(-trice) interprete
traduction [tʀadyksjɔ̃] *nf* traduzione *f*; **~ simultanée** traduzione simultanea
traduire [tʀadɥiʀ] *vt* tradurre; (*émotion*) esprimere; **se ~ par** tradursi in; **~ en/du français** tradurre in/dal francese; **~ qn en justice** tradurre qn in giudizio; **pouvez-vous me ~ ceci?** me lo può tradurre?
trafic [tʀafik] *nm* traffico; **~ (routier/ aérien)** traffico (stradale/aereo); **~ d'armes** traffico d'armi; **~ de drogue** traffico di droga
trafiquant, e [tʀafikɑ̃, ɑ̃t] *nm/f* trafficante *m/f*

trafiquer [tʀafike] *vt* (*péj: voiture*) truccare; (*serrure, appareil*) manomettere ■ *vi* trafficare
tragédie [tʀaʒedi] *nf* tragedia
tragique [tʀaʒik] *adj* tragico(-a) ■ *nm*: **prendre qch au ~** prendere qc sul tragico
trahir [tʀaiʀ] *vt* tradire; **se trahir** *vr* tradirsi
trahison [tʀaizɔ̃] *nf* tradimento
train [tʀɛ̃] *nm* treno; (*allure*) andatura, passo; (*fig: ensemble*) serie *f inv*; **être en ~ de faire qch** stare facendo qc; **mettre qch en ~** avviare qc; **mettre qn en ~** mettere qn di buon umore; **se mettre en ~** (*commencer*) mettersi all'opera; (*faire de la gymnastique*) fare riscaldamento; **se sentir en ~** sentirsi in forma; **aller bon ~** procedere speditamente; **c'est bien le ~ pour …?** è questo il treno per …?; **~ à grande vitesse** treno ad alta velocità; **~ arrière/avant** treno posteriore/anteriore; **~ d'atterrissage** carrello (d'atterraggio); **~ de pneus** treno di gomme; **~ de vie** tenore *m* di vita; **~ électrique** (*jouet*) trenino elettrico; **~ spécial** treno straordinario

⬚ **TRAINS**

⬚ In Francia esistono diversi tipi di treni: il *TGV*, treno ad alta velocità che collega le principali città, con prenotazione obbligatoria, il *Rapide*, treno che ferma solo nelle città più importanti e l'*Express*, treno a lunga percorrenza che si ferma anche nelle città di medie dimensioni. Esiste anche il *Corail* un treno moderno che ha anche la carrozza ristorante.

traîne [tʀɛn] *nf* (*de robe*) strascico; **être à la ~** (*en arrière*) essere indietro; (*en désordre*) essere in disordine
traîneau, x [tʀɛno] *nm* slitta
traîner [tʀene] *vt* (*remorque*) trainare; (*charge*) trascinare; (*enfant, chien*) portarsi dietro ■ *vi* (*papiers, vêtements*) essere sparso(-a) qua e là; (*aller lentement*) attardarsi; (*vagabonder*) gironzolare; (*agir lentement*)

prendersela comoda; (*durer*) andare per le lunghe; **se traîner** *vr* (*ramper*) strisciare; (*marcher avec difficulté*) trascinarsi; (*durer*) andare per le lunghe; **se ~ par terre** strisciare per terra; **~ qn au cinéma** trascinare qn al cinema; **~ les pieds** strascicare i piedi; **~ par terre** (*robe, manteau*) strisciare per terra; **~ qch par terre** trascinare qc per terra; **il traîne un rhume depuis l'hiver** si trascina un raffreddore da quest'inverno; **~ en longueur** andare per le lunghe
train-train [tʀɛ̃tʀɛ̃] *nm inv* tran tran *m inv*
traire [tʀɛʀ] *vt* mungere
trait, e [tʀɛ, ɛt] *pp de* **traire** ■ *nm* tratto, linea; (*flèche*) freccia, strale *m*; **traits** *nmpl* (*du visage*) tratti *mpl*, lineamenti *mpl*; **d'un ~** (*boire*) d'un (sol) fiato; **boire à longs ~s** bere a lunghi sorsi; **de ~** (*animal*) da tiro; **avoir ~ à** riferirsi a, riguardare; **~ pour ~** punto per punto; **~ d'esprit** battuta (di spirito); **~ d'union** trattino, lineetta; (*fig*) trait d'union *m inv*, tramite *m*; **~ de caractère** caratteristica, tratto del carattere; **~ de génie** lampo di genio
traitant [tʀetɑ̃] *adj m*: **votre médecin ~** il suo medico curante; **shampooing ~** shampoo medicato; **crème ~e** crema curativa
traite [tʀɛt] *nf* (*Comm*) tratta, cambiale *f*; (*Agr*) mungitura; (*trajet*) tratto; **d'une (seule) ~** in una tirata, senza fermarsi; **la ~ des blanches/des noirs** la tratta delle bianche/dei negri
traité [tʀete] *nm* trattato
traitement [tʀetmɑ̃] *nm* trattamento; (*d'un malade*) terapia, cura; (*d'une affaire*) conduzione *f*; (*Inform*) elaborazione *f*; (*salaire*) stipendio; **mauvais ~s** maltrattamenti *mpl*; **~ de données/de l'information** elaborazione *f* (dei) dati/delle informazioni; **~ de texte** (*Inform*) elaborazione (dei) testi; **~ par lots** (*Inform*) elaborazione *f* a lotti
traiter [tʀete] *vt* trattare; (*maladie, malade*) curare; (*difficulté*) affrontare; (*Inform*) elaborare ■ *vi* trattare; **~ qn d'idiot** dare dell'idiota a qn; **~ de qch** trattare di qc, riguardare qc

traiteur [tRɛtœR] nm rosticciere m (*che vende cibi pronti*)

traître, traîtresse [tRɛtR, tRɛtRɛs] *adj* traditore(-trice); **prendre qn en ~** prendere qn a tradimento

trajectoire [tRaʒɛktwaR] *nf* traiettoria

trajet [tRaʒɛ] *nm* tragitto; (*d'un nerf, d'une artère*) percorso; (*d'un projectile*) traiettoria

trampoline [tRɑ̃pɔlin] *nm* trampolino (*per ginnastica*)

tramway [tRamwɛ] *nm* tranvia; (*voiture*) tram m inv

tranchant, e [tRɑ̃ʃɑ̃, ɑ̃t] *adj* tagliente; (*fig: personne, remarque, ton*) deciso(-a), risoluto(-a); (: *couleurs*) vivo(-a) ■ *nm* taglio; **à double ~** (*argument, procédé*) a doppio taglio

tranche [tRɑ̃ʃ] *nf* fetta; (*arête*) taglio; (*partie*) parte f; (*Comm: d'actions, de bons*) serie f inv; (*de revenus, d'impôts*) fascia; (*Loterie*): **~ (d'émission)** serie f inv (di emissione); **~ d'âge/de salaires** fascia d'età/di salario; **couper en ~s** tagliare a fette

tranché, e [tRɑ̃ʃe] *adj* (*couleurs*) netto(-a), marcato(-a); (*opinions*) deciso(-a)

trancher [tRɑ̃ʃe] *vt* tagliare; (*fig: question, débat*) risolvere ■ *vi* (*ton, attitude*): **~ avec** *ou* **sur** contrastare con; (*couleur*) spiccare *ou* risaltare su

tranquille [tRɑ̃kil] *adj* tranquillo(-a); (*mer*) calmo(-a); **se tenir ~** (*enfant*) stare buono(-a); **avoir la conscience ~** avere la coscienza tranquilla; **laisse-moi ~!** lasciami in pace!, lasciami stare!

tranquillisant, e [tRɑ̃kilizɑ̃, ɑ̃t] *adj* tranquillizzante ■ *nm* tranquillante m

tranquillité [tRɑ̃kilite] *nf* tranquillità f inv; **en toute ~** con la massima tranquillità; **~ d'esprit** tranquillità di spirito

transférer [tRɑ̃sfeRe] *vt* trasferire

transfert [tRɑ̃sfɛR] *nm* trasferimento; (*Psych*) transfert m inv; **~ de fonds** trasferimento di fondi

transformation [tRɑ̃sfɔRmasjɔ̃] *nf* trasformazione f; **transformations** *nfpl* (*travaux*) lavori *mpl*; **industries de ~** industrie *fpl* di trasformazione

transformer [tRɑ̃sfɔRme] *vt* trasformare; **se transformer** *vr* trasformarsi; **~ du plomb en or** trasformare il piombo in oro

transfusion [tRɑ̃sfyzjɔ̃] *nf*: **~ sanguine** trasfusione f (di sangue)

transgénique [tRɑ̃sʒenik] *adj* transgenico(-a)

transgresser [tRɑ̃sgRese] *vt* trasgredire

transi, e [tRɑ̃zi] *adj* intirizzito(-a)

transiger [tRɑ̃ziʒe] *vi* transigere; **~ sur** *ou* **avec qch** transigere su *ou* con qc

transit [tRɑ̃zit] *nm* transito; **de ~** (*port, document*) di transito; **en ~** (*marchandises, personnes*) in transito

transiter [tRɑ̃zite] *vi* far transitare

transition [tRɑ̃zisjɔ̃] *nf* transizione f

transitoire [tRɑ̃zitwaR] *adj* transitorio(-a)

transmettre [tRɑ̃smɛtR] *vt* (*aussi Méd, Radio etc*) trasmettere; (*secret, recette*) tramandare; (*vœux, amitiés*) porgere; (*Jur: pouvoir, autorité*) delegare

transmission [tRɑ̃smisjɔ̃] *nf* trasmissione f; (*Jur*) delega; **transmissions** *nfpl* (*Mil*) trasmissioni *fpl*; **~ de données** trasmissione dati; **~ de pensée** telepatia

transparent, e [tRɑ̃spaRɑ̃, ɑ̃t] *adj* trasparente

transpercer [tRɑ̃spɛRse] *vt* trapassare, trafiggere; (*fig: froid*) penetrare; (: *insulte*) trafiggere; **~ un vêtement/mur** passare attraverso un vestito/muro

transpiration [tRɑ̃spiRasjɔ̃] *nf* sudore m

transpirer [tRɑ̃spiRe] *vi* traspirare, sudare; (*information, nouvelle*) trapelare

transplanter [tRɑ̃splɑ̃te] *vt* trapiantare

transport [tRɑ̃spɔR] *nm* trasporto; **~ de colère/de joie** impeto d'ira/di gioia; **voiture/avion de ~** vettura/aereo da trasporto; **~ aérien** trasporto aereo; **~ de marchandises/de voyageurs** trasporto (di) merci/(di) viaggiatori; **~s en commun** mezzi *mpl* pubblici; **~s routiers** trasporti stradali

transporter [tRɑ̃spɔRte] *vt* trasportare; (*à la main, à dos*) portare, trasportare; **se transporter** *vr*: **se ~ quelque part** (*fig*) trasferirsi da

qualche parte; **~ qn à l'hôpital**
trasportare qn all'ospedale; **~ qn de
bonheur** riempire qn di felicità
transporteur [tʀɑ̃spɔʀtœʀ] *nm*
autotrasportatore *m*
transvaser [tʀɑ̃svɑze] *vt* travasare
transversal, e, aux [tʀɑ̃svɛʀsal, o]
adj trasversale; (*Auto*): **axe ~** strada
principale che attraversa il paese
trapèze [tʀapɛz] *nm* trapezio
trappe [tʀap] *nf* (*de cave, grenier*)
botola; (*piège*) trappola
trapu, e [tʀapy] *adj* (*personne*)
tracagnotto(-a), tarchiato(-a)
traquenard [tʀaknaʀ] *nm* trappola
traquer [tʀake] *vt* (*animal, prisonnier*)
braccare; (*harceler*) perseguitare
traumatiser [tʀomatize] *vt*
traumatizzare
travail, -aux [tʀavaj, o] *nm* lavoro;
(*de la pierre, du bois*) lavorazione *f*;
(*Méd*) doglie *fpl*, travaglio; **travaux**
nmpl (*de réparation, agricoles etc*) lavori
mpl; **être/entrer en ~** (*Méd*) essere/
entrare in travaglio; **être sans ~**
(*employé*) essere disoccupato(-a);
~ (au) noir lavoro nero; **~ d'intérêt
général** lavoro non remunerato a titolo
di pena sostitutiva o complementare per
piccoli reati; **~ forcé** lavoro ingrato;
~ posté lavoro a turni; **travaux des
champs** lavoro *msg* dei campi;
travaux dirigés (*Scol*) esercitazioni
fpl; **travaux forcés** lavori forzati;
travaux manuels (*Scol*) applicazioni
fpl tecniche; **travaux ménagers**
lavori domestici; **travaux pratiques**
(*gén, en laboratoire*) esercitazioni *fpl*;
travaux publics lavori pubblici; **le
bâtiment et les travaux publics**
l'edilizia
travailler [tʀavaje] *vi* lavorare; (*bois*)
cedere ■ *vt* lavorare; (*discipline*)
studiare; (*fig: influencer*) lavorarsi;
faire ~ l'argent far fruttare il denaro;
cela le travaille ciò lo tormenta;
~ la terre lavorare la terra; **~ son
piano** esercitarsi al piano; **~ à**
lavorare a; (*fig: contribuer à*) darsi da
fare per; **~ à faire** darsi da fare per fare
travailleur, -euse [tʀavajœʀ, øz]
adj: **être ~** essere un gran lavoratore/
una grande lavoratrice ■ *nm/f*
lavoratore(-trice); **~ de force**

bracciante *m*; **~ intellectuel**
lavoratore intellettuale; **~ manuel**
lavoratore manuale; **~ social**
operatore *m* sociale
travailliste [tʀavajist] *adj* laburista
■ *nm/f*: **les ~s** i laburisti
travers [tʀavɛʀ] *nm* difetto; **en ~
(de)** di traverso (su); **au ~ (de)**
attraverso; **de ~** (*aussi fig*) di traverso;
à ~ attraverso; **regarder de ~** (*fig*)
guardare di traverso
traverse [tʀavɛʀs] *nf* (*Rail*)
traversina; **chemin de ~** scorciatoia
traversée [tʀavɛʀse] *nf*
attraversamento; (*en mer*) traversata;
combien de temps dure la ~? quanto
dura la traversata?
traverser [tʀavɛʀse] *vt* attraversare;
(*percer: suj: pluie, froid*) passare
attraverso
traversin [tʀavɛʀsɛ̃] *nm* capezzale *m*
travesti [tʀavɛsti] *nm* (*costume*)
travestimento; (*artiste de cabaret*)
attore *m* travestito; (*homosexuel*)
travestito
trébucher [tʀebyʃe] *vi*: **~ (sur)**
incespicare (in)
trèfle [tʀɛfl] *nm* (*Bot*) trifoglio;
(*Cartes*) fiori *mpl*; **~ à quatre feuilles**
quadrifoglio
treize [tʀɛz] *adj inv, nm inv* tredici (*m*)
inv; *voir aussi* **cinq**
treizième [tʀɛzjɛm] *adj, nm/f*
tredicesimo(-a) ■ *nm* tredicesimo;
voir aussi **cinquième**
tréma [tʀema] *nm* dieresi *f inv*
tremblement [tʀɑ̃bləmɑ̃] *nm* (*de
froid, fièvre, peur*) tremito; (*de voix,
flamme*) tremolio; (*de vitre*) vibrazione
f; **~ de terre** terremoto
trembler [tʀɑ̃ble] *vi* (*voix, flamme*)
tremolare; (*terre, feuille*) tremare;
(*vitre*) vibrare; **~ de** (*froid, peur*)
tremare di; **~ de fièvre** tremare per
la febbre; **~ pour qn** trepidare *ou*
tremare per qn
trémousser [tʀemuse] *vr*:
se trémousser agitarsi, dimenarsi
trempé, e [tʀɑ̃pe] *adj* bagnato(-a)
fradicio(-a), inzuppato(-a); **acier ~**
acciaio temprato(-a)
tremper [tʀɑ̃pe] *vt* inzuppare;
(*plonger*): **~ qch dans** immergere qc in
■ *vi* (*lessive, vaisselle*) essere a mollo;

(fig): ~ **dans** *(affaire, crime)* essere coinvolto(-a) in; **se tremper** *vr (dans la mer, piscine etc)* fare un rapido bagno; **se faire** ~ inzupparsi; **faire/ mettre à** ~ mettere in ammollo

tremplin [trɑ̃plɛ̃] *nm (de gymnase)* pedana; *(de piscine, Ski, fig)* trampolino

trentaine [trɑ̃tɛn] *nf*: **une** ~ **(de)** una trentina (di); **avoir la** ~ essere sulla trentina

trente [trɑ̃t] *adj inv, nm inv* trenta *m inv*; **voir ~-six chandelles** vedere le stelle; **être/se mettre sur son** ~ **et un** essere/mettersi in ghingheri; **~-trois tours** *nm (disque)* trentatré giri *m inv*; *voir aussi* **cinq**

trentième [trɑ̃tjɛm] *adj, nm/f* trentesimo(-a) ■ *nm* trentesimo; *voir aussi* **cinquième**

trépidant, e [trepidɑ̃, ɑ̃t] *adj (fig)* febbrile

trépigner [trepiɲe] *vi*: ~ **(d'enthousiasme/d'impatience)** pestare i piedi (per l'entusiasmo/ l'impazienza)

très [trɛ] *adv* molto; ~ **beau/bien** molto bello/bene; ~ **critiqué** molto criticato, criticatissimo; ~ **industrialisé** molto industrializzato; **j'ai** ~ **envie de** ho molta voglia di; **j'ai** ~ **faim** ho molta fame

trésor [trezɔr] *nm (aussi fig)* tesoro; *(d'une organisation secrète)* fondi *mpl*; **T~ (public)** erario

trésorerie [trezɔrri] *nf (fonds)* disponibilità *fpl*, liquidità *fpl*; *(gestion)* contabilità *f inv*; *(bureaux)* tesoreria; *(poste)* carica di tesoriere; **difficultés de** ~ problemi *mpl* di liquidità *ou* cassa; ~ **générale** ≈ tesoreria provinciale

trésorier, -ière [trezɔrje, jɛr] *nm/f* tesoriere *m*

tressaillir [tresajir] *vi* sussultare; *(de peur)* trasalire

tressauter [tresote] *vi* sobbalzare

tresse [trɛs] *nf* treccia

tresser [trese] *vt* intrecciare

tréteau, x [treto] *nm* cavalletto, trespolo; **les ~x** *(fig)* il teatro ambulante

treuil [trœj] *nm* verricello

trêve [trɛv] *nf (Mil, Pol, fig)* tregua; ~ **de...** basta con..., bando a...; **sans** ~ senza tregua; **les États de la T~** gli Stati della Tregua

tri [tri] *nm* cernita, selezione *f*; *(Inform)* ordinamento; *(Postes)* smistamento

triangle [trijɑ̃gl] *nm* triangolo; ~ **équilatéral/isocèle/rectangle** triangolo equilatero/isoscele/ rettangolo

triangulaire [trijɑ̃gylɛr] *adj* triangolare

tribord [tribɔr] *nm*: **à** ~ a dritta

tribu [triby] *nf* tribù *f inv*

tribunal, -aux [tribynal, o] *nm* tribunale *m*; ~ **d'instance** pretura; ~ **de commerce** *tribunale competente per le vertenze commerciali*; ~ **de grande instance** tribunale civile; ~ **de police** *tribunale penale competente in materia di contravvenzioni*; ~ **pour enfants** tribunale per i minorenni

tribune [tribyn] *nf* tribuna; *(estrade)* tribuna, podio; *(débat)* dibattito; ~ **libre** *(Presse)* tribuna aperta

tribut [triby] *nm* tributo; **payer un lourd** ~ **à** *(fig)* pagare un prezzo molto alto per

tributaire [tribytɛr] *adj*: **être** ~ **de** dipendere da

tricher [triʃe] *vi* barare; *(à un examen)* copiare

tricheur, -euse [triʃœr, øz] *nm/f* imbroglione(-a); *(au jeu)* baro(-a)

tricolore [trikɔlɔr] *adj (drapeau, papier)* tricolore; *(français)* francese

tricot [triko] *nm* maglia; *(ouvrage)* lavoro a maglia; *(vêtement)* pullover *m inv*, golf *m inv*; ~ **de corps** canottiera

tricoter [trikɔte] *vt* fare a maglia; **machine à** ~ macchina per maglieria; **aiguille à** ~ ferro (da calza)

tricycle [trisikl] *nm* triciclo

trier [trije] *vt (objets, documents)* fare la cernita di, selezionare; *(Postes, visiteurs)* smistare; *(Inform)* ordinare; *(fruits)* calibrare; *(grains)* selezionare

trimestre [trimɛstr] *nm* trimestre *m*

trimestriel, le [trimɛstrijɛl] *adj* trimestrale

trinquer [trɛ̃ke] *vi (porter un toast)* brindare; *(fam)* sentirle; ~ **à qch/la santé de qn** brindare a qc/alla salute di qn

triomphe [trijɔ̃f] *nm* trionfo; **être reçu/porté en** ~ essere ricevuto/ portato in trionfo

riompher [tʀijɔ̃fe] vi trionfare; (jubiler) esultare, trionfare; ~ **de qch** (difficulté, résistance) vincere ou superare qc; ~ **de qn** trionfare su qn

ripes [tʀip] nfpl (Culin) trippa fsg; (fam) budella fpl

riple [tʀipl] adj (à trois éléments) triplice; (trois fois plus grand) triplo(-a) ◼ nm: **le ~ (de)** il triplo (di); **en ~ exemplaire** in triplice copia

ripler [tʀiple] vi triplicarsi ◼ vt triplicare

riplés, ées [tʀiple] nm/fpl (bébés) gemelli(-e) di un parto trigemino

ripoter [tʀipɔte] vt maneggiare; (fam) palpeggiare ◼ vi (fam) frugare, rovistare

riste [tʀist] adj triste; **un ~ personnage** (péj) un brutto tipo; **une ~ affaire** (péj) una brutta faccenda; **c'est pas ~!** (fam) da morir dal ridere!

ristesse [tʀistɛs] nf tristezza

rivial, e, aux [tʀivjal, o] adj triviale

roc [tʀɔk] nm baratto; **faire du ~** fare a baratto

rognon [tʀɔɲɔ̃] nm torsolo

rois [tʀwɑ] adj inv, nm inv tre (m) inv; voir aussi **cinq**

roisième [tʀwazjɛm] adj, nm/f terzo(-a); **le ~ âge** la terza età; voir aussi **cinquième**

rombe [tʀɔ̃b] nf tromba; **en ~** (arriver, passer) come un razzo ou un turbine; ~ **d'eau** violento acquazzone m

rombone [tʀɔ̃bɔn] nm (Mus) trombone m; (de bureau) clip m inv, fermaglio; ~ **à coulisse** trombone a tiro

rompe [tʀɔ̃p] nf (d'éléphant) proboscide f; (Mus) corno; ~ **d'Eustache** tromba di Eustachio; ~**s utérines** tube uterine ou di Fallopio

romper [tʀɔ̃pe] vt (ami, client) imbrogliare, ingannare; (femme, mari) tradire; (fig: espoir, attente) deludere; (vigilance, poursuivants) sfuggire a; (suj: distance, ressemblance) ingannare; **se tromper** vr sbagliare, sbagliarsi; **se ~ de voiture/jour** sbagliare macchina/giorno; **se ~ de 3 cm/ 20 euros** sbagliare di 3 cm/20 euro; **je me suis trompé de route** ho sbagliato strada

rompette [tʀɔ̃pɛt] nf (Mus) tromba; **en ~** (nez) all'insù

trompeur, -euse [tʀɔ̃pœʀ, øz] adj ingannevole

tronc [tʀɔ̃] nm (Bot, Anat) tronco; (d'église) cassetta delle elemosine; ~ **commun** insegnamento unificato durante la scuola media inferiore e il primo anno delle superiori; ~ **d'arbre** tronco d'albero; ~ **de cône** tronco di cono

tronçon [tʀɔ̃sɔ̃] nm tronco, tratto

tronçonner [tʀɔ̃sɔne] vt tagliare a pezzi

tronçonneuse [tʀɔ̃sɔnøz] nf motosega

trône [tʀon] nm trono; **monter sur le ~** ascendere ou salire al trono

trop [tʀo] adv troppo; ~ **(nombreux)** troppi(-e); ~ **peu (nombreux)** troppo pochi(-a); ~ **(souvent)/(longtemps)** troppo spesso/a lungo; ~ **de** (nombre) troppi(-e); (quantité) troppo(-a); **des livres en ~** dei libri in più ou di troppo; **3 livres/5 euros de ~** 3 libri/5 euro in più ou di troppo; **ça coûte ~ cher** costa troppo

tropical, e, aux [tʀɔpikal, o] adj tropicale

tropique [tʀɔpik] nm tropico; **tropiques** nmpl (régions tropicales) tropici mpl; ~ **du Cancer/du Capricorne** Tropico del Cancro/del Capricorno

trop-plein [tʀɔplɛ̃] (pl ~s) nm (de réservoir) troppopieno; (liquide) liquido in eccesso; (fig) eccesso

troquer [tʀɔke] vt: ~ **qch contre qch** barattare qc con qc; (fig) cambiare qc con qc

trot [tʀo] nm trotto; **aller au ~** (fam) andare di corsa

trotter [tʀɔte] vi trottare; (fig) correre

trottinette [tʀɔtinɛt] nf monopattino

trottoir [tʀɔtwaʀ] nm marciapiede m; **faire le ~** (péj) battere il marciapiede; ~ **roulant** tappeto scorrevole

trou [tʀu] nm buco, foro; (dans un jardin, Golf) buca; (fig, Comm) buco; ~ **d'aération** sfiato, sfiatatoio; ~ **d'air** (en avion) vuoto d'aria; ~ **de la serrure** buco della serratura; ~ **de mémoire** vuoto di memoria; ~ **noir** buco nero

troublant, e [tʀublɑ̃, ɑ̃t] adj (ressemblance, erreur) sconcertante,

inquietante; (*beauté, regard*)
conturbante

trouble [tʀubl] *adj* (*eau, liquide*)
torbido(-a); (*image, mémoire*)
confuso(-a); (*fig: affaire, histoire*) poco
chiaro(-a) ■ *adv*: **voir ~** non vedere
chiaro ■ *nm* turbamento; (*zizanie*)
scompiglio; **troubles** *nmpl* (*Pol:
manifestations*) disordini *mpl*; (*Méd*)
turbe *fpl*, disturbi *mpl*; **~s de la
personnalité** turbe della personalità;
~s de la vision disturbi visivi *ou* della
vista

trouble-fête [tʀubləfɛt] *nm/f inv*
guastafeste *m/f inv*

troubler [tʀuble] *vt* (*personne,
sommeil*) turbare; (*liquide*) intorbidire;
(*horizon*) offuscare; (*ordre*) sovvertire;
(*réunion*) disturbare; **se troubler** *vr*
(*personne*) emozionarsi, confondersi;
~ l'ordre public turbare l'ordine
pubblico

trouer [tʀue] *vt* bucare; (*fig: silence,
nuit*) squarciare

trouille [tʀuj] (*fam*) *nf*: **avoir la ~**
farsela sotto

troupe [tʀup] *nf* (*Mil*) truppa;
(*d'écoliers, de manifestants*) gruppo,
schiera; **la ~** (*Mil: l'armée*) l'esercito;
~ (de théâtre) troupe *f inv* (teatrale);
~s de choc truppe d'assalto

troupeau, x [tʀupo] *nm* (*de moutons*)
gregge *m*; (*de vaches*) mandria

trousse [tʀus] *nf* (*étui, de docteur*)
borsa; (*d'écolier*) astuccio *m*
portapenne *inv*; **aux ~s de** (*fig*) alle
calcagna di; **~ à outils** borsa degli
attrezzi; **~ de toilette/de voyage**
nécessaire da toeletta/da viaggio

trousseau, x [tʀuso] *nm* (*de jeune
mariée*) corredo; **~ de clefs** mazzo di
chiavi

trouvaille [tʀuvaj] *nf* scoperta;
(*fig: idée etc*) trovata

trouver [tʀuve] *vt* trovare; (*rendre
visite*): **aller/venir ~ qn** andare/venire
a trovare qn; **se trouver** *vr* trovarsi;
~ le loyer cher/le prix excessif
trovare l'affitto caro/il prezzo
eccessivo; **je trouve que** trovo che;
~ à boire/critiquer trovare da bere/
da criticare; **elle se trouve être/
avoir** il caso vuole che lei sia/abbia;
elle se trouve être libre si ritrova ad

essere libera; **il se trouve que** si dà il
caso che; **se ~ bien** trovarsi bene; **se
bien (de qch)** essere soddisfatto(-a)
(di qc); **se ~ mal** svenire

truand [tʀyɑ̃] *nm* malvivente *m*

truander [tʀyɑ̃de] (*fam*) *vt* bidonare,
truffare

truc [tʀyk] *nm* (*astuce, de cinéma*)
trucco; (*chose, machin*) coso, affare *m*;
avoir le ~ sapere come si fa; **c'est pa**
son ~ (*fam*) non fa per lui

truffe [tʀyf] *nf* (*Bot*) tartufo; (*nez*)
naso del cane

truffer [tʀyfe] *vt* (*Culin*) tartufare;
truffé de (*fig*) farcito di; (: *pièges*)
pieno di

truie [tʀɥi] *nf* scrofa

truite [tʀɥit] *nf* trota

truquer [tʀyke] *vt* truccare; **scène**
truquée (*Ciné*) scena con effetti
speciali

TSVP [teɛsvepe] *abr* (= *tournez s'il vou*
plaît) vedi retro

TTC [tetese] *abr* (= *toutes taxes*
comprises) *voir* **taxe**

tu¹ [ty] *pron* tu ■ *nm*: **dire tu à qn**
dare del tu a qn; **tu as gagné (tu)** hai
vinto; **tu pars maintenant ?** parti
adesso?

tu², e [ty] *pp de* **taire**

tuba [tyba] *nm* (*Mus*) tuba; (*Sport*)
boccaglio

tube [tyb] *nm* tubo; (*d'aspirine, de
dentifrice etc*) tubetto; (*chanson,
disque*) successo; **à essai** provetta;
~ de peinture tubetto di colore;
~ digestif tubo digerente

tuberculose [tybɛʀkyloz] *nf*
tubercolosi *f inv*

tuer [tɥe] *vt* uccidere, ammazzare;
(*vie, activité, fig*) uccidere; **se tuer** *vr*
uccidersi; (*dans un accident*) morire;
se ~ au travail (*fig*) ammazzarsi di
lavoro

tuerie [tyʀi] *nf* massacro, carneficin

tue-tête [tytɛt]: **à ~** *adv* a squarciago'

tueur [tɥœʀ] *nm* assassino; **~ à
gages** sicario

tuile [tɥil] *nf* tegola; (*fam: ennui,
malchance*) guaio

tulipe [tylip] *nf* tulipano

tuméfié, e [tymefje] *adj*
tumefatto(-a)

tumeur [tymœʀ] *nf* tumore *m*

u

tumulte [tymylt] *nm* tumulto

tumultueux, -euse [tymyltɥø, øz] *adj* tumultuoso(-a)

tunique [tynik] *nf* tunica

Tunisie [tynizi] *nf* Tunisia

tunisien, ne [tynizjɛ̃, jɛn] *adj* tunisino(-a) ■ *nm/f*: **Tunisien, ne** tunisino(-a)

tunnel [tynɛl] *nm* tunnel *m inv*, galleria

turbulent, e [tyʁbylɑ̃, ɑ̃t] *adj* turbolento(-a)

turc, turque [tyʁk] *adj* turco(-a) ■ *nm/f*: **Turc, Turque** turco(-a) ■ *nm* (*langue*) turco; **à la turque** (*assis, w.c.*) alla turca

turf [tyʁf] *nm* (*activité*) ippica

turfiste [tyʁfist] *nm/f* appassionato(-a) di ippica

Turquie [tyʁki] *nf* Turchia

turquoise [tyʁkwaz] *adj inv, nf* turchese (*f*)

tutelle [tytɛl] *nf* (*Jur, fig*) tutela; **être/mettre sous la ~ de** essere/porre sotto la tutela di

tuteur, -trice [tytœʁ, tʁis] *nm/f* (*Jur*) tutore(-trice) ■ *nm* (*de plante*) sostegno

tutoyer [tytwaje] *vt*: **~ qn** dare del tu a qn

tuyau, x [tɥijo] *nm* tubo; (*fam: conseil*) suggerimento; **avoir de bons ~x sur qch** essere ben informato(-a) su qc; **~ d'arrosage** tubo per annaffiare; **~ d'échappement** tubo di scappamento *ou* di scarico; **~ d'incendie** idrante *m*

tuyauterie [tɥijotʁi] *nf* tubature *fpl*

TVA [tevea] *sigle f* (= *taxe à ou sur la valeur ajoutée*) ≈ I.V.A. *f*

tympan [tɛ̃pɑ̃] *nm* (*Anat*) timpano

type [tip] *nm* tipo ■ *adj* (*typique*) tipo *inv*; **le ~ travailleur** il tipo del lavoratore; **le ~ confortable** il tipo comodo; **avoir le ~ nordique** essere un tipo nordico

typé, e [tipe] *adj*: **être ~** essere un tipo

typique [tipik] *adj* tipico(-a)

tyran [tiʁɑ̃] *nm* tiranno

tyrannique [tiʁanik] *adj* tirannico(-a)

tzigane [dzigan] *adj, nm/f* zigano(-a)

---

ulcère [ylsɛʁ] *nm* ulcera; **~ à l'estomac** ulcera allo stomaco

ultérieur, e [ylteʁjœʁ] *adj* ulteriore; **reporté à une date ~e** rimandato a data da destinarsi

ultérieurement [ylteʁjœʁmɑ̃] *adv* ulteriormente

ultime [yltim] *adj* finale

 MOT-CLÉ

un, une [œ̃, yn] *art indéf* un (una) (+ *consonne*), un (un') (+ *voyelle*), uno (una) (+ *s* + *consonne, gn, pn, ps, x, z*); **un garçon/vieillard** un ragazzo/vecchio; **une amie** un'amica; **un sport** uno sport
■ *pron* uno(-a); **l'un des meilleurs** uno dei migliori; **l'un..., l'autre...** l'uno..., l'altro....; **les uns..., les autres...** gli uni..., gli altri...; **l'un et l'autre** l'uno e l'altro; **l'un ou l'autre** uno o l'altro; **pas un seul** neanche uno; **un par un** uno a uno
■ *adj* uno(-a); **une pomme seulement** solo una mela
■ *nf*: **la une** (*Presse*) la prima pagina

unanime [ynanim] *adj* unanime;
ils sont ~s (à penser que...) sono
tutti concordi (nel pensare che...)
unanimité [ynanimite] *nf*
unanimità *f*; **à l'~** all'unanimità; **faire
l'~** ottenere l'unanimità; **élire qn à
l'~** eleggere qn all'unanimità
uni, e [yni] *adj* (*ton, tissu*) a tinta unita;
(*couleur*) uniforme; (*surface, terrain*)
piano(-a); (*famille, pays*) unito(-a)
■ *nm* (*étoffe unie*) stoffa in tinta unita
unifier [ynifje] *vt* unificare; **s'unifier**
vr unificarsi
uniforme [ynifɔrm] *adj* uniforme;
(*fig: vie*) piatto(-a) ■ *nm* uniforme *f*,
divisa; **être sous l'~** (*Mil*) aver
intrapreso la carriera militare
uniformiser [ynifɔrmize] *vt*
uniformare
union [ynjɔ̃] *nf* unione *f*; **l'U~ des
républiques socialistes soviétiques**
l'unione delle repubbliche socialiste
sovietiche; **l'U~ soviétique** l'Unione
sovietica; **~ conjugale** unione
coniugale; **~ de consommateurs**
associazione *f* di consumatori;
~ douanière unione doganale;
U~ européenne Unione Europea;
~ libre convivenza
unique [ynik] *adj* unico(-a); **ménage
à salaire ~** famiglia con un solo
stipendio; **route à voie ~** strada a
senso unico; **fils ~** figlio unico; **~ en
France** unico(-a) in Francia
uniquement [ynikmã] *adv*
unicamente
unir [ynir] *vt* unire; **s'unir** *vr* unirsi;
~ qch à unire qc a; **s'~ à** *ou* **avec** unirsi
a *ou* con
unitaire [yniter] *adj* unitario(-a)
unité [ynite] *nf* unità *f inv*; **~ centrale
(de traitement)** (*Inform*) unità
centrale (di elaborazione); **~ d'action**
unità d'azione; **~ de valeur** (*Univ*)
≈ esame *m* previsto dal piano di studi;
~ de vues identità di vedute
univers [yniver] *nm* universo
universel, le [yniversɛl] *adj*
universale; (*réaction*) generale
universitaire [yniversiter] *adj*
universitario(-a) ■ *nm/f* docente *m/f*
universitario(-a)
université [yniversite] *nf*
università *f inv*

uranium [yranjɔm] *nf*: **~ appauvri**
uranio impoverito
urbain, e [yrbɛ̃, ɛn] *adj* urbano(-a);
(*poli*) civile
urbanisme [yrbanism] *nm*
urbanistica
urgence [yrʒãs] *nf* urgenza; (*Méd*)
caso urgente; **on a eu 3 ~s ce matin** c
sono stati tre casi urgenti questa
mattina; **d'~** d'urgenza; **en cas d'~** in
caso di emergenza; **service des ~s**
(*Méd*) (servizio di) pronto soccorso
urgent, e [yrʒã, ãt] *adj* urgente
urine [yrin] *nf* urina
urinoir [yrinwar] *nm* orinatoio,
vespasiano
urne [yrn] *nf* urna; **aller aux ~s**
andare alle urne; **~ funéraire** urna
cineraria
urticaire [yrtiker] *nf* orticaria
us [ys] *nmpl*: **us et coutumes** usi *mpl*
e costumi *mpl*
usage [yzaʒ] *nm* uso; (*coutume*) uso,
usanza; (*bonnes manières*) buone
maniere *fpl*; **c'est l'~** è la prassi; **faire
~ de** fare uso di; **avoir l'~ de** avere
l'uso di; **à l'~** con l'uso; **à l'~ de** (*pour*)
ad uso di; **en ~** in uso; **hors d'~** fuori
uso; **à ~ interne/externe** (*Méd*) per
uso interno/esterno
usagé, e [yzaʒe] *adj* usato(-a)
usager, -ère [yzaʒe, ɛr] *nm/f* utente
m/f
usé, e [yze] *adj* (*outil, vêtement*)
consunto(-a), logoro(-a); (*santé,
personne*) malandato(-a); (*banal,
rebattu*) trito(-a); **eaux ~es** scarichi *mp*
user [yze] *vt* (*outil, vêtement*)
consumare, logorare; (*consommer:
charbon etc*) consumare; (*fig: santé,
personne*) rovinare; **s'user** *vr*
logorarsi; **s'~ à la tâche** *ou* **au travail**
lavorare fino allo sfinimento; **~ de**
(*moyen, droit*) avvalersi di
usine [yzin] *nf* fabbrica,
stabilimento; **~ à gaz** officina del gas
~ atomique centrale *f* nucleare;
~ marémotrice centrale *f*
mareomotrice
usité, e [yzite] *adj* in uso; **peu ~**
raro(-a)
ustensile [ystãsil] *nm* utensile *m*;
~ de cuisine utensile da cucina
usuel, le [yzɥɛl] *adj* usuale

usure [yzyʀ] *nf* (*détérioration, Dir*)
usura; **avoir qn à l'~** avere la meglio
su qn a furia di insistere

utérus [yteʀys] *nm* utero

utile [ytil] *adj* utile; (*collaborateur*)
valido(-a); **~ à qn/qch** utile a qn/qc;
si cela peut vous être ~,... se può
esserle utile...

utilisation [ytilizasjɔ̃] *nf*
utilizzazione *f*, utilizzo

utiliser [ytilize] *vt* (*employer*)
utilizzare, usare; (: *force, moyen*:
consommer, se servir de) usare; (*Culin*:
restes) utilizzare

utilitaire [ytilitɛʀ] *adj* utilitario(-a);
(*véhicule*) ad uso commerciale ■ *nm*
(*Inform*) utilità *finv*

utilité [ytilite] *nf* utilità *finv*; **jouer
les ~s** (*Théâtre*) avere parti *fpl*
secondarie; **reconnu d'~ publique**
(*Admin*) riconosciuto di pubblica
utilità; **c'est d'une grande ~** è di
grande utilità; **quelle est l'~ de ceci?**
a che pro?; **il n'y a aucune ~ à... è
inutile...

utopie [ytɔpi] *nf* utopia

va [va] *vb voir* **aller**

vacance [vakɑ̃s] *nf* (*d'un poste*)
vacanza; **vacances** *nfpl* vacanze *fpl*,
ferie *fpl*; (*Scol*) vacanze *fpl*; **les
grandes ~s** le vacanze estive; (*travail*)
ferie estive; **prendre des/ses ~s (en
juin)** prendere le ferie (in giugno);
aller en ~s andare in vacanza; **je suis
ici en ~s** sono qui in vacanza; **~s de
Noël/de Pâques** vacanze di Natale/
di Pasqua

vacancier, -ière [vakɑ̃sje, jɛʀ] *nm/f*
villeggiante *m/f*

vacant, e [vakɑ̃, ɑ̃t] *adj* (*poste, chaire*)
vacante; (*appartement*) vuoto(-a),
libero(-a)

vacarme [vakaʀm] *nm* chiasso,
baccano

vaccin [vaksɛ̃] *nm* vaccino;
~ antidiphtérique/antivariolique
vaccino antidifterico/antivaioloso

vaccination [vaksinasjɔ̃] *nf*
vaccinazione *f*

vacciner [vaksine] *vt* vaccinare;
~ qn contre vaccinare qn contro; (*fig*)
immunizzare qn da; **être vacciné**
(*fig*) essere vaccinato

vache [vaʃ] nf vacca, mucca; (cuir)
vacchetta ■ adj (fam): **être ~** essere
una carogna; **manger de la ~
enragée** tirare la cinghia (fig);
période des ~s maigres tempo di
vacche magre; **~ à eau** ghirba; **~ à
lait** (péj) persona da sfruttare; **~ folle**
mucca pazza; **~ laitière** vacca da latte
vachement [vaʃmã] (fam) adv
maledettamente, un sacco
vacherie [vaʃʀi] (fam) nf cattiveria;
(action) carognata
vaciller [vasije] vi vacillare; (sur ses
fondations, sa base) vacillare,
traballare; **~ dans ses réponses/ses
résolutions** essere insicuro(-a) nelle
proprie risposte/delle proprie
decisioni
va-et-vient [vaevjɛ̃] nm inv
(de pièce mobile) viavai m inv;
(de personnes, véhicules) andirivieni m
inv, viavai m inv; (Élec) commutatore
m a doppia via
vagabond, e [vagabɔ̃, ɔ̃d] adj
vagabondo(-a) ■ nm vagabondo
vagabonder [vagabɔ̃de] vi
vagabondare; (suj: pensées) vagare,
vagabondare
vagin [vaʒɛ̃] nm vagina
vague [vag] nf (sur l'eau, d'une
chevelure) onda; (d'immigrants,
d'enthousiasme) ondata ■ adj (confus)
vago(-a); (regard) perso(-a) nel vuoto;
(manteau, robe) ampio(-a);
(quelconque: cousin) lontano(-a) ■ nm:
rester dans le ~ rimanere nel vago;
un ~ bureau un qualche ufficio; **être
dans le ~** essere nel vago; **regarder
dans le ~** guardare nel vuoto; **~ à
l'âme** nm malinconia; **~ d'assaut** nf
(Mil) ondata di assalto; **~ de chaleur**
nf ondata di caldo; **~ de fond** nf
ondata; **~ de froid** nf ondata di freddo
vaillant, e [vajɑ̃, ɑ̃t] adj
coraggioso(-a), valoroso(-a);
(vigoureux) vigoroso(-a); **n'avoir plus
ou pas un sou ~** non avere (più) il
becco di un quattrino
vain, e [vɛ̃, vɛn] adj vano(-a); (fat:
personne) vacuo(-a); **en ~** invano
vaincre [vɛ̃kʀ] vt vincere
vaincu, e [vɛ̃ky] pp de **vaincre**
■ nm/f (Mil) vinto(-a); (Sport)
sconfitto(-a)

vainqueur [vɛ̃kœʀ] nm
vincitore(-trice) ■ adj m
vincitore(-trice)
vaisseau, x [vɛso] nm (Anat) vaso;
(Naut) vascello; **capitaine de ~**
capitano di vascello; **~ spatial**
navicella spaziale
vaisselier [vɛsəlje] nm credenza
vaisselle [vɛsɛl] nf (service) stoviglie
fpl; (plats etc à laver) piatti mpl; **faire la
~** lavare i piatti
valable [valabl] adj valido(-a)
valet [valɛ] nm servitore m, cameriere
m; (péj) lacchè m, galoppino; (cintre)
portaabiti m inv; (Cartes) fante m;
~ de chambre cameriere; **~ de ferme**
garzone m di fattoria; **~ de pied**
domestico
valeur [valœʀ] nf valore m; **valeurs**
nfpl (morales) valori mpl; **mettre en ~**
(aussi fig) valorizzare; **avoir/prendre
de la ~** avere/acquistare valore; **sans
~** senza valore; **~ absolue** valore
assoluto; **~ d'échange** valore di
scambio; **~s mobilières** valori ou titoli
mpl mobiliari; **~s nominales** valori
nominali
valide [valid] adj (en bonne santé)
sano(-a); (passeport, billet) valido(-a)
valider [valide] vt convalidare
valise [valiz] nf valigia; **faire sa ~** fare
la valigia; **la ~ (diplomatique)** la
valigia diplomatica
vallée [vale] nf valle f, vallata
vallon [valɔ̃] nm valletta
valoir [valwaʀ] vi valere ■ vt valere;
(causer, procurer): **~ qch à qn**
procurare qc a qn; **se valoir** vr
equivalersi; **ça se vaut** una cosa vale
l'altra; **faire ~** (ses droits etc) far valere;
(domaine, capitaux) far fruttare; **faire ~
que** sottolineare che; **se faire ~** farsi
valere; **à ~ sur** (acompte) a valere su;
vaille que vaille bene o male; **cela ne
me dit rien qui vaille** (questa
faccenda) non mi dice nulla di buono;
ce climat ne me vaut rien questo
clima mi è nocivo; **~ la peine** valere la
pena; **il vaut mieux se taire/que je
fasse comme ceci** è meglio tacere/
che (io) faccia così; **ça ne vaut rien**
non vale niente; **~ cher** valere molto;
que vaut ce candidat? com'è questo
candidato?

valse [vals] nf valzer m inv; **c'est la ~ des étiquettes** i prezzi cambiano in continuazione

vandalisme [vãdalism] nm vandalismo

vanille [vanij] nf vaniglia; **glace/ crème à la ~** gelato/crema alla vaniglia

vanité [vanite] nf vanità f inv; **tirer ~ de** vantarsi di

vaniteux, -euse [vanitø, øz] adj vanitoso(-a)

vanne [van] nf (d'écluse etc) paratoia; (fam) frecciata; **lancer une ~ à qn** lanciare una frecciata a qn

vannerie [vanʀi] nf (art) artigianato del vimine; (objets) articoli mpl di vimini

vantard, e [vãtaʀ, aʀd] adj spaccone(-a), sbruffone(-a)

vanter [vãte] vt vantare; **se vanter** vr vantarsi; **se ~ de qch** vantarsi di qc; **se ~ d'avoir fait/de pouvoir faire** vantarsi d'aver fatto/di poter fare

vapeur [vapœʀ] nf vapore m; **vapeurs** nfpl (bouffées de chaleur) caldane fpl; **les ~s du vin** i fumi del vino; **machine/locomotive à ~** macchina/locomotiva a vapore; **à toute ~** (fig) a tutto vapore; **renverser la ~** invertire la marcia; (fig) fare marcia indietro; **cuit à la ~** (Culin) cotto al vapore

vaporeux, -euse [vapɔʀø, øz] adj (flou, fondu) sfumato(-a); (léger, transparent) vaporoso(-a)

vaporisateur [vapɔʀizatœʀ] nm vaporizzatore m

vaporiser [vapɔʀize] vt (Chim) vaporizzare; (parfum etc) spruzzare

varappe [vaʀap] nf scalata, ascensione f; **faire de la ~** fare roccia

vareuse [vaʀøz] nf (blouson de marin) giubbotto da marinaio; (d'uniforme) giacca

variable [vaʀjabl] adj variabile; (divers: résultats) diverso(-a) ■ nf (Math) variabile f

varice [vaʀis] nf vena varicosa, varice f

varicelle [vaʀisɛl] nf varicella

varié, e [vaʀje] adj vario(-a); (divers: goûts, résultats) diverso(-a), vario(-a); **hors d'œuvre ~s** antipasti mpl assortiti

varier [vaʀje] vi variare; (changer d'avis) cambiare opinione; (différer d'opinion) divergere ■ vt variare

variété [vaʀjete] nf varietà f inv; **une (grande) ~ de** una (grande) varietà di; **spectacle de ~s** spettacolo di varietà

variole [vaʀjɔl] nf vaiolo

vas [va] vb voir **aller**; **~-y!** dai!, forza!, su!

vase [vaz] nm vaso ■ nf melma; **en ~ clos** senza contatti con l'esterno; **~ de nuit** vaso da notte; **~s communicants** vasi comunicanti

vaseux, -euse [vazø, øz] adj melmoso(-a); (fig: confus: discours) fumoso(-a), confuso(-a); (: personne: fatigué) fiacco(-a), giù di corda; (: étourdi) distratto(-a)

vasistas [vazistas] nm vasistas m inv, finestrella (per aerazione)

vaste [vast] adj vasto(-a)

vautour [votuʀ] nm avvoltoio

vautrer [votʀe] vr: **se vautrer** (dans la boue) rotolarsi; (sur le lit) stravaccarsi; (fig: dans le vice) sguazzare

VDQS nm (= vin délimité de qualité supérieure) voir encadré ci-dessous

⬡ **VDQS**
⬡
⬡ VDQS è il secondo marchio di
⬡ qualità dei vini in Francia dopo
⬡ "AOC", ed è seguito dalla dicitura
⬡ "vin de pays". Il "vin de table" o "vin
⬡ ordinaire" è un vino da tavola di
⬡ origine non specificata, spesso
⬡ miscelato.

veau, x [vo] nm vitello; **tuer le ~ gras** uccidere il vitello grasso

vécu, e [veky] pp de **vivre** ■ adj vissuto(-a)

vedette [vədɛt] nf (acteur, artiste) divo(-a), star f inv; (fig: personnalité) esponente m/f di primo piano; (canot) motovedetta; (Mil) vedetta; **mettre qn en ~** (Ciné etc) scrivere il nome di qn al primo posto in cartellone; (fig) mettere in risalto; **avoir la ~** occupare il primo posto in cartellone

végétal, e, aux [veʒetal, o] adj, nm vegetale (m)

végétalien, ne [veʒetaljɛ̃, jɛn] *adj,*
nm/f vegetaliano(-a)

végétarien, ne [veʒetaʀjɛ̃, jɛn] *adj,*
nm/f vegetariano(-a); **avez-vous des**
plats ~s? avete piatti vegetariani?

végétation [veʒetasjɔ̃] *nf*
vegetazione *f;* **végétations** *nfpl*
(*Méd*) adenoidi *fpl;* **opérer qn des ~s**
operare qn di adenoidi; **~ arctique/**
tropicale vegetazione artica/
tropicale

véhicule [veikyl] *nm* veicolo;
~ utilitaire veicolo ad uso
commerciale

veille [vɛj] *nf* (*garde*) guardia; (*Psych*)
veglia; (*jour*) vigilia; **la ~ au soir** la
sera della vigilia; **à la ~ de** alla vigilia
di; **l'état de ~** lo stato di veglia

veillée [veje] *nf* (*soirée*) serata;
~ d'armes veglia d'armi;
~ (mortuaire) veglia (funebre)

veiller [veje] *vi* vegliare; (*être de garde*)
essere di guardia; (*être vigilant*)
vigilare **■** *vt* (*malade, mort*) vegliare;
~ à (*à l'ordre publique etc*) vegliare su;
(*à l'approvisionnement etc*) occuparsi di;
~ à faire/à ce que badare a fare/che;
~ sur (*surveiller: enfants*) stare
attento(-a) *ou* badare a

veilleur [vɛjœʀ] *nm:* **~ de nuit**
guardia notturna

veilleuse [vɛjøz] *nf* (*lampe*) lumino
da notte; (*Auto*) luce *f* di posizione;
(*flamme*) fiamma *f* pilota *inv;* **en ~**
(*lampe*) con la luce bassa; (*fig: affaire*)
a rilento

veinard, e [vɛnaʀ, aʀd] (*fam*) *nm/f*
fortunato(-a)

veine [vɛn] *nf* vena; **avoir de la ~**
(*fam*) essere fortunato(-a)

véliplanchiste [veliplɑ̃ʃist] *nm/f*
windsurfista *m/f*

vélo [velo] *nm* bicicletta, bici *f inv;*
faire du ~ andare in bicicletta *ou* bici

vélomoteur [velɔmɔtœʀ] *nm*
ciclomotore *m,* motorino

velours [v(ə)luʀ] *nm* velluto;
~ côtelé velluto a coste; **~ de coton/**
laine/soie velluto di cotone/lana/
seta

velouté, e [vəlute] *adj* vellutato(-a)
■ *nm* (*Culin*): **~ d'asperges/de**
tomates crema di asparagi/di
pomodoro

velu, e [vəly] *adj* villoso(-a)

vendange [vɑ̃dɑ̃ʒ] *nf* vendemmia

vendanger [vɑ̃dɑ̃ʒe] *vi, vt*
vendemmiare

vendeur, -euse [vɑ̃dœʀ, øz] *nm/f*
(*de magasin*) commesso(-a); (*Comm*)
venditore(-trice) **■** *nm* (*Jur*) venditore
m; **~ de journaux** giornalaio

vendre [vɑ̃dʀ] *vt* vendere; **~ qch à qn**
vendere qc a qn; **cela se vend bien**
(si) vende bene; **"à ~"** "in vendita"

vendredi [vɑ̃dʀədi] *nm* venerdì *m inv*
~ saint Venerdì santo; *voir aussi* **lundi**

vénéneux, -euse [venenø, øz] *adj*
velenoso(-a)

vénérien, ne [veneʀjɛ̃, jɛn] *adj*
venereo(-a)

vengeance [vɑ̃ʒɑ̃s] *nf* vendetta

venger [vɑ̃ʒe] *vt* vendicare;
se venger *vr* vendicarsi; **se ~ de/sur**
qch/qn vendicarsi di/su qc/qn

venimeux, -euse [vənimø, øz] *adj*
(*aussi fig*) velenoso(-a)

venin [vənɛ̃] *nm* veleno

venir [v(ə)niʀ] *vi* venire; (*saison etc*)
arrivare; **~ de** (*lieu*) venire da; (*cause*)
derivare da; **~ de faire: je viens d'y**
aller ci sono appena stato; **je viens**
de le voir l'ho appena visto; **s'il vient**
à pleuvoir se dovesse piovere; **en ~ à**
faire; **j'en viens à croire que**
comincio a credere che; **il en est**
venu à mendier si è ridotto a
mendicare; **en ~ aux mains** venire
alle mani; **les années/générations**
à ~ gli anni/le generazioni a venire;
où veux-tu en ~? dove vuoi andare a
parare?; **je te vois ~** so già dove vuoi
arrivare; **il me vient des soupçons**
mi vengono dei sospetti; **laisser ~**
(*fig*) stare a guardare; **faire ~** (*docteur,*
plombier) far venire, chiamare; **d'où**
vient que...? per quale ragione...?,
come mai...?; **~ au monde** venire al
mondo

vent [vɑ̃] *nm* vento; **il y a du ~** c'è
vento; **c'est du ~** (*fig: verbiage*) sono
tutte chiacchiere; **au ~** (*Naut*)
sopravvento; **sous le ~** sottovento;
avoir le ~ debout *ou* **en face/arrière**
ou **en poupe** avere il vento di prora/di
poppa; **(être) dans le ~** (*fam*) (essere)
all'ultima moda; **prendre le ~** (*fig*)
sentire che aria tira; **avoir ~ de** avere

sentore di; **aller contre ~s et marées** andare avanti malgrado gli ostacoli

vente [vãt] *nf* vendita; (*secteur*) vendite *fpl*; **mettre en ~** mettere in vendita; **~ aux enchères** vendita all'asta; **~ de charité** vendita di beneficenza; **~ par correspondance** vendita per corrispondenza

venteux, -euse [vãtø, øz] *adj* ventoso(-a)

ventilateur [vãtilatœr] *nm* ventilatore *m*

ventiler [vãtile] *vt* (*local*) aerare, ventilare; (*total, comptes*) ripartire

ventouse [vãtuz] *nf* ventosa

ventre [vãtr] *nm* ventre *m*, pancia; (*fig: de bateau*) ventre; (: *d'outre*) pancia; **avoir/prendre du ~** avere/ mettere su pancia; **avoir mal au ~** avere mal di pancia

venu, e [v(ə)ny] *pp de* venir ■ *adj*: **être mal ~ à** *ou* **de faire** avere torto a fare; **mal/bien ~** mal/ben riuscito(-a)

ver [ver] *nm* verme *m*; (*du bois*) tarlo; **~ à soie** baco da seta; **~ blanc** larva del maggiolino; **~ de terre** lombrico; **~ luisant** lucciola; **~ solitaire** verme solitario; *voir aussi* **vers**

verbe [verb] *nm* (*Ling*) verbo; **avoir le ~ sonore** parlare a voce alta; **le V~** (*Rel*) il Verbo

verdâtre [verdatr] *adj* verdastro(-a)

verdict [verdik(t)] *nm* verdetto

verdir [verdir] *vi* diventare verde; (*végétaux*) rinverdire ■ *vt* colorare di verde

verdure [verdyr] *nf* vegetazione *f*, verde *m*; (*légumes verts*) verdura

véreux, -euse [verø, øz] *adj* (*contenant des vers*) bacato(-a); (*malhonnête*) disonesto(-a); (*suspect*) losco(-a)

verge [ver3] *nf* verga

verger [ver3e] *nm* frutteto

verglacé, e [verglase] *adj* coperto(-a) di ghiaccio

verglas [vergla] *nm* ghiaccio (sulle strade)

véridique [veridik] *adj* veridico(-a), veritiero(-a)

vérification [verifikasjɔ̃] *nf* verifica; (*confirmation*) avverarsi *m inv*; **~ d'identité** (*Police*) accertamento d'identità

vérifier [verifje] *vt* verificare; (*suj: chose: prouver*) confermare; **se vérifier** *vr* avverarsi

véritable [veritabl] *adj* vero(-a); **un ~ désastre** un vero (e proprio) disastro

vérité [verite] *nf* verità *f inv*; (*d'un portrait romanesque*) verosimiglianza; **en ~** in verità, di fatto; (*à vrai dire*) per la verità; **à la ~** a dire il vero *ou* la verità

vermeil, le [vermɛj] *adj* vermiglio(-a) ■ *nm* vermeil *m inv*

vermine [vermin] *nf* parassiti *mpl*; (*fig*) teppaglia

vermoulu, e [vermuly] *adj* tarlato(-a)

verni, e [verni] *adj* verniciato(-a); (*fam: veinard*) fortunato(-a); **cuir ~** vernice *f*; **souliers ~s** scarpe *fpl* di vernice

vernir [vernir] *vt* verniciare

vernis [verni] *nm* vernice *f*; **~ à ongles** smalto (per unghie)

vernissage [vernisa3] *nm* verniciatura; (*d'une exposition*) vernissage *m inv*

vérole [verol] *nf* (*aussi*: **petite vérole**) vaiolo; (*fam*) sifilide *f*

verre [ver] *nm* (*substance*) vetro; (*récipient, contenu*) bicchiere *m*; (*de lunettes*) lente *f*; **verres** *nmpl* (*lunettes*) occhiali *mpl*; **boire** *ou* **prendre un ~** bere *ou* prendere un bicchiere; **~ à dents** bicchiere per sciacqui; **~ à liqueur** bicchierino (da liquore); **~ à pied** (bicchiere a) calice *m*; **~ à vin** bicchiere da vino; **~ armé** vetro armato; **~ de lampe** campana del lume; **~ de montre** vetrino dell'orologio; **~ dépoli** vetro smerigliato; **~ feuilleté** vetro di sicurezza laminato; **~ trempé** vetro temprato; **~s de contact** lenti *fpl* a contatto; **~s fumés** lenti *fpl* affumicate

verrière [verjer] *nf* vetrata; (*toit vitré*) tettuccio trasparente

verrou [veru] *nm* chiavistello, catenaccio; (*Mil*) sbarramento; (*Géo*) soglia glaciale; **mettre le ~** mettere il catenaccio; **sous les ~s** (*en prison*) dentro

verrouillage [veruja3] *nm* chiusura con chiavistello *ou* catenaccio; **~ central** (*Auto*) chiusura centralizzata

verrouiller [veruje] *vt* (*porte*) chiudere con il catenaccio; (*Mil*) chiudere, sbarrare

verrue [very] *nf* verruca; (*fig*) bruttura

vers [vɛʀ] *nm* verso ▪ *prép* verso; **vers** *nmpl* (*poésie*) versi *mpl*

versant [vɛʀsɑ̃] *nm* versante *m*

versatile [vɛʀsatil] *adj* volubile

verse [vɛʀs]: **à ~** *adv*: **il pleut à ~** piove a dirotto

Verseau [vɛʀso] *nm* (*Astrol*) Acquario; **être du ~** essere dell'Acquario

versement [vɛʀsəmɑ̃] *nm* versamento; **en 3 ~s** in 3 versamenti

verser [vɛʀse] *vt* versare; (*soldat*): **~ qn dans** assegnare qn a ▪ *vi* (*véhicule*) rovesciarsi; (*fig*): **~ dans** cadere in; **~ à un compte** versare su un conto

version [vɛʀsjɔ̃] *nf* versione *f*; (*traduction*) traduzione *f* (*verso la lingua madre*); **film en ~ originale** film in versione originale

verso [vɛʀso] *nm* verso, retro; **voir au ~** vedi a tergo

vert, e [vɛʀ, vɛʀt] *adj* verde; (*personne: vigoureux*) in gamba; (*langage, propos*) crudo(-a); (*vin*) giovane ▪ *nm* (*couleur*) verde *m*; **les V~s** (*Pol*) i Verdi; **en voir/dire des ~es (et des pas mûres)** vederne/dirne di cotte e di crude; **se mettre au ~** andare a riposarsi in campagna; **~ bouteille** *adj inv* verde bottiglia *inv*; **~ d'eau** *adj inv* verde acqua *inv*; **~ pomme** *adj inv* verde mela *inv*

vertèbre [vɛʀtɛbʀ] *nf* vertebra

vertement [vɛʀtəmɑ̃] *adv* aspramente

vertical, e, aux [vɛʀtikal, o] *adj* verticale

verticale [vɛʀtikal] *nf* verticale *f*; **à la ~** verticalmente

verticalement [vɛʀtikalmɑ̃] *adv* verticalmente

vertige [vɛʀtiʒ] *nm* (*peur du vide*) vertigini *fpl*; (*étourdissement, fig*) capogiro, vertigini; **ça me donne le ~** (*aussi fig*) mi fa venire le vertigini; (*fig*) mi dà le vertigini *ou* il capogiro

vertigineux, -euse [vɛʀtiʒinø, øz] *adj* vertiginoso(-a)

vertu [vɛʀty] *nf* virtù *f inv*; **avoir la ~ de** avere la proprietà di; **en ~ de** in virtù di

vertueux, -euse [vɛʀtɥø, øz] *adj* virtuoso(-a)

verve [vɛʀv] *nf* brio, verve *f*; **être en ~** essere in vena

verveine [vɛʀvɛn] *nf* verbena; (*infusion*) infuso di verbena

vésicule [vezikyl] *nf* vescicola; **~ biliaire** cistifellea, colecisti *f inv*

vessie [vesi] *nf* vescica

veste [vɛst] *nf* giacca; **retourner sa ~** (*fig*) cambiare bandiera; **~ croisée** giacca a doppio petto; **~ droite** giacca a un petto

vestiaire [vɛstjɛʀ] *nm* (*au théâtre etc*) guardaroba *m inv*; (*de stade etc*) spogliatoio; (*armoire*) **~** guardaroba

vestibule [vɛstibyl] *nm* anticamera, vestibolo

vestige [vɛstiʒ] *nm* vestigio; **vestiges** *nmpl* (*de ville, du passé*) vestigia *fpl*

vestimentaire [vɛstimɑ̃tɛʀ] *adj* (*dépense*) per il vestiario; (*détail, élégance*) dell'abbigliamento

veston [vɛstɔ̃] *nm* giacca

vêtement [vɛtmɑ̃] *nm* vestito, abito; (*Comm*): **le ~** l'abbigliamento; **vêtements** *nmpl* (*habits*) vestiti *mpl*, abiti *mpl*; **~s de sport** abbigliamento *msg* sportivo

vétérinaire [veteʀinɛʀ] *adj, nm/f* veterinario(-a)

vêtir [vetiʀ] *vt* vestire; **se vêtir** *vr* vestirsi

vêtu, e [vety] *pp de* **vêtir** ▪ *adj*: **~ de** vestito(-a) di; **chaudement ~** ben coperto(-a)

vétuste [vetyst] *adj* vetusto(-a)

veuf, veuve [vœf, vœv] *adj* vedovo(-a) ▪ *nm* vedovo

veuve [vœv] *adj f voir* **veuf** ▪ *nf* vedova

vexant, e [vɛksɑ̃, ɑ̃t] *adj* (*contrariant*) seccante, irritante; (*blessant*) offensivo(-a)

vexations [vɛksasjɔ̃] *nfpl* vessazioni *fpl*, angherie *fpl*

vexer [vɛkse] *vt* offendere; **se vexer** *vr* offendersi

viable [vjabl] *adj* (*fœtus*) vitale; (*réforme*) valido(-a)

viande [vjɑ̃d] *nf* carne *f*; **je ne mange pas de ~** non mangio carne; **~ blanche** carne bianca; **~ rouge** carne rossa

vibrer [vibʀe] *vi, vt* vibrare

vice [vis] *nm* vizio; **~ de fabrication/ construction** difetto di fabbricazione/costruzione; **~ caché** (*Comm*) vizio occulto; **~ de forme** (*Jur*) vizio di forma

vicié, e [visje] *adj* (*air, Jur*) viziato(-a); (*goût*) alterato(-a)

vicieux, -euse [visjø, jøz] *adj* (*pervers, fautif*) vizioso(-a); (*méchant*) cattivo(-a)

vicinal, e, aux [visinal, o] *adj* vicinale; **chemin ~** stradina

victime [viktim] *nf* vittima; **être (la) ~ de** essere vittima di; **être ~ d'une attaque/d'un accident** essere vittima di un'aggressione/di un incidente

victoire [viktwaʀ] *nf* vittoria

victuailles [viktɥaj] *nfpl* viveri *mpl*, vettovaglie *fpl*

vidange [vidɑ̃ʒ] *nf* (*d'un fossé, réservoir*) svuotamento; (*Auto*) cambio dell'olio; (*de lavabo: bonde*) scarico; **vidanges** *nfpl* (*matières*) spurghi *mpl*; **faire la ~** (*Auto*) fare il cambio dell'olio; **tuyau de ~** tubo di scarico

vidanger [vidɑ̃ʒe] *vt* svuotare; **faire ~ la voiture** far fare il cambio dell'olio alla macchina

vide [vid] *adj* vuoto(-a); ■ *nm* vuoto; **~ de** privo(-a) di; **sous ~** sotto vuoto; **regarder dans le ~** guardare nel vuoto; **parler dans le ~** parlare al muro; **faire le ~** (*dans son esprit*) liberare la mente; **faire le ~ autour de qn** fare il vuoto intorno a qn; **à ~** a vuoto

vidéo [video] *nf* video *m inv* ■ *adj inv*: **bande ~/disque ~** videonastro/videodisco; (*technique*) video *inv*; **~ inverse** (*Inform*) video inverso

vidéoclip [videoklip] *nm* videoclip *m inv*

vide-ordures [vidɔʀdyʀ] *nm inv* (colonna di) scarico delle immondizie

vider [vide] *vt* (*récipient*) (s)vuotare; (*contenu*) versare; (*salle, lieu*) vuotare; (*boire*) scolare, vuotare; (*Culin: volaille, poisson*) pulire; (*résoudre: querelle*) risolvere; (*fatiguer*) sfinire; (*fam: expulser*) cacciare; **se vider** *vr* (*récipient*) (s)vuotarsi; **~ les lieux** sloggiare

videur [vidœʀ] *nm* (*de boîte de nuit*) buttafuori *m inv*

vie [vi] *nf* vita; **à ~** (*élu, membre*) a vita; **dans la ~ courante** nella vita di tutti i giorni; **avoir la ~ dure** (*résister*) essere duro(-a) a morire; **mener la ~ dure à qn** rendere la vita difficile a qn

vieil [vjɛj] *adj m voir* **vieux**

vieillard [vjɛjaʀ] *nm* vecchio; **les ~s** i vecchi, gli anziani

vieille [vjɛj] *adj f voir* **vieux**

vieilleries [vjɛjʀi] *nfpl* anticaglie *fpl*

vieillesse [vjɛjɛs] *nf* vecchiaia; **la ~** (*ensemble des vieillards*) gli anziani, le persone anziane

vieillir [vjejiʀ] *vi, vt* invecchiare; **se vieillir** *vr* invecchiarsi; **il a beaucoup vieilli** è invecchiato molto

vierge [vjɛʀʒ] *adj* vergine ■ *nf* vergine *f*; (*Astrol*): **V~** Vergine; **être (de la) V~** essere della Vergine; **~ de** scevro(-a) di

vieux, vieil, vieille [vjø, vjɛj] *adj* vecchio(-a) ■ *nmpl*: **les ~** (*aussi parents*) i vecchi; **un petit ~** un vecchietto; **mon ~, ma vieille** (*fam*) caro mio(-cara mia); **prendre un coup de ~** invecchiare di colpo; **se faire ~** invecchiare; **~ garçon** scapolo; **~ jeu** *adj inv* all'antica, antiquato(-a)

vif, vive [vif, viv] *adj* vivo(-a); (*animé, alerte*) vivace; (*brusque*) brusco(-a); (*air, vent, froid*) pungente; (*déception*) profondo(-a); **brûlé ~** bruciato(-a) vivo; **eau/source vive** acqua/ sorgente viva; **de vive voix** a viva voce; **toucher** *ou* **piquer qn au ~** toccare *ou* pungere qn sul vivo; **tailler** *ou* **couper dans le ~** incidere *ou* tagliare nel vivo; **à ~** (*plaie*) aperto(-a); **avoir les nerfs à ~** avere i nervi a fior di pelle; **sur le ~** (*Art*) dal vero; **entrer dans le ~ du sujet/ débat** entrare nel vivo di un argomento/dibattito

vigne [viɲ] nf (plante) vite f;
(plantation) vigna, vigneto; **~ vierge**
vite f del Canada

vigneron [viɲ(ə)ʀɔ̃] nm viticoltore m

vignette [viɲɛt] nf (motif, illustration)
vignetta; (de marque) contrassegno;
(Admin) bollo (di circolazione); (: sur
médicament) fustella

vignoble [viɲɔbl] nm vigneto, vigna;
(vignes d'une région) vigneti mpl

vigoureux, -euse [viguʀø, øz] adj
vigoroso(-a)

vigueur [vigœʀ] nf vigore m; **en ~** in
uso; (Jur) in vigore; **être/entrer en ~**
(Jur) essere/entrare in vigore

vilain, e [vilɛ̃, ɛn] adj brutto(-a);
(pas sage: enfant) cattivo(-a) ■ nm
(paysan) villano; **ça va faire du/
tourner au ~** (la cosa) si mette male;
~ mot parolaccia

villa [villa] nf villa

village [vilaʒ] nm paese m, paesino;
~ de toile tendopoli f inv; **~ de
vacances** (organisation) villaggio
turistico

villageois, e [vilaʒwa, waz] adj
campagnolo(-a), paesano(-a) ■ nm/f
paesano(-a), abitante m/f del paese

ville [vil] nf città f inv; **la ~**
(administration) il comune; **habiter en
~** abitare in città; (opposé à banlieue)
abitare in centro; **aller en ~** andare in
città; **~ nouvelle** città f satellite inv

vin [vɛ̃] nm vino; **avoir le ~ gai/triste**
avere la sbornia allegra/triste; **~ blanc**
vino bianco; **~ d'honneur** bicchierata;
~ de messe vino da messa; **~ de pays**
vino tipico; **~ de table** vino da tavola;
~ nouveau vino nuovo; **~ ordinaire**
vino da pasto; **~ rosé** vino rosé ou
rosato; **~ rouge** vino rosso

vinaigre [vinɛgʀ] nm aceto; **tourner
au ~** (fig) prendere una brutta piega;
~ d'alcool aceto di acquavite; **~ de vin**
aceto di vino

vinaigrette [vinɛgʀɛt] nf condimento
per l'insalata a base di olio, aceto, sale e
senape

vindicatif, -ive [vɛ̃dikatif, iv] adj
vendicativo(-a)

vingt [vɛ̃] adj inv, nm inv venti (m) inv;
~-quatre heures sur ~-quatre
ventiquattr'ore su ventiquattro; voir
aussi **cinq**

vingtaine [vɛ̃tɛn] nf: **une ~ (de)** una
ventina (di)

vingtième [vɛ̃tjɛm] adj, nm/f
ventesimo(-a) ■ nm ventesimo; **le ~
siècle** il ventesimo secolo; voir aussi
cinquième

vinicole [vinikɔl] adj (production,
région) vinicolo(-a)

vinyle [vinil] nm vinile m

viol [vjɔl] nm (d'une femme) stupro,
violenza carnale; (d'un lieu sacré)
violazione f

violacé, e [vjɔlase] adj violaceo(-a)

violemment [vjɔlamɑ̃] adv
violentemente

violence [vjɔlɑ̃s] nf violenza; **faire ~
à qn** fare violenza a qn; **se faire ~**
costringersi

violent, e [vjɔlɑ̃, ɑ̃t] adj violento(-a)

violer [vjɔle] vt violare; (femme)
stuprare, violentare

violet, te [vjɔlɛ, ɛt] adj viola inv,
violetto(-a) ■ nm viola m inv, violetto

violette [vjɔlɛt] nf viola, violetta

violon [vjɔlɔ̃] nm violino; (fam: prison)
guardina; **premier ~** (Mus) primo
violino; **~ d'Ingres** hobby m inv,
passatempo

violoncelle [vjɔlɔ̃sɛl] nm violoncello

violoniste [vjɔlɔnist] nm/f
violinista m/f

vipère [vipɛʀ] nf vipera

virage [viʀaʒ] nm (d'un véhicule, d'une
route) curva, svolta; (Chim, Photo)
viraggio; (de cuti-réaction) reazione f
positiva; (fig: Pol etc) svolta; **prendre
un ~** prendere una curva; **~ sans
visibilité** (Auto) curva cieca; **~ sur
l'aile** (Aviat) virata sull'ala

virée [viʀe] nf giro

virement [viʀmɑ̃] nm (Comm)
trasferimento, bonifico; **~ bancaire**
bonifico (bancario); **~ postal**
postagiro

virer [viʀe] vt (Comm: somme): **~ qch
(sur)** girare ou trasferire qc (su);
(Photo) sottoporre al viraggio; (fam:
renvoyer) cacciare via ■ vi (changer de
direction) girare, voltare; (: Naut, Aviat)
virare; (Chim, Photo) virare; (Méd: cuti-
réaction) risultare positivo(-a); **~ au
bleu/au rouge** tendere all'azzurro/al
rosso; **~ de bord** (Naut) virare di bordo;
~ sur l'aile (Aviat) virare sull'ala

virevolter [viʀvɔlte] *vi* piroettare; (*fig*) svolazzare

virgule [viʀgyl] *nf* virgola; **4 ~ 2** 4 virgola 2; **~ flottante** virgola mobile

viril, e [viʀil] *adj* virile

virtuel, le [viʀtɥɛl] *adj* virtuale

virtuose [viʀtɥoz] *nm/f, adj* virtuoso(-a)

virus [viʀys] *nm* virus *m inv*

vis¹ [vi] *vb voir* **voir; vivre**

vis² [vis] *nf* vite *f*; **~ à tête plate** vite a testa piana; **~ à tête ronde** vite a testa tonda; **~ platinées** (*Auto*) puntine *fpl* (platinate); **~ sans fin** vite senza fine

visa [viza] *nm* visto; **~ de censure** (*Ciné*) visto della censura

visage [vizaʒ] *nm* viso, volto; (*fig: aspect*) volto; **à ~ découvert** (*franchement*) a viso aperto

vis-à-vis [vizavi] *adv* di fronte ■ *nm inv* persona (*ou* cosa) di fronte; **~ de** di fronte a; (*fig: à l'égard de*) nei confronti di; (*: en comparaison de*) in confronto a; **en ~** di fronte; **sans ~** (*immeuble*) senza nulla di fronte

visée [vize] *nf* (*avec une arme*) puntamento, mira; (*Arpentage*) rilevamento; **visées** *nfpl* (*intentions*) mire *fpl*; **avoir des ~ sur qn/qch** avere delle mire su qn/qc

viser [vize] *vi* mirare ■ *vt* mirare a; (*concerner*) riguardare; (*apposer un visa sur*) vistare; **~ à qch/faire** (*avoir pour but*) mirare a qc/fare

visibilité [vizibilite] *nf* visibilità; **bonne/mauvaise ~** buona/scarsa visibilità; **sans ~** (*pilotage, virage*) cieco(-a)

visible [vizibl] *adj* visibile; (*évident*) chiaro(-a), evidente; **est-il ~?** (*disponible*) riceve?

visière [vizjɛʀ] *nf* visiera; **mettre sa main en ~** ripararsi gli occhi dalla luce con la mano

vision [vizjɔ̃] *nf* (*sens*) vista; (*image*) visione *f*; **en première ~** (*Ciné*) in prima visione

visionneuse [vizjɔnøz] *nf* (*Photo*) visore *m*; (*Ciné*) moviola

visiophone [vizjɔfɔn] *nm* videotelefono

visite [vizit] *nf* visita; (*expertise*) sopralluogo; **faire une ~ à qn** fare una visita a qn; **rendre ~ à qn** far visita a qn; **être en ~ (chez qn)** essere in visita (da qn); **heures de ~** orario delle visite; **le droit de ~** (*Jur: aux enfants d'un(e) divorcé(e)*) diritto di accesso; **la ~ guidée commence à quelle heure?** a che ora comincia la visita guidata?; **~ de douane** visita *ou* ispezione *f* doganale; **~ domiciliaire** perquisizione *f* domiciliare; **~ médicale** visita medica

visiter [vizite] *vt* visitare

visiteur, -euse [vizitœʀ, øz] *nm/f* (*touriste*) visitatore(-trice); **~ de prison** visitatore(-trice) di carceri; **~ des douanes** ispettore *m* doganale; **~ médical** informatore *m* medico scientifico

vison [vizɔ̃] *nm* visone *m*

visser [vise] *vt* avvitare

visuel, le [vizɥɛl] *adj* visivo(-a) ■ *nm* (*Inform*) schermo di visualizzazione, display *m inv*

vital, e, aux [vital, o] *adj* vitale

vitamine [vitamin] *nf* vitamina

vite [vit] *adv* (*rapidement: passer, travailler*) velocemente; (*sans délai*) presto; **faire ~** sbrigarsi; **ce sera ~ fini** finirà presto; **viens ~!** vieni, presto!

vitesse [vites] *nf* velocità *f inv*; (*Auto*): **les ~s** le marce *fpl*; **prendre qn de ~** battere qn sul tempo; **faire de la ~** correre *ou* andare molto forte; **prendre de la ~** prendere velocità; **à toute ~** a tutta velocità; **limite de ~** limite di velocità; **en perte de ~** (*avion*) che perde quota; (*fig*) in declino, in ribasso; **changer de ~** (*Auto*) cambiare (marcia); **en première/deuxième ~** (*Auto*) in prima/seconda; **~ acquise** velocità acquista; **~ de croisière** velocità di crociera; **~ de pointe** velocità massima; **~ du son** velocità del suono

viticulteur [vitikyltœʀ] *nm*
viticoltore *m*

vitrail, -aux [vitʀaj, o] *nm* vetrata;
(*technique*) tecnica di costruzione
delle vetrate

vitre [vitʀ] *nf* vetro

vitré, e [vitʀe] *adj* a vetri; **porte ~e**
porta a vetri

vitrine [vitʀin] *nf* vetrina;
~ publicitaire vetrina, bacheca

vivable [vivabl] *adj* (*personne*)
sopportabile; (*endroit*) vivibile

vivace [*adj* vivas, *adv* vivatʃe] *adj*
(*arbre, plante*) perenne; (*fig: haine*)
ancora molto forte ■ *adv* (*Mus*)
vivace

vivacité [vivasite] *nf* vivacità

vivant, e [vivã, ãt] *vb voir* **vivre**
■ *adj* (*qui vit*) vivo(-a); (*animé:
personne, œuvre*) vivo(-a), vivace;
(*preuve, exemple, témoignage*) vivente;
(*langue*) vivo(-a), moderno(-a) ■ *nm*:
du ~ de... quando era ancora
vivo(-a)...; **les ~s et les morts** i vivi e i
morti

vive [viv] *adj f voir* **vif** ■ *vb voir* **vivre**
■ *excl* viva; **~ les vacances!** viva le
vacanze!

vivement [vivmã] *adv* vivamente;
(*de façon brusque*) bruscamente;
(*fortement*) fortemente ■ *excl*: **~ qu'il
s'en aille!** speriamo che se ne vada
presto!; **~ les vacances!** ben vengano
le vacanze!

vivier [vivje] *nm* vivaio

vivifiant, e [vivifjã, jãt] *adj*
vivificante

vivoter [vivɔte] *vi* vivacchiare;
(*affaire*) tirare avanti

vivre [vivʀ] *vi, vt* vivere ■ *nm*: **le ~
et le logement** (il) vitto e (l')alloggio;
vivres *nmpl* (*nourriture*) viveri *mpl*;
la victime vit encore la vittima è
ancora in vita; **savoir ~** saper vivere;
se laisser ~ prendere la vita come
viene; **ne plus ~** (*être anxieux*) non
vivere più; **il a vécu** (*eu une vie
aventureuse*) ha vissuto; **ce régime a
vécu** questo regime ha fatto il suo
tempo; **il est facile/difficile à ~** ha
un carattere accomodante/difficile;
faire ~ qn (*pourvoir à sa subsistance*)
mantenere qn; **~ bien/mal**
(*largement, chichement*) vivere

agiatamente/poveramente; **~ de**
(*salaire etc*) vivere di

vlan [vlã] *excl* paf, paffete

vocabulaire [vɔkabylɛʀ] *nm*
vocabolario

vocation [vɔkasjɔ̃] *nf* vocazione *f*;
avoir la ~ avere la vocazione

vœu, x [vø] *nm* (*souhait*) augurio;
(*désir*) desiderio; (*à Dieu*) voto; **faire ~
de** fare voto di; **avec tous nos** *ou* **nos
meilleurs ~x** con i nostri migliori *ou*
più cari auguri; **faire le ~ que** sperare
ou augurarsi che; **~x de bonheur**
auguri *mpl* di felicità; **~x de bonne
année** auguri *mpl* di buon anno

vogue [vɔg] *nf* moda, voga; **en ~** in
voga, di moda

voici [vwasi] *prép* ecco; **et ~ que...** ed
ecco che...; **il est parti ~ 3 ans** è
partito tre anni fa; **~ une semaine
que je l'ai vue** è da una settimana che
non lo vedo; **me ~** eccomi qua; *voir
aussi* **voilà**

voie [vwa] *vb voir* **voir** ■ *nf* (*chemin,
passage*) via; (*Rail*) binario; (*Auto*)
carreggiata; (*fig: orientation*) strada;
par ~ buccale *ou* **orale** (*Méd*) per via
orale; **par ~ rectale** per via rettale;
suivre la ~ hiérarchique andare per
via gerarchica; **ouvrir/montrer la ~**
aprire/indicare la strada; **être en
bonne ~** essere ben avviato(-a);
mettre qn sur la ~ mettere qn sulla
strada giusta; **en ~ de** (*en cours de*) in
via di; **pays en ~ de développement**
paese *m* in via di sviluppo; **route à 2/3
~s** strada a 2/3 corsie; **par la ~
aérienne/maritime** per via aerea/
marittima; **par ~ ferrée** per ferrovia;
~ à sens unique strada a senso unico;
~ d'eau (*Naut: voie navigable*) via
navigabile; (: *entrée d'eau*) falla; **~ de
fait** (*Jur*) via di fatto; **~ de garage**
(*Rail, fig*) binario morto; **~ express**
(*fig*) ≈ superstrada; **~ ferrée** ferrovia;
la ~ lactée la via lattea; **~ navigable**
via navigabile; **~ prioritaire** strada
con (diritto di) precedenza; **~ privée**
strada privata; **la ~ publique** la
pubblica via

voilà [vwala] *prép* (*en désignant*) ecco;
les ~ *ou* **voici** eccoli (qua); **en ~** *ou*
voici un eccone uno; **~** *ou* **voici deux
ans** due anni fa; **~** *ou* **voici deux ans**

que... sono due anni che...; **et ~!** e questo è tutto!; **~ tout** ecco tutto; **"~" ou "voici"** (en offrant qch) "ecco qua"

voile [vwal] nm velo; (tissu léger) voile m inv; (Photo) velatura, velo ■ nf (de bateau, Sport) vela; **prendre le ~** (Rel) prendere il velo; **mettre à la ~** (Naut) salpare; **~ au poumon** nm (Méd) velo al polmone; **~ du palais** nm (Anat) velo palatino, palato molle

voiler [vwale] vt velare; (fausser: roue) deformare; (: bois) incurvare; **se voiler** vr velarsi; (Tech: roue, disque) deformarsi; (: planche) incurvarsi; **se ~ la face** coprirsi il viso

voilier [vwalje] nm (bateau) veliero; (: de plaisance) barca a vela

voilure [vwalyʀ] nf velatura; (d'un parachute) calotta

voir [vwaʀ] vi vedere; (comprendre): **je vois** capisco, vedo ■ vt vedere; **se voir** vr vedersi; **cela se voit** (cela arrive) succede, capita; (c'est évident) si vede; **~ à faire qch** vedere di fare qc; **~ loin** (fig) essere lungimirante; **je te vois venir** capisco dove vuoi arrivare; **faire ~ qch à qn** far vedere qc a qn; **en faire ~ à qn** (fig) farne (vedere) a qn di tutti i colori; **ne pas pouvoir ~ qn** (fig) non poter vedere qn; **regardez-~** veda un po'; **montrez-~** faccia un po' vedere; **dites-~** dica un po'; **voyons!** su!, andiamo!; **c'est à ~!** è tutto da vedere!; **c'est à vous de ~** veda lei; **c'est ce qu'on va ~!** la vedremo!; **avoir quelque chose à ~ avec** avere qualcosa a che vedere con; **cela n'a rien à ~ avec lui** non ha nulla a che vedere ou fare con lui

voire [vwaʀ] adv se non addirittura; **il faudra attendre une semaine, ~ un mois** bisognerà aspettare una settimana, se non addirittura un mese

voisin, e [vwazɛ̃, in] adj vicino(-a); (ressemblant) simile ■ nm/f vicino(-a); **~ de palier** vicino(-a) di pianerottolo

voisinage [vwazinaʒ] nm (proximité) vicinanza; (environs) vicinanze fpl; (quartier) quartiere m; (voisins) vicinato; **relations de bon ~** rapporti di buon vicinato

voiture [vwatyʀ] nf vettura, automobile f, macchina; (wagon) vettura, carrozza; **en ~!** (Rail) in vettura!; **~ d'enfant** carrozzina; **~ d'infirme** carrozzella; **~ de sport** macchina sportiva

voix [vwɑ] nf voce f; (Pol) voto; **la ~ de la conscience/raison** la voce della coscienza/ragione; **à haute ~** ad alta voce; **à ~ basse** a bassa voce; **faire la grosse ~** fare la voce grossa; **avoir de la ~** avere voce; **rester sans ~** rimanere senza voce; **à 2/4 ~** (Mus) a 2/4 voci; **avoir/ne pas avoir ~ au chapitre** avere/non avere voce in capitolo; **mettre aux ~** mettere ai voti; **~ de basse/de ténor** voce di basso/di tenore

vol [vɔl] nm volo; (mode d'appropriation, larcin) furto; (groupe d'oiseaux) stormo; **à ~ d'oiseau** in linea d'aria; **au ~** (attraper, saisir) al volo; **prendre son ~** prendere il volo; **de haut ~** (fig) di alto bordo; **je voudrais signaler un ~** vorrei denunciare un furto; **~ à l'étalage** taccheggio; **~ à la tire** borseggio, scippo; **~ à main armée** rapina a mano armata; **~ à voile** volo a vela; **~ avec effraction** furto con scasso; **~ de nuit** volo notturno; **~ en palier** (Aviat) volo orizzontale; **~ libre** (Sport) deltaplano; **~ plané** (Aviat) volo planato; **~ qualifié** furto aggravato; **~ simple** (Jur) furto semplice; **~ sur aile delta** (Sport) deltaplano

volage [vɔlaʒ] adj volubile

volaille [vɔlaj] nf pollame m; (oiseau) pollo

volant, e [vɔlɑ̃, ɑ̃t] adj volante ■ nm volante m; (objet lancé, jeu) volano; (bande de tissu) volant m inv; (feuillet détachable) figlia; **le personnel ~, les ~s** (Aviat) il personale di bordo; **~ de sécurité** (fig) margine m di sicurezza

volcan [vɔlkɑ̃] nm vulcano

volée [vɔle] nf (groupe d'oiseaux) stormo; (Tennis) volée f inv; **à la ~** al volo; **lancer à la ~** lanciare con forza; **semer à la ~** seminare a spaglio; **à toute ~** (sonner les cloches) a distesa; (lancer un projectile) con tutta forza; **de haute ~** (fig: de haut rang) di alto bordo; (*de grande envergure*) di ampia portata; **~ (de coups)** scarica (di colpi); **~ de flèches** scarica di frecce; **~ d'obus** scarica di proiettili

voler [vɔle] *vi* volare; (*voleur*) rubare ■ *vt* rubare; (*personne*) derubare; **~ en éclats** andare in frantumi; **~ de ses propres ailes** (*fig*) camminare con le proprie gambe; **~ au vent** svolazzare al vento; **on m'a volé mon portefeuille** mi hanno rubato il portafoglio

volet [vɔle] *nm* (*de fenêtre*) imposta, persiana; (*Aviat*) alettone *f*; (*de feuillet, document*) parte *f* (*di foglio piegato*); (*fig: d'un plan, d'une politique*) parte *f*, elemento; **trié sur le ~** scelto con la massima cura; **~ de freinage** (*Aviat*) aerofreno

voleur, -euse [vɔlœʀ, øz] *nm/f, adj* ladro(-a)

volontaire [vɔlɔ̃tɛʀ] *adj* volontario(-a); (*délibéré*) intenzionale, voluto(-a); (*caractère, personne*) volitivo(-a) ■ *nm/f* volontario(-a); (*Mil*): **(engagé) ~** volontario

volonté [vɔlɔ̃te] *nf* volontà *f inv*; **à ~** a volontà; **bonne/mauvaise ~** buona/cattiva volontà; **les dernières ~s de qn** le ultime volontà di qn

volontiers [vɔlɔ̃tje] *adv* volentieri; (*habituellement*) sovente, spesso

volt [vɔlt] *nm* volt *m inv*

volte-face [vɔltəfas] *nf inv* dietrofront *m inv*; (*fig*) voltafaccia *m inv*; **faire ~** fare dietrofront; fare un voltafaccia

voltige [vɔltiʒ] *nf* (*au cirque, Aviat, fig*) acrobazia; (*Équitation*) volteggio; **numéro de haute ~** numero di alta acrobazia

voltiger [vɔltiʒe] *vi* svolazzare

volubile [vɔlybil] *adj* loquace

volume [vɔlym] *nm* volume *m*; (*Géom: solide*) solido

volumineux, -euse [vɔlyminø, øz] *adj* voluminoso(-a)

volupté [vɔlypte] *nf* voluttà *f inv*

vomi [vɔmi] *nm* vomito

vomir [vɔmiʀ] *vi* vomitare ■ *vt* vomitare; **il vomit les lâches** i vigliacchi gli fanno schifo

vorace [vɔʀas] *adj* vorace

vos [vo] *dét voir* **votre**

vote [vɔt] *nm* (*de loi*) approvazione *f*; (*suffrage*) voto; (*consultation, élection*) votazione *f*, voto; **~ à bulletins secrets** voto a scrutinio segreto; **~ à main levée** votazione per alzata di mano; **~ par correspondance** voto per corrispondenza; **~ par procuration** voto per procura; **~ secret** votazione *f* segreta

voter [vɔte] *vi* votare ■ *vt* approvare, votare

votre [vɔtʀ] (*pl* **vos**) *dét* (il) vostro, (la) vostra, (i) vostri, (le) vostre; (*forme de politesse*) (il) suo, (la) sua, (i) suoi, (le) sue

vôtre [vɔtʀ] *pron*: **le ~, la ~, les ~s** il vostro, la vostra, i vostri, le vostre; (*forme de politesse*) il suo, la sua, i suoi, le sue; **les ~s** (*fig*) i vostri; i suoi; **à la ~** (*toast*) alla vostra; alla sua

vouer [vwe] *vt* votare; **se vouer à** *vr* dedicarsi a; **~ sa vie** dedicare la propria vita a; **~ une amitié éternelle à qn** giurare eterna amicizia a qn

MOT-CLÉ

vouloir [vulwaʀ] *vt* **1** (*exiger, désirer*) volere; **voulez-vous du thé?** vuole del tè?; **que me veut-il?** cosa vuole da me?; **sans le vouloir** senza volere *ou* volerlo; **je voudrais ceci/faire** vorrei questo/fare; **le hasard a voulu que...** il caso ha voluto che...; **la tradition veut que...** tradizione vuole che...; **vouloir faire/que qn fasse** voler fare/che qn faccia

2 (*consentir*): **je veux bien** (*bonne volonté*) io sono d'accordo; (*concession*) posso anche ammetterlo; **oui, si on veut** (*en quelque sorte*) sì, se vogliamo; **si vous voulez** se vuole; **veuillez attendre** attenda per favore; **veuillez agréer...** (*formule épistolaire*) voglia gradire...; **comme vous voudrez** come vuole

3: **en vouloir à**; **en vouloir à qn/qch** avercela con qn/qc; **s'en vouloir (de qch/d'avoir fait qch)** essersi pentito(-a) (di qc/di aver fatto qc); **il en veut à mon argent** ha delle mire sui miei soldi; **vouloir qch à qn** augurare qc a qn

4: **vouloir de qch/qn** (*accepter*): **l'entreprise ne veut plus de lui** la ditta non ne vuole più sapere di lui; **elle ne veut pas de son aide** non vuole il suo aiuto

5: **vouloir dire (que)** (*signifier*) voler dire (che)

■ *nm*: **le bon vouloir de qn** la buona volontà di qn

voulu, e [vuly] *pp de* **vouloir** ■ *adj* (*requis*) necessario(-a), richiesto(-a); (*délibéré*) voluto(-a)

vous [vu] *pron* voi; (*forme de politesse*) lei; (*réfléchi*: *direct, indirect*) la, vi; (*réciproque*) vi ■ *nm*: **employer le ~** dare del voi; **~ avez gagné** (voi) avete vinto; **~ êtes en vacances** siete in vacanza; **~ pouvez ~ asseoir** potete sedervi; può sedersi; **~ pouvez ~ en aller** potete andarvene; può andarsene; **je ~ le jure** ve lo giuro; glielo giuro; **il ~ en donne** ve ne dà; gliene dà

vouvoyer [vuvwaje] *vt*: **~ qn** ≈ dare del lei a qn

● **VOUVOYER**
●
● In francese, per rivolgersi alle
● persone che non si conoscono va
● sempre usato il "vous", seguito dal
● verbo alla seconda persona
● plurale.

voyage [vwajaʒ] *nm* viaggio; **être en ~** essere in viaggio; **partir en ~** partire (per un viaggio); **faire un ~** fare un viaggio; **faire bon ~** fare buon viaggio; **elle aime le ~** le piace viaggiare; **les gens du ~** (*de cirque*) gli artisti del circo; **votre ~ s'est bien passé?** com'è andato il viaggio?; **~ d'affaires/d'agrément** viaggio d'affari/di piacere; **~ de noces** viaggio di nozze; **~ organisé** viaggio organizzato

voyager [vwajaʒe] *vi* viaggiare

voyageur, -euse [vwajaʒœʀ, øz] *nm/f* viaggiatore(-trice); (*touriste etc*) turista *m/f* ■ *adj* (*tempérament*) nomade; **un grand ~** un grande esploratore; **~ (de commerce)** commesso viaggiatore

voyant, e [vwajã, ãt] *adj* (*couleur*) vistoso(-a) ■ *nm/f* (*personne*) vedente *m/f* ■ *nm* (*signal lumineux*) spia (luminosa)

voyelle [vwajɛl] *nf* vocale *f*

voyou [vwaju] *nm* (*enfant*) monello; (*petit truand*) delinquente *m* ■ *adj* sfrontato(-a)

vrac [vʀak]: **en ~** *adj, adv* alla rinfusa; (*Comm*) sfuso(-a)

vrai, e [vʀɛ] *adj* vero(-a) ■ *nm*: **le ~** il vero, la verità; **à dire ~, à ~ dire** a dire il vero; **il est ~ que** è vero che; **être dans le ~** avere ragione

vraiment [vʀɛmã] *adv* veramente; (*dubitatif*): **"~?"** "davvero?", "veramente?"; (*intensif*): **il est ~ rapide** è davvero *ou* veramente rapido

vraisemblable [vʀɛsãblabl] *adj* verosimile

vraisemblablement [vʀɛsãblabləmã] *adv* verosimilmente

vraisemblance [vʀɛsãblãs] *nf* verosimiglianza; **selon toute ~** con ogni probabilità

vrombir [vʀɔ̃biʀ] *vi* (*avion, moteur*) rombare; (*insecte*) ronzare

VRP [veɛʀpe] *sigle m* (= *voyageur, représentant, placier*) rappresentante *m* di commercio

VTT [vetete] *sigle m* (= *vélo tout terrain*) mountain bike *f inv*

vu¹ [vy] *prép* (*en raison de*) visto(-a); **vu que** visto che

vu², e [vy] *pp de* **voir** ■ *adj*: **bien/mal vu** (*fig*) ben/mal visto(-a) ■ *nm*: **au vu et au su de tous** sotto gli occhi di tutti; **ni vu ni connu** senza che si sappia; **ni vu ni connu!** il non so niente!; **c'est tout vu** è così e basta

vue [vy] *nf* vista; (*panorama*) vista, veduta; (*image, photo*) veduta; **vues** *nfpl* (*idées*) idee *fpl*, vedute *fpl*; (*dessein*) mire *fpl*; **perdre la ~** perdere la vista; **perdre de ~** perdere di vista; **à la ~ de tous** davanti a tutti; **hors de ~** lontano(-a); **à première ~** a prima vista; **connaître qn de ~** conoscere qn di vista; **à ~** (*Comm*) a vista; **tirer à ~** sparare a vista; **à ~ d'œil** a vista d'occhio; **(à première vue)** a prima vista; **avoir ~ sur** (*suj: fenêtre*) dare su; **chambre ayant ~ sur le jardin** camera con vista sul giardino; **en ~** in

vista; **avoir qch en ~** aver qc in vista;
en ~ de (*être, arriver*) in vista di; **en ~
de faire qch** allo scopo di fare qc;
~ d'ensemble visione *f* generale *ou*
d'insieme; **~ de l'esprit** concetto un
po' utopico
vulgaire [vylgɛʀ] *adj* volgare
vulgariser [vylgaʀize] *vt*
(*connaissances*) divulgare; (*rendre
vulgaire*) involgarire
vulnérable [vylneʀabl] *adj*
vulnerabile

wagon [vagɔ̃] *nm* (*de voyageurs, de
marchandises*) vagone *m*
wagon-lit [vagɔ̃li] (*pl* **wagons-lits**)
nm vagone *m* letto *inv*
wagon-restaurant [vagɔ̃ʀɛstɔʀɑ̃]
(*pl* **wagons-restaurants**) *nm*
vagone *m* ristorante *inv*
wallon, ne [walɔ̃, ɔn] *adj* vallone
■ *nm/f*: **Wallon, ne** Vallone *m/f* ■ *nm*
(*langue*) vallone *m*
watt [wat] *nm* watt *m inv*
w-c [vese] *nmpl* WC *m inv*
webcam [wɛbkam] *nf* webcam *f inv*
week-end [wikɛnd] (*pl* **~s**) *nm* week-
end *m inv*, fine settimana *m*
western [wɛstɛʀn] *nm* western *m inv*
whisky [wiski] (*pl* **whiskies**) *nm*
whisky *m inv*
wifi [wifi] *nm* Wi-Fi *m*

X y

xénophobe [gzenɔfɔb] nm/f
xenofobo(-a)
xérès [gzeʀɛs] nm xeres m inv
xylophone [gzilɔfɔn] nm xilofono

y [i] adv, pron ci; **nous y sommes**
ci siamo; **j'y pense** ci penso; **s'y
entendre/connaître** intendersene;
voir aussi **aller, avoir**
yacht ['jɔt] nm yacht m inv
yaourt ['jauʀt] nm yogurt m inv
yeux ['jø] nmpl de **œil**
yoga ['jɔga] nm yoga m inv
yoghourt ['jɔguʀt] nm = **yaourt**
yougoslave ['jugɔslav] (Hist) adj
iugoslavo(-a) ■ nm/f: **Yougoslave**
iugoslavo(-a)
Yougoslavie ['jugɔslavi] nf (Hist)
Iugoslavia; **l'ex-~** la ex Iugoslavia

Z

zone [zon] *nf* (*Géo, Pol, Admin, gén*) zona; (*Inform*) area; (*quartiers*): **la ~** la periferia; **de seconde ~** (*fig: de second ordre*) di second'ordine; **~ bleue** zona disco; **~ d'action** (*Mil*) zona d'azione; **~ d'extension** zona di urbanizzazione; **~ d'urbanisation** zona di urbanizzazione; **~ franche** zona franca; **~ industrielle** zona industriale; **~ résidentielle** zona residenziale; **~s monétaires** aree *fpl* monetarie

zoo [zo(o)] *nm* zoo *m inv*

zoologie [zɔɔlɔʒi] *nf* zoologia

zoologique [zɔɔlɔʒik] *adj* zoologico(-a)

zut [zyt] *excl* accidenti

zapper [zape] *vi* fare zapping

zapping [zapiŋ] *nm* zapping *m inv*

zèbre [zɛbʀ] *nm* (*Zool*) zebra

zébré, e [zebʀe] *adj* striato(-a)

zèle [zɛl] *nm* zelo; **faire du ~** (*péj*) fare lo/la zelante

zélé, e [zele] *adj* zelante

zéro [zeʀo] *adj* (*chiffre, nombre*) zero ▪ *nm* (*Scol*) zero; **au-dessus/au-dessous de ~** (*température*) sopra/sotto lo zero; **réduire à/partir de ~** ridurre a/partire da zero; **trois (buts) à ~** tre (goal) a zero

zeste [zɛst] *nm* (*Culin*) scorza; **un ~ de citron** una scorza di limone

zézayer [zezeje] *vi* avere un difetto di pronuncia

zigzag [zigzag] *nm* zigzag *m inv*; (*point de machine à coudre*) zigzag *m inv*

zigzaguer [zigzage] *vi* zigzagare

zinc [zɛ̃g] *nm* (*Chim*) zinco; (*comptoir*) banco

zipper [zipe] *vt* (*Inform*) zippare

zizi [zizi] (*fam*) *nm* pisellino

zodiaque [zɔdjak] *nm* zodiaco

zona [zona] *nm* herpes *m inv* zoster

Perspectives sur l'italien

Introduction

Perspectives sur l'italien vous propose de découvrir différents aspects de l'Italie et de la langue italienne. Les pages qui suivent vous offrent la possibilité de faire connaissance avec le pays où l'on parle l'italien et avec ses habitants.

Des conseils pratiques sur la langue et des notes abordant les problèmes de traduction les plus fréquents vous aideront à parler l'italien avec davantage d'assurance. Une partie très utile consacrée à la correspondance vous fournit toutes les informations dont vous avez besoin pour pouvoir communiquer efficacement.

Nous avons également inclus un certain nombre de liens vers des ressources en ligne qui vous permettront d'approfondir vos lectures sur l'Italie et la langue italienne.

Nous espérons que vous prendrez plaisir à consulter votre supplément *Perspectives sur l'italien*. Nous sommes sûrs qu'il vous aidera à mieux connaître l'Italie et à prendre confiance en vous, à l'écrit comme à l'oral.

L'Italie et ses régions

Les voisins de l'Italie

L'italien est la langue officielle dans deux cantons suisses (le Tessin et les Grisons – en italien *Ticino* et *Grigioni*), en république de San Marin, et dans la cité du Vatican. On parle aussi l'italien à Malte ainsi que dans certaines parties de la Croatie et de la Slovénie.

L'Italie et ses régions

L'Italie se compose du territoire continental, de deux grandes îles, la Sardaigne et la Sicile, ainsi que d'îles plus petites comme Elbe et Capri.

On y dénombre vingt régions administratives dont cinq sont des *regioni autonome*, lesquelles disposent de pouvoirs de décision plus importants que les autres. Trois de ces Régions autonomes se trouvent dans le nord (Vallée d'Aoste, Frioul-Vénétie Julienne et Trentin-Haut-Adige). Les deux autres sont les îles de Sardaigne et de Sicile. Le gouvernement central conserve ses compétences en matière de défense, d'affaires étrangères et de justice.

L'Italie n'est un pays unifié que depuis 1870. Jusqu'alors, certaines parties de la péninsule étaient contrôlées par différents pays comme l'Espagne, l'Autriche et la France. Il y avait, et il demeure toujours, une forte identité régionale, nombre de personnes parlant l'un des divers dialectes locaux. Aujourd'hui, tout le monde apprend l'italien courant à l'école mais on utilise beaucoup le *dialetto* avec ses voisins, ses amis et en famille.

Comme souvent dans les régions frontalières, on trouve des communautés bilingues. Par exemple, dans la région du Trentin-Haut-Adige à l'extrémité nord de l'Italie, la langue majoritaire est l'allemand.

Portrait de l'Italie

- En superficie, l'Italie (301,323 km²) est plus petite que la France (549,000 km²).

- Le Pô (*Po* en italien, 652 km) est le fleuve le plus long d'Italie. Il prend sa source dans les Alpes et se jette dans l'Adriatique, près de Venise.

- La population italienne, qui compte à peu près 58,4 millions d'habitants, est un peu moins nombreuse que celle de la France. Son taux de natalité est très bas (1,2 enfant par femme). Il y a plus de décès que de naissances.

- L'économie italienne occupe le quatrième rang au sein de l'Union européenne et le septième à l'échelle mondiale.

- L'Italie est le plus gros producteur de vin au monde.

- Le point culminant de l'Italie est le Grand Paradis (*Gran Paradiso*, 4,061 m).

- Chaque année, près de 37 millions de touristes visitent l'Italie, ce qui fait de ce pays la cinquième des destinations touristiques les plus populaires du monde.

- L'Italie compte quatre volcans actifs : l'Etna, le Vésuve, le Stromboli, et le Vulcano. L'Etna, qui entre fréquemment en éruption, est le volcan le plus actif d'Europe.

Quelques liens utiles :
www.governo.it
Site du gouvernement italien.
www.istat.it
Institut italien de la statistique.
www.enit.it
Ministère italien du Tourisme.

Le monde italophone

PAYS OU RÉGIONS OÙ L'ITALIEN EST LA LANGUE MATERNELLE OU LA LANGUE OFFICIELLE

PAYS COMPTANT DE NOMBREUX LOCUTEURS ITALOPHONES

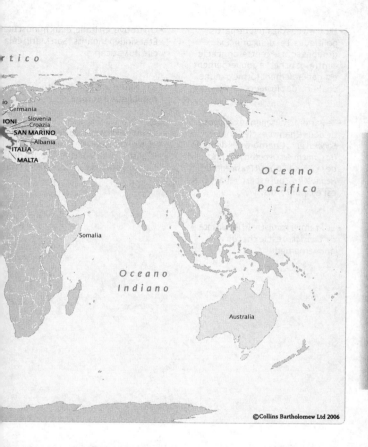

r t i c o

io
Germania
IONI Slovenia
Croazia
SAN MARINO
Albania
ITALIA
MALTA

Somalia

Oceano
Pacifico

Oceano
Indiano

Australia

©Collins Bartholomew Ltd 2006

De nombreux Italiens ont émigré en Amérique (en particulier aux États-Unis et en Argentine) et en Australie. Il y a un million et demi d'italophones en Argentine et près d'un million aux États-Unis. L'italien a eu une influence considérable sur la façon dont on parle l'espagnol en Argentine.

7

L'Italie politique

- L'Italie a des dizaines de partis politiques. Les deux principaux groupes sont le centre-droit et le centre-gauche. Le gouvernement est généralement formé par une coalition de plusieurs partis.

- Le Parlement italien se compose de deux Chambres : le Sénat (*il Senato*) et la Chambre des députés (*la Camera dei Deputati*). Le président de la République (*il Presidente della Repubblica*), qui est le chef de l'État, est élu pour 7 ans.

- Le Premier ministre (*il Presidente del Consiglio*) est le chef du gouvernement.

- On trouve, en Italie, deux minuscules États indépendants : San Marin et la cité du Vatican.

- San Marin est la plus petite république d'Europe.

- L'État de la cité du Vatican est le centre spirituel et administratif de l'Église romaine catholique. Il a deux langues officielles, l'italien et le latin.

Les mots italiens qui ont fait le tour du monde

Pour une grande part, la langue que les Italiens ont emportée avec eux dans d'autres pays se rapporte à la table : beaucoup d'immigrants ont ouvert des cafés et des restaurants. Aujourd'hui, dans le monde entier, on boit des cappuccinos et des expressos, on mange des ciabattas, des spaghettis, du minestrone et de la pizza.

Si ces boissons et ces plats nous sont familiers, on ne se rend pas toujours compte que les mots italiens auxquels ils doivent leur nom ont des sens intéressants et hautement descriptifs. En voici quelques exemples :

- cappuccino
  Ce mot vient de « capucin ». Les capucins sont des moines dont la robe est marron, la couleur du cappuccino.

- ciabatta
  C'est-à-dire « chausson », du fait de la forme de ce pain.

- macchiato
  macchiato, « taché », décrit l'apparence d'un café noir sur lequel on a versé une goutte de lait.

- spaghetti
  spago signifie « ficelle » : les spaghettis sont donc de « petites ficelles ». Il existe un autre type de pâtes appelées *orecchiette*. Si vous tenez compte du fait que *un orecchio* est une oreille, vous pourrez probablement deviner à quoi ressemblent ces pâtes.

- tiramisù
  Ce mot ne décrit pas l'apparence du dessert mais son effet, puisqu'il signifie littéralement « tire-moi vers le haut », c'est-à-dire « remontant » (en référence à l'effet stimulant du café qu'il contient).

- vermicelli
  Il s'agit de pâtes très fines et leur nom, qui signifie « vermisseaux », a donné le mot français « vermicelle ».

9

Les mots italiens du français

Hormis les innombrables termes culinaires, d'autres mots italiens sont couramment employés en français.

• solo
Ce mot, qui signifie « seul » en italien et qui, à l'origine, était utilisé dans le domaine de la musique est maintenant employé dans des contextes très variés.

• fiasco
Fiasco, qui désigne un type de bouteille que l'on trouve en Italie, a donné le mot « fiasque » en français, et il a été repris tel quel dans son sens figuré d'échec.

• prima donna
Ce terme utilisé pour désigner le premier rôle féminin dans un opéra signifie « première dame ». Il s'agit d'un autre terme musical dont l'usage s'est généralisé.

• bimbo
En italien, *bimbo* ne désigne pas une femme de façon désobligeante comme en français mais signifie simplement « petit garçon ». *Una bimba* est une petite fille.

• impresario
C'est dans le contexte des arts que ce mot est employé en français, mais en italien, il signifie également de façon plus générale « entrepreneur ».

• paparazzo, paparazzi
Ce terme provient d'un film du cinéaste Federico Fellini dans lequel un reporter-photographe du nom de Paparazzo a pour sujet de prédilection les vedettes.

• omerta
Ce mot (*omertà* en italien), qui à l'origine désignait la loi du silence dans la mafia, est entré dans le vocabulaire courant pour faire référence à une attitude consistant à ne donner aucune information susceptible de compromettre quelqu'un.

Les mots français de l'italien

Comme d'autres langues, l'italien a emprunté au français un certain nombre de termes au gré des modes et des inventions françaises. Ces emprunts sont courants dans les domaines de l'habillement comme en témoignent *foulard*, *décolleté*, *lingerie*, *prêt-à-porter* et *coiffeur*, ainsi que dans le vocabulaire de la table, où l'on retrouve *gourmet* ou *sommelier* par exemple. La langue courante compte, elle aussi, un certain nombre de mots français, parmi lesquels *toilette*, *réclame* et *bouquet*, ou encore des expressions comme *femme fatale* ou *enfant prodige*.

Il est important de comprendre qu'un mot d'origine française ne signifie pas nécessairement la même chose des deux côtés des Alpes. Ainsi, les Italiens utilisent *charme* pour parler du pouvoir de séduction d'une personne et non dans le sens de « sortilège ». De la même manière, ils n'utilisent *croissant* que pour désigner la pâtisserie, et non pour décrire la forme d'un objet. Ces distinctions sont parfois plus subtiles ; par exemple, *aplomb* a la même signification dans les deux langues à cette nuance près qu'il n'a jamais de connotation péjorative en italien. À l'inverse, le mot *soubrette* renvoie dans les deux langues à des idées tout à fait différentes puisqu'en Italie il désigne non pas une servante, mais la danseuse vedette d'un cabaret. Ces différences plus ou moins importantes entre les deux langues nous rappellent qu'il est toujours judicieux de vérifier dans le dictionnaire le sens exact d'un mot, même si son apparence nous semble familière.

Améliorer votre prononciation

Les sons de l'italien

Les voyelles

De manière générale, l'apprentissage de la prononciation de l'italien est grandement facilité par le fait que, contrairement au français, on peut se fier à la manière dont s'écrit un mot pour savoir comment il se prononce.

a – se prononce comme le *a* de chat
e – se prononce comme le *e* de belle
i – se prononce comme le *i* de chic
o – se prononce comme le *o* de orange
u – se prononce comme le *ou* de boue

Les voyelles se prononcent toujours en italien, quelle que soit leur position dans le mot.

- Elles ne sont jamais muettes comme peut le devenir *e* en français, dans venir par exemple. *Interessante* compte donc cinq syllabes en italien, contrairement à *intéressante* en français qui n'en a que quatre.

- En se combinant, certaines voyelles se prononcent comme un son unique en français ; par exemple *ai* ou *ei*, qui équivalent à *é* ou *è*, ou encore *au*, qui a la même sonorité que *o*. En italien, chacune des voyelles est prononcée.

- L'italien n'a pas de voyelles nasales comme le français. Une voyelle suivie d'un *n* ou d'un *m* sera prononcée normalement, tout comme le *n* ou le *m* qui la suit.

- Comme en français, les lettres *e* et *o* ont chacune des prononciations différentes en italien. Dans le mot *stella*, le *e* se prononce comme celui d'étoile. Dans *epoca*, il est ouvert comme celui de *baguette*. Le dictionnaire vous sera d'une grande aide pour apprendre à faire ces distinctions.

Améliorer votre prononciation

Les consonnes

- En italien, une consonne doublée est plus longue qu'une consonne simple : *cat-ti-vo*, *inte-res-sante*, *An-na*.

- *c* suivi d'un *e* ou d'un *i* se prononce **tch**, comme dans *centro* et *facile*.

- *ch* se prononce **k** comme dans *fuochi* et *chiuso*.

- *g* suivi d'un *e* ou d'un *i* se prononce **dj** comme dans *leggero* et *giardino*.

- *gh* se prononce comme le *g* de *gardien*, comme dans *lunghi* et *spaghetti*.

- *gl*, quand il est suivi de *e* ou de *i* se prononce généralement comme le **lli** de million, par exemple dans *luglio*, *bagagli*.

- *gn* se prononce comme en français dans le mot *poigne*, par exemple dans *gnocchi*, *giugno*.

- *sc* suivi de *e* ou de *i* se prononce **sh** comme le *ch* de *chanter*, par exemple dans *lasciare* et *sciare*.

L'accent tonique

- L'accent tonique se porte généralement sur l'avant-dernière syllabe, par exemple dans *cucina*, *studente*, *straniero*, *diciassette*, *parlare*, *avere*.

- Si un mot porte un accent sur la dernière voyelle, par exemple *fedeltà*, *università*, *però*, *così*, *caffè*, accentuez cette voyelle.

- Dans certains mots, l'accent est mis sur d'autres syllabes : la forme *ils/elles* des verbes par exemple, où c'est l'antépénultième qui porte l'accent tonique : *capiscono* (= ils comprennent) ; *parlano* (= ils parlent).

- D'autres mots, comme *subito*, *macchina*, *vendere* et *camera*, portent l'accent sur la première syllabe. N'oubliez pas que les mots ne sont pas toujours accentués comme on pourrait s'y attendre (l'accent ne s'écrit que lorsqu'il porte sur la dernière syllabe) et en cas de doute, regardez dans un dictionnaire : vous verrez que chaque entrée comporte une marque ressemblant à une apostrophe. La syllabe qui suit cette apostrophe est celle qu'il convient d'accentuer.

Lien utile :
www.accademiadellacrusca.it
L'académie de la langue italienne.

Exprimez-vous avec plus de naturel

Les mots et expressions de la conversation

En français, nous émaillons nos conversations de mots et de formules comme *donc, alors, au fait* pour structurer notre réflexion et souvent aussi pour exprimer un état d'esprit.

Les mots italiens ci-dessous jouent le même rôle. Le fait de les employer vous fera gagner en aisance et en naturel.

- **allora**
  Allora, *che facciamo stasera?* (= alors)

- **va bene**
  Va bene, *ho capito.* (= d'accord)

- **ecco**
  Ecco *perché non sono venuti.* (= voilà)
  Ecco *Mario!* (= voilà)
  Eccolo! (= le voilà)

- **forse**
  Sì, ma **forse** *hanno ragione.*
  (= peut-être)

- **certo**
  Certo *che puoi.* (= bien sûr)

- **dunque**
  Dunque, *come dicevo…* (= donc)
  Dunque *ha ragione lui.* (= donc)

- **può darsi**
  Sì, lo so, ma **può darsi** *che…*
  (= peut-être)

- **purtroppo**
  Sì, **purtroppo**, (= malheureusement)

- **sinceramente**
  Sinceramente, *non m'importa niente.*
  (= sincèrement, vraiment)

- **comunque**
  Comunque, non è sempre così.
  (= néanmoins, quand même)

- **senz'altro**
  Mi scriverai? – **Senz'altro!**
  (= bien sûr)
  È **senz'altro** *meglio lui.* (sans doute, vraiment)

- **davvero**
  Ha pagato lui. - **Davvero?** (= vraiment)

Exprimez-vous avec plus de naturel

En variant les mots que vous employez pour faire passer une idée, vous contribuerez également à donner le sentiment que vous êtes à l'aise en italien. À titre d'exemple, au lieu de *Mi piace molto il calcio*, vous pourriez dire *Il calcio è la mia passione*. Voici d'autres suggestions :

Pour dire ce que vous aimez ou n'aimez pas

Adoro le ciliege. — J'adore...
Mi è piaciuto molto il tuo regalo. — J'ai beaucoup aimé...
Non mi piace il tennis. — Je n'aime pas...
Il suo ultimo film *non mi piace per niente*. — Je n'aime pas du tout.../ ...ne me plaît pas du tout.
Detesto mentire. — Je déteste...

Pour exprimer votre opinion

Credo che sia giusto. — Je crois que...
Penso che costino di più. — Je pense que...
Sono sicuro/sicura che ti piacerà. — Je suis sûr/sûre que...
Secondo me è stato un errore. — À mon avis...
A mio parere vincerà lui. — À mon avis...
A me sembra che qualche volta... — Il me semble que...

Pour exprimer votre accord ou votre désaccord

Hai ragione. — Tu as raison.
Giusto! — Exactement !
(Non) sono d'accordo. — Je (ne) suis (pas) d'accord.
Non direi. — Je ne dirais pas ça.
Certo! — Bien sûr !

La correspondance

La section suivante sur la correspondance a été conçue pour vous aider à communiquer en toute confiance en italien, à l'écrit comme à l'oral. Grâce à des exemples de lettres, de courriels, at aux parties consacrées aux SMS et aux conversations téléphoniques, vous pouvez être sûr que vous disposez de tout le vocabulaire nécessaire à une correspondance réussie.

Les SMS

un sms *(esse emme esse)* = un SMS
mandare un sms a qualcuno = envoyer un SMS à quelqu'un

Abbreviation	Italien	Français
+ tardi	più tardi	plus tard
+o-	più o mèno	plus ou moins
ba	baci	bisous, bises
bn	bene	bien
c ved	ci vediamo	à bientôt
C6?	ci sei?	tu es là?
cs	cosa	quoi, qu'est-ce que ?
dv	dove	où
k	che	que, qu'est-ce que, qui, quoi ?
k fai?	che fai?	qu'est-ce que tu fais ?
k6?	chi sei?	qui es-tu ?
ke cs?	che cosa?	quoi ?
nn	non	pas
qd, qnd	quando	quand
TAT	ti amo tanto	je t'adore
tu6	tu sei	tu es
TVB	ti voglio bene	je t'aime
TVTB	ti voglio tanto bene	je t'aime tant
x	per	pour
xke	perché	parce que
xke?	perché?	pourquoi ?

Courrier électronique

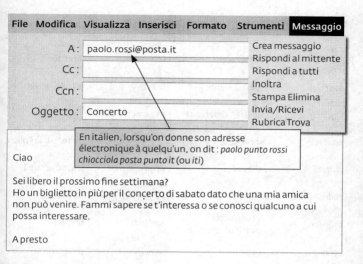

File Modifica Visualizza Inserisci Formato Strumenti **Messaggio**

A :	paolo.rossi@posta.it	Crea messaggio
Cc :		Rispondi al mittente
		Rispondi a tutti
Ccn :		Inoltra
		Stampa Elimina
Oggetto :	Concerto	Invia/Ricevi
		Rubrica Trova

> En italien, lorsqu'on donne son adresse électronique à quelqu'un, on dit : *paolo punto rossi chiocciola posta punto it* (ou *iti*)

Ciao

Sei libero il prossimo fine settimana?
Ho un biglietto in più per il concerto di sabato dato che una mia amica non può venire. Fammi sapere se t'interessa o se conosci qualcuno a cui possa interessare.

A presto

file	fichier	*rispondi al mittente*	répondre
modifica	édition	*rispondi a tutti*	répondre à tous
visualizza	affichage	*inoltrare*	transférer
formato	format	*allega*	pièce jointe
inserisci	joindre	*A*	à
strumenti	outils	*Cc (copia carbone)*	cc (copie carbone)
scrivere	écrire	*Ccn (copia carbone nascosta)*	cci (copie carbone invisible)
help	aide	*oggetto*	objet, sujet
invia	envoyer	*da*	de
crea messaggio	nouveau message	*data*	date

Courrier électronique

D'autres termes peuvent vous être utiles sur Internet :

ADSL	ADSL	*Internet*	Internet
avanti	page suivante	*la Rete*	la Toile, le Net
cartella	dossier, répertoire	*motore di recerca*	moteur de recherche
cercare	rechercher	*navigare in Internet*	surfer sur la Toile
cliccare	cliquer	*pagina iniziale*	page d'accueil
collegamenti	liens	*pagina web*	page web
collegarsi	se connecter, ouvrir une session	*prefereti*	favoris
copiare	copier	*programma*	programme
cronologia	historique	*provider*	Fournisseur d'Accès Internet, FAI
domande frequenti	FAQ, foire aux questions	*salvare*	enregistrer
fare doppio click	double-cliquer	*scaricare*	télécharger
finestra	fenêtre	*scollegarsi*	se déconnecter, fermer sa session
foglio di calcolo	feuille de calcul	*sito Internet*	site web
icona	icone	*stampare*	imprimer
impostazioni	préférences, paramètres	*tagliare*	couper
incollare	coller	*tartiera*	clavier
indietro	page précédente	*visualizzare*	afficher, visualiser

Écrire une lettre personnelle

→ *Siena, 5 giugno 2007*

Cara Maria,

ti ringrazio moltissimo del biglietto che mi hai mandato per il mio compleanno, che è arrivato proprio il giorno della mia festa!

Mi dispiace che tu non sia potuta venire a Milano per il mio compleanno e spero che ti sia ripresa dopo l'influenza. Mi piacerebbe poterti incontrare presto perché ho molte novità da raccontarti. Forse tra due settimane verrò a Torino con degli amici. Pensi di essere libera il giorno 12? Ti telefono la prossima settimana, così ci mettiamo d'accordo.

Baci,

Anna

19

Écrire une lettre personnelle

Autres manières de commencer une lettre personnelle	Autres manières de terminer une lettre personnelle
Carissima Maria *Mia cara Maria* *Cari Luigi e Silvia*	*Un abbraccio* *Bacioni* *Con affetto* *A presto*

Quelques formules utiles

Ti ringrazio per la tua lettera.	Je te remercie de ta lettre.
Mi ha fatto piacere ricevere tue notizie.	Ça m'a fait plaisir d'avoir de tes nouvelles.
Scusami se non ti ho scritto prima.	Excuse-moi de ne pas avoir répondu plus tôt.
Salutami tanto Lucia.	Salue Lucia de ma part.
Tanti saluti anche da Paolo.	Paolo te dit bonjour.
Scrivi presto!	Écris-moi vite !

Écrire une lettre officielle

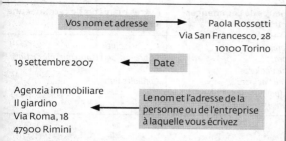

Vos nom et adresse →

Paola Rossotti
Via San Francesco, 28
10100 Torino

19 settembre 2007 ← Date

Agenzia immobiliare
Il giardino
Via Roma, 18 ← Le nom et l'adresse de la personne ou de l'entreprise à laquelle vous écrivez
47900 Rimini

OGGETTO: Richiesta di rimborso

Egr. signori,
vi scrivo per presentare reclamo in merito all'appartamento che ho affittato nel condominio Le Torri per il periodo 5-12 agosto. Avevo espressamente richiesto un appartamento con due camere e invece mi è stato assegnato un appartamento con una camera sola; mancava inoltre il condizionatore d'aria di cui il contratto di locazione fa specifica menzione.
Chiedo quindi un rimborso di 1000 euro comprensivo della differenza tra la tariffa che ho pagato per un appartamento con due camere e aria condizionata e quella per un appartamento con una camera sola senza aria condizionata, e di un risarcimento per i disagi subiti.

Allego fotocopia del contratto di locazione.

Distinti saluti

Paola Rossotti

Écrire une lettre officielle

Autres manières de commencer une lettre officielle	Autres manières de terminer une lettre officielle
Egregio signore, *Gentile signora,* *Egregio Signor Paolozzo,* *Gentile Signora Paolozzo,* *Spett. Ditta, (pour une lettre adressée à une entreprise)*	*Distinti saluti* *La prego di accettare i miei più distinti saluti* *Cordiali saluti*

Quelques formules utiles

La ringrazio della sua lettera del...	Merci pour votre lettre du...
In riferimento a...	Suite à...
Vi prego di inviarmi...	Je vous prie de m'envoyer...
In attesa di una sua risposta la ringrazio per l'attenzione.	Dans l'attente de votre réponse, je vous remercie de votre attention.
La ringrazio in anticipo per...	Merci par avance pour...

Agenzia immobiliare
Il giardino
Via Roma, 18
47900 Rimini

← Le numéro du bâtiment vient après le nom de la rue, et le code postal vient avant le nom de la ville.

Téléphoner

Pour demander des renseignements

Qual è il prefisso di Livorno?

Cosa devo fare per ottenere la linea esterna?

Può darmi il numero dell'interno della Signora Busi?

Quel est l'indicatif de Livourne ?

Qu'est-ce que je dois faire pour avoir la ligne extérieure ?

Est-ce que vous pouvez me donner le numéro de poste de madame Busi ?

Quand on répond à votre appel

Buongiorno, c'è Andrea?

Potrei parlare con Lucia, per favore?

Parla la signora de Maggio?

Può chiedergli/chiederle di richiamarmi?

Richiamo fra mezz'ora.

Posso lasciare un messaggio, per favore?

Bonjour ! Est-ce qu'Andrea est là ?

Est-ce que je pourrais parler à Lucia s'il vous plaît ?

Madame de Maggio ?

Est-ce que vous pouvez lui demander de me rappeler ?

Je rappellerai dans une demi-heure.

Est-ce que je pourrais laisser un message s'il vous plaît ?

Quand vous répondez au téléphone

Pronto!

Chi parla?

Sono Marco.

Sì, sono io.

Allô ?

Qui est à l'appareil ?

C'est Marco.

Oui, c'est moi.

Ce que vous entendrez peut-être

Chi devo dire?

Le passo la comunicazione.

Attenda in linea.

Non risponde nessuno.

La linea è occupata.

Vuole lasciare un messaggio?

C'est de la part de qui ?

Je vous le/la passe.

Ne quittez pas.

Ça ne répond pas.

La ligne est occupée.

Est-ce que vous voulez laisser un message ?

En cas de problème

Scusi, ho sbagliato numero.

La linea è molto disturbata.

Qui non c'è campo.

Ho la batteria quasi scarica.

Non ti sento.

Pardon, j'ai fait un mauvais numéro.

La ligne est très mauvaise.

On ne capte pas ici.

Je n'ai presque plus de batterie.

Je ne t'entends pas.

Locutions italiennes

En italien comme dans bien d'autres langues, les gens ont recours à des expressions vivantes qui viennent d'images basées sur leur perception de la vie réelle. Les expressions courantes ci-dessous ont été regroupées en fonction du type d'image qu'elles évoquent. Pour rendre le tout plus amusant, nous vous donnons la traduction mot à mot ainsi que l'équivalent en français.

La table

dire pane al pane e vino al vino
mot à mot :
→ appeler un chat un chat
appeler le pain pain et le vin vin

Se non è zuppa è pan bagnato.
mot à mot :
→ C'est bonnet blanc et blanc bonnet.
Si ce n'est pas de la soupe c'est du pain mouillé.

rendere pan per focaccia

mot à mot :
→ rendre à quelqu'un la monnaie de sa pièce
donner du pain en échange de focaccia

avere le mani in pasta
mot à mot :
→ être mouillé, être dans le coup
avoir les mains dans la pâte

lavorare per la pagnotta
mot à mot :
→ gagner son pain
travailler pour son pain

Ormai la frittata è fatta.
mot à mot :
→ Le mal est fait.
L'omelette est faite maintenant.

Le climat

fare il bello e il cattivo tempo
mot à mot :
→ faire la pluie et le beau temps
faire le beau et le mauvais temps

Non ci piove sopra.
mot à mot :
→ Ça ne fait pas l'ombre d'un doute.
Il ne pleut pas là-dessus.

sposa bagnata sposa fortunata
mot à mot :
→ mariage pluvieux, mariage heureux
mariée mouillée, mariée heureuse

Fa un freddo cane.
mot à mot :
→ Il fait un froid de canard.
Il fait un froid de chien.

Locutions italiennes

Les animaux

prendere due piccioni con una fava → faire d'une pierre deux coups
mot à mot : *tuer deux pigeons avec une fève*

Chi dorme non piglia pesci. → L'avenir appartient à ceux qui se lèvent tôt.
mot à mot : *Qui dort ne pêche aucun poisson.*

In bocca al lupo! → Bonne chance !
mot à mot : *Dans la gueule du loup !*

Meglio un uovo oggi che una gallina domani. → Un tiens vaut mieux que deux tu l'auras.
mot à mot : *Mieux vaut un œuf aujourd'hui qu'une poule demain.*

L'ospite è come il pesce, dopo tre giorni puzza. → Après un moment, on est soulagé de voir ses invités partir.
mot à mot : *Les invités sont comme le poisson, après trois jours ils commencent à sentir.*

Les parties du corps

essere un pugno in un occhio → être hideux
mot à mot : *être un coup de poing dans l'œil*

avere le mani bucate → jeter l'argent par les fenêtres
mot à mot : *avoir des trous dans les mains*

tenere il piede in due staffe → être au four et au moulin
mot à mot : *avoir le pied dans deux étriers*

Les vêtements

nascere con la camicia → naître avec une cuillère d'argent dans la bouche
mot à mot : *naître avec la chemise*

sudare sette camicie → travailler d'arrache-pied
mot à mot : *suer sept chemises*

tirare qualcuno per la giacca → prendre quelqu'un par les sentiments
mot à mot : *tirer quelqu'un par le manteau*

25

Locutions italiennes

Les plantes

Se sono rose fioriranno.

→ C'est à l'usage que l'on peut juger de la qualité d'une chose.
Si ce sont des roses, elles écloront.

mot à mot :

fare di ogni erba un fascio

→ mettre tout le monde dans le même panier
mettre toutes les herbes en une seule bot

mot à mot :

Non sono tutte rose e fiori.

→ Ce n'est pas rose tous les jours.
Ce n'est pas que roses et fleurs.

mot à mot :

Les couleurs

rosso di sera, bel tempo si spera

→ ciel rouge du soir, de soleil laisse l'espoir
ciel rouge du soir, de beau temps laisse l'espoir

mot à mot :

vedere tutto nero

→ voir tout en noir
voir tout noir

mot à mot :

Al buio tutti i gatti sono neri.

→ La nuit tous les chats sont gris.
Dans l'obscurité tous les chats sont noirs

mot à mot :

26

Quelques problèmes de traduction courants

Dans les pages suivantes, nous abordons quelques-unes des difficultés de traduction que vous risquez de rencontrer. Nous espérons que les astuces que nous vous donnons vous permettront d'éviter les pièges classiques de l'italien écrit et parlé.

Noms masculins et noms féminins

De nombreux noms communs français ont un genre différent en italien. On peut facilement faire des fautes et le dictionnaire est un outil précieux en cas de doute.

• Certains noms sont féminins en français et masculins en italien :

la fleur	→ *il fiore*
la mer	→ *il mare*
la cuillère	→ *il cucchiaio*
la douleur	→ *il dolore*
la souris	→ *il topo*

• D'autres sont masculins en français et féminins en italien :

le tigre	→ *la tigre*
le malheur	→ *la sfortuna*
le sort	→ *la sorte*
le bonheur	→ *la felicità*

« Je », « tu », « il/elle »…

En français, le pronom personnel sujet (« je », « tu », « il/elle » etc.) est obligatoire alors qu'en italien le verbe s'emploie bien souvent seul :

Quel âge **as-tu** ?	→ *Quanti anni **hai**?*
Vous parlez très bien italien, madame.	→ ***Parla** bene l'italiano, signora.*
Vous êtes jeunes.	→ ***Siete** giovani.*

En italien, on emploie le pronom personnel pour attirer l'attention de quelqu'un ou pour créer un effet d'insistance.

Tu cosa pensi?	→ Qu'est-ce que tu en penses, **toi** ?
Lei quale preferisce?	→ Et **vous**, lequel préférez-vous ?
Io ci sono già stata.	→ **Moi**, j'y suis déjà allée.

27

Quelques problèmes de traduction courants

« Du », « de la », « des »...

L'article partitif (« du pain », « de l'eau », « des pâtes », etc.) existe aussi en italien, mais on l'emploie moins souvent qu'en français.

• Dans certains cas, le *di* est facultatif

Avez-vous **de la** confiture ?	→ *Avete (**della**) marmellata?*
Veux-tu **du** sucre dans ton café ?	→ *Vuoi (**dello**) zucchero nel caffè?*

• Parfois on ne l'utilise pas du tout

Je ne mange jamais **de** fromage.	→ *Non mangio mai formaggio.*
Il me faut **du** temps.	→ *Mi occorre tempo.*

• Quand on passe une commande au restaurant, il n'est pas nécessaire

Je voudrais **du** poulet rôti.	→ *Vorrei il pollo arrosto.*
Pour moi **des** spaghettis, s'il vous plaît.	→ *Per me spaghetti, per favore.*

• Il n'est pas nécessaire non plus après *quanto*...? (« combien de... ? »)

Combien de temps faut-il ?	→ ***Quanto** tempo ci vuole?*
Combien de bouteilles as-tu achetées ?	→ ***Quante** bottiglie hai comprato?*

• Enfin, *più* (« plus »), *meno* (« moins »), *molto* (« beaucoup »), *poco* (« peu ») ne son[t] jamais suivis de *di*.

J'ai mangé **trop de** chocolats.	→ *Ho mangiato **troppi** cioccolatini.*
Il y a **assez de** pain pour tout le monde ?	→ *C'è **abbastanza** pane per tutti?*
Il y a **beaucoup de** livres sur la table.	→ *Ci sono **molti** libri sul tavolo.*
Nous n'avons pas **beaucoup de** temps.	→ *Non abbiamo **molto** tempo.*
Il y a **peu de** place.	→ *C'è **poco** spazio.*

Quelques problèmes de traduction courants

Le comparatif

En italien, on utilise les expressions *più... di* (« plus...de »), *meno... di* (« moins ... de ») pour former le comparatif des adjectifs et non *che* (« que ») comme en français.

Il est **plus** grand **que** moi. → *È **più** alto **di** me.*
Cette moto est **moins** rapide **que** la mienne. → *Quella moto e **meno** veloce **della** mia.*
Je suis beaucoup **plus** lent **que** toi. → *Sono molto **più** lento **di** te.*

En italien, on place *come* après l'adjectif pour former le comparatif d'égalité.

Il est **aussi** grand **que** moi. → *È alto **come** me.*
Il n'est pas **aussi** bon **que** je croyais. → *Non è bravo **come** credevo.*

Le superlatif

Contrairement au français, quand le superlatif relatif (« le plus gentil **de**..., la **plus** intelligente **de**... ») est placé après le substantif (« **le** professeur **le plus** gentil **de**... »), il ne faut pas répéter l'article défini.

C'est **le** garçon **le plus** grand **de la** classe. → *È il ragazzo **più** alto **della** classe.*
Sara est **la** fille **la plus** jolie **du** groupe. → *Sara è **la** ragazza **più** carina **del** gruppo.*

« Tu » et « vous » en italien

En italien, comme en français, il existe une forme de politesse qui est *lei*. On emploie *voi* pour s'adresser à plusieurs personnes.

Et toi Roberto, **tu** as quel âge? → *E **tu**, Roberto, quanti anni hai?*
Est-ce que **vous** voudriez aussi un café, madame? → *Vuole un caffè anche **lei**, signora?*
D'où venez-**vous**, les gars? → *Voi ragazzi, di dove siete?*

« Le lui », « la lui », « les lui »...

En italien, on traduit « le lui », « la lui », « les lui » de la manière suivante :

	masculin		féminin	
singulier	**le lui**	*glielo*	**la lui**	*gliela*
pluriel	**les lui**	*glieli*	**les lui**	*gliele*

Quelques problèmes de traduction courants

Devant une voyelle ou un *h*, les formes singulières ***glielo*** et ***gliela*** s'écrivent ***gliel'***.

Attention aux formes « vous le », « vous la », « vous les », qui se traduisent également par ***glielo*, *gliela*, *glieli*, *gliele***.

Notez qu'en italien, les pronoms viennent toujours avant le verbe, ce qui n'est pas le cas en français comme on le voit dans les exemples avec le verbe « pouvoir », ci-dessous.

Je **le lui** ai dit tout de suite.	→ ***Gliel'ho*** detto subito.
Quand **la lui** remettrez-vous ?	→ *Quando **gliela** consegnerete?*
Je **les lui** donnerai demain.	→ ***Glieli*** darò domani.
Je ne sais pas si je peux **les lui** donner.	→ *Non so se **gliele** posso dare.*
Je peux **vous les** emballer si vous voulez.	→ ***Gliele*** posso incartare se vuole.

Traduction d'« aimer »

En italien, il existe deux manières de dire que l'on aime quelque chose. Au singulier, on emploie ***mi piace***, et au pluriel, ***mi piacciono***.

J'aime bien l'Italie.	→ ***Mi piace*** l'Italia.
littéralement en italien :	→ *L'Italie me plaît.*
J'aime bien les chiens.	→ ***Mi piacciono*** i cani.
littéralement en italien :	→ *Les chiens me plaisent.*

Pour savoir s'il faut utiliser ***piace*** ou ***piacciono***, il suffit simplement de se demander si en français on utiliserait « plaît » ou « plaisent ».

Pour les autres personnes, il suffit de remplacer ***mi*** par ***ci*, *ti*, *le*** et ***vi*** :

Nous aimons bien la mer.	→ ***Ci piace*** il mare.
Nous aimons bien ses films.	→ ***Ci piacciono*** i suoi film.
Tu aimes mes chaussures ?	→ ***Ti piacciono*** le mie scarpe?
Est-ce que vous aimez la cuisine italienne, madame ?	→ ***Le piace*** la cucina italiana, signora?
Est-ce que vous aimez le football, les gars ?	→ ***Vi piace*** il calcio, ragazzi?

Quelques problèmes de traduction courants

« Je pense que », « je crois que » ...

Quand vous exprimez un point de vue, souvenez-vous qu'en italien on emploie le présent du subjonctif là où en français on aurait du présent de l'indicatif après **credo che...** (« je crois que... »), **penso che...** (« je pense que... »), **mi sembra che...** (« il me semble que... »), que la phrase soit affirmative ou non :

Je crois qu'il est arrivé hier.	→ **Credo che sia** arrivato ieri.
Je pense que c'est juste.	→ **Penso che sia** giusto.
Je suis sûr que Paolo **comprend**.	→ **Sono sicuro che** Paolo **capisca**.
Je crois qu'il est plus grand.	→ **Mi sembra che sia** più alto.

Traduction de « être en train de »

En français, pour parler de quelque chose qui est en cours ou qui était en cours à un moment du passé, on emploie la tournure « être en train de » suivie du verbe à l'infinitif. En italien, on utilise la structure **stare** + verbe se terminant par **-ando** ou **-endo** :

Ils **sont en train de** jouer aux cartes.	→ **Stanno** gioc**ando** a carte.
Il **est en train de** lire le journal.	→ **Sta** legg**endo** il giornale.
Elle **est en train de** parler à Maman.	→ **Sta** parl**ando** con la mamma.

Traduction de « venir de »

En italien, on utilise le passé composé avec **appena** pour traduire l'expression « venir de » + infinitif :

Je **viens de** l'acheter.	→ **L'ho appena** compra**to**.
Je **viens d'**arriver.	→ **Sono appena** arriva**to**.
Nous **venons de** nous réveiller.	→ **Ci siamo appena** sveglia**ti**.

Quelques problèmes de traduction courants

Attention aux prépositions !

Il existe un certain nombre de tournures très proches en italien et en français, ce qui explique que l'on a parfois tendance à transposer une expression d'une langue à l'autre. Cela conduit le plus souvent à des fautes, qui portent notamment sur les prépositions. En effet, il faut se rappeler que des structures qui n'ont pas de préposition en français peuvent en comporter une en italien et inversement. En outre, pour une tournure ou un verbe donné, la préposition n'est pas forcément la même dans les deux langues, comme les exemples ci-dessous l'illustrent. Votre dictionnaire montre clairement comment utiliser les prépositions, n'hésitez pas à vous y référer !

C'est très facile **à faire**.	→ *È molto facile **da fare**.*
Je compte le voir cet après-midi.	→ ***Conto di** vederlo questo pomeriggio.*
J'ai essayé de faire l'exercice.	→ ***Ho provato a** fare l'esercizio.*
Je pense arriver ce soir.	→ ***Penso di** arrivare questa sera.*

Faux amis

De nombreux termes français et italiens se ressemblent mais certains n'ont pas du tout le même sens : ce sont des faux amis. Le mot italien ***confetti***, par exemple, n'a pas le même sens que le terme français « confetti », et a comme équivalent « dragées ». ***Gradino*** a pour équivalent français « marche » alors que le terme français « gradin » se traduit par ***gradinata***. Voici quelques autres exemples :

*Oggi c'è una **gara** di nuoto.*	→ Aujourd'hui, il y a une **compétition** de natation.
C'est moi qui t'accompagne à la **gare**.	→ *Ti accompagno io alla **stazione**.*
*C'è troppo **rumore**, non riesco a dormire.*	→ Il y a trop de **bruit**, je n'arrive pas à dormir.
Ce ne sont que des **rumeurs**.	→ *Sono solo **voci**.*
*Teniamo il vino in **cantina**.*	→ Nous conservons le vin dans la **cave**.
À l'école, je mange toujours à la **cantine**.	→ *A scuola mangio sempre in **mensa**.*
*Vorrei **tornare** presto stasera.*	→ Je voudrais **rentrer** tôt ce soir.
J'ai la tête qui **tourne**.	→ *Mi **gira** la testa.*
*Mi hai detto una **bugia**.*	→ Tu m'as dit un **mensonge**.
Pourrais-tu allumer une **bougie** ?	→ *Potresti accendere una **candela**?*

ITALIANO – FRANCESE

ITALIEN – FRANÇAIS

a

A [a] *abbr* (= *autostrada*) A

PAROLA CHIAVE

a [a] (*a + il* = **al**, *a + lo* = **allo**, *a + l'* = **all'**, *a + la* = **alla**, *a + i* = **ai**, *a + gli* = **agli**, *a + le* = **alle**) *prep* **1** (*stato in luogo*) à; **essere alla stazione** être à la gare; **essere a casa/a scuola** être à la maison/à l'école; **essere a Roma/al mare** être à Rome/à la mer; **è a 10 km da qui** c'est à 10 km d'ici; **restare a cena** rester (à) dîner
2 (*moto a luogo*) à; **andare alla stazione** aller à la gare; **andare a casa/a scuola** aller à la maison/à l'école; **andare a Roma/al mare** aller à Rome/à la mer
3 (*tempo*) à; **alle cinque** à 5 heures; **a mezzanotte** à minuit; **al mattino** au matin, le matin; **a primavera** au printemps; **a maggio** en mai; **a Natale/Pasqua** à Noël/Pâques; **a cinquant'anni** à cinquante ans; **a domani!/lunedì!** à demain!/lundi!; **a giorni** dans quelques jours

4 (*complemento di termine*) à; **dare qc a qn** donner qch à qn
5 (*mezzo, modo*) à; **a piedi/cavallo** à pied/cheval; **fatto a mano** fait (à la) main; **motore/stufa a gas** moteur/poêle à gaz; **correre a 100 km all'ora** rouler à 100 km à l'heure; **una barca a motore** un bateau à moteur; **alla radio/televisione** à la radio/télévision; **a uno a uno** un par un, un à un; **all'italiana** à l'italienne; **a fatica** avec peine, à grand-peine
6 (*rapporto*) à, par; (: *con prezzi*) à; **due volte al giorno/alla settimana/al mese** deux fois par jour/par semaine/par mois; **1 euro al litro** 1 euro le litre; **prendo 1000 euro al mese** je gagne 1000 euros par mois; **pagato a ore/a giornata** payé à l'heure/à la journée; **vendere qc a 5 euro il chilo** vendre qch à 5 euros le kilo; **cinque a sei** (*punteggio*) cinq à six

abbagliante [abbaʎ'ʎante] *agg* éblouissant(e); **abbaglianti** *smpl* (*Aut*) phares *mpl* de route
abbagliare [abbaʎ'ʎare] *vt* éblouir; (*fig: illudere*) aveugler
abbaiare [abba'jare] *vi* aboyer
abbandonare [abbando'nare] *vt* abandonner; (*trascurare: bambino, casa*) délaisser; (*lasciar cadere: capo, braccia*) laisser tomber; **abbandonarsi** *vpr*: **abbandonarsi (a)** s'abandonner (à); (*fig*) se laisser aller (à); (: *al vizio*) se livrer (à); ~ **il campo** (*Mil*) abandonner le champ de bataille; ~ **la presa** lâcher prise
abbassare [abbas'sare] *vt* baisser; **abbassarsi** *vpr* se baisser; (*temperatura, sole ecc*) baisser; (*fig: umiliarsi*) s'abaisser; ~ **le armi** déposer les armes
abbasso [ab'basso] *escl*: ~ **il tiranno!** à bas le tyran!
abbastanza [abbas'tantsa] *avv* assez; **non è ~ furbo** il n'est pas assez rusé; **un vino ~ dolce** un vin assez doux; **averne ~ di qc/qn** en avoir assez de qch/qn
abbattere [ab'battere] *vt* abattre; (*fig: ostacolo, regime*) renverser; **abbattersi** *vpr* se laisser abattre; **abbattersi a terra** *o* **al suolo**

s'abattre à terre o au sol; **abbattersi su** s'abattre sur

abbattuto, -a [abbat'tuto] *agg (fig)* abattu(e)

abbazia [abbat'tsia] *sf* abbaye *f*

abbi ['abbi] *vb vedi* **avere**

abbia ['abbja] *vb vedi* **avere**

abbiamo [ab'bjamo] *vb vedi* **avere**

abbiano ['abbjano] *vb vedi* **avere**

abbiate [ab'bjate] *vb vedi* **avere**

abbiente [ab'bjɛnte] *agg* aisé(e); **abbienti** *smpl* riches *mpl*, nantis *mpl*

abbigliamento [abbiʎʎa'mento] *sm* habillement *m*

abbinare [abbi'nare] *vt (colori, indumenti)* assortir; *(biglietti)* jumeler; *(nomi)* associer; **~ una camicia ad una gonna** assortir une chemise avec une jupe

abboccare [abbok'kare] *vt (esca: prendere)* mordre; *(tubi, canali: collegare)* aboucher ■ *vi:* **~ all'amo** *(anche fig)* mordre à l'hameçon

abbonamento [abbona'mento] *sm* abonnement *m*; **in ~** par abonnement; **fare l'~ (a)** s'abonner (à)

abbonarsi [abbo'narsi] *vpr:* **~ (a** *(a teatro, ferrovia, giornale)* s'abonner (à)

abbondante [abbon'dante] *agg* abondant(e); *(giacca)* un peu grand(e)

abbondanza [abbon'dantsa] *sf* abondance *f*

abbordabile [abbor'dabile] *agg* abordable

abbottonare [abbotto'nare] *vt* boutonner; **abbottonarsi** *vpr (fam: fig, diventare riservato)* se tenir sur la réserve

abbracciare [abbrat'tʃare] *vt (anche fig)* embrasser; **abbracciarsi** *vpr* s'embrasser

abbraccio [ab'brattʃo] *sm* embrassade *f*, accolade *f*; **"un ~"** *(in cartoline, lettere)* "bons baisers"

abbreviare [abbre'vjare] *vt* abréger; *(cammino)* raccourcir

abbreviazione [abbrevjat'tsjone] *sf* abréviation *f*

abbronzante [abbron'dzante] *agg* bronzant(e) ■ *sm* produit *m* solaire

abbronzarsi [abbron'dzarsi] *vpr* (se) bronzer

abbronzato, -a [abbron'dzato] *agg* bronzé(e)

abbrustolire [abbrusto'lire] *vt* griller; **abbrustolirsi** *vpr* griller; *(fig: al sole)* se rôtir

abbuffarsi [abbuf'farsi] *vpr (fam):* **~ (di qc)** s'empiffrer (de qch)

abdicare [abdi'kare] *vi:* **~ (a)** *(al trono)* abdiquer; *(a carica, diritto)* renoncer (à)

abete [a'bete] *sm* sapin *m*; **~ bianco** sapin blanc; **~ rosso** épicéa *m*, sapinette *f*

abile ['abile] *agg* habile; **~ al servizio militare** apte au service militaire

abilità [abili'ta] *sf inv* adresse *f*; *(astuzia)* habileté *f*

abisso [a'bisso] *sm* abîme *m*, gouffre *m*; *(fig: differenza)* gouffre, fossé *m*

abitante [abi'tante] *sm/f* habitant(e)

abitare [abi'tare] *vt, vi* habiter; **~ a Roma/in Italia** habiter à Rome/en Italie; **dove abita?** où habitez-vous?

abitazione [abitat'tsjone] *sf* habitation *f*

abito ['abito] *sm (vestito: da uomo)* costume *m*; *(: da donna)* robe *f*; *(modo di vestire: militare, civile)* tenue *f*; *(: religioso)* habit *m*; **abiti** *smpl (vestiti)* vêtements *mpl*; **"è gradito l'~ scuro"** "tenue de soirée recommandée"; **~ mentale** tournure *f* d'esprit; **~ da sera** tenue de soirée; **~ da cerimonia** tenue de cérémonie

abituale [abitu'ale] *agg* habituel(le)

abitualmente [abitual'mente] *avv* habituellement

abituare [abitu'are] *vt:* **~ (a)** habituer (à); **abituarsi** *vpr:* **abituarsi (a)** s'habituer (à)

abitudinario, -a [abitudi'narjo] *agg, sm/f* routinier(-ière)

abitudine [abi'tudine] *sf* habitude *f*; **avere l'~ di fare qc** avoir l'habitude de faire qch; **d'~** d'habitude; **per ~** par habitude

abolire [abo'lire] *vt* abolir

abortire [abor'tire] *vi (Med)* faire une fausse couche; *(: deliberatamente)* avorter; *(fig)* avorter, échouer

aborto [a'bɔrto] *sm (Med: spontaneo)* fausse couche *f*; *(: provocato)* avortement *m*; **~ clandestino** avortement clandestin

abs [abi'ɛsse] *abbr m inv (Aut)* abs *m*

abside ['abside] *sf* abside *f*

abusare [abu'zare] *vi*: ~ **di** abuser de; ~ **dell'alcool** abuser de l'alcool

abusivo, -a [abu'zivo] *agg* non autorisé(e) ▪ *sm/f (di casa)* squatter *m/f*

a.C. *abbr avv* (= *avanti Cristo*) av. J.-C.

acacia, -ce [a'katʃa] *sf* acacia *m*

accadde [ak'kadde] *vb vedi* **accadere**

accademia [akka'dɛmja] *sf* · académie *f*; (*scuola: d'arte, militare*) école *f*

accadere [akka'dere] *vi*: ~ **(a)** arriver (à); **mi è accaduta una cosa strana** il m'est arrivé quelque chose de bizarre; **accada quel che accada** quoi qu'il arrive *o* advienne

accaldato, -a [akkal'dato] *agg* en sueur

accalorarsi [akkalo'rarsi] *vpr* s'échauffer, s'enflammer

accampamento [akkampa'mento] *sm (Mil, di profughi)* camp *m*; (*di indiani, zingari*) campement *m*

accamparsi [akkam'parsi] *vpr* camper; (*zingari, profughi*) s'installer

accanirsi [akka'nirsi] *vpr (infierire)*: ~ **(contro)** s'acharner (contre); ~ **(in)** (*ostinarsi, perseverare*) s'acharner (à)

accanito, -a [akka'nito] *agg* acharné(e); (*fumatore*) invétéré(e); **un lavoratore ~** un bourreau de travail

accanto [ak'kanto] *avv* à côté; ~ **a** à côté de, près de; **la casa ~** la maison (d')à côté

accantonare [akkanto'nare] *vt* laisser de côté; (*somma*) mettre de côté

accappatoio [akkappa'tojo] *sm* peignoir *m*

accarezzare [akkaret'tsare] *vt* (*anche fig: desiderio, progetto*) caresser

accasarsi [akka'sarsi] *vpr* se caser

accasciarsi [akkaʃ'ʃarsi] *vpr* s'écrouler, s'affaisser; (*fig: avvilirsi, abbattersi*) s'effondrer

accattone, -a [akkat'tone] *sm/f* mendiant(e)

accavallare [akkaval'lare] *vt* (*gambe*) croiser; **accavallarsi** *vpr* (*nubi*) s'amonceler; (*onde, fig: impegni*) se chevaucher; (*fig: pensieri*) s'enchevêtrer

accecare [attʃe'kare] *vt (anche fig)* aveugler ▪ *vi* devenir aveugle

accedere [at'tʃedere] *vi*: ~ **(a)** accéder (à)

accelerare [attʃele'rare] *vt* accélérer; (*passo*) hâter ▪ *vi* accélérer

acceleratore [attʃelera'tore] *sm* accélérateur *m*

accendere [at'tʃendere] *vt* (*luce, candela, fiammifero*) allumer; (*Comm: conto*) ouvrir; (: *debito*) contracter; (: *ipoteca*) constituer; (*fig: ira, rivalità*) éveiller, exciter; **accendersi** *vpr* s'allumer; (*fig: lotta, conflitto*) éclater; ~ **il motore** (*Aut*) mettre le contact; **ha da ~?** avez-vous du feu?; **non riesco ad ~ il riscaldamento** je n'arrive pas à allumer le chauffage

accendino [attʃen'dino] *sm* briquet *m*

accennare [attʃen'nare] *vt* montrer, indiquer; (*Mus*) donner les premières notes de ▪ *vi (alludere)*: ~ **a** faire allusion à; ~ **un saluto** (*con la mano*) esquisser un salut de la main; (*col capo*) esquisser un salut de la tête; ~ **un sorriso** ébaucher un sourire; **accenna a piovere** on dirait qu'il va pleuvoir

accenno [at'tʃenno] *sm* signe *m*; (*fig: allusione*) allusion *f*

accensione [attʃen'sjone] *sf (di luce, Aut)* allumage *m*; (*di conto*) ouverture *f*; (*di conflitto*) éclatement *m*; ~ **di un debito** constitution *f* d'une dette

accento [at'tʃento] *sm* accent *m*; (*fig*) teinte *f*, nuance *f*; **mettere l'~ su** (*fig*) mettre l'accent sur

accentuare [attʃentu'are] *vt* accentuer; (*evidenziare: differenza, aspetto*) accentuer, souligner; **accentuarsi** *vpr* s'accentuer; (*peggiorare: crisi, tensione*) s'aggraver

accerchiare [attʃer'kjare] *vt* encercler

accertamento [attʃerta'mento] *sm (verifica)* vérification *f*; (: *Dir*) constatation *f*; ~ **fiscale** contrôle *m* fiscal

accertare [attʃer'tare] *vt* vérifier; **accertarsi** *vpr*: **accertarsi (di/che)** s'assurer (de/que)

acceso, -a [at'tʃeso] *pp di* **accendere** ▪ *agg* allumé(e); (*motore*) allumé(e),

en marche; (*colore*) vif (vive); (*fig:
sostenitore*) fervent(e)
accessibile [attʃes'sibile] *agg* (*luogo*)
accessible; (*prezzo*) abordable; (*fig:
idea, concetto*) compréhensible,
intelligible
accesso [at'tʃɛsso] *sm* (*anche fig*)
accès *msg*; **tempo di ~** (*Inform*) temps
msg d'accès; **~ casuale/sequenziale
o seriale** (*Inform*) accès sélectif/
séquentiel
accessori [attʃes'sori] *smpl* (*anche
Aut*) accessoires *mpl*
accetta [at'tʃetta] *sf* hachette *f*
accettabile [attʃet'tabile] *agg*
acceptable
accettare [attʃet'tare] *vt* accepter;
~ di fare qc accepter de faire qch;
accettate carte di credito? acceptez-
vous les cartes de crédit?
accettazione [attʃettat'tsjone] *sf*
acceptation *f*; (*in hotel*) réception *f*;
(*in ospedale*) accueil *m*; **~ bagagli** (*Aer*)
enregistrement *m* des bagages
acchiappare [akkjap'pare] *vt*
attraper
acciaieria [attʃaje'ria] *sf* aciérie *f*
acciaio [at'tʃajo] *sm* acier *m*
accidentato, -a [attʃiden'tato] *agg*
accidenté(e)
accidenti [attʃi'denti] *escl* ~! (*fam:
per rabbia*) zut!, mince!; (: *per meraviglia*)
oh là là!
accigliato, -a [attʃiʎ'ʎato] *agg*
renfrogné(e)
accingersi [at'tʃindʒersi] *vpr*: **~ a
fare** s'apprêter à faire
acciuffare [attʃuf'fare] *vt* attraper
acciuga, -ghe [at'tʃuga] *sf* anchois
msg; **magro come un'~** maigre
comme un clou
accludere [ak'kludere] *vt* (*lettera,
copia*): **~ (a)** joindre (à)
accoccolarsi [akkokko'larsi] *vpr*
s'accroupir
accogliente [akkoʎ'ʎɛnte] *agg*
accueillant(e)
accogliere [ak'kɔʎʎere] *vt* accueillir;
(*approvare: proposta, istanza*) accepter;
(*contenere: sogg: palazzo, stadio*)
contenir, abriter
accolgo *ecc* [ak'kɔlgo] *vb vedi*
accogliere
accolsi *ecc* [ak'kɔlsi] *vb vedi* **accogliere**

accoltellare [akkoltel'lare] *vt*
poignarder
accomodamento
[akkomoda'mento] *sm*
arrangement *m*
accomodante [akkomo'dante] *agg*
conciliant(e)
accomodarsi [akkomo'darsi] *vpr*
s'asseoir; (*entrare*) entrer; (*fig:
risolversi: situazione*) s'arranger; **si
accomodi!** (*venga avanti!*) entrez!;
(*si sieda!*) asseyez-vous!

> **FALSI AMICI**
> **accomodarsi** non si
> traduce mai con la parola
> francese **s'accommoder**.

accompagnamento
[akkompaɲɲa'mento] *sm* (*anche
Mus*) accompagnement *m*; **lettera di
~** (*Comm*) lettre *f* d'accompagnement
accompagnare [akkompaɲ'ɲare]
vt (*anche Mus*) accompagner; (*porta,
cancello*) fermer doucement, retenir;
(*unire*) assortir; **accompagnarsi** *vpr*:
accompagnarsi a (*frequentare*)
fréquenter; (*al piano, alla chitarra*)
s'accompagner à; **~ qn a casa/alla
porta** accompagner qn à la maison/
à la porte; **~ un regalo con un
biglietto** accompagner un cadeau
d'un billet; **~ qn con lo sguardo** suivre
qn du regard
accompagnatore, -trice
[akkompaɲɲa'tore] *sm/f* (*anche
Mus*) accompagnateur(-trice);
~ turistico guide accompagnateur
acconciatura [akkontʃa'tura] *sf*
coiffure *f*
accondiscendente
[akkondiʃʃen'dɛnte] *agg*
complaisant(e), condescendant(e)
acconsentire [akkonsen'tire] *vi*:
~ (a) consentir (à), accepter; **chi tace
acconsente** qui ne dit mot consent
accontentare [akkonten'tare] *vt*
contenter, satisfaire;
accontentarsi *vpr*: **accontentarsi
(di)** se contenter (de); **chi si
accontenta gode** il faut se contenter
de ce qu'on a
acconto [ak'konto] *sm* acompte *m*;
~ di dividendo dividende *m* fictif
accorato, -a [akko'rato] *agg*
affligé(e)

accorciare [akkor'tʃare] vt
raccourcir; **accorciarsi** vpr
diminuer, raccourcir; (*indumenti*)
raccourcir

accordare [akkor'dare] vt concilier,
mettre d'accord; (*colori*) assortir;
(*Mus, Ling*) accorder; **accordarsi** vpr
(*persone*): **accordarsi (su)** se mettre
d'accord (sur), convenir (de)

accordo [ak'kɔrdo] sm (*anche Mus*)
accord m; (*armonia*) accord, entente
f; **andare d'~ (con)** s'entendre (avec);
essere d'~ (con) être d'accord (avec);
d'~! d'accord!; **mettersi d'~ (con qn)**
se mettre d'accord (avec qn);
prendere accordi con prendre des
accords avec; **come d'~...** comme
convenu...; **~ commerciale** accord
commercial

accorgersi [ak'kɔrdʒersi] vpr:
~ di s'apercevoir de, se rendre
compte de

accorrere [ak'korrere] vi accourir

accorto, -a [ak'kɔrto] pp di
accorgersi ◆ agg avisé(e),
prudent(e); **stare ~** faire attention

accostare [akkos'tare] vt aborder;
(*socchiudere: porta, persiane, imposte*)
entrouvrir; (*mettere vicino*) approcher;
(: *colori, stili*) marier; (*appoggiare:
scala*) appuyer ◆ vi (*Naut*) accoster;
(*Aut*) se garer; **accostarsi** vpr:
accostarsi (a) s'approcher (de),
se rapprocher (de); (*fig: a idea, fede,
partito*) adhérer (à)

accreditare [akkredi'tare] vt
(*Comm*) créditer; (*notizia*) confirmer;
(*diplomatico*) accréditer

accredito [ak'kredito] sm (*Comm*)
crédit m; (: *effetto*) accréditif m

accucciarsi [akkut'tʃarsi] vpr
(*animale*) se coucher; (*persona*)
s'accroupir

accudire [akku'dire] vt (*bambino*)
s'occuper de; (*infermo, vecchio*)
assister ◆ vi: **~ a** (*lavori domestici,
casa*) vaquer à; (*bambino*) s'occuper
de; (*infermo*) assister

accumulare [akkumu'lare] vt
accumuler, entasser; **accumularsi**
vpr s'accumuler

accurato, -a [akku'rato] agg
soigneux(-euse), diligent(e); (*lavoro*)
soigné(e)

accusa [ak'kuza] sf (*anche Dir*)
accusation f; **l'~, la pubblica ~** (*Dir*)
le Ministère public; **mettere qn
sotto ~** mettre qn en accusation;
in stato di ~ en état d'accusation

accusare [akku'zare] vt (*dare la colpa
a*): **~ (di)** accuser (de); (*Dir*) accuser,
inculper; (*sentire: dolore*) ressentir;
~ ricevuta di (*Comm*) accuser
réception de; **~ la fatica** accuser la
fatigue; **ha accusato il colpo** (*fig*)
il a accusé le coup

accusatore, -trice [akkuza'tore]
agg, sm/f accusateur(-trice)

acerbo, -a [a'tʃɛrbo] agg (*frutto*)
vert(e), pas mûr(e); (*aspro*) âpre;
(*fig: giovane*) pas mûr(e), immature

acero ['atʃero] sm érable m

acerrimo, -a [a'tʃɛrrimo] agg
implacable

aceto [a'tʃeto] sm vinaigre m;
mettere sotto ~ mettre dans le
vinaigre

acetone [atʃe'tone] sm acétone f

A.C.I. ['atʃi] sigla m (= *Automobile Club
d'Italia*) ≈ A.C.F. m

acido, -a ['atʃido] agg acide, aigre;
(*Chim, colore*) acide; (*fig: persona*)
acariâtre ◆ sm (*Chim*) acide m

acino ['atʃino] sm grain m; **~ d'uva**
grain de raisin

acne ['akne] sf acné f

acqua ['akkwa] sf eau f; **acque** sfpl
(*anche Med*) eaux fpl; **fare ~** (*barca*)
prendre l'eau; (*fig: ragionamento,
teoria*) clocher, ne pas tourner rond;
essere con o avere l'~ alla gola
avoir le couteau sur o sous la gorge;
tirare ~ al proprio mulino tirer la
couverture à soi; **navigare in
cattive acque** (*fig*) marcher sur des
charbons ardents; **~ in bocca!**
bouche cousue!; **~ cheta/di mare**
eau morte/de mer; **~ corrente** eau
courante; **~ dolce/salata** eau
douce/salée; **~ ossigenata/
piovana/salmastra** eau oxygénée/
de pluie/saumâtre; **~ minerale/
potabile/tonica** eau minérale/
potable/tonique; **acque termali**
eaux thermales

acquaio [ak'kwajo] sm évier m

acquaragia [akkwa'radʒa] sf
(*essence f de*) térébenthine f

acquario [ak'kwarjo] *sm* aquarium
m; (*Zodiaco*): A~ Verseau m; **essere
dell'A~** être (du) Verseau
acquatico, -a, -ci, -che
[ak'kwatiko] *agg* aquatique
acquavite [akkwa'vite] *sf*
eau-de-vie f
acquazzone [akkwat'tsone] *sm*
averse f
acquedotto [akkwe'dotto] *sm*
aqueduc m
acquerello [akkwe'rɛllo] *sm*
aquarelle f
acquirente [akkwi'rɛnte] *sm/f*
acheteur(-euse), acquéreur(-euse)
acquistare [akkwis'tare] *vt* acheter;
(*fig: stima, fama, merito*) gagner ■ *vi*:
~ **in** gagner en; ~ **in bellezza** gagner
en beauté; **ha acquistato in salute** il
s'est (re)fait une santé
acquisto [ak'kwisto] *sm* achat m;
fare acquisti faire des courses
acquolina [akkwo'lina] *sf*: **avere
l'~ in bocca** avoir l'eau à la bouche
acrobata, -i, -e [a'krɔbata] *sm/f*
acrobate m/f
aculeo [a'kuleo] *sm* aiguillon m,
dard m; (*Bot*) épine f
acume [a'kume] *sm* perspicacité f,
finesse f
acustico, -a, -ci, -che [a'kustiko]
agg, sf acoustique f
acuto, -a [a'kuto] *agg* (*anche Mat,
Ling, Mus*) aigu(-uë); (*fig: perspicace*)
fin(e), perspicace ■ *sm* (*Mus*) aigu m
adagio [a'dadʒo] *avv* lentement; (*con
cura*) doucement ■ *sm* adage m;
(*Mus*) adagio m
adattamento [adatta'mento] *sm*
adaptation f; **avere spirito di ~** savoir
s'adapter facilement
adattare [adat'tare] *vt* adapter;
adattarsi *vpr*: ~ **(a)** (*adeguarsi*)
s'adapter (à)
adatto, -a [a'datto] *agg*: ~ **(a)**
(*persona*) fait(e) (pour), indiqué(e)
(pour); (*mezzo, luogo*) approprié(e) (à);
(*momento*) propice (à); **non è un film
~ ai bambini** ce n'est pas un film
indiqué pour les enfants
addebitare [addebi'tare] *vt*:
~ **a** (*Comm*) débiter de; (*fig: colpa:
attribuire*) attribuer à; ~ **una somma
a qn** débiter qn d'une somme

addebito [ad'debito] *sm* (*Comm*)
débit m
addentare [adden'tare] *vt* (*mela,
panino*) mordre dans
addentrarsi [adden'trarsi] *vpr*: ~ **in**
(*in bosco*) s'enfoncer dans; (*in palazzo*)
pénétrer dans; (*fig: in argomento*)
s'engager dans
addestramento [addestra'mento]
sm (*di animali*) dressage m;
(*di dipendente*) formation f;
~ **professionale** formation
professionnelle
addestrare [addes'trare] *vt* (*animali*)
dresser; (*persone*) former;
addestrarsi *vpr*: **addestrarsi (in)**
s'exercer (à)
addetto, -a [ad'detto] *agg*: ~ **(a)**
(*persona*) préposé(e) (à); (*oggetto*)
servant (à) ■ *sm* (*persona assegnata a
incarico*) préposé m; (*attaché*) attaché
m; **gli addetti ai lavori** (*anche fig*) les
spécialistes mpl; "**vietato l'ingresso
ai non addetti ai lavori**" "entrée
interdite o défense d'entrer aux
personnes étrangères aux travaux";
~ **commerciale** attaché commercial;
~ **stampa** attaché de presse
addio [ad'dio] *sm, escl* (*formula di
commiato: distacco*) adieu m; **dare l'~
al celibato/nubilato** enterrer sa vie
de garçon/jeune fille
addirittura [addirit'tura] *avv*
(*perfino*) même, jusque; (*decisamente*)
carrément; ~**!** (*nientemeno*) vraiment!,
à ce point-là!
additare [addi'tare] *vt* (*persona,
oggetto*) montrer du doigt; (*fig:
esporre*) exposer
additivo [addi'tivo] *sm* (*Chim*)
additif m
addizione [addit'tsjone] *sf* addition f
addobbare [addob'bare] *vt* (*chiesa,
vetrina, sala*) décorer; **addobbarsi** *vpr*
(*scherz*) s'accoutrer
addobbo [ad'dɔbbo] *sm* décoration f;
addobbi natalizi décorations de Noël
addolorare [addolo'rare] *vt* faire de
la peine à; **addolorarsi** *vpr*:
addolorarsi (per) avoir de la peine
(pour)
addolorato, -a [addolo'rato] *agg*
affligé(e); **l'Addolorata** (*Rel*) Notre-
Dame des Sept Douleurs

addome [ad'dɔme] *sm* abdomen *m*

addomesticare [addomesti'kare] *vt* apprivoiser

addominale [addomi'nale] *agg* abdominal(e)

addormentare [addormen'tare] *vt* endormir; **addormentarsi** *vpr* s'endormir

addosso [ad'dɔsso] *avv* (*su persona*) sur moi/toi/soi *etc* ■ *prep*: ~ **a** (*sopra*) sur; (*molto vicino*) près de; **avere** ~ (*vestito, occhiali*) porter; (*soldi*) avoir sur soi; **mettersi** ~ **il cappotto** mettre son manteau; **andare** ~ **a** (*con macchina: altra macchina*) rentrer dans; (: *pedone*) renverser; **dare** ~ **a** (*fig: dare torto a*) donner tort à; **stare** ~ **a qn** (*fig: opprimere*) être toujours sur le dos de qn; **mettere le mani** ~ **a** (*picchiare*) lever la main sur; (*catturare*) mettre la main sur; (*molestare*) toucher; **mettere gli occhi** ~ **a** loucher sur

adeguarsi [ade'gwarsi] *vpr* (*conformarsi*): ~ (**a**) s'adapter (à)

adeguato, -a [ade'gwato] *agg* (*prezzo, ricompensa, stipendio*) juste; (*adatto*) approprié(e), adéquat(e)

adempiere [a'dempjere] *vt* (*dovere, voto*) accomplir; (*promessa*) tenir; (*comando*) exécuter

aderente [ade'rɛnte] *agg* adhérent(e); (*vestito*) collant(e) ■ *sm/f* adhérent(e), membre *m*

aderire [ade'rire] *vi*: ~ (**a**) adhérer (à), coller (à); (*fig: a partito*) adhérer (à); (: *a proposta, richiesta*) adhérer (à), se rallier (à)

adesione [ade'zjone] *sf* adhésion *f*; (*Fis*) adhérence *f*; (*appoggio*) adhésion, ralliement *m*

adesivo, -a [ade'zivo] *agg* adhésif(-ive), collant(e) ■ *sm* adhésif *m*; (*etichetta*) autocollant *m*; *vedi anche* **nastro**

adesso [a'dɛsso] *avv* maintenant; (*or ora, poco fa*) à l'instant; (*tra poco*) tout de suite, dans un instant; **per** ~ pour le moment; **da** ~ **in poi** dorénavant, désormais

adiacente [adja'tʃɛnte] *agg* (*contiguo*): ~ (**a**) adjacent(e) (à), contigu(-uë) (à)

adibire [adi'bire] *vt* (*destinare: locale*): ~ (**a**) affecter (à), destiner (à)

adolescente [adoleʃ'ʃɛnte] *agg, sm/f* adolescent(e)

adoperare [adope'rare] *vt* se servir de, employer; **adoperarsi** *vpr*: **adoperarsi per** mettre tout en œuvre pour

adorare [ado'rare] *vt* adorer

adottare [adot'tare] *vt* adopter

adottivo, -a [adot'tivo] *agg* adoptif(-ive); (*patria*) d'adoption

adozione [adot'tsjone] *sf* adoption *f*; **d'~** (*patria*) d'adoption; ~ **a distanza** parrainage *m* d'enfants

adriatico, -a, -ci, -che [adri'atiko] *agg* adriatique ■ *sm*: **l'A~, il mare A~** l'Adriatique *f*

ADSL *sigla m* (= *asymmetrical digital subscriber line*) ADSL *m*

adulare [adu'lare] *vt* flatter

adultero, -a [a'dultero] *agg, sm/f* adultère *m/f*

adulto, -a [a'dulto] *agg* adulte; (*fig: maturo: opera, stile*) mûr(e) ■ *sm/f* adulte *m/f*; **per adulti** pour adultes

aereo, -a [a'ɛreo] *agg* aérien(ne) ■ *sm* avion *m*; ~ **a reazione/ da caccia/di linea** avion à réaction/ de chasse/de ligne

aerobica [ae'rɔbika] *sf* aérobic *m*

aeronautica [aero'nautika] *sf* aéronautique *f*; ~ **civile** aéronautique civile; ~ **militare** aéronautique militaire

aeroporto [aero'pɔrto] *sm* aéroport *m*; **all'~ per favore** l'aéroport, s'il vous plaît

aerosol [aero'sɔl] *sm inv* aérosol *m*

afa ['afa] *sf* chaleur *f* étouffante, chaleur lourde

affabile [af'fabile] *agg* affable

affaccendato, -a [affattʃen'dato] *agg* affairé(e), occupé(e)

affacciarsi [affat'tʃarsi] *vpr* (*sporgersi, guardare*): ~ (**a**) se montrer (à), se mettre (à); ~ **su** (*sogg: finestra, balcone*) donner sur; ~ **alla vita** entrer dans la vie

affamato, -a [affa'mato] *agg* affamé(e); ~ **di** (*fig: di gloria, successo*) affamé(e) de, avide de

affannoso, -a [affan'noso] *agg* haletant(e); (*fig: ricerca*) fébrile

affare [af'fare] sm (anche Comm, Dir) affaire f; (fam: aggeggio) machin m, truc m; **affari** smpl (anche Comm) affaires fpl; **~ fatto!** affaire conclue!; **sono affari miei** c'est mon affaire, ça me regarde; **bada agli affari tuoi** occupe-toi de tes affaires; **ministro degli Affari Esteri** ministre des Affaires étrangères

affascinante [affaʃʃi'nante] agg fascinant(e)

affascinare [affaʃʃi'nare] vt fasciner, séduire

affaticare [affati'kare] vt fatiguer; **affaticarsi** vpr se fatiguer

affaticato, -a [affati'kato] agg fatigué(e)

affatto [af'fatto] avv (interamente) tout à fait, complètement; (rafforzativo di negazione): **non ci penso ~** je n'y pense pas du tout; **niente ~** pas du tout, pas le moins du monde; **non è ~ male, questo posto** cet endroit n'est pas mal du tout

affermare [affer'mare] vt affirmer; **affermarsi** vpr s'affirmer; (moda, spettacolo) s'imposer

affermato, -a [affer'mato] agg affirmé(e)

affermazione [affermat'tsjone] sf affirmation f; (successo, vittoria) succès m

afferrare [affer'rare] vt (anche fig: occasione, concetto ecc) saisir; **afferrarsi** vpr: **afferrarsi a** s'accrocher à

affettare [affet'tare] vt (pane, prosciutto) couper en tranches; (ostentare) affecter

affettatrice [affetta'tritʃe] sf trancheuse f

affettivo, -a [affet'tivo] agg affectif(-ive)

affetto, -a [af'fetto] agg: **essere ~ da** être atteint(e) de ■ sm affection f; **con ~** (in lettera) bien affectueusement; **gli affetti familiari** les attaches fpl familiales

affettuoso, -a [affettu'oso] agg affectueux(-euse); **un saluto o un abbraccio ~** (in lettera, cartolina) bien affectueusement

affezionarsi [affettsjo'narsi] vpr: **~ a** s'affectionner à, s'attacher à

affezionato, -a [affettsjo'nato] agg (persona, animale: attaccato): **~ a** attaché(e) à; (abituale: cliente) fidèle à

affiatato, -a [affja'tato] agg uni(e)

affibbiare [affib'bjare] vt (fig: incarico) refiler; **~ un soprannome a qn** affubler qn d'un surnom

affidabile [affi'dabile] agg fiable

affidamento [affida'mento] sm (Dir) garde f; **fare ~ su** (fidarsi) compter sur; **non dà nessun ~** il n'inspire aucune confiance

affidare [affi'dare] vt: **~ a** (anche Dir) confier à; (pacco, macchina) remettre à, confier à; **affidarsi** vpr: **affidarsi a** se fier à; (a cure, medico) s'en remettre à; **mi affido alla tua discrezione** je m'en remets à ta discrétion

affilare [affi'lare] vt aiguiser

affilato, -a [affi'lato] agg (lama, coltello) tranchant(e); (volto, naso) effilé(e)

affinché [affin'ke] cong pour que, afin que

affittare [affit'tare] vt louer

affitto [af'fitto] sm location f; (prezzo) loyer m; **dare/prendere in ~** louer

affliggere [af'fliddʒere] vt affliger; **affliggersi** vpr: **affliggersi (per)** s'affliger (de)

afflissi ecc [af'flissi] vb vedi **affliggere**

afflosciarsi [affloʃ'ʃarsi] vpr devenir flasque

affluente [afflu'ente] sm affluent m

affogare [affo'gare] vt, vi noyer; **affogarsi** vpr se noyer

affollare [affol'lare] vt remplir, envahir; **affollarsi** vpr se presser

affollato, -a [affol'lato] agg bondé(e)

FALSI AMICI
affollare non si traduce mai con la parola francese **affoler**.

affondare [affon'dare] vt couler; (nel terreno: radici, piedi) enfoncer ■ vi couler, sombrer; **~ in** (penetrare) (s')enfoncer dans

affrancare [affran'kare] vt (anche Amm) affranchir; (lettera: meccanicamente) timbrer;

affrancarsi *vpr*: **affrancarsi (da)**
s'affranchir (de), se libérer (de)
affresco, -schi [affresko] *sm*
fresque *f*
affrettarsi [affret'tarsi] *vpr* se
dépêcher
affrettato [affret'tato] *agg*
pressé(-e), précipité(-e), hâtif(-ive);
(frettoloso: decisione) hâtif(-ive),
précipité(-e); (: *lavoro*) hâtif(-ive),
fait(-e) à la hâte
affrontare [affron'tare] *vt* affronter;
(esaminare: questione) aborder;
affrontarsi *vpr (reciproco)*
s'affronter
affumicato, -a [affumi'cato] *agg*
(prosciutto, aringa ecc) fumé(e)
affusolato, -a [affuso'lato] *agg*
fuselé(e)
afoso, -a [a'foso] *agg* étouffant(e),
lourd(e)
Africa ['afrika] *sf* Afrique *f*
africano, -a [afri'kano] *agg*
africain(e) ▪ *sm/f* Africain(e)
agenda [a'dʒɛnda] *sf* agenda *m*;
~ da tavolo agenda de bureau;
~ tascabile agenda de poche
agente [a'dʒɛnte] *sm (anche Chim ecc)*
agent *m*; **resistente agli agenti
atmosferici** résistant aux agents
atmosphériques; **~ delle tasse**
receveur *m* des impôts; **~ di cambio**
employé *m* d'une société de bourse,
agent de change; **~ di custodia/
polizia** gardien *m* de prison/police;
~ di pubblica sicurezza agent de
police; **~ di vendita** agent
commercial; **~ marittimo** agent
maritime; **~ provocatore** agent
provocateur; **~ segreto** agent secret
agenzia [adʒen'tsia] *sf* agence *f*;
~ di collocamento/stampa
bureau *m* de placement/presse;
~ immobiliare agence immobilière;
**A~ Internazionale per l'Energia
Atomica** Agence internationale pour
l'énergie atomique; **~ matrimoniale/
pubblicitaria** agence matrimoniale/
de publicité; **~ viaggi** agence de
voyages o de tourisme
agevolare [adʒevo'lare] *vt* faciliter;
(persona) aider
agevolazione [adʒevolat'tsjone] *sf*
facilité *f*; **~ di pagamento** facilité de

paiement; **agevolazioni creditizie**
facilités de crédit; **agevolazioni
fiscali** allègements *mpl* fiscaux
agevole [a'dʒevole] *agg* aisé(e)
agganciare [aggan'tʃare] *vt*
(anche Ferr) accrocher; *(Tel: cornetta)*
raccrocher; *(fig: ragazza, tipo)*
aborder; **agganciarsi** *vpr*:
agganciarsi a s'accrocher à;
(fig: in discorso) se rattacher à
aggeggio [ad'dʒeddʒo] *sm* machin
m, truc *m*
aggettivo [addʒet'tivo] *sm*
adjectif *m*
agghiacciante [aggjat'tʃante] *agg*
(fig: spaventoso) terrifiant(e)
aggiornare [addʒor'nare] *vt* mettre
à jour; *(persona)* mettre au courant;
(seduta, causa, discussione) ajourner;
aggiornarsi *vpr* se tenir au courant
aggiornato, -a [addʒor'nato] *agg*
mis(e) à jour; *(persona)* au courant
aggirare [addʒi'rare] *vt (evitare:
anche fig)* contourner; **aggirarsi** *vpr*
rôder; **aggirarsi su** *(costo, spesa)*
s'élever environ à
aggiungere [ad'dʒundʒere] *vt*:
~ (a) ajouter (à); **aggiungersi** *vpr*
s'ajouter
aggiunsi *ecc* [ad'dʒunsi] *vb vedi*
aggiungere
aggiustare [addʒus'tare] *vt* réparer;
(adattare: vestito) arranger; (: *mira,
tiro*) ajuster; *(sistemare: cravatta,
occhiali)* ajuster; (: *lite*) arranger;
(conto) régler; **aggiustarsi** *vpr*
s'arranger; **ti aggiusto io!** tu vas avoir
affaire à moi!
aggrapparsi [aggrap'parsi] *vpr*:
~ a s'accrocher à, s'agripper à; *(fig:
a speranza, illusione)* s'accrocher à,
se cramponner à
aggravare [aggra'vare] *vt* aggraver;
aggravarsi *vpr* s'aggraver
aggredire [aggre'dire] *vt (persona)*
agresser; (: *verbalmente)* attaquer;
(stato) attaquer
aggressione [aggres'sjone] *sf*
agression *f*; **~ a mano armata**
agression à main armée
aggressivo, -a [aggres'sivo] *agg*
agressif(-ive)
aggressore [aggres'sore] *sm*
agresseur *m*

aggrottare [aggrot'tare] vt
(sopracciglia) froncer; (fronte) plisser
aggrovigliarsi [aggroviʎ'ʎarsi] vpr
(fune) s'emmêler; (situazione)
s'embrouiller
agguato [ag'gwato] sm guet-apens
msg, embuscade f; **tendere un ~ a**
tendre une embuscade à
agguerrito, -a [aggwer'rito] agg
aguerri(e), endurci(e); (preparato)
chevronné(e)
agiato, -a [a'dʒato] agg aisé(e)
agile ['adʒile] agg agile
agio ['adʒo] (pl **agi**) sm aise f; **agi**
smpl (ricchezze) aisance fsg; **mettersi
a proprio ~** se mettre à l'aise o à son
aise; **dare ~ a qn di fare qc** donner à
qn le loisir de faire qch
agire [a'dʒire] vi agir; (comportarsi) se
conduire; (sogg: farmaco, veleno) faire
effet; **~ contro qn** (Dir) engager une
action contre qn
agitare [adʒi'tare] vt agiter; (sogg:
cane: coda) remuer; (fig: turbare)
troubler; (: incitare) exciter;
agitarsi vpr s'agiter; (emozionarsi)
se troubler
agitato, -a [adʒi'tato] agg agité(e);
(discussione) animé(e); (persona:
emozionato) troublé(e)
aglio ['aʎʎo] sm ail m
agnello [aɲ'ɲɛllo] sm agneau m
ago ['ago] (pl **aghi**) sm aiguille f;
~ da calza aiguille à tricoter
agonistico, -a, -ci, -che
[ago'nistiko] agg (Sport, fig: spirito)
de compétition
agopuntura [agopun'tura] sf
acuponcture f, acupuncture f
agosto [a'gosto] sm août m; vedi
anche **luglio**
agrario, -a [a'grarjo] agg agraire;
(scuola) d'agriculture; **consorzio ~**
coopérative f agricole
agricolo, -a [a'grikolo] agg agricole
agricoltore [agrikol'tore] sm
agriculteur m
agricoltura [agrikol'tura] sf
agriculture f
agrifoglio [agri'fɔʎʎo] sm houx msg
agriturismo [agritu'rizmo] sm
(luogo) gîte m rural; (tipo di vacanza)
vacances fpl à la ferme; (ECON)
tourisme m rural

● **AGRITURISMO**

Le terme agriturismo désigne des
vacances à la ferme. Ces fermes
proposent des chambres et
également souvent des tables
d'hôte à prix abordables.

agrodolce [agro'doltʃe] agg aigre-
doux (aigre-douce) ■ sm (salsa):
in ~ à l'aigre-doux
agrumi [a'grumi] smpl agrumes mpl
aguzzo, -a [a'guttso] agg pointu(e),
aigu(-uë)
ahi ['ai] escl aïe!
aids ['aids] abbr m o f SIDA m
airbag [er'bag] sm inv (Aut) airbag m
airone [ai'rone] sm héron m
aiuola [a'jwɔla] sf (per fiori) parterre
m, plate-bande f; (per ortaggi) plate-
bande
aiutante [aju'tante] sm/f aide m/f,
auxiliaire m/f ■ sm (Mil) aide m,
adjudant m; (Naut) adjudant;
~ di campo aide de camp
aiutare [aju'tare] vt aider;
(digestione, progresso) faciliter;
aiutarsi vpr: **aiutarsi (con)** (valersi,
servirsi) s'aider (de), se servir (de); **~ qn
in qc/a fare qc** aider qn dans qch/à
faire qch; **può aiutarmi?** pouvez-
vous m'aider?
aiuto [a'juto] sm aide f, secours msg;
(aiutante) assistant(e); **~!** au secours!;
venire in ~ di venir en aide à, venir au
secours de; **~ chirurgo** assistant d'un
chirurgien
ala ['ala] (pl **ali**) sf (anche Sport) aile f;
fare ~ faire la haie; **avere le ali ai
piedi** (fig) avoir des ailes; **~ destra/
sinistra** (Sport) ailier m droit/gauche,
aile droite/gauche
alabastro [ala'bastro] sm albâtre m
alano [a'lano] sm danois msg
alba ['alba] sf aube f; **all'~** à l'aube,
à la pointe du jour
albanese [alba'nese] agg albanais(e)
■ sm/f Albanais(e)
Albania [alba'nia] sf Albanie f
alberato, -a [albe'rato] agg planté(e)
d'arbres
albergo, -ghi [al'bɛrgo] sm (edificio)
hôtel m; **~ della gioventù** auberge f
de (la) jeunesse

ALBERGHI

Les *alberghi* en Italie sont classés par étoiles, et sont en général de bonne qualité bien qu'assez chers, en particulier dans les villes touristiques.

albero ['albero] *sm* (*anche Tecn*) arbre *m*; (*Naut*) mât *m*; **~ a camme** arbre à cames; **~ a gomiti** vilebrequin *m*, essieu *m* coudé; **~ genealogico/ da frutto/di Natale** arbre généalogique/fruitier/de Noël; **~ di trasmissione** (*Tecn*) arbre de transmission; **~ maestro** (*Naut*) grand mât

albicocca, -che [albi'kɔkka] *sf* abricot *m*

album ['album] *sm inv* album *m*; **~ da disegno** cahier *m* de dessins

albume [al'bume] *sm* blanc *m* d'œuf; (*Biol*) albumen *m*

alce ['altʃe] *sm* élan *m*

alcol ['alkol] *sm inv* alcool *m*; **darsi all'~** s'adonner à l'alcool; **~ denaturato** alcool dénaturé; **~ etilico/metilico** alcool étilique/ méthylique

alcolico, -a, -ci, -che [al'kɔliko] *agg* alcoolique ■ *sm* boisson *f* alcoolisée

alcolizzato, -a [alkolid'dzato] *agg* alcoolisé(e) ■ *sm/f* alcoolique *m/f*

alcuno, -a [al'kuno] *agg* aucun(e) ■ *pron* (*nessuno*): **non... ~ ne...** personne; **alcuni/e** (*agg*) quelques; (*pron*) quelques-uns (unes); **senza alcun riguardo** sans aucun égard; **alcuni/e... alcuni/e...** quelques-uns (unes)... d'autres...

alfabetico, -a, -ci, -che [alfa'bɛtiko] *agg* alphabétique

alfabeto [alfa'bɛto] *sm* alphabet *m*

alga ['alga] *sf* algue *f*

algebra ['aldʒebra] *sf* algèbre *f*

Algeria [aldʒe'ria] *sf* Algérie *f*

algerino, -a [aldʒe'rino] *agg* algérien(ne) ■ *sm/f* Algérien(ne)

aliante [ali'ante] *sm* planeur *m*

alibi ['alibi] *sm inv* (*anche fig*) alibi *m*

alice [a'litʃe] *sf* anchois *m sg*

alieno, -a [a'ljɛno] *agg* (*avverso*): **~ (da)** contraire (à) ■ *sm/f* extra-terrestre *m/f*

alimentare [alimen'tare] *agg* alimentaire; **alimentari** *smpl* (*cibi*) produits *mpl* alimentaires; (*negozio*) épicerie *f sg*

alimentazione [alimentat'tsjone] *sf* (*anche Tecn, Inform*) alimentation *f*; (*cibi*) nourriture *f*

aliquota [a'likwota] *sf* quote-part *f*; **~ d'imposta** taux *m* de l'impôt; **~ minima** impôt *m* minimum

aliscafo [alis'kafo] *sm* hydroglisseur *m*

alito ['alito] *sm* haleine *f*; **un ~ di vento** (*fig*) un souffle de vent; **~ cattivo** mauvaise haleine

all. *abbr* (= *allegato*) P.J.

allacciamento [allattʃa'mento] *sm* (*di gas, acqua, telefono*) branchement *m*

allacciare [allat'tʃare] *vt* (*cintura*) attacher, boucler; (*scarpe*) lacer; (*luce, gas*) brancher; (*fig: amicizia*) nouer; **allacciarsi** *vpr* (*vestito*) s'attacher; **~ o allacciarsi la cintura** boucler sa ceinture; **"~ le cinture di sicurezza"** "attachez vos ceintures"

allacciatura [allattʃa'tura] *sf* (*di scarpe*) laçage *m*; (*con bottoni*) boutonnage *m*; (*chiusura*) fermeture *f*

allagare [alla'gare] *vt* inonder; **allagarsi** *vpr* être inondé(e)

allargare [allar'gare] *vt* élargir; (*gambe, braccia*) écarter; (*fig: conoscenze, ricerche*) étendre; (*Mus*) ralentir ■ *vi* prendre le large; **allargarsi** *vpr* s'élargir; (*fig: problema, fenomeno*) s'étendre

allarmare [allar'mare] *vt* alarmer, inquiéter; **allarmarsi** *vpr* s'alarmer

allarme [al'larme] *sm* alarme *f*; **dare l'~** donner l'alerte; **mettere in ~** (*anche fig*) mettre en état d'alerte; **falso ~** fausse alerte; **~ aereo** alerte aérienne; **~ antifurto** alarme

allattare [allat'tare] *vt* allaiter; **~ artificialmente** nourrir au biberon

alleanza [alle'antsa] *sf* alliance *f*

allearsi [alle'arsi] *vpr* s'allier

alleato, -a [alle'ato] *agg*, *sm/f* allié(e)

allegare [alle'gare] *vt* joindre, inclure; (*denti*) agacer

allegato, -a [alle'gato] *agg* joint(e), inclus(e) ■ *sm* pièce *f* jointe, annexe *f*; (*di e-mail*) pièce *f* jointe; **in ~ ci-**

joint(e); **in ~ Vi inviamo...** nous vous envoyons ci-joint...

alleggerire [alleddʒe'rire] *vt* alléger; (*fig: sofferenza, lavoro*) soulager; (: *tasse*) dégrever; (: *persona: derubare*) soulager

allegria [alle'gria] *sf* gaieté *f*

allegro, -a [al'legro] *agg* gai(e), joyeux(-euse); (*un po' brillo*) gai(e), éméché(e); (*faceto*) amusant(e); (*vivace: colore, suono*) gai(e) ■ *sm* (*Mus*) allegro *m*

allenamento [allena'mento] *sm* entraînement *m*

allenare [alle'nare] *vt* entraîner; **allenarsi** *vpr* s'entraîner

allenatore, -trice [allena'tore] *sm/f* entraîneur(-euse)

allentare [allen'tare] *vt* (*fune, nodo*) desserrer; (*fig: disciplina*) relâcher; **allentarsi** *vpr* se desserrer; (*fune*) se détendre; (*fig: legame*) se relâcher

allergia [aller'dʒia] *sf* (*anche fig*) allergie *f*

allergico, -a, -ci, -che [al'lɛrdʒiko] *agg* (*anche fig*): **~ (a)** allergique (à); **sono ~ alla penicillina** je suis allergique à la pénicilline

allestire [alles'tire] *vt* organiser; (*spettacolo*) organiser, monter; (*stand*) installer, monter; (*vetrina*) faire

allettante [allet'tante] *agg* alléchant(e)

allevare [alle'vare] *vt* élever

alleviare [alle'vjare] *vt* soulager

allibito, -a [alli'bito] *agg* interdit(e), stupéfait(e)

allievo, -a [al'ljɛvo] *sm/f* (*anche Mil*) élève *m/f*; **~ ufficiale** élève officier

alligatore [alliga'tore] *sm* alligator *m*

allineare [alline'are] *vt* aligner; **allinearsi** *vpr* s'aligner; **allinearsi a o con** (*Pol*) s'aligner sur

allodola [al'lɔdola] *sf* alouette *f*

alloggiare [allod'dʒare] *vi* loger; (*aver dimora*) habiter ■ *vt* héberger, loger; (*Mil*) loger

alloggio, -gi [al'lɔddʒo] *sm* (*anche Mil*) logement *m*

allontanare [allonta'nare] *vt* éloigner; (*pericolo, persona*) écarter; (*licenziare*) renvoyer, mettre à pied; **allontanarsi** *vpr*: **allontanarsi (da)** s'éloigner; (*assentarsi*) s'absenter (de); (*estraniarsi*) s'éloigner (de), se détacher (de)

allora [al'lora] *avv* alors, à ce moment là ■ *cong* dans ce cas, alors; (*dunque*) alors; **di ~, d'~** de ce temps là; **da ~ in poi** depuis lors, depuis ce temps-là; **e ~?** (*che fare?*) alors?; (*e con ciò?*) et alors?

alloro [al'lɔro] *sm* laurier *m*; **dormire sugli allori** (*fig*) s'endormir sur ses lauriers

alluce ['allutʃe] *sm* gros orteil *m*

allucinante [allutʃi'nante] *agg* hallucinant(e)

allucinazione [allutʃinat'tsjone] *sf* hallucination *f*

alludere [al'ludere] *vi*: **~ a** faire allusion à

alluminio [allu'minjo] *sm* aluminium *m*

allungare [allun'gare] *vt* allonger; (*gambe, braccia*) allonger, étendre; (*vino, whisky*) couper; (*fam: porgere, passare*) passer; **allungarsi** *vpr* (*persona: distendersi: giornata*) s'allonger; (*territorio*) s'étendre; **~ le mani** (*rubare*) chaparder, chiper; **~ uno schiaffo a qn** allonger une gifle à qn

allusi *ecc* [al'luzi] *vb vedi* **alludere**

allusione [allu'zjone] *sf* allusion *f*

alluvione [allu'vjone] *sf* inondation *f*

almeno [al'meno] *avv* au moins ■ *cong* (*se solo*): **(se) ~** si au moins

alogeno, -a [a'lɔdʒeno] *agg*: **lampada alogena** lampe *f* (à) halogène

alone [a'lone] *sm* (*di macchia*) auréole *f*; (*di luna, fig*) halo *m*; **un ~ di mistero** un halo de mystère

Alpi ['alpi] *sfpl* Alpes *fpl*

alpinismo [alpi'nizmo] *sm* alpinisme *m*

alpinista, -i, -e [alpi'nista] *sm/f* alpiniste *m/f*

alpino, -a [al'pino] *agg* alpin(e); **alpini** *smpl* (*Mil*) chasseurs *mpl* alpins

alt [alt] *escl* halte! ■ *sm*: **dare l'~** donner l'ordre de s'arrêter

altalena [alta'lena] *sf* (*a funi*) balançoire *f*; (*bilico*) bascule *f*

altare [al'tare] *sm* autel *m*; **portare all'~** (*fig: sposare*) conduire à l'autel

altermondialista, -i, -e
[altermondja'lista] *agg, sm/f*
altermondialiste *mf*
alternare [alter'nare] *vt* alterner;
alternarsi *vpr* se succéder, se relayer
alternativa [alterna'tiva] *sf*
alternative *f*; **non abbiamo
alternativa** nous n'avons pas le choix
alternativo, -a [alterna'tivo] *agg*
alternatif(-ive); (*cinema*) parallèle;
(*cucina*) non traditionnel(le); (*stile di
vita*) non conventionnel(le);
(*medicina*) doux (douce)
alterno, -a [al'tɛrno] *agg* alterné(e);
a giorni alterni un jour sur deux;
circolazione a targhe alterne (*Aut*)
circulation des voitures selon le dernier
chiffre de leur plaque d'immatriculation
dans le cadre de la lutte contre la pollution
altero, -a [al'tero] *agg* altier(-ière),
hautain(e)
altezza [al'tettsa] *sf* hauteur *f*;
(*di persona*) taille *f*; (*di stoffa*) largeur *f*;
(*di temperatura, pressione*) niveau *m*;
(*di acque*) profondeur *f*; **essere all'~
di** (*anche fig*) être à la hauteur de;
Sua A~ Son Altesse
alticcio, -a, -ci, -ce [al'tittʃo] *agg*
éméché(e), gai(e)
altitudine [alti'tudine] *sf* altitude *f*
alto, -a [al'to] *agg* haut(e); (*persona,
statura*) grand(e); (*tessuto, stoffa*)
large; (*temperatura, pressione*)
élevé(e); (*acqua*) profond(e);
(*settentrionale*) septentrional(e), du
nord; (*acuto, forte: suono*) fort(e);
(*prezzo, valore*) élevé(e) ■ *avv* haut;
in ~ en haut; **il palazzo è ~ 20 metri**
l'immeuble fait 20 mètres de hauteur;
a notte alta en pleine nuit; **ad alta
voce** à haute voix; **mani in ~!** les
mains en l'air!; **andare a testa alta**
(*fig*) marcher la tête haute; **trattare
dall'~ in basso** (*fig*) mépriser, traiter
avec condescendance; **alti e bassi**
(*fig*) les hauts et les bas; **l'~ Medioevo**
le haut Moyen-Âge; **l'~ Po** le cours
supérieur du Pô; **alta fedeltà** haute
fidélité; **alta finanza/moda/società**
haute finance/couture/société
altoparlante [altopar'lante] *sm*
haut-parleur *m*
altopiano [alto'pjano] (*pl* **altipiani**)
sm haut plateau *m*

altrettanto, -a [altret'tanto] *agg*
autant de ■ *pron* autant; (*la stessa
cosa*) de même ■ *avv* (*nello stesso
modo, ugualmente*) aussi; **tanti
auguri! - grazie, ~!** tous mes vœux! -
merci, à vous de même!
altrimenti [altri'menti] *avv*
autrement; (*in caso contrario*)
autrement, sinon

🔵 **PAROLA CHIAVE**

altro, -a ['altro] *agg* 1 (*diverso*) autre;
questa è un'altra cosa c'est (une)
autre chose; **passami l'altra maglia**
donne-moi l'autre pull; **d'altra parte**
d'autre part
2 (*supplementare*) autre, encore;
prendi un altro cioccolatino prends
un autre chocolat; **hai avuto altre
notizie?** as-tu eu d'autres nouvelles?;
hai altro pane? as-tu encore du
pain?
3 (*nel tempo*): **l'altro giorno** l'autre
jour; **l'altr'anno** l'année dernière;
l'altro ieri avant-hier; **domani l'altro**
après-demain
■ *pron* 1: **un altro, un'altra** un autre,
une autre; **lo farà un altro** quelqu'un
d'autre le fera; **altri, altre** (*persone*)
d'autres (personnes); (*cose*) d'autres;
gli altri (*la gente*) les autres; **l'uno e
l'altro** l'un et l'autre; **aiutarsi l'un
l'altro** s'aider les uns les autres;
prendine un altro/un'altra prends-
en un autre/une autre; **da un
giorno/da un momento all'altro**
d'un jour/d'un moment à l'autre
2 (*sostantivato: solo maschile*) autre;
non ho altro da dire je n'ai rien
d'autre à dire; **più che altro** surtout;
se non altro (tout) au moins; **tra
l'altro** entre autres; **le dispiace? -
tutt'altro!** cela vous ennuie? - pas du
tout, au contraire!; **ci mancherebbe
altro!** il ne manquerait plus que ça!;
non faccio altro che lavorare je ne
fais que travailler; **contento? - altro
che!** content? - et comment!; **hai
altro da dirmi?** tu as autre chose
à me dire?; *vedi anche* **senza**; **noialtri**;
voialtri; **tutto**

altrove [al'trove] *avv* ailleurs

altruista, -i, -e [altru'ista] *agg, sm/f* altruiste *m/f*

alunno, -a [a'lunno] *sm/f* élève *m/f*

alveare [alve'are] *sm* ruche *f*

alzare [al'tsare] *vt* lever; *(cassa, peso)* lever, soulever; *(bandiera)* hisser; *(leva)* tirer; *(volume)* augmenter; *(voce, costruire)* élever; **alzarsi** *vpr* se lever; *(aumentare)* monter, augmenter; **~ (le carte)** couper (les cartes); **~ il gomito** lever le coude; **~ le mani su qn** lever o porter la main sur qn; **alzarsi in piedi** se mettre debout; **~ le spalle** hausser les épaules; **~ i tacchi** tourner les talons

amaca, -che [a'maka] *sf* hamac *m*

amalgamare [amalga'mare] *vt* amalgamer; **amalgamarsi** *vpr* s'amalgamer

amante [a'mante] *agg:* **~ (di)** qui aime ■ *sm/f* amant *m*, maîtresse *f*

amare [a'mare] *vt* aimer; **amarsi** *vpr* s'aimer

amareggiato, -a [amared'dʒato] *agg* amer (amère), plein(e) d'amertume

amarena [ama'rɛna] *sf* griotte *f*; *(bevanda)* sirop *m* de griotte

amarezza [ama'rettsa] *sf* amertume *f*

amaro, -a [a'maro] *agg (anche fig)* amer (amère) ■ *sm* digestif *m*

amazzonico, -a, -ci, -che [amad'dzɔniko] *agg* amazonien(ne)

ambasciata [ambaʃ'ʃata] *sf* ambassade *f*; *(messaggio)* message *m*

ambasciatore, -trice [ambaʃʃa'tore] *sm/f* ambassadeur(-drice)

ambedue [ambe'due] *agg inv* les deux ■ *pron inv* tous (toutes) les deux; **~ i ragazzi** les deux jeunes gens

ambientalista, -i, -e [ambjenta'lista] *agg (persona, gruppo)* écologiste; *(disciplina)* environnementaliste

ambientare [ambjen'tare] *vt* situer; **ambientarsi** *vpr* s'adapter, se familiariser

ambiente [am'bjɛnte] *sm* environnement *m*; *(stanza)* pièce *f*; *(fig: di lavoro, culturale)* milieu *m*; *(atmosfera)* ambiance *f*; **Ministero per l'A~** ministère *m* de l'Environnement

ambiguo, -a [am'biguo] *agg* ambigu(-uë)

ambizione [ambit'tsjone] *sf* ambition *f*

ambizioso, -a [ambit'tsjoso] *sm/f* ambitieux(-euse)

ambo ['ambo] *agg inv* deux ■ *sm* *(Lotto)* les deux nombres gagnants; **~ le parti** des deux côtés

ambra ['ambra] *sf* ambre *m*; **~ grigia** ambre gris

ambulante [ambu'lante] *agg* ambulant(e) ■ *sm* marchand *m* ambulant

ambulanza [ambu'lantsa] *sf* ambulance *f*; **chiamate un ~** appelez une ambulance

ambulatorio [ambula'tɔrjo] *sm* *(Med: privato)* cabinet *m* de consultation; *(: pubblico)* dispensaire *m*

America [a'mɛrika] *sf* Amérique *f*; **l'~ latina** l'Amérique latine

americano, -a [ameri'kano] *agg* américain(e) ■ *sm/f* Américain(e)

amianto [a'mjanto] *sm* amiante *m*

amichevole [ami'kevole] *agg* amical(e); **incontro ~** *(Sport)* rencontre *f* amicale

amicizia [ami'tʃittsja] *sf* amitié *f*; **amicizie** *sfpl (amici, conoscenze)* amis *mpl*, relations *fpl*; **fare ~ con qn** se lier d'amitié avec qn; **un'affettuosa ~** une tendre amitié

amico, -a, -ci, -che [a'miko] *sm/f* ami(e); *(amante)* petit(e) ami(e); **~ del cuore** ami intime; **~ d'infanzia** ami d'enfance

amido ['amido] *sm* amidon *m*

ammaccare [ammak'kare] *vt* cabosser; **ammaccarsi** *vpr* être cabossé(e)

ammaccatura [ammakka'tura] *sf* bosse *f*; *(contusione)* bleu *m*

ammaestrare [ammaes'trare] *vt* dresser

ammainare [ammai'nare] *vt* amener

ammalarsi [amma'larsi] *vpr* tomber malade

ammalato, -a [amma'lato] *agg, sm/f* malade *m/f*

ammanettare [ammanet'tare] *vt* passer les menottes à

ammassare [ammas'sare] vt entasser; (persone) rassembler; **ammassarsi** vpr se rassembler, s'amasser

ammattire [ammat'tire] vi devenir fou (folle); **far ~ qn** (fig) rendre qn fou (folle)

ammazzare [ammat'tsare] vt tuer; **ammazzarsi** vpr (suicidarsi) se tuer; (rimanere ucciso) se tuer, trouver la mort; **~ il tempo** (fig) tuer le temps; **ammazzarsi di lavoro** se tuer au travail

ammettere [am'mettere] vt admettre; (riconoscere: responsabilità, colpa) admettre, reconnaître; **~ che...** (supporre) admettre que...

amministrare [amminis'trare] vt (anche Rel) administrer

amministratore [amministra'tore] sm administrateur m; (di condominio) syndic m de copropriété; **~ aggiunto** directeur m adjoint; **~ delegato** administrateur délégué; **~ unico** directeur unique

amministrazione [amministrat'tsjone] sf administration f; **consiglio d'~** conseil m d'administration; **l'~ comunale** l'administration municipale; **~ controllata** ≈ redressement m judiciaire; **~ fiduciaria** tutelle f

ammiraglio [ammi'raʎʎo] sm amiral m

ammirare [ammi'rare] vt admirer

ammirazione [ammirat'tsjone] sf admiration f

ammisi ecc [am'mizi] vb vedi **ammettere**

ammobiliato, -a [ammobi'ljato] agg meublé(e)

ammollo [am'mɔllo] sm trempage m; **mettere in ~** mettre à tremper

ammoniaca [ammo'niaka] sf ammoniaque f

ammonire [ammo'nire] vt réprimander, reprendre; (avvertire) avertir; (Sport) donner un avertissement à; (Dir) admonester

ammonizione [ammonit'tsjone] sf (anche Sport) avertissement m; (rimprovero) réprimande f, reproche m; (Dir) admonition f

ammontare [ammon'tare] vi: **~ a** s'élever à ■ sm: **l'~** le montant

ammorbidente [ammorbi'dɛnte] sm assouplissant m

ammorbidire [ammorbi'dire] vt (tessuto, cuoio) assouplir; (impasto, creta) ramollir; (fig: addolcire) adoucir

ammortizzatore [ammortiddza'tore] sm amortisseur m

ammucchiare [ammuk'kjare] vt entasser; (denaro, ricchezze) accumuler; **ammucchiarsi** vpr s'entasser, s'amonceler; (persone) s'entasser

ammuffire [ammuf'fire] vi (anche fig) moisir

ammutolire [ammuto'lire] vi devenir muet(te)

amnesia [amne'zia] sf amnésie f; **avere un'~** avoir un trou de mémoire

amnistia [amnis'tia] sf amnistie f

amo ['amo] sm hameçon m; (fig) piège m; **prendere all'~** prendre à l'hameçon; (fig) prendre au piège

amore [a'more] sm amour m; **amori** smpl (storie d'amore) amours fpl; **il suo ~ per il teatro** son amour pour le théâtre; **è un ~** (bambino) c'est un amour; (persona) c'est une personne délicieuse; **questo abito è un ~** c'est un amour de robe; **andare d'~ e d'accordo con** s'entendre à merveille avec; **fare l'~ o all'~ con qn** faire l'amour avec qn; **per ~ o per forza** de gré ou de force; **per l'amor di Dio!** pour l'amour de Dieu!; **amor proprio** amour-propre m

amoroso, -a [amo'roso] agg affectueux(-euse); (poesia, relazione) amoureux(-euse)

ampio, -a ['ampjo] agg vaste, grand(e); (strada, corridoio) grand(e); (gonna, vestito) ample, large; (garanzie, conoscenze) ample

amplesso [am'plɛsso] sm rapport m sexuel

ampliare [ampli'are] vt élargir; (aeroporto) agrandir; (fig: discorso, ricerca, cultura) étendre, développer; **ampliarsi** vpr (vedi vt) s'élargir; s'agrandir; s'étendre

amplificatore [amplifika'tore] sm amplificateur m

amputare [ampu'tare] vt (anche fig) amputer

anabbaglianti [anabbaʎˈʎanti] smpl feux mpl de croisement, codes mpl

AN sigla (= Alleanza Nazionale) parti italien de droite

anabolizzante [anabolidˈdzante] agg anabolisant(e) ■ sm anabolisant m

analcolico, -a, -ci, -che [analˈkɔliko] agg sans alcool ■ sm boisson f sans alcool; **bevanda analcolica** boisson sans alcool

analfabeta, -i, -e [analfaˈbɛta] agg, sm/f analphabète m/f

analgesico, -a, -ci, -che [analˈdʒɛziko] agg, sm analgésique (m)

analisi [aˈnalizi] sf inv analyse f; **in ultima ~** en dernière analyse; **~ dei costi** analyse des coûts; **~ dei sistemi** analyse systémique o de système; **~ grammaticale/del sangue** analyse grammaticale/du sang

analizzare [analidˈdzare] vt analyser

analogo, -a, -ghi, -ghe [aˈnalogo] agg analogue

ananas [ˈananas] sm inv ananas msg

anarchia [anarˈkia] sf anarchie f

anarchico, -a, -ci, -che [aˈnarkiko] agg, sm/f anarchiste m/f

A.N.A.S. sigla f (= Azienda Nazionale Autonoma delle Strade) organisme d'État chargé de la construction et de l'entretien du réseau routier national

anatomia [anatoˈmia] sf anatomie f; (sezionamento) dissection f; (fig: analisi minuta) épluchage m

anatra [ˈanatra] sf canard m; **~ selvatica** canard sauvage

anca, -che [ˈanka] sf hanche f

anche [ˈanke] cong (inoltre, pure) aussi, en outre; (perfino) même; **vengo anch'io** je viens moi aussi; **~ se** même si; **quand'~** quand bien même; **~ volendo, non finiremmo in tempo** même si on le voulait on n'arriverait pas à finir à temps; **si può ~ fare** c'est faisable

ancora¹ [anˈkora] avv encore; (di nuovo) encore, de nouveau; **~ più bello/~ meglio** encore plus beau/ encore mieux; **non ~** pas encore; **~ una volta** encore une fois; **~ un po'** encore un peu

ancora² [ˈankora] sf (Naut) ancre f; (Tecn) armature f; **gettare/levare l'~** jeter/lever l'ancre; **~ di salvezza** (fig) ancre o planche f de salut

andare [anˈdare] vi aller; (funzionare) marcher; (strada, sentiero) mener, conduire; (essere di moda) être à la mode; (vendere bene) se vendre ■ sm: **a lungo ~** à la longue; **~ a qn** (essere adatto) aller o convenir à qn; (piacere) plaire à qn; **non mi va più** (cibo) je n'en veux plus; (idea) cela ne me dit plus rien; **questa gonna non mi va più** (non mi piace) cette jupe ne me plaît plus; (è stretta ecc) cette jupe ne me va plus; **ti va di ~ al cinema?** ça te dit d'aller au cinéma?; **andarsene** s'en aller; **~ in aereo** prendre l'avion; **~ a cavallo/in macchina/a piedi** aller à cheval/en voiture/à pied; **~ in montagna** aller à la montagne; **~ a fare qc** aller faire qch; **~ a sciare/ pescare** aller faire du ski/à la pêche; **~ fiero di** être fier de; **~ perduto** être perdu; **se non vado errato** si je ne m'abuse pas; **questa camicia va lavata** il faut laver cette chemise; **va fatto entro oggi** il faut le faire aujourd'hui; **come va?** (lavoro, progetto) comment ça marche?; **come va? - bene, grazie** comment ça va? - bien, merci; **vado e vengo** je reviens tout de suite; **~ a male** s'abîmer; **un prodotto che va molto** un produit qui se vend bien; **~ per i 50** aller sur ses 50 ans; **va da sé** cela va de soi; **ne va della vostra vita** votre vie est en jeu; **per questa volta vada** passe pour cette fois; **con l'andar del tempo** avec le temps; **racconta storie a tutto ~** il raconte des histoires à tout bout de champ

andata [anˈdata] sf aller m; **biglietto di sola ~** (billet m d') aller simple; **biglietto di ~ e ritorno** (billet) aller retour

andrò ecc [anˈdrɔ] vb vedi **andare**

aneddoto [aˈnɛddoto] sm anecdote f

anello [aˈnɛllo] sm bague f; (cerchio, oggetto circolare, Astron) anneau m; (di catena) maillon m; **anelli** smpl

(*Ginnastica*) anneaux *mpl*; **~ di fidanzamento** bague de fiançailles

anemico, -a, -ci, -che [a'nɛmiko] *agg* (*anche fig*) anémique

anestesia [aneste'zia] *sf* anesthésie *f*

angelo ['andʒelo] *sm* ange *m*; **l'~ del focolare** la fée du logis; **~ custode** (*Rel, fig*) ange gardien

angheria [ange'ria] *sf* brimade *f*, vexation *f*

anglicano, -a [angli'kano] *agg* anglican(e)

anglosassone [anglo'sassone] *agg* anglo-saxon(ne)

angolo ['angolo] *sm* coin *m*; (*Mat*) angle *m*; (*Calcio*) corner *m*; **fare ~ con** être perpendiculaire à; **è dietro l'~** c'est juste au coin; (*fig*) c'est à deux pas d'ici; (: *imminente*) cela va arriver d'un moment à l'autre; **~ cottura** coin-cuisine *m*

angoscia [an'gɔʃʃa] *sf* angoisse *f*

anguilla [an'gwilla] *sf* anguille *f*

anguria [an'gurja] *sf* pastèque *f*

anice ['anitʃe] *sm* anis *msg*; (*liquore*) anisette *f*

anima ['anima] *sf* âme *f*; **un'~ in pena** (*anche fig*) une âme en peine; **non c'era ~ viva** il n'y avait pas âme qui vive; **volere un bene dell'~ a qn** aimer de tout son cœur; **rompere l'~ a qn** casser les pieds à qn; **il nonno buon'~** mon pauvre grand-père; **~ gemella** âme sœur

animale [ani'male] *sm* (*anche fig*) animal *m* ▪ *agg* animal(e); **~ domestico** animal domestique

annacquare [annak'kware] *vt* (*vino*) couper, mouiller; (*succo di frutta*) ajouter de l'eau à

annaffiare [annaf'fjare] *vt* arroser

annaffiatoio [annaf'fjare] *sm* arrosoir *m*

annata [an'nata] *sf* année *f*; **vino d'~** (vin *m* de) grand cru *m*

annegare [anne'gare] *vt* noyer ▪ *vi* se noyer; **annegarsi** *vpr* se noyer

annerire [anne'rire] *vt* noircir ▪ *vi* se noircir

annientare [annjen'tare] *vt* anéantir

anniversario [anniver'sarjo] *sm* anniversaire *m*; **~ di matrimonio** anniversaire de mariage

anno ['anno] *sm* année *f*; **l'~ prossimo** l'année prochaine; **quanti anni hai? - ho 10 anni** quel âge as-tu? - j'ai 10 ans; **gli anni '20** les années 20; **porta bene gli anni** il ne paraît o ne fait pas son âge; **porta male gli anni** il paraît o fait plus vieux que son âge; **gli anni di piombo** les années de plomb; **~ commerciale** exercice *m*; **~ giudiziario** année judiciaire; **~ luce** année-lumière *f*

annodare [anno'dare] *vt* (*anche fig*: *rapporto*) nouer; (*lacci, corde*) nouer, attacher

annoiare [anno'jare] *vt* ennuyer; **annoiarsi** *vpr* s'ennuyer

annotare [anno'tare] *vt* marquer, noter; (*commentare*) annoter

annuale [annu'ale] *agg* annuel(le)

annuire [annu'ire] *vi* faire signe que oui, acquiescer d'un signe de tête

annullare [annul'lare] *vt* annuler; (*annientare, distruggere*) anéantir; (*marca da bollo*) oblitérer

annunciare [annun'tʃare] *vt* annoncer

annuncio [an'nuntʃo] *sm* annonce *f*; (*fig: pronostico, previsione*) signe *m*; **piccoli annunci** petites annonces; **~ pubblicitario** annonce publicitaire; **annunci economici** petites annonces; **annunci mortuari** nécrologie *fsg*

annuo, -a ['annuo] *agg* annuel(le)

annusare [annu'sare] *vt* sentir, flairer; (*tabacco*) priser; (*fig: pericolo, minaccia*) flairer

anomalo, -a [a'nɔmalo] *agg* anormal(e)

anonimo, -a [a'nɔnimo] *agg* anonyme ▪ *sm* auteur *m* anonyme; **un tipo ~** (*peg*) un type quelconque; **società anonima** (*Comm*) société *f* anonyme; **Anonima sequestri** *association criminelle responsable d'enlèvements pour lesquels elle exige le paiement d'une rançon*

anoressia [anores'sia] *sf* anorexie *f*

anoressico, -a, -ci, -che [ano'ressiko] *agg* anorexique

anormale [anor'male] *agg, sm/f* anormal(e)

ANSA ['ansa] *sigla f* (= *Agenzia Nazionale Stampa Associata*) ≈ A.F.P. *f*

ansia ['ansja] sf anxiété f, inquiétude f; (Psic) anxiété; **stare in ~ (per)** se faire du souci (pour)

ansimare [ansi'mare] vi haleter, souffler

ansioso, -a [an'sjoso] agg anxieux(-euse)

anta ['anta] sf (di armadio) porte f; (di finestra) volet m

Antartide [an'tartide] sf: **l'~** l'Antarctique m

antenna [an'tenna] sf antenne f; **rizzare le antenne** (fig) dresser o tendre l'oreille; **~ parabolica** antenne parabolique

anteprima [ante'prima] sf avant-première f; **in ~** en avant-première

anteriore [ante'rjore] agg antérieur(e); (sedile, ruota) avant inv

antibiotico, -a, -ci, -che [antibi'ɔtiko] agg, sm antibiotique (m)

anticamera [anti'kamera] sf antichambre f, vestibule m; **fare ~** faire antichambre; **non mi passerebbe neanche per l'~ del cervello** cela ne me viendrait même pas à l'esprit

anticipare [antitʃi'pare] vt avancer; (somma di denaro) avancer; (notizia) révéler

anticipo [an'titʃipo] sm (anche Sport) anticipation f; (somma) avance f, acompte m; **in ~** en avance; **con un sensibile ~** avec une avance sensible; **occorre che prenoti in ~?** est-ce qu'il faut réserver à l'avance?

antico, -a, -chi, -che [an'tiko] agg antique; **all'antica** à l'ancienne; **gli antichi** les anciens mpl

anticoncezionale [antikontʃettsjo'nale] agg contraceptif(-ive) ■ sm contraceptif m, moyen m de contraception

anticonformista, -i, -e [antikonfor'mista] agg, sm/f anticonformiste m/f

anticorpo [anti'kɔrpo] sm anticorps msg

antidoping ['anti'doupiŋ] sm inv (Sport) contrôle m antidopage o antidoping

antifona [an'tifona] sf: **capire l'~** (fig) saisir l'allusion

antiforfora [anti'forfora] agg inv antipelliculaire

antifurto [anti'furto] sm (anche: **sistema antifurto**) antivol m

antigelo [anti'dʒɛlo] agg inv, sm inv antigel m

antiglobalizzazione [antiglobalid dzat'tsjone] sf antimondialisation f

antincendio [antin'tʃɛndjo] agg inv (misure) contre l'incendie; (dispositivo) de protection contre l'incendie; **bombola ~** extincteur m

antinebbia [anti'nebbja] sm inv (anche: **faro antinebbia**) antibrouillard m

antiorario [antio'rarjo] agg: **in senso ~** dans le sens inverse des aiguilles d'une montre

antipasto [anti'pasto] sm hors-d'œuvre m inv

antipatia [antipa'tia] sf antipathie f; **prendere in ~** prendre en grippe

antipatico, -a, -ci, -che [anti'patiko] agg antipathique ■ sm/f personne f antipathique

antiquariato [antikwa'rjato] sm commerce m d'antiquités; **un pezzo d'~** (oggetto) un objet d'art; (mobile) un meuble ancien; **mostra dell'~** salon m des antiquaires

antiquario [anti'kwarjo] sm antiquaire m

antiquato, -a [anti'kwato] agg désuet(-ète), vieilli(e)

antitraspirante [antitraspi'rante] agg antitranspirant(e)

antivirus [anti'virus] sm inv, agg inv antivirus (m) inv

antologia [antolo'dʒia] sf anthologie f

anulare [anu'lare] agg annulaire ■ sm annulaire m; **raccordo ~** périphérique m

anzi ['antsi] cong au contraire; (o meglio) ou plutôt

anziano, -a [an'tsjano] agg âgé(e); (Amm) ancien(ne); (socio) ayant un droit d'ancienneté ■ sm/f personne f âgée; **gli anziani** les personnes âgées

anziché [antsi'ke] cong au lieu de

apatico, -a, -ci, -che [a'patiko] agg apathique

ape ['ape] sf abeille f

aperitivo [aperi'tivo] sm apéritif m

apertamente [aperta'mente] *avv* ouvertement

aperto, -a [a'pɛrto] *pp di* **aprire** ■ *agg* (*anche fig*) ouvert(e) ■ *sm*: **all'~** en plein air; **è ~ al pubblico?** est-ce ouvert au public?; **quando è ~ il museo?** quand est-ce que le musée est ouvert?; **a bocca aperta** bouche bée; **rimanere a bocca aperta** (*fig*) rester bouche bée

apertura [aper'tura] *sf* ouverture *f*; **~ alare** envergure *f*; **~ di credito** (*Comm*) ouverture de crédit; **~ mentale** ouverture d'esprit

apnea [ap'nɛa] *sf*: **in ~** en apnée

apostrofo [a'pɔstrofo] *sm* apostrophe *f*

appaio *ecc* [ap'pajo] *vb vedi* **apparire**

appalto [ap'palto] *sm* (*Comm*) adjudication *f*; **dare/prendere in ~** donner/prendre en adjudication; **appalti pubblici** marchés *mpl* publics

appannarsi [appan'narsi] *vpr* (*vetro*) s'embuer; (*vista*) se brouiller

apparecchiare [apparek'kjare] *vt*: **~ (la tavola)** mettre la table *o* le couvert

apparecchio [appa'rekkjo] *sm* appareil *m*; **~ acustico** appareil auditif, audiophone *m*; **~ telefonico** appareil téléphonique; **~ televisivo** poste *m* de télévision

apparente [appa'rɛnte] *agg* apparent(e)

apparire [appa'rire] *vi* apparaître; (*spuntare: sole, luna*) poindre; (*sembrare*) paraître; (*risultare*) ressortir

appartamento [apparta'mento] *sm* appartement *m*

appartarsi [appar'tarsi] *vpr* se mettre à l'écart

appartenere [apparte'nere] *vi*: **~ a** appartenir à; (*spettare a*) appartenir à, revenir à

apparvi *ecc* [ap'parvi] *vb vedi* **apparire**

appassionare [appassjo'nare] *vt* passionner; **appassionarsi** *vpr*: **appassionarsi a** se passionner pour

appassionato, -a [appassjo'nato] *agg* passionné(e) ■ *sm/f* amateur *m*

appassire [appas'sire] *vi* (*anche fig*) se flétrir, se faner

appassito, -a [appas'sito] *agg* fané(e)

appello [ap'pɛllo] *sm* (*anche Mil*) appel *m*; (*Univ*) session *f*; **fare l'~** (*Scol*) faire l'appel; **fare ~ a** en appeler à

appena [ap'pena] *avv* (*a fatica*) à peine; (*soltanto, non di più*) seulement; (*da poco*) juste ■ *cong* (*subito dopo che*) dès *o* aussitôt que; **(non) ~ furono arrivati...** dès leur arrivée...; **ero ~ arrivato quando mi ha chiamato** je venais juste d'arriver quand il m'a appelé

appendere [ap'pɛndere] *vt*: **~ (a/su)** accrocher (à), suspendre (à); **appendersi** *vpr*: **appendersi (a/su)** s'accrocher (à)

appendice [appen'ditʃe] *sf* (*anche Anat*) appendice *m*; **romanzo d'~** roman-feuilleton *m*

appendicite [appendi'tʃite] *sf* appendicite *f*

Appennini [appen'nini] *smpl* Apennins *mpl*

appesantire [appesan'tire] *vt* alourdir; (*fig: atmosfera*) rendre lourd(e); **appesantirsi** *vpr* s'alourdir; (*ingrassare*) s'empâter; (*fig: atmosfera*) devenir lourd(e)

appetito [appe'tito] *sm* appétit *m*; **buon ~!** bon appétit!

appiccare [appik'kare] *vt*: **~ il fuoco a** mettre le feu à

appiccicare [appittʃi'kare] *vt* coller; (*soprannome*) attribuer, coller (*fam*); **appiccicarsi** *vpr* se coller; **è un tipo che si appiccica** il est collant

appisolarsi [appizo'larsi] *vpr* s'endormir

applaudire [applau'dire] *vt* applaudir; (*fig: approvare*) applaudir à ■ *vi* applaudir

applauso [ap'plauzo] *sm* applaudissement *m*

applicare [appli'care] *vt* (*etichetta, francobollo*) appliquer, coller; (*crema*) mettre, étaler; (*regolamento*) appliquer; **applicarsi** *vpr*: **applicarsi (a)** s'appliquer (à)

appoggiare [appod'dʒare] *vt* (*posare*) poser; (*fig: sostenere*) appuyer, soutenir; **appoggiarsi** *vpr*:

appoggiarsi a s'appuyer sur; **~ a** appuyer sur

appoggio, -gi [ap'pɔddʒo] *sm* appui *m*, soutien *m*; (*fig: aiuto, protezione*) appui

appositamente [appozita'mente] *avv* (*apposta*) exprès; (*specialmente*) spécialement

apposito, -a [ap'pɔzito] *agg* spécial(e)

apposta [ap'pɔsta] *avv* exprès; **neanche a farlo ~** comme par un fait exprès

appostarsi [appos'tarsi] *vpr* se poster

apprendere [ap'prɛndere] *vt* apprendre

apprendista, -i, -e [appren'dista] *sm/f* apprenti(e)

apprensione [appren'sjone] *sf* appréhension *f*

apprezzare [appret'tsare] *vt* apprécier

approdare [appro'dare] *vi* aborder; **non ~ a nulla** (*fig*) n'aboutir à rien

approfittare [approfit'tare] *vi*: **~ di** (*di occasione, opportunità*) profiter de; (*di persona, situazione*) profiter de, tirer profit de; (*di donna, minore*) abuser de

approfondire [approfon'dire] *vt* (*anche fig*) approfondir; **approfondirsi** *vpr* (*fig: conoscenza*) s'étendre; (: *divario*) se creuser; (: *crisi*) s'aggraver, s'envenimer

appropriato, -a [appro'prjatò] *agg* approprié(e), adéquat(e)

approssimativo, -a [approssima'tivo] *agg* approximatif(-ive)

approvare [appro'vare] *vt* approuver; (*candidato*) recevoir; (*progetto di legge*) adopter

appuntamento [appunta'mento] *sm* rendez-vous *m inv*; **dare (un) ~ a qn** donner rendez-vous à qn; **darsi ~** se donner rendez-vous; **prendere ~ dal medico** prendre (un) rendez-vous chez le médecin; **ho un ~ con ...** j'ai rendez-vous avec ...; **vorrei prendere un ~** je voudrais prendre rendez-vous

appunto [ap'punto] *sm* note *f*; (*fig: rimprovero*) remarque *f* ■ *avv* justement; **prendere appunti** prendre des notes; **fare un ~ a qn** faire une remarque à qn; **per l'~!, ~!** justement!, précisément!

apribottiglie [apribot'tiʎʎe] *sm inv* ouvre-bouteille *m*, décapsuleur *m*

aprile [a'prile] *sm* avril *m*; **pesce d'~** poisson *m* d'avril; *vedi anche* **luglio**

aprire [a'prire] *vt* ouvrir; (*vestito, camicia*) déboutonner; (*ali*) ouvrir, déployer; (*luce*) allumer; **aprirsi** *vpr* s'ouvrir; (*fiore*) s'ouvrir, éclore; (*spaccarsi*) se fendre; (*persona: confidarsi*) s'ouvrir, se confier; **aprirsi a** (*esperienza*) s'ouvrir à; **~ le ostilità** (*Mil*) engager *o* commencer les hostilités; (*fig*) attaquer; **~ il rubinetto/l'acqua** ouvrir le robinet; **mi si è aperto lo stomaco** cela m'a ouvert l'appétit; **apriti cielo!** juste ciel!; **a che ora aprite?** à quelle heure ouvrez-vous?

apriscatole [apris'katole] *sm inv* ouvre-boîte *m*

APT [api'ti] *sigla f* (= *Azienda di Promozione Turistica*) ≈ S.I. *m*

aquila ['akwila] *sf* (*anche fig*) aigle *m*; **~ reale** aigle royal

aquilone [akwi'lone] *sm* cerf-volant *m*; (*vento*) vent *m* du nord

A/R *abbr* = **andata e ritorno** (*biglietto*) A/R

Arabia Saudita [a'rabja sau'dita] *sf* Arabie *f* saoudite

arabo, -a ['arabo] *agg, sm* arabe *m* ■ *sm/f* Arabe *m/f*; **per me, parla ~** pour moi, c'est du chinois *o* de l'hébreu

arachide [a'rakide] *sf* arachide *f*

aragosta [ara'gosta] *sf* langouste *f*

arancia, -ce [a'rantʃa] *sf* orange *f*

aranciata [aran'tʃata] *sf* orangeade *f*; **~ amara** boisson *f* à l'orange amère

arancione [aran'tʃone] *agg inv*: **(color) ~** orange *inv* ■ *sm* (*colore*) orange *m*

arare [a'rare] *vt* labourer

aratro [a'ratro] *sm* charrue *f*

arazzo [a'rattso] *sm* tapisserie *f*

arbitrare [arbi'trare] *vt* arbitrer

arbitrario, -a [arbi'trarjo] *agg* arbitraire

arbitro ['arbitro] *sm* arbitre *m*; (*Tennis*) juge-arbitre *m*

arbusto [ar'busto] *sm* arbuste *m*

archeologia [arkeolo'dʒia] *sf* archéologie *f*

archeologo, -a, -gi, -ghe [arke'ɔlogo] *sm/f* archéologue *m/f*

architettare [arkitet'tare] *vt* (*piano, sistema*) concevoir; (*peg*) combiner, manigancer

architetto [arki'tetto] *sm* architecte *m*

architettura [arkitet'tura] *sf* architecture *f*

archivio [ar'kivjo] *sm* archives *fpl*; (*Inform*) fichier *m*

arco, -chi ['arko] *sm* (*anche Architt, Mat*) arc *m*; (*Mus*) archet *m*; **nell'~ di 3 settimane** en l'espace de trois semaines; **~ costituzionale** ensemble des partis qui participèrent à la formulation de la constitution italienne

arcobaleno [arkoba'leno] *sm* arc-en-ciel *m*

arcuato, -a [arku'ato] *agg* arqué(e)

ardesia [ar'dezja] *sf* ardoise *f*; **grigio ~** bleu *inv* o gris *inv* ardoise

area ['area] *sf* (*anche monetaria*) zone *f*; (*Edil*) terrain *m*; (*misura*) aire *f*; **di ~ socialista** de mouvance socialiste; **~ di rigore** (*Sport*) surface de réparation; **~ di servizio** (*Aut*) aire de service; **~ fabbricabile** terrain à bâtir

arena [a'rena] *sf* arène *f*; (*anfiteatro*) arènes *fpl*; (*sabbia*) sable *m*

arenarsi [are'narsi] *vpr* (s')échouer; (*fig: negoziato, trattative*) s'enliser

argenteria [ardʒente'ria] *sf* argenterie *f*

Argentina [ardʒen'tina] *sf* Argentine *f*

argentino, -a [ardʒen'tino] *agg* argentin(e) ■ *sm/f* Argentin(e)

argento [ar'dʒɛnto] *sm* argent *m*; **avere l'~ (vivo) addosso** (*fig*) avoir du vif-argent dans les veines; **~ vivo** mercure *m*

argilla [ar'dʒilla] *sf* argile *f*

argine ['ardʒine] *sm* (*di fiume*) berge *f*; (*terrapieno*) digue *f*, remblai *m*; (*fig: difesa*) barrière *f*; **far ~ a, porre un ~ a** (*fig*) mettre un frein à

argomento [argo'mento] *sm* sujet *m*; (*pretesto, motivo*) prétexte *m*; (*per sostenere tesi*) argument *m*; **cambiare ~** changer de sujet

aria ['arja] *sf* air *m*; **all'~ aperta** en plein air; **manca l'~** cela manque d'air; **andare all'~** (*fig*) tomber à l'eau; **mandare all'~ qc** (*fig*) envoyer promener qch; **darsi delle arie (da)** se donner des airs (de); **ha la testa per ~** il est tête en l'air; **che ~ tira?** elle est comment l'ambiance?

arido, -a ['arido] *agg* (*anche fig*) aride

arieggiare [arjed'dʒare] *vt* aérer

ariete [a'rjɛte] *sm* bélier *m*; (*Zodiaco*): **A~** Bélier; **essere dell'A~** être (du) Bélier

aringa, -ghe [a'ringa] *sf* hareng *m*; **~ affumicata/marinata** hareng saur/mariné

aritmetica [arit'metika] *sf* arithmétique *f*

arma, -i ['arma] *sf* arme *f*; **chiamare alle armi** (*Mil*) appeler (sous les drapeaux); **essere sotto le armi** (*Mil*) être sous les armes; **passare qn per le armi** (*Mil*) passer qn par les armes; **combattere ad armi pari** combattre à armes égales; **essere alle prime armi** faire ses premières armes; **partire con armi e bagagli** partir avec armes et bagages; **~ a doppio taglio** arme à double tranchant; **~ atomica/nucleare** arme atomique/nucléaire; **~ bianca** arme blanche; **~ da fuoco** arme à feu; **armi di distruzione di massa** armes de destruction massive

armadietto [arma'djetto] *sm* (*di medicinali*) armoire *f*; (*in palestra ecc*) casier *m*

armadio [ar'madjo] *sm* armoire *f*; **~ a muro** placard *m*

armato, -a [ar'mato] *agg*: **~ (di)** (*anche fig*) armé(e) (de); **rapina a mano armata** vol *m* à main armée

armatura [arma'tura] *sf* (*di cavaliere*) armure *f*; (*Edil, Elettr*) armature *f*

armistizio [armis'tittsjo] *sm* armistice *m*

armonia [armo'nia] *sf* harmonie *f*

arnese [ar'nese] *sm* outil *m*; (*oggetto, cosa*) truc *m*, machin *m*; **male in ~** (*malvestito*) mal habillé(e), mal mis(e); (*di salute malferma*) mal en point; (*povero*) sans le sou

arnia ['arnja] *sf* ruche *f*

aroma, -i [a'rɔma] *sm* arôme *m*;
aromi *smpl* (*Cuc*) aromates *mpl*;
aromi artificiali/naturali arômes
artificiels/naturels
aromaterapia [aromatera'pia] *sf*
aromathérapie *f*
arpa ['arpa] *sf* harpe *f*
arrabbiare [arrab'bjare] *vi*: **far ~ qn**
mettre qn en colère; **arrabbiarsi** *vpr*
se mettre en colère
arrabbiato, -a [arrab'bjato] *agg*
(*persona*) en colère; (*sguardo, tono*)
plein(e) de colère; (*femminista,*
giocatore, Med) enragé(e)
arrampicarsi [arrampi'karsi] *vpr*
grimper; **~ su** (*albero, palo*) grimper
sur; **~ sugli specchi** (*fig*) se
raccrocher à n'importe quoi
arrangiarsi [arran'dʒarsi] *vpr* se
débrouiller
arredamento [arreda'mento] *sm*
(*l'arredare*) décoration *f*; (*mobili*)
ameublement *m*
arredare [arre'dare] *vt* meubler
arrendersi [ar'rendersi] *vpr* se
rendre; **~ all'evidenza (dei fatti)**
se rendre à l'évidence
arrestare [arres'tare] *vt* arrêter;
arrestarsi *vpr* s'arrêter
arresto [ar'rɛsto] *sm* arrêt *m*; (*Dir*)
arrestation *f*; **subire un ~** (*fermarsi*)
s'arrêter; **mettere agli arresti** mettre
aux arrêts; **arresti domiciliari**
détention *f* à domicile
arretrare [arre'trare] *vt* faire reculer
■ *vi* reculer
arretrato, -a [arre'trato] *agg* (*paese*)
arriéré(e); (*numero, copia*) ancien(ne);
(*lavoro*) en retard; **arretrati** *smpl*
arriérés *mpl*; **gli arretrati dello**
stipendio les arriérés du salaire;
i numeri arretrati (*di giornale*) les
vieux numéros
arricchire [arrik'kire] *vt* (*anche fig*)
enrichir; **arricchirsi** *vpr* s'enrichir
arrivare [arri'vare] *vi* arriver; **~ a**
arriver à; **~ a casa/a Roma** arriver
chez soi/à Rome; **a che ora arriva il**
treno da Roma? à quelle heure arrive
le train de Rome?; **~ a fare qc** arriver à
faire qch; **mi è arrivato un pacco** j'ai
reçu un colis; **non ci arrivo** (*non ci*
riesco) je n'y arrive pas; (*non capisco*) je
ne comprends pas

arrivederci [arrive'dertʃi] *escl* au
revoir
arrivista, -i, -e [arri'vista] *sm/f*
arriviste *m/f*
arrivo [ar'rivo] *sm* arrivée *f*; **essere**
in ~ arriver; **"arrivi"** (*Aer, Ferr*)
"arrivées"; **nuovi arrivi** (*in negozio*)
nouveautés *fpl*
arrogante [arro'gante] *agg*
arrogant(e)
arrossire [arros'sire] *vi* rougir
arrostire [arros'tire] *vt* (*al forno*)
rôtir; (*ai ferri*) griller; **arrostirsi** *vpr*:
arrostirsi al sole (*fig*) se rôtir au soleil
arrosto [ar'rɔsto] *sm* (*Cuc*) rôti *m*
■ *agg inv* rôti(e); **~ di maiale/**
manzo/vitello rôti de porc/bœuf/
veau
arrotolare [arroto'lare] *vt* enrouler;
(*sigaretta*) rouler
arrotondare [arroton'dare] *vt*
(*anche fig: somma*) arrondir; **~ per**
difetto/per eccesso arrondir au
chiffre inférieur/supérieur
arrugginito, -a [arruddʒin'nito] *agg*
rouillé(e)
arte ['arte] *sf* art *m*; **ad ~** à dessein;
a regola d'~ selon les règles de l'art;
senz'~ né parte bon(ne) à rien
arteria [ar'tɛrja] *sf* artère *f*;
~ stradale artère
artico, -a, -ci, -che ['artiko] *agg*
arctique ■ *sm* l'Arctique *m*; **il Circolo**
polare ~ le cercle polaire arctique;
l'Oceano ~ l'océan *m* Arctique
articolazione [artikolat'tsjone] *sf*
(*Anat*) articulation *f*
articolo [ar'tikolo] *sm* (*Comm,*
Stampa, Gramm) article *m*; **un bell'~**
(*fig*) un drôle de numéro; **~ di fondo**
(*Stampa*) article de fond; **articoli di**
marca articles de marque
artificiale [artifi'tʃale] *agg* (*anche fig*)
artificiel(le)
artigianato [artidʒa'nato] *sm*
artisanat *m*
artigiano, -a [arti'dʒano] *agg*
artisanal(e) ■ *sm/f* artisan(e)
artista, -i, -e [ar'tista] *sm/f* artiste
m/f; **un lavoro da ~** (*fig*) un travail
d'artiste
artistico, -a, -ci, -che [ar'tistiko]
agg artistique
artrite [ar'trite] *sf* arthrite *f*

ascella [aʃˈʃɛlla] *sf* aisselle *f*
ascendente [aʃʃenˈdɛnte] *sm*
(*Astrol, influenza*) ascendant *m*;
ascendenti *smpl* (*parenti diretti*)
ascendants
ascensore [aʃʃenˈsore] *sm*
ascenseur *m*
ascesso [aʃˈʃɛsso] *sm* abcès *msg*
asciugacapelli [aʃʃugakaˈpelli] *sm*
inv sèche-cheveux *msg*, séchoir *m*
asciugamano [aʃʃugaˈmano] *sm*
serviette *f* (de toilette); (*solo per le
mani*) essuie-mains *msg*
asciugare [aʃʃuˈgare] *vt* (*bambino,
piatti*) essuyer; (*capelli*) sécher;
asciugarsi *vpr* (*persona*) s'essuyer;
(*bucato*) sécher; (*terreno, letto di fiume*)
s'assécher; **asciugarsi i capelli** se
sécher les cheveux
asciutto, -a [aʃˈʃutto] *agg* sec
(sèche); (*fig: magro, snello*) maigre, sec
(sèche) ■ *sm*: **restare all'~** (*fig: senza
soldi*) rester sur la paille; **restare a
bocca asciutta** (*fig*) rester les mains
vides
ascoltare [askolˈtare] *vt* écouter;
(*conferenza*) assister à; **~ il consiglio
di qn** écouter le conseil de qn
asfalto [asˈfalto] *sm* goudron *m*
Asia [ˈazja] *sf* Asie *f*
asiatico, -a, -ci, -che [aˈzjatiko] *agg*
asiatique ■ *sm/f* Asiatique *m/f*
asilo [aˈzilo] *sm* (*anche*: **asilo
d'infanzia**) (école *f*) maternelle *f*;
~ nido crèche *f*; **~ politico** asile
politique
asino [ˈasino] *sm* (*anche fig*) âne *m*;
la bellezza dell'~ (*fig: di ragazza*) la
beauté du diable
ASL [azl] *sigla f* (= *Azienda sanitaria
locale*) *structure régionale responsable
des services de santé locaux*
asma [ˈazma] *sf* asthme *m*
asparago, -gi [asˈparago] *sm*
asperge *f*
aspettare [aspetˈtare] *vt* attendre;
~ qn/qc attendre qn/qch; **aspettarsi
qc** s'attendre à qch; **fare ~ qn** faire
attendre qn; **mi aspetti, per favore**
attendez-moi, s'il vous plaît;
~ un bambino attendre un enfant;
questo non me l'aspettavo! je ne
m'attendais pas à ça!; **me
l'aspettavo!** je m'y attendais!

aspetto [asˈpɛtto] *sm* aspect *m*;
di bell'~ qui a de l'allure
aspirapolvere [aspiraˈpolvere] *sm*
inv aspirateur *m*
aspirare [aspiˈrare] *vt* aspirer ■ *vi*:
~ a aspirer à
aspirina [aspiˈrina] *sf* aspirine *f*
aspro, -a [ˈaspro] *agg* âpre; (*fig*) rude,
âpre
assaggiare [assadˈdʒare] *vt* goûter;
(*mangiare poco*) goûter à; **potrei
assaggiarlo?** je peux goûter?
assaggino [assadˈdʒino] *sm*:
assaggini (*Cuc*) assortiment *m*
(de dégustation); **solo un ~** juste
pour goûter
assai [asˈsai] *avv* (*molto*) beaucoup;
(: *con agg*) très, bien ■ *agg inv*
beaucoup de, bien des

> **FALSI AMICI**
> **assai** non si traduce mai
> con la parola francese
> **assez**.

assalgo *ecc* [asˈsalgo] *vb vedi*
assalire
assalire [assaˈlire] *vt* attaquer;
(*sogg: ricordi, paura, dubbio*) assaillir;
**la assalirono con insulti d'ogni
genere** ils l'accablèrent d'injures de
toutes sortes
assaltare [assalˈtare] *vt* (*Mil, treno,
diligenza*) prendre d'assaut; (*banca*)
attaquer
assalto [asˈsalto] *sm* assaut *m*;
prendere d'~ (*fig: negozio, treno*)
prendre d'assaut; (: *personalità*)
attaquer de front; **d'~** (*fig: editoria,
giornalista*) de choc
assassinare [assassiˈnare] *vt*
assassiner
assassino, -a [assasˈsino] *agg*
(*istinto, tendenza*) meurtrier(-ière);
(*fig: sguardo, occhiata*) assassin(e)
■ *sm/f* assassin *m*, meurtrier(-ière)
asse [ˈasse] *sm* (*Tecn, Mat*) axe *m* ■ *sf*
(*tavola di legno*) planche *f*; **~ da stiro**
planche à repasser; **~ stradale** axe
routier
assediare [asseˈdjare] *vt* assiéger
assegnare [asseɲˈɲare] *vt* (*premio*)
décerner; (*somme*) allouer; (*borsa di
studio*) accorder; (*compiti, lavoro, casa*)
assigner; (*persona: a reparto, ufficio*)
affecter; (*fissare: termine*) fixer

assegno [as'seɲɲo] sm chèque m;
un ~ di o per un milione un chèque
d'un million; **contro ~** contre
remboursement; **posso pagare con
un ~?** est-ce que je peux payer par
chèque?; **~ a vuoto** chèque sans
provision; **~ circolare** chèque
circulaire; **~ di malattia/di invalidità**
allocation f maladie/d'invalidité; **~ di
studio** bourse f d'étude; **~ di viaggio**
chèque de voyage; **~ non trasferibile**
chèque barré; **~ postdatato** chèque
postdaté; **~ sbarrato/non sbarrato**
chèque barré/non barré; **assegni
alimentari** pension fsg alimentaire;
assegni familiari allocations fpl
familiales
assemblea [assem'blɛa] sf
assemblée f; **~ generale** assemblée
générale
assentarsi [assen'tarsi] vpr: **~ (da)**
s'absenter (de)
assente [as'sɛnte] agg, sm/f
absent(e); **uno sguardo ~** (fig) un
regard absent
assenza [as'sɛntsa] sf (lontananza)
absence f; (mancanza) manque m
assetato, -a [asse'tato] agg
assoiffé(e); **~ di sangue** (fig)
assoiffé(e) de sang
assicurare [assiku'rare] vt assurer;
(fermare, legare) fixer; **assicurarsi** vpr
(accertarsi): **assicurarsi (di)** s'assurer
(de); **assicurarsi (contro)** (contro
furto, incendio) s'assurer (contre);
assicurarsi qc (vittoria, posto)
s'assurer qch; **te l'assicuro!** je te le
garantis!
assicurazione [assikurat'tsjone] sf
assurance f; **~ contro terzi/multi-
rischio** assurance au tiers/
multirisque
assieme [as'sjɛme] avv ensemble m
■ prep: **~ a** avec
assillare [assil'lare] vt (sogg: dubbio,
pensiero) obséder; (: creditore)
harceler
assistente [assis'tɛnte] sm/f
assistant(e); **~ di volo** hôtesse f de
l'air, steward m; **~ sociale** assistante f
sociale; **~ universitario** assistant m
assistenza [assis'tɛntsa] sf
assistance f; **~ legale** assistance
judiciaire; **~ ospedaliera** assistance

hospitalière; **~ sanitaria** assistance
médicale; **~ sociale** assistance
sociale
assistere [as'sistere] vt assister
■ vi: **~ (a)** assister (à)
asso ['asso] sm (anche fig) as msg;
piantare qn in ~ laisser qn en plan
associare [asso'tʃare] vt: **~ a** (idee,
parole, fatti) associer à; **associarsi**
vpr: **associarsi (a)** (Comm, fig)
s'associer (à); (ad organizzazione)
s'inscrire (à); **~ qn alle carceri**
écrouer qn
associazione [assotʃat'tsjone] sf
association f; **~ a delinquere** (Dir)
association de malfaiteurs; **~ di
categoria** association
professionnelle; **~ in partecipazione**
(Comm) association en participation
assolsi ecc [as'sɔlsi] vb vedi **assolvere**
assolutamente [assoluta'mente]
avv (completamente) tout à fait; (in
ogni caso) absolument
assoluto, -a [asso'luto] agg
absolu(e); **in ~** dans l'absolu
assoluzione [assolut'tsjone] sf (Dir)
acquittement m; (Rel) absolution f
assolvere [as'sɔlvere] vt (Dir)
acquitter; (Rel) absoudre; (compito,
dovere) accomplir, s'acquitter de
assomigliare [assomiʎ'ʎare] vi:
~ a ressembler à; **assomigliarsi** vpr
se ressembler
assonnato, -a [asson'nato] agg
endormi(e)
assopirsi [asso'pirsi] vpr s'assoupir
assorbente [assor'bɛnte] agg
absorbant(e) ■ sm absorbant m;
carta ~ buvard m; **~ esterno/igienico**
serviette f hygiénique o périodique;
~ interno tampon m
assorbire [assor'bire] vt (anche fig:
impegnare) absorber; (fig: far proprio)
assimiler
assordare [assor'dare] vt assourdir;
(fig) assommer
assortimento [assorti'mento] sm
assortiment m
assortito, -a [assor'tito] agg
assorti(e); **ben ~** bien assorti(e)
assuefazione [assuefazi'one] sf
accoutumance f
assumere [as'sumere] vt (impiegato)
embaucher; (responsabilità) assumer,

endosser; (*contegno, espressione*)
prendre; (*sostanza, droga*) consommer
assunsi *ecc* [as'sunsi] *vb vedi*
assumere
assurdità [assurdi'ta] *sf inv*
absurdité *f*
assurdo, -a [as'surdo] *agg, sm*
absurde (*m*)
asta ['asta] *sf* bâton *m*; (*metodo di
vendita*) vente *f* aux enchères
astemio, -a [as'tɛmjo] *agg* qui ne
boit pas d'alcool ■ *sm/f* personne *f*
qui ne boit pas d'alcool
astenersi [aste'nersi] *vpr*: ~ (**da**)
s'abstenir (de)
asterisco, -schi [aste'risko] *sm*
astérisque *m*
astice ['astitʃe] *sm* homard *m*
astigmatico, -a, -ci, -che
[astig'matiko] *agg* astigmate
astinenza [asti'nɛntsa] *sf*
abstinence *f*; **crisi di ~** état *m*
de manque
astratto, -a [as'tratto] *agg*
abstrait(e)
astrologia [astrolo'dʒia] *sf*
astrologie *f*
astronauta, -i, -e [astro'nauta]
sm/f astronaute *m/f*
astronave [astro'nave] *sf* vaisseau *m*
spatial
astronomia [astrono'mia] *sf*
astronomie *f*
astronomico, -a, -ci, -che
[astro'nɔmiko] *agg* astronomique
astuccio, -ci [as'tuttʃo] *sm* (*di
occhiali, fucile*) étui *m*; (*di collana*) écrin
m; (*per penne*) trousse *f*
astuto, -a [as'tuto] *agg* malin(-igne),
rusé(e)
Atene [a'tene] *sf* Athènes
ateo, -a ['ateo] *agg, sm/f* athée *m/f*
atlante [a'tlante] *sm* atlas *m sg*;
i Monti dell'A~ l'Atlas *m*
atlantico, -a, -ci, -che [a'tlantiko]
agg atlantique ■ *sm*: **l'(Oceano) A~**
l'(océan *m*) Atlantique *m*
atleta, -i, -e [a'tlɛta] *sm/f*
athlète *m/f*
atletica [a'tlɛtika] *sf* athlétisme *m*;
~ leggera athlétisme; **~ pesante**
haltérophilie et lutte *f*
atmosfera [atmos'fɛra] *sf* (*anche fig*)
atmosphère *f*

atomico, -a, -ci, -che [a'tɔmiko] *agg*
atomique
atomo ['atomo] *sm* atome *m*
atrio ['atrjo] *sm* (*di appartamento*)
entrée *f*; (*di edificio*) hall *m*
atroce [a'trotʃe] *agg* atroce
attaccante [attak'kante] *sm/f*
(*Sport*) attaquant(e)
attaccapanni [attakka'panni] *sm
inv* portemanteau *m*
attaccare [attak'kare] *vt* (*unire*)
attacher; (: *cucendo*) coudre;
(*appendere*) accrocher; (*affiggere*)
coller; (*avversario, nemico*) attaquer;
(*fig: contagiare*) passer ■ *vi* (*colla, fig:
moda*) prendre; **attaccarsi** *vpr*
s'attacher; (*aderire al recipiente di
cottura*) attacher, coller; **attaccarsi
(a)** (*afferrarsi*) s'accrocher (à);
(*fig: affezionarsi*) s'attacher (à);
la salsa si è attaccata la sauce a
attaché; **è sempre attaccato al
telefono** il est tout le temps pendu
au téléphone; **~ discorso con qn**
engager la conversation avec qn;
con me non attacca! avec moi ça ne
prend pas!
attacco, -chi [at'takko] *sm* (*Mil,
Sport, Med, fig*) attaque *f*; (*Elettr*)
prise *f*; **attacchi** *smpl* (*per sci*)
fixations *fpl*
atteggiamento [atteddʒa'mento]
sm attitude *f*
attendere [at'tɛndere] *vt* attendre
■ *vi* (*dedicarsi*): **~ a** s'occuper de;
attenda in linea, per favore ne
quittez pas, s'il vous plaît
attendibile [atten'dibile] *agg* (*scusa,
storia, persona*) digne de foi; (*notizia*)
de source sûre
attentato [atten'tato] *sm* attentat
m; **commettere un ~ contro qn**
commettre un attentat contre qn
attento, -a [at'tɛnto] *agg*
attentif(-ive) ■ *escl* attention!; **stare
~ a** faire attention à; **attenti!** (*Mil*)
garde-à-vous!; **attenti al cane**
attention au chien
attenzione [atten'tsjone] *sf*
attention *f* ■ *escl* attention!;
attenzioni *sfpl* (*premure*) attentions
fpl; **fare ~ a** faire attention à; **coprire
qn di attenzioni** entourer qn
d'attentions

atterraggio, -gi [atter'raddʒo] *sm*
atterrissage *m*; **~ di fortuna**
atterrissage forcé

atterrare [atter'rare] *vi* atterrir ■ *vt*
terrasser, mettre à terre

attesa [at'tesa] *sf* attente *f*; **in ~ di**
dans l'attente de

attesi *ecc* [at'tesi] *vb vedi* **attendere**

atteso, -a [at'tes] *pp di* **attendere**

attico, -ci ['attiko] *sm* (*Edil*)
appartement *m* au dernier étage;
(*Archit*) attique *m*

attillato, -a [attil'lato] *agg* (*abito*)
collant(e), moulant(e); (*persona:
elegante*) tiré(e) à quatre épingles

attimo ['attimo] *sm* instant *m*; **in un
~** en un instant

attirare [atti'rare] *vt* attirer;
attirarsi delle critiche s'attirer des
critiques; **l'idea mi attira** cela me
tente, cela me dit

attitudine [atti'tudine] *sf*
disposition *f*, aptitude *f*

attività [attivi'ta] *sf inv* activité *f*;
(*Comm*) actif *m*; **~ liquide** (*Comm*)
liquidités *fpl*, disponibilités *fpl*

attivo, -a [at'tivo] *agg* actif(-ive);
(*Comm: impresa*) rentable ■ *sm* actif
m; **in ~** (*bilancio, conti ecc*)
bénéficiaire; **chiudere in ~** réaliser
des bénéfices; **avere qc al proprio ~**
(*fig*) avoir qch à son actif

atto, -a ['atto] *agg* (*idoneo*): **~ a** apte
à ■ *sm* acte *m*; **atti** *smpl* (*di
processo*) pièces *fpl*; (*di congresso*)
actes *mpl*; **essere in ~** être en cours;
mettere in ~ mettre à exécution;
fare ~ di fare qc faire semblant *o*
mine de faire qch; **all'~ pratico** en
pratique; **dare ~ a qn di qc** donner
acte à qn de qch; **~ di morte/di
nascita** acte de décès/de naissance;
~ di proprietà acte de propriété; **~ di
vendita** acte de vente; **~ pubblico**
acte public; **atti osceni (in luogo
pubblico)** (*Dir*) outrage *m* public à
la pudeur

attore, -trice [at'tore] *sm/f*
acteur(-trice)

attorno [at'torno] *avv* autour, tout
autour ■ *prep*: **~ a** (*intorno a*) autour
de; **darsi d'~ (per)** s'affairer (à)

attraccare [attrak'kare] *vt, vi*
accoster

attracco, -chi [at'trakko] *sm*
(*Naut: manovra*) accostage *m*; (: *punto*)
quai *m*

attrae *ecc* [at'trae] *vb vedi* **attrarre**

attraente [attra'ente] *agg* (*persona*)
séduisant(e); (*prospettiva*)
attrayant(e), séduisant(e)

attraggo *ecc* [at'traggo] *vb vedi*
attrarre

attrarre [at'trarre] *vt* attirer

attrassi *ecc* [at'trassi] *vb vedi*
attrarre

attraversare [attraver'sare] *vt*
traverser

attraverso [attra'verso] *prep* à
travers; (*mediante*) par

attrazione [attrat'tsjone] *sf*
(*magnetica, spettacolo*) attraction *f*;
(*interesse, fisica*) attrait *m*

attrezzo [at'trettso] *sm* outil *m*;
(*Sport*) agrès *mpl*

attrice [at'tritʃe] *sf vedi* **attore**

attuale [attu'ale] *agg* actuel(le)

attualità [attuali'ta] *sf inv* actualité
f; **d'~** d'actualité; **notizie d'~**
nouvelles *fpl* d'actualité

attualmente [attual'mente] *avv*
actuellement

attuare [attu'are] *vt* mettre en
œuvre, réaliser; **attuarsi** *vpr* se
réaliser

attutire [attu'tire] *vt* amortir; (*fig*)
atténuer; **attutirsi** *vpr* s'amortir;
(*fig*) s'atténuer

audio ['audjo] *sm* son *m*

audiovisivo, -a [audjovi'zivo] *agg*
audiovisuel(le) ■ *sm* audiovisuel *m*

audizione [audit'tsjone] *sf*
audition *f*

augurare [augu'rare] *vt*: **~ a**
souhaiter à; **augurarsi** *vpr*:
augurarsi qc/di fare qc espérer
qch/faire qch

auguri [au'guri] *smpl* vœux *mpl*; **fare
gli ~ a qn** présenter ses vœux à qn;
tanti ~! tous mes vœux!; (*per
compleanno*) bon anniversaire!

▌ **FALSI AMICI**
auguri non si traduce mai
con la parola francese
augure.

aula ['aula] *sf* salle *f*; **~ di tribunale**
salle de tribunal; **~ magna**
amphithéâtre *m*

aumentare [aumen'tare] *vt, vi*
augmenter; **~ di peso** (*persona*)
prendre du poids; **la produzione è
aumentata del 50%** la production a
augmenté de 50%

aumento [au'mento] *sm*
augmentation *f*; (*di prezzo*) hausse *f*;
~ (di stipendio) augmentation (de
salaire)

aurora [au'rɔra] *sf* aurore *f*

ausiliare [auzi'ljare] *agg*: **(verbo) ~**
(verbe *m*) auxiliaire *m*

Australia [aus'tralja] *sf* Australie *f*

australiano, -a [austra'ljano] *agg*
australien(ne) ■ *sm/f* Australien(ne)

Austria ['austria] *sf* Autriche *f*

austriaco, -a, -ci, -che [aus'triako]
agg autrichien(ne) ■ *sm/f*
Autrichien(ne)

autentico, -a, -ci, -che [au'tɛntiko]
agg authentique

autista, -i [au'tista] *sm* chauffeur *m*

auto ['auto] *sf inv* auto *f*; **~ blu** (*di
rappresentanza*) voiture *f* officielle

autoabbronzante
[autoabbron'dzante] *agg*
autobronzant(e) ■ *sm*
autobronzant *m*

autoadesivo, -a [autoade'zivo] *agg*
autocollant(e) ■ *sm* autocollant *m*

autobiografico, -a, -ci, -che
[autobio'grafiko] *agg*
autobiographique

autobus ['autobus] *sm inv* autobus
m sg; **a che ora parte l'~?** à quelle
heure part le bus?

autocarro [auto'karro] *sm* camion
m, poids *m sg* lourd

> ▌ **FALSI AMICI**
> **autocarro** non si traduce
> mai con la parola francese
> **autocar**.

autocertificazione [autotʃertifikat-
'tsjone] *sf* déclaration *f* sur l'honneur

autodistruttivo, -a
[autodistrut'tivo] *agg*
autodestructeur(-trice)

autogol [auto'gɔl] *sm inv* but *m*
marqué contre son camp

autografo, -a [au'tɔgrafo] *agg*
autographe ■ *sm* (*firma*)
autographe *m*

autogrill® [auto'gril] *sm inv*
Restoroute® *m*

autoironia [autoiro'nia] *sf* auto-
ironie *f*

automatico, -a, -ci, -che
[auto'matiko] *agg* automatique
■ *sm* (*bottone*) bouton-pression *m*;
(*arma*) arme *f* automatique;
selezione automatica (*Tel*)
(téléphone *m*) automatique *m*

automobile [auto'mɔbile] *sf*
auto(mobile) *f*, voiture *f*; **~ da corsa**
voiture *f* de course

automobilista, -i, -e
[automobi'lista] *sm/f* automobiliste
m/f

autonoleggio [autono'leddʒo] *sm*
location *f* de voitures

autonomia [autono'mia] *sf*
autonomie *f*

autonomo, -a [au'tɔnomo] *agg*
autonome; (*lavoratore*)
indépendant(e)

autopsia [autop'sia] *sf* autopsie *f*

autoradio [auto'radjo] *sf inv*
(*apparecchio*) autoradio *m*;
(*autoveicolo*) voiture *f* émettrice

autore, -trice [au'tore] *sm/f* auteur
m; **quadro d'~** tableau *m* de maître

autoreggente [autored'dʒɛnte]
agg: **calza ~** bas *m* auto-fixant

autoreverse [autore'vɛrs] *agg* autoreverse

autorevole [auto'revole] *agg*
(*personaggio*) influent(e); (*giudizio,
opinione*) qui fait autorité; **ho appreso
la notizia da fonte ~** je le sais de
bonne source

autorimessa [autori'messa] *sf*
garage *m*

autorità [autori'ta] *sf inv* autorité *f*;
le ~ les autorités

autorizzare [autorid'dzare] *vt*
autoriser

autoscontro [autos'kontro] *sm*
auto *f* tamponneuse

autoscuola [autos'kwɔla] *sf* auto-
école *f*

autostima [autos'tima] *sf* estime *f*
de soi

autostop [autos'tɔp] *sm* (*auto*) stop
m; **fare l'~** faire du stop, faire de
l'auto-stop

autostoppista, -i, -e
[autostop'pista] *sm/f* auto-
stoppeur(-euse)

autostrada [autos'trada] sf
autoroute f; ~ **informatica** autoroute
de l'information

● **AUTOSTRADE**
●
● En Italie, les *autostrade* sont
● payantes, et sont signalées par
● des pancartes vertes avec un
● A suivi d'un chiffre. Afin d'éviter
● les embouteillages, il est possible
● d'acheter une carte à l'avance.
● La vitesse est limitée à 130km/h
● sur les autoroutes italiennes.

autovelox [auto'veloks] sm inv radar
m (de contrôle de vitesse)
autovettura [autovet'tura] sf
automobile f, voiture f
autunno [au'tunno] sm automne m;
in ~ en automne
avambraccio [avam'brattʃo] (pl(f)
avambraccia) sm avant-bras msg
avanguardia [avan'gwardja] sf
(Mil, Arte) avant-garde f; **essere all'~**
(fig) être à l'avant-garde
avanti [a'vanti] avv (stato in luogo)
devant; (moto: andare, venire)
en avant; (tempo: prima) avant
■ prep (luogo): ~ **a** devant; (tempo):
~ **Cristo** avant Jésus-Christ ■ escl
(entrate) entrez!; (Mil) en avant!;
(coraggio!) allez! ■ sm inv (Sport)
avant m; **andare** ~ (continuare)
continuer; (orologio) avancer;
andate ~, **vi raggiungo** allez-y,
je vous rejoins; **essere** ~ **negli studi**
être en avance dans ses études;
il giorno ~ la veille; **la settimana** ~
la semaine d'avant; ~ **e indietro**
de long en large; **fare** ~ **e indietro**
faire la navette; ~ **il prossimo!** au
suivant!
avanzare [avan'tsare] vt avancer;
(fig: richiesta) présenter;
(: promuovere) monter en grade;
(essere creditore): ~ **qc da qn** devoir
qch à qn ■ vi (anche fig) avancer;
avanzano tre uova il reste trois
œufs
avaria [ava'ria] sf avarie f; **motore**
in ~ moteur en panne
avaro, -a [a'varo] agg, sm/f
avare m/f

○ **PAROLA CHIAVE**

avere [a'vere] vt 1 (possedere) avoir;
ha una bella casa elle a une belle
maison; **ha due bambini** il a deux
enfants; **non ho da mangiare/bere**
je n'ai rien à manger/boire; **avere**
pazienza avoir de la patience
2 (indossare, portare) avoir; **aveva una**
maglietta rossa il avait un T-shirt rouge;
ha gli occhiali elle a des lunettes;
ha i baffi il a une moustache; **ha i**
capelli lunghi elle a les cheveux long
3 (ricevere) avoir; **hai avuto**
l'assegno? as-tu reçu le chèque?
4 (età, dimensione) avoir; **ha 9 anni**
elle a 9 ans; **la stanza ha 3 metri**
(di lunghezza) la pièce fait 3 mètres
(de long)
5 (tempo): **quanti ne abbiamo oggi?**
quel jour sommes-nous aujourd'hui?
ne hai per molto? en as-tu pour
longtemps?
6 (fraseologia): **avercela con qn** en
vouloir à qn; **cos'hai?** qu'est-ce que t'
as?; **non ha niente a che vedere** o
fare con me cela n'a rien à voir avec
moi, je n'ai rien à voir là-dedans
■ vb aus 1 avoir; **aver bevuto/**
mangiato avoir bu/mangé; **ci ha**
creduto? y a-t-il cru?
2 (+ da + infinito): **avere da fare qc**
avoir qch à faire; **non ho niente da**
dire je n'ai rien à dire; **non hai che da**
chiederlo tu n'as qu'à le demander
■ sm (Comm) avoir m; **gli averi**
(ricchezze) les biens

aviario, -a [a'vjarjo] agg: **influenza**
aviaria grippe f aviaire
aviazione [avjat'tsjone] sf aviation
~ **civile/militare** aviation civile/
militaire
avido, -a ['avido] agg: ~ **(di)** avide (de
avocado [avo'kado] sm (pianta)
avocatier m; (frutto) avocat m
avorio [a'vɔrjo] sm ivoire m
Avv. abbr (= avvocato) Me.
avvantaggiare [avvantad'dʒare] vt
favoriser, avantager; **avvantaggiars**
vpr (approfittare): **avvantaggiarsi**
di tirer profit de, profiter de;
avvantaggiarsi nel lavoro prendre
de l'avance dans son travail

avvelenare [avvele'nare] vt (anche
fig) empoisonner
avvengo ecc [av'vɛngo] vb vedi
avvenire
avvenimento [avveni'mento] sm
événement m
avvenire [avve'nire] vi (fatto,
episodio) se dérouler; (incidente)
arriver, se passer; (disgrazia) arriver
■ vb impers arriver ■ sm avenir m;
in ~ à l'avenir
avvenni ecc [av'venni] vb vedi
avvenire
avventato, -a [avven'tato] agg
(persona: imprudente) irréfléchi(e);
(: precipitoso) impulsif(-ive); (decisione)
hasardeux(-euse)
avventura [avven'tura] sf aventure
f; **avere spirito d'~** avoir l'esprit
d'aventurier
avventurarsi [avventu'rarsi] vpr
s'aventurer
avventuroso, -a [avventu'roso] agg
aventureux(-euse)
avverarsi [avve'rarsi] vpr
s'accomplir
avverbio [av'vɛrbjo] sm adverbe m
avverrò ecc [avver'rɔ] vb vedi
avvenire
avversario, -a [avver'sarjo] agg
adverse ■ sm/f adversaire m/f
avvertenza [avver'tentsa] sf
(ammonimento) avertissement m;
(consiglio) conseil m; (cautela)
précaution f; (in libro) avis msg au
lecteur; **avvertenze** sfpl (su
medicinali) précautions fpl d'emploi
avvertimento [avverti'mento] sm
avertissement m
avvertire [avver'tire] vt (persona)
avertir, prévenir; (rumore) percevoir;
(stanchezza) ressentir; (calore) sentir
avviare [avvi'are] vt (persona)
acheminer; (impresa) mettre sur pied,
lancer; (costruzione) mettre en
chantier o en train; (trattative)
engager; (dialogo, colloquio)
entamer; (motore) mettre en
marche; (fig: indirizzare) orienter;
avviarsi vpr s'acheminer; (negli
affari) démarrer; **avviarsi alla
conclusione** (conferenza, incontro)
être sur le point de se conclure,
toucher à sa fin

avvicinare [avvitʃi'nare] vt
rapprocher; (uno all'altro): **~ a**
approcher de; **avvicinarsi** vpr (essere
imminente) approcher; **avvicinarsi a**
(a meta, persona) approcher de;
(somigliare) se rapprocher de, être
proche de; **~ qn** (per parlare ecc)
s'approcher de
avvilito, -a [avvi'lito] agg
découragé(e)
avvincente [avvin'tʃɛnte] agg
captivant(e)
avvisare [avvi'zare] vt: **~ (di)**
(informare) prévenir (de); (mettere in
guardia) avertir (de)
avviso [av'vizo] sm (avvertimento,
consiglio) avertissement m; (annuncio,
affisso) avis msg; (inserzione
pubblicitaria) annonce f; **a mio ~** à
mon avis; **mettere qn sull'~** mettre
qn en garde; **fino a nuovo ~** jusqu'à
nouvel ordre; **~ di chiamata** (Tel) avis
m d'appel; **~ di consegna** (Comm) avis
de livraison; **~ di garanzia** (Dir) mise f
en examen; **~ di pagamento/di
spedizione** (Comm) avis de paiement/
d'expédition; **~ pubblicitario**
annonce publicitaire
avvistare [avvis'tare] vt repérer
avvitare [avvi'tare] vt visser
avvocato, -essa [avvo'kato] sm/f
(Dir, fig) avocat(e); **~ di parte civile**
avocat de la partie civile; **~ difensore**
avocat défenseur
avvolgere [av'vɔldʒere] vt (filo)
enrouler; (in carta, coperta)
envelopper; **avvolgersi** vpr (in
coperta, mantello) s'envelopper
avvolgibile [avvol'dʒibile] sm
store m
avvolsi ecc [av'vɔlsi] vb vedi
avvolgere
avvoltoio [avvol'tojo] sm (anche fig)
vautour m
azalea [addʒa'lɛa] sf azalée f
azienda [ad'dzjɛnda] sf entreprise f;
~ a partecipazione statale
entreprise mixte; **~ agricola**
exploitation f agricole; **~ (autonoma)
di soggiorno** syndicat m d'initiative;
aziende pubbliche entreprises
publiques; **A~ sanitaria locale**
structure régionale responsable des
services de santé au niveau local

azione [at'tsjone] *sf* action *f*; (*di gas, veleno*) effet *m*; **mettere in ~** mettre en marche; **~ sindacale** action syndicale; **azioni preferenziali** (*Fin*) actions privilégiées *o* de priorité

azoto [ad'dzɔto] *sm* azote *m*

azzardare [addzar'dare] *vt* hasarder, risquer; **azzardarsi** *vpr*: **azzardarsi (a)** se hasarder (à)

azzardo [ad'dzardo] *sm* risque *m*; (*caso*) hasard *m*; **gioco d'~** jeu *m* de hasard

azzeccare [attsek'kare] *vt* atteindre; (*fig*) trouver, deviner

azzuffarsi [attsuf'farsi] *vpr* se bagarrer

azzurro, -a [ad'dzurro] *agg* bleu(e) ▪ *sm* bleu *m* clair, bleu ciel; (*Sport*): **gli azzurri** les Italiens *mpl*, l'équipe *fsg* nationale italienne; **il principe ~** le prince charmant

babbo ['babbo] *sm* papa *m*; **B~ Natale** père Noël *m*

baby-sitter ['beibi 'sita] *sf inv* baby-sitter *m/f*

bacca, -che ['bakka] *sf* baie *f*

baccalà [bakka'la] *sm inv* morue *f*; (*fig*) andouille *f*

bacchetta [bak'ketta] *sf* baguette *f*; **comandare (qn) a ~** faire marcher (qn) à la baguette; **~ magica** baguette magique

bacheca, -che [ba'kɛka] *sf* (*mobile*) vitrine *f*; (*Univ, in ufficio*) tableau *m* d'affichage

baciare [ba'tʃare] *vt* embrasser; **baciarsi** *vpr* s'embrasser

bacinella [batʃi'nɛlla] *sf* cuvette *f*

bacino [ba'tʃino] *sm* (*Anat, Naut*) bassin *m*; (*piccolo bacio*) bise *f*; **~ carbonifero** bassin houiller; **~ di carenaggio** bassin de radoub; **~ petrolifero** gisement *m* pétrolifère

bacio ['batʃo] *sm* baiser *m*; **dare un ~ a qn** donner un baiser à qn

baco, -chi ['bako] *sm* ver *m*; (*Inform: di programma*) bogue *m*; **~ da seta** ver à soie

badare [ba'dare] *vi*: ~ **a** (*fare attenzione*) faire attention à; (*occuparsi di*) s'occuper de; **non ~ a spese** ne pas regarder à la dépense; **bada ai fatti tuoi!** occupe-toi de tes affaires!

baffi ['baffi] *smpl* moustache *fsg*; **leccarsi i ~** (*fig*) s'en lécher les doigts; **ridere sotto i ~** rire dans sa barbe

bagagliaio [bagaʎ'ʎajo] *sm* (*Aut*) coffre *m*; (*deposito bagagli*) consigne *f*; (*Ferr*) fourgon *m*

bagaglio [ba'gaʎʎo] *sm* bagages *mpl*; **fare/disfare i bagagli** faire/défaire ses bagages; **i nostri bagagli non sono arrivati** nos bagages ne sont pas arrivés; **potrebbe mandare qualcuno a prendere i nostri bagagli?** pourriez-vous envoyer quelqu'un chercher nos bagages?; **~ a mano** bagages à main; **~ culturale** bagage *msg* culturel

bagliore [baʎ'ʎore] *sm* lueur *f*

bagnante [baɲ'ɲante] *sm/f* baigneur(-euse)

bagnare [baɲ'ɲare] *vt* (*capelli, scarpe*) mouiller; (*stoffa*) faire tremper; (*sogg: fiume, anche fig: brindare*) arroser; (*sogg: mare*) baigner; **bagnarsi** *vpr* (*di pioggia, acqua*) se mouiller; (*al mare*) se baigner; (*in vasca*) prendre un bain; **~ le piante** arroser les plantes

bagnato, -a [baɲ'ɲato] *agg* mouillé(e) ◼ *sm* (*terreno, strada*) mouillé *m*; **guidare sul ~** conduire sur une route mouillée

bagnino, -a [baɲ'ɲino] *sm/f* maître nageur *m*

bagno ['baɲɲo] *sm* bain *m*; (*locale*) salle *f* de bain; **bagni** *smpl* (*stabilimento*) bains *mpl*; **fare il ~** (*in vasca*) prendre un bain; (*nel mare*) se baigner; **dove è il ~?** où sont les toilettes?; **fare il ~ a qn** baigner qn; **mettere a ~** (*bucato, legumi*) faire tremper

bagnomaria [baɲɲoma'ria] *sm*: **cuocere a ~** faire cuire au bain-marie

bagnoschiuma [baɲɲo'skjuma] *sm inv* bain moussant

baia ['baja] *sf* baie *f*

balbettare [balbet'tare] *vi* bégayer ◼ *vt* (*scuse*) bredouiller, balbutier; (*fig: lingua straniera*) baragouiner (*fam*)

balcanico, -a, -ci, -che [bal'kaniko] *agg* balkanique

balcone [bal'kone] *sm* balcon *m*; **avete una camera con ~?** avez-vous une chambre avec balcon?

baldoria [bal'dɔrja] *sf*: **fare ~** (*festa*) faire la fête; (*allegria rumorosa*) faire la foire, faire la bringue

balena [ba'lena] *sf* baleine *f*

baleno [ba'leno] *sm*: **in un ~** en un éclair

ballare [bal'lare] *vi, vt* danser; **andare a ~** aller danser

ballerina [balle'rina] *sf* danseuse *f*; (*scarpa*) ballerine *f*; **~ di rivista** danseuse de cabaret *o* variété

ballerino [balle'rino] *sm* danseur *m*

balletto [bal'letto] *sm* ballet *m*

ballo ['ballo] *sm* (*danza*) danse *f*; (*festa*) bal *m*; **essere in ~** (*fig*) être en jeu; **tirare in ~** mettre en cause; **~ in maschera** *o* **mascherato** bal masqué

balneare [balne'are] *agg* balnéaire

balsamo ['balsamo] *sm* baume *m*; (*per capelli*) après-shampooing *m inv*

balzare [bal'tsare] *vi* bondir, sauter; **~ su** (*autobus, treno*) sauter dans; **~ in macchina** sauter en voiture; **la verità balza agli occhi** la vérité saute aux yeux

balzo ['baltso] *sm* bond *m*; (*del terreno*) corniche *f*; **fare un ~** faire un bond; **prendere la palla al ~** (*fig*) saisir l'occasion

bambina [bam'bina] *sf* petite fille *f*, enfant *f*; (*fig*) enfant ◼ *agg*: **moglie ~** femme *f* enfant; **fare la ~** faire l'enfant *o* la gamine

bambino [bam'bino] *sm* petit garçon *m*, enfant *m*; (*fig*) enfant; **fare il ~** faire l'enfant *o* le gamin; **fare un ~** faire un enfant

bambola ['bambola] *sf* poupée *f*

bambù [bam'bu] *sm inv* bambou *m*

banale [ba'nale] *agg* banal(e)

banana [ba'nana] *sf* banane *f*

banca, -che ['banka] *sf* banque *f*; **~ d'affari** banque d'affaires; **~ dati** banque de données

● **BANCHE**
●
● les *banche* italiennes sont ouvertes
● le matin du lundi au vendredi,
● et reprennent après la pause-
● déjeuner, d'habitude de 2h30 à
● 3h30.

bancarella [banka'rɛlla] *sf* étalage *m*
bancarotta [banka'rotta] *sf* (*Dir*)
banqueroute *f*; **fare ~** faire faillite
banchetto [ban'ketto] *sm* banquet *m*
banchiere [ban'kjɛre] *sm* banquier *m*
banchina [ban'kina] *sf* (*di porto,
stazione*) quai *m*; (*per pedoni*)
accotement *m*, bas-côté *m*; (*per
ciclisti*) piste *f*; **~ cedevole** (*Aut*) bas-
côté non stabilisé; **~ spartitraffico**
(*Aut*) refuge *m*
banco, -chi ['banko] *sm* (*di scuola,
chiesa, in tribunale*) banc *m*; (*di negozio*)
comptoir *m*; (*banca*) banque *f*; **sotto
~** (*fig*) en cachette; **tenere il ~** (*nei
giochi*) tenir la banque; **tener ~**
(*conversare*) entretenir la
conversation; **~ degli imputati/dei
testimoni** banc des accusés/des
témoins; **~ dei pegni** mont-de-piété
m; **~ del Lotto** ≈ PMU *m* (*Pari mutuel
urbain*); **~ corallino** banc de coraux;
~ di nebbia nappe *f* de brouillard;
~ di prova (*fig*) banc d'essai
Bancomat® ['bankomat] *sm inv*
distributeur *m* automatique de
billets; (*tessera*) carte *f* de débit
banconota [banko'nɔta] *sf* billet *m*
(de banque)
banda ['banda] *sf* bande *f*; (*Mus*)
fanfare *f*; **~ larga** haut débit *m*;
~ perforata (*Inform*) bande perforée
bandiera [ban'djera] *sf* drapeau *m*;
cambiare ~ (*fig*) tourner sa veste; **~ di
comodo** pavillon *m* de complaisance
bandito [ban'dito] *sm* bandit *m*
bando ['bando] *sm* avis *msg*; (*esilio*)
bannissement *m*; **mettere al ~ qn**
(*fig*) mettre qn au ban; **~ alle
chiacchiere!** assez bavardé!;
~ agli scherzi trêve de plaisanteries;
~ di concorso avis de concours
bar [bar] *sm inv* bar *m*
bara ['bara] *sf* cercueil *m*
baracca, -che [ba'rakka] *sf* baraque
f; **mandare avanti la ~** (*fig: casa*) faire

bouillir la marmite; (*: affari*) faire
marcher les affaires, mener la barque;
piantare ~ e burattini prendre ses
cliques et ses claques
barare [ba'rare] *vi* tricher; **~ al gioco**
tricher au jeu
baratro ['baratro] *sm* gouffre *m*;
sull'orlo del ~ (*fig*) au bord du gouffre
baratto [ba'ratto] *sm* troc *m*
barattolo [ba'rattolo] *sm* (*di birra*)
canette *f*; (*di latta*) boîte *f*; (*di vetro*)
pot *m*, bocal *m*; (*di coccio*) pot; **in ~**
(*bibita*) en canette
barba ['barba] *sf* barbe *f*; **farsi la ~** se
raser; **farla in ~ a qn** (*fig*) agir (au nez
et) à la barbe de qn; **servire qn di ~ e
capelli** (*fig*) bien arranger qn; **che ~!**
quelle barbe!
barbabietola [barba'bjetola] *sf*
betterave *f*; **~ da zucchero** betterave
sucrière
barbiere [bar'bjɛre] *sm* coiffeur *m*
pour hommes
barbone [bar'bone] *sm* (*vagabondo*)
clochard *m*; (*cane*) caniche *m*
barca, -che ['barka] *sf* (*Naut*) bateau
m; **una ~ di** (*fig*) un tas de; **mandare
avanti la ~** (*fig*) conduire sa barque;
~ a remi barque *f* à rames; **~ a motore**
bateau à moteur; **~ a vela** bateau
à voile
barcollare [barkol'lare] *vi*
chanceler
barella [ba'rɛlla] *sf* civière *f*,
brancard *m*
barile [ba'rile] *sm* baril *m*, fût *m*
barista, -i, -e [ba'rista] *sm* barman
m, garçon *m* (de café) ▪ *sf* barmaid *f*
barocco, -a, -chi, -che [ba'rɔkko]
agg, sm baroque *m*
barometro [ba'rɔmetro] *sm*
baromètre *m*
barone [ba'rone] *sm* baron *m*; (*peg:
fig*) baron, magnat *m*; **i baroni della
medicina** les mandarins de la
médecine
baronessa [baro'nessa] *sf* baronne *f*
barra ['barra] *sf* barre *f*
barrare [bar'rare] *vt* barrer
barricarsi [barri'karsi] *vpr* se
barricader
barriera [bar'rjera] *sf* barrière *f*;
la Grande B~ Corallina la Grande
Barrière de corail

baruffa [ba'ruffa] *sf* bagarre *f*;
 fare ~ (con) se bagarrer (avec)
barzelletta [barzel'letta] *sf* histoire *f*
 drôle, blague *f*
basare [ba'zare] *vt* baser; **basarsi**
 vpr: **basarsi su** se baser sur
basco, -a, -schi, -sche ['basko] *agg*
 basque ▪ *sm/f* Basque *m/f* ▪ *sm*
 (*Ling*) basque *m*; (*copricapo*) béret *m*
 (basque)
base ['baze] *sf* base *f*; **di ~ de** base; **in**
 ~ a sur la base de, d'après; **in ~ a ciò...**
 d'après cela...; **a ~ di** (*latte ecc*) à base
 de; **essere alla ~ di** être à la base de;
 gettare le basi per jeter les bases
 pour; **avere buone basi** (*culturali*)
 avoir de bonnes bases; **~ di controllo**
 (*Aer*) base de contrôle
baseball ['beisbɔ:l] *sm* base-ball *m*
basette [ba'zette] *sfpl* pattes *fpl*
basilica, -che [ba'zilika] *sf*
 basilique *f*
basilico [ba'ziliko] *sm* basilic *m*
basket ['ba:skit] *sm* basket *m*
bassista, -i, -e [bas'sista] *sm/f*
 bassiste *m/f*
basso, -a ['basso] *agg* bas (basse);
 (*persona*) petit(e) ▪ *sm* bas *msg*;
 (*Mus*) basse *f*; **a occhi bassi** les yeux
 baissés; **a ~ prezzo** à bas prix;
 scendere da ~ descendre; **cadere in ~**
 (*fig*) tomber (bien) bas; **la bassa Italia**
 l'Italie du Sud; **il ~ Medioevo** le bas
 Moyen-Âge
bassorilievo [bassori'ljevo] *sm* bas-
 relief *m*
bassotto, -a [bas'sotto] *agg*
 courtaud(e) ▪ *sm* (*cane*) basset *m*
basta ['basta] *escl* assez!, ça suffit!;
 punto e ~ un point, c'est tout
bastardo, -a [bas'tardo] *agg* (*anche*
 fig) bâtard(e) ▪ *sm/f* bâtard(e) (*peg*),
 salaud *m*, conasse *f* (*fam*)
bastare [bas'tare] *vi*: **~ (a)** (*essere*
 sufficiente) suffire (à) ▪ *vb impers*
 suffire; **~ a se stessi** suffire à soi-
 même; **basta chiedere a un vigile** il
 suffit de le demander à un agent;
 basta così, grazie ça suffit, merci;
 basti dire che... il suffit de dire que...
bastonare [basto'nare] *vt* donner
 des coups de bâton à, battre; **avere**
 l'aria di un cane bastonato avoir un
 air de chien battu

bastoncino [baston'tʃino] *sm*
 bâtonnet *m*; (*Scienza*) bâton *m*;
 bastoncini di pesce (*Cuc*) bâtonnets
 de poisson
bastone [bas'tone] *sm* bâton *m*;
 (*Hockey*) crosse *f*; (*da passeggio*) canne
 f; **bastoni** *smpl* (*Carte*) l'une des 4
 couleurs d'un jeu de cartes italien;
 mettere i bastoni fra le ruote a qn
 mettre des bâtons dans les roues à qn
battaglia [bat'taʎʎa] *sf* bataille *f*;
 (*fig*) lutte *f*; **dare ~** livrer bataille;
 ~ navale (*Gioco*) bataille navale
battello [bat'tello] *sm* bateau *m*
battente [bat'tente] *sm* battant *m*;
 (*per bussare*) heurtoir *m*; **chiudere i**
 battenti (*azienda*) fermer ses portes
battere ['battere] *vt* battre; (*panni,*
 tappeti) battre, taper; (*porta*) cogner
 ▪ *vi* (*pioggia, cuore*) battre; (*sole*)
 taper; (*bussare*) frapper; (*urtare*):
 ~ (contro) cogner (contre); (*Tennis*)
 servir; **battersi** *vpr*: **battersi (per)** se
 battre (pour); **~ bandiera italiana**
 battre pavillon italien; **~ i denti**
 claquer des dents; **~ a macchina**
 taper à la machine; **~ le mani**
 applaudir; **~ (il marciapiede)** (*fig*)
 faire le trottoir; **~ le ore** sonner les
 heures; **~ i piedi** taper du pied;
 ~ un rigore (*Calcio*) tirer un penalty;
 ~ in testa (*Aut*) cogner; **~ su un**
 argomento insister o revenir sur
 un sujet; **in un batter d'occhio** en
 un clin d'œil; **senza batter ciglio**
 sans broncher; **battersela** filer à
 l'anglaise
batteria [batte'ria] *sf* (*anche Mus,*
 Tecn) batterie *f*; **~ da cucina** batterie
 de cuisine
batterio [bat'terjo] *sm* bactérie *f*
batterista, -i, -e [batte'rista] *sm/f*
 batteur(-euse)
battesimo [bat'tezimo] *sm* baptême
 m; **tenere qn a ~** tenir qn sur les fonds
 baptismaux
battezzare [batted'dzare] *vt*
 baptiser
battipanni [batti'panni] *sm inv*
 tapette *f*
battistrada [battis'trada] *sm inv*
 (*di pneumatico*) bande *f* de roulement;
 (*di gara*) celui qui est en tête, celui qui
 mène

battito ['battito] sm (di pioggia)
battement m; (di orologio) tic-tac m
inv; ~ **cardiaco** battement du cœur

battuta [bat'tuta] sf (Tip) frappe f;
(Mus) mesure f; (Teatro) réplique f;
(frase spiritosa) boutade f; (Polizia)
ratissage m; (Tennis) service m; **fare
una ~ (di spirito)** lancer une boutade;
aver la ~ pronta (fig) avoir la répartie
facile, avoir de la répartie; **è ancora
alle prime battute** il est à ses débuts;
~ di caccia partie f de chasse

batuffolo [ba'tuffolo] sm (di cotone,
lana) tampon m

baule [ba'ule] sm (cassa) malle f; (Aut)
coffre m

bava ['bava] sf bave f; (di vento)
souffle m

bavaglino [bavaʎ'ʎino] sm bavoir m

bavaglio [ba'vaʎʎo] sm bâillon m

bavero ['bavero] sm col m, collet m

bazar [bad'dzar] sm inv bazar m

B.C.E. [bitʃi'e] sigla f (= Banca Centrale
Europea) BCE f

beato, -a [be'ato] agg, sm/f
bienheureux(-euse); **~ te!** tu as bien
de la chance!

beccare [bek'kare] vt picoter,
picorer; (fig: raffreddore) choper;
(: ladro) pincer; **beccarsi** vpr (fig:
bisticciare) se chamailler; **si è beccato
l'influenza** il a chopé la grippe

beccherò ecc [bekke'rɔ] vb vedi
beccare

becco, -chi ['bekko] sm bec m; (fam:
fig) cocu(e); **mettere il ~ in** (fam)
fourrer son nez dans; **chiudi il ~!**
(fam) ferme-la!, boucle-la!; **non ho il
~ di un quattrino** (fam) je n'ai pas un
radis

befana [be'fana] sf (donna brutta)
vieille sorcière f; **la B~** vieille femme qui,
selon la légende, apporte des cadeaux aux
enfants sages et du charbon aux
méchants à la veille de l'Épiphanie

⊙ **BEFANA**

⊙ On célèbre la Befana le 6 janvier,
⊙ le jour de l'Épiphanie. Selon une
⊙ légende, la Befana, une gentille
⊙ sorcière chevauchant son balai,
⊙ apporte des cadeaux aux enfants
⊙ sages... et du charbon aux autres.

beffardo, -a [beffardo] agg
moqueur(-euse)

begli ['beʎʎi] agg vedi **bello**

bei ['bɛi] agg vedi **bello**

beige [bɛʒ] agg inv, sm inv beige m

bel [bɛl] agg vedi **bello**

belare [be'lare] vi bêler

belga, -gi, -ghe ['bɛlga] agg belge
■ sm/f Belge m/f

Belgio ['bɛldʒo] sm Belgique f

bella ['bɛlla] sf (innamorata, Sport,
Carte) belle f; (anche: **bella copia**)
copie f mise au propre; vedi **bello**

bellezza [bel'lettsa] sf beauté f;
chiudere o **finire in bellezza** conclure o finir
en beauté; **che ~!** c'est chouette!; **ho
pagato la ~ di 60 euro** j'ai payé la jolie
somme de 60 euros

Ⓞ **PAROLA CHIAVE**

bello, -a ['bɛllo] (dav sm **bel** + C, **bell'** +
V, **bello** + s impura, gn, pn, ps, x, z; **pl
bei** + C, **begli** + s impura ecc o V) agg
1 (cosa, persona, tempo) beau (belle);
le belle arti les beaux-arts; **farsi bello
di qc** (vantarsi) se vanter de qch; **fare
la bella vita** avoir la belle vie; **oh,
bella!, anche questa è bella!** ça alors!
celle-là aussi elle est bien bonne!
2 (quantità): **una bella cifra** une jolie
somme; **un bel niente** rien du tout
3 (rafforzativo): **è una truffa bella e
buona!** c'est une véritable
escroquerie!; **è bell'e finito** c'est bel
et bien fini
■ sm beau m; **adesso viene il bello**
mais tu n'as pas entendu le meilleur!;;
sul più bello au plus beau moment;
cosa fai di bello? qu'est-ce que tu fais
de beau?, qu'est-ce que tu deviens?
■ avv: **fa bello** il fait beau; **alla bell'e
meglio** tant bien que mal

belva ['belva] sf fauve m; (fig) brute f

belvedere [belve'dere] sm inv
belvédère m

benché [ben'ke] cong bien que,
quoique; **~ lo sappia molto bene...**
bien qu'il o quoiqu'il le sache très
bien...

benda ['bɛnda] sf bande f; (per coprire
gli occhi) bandeau m

bendare [ben'dare] vt bander

bene ['bɛne] avv bien; (molto): **ben più lungo/caro** bien plus long/cher ▪ agg inv: **gente ~** gens mpl bien ▪ sm bien m; **beni** smpl (averi) biens mpl; **io sto ~** je vais bien; **io sto poco ~** je ne vais pas très bien; **va ~** ça va; **lo spero ~** je l'espère bien; **fare ~** bien faire; **fare ~ a** (salute) faire du bien à; **fare del ~ a qn** faire du bien à qn; **voler ~ a qn** aimer qn; **di ~ in meglio** de mieux en mieux; **l'avevo ben detto** je l'avais bien dit; **un uomo per ~** un homme comme il faut; **beni ambientali** richesses fpl naturelles; **beni culturali** = monuments historiques; **beni di consumo** biens de consommation; **beni di consumo durevole** biens de consommation durables; **beni immateriali** biens immatériels; **beni immobili** biens immeubles; **beni patrimoniali** biens patrimoniaux; **beni privati** biens privés; **beni pubblici** biens publics

benedetto, -a [bene'detto] pp di **benedire** ▪ agg bénit(e)

benedire [bene'dire] vt bénir; **mandare qn a farsi ~** envoyer qn promener

beneducato, -a [benedu'kato] agg bien élevé(e)

beneficenza [benefi'tʃentsa] sf bienfaisance f, charité f; **fare ~** faire la charité; (fig) faire le bon Samaritain

beneficio [bene'fitʃo] sm bénéfice m; **con ~ d'inventario** (fig) sous bénéfice d'inventaire

benessere [be'nɛssere] sm bien-être m; **la società del ~** la société d'abondance

benestante [benes'tante] agg, sm/f nanti(e)

benigno, -a [be'niɲɲo] agg bienveillant(e); (Med) bénin(-igne)

benvenuto, -a [benve'nuto] agg bienvenu(e) ▪ sm bienvenue f; **dare il ~ a qn** souhaiter la bienvenue à qn

benzina [ben'dzina] sf essence f; **fare ~** prendre de l'essence; **rimanere senza ~** tomber en panne d'essence; **~ verde** essence f sans plomb; **sono rimasto senza ~** je suis en panne d'essence

benzinaio, -a [bendzi'najo] sm/f pompiste m/f

bere ['bere] vt boire; **beve qualcosa?** vous buvez quelque chose?; **darla a ~ a qn** faire marcher qn

berlina [ber'lina] sf (Aut) berline f; **mettere alla ~** (fig) exposer à la risée

Berlino [ber'lino] sf Berlin; **~ est/ ovest** Berlin-Est/-Ouest

bermuda [ber'muda] smpl (calzoncini) bermuda m

bernoccolo [ber'nɔkkolo] sm bosse f; **avere il ~ per qc** (fig) avoir la bosse de qch

berretto [ber'retto] sm béret m

berrò ecc [ber'rɔ] vb vedi **bere**

bersaglio [ber'saʎʎo] sm (anche fig: persona, cosa) cible f; (obiettivo) but m

besciamella [beʃʃa'mɛlla] sf (sauce) béchamel f

bestemmia [bes'temmja] sf blasphème m; (espressione irriverente) juron m; (sproposito) énormité f

bestemmiare [bestem'mjare] vt (uso assoluto; vedi sf) blasphémer; jurer; dire des énormités

bestia ['bestja] sf bête f; **andare in ~** (fig) sortir de ses gonds; **lavorare come una ~** travailler comme un nègre; **una ~ rara** (fig: persona) une bête curieuse; **~!** imbécile!; **è una brutta ~** (cosa) ce n'est pas une mince affaire; (persona) c'est un dur de dur; **~ da soma** bête de somme

bestiale [bes'tjale] agg (disumano) bestial(e); (fam: freddo, fame) terrible

bestiame [bes'tjame] sm bétail m

betulla [be'tulla] sf bouleau m

bevanda [be'vanda] sf boisson f

bevo ecc ['bevo] vb vedi **bere**

bevuto, -a [be'vuto] pp di **bere**

bevvi ecc ['bevvi] vb vedi **bere**

biancheria [bjanke'ria] sf linge m; **~ femminile** lingerie f; **~ intima** linge de corps

bianco, -a, -chi, -che ['bjanko] agg, sm/f blanc (blanche) ▪ sm blanc m; **in ~** (foglio, assegno) en blanc; (notte) blanc (blanche); **in ~ e nero** (TV, Fot) en noir et blanc; **mangiare in ~** manger des plats sans sauce; **pesce in ~** poisson au court-bouillon; **andare in ~** faire chou blanc; **notte bianca** o **in ~** nuit blanche; **voce bianca** (Mus) voix fsg blanche; **votare scheda bianca** voter blanc; **mosca**

bianca *(fig)* mouton *m* à cinq pattes;
~ dell'uovo blanc d'œuf
biasimare [bjazi'mare] *vt* blâmer
Bibbia ['bibbja] *sf* Bible *f*
biberon [bibɛ'rɔn] *sm inv* biberon *m*
bibita ['bibita] *sf* boisson *f*
biblioteca, -che [bibljo'tɛka] *sf*
bibliothèque *f*
bicarbonato [bikarbo'nato] *sm*:
~ (di sodio) bicarbonate *m* (de
soudium)
bicchiere [bik'kjɛre] *sm* verre *m*;
**è (facile) come bere un bicchier
d'acqua** c'est simple comme bonjour,
c'est bête comme chou
bicicletta [bitʃi'kletta] *sf* bicyclette *f*,
vélo *m*; **andare in ~** aller à bicyclette,
aller en vélo *(fam)*
bidè [bi'dɛ] *sm inv* bidet *m*
bidello, -a [bi'dɛllo] *sm/f (Scol)*
concierge *m/f; (Univ)* appariteur *m*
bidone [bi'done] *sm* bidon *m*; *(anche:*
bidone dell'immondizia) poubelle *f*;
(fam: truffa) sale tour *m*; *(che non
funziona)* arnaque *f*; **fare un ~ a qn**
(fam: imbrogliare) rouler qn, avoir qn
biforcarsi [bifor'karsi] *vpr* bifurquer
bigiotteria [bidʒotte'ria] *sf* bijou *m*
(de) fantaisie; *(negozio)* bijouterie *f* de
fantaisie
bigliettaio, -a [biʎʎet'tajo] *sm/f*
(in treno, autobus) receveur(-euse);
(: controllore) contrôleur(-euse);
(Cine, Teatro) guichetier(-ière)
biglietteria [biʎʎette'ria] *sf*
guichet *m*
biglietto [biʎ'ʎetto] *sm (cartoncino)*
carte *f; (di spettacoli, treni, aerei)* billet
m; (di metropolitana, autobus) ticket *m;*
(anche: **biglietto di banca)** billet; **un
~ di sola andata** un billet aller simple;
~ da visita carte de visite; **~ d'andata
e ritorno** billet d'aller et retour;
~ d'auguri carte de vœux;
~ elettronico billet *m* électronique;
~ omaggio entrée *f* gratuite
bignè [biɲ'ɲɛ] *sm inv* chou *m* à la
crème
bigodino [bigo'dino] *sm* bigoudi *m*
bigotto, -a [bi'gɔtto] *agg, sm/f*
bigot(e)
bikini [bi'kini] *sm inv* bikini *m*
bilancia, -ce [bi'lantʃa] *sf* balance *f;*
(pesapersone) balance, pèse-personne

m; (per bambini) pèse-bébé *m;*
(Zodiaco): **B~** Balance; **essere della
B~** être (de la) Balance;
~ commerciale balance
commerciale; **~ dei pagamenti**
balance des paiements
bilancio, -ci [bi'lantʃo] *sm (di
previsione)* budget *m; (consuntivo)*
bilan *m;* **chiudere il ~ in attivo/
passivo** présenter un bilan positif/
négatif; **fare il ~ di** *(fig)* faire le bilan
de; **~ consolidato** bilan consolidé;
~ consuntivo bilan; **~ di verifica**
balance *f* de vérification;
~ preventivo budget; **~ pubblico**
budget de l'État
biliardo [bi'ljardo] *sm* billard *m*
bilingue [bi'lingwe] *agg* bilingue
binario, -a [bi'narjo] *agg* binaire
■ *sm* rail *m*, voie *f; (piattaforma)* quai
m; **da che ~ parte il treno per Parigi?**
de quel quai part le train pour Paris?;
~ morto voie de garage
binocolo [bi'nɔkolo] *sm* jumelle *f*,
jumelles *fpl*
biodegradabile [biodegra'dabile]
agg biodégradable
biodinamico, -a, -ci, -che
[bioði'namiko] *agg* bio-dynamique
biografia [biogra'fia] *sf*
biographie *f*
biologia [biolo'dʒia] *sf* biologie *f*
biologico, -a, -ci, -che [bio'lɔdʒiko]
agg biologique
biondo, -a ['bjondo] *agg, sm/f*
blond(e) ■ *sm (colore)* blond *m;*
~ cenere blond cendré
biotecnologia [bioteknolo'dʒia] *sf*
biotechnologie *f*
birichino, -a [biri'kino] *agg*
(bambino, sorriso) espiègle ■ *sm/f*
polisson(-onne); *(malizioso)*
espiègle *m/f*
birillo [bi'rillo] *sm* quille *f;* **birilli** *smpl*
(gioco) quilles *fpl*
biro® ['biro] *sf inv* bic® *m*, stylo-bille *m*
birra ['birra] *sf* bière *f;* **una ~, per
favore** *(al bar)* un demi o une bière,
s'il vous plaît; **a tutta ~** *(fig)* à toute
pompe o allure; **~ chiara/scura** bière
blonde/brune
birreria [birre'ria] *sf* brasserie *f*
bis [bis] *escl* bis! ■ *sm inv* bis *m* ■ *agg*
inv (treno, autobus) supplémentaire;

12 ~ (*numero*) 12 bis; **chiedere il ~ a qn** bisser qn

bisbetico, -a, -ci, -che [biz'bɛtiko] *agg* acariâtre

bisbigliare [bizbiʎ'ʎare] *vi, vt* chuchoter

bisca, -sche ['biska] *sf* tripot *m*

biscia, -sce ['biʃʃa] *sf* couleuvre *f*; **~ d'acqua** serpent *m* d'eau

biscottato, -a [biskot'tato] *agg*: **fette biscottate** biscottes *fpl*

biscotto [bis'kɔtto] *sm* biscuit *m*

bisessuale [bisessu'ale] *agg* bisexuel(le)

bisestile [bizes'tile] *agg*: **anno ~** année *f* bissextile

bisnonno, -a [biz'nɔnno] *sm/f* arrière-grand-père *m*, arrière-grand-mère *f*

bisognare [bizoɲ'ɲare] *vb impers*: **bisogna partire** il faut partir; **bisogna che tu parta/lo faccia** il faut que tu partes/le fasses; **non bisogna parlargli** il ne faut pas lui parler

bisogno [bi'zoɲɲo] *sm* besoin *m*; **avere ~ di qc/di fare qc** avoir besoin de qch/de faire qch; **al ~, in caso di ~** au besoin, si besoin est; **ha ~ di qualcosa?** avez-vous besoin de quelque chose?; **fare i propri bisogni** faire ses besoins

bistecca, -che [bis'tekka] *sf* bifteck *m*, steak *m*; **~ al sangue/ai ferri** bifteck saignant/grillé

bisticciare [bistit'tʃare] *vi* se disputer, se chamailler (*fam*); **bisticciarsi** *vpr* se disputer, se chamailler (*fam*)

bisturi ['bisturi] *sm inv* (*Med*) bistouri *m*

bivio ['bivjo] *sm* (*biforcazione*) bifurcation *f*; (*fig*) carrefour *m*

bizzarro, -a [bid'dzarro] *agg* bizarre

blaterare [blate'rare] *vi* jacasser

blindato, -a [blin'dato] *agg* blindé(e) ▪ *sm* blindé *m*; **porta blindata** porte *f* blindée; **camera blindata** chambre *f* forte; **vetro ~** vitre *f* blindée; **vita blindata** (*fig: di magistrato, giudice*) vie surprotégée

bloccare [blok'kare] *vt* bloquer; **bloccarsi** *vpr* se bloquer; **~ il traffico** bloquer la circulation

bloccherò *ecc* [blokke'rɔ] *vb vedi* **bloccare**

blocchetto [blok'ketto] *sm*: **~ per appunti** bloc-notes *msg*, carnet *m*; (*di biglietti di mezzi pubblici*) carnet *m*

blocco, -chi ['blɔkko] *sm* bloc *m*; (*Mil*) blocus *m*; (*arresto: di meccanismo, prezzi*) blocage *m*; **in ~** en bloc; **~ cardiaco** arrêt *m* du cœur; **~ mentale** blocage (mental); **~ stradale** barrage *m* routier

blog [blog] *sm inv* blog *m*, blogue *m*; **scrivere ~** bloguer

blu [blu] *agg inv* bleu(e) ▪ *sm inv* bleu *m* (foncé)

blusa ['bluza] *sf* (*camiciotto*) blouse *f*; (*camicetta*) chemisier *m*

boa ['bɔa] *sm inv* (*anche sciarpa*) boa *m* ▪ *sf* (*galleggiante*) bouée *f*

boato [bo'ato] *sm* détonation *f*

bob [bɔb] *sm inv* bob(sleigh) *m*

bocca, -che ['bokka] *sf* bouche *f*; (*apertura*) ouverture *f*; **essere di ~ buona** (*a tavola*) ne pas être fine bouche; (*fig*) ne pas être difficile; **acqua in ~** bouche cousue; **essere sulla ~ di tutti** (*persona, notizia*) défrayer la chronique; **rimanere a ~ asciutta** rester sans manger; (*fig*) rester sur sa faim; **metter ~ (in qc)** mettre son grain de sel (dans qch); **in ~ al lupo!** bonne chance!; (*tra studenti, amici*) merde! (*fam*); **~ di leone** (*Bot*) gueule-de-loup *f*

boccaccia [bok'kattʃa] *sf* (*malalingua*) mauvaise langue *f*; **fare le boccacce** (*smorfia*) faire la grimace

boccale [bok'kale] *sm* (*per birra*) chope *f*

boccetta [bot'tʃetta] *sf* (*bottiglietta*) flacon *m*; (*bocce, biliardo*) cochonnet *m*

boccia [bot'tʃa] *sf* (*palla di legno, metallo*) boule *f*; **gioco delle bocce** jeu *m* de boules

bocciare [bot'tʃare] *vt* (*proposta, progetto*) repousser, rejeter; (*Scol*) recaler, coller; (*Bocce*) tirer; **essere bocciato ad un esame** être recalé *o* collé à un examen

bocciolo [bot'tʃolo] *sm* bouton *m*

boccone [bok'kone] *sm* bouchée *f*; **mangiare un ~** manger un (petit) morceau

boicottare [boikot'tare] *vt*
boycotter

bolla ['bolla] *sf* bulle *f*; (*Med*) cloque *f*;
(*Comm*) bulletin *m*, bordereau *m*;
finire in una ~ di sapone (*fig*)
s'évanouir en fumée; **~
d'accompagnamento** bon de
livraison; **~ di consegna** bulletin de
livraison; **~ papale** bulle papale

bollente [bol'lɛnte] *agg* bouillant(e);
calmare i bollenti spiriti calmer les
esprits

bolletta [bol'letta] *sf* note *f*; (*del
telefono*) facture *f*; (*ricevuta*) quittance
f; **essere in ~** être fauché(e); **~ di
consegna** bulletin *m* de livraison;
~ di spedizione bordereau *m*
d'expédition; **~ doganale** acquit *m*
de douane

bollettino [bollet'tino] *sm* bulletin
m; **~ di spedizione** bulletin
d'expédition; **~ medico** bulletin de
santé; **~ meteorologico** bulletin
de la météo

bollire [bol'lire] *vi* bouillir ■ *vt*
(*portare ad ebollizione*) faire bouillir;
qualcosa bolle in pentola (*fig*) il se
trame quelque chose

bollitore [bolli'tore] *sm* (*Cuc*)
bouilloire *f*; (*Tecn*) bouilleur *m*

bollo ['bollo] *sm* (*marchio*) timbre *m*,
marque *f*; **~ postale** cachet *m* de la
poste

bomba ['bomba] *sf* bombe *f*; **sei
stato una ~!** tu as été sensationnel!,
tu as été du tonnerre!; **~ a mano**
grenade *f*; **~ ad orologeria** bombe
à retardement; **~ atomica** bombe
atomique

bombardamento
[bombarda'mento] *sm*
bombardement *m*

bombardare [bombar'dare] *vt*
(*anche fig*) bombarder

bombola ['bombola] *sf* bouteille *f*;
~ del gas bouteille de gaz

bomboletta [bombo'letta] *sf*
bombe *f*

bomboniera [bombo'njɛra] *sf* petit
objet décoratif contenant des dragées qui
est offert aux invités à l'occasion d'un
mariage, d'un baptême, etc

bonifico, -ci [bo'nifiko] *sm* (*Banca*)
virement *m*

bontà [bon'ta] *sf inv* (*di persona*)
bonté *f*; (*di prodotto*) (bonne) qualité *f*;
(*di soluzione*) validité *f*; (*di pietanza*)
délice *m*; **aver la ~ di fare qc** (*fig*)
avoir la bonté de faire qch

borbottare [borbot'tare] *vi* grogner;
(*stomaco*) gargouiller ■ *vt* (*parole*)
marmonner

borchia ['bɔrkja] *sf* (*per chiusure*)
boucle *f*; (*di chiodo*) tête *f*

bordeaux [bor'do] *sm inv* bordeaux *msg*

bordo ['bordo] *sm* bord *m*;
(*guarnizione*) bord, bordure *f*; **a ~ di**
à bord de; **sul ~ della strada** au bord
de la route; **persona d'alto ~** (*fig*)
personne *f* de haute condition

borghese [bor'gese] *agg, sm/f*
bourgeois(e); **abito ~** habit *m* civil;
poliziotto in ~ agent *m* en civil;
piccolo ~ (*peg*) petit bourgeois

borgo, -ghi ['borgo] *sm* (*paesino*)
bourg *m*; (*sobborgo, quartiere*)
faubourg *m*

borotalco, -chi [boro'talko] *sm*
talc *m*

borraccia, -ce [bor'rattʃa] *sf*
gourde *f*

borsa ['borsa] *sf* sac *m*; (*borsetta*) sac
à main; (*Econ*): **la B~ (valori)** la
Bourse (des valeurs); **avere le borse
sotto gli occhi** avoir des poches sous
les yeux; **~ della spesa** sac à
provisions; **~ dell'acqua calda**
bouillotte *f*; **~ di studio** bourse *f*
d'études; **B~ merci** Bourse de
marchandises *o* commerce; **~ nera**
marché *m* noir

borsellino [borsel'lino] *sm* porte-
monnaie *m*

borsetta [bor'setta] *sf* sac *m* à main

bosco, -schi ['bɔsko] *sm* bois *msg*

bosniaco, -a, -ci, -che [bo'zniako]
agg bosniaque ■ *sm/f*
Bosniaque *m/f*

Bosnia Erzegovina ['boznja
erdze'govina] *sf* Bosnie-Herzégovine *f*

Bot [bɔt] *sigla m inv* (= *buono ordinario
del Tesoro*) bon *m* du Trésor

botanica [bo'tanika] *sf* botanique *f*

botanico, -a, -ci, -che [bo'taniko]
agg botanique ■ *sm* botaniste *m/f*

botola ['bɔtola] *sf* trappe *f*

botta ['bɔtta] *sf* coup *m*; (*fig: rumore*)
bruit *m*; **dare un sacco di botte a qn**

rouer qn de coups; **~ e risposta** *(fig)* du tac au tac

botte ['bɔtte] *sf* tonneau *m*; **essere in una ~** *(fig)* être à l'abri de tout danger; **volere la ~ piena e la moglie ubriaca** ménager la chèvre et le chou

FALSI AMICI

botte non si traduce mai con la parola francese **botte**.

bottega, -ghe [bot'tega] *sf* boutique *f*; *(di artigiano, nel Medioevo)* atelier *m*; **stare a ~ (da qn)** faire son apprentissage (chez qn); **le Botteghe Oscure** siège du DS (democratici di sinistra)

bottiglia [bot'tiʎʎa] *sf* bouteille *f*

bottiglieria [bottiʎʎe'ria] *sf* débit *m* de boissons

bottino [bot'tino] *sm* butin *m*; **fare ~ di qc** *(anche fig)* filer avec qch

botto ['bɔtto] *sm* coup *m*; **di ~** tout à coup; **in un ~** en un clin d'œil

bottone [bot'tone] *sm* bouton *m*; **la stanza dei bottoni** *(fig)* les leviers de commande; **attaccare un ~ a qn** *(fig)* tenir la jambe à qn; **botton d'oro** bouton d'or

bovino, -a [bo'vino] *agg* bovin(e) ▪ *sm* bovin *m*; **bovini** *smpl* *(Zool)* bovins *mpl*

box [bɔks] *sm inv* *(per cavalli)* box *msg*; *(per macchina)* garage *m*; *(per macchina da corsa)* stand *m*; *(per bambini)* parc *m*

boxe [bɔks] *sf* boxe *f*

boxer ['bɔkser] *sm inv* *(cane)* boxer *m* ▪ *smpl* *(mutande)*: **un paio di ~** un caleçon

BR *sigla fpl* (= *Brigate Rosse*) Brigades *fpl* Rouges

braccetto [brat'tʃetto] *sm*: **a ~** bras dessus bras dessous

braccialetto [brattʃa'letto] *sm* bracelet *m*

bracciata [brat'tʃata] *sf* brassée *f*; *(Nuoto)* brasse *f*

braccio ['brattʃo] *sm* (*pl(f)* **braccia**) *(Anat)* bras *msg*; (*pl(m)* **bracci**) *(di gru, fiume)* bras; *(di edificio)* aile *f*; **portare sotto ~** porter sous le bras; **è il suo ~ destro** c'est son bras droit; **~ di ferro** *(anche fig)* bras de fer; **mi sono cascate le braccia** *(fig)* les bras m'en sont tombés; **~ di mare/di terra** bras de mer/de terre

bracciolo [brat'tʃolo] *sm* accoudoir *m*

bracco, -chi ['brakko] *sm* braque *m*

brace ['bratʃe] *sf* braise *f*; **alla ~** *(Cuc)* cuit(e) sur la braise

braciola [bra'tʃola] *sf* *(Cuc)* côtelette *f*

branca, -che ['branka] *sf* *(settore)* branche *f*

branchia ['brankja] *sf* branchie *f*

branco, -chi ['branko] *sm* *(di cani, lupi; peg: di persone)* bande *f*

brandina [bran'dina] *sf* lit *m* de camp

brano ['brano] *sm* morceau *m*

Brasile [bra'zile] *sm* Brésil *m*

brasiliano, -a [brazi'ljano] *agg* brésilien(ne) ▪ *sm/f* Brésilien(ne)

bravo, -a ['bravo] *agg* bon(ne); *(bambino: beneducato)* sage; **~ in** *(in materia ecc)* fort(e) en; **~!** bravo!; **su da ~!** *(fam)* allez, courage!; **un ~ ragazzo** un bon garçon

bravura [bra'vura] *sf* habileté *f*, capacité *f*

Bretagna [bre'taɲɲa] *sf* Bretagne *f*

bretella [bre'tɛlla] *sf* *(Aut)* bretelle *f*; **bretelle** *sfpl* *(per pantaloni)* bretelles *fpl*

bretone ['brɛtone] *agg* breton(ne) ▪ *sm/f* Breton(ne)

breve ['brɛve] *agg* *(vita, corso, tempo)* court(e), bref(-ève); *(discorso)* bref(-ève); *(strada)* court(e); **in ~** *(rapidamente)* brièvement; *(in poche parole)* bref; **per farla ~** pour couper court, bref; **a ~** *(Comm)* à court terme

brevettare [brevet'tare] *vt* breveter

brevetto [bre'vetto] *sm* brevet *m*; **~ di pilota** brevet de pilote

bricco, -chi ['brikko] *sm* *(del latte)* pot *m*; *(del caffè)* cafetière *f*

briciola ['britʃola] *sf* *(anche fig)* miette *f*

briciolo ['britʃolo] *sm* *(fig)* brin *m*; **non ha un ~ di cervello** il a une cervelle de moineau

briga, -ghe ['briga] *sf* souci *m*; **attaccar ~** chercher noise à qn; **prendersi la ~ di fare qc** se donner la peine de faire qch

briglia ['briʎʎa] *sf* bride *f*, rêne *f*; **a ~ sciolta** *(anche fig)* à bride abattue

brillante [bril'lante] *agg* brillant(e) ▪ *sm* brillant *m*

brillare [bril'lare] vi (anche fig) briller; (mina) exploser ◼ vt (mina) faire sauter; (riso) décortiquer

brillo, -a ['brillo] agg (alticcio) gris(e) m

brina ['brina] sf givre m

brindare [brin'dare] vi: ~ (a qc/qn) porter un toast (à qch/qn)

brindisi ['brindizi] sm inv toast m

brioche [bri'ɔʃ] sf inv sorte de croissant

britannico, -a, -ci, -che [bri'tanniko] agg britannique ◼ sm/f Britannique m/f

brivido ['brivido] sm frisson m; (fig) griserie f; **racconti del ~** histoires fpl à suspense

brizzolato, -a [brittso'lato] agg grisonnant(e)

brocca, -che ['brɔkka] sf cruche f

broccoli ['brɔkkoli] smpl brocoli msg

brodo ['brɔdo] sm bouillon m; **lasciare (cuocere) qn nel suo ~** laisser mijoter qn dans son jus; **tutto fa ~** tout peut servir; **~ ristretto** consommé m

bronchite [bron'kite] sf bronchite f

brontolare [bronto'lare] vi grogner, bougonner; (tuono) gronder; (stomaco) gargouiller

bronzo ['brondzo] sm bronze m; **che faccia di ~!** quel culot!

browser [brauzer] sm inv (Inform) navigateur m

bruciapelo [brutʃa'pelo]: **a ~** avv à bout portant; (fig) à brûle-pourpoint

bruciare [bru'tʃare] vt brûler; (avversari: Sport, fig) griller ◼ vi brûler; **bruciarsi** vpr se brûler; (fallire) être cuit(e); **~ le tappe** (fig) brûler les étapes; **bruciarsi la carriera** ruiner sa carrière

bruco, -chi ['bruko] sm chenille f

brufolo ['brufolo] sm bouton m

brullo, -a ['brullo] agg dépouillé(e)

bruno, -a ['bruno] agg brun(e)

brusco, -a, -schi, -sche ['brusko] agg brusque

brusio, -ii [bru'zio] sm (di persone, insetti) bourdonnement m; (di foglie) bruissement m

brutale [bru'tale] agg brutal(e)

brutto, -a ['brutto] agg laid(e), moche (fam); (situazione, strada) mauvais(e); (malattia) grave ◼ sm laid m; (brutto tempo) mauvais temps

msg; **il ~ è che...** le malheur c'est que...; **hai fatto una brutta figura** tu as fait piètre figure; **vedersela brutta** (per un attimo) avoir chaud; (per un periodo) passer un mauvais quart d'heure

Bruxelles [bry'sɛl] sf Bruxelles

BSE [bi'ɛsse'e] sigla f (= encefalopatia spongiforme bovina) ESB f

buca, -che ['buka] sf (cavità) trou m; (avvallamento) creux m; **~ delle lettere** boîte f aux lettres

bucaneve [buka'neve] sm inv perce-neige f o m

bucare [bu'kare] vt (superficie) percer; (vestiti) trouer; (palloncino) crever; (biglietto: controllare) poinçonner; **bucarsi** vpr crever; (fam: drogato) se shooter, se piquer; **~ (una gomma)** crever (un pneu); **avere le mani bucate** (fig) être un panier percé

bucato [bu'kato] sm lessive f; **fare il ~** faire la lessive

buccia, -ce ['buttʃa] sf (di frutta) peau f; (: scorza dura) écorce f; (: sbucciata) pelure f

bucherò ecc [buke'rɔ] vb vedi **bucare**

buco, -chi ['buko] sm trou m; **fare un ~ nell'acqua** faire chou blanc; **farsi un ~** (fam: drogarsi) se shooter

buddismo [bud'dizmo] sm bouddhisme m

budino [bu'dino] sm flan m, crème f renversée; **~ di cioccolata** flan au chocolat

> **FALSI AMICI**
> **budino** non si traduce mai con la parola francese **boudin**.

bue ['bue] (pl buoi) sm bœuf m

bufera [bu'fɛra] sf tempête f

buffo, -a ['buffo] agg (divertente) drôle, marrant(e) (fam); (bizzarro) drôle (de); **è un individuo ~** (bizzarro) c'est un drôle d'individu

bugia [bu'dʒia] sf mensonge m

bugiardo, -a [bu'dʒardo] agg, sm/f menteur(-euse)

buio, -a ['bujo] agg sombre ◼ sm obscurité f, noir m; **è ~ pesto** il fait noir comme dans un four

bulbo ['bulbo] sm (Bot) bulbe m, oignon m; **~ oculare** globe m oculaire

Bulgaria [bulga'ria] sf Bulgarie f
bulgaro, -a ['bulgaro] agg bulgare
■ sm/f Bulgare m/f ■ sm bulgare m
bulimia [buli'mia] sf boulimie f
bulimico, -a, -ci, -che [bu'limiko]
agg boulimique
bullone [bul'lone] sm boulon m
buonanotte [bwona'nɔtte] escl
bonne nuit! ■ sf: **dare la ~ a** dire
bonne nuit à
buonasera [bwona'sera] escl
bonsoir!
buongiorno [bwon'dʒorno] escl
bonjour!
buongustaio, -a [bwongus'tajo]
sm/f gourmet m

 PAROLA CHIAVE

buono, -a ['bwɔno] (dav sm: **buon**
+ C o V, **buono** + s impura, gn, pn, ps, x,
z; dav sf: **buon'** +V) agg 1 (generoso,
docile: persona, animale) bon(ne);
(: bambino) sage; **essere buono con
qn** être gentil avec qn; **stai buono!**
reste tranquille!, sois sage!; **di buon
cuore** de bon cœur; **di buon grado** de
bon gré; **di buon occhio** d'un bon œil;
mettere una buona parola per qn
parler en faveur de qn
2 (di qualità: ristorante, cibo, lavoro,
idea) bon(ne); **che buono!** comme
c'est bon!, quel régal!; **la buona
società** le beau monde, la bonne
société; **le buone maniere** les
bonnes manières; **alla buona** sans
façon(s)
3 (abile, idoneo: medico, studente ecc)
bon(ne); **un buon allievo** un bon
élève; **buono a nulla** bon à rien; **in
buone mani** en bonnes mains; **in
buone condizioni** dans de bonnes
conditions; **avere buon senso** avoir
du bon sens
4 (propizio, vantaggioso) bon(ne);
a buon mercato (à) bon marché;
un buon cambio un taux de change
favorable; **al momento buono** au
bon moment; **buon pro ti faccia**
grand bien te fasse; **Dio ce la mandi
buona!** que Dieu nous aide!
5 (quantità, dose, voto) bon(ne);
buona parte dei soldi une bonne
partie de l'argent

6 (con valore intensivo): **di buon'ora**
de bonne heure; **di buon mattino**
de bon matin; **di buon passo** d'un
bon pas
7 (auguri): **buon compleanno!** bon
anniversaire!; **buon divertimento!**
amuse-toi bien!, amusez-vous bien!;
buona fortuna! bonne chance!;
buon riposo! repose-toi bien!,
reposez-vous bien!; **buon viaggio!**
bon voyage!; **tante buone cose!** bien
des choses!
■ sm/f (persona): **essere un buono/
una buona** être gentil/gentille;
i buoni e i cattivi (in storia, film) les
bons et les méchants; **con le buone
o con le cattive** de gré ou de force
■ sm inv (ciò che è buono) bon m; **un
poco di buono** un vaurien, un pas
grand-chose; **una poco di buono** une
fille de rien, une pas grand-chose;
buon per me tant mieux pour moi
■ sm (Comm) bon m; **buono del
Tesoro** bon du Trésor

buonsenso [bwon'sɛnso] sm = **buon
senso**; vedi **buono**
burattino [burat'tino] sm
marionnette f
burbero, -a ['burbero] agg bourru(e)
burocratico, -a, -ci, -che
[buro'kratiko] agg bureaucratique
burocrazia [burokrat'tsia] sf
bureaucratie f
burrasca, -sche [bur'raska] sf
orage m
burro ['burro] sm beurre m
burrone [bur'rone] sm ravin m
bussare [bus'sare] vi frapper; **~ a
quattrini** (fig) demander de l'argent
bussola ['bussola] sf boussole f;
perdere la ~ (fig) perdre le nord
busta ['busta] sf (da lettera) enveloppe
f; (astuccio) étui m, trousse f; **in ~
chiusa/aperta** sous pli cacheté/non
cacheté; **~ paga** feuille f de paye
bustarella [busta'rella] sf (fig) pot-
de-vin m, dessous-de-table m
bustina [bus'tina] sf (di cibi, farmaci)
sachet m; (Mil) calot m; **~ di tè** sachet
de thé
busto ['busto] sm buste m; (corsetto)
corset m; **a mezzo ~** (ritratto) en
buste; (fotografia) à mi-corps

buttare [but'tare] *vt* jeter; (*sprecare: tempo*) perdre; (: *denaro, energia*) gaspiller; **buttarsi** *vpr* (*gettarsi: per terra, sul letto*) se jeter; (*fig*) se jeter à l'eau; **~ giù** (*schizzare: scritto*) jeter sur le papier; (*cibo, boccone*) avaler; (*edificio*) abattre, démolir; **buttarsi giù** (*avvilirsi*) se décourager; **ho buttato là una frase** j'ai lancé une remarque; **buttarsi dalla finestra** se jeter par la fenêtre; **buttarsi in acqua** sauter dans l'eau; **~ fuori qn** chasser qn; **~ via qc** jeter qch; **buttiamoci!** on y va!

cabina [ka'bina] *sf* cabine *f*; (*da spiaggia*) cabine (de bain); (*di aereo*) cabine; (*di seggio elettorale*) isoloir *m*; **~ di pilotaggio** cabine de pilotage; **~ di proiezione** (*Cine*) cabine de projection; **~ di registrazione** studio *m* d'enregistrement; **~ telefonica** cabine téléphonique

cacao [ka'kao] *sm* (*Bot*) cacaotier *m*, cacaoyer *m*; (*Cuc*) cacao *m*

caccia ['kattʃa] *sf* chasse *f* ■ *sm inv* (*Aer*) chasseur *m*; (*Naut*) contre-torpilleur *m*; **andare a ~** aller à la chasse; **dare la ~ a qn** donner la chasse à qn; **~ all'uomo** chasse à l'homme; **~ grossa** chasse aux fauves

cacciare [kat'tʃare] *vt* (*anche fig*) chasser; (*ficcare*) fourrer ■ *vi* chasser; **cacciarsi** *vpr* (*fam*) se fourrer; **~ fuori qn** mettre qn à la porte; **~ un urlo** pousser un cri; **dove s'è cacciato?** où s'est-il fourré?; **cacciarsi nei guai** se fourrer dans le pétrin

cacciatore, -trice [kattʃa'tore] *sm* chasseur(-euse); **~ di dote** coureur de dot; **~ di frodo** braconnier *m*

cacciavite [kattʃa'vite] *sm inv*
tournevis *msg*

cactus ['kaktus] *sm inv* cactus *msg*

cadavere [ka'davere] *sm* cadavre *m*

caddi *ecc* ['kaddi] *vb vedi* **cadere**

cadenza [ka'dɛntsa] *sf* cadence *f*;
(*dialettale, linguistica*) accent *m*

cadere [ka'dere] *vi* tomber; **questa
gonna cade bene** cette jupe tombe
bien; **Natale cade di lunedì** Noël
tombe un lundi; **lasciar ~** (*anche fig*)
laisser tomber; **~ dal sonno** tomber
de sommeil; **~ dalle nuvole** (*fig*)
tomber des nues

cadrò *ecc* [ka'drɔ] *vb vedi* **cadere**

caduta [ka'duta] *sf* chute *f*; **contro
la ~ dei capelli** contre la chute des
cheveux; **~ di tensione** chute de
tension

caffè [kaf'fe] *sm inv* (*pianta*) caféier *m*;
(*bevanda, locale*) café *m*; **~ corretto/
macchiato** café arrosé/crème; **~ in
grani** café en grains; **~ macinato** café
moulu

caffelatte [kaffe'latte] *sm inv* café *m*
au lait

caffettiera [kaffet'tjɛra] *sf* cafetière *f*

cagna ['kaɲɲa] *sf* chienne *f*; (*peg*)
garce *f*

CAI ['kai] *sigla m* (= Club Alpino Italiano)
club *m* alpin italien

calabrone [kala'brone] *sm* bourdon
m, frelon *m*

calamaro [kala'maro] *sm* calmar *m*

calamita [kala'mita] *sf* aimant *m*

calamità [kalami'ta] *sf inv* calamité
f, catastrophe *f*; **~ naturale**
catastrophe naturelle

calare [ka'lare] *vt* (*corda*) faire
descendre; (*scialuppa*) mettre à l'eau;
(*ancora*) jeter; (*Maglia*) diminuer *vi*
(*sole*) baisser, se coucher; (*notte,
silenzio*) tomber; (*rumore, tensione,
prezzo, inflazione*) baisser; (*febbre*)
baisser, tomber; **~ di peso** maigrir

calcagno [kal'kaɲɲo] *sm* talon *m*

calce ['kaltʃe] *sm*: **in ~** au bas de la
page *sf* (*composto*) chaux *fsg*;
~ viva chaux vive

calciare [kal'tʃare] *vi* (*animale*) ruer;
(*persona*) donner des coups de pied
vt (*persona, oggetto*) donner des
coups de pied à; **~ il pallone** tirer,
shooter

calciatore, -trice [kaltʃa'tore] *sm/f*
footballeur(-euse)

calcio, -ci ['kaltʃo] *sm* (*di persona*)
coup *m* de pied; (*di animale*) ruade *f*;
(*Sport*) football *m*; (*di pistola, fucile*)
crosse *f*; (*Chim*) calcium *m*; **dare un ~
a qn/qc** donner un coup de pied à qn/
qch; **prendere qn/qc a calci** donner
des coups de pied à qn/qch;
~ d'angolo corner *m*; **~ di punizione**
coup franc; **~ di rigore** penalty *m*

calcolare [kalko'lare] *vt* calculer;
(*persona, fatto*) penser à, tenir
compte de

calcolatore [kalkola'tore] *sm*
calculateur *m*; **~ elettronico**
ordinateur *m*

calcolatrice [kalkola'tritʃe] *sf*
machine *f* à calculer, calculatrice *f*;
~ tascabile calculatrice de poche,
calculette *f*

calcolo ['kalkolo] *sm* (*anche Med*)
calcul *m*; **fare il ~ di** calculer; **far ~ su
qn** compter sur qn; **fare i propri
calcoli** (*fig*) faire ses calculs; **per ~**
(*fig*) par calcul

caldaia [kal'daja] *sf* (*Tecn*)
chaudière *f*

caldo, -a ['kaldo] *agg* chaud(e); (*fig:
abbraccio ecc*) chaleureux(-euse) *sm*
chaleur *f*; **aver ~** avoir chaud; **fa ~** il
fait chaud; **non mi fa né ~ né freddo**
cela ne me fait ni chaud ni froid; **a ~**
(*fig*) à chaud

caleidoscopio [kaleidos'kɔpjo] *sm*
kaléidoscope *m*

calendario [kalen'darjo] *sm*
calendrier *m*; (*taccuino*) agenda *m*;
(*di teatro, cinema*) programme *m*

calibro ['kalibro] *sm* calibre *m*; (*fig*)
calibre, acabit *m*; **un personaggio di
grosso ~** un gros bonnet

calice ['kalitʃe] *sm* verre *m* à pied;
(*Rel*) calice *m*

California [kali'fɔrnja] *sf* Californie *f*

californiano, -a [kalifor'njano] *agg*
californien(ne)

calligrafia [kalligra'fia] *sf*
calligraphie *f*; (*scrittura*) écriture *f*

callo ['kallo] *sm* (*ai piedi*) cor *m*,
durillon *m*; (*alle mani*) durillon *m*; **fare il
~ a qc** (*fig*) se faire à qch

calma ['kalma] *sf* calme *m*;
faccia con ~ prenez votre temps;

~ (di vento) temps *msg* calme;
~ equatoriale calme équatorial
calmante [kal'mante] *agg*
calmant(e) ■ *sm* calmant *m*
calmare [kal'mare] *vt* calmer;
calmarsi *vpr* (persona, vento, onde)
se calmer
calmo, -a ['kalmo] *agg* calme
calo ['kalo] *sm* (di prezzi, vendite)
baisse *f*, diminution *f*; (di volume, peso)
diminution; (di vista, udito) baisse:
essere in ~ (popolarità) être en baisse
calore [ka'lore] *sm* chaleur *f*; **essere**
in ~ (Zool) être en chaleur
caloria [kalo'ria] *sf* calorie *f*
calorifero [kalo'rifero] *sm*
calorifère *m*
caloroso, -a [kalo'roso] *agg* (persona)
qui n'est pas frileux(-euse); (fig:
accoglienza, applauso)
chaleureux(-euse); **essere ~** ne pas
être frileux(-euse); (fig) être
chaleureux(-euse)
calpestare [kalpes'tare] *vt* piétiner;
(fig: diritti, sentimenti) fouler aux pieds;
"è vietato ~ l'erba" "défense de
marcher sur la pelouse"
calunnia [ka'lunnja] *sf* calomnie *f*
calvizie [kal'vittsje] *sf* calvitie *f*
calvo, -a ['kalvo] *agg* chauve
calza ['kaltsa] *sf* (da donna) bas *msg*;
(da uomo) chaussette *f*; **fare la ~**
tricoter; **calze di nailon** bas *mpl*
de nylon
calzamaglia [kaltsa'maʎʎa] *sf*
collant *m*; (per danza, ginnastica)
justaucorps *msg*
calzettone [kaltset'tone] *sm*
chaussette *f*
calzino [kal'tsino] *sm* socquette *f*
calzolaio [kaltso'lajo] *sm* (che ripara
scarpe) cordonnier *m*; (che vende
scarpe) chausseur *m*
calzoncini [kaltson'tʃini] *smpl* short
m; **~ da bagno** maillot *m* de bain
calzone [kalt'sone] *sm* (Cuc)
chausson *m*; **calzoni** *smpl*
(indumento) pantalon *msg*
camaleonte [kamale'onte] *sm*
(anche fig) caméléon *m*
cambiamento [kambja'mento] *sm*
changement *m*
cambiare [kam'bjare] *vt* changer;
(banconota: in spiccioli) faire de la

monnaie; (barattare): **~ (qc con qn/**
qc) échanger (qch avec qn/contre
qch) ■ *vi* changer; **cambiarsi** *vpr*:
cambiarsi (d'abito) se changer;
~ casa déménager; **~ idea** changer
d'idée; **~ (marcia)/(treno)** changer
(de vitesse)/(de train); **cambiarsi la**
camicia changer de chemise; **mi**
cambia 10 euro? (in spiccioli) est-ce
que vous avez la monnaie de 10
euros?; **~ le carte in tavola** (fig)
changer les données du jeu; **~ (l')aria**
in una stanza aérer une pièce,
renouveler l'air d'une pièce; **è ora di ~**
aria (andarsene) il est temps de
changer d'air; **dove posso ~ dei soldi?**
où est-ce que je peux changer de
l'argent?; **ha da ~?** avez-vous de la
monnaie?; **posso cambiarlo, per**
favore? est-ce que je peux l'échanger,
s'il vous plaît?
cambiavalute [kambjava'lute] *sm*
inv (persona) cambiste *m*, changeur *m*;
(ufficio) bureau *m* de change
cambio ['kambjo] *sm* changement
m; (sostituzione) échange *m*;
(scambio, Comm) change *m*; (Aut)
boîte *f* de vitesses; **in ~ di** en échange
de; **dare il ~ a qn** relayer qn, prendre
la relève de qn; **fare il ~** échanger;
c'è stato il ~ della guardia nel
partito il y a eu un changement à la
tête du parti; **~ a termine** (Comm)
change à terme;
~ della guardia relève *f* de la garde
camera ['kamera] *sf* (anche Pol)
chambre *f*; (anche: **camera da letto**)
chambre (à coucher); **vorrei una ~**
matrimoniale je voudrais une
chambre pour deux personnes; **~ a**
gas chambre à gaz; **~ a un letto/due**
letti chambre à un lit/deux lits;
~ ardente chapelle *f* ardente;
~ blindata chambre forte; **~ da**
pranzo salle *f* à manger; **~ d'aria**
(di pneumatico, pallone) chambre à air;
C~ dei Deputati Chambre des
députés; **C~ dei Senatori** Sénat *m*;
~ del lavoro chambre des Métiers;
~ di commercio chambre de
commerce; **~ di consiglio** chambre
du conseil; **~ matrimoniale** chambre
pour deux (personnes); **~ oscura** (Fot)
chambre noire

camerata, -i, -e [kame'rata] *sm/f*
(*compagno: di studio*) camarade *m/f*;
(*d'armi*) compagnon *m* ■ *sf*
chambrée *f*

cameriera [kame'rjɛra] *sf*
(*domestica*) employée *f* de maison;
(*di ristorante*) serveuse *f*; (*di albergo*)
femme *f* de chambre

cameriere [kame'rjɛre] *sm*
(*domestico*) employé *m*; (*di ristorante*)
serveur *m*, garçon *m*; (*di albergo*)
garçon

camerino [kame'rino] *sm* (*Teatro*)
loge *f*

camice ['kamitʃe] *sm* (*per medici,
tecnici*) blouse *f*; (*Rel*) aube *f*

camicetta [kami'tʃetta] *sf*
chemisier *m*

camicia, -cie [ka'mitʃa] *sf* chemise *f*;
nato con la ~ (*fig*) né coiffé; **sudare
sette camicie** (*fig*) suer sang et eau;
~ da notte chemise de nuit; **~ di forza**
camisole *f* de force; **C~ nera** (*Pol*)
chemise noire

caminetto [kami'netto] *sm*
cheminée *f*

camino [ka'mino] *sm* cheminée *f*
camion ['kamjon] *sm inv* camion *m*
camionista, -i [kamjo'nista] *sm*
routier *m*

cammello [kam'mɛllo] *sm* (*Zool*)
chameau *m*; (*tessuto*) poil *m* de
chameau

camminare [kammi'nare] *vi*
marcher

cammino [kam'mino] *sm* marche *f*;
(*tratto percorso*) chemin *m*; (*direzione,
tragitto*) chemin, route *f*; **mettersi in
~** se mettre en route; **cammin
facendo** chemin faisant; **riprendere
il ~** se remettre en route

camomilla [kamo'milla] *sf*
camomille *f*

camoscio [ka'mɔʃʃo] *sm* chamois
msg; (*pelle*) peau *f* de chamois

campagna [kam'paɲɲa] *sf*
campagne *f*; **in ~** à la campagne;
andare in ~ aller à la campagne; **fare
una ~** (*Mil*) faire campagne; (*Pol*) faire
une campagne électorale; **~
promozionale vendite** campagne de
promotion (des ventes); **~
pubblicitaria** campagne publicitaire

campana [kam'pana] *sf* cloche *f*;
sordo come una ~ sourd comme un
pot; **sentire l'altra ~** (*fig*) entendre un
autre son de cloche

campanello [kampa'nɛllo] *sm*
sonnette *f*; **~ d'allarme** (*anche fig*)
sonnette d'alarme; **~ elettrico**
sonnette électrique

campanile [kampa'nile] *sm*
clocher *m*

campeggio, -gi [kam'peddʒo] *sm*
camping *m*

camper ['kæmpər] *sm inv* camping-
car *m*

campionario, -a [kampjo'narjo]
agg: **fiera campionaria** foire-
exposition *f* ■ *sm* catalogue *m*
d'échantillons

campionato [kampjo'nato] *sm*
championnat *m*

campione, -essa [kam'pjone] *sm/f*
(*Sport, fig*) champion(ne) ■ *sm*
(*saggio*) échantillon *m* ■ *agg inv*:
squadra ~ équipe *f* championne;
indagine ~ analyse *f* d'un échantillon;
pugile/atleta ~ champion de boxe/
d'athlétisme; **~ del mondo**
champion(ne) du monde; **~ di misura**
étalon *m*; **~ gratuito** échantillon
gratuit

campo ['kampo] *sm* (*Agr, spazio
delimitato*) terrain *m*; (*Mil, sfondo*)
champ *m*; (*accampamento*) camp *m*,
campement *m*; (*settore, ambito*)
domaine *m*; **i campi** (*campagna*) les
champs; **~ da aviazione** terrain

d'aviation; **~ da golf** terrain de golf; **~ da tennis** court *m* de tennis; **~ di battaglia** (*Mil, fig*) champ de bataille; **~ di concentramento** camp de concentration; **~lungo** (*Cine, TV, Fot*) plan *m* général; **~ profughi** camp de réfugiés; **~ sportivo** terrain de sport; **~ visivo** champ visuel; **campi di neve** pistes *fpl*

Canada [kana'da] *sm* Canada *m*

canadese [kana'dese] *agg* canadien(ne) ■ *sm/f* Canadien(ne); **(tenda)** ~ canadienne *f*

canaglia [ka'naʎʎa] *sf* (*peg*) canaille *f*, crapule *f*

canale [ka'nale] *sm* (*anche fig*) canal *m*; (*TV*) chaîne *f*

canapa ['kanapa] *sf* chanvre *m*; **~ indiana** (*Bot*) chanvre indien

canarino [kana'rino] *sm* canari *m* ■ *agg inv* (*colore*): **(giallo)** ~ jaune canari *agg inv*

cancellare [kantʃel'lare] *vt* (*depennare*) rayer, biffer; (*con gomma*) effacer; (*annullare*) annuler

cancelleria [kantʃelle'ria] *sf* (*Amm: ufficio e residenza del cancelliere*) chancellerie *f*; (: *per atti di pubbliche autorità*) greffe *m*; (*quanto necessario per scrivere*) fournitures *fpl* de bureau

cancello [kan'tʃello] *sm* grille *f*

cancro ['kankro] *sm* cancer *m*; (*Zodiaco*): **C~** Cancer; **essere del C~** être (du) Cancer

FALSI AMICI
cancro non si traduce mai con la parola francese **cancre**.

candeggina [kanded'dʒina] *sf* eau *f* de Javel

candela [kan'dela] *sf* (*anche Aut*) bougie *f*; **una lampadina da 100 candele** (*Elettr*) une ampoule de 100 candelas; **a lume di ~** aux chandelles; **tenere la ~** (*fig*) tenir la chandelle

candelabro [kande'labro] *sm* candélabre *m*

candeliere [kande'ljɛre] *sm* chandelier *m*

candidare [kandi'dare] *vt* (*per incarico, Pol*) poser la candidature de; **candidarsi** *vpr* poser sa candidature

candidato, -a [kandi'dato] *sm/f* candidat(e)

candido, -a ['kandido] *agg* (*bianchissimo*) immaculé(e); (*fig*) candide

candito, -a [kan'dito] *agg* confit(e) ■ *sm* fruit *m* confit

cane ['kane] *sm* (*anche di pistola, fucile*) chien *m*; **fa un freddo ~** il fait un froid de canard; **non c'era un ~** (*fig*) il n'y avait pas un chat; **quell'attore è un ~** cet acteur joue comme un pied; **~ da caccia/da guardia** chien de chasse/de garde; **~ da salotto/da slitta** chien de salon/de traîneau; **~ lupo** chien-loup *m*; **~ pastore** chien de berger

canestro [ka'nɛstro] *sm* corbeille *f*, panier *m*; (*Sport*) panier; **fare un ~** (*Sport*) marquer un panier

canguro [kan'guro] *sm* kangourou *m*

canile [ka'nile] *sm* niche *f*; (*allevamento*) chenil *m*; **~ municipale** fourrière *f*

canna ['kanna] *sf* (*pianta*) canne *f*, roseau *m*; (*bastone, tubo*) canne; (*di fucile*) canon *m*; (*di organo*) tuyau *m*; (*fam: spinello*) joint *m*; **~ da pesca** canne à pêche; **~ da zucchero** canne à sucre; **~ fumaria** tuyau *m* de cheminée

cannelloni [kannel'loni] *smpl* (*Cuc*) cannelloni *mpl*

cannocchiale [kannok'kjale] *sm* lunette *f*, longue-vue *f*

cannone [kan'none] *sm* canon *m*; (*di gonna*) pli *m* rond; (*fig*) crack *m*, champion *m* ■ *agg inv*: **donna ~** *très grosse femme montrée dans les foires*

cannuccia, -ce [kan'nuttʃa] *sf* paille *f*

canoa [ka'nɔa] *sf* canoë *m*

canone ['kanone] *sm* (*mensile, annuo*) redevance *f*; (*criterio normativo*) canon *m*; **equo ~** (*affitto*) *loyer maximum que le propriétaire peut exiger du locataire en vertu de la loi 392 de 1978*

canottaggio [kanot'taddʒo] *sm* aviron *m*

canottiera [kanot'tjɛra] *sf* maillot *m* de corps

canotto [ka'nɔtto] *sm* canot *m*

cantante [kan'tante] *sm/f* chanteur(-euse)

cantare [kan'tare] *vi, vt* chanter; **~ vittoria** chanter victoire; **fare ~ qn** (*fig*) faire chanter qn

cantautore, -trice [kantau'tore] sm/f compositeur-interprète m

cantiere [kan'tjere] sm (Naut, Edil) chantier m; (anche: **cantiere navale**) chantier naval

cantina [kan'tina] sf (di casa, per vino) cave f; (bottega) débit m de vin; ~ **sociale** coopérative f vinicole

> **FALSI AMICI**
> **cantina** non si traduce mai con la parola francese **cantine**.

canto ['kanto] sm chant m; (melodia) chanson f; (poesia) poème m; (parte di una poesia) strophe f; **da un ~** (parte, lato) d'une part; **d'altro ~** d'autre part

canzonare [kantso'nare] vt railler, se moquer de

canzone [kan'tsone] sf (Mus) chanson f; (Poesia) canzone f

caos ['kaos] sm inv chaos msg

caotico, -a, -ci, -che [ka'ɔtiko] agg chaotique

CAP [kap] sigla m (= codice di avviamento postale) CP m

capace [ka'patʃe] agg (spazioso) grand(e); (abile) capable; **essere ~ di fare qc** être capable de faire qch; ~ **d'intendere e di volere** (Dir) en pleine possession de toutes ses facultés

capacità [kapatʃi'ta] sf (capienza) capacité f, contenance f; (abilità) capacité

capanna [ka'panna] sf cabane f, hutte f

capannone [kapan'none] sm hangar m

caparbio, -a [ka'parbjo] agg obstiné(e), entêté(e)

caparra [ka'parra] sf arrhes fpl

capello [ka'pello] sm cheveu m; **capelli** smpl cheveux mpl; **averne fin sopra i capelli di qc/qn** en avoir par-dessus la tête de qn/qch; **mi ci hanno tirato per i capelli** (fig) ils m'ont forcé la main; **tirato per i capelli** (spiegazione) tiré par les cheveux; **ho i capelli grassi/secchi** j'ai les cheveux gras/secs

capezzolo [ka'pettsolo] sm mamelon m

capire [ka'pire] vt comprendre; ~ **al volo** comprendre au vol; **si capisce!** (certamente!) bien sûr!; **non capisco** je ne comprends pas

capitale [kapi'tale] agg capital(e) ■ sf (città) capitale f ■ sm (Fin, Econ) capital m; (ricchezza) fortune f, capital; ~ **azionario** capital-actions mpl; ~ **d'esercizio** capital d'exploitation; ~ **di rischio/di ventura** capital-risque m; ~ **fisso** capital fixe; ~ **immobile** biens mpl immobiliers; ~ **liquido** liquidités fpl; ~ **mobile** biens meubles; ~ **sociale** (di società) capital social; (di club) fonds mpl

capitano [kapi'tano] sm capitaine m; (Aer) commandant m; ~ **di lungo corso** capitaine au long cours; ~ **di ventura** (Storia) condottiere m; ~ **d'industria** capitaine d'industrie

capitare [kapi'tare] vi arriver; (giungere casualmente: in situazione) tomber ■ vb impers arriver; ~ **bene/male** tomber bien/mal; ~ **a proposito** tomber à point; **mi è capitato un guaio** j'ai eu un ennui; **se capita l'occasione** si l'occasion se présente

capitello [kapi'tɛllo] sm (Archit) chapiteau m

capitolo [ka'pitolo] sm chapitre m; **capitoli** smpl (Comm) articles mpl; **non ho voce in ~** (fig) je n'ai pas voix au chapitre

capitombolo [kapi'tombolo] sm culbute f

capo ['kapo] sm (Anat) tête f; (persona) chef m; (estremità: di tavolo, filo) bout m; (di biancheria, abbigliamento) article m; (Geo) cap m; **andare a ~** aller à la ligne; **"punto a ~"** "point à la ligne"; **da ~** depuis le début; **in ~ a** (tempo) dans; **da un ~ all'altro** d'un bout à l'autre; **fra ~ e collo** (all'improvviso) à l'improviste; **un discorso senza né ~ né coda** un discours sans queue ni tête; ~ **d'accusa** (Dir) chef d'accusation; ~ **di bestiame** tête de bétail; **C~ di Buona Speranza** cap de Bonne Espérance; ~ **di vestiario** article vestimentaire; ~ **storico** chef historique

Capodanno [kapo'danno] sm jour m de l'An

capogiro [kapo'dʒiro] sm vertige f;
da ~ (fig: prezzi) vertigineux(-euse);
(lusso) étourdissant(e)

capolavoro [kapola'voro] sm chef-
d'œuvre m

capolinea [kapo'linea] (pl **capilinea**)
sm (fermata finale) terminus msg;
(punto di partenza) tête f de ligne;
giungere al ~ (fig: finire) toucher à
son terme

capostazione [kapostat'tsjone] (pl
capistazione) sm (Ferr) chef m de
gare

capotavola [kapo'tavola] (pl (f) inv
capitavola) sm/f (persona) qui est
assis en bout de table; **sedere a ~** être
assis en bout de table, être à la place
d'honneur

capovolgere [kapo'vɔldʒere] vt
(bicchiere, immagine) retourner; (barca,
fig) renverser; **capovolgersi** vpr
(barca) se retourner, chavirer;
(macchina) se retourner, capoter; (fig)
se renverser

cappa ['kappa] sf (mantello) cape f;
(del camino) manteau m, hotte f ■ sf o
m inv (lettera) k m inv

cappella [kap'pɛlla] sf (Archit)
chapelle f

cappello [kap'pɛllo] sm chapeau m;
ti faccio tanto di ~! (fig) chapeau!;
~ a bombetta chapeau melon; **~ a
cilindro** haut-de-forme m

cappero ['kappero] sm câpre f

cappone [kap'pone] sm chapon m

cappotto [kap'pɔtto] sm manteau
m; (per uomo) pardessus msg

cappuccino [kapput'tʃino] sm (frate)
capucin m; (bevanda) café m crème

cappuccio [kap'puttʃo] sm
(copricapo) capuche f; (della biro)
capuchon m; (fam: cappuccino)
crème m

capra ['kapra] sf chèvre f

capriccio, -ci [ka'prittʃo] sm caprice
m; **fare i capricci** faire des caprices;
togliersi un ~ se faire plaisir; **~ della
sorte** caprice du hasard

capriccioso, -a [kaprit'tʃoso] agg
capricieux(-euse)

Capricorno [kapri'kɔrno] sm
(Zodiaco) Capricorne m; **essere del ~**
être (du) Capricorne

capriola [kapri'ɔla] sf cabriole f

capriolo [kapri'ɔlo] sm chevreuil m

capro ['kapro] sm bouc m;
~ espiatorio; ~ espiatorio (fig) bouc
émissaire

caprone [ka'prone] sm bouc m

capsula ['kapsula] sf capsule f;
~ spaziale capsule spatiale

captare [kap'tare] vt capter; (fig:
intuire) saisir, comprendre; (cattivarsi
attenzione) capter; (appoggio) gagner

carabiniere [karabi'njɛre] sm
gendarme m

caraffa [ka'raffa] sf carafe f

Caraibi [kara'ibi] smpl Caraïbes fpl;
il mar dei ~ la mer des Caraïbes

caramella [kara'mɛlla] sf bonbon m

carattere [ka'rattere] sm caractère
m; **avere un buon ~** avoir (un) bon
caractère; **di ~ tecnico/
confidenziale** à caractère technique,
confidentiel; **essere in ~ con**
(intonarsi) être en harmonie avec;
~ jolly caractère joker o de
remplacement

caratteristica, -che
[karatte'ristika] sf caractéristique f

caratteristico, -a, -ci, -che
[karatte'ristiko] agg caractéristique

carbone [kar'bone] sm charbon m;
essere o stare sui carboni ardenti
être sur des charbons ardents;
~ fossile houille f

carburante [karbu'rante] sm
carburant m

carburatore [karbura'tore] sm
carburateur m

carcerato, -a [kartʃe'rato] sm/f
détenu(e), prisonnier(-ière)

carcere ['kartʃere] sm prison f; **~ di
massima sicurezza** quartier m de
haute surveillance (dans une prison)

carciofo [kar'tʃɔfo] sm artichaut m

cardellino [kardel'lino] *sm* chardonneret *m*

cardiaco, -a, -ci, -che [kar'diako] *agg* cardiaque

cardinale [kardi'nale] *agg* cardinal(e) ■ *sm* cardinal *m*

cardine ['kardine] *sm* gond *m*; (*fig*) pivot *m*

cardo ['kardo] *sm* chardon *m*

carente [ka'rɛnte] *agg* (*struttura, organizzazione*): **~ (di)** manquant (de); (*cultura, istruzione*) limité(e); **~ di vitamine** (*dieta, alimentazione*) pauvre en vitamines; **è un discorso ~ di logica** c'est un discours manquant de logique

carestia [kares'tia] *sf* famine *f*; (*penuria*) pénurie *f*, disette *f*

carezza [ka'rettsa] *sf* caresse *f*; **dare o fare una ~ a** donner o faire es caresses à

carica, -che ['karika] *sf* (*mansione ufficiale*) fonction *f*, charge *f*; (*Mil, Tecn*) charge; (*Elettr*): **~ (elettrica)** charge (électrique); (*fig: erotica*) charge; (*di simpatia*) pouvoir *m*; **entrare in ~** entrer en fonction o exercice; **essere in ~** être en fonction o charge; **ricoprire o rivestire una ~** occuper une charge o fonction; **uscire di ~** quitter ses fonctions; **dare la ~ a** (*orologio*) remonter; (*fig: persona*) donner du tonus à; **tornare alla ~** (*fig*) revenir à la charge; **ha una forte ~ di simpatia** il inspire beaucoup de sympathie

caricabatteria [karikabatte'ria] *sm inv* chargeur *m* de batterie

caricare [kari'kare] *vt* (*merce, camion, Mil, Inform*) charger; (*orologio*) remonter; **caricarsi** *vpr*: **caricarsi di** (*di pacchi ecc*) se couvrir de; (*di responsabilità*) accepter beaucoup de; **~ qc su/di** charger qch sur/de; **~ qn di lavoro** donner beaucoup de travail à qn

carico, -a, -chi, -che ['kariko] *agg* (*che porta un peso*): **~ (di)** chargé(e) (de); (*orologio*) remonté(e); (*fucile, batteria*) chargé(e); (*intenso: colore*) soutenu(e) ■ *sm* (*il caricare*) chargement *m*, embarquement *m*; (*ciò che si carica*) charge *f*, chargement *m*, cargaison *f*; (*Comm*) chargement; (*fig: peso*) poids *msg*; **~ di debiti** criblé(e) de dettes; **essere a ~ di** (*accusa, prova*) constituer une charge contre; (*spese*) être à la charge de; **farsi ~ di** (*problema*) se charger de; (*responsabilità*) endosser, assumer; **persona a ~** personne *f* à charge; **testimone a ~** témoin *m* à charge; **a ~ del cliente** aux frais du client; **capacità di ~** capacité *f* de charge; **~ di lavoro** (*di ditta, reparto*) charge de travail; **~ utile** charge utile

carie ['karje] *sf* (*Med*) carie *f*

carino, -a [ka'rino] *agg* (*bellino*) mignon(ne), joli(e); (*gentile*) gentil(le); (*simpatico*) sympathique; **è ~ da parte tua** c'est gentil de ta part

carità [kari'ta] *sf* charité *f*; **chiedere la ~** demander la charité; **per ~!** (*escl di rifiuto*) pour l'amour de Dieu!

carnagione [karna'dʒone] *sf* teint *m*

carne ['karne] *sf* (*Anat*) chair *f*; (*Cuc*) viande *f*; **in ~ e ossa** en chair et en os; **essere (bene) in ~** être (bien) en chair; **non essere né ~ né pesce** (*fig*) être mi-figue mi-raisin; **non mangio ~** je ne mange pas de viande; **~ di maiale/manzo/pecora** viande de porc/bœuf/mouton; **~ in scatola** corned-beef *m*; **~ macinata** viande hachée

carnevale [karne'vale] *sm* carnaval *m*

> ☼ **CARNEVALE**
> ☼
> ☼ *Carnevale* est la période qui s'étend
> ☼ de l'Épiphanie au début du carême,
> ☼ et qui est l'occasion, en particulier
> ☼ durant les jours qui précèdent le
> ☼ mercredi des Cendres, de fêtes,
> ☼ de bals costumés et de défilés.
> ☼ Le "Carnevale di Viareggio" en
> ☼ Toscane où se déroule chaque
> ☼ année un défilé de chars sur un
> ☼ thème différent, et le carnaval de
> ☼ Venise avec ses spectacles variés
> ☼ dans les rues et sur les places,
> ☼ sont deux des plus célèbres
> ☼ carnavals italiens.

caro, -a ['karo] *agg* (*amato*) cher (chère), aimé(e); (*gradito, simpatico*) aimable; (*importante, costoso*) cher (chère); **se ti è cara la vita** si tu tiens à la vie; **è troppo ~** c'est trop cher

carogna [ka'roɲɲa] *sf* charogne *f*; (*fig*) charogne, crapule *f*

carota [ka'rɔta] *sf* carotte *f*

carovana [karo'vana] *sf* caravane *f*

carponi [kar'poni] *avv* à quatre pattes

carrabile [kar'rabile] *agg* carrossable; "**passo ~**" "sortie de voitures"

carreggiata [karred'dʒata] *sf* chaussée *f*; **rimettersi in ~** (*fig*) rentrer dans o retrouver le droit chemin; **tenersi in ~** (*fig*) marcher droit

carrello [kar'rɛllo] *sm* chariot *m*; (*Aer*) train *m*; (*Cine, Teatro, Fot*) chariot, grue *f*; (*tavolino a rotelle*) chariot, table *f* roulante

carriera [kar'rjɛra] *sf* carrière *f*; **fare ~** faire carrière; **di ~** (*ufficiale*) de carrière; (*politico*) de métier; **di gran ~** à vive allure

carriola [karri'ɔla] *sf* brouette *f*

carro ['karro] *sm* (*veicolo*) chariot *m*, char *m*; (*materiale contenuto*) charretée *f*; **il Gran/Piccolo C~** (*Astron*) le Grand/Petit chariot; **mettere il ~ avanti ai buoi** (*fig*) mettre la charrue avant les bœufs; **~ armato** (*Mil*) char d'assaut, tank *m*; **~ attrezzi** (*Aut*) dépanneuse *f*; **~ bestiame** (*Ferr*) wagon *m* à bestiaux; **~ funebre** fourgon *m* mortuaire; **~ merci** (*Ferr*) wagon de marchandises

carrozza [kar'rɔttsa] *sf* (*vettura*) carrosse *m*; (*Ferr*) voiture *f*, wagon *m*; **~ letto** (*Ferr*) wagon-lit *m*; **~ ristorante** (*Ferr*) wagon-restaurant *m*

carrozzeria [karrottse'ria] *sf* carrosserie *f*

carrozzina [karrot'tsina] *sf* poussette *f*, landau *m*

carta ['karta] *sf* papier *m*; (*Geo*) carte *f*; **carte** *sfpl* (*documenti*) papiers *mpl*; **alla ~** (*al ristorante*) à la carte; **dare ~ bianca a qn** donner carte blanche à qn; **cambiare le carte in tavola** (*fig*) brouiller les cartes; **fare carte false** (*fig*) faire des pieds et des mains; **~ assegni** carte bancaire; **~ assorbente** (*Amm*) (papier) buvard *m*; **~ bollata** o **da bollo** papier timbré; **~ d'identità** carte d'identité;

~ d'imbarco (*Aer, Naut*) carte d'embarquement; **~ (da gioco)** carte (à jouer); **~ da imballo** papier d'emballage; **~ da lettere** papier à lettres; **~ da pacchi** papier kraft; **~ da parati** papier peint; **~ da visita** carte de visite; **~ di circolazione** carte grise; **~ di credito** carte de crédit; **~ di debito** Carte *f* Bleue®; **~ (geografica)** carte (géographique); **~ igienica** papier hygiénique; **~ legale** papier timbré; **~ libera** (*Amm*) papier libre; **~ millimetrata** papier millimétré; **~ oleata** papier huilé; **~ verde** (*Aut*) carte verte; **~ vetrata** papier de verre

cartaccia, -ce [kar'tattʃa] *sf* (*peg*) paperasse *f*

cartapesta [karta'pesta] *sf* papier *m* mâché, carton-pâte *m*

cartella [kar'tɛlla] *sf* (*custodia: di cartone*) chemise *f*; (*: di scolaro*) cartable *m*; (*: di impiegato*) serviette *f*; (*Inform*) dossier *m*; (*di tombola, lotteria*) billet *m*; **~ clinica** (*Med*) fiche *f* médicale

cartellino [kartel'lino] *sm* (*etichetta*) étiquette *f*; (*su porta*) plaque *f*; (*scheda*) fiche *f*; **timbrare il ~** (*in ufficio*) pointer; **~ di presenza** carte *f* de pointage

cartello [kar'tɛllo] *sm* (*avviso*) écriteau *m*, pancarte *f*; (*in dimostrazioni*) pancarte; (*Fin, Pol*) cartel *m*; **~ pubblicitario** panneau *m* publicitaire; **~ stradale** panneau *m* de signalisation

cartellone [kartel'lone] *sm* (*manifesto, Teatro*) affiche *f*; (*della tombola*) tableau *m*; **tenere il ~** (*spettacolo di grande successo*) tenir l'affiche; **~ pubblicitario** affiche publicitaire

cartina [kar'tina] *sf* (*anche:* **cartina geografica**) carte *f*; (*per le sigarette*) papier *m* à cigarettes; (*Aut, Geo*) carte *f*; **può indicarmelo sulla ~?** pouvez-vous me l'indiquer sur la carte?; **~ (stradale)** carte (routière)

cartoccio, -ci [kar'tɔttʃo] *sm* cornet *m*; **cuocere al ~** (*Cuc*) cuire en papillote

cartoleria [kartole'ria] *sf* papeterie *f*

cartolina [karto'lina] *sf*: **~ (illustrata)** carte *f* postale; **~ di**

auguri carte de vœux; **~ postale** carte-lettre f; **~ precetto** o **rosa** (Mil) feuille f d'appel

cartone [kar'tone] sm carton m; (per latte, succo di frutta ecc) berlingot m; **cartoni animati** (Cine) dessins mpl animés

cartuccia, -ce [kar'tuttʃa] sf cartouche f; **mezza ~** (fig: persona) demi-portion f; **~ a salve** cartouche à blanc

casa ['kasa] sf maison f; (a più piani) immeuble m; (industria) établissement m, firme f; **essere a** o **in ~** être à la maison; **vado a ~ mia** je vais à la maison o chez moi; **vado a ~ tua** je vais chez toi; **~ d'appuntamenti** maison de rendez-vous; **~ da gioco** maison de jeux; **~ dello studente** foyer m d'étudiants; **~ di correzione** maison de correction; **~ di cura** maison de santé; **~ di tolleranza** maison de tolérance; **~ editrice** maison d'édition; **~ di spedizione** entreprise f de roulage; **case popolari** ≈ HLM m ou f (habitation à loyer modéré)

casacca, -che [ka'zakka] sf casaque f

casalinga, -ghe [kasa'linga] sf femme f au foyer

casalingo, -a, -ghi, -ghe [kasa'lingo] agg (semplice) simple; (fatto a casa) maison agg inv; (persona: amante della casa) casanier(-ière); **cucina casalinga** cuisine f bourgeoise

cascare [kas'kare] vi (cadere) tomber; **~ bene/male** (fig) tomber bien/mal; **~ dalle nuvole** (fig) tomber des nues; **~ dal sonno** tomber de sommeil; **caschi il mondo** le monde dût-il s'écrouler; **non cascherà il mondo se non ce la fai** si tu n'y arrives pas, on ne va pas en faire un drame

cascata [kas'kata] sf cascade f; (di grandi dimensioni) chute f

cascherò ecc [kaske'rɔ] vb vedi **cascare**

casco, -schi ['kasko] sm casque m; (di banane) régime m; **~ blu** (Mil) casque bleu

caseificio [kazei'fitʃo] sm fromagerie f, laiterie f

casella [ka'sɛlla] sf case f; **~ postale** boîte f postale

casello [ka'sɛllo] sm (d'autostrada) péage m

caserma [ka'sɛrma] sf (Mil) caserne f; (di carabinieri) gendarmerie f

casino [ka'sino] sm bordel m; (fam: fig: confusione) bordel, foutoir m; **un ~ di** (fam: molto) vachement de

casinò [kazi'nɔ] sm inv casino m

caso ['kazo] sm hasard m; (fatto, vicenda) affaire f, cas msg; (Med, Ling) cas; **a ~** au hasard; **al ~** le cas échéant; **per ~** par hasard; **in ogni ~, in tutti i casi** en tout cas; **in nessun ~** en aucun cas; **in ~ contrario** dans le cas contraire; **nel ~ che** au cas où, dans le cas où; **~ mai** éventuellement; **far ~ a qc/qn** faire attention à qch/qn; **fare** o **porre** o **mettere il ~ che** admettre o supposer que; **guarda ~** comme par hasard; **è il ~ che ce ne andiamo** il vaut mieux que nous nous en allions; **~ limite** cas limite

casolare [kaso'lare] sm maison f de campagne

caspita ['kaspita] escl (di sorpresa) ça alors!; (di impazienza, contrarietà) mais enfin!

cassa ['kassa] sf caisse f; (mobile) coffre m; (di orologio) boîtier m; **~ (da morto)** (bara) cercueil m; **battere ~ da qn** taper qn; **~ armonica** caisse de résonance; **~ automatica prelievi** distributeur m automatique de billets; **~ continua** coffre m de nuit; **C~ del Mezzogiorno** organisme public créé pour promouvoir le développement économique et social du sud de l'Italie; **~ di risonanza** (Mus) caisse de résonance; (fig) amplificateur m; **~ di risparmio** caisse d'épargne; **~ integrazione** ≈ chômage m partiel; **~ mutua** o **malattia** ≈ caisse de Sécurité Sociale; **~ rurale e artigiana** caisse de mutualité (pour agriculteurs et artisans); **~ toracica** (Anat) cage f thoracique

cassaforte [kassa'fɔrte] (pl **casseforti**) sf coffre-fort m; **lo potrebbe mettere nella ~?** pourriez-vous mettre ceci dans le coffre-fort?

cassapanca [kassa'panka] (pl **cassapanche**) sf bahut m

casseruola [kasse'rwɔla] *sf*
casserole *f*

cassetta [kas'setta] *sf* caisse *f*; (*per registratore*) cassette *f*; **film di ~** (*commerciale*) film *m* qui fait recette; **pane a** *o* **in ~** pain *m* de mie; **~ delle lettere** boîte *f* aux lettres; **~ di sicurezza** coffre *m*

cassetto [kas'setto] *sm* tiroir *m*

cassiere, -a [kas'sjɛre] *sm/f*
caissier(-ière)

cassonetto [kasso'netto] *sm* benne *f* à ordures

castagna [kas'taɲɲa] *sf* châtaigne *f*, marron *m*; **prendere qn in ~** (*fig*) prendre qn sur le fait *o* la main dans le sac

castagno [kas'taɲɲo] *sm* châtaigner *m*

castano, -a [kas'tano] *agg* châtain

castello [kas'tɛllo] *sm* château *m*

castigare [kasti'gare] *vt* punir

castigo, -ghi [kas'tigo] *sm* punition *f*

castoro [kas'tɔro] *sm* castor *m*

casuale [kazu'ale] *agg* fortuit(e), accidentel(le)

catalizzatore [katalidddza'tore] *sm* (*Aut*) pot *m* catalytique

catalogo, -ghi [ka'talogo] *sm* catalogue *m*; **~ dei prezzi** liste *f* des prix

catarifrangente
[katarifran'dʒɛnte] *sm* (*Aut*) cataphote *m*, catadioptre *m*

catarro [ka'tarro] *sm* catarrhe *m*

catastrofe [ka'tastrofe] *sf* catastrophe *f*

categoria [katego'ria] *sf* catégorie *f*; (*di albergo, parrucchiere*) classe *f*

catena [ka'tena] *sf* chaîne *f*; **susseguirsi a ~** s'enchaîner; **~ di montaggio** chaîne de montage; **catene da neve** (*Aut*) chaînes *fpl*

catenina [kate'nina] *sf* (*gioiello*) chaîne *f*, chaînette *f*

cateratta [kate'ratta] *sf* (*Med*) cataracte *f*; (*chiusa*) vanne *f*

catino [ka'tino] *sm* (*recipiente*) bassine *f*, cuvette *f*; (*quantità contenuta*) bassine; (*Geo*) bassin *m*

catrame [ka'trame] *sm* goudron *m*

cattedra ['kattedra] *sf* (*mobile*) bureau *m*; (*Scol: incarico*) chaire *f*; **salire** *o* **montare in ~** (*fig*) prendre un ton magistral

cattedrale [katte'drale] *sf*
cathédrale *f*

cattiveria [katti'verja] *sf*
méchanceté *f*; **fare una ~** faire une méchanceté

cattivo, -a [kat'tivo] *agg* mauvais(e); (*malvagio*) méchant(e), mauvais(e); (*turbolento: bambino*) méchant(e) ▨ *sm/f* méchant(e); **farsi ~ sangue** se faire du mauvais sang; **farsi un ~ nome** se faire une mauvaise réputation; **i cattivi** (*nei film*) les méchants

cattolico, -a, -ci, -che [kat'tɔliko] *agg, sm/f* catholique *m/f*

catturare [kattu'rare] *vt* capturer

causa ['kauza] *sf* cause *f*; (*Dir*) affaire *f*, procès *msg*; **a ~ di, per ~ di** à cause de; **fare ~ a** (*Dir*) porter plainte contre; **per ~ sua** par sa faute; **essere parte in ~** (*fig*) être en cause; **~ penale** procès pénal

causare [kau'zare] *vt* causer

cautela [kau'tɛla] *sf* prudence *f*, précaution *f*

cauto, -a ['kauto] *agg* prudent(e)

cauzione [kaut'tsjone] *sf* caution *f*; **rilasciare dietro ~** (*Dir*) mettre en liberté sous caution

cava ['kava] *sf* carrière *f*

cavalcare [kaval'kare] *vt* monter, chevaucher; (*sogg: ponte*) enjamber ▨ *vi* monter à cheval, faire du cheval

cavalcata [kaval'kata] *sf*
promenade *f* à cheval; (*Lett*) chevauchée *f*; (*gruppo*) cavalcade *f*

cavalcavia [kavalka'via] *sm inv*
saut-de-mouton *m* (*fam*), pont *m*

cavalcioni [kaval'tʃoni]: **a ~ (di)** *prep* à califourchon (sur), à cheval (sur)

cavaliere [kava'ljɛre] *sm* cavalier *m*; (*Storia, titolo*) chevalier *m*

cavalletta [kaval'letta] *sf*
sauterelle *f*

cavalletto [kaval'letto] *sm* (*Fot*) trépied *m*; (*Pittura*) chevalet *m*

cavallo [ka'vallo] *sm* cheval *m*; (*Scacchi*) cavalier *m*; (*Aut: anche*: **cavallo vapore**) cheval(-vapeur) *m*; (*di pantaloni*) entrejambe *m*; **a ~** à cheval; **a ~ di** à cheval sur, à califourchon sur; **siamo a ~** (*fig*) ça y est, c'est bon; **da ~** (*fig*) de cheval;

a ~ tra due periodi à cheval sur deux périodes; **~ a dondolo** cheval à bascule; **~ da corsa** cheval de course; **~ da sella/soma** cheval de selle/ somme; **~ di battaglia** (fig) cheval de bataille

cavare [ka'vare] vt (togliere: dente) arracher; (: giacca, scarpe) enlever, ôter; **cavarsela** se débrouiller, s'en tirer

cavatappi [kava'tappi] sm inv tire-bouchon m

caverna [ka'vɛrna] sf caverne f

cavia ['kavja] sf (anche fig) cobaye m

caviale [ka'vjale] sm caviar m

caviglia [ka'viʎʎa] sf cheville f

cavo, -a ['kavo] agg creux(-euse) ■ sm (Anat: della mano) creux msg; (: orale) cavité f; (Elettr, Tel, Aut, corda) câble m; **via ~** (collegamento, TV) par câble

cavoletto [kavo'letto] sm: **~ di Bruxelles** chou m de Bruxelles

cavolfiore [kavol'fjore] sm chou-fleur m

cavolo ['kavolo] sm chou m; **non m'importa un ~** (fam) je m'en fiche royalement; **che ~ vuoi?** (fam) qu'est-ce que tu veux encore?

cazzo ['kattso] sm (fam!) bitte f(fam!), queue f(fam!); **~!** (fam!: fig) merde! (fam!); **non gliene importa un ~** (fam!: fig) il (n')en a rien à foutre (fam!); **fatti i cazzi tuoi** (fam!: fig) occupe-toi de tes fesses (fam!)

CCD [tʃitʃi'di] sigla m (= Centro Cristiano Democratico) Centre m chrétien-démocrate

CD [tʃi'di] sigla m inv (= compact disc) CD m inv

CD-Rom [tʃidi'rɔm] sigla m inv (= Compact Disc Read Only Memory) CD-ROM m

CDU [tʃidi'u] sigla m (= Cristiani Democratici Uniti) Chrétiens mpl démocrates unis

ce [tʃe] pron, avv vedi **ci**

Cecenia [tʃe'tʃenja] sf Tchétchénie f

ceceno, -a [tʃe'tʃeno] agg tchétchène ■ sm/f Tchétchène m/f

ceci [tʃetʃi] smpl pois mpl chiches

ceco, -a, -chi, -che ['tʃɛko] agg tchèque ■ sm/f Tchèque m/f ■ sm tchèque m

cedere ['tʃɛdere] vt (posto, Dir) céder; (turno) donner ■ vi céder; **~ a** (a insistenza) céder devant; (a passione) céder à; (a destino) se résigner à; **~ il passo (a)** céder le pas (à); **~ la parola (a qn)** passer la parole (à qn)

cedola ['tʃɛdola] sf coupon m

CEE [tʃi'e'e] sigla f (= Comunità Economica Europea) CEE f

ceffo ['tʃɛffo] sm (peg) type m louche; **è un brutto ~** c'est un type louche

ceffone [tʃef'fone] sm gifle f, claque f

celebrare [tʃele'brare] vt (anche fig) célébrer; (Dir: contratto) rédiger; (: processo) faire; **~ le lodi di** chanter les louanges de

celebre ['tʃelebre] agg célèbre

celeste [tʃe'lɛste] agg céleste; (azzurro) bleu ciel o clair ■ sm bleu m ciel o clair

celibe ['tʃɛlibe] agg, sm célibataire m

cella ['tʃɛlla] sf cellule f; **~ di isolamento** (per pazzi) cabanon m; (per prigionieri) cellule; **in ~ d'isolamento** (prigioniero) en isolement cellulaire; **~ di rigore** cellule disciplinaire de prison; **~ frigorifera** chambre f froide

cellula ['tʃɛllula] sf cellule f; **~ fotoelettrica** cellule photo-électrique

cellulare [tʃellu'lare] agg cellulaire ■ sm (telefono) (téléphone m) portable m; (furgone) voiture f cellulaire

cellulite [tʃellu'lite] sf cellulite f

cementare [tʃemen'tare] vt cimenter; (fig) consolider

cemento [tʃe'mento] sm ciment m; **~ armato** béton m armé

cena ['tʃena] sf dîner m; **l'Ultima C~** (Rel) la Cène

cenare [tʃe'nare] vi dîner

cenere ['tʃenere] sf cendre f

cenno ['tʃenno] sm signe m; (breve notizia) aperçu m, notice f; **far ~ a** (alludere a) faire allusion à; **far ~ di sì/no** faire signe que oui/non; **un ~ d'intesa** un signe d'accord; **cenni di storia dell'arte** introduction fsg à l'histoire de l'art

censimento [tʃensi'mento] sm recensement m

censura [tʃenˈsura] *sf (anche fig:
critica)* censure *f*

centenario, -a [tʃenteˈnarjo] *agg,
sm/f* centenaire *m/f* ◼ *sm*
centenaire *m*

centesimo, -a [tʃenˈtɛzimo] *agg*
centième ◼ *sm* centième *m*; *(di
moneta: anche euro)* centime *m*; *(di
euro, dollaro)* cent *m*; **essere senza
un ~** *(fig)* ne pas avoir un sou

centigrado [tʃenˈtigrado] *agg m*
centigrade; **20 gradi centigradi**
20 degrés centigrades o Celsius

centimetro [tʃenˈtimetro] *sm*
centimètre *m*

centinaio [tʃentiˈnajo] *(pl(f)
centinaia) sm* centaine *f*; **un ~ (di)**
une centaine (de); **a centinaia** par
centaines

cento [ˈtʃɛnto] *agg inv, sm inv* cent *(m)
inv*; **per ~** pour cent; **al ~ per ~** à cent
pour cent; **~ di questi giorni!** bon
anniversaire!; *vedi anche* **cinque**

centomila [tʃentoˈmila] *agg inv, sm
inv* cent mille *m inv*; **te l'ho detto ~
volte** *(fig)* je te l'ai dit cent fois

centrale [tʃenˈtrale] *agg* central(e)
◼ *sf (anche:* **sede centrale***)* siège *m*
central; **~ del latte** coopérative *f*
laitière; **~ di polizia** commissariat *m*
central; **~ elettrica** centrale *f*
électrique; **~ telefonica** central *m*
téléphonique

centralinista [tʃentraliˈnista] *sm/f*
standardiste *m/f*

centralino [tʃentraˈlino] *sm*
standard *m*

centralizzato, -a [tʃentralidˈdzato]
agg (riscaldamento) central(e);
(chiusura) centralisé(e)

centrare [tʃenˈtrare] *vt (bersaglio)*
faire mouche; *(canestro, porta)*
marquer; *(immagine)* centrer; *(fig:
problema)* cerner; *(personaggio)* entrer
dans la peau du personnage

centrifuga [tʃenˈtrifuga] *sf*
centrifugeuse *f*; *(di lavatrice)*
essorage *m*

centro [ˈtʃɛntro] *sm* centre *m*;
(di città) centre ville; *(città)*
agglomération *f*; **~ culturale/
industriale** *ecc (città)* centre culturel/
industriel *etc*; **fare ~** marquer; *(fig)*
mettre dans le mille; **~ balneare**

station *f* balnéaire; **~ civico** bureau
décentralisé de la mairie;
~ commerciale *(per acquisti, città)*
centre commercial; **~ d'igiene
mentale** centre fournissant une
assistance psychiatrique;
~ elaborazione dati centre de
traitement des données;
~ ospedaliero centre hospitalier;
~ sociale centre social; **~ storico**
vieille ville *f*; **centri nervosi** *(Anat)*
centres nerveux; **centri vitali** *(Anat)*
centres vitaux; *(fig)* centre *msg* vital

ceppo [ˈtʃeppo] *sm (di pianta, stirpe)*
souche *f*; *(da ardere)* bûche *f*

cera [ˈtʃera] *sf* cire *f*; *(da scarpe)* cirage
m; *(per mobili)* cire, encaustique *f*; *(fig:
aspetto)* mine *f*; **~ per pavimenti**
encaustique

ceramica, -che [tʃeˈramika] *sf*
céramique *f*; *(prodotto)* faïence *f*

cerbiatto [tʃerˈbjatto] *sm* faon *m*

cercare [tʃerˈkare] *vt* chercher;
(desiderare: gloria, ricchezza) rechercher
◼ *vi*: **~ di fare qc** essayer de faire qch;
**stiamo cercando un albergo/
ristorante** nous cherchons un hôtel/
restaurant

cercherò *ecc* [tʃerkeˈrɔ] *vb vedi*
cercare

cerchia [ˈtʃerkja] *sf (di mura)* enceinte
f; *(di amici)* cercle *m*

cerchietto [tʃerˈkjetto] *sm (per capelli)*
serre-tête *m*

cerchio, -chi [ˈtʃerkjo] *sm* cercle *m*;
(di botte) cerceau *m*; **dare un colpo
al ~ e uno alla botte** *(fig)* ménager
la chèvre et le chou

cereali [tʃereˈali] *smpl* céréales *fpl*

cerimonia [tʃeriˈmɔnja] *sf*
cérémonie *f*; **senza tante cerimonie**
(senza formalità) sans cérémonie; *(con
semplicità)* sans façons; *(bruscamente)*
sans autre forme de procès

cerino [tʃeˈrino] *sm* allumette *f*

cernia [ˈtʃernja] *sf (Zool)* mérou *m*

cerniera [tʃerˈnjɛra] *sf* charnière *f*;
~ lampo fermeture *f* éclair

cero [ˈtʃero] *sm* cierge *m*

cerotto [tʃeˈrɔtto] *sm* sparadrap *m*

certamente [tʃertaˈmente] *avv*
certainement, bien sûr

certificato [tʃertifiˈkato] *sm (Dir)*
certificat *m*; **~ di credito del Tesoro**

titre de crédit émis par l'État italien;
~ di nascita/di morte acte m de
naissance/de décès; **~ medico**
certificat médical

certo, -a ['tʃɛrto] *agg* certain(e);
(*vittoria, risultato*) certain(e), sûr(e);
(*amico*) sûr(e) ■ *pron pl*: **certi(e)**
(*persone*) certains (certaines); (*cose*)
quelques-uns (-unes) ■ *avv*
(*certamente*) certainement, sûrement;
(*senz'altro*) bien sûr; **sono certo** *o* **sûr d'y arriver; un ~
signor Rossi** un certain M. Rossi;
certi amici miei certains de mes
amis; **dopo un ~ tempo** après un
certain temps; **di una certa
importanza** d'une certaine
importance; **un uomo di una certa
età** un homme d'un certain âge;
un ~ non so che un je ne sais quoi;
di ~ certainement, sûrement; **no di ~!**
certainement pas!; **~ che no!** bien sûr
que non!; **sì ~** oui, bien sûr

cervello, -i [tʃer'vɛllo] (*anche pl(f)*
cervella) *sm* cerveau m; **avere il** *o*
essere un ~ fino avoir l'esprit fin; **è
uscito di ~, gli è dato di volta il ~** il a
perdu la tête; **~ elettronico** (*Inform*)
cerveau électronique

cervo ['tʃɛrvo] *sm* cerf m; **~ volante**
cerf-volant m

cespuglio [tʃes'puʎʎo] *sm* buisson m;
(*coltivato*) arbuste m

cessare [tʃes'sare] *vi* cesser ■ *vt*
cesser; **~ di fare qc** cesser de faire
qch; **dare il cessate il fuoco** (*Mil*)
décréter le cessez-le-feu; **"cessato
allarme"** "fin d'alerte"

cestino [tʃes'tino] *sm* corbeille f;
~ da lavoro corbeille f à ouvrage;
~ da viaggio (*Ferr*) panier-repas *msg*

cesto ['tʃesto] *sm* panier m

ceto ['tʃeto] *sm* classe f

cetriolino [tʃetrio'lino] *sm*
cornichon m

cetriolo [tʃetri'ɔlo] *sm* concombre m

Cfr. *abbr* (= *confronta*) cf., Conf.

CGIL [tʃidʒi'ɛlle] *sigla f*
(= *Confederazione Generale Italiana del
Lavoro*) syndicat

chat line [tʃæt'laen] *sf inv* téléphone
m rose

chattare [tʃat'tare] *vi* (*Internet*)
discuter

○ **PAROLA CHIAVE**

che [ke] *pron* **1** (*relativo: soggetto*) qui;
(*: oggetto*) que; (*: con valore temporale*)
où; (*: complemento*) quoi; **il ragazzo
che è venuto** le garçon qui est venu;
il libro che è sul tavolo le livre qui est
sur la table; **la città che preferisco** la
ville que je préfère; **l'uomo/il libro
che vedi** l'homme/le livre que tu
vois; **la sera che ti ho visto** le soir où
je t'ai vu
2 (*interrogativo diretto: soggetto*)
qu'est-ce qui; (*: oggetto*) qu'est-ce
que, que; (*interrogativo indiretto:
soggetto*) ce qui; (*: oggetto*) ce que,
que; (*: complemento indiretto*) quoi;
che succede? que se passe-t-il?; **che
fai?** qu'est-ce que tu fais?; **a che
pensi?** à quoi penses-tu?; **non sa che
fare** il ne sait pas quoi faire (*fam*), il ne
sait que faire; **ma che dici!** mais que
dis-tu!; **non so in che consista** je ne
sais pas en quoi cela consiste
3 (*indefinito*): **un che di...** un je ne sais
quoi de...; **quel tipo ha un che di
losco** ce gars a un je ne sais quoi de
louche; **un certo non so che** un
(petit) je ne sais quoi; **non è un gran
che** ça ne vaut pas grand-chose
■ *agg* **1** (*interrogativo*) quel(le); (*pl*)
quels (quelles); **che tipo di film
preferisci?** quel genre de films
préfères-tu?; **che vestito ti vuoi
mettere?** quelle robe veux-tu
mettre?; **che libri hai letto?** quels
livres as-tu lus?
2 (*esclamativo*) quel(le); (*: pl*) quels
(quelles); (*: con valore di come*) que;
che buono! que c'est bon!; **che
macchina!** quelle voiture!; **che bel
vestito!** quelle belle robe!
■ *cong* **1** (*con proposizioni subordinate*)
que; **credo che verrà** je crois qu'il
viendra; **voglio che tu studi** je veux
que tu étudies; **so che tu c'eri** je sais
que tu y étais; **sono contento che tu
sia venuto** je suis content que tu sois
venu; **non che sia sbagliato, ma...**
non pas que cela soit faux, mais...
2 (*finale*) que; **vieni qua, che ti veda**
viens ici, que je te voie; **stai attento
che non cada** fais attention qu'il ne
tombe pas

3 (*temporale*): **arrivai che eri già partito** j'arrivai après que tu étais déjà parti; **sono anni che non lo vedo** il y a des années que je ne le vois plus; **è da aprile che non ci va** il n'y va plus depuis avril
4 (*in frasi imperative, concessive*): **che venga pure!** qu'il vienne!; **che tu sia benedetto!** sois béni!; **che tu venga o no, partiamo lo stesso** que tu viennes ou pas, nous partons quand même
5 (*comparativo*) que; **più lungo che largo** plus long que large; **più che naturale** on ne peut plus naturel; **più bella che mai** plus belle que jamais; *vedi anche* **più**; **tanto**; **meno**; **prima**; **sia**; **così**

chemioterapia [kemjotera'pia] *sf* chimiothérapie f
cherosene [kero'zεnε] *sm* kérosène m

🔵 **PAROLA CHIAVE**

chi [ki] *pron* **1** (*interrogativo*) qui, qu'est-ce que; **chi è?** qui est-ce?; **di chi è questo libro?** à qui est ce livre?; **con chi parli?** avec qui parles-tu?; **a chi pensi?** à qui penses-tu?; **chi di voi?** qui de vous?; **non so chi l'abbia detto** je ne sais pas qui l'a dit; **non so a chi rivolgermi** je ne sais pas à qui m'adresser
2 (*relativo*) celui (celle) qui; (*pl*) ceux (celles) qui; (: *dopo preposizione*) qui; **chi non lavora non mangia** (celui) qui ne travaille pas ne mange pas; **portate chi volete** amenez qui vous voulez; **dillo a chi vuoi** dis-le à qui tu veux; **so io di chi parlo** moi je sais de qui je parle
3 (*indefinito*): **chi... chi...** qui... qui...; **chi dice una cosa, chi dice un'altra** les uns disent une chose, les autres en disent une autre

chiacchierare [kjakkje'rare] *vi* causer, parler; (*discorrere futilmente*) bavarder; (*far pettegolezzi*) jaser
chiacchiere ['kjakkjere] *sfpl* bruit m, potin m; **fare due o quattro ~** faire un brin de causette

chiamare [kja'mare] *vt* appeler; **chiamarsi** *vpr* s'appeler; **mi chiamo Paolo** je m'appelle Paolo; **mandare a ~ qn** faire appeler qn; **~ aiuto** appeler au secours; **~ alle armi** appeler sous les drapeaux; **~ in causa** (*fig*) prendre à parti; **~ in giudizio** (*Dir*) citer en justice; **come ti chiami?** comment t'appelles-tu?
chiamata [kja'mata] *sf* (*Tel*) appel m; (*Mil*) appel (sous les drapeaux); **fare una ~ interurbana** appeler hors région; **~ alle urne** (*Pol*) élection f; **~ in giudizio** (*Dir*) citation f en justice; **~ interurbana** (*con centralinista*) communication f interurbaine
chiarezza [kja'rettsa] *sf* clarté f
chiarire [kja'rire] *vt* clarifier
chiaro, -a ['kjaro] *agg* clair(e); (*fig*: *netto*) net(te) ■ *avv* clair; **sta facendo ~** le jour se lève; **sia chiara una cosa** que ce soit clair; **mettere in ~ qc** préciser qch; **mettere le cose in ~** mettre les choses au point; **parliamoci ~** disons-le franchement; **trasmissione in ~** (*TV*) émission f en clair
chiasso ['kjasso] *sm* (*di persone*) tapage m, vacarme m; (*di cose, veicoli*) vacarme; **far ~** faire du tapage/vacarme; (*fig*: *scalpore*) faire du bruit
chiave ['kjave] *sf, agg inv* clef f, clé f; **chiudere a ~** fermer à clé; **in ~ politica** en termes politiques, d'un point de vue politique; **chiavi in mano** clé en main; **posso avere la ~?** je peux avoir ma clé?; **~ a forcella** clé à fourche; **~ d'accensione** (*Aut*) clé de contact; **~ di volta** (*anche fig*) clé de voûte; **~ inglese** clé anglaise
chiavetta [kja'vetta] *sf*: **~ USB** (*Inform*) clef f USB
chiazza ['kjattsa] *sf* tache f
chicco, -chi ['kikko] *sm* (*seme*) grain m; **~ d'uva** grain de raisin
chiedere ['kjεdere] *vt* demander ■ *vi*: **~ di qn** (*informarsi su qn*) demander des nouvelles de qn; (*al telefono*) demander qn au téléphone; **chiedersi** *vpr*: **chiedersi (se)** se demander (si); **~ qc a qn** demander qch à qn; **~ a qn di qc** s'informer de qch auprès de qn; **non chiedo altro** je ne demande pas mieux

chiesa ['kjɛza] *sf* église *f*

chiesi *ecc* ['kjɛzi] *vb vedi* **chiedere**

chiglia ['kiʎʎa] *sf* quille *f*

chilo ['kilo] *sm* kilo *m*

chilometro [ki'lɔmetro] *sm* kilomètre *m*

chimica ['kimika] *sf* chimie *f; vedi anche* **chimico**

chimico, -a, -ci, -che ['kimiko] *agg* chimique **▪** *sm/f* chimiste *m/f*

chinare [ki'nare] *vt* pencher; **chinarsi** *vpr* se pencher

chiocciola ['kjɔttʃola] *sf* escargot *m*; (*di indirizzo e-mail*) arobase *f*; **scala a ~** escalier *m* en colimaçon

chiodo ['kjɔdo] *sm* clou *m*; **~ scaccia ~** (*proverbio*) un clou chasse l'autre; **roba da chiodi!** c'est inouï!, ce n'est pas croyable!; **~ di garofano** (*Cuc*) clou de girofle; **~ fisso** (*fig*) idée *f* fixe

chiosco, -schi ['kjɔsko] *sm* (*del giornalaio*) kiosque *m*; (*di bibite*) buvette *f*

chiostro ['kjɔstro] *sm* cloître *m*

chiromante [kiro'mante] *sm/f* (*indovino*) chiromancien(ne), diseur(-euse) de bonne aventure

chirurgia [kirur'dʒia] *sf* chirurgie *f*; **~ estetica** chirurgie esthétique

chirurgo, -ghi [ki'rurgo] *sm* chirurgien *m*

chissà [kis'sa] *avv*: **~!** qui sait!; **~, forse hai ragione** va savoir, tu as peut-être raison

chitarra [ki'tarra] *sf* guitare *f*

chitarrista, -i, -e [kitar'rista] *sm/f* guitariste *m/f*

chiudere ['kjudere] *vt* fermer; (*strada*) barrer; (*discorso*) clore, terminer; (*recingere*) entourer; (*porre termine a: incontro*) mettre fin à; (*: ciclo, rassegna*) clore **▪** *vi* fermer; **chiudersi** *vpr* (*meccanismo*) se fermer; (*ferita*) se refermer; (*persona: ritirarsi*) se retirer; (*fig*) se renfermer en soi-même; **chiudersi in casa** s'enfermer chez soi; **a che ora chiudete?** à quelle heure fermez-vous?; **~ un occhio su** (*fig*) fermer les yeux sur; **chiudi la bocca!** o **il becco!** (*fam*) ferme-la!

chiunque [ki'unkwe] *pron* (*relativo*) tous (toutes) ceux (celles) qui; (*indefinito*) quiconque, n'importe qui;

~ sia non gli parlerò qui qu'il soit, je ne lui parlerai pas

chiusi *ecc* ['kjusi] *vb vedi* **chiudere**

chiuso, -a ['kjuso] *pp di* **chiudere** **▪** *agg* fermé(e); (*strada, passaggio*) barré(e); (*persona: introverso*) renfermé(e); (*mente: limitata*) borné(e), étriqué(e) **▪** *sm*: **al ~** à l'abri; **"~"** (*negozio ecc*) "fermé"

chiusura [kju'sura] *sf* fermeture *f*; (*di strada*) barrage *m*; (*di discorso*) conclusion *f*; (*di dibattito*) clôture *f*; (*di mente*) étroitesse *f*; (*di fucile*) cran *m* de l'abattu; **~ lampo®** fermeture éclair®

🔵 **PAROLA CHIAVE**

ci [tʃi] *dav* lo, la, li, le, ne *diventa* ce *pron*
1 (*personale: noi*) nous; (*impersonale*): **ci si veste** on s'habille; **ci ha visti** il nous a vus; **non ci ha dato niente** elle ne nous a rien donné; **ci vestiamo** nous nous habillons, on s'habille; **ci siamo divertiti** nous nous sommes amusés, on s'est amusé; **ci aiutiamo a vicenda** on s'entraide, on s'aide mutuellement; **ci amiamo** nous nous aimons, on s'aime
2 (*dimostrativo: di ciò, su ciò, in ciò ecc*) y; **che ci posso fare?** qu'est-ce que je peux y faire?; **non so cosa farci** je ne sais pas quoi y faire; **ci puoi contare** tu peux compter là-dessus, tu peux y compter; **che c'entro io?** qu'est-ce que j'ai à voir là-dedans?; **non ci capisco nulla** je n'y comprends rien **▪** *avv* (*qui, lì*) y; **ci abito da un anno** j'y habite depuis un an; **ci vado spesso** j'y vais souvent; **ci passa sopra un ponte** il y a un pont qui passe au-dessus; **esserci** *vedi* **essere**

ciabatta [tʃa'batta] *sf* pantoufle *f*

ciambella [tʃam'bɛlla] *sf* (*Cuc*) gâteau en forme de couronne; (*salvagente*) bouée *f* de sauvetage

ciao [tʃao] *escl* salut!

ciascuno, -a [tʃas'kuno] (*dav sm* **ciascun** + C, V, **ciascuno** + s *impura*, gn, pn, ps, x, z; *dav sf*: **ciascuna** + C, **ciascun'** + V) *agg* chaque **▪** *pron* chacun(e); **ciascun bambino** chaque enfant; **ciascuna ragazza** chaque jeune fille; **~ di voi avrà la sua parte** chacun d'entre vous aura sa part; **due caramelle per ~** deux bonbons chacun

cibarie [tʃiˈbarje] *sfpl* victuailles *fpl*

cibo [ˈtʃibo] *sm* aliment *m*, nourriture *f*

cicala [tʃiˈkala] *sf* cigale *f*

cicatrice [tʃikaˈtritʃe] *sf* cicatrice *f*

cicca, -che [ˈtʃikka] *sf* (*gomma da masticare*) chewing-gum *m*; (*mozzicone*) mégot *m*; (*fam: sigaretta*) clope *m*; **non vale una ~** (*fig*) cela ne vaut pas un sou

ciccia [ˈtʃittʃa] *sf* (*fam*) graisse *f*, lard *m*

ciccione, -a [tʃitˈtʃone] *sm/f* (*fam*) gros lard *m*, grosse dondon *f*

ciclamino [tʃiklaˈmino] *sm* cyclamen *m*

ciclismo [tʃiˈklizmo] *sm* cyclisme *m*

ciclista, -i, -e [tʃiˈklista] *sm/f* cycliste *m/f*

ciclo [ˈtʃiklo] *sm* cycle *m*; (*di una malattia*) évolution *f*

ciclomotore [tʃiklomoˈtore] *sm* cyclomoteur *m*

ciclone [tʃiˈklone] *sm* cyclone *m*

cicogna [tʃiˈkoɲɲa] *sf* cigogne *f*

cieco, -a, -chi, -che [ˈtʃɛko] *agg, sm/f* aveugle *m/f*; **alla cieca** à l'aveuglette

cielo [ˈtʃɛlo] *sm* ciel *m*; **toccare il ~ con un dito** (*fig*) être aux anges; **per amor del ~!** pour l'amour du ciel!

cifra [ˈtʃifra] *sf* chiffre *m*; (*somma*) somme *f*

ciglio [ˈtʃiʎʎo] *sm* (*di strada*) bord *m*; (*Anat: pl(f) ciglia*) cil *m*; (*: sopracciglio*) sourcil *m*; **non ha battuto ~** (*fig*) il n'a pas bronché

cigno [ˈtʃiɲɲo] *sm* cygne *m*

cigolare [tʃigoˈlare] *vi* grincer

Cile [ˈtʃile] *sm* Chili *m*

cileno, -a [tʃiˈlɛno] *agg* chilien(ne) ■ *sm/f* Chilien(ne)

ciliegia, -gie *o* **ge** [tʃiˈljɛdʒa] *sf* cerise *f*

cilindrata [tʃilinˈdrata] *sf* (*Aut*) cylindrée *f*; **di grossa/piccola ~** (*macchina, moto*) de grosse/petite cylindrée

cilindro [tʃiˈlindro] *sm* cylindre *m*; (*cappello*) haut-de-forme *m*

cima [ˈtʃima] *sf* cime *f*, sommet *m*, faîte *m*; (*di campanile*) faîte, sommet; (*estremità: di asta, corda*) bout *m*;

(*vetta*) sommet *m*; (*Naut*) haussière *f*; (*fig: persona*) crack *m*; **in ~ a** en haut de; **da ~ a fondo** d'un bout à l'autre; (*fig*) de fond en comble

cimice [ˈtʃimitʃe] *sf* (*Zool*) punaise *f*; (*trasmittente*) micro *m* caché

ciminiera [tʃimiˈnjɛra] *sf* cheminée *f*

cimitero [tʃimiˈtɛro] *sm* cimetière *m*

Cina [ˈtʃina] *sf* Chine *f*

cincin [tʃinˈtʃin] *escl* à ta/votre santé, à la tienne/vôtre

cinema [ˈtʃinema] *sm inv* cinéma *m*; **~ d'essai** cinéma d'art et d'essai; **~ muto** cinéma muet

cinese [tʃiˈnese] *agg* chinois(e) ■ *sm/f* Chinois(e) ■ *sm* chinois *m*

cinghia [ˈtʃingja] *sf* ceinture *f*; (*Tecn*) courroie *f*; **tirare la ~** (*fig*) se serrer la ceinture

cinghiale [tʃinˈgjale] *sm* sanglier *m*

cinguettare [tʃingwetˈtare] *vi* gazouiller

cinico, -a, -ci, -che [ˈtʃiniko] *agg, sm/f* cynique *m/f*

cinquanta [tʃinˈkwanta] *agg inv, sm inv* cinquante (*m*) *inv*; *vedi anche* **cinque**

cinquantesimo, -a [tʃinkwanˈtɛzimo] *agg, sm/f* cinquantième *m/f*; *vedi* **quinto**

cinquantina [tʃinkwanˈtina] *sf*: **una ~ (di)** une cinquantaine (de); **essere sulla ~** (*età*) avoir la cinquantaine

cinque [ˈtʃinkwe] *agg inv, sm inv* cinq (*m*) *inv*; **avere ~ anni** (*età*) avoir cinq ans; **il ~ dicembre 2002** le cinq décembre 2002; **alle ~** (*ora*) à cinq heures; **siamo in ~** nous sommes cinq

cinquecento [tʃinkweˈtʃɛnto] *agg inv, sm inv* cinq cents (*m*) *inv* ■ *sm*: **il C~** le seizième siècle

cintura [tʃinˈtura] *sf* ceinture *f*; **~ di salvataggio** ceinture de sauvetage; **~ di sicurezza** (*Aut, Aer*) ceinture de sécurité; **~ (di) verde** ceinture verte; **~ industriale** zone *f* industrielle

cinturino [tʃintuˈrino] *sm* bracelet *m*

ciò [tʃɔ] *pron* ceci, cela; **~ che** ce qui, ce que; **~ nonostante** *o* **nondimeno** néanmoins; **con tutto ~** malgré tout

ciocca, -che [ˈtʃɔkka] *sf* (*di capelli*) mèche *f*

cioccolata [tʃokko'lata] *sf* chocolat *m*; **~ al latte/fondente** chocolat au lait/à croquer

cioccolatino [tʃokkola'tino] *sm* chocolat *m*

cioè [tʃo'ɛ] *avv* c'est-à-dire

ciotola ['tʃotola] *sf* bol *m*

ciottolo ['tʃottolo] *sm* (*di fiume, spiaggia*) galet *m*; (*di strada*) caillou *m*

cipolla [tʃi'polla] *sf* oignon *m*

cipresso [tʃi'prɛsso] *sm* cyprès *msg*

cipria ['tʃiprja] *sf* poudre *f*

Cipro ['tʃipro] *sf* Chypre *m*

circa ['tʃirka] *avv* environ **■** *prep* en ce qui concerne, quant à; **a mezzogiorno ~** à midi environ; **eravamo ~ cento** nous étions environ cent

circo, -chi ['tʃirko] *sm* cirque *m*

circolare [tʃirko'lare] *vi* circuler **■** *agg* (*anche lettera*) circulaire; (*Fin, Comm: assegno*) de banque **■** *sf* (*Amm*) circulaire *f*; (*linea di autobus*) ligne *f* circulaire d'autobus; **circola voce che...** le bruit court que...

circolo ['tʃirkolo] *sm* cercle *m*; **~ vizioso** cercle vicieux

circondare [tʃirkon'dare] *vt* entourer; **circondarsi** *vpr*: **circondarsi di** s'entourer de

circonvallazione [tʃirkonvallat'tsjone] *sf* boulevard *m* périphérique, rocade *f*

circospetto, -a [tʃirkos'pɛtto] *agg* circonspect(e)

circostante [tʃirkos'tante] *agg* environnant(e)

circostanza [tʃirkos'tantsa] *sf* circonstance *f*; **di ~** (*parole ecc*) de circonstance

circuito [tʃir'kuito] *sm* circuit *m*; **a ~ chiuso** (*televisione*) en circuit fermé; **corto ~** court-circuit *m*; **~ integrato** circuit intégré

CISL [tʃizl] *sigla f* (= *Confederazione Italiana Sindacati Lavoratori*) syndicat

cisterna [tʃis'tɛrna] *sf* citerne *f*

cisti ['tʃisti] *sf inv* kyste *m*

cistite [tʃis'tite] *sf inv* cystite *f*

citare [tʃi'tare] *vt* (*menzionare*) citer; **~ qn per danni** intenter une action en dommages et intérêts contre qn

citofono [tʃi'tofono] *sm* interphone *m*

città [tʃit'ta] *sf inv* ville *f*; **in ~** en ville; **~ d'arte** ville d'art; **C~ del Capo** Le Cap; **~ universitaria** ville universitaire

cittadinanza [tʃittadi'nantsa] *sf* population *f*; (*Dir*) nationalité *f*

cittadino, -a [tʃitta'dino] *agg* citadin(e), de la ville; (*traffico*) urbain(e) **■** *sm/f* (*di stato*) citoyen(ne), ressortissant(e); (*che vive in città*) citadin(e)

ciuccio ['tʃuttʃo] *sm* (*fam*) tétine *f*

ciuffo ['tʃuffo] *sm* (*di erba, peli*) touffe *f*; (*di capelli*) touffe, mèche *f*; (*di penne*) plumeau *m*, huppe *f*

civetta [tʃi'vetta] *sf* (*Zool*) chouette *f*; (*fig*) coquette *f* **■** *agg inv*: **auto ~** voiture *f* banalisée; **fare la ~ con qn** faire la coquette avec qn

civico, -a, -ci, -che ['tʃiviko] *agg* municipal(e); **guardia civica** gardien *m* de la paix; **senso ~** sens *msg* civique

civile [tʃi'vile] *agg* (*Dir, non militare*) civil(e); (*nazione, popolo*) civilisé(e); (*cortese: persona, modi*) poli(e) **■** *sm* civil *m*; **stato ~** état *m* civil; **abiti civili** vêtements *mpl* civils

civiltà [tʃivil'ta] *sf inv* civilisation *f*; (*fig: buona educazione*) éducation *f*, politesse *f*

clacson ['klakson] *sm inv* (*Aut*) klaxon *m*

clandestino, -a [klandes'tino] *agg*, *sm/f* clandestin(e)

classe ['klasse] *sf* classe *f*; **di ~** (*fig*) de classe; **~ operaia** classe ouvrière; **~ turistica** (*Aer*) classe économique

classico, -a, -ci, -che ['klassiko] *agg*, *sm* classique (*m*); (*anche:* **liceo classico**) ≈ lycée *m* section lettres

classifica, -che [klas'sifika] *sf* classement *m*; (*di dischi*) hit-parade *m*

classificare [klassifi'kare] *vt* classer; (*valutare*) noter; **classificarsi** *vpr* se classer

clausola ['klauzola] *sf* (*Dir*) clause *f*

clavicembalo [klavi'tʃembalo] *sm* clavecin *m*

clavicola [kla'vikola] *sf* clavicule *f*

cliccare [klik'kare] *vi* (*Inform*) cliquer

cliente [kli'ente] *sm/f* client(e)

clima, -i ['klima] *sm* climat *m*

climatizzatore [klimatiddzat'ore] *sm* climatiseur *m*

clinica, -che ['klinika] *sf* clinique *f*

clonare [klo'nare] *vt* cloner

clonazione [klona'tsjone] sf
clonage m

cloro ['klɔro] sm chlore m

club [klub] sm inv club m

cm abbr (= centimetro) cm

c.m. abbr (= corrente mese) m.c.

coalizione [koalit'tsjone] sf
coalition f; (Comm) groupement m

COBAS ['kɔbas] sigla mpl (= Comitati
di base) organisation syndicale
autonome

coca ['kɔka] sf (bibita) coca m; (droga)
coke f

cocaina [koka'ina] sf cocaïne f

coccinella [kottʃi'nɛlla] sf
coccinelle f

cocciuto, -a [kot'tʃuto] agg têtu(e),
buté(e)

cocco, -chi ['kɔkko] sm (pianta)
cocotier m ■ sm/f (fam)
chouchou(te), chéri(e); **noce di ~**
(frutto) noix f de coco; **è il ~ della
mamma** c'est le chéri à sa maman

coccodrillo [kokko'drillo] sm
crocodile m

coccolare [kokko'lare] vt cajoler,
chouchouter

cocerò ecc [kotʃe'rɔ] vb vedi **cuocere**

cocomero [ko'komero] sm
pastèque f

coda ['koda] sf queue f; **con la ~
dell'occhio** du coin de l'œil; **mettersi
in ~** se mettre à la queue; **avere la ~ di
paglia** (fig) ne pas avoir la conscience
tranquille; **~ di cavallo** (acconciatura)
queue de cheval; **~ di rospo** (Cuc)
baudroie f o lotte f (de mer)

> **FALSI AMICI**
> **coda** non si traduce mai
> con la parola francese
> **code**.

codardo, -a [ko'dardo] agg, sm/f
lâche m/f

codice ['kɔditʃe] sm code m;
(manoscritto) manuscrit m; **~ a barre**
code-barre m; **~ civile** (Dir) code civil;
~ della strada (Aut) code de la route;
~ di avviamento postale code postal;
~ fiscale code composé de chiffres et de
lettres permettant d'identifier le sujet
fiscal dans le registre des contributions;
~ penale (Dir) code pénal; **~ segreto**
(del Bancomat) code confidentiel

coerente [koe'rɛnte] agg cohérent(e)

coetaneo, -a [koe'taneo] agg (che ha
la stessa età) du même âge; (coevo)
contemporain(e) ■ sm/f personne f
du même âge; **essere ~ di** avoir le
même âge que

cofano ['kɔfano] sm (Aut) capot m

cogliere ['kɔʎʎere] vt (fiore, frutto)
cueillir; (sorprendere) prendre;
(bersaglio) atteindre, toucher; (fig:
momento opportuno, significato) saisir;
~ l'occasione (per fare) saisir
l'occasion (pour faire); **~ nel segno**
(fig) mettre dans le mille

cognato, -a [koɲ'ɲato] sm/f beau-
frère m, belle-sœur f

cognome [koɲ'ɲome] sm nom m
(de famille)

> ● **COGNOME**
> ●
> ● De nos jours, les femmes
> ● conservent leur propre nom après
> ● s'être mariées, mais par tradition,
> ● elles utilisent encore souvent le
> ● nom de famille de leur époux.

coincidenza [kointʃi'dɛntsa] sf
coïncidence f; (Ferr, Aer, di autobus, fig)
correspondance f

coincidere [koin'tʃidere] vi coïncider

coinvolgere [koin'vɔldʒere] vt:
~ (in) (in lite, vicenda, scandalo)
impliquer (dans); (in iniziativa) faire
participer (à)

colapasta [kola'pasta] sm inv
passoire f

colare [ko'lare] vt (liquido) passer,
filtrer; (pasta) égoutter; (metallo)
fondre ■ vi (sudore) couler;
(contenitore) fuir; (cera) fondre;
~ a picco (sogg: nave) couler à pic;
(: oggetto) couler

colazione [kolat'tsjone] sf (anche:
prima colazione) petit déjeuner m;
(anche: **seconda colazione**) déjeuner
m; **fare ~** prendre son petit déjeuner;
a che ora si può fare ~? le petit
déjeuner est à quelle heure?;
~ di lavoro déjeuner d'affaires

colera [ko'lɛra] sm (Med) choléra m

colgo ecc ['kɔlgo] vb vedi **cogliere**

colica, -che ['kɔlika] sf (Med) colique
f; **~ renale** colique néphrétique

colino [ko'lino] sm petite passoire f

colla ['kɔlla] (= **con** + **la**) *prep* + *art vedi* **con** ▪ *sf* colle *f*

collaborare [kollabo'rare] *vi*: ~ **(a)** collaborer (à)

collaboratore, -trice [kollabora'tore] *sm/f* collaborateur(-trice); ~ **esterno** collaborateur externe; **collaboratrice familiare** employée *f* de maison

collana [kol'lana] *sf* collier *m*; (*di libri*) collection *f*

collant [kɔ'lã] *sm inv* collant *m*

collare [kol'lare] *sm* collier *m*

collasso [kol'lasso] *sm* (*Med: cardiaco*) collapsus *msg*; (*nervoso*) crise *f* de nerfs

collaudare [kollau'dare] *vt* essayer, tester

collega, -ghi, -ghe [kol'lɛga] *sm/f* collègue *m/f*

collegamento [kollega'mento] *sm* liaison *f*; (*Inform: a Internet*) connexion *f*; (*: tra oggetti*) raccourci *m*; **ufficiale di ~** officier *m* de liaison; **in ~ con Roma** (*TV*) en direct de Rome

collegare [kolle'gare] *vt* (*fili, apparecchi*) connecter, brancher; (*città, zone*) relier, joindre; (*Radio, TV*) relier, brancher; (*fig*) relier, mettre en rapport; **collegarsi** *vpr*: **collegarsi (con)** se mettre en communication (avec); **collegarsi a Internet** se connecter à Internet

collegio [kol'lɛdʒo] *sm* (*di medici, avvocati*) ordre *m*; (*Scol*) collège *m*; ~ **elettorale** collège électoral

collera ['kɔllera] *sf* colère *f*; **andare in ~** se mettre en colère

collerico, -a, -ci, -che [kol'lɛriko] *agg* coléreux(-euse)

colletta [kol'lɛtta] *sf* collecte *f*

colletto [kol'letto] *sm* col *m*; **colletti bianchi** (*fig*) cols blancs

collezionare [kollettsjo'nare] *vt* collectionner

collezione [kollet'tsjone] *sf* collection *f*

collina [kol'lina] *sf* colline *f*

collirio [kol'lirjo] *sm* collyre *m*

collo ['kɔllo] (= **con** + **lo**) *prep* + *art vedi* **con** ▪ *sm* (*Anat*) cou *m*; (*: di femore, utero ecc*) col *m*; (*di abito*) col;

(*di bottiglia*) goulot *m*; (*del piede*) cou-de-pied *m*; (*pacco*) colis *msg*

collocamento [kolloka'mento] *sm* place *f*, situation *f*; **Ufficio di ~** ≈ bureau *m* de placement; ~ **a riposo** (*di lavoratore*) mise *f* à la retraite

collocare [kollo'kare] *vt* (*oggetti*) ranger, placer; (*persona: in impiego*) placer; ~ **a riposo** mettre à la retraite

collocazione [kollokat'tsjone] *sf* (*atto del collocare*) mise *f* en place; (*luogo*) emplacement *m*, place *f*; (*Biblioteca*) cote *f*

colloquio [kol'lɔkwjo] *sm* entretien *m*, entrevue *f*; (*ufficiale, di lavoro*) entretien; **avviare un ~ con** entamer un dialogue avec

colmare [kol'mare] *vt*: ~ **di** remplir de; (*fig*) combler de; ~ **un divario** (*fig*) combler un fossé

colombo [ko'lombo] *sm* pigeon *m*; **colombi** (*fam: fig*) tourtereaux *mpl*

colonia [ko'lɔnja] *sf* colonie *f*; **(acqua di) ~** eau *m* de Cologne

colonna [ko'lonna] *sf* colonne *f*; (*di auto, dimostranti*) file *f*; ~ **sonora** (*Cine*) bande *f* sonore; ~ **vertebrale** colonne vertébrale

colonnello [kolon'nɛllo] *sm* colonel *m*

colorante [kolo'rante] *sm* colorant *m*

colorare [kolo'rare] *vt* colorer; (*disegno*) colorier

colore [ko'lore] *sm* couleur *f*; **a colori** en couleurs; **vorrei un ~ diverso** je le voudrais dans un autre coloris; **di ~** (*persona*) de couleur; **diventare di tutti i colori** changer de couleur; **farne di tutti i colori** en faire voir de toutes les couleurs; **passarne di tutti i colori** en voir de toutes les couleurs

colorito, -a [kolo'rito] *agg* coloré(e) ▪ *sm* (*tinta*) coloris *msg*; (*carnagione*) teint *m*

colpa ['kolpa] *sf* faute *f*; (*peccato*) péché *m*; **per ~ di** par la faute de; **di chi è la ~?** à qui la faute?; **è ~ sua** c'est (de) sa faute; **senso di ~** sentiment *m* de culpabilité; **dare la ~ a qn di qc** rejeter sur qn la responsabilité de qch

colpevole [kol'pevole] *agg, sm/f* coupable *m/f*

colpire [kol'pire] vt (bersaglio) toucher; (ferire) frapper; (: con arma da fuoco) atteindre; (danneggiare, fig) frapper; **rimanere colpito da** être frappé(e) par; **è stato colpito da ordine di cattura** on a lancé un mandat d'arrêt contre lui; **~ nel segno** (fig) faire mouche

colpo ['kolpo] sm coup m; **di ~, tutto d'un ~** tout d'un coup, tout à coup; **fare ~** faire sensation; **fare ~ su qn** taper dans l'œil à qn; **morire sul ~** mourir sur le coup; **perdere colpi** (macchina) avoir des ratés; (persona) perdre la boule; **far venire un ~ a qn** (fig) ficher un coup à qn; **ti venisse un ~!** (fam) va au diable!; **a ~ d'occhio** au premier coup d'œil; **a ~ sicuro** à coup sûr; **~ basso** (Pugilato, fig) coup bas; **~ d'aria** coup de froid; **~ di fulmine** coup de foudre; **~ di grazia** coup de grâce; **~ di scena** coup de théâtre; **~ di sole** (Med) coup de soleil; **~ di Stato** coup d'État; **~ di telefono** coup de téléphone; **~ di testa** coup de tête; **~ di vento** coup de vent; **~ in banca** hold-up m inv (d'une banque); **colpi di sole** (sui capelli) balayage msg

colsi ecc ['kɔlsi] vb vedi **cogliere**

coltellata [koltel'lata] sf coup m de couteau

coltello [kol'tɛllo] sm couteau m; **avere il ~ dalla parte del manico** (fig) être maître de la situation; **~ a serramanico** couteau à cran d'arrêt

coltivare [kolti'vare] vt (anche fig: amicizia) cultiver; (verdura) cultiver, faire pousser

colto, -a ['kolto] pp di **cogliere** ▪ agg cultivé(e)

coma ['kɔma] sm inv coma m; **in ~** dans le coma; **~ irreversibile** coma dépassé

comandamento [komanda'mento] sm commandement m

comandante [koman'dante] sm commandant m; (di reggimento) colonel m

comandare [koman'dare] vi commander; **~ a qn di fare** (imporre) ordonner à qn de faire

combaciare [komba'tʃare] vi coïncider (parfaitement); (fig) concorder

combattere [kom'battere] vt, vi combattre

combinare [kombi'nare] vt combiner; (organizzare) organiser; (fam: fare) fabriquer; **combinarsi** vpr (fam: conciarsi) s'accoutrer; **ne ha combinato una delle sue** il a fait des siennes

combinazione [kombinat'tsjone] sf combinaison f; (caso fortuito) coïncidence f, hasard m; (di cassaforte) combinaison f; **per ~** par hasard

combustibile [kombus'tibile] agg, sm combustible (m)

○ PAROLA CHIAVE

come ['kome] avv 1 (alla maniera di) comme; **ti comporti come lui** tu te conduis comme lui; **bianco come la neve** blanc comme neige
2 (in qualità di) comme, en tant que; **lavora come autista** il travaille comme chauffeur
3 (interrogativo) comment; **come ti chiami?** comment t'appelles-tu?; **come sta?** comment va-t-il?; **com'è il tuo amico?** comment est ton ami?; **come?** comment?; **come mai?** comment ça se fait?; **come mai non ci hai avvertiti?** comment se fait-il que tu ne nous aies pas avertis?
4 (esclamativo): **come sei bravo!** comme tu es fort!; **come mi dispiace!** comme je le regrette!
▪ cong 1 (in che modo) comment; **mi ha spiegato come l'ha conosciuto** il m'a expliqué comment il l'a connu; **non so come sia successo** je ne sais pas comment cela est arrivé
2 (quasi se) comme; **è come se fosse ancora qui** c'est comme s'il était encore là; **come niente fosse** comme si de rien n'était; **come non detto** fais (o faites) comme si je n'avais rien dit
3 (correlativo, con comparativi) que; **non è bravo come pensavo** il n'est pas aussi bon que je le pensais; **è meglio di come pensassi** c'est mieux que ce que je pensais
4 (quando) dès que; **come arrivò, iniziò a lavorare** dès qu'il arriva, il commença à travailler; vedi anche **così; oggi; ora²**

comico, -a, -ci, -che ['kɔmiko] *agg,*
sm comique *(m)*

cominciare [komin'tʃare] *vt*
commencer ▪ *vi* commencer; *(nella*
vita, carriera) débuter, commencer;
~ a fare/col fare commencer à faire/
par faire; **a che ora comincia il film?**
le film commence à quelle heure?;
cominciamo bene! *(iron)* cela
commence bien!

comitato [komi'tato] *sm* comité *m*;
~ di gestione comité de gestion;
~ direttivo comité directeur

comitiva [komi'tiva] *sf* groupe *m*

comizio [ko'mittsjo] *sm (Pol)*
meeting *m*; **~ elettorale** meeting
électoral

commedia [kom'mɛdja] *sf* comédie
f; *(Teatro)* pièce *f* (de théâtre);
(: comica) comédie; *(fig)* farce *f*;
(: finzione) comédie

commemorare [kommemo'rare] *vt*
commémorer

commentare [kommen'tare] *vt*
commenter

commerciale [kommer'tʃale] *agg*
commercial(e)

commercialista [kommertʃa'lista]
sm/f diplômé(e) en sciences
économiques; *(consulente)* (expert-)
comptable *m*

commerciante [kommer'tʃante]
sm/f négociant(e); *(negoziante)*
commerçant(e); **~ all'ingrosso**
commerçant(e) de gros

commerciare [kommer'tʃare] *vt*
commercer ▪ *vi*: **~ in** faire du
commerce de

commercio [kom'mɛrtʃo] *sm*
commerce *m*; **in ~** *(prodotto)* dans le
commerce; **essere nel ~** *(persona)*
être dans le commerce; **~ al minuto/
all'ingrosso** commerce de détail/en
gros; **~ equo e solidale** commerce
équitable

commesso, -a [kom'messo] *pp di*
commettere ▪ *sm/f*
vendeur(-euse); **~ viaggiatore**
commis *m* voyageur

commestibile [kommes'tibile] *agg*
comestible; **commestibili** *smpl*
comestibles *mpl*

commettere [kom'mettere] *vt*
commettre

commisi *ecc* [kom'mizi] *vb vedi*
commettere

commissariato [kommissa'rjato]
sm commissariat *m*; **~ di polizia**
commissariat de police

commissario [kommis'sarjo] *sm*
commissaire *m*; *(di pubblica sicurezza)*
≈ commissaire de police; *(Scol)*
membre *m* (d'un jury d'examen); **alto
~** haut-commissaire *m*; **~ d'esame**
(Scol) membre d'un jury d'examen;
~ di bordo *(Naut)* commissaire du
bord; **~ di gara** *(Sport)* commissaire
de course; **~ tecnico** *(Sport)*
entraîneur *m* (de l'équipe nationale)

commissione [kommis'sjone] *sf*
commission *f*; *(Comm: ordinazione)*
commande *f*; *(: percentuale)*
commission; **commissioni** *sfpl*
(acquisti) commissions *fpl*, courses *fpl*;
~ d'esame jury *m* d'examen;
~ d'inchiesta commission d'enquête;
~ permanente commission
permanente; **commissioni bancarie**
frais *mpl* bancaires

commosso, -a [kom'mɔsso] *pp di*
commuovere

commovente [kommo'vɛnte] *agg*
émouvant(e)

commozione [kommot'tsjone] *sf*
émotion *f*; **~ cerebrale** *(Med)*
commotion *f* cérébrale

commuovere [kom'mwɔvere] *vt*
émouvoir; **commuoversi** *vpr*
s'émouvoir

comodino [komo'dino] *sm* table *f*
de nuit

comodità [komodi'ta] *sf inv*
confort *m*

comodo, -a ['kɔmodo] *agg*
confortable; *(facile)* facile, pratique;
(conveniente, utile) commode ▪ *sm*
commodité *m*; **con ~** en prenant son
temps; **fare il proprio ~** en faire à son
aise; **far ~ (a qn)** arranger (qn); **stia
~!** ne vous dérangez pas!

compagnia [kompaɲ'ɲia] *sf*
compagnie *f*; *(gruppo)* groupe *m*,
bande *f*; **fare ~ a** tenir compagnie à;
essere di ~ être sociable

compagno, -a [kom'paɲɲo] *sm/f*
(di classe, gioco) camarade *m/f*, copain
(copine); *(Pol, di prigionia)* camarade;
(Sport) coéquipier(-ière); **~ di lavoro/**

di scuola camarade de travail/ d'école; **~ di viaggio** compagnon *m* de voyage

compaio *ecc* [kom'pajo] *vb vedi* **comparire**

comparare [kompa'rare] *vt* comparer

comparativo, -a [kompara'tivo] *agg* comparatif(-ive) ■ *sm* comparatif *m*

comparire [kompa'rire] *vi* apparaître; **~ in giudizio** (*Dir*) comparaître en justice

comparvi *ecc* [kom'parvi] *vb vedi* **comparire**

compassione [kompas'sjone] *sf* compassion *f*; **avere ~ di** avoir pitié de; **fare ~ (a)** faire pitié (à)

compasso [kom'passo] *sm* compas *msg*

compatibile [kompa'tibile] *agg* (*conciliabile, Inform*) compatible

compatire [kompa'tire] *vt* (*aver compassione di: qualcosa*) compatir à; (: *persone*) avoir de la compassion pour

compatto, -a [kom'patto] *agg* (*anche fig*) compact(e)

compensare [kompen'sare] *vt* (*rimunerare*) rétribuer, rémunérer; (*equilibrare*) compenser; **compensarsi** *vpr* (*reciproco*) se compenser; **~ qn di** (*risarcire*) dédommager qn de; (*fig: di fatiche, dolori*) récompenser qn de

compenso [kom'pɛnso] *sm* rétribution *f*; (*risarcimento*) dédommagement *m*; (*fig*) récompense *f*; **in ~** (*d'altra parte*) en revanche

comperare [kompe'rare] *vt* = **comprare**

compere ['kompere] *sfpl*: **fare ~** faire des achats

competente [kompe'tɛnte] *agg* compétent(e); **rivolgersi all'autorità ~** s'adresser à l'autorité compétente

competere [kom'pɛtere] *vi* (*essere in competizione*): **~ (con)** rivaliser (avec); **~ a** (*rientrare nella competenza*) être du ressort de; (*riguardare, spettare*) revenir à

competizione [kompetit'tsjone] *sf* compétition *f*; **spirito di ~** esprit *m* de compétition

compiangere [kom'pjandʒere] *vt* plaindre

compiere ['kompjere] *vt* (*concludere*) achever; (*adempiere*) accomplir; **compiersi** *vpr* (*avverarsi*) s'accomplir; **~ gli anni** fêter son anniversaire

compilare [kompi'lare] *vt* (*modulo*) remplir; (*elenco*) dresser; (*dizionario, grammatica*) compiler

compito ['kompito] *sm* (*incarico*) tâche *f*; (*dovere*) devoir *m*; (*Scol: in classe*) devoir (sur table), interrogation *f* écrite; (: *a casa*) devoir; **fare i compiti** faire ses devoirs

compleanno [komple'anno] *sm* anniversaire *m*

complessità [komplessi'ta] *sf inv* complexité *f*

complessivo, -a [komples'sivo] *agg* (*globale*) global(e); (*totale: cifra*) total(e)

complesso, -a [kom'plesso] *agg* complexe ■ *sm* (*Psic, industriale ecc*) complexe *m*; (*Mus*) ensemble *m* instrumental; (: *corale*) ensemble vocal; (: *orchestrina*) petit orchestre *f*; (: *di musica pop*) groupe *m*; **in o nel ~** dans l'ensemble; **~ alberghiero** complexe hôtelier; **~ edilizio** grand ensemble; **~ vitaminico** complexe vitaminé

completamente [kompleta'mente] *avv* complètement

completare [komple'tare] *vt* (*serie, collezione*) compléter; (*portare a termine*) achever

completo, -a [kom'plɛto] *agg* complet(-ète); (*fig: fiducia*) entier(-ière), total(e) ■ *sm* ensemble *m*; **essere al ~** être au complet; **~ da sci** tenue *f* de ski

complicare [kompli'kare] *vt* compliquer; **complicarsi** *vpr* se compliquer

complice ['komplitʃe] *sm/f* complice *m/f*

complicità [komplitʃi'ta] *sf inv* complicité *f*; **di ~** (*sguardo, sorriso*) complice

complimentarsi [komplimen'tarsi] *vpr* complimenter; **~ con** complimenter

complimento [kompli'mento] *sm* compliment *m*; **complimenti** *smpl* (*eccessiva formalità*) façons *fpl*, manières *fpl*; (*ossequi*) compliments *mpl*; **complimenti!** mes compliments!; **senza complimenti!** sans façons!

complottare [komplot'tare] *vi* conspirer, comploter

complotto [kom'plɔtto] *sm* complot *m*

compone *ecc* [kom'pone] *vb vedi* **comporre**

componente [kompo'nɛnte] *sm/f* membre *m* ■ *sm* composant *m*

compongo *ecc* [kom'pongo] *vb vedi* **comporre**

componimento [komponi'mento] *sm* pièce *f*; (*Scol*) rédaction *f*, composition *f*

comporre [kom'porre] *vt* composer; (*mettere in ordine*) arranger; (*Dir*) régler; **comporsi** *vpr*: **comporsi di** se composer de, être formé(e) de

comportamento [komporta'mento] *sm* comportement *m*

comportare [kompor'tare] *vt* comporter, entraîner; **comportarsi** *vpr* se comporter, se conduire

composi *ecc* [kom'pozi] *vb vedi* **comporre**

compositore, -trice [kompozi'tore] *sm/f* compositeur(-trice); (*Tip*) compositeur *m*

composto, -a [kom'posto] *pp di* **comporre** ■ *agg* composé(e) ■ *sm* composé *m* ■ *sf* (*Cuc*) mélange *m*; **stai ~!** tiens-toi bien!

comprare [kom'prare] *vt* acheter; **dove posso ~ delle cartoline?** où est-ce que je peux acheter des cartes postales?

comprendere [kom'prɛndere] *vt* comprendre

comprensibile [kompren'zibile] *agg* compréhensible

comprensione [kompren'sjone] *sf* compréhension *f*

comprensivo, -a [kompren'sivo] *agg* (*indulgente*) compréhensif(-ive); (*prezzo, totale*): **~ di** comprenant; **il totale è ~ di...** le total comprend...

compreso, -a [kom'preso] *pp di* **comprendere** ■ *agg* compris(e); **tutto ~** tout compris; **il servizio è ~?** est-ce que le service est inclus?

compressa [kom'prɛssa] *sf* (*Med*: *pastiglia*) comprimé *m*; (*: garza*) compresse *f*

comprimere [kom'primere] *vt* comprimer

compromesso, -a [kompro'messo] *pp di* **compromettere** ■ *sm* compromis *msg*

compromettere [kompro'mettere] *vt* compromettre; **compromettersi** *vpr* se compromettre

computer [kəm'pjuːtər] *sm inv* ordinateur *m*

comunale [komu'nale] *agg* communal(e), municipal(e); **consiglio ~** conseil *m* municipal; **palazzo ~** hôtel *m* de ville; **è un impiegato ~** c'est un employé municipal

comune [ko'mune] *agg* commun(e); (*consueto*) courant(e); (*di livello medio*) moyen(ne); (*ordinario*) ordinaire ■ *sm* (*Amm*: *ente*) commune *f*, municipalité *f*; (*: sede*) mairie *f*, hôtel *m* de ville ■ *sf* communauté *f*; **fuori del ~** hors du commun; **avere in ~** avoir en commun; **mettere in ~** mettre en commun; **un nostro ~ amico** un ami commun; **fare cassa ~** faire bourse commune

COMUNE

La *Comune* est la plus petite divison administrative et politique italienne. Elle tient les registres de l'état civil (naissances, mariages et décès), peut lever des impôts et s'opposer à des projets de travaux publics et d'urbanisme. La *Comune* est dirigée par la "Giunta comunale" élue par le conseil municipal ("Consiglio comunale"). Le maire ("Sindaco") est à la tête de ces deux organismes.

comunicare [komuni'kare] *vt* communiquer; (*malattia*) transmettre, passer; (*calore ecc*) transmettre; (*Rel*) communier ■ *vi* communiquer; **comunicarsi** *vpr* (*propagarsi*): **comunicarsi a** se communiquer à

comunicato, -a [komuni'kato] *sm*
communiqué *m*; **~ stampa**
communiqué de presse
comunicazione
[komunikat'tsjone] *sf*
communication *f*; (*a congresso*)
exposé *m*, communication;
comunicazioni *sfpl* (*terrestri,
marittime*) communications *fpl*;
essere in ~ con être en
communication avec; **mettere in ~**
mettre en communication; **dare la ~
a qn** passer la communication à qn;
ottenere la ~ obtenir la ligne; **salvo
comunicazioni contrarie da parte
Vostra** sauf contrordre de votre part;
~ (telefonica) (*Tel*) communication
(téléphonique)
comunione [komu'njone] *sf*
communion *f*; **~ dei beni** (*Dir*)
communauté *f* entre époux
comunismo [komu'nizmo] *sm*
communisme *m*
comunità [komuni'ta] *sf inv*
communauté *f*; **C~ Economica
Europea** Communauté économique
européenne; **C~ di Stati
Indipendenti** Communauté des États
indépendants
comunque [ko'munkwe] *cong* quoi
que ■ *avv* (*in ogni modo*) de toute
façon; (*tuttavia*) quand même; **~ sia**
quoi qu'il en soit
con [kon] (*nei seguenti casi* **con** *può
fondersi con l'articolo determinativo:* con
+ il = **col**, con + lo = **collo**, con + l' = **coll'**,
con + la = **colla**, con + i = **coi**, con + gli
= **cogli**, con + le = **colle**) *prep* avec;
(*modo*) avec, de; (*mezzo*) par, en;
(*nonostante*) malgré; (*tempo*) par;
vieni ~ me viens avec moi;
portiamoli ~ noi emmenons-les avec
nous; **posso venire ~ voi?** je peux
venir avec vous?; **~ pazienza/rabbia/
amore** avec patience/colère/amour;
~ enfasi avec emphase; **~ mio grande
stupore** à mon grand étonnement;
**~ il treno/l'aereo/la macchina/la
bici** en train/avion/voiture/vélo;
~ una scala a pioli avec une échelle;
condito ~ burro au beurre; **~ tutto
ciò** malgré tout cela; **villa ~ piscina**
villa avec piscine; **camera ~ vista**
chambre avec vue; **uomo ~ i baffi**

homme avec une moustache;
~ questo freddo non si può uscire
avec ce froid, on ne peut pas sortir;
come va ~ tuo fratello? comment va
ton frère?; **confrontare qc ~ qc**
comparer qch avec qch; **~ tutti i suoi
difetti riesce ugualmente simpatico**
malgré tous ses défauts il est
sympathique; **~ l'autunno
ricomincia la scuola** l'école
recommence en automne; **~ la bella
stagione ricominciano a fiorire gli
alberi** à la belle saison, les arbres
recommencent à fleurir; **~ la fine
della guerra...** à la fin de la guerre...;
~ il primo di ottobre à partir du
premier octobre; **partire col treno**
partir par le train; **~ la forza** par la
force; **~ tutto che era arrabbiato**
bien qu'en colère; **e ~ questo?** et
alors?
concedere [kon'tʃedere] *vt* accorder;
(*ammettere*) concéder; **concedersi qc**
s'accorder qch
concentrarsi [kontʃen'trarsi] *vpr*
se concentrer
concentrazione
[kontʃentrat'tsjone] *sf*
concentration *f*
concepire [kontʃe'pire] *vt* concevoir
concerto [kon'tʃɛrto] *sm* (*Mus*)
concert *m*; (: *componimento*)
concerto *m*
concessi *ecc* [kon'tʃɛssi] *vb vedi*
concedere
concetto [kon'tʃɛtto] *sm* (*pensiero,
idea*) concept *m*, notion *f*; (*opinione,
giudizio*) opinion *f*; **impiegato di ~**
*personne occupant un poste de
responsabilité*
concezione [kontʃet'tsjone] *sf*
conception *f*; (*di piano*) élaboration *f*
conchiglia [kon'kiʎʎa] *sf* coquillage *m*
conciare [kon'tʃare] *vt* (*pelli*) tanner;
(*tabacco*) traiter; (*fig: ridurre in cattivo
stato*) mettre en piteux état;
conciarsi *vpr* (*fam*) s'arranger;
(*vestirsi male*) s'accoutrer; **ti hanno
conciato male** *o* **per le feste!** ils t'ont
drôlement arrangé!
conciliare [kontʃi'ljare] *vt* concilier;
(*Dir: contravvenzione*) régler sur le
champ; (*sonno*) favoriser; (*procurare:
simpatia*) gagner; **conciliarsi qc**

gagner qch, s'attirer qch; **conciliarsi con** se mettre d'accord avec

concime [kon'tʃime] sm engrais msg

conciso, -a [kon'tʃizo] agg concis(e)

concittadino, -a [kontʃitta'dino] sm/f concitoyen(ne)

concludere [kon'kludere] vt conclure; (Dir: nozze) contracter; (dedurre) déduire; **concludersi** vpr se terminer; **non ~ nulla** n'aboutir à rien

concordare [konkor'dare] vt (prezzo) fixer; (tregua) conclure; (Ling) s'accorder ◼ vi (essere d'accordo) être d'accord; (corrispondere) concorder

concorde [kon'kɔrde] agg d'accord

concorrente [konkor'rɛnte] sm/f concurrent(e)

concorrenza [konkor'rɛntsa] sf concurrence f; **a prezzi di ~** à des prix compétitifs; **~ sleale** concurrence déloyale

concorrenziale [konkorren'tsjale] agg concurrentiel(le)

concorrere [kon'korrere] vi: **~ (a)** (competere) être en compétition (pour); (: a posto, cattedra) concourir (pour); (partecipare: a un'impresa) concourir (à)

concorso, -a [kon'korso] pp di **concorrere** ◼ sm concours msg; **~ di bellezza** concours de beauté; **~ di circostanze** concours de circonstances; **~ di colpa** responsabilité f collective/partagée; **~ in reato** (Dir) complicité f; **~ ippico** concours hippique; **~ per titoli** concours avec recrutement sur titres; **~ (a impiego) pubblico** concours administratif

concreto, -a [kon'krɛto] agg concret(-ète) ◼ sm: **in ~** concrètement

condanna [kon'danna] sf condamnation f; **~ a morte** condamnation à mort

condannare [kondan'nare] vt condamner; (Dir): **~ a** condamner à; **~ per** condamner pour; **~ qn a morte/all'ergastolo** condamner qn à mort/à la prison à vie

condensare [konden'sare] vt condenser; **condensarsi** vpr se condenser

condimento [kondi'mento] sm assaisonnement m

condire [kon'dire] vt assaisonner

condividere [kondi'videre] vt partager

condizionale [kondittsjo'nale] agg conditionnel(le) ◼ sf (Dir) sursis msg ◼ sm (Ling) conditionnel m

condizionare [kondittsjo'nare] vt conditionner; **ad aria condizionata** climatisé(e)

condizionatore [kondittsjona'tore] sm climatiseur m

condizione [kondit'tsjone] sf condition f; **a ~ che** à condition que; **a nessuna ~** sous aucune condition; **condizioni a convenirsi** conditions à définir; **condizioni di lavoro** conditions de travail; **condizioni di vendita** conditions de vente

condoglianze [kondoʎ'ʎantse] sfpl condoléances fpl

condominio [kondo'minjo] sm copropriété f; (edificio) immeuble m en copropriété

condotta [kon'dotta] sf conduite f; (incarico sanitario) territoire confié à un médecin dépendant d'une commune

conducente [kondu'tʃɛnte] sm/f conducteur(-trice)

conduco ecc [kon'duko] vb vedi **condurre**

condurre [kon'durre] vt (azienda) diriger; (combattimento) mener; (accompagnare, guidare) conduire; (trasportare: acqua, gas, fig: indurre) conduire, amener ◼ vi (Sport) mener; (strada, fig): **~ a** conduire à; **condursi** vpr se conduire; **~ a termine** mener à terme

condussi ecc [kon'dussi] vb vedi **condurre**

conferenza [konfe'rɛntsa] sf conférence f; **~ stampa** conférence de presse

conferma [kon'ferma] sf confirmation f

confermare [konfer'mare] vt confirmer

confessare [konfes'sare] vt avouer; (Rel) confesser; **confessarsi** vpr (Rel) se confesser; (confidarsi) se confier; **andare a confessarsi** (Rel) aller se confesser

confetto [kon'fɛtto] *sm* dragée *f*

> **FALSI AMICI**
> **confetti** non si traduce
> mai con la parola francese
> **confetti**.

confettura [konfet'tura] *sf* confiture *f*

confezionare [konfettsjo'nare] *vt* (*vestito*) confectionner; (*merci, pacchi*) emballer

confezione [konfet'tsjone] *sf* (*di abiti*) confection *f*; (*imballaggio*) emballage *m*; **confezioni** *sfpl* (*abbigliamento*) confection *fsg*, prêt-à-porter *msg*; **in ~ da viaggio** paquet de voyage; **~ regalo** paquet-cadeau *m*; **~ risparmio** paquet *m* familial *o* économique; **confezioni da uomo** vêtements *mpl* d'homme; **confezioni per signora** vêtements de femme

conficcare [konfik'kare] *vt*: **~ qc in** planter qch dans, enfoncer qch dans; **conficcarsi** *vpr* se planter, se loger

confidare [konfi'dare] *vi*: **~ in** compter sur ■ *vt* confier; **confidarsi** *vpr*: **confidarsi con qn** se confier à qn

configurare [konfigu'rare] *vt* (*Inform*) configurer; **configurarsi** *vpr*: **configurarsi in** se traduire par

configurazione [konfigurat'tsjone] *sf* (*anche Inform*) configuration *f*

confinare [konfi'nare] *vi*: **~ (con)** confiner (à *o* avec) ■ *vt* (*Dir*) condamner à la relégation; (*fig*) reléguer; **confinarsi** *vpr*: **confinarsi in** se confiner, s'isoler

Confindustria [konfin'dustrja] *sigla f* (= *Confederazione Generale dell'Industria Italiana*) ≈ CNPF *m*

confine [kon'fine] *sm* limite *f*; (*di paese*) frontière *f*; (*limite*) frontière *f*, limite *f*; **territorio di ~** territoire *m* frontalier

confiscare [konfis'kare] *vt* confisquer

conflitto [kon'flitto] *sm* conflit *m*; **essere in ~ con** être en conflit avec

confluenza [konflu'ɛntsa] *sf* (*di fiumi*) confluence *f*; (*di strade, idee*) convergence *f*

confondere [kon'fondere] *vt* (*mescolare confusamente*) mélanger, embrouiller; (*una persona o cosa per un'altra*) confondre; (*imbarazzare*)

embarrasser; **confondersi** *vpr* (*mescolarsi*) se confondre; (*turbarsi*) se troubler; (*sbagliare*) confondre; **~ le idee a qn** embrouiller qn

confortare [konfor'tare] *vt* réconforter

confrontare [konfron'tare] *vt* comparer; **confrontarsi** *vpr* s'affronter

confronto [kon'fronto] *sm* comparaison *f*; (*Dir*) confrontation *f*; (*Mil, Pol*) affrontement *m*; **in o a ~ (di)** par rapport (à); **nei miei/tuoi confronti** à mon/ton égard

confusi *ecc* [kon'fuzi] *vb vedi* **confondere**

confusione [konfu'zjone] *sf* confusion *f*; (*turbamento, agitazione*) confusion, trouble *m*; **far ~** (*disordine*) mettre les fouillis; (*chiasso*) faire du chahut; (*confondere*) confondre

confuso, -a [kon'fuzo] *pp di* **confondere** ■ *agg* confus(e)

congedare [kondʒe'dare] *vt* congédier; (*Mil*) renvoyer; **congedarsi** *vpr* prendre congé; (*Mil*) être libéré(e)

congegno [kon'dʒeɲɲo] *sm* mécanisme *m*, dispositif *m*

congelare [kondʒe'lare] *vt* congeler; (*Pol, Econ*) geler; **congelarsi** *vpr* geler

congelatore [kondʒela'tore] *sm* congélateur *m*

congestione [kondʒes'tjone] *sf* (*vea vb*) congestion *f*; embouteillage *m*

congettura [kondʒet'tura] *sf* conjecture *f*

congiungere [kon'dʒundʒere] *vt* joindre, relier; (*mani*) joindre; **congiungersi** *vpr* (*unirsi: fiumi ecc*) se rejoindre; **congiungersi in matrimonio** s'unir par les liens du mariage

congiuntivite [kondʒunti'vite] *sf* conjonctivite *f*

congiuntivo [kondʒun'tivo] *sm* (*Ling*) subjonctif *m*

congiunto, -a [kon'dʒunto] *pp di* **congiungere** ■ *agg* joint(e); (*legato da parentela, amicizia*) proche ■ *sm/f* (*parente*) parent(e)

congiunzione [kondʒun'tsjone] *sf* conjonction *f*

congiura [kon'dʒura] sf
conjuration f

congratularsi [kongratu'larsi] vpr:
~ **con qn per qc** féliciter qn pour o
de qch

congratulazioni
[kongratulat'tsjoni] sfpl
félicitations fpl

congresso [kon'grɛsso] sm congrès
msg; (Pol) Congrès

C.O.N.I ['ɔni] sigla m (= Comitato
Olimpico Nazionale Italiano) comité m
olympique national italien

coniare [ko'njare] vt (moneta)
frapper; (fig: vocaboli, slogan) forger,
créer

coniglio [ko'niʎʎo] sm lapin m; (fig)
poule f mouillée

coniugare [konju'gare] vt
conjuguer; **coniugarsi** vpr (sposarsi)
se marier

coniuge ['kɔnjudʒe] sm/f conjoint(e)

connazionale [konnattsjo'nale]
sm/f compatriote m/f

connessione [konnes'sjone] sf
liaison f; (fig) lien m, rapport m;
(Inform: a Internet) connexion f

connettere [kon'nɛttere] vt relier,
brancher; (Elettr) connecter; (fig)
mettre en rapport ■ vi: **non ~**
divaguer, ne plus avoir les idées claires

cono ['kɔno] sm cône m; (gelato)
cornet m

conobbi ecc [ko'nobbi] vb vedi
conoscere

conoscente [konoʃʃɛnte] sm/f
connaissance f

conoscenza [konoʃʃɛntsa] sf
connaissance f; **essere a ~ di qc** avoir
connaissance de qch; **portare qn a ~
di qc** mettre qn au courant de qch;
per vostra ~ pour information; **fare
la ~ di qn** faire la connaissance de qn;
perdere ~ (svenire) perdre
connaissance; **~ tecnica** savoir-faire m

conoscere [ko'noʃʃere] vt connaître;
conoscersi vpr se connaître; **~ qn di
vista** connaître qn de vue; **farsi ~** (fig)
se faire un nom

conosciuto, -a [konoʃʃuto] pp di
conoscere ■ agg connu(e)

conquista [kon'kwista] sf conquête f

conquistare [konkwis'tare] vt
conquérir

consapevole [konsa'pevole] agg:
~ **di** conscient(e) de

conscio, -a, -sci, -sce ['kɔnʃo] agg
conscient(e) ■ sm (Psic) conscient m;
~ **di** conscient de

consecutivo, -a [konseku'tivo] agg
consécutif(-ive)

consegna [kon'seɲɲa] sf (di merce)
livraison f; (di dispaccio, documento)
remise f; (Mil) consigne f; **dare in ~**
livrer; **prendere in ~ qc** prendre
livraison de qch; **alla ~** à la livraison;
dare qc in ~ a confier la garde de qch
à; **passare le consegne a** passer le
relais à; **pagamento alla ~** paiement
m à la livraison; ~ **a domicilio**
livraison à domicile; ~ **sollecita**
livraison immédiate

consegnare [konseɲ'ɲare] vt (pacco)
remettre; (merce) livrer; (affidare)
confier; (alla memoria, alla posterità)
transmettre; (Mil) consigner

conseguenza [konse'gwentsa] sf
conséquence f; **di ~** par conséquent;
in ~ di en conséquence de

consenso [kon'sɛnso] sm
approbation f; (conformità di opinioni)
consensus msg; (assenso)
consentement m; ~ **informato**
consentement m éclairé

consentire [konsen'tire] vi: ~ **a**
consentir à, accéder à ■ vt permettre;
mi si consenta di ringraziare
permettez-moi de remercier

conserva [kon'sɛrva] sf (Cuc)
conserve f; ~ **di frutta/di pomodoro**
conserve de fruits/de tomates;
conserve alimentari conserves
(alimentaires)

conservare [konser'vare] vt (Cuc)
conserver; (lettere, oggetto, ricordo)
conserver, garder; (innocenza,
anonimato) garder; **conservarsi** vpr
se conserver, se garder; (giovane)
rester

conservatore, -trice
[konserva'tore] agg, sm/f (Pol)
conservateur(-trice)

conservatorio [konserva'tɔrjo] sm
(Mus) conservatoire m

conservazione [konservat'tsjone]
sf conservation f; **istinto di ~** instinct
m de conservation; **a lunga ~** longue
conservation

considerare [konside'rare] vt
considérer; (*possibilità*) considérer,
envisager; (*persona, idea: reputare*)
considérer comme; (*contemplare,
prevedere*) prévoir; **considerarsi** vpr
se considérer; **~ qc molto/poco**
attacher beaucoup/peu
d'importance à qch

consigliare [konsiʎ'ʎare] vt
conseiller; **consigliarsi** vpr:
consigliarsi con qn demander conseil
à qn; **~ a qn qc** conseiller qch à qn; **~ a
qn di fare qc** conseiller à qn de faire
qch; **mi può ~ un buon ristorante?**
pouvez-vous me conseiller un bon
restaurant?

consiglio [kon'siʎʎo] sm conseil m;
~ d'amministrazione conseil
d'administration; **C~ dei Ministri**
(*Pol*) Conseil des ministres; **C~
d'Europa** Conseil de l'Europe; **~ di
fabbrica** comité m d'entreprise; **C~
di stato** Conseil d'État; **C~ Superiore
della Magistratura** ≈ Conseil
supérieur de la magistrature

consistente [konsis'tɛnte] agg
consistant(e)

consistere [kon'sistere] vi: **~ in**
consister en

consolare [konso'lare] agg
consulaire ■ vt consoler;
consolarsi vpr se consoler

consolato [konso'lato] sm
consulat m

consolazione [konsolat'tsjone] sf
consolation f

console ['kɔnsole] sm (*Amm*)
consul m

consonante [konso'nante] sf
consonne f

consono, -a ['kɔnsono] agg: **~ a**
conforme à

consorte [kon'sɔrte] sm/f époux
(épouse)

constatare [konsta'tare] vt
constater

consueto, -a [konsu'ɛto] agg
coutumier(-ière), habituel(le) ■ sm:
come di ~ comme d'habitude

consulente [konsu'lɛnte] sm/f
consultant m; **~ aziendale** conseiller
m de gestion; **~ legale** avocat-conseil
m; **~ tecnico** ingénieur-conseil m;
~ tributario conseil fiscal

consultare [konsul'tare] vt
consulter; **consultarsi** vpr se
consulter; **consultarsi con** consulter

consultorio [konsul'tɔrjo] sm:
~ familiare o **matrimoniale** ≈ centre
m de planification et d'éducation
familiale; **~ pediatrico** centre de
pédiatrie

consumare [konsu'mare] vt
consommer; (*logorare: scarpe, abito*)
user; **consumarsi** vpr s'user

contabile [kon'tabile] agg, sm/f
comptable m/f

contachilometri [kontaki'lɔmetri]
sm inv compteur m kilométrique

contadino, -a [konta'dino] sm/f
(*anche peg*) paysan(ne)

contagiare [konta'dʒare] vt
contaminer

contagioso, -a [konta'dʒoso] agg
contagieux(-euse)

contagocce [konta'gottʃe] sm inv
compte-gouttes msg; **col ~** (*fig*) au
compte-gouttes

contaminare [kontami'nare] vt
contaminer, infecter

contante [ko'tante] sm comptant m;
pagare in contanti payer comptant;
non ho contanti je n'ai pas de liquide

contare [kon'tare] vt compter ■ vi
compter; **~ su** compter sur; **~ di fare
qc** compter faire qch; **ha i giorni
contati** ses jours sont comptés; **ha le
ore contate** ses heures sont
comptées; **la gente che conta** les
personnalités en vue, le jet-set; **uno
che conta** un personnage influent

contatore [konta'tore] sm
compteur m

contattare [kontat'tare] vt contacter

contatto [kon'tatto] sm contact m;
mettersi in ~ con se mettre en
contact avec; **essere in ~ con** être en
contact avec; **fare ~** (*Elettr: fili*) faire
un court-circuit

conte ['konte] sm comte m

conteggiare [konted'dʒare] vt
compter, calculer

contegno [kon'teɲɲo] sm tenue f;
darsi un ~ se donner une contenance
(*ricomporsi*) reprendre contenance

contemporaneamente
[kontemporanea'mente] avv en
même temps, simultanément

contemporaneo, -a
[kontempo'raneo] *agg, sm/f*
contemporain(e)

contendente [konten'dɛnte] *sm/f*
adversaire *m/f*

contenere [konte'nere] *vt* contenir,
renfermer; (*reprimere*) contenir;
contenersi *vpr* se contenir

contenitore [konteni'tore] *sm*
récipient *m*

contentezza [konten'tettsa] *sf*
contentement *m*, joie *f*

contento, -a [kon'tento] *agg*
content(e); **~ di** content(e) de

contenuto, -a [konte'nuto] *agg*
contenu(e) ■ *sm* contenu *m*

contessa [kon'tessa] *sf* comtesse *f*

contestare [kontes'tare] *vt* (*Dir*)
notifier; (*fig*) contester;
contestare il sistema contester le système

contesto [kon'tɛsto] *sm* contexte *m*

continentale [kontinen'tale] *agg,
sm/f* continental(e)

continente [konti'nɛnte] *sm*
continent *m* ■ *agg* sobre

contingente [kontin'dʒɛnte] *agg*
contingent(e) ■ *sm* (*Comm, Mil*)
contingent *m*; **~ di leva** (*Mil*)
contingent de recrutement

continuamente [kontinua'mente]
avv continuellement;
(*frequentemente, ripetutamente*) tout
le temps

continuare [kontinu'are] *vt, vi*
continuer; **~ a fare qc** continuer à
faire qch; **continua a nevicare/a
fare freddo** il continue à neiger/à
faire froid

continuità [kontinui'ta] *sf*
continuité *f*

continuo, -a [kon'tinuo] *agg*
continuel(le); (*Mat, Elettr*) continu(e);
di ~ continuellement

conto ['konto] *sm* compte *m*; (*di
ristorante*) addition *f*; (*di albergo*) note
f; (*fig*) considération *f*, estime *f*; **il ~,
per favore** l'addition, s'il vous plaît;
lo metta sul mio ~ mettez-le sur mon
compte; **fare i conti con qn** (*fig*)
régler ses comptes avec qn; **fare ~ su
qn/qc** compter sur qn/qch; **fare ~
che** (*supporre*) supposer que; **rendere
~ a qn di qc** rendre compte à qn de
qch; **rendersi ~ di qc/che** se rendre

compte de qch/que; **tener ~ di qn/qc**
tenir compte de qn/qch; **tenere qc
da ~** prendre soin de qch; **per ~ di**
pour le compte de; **per ~ mio** pour
mon compte; (*da solo*) tout seul; **a
conti fatti, in fin dei conti** tout
compte fait; **ad ogni buon ~** en tout
cas; **di poco ~** de peu d'importance;
di nessun ~ d'aucune importance;
avere un ~ in sospeso con qn devoir
de l'argent à qn, être en dette avec qn;
(*fig*) avoir un compte à régler avec qn;
**mi hanno detto strane cose sul suo
~** ils m'ont dit des choses étranges sur
son compte; **~ alla rovescia** compte
à rebours; **~ capitale** compte capital;
~ cifrato compte numéroté;
~ corrente compte courant;
~ corrente postale compte chèque
postal; **~ economico** compte des
profits et pertes; **~ in partecipazione**
compte joint; **~ passivo** compte
passif; **~ profitti e perdite** compte
profits et pertes; **~ valutario** compte
en devises

contorno [kon'torno] *sm* (*linea*)
contour *m*; (*ornamento*) bordure *f*;
(*Cuc*) garniture *f*; **fare da ~ a** entourer

contorto, -a [kon'tɔrto] *pp di*
contorcere ■ *agg* tordu(e); (*fig*)
compliqué(e), contourné(e)

contrabbandiere, -a
[kontrabban'djɛre] *sm/f*
contrebandier(-ière)

contrabbando [kontrab'bando] *sm*
contrebande *f*; **merce di ~**
marchandise *f* de contrebande

contrabbasso [kontrab'basso] *sm*
(*Mus*) contrebasse *f*

contraccambiare
[kontrakkam'bjare] *vt* rendre;
per ~ pour rendre la politesse

contraccettivo, -a [kontrattʃet'tivo]
agg contraceptif(-ive) ■ *sm*
contraceptif *m*

contraccolpo [kontrak'kolpo] *sm*
(*di arma da fuoco*) recul *m*; (*fig*)
contrecoup *m*

contraddire [kontrad'dire] *vt*
contredire; **contraddirsi** *vpr* se
contredire; (*testimonianze*) être
contradictoire

contraffare [kontraf'fare] *vt* (*voce*)
contrefaire; (*firma*) contrefaire, imiter

contrariamente [kontrarja'mente]
avv: ~ **a** contrairement à

contrariare [kontra'rjare] *vt*
contrarier; **contrariarsi** *vpr* se
contrarier

contrario, -a [kon'trarjo] *agg*
(*opposto*): ~ **(a)** contraire (à); (*avverso:
vento*) contraire, debout; (*stagione,
giudizio*) défavorable ■ *sm* contraire
m; **essere ~ a** (*sfavorevole*) être contre,
s'opposer à; **avere qualcosa in ~**
avoir quelque chose contre; **non ho
niente in ~** je n'ai rien contre; **in caso
~** dans le cas contraire; **al ~** au
contraire

contrassegnare [kontrassen'nare]
vt marquer

contrastare [kontras'tare] *vt* faire
obstacle à, empêcher; (*diritto*)
contester; (*amore*) contrarier ■ *vi*:
~ **(con)** (*essere in disaccordo*) être en
contraste (avec); (*persona: litigare*) se
disputer (avec); (*giudizio, idea*) être en
contraste (avec)

contrattacco [kontrat'takko] *sm*
contre-attaque *f*; (*fig*) contre-
attaque, riposte *f*; **passare al ~** (*fig*)
contre-attaquer

contrattare [kontrat'tare] *vt*
négocier

contrattempo [kontrat'tɛmpo] *sm*
contretemps *msg*

contratto, -a [kon'tratto] *pp di*
contrarre ■ *sm* (*Dir*) contrat *m*;
~ **a termine** contrat à terme;
~ **collettivo di lavoro** convention *f*
collective; ~ **di acquisto** contrat
d'achat; ~ **di affitto** bail *m*, contrat
de location; ~ **di lavoro** contrat
de travail; ~ **di locazione** contrat
de location; ~ **di vendita** contrat
de vente

contravvenzione [kontravven'tsjone]
sf contravention *f*

contrazione [kontrat'tsjone] *sf*
contraction *f*; (*di prezzi*) réduction *f*

contribuente [kontribu'ɛnte] *sm/f*
contribuable *m/f*

contribuire [kontribu'ire] *vi*: ~ **a**
contribuer à; ~ **a fare qc** contribuer à
faire qch

contro ['kontro] *prep* contre ■ *sm*: **il
pro e il ~** le pour et le contre; ~ **di me/
lui** contre moi/lui; **pastiglie ~ la**

tosse pastilles *fpl* contre la toux;
girarsi ~ il muro se tourner vers le
mur; **sbattere ~ il tavolo** se cogner
à la table; ~ **ogni mia aspettativa**
contre toute attente; **per ~** par
contre; ~ **pagamento** (*Comm*) contre
paiement *m*

controfigura [kontrofi'gura] *sf*
(*Cine*) doublure *f*

controllare [kontrol'lare] *vt*
(*verificare*) contrôler; (*sorvegliare*)
surveiller; (*fig: dominare*) maîtriser;
controllarsi *vpr* se contrôler, se
maîtriser

controllo [kon'trollo] *sm* contrôle *m*;
(*sorveglianza*) surveillance *f*; (*di sé*)
maîtrise *f*; **sotto ~** (*Tel*) sous écoute;
di ~ (*visita*) de contrôle; ~ **delle
nascite** contrôle des naissances;
~ **di gestione** contrôle de gestion;
~ **di qualità** contrôle de qualité;
~ **doganale** contrôle douanier

controllore [kontrol'lore] *sm*
contrôleur(-euse); ~ **del traffico
aereo** o **di volo** contrôleur de la
navigation aérienne, contrôleur
aérien, aiguilleur *m* du ciel

controluce [kontro'lutʃe] *sf inv* (*Fot*)
contre-jour *m* ■ *avv*: **(in)** ~ (*essere,
fotografare*) à contre-jour

contromano [kontro'mano] *avv*
en sens contraire

controproducente
[kontroprodu'tʃɛnte] *agg* contre-
productif(-ive)

controsenso [kontro'sɛnso] *sm*
contresens *msg*

controspionaggio
[kontrospio'naddʒo] *sm* (*Mil*)
contre-espionnage *m*

controversia [kontro'vɛrsja] *sf*
controverse *f*; (*Dir*) différend *m*;
~ **sindacale** conflit *m* syndical

controverso, -a [kontro'vɛrso] *agg*
controversé(e)

controvoglia [kontro'vɔʎʎa] *avv*
à contrecœur

contusione [kontu'zjone] *sf* (*Med*)
contusion *f*

convalescente [konvaleʃ'ʃɛnte] *agg,
sm/f* convalescent(e)

convalidare [konvali'dare] *vt* (*Dir*)
valider; (*biglietto*) composter; (*fig:
dubbio, sospetto*) confirmer

convegno [kon'veɲɲo] *sm*
(*congresso*) congrès *msg*; (*luogo*) lieu *m*
de rendez-vous; **darsi ~** se donner
rendez-vous

convenevoli [konve'nevoli] *smpl*
politesses *fpl*

conveniente [konve'njɛnte] *agg*
avantageux(-euse), intéressant(e)

convenire [konve'nire] *vi* (*riunirsi*)
affluer; (*concordare*): **~ su** se mettre
d'accord sur; (*tornare vantaggioso*):
~ a être avantageux(-euse) pour **■** *vt*
convenir de **■** *vb impers* (*essere
doveroso*): **conviene andarsene** il
vaut mieux s'en aller; (*essere
vantaggioso*): **conviene fare** il vaut
mieux faire; **conviene che facciamo**
nous avons intérêt à faire; **ne
convengo** j'en conviens; **come
convenuto** comme convenu; **in data
da ~** à une date ultérieure; **come (si)
conviene ad una signorina** comme il
convient à une demoiselle

convento [kon'vɛnto] *sm* (*di frati*)
monastère *m*; (*di suore*) couvent *m*

convenzionale [konventsjo'nale]
agg conventionnel(le)

convenzione [konven'tsjone] *sf*
convention *f*; **le convenzioni
(sociali)** les conventions (sociales)

conversare [konver'sare] *vi*
converser, bavarder

conversazione [konversat'tsjone]
sf conversation *f*; **fare ~** causer,
bavarder

conversione [konver'sjone] *sf*
(*anche Inform*) conversion *f*; **~ ad U**
(*Aut*) demi-tour *m*

convertire [konver'tire] *vt* (*anche
Inform*) convertir; **convertirsi** *vpr*:
convertirsi (a) se convertir (à)

convesso, -a [kon'vɛsso] *agg* convexe

convincente [konvin'tʃɛnte] *agg*
convaincant(e)

convincere [kon'vintʃere] *vt*
convaincre; **convincersi** *vpr*:
convincersi (di qc) se convaincre (de
qch); **~ qn di qc** (*anche Dir*) convaincre
qn de qch; **~ qn a fare qc** convaincre
qn de faire qch

convivente [konvi'vɛnte] *sm/f*
concubin(e)

convivere [kon'vivere] *vi* cohabiter,
vivre ensemble

convocare [konvo'kare] *vt*
convoquer

convulsione [konvul'sjone] *sf*
convulsion *f*

cooperare [koope'rare] *vi*: **~ (a)**
coopérer (à)

cooperativa [koopera'tiva] *sf*
coopérative *f*

coordinare [koordi'nare] *vt*
coordonner

coperchio, -chi [ko'pɛrkjo] *sm*
couvercle *m*

coperta [ko'pɛrta] *sf* couverture *f*;
(*da viaggio*) plaid *m*, couverture (de
voyage); (*Naut*) pont *m*

copertina [koper'tina] *sf* couverture
f; (*di quaderno*) couverture, protège-
cahier *m*

coperto, -a [ko'pɛrto] *pp di* **coprire**
■ *agg* couvert(e) **■** *sm* (*a tavola*)
couvert *m*; **~ di** couvert(e) de; **al ~**
à couvert

copertone [koper'tone] *sm* (*Aut*)
pneu *m*; (*telo*) bâche *f*

copertura [koper'tura] *sf*
couverture *f*; **fare un gioco di ~**
(*Sport*) avoir un jeu défensif;
~ assicurativa couverture (d'un
risque) par une assurance

copia ['kɔpja] *sf* copie *f*; (*Fot*) épreuve
f; (*libro*) exemplaire *m*; **brutta ~**
brouillon *m*; **bella ~** propre *m*;
~ conforme (*Dir*) copie conforme;
~ omaggio exemplaire gratuit

copiare [ko'pjare] *vt* copier; (*imitare*)
imiter

copione [ko'pjone] *sm* (*Cine, Teatro*)
scénario *m*

coppa ['kɔppa] *sf* coupe *f*; **coppe** *sfpl*
(*Carte*) coupe *fsg*; **~ dell'olio** (*Aut*)
carter *m* d'huile

coppia ['kɔppja] *sf* couple *m*; (*due
oggetti*) paire *f*; (*Sport*) double *m*

coprifuoco, -chi [kopri'fwɔko] *sm*
couvre-feu *m*

copriletto [kopri'letto] *sm inv*
couvre-lit *m*, dessus-de-lit *m*

coprire [ko'prire] *vt* couvrir;
(*occupare: carica, posto*) occuper;
coprirsi *vpr* se couvrir; **~ qn di baci**
couvrir qn de baisers; **coprirsi di**
(*macchie, muffa*) se couvrir de; **~ le
spese** couvrir les frais; **coprirsi le
spalle** (*fig*) assurer ses arrières

coque [kɔk] sf: **uovo alla ~** œuf m à la coque

coraggio [ko'raddʒo] sm courage m; **~!** courage!; **farsi ~** se donner du courage; **hai un bel ~!** (sfacciataggine) tu as un sacré toupet!

corallo [ko'rallo] sm corail m; **il mar dei Coralli** la mer de Corail

Corano [ko'rano] sm (Rel) Coran m

corazza [ko'rattsa] sf cuirasse f; (di animali) carapace f; (Mil) blindage m

corda ['kɔrda] sf corde f; **dare ~ a qn** (fig) écouter qn; **tenere sulla ~ qn** (fig) tenir qn sur des charbons ardents; **tagliare la ~** (fig) filer à l'anglaise; **essere giù di ~** ne pas être en forme; (essere depresso) ne pas avoir le moral; **~ vocale** corde vocale

cordiale [kor'djale] agg cordial(e) ■ sm cordial m

cordless ['kɔrdles] sm inv téléphone m sans fil

cordone [kor'done] sm cordon m; **~ ombelicale** cordon ombilical; **~ sanitario** cordon sanitaire

coreografia [koreogra'fia] sf chorégraphie f

coriandolo [ko'rjandolo] sm (spezia) coriandre f; **coriandoli** smpl (per carnevale ecc) confettis mpl

cornacchia [kor'nakkja] sf corneille f

cornamusa [korna'muza] sf cornemuse f

cornetta [kor'netta] sf (Mus) cornet m (à pistons); (Tel) récepteur m, combiné m

cornetto [kor'netto] sm (brioche) croissant m; (gelato) cornet m; **~ acustico** (Med) cornet m acoustique

cornice [kor'nitʃe] sf cadre m, encadrement m; (fig) cadre m, décor m

cornicione [korni'tʃone] sm corniche f

FALSI AMICI
cornicione non si traduce mai con la parola francese **cornichon**.

corno ['kɔrno] sm (Zool: pl(f) corna) corne f; (Mus) cor m; **le corna del cervo** les bois du cerf; **fare le corna a qn** tromper qn; **dire peste e corna di qn** dire pis que pendre de qn; **un ~!** des clous!, des prunes!

Cornovaglia [korno'vaʎʎa] sf Cornouailles f

cornuto, -a [kor'nuto] agg cornu(e); (fam!: marito, moglie) cocu(e)

coro ['kɔro] sm chœur m

corona [ko'rona] sf couronne f

corpo ['kɔrpo] sm corps msg; (di opere) corpus msg; **a ~ a ~** corps à corps; **prendere ~** prendre corps; **darsi anima e ~ a** se vouer corps et âme à; **~ celeste** corps céleste; **~ d'armata** corps d'armée; **~ dei carabinieri** ≈ corps de gendarmerie; **~ del reato** corps du délit; **~ di ballo** corps de ballet; **~ di guardia** corps de garde; **~ diplomatico** corps diplomatique; **~ insegnante** corps enseignant

corporatura [korpora'tura] sf taille f, corps msg

correggere [kor'reddʒere] vt corriger

corrente [kor'rɛnte] agg courant(e) ■ sm: **essere/mettere al ~ (di)** être/ mettre au courant (de) ■ sf courant m; **la vostra lettera del 5 ~ mese** (Comm) votre lettre du 5 courant; **articoli di qualità ~** articles de qualité courante; **contro ~** à contre-courant; **ci sono forti correnti?** est-ce qu'il y a de forts courants?; **~ alternata/continua** courant alternatif/continu

correntemente [korrente'mente] avv couramment; **parlare una lingua ~** parler couramment une langue

correre ['korrere] vi courir; (veicolo) rouler ■ vt (gara, rischio) courir; **~ dietro a qn** courir après qn; **corre voce che...** le bruit court que...

corressi ecc [kor'rɛssi] vb vedi **correggere**

correzione [korret'tsjone] sf correction f; **~ di bozze** correction d'épreuves

corridoio [korri'dojo] sm couloir m; **manovre di ~** (Pol) intrigues mpl de couloir; **vorrei un posto sul ~** je voudrais une place côté couloir

corridore [korri'dore] sm coureur m

corriera [kor'rjɛra] sf car m, autocar m

corriere [kor'rjɛre] sm courrier m; (per trasporto merci) transporteur m

corrimano [korri'mano] sm main f courante

corrispondente [korrispon'dɛnte] agg, sm/f correspondant(e)

corrispondenza [korrispon'dɛntsa] sf correspondance f; (lettere) correspondance, courrier m; ~ **in arrivo/in partenza** courrier du jour/ en partance

corrispondere [korris'pondere] vt (sentimenti) payer de retour, partager; (stipendio) payer, verser ▪ vi (equivalere): ~ **a** correspondre à; ~ **con** (essere in rapporto epistolare) correspondre avec

corrodere [kor'rodere] vt corroder

corrompere [kor'rompere] vt corrompre

corroso, -a [kor'roso] pp di **corrodere**

corrotto, -a [kor'rotto] pp di **corrompere** ▪ agg corrompu(e)

corrugare [korru'gare] vt: ~ **la fronte** plisser le front

corruppi ecc [kor'ruppi] vb vedi **corrompere**

corruzione [korrut'tsjone] sf corruption f; ~ **di minorenne** (Dir) détournement m de mineur

corsa ['korsa] sf course f; (di autobus) trajet m; **fare una ~** faire une course; (fig) faire un saut; (Sport) courir; **andare o essere di ~** être pressé(e); ~ **ad ostacoli** (Ippica) course d'obstacles; (Atletica) course de haies; ~ **campestre** cross-country m

corsi ecc ['korsi] vb vedi **correre**

corsia [kor'sia] sf (Aut) voie f; (di pista) couloir m; (di ospedale) salle f; ~ **di sorpasso** (Aut) voie de dépassement; ~ **preferenziale** couloir d'autobus; (fig) traitement m de faveur

corsivo, -a [kor'sivo] agg cursif(-ive) ▪ sm (Tip) italique m; **in ~** en italique

corso, -a ['korso] pp di **correre** ▪ agg corse ▪ sm/f Corse m/f ▪ sm cours msg; (strada) boulevard m, cours; (: per passeggiare) cours; **dar libero ~ a** donner libre cours à; **nel ~ di** au cours de; **in ~** (anno) courant(e); **"lavori in ~"** "travaux"; **aver ~ legale** avoir cours; ~ **d'acqua** (naturale) cours d'eau; (artificiale) voie f d'eau; ~ **serale** cours mpl du soir

corte ['korte] sf cour f; **fare la ~ a qn** faire la cour à qn; **C~ Costituzionale** Cour constitutionnelle; ~ **d'appello** cour d'appel; **C~ dei Conti** Cour des comptes; ~ **di cassazione** cour de cassation; ~ **marziale** cour martiale

corteccia, -ce [kor'tettʃa] sf écorce f

corteggiare [korted'dʒare] vt courtiser

corteo [kor'tɛo] sm cortège m; ~ **funebre** cortège funèbre; ~ **nuziale** cortège nuptial

cortese [kor'teze] agg aimable, poli(e)

cortesia [korte'zia] sf courtoisie f; **per ~** s'il te plaît, s'il vous plaît; **fare una ~ a qn** rendre un service à qn; **per ~, dov'è...?** pardon, où est...?

cortile [kor'tile] sm cour f

cortina [kor'tina] sf rideau m

corto, -a ['korto] agg court(e) ▪ avv: **tagliare ~** couper court; **essere a ~ di qc** être à court de qch; **la settimana corta** la semaine anglaise; ~ **circuito** court-circuit m

corvo ['korvo] sm corbeau m

cosa ['kɔsa] sf (oggetto) chose f; (faccenda) affaire f; **(che) ~?** quoi?, hein?; **(che) cos'è?** qu'est-ce que c'est?; **a ~ pensi?** à quoi penses-tu?; **a cose fatte** (dopo breve tempo) après coup; (dopo lungo tempo) rétrospectivement; **tante belle cose!** bien des choses!; **ormai è ~ fatta!** (positivo) voilà qui est fait!; (negativo) maintenant c'est fait!; **è una ~ da niente** ce n'est pas grave

coscia, -sce ['kɔʃʃa] sf (Anat) cuisse f; ~ **di pollo** cuisse de poulet

cosciente [koʃʃɛnte] agg conscient(e); ~ **di** conscient(e) de

 PAROLA CHIAVE

così [ko'si] avv **1** (in questo modo) ainsi, comme cela; (in tal modo) de cette façon; **le cose stanno così** il en est ainsi; **non ho detto così!** je n'ai pas dit cela!, ce n'est pas ce que j'ai dit!; **come stai? - così così** comment vas-tu? - comme ci comme ça; **e così via** et ainsi de suite; **per così dire** pour ainsi dire

2 (tanto) (aus)si; **così lontano** (aus)si loin; **è un ragazzo così intelligente** c'est un garçon si intelligent ■ agg inv (tale) tel(le), pareil(le); **non ho mai visto un film così** je n'ai jamais vu un film pareil ■ cong **1** (perciò) comme ça, et ainsi; **e così ho deciso di lasciarlo** et alors j'ai décidé de le quitter **2**: **così… come** comme, aussi… que; **non è così bravo come te** il n'est pas aussi fort que toi; **non è così intelligente come sembra** il n'est pas aussi intelligent qu'il le paraît; **non sei venuto così presto come avevi promesso** tu n'es pas venu aussi tôt que tu l'avais promis; **così… che** si… que; **ero così stanco che non riuscivo a lavorare** j'étais si fatigué que je n'arrivais pas à travailler; **così sia** (amen) ainsi soit-il

cosiddetto, -a [kosid'detto] agg soi-disant inv

cosmetico, -a [koz'metiko] agg, sm cosmétique (m)

cospargere [kos'pardʒere] vt: **~ di** (di sale, zucchero ecc) saupoudrer de; (di cenere) cendrer; (di ghiaia) couvrir de

cospicuo, -a [kos'pikuo] agg considérable, important(e)

cospirare [kospi'rare] vi conspirer

cossi ecc [kɔssi] vb vedi **cuocere**

costa ['kɔsta] sf côte f; **navigare sotto ~** longer la côte; **velluto a coste** velours msg côtelé; **la C~ Azzurra** la Côte d'Azur; **la C~ d'Avorio** la Côte d'Ivoire

costante [kos'tante] agg constant(e) ■ costante f

costare [kos'tare] vi, vt coûter; **~ caro** coûter cher; **quanto costa?** ça coûte combien?; **costi quel che costi** coûte que coûte

costata [kos'tata] sf (Cuc) entrecôte f

costeggiare [kosted'dʒare] vt côtoyer, longer

costiero, -a [kos'tjɛro] agg côtier(-ière)

costituire [kostitu'ire] vt constituer; **costituirsi** vpr se constituer; **costituirsi alla polizia** se constituer prisonnier; **costituirsi parte civile** (Dir) se constituer partie civile; **il**

fatto non costituisce reato ce fait ne constitue pas un délit

costituzione [kostitut'tsjone] sf constitution f

costo ['kɔsto] sm coût m; **a ~ di** au risque de; **a ~ di rimpiangere di…** quitte à regretter de…; **a ogni** o **qualunque ~, a tutti i costi** à tout prix; **sotto ~** au-dessous du prix; **costi di esercizio** frais mpl d'exploitation; **costi fissi** coûts o frais fixes; **costi di gestione** frais de gestion; **costi di produzione** frais de production

costola ['kɔstola] sf (Anat) côte f; **avere qn alle costole** (fig) avoir qn sur le dos

costoso, -a [kos'toso] agg coûteux(-euse)

costringere [kos'trindʒere] vt obliger, contraindre; **~ qn a fare qc** obliger qn à faire qch

costruire [kostru'ire] vt construire, bâtir; (Ling, fig: teoria) construire

costruzione [kostrut'tsjone] sf (atto del costruire, Ling) construction f; (opera costruita) construction f, bâtiment m; **di ~ inglese** fabriqué en Grande Bretagne

costume [kos'tume] sm (abitudine) habitude f; (uso, di Carnevale, tradizionale) coutume f; (condotta morale) mœurs fpl; **i costumi** (di popolazione) les coutumes; **donna di facili costumi** femme f de mœurs légères; **~ (da bagno)** maillot m de bain

cotenna [ko'tenna] sf couenne f

cotoletta [koto'letta] sf (Cuc) côtelette f

cotone [ko'tone] sm coton m; **~ idrofilo** coton hydrophile

cotta ['kɔtta] sf (fam: innamoramento) béguin m

cottimo ['kɔttimo] sm: **a ~** (lavorare, pagare) à la pièce

cotto, -a ['kɔtto] pp di **cuocere** ■ agg cuit(e); (fam: innamorato) amoureux fou (amoureuse folle) ■ sm (terracotta) terre f cuite; **~ a puntino** cuit à point; **dirne di cotte e di crude a qn** dire à qn ses quatre vérités; **farne di cotte e di crude** en faire des vertes et des pas mûres;

mattone di ~ brique f; **pavimento in ~** sol m carrelé

cottura [kot'tura] sf cuisson f; **~ a fuoco lento** cuisson à feu doux

covare [ko'vare] vt, vi (anche fig) couver

covo ['kovo] sm tanière f; (di ladri, malviventi) repaire m; **~ di terroristi** repaire de terroristes

covone [ko'vone] sm gerbe f, meule f

cozza ['kɔttsa] sf moule f

cozzare [kot'tsare] vi: **~ contro** cogner (contre); (fig) se heurter à

crampo ['krampo] sm crampe f; **ho un ~ alla gamba** j'ai une crampe à la jambe

cranio ['kranjo] sm crâne m

cratere [kra'tɛre] sm cratère m

cravatta [kra'vatta] sf cravate f; **~ a farfalla** nœud m papillon

creare [kre'are] vt créer

crebbi ecc ['krebbi] vb vedi **crescere**

credente [kre'dɛnte] sm/f (Rel) croyant(e)

credenza [kre'dɛntsa] sf (fede) croyance f; (convinzione) conviction f; (fiducia) créance f; (armadio) buffet m, desserte f

credere ['kredere] vt, vi croire; **credersi** vpr: **credersi furbo** se croire malin; **~ in Dio/in qn** croire en Dieu/en qn; **~ a o in** (amicizia, valori, parole) croire à o en; **gli credo** je le crois; **lo credo bene!** je crois bien!; **fai quello che credi, fai come credi** fais comme tu veux, fais ce que tu veux

credito ['kredito] sm (anche Comm) crédit m; (somma dovuta) créance f; (considerazione) considération f; **comprare a ~** acheter à crédit; **~ agevolato** facilités fpl de crédit; **~ d'imposta** crédit d'impôt; **~ esigibile** créance f exigible

crema ['krɛma] sf (anche fig, CUC) crème f; (da scarpe) cirage m; **vorrei una ~ solare con fattore di protezione 6** je voudrais une crème solaire d'indice de protection 6; **~ idratante** crème hydratante; **~ pasticciera** crème pâtissière; **~ solare** crème solaire

cremare [kre'mare] vt incinérer

crepa ['krɛpa] sf (nel terreno) crevasse f; (nel muro, nel pavimento) fissure f, lézarde f

crepaccio, -ci [kre'pattʃo] sm crevasse f

crepacuore [krepa'kwɔre] sm: **morire di ~** mourir de chagrin

crepare [kre'pare] vi crever; **~ dalle risa/d'invidia** crever de rire/de jalousie

crêpe [krɛp] sf inv crêpe f

crepuscolo [kre'puskolo] sm crépuscule m

crescere ['kreʃʃere] vi grandir; (pianta) pousser, croître; (rumore, prezzo, paura) augmenter; (numero) augmenter, croître ■ vt (figli) élever

cresima ['krɛzima] sf (Rel) confirmation f

crespo, -a ['krespo] agg (capelli) crépu(e); (tessuto) crêpé(e) ■ sm crêpe m

cresta ['kresta] sf crête f; **alzare la ~** (fig) devenir trop sûr(e) de soi; **abbassare la ~** (fig) se dégonfler; **fare abbassare la ~ a qn** rabaisser son caquet à qn; **essere sulla ~ dell'onda** (fig: persona) être au sommet de la gloire

creta ['kreta] sf terre f glaise

cretinata [kreti'nata] sf (fam): **dire/fare una ~** dire/faire une ânerie

cretino, -a [kre'tino] agg, sm/f crétin(e)

CRI abbr (= Croce Rossa Italiana) ≈ CRF f

cric [krik] sm inv (Tecn) cric m, vérin m

criceto [kri'tʃɛto] sm hamster m

criminale [krimi'nale] agg, sm/f criminel(le)

criminalità [kriminali'ta] sf criminalité f; **~ organizzata** crime m organisé

crimine ['krimine] sm (Dir) crime m

criptare [krip'tare] vt (trasmissione) brouiller

crisantemo [krizan'tɛmo] sm chrysanthème m

crisi ['krizi] sf inv crise f; **essere in ~** (partito, impresa ecc) être en crise; **~ di nervi** (persona) crise de nerfs; **~ energetica** crise énergétique

cristallo [kris'tallo] sm cristal m; **cristalli liquidi** cristaux liquides

cristianesimo [kristja'nezimo] sm christianisme m

cristiano, -a [kris'tjano] agg, sm/f chrétien(ne); **un povero ~** (fig) un

pauvre homme; **comportarsi da ~**
(fig) se comporter de façon civilisée
Cristo ['kristo] *sm* Christ *m*; **(un)**
povero cristo un pauvre homme
criterio [kri'tεrjo] *sm* critère *m*;
(buon senso) jugement *m*
critica, -che ['kritika] *sf* critique *f*
criticare [kriti'kare] *vt* critiquer
critico, -a, -ci, -che ['kritiko] *agg, sm*
critique *(m)*
croato, -a [kro'ato] *agg* croate
■ *sm/f* Croate *m/f*
Croazia [kro'attsja] *sf* Croatie *f*
croccante [krok'kante] *agg*
croustillant(e) ■ *sm (Cuc)* nougat *m*
croce ['krotʃe] *sf* croix *fsg*; **in ~** *(di*
traverso) en croix; *(fig)* sur des
charbons ardents; **mettere in ~** *(fig)*
tourmenter; **C~ Rossa** Croix-Rouge *f*;
~ uncinata croix gammée
crociata [kro'tʃata] *sf* croisade *f*
crociera [kro'tʃεra] *sf* croisière *f*;
velocità di ~ *(Aer, Naut)* vitesse *f*
de croisière
crocifisso [krotʃi'fisso] *pp di*
crocifiggere ■ *sm* crucifix *msg*
crollare [krol'lare] *vi (anche fig)*
s'écrouler, s'effondrer; *(fig: per stress)*
flancher, lâcher; **dopo mesi di lavoro**
è crollato après des mois de travail il a
flanché; **i suoi nervi sono crollati** ses
nerfs ont lâché
crollo ['krɔllo] *sm* écroulement *m*,
effondrement *m*; *(fig, Econ)*
effondrement; **~ in Borsa** krach *m*
boursier
cromato, -a [kro'mato] *agg*
chromé(e)
cromo ['krɔmo] *sm* chrome *m*
cronaca, -che ['krɔnaka] *sf*
chronique *f*; **fatto o episodio di ~** fait
m divers; **~ nera** faits *mpl* divers
cronico, -a, -ci, -che ['krɔniko] *agg*
chronique
cronista, -i [kro'nista] *sm/f (Stampa)*
chroniqueur(-euse)
cronometro [kro'nɔmetro] *sm*
(orologio) chronomètre *m*; *(cronografo)*
chronographe *m*
crosta ['krɔsta] *sf (anche fig: quadro)*
croûte *f*; *(di ghiaccio)* couche *f*; *(Zool)*
carapace *f*
crostacei [kros'tatʃei] *smpl*
crustacés *mpl*

crostata [kros'tata] *sf (Cuc)* tarte *f*
crostino [kros'tino] *sm (Cuc)*
croûton *m*
cruciale [kru'tʃale] *agg* crucial(e)
cruciverba [krutʃi'vεrba] *sm inv*
mots *mpl* croisés
crudele [kru'dεle] *agg* cruel(le)
crudo, -a ['krudo] *agg* cru(e); *(clima,*
inverno) rude; *(fig: parole)* dur(e);
(: spietato) cruel(le)
crumiro [kru'miro] *sm (peg)* briseur
m de grève, jaune *m*
crusca ['kruska] *sf* son *m (résidu de*
mouture)
cruscotto [krus'kɔtto] *sm (Aut)*
tableau *m* de bord
CSI [tʃiεsse'i] *sigla f (= Comunità di Stati*
Indipendenti) CEI *f*
CSM [tʃi'esse'emme] *sigla m*
(= Consiglio Superiore della
Magistratura) CSM *m*
Cuba ['kuba] *sf* Cuba *m*
cubano, -a [ku'bano] *agg* cubain(e)
■ *sm/f* Cubain(e)
cubetto [ku'betto] *sm* petit cube *m*;
~ di ghiaccio glaçon *m*
cubico, -a, -ci, -che ['kubiko] *agg*
cubique
cubista, -i, -e ['kubista] *agg (Arte)*
cubiste ■ *sf* danseuse *f* sur un
podium
cubo, -a ['kubo] *agg* cube ■ *sm*
(anche di discoteca) cube *m*; **elevare al**
~ *(Mat)* élever au cube
cuccagna [kuk'kaɲɲa] *sf*: **albero**
della ~ mât *m* de cocagne; **paese**
della ~ pays *m* de cocagne
cuccetta [kut'tʃetta] *sf (Ferr, Naut)*
couchette *f*
cucchiaiata [kukkja'jata] *sf*
cuillerée *f*
cucchiaino [kukkja'ino] *sm (petite)*
cuiller *f*, cuillère *f* à café
cucchiaio [kuk'kjajo] *sm* cuiller *f*,
cuillère *f*; *(cucchiaiata)* cuillerée *f*
cuccia, -ce ['kuttʃa] *sf* niche *f*; **a ~!**
couché!
cucciolo ['kuttʃolo] *sm* chiot *m*;
(piccolo) petit *m*
cucina [ku'tʃina] *sf* cuisine *f*;
(apparecchio) cuisinière *f*;
~ componibile cuisine à éléments;
~ economica fourneau *m*
cucinare [kutʃi'nare] *vt* cuisiner

cucire [ku'tʃire] vt coudre; **~ la bocca a qn** (fig) clore le bec à qn

cucitrice [kutʃi'tritʃe] sf (per fogli) agrafeuse f; (per libri) brocheuse f

cucù [ku'ku] sm inv (Zool, nel gioco) coucou m; **orologio a ~** (pendule f à) coucou

cuffia ['kuffja] sf coiffe f; (da bagno) bonnet m de bain; (per ascoltare) casque m, écouteurs mpl

cugino, -a [ku'dʒino] sm/f cousin(e)

⬤ PAROLA CHIAVE

cui ['kui] pron 1 (complemento di termine): **(a) cui** (persona) à qui, auquel (à laquelle); (animale, cosa) auquel (à laquelle); (ai quali) à qui, auxquels (auxquelles); **la persona a cui accennavo** la personne à qui o à laquelle je faisais allusion; **le persone a cui accennavo** les personnes à qui o auxquelles je faisais allusion
2 (con altre preposizioni: persona) qui, lequel (laquelle); (: cosa) lequel (laquelle); (pl) lesquels (lesquelles); **la penna con cui scrivo** le stylo avec lequel j'écris; **il paese da cui viene** le pays d'où il vient; **il medico da cui è in cura** le médecin chez qui il va; **parla varie lingue, fra o tra cui l'inglese** elle parle plusieurs langues, dont l'anglais; **il quartiere in cui abita** le quartier dans lequel il habite; **vista la maniera in cui ti ha trattato** vu la façon dont il t'a traité; **la ragione per cui ho taciuto** la raison pour laquelle je me suis tu; **per cui non so più che fare** si bien que je ne sais plus quoi faire
3 (inserito tra articolo e sostantivo) dont; **la donna i cui figli sono scomparsi** la femme dont les enfants ont disparu; **il signore, dal cui figlio ho avuto il libro** le monsieur dont le fils m'a donné le livre; **uno scienziato il cui nome tutti ricordano** un savant dont tout le monde se rappelle le nom; **la signora, la cui figlia ho incontrato** la dame dont j'ai rencontré la fille

culinaria [kuli'narja] sf art m culinaire

culla ['kulla] sf berceau m

cullare [kul'lare] vt bercer; **cullarsi** vpr: **cullarsi in vane speranze** (fig) se bercer de vaines illusions; **cullarsi nel dolce far niente** (fig) se laisser aller au farniente

culmine ['kulmine] sm sommet m, faîte m

culo ['kulo] sm (fam!) cul m (fam!); (: fig: fortuna): **aver ~** avoir du pot; **prendere qn per il ~** (fam!) se foutre de qn (fam!)

culto ['kulto] sm culte m

cultura [kul'tura] sf culture f; **di ~** (persona) cultivé(e); (istituto) culturel(le); **~ di massa** culture de masse; **~ generale** culture générale

culturale [kultu'rale] agg culturel(le)

culturismo [kultu'rizmo] sm culturisme m

cumulativo, -a [kumula'tivo] agg (prezzo) d'ensemble; (biglietto) de groupe

cumulo ['kumulo] sm (di macerie, spazzatura) tas msg; (di funzioni, redditi, pene) cumul m; (Meteor) cumulus msg

cunetta [ku'netta] sf (di strada) cassis m; (scolo) caniveau m

cuocere ['kwɔtʃere] vt, vi cuire; **~ a vapore/al forno/in padella/in umido** cuire à la vapeur/au four/à la poêle/à l'étouffée

cuoco, -a, -chi, -che ['kwɔko] sm/f cuisinier(-ière)

cuoio ['kwɔjo] sm cuir m; **cuoia** sfpl: **tirare le cuoia** (morire) casser sa pipe; **~ capelluto** (Anat) cuir chevelu

cuore ['kwɔre] sm cœur m; **cuori** smpl (Carte) cœur msg; **avere buon ~** avoir bon cœur; **stare a ~ a qn** tenir à cœur à qn; **nel ~ di** (giungla) au cœur de; (notte) en plein milieu de; **un grazie di ~** merci de tout cœur; **ringraziare di ~** remercier de tout cœur; **nel profondo del (mio) ~** au fond de mon cœur; **con la morte nel ~** la mort dans l'âme

cupo, -a ['kupo] agg (colore) foncé(e), sombre; (notte, fig: persona, tono) sombre; (suono) sourd(e)

cupola ['kupola] sf coupole f, dôme m

cura ['kura] sf soin m; (Med) traitement m; **aver ~ di qn**

(*occuparsi di*) avoir soin de qn; **prendersi ~ di** prendre soin de; **a ~ di** (*libro, articolo*) sous la direction de; **fare una ~** suivre un traitement; **~ dimagrante** cure f d'amaigrissement, régime m; **cure termali** cure fsg thermale

curare [ku'rare] vt soigner; (*aver cura di*) avoir o prendre soin de; (*testo*) préparer pour la publication; **curarsi** vpr se soigner; **curarsi di** (*prestare attenzione*) prêter attention à; (*occuparsi di*) s'occuper de

curiosare [kurjo'sare] vi fureter, fouiller; **~ nei negozi** fouiner dans les magasins; **~ nelle faccende altrui** mettre son nez dans les affaires des autres

curiosità [kurjosi'ta] sf curiosité f

curioso, -a [ku'rjoso] agg (*anche bizzarro*) curieux(-euse); (*ficcanaso*) curieux(-euse), fouineur(-euse) ◼ sm/f curieux(-euse); **essere ~ di sapere se...** être curieux(-euse) de savoir si...; **una folla di curiosi** une foule de curieux

cursore [kur'sore] sm (*Inform*) curseur m

curva ['kurva] sf courbe f; (*stradale*) virage m, tournant m

curvare [kur'vare] vt courber ◼ vi tourner; **curvarsi** vpr (*diventar curvo*) se courber

curvo, -a ['kurvo] agg (*linea*) courbe; (*schiena, persona*) courbé(e); (*: verso qc o qn*) penché(e); (*: con le spalle*) voûté(e)

cuscinetto [kuʃʃi'netto] sm (*Tecn*) roulement m, palier m; **~ a sfere** (*Tecn*) roulement à billes

cuscino [kuʃ'ʃino] sm (*guanciale*) oreiller m; (*su divano*) coussin m

custode [kus'tɔde] sm/f gardien(ne)

custodia [kus'tɔdja] sf garde f; (*astuccio*) étui m; **avere qc in ~** garder qch; **dare qc in ~ a qn** confier qch à qn; **agente di ~** gardien(ne) de prison; **~ cautelare** (*Dir*) détention f préventive; **~ delle carceri** surveillance f des prisons

custodire [kusto'dire] vt garder

CV abbr (= *curriculum vitae*) CV m

cybercaffè [tʃiberkaf'fɛ] sm inv cybercafé m

cybernauta, -i, -e [tʃiber'nauta] sm/f cybernaute m/f

cyberspazio [tʃiber'spattsjo] sm cyberespace m

d

5 (*provenienza, allontanamento*) de; **arrivare/partire da Milano** arriver/partir de Milan; **scendere dal treno/dalla macchina** descendre du train/de (la) voiture; **arrivo ora dalla stazione** j'arrive à l'instant de la gare; **viene dalla Francia** il vient de France; **ti chiamo da una cabina** je t'appelle d'une cabine; **viene da una famiglia povera** il vient d'une famille pauvre; **si trova a 5 km da Roma** c'est à 5 km de Rome; **devi fuggire da qui** tu dois t'enfuir d'ici

6 (*tempo*) depuis; (: *nel futuro*) à partir de; **vivo qui da un anno** je vis ici depuis un an; **è dalle 3 che ti aspetto** je t'attends depuis 3 heures; **da bambino piangevo sempre** quand j'étais enfant, je pleurais toujours; **da mattina a sera** du matin au soir; **da oggi in poi** à partir d'aujourd'hui

7 (*modo, maniera*) en, en tant que, comme; **comportarsi da uomo** se comporter comme un homme; **non è da lui** cela ne lui ressemble pas; **l'ho fatto da me** je l'ai fait tout seul

8 (*descrittivo*): **una macchina da corsa** une voiture de course; **una ragazza dai capelli biondi** une fille aux cheveux blonds; **sordo da un orecchio** sourd d'une oreille; **abbigliamento da uomo** vêtements *mpl* pour homme; **qualcosa da bere/mangiare** quelque chose à boire/manger; **un vestito da 400 euro** une robe de 400 euros; **una banconota da 5** un billet de 5; **è una cosa da poco** ce n'est pas grave; (*regalo ecc*) c'est peu de chose

PAROLA CHIAVE

da [da] (*da + il* = **dal**, *da + lo* = **dallo**, *da + l'* = **dall'**, *da + la* = **dalla**, *da + i* = **dai**, *da + gli* = **dagli**, *da + le* = **dalle**) *prep*
1 (*agente*) par; **scritto da un ragazzo di 15 anni** écrit par un garçon de 15 ans; **dipinto da un grande artista** peint par un grand artiste
2 (*causa*) de; **tremare dalla paura/dal freddo** trembler de peur/de froid; **urlare dal dolore** hurler de douleur
3 (*stato in luogo*) chez; **abito da lui** j'habite chez lui; **sono dal giornalaio** je suis chez le marchand de journaux; **ero da Francesco** j'étais chez Francesco
4 (*moto a luogo*) chez; (*moto per luogo*) par; **vado dal giornalaio** je vais chez le marchand de journaux; **vado da Pietro** je vais chez Pietro; **sono passati dalla finestra** ils sont passés par la fenêtre; **è meglio che passi dal retro** il vaut mieux qu'il passe par derrière

dà [da] *vb vedi* **dare**
daccapo, da capo [dak'kapo] *avv* de nouveau; (*dal principio*) depuis le début
dado ['dado] *sm* (*anche Gioco*) dé *m*; (*Cuc*) cube *m*; (*Tecn*) écrou *m*; **dadi** *smpl* (*Gioco*) dés *mpl*
daino ['daino] *sm* daim *m*; (**pelle di**) ~ peau *f* de chamois
daltonico, -a, -ci, -che [dal'tɔniko] *agg* (*Med*) daltonien(ne)
dama ['dama] *sf* dame *f*; (*di ballerino*) cavalière *f*; (*Gioco*) jeu *m* de dames; **giocare a** ~ jouer aux dames; **far** ~

damer; **~ di compagnia** dame o demoiselle f de compagnie; **~ di corte** dame d'honneur

damigiana [dami'dʒana] sf bonbonne f

danese [da'nese] agg danois(e) ■ sm/f Danois(e) ■ sm danois m

Danimarca [dani'marka] sf Danemark m

dannazione [dannat'tsjone] sf damnation f ■ escl misère!

danneggiare [danned'dʒare] vt abîmer; (macchina, apparecchio) endommager; (persona, reputazione) faire o causer du tort à; **la parte danneggiata** (Dir) la partie lésée

danno ['danno] vb vedi **dare** ■ sm dommage m; (a persone) préjudice m, tort m; **danni** smpl (Dir) dommages et intérêts mpl; **subire/causare** o **far ~** (persona) subir/causer un préjudice; **a ~ di qn** au détriment de qn; **chiedere i danni** demander des dommages et intérêts; **risarcire i danni a qn** dédommager qn

dannoso, -a [dan'noso] agg **~ (a, per)** nuisible (à), mauvais(e) (pour)

Danubio [da'nubjo] sm Danube m

danza ['dantsa] sf danse f

danzare [dan'tsare] vt, vi danser

dappertutto [dapper'tutto] avv partout

dapprima [dap'prima] avv tout d'abord

dare ['dare] sm (Comm) doit m, débit m ■ vt donner ■ vi (guardare): **~ su** donner sur; **darsi** vpr se donner; **darsi a** (dedicarsi) se consacrer à; (al gioco, ai vizi) s'adonner à; **il ~ e l'avere** (Econ) le doit et l'avoir; **~ a intendere a qn che** donner à entendre à qn que; **~ da mangiare a qn** donner à manger à qn; **~ per buono** croire; **~ qn per morto** donner qn pour mort; **~ sui nervi** taper sur les nerfs; **~ qc per scontato** donner qch pour sûr; **~ alla testa** (vino, fig) monter à la tête; **darsi al bere** s'adonner à la boisson; **darsi alla bella vita** mener joyeuse vie; **darsi ammalato** se faire porter malade; **darsi da fare per fare qc** se donner de la peine o du mal pour faire qch; **darsi per vinto** (fig) s'avouer vaincu; **può darsi** peut-être; **può darsi che** il se peut que, peut-être que; **darsela a gambe** se sauver à toutes jambes; **si dà il caso che...** il se trouve que...; **quanti anni mi dai?** quel âge me donnes-tu?; **danno ancora quel film?** il passe encore ce film?; **gli ha dato un figlio** elle lui a donné un enfant; **ciò mi dà da pensare** cela me fait penser

data ['data] sf date f; **in ~ da destinarsi** à une date ultérieure; **in ~ odierna** à ce jour; **amicizia di lunga** o **vecchia ~** amitié de longue o vieille date; **~ di emissione** date d'émission; **~ di nascita** date de naissance; **~ di scadenza** (di cambiale) date d'échéance; (di prodotto) date d'expiration

dato, -a ['dato] agg donné(e) ■ sm donnée f; **dati** smpl (informazioni) données fpl; **~ che** étant donné que; **in dati casi** dans certains cas; **un ~ di fatto** un fait établi; **dati sensibili** informations fpl sensibles

datore, -trice [da'tore] sm/f: **~ di lavoro** employeur m

dattero ['dattero] sm datte f

dattilografia [dattilogra'fia] sf dactylographie f

dattilografo, -a [datti'lɔgrafo] sm/f dactylo m/f

davanti [da'vanti] avv devant; (dirimpetto) en face; (nella parte anteriore) à l'avant ■ agg inv (zampe) de devant; (parte) avant ■ sm inv devant m ■ prep: **~ a** devant

davanzale [davan'tsale] sm rebord m

davvero [dav'vero] avv vraiment; **dico ~** je parle sérieusement

d.C. abbr avv (= dopo Cristo) ap. J.-C.

dea ['dɛa] (pl **dee**) sf déesse f

debbo ecc ['dɛbbo] vb vedi **dovere**

debito, -a ['debito] agg dû (due), voulu(e); (meritato, proporzionato) approprié(e) ■ sm (Dir, anche fig) dette f; (Comm) débit m; **a tempo ~** en temps voulu; **trattare qn col ~ rispetto** traiter qn avec le respect qui lui est dû; **~ consolidato** dette consolidée; **~ d'imposta** assujettissement m à l'impôt; **~ pubblico** dette publique; **debiti contabili** débits comptables

debole ['debole] *agg* faible ▪ *sm* point *m* faible; **avere un ~ per qc/qn** avoir un faible pour qch/qn

debolezza [debo'lettsa] *sf* faiblesse *f*

debuttare [debut'tare] *vi* débuter; *(Teatro, Cine)* faire ses débuts

decadenza [deka'dɛntsa] *sf* décadence *f*, déchéance *f*; *(di diritto, del corpo)* déchéance

decaffeinato, -a [dekaffei'nato] *agg*: **(caffè) ~** décaféiné *m*

decapitare [dekapi'tare] *vt* décapiter

decappottabile [dekappot'tabile] *agg, sf* décapotable *(f)*

decennio [de'tʃennjo] *sm* décennie *f*

decente [de'tʃɛnte] *agg* décent(e); *(accettabile)* acceptable

decesso [de'tʃɛsso] *sm* décès *m*

decidere [de'tʃidere] *vt* décider; *(questione, lite)* régler ▪ *vi* décider; **decidersi** *vpr*: **decidersi (a fare qc)** se décider (à faire qch); **~ che/di fare** décider que/de faire; **~ di qc** décider de qch

decifrare [detʃi'frare] *vt (anche fig)* déchiffrer

decimale [detʃi'male] *agg* décimal(e)

decimo, -a [de'tʃimo] *agg, sm/f* dixième *m/f* ▪ *sm* dixième *m; vedi anche* **quinto**

decina [de'tʃina] *sf* dizaine *f*; **una ~ di** une dizaine de

decisi *ecc* [de'tʃizi] *vb vedi* **decidere**

decisione [detʃi'zjone] *sf* décision *f*; **prendere una ~** prendre une décision; **con ~** avec décision

decisivo, -a [detʃi'zivo] *agg* décisif(-ive)

deciso, -a [de'tʃizo] *pp di* **decidere** ▪ *agg* décidé(e)

declinare [dekli'nare] *vi, vt* décliner; **~ le proprie generalità** décliner son identité

declinazione [deklinat'tsjone] *sf* déclinaison *f*

declino [de'klino] *sm* déclin *m*; **in ~** en déclin

decodificatore [dekodifika'tore] *sm* décodeur *m*

decollare [dekol'lare] *vi* décoller

decollo [de'kɔllo] *sm* décollage *m*

decorare [deko'rare] *vt* décorer

decorazione [dekorat'tsjone] *sf* décoration *f*

decreto [de'kreto] *sm* décret *m*; **~ legge** décret-loi *m*

dedica, -che ['dɛdika] *sf* dédicace *f*

dedicare [dedi'kare] *vt (libro)* dédicacer; *(vittoria)* dédier; *(sforzi, vita)* consacrer, vouer; **dedicarsi** *vpr*: **dedicarsi a** se consacrer à

dedicherò *ecc* [dedike'rɔ] *vb vedi* **dedicare**

dedito, -a ['dɛdito] *agg*: **~ a** qui se consacre à; *(a vizio)* qui s'adonne à, adonné(e) à

deduco *ecc* [de'duco] *vb vedi* **dedurre**

dedurre [de'durre] *vt* déduire; *(derivare)* tirer

dedussi *ecc* [de'dussi] *vb vedi* **dedurre**

deficiente [defi'tʃɛnte] *agg (carente)* déficient(e); *(peg)* idiot(e), crétin(e) ▪ *sm/f* débile *m/f*; *(peg)* idiot(e), crétin(e)

deficit ['dɛfitʃit] *sm inv (Econ)* déficit *m*

definire [defi'nire] *vt* définir; *(risolvere: questione)* régler

definitiva [defini'tiva] *sf*: **in ~** *(dopotutto)* en définitive; *(dunque)* en fin de compte

definitivo, -a [defini'tivo] *agg* définitif(-ive)

definizione [definit'tsjone] *sf* définition *f*; *(di disputa, vertenza)* règlement *m*

deformare [defor'mare] *vt* déformer; **deformarsi** *vpr* se déformer

deforme [de'forme] *agg* difforme

defunto, -a [de'funto] *agg, sm/f* défunt(e)

degenerare [dedʒene'rare] *vi* dégénérer

degente [de'dʒɛnte] *sm/f (costretto a letto)* personne *f* alitée; *(in ospedale)* malade *m/f* (hospitalisé(e))

deglutire [deglu'tire] *vt* déglutir

degnare [deɲ'ɲare] *vt*: **~ di** daigner; **degnarsi** *vpr*: **degnarsi di fare qc** daigner faire qch

degno, -a ['deɲɲo] *agg* digne; **~ di lode** digne d'éloges

degrado [de'grado] *sm*: **~ urbano** dégradation *f* du territoire

delega, -ghe ['dɛlega] *sf (Dir)* délégation *f*; **per ~ notarile** par l'intermédiaire d'un avocat

deleterio, -a [dele'tɛrjo] *agg*
délétère, nuisible; **il fumo è ~ per la
salute** la fumée est nuisible à la santé

delfino [del'fino] *sm* (*anche Storia, fig*)
dauphin *m*; (*stile di nuoto*) brasse *f*
papillon

delicato, -a [deli'kato] *agg* (*anche fig:
persona*) délicat(e); (*meccanismo,
cristallo, porcellana*) fragile; (*pietanza,
palato*) fin(e), délicat(e)

delinquente [delin'kwɛnte] *sm/f*
délinquant(e); (*fig scherz*) voyou *m*

delinquenza [delin'kwɛntsa] *sf*
délinquance *f*; **~ minorile**
délinquance juvénile

delirare [deli'rare] *vi* délirer; (*fig*)
délirer, divaguer

delirio [de'lirjo] *sm* délire *m*; **andare
in ~** (*fig*) délirer; **mandare in ~** (*fig*)
faire délirer

delitto [de'litto] *sm* (*Dir*) délit *m*;
(*omicidio*) meurtre *m*; (*fig*) crime *m*;
~ d'onore crime d'honneur;
~ perfetto crime parfait

delizioso, -a [delit'tsjoso] *agg*
(*persona, cibo ecc*) délicieux(-euse),
exquis(e); (*spettacolo, luogo*)
charmant(e)

deltaplano [delta'plano] *sm*
deltaplane *m*; **volo col ~** vol en
deltaplane

deludente [delu'dɛnte] *agg*
décevant(e)

deludere [de'ludere] *vt* décevoir

delusi *ecc* [de'luzi] *vb vedi* **deludere**

delusione [delu'zjone] *sf* déception *f*

deluso, -a [de'luzo] *pp di* **deludere**
■ *agg* déçu(e)

demmo ['demmo] *vb vedi* **dare**

democratico, -a, -ci, -che
[demo'kratiko] *agg* démocratique

democrazia [demokrat'tsia] *sf*
démocratie *f*; **D~ Cristiana**
Démocratie chrétienne

demolire [demo'lire] *vt* démolir

demonio [de'mɔnjo] *sm* (*anche fig*)
démon *m*; **il D~** le Démon

denaro [de'naro] *sm* argent *m*;
denari *smpl* (*Carte*) une des quatre
couleurs dans un jeu de quarante cartes
italien

densità [densi'ta] *sf* (*Fis*) densité *f*;
(*compattezza: anche fig*) épaisseur *f*,
densité; **ad alta/bassa ~ di**

popolazione fortement/faiblement
peuplé(e)

denso, -a ['dɛnso] *agg* (*liquido, fumo,
nebbia, nubi*) dense, épais(se);
(*popolazione, traffico, discorso*) dense;
un periodo ~ di avvenimenti une
période riche en événements

dentale [den'tale] *agg* dentaire;
(*Ling*) dental(e)

dente ['dɛnte] *sm* (*anche Tecn, Geo*)
dent *f*; **al ~** (*Cuc*) pas trop cuit(e), al
dente; **mettere i denti** faire ses
dents; **mettere qc sotto i denti** se
mettre qch sous la dent; **avere il ~
avvelenato contro qn** avoir une dent
contre qn; **~ di leone** (*Bot*) pissenlit
m, dent-de-lion *f*; **denti da latte**
dents de lait; **denti del giudizio** dents
de sagesse

dentiera [den'tjɛra] *sf* dentier *m*

dentifricio [denti'fritʃo] *sm*
dentifrice *m*

dentista, -i, -e [den'tista] *sm/f*
dentiste *m/f*

dentro ['dɛntro] *avv* (*nell'interno*)
dedans, à l'intérieur; (*fig: nell'intimo*)
intérieurement; (*in prigione*) en prison
■ *prep*: **~ (a)** dans; **essere/andare ~**
(*in casa*) être/aller à l'intérieur; (*in
prigione*) être/aller en prison; **qui ~,
là ~** là-dedans; **piegato in ~** plié
(vers l'intérieur); **~ (a)la casa/
macchina/tasca/il o al cassetto**
dans la maison/la voiture/la poche/
le tiroir; **~ di sé** en soi-même,
intérieurement; **tenere tutto ~**
garder tout pour soi; **darci ~** (*fam: fig*)
s'y mettre à fond

denuncia, -ce *o* **cie** [de'nuntʃa] *sf*
(*Dir*) déclaration *f*; (*fig*) dénonciation
f; **fare una** *o* **sporgere ~ contro qn**
porter plainte contre qn; **~ dei redditi**
déclaration d'impôts

denunciare [denun'tʃare] *vt*
dénoncer; (*reddito*) déclarer; **~ qn/qc
alla polizia** dénoncer qn/qch à la
police; **vorrei ~ un furto** je voudrais
signaler un vol

denutrito, -a [denu'trito] *agg* sous-
alimenté(e), dénutri(e)

denutrizione [denutrit'tsjone] *sf*
dénutrition *f*, sous-alimentation *f*

deodorante [deodo'rante] *agg, sm*
déodorant (*m*)

deperire [depe'rire] vi dépérir;
(merce) se détériorer

depilarsi [depi'larsi] vpr s'épiler

depilatorio, -a [depila'tɔrjo] agg
épilatoire

dépliant [depli'ã] sm inv dépliant m,
prospectus msg

deplorevole [deplo'revole] agg
déplorable

depone ecc [de'pone] vb vedi
deporre

depongo ecc [de'pongo] vb vedi
deporre

deporre [de'porre] vt déposer; (Dir)
déposer, témoigner; ~ **le armi**
déposer les armes; ~ **le uova** pondre;
~ **contro/a favore** déposer contre/
en faveur

deportare [depor'tare] vt déporter

deposi ecc [de'posi] vb vedi **deporre**

depositare [depozi'tare] vt déposer;
(merci) entreposer; **depositarsi** vpr
se déposer

deposito [de'pɔzito] sm (anche Chim,
Mil) dépôt m; (per merci) dépôt,
entrepôt m; ~ **a risparmio** compte m
de dépôt; ~ **bagagli** consigne f;
~ **di munizioni** dépôt de munitions

deposizione [depozit'tsjone] sf
(Dir) déposition f, témoignage m;
~ **(dalla croce)** (in pittura) déposition
de croix

depravato, -a [depra'vato] agg, sm/f
dépravé(e)

depredare [depre'dare] vt piller;
(persona) dépouiller

depressione [depres'sjone] sf
(anche Econ, Meteor) dépression f;
area o zona di ~ (Meteor) zone f de
dépression

depresso, -a [de'prɛsso] pp di
deprimere ■ agg déprimé(e); (zona)
sous-développé(e)

deprezzare [depret'tsare] vt
déprécier

deprimente [depri'mɛnte] agg
déprimant(e)

deprimere [de'primere] vt déprimer

depurare [depu'rare] vt épurer

deputato, -a [depu'tato] sm/f
député(e)

deragliare [deraʎ'ʎare] vi dérailler

deridere [de'ridere] vt railler

derisi ecc [de'risi] vb vedi **deridere**

deriva [de'riva] sf (Naut, Aer) dérive f;
andare alla ~ (anche fig) aller à la dérive

derivare [deri'vare] vt dériver ■ vi:
~ **da** prendre sa source dans; (essere
causato) résulter de, dériver de

dermatologo, -a, -gi, -ghe
[derma'tɔlogo] sm/f dermatologue
m/f

derubare [deru'bare] vt voler;
~ **qn di qc** voler o dérober qch à qn

descrivere [des'krivere] vt décrire

descrizione [deskrit'tsjone] sf
description f

deserto, -a [de'zɛrto] agg désert(e)
■ sm désert m

desiderare [deside'rare] vt désirer;
(amicizia) rechercher; ~ **fare qc**
désirer faire qch; ~ **che qn faccia qc**
désirer que qn fasse qch; **desidero
sottolineare che...** je voudrais
souligner que...; **farsi ~** se faire
désirer o attendre; **lasciare a ~** laisser
à désirer; **desidera?** (in un negozio)
vous désirez quelque chose?;
desidera bere qualcosa? voulez-vous
boire quelque chose?; **è desiderato
al telefono** il est demandé au
téléphone

desiderio [desi'dɛrjo] sm désir m;
(bisogno) besoin m

desideroso, -a [deside'roso] agg:
~ **di** désireux(-euse) de

desinenza [dezi'nɛntsa] sf
désinence f

desistere [de'sistere] vi renoncer;
(Dir) se désister; ~ **dal fare qc**
renoncer à faire qch

desolato, -a [dezo'lato] agg
désolé(e)

dessi ecc ['dessi] vb vedi **dare**

deste ecc ['deste] vb vedi **dare**

destinare [desti'nare] vt: ~ **a**
(somma, fondi) destiner à, affecter à;
(posto) affecter à, assigner à; (sorte)
destiner à; (lettera, pacco) adresser à;
in data da destinarsi à une date
ultérieure

destinatario, -a [destina'tarjo] sm/f
destinataire m/f

destinazione [destinat'tsjone] sf
destination f; (di funzionario)
affectation f

destino [des'tino] sm destin m

destituire [destitu'ire] vt destituer

destra ['dɛstra] *sf (mano)* main *f* droite; *(parte)* droite *f*; **la ~** *(Pol)* la droite; **a ~** à droite; **tenere la ~** *(Aut)* tenir *o* garder sa droite

destreggiarsi [destred'dʒarsi] *vpr* se débrouiller

destrezza [des'trettsa] *sf* habileté *f*, adresse *f*; *(fig: accortezza)* sagacité *f*

destro, -a ['dɛstro] *agg* droit(e); *(fig: abile)* adroit(e), habile; *(: accorto)* sagace ▪ *sm (Pugilato)* droit *m*

detenuto, -a [dete'nuto] *sm/f* détenu(e)

detergente [deter'dʒɛnte] *agg* détergent(e); *(latte, crema)* démaquillant(e) ▪ *sm (prodotto)* détergent *m*

determinare [determi'nare] *vt* déterminer; *(data, prezzo)* fixer; *(peggioramento, cambiamento)* provoquer

determinativo, -a [determina'tivo] *agg (aggettivo)* déterminatif(-ive); *(articolo)* défini(e)

determinato, -a [determi'nato] *agg* déterminé(e)

detersivo [deter'sivo] *sm (per stoviglie)* produit *m* à vaisselle; *(per bucato)* lessive *f*; *(per pavimenti)* produit d'entretien

detestare [detes'tare] *vt* détester

detrae *ecc* [de'trae] *vb vedi* **detrarre**

detraggo *ecc* [de'traggo] *vb vedi* **detrarre**

detrarre [de'trarre] *vt*: **~ (da)** déduire (de)

detrassi *ecc* [de'trassi] *vb vedi* **detrarre**

detta ['detta] *sf*: **a ~ di** au dire de

dettaglio [det'taʎʎo] *sm* détail *m*; **al ~** *(Comm)* au détail

dettare [det'tare] *vt* dicter; **~ legge** *(fig)* faire la loi

dettato [det'tato] *sm* dictée *f*

detto, -a ['detto] *pp di* **dire** ▪ *agg (chiamato, stabilito)* dit(e); *(già nominato)* susdit(e) ▪ *sm* dicton *m*

devastare [devas'tare] *vt* dévaster, ravager

deviare [devi'are] *vi*: **~ da** *(anche fig)* dévier de, s'écarter de ▪ *vt* dévier; *(fig)* détourner

deviazione [deviat'tsjone] *sf* déviation *f*; **fare una ~** faire un détour

devo *ecc* ['devo] *vb vedi* **dovere**

devolvere [de'vɔlvere] *vt*: **~ (a)** *(somma)* affecter (à); *(controversia)* transmettre (à); **~ qc in beneficenza** faire don de qch au profit d'une œuvre de bienfaisance

devoto, -a [de'vɔto] *agg (religioso)* pieux(-euse); *(affezionato)* dévoué(e); **essere ~ a** *(alla patria, a tradizioni)* être fidèle à

devozione [devot'tsjone] *sf (Rel)* dévotion *f*; *(affetto)* dévouement *m*

dezippare [dezip'pare] *vt (Inform)* dézipper

⬤ **PAROLA CHIAVE**

di [di] *(di + il =* **del,** *di + lo =* **dello,** *di + l' =* **dell',** *di + la =* **della,** *di + i =* **dei,** *di + gli =* **degli,** *di + le =* **delle)** *prep*
1 *(specificazione, argomento)* de; *(possesso)* de, à; **la grandezza della casa** la grandeur de la maison; **le foto delle vacanze** les photos des vacances; **un'amica di mia madre** une amie de ma mère; **una commedia di Goldoni** une comédie de Goldoni; **la macchina di mio fratello** la voiture de mon frère; **il libro è di Paolo** le livre est à Paolo; **parlare di politica/d'affari** parler de politique/d'affaires; **la città di Venezia** la ville de Venise
2 *(partitivo)* de; **alcuni di voi** quelques-uns d'entre vous; **il più bravo di tutti** le meilleur de tous; **non c'è niente di peggio** il n'y a rien de pire
3 *(paragone)* que; **più veloce di me** plus rapide que moi
4 *(provenienza)* de; **partì di casa alle 6** il partit de la maison à 6 heures; **è originario di Firenze** il est originaire de Florence
5 *(mezzo, strumento, causa)* de; **spalmare di crema** enduire de crème; **ricoprire di vernice** enduire de vernis; **tremare di paura/freddo** trembler de peur/froid; **morire di cancro** mourir d'un cancer
6 *(tempo)* en; **di mattina** le matin; **di notte** la nuit; **d'estate** en été; **di lunedì** le lundi; **di ora in ora** d'heure en heure

7 (*materia*) de, en; **mobile di legno** meuble *m* de *o* en bois; **camicia di seta** chemise *f* de *o* en soie
8 (*età, peso, misura, qualità*) de; **una bimba di tre anni** une petite fille de trois ans; **una trota di 1 kg** une truite d'un kilo; **una strada di 10 km** une route de 10 km; **un quadro di valore** un tableau de valeur

■ *art partitivo* (*una certa quantità di*) du (de la); (: *negativo*) de; **del pane** du pain; **delle caramelle** des bonbons; **degli amici miei** certains de mes amis; **degli amici mi dissero che...** des amis me dirent que...; **vuoi del vino?** est-ce que tu veux du vin?

diabete [dia'bɛte] *sm* diabète *m*
diabetico, -a, -ci, -che [dia'bɛtiko] *agg, sm/f* diabétique *m/f*
diaframma, -i [dia'framma] *sm* (*Anat, Fot*) diaphragme *m*; (*contraccettivo*) stérilet *m*
diagnosi [di'aɲɲozi] *sf* diagnostic *m*
diagonale [diago'nale] *agg* diagonal(e) ■ *sf* diagonale *f*
diagramma, -i [dia'gramma] *sm* diagramme *m*; **~ di flusso** graphique *m* de flux
dialetto [dia'lɛtto] *sm* dialecte *m*

◇ DIALETTO

◇ La langue officielle en Italie est
◇ l'italien, mais il existe de nombreux
◇ dialectes qui sont distincts les uns
◇ des autres.

dialisi [di'alizi] *sf inv* (*Med*) dialyse *f*
dialogo, -ghi [di'alogo] *sm* dialogue *m*
diamante [dia'mante] *sm* diamant *m*
diametro [di'ametro] *sm* diamètre *m*
diapositiva [diapozi'tiva] *sf* diapositive *f*
diario [di'arjo] *sm* (*anche opera letteraria*) journal *m*; (*registro*) registre *m*; (*agenda*) agenda *m*; (*Scol*) cahier *m* de textes; **~ degli esami** (*Scol*) calendrier *m* des examens; **~ di bordo** (*Naut*) journal de bord; **~ di classe** (*Scol*) registre (de classe)
diarrea [diar'rɛa] *sf* diarrhée *f*
diavolo, -essa ['djavolo] *sm/f* diable (diablesse); **è un buon ~** c'est un bon

diable; **avere un ~ per capello** avoir les nerfs en boule; **fa un freddo del ~** il fait un froid du diable; **fare il ~ a quattro** faire le diable à quatre; **mandare qn al ~** envoyer qn au diable; **povero ~** pauvre diable
dibattito [di'battito] *sm* débat *m*; **~ parlamentare** débat parlementaire
dice ['ditʃe] *vb vedi* **dire**
dicembre [di'tʃɛmbre] *sm* décembre *m*; *vedi anche* **luglio**
diceria [ditʃe'ria] *sf* racontar *m*; **corrono certe dicerie su...** des bruits courent sur...
dichiarare [dikja'rare] *vt* déclarer; (*sciopero*) annoncer; **dichiararsi** *vpr* se déclarer; **si dichiara che...** le soussigné déclare que...; **dichiararsi vinto** s'avouer vaincu; **niente da ~** (*dogana*) rien à déclarer
dichiarazione [dikjarat'tsjone] *sf* (*vedi vb*) déclaration *f*; annonce *f*; **~ dei redditi** déclaration d'impôts
diciannove [ditʃan'nɔve] *agg inv, sm inv* dix-neuf (*m*) *inv*; *vedi anche* **cinque**
diciassette [ditʃas'sɛtte] *agg inv, sm inv* dix-sept (*m*) *inv*; *vedi anche* **cinque**
diciotto [di'tʃɔtto] *agg inv, sm inv* dix-huit (*m*) *inv*; **prendere un ~** (*Univ*) ≈ avoir juste la moyenne; *vedi anche* **cinque**
dicitura [ditʃi'tura] *sf* légende *f*
dico *ecc* ['diko] *vb vedi* **dire**
didascalia [didaska'lia] *sf* légende *f*; (*Cine*) sous-titre *m*; (*Teatro*) notes *fpl*
dieci ['djɛtʃi] *agg inv, sm inv* dix (*m*) *inv*; *vedi anche* **cinque**
diedi *ecc* ['djɛdi] *vb vedi* **dare**
diesel ['diːzəl] *sm inv* diesel *m*
diessino, -a [dies'sino] *sm/f* membre du parti DS
dieta ['djɛta] *sf* régime *m*; **essere a ~** être au régime; **~ dimagrante** régime amaigrissant
dietro ['djɛtro] *avv* derrière; (*nella parte posteriore: in una macchina*) à l'arrière ■ *prep* derrière; (*dopo*) après ■ *agg inv* arrière ■ *sm* (*di foglio*) verso *m*; (*di giacca*) dos *msg*; (*di casa*) derrière *m*; **~ la casa** derrière la maison; **uno ~ l'altro** l'un après l'autre; **le zampe di ~** les pattes de derrière; **~ richiesta** sur demande; **~ richiesta di** à la demande de;

~ compenso moyennant finances; **~ ricevuta** sur présentation du reçu; **andare ~ a** (*anche fig*) suivre; **stare ~ a qn** ne pas quitter qn d'un pas; (*corteggiare*) courir après qn; **portarsi ~ qn** amener qn avec soi; **portarsi ~ qc** apporter qch; **ridere ~ a qn** rire dans le dos de qn

difendere [di'fɛndere] *vt* (*anche Dir*) défendre; (*causa, diritto ecc*) plaider; **difendersi** *vpr*: **difendersi (da)** se défendre (contre); **difendersi dal freddo** se défendre contre le o du froid; **saṕersi ~** savoir se défendre

difensore [difen'sore] *sm* défenseur *m*; (*avvocato*) ~ (*Dir*) avocat *m* de la défense

difesa [di'fesa] *sf* défense *f*; **prendere le difese di qn** prendre la défense de qn

difesi *ecc* [di'fesi] *vb vedi* **difendere**

difetto [di'fɛtto] *sm* défaut *m*; (*scarsità, mancanza*) manque *m*; **far ~** faire défaut; **essere in ~** être en faute; **essere in ~ di qc** manquer de qch; **per ~** par défaut; **~ di fabbricazione** défaut o vice *m* de fabrication

difettoso, -a [difet'toso] *agg* défectueux(-euse)

differente [diffe'rɛnte] *agg* différent(e)

differenza [diffe'rɛntsa] *sf* différence *f*; **a ~ di** à la différence de, contrairement à; **non fare ~ (tra)** ne faire aucune différence (entre); **per me non fa ~** ça m'est égal

differire [diffe'rire] *vt* différer ■ *vi* (*essere diverso*): **~ da** différer de

differita [diffe'rita] *sf*: **trasmettere in ~** transmettre en différé

difficile [dif'fitʃile] *agg* difficile; (*poco probabile*): **è ~ che sia libero** il est peu probable qu'il soit libre ■ *sm/f*: **fare il (la) ~** faire le (la) difficile ■ *sm* difficulté *f*; **il ~ è superato** le plus dur est fait; **essere ~ nel mangiare** être difficile sur la nourriture

difficoltà [diffikol'ta] *sf inv* difficulté *f*; **fare ~** faire des difficultés

diffidente [diffi'dɛnte] *agg* méfiant(e)

diffidenza [diffi'dɛntsa] *sf* méfiance *f*

diffondere [dif'fondere] *vt* diffuser, répandre; (*acqua, gioia, profumo*) répandre; **diffondersi** *vpr* (*vedi vt*) se diffuser, se répandre; se répandre

diffusi *ecc* [dif'fuzi] *vb vedi* **diffondere**

diffuso, -a [dif'fuzo] *pp di* **diffondere** ■ *agg* diffus(e); (*malattia, fenomeno*) répandu(e); **è opinione diffusa che...** tout le monde pense que...

diga, -ghe ['diga] *sf* barrage *m*; (*portuale*) digue *f*

digerente [didʒe'rɛnte] *agg* digestif(-ive)

digerire [didʒe'rire] *vt* digérer

digestione [didʒes'tjone] *sf* digestion *f*

digestivo, -a [didʒes'tivo] *agg* digestif(-ive) ■ *sm* digestif *m*

digitale [didʒi'tale] *agg* (*impronta*) digital(e); (*calcolatore, orologio*) numérique

digitare [didʒi'tare] *vt, vi* (*Inform*) taper

digiunare [didʒu'nare] *vi* jeûner

digiuno, -a [di'dʒuno] *agg* à jeun ■ *sm* jeûne *m*; **a ~** à jeun

dignità [diɲɲi'ta] *sf inv* dignité *f*

DIGOS ['digos] *sigla f* (= *Divisione Investigazioni Generali e Operazioni Speciali*) police italienne anti-terroriste

digrignare [digriɲ'ɲare] *vt*: **~ i denti** grincer des dents

dilapidare [dilapi'dare] *vt* dilapider

dilatare [dila'tare] *vt* dilater; (*cavità, passaggio*) élargir; **dilatarsi** *vpr* (*vedi vt*) se dilater; s'élargir

dilazionare [dilattsjo'nare] *vt* échelonner, étaler

dilemma, -i [di'lɛmma] *sm* dilemme *m*

dilettante [dilet'tante] *agg, sm/f* amateur *m*, dilettante *m/f*; (*Sport, anche peg*) amateur

diligente [dili'dʒɛnte] *agg* (*alunno*) appliqué(e); (*lavoro*) soigné(e)

diluire [dilu'ire] *vt* diluer

dilungarsi [dilun'garsi] *vpr* (*fig*): **~ (su)** (*su argomento*) s'étendre (sur); (*su spiegazioni, dettagli*) se perdre (dans

diluviare [dilu'vjare] *vb impers* pleuvoir à verse ■ *vi* (*fig: insulti*) pleuvoir

diluvio [di'luvjo] *sm* déluge *m*; *(fig: di parole)* déluge *m*; (: *di ingiurie, infamie*) torrent *m*; *(d'applausi)* tonnerre *m*; **il ~ universale** le Déluge

dimagrante [dima'grante] *agg* amaigrissant(e)

dimagrire [dima'grire] *vi* maigrir

dimenare [dime'nare] *vt* remuer; **dimenarsi** *vpr* s'agiter; **~ la coda** remuer la queue

dimensione [dimen'sjone] *sf (Mat, fig)* dimension *f*; **di grandi dimensioni** *(fig: fenomeno ecc)* de grande envergure; **la ~ sociale** la dimension sociale

dimenticanza [dimenti'kantsa] *sf* oubli *m*; *(distrazione)* étourderie *f*

dimenticare [dimenti'kare] *vt* oublier; **dimenticarsi** *vpr*: **dimenticarsi di qc** oublier qch; **dimenticarsi di fare qc** oublier de faire qch; **ho dimenticato la chiave/ il passaporto** j'ai oublié ma clé/mon passeport

dimestichezza [dimesti'kettsa] *sf* familiarité *f*; **prendere ~ con** se familiariser avec

dimettere [di'mettere] *vt*: **~ (da)** *(da ospedale)* faire sortir (de); *(da ufficio)* renvoyer (de), congédier (de); **dimettersi** *vpr*: **dimettersi (da)** *(lavoro)* démissionner (de); *(carica)* se démettre (de); **è stato dimesso la settimana scorsa** *(malato)* il est sorti de l'hôpital la semaine dernière

dimezzare [dimed'dzare] *vt* réduire de moitié

diminuire [diminu'ire] *vt, vi* diminuer

diminutivo, -a [diminu'tivo] *agg* diminutif(-ive) ▪ *sm* diminutif *m*

diminuzione [diminut'tsjone] *sf* diminution *f*; **in ~** en baisse

dimisi *ecc* [di'mizi] *vb vedi* **dimettere**

dimissioni [dimis'sjoni] *sfpl* démission *fsg*; **dare** *o* **presentare le ~** donner *o* présenter sa démission, démissionner

dimostrare [dimos'trare] *vt* montrer; *(colpevolezza, teorema)* démontrer; *(simpatia, affetto)* témoigner, montrer; *(ad una manifestazione pubblica)* manifester;

dimostrarsi *vpr* se montrer; **dimostrarsi abile** se montrer habile; **dimostra 30 anni** il paraît *o* fait 30 ans; **non dimostra la sua età** il ne fait pas son âge

dimostrazione [dimostrat'tsjone] *sf* démonstration *f*, preuve *f*; *(di prodotto, teorema)* démonstration; *(sindacale, politica)* manifestation *f*

dinamica, -che [di'namika] *sf (Fis)* dynamique *f*; *(di fatto, avvenimento)* déroulement *m*

dinamico, -a, -ci, -che [di'namiko] *agg (anche Fis)* dynamique

dinamite [dina'mite] *sf* dynamite *f*

dinamo ['dinamo] *sf inv* dynamo *f*

dinosauro [dino'sauro] *sm* dinosaure *m*

dintorni [din'torni] *smpl*: **i ~ di** les environs de, les alentours de; **nei ~ di** aux environs de, aux alentours de

dio ['dio] *(pl* **dei)** *sm* dieu *m*; **D~** Dieu; **gli dei** les dieux; **D~ mio!** mon Dieu!; **D~ ce la mandi buona** espérons!; **D~ ce ne scampi e liberi!** Dieu nous en garde!; **si crede un ~** il ne se prend pas pour n'importe qui

dipartimento [diparti'mento] *sm* département *m*; *(Univ)* département, ≈ UFR *f (unité de formation et de recherche)*

dipendente [dipen'dɛnte] *agg* dépendant(e); *(lavoratore)* salarié(e); *(Ling)* subordonné(e) ▪ *sm/f* salarié(e); *(impiegato)* employé(e); **i dipendenti dell'azienda** le personnel de l'entreprise; **~ statale** fonctionnaire *m/f*

dipendere [di'pɛndere] *vi*: **~ da** dépendre de; **dipende!** cela dépend!; **dipende da te** cela dépend de toi

dipesi *ecc* [di'pesi] *vb vedi* **dipendere**

dipingere [di'pindʒere] *vt* peindre

dipinsi *ecc* [di'pinsi] *vb vedi* **dipingere**

dipinto, -a [di'pinto] *pp di* **dipingere** ▪ *sm* peinture *f*, tableau *m*

diploma, -i [di'plɔma] *sm* diplôme *m*

diplomatico, -a, -ci, -che [diplo'matiko] *agg* diplomatique; *(fig)* diplomate ▪ *sm (anche fig)* diplomate *m*

diplomazia [diplomat'tsia] *sf (anche fig)* diplomatie *f*

diporto [di'pɔrto] sm: **da ~ de plaisance**

diradare [dira'dare] vt dissiper; (vegetazione) éclaircir; (visite) espacer; **diradarsi** vpr se dissiper; (vegetazione) s'éclaircir; (folla) se disperser

dire ['dire] vt dire; **~ qc a qn** dire qch à qn; **~ a qn di fare qc** dire à qn de faire qch; **~ di sì/no** dire oui/non; **come si dice in francese ...?** comment dit-on ... en français?; **si dice che...** on dit que...; **mi si dice che...** on me dit que...; **si ~bbe che...** on dirait que...; **per così ~** pour ainsi dire; **a dir poco** pour le moins; **dica, signora?** (in negozio) madame, vous désirez?; **sa quello che dice** il sait de quoi il parle; **lascialo ~** (esprimersi) laisse-le parler; (ignoralo) laisse-le dire; **come sarebbe a ~?** comment cela?; **che ne diresti di andarcene?** qu'est-ce que tu en dis, on s'en va?; **chi l'avrebbe mai detto!** je ne l'aurais jamais cru!; **non c'è che ~** il n'y a pas à dire; **non dico di no** ce n'est pas de refus; **il che è tutto ~** c'est tout dire; **dico bene?** n'est-ce pas?; **non ti dico la scena!** je ne te raconte pas la scène!; **dico sul serio** je parle sérieusement; **detto fatto** (aus)sitôt dit (aus)sitôt fait; **(è) presto detto!** c'est vite dit!

diressi ecc [di'rɛssi] vb vedi **dirigere**

diretta [di'rɛtta] sf: **in ~** (Radio, TV) en direct

diretto, -a [di'rɛtto] pp di **dirigere** ■ agg direct(e) ■ sm (Ferr) direct m; **il mio ~ superiore** mon supérieur direct

direttore, -trice [diret'tore] sm/f (anche Scol) directeur(-trice); **~ amministrativo** directeur administratif; **~ del carcere** directeur de prison; **~ di produzione** (Cine) directeur de production; **~ d'orchestra** chef m d'orchestre; **~ sportivo** directeur sportif; **~ tecnico** (Sport) entraîneur m; **~ vendite** chef des ventes

direzione [diret'tsjone] sf direction f; **in ~ di** en direction de

dirigente [diri'dʒɛnte] agg dirigeant(e) ■ sm/f (Pol) dirigeant(e); **~ (di azienda)** (Amm) chef m d'entreprise; **il personale ~** (in azienda) les cadres mpl

dirigere [di'ridʒere] vt (anche Mus, impresa, attività) diriger; (traffico) régler; (lettera, parola) adresser; **dirigersi** vpr: **dirigersi verso o a se** diriger vers; **~ i propri passi verso** diriger o tourner ses pas vers; **il treno era diretto a Pavia** le train allait à destination de Pavie

dirimpetto [dirim'pɛtto] avv en face; **~ a** en face de

diritto, -a [di'ritto] agg droit(e) ■ avv (tout) droit; (direttamente) droit ■ sm (di moneta) face f; (Tennis) coup m droit; (Maglia) maille fà l'endroit; (prerogativa) droit m; (leggi, scienza): **il ~** le droit; **diritti** smpl (tasse) les droits mpl; **andare ~** aller tout droit; **stare ~** (stare in piedi) être debout, se tenir debout; **stai ~!** tiens-toi droit!; **aver ~ a qc** avoir droit à qch; **avere il ~ di fare qc** avoir le droit de faire qch; **a buon ~** à bon droit, à juste titre; **lavorare a ~** (Maglia) tricoter au point mousse; **~ penale** droit pénal; **~ privato/pubblico** droit privé/public; **diritti d'autore** droits d'auteur; **diritti doganali** droits de douane

dirottamento [dirotta'mento] sm détournement m

dirottare [dirot'tare] vt détourner ■ vi changer de route

dirottatore, -trice [dirotta'tore] sm/f pirate m de l'air

dirotto, -a [di'rotto] agg (pianto) désespéré(e); **piovere a ~** pleuvoir à verse; **piangere a ~** pleurer à chaudes larmes

dirupo [di'rupo] sm précipice m

disabitato, -a [dizabi'tato] agg inhabité(e)

disabituarsi [disabitu'arsi] vpr: **~ (a)** se déshabituer (de)

disaccordo [dizak'kɔrdo] sm désaccord m

disadattato, -a [dizadat'tato] agg, sm/f inadapté(e)

disadorno, -a [diza'dorno] agg nu(e); (fig) dépouillé(e)

disagiato, -a [diza'dʒato] agg (bisognoso) indigent(e), nécessiteux(-euse); (scomodo) peu commode

disagio [di'zadʒo] sm (dovuto a
difficoltà economiche) gêne f;
(inconveniente) désagrément m;
(disturbo) malaise m; (fig: imbarazzo)
gêne, embarras msg; **essere a ~** être
mal à l'aise
disapprovare [dizappro'vare] vt
désapprouver
disapprovazione
[dizapprovat'tsjone] sf
désapprobation f
disappunto [dizap'punto] sm
déception f
disarmare [dizar'mare] vt (anche fig)
désarmer
disarmo [di'zarmo] sm (Mil)
désarmement m
disastro [di'zastro] sm désastre m;
(fig: persona) nullité f
disastroso, -a [dizas'troso] agg
désastreux(-euse)
disattento, -a [dizat'tento] agg
inattentif(-ive), distrait(e)
disattenzione [dizatten'tsjone] sf
inattention f; (svista) distraction f,
étourderie f
disavventura [dizavven'tura] sf
mésaventure f
discapito [dis'kapito] sm: **a ~ di** au
détriment de
discarica, -che [dis'karika] sf
décharge f
discendere [diʃʃendere] vt, vi
descendre; **~ da** (famiglia)
descendre de
discesa [diʃʃesa] sf (pendio) descente
f, pente f; (calata: dei barbari ecc)
descente; **in ~** (strada) en pente;
~ libera (Scienza) descente libre
disciplina [diʃʃi'plina] sf discipline f;
(Dir) réglementation f
disco, -chi ['disko] sm disque m;
~ magnetico (Inform) disque
magnétique; **~ rigido** (Inform) disque
dur; **~ orario** (Aut) disque de
stationnement; **~ volante** soucoupe f
volante
discografico, -a, -ci, -che
[disko'grafiko] agg (mercato) du
disque ◾ sm/f producteur(-trice) de
disques; **casa discografica** maison f
de disques
discorrere [dis'korrere] vi: **~ (di)**
parler (de)

discorso, -a [dis'korso] pp di
discorrere ◾ sm (pubblico, Ling)
discours msg; (chiacchierata)
conversation f; **discorsi frivoli**
propos mpl frivoles; **pochi discorsi!**
parlons peu, parlons bien; **questi
sono discorsi che non hanno né
capo né coda** cela n'a ni queue ni
tête; **cambiamo ~** parlons d'autre
chose
discoteca, -che [disko'tɛka] sf
discothèque f
discrepanza [diskre'pantsa] sf
discordance f
discreto, -a [dis'kreto] agg
discret(-ète); (abbastanza buono)
assez bon(ne), pas mal
discriminazione [diskriminat'tsjone]
sf discrimination f
discussi ecc [dis'kussi] vb vedi
discutere
discussione [diskus'sjone] sf
discussion f; **mettere in ~** remettre
en question; **fuori ~** hors de question
discutere [dis'kutere] vt discuter
◾ vi discuter; (litigare) se disputer;
~ di un avvenimento discuter d'un
événement; **~ di politica** discuter (de)
politique
disdetta [diz'detta] sf annulation f;
(di contratto) résiliation f; (sfortuna)
malchance f
disdire [diz'dire] vt annuler;
(contratto) résilier; **~ un contratto
d'affitto** résilier un bail; **vorrei ~ la
mia prenotazione** je voudrais
annuler ma réservation
disegnare [diseɲ'ɲare] vt dessiner;
(progettare) projeter
disegnatore, -trice [diseɲɲa'tore]
sm/f dessinateur(-trice)
disegno [di'seɲɲo] sm (anche su
stoffa) dessin m; (abbozzo, schema)
esquisse f; (progetto) projet m; (fig)
dessein m; **~ di legge** projet de loi;
~ industriale dessin industriel
diserbante [diser'bante] sm
désherbant m
disertare [dizer'tare] vt, vi (anche Mil)
déserter; (amici) délaisser
disfare [dis'fare] vt défaire; (neve)
faire fondre; **disfarsi** vpr se défaire;
(neve) fondre; **disfarsi di** (liberarsi) se
défaire de, se débarrasser de

disfatto, -a [dis'fatto] pp di **disfare**
■ agg (vedi vt) défait(e); fondu(e)

disgelo [diz'dʒɛlo] sm (anche fig)
dégel m

disgrazia [diz'grattsja] sf
malheur m, malchance f; (incidente)
accident m

disguido [diz'gwido] sm erreur f;
(inconveniente) problème m; ~ **postale**
retard m dans l'acheminement du
courrier

disgustare [dizgus'tare] vt
dégoûter; **disgustarsi** vpr:
disgustarsi di se dégoûter de

disgusto [diz'gusto] sm: ~ **(di)**
dégoût m (de)

disgustoso, -a [dizgus'toso] agg
(anche fig) dégoûtant(e)

disidratare [dizidra'tare] vt
déshydrater

disimparare [dizimpa'rare] vt
oublier, désapprendre

disinfettante [dizinfet'tante] agg
désinfectant(e) ■ sm désinfectant m

disinfettare [dizinfet'tare] vt
désinfecter

disinibito, -a [dizini'bito] agg sans
complexes

disinstallare [dizinstal'lare] vt
désinstaller

disintegrare [dizinte'grare] vt
désintégrer; **disintegrarsi** vpr se
désintégrer

disinteressarsi [disinteres'sarsi]
vpr: ~ **di** se désintéresser de

disinteresse [dizinte'rɛsse] sm
manque m d'intérêt; (generosità)
désintéressement m

disintossicarsi [dizintossi'karsi]
vpr se désintoxiquer

disinvolto, -a [dizin'vɔlto] agg
désinvolte

dismisura [dizmi'sura] sf:
a ~ démesurément

disoccupato, -a [dizokku'pato] agg
au chômage ■ sm/f chômeur(-euse)

disoccupazione
[dizokkupat'tsjone] sf chômage m

disonesto, -a [dizo'nɛsto] agg
malhonnête

disordinato, -a [dizordi'nato] agg
désordonné(e); (racconto, discorso)
décousu(e); (vita) désordonné(e),
déréglé(e)

disordine [di'zordine] sm désordre
m; (sregolatezza) excès msg; **disordini**
smpl (tumulti) désordres mpl; **in ~** en
désordre

disorientare [dizorjen'tare] vt
(anche fig) désorienter; **disorientarsi**
vpr s'égarer

disorientato, -a [dizorjen'tato] agg
désorienté(e)

dispari ['dispari] agg inv (Mat)
impair(e); (forze) inégal(e)

disparte [dis'parte]: **in ~** avv à
l'écart, de côté; **tenersi o starsene in
~** se tenir o rester à l'écart

dispendioso, -a [dispen'djoso] agg
onéreux(-euse)

dispensa [dis'pɛnsa] sf (mobile)
garde-manger m; (Dir, Rel)
dispense f; (fascicolo) fascicule m;
~ universitaria (cours msg)
polycopié m

disperato, -a [dispe'rato] agg
désespéré(e) ■ sm/f pauvre type
(pauvre fille)

disperazione [disperat'tsjone] sf
désespoir m

disperdere [dis'pɛrdere] vt
disperser; **disperdersi** vpr se
disperser

disperso, -a [dis'pɛrso] pp di
disperdere ■ sm/f disparu(e)

dispetto [dis'pɛtto] sm (petite)
méchanceté f; (stizza, irritazione)
dépit m; **a ~ di** en dépit de; **fare un ~ a
qn** (senza cattiveria) taquiner qn;
(infastidire) embêter qn; **con suo
grande ~** à son grand dépit; **farlo
per ~** le faire exprès

dispettoso, -a [dispet'toso] agg
(senza cattiveria) taquin(e); (fastidioso)
agaçant(e)

dispiacere [dispja'tʃere] sm chagrin
m, peine f ■ vi: ~ **a** déplaire à ■ vb
impers: **mi dispiace (che)** je regrette
(que); **dispiaceri** smpl
(preoccupazioni, problemi) soucis mpl;
se non le dispiace me ne vado si cela
ne vous ennuie pas, je m'en vais; **le
dispiace se …?** est-ce que ça vous
dérange si …?

dispone ecc [di'spone] vb vedi
disporre

dispongo ecc [di'spongo] vb vedi
disporre

disponibile [dispo'nibile] *agg (anche fig)* disponible

disporre [dis'porre] *vt (anche Dir)* disposer; *(preparare)* préparer ■ *vi* disposer; *(usufruire):* ~ **di** disposer de; **disporsi** *vpr* se disposer; **disporsi a fare** se disposer à faire; **disporsi all'attacco** se préparer à l'attaque; **disporsi in cerchio** se mettre en rond

disposi *ecc* [dis'posi] *vb vedi* **disporre**

dispositivo [dispozi'tivo] *sm* dispositif *m*; ~ **di controllo** dispositif de contrôle; ~ **di sicurezza** dispositif de sécurité

disposizione [disposit'tsjone] *sf (anche Dir)* disposition *f*; **a ~ di qn** à la disposition de qn; **per ~ di legge** aux termes de la loi; **disposizioni testamentarie** dispositions testamentaires

disposto, -a [dis'posto] *pp di* **disporre** ■ *agg (incline):* ~ **a** disposé à

disprezzare [dispret'tsare] *vt* mépriser

disprezzo [dis'prettso] *sm* mépris *msg*

disputa ['disputa] *sf (discussione)* discussion *f*; *(lite)* dispute *f*; *(di torneo, campionato)* épreuve *f*

disputare [dispu'tare] *vt (torneo, partita)* disputer

disse ['disse] *vb vedi* **dire**

dissenteria [dissente'ria] *sf* dysenterie *f*

dissentire [dissen'tire] *vi:* ~ **(da)** ne pas être d'accord (avec)

dissetante [disse'tante] *agg* désaltérant(e)

dissi ['dissi] *vb vedi* **dire**

dissimulare [dissimu'lare] *vt* dissimuler; *(nascondere)* cacher

dissipare [dissi'pare] *vt* dissiper

dissuadere [dissua'dere] *vt:* ~ **(da)** dissuader (de)

distaccare [distak'kare] *vt* détacher; *(in gara)* distancer; **distaccarsi** *vpr* se détacher

distacco, -chi [dis'takko] *sm* séparation *f*; *(fig: indifferenza)* détachement *m*; *(in gara)* écart *m*; *(: vantaggio)* avance *f*

distante [dis'tante] *avv* loin ■ *agg (lontano)* éloigné(e), loin; *(fig: persona, sguardo)* distant(e); **è ~ da qui?** c'est

loin d'ici?; **essere ~ nel tempo** être éloigné(e) dans le temps

distanza [dis'tantsa] *sf (anche fig)* distance *f*; **a ~ di 2 giorni** à 2 jours de distance; **tenere qn a ~** tenir qn à distance; **prendere le distanze da qc/qn** prendre ses distances de qch/qn; **tenere** o **mantenere le distanze** garder ses distances; ~ **di sicurezza** *(Aut)* distance de sécurité; ~ **focale** distance focale

distanziare [distan'tsjare] *vt (nel tempo)* espacer; *(avversario)* distancer

distare [dis'tare] *vi (essere lontano):* ~ **da**; **dista molto da qui?** c'est très loin d'ici?; **non dista molto** ce n'est pas très loin; **il paese dista 12 km** le village est à 12 km; **quanto dista il centro da qui?** combien y a-t-il d'ici jusqu'au centre?

distendere [dis'tɛndere] *vt* étendre; *(gambe)* étendre, allonger; *(muscoli)* relâcher; *(rilassare: persona, nervi)* détendre; **distendersi** *vpr* s'étendre, s'allonger; *(rilassarsi)* se détendre

distesa [dis'tesa] *sf* étendue *f*; **a ~** *(suonare)* à toute volée

disteso, -a [dis'teso] *pp di* **distendere** ■ *agg* allongé(e); *(rilassato)* détendu(e)

distillare [distil'lare] *vt* distiller

distilleria [distille'ria] *sf* distillerie *f*

distinguere [dis'tingwere] *vt* distinguer; **distinguersi** *vpr* se distinguer

distinta [dis'tinta] *sf* liste *f*; ~ **di pagamento** bordereau *m* de paiement; ~ **di versamento** bordereau de versement

distintivo, -a [distin'tivo] *agg* distinctif(-ive) ■ *sm* insigne *m*

distinto, -a [dis'tinto] *pp di* **distinguere** ■ *agg* distingué(e); **"distinti saluti"** *(in lettera)* "salutations distinguées"

distinzione [distin'tsjone] *sf* distinction *f*; **non fare distinzioni** *(tra persone)* ne pas faire de différence; *(tra cose)* ne pas faire de distinction; **senza ~ di razza** sans distinction de race

distogliere [dis'tɔʎʎere] *vt:* ~ **(da)** *(anche fig)* détourner (de)

distorsione [distor'sjone] sf (Med) entorse f; (Fis) distorsion f

distrarre [dis'trarre] vt (fig: persona, attenzione) distraire; (: intrattenere, divertire) divertir; **distrarsi** vpr se distraire; ~ **lo sguardo** détourner le regard; **non distrarti!** fais attention!

distratto, -a [dis'tratto] pp di **distrarre** ◼ agg distrait(e); (sbadato) étourdi(e)

distrazione [distrat'tsjone] sf distraction f; **errore di ~** faute f d'étourderie

distretto [dis'tretto] sm (Amm, Mil) circonscription f

distribuire [distribu'ire] vt distribuer; (posti) assigner; (ripartire) répartir

distributore [distribu'tore] sm (anche Aut) distributeur m; ~ **automatico** distributeur automatique

districare [distri'kare] vt (anche fig) débrouiller, démêler; **districarsi** vpr se débrouiller; **districarsi da** (fig: tirarsi fuori) se libérer de

distruggere [dis'truddʒere] vt (anche fig) détruire

distruzione [distrut'tsjone] sf destruction f

disturbare [distur'bare] vt déranger; (sonno, lezione) troubler; **disturbarsi** vpr se déranger; **non si disturbi** ne vous dérangez pas; **mi scusi se la disturbo** je m'excuse de vous déranger

disturbo [dis'turbo] sm dérangement m; (Med) trouble m; (Radio, TV) brouillage m; ~ **della quiete pubblica** trouble de la tranquillité publique; **le tolgo il ~** je ne vous dérangerai pas plus longtemps; **disturbi di stomaco** troubles digestifs

disubbidiente [dizubbi'djɛnte] agg désobéissant(e)

disubbidire [dizubbi'dire] vi: ~ **(a)** désobéir (à)

disumano, -a [dizu'mano] agg inhumain(e)

ditale [di'tale] sm dé m à coudre

dito ['dito] (pl(f) **dita**) sm doigt m; (del piede) orteil m; **mettersi le dita nel naso** se mettre les doigts dans le nez;

mettere il ~ sulla piaga (fig) mettre le doigt sur la difficulté; **non ha mosso un ~ (per aiutarmi)** il n'a pas remué le petit doigt (pour m'aider); **ormai è segnato a ~** désormais on le montre du doigt

ditta ['ditta] sf firme f, maison f

dittatore [ditta'tore] sm dictateur m

dittatura [ditta'tura] sf dictature f

dittongo, -ghi [dit'tɔngo] sm diphtongue f

diurno, -a [di'urno] agg de jour; **spettacolo ~** matinée f

diva ['diva] sf étoile f, vedette f; (del cinema) star f, vedette

divano [di'vano] sm canapé m; (senza schienale) divan m; ~ **letto** canapé-lit m

divaricare [divari'kare] vt écarter

divario [di'varjo] sm (di opinioni) divergence f; (squilibrio) écart m, décalage m

diventare [diven'tare] vi devenir; ~ **vecchio** vieillir; **c'è da ~ matti** il y a de quoi devenir fou

diversificare [diversifi'kare] vt diversifier; **diversificarsi** vpr se différencier

diversità [diversi'ta] sf inv diversité f

diversivo, -a [diver'sivo] agg de diversion ◼ sm dérivatif m; **fare un'azione diversiva** essayer de détourner l'attention

diverso, -a [di'vɛrso] agg différent(e) ◼ sm (omosessuale) homosexuel m; **diversi, -e** agg pl différents(-es); (vari) divers(es); (molteplici) plusieurs ◼ pron pl (vari) plusieurs

divertente [diver'tɛnte] agg amusant(e)

divertimento [diverti'mento] sm amusement m; (passatempo) passe-temps m, distraction f; **buon ~!** amusez-vous bien!; **bel ~!** (iron) drôle d'amusement!

divertire [diver'tire] vt amuser; **divertirsi** vpr s'amuser; **divertiti!** amuse-toi bien!; **divertirsi alle spalle di qn** s'amuser aux dépens de qn

dividere [di'videre] vt (anche fig) diviser; (ripartire) partager; (separare) séparer; **dividersi** vpr se séparer; **dividersi in** se diviser en; **è diviso dalla moglie** il s'est séparé de sa femme; **si divide tra casa e lavoro** il partage son temps entre la maison et le travail

divieto [di'vjɛto] *sm* (*Dir*) interdiction *f*, défense *f*; **"~ di sosta"** (*Aut*) "stationnement interdit"; **"~ di accesso"** "défense d'entrer"; **"~ di caccia"** "chasse interdite"; **"~ di parcheggio"** "stationnement interdit"

divincolarsi [divinko'larsi] *vpr* se démener, se débattre

divino, -a [di'vino] *agg* (*anche fig*) divin(e)

divisa [di'viza] *sf* uniforme *m*; (*Comm*) devise *f*

divisi *ecc* [di'vizi] *vb vedi* **dividere**

divisione [divi'zjone] *sf* (*anche Mil, Sport*) division *f*; (*separazione*) séparation *f*; **~ in sillabe** division en syllabes

divo ['divo] *sm* vedette *f*, star *f*

divorare [divo'rare] *vt* (*anche fig*) dévorer; **~ qc con gli occhi** dévorer qch des yeux

divorziare [divor'tsjare] *vi*: **~ (da)** divorcer (de)

divorzio [di'vortsjo] *sm* divorce *m*

divulgare [divul'gare] *vt* divulguer; (*rendere comprensibile*) vulgariser; **divulgarsi** *vpr* se répandre

dizionario [dittsjo'narjo] *sm* dictionnaire *m*

DJ [di'dʒei] *sigla m/f* (= Disk Jockey) DJ *m*

do [dɔ] *sm inv* (*Mus*) do *m*, ut *m*; (*solfeggiando la scala*) do

dobbiamo [dob'bjamo] *vb vedi* **dovere**

D.O.C. [dɔk] *sigla* (= denominazione d'origine controllata) A.O.C.

doccia, -ce ['dottʃa] *sf* douche *f*; (*condotto*) gouttière *f*; **fare la ~** prendre une douche; **~ fredda** (*fig*) douche froide

docente [do'tʃɛnte] *agg* enseignant(e) ■ *sm/f* professeur *m*

docile ['dɔtʃile] *agg* docile

documentario [dokumen'tarjo] *sm* documentaire *m*

documentarsi [dokumen'tarsi] *vpr*: **~ (su)** se documenter (sur)

documento [doku'mento] *sm* document *m*; **documenti** *smpl* (*Amm*) papiers *mpl*; **documenti d'identità** papiers d'identité

dodicesimo, -a [dodi'tʃɛzimo] *agg, sm/f* douzième *m/f* ■ *sm* douzième *m*; *vedi anche* **quinto**

dodici ['doditʃi] *agg inv, sm inv* douze (*m*) *inv*; *vedi anche* **cinque**

dogana [do'gana] *sf* douane *f*; **passare la ~** passer la douane

doganiere [doga'njɛre] *sm* douanier *m*

doglie ['dɔʎʎe] *sfpl* douleurs *fpl* de l'accouchement

dolce ['doltʃe] *agg* (*anche fig*) doux (douce); (*zuccherato*) sucré(e) ■ *sm* (*sapore*) sucré *m*; (*portata*) dessert *m*; (*torta*) gâteau *m*; **il ~ far niente** le farniente

dolcificante [doltʃifi'kante] *agg* édulcorant(e) ■ *sm* édulcorant *m*

dollaro ['dɔllaro] *sm* dollar *m*

Dolomiti [dolo'miti] *sfpl* Dolomites *fpl*

dolore [do'lore] *sm* douleur *f*; **se lo scoprono sono dolori!** s'ils le découvrent, ça va mal aller!

doloroso, -a [dolo'roso] *agg* douloureux(-euse)

domanda [do'manda] *sf* (*anche Econ*) demande *f*; (*interrogazione*) question *f*; **fare una ~ a qn** poser une question à qn; **fare ~ per un lavoro** faire une demande d'emploi; **presentare regolare ~** adresser une demande conforme; **fare ~ all'autorità giudiziaria** présenter une requête aux autorités judiciaires; **~ di divorzio/matrimonio** demande en divorce/mariage

domandare [doman'dare] *vt* demander; **domandarsi** *vpr* se demander; **~ qc a qn** demander qch à qn; **~ di qn** demander des nouvelles de qn; (*al telefono ecc*) demander qn

domani [do'mani] *avv* demain ■ *sm* demain *m*; (*il futuro*) avenir *m*; **dall'oggi al ~** du jour au lendemain; **~ sera** demain soir; **~ (a) otto** demain en huit; **~ l'altro** après-demain; **a ~!** à demain!; **un ~** un jour; **~!** (*iron*) tu peux attendre!

domare [do'mare] *vt* dompter; (*fig*) maîtriser

domatore, -trice [doma'tore] *sm/f* dompteur(-euse) *m/f*; **~ di cavalli/ leoni** dompteur *m* de chevaux/lions

domattina [domat'tina] *avv* demain matin

domenica, -che [do'menika] *sf* dimanche *m*; *vedi anche* **martedì**

domestico, -a, -ci, -che [do'mɛstiko] *agg* domestique; *(abitudini, tradizioni)* familial(e) ■ *sm/f* domestique *m/f*, employé *m/f* de maison; **rimanere tra le pareti domestiche** rester chez soi

domicilio [domi'tʃiljo] *sm* domicile *m*; **a ~** *(lavoro, consegna)* à domicile

dominare [domi'nare] *vt (anche fig)* dominer ■ *vi* dominer; *(fig: prevalere)* l'emporter; **dominarsi** *vpr* se dominer, se maîtriser

donare [do'nare] *vt*: **~ (a)** *(regalare)* offrir (à); *(in beneficenza)* faire don de (à) ■ *vi (fig: colore, abito)*: **~ (a)** aller bien (à); **~ sangue** donner son sang; **~ organi** faire un don d'organes

donatore, -trice [dona'tore] *sm/f* *(Med)* donneur(-euse); **~ di organi** donneur d'organes; **~ di sangue** donneur de sang

dondolare [dondo'lare] *vt* balancer; **dondolarsi** *vpr* se balancer

dondolo ['dondolo] *sm*: **a ~** à bascule; **sedia a ~** rocking-chair *m*

donna ['dɔnna] *sf* femme *f*; *(titolo)* madame *f*; *(Carte)* dame *f*; **figlio di buona ~!** *(fam)* salaud!; **~ a ore**, **~ delle pulizie** femme de ménage; **~ di casa** femme d'intérieur; **~ di servizio** femme de ménage

donnaiolo [donna'jɔlo] *sm* coureur *m* (de jupons)

donnola ['dɔnnola] *sf* belette *f*

dono ['dono] *sm* cadeau *m*; *(fig: grazia, qualità)* don *m*

doping [dou'piŋ] *sm* dopage *m*

dopo ['dopo] *avv (tempo, spazio)* après; *(più tardi)* plus tard ■ *prep* après ■ *cong (temporale)*: **~ aver studiato** après avoir étudié ■ *agg inv*: **il giorno ~** le jour suivant, le lendemain; **~ mangiato va a dormire** après manger, il va se coucher; **un anno ~** un an après; **~ di me/lui** après moi/lui; **a ~!** à tout à l'heure!; **è subito ~ la chiesa** c'est juste après l'église

dopobarba [dopo'barba] *sm inv* après-rasage *m*, after-shave *m*

dopodomani [dopodo'mani] *avv* après-demain ■ *sm inv* surlendemain *m*

doposci [dopoʃ'ʃi] *sm inv* après-ski *m*

doposole [dopo'sole] *agg inv, sm inv* après-soleil *(m)*

dopotutto [dopo'tutto] *avv* après tout

doppiaggio [dop'pjaddʒo] *sm (Cine)* doublage *m*

doppiare [dop'pjare] *vt (capo, Cine)* doubler

doppio, -a ['doppjo] *agg* double; *(fig: falso)* faux (fausse) ■ *sm (quantità, numero, misura)*: **il ~ (di)** le double (de); *(Tennis)* double *m* ■ *avv* double; **battere una lettera in doppia copia** taper une lettre en double exemplaire; **fare il ~ gioco** *(fig)* jouer un double jeu; **chiudere a doppia mandata** fermer à double tour; **frase a ~ senso** phrase à double sens; **un utensile a ~ uso** un outil à double emploi; **~ mento** double menton *m*; **~ senso** double sens *msg*

doppione [dop'pjone] *sm* double *m*

doppiopetto [doppjo'pɛtto] *sm (giacca)* veste *f* croisée; *(mantello)* manteau *m* croisé

dormicchiare [dormik'kjare] *vi* sommeiller

dormiglione, -a [dormiʎ'ʎone] *sm/f* (grand(e)) dormeur(-euse)

dormire [dor'mire] *vi, vt (anche fig)* dormir; **~ come un ghiro** dormir comme un loir; **~ della grossa** dormir d'un sommeil de plomb; **~ in piedi** dormir debout

dormita [dor'mita] *sf* somme *m*; **farsi una ~** faire un somme

dormitorio [dormi'tɔrjo] *sm* dortoir *m*; **città ~** ville-dortoir *f*; **~ pubblico** asile *m* de nuit

dormiveglia [dormi'veʎʎa] *sm inv* demi-sommeil *m*

dorso ['dɔrso] *sm* dos *msg*; **a ~ di cavallo/mulo** à dos de cheval/mulet

dosare [do'zare] *vt (anche Med)* doser

dose ['dɔze] *sf (anche Med)* dose *f*

dotato, -a [do'tato] *agg*: **~ di** *(di attrezzature ecc)* doté(e) de, équipé(e) de; *(di talento ecc)* doué(e); **una persona molto dotata** une personne très douée

dote ['dɔte] *sf* dot *f*; (*fig*) qualité *f*
Dott. *abbr* (= *dottore*) Dr.
dottorato [dotto'rato] *sm* (*Univ*) doctorat *m*; **~ di ricerca** ≈ doctorat
dottore, -essa [dot'tore] *sm/f* (*medico*) docteur *m*; (*laureato*) *titre donné au titulaire d'une 'laurea'*; **~ in legge** licencié en droit; **chiamate un ~** appelez un docteur

○ **DOTTORE**

● En Italie, le titre de docteur est
● donné à toute personne titulaire
● d'une maîtrise, quelle qu'en soit la
● discipline. Une personne appelée
● "dottore" n'est pas forcément
● médecin.

dottrina [dot'trina] *sf* (*anche Rel*) doctrine *f*; (*catechismo*) catéchisme *m*; (*cultura*) culture *f*
Dott.ssa *abbr* (= *dottoressa*) Dr.

○ **PAROLA CHIAVE**

dove ['dove] *avv* **1** (*in interrogative*) où?; **dove sei?** où es-tu?; **dove vai?** où vas-tu?; **dimmi dov'è!** dis-moi où il est!; **da dove viene?** d'où vient-il?; **di dove sei?** d'où es-tu?; **per dove si passa?** par où passe-t-on?
2 (*in relative*) où; (*: nel luogo in cui*) (là) où; **qui è dove l'han trovato** c'est ici qu'ils l'ont trouvé; **t'aiuto fin dove posso** je t'aide autant que je peux; **la città dove sono nato** la ville où je suis né; **dove va combina guai** où qu'il aille, il fait des bêtises; **si sieda dove preferisce** asseyez-vous où vous voulez; **resta dove sei** reste (là) où tu es
■ *cong* (*mentre*) alors que; **ha preso la colpa dove non era sua** il a endossé la faute alors qu'il n'était pas coupable

dovere [do'vere] *sm* devoir *m* ■ *vt* (*somma, favore*): **~ qc (a qn)** devoir qch (à qn) ■ *vi* (*seguito da infinito: obbligo*): **~ fare qc** devoir faire qch; (*: necessità*): **è dovuto partire** il a dû partir; (*: intenzione*): **devo partire domani** je dois partir demain; (*: probabilità*): **dev'essere tardi** il doit être tard;

(*: divieto*): **non devi prenderlo** tu ne dois pas le prendre; (*: assenza di obbligo*): **non devi venire se non vuoi** tu n'es pas obligé de venir; **quanto le devo?** combien est-ce que je vous dois?; **avere il senso del ~** avoir le sens du devoir; **rivolgersi a chi di ~** s'adresser à qui de droit; **doveva accadere** cela devait arriver; **a ~** comme il se doit; **come si deve** comme il faut; **una persona come si deve** une personne comme il faut
doveroso, -a [dove'roso] *agg* (*dovuto*) juste
dovrò *ecc* [do'vrɔ] *vb vedi* **dovere**
dovunque [do'vunkwe] *avv* n'importe où; (*dappertutto*) partout; **~ io vada...** où que j'aille...
dovuto, -a [do'vuto] *pp di* **dovere** ■ *agg* (*causato*): **~ a** dû (due) à ■ *sm* dû *m*; **nel modo ~** comme de juste; **lavorare più del ~** travailler plus qu'il ne faut
dozzina [dod'dzina] *sf* douzaine *f*; **una ~ di uova** une douzaine d'œufs; **di o da ~** (*scrittore, spettacolo*) médiocre, de second ordre
dozzinale [doddzi'nale] *agg* ordinaire
drago, -ghi ['drago] *sm* dragon *m*; (*fam: fig*) as *msg*, champion(ne)
dramma, -i ['dramma] *sm* (*anche fig*) drame *m*; **fare un ~ di qc** faire un drame de qch
drammatico, -a, -ci, -che [dram'matiko] *agg* (*anche fig*) dramatique
drastico, -a, -ci, -che ['drastiko] *agg* draconien(ne)
dritto, -a ['dritto] *agg, avv* = **diritto** ■ *sm/f* (*fam: furbo*): **è un ~** c'est un malin
droga, -ghe ['drɔga] *sf* (*stupefacente: anche fig*) drogue *f*; (*spezia*) épice *f*; **droghe leggere** drogues douces; **droghe pesanti** drogues dures
drogarsi [dro'garsi] *vpr* se droguer
drogato, -a [dro'gato] *sm/f* drogué(e)
drogheria [droge'ria] *sf* droguerie *f*; (*negozio di alimentari*) épicerie *f*
dromedario [drome'darjo] *sm* dromadaire *m*

DS [di'ɛsse] *smpl* (= *Democratici di sinistra*) Démocrates *mpl* de gauche

dubbio, -a ['dubbjo] *agg* incertain(e); (*equivoco*) douteux(-euse) ◼ *sm* doute *m*; **mettere in ~ qc** mettre qch en doute; **avere il ~ che** avoir la sensation que; **essere in ~ fra** hésiter entre; **nutrire seri dubbi su qc** avoir de sérieux doutes sur qch; **senza ~** sans aucun doute

dubitare [dubi'tare] *vi* douter; **~ di qc/qn** douter de qch/qn; **~ di sé** douter de soi; **ne dubito** j'en doute

Dublino [du'blino] *sf* Dublin

duca, -chi ['duka] *sm* duc *m*

duchessa [du'kessa] *sf* duchesse *f*

due ['due] *agg inv, sm inv* deux *m inv*; **a ~ a ~** deux par deux; **dire ~ parole** dire deux mots; **ci metti ~ minuti** ça prend deux minutes; *vedi anche* **cinque**

duecento [due'tʃɛnto] *agg inv, sm inv* deux cents (*m*) *inv* ◼ *sm*: **il D~** le treizième siècle

duepezzi [due'pɛttsi] *sm inv* deux-pièces *msg*, bikini *m*; (*abito*) deux-pièces

dunque ['dunkwe] *cong* donc ◼ *sm inv*: **venire al ~** venir au fait

duomo ['dwɔmo] *sm* cathédrale *f*; **il ~ di Milano** le dôme de Milan

duplicato [dupli'kato] *sm* (*Dir*) duplicata *m inv*; (*copia*) double *m*

duplice ['duplitʃe] *agg* double; **in ~ copia** en double exemplaire

durante [du'rante] *prep* pendant; **vita natural ~** durant toute sa vie

durare [du'rare] *vi* durer; (*cibo*) se conserver; (*protrarsi*) durer, continuer; **~ fatica a** avoir de la peine à; **~ in carica** rester en fonction; **non può ~** cela ne peut pas continuer o durer

durezza [du'rettsa] *sf* (*vedi agg*) dureté *f*; difficulté *f*; entêtement *m*; sévérité *f*

duro, -a ['duro] *agg* dur(e); (*problema*) difficile; (*persona: ostinato*) têtu(e); (*: severo*) sévère ◼ *sm* dur *m*; (*difficoltà*) difficultés *fpl* ◼ *sm/f* dur(e) *m/f* ◼ *avv*: **tener ~** tenir bon; **avere la pelle dura** (*fig*) avoir la peau dure; **~ di comprendonio** dur de la comprenette (*fam*); **~ d'orecchi** dur d'oreille; **fare il ~** jouer les durs

DVD *sm inv* DVD *m*

e

E [e] *abbr* (= *est*) E

e [e] (*dav vocale anche* **ed**) *cong* et

è [ɛ] *vb vedi* **essere**

ebbe ['ɛbbe] *vb vedi* **avere**

ebbene [eb'bɛne] *cong* eh bien

ebbi ['ɛbbi] *vb vedi* **avere**

ebraico, -a, -ci, -che [e'braiko] *agg* hébraïque ◼ *sm* hébreu *m*; **popolo ~** peuple *m* hébreu

ebreo, -a [e'brɛo] *agg, sm/f* juif(-ive)

EC *abbr* (= *Eurocity*) train reliant les grandes villes européennes du Luxembourg à l'Italie

ecc. *abbr avv* (= *eccetera*) etc.

eccellente [ettʃel'lɛnte] *agg* excellent(e); (*fig: cadavere*) exquis(e); **omicidio ~** assassinat d'un personnage en vue

eccentrico, -a, -ci, -che [et'tʃɛntriko] *agg* excentrique

eccessivo, -a [ettʃes'sivo] *agg* excessif(-ive)

eccesso [et'tʃɛsso] *sm* excès *m*; **dare in eccessi** (*fig*) s'emporter; **per ~** (*arrotondare*) par excès; **~ di velocità** excès de vitesse; **~ di zelo** excès de zèle

eccetera [et'tʃetera] *avv* et cetera

eccetto [et'tʃetto] *prep* (*tranne*) sauf, excepté; **è permesso tutto ~ che fumare** on peut tout faire sauf fumer; **verrò domani ~ che non piova** je viendrai demain sauf s'il pleut, je viendrai demain à moins qu'il ne pleuve

eccezionale [ettʃettsjo'nale] *agg* exceptionnel(le); **in via del tutto ~** exceptionnellement

eccezione [ettʃet'tsjone] *sf* (*anche Dir*) exception *f*; **a ~ di** à l'exception de, sauf; **d'~** exceptionnel(le), de marque; **fare ~** faire exception; **fare un'~ (alla regola)** faire une exception (à la règle)

eccitare [ettʃi'tare] *vt* exciter; **eccitarsi** *vpr* s'exciter

ecco ['ɛkko] *avv* voilà; **eccomi!** me voilà!, me voici!; (*vengo!*) j'arrive!; **~ fatto!** ça y est, c'est fait!; **eccoci arrivati!** nous voilà arrivés!

eccome [ek'kome] *avv* et comment, évidemment; **ti piace? - ~!** ça te plaît? - et comment!

eclisse [e'klisse] *sf* éclipse *f*

eco ['ɛko] (*pl(m)* **echi**) *sm o f* écho *m*; (*fig*) retentissement *m*, résonance *f*; **suscitare una vasta ~** avoir un grand retentissement

ecografia [ekogra'fia] *sf* échographie *f*

ecologia [ekolo'dʒia] *sf* écologie *f*

ecologico, -a, -ci, -che [eko'lɔdʒiko] *agg* écologique

economia [ekono'mia] *sf* économie *f*; **fare ~** faire des économies; **~ sommersa o sotterranea** économie souterraine

economico, -a, -ci, -che [eko'nɔmiko] *agg* économique; **edizione economica** édition bon marché; **potrebbe indicarmi un albergo/ristorante ~?** pourriez-vous m'indiquer un hôtel/restaurant économique?

ecstasy ['ɛkstəsi] *sf* ecstasy *f*

edera ['edera] *sf* lierre *m*

edicola [e'dikola] *sf* kiosque *m* (à journaux)

edificio [edi'fitʃo] *sm* édifice *m*, bâtiment *m*; (*abitazione*) immeuble *m*; (*fig*) édifice *m*

edile [e'dile] *agg* (*imprenditore, impresa*) de bâtiment; (*industria*) du bâtiment

Edimburgo [edim'burgo] *sf* Édimbourg

editore, -trice [edi'tore] *agg* (*società, casa*) d'édition, éditeur(-trice) ■ *sm/f* éditeur(-trice)

edizione [edit'tsjone] *sf* édition *f*; **una bella ~ della Traviata** une belle représentation de la Traviata; **la trentesima ~ della Fiera di Milano** la trentième Foire de Milan; **~ straordinaria** édition spéciale

educare [edu'kare] *vt* éduquer, élever; (*gusto, mente*) éduquer

educato, -a [edu'kato] *agg* bien élevé(e), poli(e); (*modi*) courtois(e); **in modo ~** poliment

educazione [edukat'tsjone] *sf* éducation *f*; (*comportamento*) politesse *f*, bonnes manières *fpl*; **per ~** par politesse; **~ fisica** (*Scol*) éducation physique

educherò *ecc* [eduke'rɔ] *vb vedi* **educare**

effeminato, -a [effemi'nato] *agg* efféminé(e)

effervescente [efferveʃ'ʃɛnte] *agg* effervescent(e); (*fig*) effervescent(e), bouillonnant(e)

effettivo, -a [effet'tivo] *agg* effectif(-ive), réel(le); (*Amm*) en fonction; (*Scol*) en titre, titulaire; (*socio*) actif(-ive) ■ *sm* (*Amm, Scol*) personnel *m*; (*Mil*) effectif *m*

effetto [ef'fetto] *sm* (*anche Comm*) effet *m*; **in effetti** en réalité, effectivement; **fare ~** (*medicina*) faire de l'effet; **cercare l'~** (re)chercher l'effet; **~ serra** effet de serre; **effetti personali** affaires *fpl*; **effetti attivi** (*Comm*) effets à recevoir; **effetti passivi** (*Comm*) effets à payer

efficace [effi'katʃe] *agg* efficace

efficiente [effi'tʃɛnte] *agg* (*persona*) efficace, efficient(e); (*macchina*) performant(e)

Egitto [e'dʒitto] *sm* Égypte *f*

egiziano, -a [edʒit'tsjano] *agg* égyptien(ne) ■ *sm/f* Égyptien(ne)

egli ['eʎʎi] *pron* il; **~ stesso** lui-même

egoismo [ego'izmo] *sm* égoïsme *m*

egoista, -i, -e [ego'ista] *agg, sm/f* égoïste *m/f*

Egr. *abbr* (= *Egr. Sig.*) Monsieur

E.I. *abbr* (= *Esercito Italiano*) armée italienne

elaborare [elabo'rare] *vt* élaborer; (*dati*) traiter

elasticizzato, -a [elastitʃid'dzato] *agg* élastique; **pantaloni elasticizzati** *pantalon msg* stretch®

elastico, -a, -ci, -che [e'lastiko] *agg* (*materiale*) élastique; (*fig*) souple ■ *sm* élastique *m*

elefante, -essa [ele'fante] *sm/f* éléphant(e)

elegante [ele'gante] *agg* élégant(e)

eleggere [e'lɛddʒere] *vt* élire

elementare [elemen'tare] *agg* élémentaire; **le (scuole) elementari** (*Scol*) ≈ l'école *fsg* primaire; **prima ~** (*Scol*) ≈ C.P. *m*, cours préparatoire

elemento [ele'mento] *sm* (*anche fig, Chim*) élément *m*; **elementi** *smpl* (*di scienza, arte*) notions *fpl*, éléments *mpl*

elemosina [ele'mɔzina] *sf* aumône *f*; **chiedere l'~** demander l'aumône

elencare [elen'kare] *vt* (*mettere in elenco*) dresser la liste de; (*enumerare*) énumérer

elencherò *ecc* [elenke'rɔ] *vb vedi* **elencare**

elenco, -chi [e'lɛnko] *sm* liste *f*; **~ telefonico** annuaire *m* (des téléphones)

elessi *ecc* [e'lɛssi] *vb vedi* **eleggere**

elettorale [eletto'rale] *agg* électoral(e)

elettore, -trice [elet'tore] *sm/f* électeur(-trice)

elettrauto [elet'trauto] *sm inv* (*officina*) garage *m*; (*negozio*) magasin spécialisé dans l'équipement électrique pour autos; (*tecnico*) mécanicien *m* (*spécialisé dans les installations électriques pour autos*)

elettricista, -i [elettri'tʃista] *sm* électricien *m*

elettricità [elettritʃi'ta] *sf* électricité *f*

elettrico, -a, -ci, -che [e'lɛttriko] *agg* électrique

elettrizzante [elettrid'dzante] *agg* (*fig*) électrisant(e)

elettrizzare [elettrid'dzare] *vt* (*anche fig*) électriser; **elettrizzarsi** *vpr* se charger; (*fig*) être galvanisé(e)

elettrodomestico, -a, -ci, -che [elèttrodo'mestiko] *agg* électroménager(-ère) ■ *sm* électroménager *m*; **apparecchio ~** appareil *m* électroménager

elettronico, -a, -ci, -che [elet'trɔniko] *agg* électronique

elezione [elet'tsjone] *sf* élection *f*; **elezioni** *sfpl* (*amministrative, politiche*) élections *fpl*; **patria d'~** patrie *f* d'élection

elica, -che ['ɛlika] *sf* (*di nave, aereo*) hélice *f*

elicottero [eli'kɔttero] *sm* hélicoptère *m*

eliminare [elimi'nare] *vt* éliminer; (*dubbi*) dissiper

elisoccorso [elisok'korso] *sm* secours *m* en hélicoptère

elmetto [el'metto] *sm* casque *m*

elogiare [elo'dʒare] *vt* faire l'éloge de

eloquente [elo'kwɛnte] *agg* éloquent(e); (*fig*) éloquent(e), parlant(e); **questi dati sono eloquenti** ces chiffres sont éloquents

eludere [e'ludere] *vt* (*domanda*) éluder; (*regolamento, leggi*) contourner; (*sorveglianza*) échapper à

elusi *ecc* [e'luzi] *vb vedi* **eludere**

e-mail [i'mɛil] *sf inv* e-mail *m*; **inviare qc per ~** envoyer qch par e-mail

emarginato, -a [emardʒi'nato] *agg, sm/f* marginal(e)

emarginazione [emardʒinat'tsjone] *sf* marginalisation *f*

embrione [embri'one] *sm* (*anche Bot*) embryon *m*; **in ~** (*fig*) à l'état embryonnaire

emendamento [emenda'mento] *sm* correction *f*; (*Dir*) amendement *m*

emergenza [emer'dʒɛntsa] *sf* urgence *f*; **in caso di ~** en cas d'urgence; **stato di ~** état *m* d'urgence

* **EMERGENZA**
*
* Les numéros à composer en
* cas d'urgence sont les suivants:
* Police 113, Carabinieri 112,
* SAMU 118, Police routière 116,
* Sapeurs-pompiers 115

emergere [e'mɛrdʒere] vi émerger; (fig: apparire) se révéler; (: distinguersi) se distinguer; **emerge che...** il ressort que...

emersi ecc [e'mɛrsi] vb vedi **emergere**

emettere [e'mettere] vt (suono, luce, onde radio ecc) émettre; (grido, sospiro) pousser; (assegno) tirer; (francobollo) mettre en circulation; (ordine, mandato) délivrer; (Dir: sentenza) rendre

emicrania [emi'kranja] sf migraine f

emigrare [emi'grare] vi émigrer; (uccelli) migrer

emisfero [emis'fɛro] sm hémisphère m; **~ australe** hémisphère austral; **~ boreale** hémisphère boréal

emisi ecc [e'mizi] vb vedi **emettere**

emittente [emit'tɛnte] agg émetteur(-trice) ■ sf (Radio, TV) émetteur m; **~ privata** émetteur privé

emorragia, -gie [emorra'dʒia] sf hémorragie m

emorroidi [emor'rɔidi] sfpl hémorroïdes fpl

emotivo, -a [emo'tivo] agg émotif(-ive)

emozionante [emottsjo'nante] agg émouvant(e); (appassionante) passionnant(e), palpitant(e)

emozionare [emottsjo'nare] vt (commuovere) émouvoir; (appassionare) passionner; **emozionarsi** vpr s'émouvoir

emozionato, -a [emottsjo'nato] agg (commosso) ému(e); (agitato) nerveux(-euse); (eccitato) excité(e)

emozione [emot'tsjone] sf émotion f; (agitazione) émotion, émoi m

enciclopedia [entʃiklope'dia] sf encyclopédie f

endovenoso, -a [endove'noso] agg intraveineux(-euse) ■ sf (iniezione) intraveineuse f

E.N.E.L. ['enel] sigla m (= Ente Nazionale per l'Energia Elettrica) ≈ EDF f

energetico, -a, -ci, -che [ener'dʒɛtiko] agg énergétique

energia, -gie [ener'dʒia] sf énergie f; (fig: di stile, carattere) force f; **~ atomica** énergie atomique; **~ elettrica** énergie électrique; **~ solare** énergie solaire

energico, -a, -ci, -che [e'nɛrdʒiko] agg énergique

enfasi ['ɛnfazi] sf emphase f

ennesimo, -a [en'nezimo] agg (Mat) énième, nième; **per l'ennesima volta** pour la énième fois

enorme [e'norme] agg énorme

ente ['ente] sm (istituzione) organisme m; (Filosofia) être m; **~ di ricerca** centre m de recherche; **enti locali** ≈ collectivités fpl locales; **enti pubblici** établissements mpl publics

entrambi, -e [en'trambi] pron pl tous (toutes) les deux ■ agg pl: **~ i ragazzi** les deux garçons

entrare [en'trare] vi: **~ (in)** entrer (dans); (in convento) entrer (au); (in macchina) monter (en); **far ~ qn** faire entrer qn; **~ in società con qn** (Comm) s'associer à o avec qn; **~ in vigore** entrer en vigueur; **questo non c'entra** (fig) cela n'a rien à voir; **che c'entra?** et alors?

entrata [en'trata] sf entrée f; **entrate** sfpl (Comm, Econ) recettes fpl; **con l'~ in vigore dei nuovi provvedimenti...** avec l'entrée en vigueur des nouvelles mesures...; **"~ libera"** "entrée libre"; **dov'è l'~?** où est l'entrée?; **entrate tributarie** recettes fiscales

entro ['entro] prep: **~ domani** d'ici demain; **~ il 25 marzo** avant le 25 mars; **~ e non oltre il 25 aprile** le 25 avril dernière limite

entusiasmare [entuzjaz'mare] vt enthousiasmer; **entusiasmarsi** vpr: **entusiasmarsi (per)** s'enthousiasmer (pour)

entusiasmo [entu'zjazmo] sm enthousiasme m

entusiasta, -i, -e [entu'zjasta] agg, sm/f enthousiaste m/f

epatite [epa'tite] sf hépatite f

epidemia [epide'mia] sf (anche fig) épidémie f

epilessia [epiles'sia] sf épilepsie f

epilettico, -a, -ci, -che [epi'lɛttiko] agg épileptique

episodio [epi'zɔdjo] sm épisode m; **a episodi** (sceneggiato, telefilm) à épisodes

epoca, -che ['ɛpoka] sf (periodo storico) époque f; (tempo) période f;

(Geo) ère f; **d'~** (edificio, mobile) d'époque, authentique; **fare ~** faire époque, faire date

eppure [ep'pure] cong (nondimeno) et pourtant

EPT [epi'ti] sigla m (= Ente provinciale per il turismo) Office de tourisme provincial

equatore [ekwa'tore] sm équateur m

equazione [ekwat'tsjone] sf équation f

equestre [e'kwestre] agg équestre

equilibrio [ekwi'librjo] sm équilibre m; **perdere l'~** perdre l'équilibre; **stare in ~ su** (persona, oggetto) être en équilibre sur

equino, -a [e'kwino] agg (razza) chevalin(e); (carne) de cheval

equipaggiamento [ekwipaddʒa'mento] sm équipement m

equipaggiare [ekwipad'dʒare] vt: **~ (di)** équiper (de); **equipaggiarsi** vpr s'équiper

equipaggio [ekwi'paddʒo] sm équipage m

equitazione [ekwitat'tsjone] sf équitation f

equivalente [ekwiva'lɛnte] agg équivalent(e) ■ sm équivalent m

equivoco, -a, -ci, -che [e'kwivoko] agg, sm équivoque f; **a scanso di equivoci** pour éviter tout malentendu; **giocare sull'~** jouer sur les mots

equo, -a [ˈɛkwo] agg (risultato, giudizio, spartizione) équitable; (prezzo) raisonnable

era [ˈɛra] sf ère f

era ecc [ˈɛra] vb vedi **essere**

erba [ˈɛrba] sf herbe f; **in ~** (fig) en herbe; **fare di ogni ~ un fascio** (fig) mettre tout dans le même sac; **~ medica** luzerne f; **erbe aromatiche** herbes aromatiques, fines herbes

erbaccia, -ce [er'battʃa] sf mauvaise herbe f

erboristeria [erboriste'ria] sf (negozio) herboristerie f; (scienza) discipline qui étudie les plantes médicales

erede [e'rɛde] sm/f (anche fig) héritier(-ière)

eredità [eredi'ta] sf inv (anche fig) héritage m; **lasciare qc in ~ qn** laisser qch en héritage à qn

ereditare [eredi'tare] vt hériter

ereditario, -a [eredi'tarjo] agg héréditaire

eremita, -i [ere'mita] sm ermite m

ergastolo [er'gastolo] sm réclusion f à perpétuité

erica [ˈɛrika] sf bruyère f

ermetico, -a, -ci, -che [er'mɛtiko] agg hermétique

ernia [ˈɛrnja] sf hernie f; **~ del disco** hernie discale

ero [ˈɛro] vb vedi **essere**

eroe [e'rɔe] sm héros msg

erogare [ero'gare] vt (gas, servizi) distribuer; (fondi) affecter

eroico, -a, -ci, -che [e'rɔiko] agg héroïque

eroina [ero'ina] sf (persona, droga) héroïne f

erosione [ero'zjone] sf érosion f

erotico, -a, -ci, -che [e'rɔtiko] agg érotique

errato, -a [er'rato] agg erroné(e)

errore [er'rore] sm erreur f, faute f; (colpa) faute; **per ~** par erreur; **ci dev'essere un ~** il doit y avoir une erreur; **~ giudiziario** erreur judiciaire

eruzione [erut'tsjone] sf (Geo, Med) éruption f

esacerbare [ezatʃer'bare] vt exacerber

esagerare [ezadʒe'rare] vt, vi exagérer; **senza ~** sans exagérer; **~ nel bere** boire à l'excès

esaltare [ezal'tare] vt exalter; **esaltarsi** vpr: **esaltarsi (per)** s'exalter (pour)

esame [e'zame] sm examen m; **fare** o **dare un ~** passer un examen; **passare** o **superare un ~** réussir un examen; **fare un ~ di coscienza** faire son examen de conscience; **~ del sangue** analyse f du sang; **~ di guida** permis m

esaminare [ezami'nare] vt examiner

esasperare [ezaspe'rare] vt exaspérer; **esasperarsi** vpr s'exaspérer

esattamente [ezatta'mente] avv exactement

esattezza [ezat'tettsa] sf exactitude f, précision f; (diligenza) application f; **per l'~** pour être précis

esatto, -a [e'zatto] pp di **esigere**
■ agg exact(e)

esaudire [ezau'dire] vt (desideri ecc)
exaucer

esauriente [ezau'rjɛnte] agg
exhaustif(-ive)

esaurimento [ezauri'mento] sm
(di scorte) épuisement m; (Med)
dépression f; **svendita fino ad ~ della
merce** soldes jusqu'à épuisement du
stock; **~ nervoso** dépression
nerveuse

esaurire [ezau'rire] vt épuiser;
esaurirsi vpr s'épuiser

esaurito, -a [ezau'rito] agg (scorte
ecc) épuisé(e); (posto: al cinema, teatro)
complet(-ète); (persona) déprimé(e);
tutto ~ (teatro, albergo) complet;
i posti erano tutti esauriti la salle
était complète; **il teatro ha
registrato il tutto ~** le théâtre a
affiché "complet"

esausto, -a [e'zausto] agg épuisé(e)

esca ['eska] (pl **esche**) sf (anche fig)
appât m

esce ['eʃʃe] vb vedi **uscire**

eschimese [eski'mese] agg
esquimau inv, eskimo inv ■ sm/f
Esquimau(de) ■ sm esquimau m

esci ['ɛʃʃi] vb vedi **uscire**

esclamare [eskla'mare] vi
s'exclamer

esclamativo, -a [esklama'tivo] agg:
punto ~ point m d'exclamation

esclamazione [esklamat'tsjone] sf
exclamation f

escludere [es'kludere] vt exclure

esclusi ecc [es'kluzi] vb vedi
escludere

esclusione [esklu'zjone] sf exclusion
f; **a ~ di** sauf; **~ sociale** exclusion

esclusiva [esklu'ziva] sf exclusivité f;
in ~ en exclusivité; **avere l'~ (di)**
(di notizia, prodotto) avoir l'exclusivité
(de)

esclusivamente [eskluziva'mente]
avv exclusivement

esclusivo, -a [esklu'zivo] agg
exclusif(-ive); (circolo) fermé(e)

escluso, -a [es'kluzo] pp di
escludere ■ agg: **nessuno ~** tous
sans exception; **IVA esclusa** hors
taxes

esco ['ɛsko] vb vedi **uscire**

escogitare [eskodʒi'tare] vt
inventer, imaginer

escono ['ɛskono] vb vedi **uscire**

escursione [eskur'sjone] sf
excursion f; **~ termica** amplitude f
(thermique)

esecuzione [ezekut'tsjone] sf
exécution f, réalisation f; (Mus, Dir)
exécution; **~ capitale** exécution
capitale

eseguire [eze'gwire] vt exécuter

esempio [e'zɛmpjo] sm exemple m;
fare un ~ donner un exemple; **per ~**
par exemple

esemplare [ezem'plare] agg, sm
exemplaire m

esercitare [ezertʃi'tare] vt exercer;
esercitarsi vpr s'exercer;
esercitarsi nella guida s'entraîner
à conduire

esercito [e'zɛrtʃito] sm (anche fig)
armée f

esercizio [ezer'tʃittsjo] sm exercice
m; (allenamento) exercice,
entraînement m; (attività
commerciale) magasin m; (gestione)
gestion f; **costi di ~** (Comm) frais mpl
d'exploitation; **nell'~ delle proprie
funzioni** dans l'exercice de ses
fonctions; **fuori ~** (persona) rouillé(e);
(non funzionante) hors d'usage;
~ pubblico (Comm) établissement m

esibire [ezi'bire] vt (documenti)
montrer; **esibirsi** vpr (a spettacolo) se
produire, s'exhiber

esibizione [ezibit'tsjone] sf (di
documenti) présentation f; (artistica)
représentation f

esigente [ezi'dʒɛnte] agg exigeant(e)

esigere [e'zidʒere] vt exiger;
(imposte) percevoir

esile ['ɛzile] agg mince; (voce)
fluet(te)

esiliare [ezi'ljare] vt exiler

esilio [e'ziljo] sm exil m

esistenza [ezis'tɛntsa] sf existence f

esistere [e'zistere] vi exister; **non
esiste!** (fam) jamais de la vie!

esitare [ezi'tare] vi hésiter; **~ a fare**
hésiter à faire

esito ['ɛzito] sm (di esame, partita)
résultat m; (di incontro, battaglia)
issue f

esodo ['ɛzodo] sm exode m

esonerare [ezone'rare] vt: ~ **(da)**
exonérer (de)

esordio [e'zɔrdjo] sm début m

esortare [ezor'tare] vt: ~ **(a/a fare)**
exhorter (à/à faire)

esotico, -a, -ci, -che [e'zɔtiko] agg
exotique

espandere [es'pandere] vt étendre;
espandersi vpr (Fis) se détendre;
(azienda) s'agrandir; (paese) s'étendre

espansione [espan'sjone] sf
expansion f; ~ **di memoria** (Inform)
extension f de mémoire

espansivo, -a [espan'zivo] agg
expansif(-ive)

espatriare [espa'trjare] vi s'expatrier

espediente [espe'djɛnte] sm
expédient m; **vivere di espedienti**
vivre d'expédients

espellere [es'pellere] vt (da partito,
società) expulser; (da scuola) renvoyer

esperienza [espe'rjɛntsa] sf
expérience f; **parlare per ~** parler en
connaissance de cause

esperimento [esperi'mento] sm
(prova, verifica) essai m; (Scienza)
expérience f; **fare un ~** faire un essai;
faire une expérience

esperto, -a [es'pɛrto] agg, sm/f
expert(e)

espirare [espi'rare] vt, vi expirer

esplicito, -a [es'plitʃito] agg (anche
Ling) explicite

esplodere [es'plɔdere] vi exploser;
(fig: persona, fenomeno) éclater ■ vt
(colpo) tirer

esplorare [esplo'rare] vt explorer

esplosione [esplo'zjone] sf (anche
fig) explosion f

espone ecc [es'pone] vb vedi **esporre**

espongo ecc [es'pongo] vb vedi **esporre**

esponi ecc [es'poni] vb vedi **esporre**

esporre [es'porre] vt (anche Fot)
exposer; **esporsi** vpr: **esporsi a** (sole,
pericolo) s'exposer à

esportare [espor'tare] vt exporter

espose ecc [es'pose] vb vedi **esporre**

esposizione [espozit'sjone] sf (di
quadri ecc, Fot) exposition f; (racconto)
exposé m

esposto, -a [es'posto] pp di **esporre**
■ agg: **~ a nord** exposé(e) au nord
■ sm (Amm) requête f; (: petizione)
pétition f

espressione [espres'sjone] sf
(anche Mat) expression f

espressivo, -a [espres'sivo] agg
expressif(-ive)

espresso, -a [es'prɛsso] pp di
esprimere ■ agg express ■ sm
(lettera, francobollo) exprès m; (anche:
treno espresso) (train m) express m;
(anche: **caffè espresso**) express m

esprimere [es'primere] vt exprimer;
esprimersi vpr s'exprimer

espulsi ecc [es'pulsi] vb vedi
espellere

espulsione [espul'sjone] sf (da
partito, società) expulsion f; (da scuola)
renvoi m

essenza [es'sɛntsa] sf essence f

essenziale [essen'tsjale] agg
essentiel(le) ■ sm: **l'~** l'essentiel m

⬤ **PAROLA CHIAVE**

essere ['ɛssere] vi 1 (esistere, trovarsi,
stare) être; **sono a casa** je suis à la
maison; **essere in piedi** être debout;
essere seduto être assis
2: **esserci**: **c'è** il y a; **che c'è?** qu'est-ce
qu'il y a?; **non c'è niente da fare**
il n'y rien à faire; **ci sono!** (anche fig)
j'y suis!
3 (con attributo, sostantivo) être; **è
giovane** il est jeune; **è medico** il est
médecin
4: **essere da** être à; **è da farsi subito**
c'est à faire tout de suite; **c'è da
sperare che...** il est à espérer que...
5: **essere di** (appartenere) être à;
(provenire) être de; **di chi è la penna?**
à qui est le stylo?; **è di Carla** il est à
Carla; **è di Venezia** il est de Venise
6 (data, ora): **è il 15 agosto** c'est le
15 août; **è lunedì** c'est lundi; **che ora
è?, che ore sono?** quelle heure est-il?;
è l'una il est une heure; **sono le due**
il est deux heures; **è mezzanotte**
il est minuit
7 (costare): **quant'è?** combien ça fait?,
c'est combien?; **sono 20 euro** ça fait
20 euros
■ vb aus 1 (attivo, passivo) être; **essere
arrivato/venuto** être arrivé/venu;
se n'è andata elle s'en est allée;
essere fatto da être fait de; **è stata
uccisa** elle a été tuée

2 (*riflessivo*): **si è pettinato** il s'est peigné; **si sono lavati** ils se sont lavés ■ *vb impers:* **è tardi** il est tard; **è bello/caldo/freddo** il fait beau/chaud/froid; **è possibile che venga** il est possible qu'il vienne; **è così** c'est comme ça ■ *sm* (*individuo, essenza*) être *m*; **essere umano** être humain

essi ['essi] *pron pl vedi* **esso**
esso, -a ['esso] *pron* (*soggetto*) il (elle); (: *complemento*) lui (elle); (*pl: soggetto*) ils (elles); (: *complemento*) eux (elles); **~(a) stesso(a)** lui-même (elle-même); **essi(e) stessi(e)** eux-mêmes (elles-mêmes)

est [est] *sm* est *m*; **i paesi dell'~** les pays de l'Est
estate [es'tate] *sf* été *m*; **d'~, in ~** en été
esteriore [este'rjore] *agg* extérieur(e)
esterno, -a [es'tɛrno] *agg* extérieur(e); (*alunno*) externe ■ *sm* extérieur *m* ■ *sm/f* (*allievo*) externe *m/f*; **esterni** *smpl* (*Cine*) extérieurs *mpl*; **per uso ~** pour o à usage externe; **all'~** à l'extérieur
estero, -a ['ɛstero] *agg* étranger(-ère) ■ *sm:* **all'~** à l'étranger; **Ministero degli Esteri** Ministère *m* des Affaires étrangères
esteso, -a [es'teso] *pp di* **estendere** ■ *agg* vaste; **scrivere per ~** écrire en toutes lettres, écrire intégralement
estetico, -a, -ci, -che [es'tɛtiko] *agg* esthétique; **cura estetica** soins *mpl* esthétiques
estetista [este'tista] *sm/f* esthéticien(ne)
estinguere [es'tingwere] *vt* (*incendio, debito*) éteindre; (*conto corrente*) clôturer; **estinguersi** *vpr* s'éteindre
estinsi *ecc* [es'tinsi] *vb vedi* **estinguere**
estintore [estin'tore] *sm* extincteur *m*
estinzione [estin'tsjone] *sf* (*di specie*) extinction *f*; **in via di ~** en voie de disparition o d'extinction
estirpare [estir'pare] *vt* (*erbacce, dente*) arracher; (*tumore, vizio*) extirper
estivo, -a [es'tivo] *agg* d'été, estival(e)

estorcere [es'tɔrtʃere] *vt* extorquer
estradizione [estradit'tsjone] *sf* extradition *f*
estrae *ecc* [e'strae] *vb vedi* **estrarre**
estraggo *ecc* [e'straggo] *vb vedi* **estrarre**
estraneo, -a [es'traneo] *agg, sm/f* étranger(-ère); **rimanere ~ a qc** rester étranger à qch; **sentirsi ~ a** se sentir étranger à
estrarre [es'trarre] *vt* (*minerali, Mat*) extraire; (*dente*) arracher, extraire; (*pistola*) sortir; (*sorteggiare*) tirer; **~ a sorte** tirer au sort
estrassi *ecc* [es'trassi] *vb vedi* **estrarre**
estremamente [estrema'mente] *avv* extrêmement
estremista, -i, -e [estre'mista] *agg, sm/f* extrémiste *m/f*
estremità [estremi'ta] *sf inv* extrémité *f*, bout *m* ■ *sfpl* (*del corpo*) extrémités *fpl*
estremo, -a [es'trɛmo] *agg* extrême; (*ora*) dernier(-ière) ■ *sm* (*limite*) bout *m*; **estremi** *smpl* (*Amm*) références *fpl*; (*dati essenziali*) éléments *mpl* principaux; **gli estremi di un reato** les éléments constitutifs d'un crime; **da un ~ all'altro** d'un extrême à l'autre; **l'E~ Oriente** l'Extrême-Orient *m*
estroverso, -a [estro'vɛrso] *agg, sm/f* extraverti(e), extroverti(e)
età [e'ta] *sf inv* (*di persona, animale*) âge *m*; (*epoca*) époque *f*, ère *f*; **all'~ di 8 anni** à (l'âge de) 8 ans; **raggiungere la maggiore ~** atteindre la majorité; **ha la mia ~** il a mon âge; **di mezza ~** entre deux âges; **in ~ avanzata** d'un âge avancé; **la minore ~** (*Dir*) la minorité *f*; **~ del bronzo** âge du bronze; **~ della pietra** âge de la pierre
etere ['ɛtere] *sm* (*Chim, aria*) éther *m*; **trasmissione via ~** transmission *f* par voie hertzienne
eternità [eterni'ta] *sf* éternité *f*
eterno, -a [e'tɛrno] *agg* éternel(le); (*attesa*) interminable; **in ~** pour l'éternité, à jamais
eterogeneo, -a [etero'dʒɛneo] *agg* hétérogène
eterosessuale [etero'sesswale] *agg, sm/f* hétérosexuel(le)
etica ['ɛtika] *sf* éthique *f*

etichetta [eti'ketta] *sf* (*cartellino, galateo*) étiquette *f*

etico, -a, -ci, -che ['ɛtiko] *agg* éthique

etilometro® [etilo'metro] *sm* alcootest® *m*

etimologia, -gie [etimolo'dʒia] *sf* étymologie *f*

etnico, -a, -ci, -che ['ɛtniko] *agg* ethnique

etrusco, -a, -schi, -sche [e'trusko] *agg, sm/f* étrusque *m/f*

ettaro ['ɛttaro] *sm* hectare *m*

etto ['ɛtto] *abbr m* (= ettogrammo) cent grammes

euro ['euro] *sm inv* euro *m*

Europa [eu'rɔpa] *sf* Europe *f*

europeo, -a [euro'pɛo] *agg* européen(ne) ■ *sm/f* Européen(ne)

eutanasia [eutana'zia] *sf* euthanasie *f*

evacuare [evaku'are] *vt* (*anche Med*) évacuer

evadere [e'vadere] *vi*: ~ **(da)** s'évader (de); (*da routine*) échapper (à) ■ *vt* (*ordine*) expédier; (*lettera, pratica*) donner suite à; (*fisco*) frauder

evaporare [evapo'rare] *vi* s'évaporer

evasi *ecc* [e'vazi] *vb vedi* **evadere**

evasione [eva'zjone] *sf* (*anche fig*) évasion *f*; (*Comm: di ordine*) expédition *f*; **letteratura d'~** littérature *f* d'évasion; **~ fiscale** évasion fiscale, fraude *f* fiscale

evasivo, -a [eva'zivo] *agg* évasif(-ive)

evaso, -a [e'vazo] *pp di* **evadere** ■ *sm/f* évadé(e)

evento [e'vɛnto] *sm* événement *m*

eventuale [eventu'ale] *agg* éventuel(le)

eventualmente [eventual'mente] *avv* éventuellement

evidente [evi'dɛnte] *agg* évident(e)

evidentemente [evidente'mente] *avv* (*palesemente*) de toute évidence; (*sicuramente*) évidemment

evitare [evi'tare] *vt* éviter; ~ **di fare** éviter de faire; ~ **qc a qn** épargner qch à qn

evoluzione [evolut'tsjone] *sf* évolution *f*

evolversi [e'volversi] *vpr* évoluer; **con l'~ della situazione** en suivant l'évolution des événements

evviva [ev'viva] *escl* hourra!; ~ **il re/ la libertà!** vive le roi/la liberté!

ex [eks] *pref* ancien(ne), ex- ■ *sm/f inv* (*fidanzato ecc*) ex *m/f inv*; **ex presidente** ancien *o* ex-président *m*

extra ['ɛkstra] *agg inv* extra ■ *sm inv* (*pagare, ricevere*) extra *m inv*

extracomunitario, -a [ekstrakomuni'tario] *agg* non ressortissant de l'UE ■ *sm/f* immigré(e) d'un pays hors UE

extraterrestre [ekstrater'rɛstre] *agg, sm/f* extraterrestre *m/f*

f

a [fa] *vb vedi* **fare** ▪ *sm inv* (*Mus*) fa *m*
▪ *avv*: **dieci anni/due giorni fa** il y a
dix ans/deux jours; **molto tempo fa** il
y a longtemps

abbrica, -che ['fabbrika] *sf* usine *f*;
una piccola ~ une fabrique

abbricare [fabbri'kare] *vt* (*casa,
palazzo*) construire; (*produrre, fig*)
fabriquer

accenda [fat'tʃɛnda] *sf* affaire *f*;
(*cosa da fare*) occupation *f*; **le
faccende domestiche** le ménage

acchino [fak'kino] *sm* porteur *m*

accia, -ce ['fattʃa] *sf* figure *f*; (*di
moneta, medaglia*) face *f*; **~ a ~** face à
face; **di ~ a** face à; **dire qc in ~ a qn**
dire qch en face à qn; **avere la ~ tosta
di dire/fare qc** avoir le toupet de dire/
faire qch; **fare qc alla ~ di qn** faire qch
au nez et à la barbe de qn

acciata [fat'tʃata] *sf* (*di edificio*)
façade *f*; (*di foglio*) page *f*

accina [fat'tʃina] *sf* (*sul computer*)
émoticone *m*

accio ['fattʃo] *vb vedi* **fare**

acessi *ecc* [fa'tʃessi] *vb vedi* **fare**

acevo *ecc* [fa'tʃevo] *vb vedi* **fare**

facile ['fatʃile] *agg* facile; (*carattere*)
accommodant(e); (*peg: assunzione*)
obtenu(e) par piston; **~ a** (*incline*)
enclin(e) à; **è ~ che piova** il est
probable qu'il pleuve; **donna di facili
costumi** femme *f* de petite vertu

facoltà [fakol'ta] *sf inv* (*anche Univ*)
faculté *f*; (*Chim*) propriété *f*

facoltativo, -a [fakolta'tivo] *agg*
facultatif(-ive)

faggio ['faddʒo] *sm* hêtre *m*; **di ~**
en hêtre

fagiano [fa'dʒano] *sm* faisan *m*

fagiolino [fadʒo'lino] *sm* haricot *m*
vert

fagiolo [fa'dʒɔlo] *sm* haricot *m*;
capitare a ~ tomber à pic

fai ['fai] *vb vedi* **fare**

fai-da-te ['fai da t'te] *sm inv*
bricolage *m*

falce ['faltʃe] *sf* faucille *f*; **~ e martello**
(*Pol*) la faucille et le marteau

falciare [fal'tʃare] *vt* faucher

falciatrice [faltʃa'tritʃe] *sf*
faucheuse *f*

falco, -chi ['falko] *sm* (*anche fig*)
faucon *m*

falda ['falda] *sf* (*Geo*) couche *f*; (*di
cappello*) bord *m*; (*di cappotto*) basque
f; (*di monte*) pied *m*; (*di tetto*) pente *f*;
abito a falde frac *m*; **nevica a larghe
falde** il neige à gros flocons

falegname [faleɲ'ɲame] *sm*
menuisier *m*

fallimento [falli'mento] *sm* échec
m; (*Dir*) faillite *f*

fallire [fal'lire] *vt* manquer, rater ▪ *vi*
(*non riuscire*): **~ (in)** échouer (dans);
(*Dir*) faire faillite

> **FALSI AMICI**
> **fallire** non si traduce mai
> con la parola francese
> **faillir**.

fallo ['fallo] *sm* (*anche Sport*) faute *f*;
(*difetto*) défaut *m*; (*Anat*) phallus *msg*;
senza ~ sans faute; **cogliere qn in ~**
prendre qn en faute o en défaut;
mettere il piede in ~ faire un faux pas;
~ intenzionale (*Sport*) irrégularité *f*;
~ tecnico (*Sport*) faute *f* technique

falò [fa'lɔ] *sm inv* feu *m* (de camp)

falsificare [falsifi'kare] *vt*
(*banconote, monete*) contrefaire;
(*firma, documento, conti*) falsifier

falso, -a ['falso] *agg* faux (fausse) ■ *sm* (*Dir*) faux *m*; **essere un ~ magro** être un faux maigre; **giurare il ~** se parjurer; (*Dir*) faire un faux serment; **~ in atto pubblico** faux et usage de faux

fama ['fama] *sf* célébrité *f*; (*reputazione*) renommée *f*

fame ['fame] *sf* faim *f*; **aver ~** avoir faim; **fare la ~** (*fig*) crever la faim

famiglia [fa'miʎʎa] *sf* famille *f*; **essere di ~** (*anche fig*) faire partie de la famille

familiare [fami'ljare] *agg* (*della famiglia: patrimonio, beni*) familial(e); (*abituale, ordinario*) familier(-ière) ■ *sm/f* parent(e); **una vettura ~** une (voiture) familiale, un break

famoso, -a [fa'moso] *agg* célèbre; (*memorabile*) fameux(-euse)

fanale [fa'nale] *sm* (*Aut*) phare *m*; (*luce stradale*) lanterne *f*; (*di faro*) fanal *m*; (*Naut*) feu *m*

fanatico, -a, -ci, -che [fa'natiko] *agg* fanatique ■ *sm/f* (*di sport, musica*) fana *m/f*; **essere ~ di qc** être fana(tique) de qch, être accro de qch (*fam*)

fango, -ghi ['fango] *sm* boue *f*; **fanghi** *smpl* (*Med*) bains *mpl* de boue; **fare i fanghi** prendre des bains de boue

fanno ['fanno] *vb vedi* **fare**

fannullone, -a [fannul'lone] *sm/f* fainéant(e)

fantascienza [fantaʃʃentsa] *sf* science-fiction *f*

fantasia [fanta'zia] *sf* imagination *f* ■ *agg inv*: **vestito ~** robe *f* fantaisie

fantasma, -i [fan'tazma] *sm* fantôme *m*

fantastico, -a, -ci, -che [fan'tastiko] *agg* fantastique

fantino [fan'tino] *sm* jockey *m*

FAQ [fak] *sigla f* FAQ *fpl*

farabutto [fara'butto] *sm* crapule *f*

fard [far] *sm inv* fard *m*

 PAROLA CHIAVE

fare ['fare] *vt* **1** (*creare, costruire*) faire; **fare la cena** faire le dîner; **fare un film** faire un film; **fare una promessa** faire une promesse; **fare rumore** faire du bruit

2 (*effettuare, praticare: attività, studi, sport*) faire; **cosa fa?** (*adesso*) qu'est-ce qu'il est en train de faire?; (*di professione*) qu'est-ce qu'il fait?; **fare giurisprudenza** faire du droit; **fare il medico** être médecin; **fare un viaggio/una passeggiata** faire un voyage/une promenade; **fare la spesa** faire les courses

3 (*simulare*): **fare il malato** faire semblant d'être malade; **fare l'indifferente** faire l'indifférent

4 (*suscitare: pena, ribrezzo*) faire; **fare paura a qn** faire peur à qn; **mi fa rabbia** ça me fait enrager, ça me met en rage; **(non) fa niente** (*non importa*) ça ne fait rien

5 (*ammontare a*): **3 più 3 fa 6** 3 et 3 font 6; **fanno 6 euro** ça fait 6 euros; **Roma fa 2.000.000 di abitanti** Rome a 2 000 000 d'habitants; **che ora fai?** quelle heure as-tu?

6 (+ *infinito*): **far fare qc a qn** faire faire qch à qn; **fammi vedere** fais-moi voir; **far partire il motore** mettre le moteur en marche *o* en route; **far riparare la macchina** faire réparer la voiture; **far costruire una casa** faire construire une maison

7 (*dire*) faire, dire; **"davvero?" fece** "vraiment?" fit-il; **"e con questo?" mi fa...** "et alors?" me dit-il...

8: **farsi** se faire; **farsi una gonna** se faire une jupe; **farsi un nome** se faire un nom; **farsi la permanente** se faire faire une permanente; **farsi tagliare i capelli** se faire couper les cheveux; **farsi operare** se faire opérer

9 (*fraseologia*): **farcela** y arriver; **non ce la faccio più** je n'en peux plus; **ce la faremo** nous y arriverons; **me l'hanno fatta!** ils m'ont eu!; **lo facevo più giovane** je le croyais plus jeune; **fare sì/no con la testa** faire oui/non de la tête

■ *vi* **1** (*agire*) faire; **fate come volete** faites comme vous voulez; **fare presto** faire vite, se dépêcher; **fare da** (*fungere*) tenir lieu de; **non c'è niente da fare** il n'y a rien à faire; **saperci fare con qn/qc** savoir s'y prendre avec qn/qch; **faccia pure!** faites donc!

2: **fare per** (*essere adatto*) convenir; **fare per fare qc** (*essere sul punto di*)

aller faire qch, être sur le point de faire qch; **fece per andarsene** il fit mine de s'en aller

3: **farsi: si fa così** on fait comme ça; **non si fa così!** (*rimprovero*) on n'agit pas ainsi!; **la festa non si fa** la fête n'a pas lieu

4: **fare a gara con qn** se mesurer avec o à qn; **fare a pugni** se battre à coups de poing; **fare in tempo a fare** avoir le temps de faire

■ *vb impers*: **fa bel tempo** il fait beau temps; **fa caldo/freddo** il fait chaud/froid; **fa notte** il fait nuit

■ *vpr* **1**: **farsi** (*diventare*) se faire, devenir; **farsi prete** se faire prêtre; **farsi vecchio** se faire vieux; **si è fatto grande** il a grandi

2 (*spostarsi*): **farsi avanti/indietro/da parte** s'avancer/reculer/se mettre de côté

3 (*fam: drogarsi*) se défoncer

■ *sm* **1** (*modo di fare*): **con fare distratto** d'un air distrait; **ha un fare simpatico** il a des manières agréables

2: **sul far del giorno/della notte** au lever du jour/à la tombée de la nuit

ˈarfalla [farˈfalla] *sf* papillon *m*
ˈarina [faˈrina] *sf* farine *f*; **questa non è ~ del tuo sacco** (*fig*) ça n'est pas de ton cru; **~ gialla** farine de maïs; **~ integrale** farine complète
ˈarmacia, -cie [farmaˈtʃia] *sf* pharmacie *f*

● **FARMACIE**
●
● Mis à part les médicaments,
● les pharmacies italiennes
● vendent également des produits
● de beauté et autres articles
● d'hygiène personnelle. Elles sont
● normalement fermées le samedi
● après-midi et le dimanche, mais
● affichent en vitrine la liste des
● pharmacies de garde (*farmacia*
● *di turno*), ainsi que leur adresse.

ˈarmacista, -i, -e [farmaˈtʃista] *sm/f* pharmacien(ne)
ˈarmaco, -ci [ˈfarmako] *sm* médicament *m*

faro [ˈfaro] *sm* (*Naut, Aut*) phare *m*; (*Aer*) feu *m*
fascia, -sce [ˈfaʃʃa] *sf* (*di tessuto, carta, territorio, Med*) bande *f*; (*Anat*) fascia *m*; (*di sindaco*) écharpe *f*; (*Tecn*) bague *f*; (*di contribuenti, ascoltatori*) catégorie *f*; **in fasce** (*neonato*) dans les langes; **~ oraria** créneau *m* horaire; **fasce d'ascolto** (*Radio, TV*) heures *fpl* d'écoute
fasciare [faʃˈʃare] *vt* (*anche Med*) bander; (*bambino*) langer
fascicolo [faʃˈʃikolo] *sm* (*di documenti*) dossier *m*; (*di rivista, opuscolo*) fascicule *m*
fascino [ˈfaʃʃino] *sm* fascination *f*
fascismo [faʃˈʃizmo] *sm* fascisme *m*
fase [ˈfaze] *sf* phase *f*; **fuori ~** (*motore*) déréglé(e); **in ~ di espansione** en phase d'expansion
fastidio [fasˈtidjo] *sm* (*disturbo*) gêne *f*; (*grana*) embêtement *m*; **dare ~ a qn** déranger qn; **avere fastidi con la polizia** avoir des démêlés avec la police
fastidioso, -a [fastiˈdjoso] *agg* (*noioso*) ennuyeux(-euse); (*che infastidisce: bambino*) désagréable, agaçant(e); (*schifiltoso*) difficile
fata [ˈfata] *sf* fée *f*
fatale [faˈtale] *agg* fatal(e)
fatica, -che [faˈtika] *sf* (*anche Tecn*) fatigue *f*; (*sforzo*) effort *m*; (*difficoltà*) peine *f*; **a ~** avec peine; **respirare a ~** respirer à grand-peine; **fare ~ a fare qc** avoir de la peine à faire qch, avoir du mal à faire qch; **animale da ~** bête *f* de somme
faticoso, -a [fatiˈkoso] *agg* (*gravoso, pesante*) pénible; (*che richiede sforzo*) fatigant(e)
fatto, -a [ˈfatto] *pp di* **fare** ■ *agg*: **un uomo ~** un homme fait ■ *sm* (*avvenimento*) fait *m*; (*azione, di romanzo, film*) action *f*; **~ a mano/in casa** fait(e) main/maison; **è ben fatta** elle est bien faite; **cogliere qn sul ~** prendre qn sur le fait; **il ~ è che...** le fait est que...; **~ sta che...** il reste que...; **in ~ di...** en fait de...; **farsi i fatti propri** s'occuper de ses affaires; **è uno che sa il ~ suo** c'est quelqu'un qui connaît son affaire; **gli ho detto il ~ suo** je lui ai dit ses quatre vérités;

mettere qn di fronte al ~ compiuto
mettre qn devant le fait accompli

fattore [fat'tore] *sm* (*Mat, elemento*)
facteur *m*; (*Agr*) fermier *m*; ~ **di**
protezione (*di crema*) indice *m* de
protection

fattoria [fatto'ria] *sf* ferme *f*

fattorino [fatto'rino] *sm* (*di negozio*)
livreur *m*; (*di ufficio*) garçon *m* de
bureau; (*d'albergo*) chasseur *m*

fattura [fat'tura] *sf* (*Comm*) facture *f*;
(*di abito*) façon *f*; (*stregoneria*)
sorcellerie *f*; **pagamento contro ~**
paiement *m* contre facture

fatturato [fattu'rato] *sm* (*Comm*)
chiffre *m* d'affaires; ~ **lordo** chiffre
d'affaires brut

fauna ['fauna] *sf* faune *f*

fava ['fava] *sf* fève *f*

favola ['favola] *sf* (*fiaba*) conte *m*;
(*fandonia*) histoire *f*; **le favole di**
Esopo/La Fontaine les fables
d'Ésope/de La Fontaine; **essere la ~**
del paese être la risée de tout le
monde; **la morale della ~** la morale
de l'histoire

favoloso, -a [favo'loso] *agg*
fabuleux(-euse)

favore [fa'vore] *sm* faveur *f*, service
m; **per ~** s'il vous/te plaît; **di ~** (*prezzo,*
trattamento) de faveur; **fare un ~ a qn**
rendre un service à qn; **col ~ delle**
tenebre à la faveur de la nuit

favorire [favo'rire] *vt* favoriser;
vuole ~? voulez-vous partager mon
repas?; **favorisca in salotto** installez-
vous au salon; **favorisca i documenti**
vos papiers, s'il vous plaît

fax [faks] *sm inv* fax *m*; **qual è il**
numero di ~? quel est le numéro
de fax?

fazzoletto [fattso'letto] *sm*
mouchoir *m*; (*per la testa*) foulard *m*;
~ **di carta** mouchoir *m* en papier

febbraio [feb'brajo] *sm* février *m*;
vedi anche **luglio**

febbre ['fɛbbre] *sf* (*anche fig*) fièvre *f*;
avere la ~ avoir de la fièvre; ~ **da fieno**
rhume *m* des foins

feci *ecc* ['fetʃi] *vb vedi* **fare**

fecondazione [fekondat'tsjone] *sf*
fécondation *f*; ~ **artificiale**
fécondation artificielle

fecondo, -a [fe'kondo] *agg* fécond(e)

fede ['fede] *sf* foi *f*; (*fiducia:*
nell'avvenire, nel futuro) foi, confiance *f*;
(*fedeltà*) fidélité *f*; (*anello*) alliance *f*;
aver ~ in qn avoir foi en qn; **in**
buona/cattiva ~ de bonne/mauvaise
foi; **in ~** (*Dir*) sur ma foi; **far ~** faire foi;
tener ~ a (*a ideale*) rester fidèle à; (*a*
giuramento, promessa) tenir

fedele [fe'dele] *agg, sm/f* fidèle *m/f*;
i fedeli *smpl* (*Rel*) les fidèles *mpl*;
~ **a** fidèle à

federa ['fɛdera] *sf* taie *f* d'oreiller

federale [fede'rale] *agg* fédéral(e)

fegato ['fegato] *sm* foie *m*; (*fig*)
courage *m*; **mangiarsi** *o* **rodersi il ~**
se faire de la bile

felce ['feltʃe] *sf* fougère *f*

felice [fe'litʃe] *agg* heureux(-euse)

felicità [felitʃi'ta] *sf inv* bonheur *m*

felicitarsi [felitʃi'tarsi] *vpr*
(*congratularsi*): ~ **con qn per qc**
féliciter qn pour *o* de qch

felino, -a [fe'lino] *agg* félin(e) ■ *sm*
félin *m*

felpa ['felpa] *sf* sweat-(shirt) *m*

femmina ['femmina] *sf* (*Zool, Tecn*)
femelle *f*; (*figlia*) fille *f* ■ *agg* femelle

femminile [femmi'nile] *agg*
féminin(e) ■ *sm* (*Ling*) féminin *m*

femore ['femore] *sm* fémur *m*

fenomeno [fe'nɔmeno] *sm*
phénomène *m*

feriale [fe'rjale] *agg*: **giorno ~** jour *m*
ouvrable

ferie ['fɛrje] *sfpl* vacances *fpl*, congé
m; **andare in ~** aller en vacances

ferire [fe'rire] *vt* blesser; **ferirsi** *vpr*:
ferirsi (con) se blesser (avec)

ferita [fe'rita] *sf* blessure *f*

ferito, -a [fe'rito] *sm/f* blessé(e)

fermaglio [fer'maλλo] *sm*
fermoir *m*

fermare [fer'mare] *vt* arrêter;
(*porta*) bloquer; (*bottone*) fixer;
fermarsi *vpr* s'arrêter; **si fermi qui/**
all'angolo per favore arrêtez-vous
ici/au coin, s'il vous plaît; **fermarsi a**
fare qc s'arrêter pour faire qch

    FALSI AMICI
    fermare non si traduce
    mai con la parola francese
    fermer.

fermata [fer'mata] *sf* arrêt *m*;
~ **dell'autobus** arrêt d'autobus

fermenti [fer'menti] *smpl*: ~ **lattici** ferments *mpl* lactiques

fermezza [fer'mettsa] *sf* (*fig*) fermeté *f*

fermo, -a ['fermo] *agg* (*persona*) immobile; (*veicolo, traffico, orologio*) arrêté(e); (*voce, mano, fig*) ferme ■ *sm* (*chiusura*) fermeture *f*; ~ **restando che...** étant bien entendu que...; ~! ne bouge pas!; ~ **di polizia** (*Dir*) arrestation *f*

feroce [fe'rotʃe] *agg* (*animale*) féroce; (*persona, gesto*) cruel(le); (*dolore*) atroce; (*fame*) terrible

ferragosto [ferra'gosto] *sm* (*festa*) le quinze août; (*periodo*) la période du quinze août

● **FERRAGOSTO**
●
● *Ferragosto*, le quinze août, est un
● jour férié. Il marque la fête de
● l'Assomption, mais est également
● le jour férié le plus important de
● l'été. La plupart des Italiens font le
● pont et quittent les grandes villes
● pour se rendre dans les stations
● balnéaires, ce qui force le commerce
● et l'industrie à pratiquement
● cesser leurs activités.

ferramenta [ferra'menta] *sfpl*: (**negozio di**) ~ quincaillerie *f*

ferro ['ferro] *sm* fer *m*; (*strumento*) instrument *m*; **ai ferri** (*bistecca, scampi*) grillé(e); **mettere a ~ e fuoco** mettre à feu et à sang; **essere ai ferri corti** (*fig*) être à couteaux tirés; **tocca ~!** touche du bois!; **i ferri del mestiere** (*fig*) les outils *mpl*; ~ **battuto** fer forgé; ~ **da calza** aiguille *f* à tricoter; ~ **da stiro** fer à repasser; ~ **di cavallo** fer à cheval

ferrovia [ferro'via] *sf* chemin *m* de fer, voie *f* ferrée; **le ferrovie** (*servizi*) les chemins de fer

ferroviario, -a [ferro'vjarjo] *agg* ferroviaire, de chemin de fer

ferroviere [ferro'vjɛre] *sm* cheminot *m*, employé *m* du chemin de fer

fertile ['fɛrtile] *agg* fertile; (*fig*) fécond(e)

fesso, -a ['fesso] *agg* (*fam*) crétin(e), idiot(e)

fessura [fes'sura] *sf* fissure *f*; (*per moneta, gettone*) fente *f*

festa ['festa] *sf* (*anche onomastico*) fête *f*; (*compleanno*) anniversaire *m*; (*vacanza*) jour *m* férié; **far** ~ (*dal lavoro*) avoir congé, chômer; (*far baldoria*) faire la fête; **far** ~ **a qn** faire fête à qn; **essere vestito a** ~ être endimanché; **la** ~ **della mamma/del papà** la fête des mères/des pères; ~ **comandata** fête religieuse

festeggiare [fested'dʒare] *vt* fêter

festivo, -a [fes'tivo] *agg* de fête; **giorno** ~ jour *m* férié

feto ['fɛto] *sm* fœtus *msg*

fetta ['fetta] *sf* tranche *f*; (*fig*) part *f*

fettuccine [fettut'tʃine] *sfpl* (*Cuc*) pâtes alimentaires coupées en longs rubans

FF.SS. *abbr* (= Ferrovie dello Stato) ≈ SNCF *f*

FI *sigla* (= Forza Italia) parti de Silvio Berlusconi

fiaba ['fjaba] *sf* conte *m* de fées

fiacca ['fjakka] *sf* fatigue *f*, lassitude *f*; (*svogliatezza*) mollesse *f*; **battere la** ~ tirer sa flemme

fiacco, -a, -chi, -che ['fjakko] *agg* (*stanco*) fatigué(e); (*svogliato*) las (lasse); (*debole*) faible; (: *mercato*) morose

fiaccola ['fjakkola] *sf* flambeau *m*

fiala ['fjala] *sf* ampoule *f*

fiamma ['fjamma] *sf* (*fuoco, fig: dell'amore, di libertà ecc*) flamme *f*; (*fig: persona amata*) amour *m*

fiammante [fjam'mante] *agg* (*colore*) vif (vive); **nuovo** ~ flambant neuf (neuve)

fiammifero [fjam'mifero] *sm* allumette *f*

fianco, -chi ['fjanko] *sm* (*di persona*) hanche *f*; (*di nave, monte*) flanc *m*; (*di edificio*) côté *m*; **di** ~ de côté; ~ **a** ~ côte à côte; **prestare il** ~ **alle critiche** (*fig*) prêter le flanc à la critique; ~ **destr/ sinistr!** (*Mil*) droite/gauche!

fiasco, -schi ['fjasko] *sm* fiasque *f*; (*fig*) fiasco *m*, échec *m*; **fare** ~ faire fiasco

fiatare [fja'tare] *vi* (*fig: parlare*): **senza** ~ sans souffler mot

fiato ['fjato] *sm* souffle *m*; **fiati** *smpl* (*Mus*) instruments *mpl* à vent;

avere il ~ **grosso** avoir le souffle court; **prendere** ~ reprendre haleine; **strumento a** ~ instrument à vent; **bere qc tutto d'un** ~ boire qch d'un trait

fibbia ['fibbja] *sf* boucle *f*

fibra ['fibra] *sf* fibre *f*; (*fig*) constitution *f*; ~ **di vetro** fibre de verre; ~ **ottica** fibre optique

ficcare [fik'kare] *vt* (*infilare*) fourrer; (*con forza*) enfoncer; (*chiodo, palo*) enfoncer; **ficcarsi** *vpr* se fourrer; ~ **il naso negli affari altrui** fourrer son nez dans les affaires des autres; **ficcarsi nei pasticci** *o* **nei guai** se fourrer dans le pétrin

ficcherò *ecc* [fikke'rɔ] *vb vedi* **ficcare**

fico, -a, -chi, -che ['fiko] *sm* (*pianta*) figuier *m*; (*frutto*) figue *f* ▪ *sm/f* (*fam: persona: bello*) beau mec (belle nana); **che ~!** super!; ~ **d'India** figuier de Barbarie; ~ **secco** figue sèche

fidanzamento [fidantsa'mento] *sm* fiançailles *fpl*

fidanzarsi [fidan'tsarsi] *vpr*: ~ **(con)** se fiancer (avec) *o* (à)

fidanzato, -a [fidan'tsato] *sm/f* fiancé(e)

fidarsi [fi'darsi] *vpr*: ~ **di** avoir confiance en, ~ **è bene non ~ è meglio** (*proverbio*) prudence est mère de sûreté

fidato, -a [fi'dato] *agg* sûr(e)

fiducia [fi'dutʃa] *sf* confiance *f*; **avere** ~ **in qn/se stessi** avoir confiance en qn/soi; **di** ~ (*incarico, persona*) de confiance; **è il mio uomo di** ~ c'est mon homme de confiance; **porre la questione di** ~ (*Pol*) poser la question de confiance

fienile [fje'nile] *sm* grenier *m* à foin, grange *f*

fieno ['fjɛno] *sm* foin *m*

fiera ['fjɛra] *sf* (*locale*) kermesse *f*; (*nazionale, internazionale*) Salon *m*, foire *f*; (*di beneficenza*) vente *f* de charité; (*animale*) foire; ~ **campionaria** foire-exposition *f*; ~ **del libro** Salon du livre; **la ~ di Milano** la Foire de Milan

fiero, -a ['fjɛro] *agg* (*orgoglioso*) fier (fière); (*crudele*) cruel(le), farouche; (*intrepido*) intrépide

fifa ['fifa] *sf* (*fam*): **aver ~** avoir la trouille

fig. *abbr* (= *figura*) fig.

figlia ['fiʎʎa] *sf* fille *f*; (*ricevuta*) volant *m*

figliastro, -a [fiʎ'ʎastro] *sm/f* beau-fils (belle-fille)

figlio ['fiʎʎo] *sm* fils *msg*; (*senza distinzione di sesso*) enfant *m*; **quanti figli hai?** combien d'enfants tu as?; ~ **d'arte** enfant de la balle; ~ **di papà** fils à papa; ~ **di puttana** (*fam!*) fils de pute (*fam!*); ~ **unico** fils unique

figura [fi'gura] *sf* (*forma, aspetto esteriore*) forme *f*; (*corporatura*) silhouette *f*; (*Mat, illustrazione*) figure *f*; (*in un libro*) illustration *f*; **far ~** faire de l'effet; **fare una brutta ~** faire une mauvaise impression; **che ~!** quelle honte!

figurina [figu'rina] *sf* (*statuetta*) figurine *f*; (*cartoncino*) image *f*

fila ['fila] *sf* file *f*; (*coda*) queue *f*; (*serie*) série *f*; **di** ~ d'affilée, de suite; **fare la** ~ faire la queue; **in** ~ **indiana** en file indienne

filare [fi'lare] *vt* filer ▪ *vi* filer; (*fig: discorso, ragionamento*) se tenir; (*sfrecciare*) foncer; (*fam: amoreggiare*) flirter ▪ *sm* (*di alberi ecc*) rangée *f*; ~ **diritto** (*fig*) marcher droit; **filarsela** (*svignarsela*) filer à l'anglaise

filastrocca, -che [filas'trɔkka] *sf* comptine *f*

filatelia [filate'lia] *sf* philatélie *f*

filetto [fi'letto] *sm* filet *m*; (*di ornamento*) passepoil *m*

filiale [fi'ljale] *sf* (*Comm*) filiale *f* ▪ *agg* filial(e)

film [film] *sm inv* film *m*

filo ['filo] *sm* (*anche fig*) fil *m*; (*di perle*) rang *m*; **un ~ d'aria** (*fig*) un souffle d'air; **dare del ~ da torcere a qn** donner du fil à retordre à qn; **fare il ~ a qn** (*corteggiare*) faire du plat à qn; **per ~ e per segno** en détail; **con un ~ di voce** avec un filet de voix; ~ **a piombo** fil à plomb; ~ **d'erba** brin d'herbe; ~ **di perle** rang de perles; ~ **di Scozia** fil d'Écosse; ~ **spinato** barbelé *m*

filone [fi'lone] *sm* (*di minerali*) filon *m*; (*di pane*) ≈ baguette *f*; (*fig*) courant *m*

filosofia [filozo'fia] *sf* philosophie *f*

filosofo, -a [fi'lɔzofo] *sm/f*
philosophe *m/f*

filtrare [fil'trare] *vt, vi* filtrer

filtro ['filtro] *sm* filtre *m*; *(pozione)*
philtre *m*; **senza ~** *(sigaretta)* sans
filtre; **~ dell'olio** *(Aut)* filtre à huile

finale [fi'nale] *agg* final(e) ■ *sm*
finale *m* ■ *sf* finale *f*

finalmente [final'mente] *avv* enfin,
à la fin

finanza [fi'nantsa] *sf* finance *f*;
finanze *sfpl (di Stato, individuo)*
finances *fpl*; **la (Guardia di) ~** Police
chargée de contrôler les douanes et les
impôts; **(Intendenza di) ~** ≈ recette *f*
des finances; **Ministro delle finanze**
ministre *m* des Finances

finché [fin'ke] *cong (per tutto il tempo
che)* tant que; *(fino al momento in cui)*
jusqu'à ce que, jusqu'au moment où;
~ vorrai tant que tu voudras; **aspetta
~ (non) esce** attends qu'il sorte;
aspetta ~ io (non) sia tornato
attends que je sois revenu

fine ['fine] *agg (sottile, raffinato)* fin(e);
(persona) raffiné(e), distingué(e) ■ *sf*
fin *f* ■ *sm* fin *f*; *(esito)* issue *f*; **in o alla
~** enfin; **alla fin ~** en fin de compte;
che ~ ha fatto? qu'est ce qu'il est
devenu?; **buona ~ e miglior
principio!** *(augurio)* bonne année!; **a
fin di bene** dans une bonne intention;
al ~ di fare qc afin de faire qch;
condurre qc a buon ~ mener qch à
bon port; **secondo ~** arrière-pensée *f*;
lieto ~ heureux dénouement *m*

finestra [fi'nestra] *sf* fenêtre *f*

finestrino [fines'trino] *sm (di treno)*
fenêtre *f*; *(di macchina)* vitre *f*, glace *f*;
(di aereo) hublot *m*; **vorrei un posto
vicino al ~** je voudrais une place côté
fenêtre

fingere ['findʒere] *vt* feindre;
fingersi *vpr*: **fingersi ubriaco/pazzo**
feindre d'être ivre/fou; **~ di fare qc**
faire semblant de faire qch

finire [fi'nire] *vt* finir, terminer ■ *vi*
se terminer, s'achever ■ *sm*: **sul ~
della festa** vers la fin de la fête; **~ di
fare qc** *(completare)* terminer de faire
qch; *(smettere)* arrêter de faire qch;
~ in galera finir en prison; **farla finita**
(con la vita) en finir; *(smetterla)* arrêter;
com'è andata a ~? comment ça s'est

terminé/fini?; **finiscila!** ça suffit!;
quando finisce lo spettacolo? quand
est-ce que le spectacle se termine?

finlandese [finlan'dese] *agg*
finlandais(e) ■ *sm/f* Finlandais(e)
■ *sm* finnois *m*

Finlandia [fin'landja] *sf* Finlande *f*

fino, -a ['fino] *agg* fin(e) ■ *prep*
(spesso troncato in fin): **~ a** jusqu'à;
~ a non farcela più jusqu'à n'en plus
pouvoir; **~ a quando?, fin quando?**
jusqu'à quand?; **fin qui** jusqu'ici;
fin dal 1960 dès 1960; **fin dalla
nascita** dès la naissance; **fin da ieri**
depuis hier

finocchio [fi'nɔkkjo] *sm* fenouil *m*;
(fam, peg: omosessuale) pédé *m*,
tapette *f*

finora [fi'nora] *avv* jusqu'à présent

finsi *ecc* ['finsi] *vb vedi* **fingere**

finta ['finta] *sf (simulazione)* comédie
f; *(Sport)* feinte *f*; **fare ~ (di)** faire
semblant; **l'ho detto per ~**
(mentendo) j'ai dit ça pour voir;
(per scherzo) je l'ai dit pour rire

finto, -a ['finto] *pp di* **fingere** ■ *agg*
(capelli, denti) faux (fausse); *(fiori)*
artificiel(le); *(fig)* feint(e); **in finta
pelle** en imitation cuir

finzione [fin'tsjone] *sf*
dissimulation *f*

fiocco, -chi ['fjɔkko] *sm (di nastro)*
nœud *m*; *(di lana, stoffa, neve)* flocon
m; *(Naut)* foc *m*; **coi fiocchi** *(fig: di
prima qualità)* hors pair; **fiocchi di
avena/di granturco** flocons
d'avoine/de maïs

fiocina ['fjɔtʃina] *sf* harpon *m*

fioco, -a, -chi, -che ['fjɔko] *agg*
faible

fionda ['fjonda] *sf* fronde *f*

fioraio, -a [fjo'rajo] *sm/f* fleuriste *m/f*

fiore ['fjore] *sm* fleur *f*; **fiori** *smpl*
(Carte) trèfle *msg*; **a fior d'acqua** à
fleur d'eau; **dire qc a fior di labbra**
susurrer qch; **nel ~ degli anni** dans la
fleur de l'âge; **avere i nervi a fior di
pelle** avoir les nerfs à fleur de peau;
è costato fior di quattrini cela a
coûté une petite fortune; **il fior ~
della società** la fine fleur de la société;
il ~ all'occhiello le (plus beau) fleuron;
fior di latte crème *f* (du lait); **fiori di
campo** fleurs des champs

fiorentino, -a [fjoren'tino] *agg* florentin(e)

fioretto [fjo'retto] *sm (Scherma)* fleuret *m*

fiorire [fjo'rire] *vi* fleurir; *(fig)* être florissant(e)

Firenze [fi'rɛntse] *sf* Florence

firma ['firma] *sf* signature *f*; *(di artista, stilista)* griffe *f*

> **FALSI AMICI**
> **firma** non si traduce mai con la parola francese **firme**.

firmare [fir'mare] *vt* signer; **dove devo ~?** où dois-je signer?; **un abito firmato** une robe griffée

fisarmonica, -che [fizar'monika] *sf (Mus)* accordéon *m*

fiscale [fis'kale] *agg (sistema, evasione)* fiscal(e); *(severo, meticoloso)* tatillon(ne); **medico ~** médecin-conseil *m*

fischiare [fis'kjare] *vt, vi* siffler; **mi fischiano le orecchie** j'ai les oreilles qui bourdonnent; *(fig)* j'ai les oreilles qui sifflent

fischietto [fis'kjetto] *sm (strumento)* sifflet *m*

fischio ['fiskjo] *sm* sifflement *m*; **prendere fischi per fiaschi** prendre des vessies pour des lanternes

fisco ['fisko] *sm* fisc *m*

fisica ['fizika] *sf* physique *f*; *vedi anche* **fisico**

fisico, -a, -ci, -che ['fiziko] *agg* physique ■ *sm/f* physicien(ne) ■ *sm* physique *m*

fisionomista, -i, -e [fizjono'mista] *agg* physionomiste

fisioterapia [fizjotera'pia] *sf* physiothérapie *f*

fisioterapista [fizjotera'pista] *sm/f* kinésithérapeute *m/f*

fissare [fis'sare] *vt* fixer; *(stanza, albergo)* retenir; **fissarsi** *vpr*: **fissarsi su** *(sogg: sguardo, attenzione)* se fixer sur; **fissarsi su qc** *(fig: su idea)* se mettre qch dans la tête

fisso, -a ['fisso] *agg* fixe ■ *avv*: **guardare ~ (qc/qn)** regarder fixement (qch/qn); **avere un ragazzo ~** avoir un petit ami de longue date; **senza fissa dimora** sans domicile fixe

fitta ['fitta] *sf* élancement *m*; **una ~ al cuore** *(fig)* un coup au cœur

fittizio, -a [fit'tittsjo] *agg* fictif(-ive)

fitto, -a ['fitto] *agg (nebbia)* épais(se); *(boscaglia)* touffu(e); *(pioggia)* dru(e) ■ *sm (di bosco)* cœur *m*; *(affitto)* loyer *m*; **nel ~ del bosco** au cœur de la forêt

fiume ['fjume] *sm* fleuve *m* ■ *agg inv*: **processo ~** procès-fleuve *m*; **scorrere a fiumi** *(acqua, sangue)* couler à flots

fiutare [fju'tare] *vt (annusare)* sentir *(sogg: animale, fig: inganno, pista)* flairer; *(tabacco, cocaina)* priser

flagrante [fla'grante] *agg* flagrant(e); **cogliere qn in ~** *(Dir)* prendre qn en flagrant délit; *(fig)* prendre qn sur le fait

flanella [fla'nɛlla] *sf* flanelle *f*

flash [flæʃ] *sm inv* flash *m*

flauto ['flauto] *sm* flûte *f*

flessibile [fles'sibile] *agg (anche fig)* souple, flexible

flessibilità [flessibili'ta] *sf (anche fig)* flexibilité *f*

flessione [fles'sjone] *sf (piegamento, Ling)* flexion *f*; *(economica)* ralentissement *m*; *(di braccia, ginocchio)* flexion; *(Ginnastica: sulle braccia)* pompes *fpl*; (: *del busto, della schiena)* fléchissement *m*; *(di prezzo, moneta)* fléchissement

flettere ['flɛttere] *vt* fléchir; **~ il busto** se pencher en avant

flipper ['flipper] *sm inv* flipper *m*

F.lli *abbr* (= *fratelli*) Frères

flora ['flɔra] *sf* flore *f*

florido, -a ['flɔrido] *agg (economia, industria)* florissant(e); *(aspetto)* épanoui(e)

floscio, -a, -sci, -sce ['flɔʃʃo] *agg* mou (molle)

flotta ['flɔtta] *sf* flotte *f*

fluido, -a ['fluido] *agg, sm* fluide (*m*)

fluoro [flu'ɔro] *sm* fluor *m*

flusso ['flusso] *sm* flux *msg*; **~ e riflusso** flux et reflux *msg*; **~ di cassa** *(Comm)* cash-flow *m*, marge *f* brute d'autofinancement

fluviale [flu'vjale] *agg* fluvial(e)

FMI *abbr* (= *Fondo Monetario Internazionale*) FMI *m*

foca, -che ['fɔka] *sf* phoque *m*

focaccia, -ce [fo'kattʃa] *sf (Cuc)* pain assaisonné d'huile et de sel; (: *dolce)* sorte *de brioche*; **rendere pan per ~** rendre à qn la monnaie de sa pièce

foce ['fotʃe] *sf* embouchure *f*

focolaio [foko'lajo] *sm* (*Med, fig*) foyer *m*

focolare [foko'lare] *sm* (*fig: famiglia*) foyer *m*; (*caminetto*) âtre *m*; (*Tecn*) foyer; **~ domestico** foyer

fodera ['fɔdera] *sf* (*di vestito*) doublure *f*; (*di poltrona*) housse *f*; (*di libro*) couverture *f*

fodero ['fɔdero] *sm* (*di spada*) fourreau *m*, gaine *f*; (*di pugnale, di pistola*) gaine

foga ['foga] *sf* fougue *f*

foglia ['fɔʎʎa] *sf* feuille *f*; **ha mangiato la ~** (*fig*) il a compris le truc

foglio ['fɔʎʎo] *sm* feuille *f*; (*banconota*) billet *m*; **~ di calcolo** (*Inform*) feuille *f* de calcul; **~ di via** (*Dir*) feuille de route; **~ rosa** (*Aut*) ≈ permis *m* de conduire provisoire

fogna ['foɲɲa] *sf* égout *m*

föhn [føːn] *sm inv* (*asciugacapelli*) sèche-cheveux *m inv*, séchoir *m*

folla ['folla] *sf* foule *f*

folle ['folle] *agg* fou (folle); **in ~** (*Aut*) au point mort

follia [fol'lia] *sf* folie *f*; **amare qn alla ~** aimer qn à la folie; **costare una ~** coûter une petite fortune

folto, -a ['folto] *agg* (*capelli, peluria, bosco*) touffu(e); (*barba*) épais(se); (*schiera*) nombreux(-euse)

fon [fɔn] *sm inv vedi* **föhn**

fondamenta [fonda'menta] *sfpl* fondations *fpl*

fondamentale [fondamen'tale] *agg* fondamental(e)

fondamento [fonda'mento] *sm* fondement *m*

fondare [fon'dare] *vt* fonder; (*fig: teoria, supposizione*): **~ su** fonder sur, baser sur; **fondarsi** *vpr* (*teorie*): **fondarsi su** se fonder sur

fondente [fon'dɛnte] *agg*: **cioccolato ~** chocolat *m* à croquer, chocolat *m* noir

fondere ['fondere] *vt* fondre; (*unire: imprese, gruppi*) fusionner; (*fig: colori*) mélanger ■ *vi* fondre; **fondersi** *vpr* fondre; (*fig: partiti*) fusionner

fondo, -a ['fondo] *agg* (*lago, buca*) profond(e); (*piatto*) creux(-euse); (*fig:*

notte) noir(e) ■ *sm* (*di recipiente, anche Sport*) fond *m*; (*di lista*) bas *msg*; (*di strada*) revêtement *m*; (*bene immobile, somma di denaro*) fonds *msg*; **fondi** *smpl* (*denaro*) fonds *mpl*; **a notte fonda** en pleine nuit; **in ~ a** (*pozzo, stanza*) au fond de; (*strada*) au bout de; **laggiù in ~** (*lontano*) là-bas au bout; (*in profondità*) tout au fond; **andare a ~** (*nave*) couler; **in ~** (*fig*) au fond; **conoscere a ~** connaître à fond; **dar ~ a** (*fig: a provviste, soldi*) épuiser; **toccare il ~ (di)** (*fig*) toucher le fond (de); **andare fino in ~** (*fig*) aller jusqu'au bout; **a ~ perduto** (*Comm*) à fonds perdu; **~ comune di investimento** fonds commun de placement; **~ di previdenza** fonds de prévoyance; **F~ Monetario Internazionale** Fonds monétaire international; **~ tinta** = **fondotinta**; **~ urbano** propriété *f* urbaine; **fondi di caffè** marc *msg* de café; **fondi d'esercizio** fonds *msg* de commerce; **fondi di magazzino** invendus *mpl*; **fondi liquidi** liquide *msg*; **fondi neri** caisse *fsg* noire

fondotinta [fondo'tinta] *sm inv* fond *m* de teint

fonetica [fo'nɛtika] *sf* phonétique *f*

fontana [fon'tana] *sf* fontaine *f*

fonte ['fonte] *sf* source *f* ■ *sm* (*Rel*): **~ battesimale** fonts *mpl* baptismaux; **~ energetica** source d'énergie *o* énergétique

foraggio [fo'raddʒo] *sm* (*per bestiame*) fourrage *m*

forare [fo'rare] *vt* crever; (*biglietto*) perforer; (*lamiera*) percer, trouer; (*sogg: proiettile*) trouer; **forarsi** *vpr* crever; **~ (una gomma)** crever (un pneu)

forbici ['fɔrbitʃi] *sfpl* ciseaux *mpl*

forca, -che ['fɔrka] *sf* (*Agr*) fourche *f*; (*patibolo*) potence *f*

forchetta [for'ketta] *sf* fourchette *f*; **essere una buona ~** (*fig*) avoir un bon *o* joli coup de fourchette

forcina [for'tʃina] *sf* (*per capelli*) épingle *f* à cheveux

foresta [fo'rɛsta] *sf* forêt *f*; **la F~ Nera** la Forêt Noire

forestiero, -a [fores'tjɛro] *agg, sm/f* étranger(-ère)

forfora ['forfora] *sf* pellicules *fpl*
forma ['forma] *sf* forme *f*; (*stampo
da cucina*) moule *m*; **forme** *sfpl* (*del
corpo*) formes *fpl*; **errori di ~** fautes *fpl*
de style; **essere in ~** être en forme;
tenersi in ~ garder la forme;
in ~ ufficiale/privata à titre officiel/
privé; **una ~ di formaggio** une meule
de fromage
formaggino [formad'dʒino] *sm*
fromage *m* fondu *o* à tartiner
formaggio [for'maddʒo] *sm*
fromage *m*

● **FORMAGGI**
●
● L'Italie est un grand producteur
● de fromages (que ce soient des
● fromages secs ou frais, de lait de
● vache, de brebis, ou de bufflonne),
● et sa production varie grandement
● d'une région à l'autre. Ses
● fromages les plus réputés sont le
● *parmigiano* (le parmesan), un
● fromage affiné produit dans la
● région de l'Émilie et utilisé pour
● accompagner les pâtes, et la
● *mozzarella*, un fromage frais de lait
● de vache ou de bufflonne, qu'on
● fait fondre sur les pizzas.

formale [for'male] *agg* formel(le)
formare [for'mare] *vt* (*anche fig*)
former; (*numero di telefono*) composer;
formarsi *vpr* se former; **il treno si
forma a Milano** le train est formé à
Milan
formato [for'mato] *sm* format *m*;
confezione ~ famiglia paquet *m*
familial; **~ tascabile** de poche
formazione [format'tsjone] *sf*
formation *f*; **~ professionale**
formation professionnelle
formica¹, -che [for'mika] *sf* (*Zool*)
fourmi *f*
formica²® [for'mika] *sf* (*materiale*)
formica® *m*
formidabile [formi'dabile] *agg*
formidable
formula ['formula] *sf* formule *f*;
~ di cortesia (*in lettere*) formule *f*
de politesse
formulare [formu'lare] *vt* formuler
fornaio [for'najo] *sm* boulanger *m*

fornello [for'nɛllo] *sm* (*elettrico, a gas*)
réchaud *m*; (*di pipa*) fourneau *m*
fornire [for'nire] *vt*: **~ qc (a qn)**
fournir qch (à qn); **fornirsi** *vpr*:
fornirsi di (*procurarsi*) se munir de;
~ qn di qc (*provviste, merci*)
approvisionner qn en qch; (*abiti,
merci*) fournir qch à qn
forno ['forno] *sm* four *m*; (*panetteria*)
boulangerie *f*; **fare i forni** (*Med*)
suivre un traitement par la chaleur
foro ['foro] *sm* (*buco*) trou *m*; (*Storia*)
forum *m*; (*tribunale*) tribunal *m*
forse ['forse] *avv* (*può darsi*) peut-être;
(*circa*) à peu près; **essere in ~** être en
doute
forte ['fɔrte] *agg* fort(e) ■ *avv* (*a voce
alta, colpire*) fort; (*velocemente*) vite
■ *sm* (*edificio, specialità*) fort *m*; **piatto
~** (*Cuc*) plat *m* de résistance; **andare ~**
(*avere successo*) avoir du succès; **avere
un ~ mal di testa** avoir très mal à la
tête; **avere un ~ raffreddore** avoir un
gros rhume; **essere ~ in qc** (*bravo*)
être fort en qch; **farsi ~ di qc**
s'appuyer sur qch
fortezza [for'tettsa] *sf* forteresse *f*
fortuito, -a [for'tuito] *agg* fortuit(e)
fortuna [for'tuna] *sf* (*destino*) sort *m*;
(*buona sorte*) chance *f*; (*averi*) fortune
f; **per ~** heureusement; **di ~** de
fortune; **atterraggio di ~**
atterrissage *m* forcé; **avere ~** avoir de
la chance; **portare ~** porter chance
fortunato, -a [fortu'nato] *agg*
(*persona*) chanceux(-euse), qui a de
la chance; (*coincidenza, incontro*)
heureux(-euse)
forza ['fɔrtsa] *sf* force *f* ■ *escl*
courage!; **forze** *sfpl* (*fisiche, Mil*)
forces *fpl*; **per ~** de force;
(*naturalmente*) forcément; **per ~ di
cose** par la force des choses; **a viva ~**
de vive force; **a ~ di** à force de; **farsi ~**
(*coraggio*) prendre son courage à deux
mains; **bella ~!** (*iron*) tu parles!; **per
causa di ~ maggiore** (*Dir*) dû à un cas
de force majeure; (*per estensione*) en
cas de force majeure; **~ di vendita**
(*Comm*) ensemble *m* des
représentants; **~ di volontà** force de
volonté; **~ lavoro** main *f* d'œuvre;
~ motrice force motrice; **~ pubblica**
force publique; **forze armate**

forces armées; **forze dell'ordine** forces de l'ordre

forzare [for'tsare] *vt* forcer; ~ **qn a fare qc** forcer qn à faire qch; ~ **la mano** *(fig: esagerare)* forcer la dose; ~ **la mano a qn** forcer la main à qn

forzista [for'tsista] *sm/f* membre *m/f* de Forza Italia

foschia [fos'kia] *sf* brume *f*

fosco, -a, -schi, -sche ['fosko] *agg (colore, fig)* sombre; *(cielo)* gris(e); **dipingere qc a tinte fosche** *(fig)* faire un tableau bien noir de qch

fosforo ['fɔsforo] *sm* phosphore *m*

fossa ['fɔssa] *sf* fosse *f*; ~ **biologica** fosse septique; ~ **comune** fosse commune

fossato [fos'sato] *sm* fossé *m*; *(di fortezza)* douve *f*

fossetta [fos'setta] *sf* fossette *f*

fossi *ecc* ['fossi] *vb vedi* **essere**

fossile ['fɔssile] *agg, sm* fossile *(m)*

fosso ['fɔsso] *sm (fossa)* fossé *m*; *(Mil)* tranchée *f*

foste *ecc* ['foste] *vb vedi* **essere**

foto ['fɔto] *sf inv* photo *f*; **può farci una ~, per favore?** pourriez-vous nous prendre en photo, s'il vous plaît?; ~ **ricordo** photo souvenir; ~ **tessera** photo d'identité

fotocamera [foto'kamera] *sf*: ~ **digitale** appareil *m* (photo) numérique

fotocopia [foto'kɔpja] *sf* photocopie *f*

fotocopiare [fotoko'pjare] *vt* photocopier

fotocopiatrice [fotokopja'tritʃe] *sf* photocopieuse *f*

fotografare [fotogra'fare] *vt* photographier

fotografia [fotogra'fia] *sf* photographie *f*; **fare una ~** prendre une photographie; **una ~ a colori/in bianco e nero** une photographie en couleurs/en noir et blanc

fotografico, -a, -ci, -che [foto'grafiko] *agg (mostra, riproduzione)* de photographie; *(pellicola, memoria)* photographique; **macchina fotografica** appareil *m* photo(graphique)

fotografo, -a [fo'tografo] *sm/f* photographe *m/f*

fotoromanzo [fotoro'mandzo] *sm* roman-photo *m*

foulard [fu'lar] *sm inv* foulard *m*

fra [fra] *prep* = **tra**

fradicio, -a ['fraditʃo] *agg (bagnato)* trempé(e); *(guasto)* pourri(e); **ubriaco ~** ivre mort

fragile ['fradʒile] *agg* fragile

fragola ['fragola] *sf* fraise *f*; *(pianta)* fraisier *m*

fragrante [fra'grante] *agg* parfumé(e)

fraintendere [frain'tɛndere] *vt* mal comprendre

frammento [fram'mento] *sm* fragment *m*; *(di oggetto rotto)* débris *msg*, éclat *m*

frana ['frana] *sf* éboulement *m*; **essere una ~** *(fig: incapace)* être une nullité

francese [fran'tʃeze] *agg* français(e) ▪ *sm/f* Français(e) ▪ *sm* français *m*

Francia ['frantʃa] *sf* France *f*

franco, -a, -chi, -che ['franko] *agg (leale, aperto)* franc (franche); *(Comm)* franco; *(Storia)* franc (franque) ▪ *sm (moneta)* franc *m*; **farla franca** *(fig)* s'en tirer; **porto ~** port *m* franc; ~ **a bordo** franco à bord; ~ **di dogana** hors taxe; ~ **di porto** franco de port; ~ **fabbrica** *m* usine; ~ **francese/svizzero** *(moneta)* franc français/suisse; ~ **magazzino** départ entrepôt; ~ **tiratore** *(Mil, Pol)* franc-tireur *m*; ~ **vagone** franco wagon

francobollo [franko'bollo] *sm* timbre *m*

frangia, -ge ['frandʒa] *sf* frange *f*

frappé [frap'pe] *sm inv* milk-shake *m*

frase ['fraze] *sf* phrase *f*; ~ **fatta** cliché *m*

frassino ['frassino] *sm* frêne *m*

frastagliato, -a [frasta'ʎʎato] *agg* découpé(e)

frastornare [frastor'nare] *vt (sogg: rumore)* déconcentrer; *(: chiacchiere, alcool)* abrutir; *(colpo)* étourdir

frastuono [fras'twɔno] *sm (di automobili, grida)* vacarme *m*; *(di gente)* tapage *m*

frate ['frate] *sm* moine *m*, frère *m*

fratellastro [fratel'lastro] *sm* demi-frère *m*

fratello [fra'tɛllo] sm frère m;
fratelli smpl (fratelli e sorelle) frères
et sœurs mpl

fraterno, -a [fra'tɛrno] agg
fraternel(le)

frattempo [frat'tɛmpo] sm: **nel ~**
entre temps o entre-temps

frattura [frat'tura] sf (anche fig)
fracture f

frazione [frat'tsjone] sf fraction f;
(borgata): **~ (di comune)** hameau m

freccia, -ce ['frettʃa] sf flèche f; (Aut)
clignotant m; **mettere la ~ a destra/
sinistra** mettre son clignotant à
droite/gauche

freddezza [fred'dettsa] sf froideur f

freddo, -a ['freddo] agg froid(e) ■ sm
froid m; **aver ~** avoir froid; **fa ~** il fait
froid; **soffrire il ~** craindre le froid;
a ~ (fig) froidement

freddoloso, -a [freddo'loso] agg
frileux(-euse)

fregare [fre'gare] vt (sfregare) frotter;
(fam: truffare) rouler; (: rubare) piquer,
faucher; **fregarsene: chi se ne frega?**
(fam!) qu'est-ce que j'en ai à foutre
(fam!)?

fregherò ecc [frege'rɔ] vb vedi
fregare

frenare [fre'nare] vt freiner; (lacrime)
retenir ■ vi freiner; **frenarsi** vpr (fig:
trattenersi) se retenir; (controllarsi) se
maîtriser

freno ['freno] sm frein m; (morso)
mors msg; **tenere a ~** (passioni ecc)
réprimer; **porre ~ a** mettre un frein à;
tenere a ~ la lingua tenir sa langue;
~ a disco frein à disque; **~ a mano**
frein à main

frequentare [frekwen'tare] vt
fréquenter

frequentato, -a [frekwen'tato] agg
fréquenté(e)

frequente [fre'kwɛnte] agg
fréquent(e); **di ~** fréquemment,
souvent

freschezza [fres'kettsa] sf fraîcheur f

fresco, -a, -schi, -sche ['fresko] agg
frais (fraîche) ■ sm (temperatura):
il ~ le frais msg; **godere il ~** prendre le
frais; **~ di bucato** tout frais lavé; **al ~**
(anche fig: in prigione) au frais; **se
aspetti lui stai ~!** si tu comptes sur
lui, tu n'es pas au bout de tes peines!

fretta ['fretta] sf hâte f; **avere ~** être
pressé; **in ~** vite, en vitesse; **in ~ e
furia** à toute vitesse; **far ~ a qn**
presser qn, bousculer qn

friggere ['friddʒere] vt, vi frire; **vai
a farti ~!** (fam) va te faire voir!

frigido, -a ['fridʒido] agg frigide

frigo ['frigo] sm frigo m

frigorifero, -a [frigo'rifero] agg
frigorifique ■ sm réfrigérateur m,
frigidaire® m

fringuello [frin'gwɛllo] sm pinson m

frissi ecc ['frissi] vb vedi **friggere**

frittata [frit'tata] sf omelette f; **fare
una ~** (fig) faire une bêtise

frittella [frit'tɛlla] sf (Cuc) beignet m

fritto, -a ['fritto] pp di **friggere** ■ agg
frit(e) ■ sm friture f; **siamo fritti!**
(fam: fig) on est cuit!; **patatine fritte**
frites fpl; (in pacchetti) chips fpl;
~ misto (di pesce) friture de poisson

frittura [frit'tura] sf friture f; **~ di
pesce** friture de poisson

frivolo, -a ['frivolo] agg frivole

frizione [frit'tsjone] sf (anche Fis)
friction f; (lozione) lotion f; (Aut)
embrayage m

frizzante [frid'dzante] agg (vino)
mousseux(-euse); (acqua)
gazeux(-euse), pétillant(e); (bibita)
gazeux(-euse); (fig: persona) plein(e)
d'entrain

frodare [fro'dare] vt (fisco, Stato)
frauder; (persona) escroquer; **~ una
somma di denaro a qn** escroquer une
somme d'argent à qn

frode ['frɔde] sf fraude f; **~ fiscale**
fraude fiscale

fronda ['fronda] sf branche f;
(di partito) fronde f; **fronde** sfpl
(fogliame) feuillage msg

frontale [fron'tale] agg frontal(e);
(scontro) de plein fouet

frontalino [fronta'lino] sm (Aut)
façade f

fronte ['fronte] sf (Anat) front m;
(di edificio) façade f ■ sm (Mil, Pol,
Meteor) front m; **di ~** en face; **di ~ a**
(dall'altra parte) en face de; (davanti)
devant; (a paragone di) au vu de; **far ~
a** faire face à; **testo a ~** texte m en
regard

frontiera [fron'tjɛra] sf (anche fig)
frontière f

frottola ['frɔttola] *sf* baliverne *f*, histoire *f*; **raccontare un sacco di frottole** raconter des histoires

frugare [fru'gare] *vt* fouiller

frugherò *ecc* [fruge'rɔ] *vb vedi* **frugare**

frullare [frul'lare] *vt* (*Cuc*) fouetter, battre ▪ *vi* (*uccelli*) s'envoler avec un battement d'ailes; **che ti frulla per la testa?** qu'est-ce qui te passe par la tête?

frullato [frul'lato] *sm* milk-shake *m*

frullatore [frulla'tore] *sm* mixer *m*, mixeur *m*

frumento [fru'mento] *sm* froment *m*

fruscio [fruʃ'ʃio] *sm* (*di tessuto*) froufrou *m*, frou-frou *m*; (*di foglie, acque*) bruissement *m*; (*di carta*) bruissement *m*, froissement *m*; (*su disco*) grésillement *m*

frusta ['frusta] *sf* (*anche Cuc*) fouet *m*

frustare [frus'tare] *vt* fouetter

frustrato, -a [frus'trate] *agg* frustré(e)

frutta ['frutta] *sf* fruit *m*; **essere alla ~** (*commensali*) en être au dessert; **~ candita** fruits confits *mpl*; **~ secca** fruits *mpl* secs

fruttare [frut'tare] *vi* fructifier; **~ (a)** (*investimento, attività*) rapporter (à); **il deposito in banca mi frutta il 10%** mon dépôt à la banque me rapporte 10% d'intérêts; **quella gara gli fruttò la medaglia d'oro** cette compétition lui valut la médaille d'or

frutteto [frut'teto] *sm* verger *m*

fruttivendolo, -a [frutti'vendolo] *sm/f* marchand(e) de fruits et légumes

frutto ['frutto] *sm* (*anche fig: di sforzi, lavoro*) fruit *m*; (*fig: di investimento*) rapport *m*; **è ~ della tua immaginazione** c'est le fruit de ton imagination; **frutti di mare** fruits de mer; **frutti di bosco** fruits rouges

FS ['ɛffe'ɛsse] *abbr* (= *Ferrovie dello Stato*) ≈ SNCF *f*

fu [fu] *vb vedi* **essere** ▪ *agg inv*: **il fu Paolo Bianchi** feu Paolo Bianchi

fucilare [futʃi'lare] *vt* fusiller

fucile [fu'tʃile] *sm* fusil *m*; **~ a canne mozze** fusil à canon scié

fucsia ['fuksja] *sf* (*fiore*) fuchsia *m* ▪ *sm, agg inv* (*colore*) (rose) fuchsia (*m*)

fuga, -ghe ['fuga] *sf* (*da prigione, istituto, di gas, liquidi*) fuite *f*; (*da casa, Mus*) fugue *f*; **mettere qn in ~** mettre qn en fuite; **~ di cervelli** exode *m* des cerveaux

fuggire [fud'dʒire] *vi* (*di casa, città*) s'enfuir; (*di prigione, da situazione, pericolo*) s'échapper ▪ *vt* fuir; **il tempo fugge** le temps passe vite; **~ davanti a** (*a nemico, situazione*) fuir devant

fui ['fui] *vb vedi* **essere**

fuliggine [fu'liddʒine] *sf* suie *f*

fulmine ['fulmine] *sm* foudre *f*; **un ~ a ciel sereno** (*fig*) un coup de tonnerre

fumare [fu'mare] *vi, vt* fumer; **le dà fastidio se fumo?** ça ne vous dérange pas que je fume?

fumatore, -trice [fuma'tore] *sm/f* fumeur(-euse); **"non fumatori"** "non fumeurs"; **~ passivo** fumeur(-euse) passif(-ive)

fumetto [fu'metto] *sm* bande *f* dessinée, BD *f*; **fumetti** *smpl* bandes *fpl* dessinées

fummo ['fummo] *vb vedi* **essere**

fumo ['fumo] *sm* fumée *f*; (*il fumare*) tabac *m*; **fumi** *smpl* (*industriali*) fumées *fpl*; **il ~ fa male** le tabac est mauvais pour la santé; **il ~ mi dà fastidio** la fumée me dérange; **vendere ~** (*fig*) tromper (par de vaines promesses); **è tutto ~ e niente arrosto** ce n'est que du vent; **andare in ~** (*fig*) tomber à l'eau; **i fumi dell'alcool** (*fig*) les vapeurs de l'alcool; **~ passivo** tabagisme *m* passif

fune ['fune] *sf* corde *f*; (*più grossa*) câble *m*

funebre ['funebre] *agg* funèbre

funerale [fune'rale] *sm* enterrement *m*

fungere ['fundʒere] *vi*: **~ da** (*persona*) faire fonction de; (*cosa*) servir de, tenir lieu de

fungo, -ghi ['fungo] *sm* champignon *m*; (*Med*) mycose *f*; **~ velenoso** champignon vénéneux; **crescere come i funghi** (*fig*) pousser comme des champignons

funicolare [funiko'lare] *sf* funiculaire *m*

funivia [funi'via] *sf* téléphérique *m*

funsi *ecc* ['funsi] *vb vedi* **fungere**

funzionare [funtsjo'nare] *vi*
(*macchina*) marcher, fonctionner;
(*sistema, idea*) marcher; (*fungere*):
~ **da** faire fonction de; **come funziona?**
comment est-ce que ça marche?

funzionario [funtsjo'narjo] *sm*
fonctionnaire *m*; ~ **statale**
fonctionnaire

funzione [fun'tsjone] *sf* fonction *f*;
in ~ (*motore*) en marche; (*meccanismo*)
en service; **in** ~ **di** (*come*) comme; **far**
~ **di** faire fonction de; **verbo usato in**
~ **di sostantivo** verbe employé
comme substantif; **vivere in** ~ **dei**
figli vivre pour ses enfants

fuoco, -chi ['fwɔko] *sm* (*anche Chim*)
feu *m*; (*Ottica, Fot, Fis*) foyer *m*; **dare** ~
a qc mettre le feu à qch; **fare** ~
(*sparare*) faire feu; **prendere** ~ prendre
feu; **al** ~! au feu!; **mettere a** ~ (*Fot*)
mettre au point; ~ **d'artificio** feu
d'artifice; ~ **di paglia** feu de paille;
~ **di Sant'Antonio** *o* **sacro** (*Med*) zona
m; ~ **fatuo** feu follet

fuorché [fwor'ke] *cong* sauf ◼ *prep*
(*eccetto*) sauf, excepté

fuori ['fwɔri] *avv* dehors ◼ *prep*:
~ **(di)** hors (de) ◼ *sm* dehors *msg*,
extérieur *m*; ~! (*esci!*) sors!; (*esca!,*
uscire!) sortez!; **essere in** ~ (*sporgere*)
dépasser; **lasciar** ~ **qc** omettre qch;
lasciar ~ **qn** exclure qn; **ceniamo a**
casa o ~? on mange à la maison ou au
restaurant?; **mangiamo** ~ **o dentro?**
on mange dedans ou dehors?; **far** ~
(*fam: soldi*) croquer; (: *cioccolatini*)
dévorer; (: *rubare*) piquer; **far** ~ **qn**
(*fam*) descendre qn; **essere tagliato** ~
(*da un gruppo, ambiente*) être exclu;
essere ~ **di sé** (*dalla rabbia*) être hors
de soi; **Marco è** ~ **città** Marco est
parti; ~ **luogo** (*inopportuno*)
déplacé(e); ~ **mano** (*luogo, località*)
éloigné(e); **Chiara abita** ~ **mano**
Chiara habite au diable; ~ **pasto** en
dehors des repas; ~ **pericolo** hors de
danger; (*andate*) ~ **dai piedi!** allez
ouste!; ~ **servizio** (*distributore,*
ascensore) en panne; (*telefono*) en
dérangement; ~ **stagione** hors
saison; **illustrazione** ~ **testo** hors-
texte *m*; ~ **uso** hors d'usage

fuorigioco [fwori'dʒɔko] *sm inv*
hors-jeu *m*

fuoristrada [fwori'strada] *sm inv*
(*Aut*) voiture *f* tout-terrain

furbo, -a ['furbo] *agg* rusé(e),
malin(-igne), futé(e); (*peg*) fourbe
◼ *sm/f* malin(-igne); **fare il** ~ faire le
malin; **farsi** ~ apprendre à se méfier

furente [fu'rɛnte] *agg* furieux(-euse),
furibond(e)

furfante [fur'fante] *sm* vaurien *m*,
canaille *f*

furgone [fur'gone] *sm* fourgon *m*

furia ['furja] *sf* (*ira*) colère *f*; (*impeto*)
fureur *f*; (*fretta*) précipitation *f*; **a** ~ **di**
à force de; **andare su tutte le furie**
sortir de ses gonds, entrer dans une
colère noire

furibondo, -a [furi'bondo] *agg*
furibond(e)

furioso, -a [fu'rjoso] *agg*
furieux(-euse)

furono ['furono] *vb vedi* **essere**

furtivo, -a [fur'tivo] *agg* furtif(-ive)

furto ['furto] *sm* (*sottrazione*) vol *m*;
(*refurtiva*) butin *m*; **vorrei denunciare**
un ~ je voudrais signaler un vol; ~ **con**
scasso vol avec effraction

fusa ['fusa] *sfpl*: **fare le** ~ ronronner

fuseaux [fy'zo] *smpl* caleçon *msg*;
(*con il passante sotto il piede*) fuseau
msg

fusi *ecc* ['fuzi] *vb vedi* **fondere**

fusibile [fu'zibile] *sm* fusible *m*

fusione [fu'zjone] *sf* (*di metalli, fig*)
fusion *f*; (*colata*) fonte *f*; (*Comm*)
fusion, fusionnement *m*

fuso, -a ['fuzo] *pp di* **fondere** ◼ *sm*
(*Filatura*) fuseau *m*; **diritto come un** ~
raide comme un piquet; ~ **orario**
fuseau horaire

fustino [fus'tino] *sm* (*di detersivo*)
baril *m*

fusto ['fusto] *sm* (*di albero, Anat*) tronc
m; (*recipiente*) bidon *m*; (*di candeliere*)
pied *m*; (*Archit*) tige *f*, fût *m*; (*di*
occhiali) monture *f*; (*fam: uomo*)
gaillard *m*

futuro, -a [fu'turo] *agg* futur(e) ◼ *sm*
(*anche Ling*) futur *m*; (*il tempo a venire*)
avenir *m*

g

gabbia ['gabbja] sf (per animali, di ascensore) cage f; (in tribunale) box msg; **la ~ degli accusati** (Dir) le box des accusés; **una ~ di matti** une maison de fous; **~ toracica** cage thoracique

gabbiano [gab'bjano] sm mouette f

gabinetto [gabi'netto] sm cabinet m; (sanitario: stanza) W.-C. mpl, toilettes fpl; (: apparecchio) cuvette f; (Scol: di fisica ecc) laboratoire m

gaffe [gaf] sf inv gaffe f; **fare una ~** faire une gaffe

galante [ga'lante] agg galant(e)

galassia [ga'lassja] sf galaxie f

galera [ga'lɛra] sf (nave da guerra) galère f; (prigione) prison f

galla ['galla] sf: **a ~** à la surface; **venire a ~** remonter à la surface; (fig: verità) percer, se faire jour

galleggiare [galled'dʒare] vi flotter

galleria [galle'ria] sf galerie f; (traforo) tunnel m; (Teatro, Cine) galerie, balcon m; **~ d'arte** galerie d'art; **~ del vento** o **aerodinamica** soufflerie f

Galles ['galles] sm: **il ~** le pays de Galles

gallina [gal'lina] sf poule f; **andare a letto con le galline** se coucher comme les poules

gallo ['gallo] sm coq m; (Storia) Gaulois msg ▪ agg inv: **peso ~** poids msg coq; **al canto del ~** au chant du coq; **fare il ~** (fig) faire le coq

galoppare [galop'pare] vi galoper

galoppo [ga'loppo] sm galop m; **al ~** au galop

gamba ['gamba] sf jambe f; (di sedia, tavolo) pied m; (asta: di lettera) jambage m, hampe f; **in ~** (in buona salute) en forme; (sveglio) dégourdi(e), débrouillard(e); **per la sua età è ancora in ~** il est encore vert pour son âge; **è una persona in ~** (bravo, intelligente) c'est une personne bien; **prendere qc sotto ~** (fig) prendre qch par-dessous la jambe; **scappare a gambe levate** s'enfuir à toutes jambes; **gambe!** filons!; **in ~!** porte-toi bien!

gamberetto [gambe'retto] sm crevette f

gambero ['gambero] sm (di acqua dolce) écrevisse f; (di mare) grosse crevette f

gambo ['gambo] sm (di fiore) tige f; (di frutta) queue f; (di bicchiere) pied m

gamma ['gamma] sf gamme f; **~ di prodotti** gamme de produits

gancio ['gantʃo] sm crochet m

gara ['gara] sf compétition f; **facciamo a ~ a chi arriva primo** on joue à qui arrive le premier; **~ d'appalto** (Comm) appel m d'offres

> **FALSI AMICI**
>
> **gara** non si traduce mai con la parola francese **gare**.

garage [ga'raʒ] sm inv garage m

garantire [garan'tire] vt garantir; (aiuto, sostegno) assurer

garanzia [garan'tsia] sf garantie f; (pegno) gage m; **in ~** sous garantie

garbato, -a [gar'bato] agg courtois(e), poli(e)

gareggiare [gared'dʒare] vi: **~ (in)** rivaliser (en)

gargarismo [garga'rizmo] sm gargarisme m; **fare i gargarismi** faire des gargarismes

garofano [ga'rɔfano] sm œillet m

garza ['gardza] *sf* gaze *f*

garzone [gar'dzone] *sm* (*di bottega*) garçon *m*

gas [gas] *sm inv* gaz *msg*; **sento odore di ~** ça sent le gaz; **dare ~** (*Aut*) accélérer; **a tutto ~** (*fig*) à pleins gaz; **~ lacrimogeno** gaz lacrymogène; **~ naturale** gaz naturel

gasolio [ga'zɔljo] *sm* gas-oil *m*, gazole *m*

gassato, -a [gas'sato] *agg* gazeux(-euse)

gastrite [gas'trite] *sf* gastrite *f*

gastronomia [gastrono'mia] *sf* gastronomie *f*

gattino [gat'tino] *sm* chaton *m*

gatto ['gatto] *sm* chat *m*; **~ a nove code** martinet *m*, chat à neuf queues; **~ delle nevi** (*Scienza*) dameuse *f* de piste; **~ selvatico** chat sauvage

gazza ['gaddza] *sf* pie *f*

gel ['dʒel] *sm inv* gel *m*

gelare [dʒe'lare] *vt* (*congelare*) geler; (*fig: piedi, mani*) geler, glacer; (: *con sguardo, osservazione*) glacer ■ *vi* geler ■ *vb impers* geler; **mi ha gelato il sangue** (*fig*) mon sang s'en est glacé

gelateria [dʒelate'ria] *sf* glacier *m*

gelatina [dʒela'tina] *sf* (*Cuc*) gelée *f*; **~ di frutta** gelée; **~ esplosiva** gélatine *f* explosive

gelato, -a [dʒe'lato] *agg* (*mare, lago ecc*) gelé(e); (*bevanda, vivanda*) glacé(e); (*strada*) verglacé(e); (*mani, piedi*) glacé(e), gelé(e) ■ *sm* glace *f*; **essere ~ per il freddo/la paura** être transi(e) (de froid)/de peur

gelido, -a ['dʒɛlido] *agg* glacé(e), glacial(e); (*fig: accoglienza, sguardo*) glacial(e)

gelo ['dʒɛlo] *sm* (*temperatura*) gel *m*; (*brina*) gelée *f* blanche; (*fig: della morte, di terrore*) froid *m*

gelosia [dʒelo'sia] *sf* jalousie *f*

geloso, -a [dʒe'loso] *agg* jaloux(-se)

gelso ['dʒɛlso] *sm* mûrier *m*

gelsomino [dʒelso'mino] *sm* jasmin *m*

gemello, -a [dʒe'mɛllo] *agg* jumeau (jumelle) ■ *sm/f* (*frère*) jumeau *m*, (*sœur*) jumelle *f*; **gemelli** *smpl* (*persone*) jumeaux; (*di camicia*) boutons *mpl* de manchette; **letti gemelli** lits jumeaux; **Gemelli** (*Zodiaco*) Gémeaux *mpl*; **essere dei Gemelli** être Gémeaux

gemere ['dʒɛmere] *vi* (*lamentarsi*) gémir; (*cigolare*) grincer

gemma ['dʒɛmma] *sf* (*Bot*) bourgeon *m*; (*pietra preziosa*) gemme *f*

generale [dʒene'rale] *agg* général(e) ■ *sm* (*Mil*) général *m*; **in ~** en général; **a ~ richiesta** à la demande générale; **direttore ~** directeur *m* général

generare [dʒene'rare] *vt* (*dar vita a*) engendrer; (: *specie umana*) procréer; (*cagionare: conseguenze, problemi*) engendrer; (: *risultati*) causer, entraîner; (*far sorgere: sospetti, desideri, passioni*) susciter; (*elettricità*) produire, générer

generazione [dʒenerat'tsjone] *sf* génération *f*

genere ['dʒɛnere] *sm* genre *m*; (*tipo*) genre *m*, sorte *f*; (*merce, articolo*) article *m*, produit *m*; **in ~** en général; **cose del o di questo ~** des choses de ce genre; **~ umano** genre humain; **generi alimentari** denrées *fpl* o produits alimentaires; **generi di consumo** produits de consommation; **generi di prima necessità** biens *mpl* de première nécessité

generico, -a, -ci, -che [dʒe'nɛriko] *agg* général(e); (*vago, impreciso*) vague; **farmaci generici** médicaments *mpl* génériques

genero ['dʒɛnero] *sm* gendre *m*, beau-fils *m*

generoso, -a [dʒene'roso] *agg* généreux(-euse)

genetica [dʒe'nɛtika] *sf* génétique *f*

genetico, -a, -ci, -che [dʒe'nɛtiko] *agg* génétique

gengiva [dʒen'dʒiva] *sf* (*Anat*) gencive *f*

geniale [dʒe'njale] *agg* génial(e)

genio ['dʒɛnjo] *sm* génie *m*; **andare a ~ a qn** plaire à qn; **~ civile** (*Mil*) génie civil

genitore [dʒeni'tore] *sm* géniteur(-trice); **i miei genitori** mes parents *mpl*

gennaio [dʒen'najo] *sm* janvier *m*; *vedi anche* **luglio**

Genova ['dʒɛnova] *sf* Gênes

gente ['dʒɛnte] *sf* (*persone*) gens *mpl*, monde *m*; ~ **di campagna** gens de la campagne; **ho ~ a cena** j'ai du monde à dîner; **brava ~ des braves gens**

gentile [dʒen'tile] *agg* (*persona, atto*) gentil(e); (: *garbato*) aimable; (: *aggraziato*) gracieux(-euse), agréable; (*nelle lettere*): **G~ Signore** Cher Monsieur; (: *sulla busta*): **Gentil Signor Mario Bianchi** Monsieur Mario Bianchi

genuino, -a [dʒenu'ino] *agg* (*prodotto*) naturel(le); (*persona*) spontané(e), franc (franche); (*sentimento*) sincère

geografia [dʒeogra'fia] *sf* géographie *f*

geologia [dʒeolo'dʒia] *sf* géologie *f*

geometra, -i, -e [dʒe'ɔmetra] *sm/f* géomètre *m/f*

geometria [dʒeome'tria] *sf* géométrie *f*

geranio [dʒe'ranjo] *sf* géranium *m*

gerarchia [dʒerar'kia] *sf* hiérarchie *f*

gergo, -ghi ['dʒɛrgo] *sm* (*militare, politico*) jargon *m*; (*della malavita*) argot *m*

geriatria [dʒerja'tria] *sf* gériatrie *f*

Germania [dʒer'manja] *sf* Allemagne *f*; ~ **occidentale/orientale** (*Hist*) Allemagne de l'Ouest/de l'Est

germe ['dʒɛrme] *sm* germe *m*; **in ~** (*fig*) en germe

germogliare [dʒermoʎ'ʎare] *vi* (*seme*) germer; (*ramo*) bourgeonner

geroglifico, -ci [dʒero'glifiko] *sm* hiéroglyphe *m*

gerundio [dʒe'rundjo] *sm* gérondif *m*

gesso ['dʒɛsso] *sm* (*minerale*) gypse *m*; (*Edil, Med, statua*) plâtre *m*; (*per scrivere*) (bâton *m* de) craie *f*

gestione [dʒes'tjone] *sf* (*di affari, ditta*) gestion *f*; (*di bar*) gérance *f*; ~ **di magazzino** gestion des stocks; ~ **patrimoniale** gestion de patrimoine

gestire [dʒes'tire] *vt* gérer

gesto ['dʒɛsto] *sm* geste *m*

Gesù [dʒe'zu] *sm* Jésus; ~ **bambino** l'Enfant Jésus

gesuita, -i [dʒezu'ita] *sm* jésuite *m*

gettare [dʒet'tare] *vt* jeter; (*metalli, cera*) couler; **gettarsi** *vpr*: **gettarsi in** se jeter dans; **gettarsi dalla finestra** se jeter par la fenêtre; ~ **uno sguardo a** jeter un coup d'œil à

getto ['dʒɛtto] *sm* jet *m*; **a ~ continuo** à jet continu; **di ~** (*fig*) d'un seul jet

gettone [dʒet'tone] *sm* jeton *m*; **apparecchio a gettoni** (*automatico*) distributeur *m* automatique; ~ **di presenza** jeton de présence; ~ **telefonico** jeton de téléphone

ghiacciaio [gjat'tʃajo] *sm* glacier *m*

ghiacciato, -a [gjat'tʃato] *agg* gelé(e); (*bevanda, mani*) glacé(e)

ghiaccio ['gjattʃo] *sm* glace *f*

ghiacciolo [gjat'tʃɔlo] *sm* glace *f*; (*tipo di gelato*) glace à l'eau

ghiaia ['gjaja] *sf* (*detriti*) gravier *m*; (*per strade*) gravillon *m*

ghianda ['gjanda] *sf* (*Bot*) gland *m*

ghiandola ['gjandola] *sf* glande *f*

ghiotto, -a ['gjotto] *agg* gourmand(e); (*cibo*) appétissant(e)

ghirlanda [gir'landa] *sf* guirlande *f*

ghiro ['giro] *sm* loir *m*; **dormire come un ~** dormir comme une marmotte o un loir

ghisa ['giza] *sf* fonte *f*

già [dʒa] *avv* (*prima*) déjà; (*ex, in precedenza*) ex, ancien(ne) ■ *escl* oui!, bien sûr!; ~ **che ci sei...** pendant que tu y es...

giacca, -che ['dʒakka] *sf* (*da uomo*) veste *f*, veston *m*; (*da donna*) veste, jaquette *f*; ~ **a vento** anorak *m*; (*senza imbottitura*) coupe-vent *m*

giacché [dʒak'ke] *cong* puisque, du moment que

giaccone [dʒak'kone] *sm* parka *f*

giada ['dʒada] *sf* jade *m*

giaguaro [dʒa'gwaro] *sm* jaguar *m*

giallo, -a ['dʒallo] *agg* jaune ■ *sm* jaune *m*; (*anche:* **film giallo**) film *m* policier; (*anche:* **romanzo giallo**) roman *m* policier; **il mar G~** la Mer Jaune; **diventare ~ di paura** être vert de peur

Giappone [dʒap'pone] *sm* Japon *m*

giapponese [dʒappo'nese] *agg* japonais(e) ■ *sm/f* Japonais(e) ■ *sm* japonais *m*

giardinaggio [dʒardi'naddʒo] *sm* jardinage *m*

giardiniere, -a [dʒardi'njɛre] *sm/f* jardinier(-ière)

giardino [dʒar'dino] *sm* jardin *m*;
~ **d'infanzia** jardin d'enfants, garderie
f; ~ **pubblico** jardin public;
~ **zoologico** jardin zoologique
giavellotto [dʒavel'lɔtto] *sm* javelot *m*
gigabyte [dʒiga'bait] *sm inv*
gigaoctet *m*
gigante, -essa [dʒi'gante] *agg, sm/f*
géant(e); **confezione** ~ paquet *m*
géant
giglio ['dʒiʎʎo] *sm* lis *msg*
gilè [dʒi'lɛ] *sm inv* gilet *m*
gin [dʒin] *sm inv* gin *m*
ginecologo, -a, -gi, -ghe
[dʒine'kɔlogo] *sm/f* gynécologue *m/f*
ginepro [dʒi'nepro] *sm* (*arbusto*)
genévrier *m*; (*bacca*) genièvre *f*
ginestra [dʒi'nɛstra] *sf* genêt *m*
Ginevra [dʒi'nevra] *sf* Genève *f*;
il Lago di ~ le Lac Léman
ginnastica [dʒin'nastika] *sf*
gymnastique *f*; (*Scol*) sport *m*
ginocchio [dʒi'nɔkkjo] (*pl(m)*
ginocchi, *pl(f)* **ginocchia**) *sm* genou
m; **mettersi in** ~ se mettre à genoux;
stare in ~ être à genoux; (*fig*) être mal
en point
giocare [dʒo'kare] *vt, vi* jouer; ~ **a**
jouer à; **ciò gioca a suo favore** cela
joue en sa faveur; ~ **d'astuzia** faire
preuve d'astuce; **giocarsi il posto**
risquer sa place; **a che gioco**
giochiamo? à quel jeu jouez-vous?;
~ **sull'equivoco** jouer sur l'ambiguïté
giocatore, -trice [dʒoka'tore] *sm/f*
joueur(-euse)
giocattolo [dʒo'kattolo] *sm* jouet *m*
giocherò *ecc* [dʒoke'rɔ] *vb vedi*
giocare
gioco, -chi ['dʒɔko] *sm* jeu *m*;
(*puntata*) mise *f*; **entrare in** ~ (*fig*)
entrer en jeu; **far buon viso a cattivo**
~ faire contre mauvaise fortune bon
cœur; **fare il doppio** ~ jouer double
jeu; **mettere in** ~ (*rischiare*) mettre en
jeu; **è in** ~ **la mia reputazione** ma
réputation est en jeu; **per** ~ pour rire;
prendersi ~ **di qn** se moquer de qn, se
jouer de qn; **stare al** ~ **di qn** jouer le
jeu de qn; ~ **d'azzardo** jeu de hasard;
~ **degli scacchi** jeu d'échecs; ~ **del**
calcio football *m*; ~ **di società** jeu
de société; **giochi olimpici** jeux
olympiques

giocoliere [dʒoko'ljɛre] *sm*
jongleur *m*
gioia ['dʒɔja] *sf* joie *f*; (*pietra preziosa*)
bijou *m*
gioielleria [dʒojelle'ria] *sf*
bijouterie *f*
gioielliere [dʒojel'ljɛre] *sm*
bijoutier(-ière)
gioiello [dʒo'jɛllo] *sm* bijou *m*;
(*oggetto da collezione, museo*) joyau *m*;
(*fig: persona*) perle *f*; (: *cosa*) bijou;
gioielli *smpl* (*anelli, collane ecc*) bijoux
mpl; **i gioielli della corona** les joyaux
de la couronne
Giordania [dʒor'danja] *sf* Jordanie *f*
giornalaio, -a [dʒorna'lajo] *sm/f*
marchand(e) de journaux
giornale [dʒor'nale] *sm* (*anche Comm*)
journal *m*; (*diario*) journal (intime);
~ **di bordo** (*Naut*) journal de bord;
~ **radio** (bulletin *m* d')informations *fpl*
(à la radio)
giornaliero, -a [dʒorna'ljɛro] *agg*
quotidien(ne), journalier(-ière); (*che*
varia) journalier(-ière) ■ *sm/f*
journalier(-ière)
giornalismo [dʒorna'lizmo] *sm*
journalisme *m*
giornalista, -i, -e [dʒorna'lista] *sm/f*
journaliste *m/f*
giornata [dʒor'nata] *sf* journée *f*;
durante la ~ **di ieri** pendant la
journée d'hier; **fresco di** ~ (*uovo*) du
jour; **vivere alla** ~ vivre au jour le jour;
~ **lavorativa** journée (de travail)
giorno ['dʒorno] *sm* jour *m*; **al** ~ par
jour; **di** ~ de jour; ~ **per** ~ (*alla*
giornata) au jour le jour; **del** ~ (*notizia,*
avvenimento) du jour; **che** ~ **è oggi?**
quel jour sommes-nous aujourd'hui?;
da un ~ **all'altro** du jour au
lendemain; **al** ~ **d'oggi** de nos jours,
à l'heure actuelle; **tutto il santo** ~
toute la (sainte) journée; **metter fine**
ai propri giorni mettre fin à ses jours
giostra ['dʒɔstra] *sf* (*per bimbi*)
manège *m*; (*torneo storico*) joute *f*
giovane ['dʒovane] *agg* jeune
■ *sm/f* jeune homme *m*, jeune fille *f*;
i giovani les jeunes; **è** ~ **del mestiere**
il est jeune dans le métier
giovare [dʒo'vare] *vi*: ~ **(a)** (*essere*
utile) être utile (à), servir (à); (*far bene*)
faire du bien (à) ■ *vb impers* être bon,

être utile; **giovarsi** *vpr*: **giovarsi di** *(di un esempio, argomento)* se servir de; *(avvalersi)* tirer profit de; **a che giova prendersela?** à quoi bon s'en faire?

giovedì [dʒove'di] *sm inv* jeudi *m*; *vedi anche* **martedì**

gioventù [dʒoven'tu] *sf* jeunesse *f*

G.I.P. [dʒip] *sigla m* (= *Giudice per le Indagini Preliminari*) *juge chargé des enquêtes préliminaires*

giradischi [dʒira'diski] *sm inv* tourne-disque *m*

giraffa [dʒi'raffa] *sf* (*anche TV, Cine*) girafe *f*

girare [dʒi'rare] *vt* tourner; *(città, paese)* parcourir; *(assegno)* endosser ▨ *vi* tourner; *(andare in giro: a piedi)* se promener; (: *in macchina, autobus*) circuler; **girarsi** *vpr* se tourner, se retourner; **~ attorno a** faire le tour de; *(un ostacolo)* contourner; **~ per la città/le strade/la campagna** se promener en ville/dans les rues/à la campagne; **al prossimo incrocio giri a destra/sinistra** tournez à gauche/droite au prochain carrefour; **si girava e rigirava nel letto** il se retournait sans cesse dans son lit; **far ~ la testa a qn** *(altezza)* donner le vertige à qn; *(fig)* tourner la tête à qn; **una somma che fa ~ la testa** *(fig)* une somme vertigineuse; **gira al largo!** au large!; **girala come ti pare** *(fig)* prends ça comme tu veux; **gira e rigira il problema non cambia** on a beau faire o on a beau dire le problème reste le même; **cosa ti gira?** *(fam)* qu'est-ce qui te prend?; **mi ha fatto ~ le scatole** *(fam)* il m'a cassé les pieds

girarrosto [dʒirar'rɔsto] *sm* (*Cuc*) tournebroche *m*

girasole [dʒira'sole] *sm* tournesol *m*

girevole [dʒi'revole] *agg* tournant(e)

girino [dʒi'rino] *sm* têtard *m*

giro ['dʒiro] *sm* tour *m*; *(viaggio)* circuit *m*; *(Carte)* main *f*; *(di denaro, droga, ambiente)* milieu *m*; *(di amici)* cercle *m*; **fare un ~** faire un tour; **fare il ~ di** faire le tour de; **andare in ~** se promener; **guardarsi in ~** regarder autour de soi; **prendere in ~ qn** *(fig)* se moquer de qn; **a stretto ~ di posta** par retour du courrier; **nel ~ di un**

mese en l'espace d'un mois; **essere nel ~** *(fig: giornalistico, politico, del teatro ecc)* avoir ses entrées; (: *di droga, prostituzione ecc*) être impliqué(e) dans; **essere fuori dal ~** ne pas o plus être dans le coup; **~ d'affari** *(viaggio)* voyage *m* d'affaires; *(Comm)* chiffre *m* d'affaires; **~ di parole** détour *m*; **~ di prova** *(Sport, Aut)* tour d'essai; **~ turistico** voyage organisé; **~ vita** tour de taille

girocollo [dʒiro'kɔllo] *sm*: **a ~** ras du cou

gironzolare [dʒirondzo'lare] *vi* flâner, se balader

gita ['dʒita] *sf* excursion *f*; **fare una ~** faire une excursion

gitano, -a [dʒi'tano] *sm/f* gitan(e)

giù [dʒu] *avv* en bas; *(allontanamento)* là-bas; **in ~** en bas; **venire/andare ~** descendre; **la mia casa è un po' più in ~** ma maison est un peu plus bas; **dai 6 anni in ~** au-dessous de 6 ans; **~ di lì** *(pressappoco)* à peu près; **correre ~ per la strada** dévaler la rue; **cadere ~ per le scale** tomber dans les escaliers; **essere ~** *(fig: di morale)* être déprimé(e), ne pas avoir le moral; (: *di salute*) être patraque, ne pas être en forme; **~ le mani!** bas les pattes!; **quel tipo non mi va ~** il ne me plaît pas, ce type-là

giubbotto [dʒub'bɔtto] *sm* blouson *m*; **~ antiproiettile** gilet *m* pare-balles; **~ salvagente** gilet de sauvetage

giudicare [dʒudi'kare] *vt* juger; **~ qn/qc bello** trouver qn/qch beau

giudice ['dʒuditʃe] *sm* (*di gara, Dir*) juge *m*; **~ conciliatore** juge de paix; **~ istruttore** juge d'instruction; **~ popolare** juré(e); **~ tutelare** juge des tutelles

giudizio [dʒu'dittsjo] *sm* (*capacità di valutazione*) jugement *m*; *(opinione)* avis *msg*; *(discernimento)* bon sens *msg*, raison *f*; *(Dir: processo)* justice *f*, procès *msg*; (: *verdetto*) jugement, sentence *f*; **aver ~** avoir du bon sens; **dente del ~** dent *f* de sagesse; **essere in attesa di ~** être dans l'attente d'un jugement; **a mio ~** à mon avis; **citare in ~** assigner o citer en justice; **rinviare a ~** poursuivre en justice

giugno ['dʒuɲɲo] sm juin m; vedi anche **luglio**

giungere ['dʒundʒere] vi: ~ **(a/in)** (arrivare) parvenir (à); (spingersi fino): ~ **a** en arriver à ◼ vt (congiungere) joindre; ~ **in porto/alla meta** (fig) toucher o parvenir au but; **questo non mi giunge nuovo** je le savais déjà

giungla ['dʒungla] sf (anche fig) jungle f

giunsi ecc ['dʒunsi] vb vedi **giungere**

giuramento [dʒura'mento] sm serment m; ~ **falso** faux serment

giurare [dʒu'rare] vt jurer ◼ vi jurer; (Dir) prêter serment; ~ **il falso** se parjurer; **gliel'ho giurata** je lui ai juré que je me vengerai

giuria [dʒu'ria] sf jury m

giuridico, -a, -ci, -che [dʒu'ridiko] agg juridique

giustificare [dʒustifi'kare] vt justifier; **giustificarsi** vpr se justifier; **giustificarsi (di o per)** s'excuser (de)

giustificazione [dʒustifikat'tsjone] sf justification f; (Scol) mot m d'excuse

giustizia [dʒus'tittsja] sf justice f; **fare ~** rendre justice; **farsi ~ (da sé)** se faire justice (à soi-même)

giustiziare [dʒustit'tsjare] vt exécuter

giusto, -a ['dʒusto] agg (equo, vero) juste; (adatto: momento) bon(ne); (preciso: misura, prezzo, peso, ora) exact(e); (: bilancia) précis(e) ◼ avv (esattamente) juste; (per l'appunto, appena) justement; **arrivare ~** arriver à point (nommé); **ho ~ bisogno di te** j'ai justement besoin de toi

glaciale [gla'tʃale] agg (anche fig) glacial(e)

gli [ʎi] dav V, s impura, gn, pn, ps, x, z art mpl les ◼ pron (a lui, esso) lui; (in coppia con lo, la, li, le, ne: a lui ecc): **gliele do** je les lui donne; **gliene ho parlato** je lui en ai parlé; vedi anche **il**

globale [glo'bale] agg global(e)

globo ['globo] sm globe m

globulo ['globulo] sm (Anat): ~ **rosso/bianco** globule m rouge/blanc

gloria ['glorja] sf gloire f; **farsi ~ di** se faire gloire de

gnocchi ['ɲɔkki] smpl (Cuc) gnocchis mpl

gobba ['gobba] sf bosse f

gobbo, -a ['gobbo] agg bossu(e); (ricurvo: schiena, persona) voûté(e); (: vecchio) courbé(e) ◼ sm/f bossu(e)

goccia, -ce ['gottʃa] sf goutte f; **somigliarsi come due gocce d'acqua** se ressembler comme deux gouttes d'eau; **è la ~ che fa traboccare il vaso!** c'est la goutte d'eau qui fait déborder le vase!; ~ **di rugiada** goutte de rosée

gocciolare [gottʃo'lare] vi (uscire a gocce) couler goutte à goutte; (versare a gocce) verser goutte à goutte

godere [go'dere] vi: ~ **(di)** jouir (de); (compiacersi) se réjouir (de), être heureux(-euse) (de); (trarre vantaggio da) bénéficier (de) ◼ vt jouir de; ~ **il fresco** profiter de l'air frais; **godersi la vita** se donner du bon temps; **godersela** s'amuser

godrò ecc [go'drɔ] vb vedi **godere**

goffo, -a ['goffo] agg (persona) gauche; (: timido) emprunté(e)

gola ['gola] sf (Anat, di monte) gorge f; (golosità) gourmandise f; (di camino) tuyau m; **a piena ~** (cantare, gridare) à pleine gorge; **fare ~** (pietanza, prospettiva) faire envie; **prendere qn per la ~** (fig: con cibo) séduire qn en lui faisant des petits plats; (: costringere) prendre qn à la gorge

FALSI AMICI
gola non si traduce mai con la parola francese **gueule**.

golf [golf] sm inv (Sport) golf m; (maglia) pull-over m

golfo ['golfo] sm golfe m; **la guerra del G~** la guerre du Golfe

goloso, -a [go'loso] agg gourmand(e)

gomitata [gomi'tata] sf: **dare una ~ a** donner un coup de coude à; **farsi avanti a (forza o furia di) gomitate** jouer des coudes; **fare a gomitate per qc** se battre pour qch

gomito ['gomito] sm coude m; (di strada) tournant m; **alzare il ~** (fig) lever le coude; **curva a ~** virage m en épingle à cheveux

gomitolo [go'mitolo] sm pelote f

gomma ['gomma] sf caoutchouc m; (per cancellare) gomme f; (di veicolo) pneu m; **trasporto su ~** transport m routier; **~ americana** (da masticare) chewing-gum m

ommone [gom'mone] sm canot m pneumatique

onfiare [gon'fjare] vt (pallone, vele) gonfler; (fiume, fig: notizia ecc) gonfler, grossir; (sogg: cibi) gonfler l'estomac à, ballonner; **gonfiarsi** vpr se gonfler; (mano) enfler; (viso) se bouffir

onfio, -a [gon'fjo] agg (pallone, vela) gonflé(e); (fiume) gonflé(e), grossi(e); (stomaco) ballonné(e); (mano) enflé(e); (viso) bouffi(e); **occhi gonfi di pianto** yeux gonflés de larmes; **~ di orgoglio** gonflé(e) o bouffi(e) d'orgueil; **avere il portafoglio ~** avoir un portefeuille bien garni

onfiore [gon'fjore] sm (ai piedi) enflure f; (allo stomaco) ballonnement m

onna ['gonna] sf jupe f; **~ pantalone** jupe-culotte f

orgo, -ghi ['gorgo] sm (di fiume: cavità) gouffre m; (: mulinello) tourbillon m

orgogliare [gorgoʎ'ʎare] vi (acqua) gargouiller; (gas) barboter

orilla [go'rilla] sm inv (anche guardia del corpo) gorille m

otico, -a, -ci, -che ['gɔtiko] agg, sm gothique (m)

otta ['gotta] sf goutte f

overnare [gover'nare] vt (stato) gouverner; (azienda) diriger; (pilotare, guidare) piloter; (bestiame) soigner

overno [go'vɛrno] sm gouvernement m

pl [dʒipi'elle] sigla mpl (= gas di petrolio liquefatti) GPL m

racidare [gratʃi'dare] vi coasser

racile ['gratʃile] agg frêle, grêle, fluet(te)

radazione [gradat'tsjone] sf nuance f; **~ alcolica** degré m d'alcool

radevole [gra'devole] agg agréable

radinata [gradi'nata] sf escalier m; (di stadio, teatro) gradins mpl

radino [gra'dino] sm marche f

> **FALSI AMICI**
> **gradino** non si traduce mai con la parola francese **gradin**.

radire [gra'dire] vt (accettare con piacere) apprécier; (desiderare) aimer;

gradisce una tazza di tè? désirez-vous une tasse de thé?

grado ['grado] sm (Mat, Fis ecc) degré m; (Mil, carriera) grade m; (sociale) rang m; **essere in ~ di fare qc** être à même o en mesure de faire qch; **di buon ~** de bon gré; **per gradi** par paliers o étapes; **cugino di primo/ secondo ~** cousin m au premier/ deuxième degré; **subire il terzo ~** (anche fig) subir un interrogatoire; **essere al ~ più alto della carriera** être à l'échelon le plus haut de sa carrière; **aumentare di ~** monter en grade

graduale [gradu'ale] agg graduel(le)

graffetta [graf'fetta] sf (punto metallico) agrafe f; (fermaglio per fogli) trombone m

graffiare [graf'fjare] vt égratigner; (con unghie) griffer; (su vernice, muro) égratigner, érafler; **graffiarsi** vpr s'égratigner; (con unghie) se griffer

graffio ['graffjo] sm (vedi vt) égratignure f; griffure f; égratignure, éraflure f; **è solo un ~** ce n'est qu'une petite égratignure

grafia [gra'fia] sf graphie f; (scrittura) écriture f

grafico, -a, -ci, -che ['grafiko] agg graphique ■ sm (disegno) graphique m; (persona) graphiste m/f; **~ a torta** (graphique de type) "camembert" m

grammatica, -che [gram'matika] sf grammaire f

grammo ['grammo] sm gramme m

grana ['grana] sf (di minerali) grain m; (fam: seccatura) ennui m, histoire f; (: soldi) fric m, pognon m ■ sm inv (formaggio) ≈ parmesan m

granaio [gra'najo] sm grenier m, grange f

granata [gra'nata] sf (arma) obus msg; (: Storia, Bot) grenade f; (pietra preziosa) grenat m

Gran Bretagna [granbre'taɲɲa] sf Grande-Bretagne f

granchio ['grankjo] sm crabe m; **prendere un ~** (fig) commettre une bévue

grande ['grande] (a volte **gran** + C, **grand'** +V) agg grand(e); (pioggia) gros (grosse); (bevitore) grand(e), gros (grosse); (bugiardo, fumatore) gros (grosse) ■ *sm/f* (*persona adulta*) grande personne *f*, adulte *m/f*; (*persona importante*) grand(e); **mio fratello più ~** mon frère aîné; **il gran pubblico** le grand public; **di gran classe** (*prodotto*) haut de gamme; **una gran bella donna** une très belle femme; **non è un gran che** o **una gran cosa** ce n'est pas fameux, ce n'est pas terrible; **non ne so gran che** je ne sais pas grand-chose à ce sujet; **cosa farai da ~?** qu'est-ce que tu feras quand tu seras grand?; **fare le cose in ~** faire les choses en grand, faire grand; **fare il ~** (*strafare*) jouer les grands seigneurs

grandezza [gran'dettsa] *sf* (*anche fig*) grandeur *f*; **in ~ naturale** grandeur nature; **manie di ~** folie *fsg* des grandeurs

grandinare [grandi'nare] *vb impers* grêler

grandine ['grandine] *sf* grêle *f*

granello [gra'nɛllo] *sm* (*di sabbia, pepe, cereali*) grain *m*; (*di frutta: seme*) pépin *m*

granito [gra'nito] *sm* granit *m*

grano ['grano] *sm* (*Bot*) blé *m*; (*chicco, di rosario*) grain *m*; (*di collana*) perle *f*; **~ di pepe** grain de poivre

granturco [gran'turko] *sm* maïs *msg*

grappa ['grappa] *sf* eau-de-vie *f*, marc *m*

grappolo ['grappolo] *sm* grappe *f*

grassetto [gras'setto] *sm* (*Tip*) (caractère *m*) gras *m*

grasso, -a ['grasso] *agg* gras (grasse); (*persona*) gras (grasse), gros (grosse); (*fig: annata*) bon(ne); (: *volgare*) paillard(e), grossier(-ière) ■ *sm* graisse *f*; **grassi animali/vegetali** graisses animales/végétales; **farsi grasse risate** rire comme des fous

grata ['grata] *sf* grille *f*

graticola [gra'tikola] *sf* (*Cuc*) gril *m*; (*grata*) grille *f*

gratis ['gratis] *avv* gratis, gratuitement

gratitudine [grati'tudine] *sf* gratitude *f*

grato, -a ['grato] *agg* (*riconoscente*) reconnaissant(e); (*gradito*) apprécié(e)

gratta ['gratta] *sm vedi* **gratta e vinci**

grattacapo [gratta'kapo] *sm* tracas *msg*, ennui *m*

grattacielo [gratta'tʃɛlo] *sm* gratte-ciel *m inv*

gratta e vinci ['gratta e 'vintʃi] *sm* carte *f* à gratter

grattare [grat'tare] *vt* (*pelle*) gratter; (*raschiare*) gratter, racler; **grattarsi** *vpr* se gratter

grattugia, -gie [grat'tudʒa] *sf* râpe *f*

grattugiare [grattu'dʒare] *vt* râper; **pane grattugiato** chapelure *f*

gratuito, -a [gra'tuito] *agg* (*anche fig*) gratuit(e)

grave ['grave] *agg* (*suono, errore, contegno, accento*) grave; (*pericolo*) grand(e); (*responsabilità*) lourd(e), gros (grosse) ■ *sm* (*Fis*) corps *msg*; **un malato ~** un malade dans un état grave

gravemente [grave'mente] *avv* gravement

gravidanza [gravi'dantsa] *sf* grossesse *f*

gravità [gravi'ta] *sf* gravité *f*; **forza di ~** force *f* de gravité

gravoso, -a [gra'voso] *agg* lourd(e)

grazia ['grattsja] *sf* (*anche Dir*) grâce *f*; (*favore*) gentillesse *f*, plaisir *m*; **di ~** (*iron*) de grâce; **troppa ~!** (*iron*) c'est trop!; **quanta ~ di Dio!** quelle abondance!; **entrare nelle grazie di qn** rentrer dans les bonnes grâces de qn; **Ministero di G~ e Giustizia** ministère *m* de la Justice

grazie ['grattsje] *escl* merci!; **~ mille!/tante!/infinite!** merci mille fois!/beaucoup!/infiniment!

grazioso, -a [gra'tsjoso] *agg* (*persona*) mignon(ne); (*abito*) joli(e)

Grecia ['grɛtʃa] *sf* Grèce *f*

greco, -a, -ci, -che ['grɛko] *agg* grec (grecque) ■ *sm/f* Grec (Grecque) ■ *sm* grec *m*

gregge, -i ['greddʒe] *sm* troupeau *m*

grembiule [grem'bjule] *sm* (*di bambino, legato in vita*) tablier *m*; (*sopravveste, di commessa*) blouse *f*

grembo ['grɛmbo] *sm* giron *m*; (*di madre*) sein *m*

grezzo, -a ['greddzo] *agg* (*materia*) brut(e); (*tessuto*) brut(e), cru(e); (*fig: ingegno*) (à l'état) brut(e)

ridare [gri'dare] *vi, vt* crier; ~ **aiuto**
crier au secours

rido ['grido] (*pl(m)* **gridi**, *pl(f)* **grida**)
sm cri *m*; **di ~** de renom; **all'ultimo ~**
du dernier cri

rigio, -a, -gi, -gie ['gridʒo] *agg*
(*anche fig*) gris(e) ■ *sm* gris *m*

riglia ['griʎʎa] *sf* (*per arrostire*) gril *m*;
(*Elettr, inferriata*) grille *f*; **alla ~** (*Cuc*)
au gril, grillé(e)

rilletto [gril'letto] *sm* gâchette *f*,
détente *f*

rillo ['grillo] *sm* grillon *m*; (*fig*) lubie
f; **ha dei grilli per la testa** il a des
lubies; **gli è saltato il ~ di provare** la
fantaisie lui a pris d'essayer

rinta ['grinta] *sf* poigne *f*; **avere
molta ~** avoir du punch *o* du mordant;
un atleta di ~ un athlète déterminé

rissino [gris'sino] *sm* (*Cuc*) gressin *m*

rondaia [gron'daja] *sf* gouttière *f*

rondare [gron'dare] *vi* ruisseler;
(*dalla grondaia*) couler ■ *vt* ruisseler;
~ di sudore ruisseler de sueur

FALSI AMICI
grondare non si traduce
mai con la parola francese
gronder.

roppa ['grɔppa] *sf* croupe *f*; (*fam: di
persona*) dos *m*

rossezza [gros'settsa] *sf* (*dimensione*)
grosseur *f*; (*spessore*) épaisseur *f*

rossista, -i, -e [gros'sista] *sm/f*
(*Comm*) grossiste *m/f*, marchand(e)
en gros

rosso, -a ['grɔsso] *agg* gros (grosse)
(*fig: dolore, personaggio, nome ecc*)
grand(e); (: *perdita, rischio, mare*) gros
(grosse); (: *errore*) grossier(-ière), gros
(grosse) ■ *sm*: **il ~ di** le gros de; **farla
grossa** (*fig*) en faire de belles; **dirle
grosse** (*fig*) dire des énormités;
questa è grossa! c'est un peu fort!;
sbagliarsi di ~ se tromper
lourdement; **un pezzo ~** (*fig*) un gros
bonnet; **avere il fiato ~** avoir le
souffle court; **dormire della grossa**
dormir à poings fermés

rotta ['grɔtta] *sf* grotte *f*

rottesco, -a, -schi, -sche
[grot'tesko] *agg, sm* grotesque (*m*)

roviglio [gro'viʎʎo] *sm* (*di rami*)
enchevêtrement *m*; (*di corde*) nœud *m*;
(*fig*) embrouillement *m*

gru [gru] *sf inv* (*Zool, Tecn*) grue *f*

gruccia, -ce ['gruttʃa] *sf* (*per
camminare*) béquille *f*; (*per abiti*)
cintre *m*

grumo ['grumo] *sm* (*di sangue*) caillot
m; (*di farina, vernice*) grumeau *m*

gruppo ['gruppo] *sm* groupe *m*;
~ di supporto groupe de parole;
~ finanziario groupe financier;
~ parlamentare groupe
parlementaire; **~ sanguigno** groupe
sanguin

gsm [dʒi'esse'ɛmme] *sigla m* GSM *m*

guadagnare [gwadaɲ'ɲare] *vt*
gagner; **tanto di guadagnato!** c'est
toujours cela de gagné!

guadagno [gwa'daɲɲo] *sm* gain *m*;
(*Comm*) gain, bénéfice *m*; (*fig*)
bénéfice, profit *m*; **~ lordo/netto**
bénéfice brut/net

guado ['gwado] *sm* gué *m*; **passare a
~** passer à gué

guai ['gwai] *escl*: **~ a te/a lui!** gare à
toi/à lui!

guaio ['gwajo] *sm* ennui *m*,
embêtement *m*; **trovarsi in un
brutto ~** être dans une sale situation;
passare un brutto ~ avoir un gros
ennui *o* embêtement

guaire [gwa'ire] *vi* couiner, japper

guancia, -ce ['gwantʃa] *sf* joue *f*;
(*di animale macellato*) bajoue *f*

guanciale [gwan'tʃale] *sm* (*cuscino*)
oreiller *m*; **dormire fra due guanciali**
(*fig*) dormir sur ses deux oreilles

guanto ['gwanto] *sm* gant *m*;
trattare qn con i guanti (*fig*) prendre
des gants avec qn; **gettare il ~** (*fig*)
jeter le gant

guardalinee [gwarda'linee] *sm inv*
(*Sport*) juge *m* de touche

guardare [gwar'dare] *vt* regarder;
(*custodire: casa, bambini*) garder;
(*proteggere: persona*) protéger; (: *la
salute*) préserver ■ *vi* (*badare: a spese,
rischio*): **~ a** faire attention à; (*essere
rivolto*): **~ a** regarder vers, se tourner
vers; **guardarsi** *vpr* se regarder; **~ su**
(*su mare, piazza*) donner sur; **~ di fare
qc** tâcher de faire qch; **guardarsi da**
(*astenersi*) se garder de; (*stare in
guardia*) prendre garde à; **guardarsi
dal fare qc** se garder de faire qch;
ma guarda un po'! regarde-moi ça!;

e guarda caso... et comme par hasard...; ~ **qn dall'alto in basso** regarder qn de haut en bas; **non ~ in faccia a nessuno** (fig) agir sans scrupules; ~ **di traverso** regarder de travers; ~ **a vista qn** garder qn à vue; **guarda di non sbagliare!** tâche de ne pas te tromper!

guardaroba [gwarda'rɔba] sm inv penderie f; (stanza, in teatro) vestiaire m; (insieme degli abiti) garde-robe f

guardia ['gwardja] sf garde m; **fare la ~** monter la garde; **stare in ~** (fig) être o se tenir sur ses gardes; **il medico di ~** le médecin de garde; **il fiume ha raggiunto il livello di ~** le fleuve a atteint la cote d'alerte; **giocare a ~ e ladri** jouer au gendarme et au voleur; **~ carceraria** gardien m de prison; **~ costiera** garde-côte m; **~ del corpo** garde du corps; **G~ di finanza** (corpo) Police chargée de contrôler les douanes et les impôts; (individuo) agent m de la police fiscale; **~ di pubblica sicurezza** agent m de police; **~ forestale** garde forestier; **~ giurata** vigile m; **~ medica** (servizio notturno) service m de garde; **~ municipale** gardien de la paix; **~ notturna** veilleur m de nuit

⬤ GUARDIA DI FINANZA

⬤ La *Guardia di Finanza* est un corps
⬤ d'armée qui se charge des
⬤ infractions aux lois régulant les
⬤ impôts et les monopoles. Elle
⬤ rend compte aux ministres de
⬤ la Justice ou de l'Agriculture,
⬤ suivant la fonction qu'elle
⬤ remplit.

guardiano, -a [gwar'djano] sm/f gardien(ne); **~ dei porci** porcher m; **~ notturno** veilleur m de nuit

guarigione [gwari'dʒone] sf guérison f, rétablissement m; **auguri di pronta ~!** tous mes vœux pour un prompt rétablissement!

guarire [gwa'rire] vt, vi guérir

guarnire [gwar'nire] vt garnir

guastafeste [gwasta'fɛste] sm/f inv trouble-fête m/f inv, rabat-joie m inv

guastarsi [gwas'tarsi] vpr (cibo, tempo, rapporto) se gâter; (meccanismo, motore) tomber en panne, se détraquer

guasto, -a ['gwasto] agg (motore, macchina, telefono) en panne; (cibo) abîmé(e), gâté(e); (dente) gâté(e); (fig: corrotto) corrompu(e), détraqué(e) ◼ sm panne f; "~" "en panne"; **la mia macchina ha avuto un ~** ma voiture est en panne

guerra ['gwɛrra] sf guerre f; **fare la ~ (a)** faire la guerre (à); **~ lampo** guerre éclair; **~ mondiale** guerre mondiale; **~ preventiva** guerre préventive

gufo ['gufo] sm hibou m

guida ['gwida] sf (capo, libro per turisti) guide m; (manuale) manuel m; (direzione: di azienda, paese, gruppo) direction f; (Aut: azione) conduite f; (: insieme di strumenti) direction; (tappeto) tapis msg, chemin m d'escalier; (di cassetto, tenda) glissière f, coulisse f; **essere alla ~ di** être à la tête de; **far da ~ a qn** (mostrare la strada) montrer le chemin à qn; (in una città) servir de guide à qn; **avete una ~ in francese?** est-ce que vous avez un guide en français?; **c'è una ~ che parla italiano?** est-ce que l'un de guides parle italien?; **~ a destra/a sinistra** (Aut) conduite à droite/à gauche; **~ alpina** guide de montagne; **~ telefonica** annuaire m du téléphone; **~ turistica** guide touristique

guidare [gwi'dare] vt (gruppo, persona, ospite) guider, conduire; (esercito, partito, paese, ribelli) diriger; (automobile, barca, aereo, nave) conduire; (classifica) être en tête de; **sai ~?** tu sais conduire?

guidatore, -trice [gwida'tore] sm/f conducteur(-trice)

guinzaglio [gwin'tsaʎʎo] sm laisse f; **tenere al ~** (anche fig) tenir en laisse

guscio, -sci ['guʃʃo] sm coquille f; (di tartaruga) carapace f

gustare [gus'tare] vt (assaggiare, anche fig: film, scena ecc) goûter; (assaporare: cibi) savourer, déguster ◼ vi: **~ a** plaire à; **non mi gusta affatto** cela ne me plaît pas du tout

gusto ['gusto] *sm* goût *m*; (*godimento, soddisfazione*) plaisir *m*; (*di gelato*) parfum *m*; **al ~ di fragola** à la fraise; **che gusti avete?** quels parfums avez-vous?; **di ~ barocco** de style baroque; **mangiare di ~** manger de bon cœur; **prenderci ~** y prendre goût

gustoso, -a [gus'toso] *agg* (*cibo*) savoureux(-euse); (*fig: scenetta, libro*) savoureux(-euse); (: *compagnia*) plaisant(e)

H, h *abbr* (= *ora, altezza*) h; (= *etto*) hg

ha, hai [a, ai] *vb vedi* **avere**

hacker ['hækər] *sm/f inv* hacker *m/f*, pirate *m/f* informatique

hall [hɔːl] *sf inv* (*di hotel*) hall *m*

hamburger [am'burger] *sm inv* steak *m* haché; (*panino*) hamburger *m*

handicap ['hændikap] *sm inv* (*Med, Sport*) handicap *m*

handicappato, -a [andikap'pato] *agg, sm/f* handicapé(e)

hanno ['anno] *vb vedi* **avere**

hard discount [ardi'kaunt] *sm inv* hard discount *m*

hard disk [ar'disk] *sm inv* disque *m* dur

hardware [ard'wer] *sm inv* matériel *m*

hascisch [aʃʃiʃ] *sm* haschisch *m*

help [ɛlp] *sm inv* (*Inform*) aide *m*

herpes ['ɛrpes] *sm* (*Med*) herpès *m*; **~ zoster** zona *m*

hi-fi ['haifai] *sm inv* hi-fi *f* ■ *agg inv* hi-fi *inv*

ho [ɔ] *vb vedi* **avere**

hobby ['hɔbi] *sm inv* hobby *m*

hockey ['hɔki] *sm* hockey *m*; **~ su ghiaccio** hockey sur glace

home page ['hoʊm'peidʒ] *sf inv*
  page *f* d'accueil
host ['houst] *sm inv* (*Internet*)
  hébergeur *m*
hostess ['houstis] *sf inv* (*in aereo*)
  hôtesse *f* (de l'air); (*a congresso ecc*)
  hôtesse *f* d'accueil
hot dog ['hɔtdɔg] *sm inv* hot-dog *m*
hotel [o'tɛl] *sm inv* hôtel *m*
humour ['hju:mə] *sm inv* humour *m*
humus ['umus] *sm inv* humus *m*
husky ['aski] *sm inv* husky *m*

◆

i [i] *art mpl* les; *vedi anche* **il**
IC *abbr* (= *Intercity*) train direct
ICI ['itʃi] *sigla f* (= *Imposta Comunale
  sugli Immobili*) taxe municipale sur la
  propriété immobilière
icona [i'kɔna] *sf* (*anche Inform*) icône *f*
idea [i'dɛa] *sf* idée *f*; (*aspirazione,
  proposito*) intention *f*; **avere le idee
  chiare** avoir les idées claires; **cambiare
  ~** changer d'avis; **bella ~!** bonne idée!;
  (*iron*) tu parles d'une idée!; **dare l'~ di**
  (*sembrare*) avoir l'air de; **neanche o
  neppure per ~!** jamais de la vie!; **un'~
  di** (*un po'*) un soupçon de; **~ fissa** idée
  fixe; **idee politiche** idées politiques
ideale [ide'ale] *agg* idéal(e) ■ *sm*
  idéal *m*
ideare [ide'are] *vt* (*progetto*)
  concevoir; (*poesia*) créer
identico, -a, -ci, -che [i'dɛntiko] *agg*
  identique
identificare [identifi'kare] *vt*
  identifier; **identificarsi** *vpr*:
  identificarsi (con) s'identifier (à)
identità [identi'ta] *sf inv* identité *f*
ideologia, -gie [ideolo'dʒia] *sf*
  idéologie *f*

idiomatico, -a, -ci, -che
[idjo'matiko] *agg* idiomatique;
frase idiomatica phrase *f*
idiomatique

idiota, -i, -e [i'djɔta] *agg, sm/f* (*anche*
Med) idiot(e)

idolo ['idolo] *sm* (*anche fig*) idole *f*

idoneità [idonei'ta] *sf* aptitude *f*;
esame di ~ examen *m* d'aptitude

idoneo, -a [i'dɔneo] *agg* (*anche Mil*):
~ (a) apte (à)

idrante [i'drante] *sm* bouche *f* d'eau

idratante [idra'tante] *agg*
hydratant(e) ■ *sm* hydratant *m*

idraulico, -a, -ci, -che [i'drauliko]
agg hydraulique ■ *sm* plombier *m*

idroelettrico, -a, -ci, -che
[idroe'lɛttriko] *agg* hydro-électrique

idrofilo, -a [i'drɔfilo] *agg* hydrophile

idrogeno [i'drɔdʒeno] *sm*
hydrogène *m*

idrovolante [idrovo'lante] *sm*
hydravion *m*

iena ['jɛna] *sf* hyène *f*; (*fig*) chacal *m*

ieri ['jɛri] *avv* hier; (*tempo passato*)
autrefois; **il giornale di ~** le journal
d'hier; **~ l'altro** avant-hier; **~ sera**
hier soir

igiene [i'dʒɛne] *sf* hygiène *f*; **norme**
d'~ règles *fpl* d'hygiène; **ufficio d'~**
bureau *m* d'hygiène; **~ mentale**
hygiène mentale; **~ pubblica** hygiène
publique

igienico, -a, -ci, -che [i'dʒɛniko] *agg*
hygiénique; (*impianto*) sanitaire;
(*fam: fig: consigliabile*) conseillé(e)

ignaro, -a [iɲ'ɲaro] *agg*: **~ (di)**
ignorant(e) (de)

ignobile [iɲ'ɲɔbile] *agg* ignoble

ignorante [iɲɲo'rante] *agg*
ignorant(e); (*zotico, grezzo*)
grossier(-ière)

ignorare [iɲɲo'rare] *vt* ignorer

ignoto, -a [iɲ'ɲɔto] *agg* inconnu(e)
■ *sm* (*ciò che non si sa*): **l'~** l'inconnu *m*
■ *sm/f* inconnu(e)

○ **PAROLA CHIAVE**

il [il] (*pl* **i**) *diventa* lo (*pl* gli) *davanti a s*
impura, gn, pn, ps, x, z; f la (*pl* le) *art*
1 le (la); **il libro/lo studente/l'acqua**
le livre/l'étudiant/l'eau; **il coraggio/**
l'amore le courage/l'amour;

gli scolari les élèves; **le automobili**
les voitures

2 (*possesso*): **aprire gli occhi** ouvrir les
yeux; **rompersi la gamba** se casser la
jambe; **avere i capelli neri** avoir les
cheveux noirs; **mettiti le scarpe**
mets tes chaussures

3 (*tempo*): **il mattino** le matin; **il**
venerdì le vendredi; **la settimana**
prossima la semaine prochaine

4 (*distributivo*): **25 euro il chilo/**
il paio 25 euros le kilo/la paire; **110 km**
l'ora 110 km à l'heure

5 (*partitivo*) du (de la); **hai messo lo**
zucchero? as-tu mis du sucre?; **hai**
comprato il latte? as-tu acheté du
lait?

6 (*con nomi propri*): **il Petrarca**
Pétrarque; **il Presidente Bush** le
Président Bush; **dov'è la Donatella?**
où est Donatella?

7 (*con nomi geografici*): **il Tevere** le
Tibre; **l'Italia** l'Italie; **la Sardegna** la
Sardaigne; **l'Everest** l'Everest; **le Alpi**
les Alpes

illegale [ille'gale] *agg* illégal(e)

illeggibile [illed'dʒibile] *agg* illisible

illegittimo, -a [illed'dʒittimo] *agg*
(*anche Dir*) illégitime

illeso, -a [il'lezo] *agg* indemne

illimitato, -a [illimi'tato] *agg*
illimité(e)

ill.mo *abbr* (= *illustrissimo*)
illustrissime

illudere [il'ludere] *vt* tromper,
leurrer; **illudersi** *vpr* se faire des
illusions

illuminare [illumi'nare] *vt* (*anche*
fig: mente ecc) éclairer; (*fig: volto,*
sguardo) illuminer, éclairer;
illuminarsi *vpr* (*anche fig: volto ecc*)
s'éclairer; **~ a giorno** éclairer a giorno

illuminazione [illuminat'tsjone] *sf*
(*anche fig: ispirazione*) illumination *f*;
(*luce*) éclairage *m*

illusi *ecc* [il'luzi] *vb vedi* **illudere**

illusione [illu'zjone] *sf* illusion *f*;
farsi delle illusioni se faire des
illusions; **~ ottica** illusion d'optique

illuso, -a [il'luzo] *pp di* **illudere**

illustrare [illus'trare] *vt* illustrer

illustrazione [illustrat'tsjone] *sf*
illustration *f*

illustre [il'lustre] *agg* illustre

imballaggio [imbal'laddʒo] *sm* emballage *m*

imballare [imbal'lare] *vt* (*anche Aut*) emballer; (*lana*) faire des balles de; **imballarsi** *vpr* (*Aut*) s'emballer

imbalsamare [imbalsa'mare] *vt* embaumer

imbambolato, -a [imbambo'lato] *agg* (*persona*) ahuri(e), stupéfait(e); (*sguardo*) ébahi(e)

imbarazzante [imbarat'tsante] *agg* embarrassant(e), gênant(e)

imbarazzare [imbarat'tsare] *vt* gêner, embarrasser; (*stomaco*) déranger; **imbarazzarsi** *vpr* se sentir gêné(e)

imbarazzato, -a [imbarat'tsato] *agg* (*vedi vt*) gêné(e); embarrassé(e)

imbarazzo [imba'rattso] *sm* embarras *msg*; (*disagio*) gêne *f*; **essere** *o* **trovarsi in ~** être *o* se trouver dans l'embarras; **mettere in ~** mettre dans l'embarras

imbarcare [imbar'kare] *vt* (*Naut, Aer*) embarquer; **imbarcarsi** *vpr*: **imbarcarsi (su)** s'embarquer (sur); **imbarcarsi (per)** s'embarquer (pour); **imbarcarsi in** (*fig: in affare, situazione*) s'embarquer dans

imbarcazione [imbarkat'tsjone] *sf* (*barca*) embarcation *f*, bateau *m*; **~ di salvataggio** bateau de sauvetage

imbarco, -chi [im'barko] *sm* (*Naut, Aer*) embarquement *m*

imbastire [imbas'tire] *vt* bâtir, faufiler; (*fig: abbozzare*) ébaucher

imbattersi [im'battersi] *vpr*: **~ in** tomber sur

imbattibile [imbat'tibile] *agg* imbattable

imbavagliare [imbavaʎ'ʎare] *vt* bâillonner; (*fig*) museler

imbecille [imbe'tʃille] *agg, sm/f* imbécile *m/f*

imbiancare [imbjan'kare] *vt* blanchir ■ *vi* blanchir, pâlir

imbianchino [imbjan'kino] *sm* peintre *m* en bâtiment

imboccare [imbok'kare] *vt* (*malato, bambino*) nourrir; (*strada*) emprunter, prendre

imboccatura [imbokka'tura] *sf* entrée *f*; (*di fiume, strumento musicale*

ecc) embouchure *f*; (*di damigiana*) goulot *m*

imboscata [imbos'kata] *sf* embuscade *f*; **tendere un'~ a** tendre une embuscade à

imbottigliare [imbottiʎ'ʎare] *vt* mettre en bouteilles; (*flotta, veicoli*) embouteiller; **imbottigliarsi** *vpr* (*veicoli*) être pris(e) dans une embouteillage

imbottire [imbot'tire] *vt* rembourrer; (*panino*) garnir; (*fig: riempire*) bourrer; **imbottirsi** *vpr*: **imbottirsi di** (*di cibo, sonniferi*) se bourrer de

imbottito, -a [imbot'tito] *agg* rembourré(e); (*giacca*) matelassé(e); **panino ~** sandwich *m*

imbranato, -a [imbra'nato] *agg, sm/f* empoté(e)

imbrogliare [imbroʎ'ʎare] *vt* embrouiller; (*fig: raggirare*) tromper; **imbrogliarsi** *vpr* s'embrouiller

imbroglione, -a [imbroʎ'ʎone] *sm/f* escroc *m*

imbronciato, -a [imbron'tʃato] *agg* boudeur(-euse), renfrogné(e)

imbucare [imbu'kare] *vt* mettre à la poste, poster; **dove posso ~ queste cartoline?** où est-ce que je peux poster ces cartes postales?

imburrare [imbur'rare] *vt* beurrer

imbuto [im'buto] *sm* entonnoir *m*

imitare [imi'tare] *vt* imiter; (*riprodurre*) contrefaire

immagazzinare [immagaddzi'nare] *vt* emmagasiner; (*fig: dati, informazioni*) stocker

immaginare [immadʒi'nare] *vt* imaginer; (*ipotizzare, supporre*) supposer; (*creare, inventare*) imaginer, concevoir; (*intuire*) comprendre; (*ritenere, illudersi*) s'imaginer; **s'immagini!** mais pensez-vous!

immaginazione [immadʒinat'tsjone] *sf* imagination *f*; (*cosa immaginata*) invention *f*

immagine [im'madʒine] *sf* image *f*

immancabile [imman'kabile] *agg* immanquable, inévitable

immane [im'mane] *agg* démesuré(e), énorme; (*spaventoso, inumano*) horrible, effroyable

immangiabile [imman'dʒabile] *agg*
immangeable

immatricolare [immatriko'lare] *vt*
(*Aut*) immatriculer; (*Scol*) inscrire;
immatricolarsi *vpr* (*Scol*) s'inscrire

immaturo, -a [imma'turo] *agg*
(*frutto*) vert(e); (*persona*) pas mûr(e),
immature; (*Med: prematuro*)
prématuré(e)

immedesimarsi [immedezi'marsi]
vpr: ~ **in** s'identifier à

immediatamente
[immedjata'mente] *avv*
immédiatement, tout de suite

immediato, -a [imme'djato] *agg*
immédiat(e)

immenso, -a [im'mɛnso] *agg*
immense; (*odio*) profond(e)

immergere [im'mɛrdʒere] *vt*
plonger, tremper; **immergersi** *vpr*
plonger; **immergersi in** (*fig: dedicarsi
a*) se plonger dans

immeritato, -a [immeri'tato] *agg*
immérité(e)

immersione [immer'sjone] *sf*
immersion *f*; (*di sommergibile,
subacqueo*) plongée *f*; **linea di ~** (*Naut*)
ligne *f* de flottaison

immettere [im'mettere] *vt*: ~ **(in)**
introduire (dans)

immigrato, -a [immi'grato] *agg*,
sm/f immigré(e)

imminente [immi'nɛnte] *agg*
imminent(e)

immischiarsi [immis'kjarsi] *vpr*:
~ **(in)** se mêler (de)

immobile [im'mɔbile] *agg* immobile
■ *sm* (*Dir: anche:* **bene immobile**)
immeuble *m*

immobiliare [immobi'ljare] *agg*
(*Dir*) immobilier(-ière); **patrimonio
~** patrimoine *m* immobilier; **società
~** société *f* immobilière

immondizie [immon'dittsje] *sfpl*
ordures *fpl*, immondices *fpl*

immorale [immo'rale] *agg*
immoral(e)

immortale [immor'tale] *agg*
immortel(le)

immune [im'mune] *agg*: ~ **(da)**
(*Med*) immunisé(e) (contre); (*da
critiche ecc*) exempt(e) (de)

immutabile [immu'tabile] *agg*
immuable; (*fisso*) inaltérable

impacchettare [impakket'tare] *vt*
empaqueter

impacciato, -a [impat'tʃato] *agg*
gêné(e), embarrassé(e); (*goffo*)
gauche

impacco, -chi [im'pakko] *sm* (*Med*)
compresse *f*

impadronirsi [impadro'nirsi] *vpr*:
~ **di** (*impossessarsi*) s'emparer de;
(*fig: apprendere a fondo*) acquérir la
maîtrise de

impagabile [impa'gabile] *agg*
inestimable, irremplaçable

impalato, -a [impa'lato] *agg* (*fig*)
cloué(e) sur place

impalcatura [impalka'tura] *sf* (*Edil*)
échafaudage *m*; (*fig*) charpente *f*,
ossature *f*

impallidire [impalli'dire] *vi* (*anche
fig*) pâlir

impanato, -a [impa'nato] *agg* (*Cuc*)
pané(e)

impantanarsi [impanta'narsi] *vpr*
(*con la macchina*) s'embourber

impappinarsi [impappi'narsi] *vpr*
s'embrouiller, s'empêtrer

imparare [impa'rare] *vt*: ~ **qc/a fare
qc** apprendre qch/à faire qch

impartire [impar'tire] *vt* donner

imparziale [impar'tsjale] *agg*
impartial(e)

impassibile [impas'sibile] *agg*
impassible

impastare [impas'tare] *vt* pétrir;
(*cemento*) gâcher; (*mescolare: colori*)
mélanger

impasticciarsi [impastik'karsi] *vpr*
se bourrer de médicaments; (*drogarsi*)
se droguer

impasto [im'pasto] *sm* (*l'impastare:
di pane*) pétrissage *m*; (: *di cemento*)
gâchage *m*; (*pasta*) pâte *f*; (*miscuglio*)
mélange *m*

impatto [im'patto] *sm* impact *m*;
punto d'~ point *m* d'impact;
~ **ambientale** impact *m* sur
l'environnement

impaurire [impau'rire] *vt* effrayer,
effaroucher ■ *vi* (*anche:* **impaurirsi**)
s'effrayer, s'épouvanter

impaziente [impat'tsjɛnte] *agg*
impatient(e)

impazzata [impat'tsata] *sf*:
all'~ comme un(e) fou (folle);

(*colpire*) n'importe où; (*parlare*) à tort et à travers

impazzire [impat'tsire] *vi* devenir fou (folle); ~ **per qn** être fou (folle) de qn; ~ **per qc** raffoler de qch; **è da ~!** c'est fou!

impeccabile [impek'kabile] *agg* impeccable

impedimento [impedi'mento] *sm* (*anche Dir*) empêchement *m*; (*Med*) handicap *m*

impedire [impe'dire] *vt* empêcher; ~ **qc a qn** interdire qch à qn; ~ **a qn di fare qc** empêcher qn de faire qch

impegnarsi [impeɲ'ɲarsi] *vpr* (*vincolarsi*): ~ **(a fare qc)** s'engager (à faire qch); ~ **in** (*in lavoro, compito*) se consacrer à; ~ **con qn** s'engager vis-à-vis de qn

impegnativo, -a [impeɲɲa'tivo] *agg* important(e); (*lettura*) qui demande de la concentration; (*lavoro*) important(e), absorbant(e) ■ *sf*: **impegnativa del medico** demande d'admission à l'hôpital faite par le médecin de famille

impegnato, -a [impeɲ'ɲato] *agg* (*anche Pol*: *romanzo, autore*) engagé(e); (*dato in pegno*) mis(e) en gage; (*occupato*) occupé(e), pris(e)

impegno [im'peɲɲo] *sm* engagement *m*; (*zelo*) application *f*, zèle *m*; **impegni di lavoro** obligations *fpl* professionnelles

impellente [impel'lɛnte] *agg* impérieux(-euse), urgent(e)

impennarsi [impen'narsi] *vpr* (*anche Aer, fig*) se cabrer

impensierire [impensje'rire] *vt* inquiéter, préoccuper; **impensierirsi** *vpr* s'inquiéter, se préoccuper

imperativo, -a [impera'tivo] *agg* (*anche fig*) impératif(-ive) ■ *sm* (*Ling*) impératif *m*

imperatore, -trice [impera'tore] *sm/f* empereur (impératrice)

imperdonabile [imperdo'nabile] *agg* impardonnable

imperfetto, -a [imper'fɛtto] *agg* (*anche Ling*) imparfait(e) ■ *sm* (*Ling*) imparfait *m*

imperiale [impe'rjale] *agg* impérial(e)

imperioso, -a [impe'rjoso] *agg* impérieux(-euse)

impermeabile [imperme'abile] *agg*, *sm* imperméable (*m*)

impero [im'pɛro] *sm* empire *m*; (*forza, autorità*) puissance *f*, autorité *f*

impersonale [imperso'nale] *agg* (*anche Ling*) impersonnel(le)

impersonare [imperso'nare] *vt* (*personaggio*) interpréter, incarner; (*dare vita concreta a un concetto*) personnifier, symboliser; **impersonarsi** *vpr* (*attore*): **impersonarsi in** se mettre dans la peau de

imperterrito, -a [imper'territo] *agg* imperturbable

impertinente [imperti'nɛnte] *agg* impertinent(e)

impeto ['impeto] *sm* (*di corrente, vento*) violence *f*; (*assalto*) charge *f*; (*fig: impulso, trasporto*) élan *m*, transport *m*; (: *calore, foga*) ardeur *f*, fougue *f*; **con ~** avec violence; (*con irruenza*) avec impétuosité; **d'~** impulsivement

impettito, -a [impet'tito] *agg* tout(e) droit(e), raide; **camminare ~** marcher en bombant le torse

impetuoso, -a [impetu'oso] *agg* impétueux(-euse)

impianto [im'pjanto] *sm* installation *f*; (*apparecchiature*) équipement *m*; ~ **di risalita** (*Scienza*) remontée *f* mécanique; ~ **di riscaldamento** installation de chauffage; ~ **elettrico** installation électrique; ~ **sportivo** équipement sportif

impiccare [impik'kare] *vt* pendre; **impiccarsi** *vpr* se pendre

impicciarsi [impit't∫arsi] *vpr* (*immischiarsi*): ~ **(in)** se mêler (de); **impicciati degli affari tuoi!** mêle-toi de ce qui te regarde!

impiccione, -a [impit't∫one] *sm/f* intrigant(e)

impiegare [impje'gare] *vt* utiliser, se servir de; (*tempo*) occuper; (*denaro*) investir; (*assumere*) embaucher, engager; **impiegarsi** *vpr* trouver une place ou un emploi; **impiego un'ora per andare a casa** je mets une heure pour aller chez moi

impiegato, -a [impje'gato] *sm/f*
employé(e); ~ **statale** fonctionnaire
m/f

impiego, -ghi [im'pjɛgo] *sm (uso)*
usage *m*, emploi *m*; (*occupazione*)
emploi *m*; (*posto di lavoro*) poste *m*,
place *f*, emploi; (*Econ*) investissement
m, placement *m*; **pubblico ~** fonction
f publique

impietosire [impjeto'sire] *vt*
apitoyer, attendrir; **impietosirsi** *vpr*
s'apitoyer, s'attendrir

impigliarsi [impiʎ'ʎarsi] *vpr* se
prendre

impigrirsi [impi'grirsi] *vpr* devenir
paresseux(-euse)

implicare [impli'kare] *vt* impliquer

implicito, -a [im'plitʃito] *agg*
implicite, tacite

implorare [implo'rare] *vt* implorer

impolverarsi [impolve'rarsi] *vpr* se
couvrir de poussière

impone *ecc* [im'pone] *vb vedi* **imporre**

imponente [impo'nɛnte] *agg*
imposant(e)

impongo *ecc* [im'pongo] *vb vedi*
imporre

imponibile [impo'nibile] *agg*
imposable ■ *sm (Econ)* assiette *f*
de l'impôt

impopolare [impopo'lare] *agg*
impopulaire

imporre [im'porre] *vt (regola)*
imposer; (*nome*) donner; **imporsi** *vpr*
(*farsi valere*): **imporsi (su)** s'imposer
(sur); ~ **a qn di fare qc** imposer à qn
de faire qch

importante [impor'tante] *agg*
important(e); (*abito, arredamento*)
riche

importanza [impor'tantsa] *sf*
importance *f*; **dare ~ a qc** donner de
l'importance à qch; **darsi ~** se donner
des airs; **non ha ~** (*non fa nulla*) cela
ne fait rien

importare [impor'tare] *vt* importer
■ *vi*: ~ **(a)** importer (à) ■ *vb impers*
(*essere necessario*) falloir; (*interessare*)
importer; **non importa!** ça ne fait
rien!; **non me ne importa!** je m'en
moque!; **non importa che...** (*non
serve*) il n'est pas nécessaire que...

importo [im'pɔrto] *sm* montant *m*,
somme *f*

importunare [importu'nare] *vt*
importuner

imposi *ecc* [im'posi] *vb vedi* **imporre**

imposizione [impozit'tsjone] *sf*
(*ingiunzione, ordine*) imposition *f*, ordre
m; (*Econ*) imposition; (*di nome*) (le fait
de) donner un nom

impossessarsi [imposses'sarsi] *vpr*:
~ **di** s'emparer de

impossibile [impos'sibile] *agg, sm*
impossible *(m)*; **fare l'~** faire
l'impossible

imposta [im'pɔsta] *sf (tassa)* impôt
m; (*di finestra*) volet *m*; ~ **di
successione** droits *mpl* de succession;
~ **diretta/indiretta** impôt direct/
indirect; ~ **indiretta sui consumi**
impôt indirect sur les biens de
consommation; ~ **locale sui redditi**
redevance *f* locale sur les revenus;
~ **patrimoniale** impôt foncier; ~ **sugli
utili** impôt sur les bénéfices; ~ **sul
reddito** impôt sur le revenu; ~ **sul
reddito delle persone fisiche** impôt
sur le revenu des personnes
physiques; ~ **sul valore aggiunto**
taxe *f* à o sur la valeur ajoutée

impostare [impos'tare] *vt (imbucare)*
poster; (*preparare, predisporre*)
organiser; (*avviare*) mettre en route;
(*resoconto, rapporto*) baser; (*problema*)
poser, formuler; (*Tip: pagina*) agencer;
~ **la voce** (*Mus*) poser la voix

impostazione [impostat'tsjone] *sf*
(*di problema, questione*) formulation *f*;
(*di lavoro*) organisation *f*; (*di attività*)
mise *f* en route; **impostazioni** *sfpl*
(*di computer*) configuration *fsg*

impotente [impo'tɛnte] *agg (anche
Med)* impuissant(e)

impraticabile [imprati'kabile] *agg*
impraticable

imprecare [impre'kare] *vi* jurer;
~ **contro qn** pester contre qn

imprecazione [imprekat'tsjone] *sf*
imprécation *f*

impregnare [impreɲ'ɲare] *vt*: ~ **(di)**
imprégner (de); (*fig: riempire*) remplir

imprenditore, -trice
[imprendi'tore] *sm/f* entrepreneur
m/f; **piccolo ~** petit entrepreneur

impresa [im'presa] *sf* entreprise *f*;
~ **familiare/pubblica** entreprise
familiale/publique

impressionante [impressjo'nante]
agg impressionnant(e)

impressionare [impressjo'nare] *vt*
(*anche* Fot) impressionner;
impressionarsi *vpr* se laisser
impressionner; (Fot) être
impressionné(e); **s'impressiona alla
vista del sangue** il ne supporte pas la
vue du sang

impressione [impres'sjone] *sf*
impression *f*; (*sensazione fisica*)
sensation *f*; (*traccia*) empreinte *f*,
trace *f*; **fare ~** (*colpire*) être
impressionnant(e); (*turbare*)
impressionner; **fare buona/cattiva
~ (a)** faire bonne/mauvaise
impression (à); **avere l'~ che** avoir
l'impression que

imprevedibile [impreve'dibile] *agg*
imprévisible

imprevisto, -a [impre'visto] *agg*
imprévu(e) ■ *sm* imprévu *m*; **salvo
imprevisti** sauf imprévu

imprigionare [impridʒo'nare] *vt*
emprisonner; (*intrappolare*) bloquer

improbabile [impro'babile] *agg*
improbable

impronta [im'pronta] *sf* (*anche fig*:
segno caratteristico) empreinte *f*;
~ digitale empreinte digitale;
~ ecologica empreinte écologique;
~ genetica empreinte génétique

improvvisamente
[improvviza'mente] *avv* à l'improviste

improvvisare [improvvi'zare] *vt*
improviser; **improvvisarsi** *vpr*
s'improviser

improvviso, -a [improv'vizo] *agg*
imprévu(e); (*subitaneo: amore*)
soudain(e); **d'~** tout à coup; **all'~**
soudainement

imprudente [impru'dɛnte] *agg*
imprudent(e)

impugnare [impuɲ'ɲare] *vt* saisir;
(*Dir: sentenza*) attaquer, faire
opposition à

impulsivo, -a [impul'sivo] *agg, sm/f*
impulsif(-ive)

impulso [im'pulso] *sm* (*anche fig*:
stimolo) impulsion *f*; **d'~** de manière
impulsive; **dare ~ alle vendite**
donner une impulsion o un essor aux
ventes; **~ elettrico** impulsion
électrique

impuntarsi [impun'tarsi] *vpr* se
refuser à avancer; (*fig: ostinarsi*)
s'entêter, se buter

imputato, -a [impu'tato] *sm/f*
accusé(e), inculpé(e)

 PAROLA CHIAVE

in [in] (*in + il* = **nel,** *in + lo* = **nello,** *in + l'*
= **nell',** *in + la* = **nella,** *in + i* = **nei,** *in + gli*
= **negli,** *in + le* = **nelle**) *prep* **1** (*stato in
luogo*) à, en; **vivo in Italia/
in Portogallo** je vis en Italie/au Portugal;
abito in città j'habite en ville; **abito
in montagna/campagna** j'habite à la
montagne/campagne; **essere in casa**
être à la maison; **essere in ufficio**
être au bureau; **è nel cassetto/in
salotto** c'est dans le tiroir/dans le
salon; **se fossi in te** si j'étais à ta place
2 (*moto a luogo*) à, en; (: *dentro*) dans;
andare in Francia/in Portogallo
aller en France/au Portugal; **andare
in montagna/campagna** aller à la
montagne/campagne; **andare in
città** aller en ville; **entrare in casa**
entrer à la maison; **andare in ufficio**
aller au bureau; **entrare in macchina**
monter en voiture
3 (*tempo: determinato*) en, à;
(: *continuato*) en, dans; **nel 2007/
giugno/estate** en 2007/juin/été;
l'ho fatto in sei mesi/in due ore je l'ai
fait en six mois/en deux heures; **in
gioventù, io...** dans ma jeunesse, je...
4 (*modo, maniera*) en; **in silenzio** en
silence; **in abito da sera** en robe du
soir; **in guerra** (*nazione, popolo*) en
guerre; **in vacanza** en vacances;
Maria Bianchi in Rossi Maria Bianchi
épouse Rossi; **parlare in tedesco**
parler en allemand
5 (*mezzo*) en; **viaggiare in autobus/
treno/aereo** voyager en autobus/
train/avion
6 (*materia*) en, de; **statua in marmo**
statue en o de marbre; **una collana in
oro** un collier en or
7 (*misura*) en; **siamo in quattro** nous
sommes quatre; **in tutto vengono
tre metri** cela fait trois mètres en tout
8 (*fine*): **dare in dono** faire un cadeau;
spende tutto in alcol il dépense tout
en alcool; **in onore di** en l'honneur de

inabitabile [inabi'tabile] *agg*
inhabitable

inaccessibile [inattʃes'sibile] *agg*
(*luogo*) inaccessible; (*persona*)
inabordable; (*mistero*) impénétrable

inaccettabile [inattʃet'tabile] *agg*
inacceptable

inadatto, -a [ina'datto] *agg*: ~ **(a)**
inadapté(e) (à)

inadeguato, -a [inade'gwato] *agg*
inadéquat(e)

inaffidabile [inaffi'dabile] *agg* non
fiable

inamidato, -a [inami'dato] *agg*
amidonné(e), empesé(e)

inarcare [inar'kare] *vt* courber,
cambrer; (*sopracciglia*) hausser, lever;
inarcarsi *vpr* se courber, se cambrer

inaspettato, -a [inaspet'tato] *agg*
inattendu(e)

inasprire [inas'prire] *vt* (*disciplina*)
durcir; (*carattere*) aigrir; (*rapporti*)
envenimer; **inasprirsi** *vpr* (*vedi vt*)
se durcir; s'aigrir; s'envenimer

inattaccabile [inattak'kabile] *agg*
inattaquable

inattendibile [inatten'dibile] *agg*
qui n'est pas digne de foi

inatteso, -a [inat'teso] *agg*
inattendu(e)

inattuabile [inattu'abile] *agg*
irréalisable

inaudito, -a [inau'dito] *agg* inouï(e)

inaugurare [inaugu'rare] *vt*
inaugurer

inaugurazione [inaugurat'tsjone]
sf inauguration *f*

incallito, -a [inkal'lito] *agg* (*mani*)
calleux(-euse); (*pelle*) endurci(e); (*fig:
peccatore, fumatore*) invétéré(e)

incandescente [inkandeʃ'ʃente] *agg*
incandescent(e)

incantare [inkan'tare] *vt*
(*meccanismo*) enrayer; (*ammaliare*)
enchanter, charmer; **incantarsi** *vpr*
(*meccanismo*) s'enrayer, se coincer;
(*essere ammaliato*) s'extasier, être en
extase; (*restare intontito*) rester
hébété; (*ad esame*) sécher

incantevole [inkan'tevole] *agg*
ravissant(e), charmant(e)

incanto [in'kanto] *sm* (*incantesimo*)
enchantement *m*, charme *m*;
(*meraviglia, stupore*) merveille *f*; (*asta*)

enchères *fpl*; **come per ~** comme par
enchantement; **ti sta d'~!** il te va à
ravir!; **mettere all'~** mettre aux
enchères, mettre à l'encan

incapace [inka'patʃe] *agg* incapable;
~ d'intendere e di volere (*Dir*)
incapable d'entendre et de vouloir

incarcerare [inkartʃe'rare] *vt*
incarcérer

incaricare [inkari'kare] *vt*: **~ qn
(di fare qc)** charger qn (de faire qch);
incaricarsi *vpr*: **incaricarsi di qc/
di fare qc** se charger de qch/de faire
qch

incarico, -chi [in'kariko] *sm* charge
f; (*incombenza, compito*) tâche *f*; (*Scol*)
suppléance *f*

incartamento [inkarta'mento] *sm*
dossier *m*

incartare [inkar'tare] *vt* envelopper,
empaqueter

incassare [inkas'sare] *vt* (*merce*)
mettre en caisse, emballer; (*soldi, fig*)
encaisser; (*assegno*) toucher

incasso [in'kasso] *sm* (*introito*)
recette *f*

incastrare [inkas'trare] *vt*
encastrer; (*far combaciare*) emboîter;
(*fig: intrappolare*) coincer; **incastrarsi**
vpr s'encastrer, s'emboîter; (*restare
bloccato*) se coincer

incatenare [inkate'nare] *vt* (*anche
fig*) enchaîner; **~ qn a qc** enchaîner
qn à qch

incauto, -a [in'kauto] *agg*
imprudent(e)

incavato, -a [inka'vato] *agg*
creux(-euse); (*occhi*) enfoncé(e)

incendiare [intʃen'djare] *vt*
incendier; (*fig*) enflammer;
incendiarsi *vpr* prendre feu

incendio [in'tʃendjo] *sm* incendie *m*

inceneritore [intʃeneri'tore] *sm*
incinérateur *m*

incenso [in'tʃenso] *sm* encens *msg*

incensurato, -a [intʃensu'rato] *agg*
(*Dir*) qui a un casier judiciaire vierge

incentivare [intʃenti'vare] *vt*
stimuler, encourager; (*persona*)
encourager

incentivo [intʃen'tivo] *sm*
encouragement *m*; (*economico*)
mesure *f* incitative; **~ alla produzione**
prime *f* de production

incepparsi [intʃep'parsi] vpr
s'enrayer, se coincer

incertezza [intʃer'tettsa] sf
incertitude f; (dubbio, indecisione)
doute m

incerto, -a [in'tʃɛrto] agg
incertain(e) ■ sm incertain m;
(imprevisto) imprévu m; **gli incerti del
mestiere** les aléas du métier

incetta [in'tʃetta] sf accaparement
m; **fare ~ di qc** accaparer qch

inchiesta [in'kjɛsta] sf (anche Dir)
enquête f; (Stampa) reportage m;
~ giudiziaria/parlamentare enquête
judiciaire/parlementaire

inchinarsi [inki'narsi] vpr se baisser;
(per riverenza) s'incliner

inchiodare [inkjo'dare] vt clouer;
~ (la macchina) stopper net;
inchiodato a letto cloué(e) au lit

inchiostro [in'kjɔstro] sm encre f;
(di seppia, calamaro) encre de seiche;
~ simpatico encre sympathique

inciampare [intʃam'pare] vi: **~ (in)**
trébucher (sur)

incidente [intʃi'dɛnte] sm accident
m; (episodio, disturbo) incident m;
e con questo l'~ è chiuso et ainsi
l'incident est clos; **ho avuto un ~** j'ai
eu un accident; **~ automobilistico**
o **d'auto** accident de voiture;
~ diplomatico incident diplomatique

incidere [in'tʃidere] vi: **~ su**
(ricadere, gravare) avoir des
répercussions sur; (influire) avoir
des conséquences sur; (su bilancio)
grever ■ vt inciser, entailler;
(intagliare) graver; (disco, nastro)
enregistrer

incinta [in'tʃinta] agg f enceinte

incipriare [intʃi'prjare] vt poudrer;
incipriarsi vpr se poudrer

incirca [in'tʃirka] avv: **all'~** à peu
près, environ

incisi ecc [in'tʃizi] vb vedi **incidere**

incisione [intʃi'zjone] sf entaille f;
(Arte) gravure f; (registrazione)
enregistrement m; (Med) incision f

inciso, -a [in'tʃizo] pp di **incidere**
■ sm: **fare un ~** faire une incise; **per ~**
incidemment; (in modo accessorio)
en passant

incitare [intʃi'tare] vt inciter,
exhorter

incivile [intʃi'vile] agg barbare,
sauvage; (villano) grossier(-ière)

incl. abbr (= incluso) inclus

inclinare [inkli'nare] vt incliner
■ vi pencher; **inclinarsi** vpr s'incliner

includere [in'kludere] vt inclure,
joindre; (inserire) insérer

incluso, -a [in'kluzo] pp di **includere**
■ agg ci-inclus(e), ci-joint(e);
(compreso) inclus(e)

incoerente [inkoe'rɛnte] agg
incohérent(e)

incognita [in'kɔɲɲita] sf surprise f,
imprévu m

incognito, -a [in'kɔɲɲito] agg
inconnu(e) ■ sm: **in ~** incognito

incollare [inkol'lare] vt encoller;
(attaccare) coller; **~ gli occhi addosso
a qn** (fig) fixer qn des yeux

incolore [inko'lore] agg incolore

incolpare [inkol'pare] vt: **~ (di)**
accuser (de)

incolto, -a [in'kolto] agg inculte

incolume [in'kɔlume] agg indemne

incombenza [inkom'bɛntsa] sf
tâche f

incombere [in'kombere] vi: **~ (su)**
planer (sur)

incominciare [inkomin'tʃare] vt, vi
commencer

incompetente [inkompe'tɛnte] agg
incompétent(e) ■ sm/f (persona)
incapable m/f

incompiuto, -a [inkom'pjuto] agg
inachevé(e)

incompleto, -a [inkom'plɛto] agg
incomplet(-ète)

incomprensibile
[inkompren'sibile] agg
incompréhensible

inconcepibile [inkontʃe'pibile] agg
inconcevable

inconciliabile [inkontʃi'ljabile] agg
inconciliable

inconcludente [inkonklu'dɛnte]
agg (discorso) qui n'aboutit à rien;
(persona) qui ne fait rien de bon

incondizionato, -a
[inkondittsjo'nato] agg
inconditionnel(le); (resa) sans
condition

inconfondibile [inkonfon'dibile]
agg incomparable; **è un tipo ~** il est
unique en son genre

inconsapevole [inkonsa'pevole]
agg: ~ **di** inconscient(e) de
inconscio, -a, -sci, -sce [in'kɔnʃo]
agg inconscient(e) ■ *sm (Psic)*
inconsistant *m*
inconsistente [inkonsis'tɛnte] *agg*
inconsistant(e)
inconsueto, -a [inkonsu'ɛto] *agg*
insolite
incontrare [inkon'trare] *vt*
rencontrer; **incontrarsi** *vpr* se
rencontrer
incontro [in'kontro] *avv*: ~ **a** à la
rencontre de, au devant de ■ *sm*
(fortuito) rencontre *f; (riunione,
convegno)* rencontre, réunion *f; (gara,
partita, scontro)* rencontre, match *m;*
(Mat) point *m* d'intersection; **andare**
o **venire** ~ **a** *(richieste, esigenze)* aller
o venir au-devant de; ~ **di calcio**
rencontre *o* match de football; ~ **di**
pugilato combat *m* de boxe
inconveniente [inkonve'njɛnte] *sm*
inconvénient *m*
incoraggiamento
[inkoraddʒa'mento] *sm*
encouragement *m;* **premio d'**~ prix *m*
d'encouragement
incoraggiare [inkorad'dʒare] *vt*
(anche fig) encourager
incorniciare [inkorni'tʃare] *vt*
encadrer
incoronare [inkoro'nare] *vt*
couronner
incorrere [in'korrere] *vi*: ~ **in**
s'exposer à
incosciente [inkoʃ'ʃɛnte] *agg*
inconscient(e)
incredibile [inkre'dibile] *agg*
incroyable
incredulo, -a [in'kredulo] *agg*
incrédule
incrementare [inkremen'tare] *vt*
augmenter; *(commercio, turismo)*
développer
incremento [inkre'mento] *sm*
développement *m; (aumento
numerico)* accroissement *m*
increscioso, -a [inkreʃ'ʃoso] *agg*
fâcheux(-euse), ennuyeux(-euse)
incriminare [inkrimi'nare] *vt*
inculper, incriminer
incrinare [inkri'nare] *vt* fêler;
(fig: rapporti, amicizia) gâter,

compromettre; **incrinarsi** *vpr (vedi
vt)* se fêler; se gâter, se compromettre
incrociare [inkro'tʃare] *vt, vi (anche
Biol, Naut, Aer)* croiser; **incrociarsi**
vpr (strade, veicoli ecc) se croiser; ~ **le
braccia** croiser les bras
incrocio, -ci [in'krotʃo] *sm (anche
Biol)* croisement *m; (stradale)*
croisement, carrefour *m; (Ferr)* nœud
m ferroviaire
incubatrice [inkuba'tritʃe] *sf*
couveuse *f,* incubateur *m*
incubo ['inkubo] *sm (anche fig)*
cauchemar *m*
incurabile [inku'rabile] *agg* incurable
incurante [inku'rante] *agg*: ~ **(di)**
insouciant(e) de
incuriosire [inkurjo'sire] *vt*
intéresser, intriguer; **incuriosirsi** *vpr*
être intrigué(e)
incursione [inkur'sjone] *sf*
incursion *f;* ~ **aerea** raid *m* aérien
incurvare [inkur'vare] *vt* courber;
incurvarsi *vpr* se courber
incustodito, -a [inkusto'dito] *agg*
laissé(e) sans surveillance;
(parcheggio) non gardé
incutere [in'kutere] *vt*: ~ **(a)** inspirer
(à); ~ **rispetto a qn** inspirer du
respect à qn
indaco ['indako] *sm* indigo *m*
indaffarato, -a [indaffa'rato] *agg*
affairé(e)
indagare [inda'gare] *vt* rechercher,
chercher à connaître ■ *vi*: ~ **(su)**
enquêter (sur)
indagine [in'dadʒine] *sf*
investigation *f,* enquête *f; (ricerca,
studio)* recherche *f,* étude *f;* ~ **di
mercato** analyse *f o* étude de marché
indebitarsi [indebi'tarsi] *vpr*
s'endetter
indebolire [indebo'lire] *vt* affaiblir;
indebolirsi *vpr* s'affaiblir
indecente [inde'tʃɛnte] *agg*
indécent(e)
indeciso, -a [inde'tʃizo] *agg*
indécis(e); *(questione)* non résolu(e)
indefinito, -a [indefi'nito] *agg*
(anche Ling) indéfini(e)
indegno, -a [in'deɲɲo] *agg* indigne
indemoniato, -a [indemo'njato]
agg (posseduto) possédé(e); *(agitato)*
endiablé(e)

indenne [in'dɛnne] *agg* indemne
indennizzare [indennid'dzare] *vt* indemniser
indeterminativo, -a [indetermina'tivo] *agg* (Ling) indéfini(e)
India ['indja] *sf* Inde *f*; **le Indie occidentali** les Indes *fpl* occidentales
indiano, -a [in'djano] *agg* indien(ne) ◼ *sm/f* (d'India, d'America) Indien(ne); **l'Oceano I~** l'Océan *m* Indien
indicare [indi'kare] *vt* (mostrare, significare) indiquer; (col dito) montrer du doigt; (consigliare) conseiller
indicativo, -a [indika'tivo] *agg* (anche Ling) indicatif(-ive) ◼ *sm* (Ling) indicatif *m*
indicazione [indikat'tsjone] *sf* indication *f*
indice ['inditʃe] *sm* (Anat) index *m inv*; (lancetta) aiguille *f*; (di libro, volume) table *f* des matières; (Tecn, Mat, Econ, fig) indice *m*; **~ azionario** indice des valeurs; **~ dei prezzi al consumo** indice des prix à la consommation; **~ d'ascolto** indice d'écoute; **~ di gradimento** (Radio, TV) indice *f* de satisfaction
indicherò ecc [indike'rɔ] *vb vedi* **indicare**
indicibile [indi'tʃibile] *agg* indicible
indietreggiare [indjetred'dʒare] *vi* reculer
indietro [in'djetro] *avv* (guardare) en arrière; **(all')~** à reculons; (cadere) à la renverse; **essere ~** (col lavoro, nello studio) être en retard; (orologio) retarder; **lasciare ~ qc** (ometterla) oublier qch; **rimandare qc ~** renvoyer qch; **rimanere ~** se laisser distancer; **tornare un passo ~** (fig) revenir en arrière; **non andare né avanti né dietro** (fig) piétiner; **far marcia ~** (anche fig) faire marche arrière
indifeso, -a [indi'feso] *agg* sans défense
indifferente [indiffe'rɛnte] *agg* indifférent(e) ◼ *sm/f*: **fare l'~** faire l'indifférent(e)
indigeno, -a [in'didʒeno] *agg, sm/f* indigène *m/f*
indigestione [indidʒes'tjone] *sf* indigestion *f*

indigesto, -a [indi'dʒɛsto] *agg* indigeste
indignare [indiɲ'ɲare] *vt* indigner; **indignarsi** *vpr* s'indigner
indimenticabile [indimenti'kabile] *agg* inoubliable
indipendente [indipen'dɛnte] *agg* indépendant(e)
indire [in'dire] *vt* (concorso) ouvrir; (elezione) fixer
indiretto, -a [indi'rɛtto] *agg* indirect(e)
indirizzare [indirit'tsare] *vt* adresser; (sforzi, energia) concentrer; (persona) orienter
indirizzo [indi'rittso] *sm* adresse *f*; (avvio) orientation *f*; (scientifico, linguistico) branche *f*; (Scol) section *f*; **il mio ~ è ...** mon adresse, c'est ...; **studi ad ~ scientifico** études *fpl* scientifiques; **~ letterario** section *f* littéraire
indiscreto, -a [indis'kreto] *agg* indiscret(-ète)
indiscusso, -a [indis'kusso] *agg* indiscuté(e)
indispensabile [indispen'sabile] *agg* indispensable
indispettire [indispet'tire] *vt* irriter, agacer; **indispettirsi** *vpr* s'irriter, se fâcher
individuale [individu'ale] *agg* individuel(le)
individuare [individu'are] *vt* (punto, posizione) repérer, localiser; (persona) identifier, reconnaître
individuo [indi'viduo] *sm* individu *m*; (peg) type *m*
indiziato, -a [indit'tsjato] *agg, sm/f* suspect(e)
indizio [in'dittsjo] *sm* signe *m*, symptôme *m*; (Dir) indice *m*
indole ['indole] *sf* caractère *m*, tempérament *m*
indolenzito, -a [indolen'tsito] *agg* endolori(e), engourdi(e)
indolore [indo'lore] *agg* (anche fig) indolore
indomani [indo'mani] *sm*: **l'~** le lendemain
indossare [indos'sare] *vt* (mettere indosso) endosser; (avere indosso) porter
indossatore, -trice [indossa'tore] *sm/f* mannequin *m*

indottrinare [indottri'nare] *vt*
endoctriner

indovinare [indovi'nare] *vt* deviner;
tirare a ~ essayer de deviner,
répondre au petit bonheur

indovinello [indovi'nɛllo] *sm*
devinette *f*

indubbiamente [indubbja'mente]
avv sans aucun doute,
indubitablement

indubbio, -a [in'dubbjo] *agg*
certain(e), incontestable

induco *ecc* [in'duko] *vb vedi* **indurre**

indugiare [indu'dʒare] *vi* hésiter,
temporiser; **~ a fare qc** tarder à
faire qch

indugio, -gi [in'dudʒo] *sm* retard *m*,
délai *m*; **senza ~** sur le champ

indulgente [indul'dʒɛnte] *agg*
indulgent(e)

indumento [indu'mento] *sm*
vêtement *m*; **indumenti** *smpl* effets
fpl; **indumenti intimi** sous-
vêtements *mpl*

indurire [indu'rire] *vt* durcir; *(fig)*
endurcir; **indurirsi** *vpr* durcir,
s'endurcir

indurre [in'durre] *vt*: **~ qn a fare qc**
pousser qn à faire qch; **~ qn al male**
pousser qn au vice; **~ qn in**
tentazione induire qn en tentation

indussi *ecc* [in'dussi] *vb vedi* **indurre**

industria [in'dustrja] *sf* industrie *f*;
la piccola/grande ~ la petite/grande
industrie; **~ leggera/pesante**
industrie légère/lourde

industriale [indus'trjale] *agg*
industriel(le) ◼ *sm* industriel *m*

ineccepibile [inettʃe'pibile] *agg*
irréprochable

inedito, -a [i'nɛdito] *agg* inédit(e)

inerente [ine'rɛnte] *agg*: **~ a** *(facente*
parte di) inhérent(e) à; *(concernere)*
relatif(-ive) à; **le qualità inerenti**
all'uomo les qualités inhérentes à
l'homme

inerme [i'nɛrme] *agg (indifeso)* sans
défense; *(disarmato)* désarmé(e)

inerpicarsi [inerpi'karsi] *vpr*: **~ (su)**
grimper (sur)

inerte [i'nɛrte] *agg* inerte; *(inattivo)*
inactif(-ive)

inesatto, -a [ine'zatto] *agg*
inexact(e)

inesistente [inezis'tɛnte] *agg*
inexistant(e)

inesperienza [inespe'rjɛntsa] *sf*
inexpérience *f*

inesperto, -a [ines'pɛrto] *agg*
inexpérimenté(e), inexpert(e)

inevitabile [inevi'tabile] *agg*
inévitable

inezia [i'nɛttsja] *sf* bagatelle *f*; **per**
un'~ pour un rien

infagottare [infagot'tare] *vt (fig)*
emmitoufler; **infagottarsi** *vpr*
s'emmitoufler; *(vestirsi goffamente)*
se fagoter

infallibile [infal'libile] *agg* infaillible

infamante [infa'mante] *agg*
infamant(e)

infame [in'fame] *agg* infâme; *(fig:*
pessimo) ignoble, infect(e); **un tempo**
~ *(fig)* un temps infect

infangare [infan'gare] *vt* couvrir de
boue; *(fig: nome, reputazione)* souiller,
éclabousser; **infangarsi** *vpr* se
couvrir de boue; **infangarsi la**
reputazione souiller sa réputation

infantile [infan'tile] *agg (Med, Psic)*
infantile; *(linguaggio)* enfantin(e);
(immaturo) infantile, enfantin(e);
letteratura ~ littérature *f* pour
enfants

infanzia [in'fantsja] *sf* enfance *f*;
la prima ~ la première enfance

infarinare [infari'nare] *vt* fariner;
~ con *(con zucchero ecc)* saupoudrer de

infarinatura [infarina'tura] *sf (fig)*
vernis *m*, vagues notions *fpl*

infarto [in'farto] *sm (Med)*:
~ (cardiaco) infarctus *m* (du
myocarde)

infastidire [infasti'dire] *vt* embêter,
agacer; **infastidirsi** *vpr* s'énerver,
s'impatienter

infaticabile [infati'kabile] *agg*
infatigable

infatti [in'fatti] *cong (in realtà)* en
fait, en réalité; *(in effetti)* en effet;
~! c'est vrai!

infatuarsi [infatu'arsi] *vpr*: **~ (di)**
s'enticher (de)

infedele [infe'dele] *agg* infidèle

infelice [infe'litʃe] *agg*
malheureux(-euse); *(lavoro)*
manqué(e); *(non adatto: momento)*
inopportun(e)

inferiore [infe'rjore] *agg, sm/f*
inférieur(e); **~ a** inférieur(e) à; **~ alla
media** inférieur(e) à la moyenne

inferiorità [inferjori'ta] *sf* infériorité
f; **complesso di ~** complexe *m*
d'infériorité

infermeria [inferme'ria] *sf*
infirmerie *f*

infermiere, -a [infer'mjɛre] *sm/f*
infirmier(-ière)

infermità [infermi'ta] *sf inv* infirmité
f; **~ mentale** infirmité mentale,
maladie *f* mentale

infermo, -a [in'fermo] *agg, sm/f*
infirme *m/f*; **~ di mente** malade *m/f*
mental

infernale [infer'nale] *agg* infernal(e),
d'enfer; (*malvagio: proposito, piano*)
diabolique; **un baccano ~** un
vacarme infernal, un bruit d'enfer

inferno [in'fɛrno] *sm* enfer *m*;
soffrire le pene dell'~ (*fig*) souffrir les
peines de l'enfer

inferriata [infer'rjata] *sf* grille *f*

infestare [infes'tare] *vt* infester

infettare [infet'tare] *vt* infecter;
(*trasmettere un'infezione*) contaminer;
infettarsi *vpr* s'infecter

infezione [infet'tsjone] *sf* infection *f*

infiammabile [infjam'mabile] *agg*
inflammable

infiammare [infjam'mare] *vt* (*anche
Med*) enflammer; **infiammarsi** *vpr*
(*anche Med*) s'enflammer

infiammazione [infjammat'tsjone]
sf (*Med*) inflammation *f*

infierire [infje'rire] *vi*: **~ (su/contro)**
s'acharner (sur/contre); (*epidemia*)
sévir (dans), faire rage (dans)

infilare [infi'lare] *vt* enfiler, (*chiave*)
introduire; (*anello*) passer; (*strada,
uscio*) prendre; **infilarsi** *vpr*: **infilarsi
in** (*in letto, bagno*) se glisser dans;
infilarsi la giacca enfiler sa veste

infiltrarsi [infil'trarsi] *vpr* s'infiltrer;
(*fig*) s'infiltrer, pénétrer

infilzare [infil'tsare] *vt* (*infilare*)
enfiler, transpercer; (*trafiggere*)
embrocher

infimo, -a ['infimo] *agg* très bas
(basse); **un albergo di ~ ordine** un
hôtel de troisième ordre

infine [in'fine] *avv* enfin, finalement;
(*insomma*) enfin, à la fin

infinità [infini'ta] *sf* infinité *f*; **un'~
di** une grande quantité de, un tas de

infinito, -a [infi'nito] *agg* infini(e);
(*Ling*) infinitif(-ive) ▪ *sm* infini *m*;
(*Ling*) infinitif *m*; **all'~** à l'infini

infinocchiare [infinok'kjare] *vt*
(*fam*) rouler, avoir

infischiarsi [infis'kjarsi] *vpr*: **~ o
infischiarsene di** se moquer de, se
ficher de

infisso, -a [in'fisso] *pp di* **infiggere**
▪ *sm* (*in edificio*) cadre *m*, châssis *msg*;
(*di vani*) portes *fpl* et fenêtres

inflazione [inflat'tsjone] *sf* inflation *f*

infliggere [in'fliddʒere] *vt*: **~ (a)**
infliger (à)

inflissi *ecc* [in'flissi] *vb vedi*
infliggere

influente [influ'ɛnte] *agg* influent(e)

influenza [influ'ɛntsa] *sf* influence *f*;
(*Med*) grippe *f*; **~ aviaria** grippe aviaire

influenzare [influen'tsare] *vt*
influencer

influire [influ'ire] *vi*: **~ (su)** influer
(sur)

influsso [in'flusso] *sm* influence *f*

infondato, -a [infon'dato] *agg* sans
fondement, injustifié(e)

infondere [in'fondere] *vt*: **~ (in)**
(*coraggio*) insuffler (à); (*speranza*)
donner (à); **~ fiducia in qn** inspirer
de la confiance à qn

informare [infor'mare] *vt* informer,
renseigner; **informarsi** *vpr*:
informarsi (di)/(su) s'informer
(de)/(sur), se renseigner (sur)

informatica [infor'matika] *sf*
informatique *f*

informativo, -a [informa'tivo] *agg*
d'information; **a titolo ~** à titre
d'information

informato, -a [infor'mato] *agg*
informé(e), renseigné(e); **tenersi ~** se
tenir informé(e)

informatore, -trice [informa'tore]
sm/f (*di polizia*) indicateur(-trice)

informazione [informat'tsjone] *sf*
renseignement *m*; (*notizia*)
information *f*; **informazioni** *sfpl*
informations *fpl*; **chiedere un'~**
demander un renseignement;
~ di garanzia (*Dir*) information
judiciaire; **~ turistiche** informations
touristiques

informe [in'forme] *agg* informe
informicolarsi [informiko'larsi]
vpr: **mi si è informicolata una
gamba** j'ai des fourmis dans la
jambe
infortunato, -a [infortu'nato] *agg*
accidenté(e), victime d'un accident
▪ *sm/f* (*persona*) victime *f*, blessé(e)
infortunio [infor'tunjo] *sm* accident
m; **~ sul lavoro** accident du travail
infrazione [infrat'tsjone] *sf*
infraction *f*
infreddatura [infredda'tura] *sf*
(*raffreddore leggero*) léger rhume *m*,
refroidissement *m*
infreddolito, -a [infreddo'lito] *agg*
transi(e) de froid
infuori [in'fwɔri] *avv* en dehors;
all'~ di excepté, sauf, à part
infuriarsi [infu'rjarsi] *vpr*
s'emporter, se mettre en fureur
infusione [infu'zjone] *sf* infusion *f*
infuso, -a [in'fuzo] *pp di* **infondere**
▪ *agg*: **scienza infusa** (*anche iron*)
science *f* infuse ▪ *sm* (*bevanda*)
infusion *f*; **~ di camomilla** infusion
de camomille
Ing. *abbr* (= *ingegnere*) ingénieur
ingaggiare [ingad'dʒare] *vt*
(*equipaggio ecc*) engager, recruter;
(*combattimento*) engager
ingannare [ingan'nare] *vt* tromper;
(*fisco*) frauder; (*fiducia*) trahir;
(*sorveglianza*) tromper, trahir; (*fig:
tempo*) tuer; **ingannarsi** *vpr* se
tromper; **~ il tempo/l'attesa** tuer
le temps; **l'apparenza inganna**
l'apparence est trompeuse; **se la
memoria non m'inganna** si j'ai
bonne mémoire
inganno [in'ganno] *sm* ruse *f*;
(*menzogna, frode*) mensonge *f*; (*errore,
illusione*) erreur *f*, illusion *f*; **trarre qn
in ~** induire qn en erreur

ingegnarsi [indʒeɲ'narsi] *vpr*:
~ (a fare qc) s'ingénier (à faire qch);
~ per vivere vivre d'expédients; **basta
~ un po'** il suffit de se donner un peu
de mal
ingegnere [indʒeɲ'ɲere] *sm*
ingénieur *m*; **~ civile** ingénieur civil;
~ navale ingénieur des constructions
navales
ingegneria [indʒeɲɲe'ria] *sf*
ingénierie *f*; **~ civile** ingénierie civile,
génie *m* civil; **~ genetica** ingénierie
génétique, génie génétique
ingegno [in'dʒeɲɲo] *sm* esprit *m*,
intelligence *f*; (*disposizione*) talent *m*
ingegnoso, -a [indʒeɲ'ɲoso] *agg*
ingénieux(-euse)
ingelosire [indʒelo'sire] *vt* rendre
jaloux(-se); **ingelosirsi** *vpr* devenir
jaloux(-se)
ingente [in'dʒɛnte] *agg* considérable
ingenuità [indʒenui'ta] *sf inv*
(*innocenza*) ingénuité *f*; (*dabbenaggine,
azione*) naïveté *f*
ingenuo, -a [in'dʒɛnuo] *agg*
ingénu(e); (*credulone*) naïf (naïve)
ingerire [indʒe'rire] *vt* ingérer, avaler
ingessare [indʒes'sare] *vt* (*Med*)
plâtrer
ingessatura [indʒessa'tura] *sf* (*Med*)
plâtre *m*
Inghilterra [ingil'tɛrra] *sf*
Angleterre *f*
inghiottire [ingjot'tire] *vt* (*anche fig*)
avaler
ingiallire [indʒal'lire] *vt, vi* jaunir
inginocchiarsi [indʒinok'kjarsi] *vpr*
s'agenouiller
ingiù, in giù [in'dʒu] *avv* en bas;
all'~ vers le bas
ingiuria [in'dʒurja] *sf* injure *f*
ingiustizia [indʒus'tittsja] *sf*
injustice *f*
ingiusto, -a [in'dʒusto] *agg* injuste
inglese [in'glese] *agg* anglais(e)
▪ *sm/f* Anglais(e) ▪ *sm* anglais *m*;
andarsene o filare all'~ s'en aller *o*
filer à l'anglaise
ingoiare [ingo'jare] *vt* avaler,
engloutir; (*fig*) dévorer
ingolfarsi [ingol'farsi] *vpr* (*motore,
macchina*) se noyer, être noyé(e)
ingombrante [ingom'brante] *agg*
encombrant(e)

ingombrare [ingom'brare] vt
encombrer

ingordo, -a [in'gordo] agg: ~ **(di)**
glouton(ne) (de), goulu(e) de; (di
denaro, gloria) avide (de) ◼ sm/f
gourmand(e), glouton(ne)

ingorgo, -ghi [in'gorgo] sm
engorgement m; ~ **(stradale)**
embouteillage m, bouchon m,
encombrement m

ingozzarsi [ingot'tsarsi] vpr: ~ **(di)**
se gaver (de), s'empiffrer (de)

ingranaggio, -gi [ingra'naddʒo] sm
(Tecn) engrenage m; (fig: di burocrazia)
rouages mpl; **gli ingranaggi della
burocrazia** les rouages de la
bureaucratie

ingranare [ingra'nare] vi s'engrener;
(fig: persona) embrayer; (: cosa)
marcher ◼ vt: ~ **la marcia** (Aut)
engager la vitesse, passer la vitesse

ingrandimento [ingrandi'mento]
sm (anche Fot) agrandissement m;
(Ottica) grossissement m

ingrandire [ingran'dire] vt agrandir;
(esagerare) exagérer, grossir ◼ vi
(anche: **ingrandirsi**) s'agrandir;
(capitale) s'accroître

ingrassare [ingras'sare] vt
engraisser; (lubrificare) graisser
◼ vi (anche: **ingrassarsi**) grossir,
s'engraisser

ingrato, -a [in'grato] agg ingrat(e)

ingrediente [ingre'djɛnte] sm
ingrédient m

ingresso [in'grɛsso] sm entrée f;
~ **di servizio** entrée de service;
~ **libero** entrée libre; ~ **principale**
entrée principale

ingrossare [ingros'sare] vt grossir;
ingrossarsi vpr grossir

ingrosso [in'grɔsso] avv: **all'~**
(Comm) en gros, de gros; (all'incirca)
en gros, à peu près

inguaribile [ingwa'ribile] agg
incurable

inguine ['ingwine] sm (Anat) aine f

inibire [ini'bire] vt interdire; (Psic)
inhiber; **inibirsi** vpr être inhibé(e)

inibito, -a [ini'bito] agg, sm/f
inhibé(e)

iniettare [injet'tare] vt injecter;
iniettarsi vpr: **iniettarsi di sangue**
(occhi) s'injecter de sang

iniezione [injet'tsjone] sf (Med)
piqûre f, injection f; (Tecn) injection

ininterrottamente
[ininterrotta'mente] avv sans
interruption

ininterrotto, -a [ininter'rotto] agg
ininterrompu(e)

iniziale [init'tsjale] agg initial(e)
◼ sf initiale f

iniziare [init'tsjare] vi, vt commencer;
~ **qn a** initier qn à; ~ **delle trattative**
entamer des pourparlers; ~ **a fare qc**
commencer à faire qch; **a che ora
inizia il film?** à quelle heure est-ce que
le film commence?

iniziativa [inittsja'tiva] sf initiative
f; **prendere l'~** prendre l'initiative;
~ **privata** (Comm) initiative privée

inizio [i'nittsjo] sm début m,
commencement m; **all'~** au début;
dare ~ a qc commencer qch; **essere
agli inizi** être au début

innaffiare [innaf'fjare] vt
= **annaffiare**

innamorarsi [innamo'rarsi] vpr:
~ **(di)** (di persona, oggetto, luogo)
tomber amoureux(-euse) (de)

innamorato, -a [innamo'rato] agg,
sm/f amoureux(-euse); ~ **di**
amoureux(-euse) de

innanzitutto [innantsi'tutto] avv
avant tout

innato, -a [in'nato] agg inné(e)

innaturale [innatu'rale] agg qui
n'est pas naturel(le); (comportamento)
affecté(e)

innegabile [inne'gabile] agg
indéniable

innervosire [innervo'sire] vt
énerver; **innervosirsi** vpr s'énerver

innescare [innes'kare] vt amorcer

inno ['inno] sm hymne m;
~ **nazionale** hymne national

innocente [inno'tʃɛnte] agg
innocent(e)

innocuo, -a [in'nɔkuo] agg
inoffensif(-ive)

innovativo, -a [innova'tivo] agg
innovateur(-trice), novateur(-trice)

innumerevole [innume'revole] agg
innombrable

inoltrare [inol'trare] vt (domanda)
présenter; (lettera, messaggio)
expédier

inoltre [i'noltre] *avv* (*in più*) de plus; (*per di più*) en outre

inondare [inon'dare] *vt* inonder

inopportuno, -a [inoppor'tuno] *agg* inopportun(e)

inorridire [inorri'dire] *vt* horrifier, remplir d'horreur ■ *vi* être saisi(e) d'horreur

inosservato, -a [inosser'vato] *agg* (*persona*) inaperçu(e); (*regolamento*) inobservé(e); **passare ~** passer inaperçu

inossidabile [inossi'dabile] *agg* inoxydable

INPS [inps] *sigla m* (= *Istituto Nazionale Previdenza Sociale*) Sécurité *f* sociale

inquadrare [inkwa'drare] *vt* encadrer; (*Cine, Fot*) cadrer; (*fig*) situer

inquieto, -a [in'kwjɛto] *agg* (*irrequieto*) agité(e); (*preoccupato*) inquiet(-ète); (*stizzito*) fâché(e)

inquilino, -a [inkwi'lino] *sm/f* locataire *m/f*

inquinamento [inkwina'mento] *sm* pollution *f*; **~ atmosferico** pollution atmosphérique; **~ acustico** pollution sonore

inquinare [inkwi'nare] *vt* polluer; (*prove*) falsifier

insabbiare [insab'bjare] *vt* (*fig*) enterrer; **insabbiarsi** *vpr* s'ensabler; (*fig*) être enterré(e)

insaccati [insak'kati] *smpl* (*Cuc*) saucisses et saucissons

insalata [insa'lata] *sf* salade *f*; **in ~** en salade; **~ belga** endive *f*; **~ mista** (*Cuc*) salade mélangée; **~ russa** (*Cuc*) salade russe

insalatiera [insala'tjɛra] *sf* saladier *m*

insanabile [insa'nabile] *agg* (*piaga*) incurable; (*fig: situazione*) irrémédiable; (*odio*) implacable

insaputa [insa'puta] *sf*: **all'~ di** à l'insu de; **a sua ~** à son insu

insediarsi [inse'djarsi] *vpr* (*in carica*) s'installer; (*popolo, colonia, MIL*) s'établir

insegna [in'seɲɲa] *sf* (*emblema*) emblème *m*; (*bandiera*) étendard *m*; (*di albergo, negozio*) enseigne *f*; **insegne** *sfpl* insignes *mpl*

insegnamento [inseɲɲa'mento] *sm* enseignement *m*; (*precetto*) leçon *f*; **trarre ~ da** tirer la leçon de

insegnante [inseɲ'ɲante] *agg* enseignant(e) ■ *sm/f* (*di scuola elementare*) instituteur(-trice); (*di scuola media, superiore, Univ*) professeur *m*; **~ di sostegno** aide-éducateur(--trice)

insegnare [inseɲ'ɲare] *vt* enseigner, apprendre; **~ qc a qn** enseigner qch à qn; **~ a qn a fare qc** apprendre à qn à faire qch; **insegna matematica** il enseigne les mathématiques; **come lei ben m'insegna...** (*iron*) comme vous me le faites si bien remarquer...

inseguimento [insegwi'mento] *sm* poursuite *f*; **darsi all'~ di** se mettre à la poursuite de

inseguire [inse'gwire] *vt* poursuivre; (*fig: sogni*) poursuivre, caresser; (: *speranza*) nourrir

insenatura [insena'tura] *sf* (*di lago, mare*) crique *f*; (*di fiume*) anse *f*

insensato, -a [insen'sato] *agg* insensé(e)

insensibile [insen'sibile] *agg* insensible

inserire [inse'rire] *vt* introduire; (*spina*) brancher; (*allegare*) joindre; (*annuncio*) publier; **inserirsi** *vpr*: **inserirsi (in)** s'insérer (dans); (*fig*) s'intégrer (dans), s'insérer (dans); **~ un annuncio sul giornale** publier une annonce dans le journal

inserviente [inser'vjɛnte] *sm/f* (*addetto alla pulizia: a casa*) domestique *m*; (: *a scuola*) homme (femme) de service; (: *all'ospedale*) garçon *m*/fille *f* (de salle)

inserzione [inser'tsjone] *sf* (*l'introdurre*) introduction *f*; (*l'aggiungere*) insertion *f*; (*avviso, comunicato*) (petite) annonce *f*; **fare un'~ sul giornale** passer une petite annonce dans le journal

insetticida, -i, -e [insetti'tʃida] *agg, sm* insecticide (*m*)

insetto [in'sɛtto] *sm* insecte *m*

insicuro, -a [insi'kuro] *agg*: **essere ~** (*persona*) ne pas être sûr(e) de soi

insieme [in'sjeme] *avv* ensemble; (*contemporaneamente*) en même temps, à la fois ■ *sm* ensemble *m*

■ *prep*: ~ **a** o **con** avec; **tutti** ~ tous ensemble; **tutto** ~ tout en même temps; (*in una volta*) à la fois, en même temps; **nell'~** dans l'ensemble; **d'~** (*veduta, quadro*) d'ensemble

insigne [in'siɲɲe] *agg* célèbre; (*scrittore*) éminent(e)

insignificante [insiɲɲifi'kante] *agg* insignifiant(e)

insinuare [insinu'are] *vt*: ~ **(in)** introduire (dans); (*fig*) insinuer; **insinuarsi** *vpr*: **insinuarsi (in)** pénétrer (dans); (*fig*) s'insinuer (dans), se glisser (dans)

insipido, -a [in'sipido] *agg* insipide, fade

insistente [insis'tɛnte] *agg* (*persona, tono*) insistant(e); (*dolore, pioggia*) persistant(e)

insistere [in'sistere] *vi*: ~ **su qc** insister sur qch; ~ **in qc/a fare qc** persister dans qch/à faire qch

insoddisfatto, -a [insoddis'fatto] *agg* insatisfait(e)

insofferente [insoffe'rɛnte] *agg* intolérant(e)

insolazione [insolat'tsjone] *sf* (*Med*) insolation *f*

insolente [inso'lɛnte] *agg* insolent(e)

insolito, -a [in'sɔlito] *agg* insolite, inhabituel(le)

insoluto, -a [inso'luto] *agg* non résolu(e); (*non pagato*) impayé(e)

insomma [in'somma] *avv* (*in breve, in conclusione*) bref, en définitive; (*dunque*) donc ■ *escl* enfin!, à la fin!

insonne [in'sɔnne] *agg* insomniaque; **notte** ~ nuit *f* blanche

insonnia [in'sɔnnja] *sf* insomnie *f*

insonnolito, -a [insonno'lito] *agg* ensommeillé(e)

insopportabile [insoppor'tabile] *agg* insupportable

insorgere [in'sɔrdʒere] *vi* se soulever, s'insurger; (*sintomo, malattia*) se déclarer; (*difficoltà*) surgir

insorsi *ecc* [in'sorsi] *vb vedi* **insorgere**

insospettire [insospet'tire] *vt* éveiller les soupçons de; **insospettirsi** *vpr* avoir des soupçons

inspirare [inspi'rare] *vt* inspirer

instabile [in'stabile] *agg* instable

installare [instal'lare] *vt* installer; **installarsi** *vpr*: **installarsi (in)** s'installer (dans)

instancabile [instan'kabile] *agg* infatigable

instaurare [instau'rare] *vt* instaurer; **instaurarsi** *vpr* s'établir, être instauré(e)

insuccesso [insut'tʃesso] *sm* insuccès *m*, échec *m*

insufficiente [insuffi'tʃente] *agg* insuffisant(e); (*compito, candidato*) au dessous de la moyenne

insufficienza [insuffi'tʃentsa] *sf* insuffisance *f*; (*Scol*) note *f* au-dessous de la moyenne; ~ **di prove** (*Dir*) manque *m* de preuves; ~ **renale** insuffisance rénale

insulina [insu'lina] *sf* insuline *f*

insulso, -a [in'sulso] *agg* (*fig: sciocco*) niais(e), sot(te); (: *privo di interesse*) insignifiant(e)

insultare [insul'tare] *vt* insulter

insulto [in'sulto] *sm* insulte *f*

intaccare [intak'kare] *vt* (*sogg: ruggine, acido*) attaquer, ronger; (*fig: risparmi*) entamer; (: *reputazione, qualità*) porter atteinte à

intagliare [intaʎ'ʎare] *vt* graver

intanto [in'tanto] *avv* (*nel frattempo*) pendant ce temps, en attendant; (*per cominciare*) d'abord; ~ **che** pendant que

intasare [inta'sare] *vt* engorger; (*strada, traffico*) embouteiller; **intasarsi** *vpr* se boucher

intascare [intas'kare] *vt* (*mettere in tasca*) mettre dans sa poche; (*soldi*) empocher

intatto, -a [in'tatto] *agg* intact(e)

intavolare [intavo'lare] *vt* entamer, engager

integrale [inte'grale] *agg* intégral(e); (*pane*) complet(-ète) ■ *sm* (*Mat*) intégrale *f*; **edizione** ~ édition *f* intégrale; **versione** ~ (*film, documentario*) version *f* intégrale

integrante [inte'grante] *agg*: **esser parte** ~ **di** être partie intégrante de

integrare [inte'grare] *vt* compléter; (*Mat*) intégrer; **integrarsi** *vpr* s'intégrer

integratore [integra'tore] *sm* complément *m*

ntegrità [integri'ta] *sf* intégrité *f*

ntegro, -a ['integro] *agg* (*intero, intatto*) intact(e); (*retto*) intègre

ntelaiatura [intelaja'tura] *sf* châssis *msg*, structure *f*

ntelletto [intel'lɛtto] *sm* raison *f*, esprit *m*; (*intelligenza*) intelligence *f*

ntellettuale [intellettu'ale] *agg, sm/f* intellectuel(le)

ntelligente [intelli'dʒɛnte] *agg* intelligent(e)

ntemperie [intem'pɛrje] *sfpl* intempéries *fpl*

ntendere [in'tɛndere] *vt* (*capire, interpretare*) comprendre; (*udire, voler dire*) entendre; **intendersi** *vpr*: **intendersi di** s'entendre en, se connaître en; **intendersi (su qc)** (*accordarsi*) s'entendre (sur qch), s'accorder (sur qch); **intende andarsene** il a l'intention de s'en aller; **dare ad ~ a qn che...** faire croire à qn que...; **intendersela con qn** (*avere una relazione*) avoir une liaison avec qn; **non vuole ~ ragione** il ne veut pas entendre raison; **s'intende!** bien entendu!, cela va sans dire!; **intendiamoci** entendons-nous; **(ci siamo) intesi?** d'accord?, c'est entendu?

ntenditore, -trice [intendi'tore] *sm/f* connaisseur(-euse); **a buon intenditor poche parole** (*proverbio*) à bon entendeur, salut!

ntensivo, -a [inten'sivo] *agg* intensif(-ive)

ntenso, -a [in'tɛnso] *agg* intense

ntento, -a [in'tɛnto] *agg*: **~ a qc** absorbé(e) par qch ⬛ *sm* (*fine*) but *m*; (*proposito*) intention *f*; **~ a fare qc** occupé(e) à faire qch; **fare qc con l'~ di** faire qch dans l'intention de; **riuscire nel proprio ~/nell'~** réussir dans son entreprise

ntenzionale [intentsjo'nale] *agg* (*anche Dir*) intentionnel(le); **fallo ~** (*Sport*) faute *f* intentionnelle

ntenzione [inten'tsjone] *sf* intention *f*; **avere (l)'~ di fare qc** avoir l'intention de faire qch

nterattivo, -a [interat'tivo] *agg* interactif(-ive)

ntercettare [intertʃet'tare] *vt* intercepter

intercity [inter'siti] *sm inv* (*Ferr*) train *m* reliant les grandes villes

interdetto, -a [inter'detto] *pp di* **interdire** ⬛ *agg* interdit(e) ⬛ *sm* (*Rel*) interdit *m*; **rimanere ~** demeurer interdit(e)

interessante [interes'sante] *agg* intéressant(e); **essere in stato ~** être enceinte

interessare [interes'sare] *vt* intéresser ⬛ *vi*: **~ a** intéresser; **interessarsi** *vpr* (*mostrare interesse*): **interessarsi a** s'intéresser à; **interessarsi di** (*occuparsi*) s'occuper de; **precipitazioni che interessano le regioni settentrionali** précipitations qui touchent les régions du Nord; **si è interessato di farmi avere quei biglietti** il s'est chargé de me procurer ces billets

interesse [inte'rɛsse] *sm* intérêt *m*; **interessi** *smpl* (*affari*) intérêts *mpl*, affaires *fpl*; (*hobby*) hobby *msg*; (*tornaconto*): **fare qc per ~** faire qch par intérêt; **~ maturato** (*Econ*) intérêt échu; **~ privato in atti di ufficio** (*Amm*) usage *m* abusif d'écritures publiques

interfaccia, -ce [inter'fattʃa] *sf* (*Inform*) interface *f*; **~ utente** interface utilisateur(-trice)

interferenza [interfe'rɛntsa] *sf* interférence *f*

interferire [interfe'rire] *vi* interférer

interiezione [interjet'tsjone] *sf* interjection *f*

interiora [inte'rjora] *sfpl* entrailles *fpl*

interiore [inte'rjore] *agg* intérieur(e)

intermedio, -a [inter'mɛdjo] *agg* intermédiaire

internare [inter'nare] *vt* interner

internauta [inter'nauta] *sm/f* internaute *m/f*

internazionale [internattsjo'nale] *agg* international(e) ⬛ *sf*: **l'I~** l'Internationale *f*

Internet ['internet] *sf* Internet *m*; **in ~** sur l'Internet

interno, -a [in'tɛrno] *agg* interne; (*nazionale, fig*) intérieur(e) ⬛ *sm* (*di edificio, Pittura, Cine*) intérieur *m*; (*Tel*) poste *m* ⬛ *sm/f* (*Scol*) interne *m/f*; **interni** *smpl* (*Cine*) scènes *fpl* tournées en intérieur; **all'~** à l'intérieur; **commissione interna** (*Scol*) en Italie, jury d'examen composé de professeurs de l'école; **per uso ~** (*Med*) pour usage interne; **Ministero degli Interni, gli Interni** ministère *m* de l'Intérieur; **notizie dall'~** (*Stampa*) nouvelles *fpl* de l'intérieur

intero, -a [in'tero] *agg* entier(-ière); (*prezzo, biglietto*) plein tarif; **pagare il biglietto ~** payer place entière

interpellare [interpel'lare] *vt* consulter

interpretare [interpre'tare] *vt* interpréter

interprete [in'terprete] *sm/f* interprète *m/f*; **farsi ~ di** se faire l'interprète de; **ci potrebbe fare da ~?** pourriez-vous nous servir d'interprète?

interregionale [interredʒo'nale] *sm* voir encadré ci-dessous

⬤ **INTERREGIONALI**
⬤
⬤ Les trains *interregionali* parcourent
⬤ un réseau limité et font halte dans
⬤ des gares moins importantes.

interrogare [interro'gare] *vt* interroger

interrogazione [interrogat'tsjone] *sf* interrogation *f*; **~ (parlamentare)** (*Pol*) interpellation *f* (parlementaire)

interrompere [inter'rompere] *vt* interrompre; **interrompersi** *vpr* s'interrompre

interruttore [interrut'tore] *sm* interrupteur *m*

interruzione [interrut'tsjone] *sf* interruption *f*; **~ di gravidanza** interruption de grossesse

interurbana [interur'bana] *sf* (*Tel*) communication *f* interurbaine

intervallo [inter'vallo] *sm* intervalle *m*; (*Cine, Teatro*) entracte *m*; **~ pubblicitario** page *f* de publicité

intervenire [interve'nire] *vi*: **~ (in)** intervenir (dans); **~ (a)** prendre part (à); (*Med*) intervenir

intervento [inter'vento] *sm* (*anche Med*) intervention *f*; (*partecipazione*) participation *f*, présence *f*; **fare un ~** faire une intervention

intervista [inter'vista] *sf* interview *f*

intervistare [intervis'tare] *vt* interviewer

intestare [intes'tare] *vt* (*libro*) donner un titre à; (*lettera*) mettre un en-tête à; **~ a** (*proprietà, assegno ecc*) mettre au nom de

intestato, -a [intes'tato] *agg* au nom de; **carta intestata** papier *m* à en-tête

intestino, -a [intes'tino] *agg* intestin(e) ◼ *sm* intestin *m*

intimidazione [intimidat'tsjone] *sf* intimidation *f*

intimidire [intimi'dire] *vt* intimider ◼ *vi* (*anche*: **intimidirsi**) être intimidé(e)

intimità [intimi'ta] *sf* intimité *f*

intimo, -a ['intimo] *agg* intime; (*più interno*) profond(e), intime; **biancheria intima** (*da donna*) lingerie *f*; (: *da uomo*) linge *m* de corps; (*fig*) profond(e) ◼ *sm* (*dell'animo*) fond *m*, for *m* intérieur; **parti intime** (*del corpo*) parties *fpl* intimes; **rapporti intimi** rapports *mpl* intimes

intingolo [in'tingolo] *sm* (*Cuc*: *sugo*) sauce *f*; (: *pietanza*) ragoût *m*

intitolare [intito'lare] *vt* intituler; **intitolarsi** *vpr* s'intituler; **~ a qn** (*monumento ecc*) donner le nom de qn à

intollerabile [intolle'rabile] *agg* intolérable

intollerante [intolle'rante] *agg* intolérant(e)

intonaco, -ci *o* **chi** [in'tɔnako] *sm* crépi *m*

intonare [into'nare] *vt* (*canto*) entonner; (*armonizzare*) accorder; (*adattare*) assortir; **intonarsi** *vpr*: **intonarsi (a)** (*colore*) s'harmoniser (avec); (: *abito*) aller bien (avec); (*uso reciproco*) s'assortir

intontito, -a [inton'tito] *agg* abruti(e); **~ dal sonno** hébété(e) de sommeil

intoppo [in'tɔppo] *sm* obstacle *m*, entrave *f*

intorno [in'torno] *avv* autour, tout autour; **~ a** (*attorno a*) autour de; (*sull'argomento di*) sur, à propos de; (*circa*) à peu près, environ

intossicare [intossi'kare] *vt* intoxiquer

intossicazione [intossikat'tsjone] *sf* intoxication *f*

intralciare [intral'tʃare] *vt* entraver, gêner

intransitivo, -a [intransi'tivo] *agg* intransitif(-ive) ■ *sm* intransitif *m*

intraprendente [intrapren'dɛnte] *agg* entreprenant(e)

intraprendere [intra'prɛndere] *vt* entreprendre

intrattabile [intrat'tabile] *agg* intraitable

intrattenere [intratte'nere] *vt* entretenir; **intrattenersi** *vpr* s'attarder, rester; **intrattenersi su qc** s'entretenir de qch

intravedere [intrave'dere] *vt* (*anche fig*) entrevoir

intrecciare [intret'tʃare] *vt* (*capelli*) tresser, natter; (*trama, fig*) tramer; (*relazione, rapporti*) nouer; **intrecciarsi** *vpr* s'entrelacer, s'entremêler; **~ le mani** joindre les mains en croisant les doigts; **~ una relazione amorosa** nouer une relation sentimentale; **s'intreccino le danze!** que le bal commence!

intrigante [intri'gante] *agg, sm/f* intrigant(e)

intrinseco, -a, -ci, -che [in'trinseko] *agg* intrinsèque

intriso, -a [in'trizo] *agg*: **~ di** trempé(e) de

introdurre [intro'durre] *vt*: **~ (in)** introduire (dans); **introdursi** *vpr*: **introdursi in** s'introduire dans

introduzione [introdut'tsjone] *sf* introduction *f*; (*prefazione*) introduction, avant-propos *msg*

introito [in'trɔito] *sm* recette *f*; **introiti fiscali** rentrées *fpl* fiscales, recettes fiscales

intromettersi [intro'mettersi] *vpr*: **~ (in)** se mêler (de), s'interposer (dans)

intruglio [in'truʎʎo] *sm* mixture *f*

intrusione [intru'zjone] *sf* intrusion *f*

intruso, -a [in'truzo] *sm/f* intrus(e)

intuire [intu'ire] *vt* pressentir, avoir l'intuition que; **intuiva che non sarebbe venuto** il avait l'intuition qu'il ne viendrait pas

intuito [in'tuito] *sm* intuition *f*

inumano, -a [inu'mano] *agg* inhumain(e)

inumidire [inumi'dire] *vt* humidifier, humecter; **inumidirsi** *vpr* s'humecter

inutile [i'nutile] *agg* inutile; **è stato tutto ~!** tout a été inutile!

inutilmente [inutil'mente] *avv* inutilement; **ti preoccupi ~** tu t'inquiètes inutilement; **l'ho cercato ~** je l'ai cherché en vain

invadente [inva'dɛnte] *agg* envahissant(e)

invadere [in'vadere] *vt* envahir

invaghirsi [inva'girsi] *vpr*: **~ (di)** s'éprendre (de), s'enticher (de)

invalidità [invalidi'ta] *sf* invalidité *f*; (*Dir*) nullité *f*

invalido, -a [in'valido] *agg* invalide; (*Dir*) nul(le) ■ *sm/f* invalide *m/f*; **~ del lavoro** invalide du travail; **~ di guerra** invalide de guerre

invano [in'vano] *avv* en vain

invasione [inva'zjone] *sf* invasion *f*; (*fig*) propagation *f*

invasore [inva'zore] *sm* envahisseur(-euse)

invecchiare [invek'kjare] *vi* vieillir ■ *vt* (*stagionare*) faire vieillir; (*far apparire più vecchio*) vieillir; **lo trovo invecchiato** je trouve qu'il a vieilli

invece [in'vetʃe] *avv* au contraire; **~ di** au lieu de, à la place de; **~ che** au lieu de

inveire [inve'ire] *vi*: **~ contro** invectiver contre

inventare [inven'tare] *vt* inventer

inventario [inven'tarjo] *sm* inventaire *m*; **fare l'~ di** (*fig*) passer en revue

inventore, -trice [inven'tore] *sm/f* inventeur(-trice)

invenzione [inven'tsjone] *sf* invention *f*; (*immaginazione*) imagination *f*

invernale [inver'nale] *agg* hivernal(e)

inverno [in'verno] *sm* hiver *m*; **d'~** en hiver, l'hiver

inverosimile [invero'simile] *agg* invraisemblable

inversione [inver'sjone] *sf* inversion *f*; **~ di marcia** (*Aut*) demi-tour *m*

inverso, -a [in'vɛrso] *agg, sm* inverse
(*m*); **in senso ~** dans le sens inverse;
in ordine ~ dans l'ordre inverse

invertire [inver'tire] *vt* (*direzione*)
faire demi-tour, rebrousser chemin;
(*ruoli*) renverser, intervertir; (*posto,
disposizione*) changer, permuter;
~ la marcia (*Aut*) faire marche arrière;
~ la rotta (*Naut*) changer de cap; (*fig*)
faire volte-face

investigare [investi'gare] *vt* sonder;
(*causa*) rechercher ◼ *vi* enquêter

investigatore, -trice
[investiga'tore] *sm/f*
investigateur(-trice); **~ privato**
détective *m* (privé)

investimento [investi'mento] *sm*
accident *m*, collision *f*; (*Econ*)
investissement *m*

investire [inves'tire] *vt* (*denaro*)
investir; (*pedone, ciclista*) renverser;
(*apostrofare*) assaillir; **investirsi** *vpr*
(*fig*): **investirsi di una parte** entrer
dans la peau d'un personnage; **~ qn di**
(*di potere, carica*) investir qn de

inviare [invi'are] *vt* envoyer, expédier

inviato, -a [invi'ato] *sm/f* envoyé(e);
~ speciale envoyé(e) spécial(e)

invidia [in'vidja] *sf* envie *f*; **fare ~ a
qn** faire envie à qn

invidiare [invi'djare] *vt*: **~ qn (per
qc)** envier qn (de qch), jalouser qn
(pour qch); **~ qc (a qn)** envier qch (à
qn); **non aver nulla da ~ a nessuno**
n'avoir rien à envier à personne

invidioso, -a [invi'djoso] *agg*
envieux(-euse)

invio, -vii [in'vio] *sm* envoi *m*;
(*su tastiera*) entrée *f*

inviperito, -a [invipe'rito] *agg*
furieux(-euse)

invisibile [invi'zibile] *agg* invisible

invitare [invi'tare] *vt* inviter; **~ qn a
fare qc** inviter qn à faire qch; **~ qn a
cena** inviter qn à dîner

invitato, -a [invi'tato] *sm/f* invité(e)

invito [in'vito] *sm* invitation *f*; **dietro
~ del sig. Rossi** sur (l')invitation de
M. Rossi

invocare [invo'kare] *vt* invoquer;
~ aiuto appeler à l'aide; (*pace*) désirer,
implorer

invogliare [invoʎ'ʎare] *vt*: **~ (qn a
fare)** donner (à qn) envie (de faire)

involontario, -a [involon'tarjo] *agg*
involontaire

involtino [invol'tino] *sm* (*Cuc: di
carne*) paupiette *f*; **~ primavera**
rouleau *m* de printemps

involto [in'volto] *sm* paquet *m*

involucro [in'volukro] *sm* enveloppe
f, emballage *m*

inzuppare [intsup'pare] *vt* tremper;
(*terreno*) détremper; **inzupparsi** *vpr*
(*imbeversi*) s'imprégner; (*sotto la
pioggia*) se tremper

io ['io] *pron* je ◼ *sm inv*: **l'io** le moi;
io stesso(a) moi-même; **sono io** c'est
moi; **io, credo che...** moi, je crois
que...

iodio ['jɔdjo] *sm* iode *m*

Ionio ['jɔnjo] *sm*: **lo ~, il Mar ~** la Mer
ionienne

ipermercato [ipermer'kato] *sm*
hypermarché *m*

ipertensione [iperten'sjone] *sf*
hypertension *f*

ipertesto [iper'testo] *sm*
hypertexte *m*

ipertestuale [ipertes'twale] *agg*
(*Inform*): **link ~** hyperlien *m*

ipnosi [ip'nɔzi] *sf* hypnose *f*

ipnotizzare [ipnotid'dzare] *vt*
hypnotiser

ipocrisia [ipokri'zia] *sf* hypocrisie *f*

ipocrita, -i, -e [i'pɔkrita] *agg, sm/f*
hypocrite *m/f*

ipoteca, -che [ipo'tɛka] *sf*
hypothèque *f*

ipotesi [i'pɔtezi] *sf inv* hypothèse *f*;
per ~ par hypothèse; **facciamo
l'~ che...** supposons que...;
ammettiamo per ~ che... admettons
l'hypothèse selon laquelle...; **nella
peggiore/migliore delle ~** dans le
pire/meilleur des cas; **nell'~ che
venga** au cas où il viendrait, dans
l'hypothèse où il viendrait; **se per
~ io partissi...** au cas où je partirais...

ippica ['ippika] *sf* hippisme *m*

ippico, -a, -ci, -che ['ippiko] *agg*
hippique

ippocastano [ippokas'tano] *sm*
marronnier *m* (d'Inde)

ippodromo [ip'pɔdromo] *sm*
hippodrome *m*

ippopotamo [ippo'pɔtamo] *sm*
hippopotame *m*

ipsilon ['ipsilon] *sf o m inv* i grec *m*; (*dell'alfabeto greco*) upsilon *m*

IR *abbr* (= *Interregionale*) train interrégional

iracheno, -a [ira'kɛno] *agg* irakien(ne) ■ *sm/f* Irakien(ne)

iraniano, -a [ira'njano] *agg* iranien(ne) ■ *sm/f* Iranien(ne)

iride ['iride] *sf* (*arcobaleno*) arc-en-ciel *m*; (*Anat, Bot*) iris *m*

Irlanda [ir'landa] *sf* Irlande *f*; **l'~ del Nord** l'Irlande du Nord; **la Repubblica d'~** la République d'Irlande; **il mar d'~** la mer d'Irlande

irlandese [irlan'dese] *agg* irlandais(e) ■ *sm/f* Irlandais(e)

ironia [iro'nia] *sf* ironie *f*; **fare dell'~** ironiser

ironico, -a, -ci, -che [i'rɔniko] *agg* ironique

irragionevole [irradʒo'nevole] *agg* (*persona*) déraisonnable; (*decisione*) irraisonné(e)

irrazionale [irrattsjo'nale] *agg* irrationnel(le)

irreale [irre'ale] *agg* irréel(le)

irregolare [irrego'lare] *agg* irrégulier(-ière)

irremovibile [irremo'vibile] *agg* (*fig*) inébranlable

irrequieto, -a [irre'kwjɛto] *agg* agité(e)

irresistibile [irresis'tibile] *agg* irrésistible

irresponsabile [irrespon'sabile] *agg* irresponsable

irrigare [irri'gare] *vt* (*campo*) irriguer; (*sogg: fiume*) arroser

irrigidire [irridʒi'dire] *vt* (*anche fig*) durcir; (*muscolo*) raidir; **irrigidirsi** *vpr* (*anche persona*) se raidir; (: *fig*) se durcir

irrisorio, -a [irri'zɔrjo] *agg* dérisoire

irritare [irri'tare] *vt* irriter; **irritarsi** *vpr* s'irriter

irrompere [ir'rompere] *vi*: ~ **in** faire irruption dans

irruente [irru'ɛnte] *agg* (*fig*) impétueux(-euse)

irruppi *ecc* [ir'ruppi] *vb vedi* **irrompere**

irruzione [irrut'tsjone] *sf* irruption *f*; (*polizia*) descente *f*; **fare ~ in** faire irruption dans

iscrissi *ecc* [is'krissi] *vb vedi* **iscrivere**

iscritto, -a [is'kritto] *pp di* **iscrivere** ■ *sm/f* inscrit(e); **gli iscritti alla gara** les concurrents *mpl* ■ *sm*: **per o in ~** par écrit

iscrivere [is'krivere] *vt*: ~ **(a)** inscrire (à); **iscriversi** *vpr* s'inscrire

iscrizione [iskrit'tsjone] *sf* inscription *f*

Islam [iz'lam] *sm* Islam *m*

Islanda [iz'landa] *sf* Islande *f*

isola ['izola] *sf* île *f*; ~ **pedonale** (*Aut*) zone *f* piétonnière

isolamento [izola'mento] *sm* isolement *m*; (*Tecn: acustico, termico*) isolation *f*; ~ **acustico** insonorisation *f*; ~ **termico** isolation thermique; (*tubi*) calorifugeage *m*

isolante [izo'lante] *agg* isolant(e) ■ *sm* isolant *m*

isolare [izo'lare] *vt* isoler; (*suono*) insonoriser; **isolarsi** *vpr* s'isoler, se retirer

isolato, -a [izo'lato] *agg* isolé(e) ■ *sm* (*edificio*) pâté *m* de maisons

ispettore, -trice [ispet'tore] *sm/f* inspecteur(-trice); ~ **di Polizia** inspecteur de police; ~ **di reparto** chef *m* de rayon

ispezionare [ispettsjo'nare] *vt* inspecter

ispido, -a ['ispido] *agg* hirsute

ispirare [ispi'rare] *vt* inspirer; **ispirarsi** *vpr*: **ispirarsi a** s'inspirer de; **l'idea m'ispira** cette idée m'inspire

Israele [izra'ele] *sm* Israël *m*

israeliano, -a [izrae'ljano] *agg* israélien(ne) ■ *sm/f* Israélien(ne)

issare [is'sare] *vt* hisser; ~ **l'ancora** lever l'ancre

istantanea [istan'tanea] *sf* (*Fot*) instantané *m*

istantaneo, -a [istan'taneo] *agg* instantané(e)

istante [is'tante] *sm* instant *m*; **all'~, sull'~** à l'instant, sur le champ

isterico, -a, -ci, -che [is'tɛriko] *agg* hystérique

istigare [isti'gare] *vt*: ~ **(qn a qc/a fare qc)** inciter (qn à qch/à faire qch)

istinto [is'tinto] *sm* instinct *m*; **d'~** (*fare, reagire*) d'instinct

istituire [istitu'ire] *vt* instituer, fonder; (*inchiesta*) ouvrir

istituto [isti'tuto] *sm* (*ente*)
institution *f*; (*scuola*) établissement
m; (*di università*) institut *m*; ~ **di**
bellezza institut de beauté; ~ **di**
credito établissement *m* de crédit;
~ **di ricerca** institut de recherche;
~ **tecnico commerciale**
≈ établissement *m* d'études
secondaires (*préparation au Bac G*)

istituzione [istitut'tsjone] *sf*
institution *f*; **istituzioni** *sfpl* (*Dir*)
institutions *fpl*; **lotta alle istituzioni**
lutte *f* contre les pouvoirs établis

istmo ['istmo] *sm* isthme *m*

istrice ['istritʃe] *sm* porc-épic *m*

istruito, -a [istru'ito] *agg* instruit(e)

istruttore, -trice [istrut'tore] *sm/f*
moniteur(-trice) ▪ *agg*: **giudice ~**
juge *m* d'instruction

istruzione [istrut'tsjone] *sf*
(*insegnamento, Dir*) instruction *f*;
(*sapere*) culture *f*; (*cultura*) culture,
instruction; **Ministero della**
Pubblica I~ Ministère *m* de
l'Éducation Nationale; **istruzioni**
sfpl (*norme*) instructions *fpl*;
istruzioni per l'uso mode *m* d'emploi;
~ **obbligatoria** (*Scol*) scolarité *f*
obligatoire

Italia [i'talja] *sf* Italie *f*

italiano, -a [ita'ljano] *agg* italien(ne)
▪ *sm/f* Italien(ne) ▪ *sm* italien *m*

itinerario [itine'rarjo] *sm* itinéraire *m*

ittico, -a, -ci, -che ['ittiko] *agg* du
poisson; **il patrimonio ~** les richesses
en poissons

Iugoslavia [jugoz'lavja] *sf* (*Hist*)
= **Jugoslavia**

IVA ['iva] *sigla f* (= *imposta sul valore*
aggiunto) TVA *f*

J

jazz [dʒaz] *sm* jazz *m*

jeans [dʒinz] *smpl* (*calzoni*): **(un paio**
di) ~ jean *m*

jeep® [dʒip] *sf inv* jeep® *f*

jogging ['dʒɔgiŋ] *sm inv* jogging *m*;
fare ~ faire du jogging

jolly ['dʒɔli] *sm inv* joker *m*

joystick [dʒɔis'tik] *sm inv* manche *m*
à balai

judo [dʒu'dɔ] *sm* judo *m*

Jugoslavia [jugoz'lavja] *sf* (*Hist*)
Yougoslavie *f*

K l

K, k *abbr* (= *kilo-, chilo-*) K, k
kamikaze [kami'kaddze] *sm inv*
  kamikaze *m*
karaoke [ka'raokɛ] *sm inv* karaoké *m*
karatè [kara'tɛ] *sm* karaté *m*
kayak [ka'jak] *sm inv* kayak *m*
kg *abbr* (= *chilogrammo*) kg
killer ['killer] *sm inv* tueur *m* à gages
kitsch [kitʃ] *agg, sm* kit(s)ch (*m*)
kiwi ['kiwi] *sm inv* kiwi *m*
km *abbr* (= *chilometro*) km
K.O. [kappa'o] *sm inv* K.-O. *m*
koala [ko'ala] *sm inv* koala *m*
kosovaro, -a *agg* kosovar(e)
  ■ *sm/f* Kosovar(e) *m/f*
Kosovo *sm* Kosovo *m*
krapfen ['krapfən] *sm inv* ≈ beignet *m*
  à la crème *o* à la confiture

l *abbr* (= *litro*) l
la [la] *dav V l'* *art f* la ■ *pron* la; (*forma di cortesia*) vous ■ *sm inv* (*Mus*) la *m inv; vedi anche* **il**
là [la] *avv* là; **di là** de là; (*moto per luogo*) par là; (*dall'altra parte*) de l'autre côté; **di là di** au-delà de, de l'autre côté de; **per di là** par là; **più in là** (*spazio*) plus loin; (*tempo*) plus tard; **là dentro/sopra/sotto** là dedans/dessus/dessous; **fatti in là** pousse-toi; **là per là** sur le moment, à brûle-pourpoint; **essere in là con gli anni** être d'un âge avancé; **essere più di là che di qua** (*fig*) être plus mort(e) que vif (vive); **ma va' là!** (*sorpresa*) tu parles!; (*incredulità*) sans blague!; **stavolta è andato troppo in là** cette fois-ci il a exagéré; *vedi anche* **quello**
labbro ['labbro] (*solo nel senso ANAT pl(f)* **labbra**) *sm* lèvre *f*
labirinto [labi'rinto] *sm* (*anche fig*) labyrinthe *m*
laboratorio [labora'tɔrjo] *sm* laboratoire *m*; (*di arti, mestieri*) atelier *m*; **~ linguistico** laboratoire de langues

laborioso, -a [labo'rjoso] *agg* laborieux(-euse)

lacca, -che ['lakka] *sf (anche per capelli)* laque *f*; ~ **per le unghie** vernis *msg* (à ongles)

laccio, -ci ['lattʃo] *sm (delle scarpe)* lacet *m*

lacerare [latʃe'rare] *vt* déchirer; **lacerarsi** *vpr* se déchirer

lacrima ['lakrima] *sf* larme *f*; **in lacrime** en larmes

lacrimogeno, -a [lakri'mɔdʒeno] *agg*: **(gas)** ~ gaz *m* lacrymogène

lacuna [la'kuna] *sf (fig)* lacune *f*

ladro, -a ['ladro] *sm/f* voleur(-euse); **al ~!** au voleur!

laggiù [lad'dʒu] *avv (là in basso)* là-bas

lagnarsi [laɲ'narsi] *vpr*: ~ **(di)** se plaindre (de)

lago, -ghi ['lago] *sm* lac *m*; *(fig)* mare *f*; **un ~ di sangue** une mare de sang; **L~ di Como** lac de Côme; **L~ di Costanza** lac de Constance; **L~ di Garda** lac de Garde; **L~ Maggiore** lac Majeur

laguna [la'guna] *sf* lagune *f*

laico, -a, -ci, -che ['laiko] *agg, sm/f* laïc (laïque) ■ *sm (frate)* frère *m* convers

lama ['lama] *sf* lame *f* ■ *sm inv (Zool, Rel)* lama *m*

lamentarsi [lamen'tarsi] *vpr (gemere)*: ~ **(per)** gémir (pour); ~ **(di)** *(rammaricarsi)* se plaindre (de)

lamentela [lamen'tɛla] *sf* plainte *f*

lametta [la'metta] *sf*: ~ **da barba** lame *f* de rasoir

lamina ['lamina] *sf* lame *f*, feuille *f*; ~ **d'oro** feuille d'or

lampada ['lampada] *sf* lampe *f*; ~ **a gas** lampe à gaz; ~ **a petrolio** lampe à pétrole; ~ **a spirito** *(da saldatore)* lampe à souder; ~ **a stelo** lampadaire *m*; ~ **da tavolo** lampe de bureau

lampadario [lampa'darjo] *sm* lustre *m*

lampadina [lampa'dina] *sf* ampoule *f*; ~ **tascabile** lampe *f* de poche

lampante [lam'pante] *agg (fig)* évident(e)

lampeggiare [lamped'dʒare] *vi (sogg: luce)* étinceler; *(Aut)* clignoter ■ *vb impers*: **lampeggia** il y a des éclairs

lampeggiatore [lampedd3a'tore] *sm (Aut)* clignotant *m*

lampione [lam'pjone] *sm* réverbère *m*

lampo ['lampo] *sm* éclair *m* ■ *agg inv*: **cerniera** ~ fermeture *f* éclair; **come un** ~ *(passare ecc)* comme un éclair; **in un** ~ en un éclair; **la giornata è passata in un** ~ la journée a passé en un clin d'œil; **un ~ di genio** un éclair de génie

lampone [lam'pone] *sm (pianta)* framboisier *m*; *(frutto)* framboise *f*

lana ['lana] *sf* laine *f*; **di** ~ *(maglia ecc)* en laine; **pura ~ vergine** pure laine vierge; ~ **d'acciaio** paille *f* de fer; ~ **di vetro** laine de verre

lancetta [lan'tʃetta] *sf* aiguille *f*

lancia ['lantʃa] *sf (arma, di pompa)* lance *f*; *(Naut)* canot *m*, chaloupe *f*; **partire ~ in resta** *(fig)* partir en guerre; **spezzare una ~ in favore di qn** *(fig)* faire un plaidoyer en faveur de qn; ~ **di salvataggio** canot de sauvetage

lanciafiamme [lantʃa'fjamme] *sm inv* lance-flammes *m inv*

lanciare [lan'tʃare] *vt* lancer; **lanciarsi** *vpr*: **lanciarsi contro/su** lancer contre/sur; ~ **un grido** lancer un cri; ~ **il disco/il peso** *(Sport)* lancer le disque/le poids; **lanciarsi col paracadute** sauter en parachute; **lanciarsi in acqua** sauter dans l'eau; **lanciarsi in un'impresa** se lancer dans une entreprise; **lanciarsi all'inseguimento di qn** se lancer à la poursuite de qn; **si è lanciata!** *(fig)* elle s'est jetée à l'eau!

lancinante [lantʃi'nante] *agg* lancinant(e)

lancio, -ci ['lantʃo] *sm (anche Aer, Sport)* lancement *m*; **il ~ di un prodotto** le lancement d'un produit; ~ **col paracadute** saut *m* en parachute; ~ **del disco** lancer *m* de disque; ~ **del peso** lancer *m* de poids

languido, -a ['langwido] *agg* langoureux(-euse)

lanterna [lan'tɛrna] *sf* lanterne *f*; *(faro)* phare *m*

lapide ['lapide] *sf (di sepolcro)* pierre *f* tombale; *(commemorativa)* plaque *f*

lapsus ['lapsus] *sm inv* lapsus *m*; ~ **freudiano** lapsus révélateur

lardo ['lardo] *sm* lard *m*

larga ['larga] sf: **stare** o **tenersi alla ~ (da)** se tenir à distance (de)

larghezza [lar'gettsa] sf largeur f; (liberalità) largesse f; (abbondanza: di particolari ecc) abondance f; **una strada di venti metri di ~** une route de vingt mètres de large; **con ~ di mezzi** avec de gros moyens; **~ di vedute** largeur de vues

largo, -a, -ghi, -ghe ['largo] agg large; (fig: ricompensa, presenza) gros (grosse) ■ sm (piazza) place f; **al ~** (in mare) au large; **~ due metri** large de deux mètres; **~ di spalle** large d'épaules; **di larghe vedute** large d'idées; **in larga misura** dans une large mesure; **su larga scala** sur une grande échelle; **al ~ di Genova** au large de Gênes; **farsi ~ tra la folla** se frayer un chemin dans la foule

larice ['laritʃe] sm mélèze m

laringite [larin'dʒite] sf laryngite f

larva ['larva] sf larve f

lasagne [la'zaɲɲe] sfpl lasagnes fpl

lasciare [laʃʃare] vt (paese, casa, marito) quitter; (briglie, volante) lâcher; (dimenticare: occhiali ecc) laisser; (affidare: compito) confier; **lasciarsi** vpr (coppia) se quitter; **~ qn fare qc** laisser qn faire qch; **lasciar fare qn** laisser faire qn; **lasciar andare/correre/perdere** laisser aller/courir/tomber; **lascia stare!** (non toccare) ne touche pas!; **lascia perdere** o **stare!** laisse tomber!; **lasciar qn erede** faire de qn son héritier; **~ qc in eredità** laisser qch en héritage; **~ la presa** lâcher prise; **~ il segno (su qc)** (fig) laisser des traces (sur qch); **~ a desiderare** laisser à désirer; **ci ha lasciato la vita** il y a laissé sa vie; **lasciarsi andare (a)** se laisser aller (à); **lasciarsi truffare** se faire avoir

laser ['lazer] agg inv laser inv ■ sm inv laser m

lassativo, -a [lassa'tivo] agg laxatif(-ive) ■ sm laxatif m

lasso ['lasso] sm: **~ di tempo** laps msg de temps

lassù [las'su] avv là-haut

lastra ['lastra] sf (anche Fot) plaque f; (di pietra) dalle f; (radiografia) radiographie f

lastricato [lastri'kato] sm pavé m

laterale [late'rale] agg latéral(e) ■ sf (strada) rue f perpendiculaire ■ sm (Calcio) demi m

latino, -a [la'tino] agg latin(e) ■ sm latin m

latitante [lati'tante] agg en fuite; (fig) absent(e), inexistant(e) ■ sm contumace m, contumax m; **il boss mafioso è ~ da due mesi** le patron de la mafia est en cavale depuis deux mois

latitudine [lati'tudine] sf latitude f

lato, -a ['lato] sm côté m ■ agg: **in senso ~** au sens large; **d'altro ~** d'un autre côté

latta ['latta] sf (materiale) fer-blanc m; (recipiente) bidon m

lattante [lat'tante] sm/f nourrisson m

latte ['latte] sm lait m; **fratello di ~** frère m de lait; **tutto ~ e miele** (fig) tout sucre et tout miel; **~ detergente** lait démaquillant; **~ di cocco** lait de coco; **~ in polvere** lait en poudre; **~ intero** lait entier; **~ magro** o **scremato** lait écrémé; **~ solare** lait solaire

latticini [latti'tʃini] smpl laitages mpl

lattina [lat'tina] sf boîte f; **una ~ d'aranciata** une orangeade en boîte

lattuga, -ghe [lat'tuga] sf laitue f

laurea ['laurea] sf (Scol) ≈ maîtrise f; **~ in lettere** ≈ maîtrise de lettres; **~ in ingegneria** diplôme m d'ingénieur

---

LAUREA

La Laurea est décernée aux étudiants qui ont réussi leur maîtrise au terme d'un cycle d'études qui dure en général de quatre à six ans. L'une des épreuves les plus importantes des examens de fin de cycle est la présentation et la discussion d'un mémoire. Il est également possible de passer un examen plus court, d'orientation technique et professionnelle; ce cours dure de deux à trois ans, à la fin desquels les étudiants obtiennent un diplôme qu'on appelle la Laurea breve.

laurearsi [laure'arsi] *vpr* ≈ passer sa maîtrise

laureato, -a [laure'ato] *agg* diplômé(e) de l'université; *(poeta)* couronné(e) ■ *sm/f* titulaire *m/f* d'un diplôme de maîtrise; **~ in ingegneria** ingénieur diplômé

> **FALSI AMICI**
> **laureato** non si traduce mai con la parola francese **lauréat**.

lauro ['lauro] *sm* laurier *m*

lauto, -a ['lauto] *agg (pranzo)* somptueux(-euse), copieux(-euse); *(mancia)* généreux(-euse); **lauti guadagni** de jolis bénéfices *mpl*

lava ['lava] *sf* lave *f*

lavabo [la'vabo] *sm* lavabo *m*

lavaggio [la'vaddʒo] *sm (di macchina ecc)* lavage *m*; *(di bucato)* lessive *f*; **~ a mano** lavage à la main; **~ a secco** nettoyage *m* à sec; **~ del cervello** lavage de cerveau

lavagna [la'vaɲɲa] *sf (di scuola)* tableau *m*; **~ luminosa** tableau lumineux

lavanda [la'vanda] *sf* lavande *f*; *(Med)* lavage *m*; *(: intestinale)* lavement *m*; **~ gastrica** lavage d'estomac

lavanderia [lavande'ria] *sf* blanchisserie *f*; **~ a secco** teinturerie *f*, pressing *m*; **~ automatica** laverie *f* automatique

lavandino [lavan'dino] *sm (in bagno)* lavabo *m*; *(in cucina)* évier *m*

lavapiatti [lava'pjatti] *sm/f inv* plongeur(-euse) ■ *sf inv (macchina)* lave-vaisselle *m inv*

lavare [la'vare] *vt* laver; **lavarsi** *vpr* se laver; **~ i piatti** laver la vaisselle; **~ a secco** nettoyer à sec; **lavarsi le mani/i capelli/i denti** se laver les mains/les cheveux/les dents; **~ i panni sporchi in pubblico** *(fig)* laver son linge sale en public

lavasecco [lava'sekko] *sm o f inv (stabilimento)* teinturerie *f*, pressing *m*

lavastoviglie [lavasto'viʎʎe] *sf inv (macchina)* lave-vaisselle *m inv*

lavatrice [lava'tritʃe] *sf* machine *f* à laver

lavorare [lavo'rare] *vi (persona)* travailler; *(fig: bar, studio ecc)* marcher ■ *vt (creta, pane ecc)* travailler, pétrir; **~ a qc** travailler à qch; **~ a maglia** tricoter; **che ~ fa?** travailler; **~ di fantasia** rêver; **lavorarsi qn** travailler qn

lavorativo, -a [lavora'tivo] *agg (giorno)* ouvrable; *(capacità, ore)* de travail

lavoratore, -trice [lavora'tore] *sm/f, agg* travailleur(-euse)

lavoro [la'voro] *sm* travail *m*; *(opera intellettuale)* œuvre *f*; **che ~ fa?** que faites-vous dans la vie?; **Ministero del L~** ministère *m* du Travail; **i lavori del parlamento** les travaux parlementaires; **~ manuale** travail manuel; **~ nero** travail noir; **lavori di casa/domestici** travaux ménagers/domestiques; **lavori forzati** travaux forcés; **lavori pubblici** travaux publics

le [le] *art fpl* les ■ *pron (oggetto)* les; *(: a lei, a essa)* lui; *(: forma di cortesia)* vous; **le ho viste ieri** je les ai vues hier; **le ho detto la verità** je lui ai dit la vérité; **le chiedo scusa, signora** excusez-moi, Madame; *vedi anche* **il**

leale [le'ale] *agg* loyal(e)

lecca lecca ['lekka 'lekka] *sm inv* sucette *f*

leccapiedi [lekka'pjɛdi] *sm/f inv (peg)* lèche-bottes *m inv*

leccare [lek'kare] *vt* lécher; *(fig: adulare)* flatter; **leccarsi i baffi** *(fig)* se lécher les babines

leccherò *ecc* [lekke'rɔ] *vb vedi* **leccare**

leccio, -ci ['lettʃo] *sm* chêne *m* vert

leccornia [lekkor'nia] *sf* gourmandises *fpl*

lecito, -a ['letʃito] *agg* permis(e); **se mi è ~** si vous me le permettez; **mi sia ~ far presente che...** permettez-moi de vous faire remarquer que...

lega, -ghe ['lega] *sf (alleanza, unione)* ligue *f*; *(di metalli)* alliage *m*; *(misura)* lieue *f*; **L~ Nord** *(Pol)* parti régionaliste italien; **di bassa ~** *(metallo)* de bas aloi; *(gente)* de bas étage

legaccio [le'gattʃo] *sm* lacet *m*

legale [le'gale] *agg* légal(e) ■ *sm (avvocato)* avocat *m*; **domicilio ~** domicile *m* (fixe)

legalizzare [legalid'dzare] *vt* légaliser

legame [le'game] *sm* (*anche fig*) lien *m*; **~ affettivo/di sangue** lien affectif/du sang

legare [le'gare] *vt* attacher, ligoter; (*capelli, cane*) attacher; (*Chim*) allier; (*fig: collegare*) lier ▪ *vi* (*far lega, fondersi*) s'allier; (*andare d'accordo*) se lier; **è pazzo da ~** (*fam*) il est fou à lier

legenda [le'dʒɛnda] *sf* = **leggenda**

legge ['leddʒe] *sf* loi *f*; (*giurisprudenza*) droit *m*; **facoltà di ~** faculté *f* de droit

leggenda [led'dʒɛnda] *sf* légende *f*

leggere ['lɛddʒere] *vt* lire; **~ il pensiero di qn** lire au fond des pensées de qn; **~ la mano a qn** lire les lignes de la main à qn

leggerezza [leddʒe'rettsa] *sf* légèreté *f*

leggero, -a [led'dʒɛro] *agg* léger(-ère); (*lavoro*) pas fatigant(e); **una ragazza leggera** (*fig*) une fille légère; **alla leggera** (*non seriamente*) à la légère

leggio, -gi [led'dʒio] *sm* pupitre *m*

legherò *ecc* [lege'rɔ] *vb vedi* **legare**

legislativo, -a [ledʒizla'tivo] *agg* législatif(-ive)

legislatura [ledʒizlas'tura] *sf* législature *f*

legittimo, -a [le'dʒittimo] *agg* légitime; **legittima difesa** (*Dir*) légitime défense *f*

legna ['leɲɲa] *sf* bois *msg* (à brûler)

legno ['leɲɲo] *sm* bois *msg*; **un pezzo di ~** un bout de bois; **di ~** en bois; **~ compensato** contreplaqué *m*

lei ['lɛi] *pron* elle; (*forma di cortesia: anche*: **Lei**) vous ▪ *sf inv*: **la mia ~** ma tendre moitié ▪ *sm*: **dare del ~ a qn** vouvoyer qn; **~ stessa** elle-même; **è ~** c'est elle

● **LEI**
●
● En italien, pour s'adresser à une
● personne que l'on ne connaît pas
● ou plus âgée que soi, on utilise
● *lei*, le pronom de la troisième
● personne du singulier.

lentamente [lenta'mente] *avv* lentement

lente ['lɛnte] *sf* (*Ottica*) lentille *f*; **lenti** *sfpl* (*occhiali*) lunettes *fpl*; **~ d'ingrandimento** loupe *f*; **lenti (a contatto) morbide/rigide** verres de contact *o* lentilles souples/rigides

lentezza [len'tettsa] *sf* lenteur *f*

lenticchia [len'tikkja] *sf* lentille *f*

lentiggine [len'tiddʒine] *sf* tache *f* de rousseur

lento, -a ['lɛnto] *agg* lent(e); (*fune, vite, nodo*) lâche; (*Mus*) lento *inv* ▪ *sm* (*ballo*) slow *m*

lenza ['lɛntsa] *sf* (*Pesca*) ligne *f*

lenzuolo [len'tswɔlo] *sm* drap *m*; **sotto le lenzuola** sous les draps; **~ da bagno** drap de bain; **~ funebre** linceul *m*

leone [le'one] *sm* lion *m*; (*Zodiaco*) **L~** Lion; **essere del L~** être (du) Lion

leporino, -a [lepo'rino] *agg*: **labbro ~** bec-de-lièvre *m*

lepre ['lɛpre] *sf* lièvre *m*

▮ FALSI AMICI
lepre non si traduce mai con la parola francese **lèpre**.

lercio, -a ['lɛrtʃo] *agg* crasseux(-euse)

lesione [le'zjone] *sf* (*anche Dir*) lésion *f*; (*in costruzione*) lézarde *f*

lessare [les'sare] *vt* faire cuire à l'eau

lessi *ecc* ['lɛssi] *vb vedi* **leggere**

lessico, -ci ['lɛssiko] *sm* (*Ling*) lexique *m*

lesso, -a ['lɛsso] *agg* cuit(e) à l'eau ▪ *sm* pot-au-feu *m*

letale [le'tale] *agg* mortel(le); (*dose*) létal(e)

letamaio [leta'majo] *sm* fosse *f* à fumier; (*fig: luogo sudicio*) porcherie *f*

letame [le'tame] *sm* fumier *m*

letargo, -ghi [le'targo] *sm* (*Zool*) hibernation *f*; (*Med*) léthargie *f*; **andare in ~** entrer en hibernation

lettera ['lɛttera] *sf* lettre *f*; **lettere** *sfpl* (*studi umanistici*) lettres *fpl*; **alla ~** (*citare, eseguire ecc*) à la lettre; (*tradurre*) mot à mot, littéralement; **diventar ~ morta** (*legge*) devenir lettre morte; **restar ~ morta** (*fig*) rester lettre morte; **~ assicurata** lettre chargée; **~ di accompagnamento** lettre d'accompagnement; **~ di cambio** lettre de change; **~ di credito** lettre de crédit; **~ di presentazione** lettre d'introduction; **~ di raccomandazione** lettre de recommandation; **~ di trasporto aereo** lettre de transport aérien; **~ di vettura** lettre de voiture; **~ raccomandata** lettre recommandée

letteralmente [letteral'mente] *avv* littéralement

letterario, -a [lette'rarjo] *agg* littéraire

letterato, -a [lette'rato] *agg* lettré(e) ■ *sm/f* homme *m*/femme *f* de lettres

letteratura [lettera'tura] *sf* littérature *f*

lettiga, -ghe [let'tiga] *sf* (*anticamente*) litière *f*; (*barella*) civière *f*

lettino [let'tino] *sm* (*per bambini*) lit *m* d'enfant; **~ solare** solarium *m*

letto, -a ['letto] *pp di* **leggere** ■ *sm* lit *m*; **andare a ~** aller au lit; **mettersi a ~** (*ammalarsi*) s'aliter; **figlio di primo ~** enfant *m* d'un premier lit; **il ~ di un fiume** le lit d'un fleuve; **~ a castello** lits *mpl* superposés; **~ a una piazza** lit à une place; **~ matrimoniale/a due piazze** lit à deux places; **~ di morte** lit de mort

lettore, -trice [let'tore] *sm/f* lecteur(-trice) ■ *sm* (*Inform*): **~ ottico (di caratteri)** lecteur *m* optique; **~ CD/DVD** lecteur *m* de CD/DVD; **~ MP3** lecteur *m* MP3

lettura [let'tura] *sf* lecture *f*

leucemia [leutʃe'mia] *sf* leucémie *f*

leva ['lɛva] *sf* levier *m*; (*Mil*) recrutement *m*; **far ~ su** (*fig: cosa*) spéculer sur, se servir de; (*: persona*) avoir prise sur; **fare il servizio di ~** (*Mil*) faire son service militaire; **le nuove leve** (*fig: del cinema ecc*) la relève; **~ del cambio** (*Aut*) levier de changement de vitesse

levante [le'vante] *sm* levant *m*; (*vento*) vent *m* d'est; **il L~** le Levant

levare [le'vare] *vt* (*togliere: tassa, indumento, coperchio*) enlever; (*: dente*) arracher; (*: fame*) assouvir; (*: sete*) étancher; (*: alzare: occhi ecc*) lever; **levarsi** *vpr* (*persona, vento, sole*) se lever; **levarsi (in piedi)** se mettre debout; **levarsi (dal letto)** se lever (du lit); **~ le tende** (*fig*) décamper; **levarsi il pensiero** se libérer d'un souci; **~ un grido** pousser un cri; **levarsi di mezzo** *o* **dai piedi** ficher le camp

levatoio, -a [leva'tojo] *agg*: **ponte ~** pont-levis *msg*

lezione [let'tsjone] *sf* leçon *f*; (*: scuole superiori, Univ*) cours *msg*; **andare a ~** aller en cours; **fare ~** (*Scol*) faire cours; **lezioni private** cours particuliers

li [li] *pron pl* (*oggetto*) les

lì [li] *avv* là; **di** *o* **da lì** de là; **per di lì** par là; **di lì a pochi giorni** au bout de quelques jours; **lì per lì** sur le moment; **essere lì (lì) per fare** être sur le point de faire; **lì dentro** là-dedans; **lì sotto** là-dessous; **lì sopra** là-dessus; **tutto lì** c'est tout; **la questione è finita lì** l'affaire en est restée là; *vedi anche* **quello**

libanese [liba'nese] *agg* libanais(e) ■ *sm/f* Libanais(e)

Libano ['libano] *sm* Liban *m*

libbra ['libbra] *sf* livre *f*

libeccio [li'bettʃo] *sm* suroît *m*

libellula [li'bellula] *sf* libellule *f*

liberale [libe'rale] *agg, sm/f* (*anche Pol*) libéral(e)

liberalizzare [liberalid'dzare] *vt* libéraliser

liberare [libe'rare] *vt* (*prigioniero, popolo*) libérer, délivrer; (*stanza*) débarrasser; (*passaggio*) dégager; (*energia*) libérer; **liberarsi** *vpr* se libérer, se délivrer; **liberarsi di qc/qn** se libérer de qch/qn

libero, -a ['libero] *agg* libre; **~ di fare qc** libre de faire qch; **~ da** (*obblighi, doveri ecc*) libre de; **è ~ questo posto?** la place est libre?; **una donna dai liberi costumi** une femme de mœurs légères; **avere via libera** avoir le feu vert; **dare via libera a qn** donner le feu vert à qn; **via libera!** vas-y!, allez-y!; **~ arbitrio** libre arbitre *m*; **~ professionista** membre *m* d'une profession libérale; **~ scambio** libre-échange *m*; **libera professione** profession *f* libérale; **libera uscita** (*Mil*) quartier *m* libre

libertà [liber'ta] *sf inv* liberté *f* ■ *sfpl*: **prendersi delle ~ (con qn)** prendre des libertés (avec qn); **~ di stampa** liberté de la presse; **~ provvisoria/vigilata** (*Dir*) liberté provisoire/surveillée

Libia ['libja] sf Libye f
libico, -a, -ci, -che ['libiko] agg
libyen(ne) ■ sm/f Libyen(ne)
libidine [li'bidine] sf luxure f
libraio [li'brajo] sm libraire m
librarsi [li'brarsi] vpr planer
libreria [libre'ria] sf (negozio)
librairie f; (stanza, mobile)
bibliothèque f
libretto [li'bretto] sm (piccolo libro)
petit livre m; (taccuino) carnet m;
(fascicoletto) fascicule m; (registro:
anche Mus) livret m; **~ degli assegni**
carnet de chèques; **~ di circolazione**
(Aut) carte f grise; **~ di risparmio**
livret de caisse d'épargne; **~ di lavoro**
livret faisant état des emplois occupés par
un travailleur au cours de sa carrière;
~ universitario livret universitaire
attestant des examens réussis par
l'étudiant au cours de son cursus
libro ['libro] sm livre m; **~ bianco** (Pol)
livre blanc; **~ di cassa** livre de caisse;
~ di consultazione ouvrage m de
référence; **~ di testo** manuel m
scolaire; **~ mastro** grand livre;
~ nero (fig) liste f noire; **~ paga**
registre m des traitements et
salaires; **~ tascabile** livre de poche;
libri contabili/sociali livres de
comptabilité
licenza [li'tʃɛntsa] sf licence f; (di
pesca, circolazione ecc) permis msg;
(Mil: congedo) permission f; (libertà,
arbitrio) liberté f; **andare in ~** (Mil)
avoir une permission; **su ~ di...**
(Comm) sous licence de...; **~ di**
esportazione licence d'exportation;
~ di fabbricazione licence de
fabrication; **~ elementare** (Scol)
certificat d'études primaires; **~ media**
(Scol) brevet du premier cycle des études
secondaires; **~ poetica** licence
poétique
licenziamento [litʃentsja'mento]
sm licenciement m
licenziare [litʃen'tsjare] vt
(lavoratore) licencier; (Scol) diplômer;
licenziarsi vpr (impiegato)
démissionner
liceo [li'tʃɛo] sm (Scol) lycée m;
~ classico/linguistico/scientifico
≈ lycée section littéraire/langues/
scientifique

lido ['lido] sm plage f
lieto, -a ['ljɛto] agg (allegro)
joyeux(-euse); (soddisfatto, contento)
content(e); (che dà letizia: notizia)
bon(ne); **"molto ~"** (in presentazioni)
"enchanté"; **~ fine** happy end m; **una**
storia a ~ fine une histoire qui finit
bien
lieve ['ljɛve] agg léger(-ère)
lievitare [ljevi'tare] vi lever; (fig)
monter, augmenter
lievito ['ljɛvito] sm levain m; **~ di**
birra levure f de bière
ligio, -a, -gi, -gie ['lidʒo] agg: **~ (a)**
fidèle (à)
lilla ['lilla] agg inv, sm inv (colore) lilas
(msg)
lillà [lil'la] sm inv (fiore) lilas msg
lima ['lima] sf lime f; **~ da unghie**
lime à ongles
limaccioso, -a [limat'tʃoso] agg
boueux(-euse)
limare [li'mare] vt limer; (fig) fignoler
limitare [limi'tare] vt (fig)
limiter; **limitarsi** vpr: **limitarsi (in)**
se limiter (dans); **limitarsi a qc/a**
fare qc se limiter o se borner à qch/à
faire qch
limite ['limite] sm limite f ■ agg inv:
caso ~ cas m limite; **al ~** (fig) à la
limite; **~ di velocità** limitation f
de vitesse

limonata [limo'nata] *sf* citronnade *f*; (*spremuta*) citron *m* pressé

limone [li'mone] *sm* (*pianta*) citronnier *m*; (*frutto*) citron *m*

limpido, -a ['limpido] *agg* (*anche fig*) limpide

lince ['lintʃe] *sf* lynx *msg*

linciare [lin'tʃare] *vt* lyncher

linea ['linea] *sf* (*anche fig: di prodotto*) ligne *f*; (*stile*) style *m*; **a grandi linee** à grands traits; **mantenere la ~** garder la ligne; **è caduta la ~** (*Tel*) la conversation a été coupée; **rimanga in ~** (*Tel*) ne quittez pas; **di ~** (*aereo, autobus ecc*) de ligne; **volo di ~** vol *m* régulier; **aereo di ~** avion *m* (de ligne); **in ~ d'aria** à vol d'oiseau; **in ~ diretta da** (*TV, Radio*) en direct de; **la nuova ~ di questi mobili...** le nouveau design de ces meubles...; **di ~ moderna** de style moderne; **~ aerea** ligne aérienne; **~ continua** ligne continue; **~ d'arrivo/di partenza** (*Sport*) ligne d'arrivée/de départ; **~ di cortesia** ligne *f* de courtoisie; **~ fissa** (*Tel*) ligne fixe; **~ di tiro** (*di arma da fuoco*) ligne de tir; **~ punteggiata** pointillés *mpl*

lineamenti [linea'menti] *smpl* (*di volto*) traits *mpl*

lineare [line'are] *agg* (*anche fig*) linéaire

lineetta [line'etta] *sf* tiret *m*; (*in composti*) trait *m* d'union

lingotto [lin'gɔtto] *sm* lingot *m*

lingua ['lingwa] *sf* langue *f*; **mostrare la ~** tirer la langue; **di ~ italiana** de langue italienne; **che lingue parla?** quelles langues parlez-vous?; **~ madre** langue maternelle

linguaggio, -gi [lin'gwaddʒo] *sm* langage *m*; **~ giuridico** langage juridique; **~ macchina/di programmazione** (*Inform*) langage machine/de programmation

linguetta [lin'gwetta] *sf* languette *f*, patte *f*; (*di busta*) languette; (*Tecn*) clavette *f*

lino ['lino] *sm* lin *m*

linoleum [li'nɔleum] *sm inv* linoléum *m*

liposuzione [liposut'tsjone] *sf* (*Med*) liposuccion *f*

liquefatto, -a [likwe'fatto] *pp di* **liquefare** ■ *agg* liquéfié(e)

liquidare [likwi'dare] *vt* (*anche fig*) liquider; (*pensione*) allouer; **~ qn** (*fig: ucciderlo*) liquider qn; (: *sbarazzarsene*) se débarrasser de qn

liquidazione [likwidat'tsjone] *sf* liquidation *f*; (*indennità di lavoro*) indemnité *f* de départ

liquidità [likwidi'ta] *sf* (*denaro*) liquidité *f*

liquido, -a ['likwido] *agg, sm* liquide (*m*); **~ per freni** liquide de freins

liquirizia [likwi'rittsja] *sf* (*pianta*) réglisse *f*; (*sostanza*) réglisse *f* o *m*

liquore [li'kwore] *sm* (*dolce*) liqueur *f*; (*secco*) alcool *m*

lira ['lira] *sf* (*Hist: moneta italiana*) lire *f*; (: *di altri paesi*) lire *f*; (*Mus*) lyre *f*; **~ pesante** lire lourde; **~ sterlina** livre sterling; **~ verde** lire verte

lirico, -a, -ci, -che ['liriko] *agg* lyrique; **cantante ~** chanteur (cantatrice) lyrique; **teatro ~** théâtre *m* lyrique

Lisbona [lis'bona] *sf* Lisbonne *f*

lisca, -sche ['liska] *sf* arête *f*

lisciare [liʃ'ʃare] *vt* polir; (*fig*) flatter; **lisciarsi i capelli** se lisser les cheveux

liscio, -a, -sci, -sce ['liʃʃo] *agg* lisse; (*whisky, gin*) nature; (*fig: senza intoppi*) sans problèmes ■ *sm* (*Mus*) bal-musette *m* ■ *avv*: **andare ~** bien se passer; **passarla liscia** bien s'en tirer

liso, -a ['lizo] *agg* râpé(e), usé(e)

lista ['lista] *sf* liste *f*; **~ delle vivande** menu *m*; **~ dei vini** carte *f* des vins; **~ elettorale** liste électorale

listino [lis'tino] *sm* catalogue *m*; **al ~** au barème; **~ dei cambi** cours *mpl* du change; **~ dei prezzi** liste *f* des prix; **~ di borsa** cours *mpl* de la Bourse, cote *f* de la Bourse

lite ['lite] *sf* querelle *f*, dispute *f*; (*Dir*) procès *msg*, litige *m*

litigare [liti'gare] *vi* se disputer, se quereller; (*Dir*) être en procès

litigio [li'tidʒo] *sm* (*lite*) querelle *f*, dispute *f*

litorale [lito'rale] *sm* littoral *m*, côte *f*

litro ['litro] *sm* litre *m*

livellare [livel'lare] *vt* niveler

livello [li'vello] *sm* niveau *m*; **ad alto ~** (*fig*) de haut niveau; **a ~ mondiale** à l'échelon mondial; **a ~ psicologico** au niveau psychologique; **a ~ di**

confidenza en confidence; **sul ~ del mare** au-dessus du niveau de la mer; **~ di magazzino** niveau de stock; **~ occupazionale** niveau de l'emploi; **~ retributivo** niveau des salaires; **~ soglia** niveau-seuil *m*

livido, -a ['livido] *agg (di rabbia, gelosia ecc)* livide; *(malato)* blême, livide; *(per percosse)* couvert(e) de bleus; *(cielo)* orageux(-euse), de plomb ∎ *sm (livido)* pli (*su pelle*) bleu *m*

Livorno [li'vorno] *sf* Livourne *f*

lizza ['littsa] *sf (fig):* **scendere in ~** entrer en lice; **essere in ~ (per)** *(fig)* être en lice (pour)

lo [lo] *dav s impura, gn, pn, ps, x, z; dav V l' art m* le ∎ *pron* le; **lo sapevo** je le savais; **lo so** je le sais; *vedi anche* **il**

locale [lo'kale] *agg* local(e) ∎ *sm (stanza, ambiente)* pièce *f*; *(Comm, Amm)* local *m*; *(esercizio)* établissement *m*; **~ notturno** boîte *f* de nuit

località [lokali'ta] *sf inv* localité *f*

locanda [lo'kanda] *sf* auberge *f*

locomotiva [lokomo'tiva] *sf (anche fig)* locomotive *f*

locuzione [lokut'tsjone] *sf* locution *f*

lodare [lo'dare] *vt* louer

lode ['lɔde] *sf (elogio)* éloge *m*; **trenta e ~** *(Univ)* ≈ mention très bien avec félicitations du jury; **laurearsi con 110 e ~** *obtenir son diplôme universitaire avec le maximum de points et les félicitations du jury*

loden ['lɔdən] *sm inv* loden *m*

lodevole [lo'devole] *agg* louable

logaritmo [loga'ritmo] *sm* logarithme *m*

loggia, -ge ['lɔddʒa] *sf* loge *f*; *(massonica)* Loge *f*; *(Archit)* loggia *f*, loge

loggione [lod'dʒone] *sm (Teatro)* poulailler *m*

logico, -a, -ci, -che ['lɔdʒiko] *agg* logique

logorare [logo'rare] *vt (anche fig)* user; *(persona)* épuiser; **logorarsi** *vpr (vedi vt)* s'user; s'épuiser

logoro, -a ['lɔgoro] *agg (tappeto ecc)* usé(e); *(persona)* épuisé(e)

lombata [lom'bata] *sf* longe *f*; *(di manzo)* aloyau *m*

lombrico, -chi [lom'briko] *sm* lombric *m*

londinese [londi'nese] *agg* londonien(ne) ∎ *sm/f* Londonien(ne)

Londra ['londra] *sf* Londres

longevo, -a [lon'dʒɛvo] *agg* d'une grande longévité

longitudine [londʒi'tudine] *sf* longitude *f*

lontananza [lonta'nantsa] *sf* distance *f*; *(assenza)* séparation *f*, absence *f*; **vedere una casa in ~** apercevoir une maison dans le lointain

lontano, -a [lon'tano] *agg* lointain(e); *(distante)* lointain(e), éloigné(e); *(assente)* absent(e); *(alieno, avverso)* distant(e) ∎ *avv* loin; **più ~** plus loin; **da o di ~** de loin; **~ da** *(a grande distanza da)* loin de; **è lontana la casa?** elle est loin, la maison?; **è ~ un chilometro** c'est à un kilomètre; **alla lontana** plus ou moins; *(in modo vago)* vaguement; **siamo lontani dal dire/fare** nous sommes loin de dire/faire; **è molto ~ da qui?** c'est loin d'ici?

loquace [lo'kwatʃe] *agg (persona)* loquace; *(fig: gesto ecc)* éloquent(e)

lordo, -a ['lordo] *agg (sporco)* sale; *(peso, stipendio)* brut(e); **~ d'imposta** avant impôts

> **FALSI AMICI**
> **lordo** non si traduce mai con la parola francese **lourd**.

loro ['loro] *pron* eux *mpl*, elles *fpl*; *(complemento):* **(a) ~** leur; *(forma di cortesia: anche:* **Loro***)* vous; *(:* forma di cortesia: anche: **Loro***)* le(la) vôtre, les vôtres ∎ *agg:* **il(la) ~, i(le) ~** leur, leurs; *(forma di cortesia: anche:* **Loro***)* votre, vos *pl*; **~ stessi/stesse** eux-mêmes/elles-mêmes; **il(la) ~, i(le) ~** *(possessivo)* le(la) leur, les leurs; *(forma di cortesia: anche:* **Loro stessi***)* vous-même; **di ~ che verrò** dis-leur que je viendrai; **i ~** *(genitori)* les leurs *mpl*; **una ~ amica** une de leurs amies; *(forma di cortesia)* une de vos amies; **i ~ libri** leurs livres; **il ~ padre** leur père; **è dalla ~** *(parte)* il est de leur côté; **hanno detto la ~** *(opinione)* ils ont tous eu leur mot à dire; **hanno avuto le ~** *(guai)* ils ont eu leur part de

problèmes; **hanno fatto una delle ~**
ils ont fait encore une bêtise
losco, -a, -schi, -sche ['losko] *agg*
(fig) louche
lotta ['lɔtta] *sf* lutte *f*; *(fig)* désaccord
m; **essere in ~ (con)** être en désaccord
(avec); **fare la ~ (con)** se battre
(avec); **~ armata** lutte armée; **~ di
classe** *(Pol)* lutte des classes; **~ libera**
(Sport) lutte libre
lottare [lot'tare] *vi*: **~ (contro/per)**
lutter (contre/pour)
lotteria [lotte'ria] *sf* loterie *f*
lotto ['lɔtto] *sm* lot *m*; *(gioco)* loto *m*;
vincere un terno al ~ *(anche fig)*
gagner le gros lot

○ **LOTTO**
●
● Le *Lotto* est un jeu d'argent
● autorisé et géré par le ministère
● des Finances, qui consiste à un
● tirage au sort hebdomadaire.

lozione [lot'tsjone] *sf* lotion *f*
lubrificante [lubrifi'kante] *agg*
lubrifiant(e) ■ *sm* lubrifiant *m*
lubrificare [lubrifi'kare] *vt* lubrifier
lucchetto [luk'ketto] *sm* cadenas
msg
luccicare [luttʃi'kare] *vi* briller
luccio, -ci ['luttʃo] *sm* brochet *m*
lucciola ['luttʃola] *sf* luciole *f*; *(fig)*
prostituée *f*
luce ['lutʃe] *sf* lumière *f*; *(Aut)* feu *m*;
(corrente elettrica) électricité *f*; **fare ~
su** *(fig)* tirer au clair; **venire alla ~**
(fig: bimbo) venir au monde, voir le
jour; **dare alla ~** *(fig: partorire)* donner
le jour à; **alla ~ dei fatti** à la lumière
des événements; **mettere in ~**
mettre en lumière; **mettere in
buona/cattiva ~** présenter sous un
jour favorable/défavorable; **fare qc
alla ~ del sole** faire qch au grand jour;
anno ~ année-lumière *f*
lucernario [lutʃer'narjo] *sm* lucarne *f*
lucertola [lu'tʃertola] *sf* lézard *m*
lucidare [lutʃi'dare] *vt* cirer
lucidatrice [lutʃida'tritʃe] *sf* cireuse *f*
lucido, -a ['lutʃido] *agg* brillant(e),
luisant(e); *(lucidato)* ciré(e); *(fig)*
lucide ■ *sm* luisant *m*; *(disegno)*
calque *m*; **~ per scarpe** cirage *m*

lucro ['lukro] *sm* profit *m*, gain *m*;
a scopo di ~ dans un but lucratif;
organizzazione senza scopo di ~
organisation *f* à but non lucratif
luglio ['luʎʎo] *sm* juillet *m*; **nel mese
di ~** au mois de juillet; **in** *o* **a ~** en
juillet; **il primo ~** le premier juillet;
arrivare il 2 ~ arriver le 2 juillet;
all'inizio/alla fine di ~ début/fin
juillet; **durante il mese di ~** pendant
le mois de juillet; **a ~ del prossimo
anno** au mois de juillet de l'année
prochaine; **ogni anno a ~** tous les ans
en juillet
lugubre ['lugubre] *agg* lugubre
lui ['lui] *pron (soggetto)* il; *(oggetto:
per dare rilievo, con preposizione)* lui
■ *sm inv*: **il mio ~** mon homme *(fam)*;
~ stesso lui-même; **è ~** c'est lui
lumaca, -che [lu'maka] *sf (senza
conchiglia)* limace *f*; *(con conchiglia, fig)*
escargot *m*
luminoso, -a [lumi'noso] *agg (anche
fig)* lumineux(-euse); **insegna
luminosa** enseigne *f* lumineuse
luna ['luna] *sf* lune *f*; **avere la ~** être
mal luné(e); **~ di miele** lune de miel;
~ nuova/piena nouvelle/pleine lune
luna park ['luna 'park] *sm inv* fête *f*
foraine
lunare [lu'nare] *agg* lunaire
lunario [lu'narjo] *sm*: **sbarcare il ~**
joindre les deux bouts
lunatico, -a, -ci, -che [lu'natiko]
agg lunatique
lunedì [lune'di] *sm inv* lundi *m*; *vedi
anche* **martedì**
lunghezza [lun'gettsa] *sf* longueur *f*;
~ d'onda *(Fis)* longueur d'onde;
essere sulla stessa ~ d'onda *(fig)* être
sur la même longueur d'onde
lungo, -a, -ghi, -ghe ['lungo] *agg*
long (longue); *(diluito: caffè, brodo)*
léger(-ère) ■ *sm*: **per (il) ~** *(nel verso
della lunghezza)* dans le sens de la
longueur ■ *sf*: **alla lunga** à la longue
■ *prep (rasente)* le long de; *(durante)*
pendant; **essere ~ tre metri** faire
trois mètres de long; **avere la barba
lunga** avoir une longue barbe; **avere i
capelli lunghi** avoir les cheveux
longs; **avere la lingua lunga** *(fig)*
avoir la langue bien pendue; **a ~**
andare à la longue; **di ~ corso** *(Naut)*

au long cours; **a ~** (*per molto tempo*)
longtemps; **in ~ e in largo** en long et
en large; **essere in ~** (*in abito lungo*)
porter du long; **saperla lunga** en
savoir long; **andare per le lunghe**
traîner en longueur; **~ la strada** le
long de la route; **~ il corso dei secoli**
au cours des siècles

lungomare [lungo'mare] *sm* bord *m*
de mer

lunotto [lu'nɔtto] *sm* (*Aut*) vitre *f*
arrière; **~ termico** lunette *f* arrière
chauffante

luogo, -ghi ['lwɔgo] *sm* lieu *m*;
(*posizione, passo di un libro*) endroit *m*;
in ~ di au lieu de; **in primo ~** en
premier lieu; **aver ~** avoir lieu;
parlare fuori ~ parler hors de propos;
dar ~ a donner lieu à; **il ~ del delitto**
le lieu du crime; **~ comune** lieu
commun; **~ di nascita/di
provenienza** lieu de naissance/de
provenance; **~ di pena** maison *f*
d'arrêt; **~ geometrico** lieu
géométrique; **~ pubblico** lieu public

lupo, -a ['lupo] *sm/f* loup (louve);
cane ~ chien *m* loup; **tempo da lupi**
temps *m* de chien

> **FALSI AMICI**
> **lupa** non si traduce mai
> con la parola francese
> **loupe**.

luppolo ['luppolo] *sm* houblon *m*

lurido, -a ['lurido] *agg*
crasseux(-euse); (*fig*) sale

lusingare [luzin'gare] *vt* flatter

Lussemburgo [lussem'burgo] *sm*
Luxembourg *m* ■ *sf* Luxembourg *f*

lusso ['lusso] *sm* luxe *m*; **di ~** de luxe

lussuoso, -a [lussu'oso] *agg*
luxueux(-euse)

lussuria [lus'surja] *sf* luxure *f*

lustrino [lus'trino] *sm* paillette *f*

lutto ['lutto] *sm* deuil *m*; **essere in
~** être en deuil; **portare il ~** porter
le deuil

> **FALSI AMICI**
> **lutto** non si traduce mai
> con la parola francese
> **lutte**.

m ['ɛmme] *abbr* (= *metro*) m

ma [ma] *cong* mais; **ma insomma!**
mais enfin!; **ma no!** mais non!

macabro, -a ['makabro] *agg*
macabre

macché [mak'ke] *escl* mais non!

maccheroni [makke'roni] *smpl*
macaroni *mpl*

macchia ['makkja] *sf* tache *f*; (*tipo di
boscaglia*) maquis *m*; **una ~
d'inchiostro** une tache d'encre; **la
notizia si è diffusa a ~ d'olio** (*fig*) la
nouvelle a fait tache d'huile; **darsi
alla ~** (*fig*) prendre le maquis

macchiare [mak'kjare] *vt* tacher;
macchiarsi *vpr*: **macchiarsi (di)**
se tacher (de); **macchiarsi di una
colpa/di un delitto** se rendre
coupable d'une faute/d'un crime

macchiato, -a [mak'kjato] *agg*
taché(e); (*pelo, mantello*) tacheté(e);
caffè ~ café *m* avec une goutte de lait

macchina ['makkina] *sf* (*Tecn, fig*)
machine *f*; (*automobile*) voiture *f*;
andare in ~ (*Aut*) aller en voiture;
(*giornali ecc*) être mis(e) sous presse;
salire in ~ monter dans la voiture;

~ **a vapore** machine à vapeur;
~ **agricola** machine agricole; ~ **da
cucire** machine à coudre; ~ **da presa**
caméra f; ~ **da scrivere** machine à
écrire; ~ **fotografica** appareil m
photographique; ~ **utensile**
machine-outil f

macchinario [makki'narjo] sm
machinerie f

macchinista, -i [makki'nista] sm
(Ferr) mécanicien m; (Teatro)
machiniste m

macedonia [matʃe'dɔnja] sf
macédoine f de fruits, salade f
de fruits

macellaio [matʃel'lajo] sm boucher m

macelleria [matʃelle'ria] sf
boucherie f

macerie [ma'tʃɛrje] sfpl décombres
mpl

macigno [ma'tʃiɲɲo] sm roc m,
rocher m

macinare [matʃi'nare] vt moudre

macrobiotico, -a, -ci, -che
[makrobi'ɔtiko] agg macrobiotique

Madonna [ma'dɔnna] sf Sainte
Vierge f; (raffigurazione) Madone f

madornale [mador'nale] agg (errore)
énorme

madre ['madre] sf mère f; (di bolletta)
talon m ◼ agg inv: **ragazza ~** mère
célibataire; **scena ~** (Teatro) scène f
principale; (fig) grande scène

madrelingua [madre'lingwa] sf
langue f maternelle

madreperla [madre'pɛrla] sf nacre f

madrina [ma'drina] sf marraine f

maestà [maes'ta] sf majesté f;
Sua M~ la Regina Sa Majesté la Reine

maestra [ma'ɛstra] sf vedi **maestro**

maestrale [maes'trale] sm vent m
du nord-ouest

maestro, -a [ma'ɛstro] sm/f (di
scuola elementare) instituteur(-trice),
maître (maîtresse); (di ballo)
professeur m/f; (di sci)
moniteur(-trice); (esperto) maître
(maîtresse) ◼ sm (anche fig) maître m;
(Mus) maître, maestro m ◼ agg
(principale): **muro ~** mur m principal;
un colpo da ~ (fig) un coup de maître;
strada maestra grand-route f;
maestra d'asilo maîtresse de l'école
maternelle; ~ **di ballo** professeur de

danse; ~ **di cerimonie** maître des
cérémonies; ~ **di scherma** maître
d'armes; ~ **di sci** moniteur m de ski;
~ **d'orchestra** chef m d'orchestre

mafia ['mafja] sf (anche fig) mafia f,
maffia f

maga, -ghe ['maga] sf magicienne f

magari [ma'gari] escl (esprime
desiderio): ~ **fosse vero!** si seulement
c'était vrai! ◼ avv (anche) même;
(forse) peut-être; **ti piacerebbe
andare in Scozia? - ~!** aimerais-tu
aller en Écosse? - et comment!

magazzino [magad'dzino] sm
magasin m, entrepôt m; **grande ~**
grand magasin; ~ **doganale** entrepôt
en douane

maggio ['maddʒo] sm mai m; vedi
anche **luglio**

maggiorana [maddʒo'rana] sf
marjolaine f

maggioranza [maddʒo'rantsa] sf
majorité f; **la ~ di** la plupart de; **nella
~ dei casi** dans la plupart des cas

maggiordomo [maddʒor'dɔmo] sm
majordome m

maggiore [mad'dʒore] agg plus
grand(e); (più importante: artista,
opera) plus important(e), principal(e);
(di grado superiore: caporale)
supérieur(e); (più vecchio: sorella,
fratello) aîné(e); (Mus) majeur(e)
◼ sm/f (di grado) supérieur(e); (di età)
aîné(e) ◼ sm (Mil, Aer) commandant
m; **la maggior parte** la plupart; **a
maggior ragione** à plus forte raison;
andare per la ~ (cantante, attore ecc)
être en vogue o à la mode

maggiorenne [maddʒo'rɛnne] agg,
sm/f majeur(e)

magia [ma'dʒia] sf magie f

magico, -a, -ci, -che ['madʒiko] agg
magique

magistrato [madʒis'trato] sm
magistrat m

maglia ['maʎʎa] sf (intreccio di fili, di
rete) maille f; (lavoro ai ferri) tricot m;
(lavoro all'uncinetto) crochet m;
(tessuto) jersey m; (indumento) tricot m,
maillot m (de corps); (pull-over)
chandail m; (Sport) maillot m; (di catena,
rete) chaînon m; **lavorare a/fare la ~**
tricoter; ~ **diritta/rovescia** maille à
l'endroit/à l'envers

maglietta [maʎ'ʎetta] sf (sotto la camicia) maillot m (de corps); (T-shirt) tee-shirt m

maglione [maʎ'ʎone] sm pull-over m

magnetico, -a, -ci, -che [maɲ'ɲetiko] agg (anche fig) magnétique

magnifico, -a, -ci, -che [maɲ'ɲifiko] agg magnifique, superbe; (ospite) généreux(-euse); (pranzo) excellent(e)

magnolia [maɲ'ɲɔlja] sf magnolia m

mago, -ghi ['mago] sm (anche fig) magicien m; (illusionista) prestidigitateur m, illusionniste m

magrebino, -a [magre'bino] agg maghrébin(e)

magrezza [ma'grettsa] sf maigreur f

magro, -a ['magro] agg (anche fig) maigre; (yogurt ecc) allégé(e); (scusa) faible, mauvais(e) ▪ sm (di carne) maigre m; **mangiare di ~** (Rel) faire maigre

mai ['mai] avv (nessuna volta) jamais; (talvolta) déjà; **non... ~** ne... jamais; **~ più** plus jamais; **come ~?** pourquoi (donc)?; **chi ~?** qui (donc)?; **dove ~?** où (donc)?; **quando ~?** quand (donc)?; **non sono ~ stato in Spagna** je ne suis jamais allé en Espagne

maiale [ma'jale] sm porc m, cochon m; (carne) porc; (fig: persona: sporco) cochon; (: depravato) porc

mail ['meil] sf inv = **e-mail**

maionese [majo'nese] sf mayonnaise f

mais ['mais] sm inv maïs msg

maiuscolo, -a [ma'juskolo] agg majuscule ▪ sm majuscule f; (Tip) capitale f; **scrivere (in) ~ o in lettere maiuscole** écrire en capitales o en (lettres) majuscules

malafede [mala'fede] sf mauvaise foi f

malandato, -a [malan'dato] agg (persona: di salute) mal en point; (: finanziariamente) dans une mauvaise passe; (trascurato: cosa) en mauvais état; (: persona) négligé(e)

malanno [ma'lanno] sm (acciacco) maladie f; (disgrazia) malheur m

malapena [mala'pena] sf: **a ~** à grand-peine

malaria [ma'larja] sf malaria f, paludisme m

malato, -a [ma'lato] agg, sm/f malade m/f; **darsi ~** se faire porter malade

malattia [malat'tia] sf maladie f; **mettersi in ~** se mettre en congé de maladie; **farne una ~** en faire une maladie; **~ infettiva** maladie infectieuse

malavita [mala'vita] sf milieu m, pègre f; **della ~** du milieu

malavoglia [mala'vɔʎʎa] sf: **di ~** de mauvaise grâce, à contre-cœur

malconcio, -a, -ci, -ce [mal'kontʃo] agg en mauvais état

malcontento [malkon'tento] sm mécontentement m

malcostume [malkos'tume] sm (disonestà) corruption f; (immoralità) débauche f

maldestro, -a [mal'dɛstro] agg maladroit(e)

male ['male] avv mal ▪ sm mal m; (sventura) malheur m; **far ~** faire mal; **far ~ alla salute** ne pas être bon pour la santé; **far del ~ a qn** faire du mal à qn; **parlar ~ di qn** dire du mal de qn; **restare o rimanere ~** être déçu(e), être contrarié(e); **stare ~** (fisicamente, moralmente) ne pas être bien; **stare ~ a** (abito, colore) aller mal à; **trattar ~ qn** maltraiter qn; **andare a ~** (cibo) se gâter, s'abîmer; (latte) tourner; **aversela a ~** le prendre mal, se vexer; **come va? - non c'è ~** comment ça va? - pas mal; **di ~ in peggio** de mal en pis; **per ~ che vada** au pis aller; **mal comune mezzo gaudio** douleur partagée est plus facile à supporter; **un ~ necessario** un mal nécessaire; **avere mal di testa** avoir mal à la tête; **mal d'auto** mal de la route; **mal di cuore** maladie f du cœur; **mal di denti** mal de dents; **mal di fegato** maladie f du foie; **mal di gola** mal de gorge; **mal di mare** mal de mer; **mal di testa** mal de tête; **mal d'orecchi** mal d'oreille(s)

maledetto, -a [male'detto] pp di **maledire** ▪ agg maudit(e)

maledire [male'dire] vt maudire

maledizione [maledit'tsjone] sf malédiction f; (disgrazia) malheur m; **~!** malédiction!

maleducato, -a [maledu'kato] *agg* mal élevé(e)

maleducazione [maledukat'tsjone] *sf* impolitesse *f*

malefico, -a, -ci, -che [ma'lɛfiko] *agg* maléfique

malessere [ma'lɛssere] *sm* (anche fig) malaise *m*

malfamato, -a [malfa'mato] *agg* mal famé(e)

malfattore [malfat'tore] *sm* malfaiteur *m*

malfermo, -a [mal'fermo] *agg* chancelant(e)

malgrado [mal'grado] *prep* malgré ■ *cong* bien que, quoique; **mio** (*o* tuo *ecc*) ~ malgré moi (*o* toi *etc*)

maligno, -a [ma'liɲɲo] *agg* méchant(e), mauvais(e); (*Med*: *tumore*) malin(-igne)

malinconia [malinko'nia] *sf* mélancolie *f*

malinconico, -a, -ci, -che [malin'kɔniko] *agg* mélancolique

malincuore [malin'kwɔre]: **a** ~ *avv* à contre-cœur, à regret

malinteso, -a [malin'teso] *agg* mal compris(e) ■ *sm* malentendu *m*, méprise *f*; **c'è stato un** ~ il y a eu un malentendu

malizia [ma'littsja] *sf* (*cattiveria*) méchanceté *f*; (*furbizia*) malice *f*; (*trucco*) truc *m*

malizioso, -a [malit'tsjoso] *agg* malicieux(-euse)

malmenare [malme'nare] *vt* (*picchiare*) frapper; (*fig: trattar male*) malmener

malocchio [ma'lɔkkjo] *sm* mauvais œil *m*; **gettare il** ~ **su qn** jeter un sort à qn

malora [ma'lora] *sf* (*fam*): **andare in** ~ se ruiner; **va in** ~! va-t-en au diable!

malore [ma'lore] *sm* malaise *m*

FALSI AMICI
malore non si traduce mai con la parola francese **malheur**.

malsano, -a [mal'sano] *agg* malsain(e)

malta ['malta] *sf* (*Edil*) mortier *m*

maltempo [mal'tɛmpo] *sm* mauvais temps *msg*

malto ['malto] *sm* malt *m*

maltrattare [maltrat'tare] *vt* (*persona, dipendente*) maltraiter; (*abito, macchina*) maltraiter, ne pas prendre soin de

malumore [malu'more] *sm* (*di persona*) mauvaise humeur *f*; (*discordia*) mécontentement *m*; **essere di** ~ être de mauvaise humeur

malva ['malva] *sf* (*Bot*) mauve *f* ■ *agg inv, sm inv* mauve (*m*)

malvagio, -a, -gi, -gie [mal'vadʒo] *agg* méchant(e), mauvais(e)

malvivente [malvi'vɛnte] *sm* malfaiteur *m*, délinquant *m*

malvolentieri [malvolen'tjeri] *avv* à contrecœur

mamma ['mamma] *sf* (*fam*) maman *f*; ~ **mia!** mon Dieu!

mammella [mam'mɛlla] *sf* mamelle *f*; (*di mucca*) pis *msg*

mammifero [mam'mifero] *sm* mammifère *m*

manata [ma'nata] *sf* tape *f*

mancanza [man'kantsa] *sf* (*carenza*) manque *m*; (*fallo, colpa*) faute *f*; (*imperfezione*) erreur *f*; **per** ~ **di tempo** faute de temps; **in** ~ **di meglio** faute de mieux; **sento la** ~ **di Piero** Piero me manque

mancare [man'kare] *vi* (*essere insufficiente, venir meno*) manquer; (*non esserci*) manquer, faire défaut; (*essere lontano*): ~ (**da**) être absent(e) (de), être loin (de); (*morire*) mourir, disparaître; (*sbagliare*) se tromper, commettre une faute; (*essere privo*): ~ **di** manquer de ■ *vt* (*bersaglio, colpo*) manquer, rater; ~ **da casa** être absent(e) de chez soi; ~ **di rispetto a** *o* **verso qn** manquer de respect à l'égard de qn; ~ **di parola** ne pas tenir parole; **sentirsi** ~ se sentir défaillir; **mi manchi** tu me manques; **mancò poco che morisse** il s'en est fallu de peu qu'il ne meure; **mancano ancora 10 sterline** il manque encore 10 livres sterling; **manca un quarto alle 6** il est six heures moins le quart; **manca poco alle 6** il n'est pas loin de six heures; **non mancherò!** je n'y manquerai pas!; **ci mancherebbe altro!** il ne manquerait plus que cela!

mancherò *ecc* [manke'rɔ] *vb vedi* **mancare**

mancia, -ce ['mantʃa] *sf* pourboire *m*; **quanto devo lasciare di ~?** combien de pourboire est-ce qu'il faut laisser?

manciata [man'tʃata] *sf* poignée *f*

mancino, -a [man'tʃino] *agg* gauche; *(persona)* gaucher(-ère)

mandarancio [manda'rantʃo] *sm* clémentine *f*

mandare [man'dare] *vt* envoyer; *(grido)* pousser; **~ a chiamare qn** faire appeler qn; **~ a prendere qn** envoyer chercher qn; **~ avanti** *(persona)* envoyer en reconnaissance; *(fig: famiglia)* subvenir aux besoins de; *(: ditta)* diriger; *(: pratica)* faire suivre; **~ giù qc** avaler qch; *(fig)* digérer qch; **~ in onda** *(Radio, TV)* diffuser, transmettre; **~ in rovina** ruiner; **~ via qn** renvoyer qn; *(licenziare)* licencier qn

mandarino [manda'rino] *sm (frutto)* mandarine *f*; *(funzionario cinese)* mandarin *m*

mandata [man'data] *sf* tour *m*; **chiudere a doppia ~** fermer à double tour

mandato [man'dato] *sm* mandat *m*; **~ d'arresto** mandat d'arrêt; **~ di cattura** mandat d'arrêt; **~ di comparizione/di perquisizione** mandat de comparution/de perquisition; **~ di pagamento** mandat de paiement

mandibola [man'dibola] *sf* mandibule *f*, mâchoire *f* inférieure

mandorla ['mandorla] *sf* amande *f*; **occhi a ~** yeux *mpl* en amande, yeux bridés

mandorlo ['mandorlo] *sm* amandier *m*

mandria ['mandrja] *sf* troupeau *m*

maneggiare [maned'dʒare] *vt* *(arnesi)* manier; *(creta, cera)* travailler; *(fig: capitali)* manier, brasser

maneggio, -gi [ma'neddʒo] *sm* maniement *m*; *(di creta, cera)* travail *m*; *(intrigo)* intrigue *f*, manœuvre *f*; *(per cavalli)* manège *m*

manesco, -a, -schi, -sche [ma'nesko] *agg* brutal(e)

manette [ma'nette] *sfpl* menottes *fpl*

manganello [manga'nɛllo] *sm* matraque *f*

mangiare [man'dʒare] *vt* manger; *(fig: intaccare)* manger, ronger; *(Carte, Scacchi)* prendre ■ *sm* manger *m*; *(cibo)* nourriture *f*; **fare da ~** faire à préparer à manger; **potremmo ~ qualcosa?** est-ce qu'on peut manger quelque chose?; **mangiarsi le parole** manger o avaler ses mots; **mangiarsi le unghie** se ronger les ongles; **mangiarsi le mani** o **il fegato** s'en mordre les doigts; **~ la foglia** comprendre le manège

mangime [man'dʒime] *sm* fourrage *m*

mango, -ghi ['mango] *sm (frutto)* mangue *f*; *(albero)* manguier *m*

mania [ma'nia] *sf* manie *f*; **avere la ~ di fare qc** avoir la manie de faire qch; **~ di persecuzione** manie o délire *m* de persécution

maniaco, -a, -ci, -che [ma'niako] *agg, sm/f* maniaque *m/f*; **~ sessuale** obsédé *m* sexuel

manica, -che ['manika] *sf* manche *f*; *(fig: di delinquenti ecc)* bande *f*; **la M~, il Canale della M~** la Manche; **senza maniche** sans manches; **in maniche di camicia** en manches de chemise; **di ~ larga** *(fig)* pas regardant(e); *(: in valutazione)* indulgent(e); **di ~ stretta** *(fig: persona)* sévère; **è un altro paio di maniche** c'est une autre paire de manches; **~ a vento** *(Aer)* manche à air

manichino [mani'kino] *sm* mannequin *m*

manico, -ci ['maniko] *sm* manche *m*; *(di spada, fioretto)* poignée *f*; **~ di scopa** manche à o de balai

manicomio [mani'kɔmjo] *sm* hôpital *m* psychiatrique; *(fig)* maison *f* de fous

manicure [mani'kure] *sm o f inv* manucure *f* o *m* ■ *sf inv (persona)* manucure *f* o *m*

maniera [ma'njɛra] *sf (modo)* manière *f*, façon *f*; *(Arte)* manière; **maniere** *sfpl (modi)* manières *fpl*; **alla ~ di** à la manière de; **in ~ che** de manière que; **in una ~ o nell'altra** d'une manière ou d'une autre; **buone/cattive maniere** bonnes/mauvaises manières; **in tutte le maniere** par tous les moyens; **usare**

buone maniere con qn être poli(e) avec qn; **usare le maniere forti** employer les grands moyens; **di ~** (*artista*) maniériste *m/f*

manifestare [manifes'tare] *vt*, *vi* manifester; **manifestarsi** *vpr* se manifester

manifestazione [manifestat'tsjone] *sf* manifestation *f*

manifesto, -a [mani'fɛsto] *agg* manifeste ■ *sm* affiche *f*; (*scritto ideologico, programmatico*) manifeste *m*

maniglia [ma'niʎʎa] *sf* (*di porta*) poignée *f*; (*Ginnastica*) poignée (*du cheval d'arçons*)

manipolare [manipo'lare] *vt* (*anche fig*) manipuler; (*creta, cera*) travailler; (*alterare: vino*) frelater

mannaro [man'naro]: **lupo ~** *sm* loup-garou *m*

mano, -i ['mano] *sf* main *f*; (*strato: di vernice ecc*) couche *f*; **darsi o stringersi la ~** se serrer la main; **a ~** (*cucire, tagliare*) à la main; **fatto a ~** fait main *o* à la main; **dare una ~ (a qn)** (*fig*) donner un coup de main (à qn); **chiedere la ~ di qn** demander la main de qn; **di prima ~** (*notizia*) de première main; **di seconda ~** (*notizia*) de seconde main; (*macchina*) d'occasion; **alla ~** (*persona*) simple, sans façons; **fuori ~** éloigné(e); **man ~** petit à petit; **man ~ che** au fur et à mesure que; **dare una ~ di vernice a qc** passer une couche de peinture sur qch; **mani in alto!** haut les mains!; **a piene mani** (*fig*) par poignées, généreusement; **avere qc per le mani** (*lavoro*) travailler sur qch; (*informazione*) détenir; **avere le mani bucate** (*fig*) être un panier percé; **avere le mani in pasta** (*fig*) être dans le bain; **venire alle mani** en venir aux mains; **dare man forte a qn** prêter main forte à qn; **restare a mani vuote** (*fig*) rester les mains vides; **mettere le mani avanti** (*fig*) être circonspect(e); **forzare la ~** forcer la main à qn

manodopera [mano'dɔpera] *sf* main-d'œuvre *f* *inv*

manometro [ma'nɔmetro] *sm* manomètre *m*

manomettere [mano'mettere] *vt* (*documenti*) falsifier; (*lettera*) ouvrir; (*serratura*) forcer

manopola [ma'nɔpola] *sf* (*di armatura*) gantelet *m*; (*tipo di guanto*) moufle *f*; (*di impugnatura*) poignée *f*; (*pomello di apparecchio*) bouton *m*

manoscritto, -a [manos'kritto] *agg* manuscrit(e) ■ *sm* manuscrit *m*

manovale [mano'vale] *sm* manœuvre *m*

manovella [mano'vɛlla] *sf* manivelle *f*

manovra [ma'nɔvra] *sf* manœuvre *f*; (*fig*) manœuvre, manège *m*; (: *fiscale, economica*) train de mesures; **manovre di corridoio** (*fig: Pol*) intrigues *fpl* de couloir

mansarda [man'sarda] *sf* mansarde *f*

mansione [man'sjone] *sf* fonction *f*

mansueto, -a [mansu'ɛto] *agg* (*animale*) docile; (*persona*) doux (douce

mantello [man'tɛllo] *sm* (*abbigliamento*) manteau *m*, cape *f*; (*Zool*) robe *f*, pelage *m*; (*fig: di neve ecc*) manteau, couche *f*

mantenere [mante'nere] *vt* (*posizione*) garder; (*disciplina*) maintenir; (*promessa*) tenir; (*impegno*) respecter; (*figli, famiglia*) entretenir, subvenir aux besoins de; (*rotta, cammino*) suivre; **mantenersi** *vpr* (*finanziariamente*) subvenir à ses besoins; **mantenersi calmo/ giovane** rester calme/jeune; **~ i contatti con qn** rester en contact avec qn

Mantova ['mantova] *sf* Mantoue *f*

manuale [manu'ale] *agg* manuel(le) ■ *sm* manuel *m*

manubrio [ma'nubrjo] *sm* manette *f*, poignée *f*; (*di bicicletta ecc*) guidon *m*; (*Ginnastica*) haltère *m*

manutenzione [manuten'tsjone] *s* entretien *m*; (*di impianto*) entretien *m* maintenance *f*

manzo ['mandzo] *sm* bœuf *m*

mappa ['mappa] *sf* carte *f*

mappamondo [mappa'mondo] *sm* (*disegno*) mappemonde *f*; (*globo*) globe *m*

maratona [mara'tona] *sf* marathon *m*

marca, -che ['marka] sf (anche Comm: di prodotti) marque f; (contrassegno, scontrino) ticket m; **di (gran) ~** (prodotto) de (grande) marque; **~ da bollo** timbre m fiscal

marcare [mar'kare] vt (anche Sport) marquer; (a fuoco) marquer au fer rouge; **~ visita** (Mil) se faire porter malade

marcherò ecc [marke'rɔ] vb vedi **marcare**

marchese, -a [mar'keze] sm/f marquis(e)

marchiare [mar'kjare] vt marquer au fer rouge

marcia, -ce ['martʃa] sf (anche Mil, Mus) marche f; (Aut) vitesse f; **mettersi in ~** se mettre en marche; **mettere in ~** mettre en marche; **far ~ indietro** (Aut, fig) faire marche arrière; **~ forzata** marche forcée; **~ funebre** marche funèbre

marciapiede [martʃa'pjɛde] sm (di strada) trottoir m; (Ferr) quai m

marciare [mar'tʃare] vi marcher; (treno, macchina) rouler

marcio, -a, -ci, -ce ['martʃo] agg (anche fig) pourri(e); (ferita, piaga) purulent(e) ◼ sm: **c'è del ~ in questa storia** (fig) cette histoire est louche; **avere torto ~** avoir complètement tort

marcire [mar'tʃire] vi (anche fig) pourrir; (suppurare) suppurer

marco, -chi ['marko] sm mark m

mare ['mare] sm (anche fig) mer f; (grande quantità) tas msg; **di ~** de mer; **per ~** par mer; **sul ~** au bord de la mer; **andare al ~** (in vacanza ecc) aller à la mer; **in alto ~** (al largo) en haute mer; (fig) dans l'impasse; **il ~ Adriatico** la mer Adriatique; **i mari del Sud** les mers du Sud

> **FALSI AMICI**
> **mare** non si traduce mai con la parola francese **mare**.

marea [ma'rɛa] sf marée f; **alta/bassa ~** marée haute/basse; **~ nera** marée noire

mareggiata [mared'dʒata] sf tempête f, bourrasque f

maremoto [mare'mɔto] sm raz m de marée

maresciallo [mareʃ'ʃallo] sm (Mil) maréchal m; (sottufficiale) adjudant m

margarina [marga'rina] sf margarine f

margherita [marge'rita] sf (anche di stampante) marguerite f

margine ['mardʒine] sm (di foglio, fig: di tempo, guadagno) marge f; (di bosco) lisière f; (di via) bord m; **avere un buon ~ di tempo** avoir de la marge; **~ di guadagno** marge bénéficiaire; **~ di sicurezza** marge de sécurité

marijuana [mæri'wa:nə] sf marijuana f

marina [ma'rina] sf (costa) bord m de mer; (quadro, Mil) marine f; **~ mercantile/militare** marine marchande/militaire

marinaio [mari'najo] sm marin m

marinare [mari'nare] vt (Cuc) mariner; **~ la scuola** (fig) faire l'école buissonnière

marino, -a [ma'rino] agg (acqua) de mer; (brezza) marin(e)

marionetta [marjo'netta] sf marionnette f

marito [ma'rito] sm mari m; **prendere ~** prendre un mari; **ragazza (in età) da ~** fille f à marier

marittimo, -a [ma'rittimo] agg maritime ◼ sm (marinaio) marin m; (in cantieri, porti ecc) docker m

marmellata [marmel'lata] sf confiture f

marmitta [mar'mitta] sf (pentolone) marmite f; (Aut) pot m d'échappement; **~ catalitica** pot m catalytique

marmo ['marmo] sm marbre m

marmotta [mar'mɔtta] sf marmotte f

marocchino, -a [marok'kino] agg marocain(e) ◼ sm/f Marocain(e)

Marocco [ma'rɔkko] sm Maroc m

marrone [mar'rone] agg inv, sm marron (m)

marsupio [mar'supjo] sm (di canguro) poche f marsupiale; (borsellino) banane f; (per bambini) porte-bébé m

martedì [marte'di] sm inv mardi m; **di o il ~** le mardi; **oggi è ~ 3 aprile** aujourd'hui nous sommes le mardi 3 avril; **~ stavo male** mardi j'étais malade; **il giornale di ~** le journal du mardi; **tutti i ~** tous les mardis; **"a ~"** "à mardi"; **~ grasso** mardi gras

martellare [martel'lare] vt (*metalli*) marteler; (*picchiare, percuotere*) taper, frapper ◼ vi (*pulsare: tempie, cuore*) battre

martello [mar'tɛllo] sm (*anche Sport*) marteau m; **suonare a ~** (*campane*) sonner le tocsin; **~ pneumatico** marteau pneumatique

martire ['martire] sm/f martyr(e)

marxista, -i, -e [mark'sista] agg, sm/f marxiste m/f

marzapane [martsa'pane] sm massepain m

marzo ['martso] sm mars m; vedi anche **luglio**

mascalzone [maskal'tsone] sm voyou m, crapule f

mascara [mas'kara] sm inv mascara m

mascella [maʃ'ʃella] sf mâchoire f supérieure

maschera ['maskera] sf (*anche fig*) masque m; (*travestimento, per ballo*) déguisement m; (*Teatro: personaggio*) personnage m; (*Teatro, Cine: inserviente*) ouvreuse f; **in ~** (*mascherato*) déguisé(e); **ballo in ~** bal m masqué; **gettare la ~** (*fig*) lever o jeter le masque; **~ antigas/subacquea** masque à gaz/de plongée; **~ di bellezza** masque de beauté

mascherare [maske'rare] vt masquer; (*fig: orgoglio, ambizioni*) masquer, dissimuler; **mascherarsi** vpr: **mascherarsi da** se déguiser en; (*fig*) prendre l'apparence de

maschile [mas'kile] agg (*anche Ling*) masculin(e); (*per ragazzi: scuola*) de garçons; (*campionato*) hommes inv ◼ sm (*Ling*) masculin m

maschilista, -i, -e [maski'lista] agg, sm/f machiste

maschio, -a ['maskjo] agg mâle ◼ sm (*animale*) mâle m; (*uomo*) homme m; (*ragazzo, figlio*) garçon m; (*Tecn*) taraud m

mascolino, -a [masko'lino] agg masculin(e)

massa ['massa] sf (*anche Fis, Elettr*) masse f; (*di errori*) tas m sg; **in ~** (*accorrere*) en masse; (*produrre*) en série; **di ~** (*cultura, manifestazione*) de masse; **adunata in ~** grand rassemblement m; **la ~ (del popolo),** **le masse** les masses fpl

massacro [mas'sakro] sm massacre m; (*fig*) désastre m

massaggiare [massad'dʒare] vt masser

massaggio [mas'saddʒo] sm massage m; **~ cardiaco** massage cardiaque

massaia [mas'saja] sf ménagère f

masserizie [masse'rittsje] sfpl mobilier m

massiccio, -a, -ci, -ce [mas'sittʃo] agg massif(-ive); (*corporatura*) massif(-ive), trapu(e) ◼ sm (*montagna*) massif m; **il M~ Centrale** le Massif Central

massima ['massima] sf maxime f; (*regola*) règle f, principe m; (*temperatura*) température f maximale; **in linea di ~** en principe

massimale [massi'male] sm maximum m, plafond m

massimo, -a ['massimo] agg maximum, maximal(e); (*Sport: peso*) lourd(e) ◼ sm maximum m; **al ~** (*non più di*) au maximum, au plus; **erano presenti le massime autorità** les plus hautes autorités étaient présentes; **sfruttare qc al ~** exploiter pleinement qch; **arriverò al ~ alle 5** j'arriverai à cinq heures au plus tard; **arrivare entro il tempo ~** arriver dans les délais; **il ~ della pena** (*Dir*) le maximum (de la peine)

masso ['masso] sm rocher m, roc m

masterizzare [masterid'dzare] vt graver

masterizzatore [masteriddza'tore] sm graveur m de CD

masticare [masti'kare] vt mastiquer, mâcher

mastice ['mastitʃe] sm mastic m

mastino [mas'tino] sm mâtin m

matassa [ma'tassa] sf écheveau m

matematica [mate'matika] sf mathématiques fpl

matematico, -a, -ci, -che [mate'matiko] agg mathématique ◼ sm/f mathématicien(ne)

materassino [materas'sino] sm tapis m sg; **~ gonfiabile** matelas m sg pneumatique

materasso [mate'rasso] sm matelas
msg; **~ a molle** matelas à ressorts
materia [ma'tɛrja] sf matière f;
(disciplina) matière, discipline f;
(argomento) sujet m, question f; **in ~ di**
(per quanto concerne) en matière de;
un esperto in ~ (di musica ecc) un
expert en la matière; **prima di
entrare in ~** avant d'entrer dans le vif
du sujet; **sono ignorante in ~** je suis
ignorant en la matière; **~ cerebrale**
substance f grise (cérébrale); **~ grassa**
matières fpl grasses; **~ grigia** (anche
fig) matière grise; **materie plastiche**
matière fsg plastique; **materie prime**
matières premières
materiale [mate'rjale] agg
matériel(le); (fig: grossolano)
grossier(-ière) ■ sm matériel m;
~ da costruzione matériau m de
construction
maternità [materni'ta] sf maternité
f; **in (congedo di) ~** en congé de
maternité
materno, -a [ma'tɛrno] agg
maternel(le); (terra) natal(e); **scuola
materna** école f maternelle
matita [ma'tita] sf crayon m; **~ per
gli occhi** crayon pour les yeux;
matite colorate crayons de couleur
matricola [ma'trikola] sf (registro)
matricule f; (persona, numero)
matricule m; (Univ) étudiant m de
première année, bizut m
matrigna [ma'triɲɲa] sf belle-mère f
matrimoniale [matrimo'njale] agg
matrimonial(e); (camera) pour deux;
(banchetto) de mariage; **letto ~**
grand lit m
matrimonio [matri'mɔnjo] sm
mariage m
mattina [mat'tina] sf (parte del
giorno) matin m; **la o di ~** le matin;
di prima ~, la ~ presto tôt le matin,
le matin de bonne heure; **dalla ~ alla
sera** (continuamente) du matin au
soir; (improvvisamente) du jour au
lendemain
matto, -a ['matto] agg (pazzo, folle)
fou (folle); (fig: falso) faux (fausse)
■ sm/f fou (folle) ■ sf (Carte) joker m;
avere una voglia matta di qc avoir
une envie folle de qch; **far diventare
~ qn** rendre qn fou (folle)

mattone [mat'tone] sm brique f;
(peg: fig: film) navet m; (: libro) pavé m
mattonella [matto'nɛlla] sf carreau
m; (di biliardo) bande f; **pavimento a
mattonelle** carrelage m
maturare [matu'rare] vt (anche fig)
mûrir, faire mûrir ■ vi (anche:
maturarsi) mûrir; (interessi)
rapporter; **~ una decisione** décider
après mûre réflexion
maturità [maturi'ta] sf maturité f;
(Scol) ≈ baccalauréat m

maturo, -a [ma'turo] agg (persona,
frutto) mûr(e); (fig: tempo) idéal(e);
(Scol) ≈ bachelier(-ière); **il tempo è ~
per...** c'est le bon moment pour...
max. abbr (= massimo) max.
maxischermo sm écran m géant
mazza ['mattsa] sf (bastone) gourdin
m; (martello) masse f, massue f;
~ da baseball batte f de base-ball;
~ da golf crosse f
mazzata [mat'tsata] sf coup m de
massue; (fig) coup dur
mazzo ['mattso] sm (di fiori) bouquet
m; (di ortaggi) botte f; (Carte) jeu m;
(di chiavi) trousseau m; (di matite)
assortiment m
me [me] pron moi; **me stesso(a)**
moi-même; **sei bravo quanto
me** tu es aussi fort que moi; vedi
anche **mi**
meccanico, -a, -ci, -che
[mek'kaniko] agg mécanique; (fig)
mécanique, machinal(e) ■ sm
mécanicien m, mécano m (fam); **può
mandare un ~?** pouvez-vous nous
envoyer un mécanicien?
meccanismo [mekka'nizmo] sm
(anche fig) mécanisme m
medaglia [me'daʎʎa] sf médaille f;
~ d'oro (Sport) médaille d'or
medesimo, -a [me'dezimo] agg
même; **io ~** (in persona) moi-même

media ['mɛdja] *sf* moyenne *f*;
le medie *sfpl* (*Scol*) le premier cycle de
l'enseignement secondaire, ≈ collège *m*;
al di sopra/al di sotto della ~ au-
dessus/au-dessous de la moyenne;
viaggiare ad una ~ di... rouler à une
moyenne de...; *vedi anche* **medio**

mediante [me'djante] *prep* au
moyen de

mediatore, -trice [medja'tore] *sm/f*
médiateur(-trice); (*Comm*)
courtier(-ière); **fare da ~ fra** servir
d'intermédiaire entre

medicare [medi'kare] *vt* soigner

medicina [medi'tʃina] *sf* médecine *f*;
(*farmaco, medicamento*) médicament
m; **~ legale** médecine légale

medico, -a, -ci, -che ['mɛdiko] *agg*
médical(e) ■ *sm* médecin *m*;
chiamate un ~ appelez un médecin;
~ di bordo médecin du bord; **~ di
famiglia** médecin de famille; **~ fiscale**
*médecin chargé d'effectuer les visites de
contrôle*; **~ generico** (médecin)
généraliste *m*

medievale [medje'vale] *agg*
médiéval(e); (*fig*) moyenâgeux(-euse)

medio, -a ['mɛdjo] *agg* moyen(ne)
■ *sm* (*dito*) majeur *m*; **licenza media**
≈ brevet *m* d'études du premier cycle;
scuola media *premier cycle de
l'enseignement secondaire*, ≈ collège *m*;
il M~ Oriente le Moyen-Orient *m*;
M~ Evo Moyen Âge *m*

mediocre [me'djɔkre] *agg* médiocre

meditare [medi'tare] *vt* méditer;
(*progettare*) méditer, projeter ■ *vi*
méditer

mediterraneo, -a [mediter'raneo]
agg méditerranéen(ne); **il (mare)
M~** la (mer) Méditerranée

medusa [me'duza] *sf* méduse *f*

megabyte [mega'bait] *sm inv*
mégaoctet *m*

megafono [me'gafono] *sm*
mégaphone *m*

meglio ['mɛʎʎo] *avv* mieux;
(*superlativo*) le (la) mieux ■ *agg inv*
mieux ■ *sm/f*: **il(la) ~** le mieux, le (la)
meilleur(e); **sto ~ di ieri** je vais mieux
qu'hier; **(va) ~ così** c'est mieux ainsi;
faresti ~ ad andartene tu ferais
mieux de t'en aller; **per ~ dire** pour
mieux dire; **o ~** ou plutôt; **andare di**

bene in ~ aller de mieux en mieux;
è ~ di lei il est mieux qu'elle; **alla
(bell'e) ~** tant bien que mal; **fare del
proprio ~** faire de son mieux; **il ~ che
ci sia** ce qu'il y a de mieux; **per il ~**
pour le mieux; **avere la ~ su qn**
l'emporter sur qn, avoir le dessus

mela ['mela] *sf* pomme *f*; **~ cotogna**
coing *m*

melagrana [mela'grana] *sf*
grenade *f*

melanzana [melan'dzana] *sf*
aubergine *f*

melatonina [melato'nina] *sf*
mélatonine *f*

melma ['melma] *sf* boue *f*

melo ['melo] *sm* pommier *m*

melodia [melo'dia] *sf* mélodie *f*

melone [me'lone] *sm* melon *m*

membro ['mɛmbro] *sm* membre *m*;
(*arto: membra: pl(f)*) membre *m*

memorandum [memo'randum] *sm
inv* mémorandum *m*

memoria [me'mɔrja] *sf* (*anche
Inform*) mémoire *f*; (*ricordo*) mémoire,
souvenir *m*; **memorie** *sfpl* (*opera
autobiografica*) mémoires *mpl*;
a ~ (*imparare*) par cœur; (*sapere*) par
cœur, de mémoire; **a ~ d'uomo** de
mémoire d'homme; **~ di sola lettura**
(*Inform*) mémoire morte; **~ tampone**
(*Inform*) mémoire tampon

mendicante [mendi'kante] *sm/f*
mendiant(e)

PAROLA CHIAVE

meno ['meno] *avv* 1 (*in minore misura*)
moins; **(di) meno** moins; **lavorare/
costare meno** travailler/coûter
moins; **ne voglio di meno** j'en veux
moins; **in meno** en moins; 2 **euro in
meno** 2 euros de o en moins; **meno
fumo più mangio** moins je fume
et plus je mange; **è sempre meno
semplice** c'est de moins en moins
simple

2 (*comparativo*) moins; **meno di**
moins que; **lavora meno di te** il
travaille moins que toi; **meno di
quanto pensassi** moins que je ne
pensais; **meno... di** moins... que;
meno alto di me moins grand que
moi; **meno tardi di quanto pensassi**

moins tard que je ne pensais;
meno... che moins... que; **è meno
intelligente che ricco** il est moins
intelligent que riche
3 (*superlativo*) moins; **il meno
pericoloso** le moins dangereux;
il meno dotato degli studenti le
moins doué des étudiants
4 (*Mat*) moins; **8 meno 5 uguale 3**
8 moins 5 font trois; **sono le 8 meno
un quarto** il est huit heures moins le
quart; **ha preso 6 meno** (*Scol*) il a eu
tout juste la moyenne; **meno 5 gradi**
moins 5 (degrés)
5 (*fraseologia*): **quanto meno poteva
telefonare** il pouvait au moins
téléphoner; **non so se accettare o
meno** je ne sais si je dois accepter ou
pas; **fare a meno di qc/qn**
(*privarsene*) se passer de qch/qn; **non
potevo fare a meno di ridere** je ne
pouvais m'empêcher de rire; **meno
male!** heureusement!; **meno male
che sei arrivato** heureusement que
tu es arrivé; **non essere da meno di**
ne pas être inférieur à; *vedi anche* **più
■** *agg inv:* **meno... (di)** moins... (que);
ha fatto meno errori di tutti il a fait
moins de fautes que tous les autres
■ *sm inv* **1**: **il meno** (*il minimo*) le
moins; **era il meno che ti potesse
succedere** c'était le moins qu'il
pouvait t'arriver; *vedi anche* **più
2** (*Mat*) signe **m** moins **■** *prep* (*eccetto*) sauf, excepté; **tutti
meno lui** tout le monde sauf lui; **100
euro meno le spese** 100 euros sans
(compter) les frais; **a meno che non
piova** à moins qu'il ne pleuve; **non
posso, a meno di prendere ferie** je
ne peux pas, à moins de prendre un
congé

menopausa [meno'pauza] *sf*
ménopause *f*
mensa ['mɛnsa] *sf* table *f*; (*pasto,
pranzo*) repas *m*; (*locale: di ditta, Mil,
Scol*) cantine *f*
mensile [men'sile] *agg* mensuel(le)
■ *sm* (*periodico*) mensuel *m*;
(*stipendio*) mois *msg*, salaire *m*
mensola ['mɛnsola] *sf* étagère *f*
menta ['menta] *sf* menthe *f*; (*bibita*)
menthe, sirop *m* de menthe; (*liquore*)

liqueur *m* de menthe; (*caramella*)
bonbon *m* à la menthe; **~ piperita**
menthe poivrée
mentale [men'tale] *agg* mental(e)
mentalità [mentali'ta] *sf inv*
mentalité *f*
mente ['mente] *sf* esprit *m*;
(*memoria*) esprit *m*, tête *f*; (*intelletto,
intelligenza*) intelligence *f*; **imparare
qc a ~** apprendre qch par cœur;
sapere qc a ~ savoir qch par cœur;
avere in ~ (di fare) qc avoir l'intention
de faire qch; **far venire in ~ qc a qn**
rappeler qch à qn; **mettersi in ~ di
fare qc** se mettre dans la tête de faire
qch; **passare di ~ a qn** sortir de
l'esprit à qn; **tenere a ~ qc** se rappeler
qch; **a ~ fredda** froidement; **lasciami
fare ~ locale** laisse-moi me
concentrer
mentire [men'tire] *vi*: **~ (a)** mentir (à)
mento ['mento] *sm* menton *m*;
doppio ~ double menton
mentre ['mentre] *cong* (*temporale*)
pendant que; (*avversativa: invece*)
tandis que, alors que **■** *sm*: **in quel ~**
à ce moment-là, sur ces entrefaites
menù [me'nu] *sm inv* menu *m*;
possiamo vedere il ~? est-ce qu'on
peut voir la carte?; **~ turistico** menu
touristique
menzionare [mentsjo'nare] *vt*
mentionner
menzogna [men'tsoɲɲa] *sf*
mensonge *m*
meraviglia [mera'viʎʎa] *sf*
étonnement *m*, surprise *f*; (*persona,
cosa*) merveille *f*; **a ~** (*benissimo*) à
merveille
meravigliare [meraviʎ'ʎare] *vt*
étonner, surprendre; **meravigliarsi**
vpr: **meravigliarsi (di)** s'étonner (de)
meraviglioso, -a [meraviʎ'ʎoso]
agg merveilleux(-euse)
mercante [mer'kante] *sm* marchand
m; **~ d'arte** marchand de tableaux;
~ di cavalli marchand de chevaux
mercatino [merka'tino] *sm* (*rionale*)
petit marché *m*; (*Econ*) marché hors
cote
mercato [mer'kato] *sm* marché *m*;
di ~ (*economia, prezzo, ricerche*) de
marché; **mettere o lanciare sul ~**
mettre sur le marché; **a buon ~** (à)

bon marché; **~ a termine** marché à terme; **~ al rialzo/al ribasso** (*Borsa*) marché à la hausse/à la baisse; **M~ Comune (Europeo)** Marché commun (européen); **~ dei cambi** marché des changes; **~ del lavoro** marché du travail; **~ nero** marché noir; **~ unico europeo** marché unique européen

merce [ˈmɛrtʃe] *sf* marchandise *f*; **treno/vagone merci** train *m*/wagon *m* de marchandises; **~ deperibile** denrée *f* périssable

mercé [merˈtʃe] *sf*: **essere alla ~ di qn** être à la merci de qn

merceria [mertʃeˈria] *sf* (*bottega, articoli*) mercerie *f*

mercoledì [merkoleˈdi] *sm inv* mercredi *m*; **M~ delle Ceneri** mercredi des Cendres; *vedi anche* **martedì**

mercurio [merˈkurjo] *sm* mercure *m*

merda [ˈmɛrda] *sf* (*fam!*) merde *f* (*fam!*)

merenda [meˈrɛnda] *sf* goûter *m*; **fare ~** goûter

merendina [merenˈdina] *sf* casse-croûte *m inv*

meridiana [meriˈdjana] *sf* cadran *m* solaire

meridiano, -a [meriˈdjano] *agg* de midi; (*Astron*) méridien(ne) ◼ *sm* (*Geo*) méridien *m*

meridionale [meridjoˈnale] *agg* méridional(e); (*dell'Italia del sud*) du Sud de l'Italie ◼ *sm/f* Méridional(e); (*italiano del sud*) Italien(ne) du Sud

meridione [meriˈdjone] *sm* (*punto cardinale*) sud *m*; (*di paese*) midi *m*, sud *f*

meringa, -ghe [meˈringa] *sf* (*Cuc*) meringue *f*

meritare [meriˈtare] *vt* mériter ◼ *vb impers* (*valere la pena*): **merita andare** cela vaut la peine d'y aller; **non merita neanche parlarne** cela ne vaut même pas la peine d'en parler; **per quel che merita** pour ce que ça vaut

meritevole [meriˈtevole] *agg* digne

merito [ˈmɛrito] *sm* mérite *m*; (*compenso*) récompense *f*; **in ~ a** à propos de; **dare a qn il ~ di** attribuer à qn le mérite de; **a pari ~** à égalité, ex aequo; **entrare nel ~ di una questione** entrer dans le vif du sujet; **non so niente in ~** je n'en sais rien

merletto [merˈletto] *sm* dentelle *f*

merlo [ˈmɛrlo] *sm* (*Zool*) merle *m*; (*Archit*) créneau *m*

merluzzo [merˈluttso] *sm* morue *f*

meschino, -a [mesˈkino] *agg* (*gretto*) mesquin(e); (*abitazione, tenore di vita*) misérable; **fare una figura meschina** faire piètre figure

mescolare [meskoˈlare] *vt* mélanger; (*salsa*) remuer; (*mettere in disordine*) mêler, mélanger; (*carte*) battre; **mescolarsi** *vpr* (*unirsi*) se mêler, se mélanger; (*confondersi*) se confondre; **mescolarsi (in)** (*fig: immischiarsi, impicciarsi*) se mêler (de)

mese [ˈmese] *sm* mois *m*; **il ~ scorso** le mois dernier; **il corrente ~** le mois courant

messa [ˈmessa] *sf* (*Rel, Mus*) messe *f*; **~ a fuoco** (*Fot*) mise *f* au point; **~ a punto** (*Tecn, fig*) mise au point; **~ a terra** (*Elettr*) mise à la terre; **~ in moto** (*Aut, fig*) démarrage *m*; **~ in opera** mise en œuvre; **~ in piega** mise en plis; **~ in scena** *vedi* **messinscena**

messaggero [messadˈdʒero] *sm* (*di notizia*) messager *m*; (*Posta*) porteur *m*

messaggiarsi [messadˈdʒarsi] *vi* envoyer des SMS (à)

messaggino [messadˈdʒino] *sm* minimessage *m*

messaggio [mesˈsaddʒo] *sm* (*anche fig*) message *m*; (*discorso*) discours *msg*; (*: breve*) allocution *f*, message; **potrei lasciare un ~?** est-ce que je peux laisser un message?; **~ di posta elettronica** message *m* électronique

messaggistica [messadˈdʒistica] *sf*: **~ immediata** (*Inform*) messagerie *f* instantanée; **programma di ~ immediata** logiciel de messagerie instantanée

messale [mesˈsale] *sm* missel *m*

messicano, -a [messiˈkano] *agg* mexicain(e) ◼ *sm/f* Mexicain(e)

Messico [ˈmɛssiko] *sm* Mexique *m*; **Città del ~** Mexico

messinscena [messinˈʃena] *sf* mise *f* en scène

messo, -a [ˈmesso] *pp di* **mettere** ◼ *sm* messager *m*; (*comunale, giudiziario*) huissier *m*

mestiere [mes'tjɛre] *sm* métier *m*;
i mestieri (*lavori domestici*) les travaux
mpl ménagers; **di ~** de métier; **essere
del ~** être du métier

mestolo ['mestolo] *sm* (*Cuc*) louche *f*

mestruazione [mestruat'tsjone] *sf*
menstruation *f*; **avere le
mestruazioni** avoir ses règles

meta ['mɛta] *sf* destination *f*, but *m*;
(*fig*) but, objectif *m*

metà [me'ta] *sf inv* moitié *f*; (*punto di
mezzo*) milieu *m*; **dividere qc a o per ~**
partager qch en deux; **fare a ~**
partager; **a ~ prezzo** à moitié prix; **a
~ strada** à mi-chemin; **a ~ settimana**
en milieu de semaine; **verso la ~ del
mese** vers le milieu du mois; **dire le
cose a ~** dire les choses à moitié; **fare
le cose a ~** faire les choses à moitié;
la mia dolce ~ (*fam: scherz*) ma chère
moitié

metadone [meta'done] *sm*
méthadone *f*

metafora [me'tafora] *sf* métaphore *f*

metallico, -a, -ci, -che [me'talliko]
agg métallique

metallo [me'tallo] *sm* métal *m*; **di ~**
en métal; **metalli preziosi** métaux
précieux

metalmeccanico, -a, -ci, -che
[metalmek'kaniko] *agg*
métallurgiste, de la métallurgie ■ *sm*
métallurgiste *m*, métallo *m* (*fam*)

metano [me'tano] *sm* méthane *m*

meticcio, -a, -ci, -ce [me'tittʃo] *sm/f*
métis(se)

metodico, -a, -ci, -che [me'tɔdiko]
agg méthodique

metodo ['mɛtodo] *sm* méthode *f*;
fare qc con/senza ~ faire qch avec /
sans méthode

metro ['mɛtro] *sm* mètre *m*; (*fig:
criterio di giudizio*) critère *m*

metropolitana [metropoli'tana] *sf*
métropolitain *m*, métro *m*; **~ leggera**
métro *m* aérien

mettere ['mettere] *vt* mettre; (*abiti:
portare*) porter; **mettersi** *vpr* se
mettre; **~ allegria a qn** rendre qn
joyeux; **~ un annuncio sul giornale**
mettre une annonce dans le journal;
~ a confronto comparer; **~ in conto**
(*somma ecc*) mettre sur le compte;
(*considerare*) prendre en compte;

~ fame a qn donner faim à qn; **~ in
luce** (*problemi, errori*) mettre en
lumière; **~ a tacere qn** faire taire qn;
~ a tacere qc étouffer qch; **~ su casa**
monter son ménage; **~ su un
negozio** ouvrir un magasin; **~ su
peso** prendre du poids; **~ via**
(*spostare*) ranger; (*risparmiare: soldi*)
mettre de côté; **mettiamo che...**
mettons que...; **mettersi il cappello**
mettre son chapeau; **metterci**:
metterci molta cura y mettre
beaucoup de soins; **metterci molto
tempo** y mettre beaucoup de temps;
ci ho messo 3 ore per venire j'ai mis
3 heures pour venir; **mettercela
tutta** (*impegnarsi*) faire tout son
possible; **mettersi bene/male**
(*disporsi: faccenda*) être en bonne/
mauvaise voie; **mettersi in lungo**
(*vestirsi*) se mettre en robe du soir;
mettersi in bianco s'habiller en
blanc; **mettersi con qn** (*in coppia:
gioco, relazione*) se mettre avec qn;
mettersi nei guai se mettre dans le
pétrin; **ci siamo messi insieme il
mese scorso** (*coppia*) nous nous
sommes mis ensemble le mois passé;
mettersi al lavoro *o* **a lavorare**
se mettre au travail *o* à travailler;
mettersi a letto (*per dormire*) se
mettre au lit; (*per malattia*) s'aliter;
mettersi a piangere/ridere se mettre
à pleurer/rire; **mettersi a sedere**
s'asseoir; **mettersi in società con qn**
(*in società*) s'associer à *o* avec qn

mezzanotte [meddza'nɔtte] *sf*
minuit *m*; **a ~** à minuit

mezzo, -a ['mɛddzo] *agg* demi(e)
■ *avv* (*a metà*) à moitié; **~ distrutto/morto** à
moitié détruit/mort ■ *sm* (*metà*)
demi *m*, moitié *f*; (*parte centrale:
di strada, piazza ecc*) milieu *m*; (*per
raggiungere un fine*) moyen *m*; (*veicolo*)
moyen de transport; **mezzi** *smpl*
(*possibilità economiche*) moyens *mpl*;
nove e ~ neuf heures et demi;
mezzanotte e ~ minuit et demi;
~giorno e ~ midi et demi; **di mezza
età** entre deux âges; **aver una mezza
idea di fare qc** avoir plus ou moins
envie de faire qch; **di mezza stagione**
de demi-saison; **un soprabito di
mezza stagione** un pardessus de

demi-saison; **è stata una mezza tragedia** ça a presque été une tragédie; **a mezza voce** à mi-voix; **una volta e ~ più grande** une fois et demi plus grand; **di ~** (*centrale*) central(e), du milieu; **andarci di ~** (*subire danno*) subir les conséquences; **esserci di ~** (*ostacolo*) empêcher; **levarsi** *o* **togliersi di ~** s'en aller, se tirer; **mettersi di ~** s'en mêler; **togliere di ~** (*persona*) écarter, se débarrasser de; (*cosa*) enlever, débarrasser; (*fam: uccidere*) supprimer, se débarrasser de; **non c'è una via di ~** il n'y a pas de compromis possible; **in ~ a** au milieu de; **nel bel ~ (di)** en plein milieu de; **per** *o* **a ~ di** au moyen de; **a ~ corriere** par un service de messageries, par l'intermédiaire d'un transporteur; **~ chilo** demi-kilo *m*; **~ litro** demi-litre *m*; **mezz'ora** demi-heure *f*; **mezzi di comunicazione di massa** mass media *mpl*; **mezzi di trasporto** moyens de transport; **mezzi pubblici** transports *mpl* en commun

mezzogiorno [meddzo'dʒorno] *sm* midi *m*; (*Geo*) midi, sud *m*; **a ~** à midi; **il M~** (*in Italia*) le Sud de l'Italie

mi¹ [mi] *sm inv* (*Mus*) mi *m*

mi² [mi] *dav* **lo, la, li, le, ne** *diventa* **me** *pron* (*oggetto, riflessivo*) me; (*complemento di termine*) me, moi; **mi aiuti?** tu m'aides?; **me ne ha parlato** il m'en a parlé; **mi servo da solo** je me sers tout seul

miagolare [mjago'lare] *vi* miauler

mica ['mika] *sf* mica *f* ▪ *avv* (*fam*): **non...** ~ pas du tout; **non sono ~ stanco** je ne suis pas du tout fatigué; **non sarà ~ partito?** il n'est quand même pas parti?; **~ male** pas mal

miccia, -ce ['mittʃa] *sf* mèche *f*

micidiale [mitʃi'djale] *agg* mortel(le); (*clima*) terrible; (*effetto*) néfaste

microfibra [mikro'fibra] *sf* microfibre *f*

microfono [mi'krɔfono] *sm* (*Tecn*) microphone *m*, micro *m*

microscopio [mikros'kɔpjo] *sm* microscope *m*

midollo [mi'dollo] (*pl(f)* **midolla**) *sm* moelle *f*; **fino al ~** (*fig*) jusqu'aux os;

~ spinale moelle épinière

miele ['mjɛle] *sm* miel *m*

migliaio [miʎ'ʎajo] (*pl(f)* **migliaia**) *sm* (*mille*) millier *m*; **un ~ (di)** un millier (de); **a migliaia** par milliers

miglio ['miʎʎo] *sm* (*miglia: pl(f)*) mille *m*; (*Bot*) millet *m*; **~ marino** *o* **nautico** mille marin

miglioramento [miʎʎora'mento] *sm* amélioration *f*

migliorare [miʎʎo'rare] *vt* améliorer ▪ *vi* s'améliorer

migliore [miʎ'ʎore] *agg* (*comparativo*): **~ (di)** meilleur(e) (que); (*superlativo*): **il(la) ~** le meilleur (la meilleure) ▪ *sm/f*: **il(la) ~** le meilleur (la meilleure); **il miglior vino di questa regione** le meilleur vin de cette région; **nel ~ dei casi** dans la meilleure des hypothèses; **con i migliori auguri** avec mes/nos meilleurs vœux

mignolo ['miɲɲolo] *sm* (*di mano*) auriculaire *m*, petit doigt *m*; (*del piede*) petit orteil *m*

Milano [mi'lano] *sf* Milan

miliardario, -a [miljar'darjo] *agg*, *sm/f* milliardaire *m/f*

miliardo [mi'ljardo] *sm* milliard *m*; **un ~ di euro** un milliard d'euros

milione [mi'ljone] *sm* million *m*; **un ~ di euro** un million d'euros

militante [mili'tante] *agg*, *sm/f* militant(e)

militare [mili'tare] *vi* (*in marina, artiglieria ecc*) faire son service militaire; (*fig: in movimento, partito*) militer ▪ *agg*, *sm* militaire (*m*); **fare il ~** faire son service (militaire); **~ di carriera** militaire de carrière

mille ['mille] (*pl(f)* **mila**) *agg*, *sm* mille (*m*); **dieci mila** dix mille; *vedi anche* **cinque**

millennio [mil'lɛnnjo] *sm* millénaire *m*

millepiedi [mille'pjɛdi] *sm inv* mille-pattes *m inv*

millesimo, -a [mil'lɛzimo] *agg*, *sm* millième (*m*)

milligrammo [milli'grammo] *sm* milligramme *m*

millimetro [mil'limetro] *sm* millimètre *m*

milza ['miltsa] *sf* rate *f*

mimetizzare [mimetid'dzare] vt
camoufler; **mimetizzarsi** vpr (Mil)
se camoufler; (pianta, animale) se
confondre par mimétisme
mimo ['mimo] sm mime m
mimosa [mi'mosa] sf mimosa m
min. abbr (= minuto) mn; (= minimo)
min.
mina ['mina] sf mine f
minaccia, -ce [mi'nattʃa] sf
menace f; **sotto la ~ di** sous la
menace de
minacciare [minat'tʃare] vt
menacer; **~ qn di morte** menacer qn
de mort; **~ di fare qc** menacer de faire
qch; **minaccia di piovere** le temps
est à la pluie
minare [mi'nare] vt (anche fig: salute)
miner; (: tranquillità) troubler
minatore [mina'tore] sm mineur m
minerale [mine'rale] agg minéral(e)
■ sm (materiale) minéral m; (Tecn:
estrazione mineraria) minerai m ■ sf
(bibita: anche: **acqua minerale**) eau f
minérale
minerario, -a [mine'rarjo] agg
minier(-ière)
minestra [mi'nɛstra] sf soupe f,
potage m; **~ di verdure** soupe de
légumes; **~ in brodo** bouillon m avec
des pâtes
miniatura [minja'tura] sf miniature
f; (genere di pittura) enluminure f,
miniature; **in ~** en miniature
miniera [mi'njɛra] sf (anche fig) mine
f; **~ di carbone** mine de charbon
minigonna [mini'gonna] sf mini-
jupe f
minimo, -a ['minimo] agg (il più
piccolo) le plus petit (la plus petite),
le (la) moindre; (piccolissimo) très
petit(e), très court(e), infime; (il più
basso) le plus bas (la plus basse),
minimum ■ sm minimum m; (Aut)
ralenti m; **come ~** au moins; **girare
al ~** (Aut) tourner au ralenti; **il ~
indispensabile** le minimum
indispensable; **è il ~ che possa fare**
c'est la moindre des choses; **il ~ della
pena** (Dir) le minimum (de la peine)
ministero [minis'tɛro] sm (Pol, Rel,
Dir) ministère m; **Pubblico M~** (Dir)
ministère public; **~ delle Finanze**
ministère des Finances

ministro [mi'nistro] sm (Pol, Rel)
ministre m; **~ della Pubblica
Istruzione** ministre de l'Éducation
Nationale
minoranza [mino'rantsa] sf
minorité f; **essere in ~** être en
minorité
minore [mi'nore] agg (comparativo:
più piccolo) plus petit(e), moindre;
(: meno importante) mineur(e); (: più
giovane) cadet(te), plus jeune; (: meno
grave) moins important(e), moins
grave; (Mat) inférieur(e) ■ sm/f
(minorenne) mineur(e); **in misura ~**
dans une moindre mesure; **il male ~**
le moindre mal; **il fratello ~** le frère
cadet; **le opere minori** les œuvres
mineures
minorenne [mino'rɛnne] agg, sm/f
mineur(e)
minuscolo, -a [mi'nuskolo] agg, sf
minuscule (f); **scrivere tutto (in) ~**
écrire tout en (lettres) minuscules
minuto, -a [mi'nuto] agg (scrittura,
lineamenti) fin(e); (corporatura)
menu(e); (fig: lavoro, relazione)
détaillé(e), minutieux(-euse) ■ sm
minute f; **sbrigati, abbiamo i minuti
contati** dépêche-toi, on n'a pas
une minute à perdre; **al ~** (Comm)
au détail
mio, mia ['mio] (mpl **miei, mie**, fpl
mie) agg: **(il) ~, (la) mia** mon, ma;
(pl): **i miei, le mie** mes ■ pron: **il ~,
la mia** le mien, la mienne; **i miei**
(genitori) mes parents; **una mia
amica** une de mes amies; **i miei
guanti** mes gants; **~ padre** mon père;
mia madre ma mère; **è ~** c'est à moi;
è dalla mia (parte) il est de mon côté;
ho detto la mia j'ai dit ce que j'avais à
dire; **anch'io ho avuto le mie** (guai)
moi aussi j'ai eu ma part de
problèmes; **ne ho fatta una delle
mie!** (sciocchezze) j'ai encore fait une
bêtise!; **cerco di stare sulle mie**
j'essaie de me tenir sur la réserve
miope ['miope] agg myope
mira ['mira] sf mire f; (fig: fine, scopo)
but m, objectif m; **mire** sfpl
(ambizioni) visées fpl; **avere una
buona ~** bien viser; **avere una
cattiva ~** mal viser; **prendere la ~**
viser; **prendere di ~ qn** (fig)

prendre qn pour cible, avoir qn dans le collimateur

miracolo [mi'rakolo] sm miracle m

miraggio [mi'raddʒo] sm mirage m

mirare [mi'rare] vi: ~ **a** viser à; (fig: successo, potere) aspirer à, viser à

mirino [mi'rino] sm (Tecn) guidon m; (Fot) viseur m

mirtillo [mir'tillo] sm myrtille f

miscela [miʃ'ʃela] sf mélange m

mischia ['miskja] sf bagarre f; (Sport) mêlée f

miscuglio [mis'kuʎʎo] sm mélange m, mixture f; (fig) mélange

mise ['mize] vb vedi **mettere**

miserabile [mize'rabile] agg misérable, de misère; (spregevole) méprisable

miseria [mi'zɛrja] sf (povertà) misère f, dénuement m; (infelicità) misère; (meschinità) mesquinerie f; **miserie** sfpl (della vita ecc) malheurs mpl; **costare una** ~ coûter une misère; **piangere** ~ crier o pleurer misère; **ridursi in** ~ tomber dans la misère; **porca** ~! (fam) misère!, nom d'un chien!

misericordia [mizeri'kɔrdja] sf miséricorde f

misero, -a ['mizero] agg misérable; (stipendio, salario) misérable, de misère; (meschino) mesquin(e)

misi ['mizi] vb vedi **mettere**

misogino [mi'zɔdʒino] sm misogyne m

missile ['missile] sm missile m, fusée f; ~ **balistico** missile balistique; ~ **terra-aria** missile sol-air

missionario, -a [missjo'narjo] agg, sm/f missionnaire m/f

missione [mis'sjone] sf mission f

misterioso, -a [miste'rjoso] agg mystérieux(-euse)

mistero [mis'tɛro] sm mystère m; **fare ~ di qc** faire mystère de qch; **quanti misteri!** en voilà des mystères!

misto, -a ['misto] agg mixte; (gelato) panaché(e); (tessuto) mélangé(e); (piatto) varié(e); (emozioni) mêlé(e) ◼ sm mélange m; **un tessuto in ~ lino** un (tissu) métis

mistura [mis'tura] sf mélange m, mixture f

misura [mi'zura] sf (anche Mus, fig) mesure f; (di abiti) taille f; (di scarpe) pointure f; **nella ~ in cui** dans la mesure où; **in giusta ~** dans la juste mesure; **su ~** sur mesure; **oltre ~** outre mesure; **in ugual ~** de la même façon; (allo stesso modo) de la même façon; **a ~ d'uomo** à la mesure de l'homme; **passare la ~** dépasser o excéder la mesure; **non avere il senso della ~** ne pas avoir le sens de la mesure; **prendere le misure a/di qn** prendre les mesures de qn; **ho preso le mie misure** j'ai pris mes dispositions; ~ **di capacità/ lunghezza** mesure de capacité/ longueur; **misure di prevenzione/ sicurezza** mesures de prévention/ sécurité

misurare [mizu'rare] vt mesurer; (abito) essayer; (pesare, anche fig) peser ◼ vi mesurer; **misurarsi** vpr: **misurarsi con** (fig) se mesurer à

mite ['mite] agg doux (douce)

mitico, -a, -ci, -che ['mitiko] agg mythique

mito ['mito] sm mythe m; **è un ~** (persona: eccezionale) il (elle) est super

mitologia [mitolo'dʒia] sf mythologie f

mitra ['mitra] sm inv (arma) mitraillette f ◼ sf (Rel) mitre f

mittente [mit'tente] sm/f expéditeur(-trice)

mm abbr (= millimetro) mm

mobile ['mɔbile] agg mobile; (Dir: bene) mobilier(-ière) ◼ sm (arredamento) meuble m; **mobili** smpl mobilier msg, meubles mpl

mocassino [mokas'sino] sm mocassin m

moda ['mɔda] sf mode f; **alla/di ~** à la mode; **fuori ~** démodé(e)

⬤ **MODA**
⬤
⬤ Tout comme en France, l'industrie
⬤ de la mode est un secteur
⬤ florissant en Italie. Les couturiers
⬤ italiens créent des vêtements qui
⬤ s'exportent dans le monde entier.

modalità [modali'ta] sf inv modalité f; **seguire attentamente le ~ d'uso**

bien suivre le mode d'emploi; **~ di
pagamento** modalité de paiement;
~ giuridiche procédure f juridique
modella [mo'dɛlla] *sf (di scultore,
pittore)* modèle *m*; *(di moda)*
mannequin *m*
modello [mo'dɛllo] *sm* modèle *m*;
(stampo) moule *m*; *(modulo
amministrativo)* formulaire *m*; *(schema
teorico)* plan *m* ▪ *agg inv* modèle *inv*
modem ['mɔdem] *sm inv* modem *m*
moderatore, -trice [modera'tore]
sm/f président(e); *(TV)*
animateur(-trice)
moderno, -a [mo'dɛrno] *agg*
moderne
modesto, -a [mo'dɛsto] *agg*
modeste; **secondo il mio ~ parere**
à mon humble avis
modico, -a, -ci, -che ['mɔdiko] *agg*
modique
modifica, -che [mo'difika] *sf*
modification f; **subire delle
modifiche** subir des modifications
modificare [modifi'kare] *vt*
modifier; **modificarsi** *vpr* se
modifier
modo ['mɔdo] *sm (di essere, agire,
sentire)* façon f, manière f; *(mezzo,
espediente, occasione)* moyen *m*;
(regola, limite) règle f; *(misura)*
mesure f; *(Ling, Mus)* mode *m*;
modi *smpl (comportamento)* manières
fpl, façons fpl; **a suo ~, a ~ suo** à sa
façon, à sa manière; **di o in ~ che**
(così da) de manière o façon à; **in ~
da fare qc** de manière o façon à faire
qch; **in o ad ogni ~** de toute façon,
de toute manière; **in tutti i modi**
(comunque sia) quoi qu'il en soit;
(in ogni caso) en tous les cas; **in un
certo qual ~** d'une certaine manière;
in qualche ~ en quelque sorte;
oltre ~ outre mesure; **un ~ di dire**
une tournure (de phrase), une
locution; **per ~ di dire** pour ainsi dire;
fare a ~ proprio faire à sa façon,
faire à sa tête; **fare le cose a ~** faire
les choses comme il se doit; **una
persona a ~** une personne comme
il faut; **c'è ~ e ~ di...** il y a l'art et la
manière pour...
modulo ['mɔdulo] *sm (documento)*
document *m*; *(modello)* formulaire *m*;

(schema stampato) formulaire,
imprimé *m*; *(Archit, lunare, di comando)*
module *m*; **~ continuo** papier *m* en
continu; **~ d'iscrizione** demande f
d'inscription; **~ di domanda**
demande; **~ di versamento**
bordereau *m* de versement
mogano ['mɔgano] *sm* acajou *m*;
di ~ en acajou
mogio, -a, -gi, -gie ['mɔdʒo] *agg*
penaud(e), mortifié(e)
moglie ['mɔʎʎe] *sf* femme f
moine [mo'ine] *sfpl* câlineries fpl,
cajoleries fpl; *(smancerie)* simagrées
fpl, minauderies fpl; **fare le ~ a qn**
faire des cajoleries à qn
molare [mo'lare] *sm* molaire f
mole ['mɔle] *sf (dimensioni)*
grandeur f; *(costruzione)* édifice *m*
imposant; *(fig)* quantité f; **una ~
di lavoro** beaucoup de travail
molestare [moles'tare] *vt*
importuner, agacer
molestia [mo'lɛstja] *sf* ennui *m*,
tracas *m*; **molestie sessuali**
harcèlement *msg* sexuel
molla ['mɔlla] *sf* ressort *m*;
molle *sfpl (per camino)* pincettes fpl;
materasso a molle matelas *msg*
à ressorts; **prendere qn con le
molle** prendre qn avec des
pincettes
mollare [mol'lare] *vt* lâcher;
(lavoro) quitter; *(ragazzo)* larguer
(fam); *(fig: ceffone)* flanquer ▪ *vi
(cedere)* lâcher; **~ gli ormeggi** *(Naut)*
larguer les amarres; **~ la presa**
lâcher prise
molle ['mɔlle] *agg* mou (molle);
(muscoli) flasque
molletta [mol'letta] *sf (per capelli)*
barrette f; *(per panni stesi)* pince à
linge; **mollette** *sfpl (per zollette di
zucchero)* pince *fsg* à sucre
mollica, -che [mol'lika] *sf* mie f
de pain
mollusco, -schi [mol'lusko] *sm*
mollusque *m*
molo ['mɔlo] *sm* jetée f, quai *m*
moltiplicare [moltipli'kare] *vt*
multiplier; **moltiplicarsi** *vpr* se
multiplier
moltiplicazione [moltiplikat'tsjone]
sf multiplication f

PAROLA CHIAVE

molto, -a ['molto] *agg (quantità)*
beaucoup de; **molta neve/gente/
pioggia** beaucoup de neige/gens/
pluie; **molto pane/carbone**
beaucoup de pain/charbon; **molto
tempo** longtemps; **molti libri**
beaucoup de livres; **molte persone**
beaucoup de personnes; **non ho
molto tempo** je n'ai pas beaucoup de
temps; **per molto** *(tempo)* pendant
longtemps; **ci vuole molto (tempo)?**
est-ce qu'il y en a pour longtemps?
▪ *avv* **1** *(parlare, capire, amare)*
beaucoup; **viaggia molto** il voyage
beaucoup; **non viaggia molto** il ne
voyage pas beaucoup; **arriverà tra
non molto** il arrivera dans peu de
temps, il arrivera sous peu
2 *(intensivo: con agg, avv)* très; (: *con
pp, in frasi negative)* beaucoup; **molto
buono** très bon; **molto meglio**
beaucoup o bien mieux; **molto
peggiore** bien pire; **non è molto
buono** il n'est pas très bon; **non piove
molto** il ne pleut pas beaucoup
▪ *pron* beaucoup; **c'era gente, ma
non molta** il y avait du monde mais
pas tant que cela; **non ho molto con
me** je n'ai pas beaucoup d'argent sur
moi; **molti credono che...** beaucoup
croient que...; **molte sono rimaste a
casa** beaucoup sont restées chez
elles; **ne hai per molto?** tu en as pour
longtemps?

momentaneamente
[momentanea'mente] *avv*
momentanément

momentaneo, -a [momen'taneo]
agg momentané(e)

momento [mo'mento] *sm* moment
m; **da un ~ all'altro** d'un moment à
l'autre; *(all'improvviso)* tout à coup;
per il ~ pour le moment; **dal ~ che**
du moment que, étant donné que;
a momenti d'un moment à l'autre,
d'une minute à l'autre; *(molto presto)*
dans un instant; *(quasi)* presque; **sul
~** sur le moment; **all'ultimo ~** au
dernier moment; **del ~** *(campione,
fatto)* du moment; **aspetti un ~**
attendez un instant

monaca, -che ['mɔnaka] *sf*
religieuse *f*, sœur *f*

Monaco ['mɔnako] *sf*: **~ (di Baviera)**
Munich; **Principato di ~** principauté *f*
de Monaco

monaco, -ci ['mɔnako] *sm* moine *m*

monarchia [monar'kia] *sf*
monarchie *f*

monastero [monas'tero] *sm* *(di
monaci)* monastère *m*; *(di monache)*
couvent *f*

mondano, -a [mon'dano] *agg*
mondain(e)

mondiale [mon'djale] *agg*
mondial(e); *(campionato)* du monde;
di fama ~ de renommée mondiale

mondo ['mondo] *sm* monde *m*; **un ~
di** *(fig: grande quantità)* un tas de, une
foule de; **il gran** o **bel ~** le grand o
beau monde; **venire/mettere al ~**
(nascere) venir/mettre au monde;
andare all'altro ~ passer dans l'autre
monde; **mandare qn all'altro ~**
envoyer o expédier qn dans l'autre
monde; **di ~** *(uomo, donna)* du monde;
per niente o **per nessuna cosa al ~**
pour rien au monde; **da che ~ è ~**
depuis que le monde est monde;
vivere fuori dal ~ vivre dans un autre
monde; **(sono) cose dell'altro ~!** c'est
incroyable!; **com'è piccolo il ~!** (que)
le monde est petit!

monello [mo'nɛllo] *sm* *(ragazzo di
strada)* titi *m*, galopin *m* (fam); *(ragazzo
vivace)* polisson, gamin

moneta [mo'neta] *sf* pièce *f* de
monnaie; *(Econ: valuta)* monnaie *f*;
(denaro spicciolo) petite monnaie;
~ estera devise *f* étrangère; **~ legale**
monnaie légale

mongolfiera [mongol'fjɛra] *sf*
montgolfière *f*

monitor ['mɔnitə] *sm inv* moniteur *m*

monolocale [monolo'kale] *sm*
(appartamento) studio *m*

monopolio [mono'pɔljo] *sm* *(anche
fig)* monopole *m*; **~ di stato** monopole
d'État

monotematico, -a, -ci, -che
[monote'matiko] *agg* thématique;
è un po' ~ il parle toujours de la même
chose

monotono, -a [mo'nɔtono] *agg*
monotone

monovolume [monovo'lume] *sf inv*
(*Aut*) monovolume *m*

monsone [mon'sone] *sm* mousson *f*

montacarichi [monta'kariki] *sm inv*
monte-charge *m inv*

montaggio, -gi [mon'taddʒo] *sm*
(*anche Cine*) montage *m*

montagna [mon'taɲɲa] *sf*
montagne *f*; **andare in ~** aller à la
montagne; **aria/strada di ~** air *m*/
route *f* de la montagne; **una casa
in ~** une maison à la montagne; **le
Montagne Rocciose** les (montagnes)
Rocheuses *fpl*; **montagne russe**
montagnes *fpl* russes

montanaro, -a [monta'naro] *agg*,
sm/f montagnard(e)

montano, -a [mon'tano] *agg* des
montagnes

montare [mon'tare] *vt* (*anche Cine,
Fot*) monter; (*Zool*) monter, saillir;
(*apparecchiatura*) monter, assembler;
(*uova*) monter, battre; (*panna*)
fouetter; (*brillante*) monter,
enchâsser; (*fig: esagerare*) grossir,
gonfler ▪ *vi* monter; (*maionese*)
prendre; **~ la guardia** (*Mil*) monter
la garde; **~ qn** o **la testa a qn** monter
la tête à qn; **montarsi (la testa)** se
monter la tête; **~ in bicicletta** monter
à bicyclette; **~ a cavallo** monter à
cheval; **~ in macchina/in treno**
monter en voiture/dans le train

montatura [monta'tura] *sf*
monture *f*; (*fig*) bluff *m*, coup *m*
monté; **~ pubblicitaria** coup de pub

monte ['monte] *sm* mont *m*; (*fig:
mucchio*) tas *msg*; **a ~** en amont;
andare a ~ (*fig*) échouer; **mandare
a ~ qc** (*fig*) faire échouer qch; **il M~
Bianco** le Mont-Blanc; **il M~ Everest**
le Mont Everest, l'Everest *m*; **il M~
Cervino** le Cervin; **il M~ Rosa** le
(Mont) Rose; **~ di pietà** mont-de-
piété *m*; **~ premi** cagnotte *f*

montone [mon'tone] *sm* mouton *m*
(mâle), bélier *m*; (*giacca*) veste *f* en
peau de mouton; **carne di ~** viande *f*
de mouton

montuoso, -a [montu'oso] *agg*
montagneux(-euse)

monumento [monu'mento] *sm*
monument *m*

moquette [mɔ'kɛt] *sf* moquette *f*

mora ['mɔra] *sf* (*del rovo*) mûre *f*; (*del
gelso*) mûre (du mûrier); (*Dir*) retard
m; (: *somma*) amende *f*

morale [mo'rale] *agg* moral(e) ▪ *sf*
morale *f*; (*complesso di norme*) morale,
éthique *f* ▪ *sm* (*condizione psichica*)
moral *m*; **la ~ della favola** la morale
de l'histoire; **essere giù di ~** ne pas
avoir le moral, ne pas avoir bon moral;
avere il ~ a terra avoir le moral à zéro

morbido, -a ['mɔrbido] *agg* (*al tatto*)
doux (douce); (*cuscino, letto*)
moelleux(-euse); (*carne*) tendre; (*fig:
atteggiamento*) souple

morbillo [mor'billo] *sm* rougeole *f*

morbo ['mɔrbo] *sm* maladie *f*

morboso, -a [mor'boso] *agg*
morbide

mordere ['mɔrdere] *vt* (*sogg: persona,
cane*) mordre; (*addentare*) mordre,
croquer

moribondo, -a [mori'bondo] *agg*,
sm/f moribond(e), mourant(e)

morire [mo'rire] *vi* (*anche fig*) mourir;
~ di dolore mourir de douleur; **~ di
fame** mourir de faim; **~ di freddo**
mourir de froid; **~ d'invidia** crever de
jalousie; **~ di noia/paura** mourir
d'ennui/de peur; **~ dalla voglia di
fare qc** mourir d'envie de faire qch; **un
caldo da ~** une chaleur épouvantable

mormorare [mormo'rare] *vi* (*anche
acque*) murmurer; (*fronde*) murmurer,
bruire; **si mormora che...** le bruit
court que..., on dit que...; **la gente
mormora** les gens parlent

moro, -a ['mɔro] *agg* (*dai capelli scuri*)
brun(e); (*di carnagione scura*)
basané(e) ▪ *sm/f* (*vedi agg*) brun(e);
personne *f* au teint basané o mat;
i mori (*Storia*) les Maures *mpl*

morsa ['mɔrsa] *sf* étau *m*; (*fig: del
ghiaccio*) étreinte *f*; (: *del terrore*)
emprise *f*

morsicare [morsi'kare] *vt* mordre

morso, -a ['mɔrso] *pp di* **mordere**
▪ *sm* morsure *f*; (*parte della briglia*)
mors *msg*; **dare un ~ a** mordre;
i morsi della fame les affres de la faim

mortadella [morta'dɛlla] *sf*
mortadelle *f*

mortaio [mor'tajo] *sm* mortier *m*

mortale [mor'tale] *agg* mortel(le)
▪ *sm* mortel *m*

morte ['mɔrte] *sf* mort *f*; (*fig: rovina, fine*) fin *f*; **in punto di** ~ à l'article de la mort; **ferito a** ~ mortellement blessé; **essere annoiato a** ~ s'ennuyer à mourir; **avercela a** ~ **con qn** en vouloir à mort à qn; **avere la** ~ **nel cuore** avoir la mort dans l'âme

morto, -a ['mɔrto] *pp di* **morire** ■ *agg* (*anche fig*) mort(e); (*fig: corpo*) inerte ■ *sm/f* mort(e); **i morti** (*defunti*) les morts; ~ **di sonno/stanchezza** mort(e) de sommeil/fatigue; **fare il** ~ (*in acqua*) faire la planche; **un** ~ **di fame** (*fig, peg*) un crève-la-faim *m*; **le campane suonavano a** ~ les cloches sonnaient le glas; **il Mar M**~ la mer Morte

mosaico, -ci [mo'zaiko] *sm* mosaïque *f*; **l'ultimo tassello del** ~ (*fig*) le dernier maillon de la chaîne

Mosca ['moska] *sf* Moscou

mosca, -sche ['moska] *sf* mouche *f* ■ *agg inv*: **peso** ~ poids *msg* mouche; **rimanere** *o* **restare con un pugno di mosche** (*fig*) se retrouver les mains vides; **non si sentiva volare una** ~ (*fig*) on aurait entendu une mouche voler; ~ **bianca** (*fig*) mouton *m* à cinq pattes; ~ **cieca** colin-maillard *m*

moscerino [moʃʃe'rino] *sm* moucheron *m*

moschea [mos'kɛa] *sf* mosquée *f*

moscio, -a, -sci, -sce ['moʃʃo] *agg* (*fig*) mou (molle); **ha la "r" moscia** il grasseye les "r"

moscone [mos'kone] *sm* (*Zool*) grosse mouche *f*; (*barca*) pédalo *m*

mossa ['mɔssa] *sf* mouvement *m*; (*fig*) manœuvre *f*; (*gesto*) geste *m*; (*nel gioco*) coup *m*; **darsi una** ~ (*fig*) se dépêcher, se dégrouiller (*fam*); **prendere le mosse da** partir de, commencer par

mossi *ecc* ['mɔssi] *vb vedi* **muovere**

mosso, -a ['mɔsso] *pp di* **muovere** ■ *agg* (*foto*) flou(e); (*mare*) agité(e); (*capelli*) ondulé(e)

mostarda [mos'tarda] *sf* moutarde *f*; ~ **di Cremona** condiment à base de fruits confits au vinaigre

mostra ['mostra] *sf* exposition *f*; (*ostentazione*) étalage *m*; **far** ~ **di** (*fingere*) faire semblant de; **far** ~ **di sé** se pavaner; **in** ~ en vitrine; **mettersi in** ~ se faire remarquer

mostrare [mos'trare] *vt* montrer, faire voir; (*ostentare*) étaler; (*fingere: dolore ecc*) feindre ■ *vi*: ~ **di fare** faire semblant de faire; **mostrarsi** *vpr* (*in pubblico*) se montrer; **mostrarsi malato** feindre la maladie, feindre d'être malade; ~ **la lingua** tirer la langue; **può mostrarmi dov'è, per favore?** pouvez-vous me montrer où c'est?

mostro ['mostro] *sm* monstre *m*

mostruoso, -a [mostru'oso] *agg* (*anche fig*) monstrueux(-euse)

motel [mo'tɛl] *sm inv* motel *m*

motivare [moti'vare] *vt* (*causare*) causer; (*giustificare*) justifier; (*stimolare*) motiver

motivo [mo'tivo] *sm* raison *f*; (*movente*) motif *m*, mobile *m*; (*letterario*) thème *m*; (*disegno*) motif *m*; (*Mus*) thème, motif; **per quale** ~? pour quelle raison?; **per motivi di salute** pour des raisons de santé; **per motivi personali** pour des raisons personnelles

moto ['mɔto] *sm* (*anche Fis, Mus*) mouvement *m* ■ *sf inv* (*motocicletta*) moto *f*; **fare del** ~ faire de l'exercice; **un** ~ **d'impazienza** un mouvement d'impatience; **mettere in** ~ (*veicolo*) mettre en route, démarrer; (*fig*) mettre en mouvement *o* branle

motociclista, -i, -e [mototʃi'klista] *sm/f* motocycliste *m/f*

motore, -trice [mo'tore] *agg* moteur(-trice) ■ *sm* moteur *m*; **a** ~ à moteur; ~ **a combustione interna/a reazione** moteur à combustion interne/à réaction; ~ **di ricerca** (*Inform*) moteur *m* de recherche; ~ **elettrico** moteur électrique

motorino [moto'rino] *sm* (*piccolo ciclomotore*) mobylette *f*, cyclomoteur *m*; ~ **di avviamento** démarreur *m*

motoscafo [motos'kafo] *sm* bateau *m* à moteur

motto ['mɔtto] *sm* (*battuta scherzosa*) boutade *f*, plaisanterie *f*; (*frase emblematica*) devise *f*

mouse ['maus] *sm inv* souris *f*

movente [mo'vɛnte] *sm* mobile *m*

movimento [movi'mento] *sm* (*anche Mus*) mouvement *m*; (*fig: animazione, vivacità*) animation *f*; **essere sempre in ~** être toujours sur la brèche; **fare un po' di ~** (*esercizio fisico*) faire un peu d'exercice; **c'è molto ~ in città** il y a beaucoup d'animation en ville; **~ di capitali** mouvement de capitaux; **M~ per la Liberazione della Donna** Mouvement de libération de la femme

mozione [mot'tsjone] *sf* (*Pol*) motion *f*; **~ d'ordine** (*Pol*) motion d'ordre

mozzarella [mottsa'rɛlla] *sf* mozzarella *f*

mozzicone [mottsi'kone] *sm* (*di sigaretta*) mégot *m*; (*di candela*) bout *m*

mucca, -che ['mukka] *sf* vache *f*; **~ pazza** vache *f* folle

mucchio ['mukkjo] *sm* (*anche fig*) tas *msg*; **un ~ di** un tas de

muco, -chi ['muko] *sm* mucus *msg*

muffa ['muffa] *sf* moisissure *f*; **fare la ~** moisir

muggire [mud'dʒire] *vi* mugir

mughetto [mu'getto] *sm* muguet *m*

mulino [mu'lino] *sm* moulin *m*; **~ a vento** moulin à vent

mulo ['mulo] *sm* mulet *m*

multa ['multa] *sf* amende *f*, contravention *f*

multietnico, -a, -ci, -che [multi'etniko] *agg* multiethnique

multirazziale [multirat'tsjale] *agg* multiracial(e)

multisala [multi'sala] *agg inv* (*cinema*) multisalle(s)

multivitaminico, -a, -ci, -che [multivita'miniko] *agg* multivitaminé(e)

mummia ['mummja] *sf* momie *f*

mungere ['mundʒere] *vt* traire; (*fig*) exploiter

municipale [munitʃi'pale] *agg* municipal(e); **palazzo ~** hôtel *m* de ville; **autorità municipali** autorités *fpl* de la ville

municipio [muni'tʃipjo] *sm* mairie *f*; (*edificio*) mairie, hôtel *m* de ville; **sposarsi in ~** se marier civilement

munizioni [munit'tsjoni] *sfpl* (*Mil*) munitions *fpl*

munsi *ecc* ['munsi] *vb vedi* **mungere**

muoio *ecc* ['mwɔjo] *vb vedi* **morire**

muovere ['mwɔvere] *vt* (*cassa, libro*) déplacer; (*braccia, gambe*) bouger, remuer; (*macchina, ingranaggio*) mouvoir; (*sollevare: questione, obiezione*) soulever; (: *accusa*) porter; **muoversi** *vpr* (*spostarsi*) bouger; (*mettersi in marcia*) se mettre en marche; (*adoperarsi, darsi da fare*) se remuer, se démener; (*sbrigarsi*) se dépêcher; **~ causa a qn** (*Dir*) porter plainte contre qn, intenter une action en justice contre qn; **~ a compassione** apitoyer; **~ al pianto** faire pleurer; **~ guerra a** *o* **contro qn** faire la guerre à qn; **~ mari e monti** remuer ciel et terre; **~ i primi passi** (*anche fig*) faire ses premiers pas; **muoviti!** dépêche-toi!

mura ['mura] *sfpl* (*cinta cittadina*) remparts *mpl*

murale [mu'rale] *agg* mural(e)

muratore [mura'tore] *sm* maçon *m*

muro ['muro] *sm* (*anche fig: di nebbia, ghiaccio*) mur *m*; **armadio a ~** placard *m*; **mettere al ~** (*fucilare*) mettre *o* envoyer au poteau; **~ del suono** mur du son; **~ di cinta** mur d'enceinte; **~ di gomma** (*fig*) mur (de silence); **~ divisorio** mur de refend, cloison *f*

muschio ['muskjo] *sm* (*Bot*) mousse *f*; (*in profumeria*) musc *m*

muscolare [musko'lare] *agg* musculaire

muscolo ['muskolo] *sm* muscle *m*

museo [mu'zɛo] *sm* musée *m*

museruola [muze'rwɔla] *sf* muselière *f*

musica ['muzika] *sf* musique *f*; **~ da ballo/camera** musique de danse/chambre; **~ leggera** musique légère

musicale [muzi'kale] *agg* musical(e)

musicista, -i, -e [muzi'tʃista] *sm/f* musicien(ne)

muso ['muzo] *sm* museau *m*; (*peg: di persona*) figure *f*, gueule *f* (*fam*); (*fig: di auto, aereo*) nez *m*; **tenere il ~ a qn** faire la tête à qn

mussulmano, -a [mussul'mano] *agg, sm/f* musulman(e)

muta ['muta] *sf* (*di cani*) meute *f*; (*Zool*) mue *f*; (*di subacqueo*) combinaison *f* de plongée

mutande [mu'tande] *sfpl* (*da uomo*)
slip *m*; (*da donna*) slip *m*, culotte *f*

muto, -a ['muto] *agg* (*anche Cine,
Ling*) muet(te); **~ per lo stupore**
muet(te) d'étonnement

mutuo, -a ['mutuo] *agg* mutuel(le)
■ *sm* (*Econ*) prêt *m*, crédit *m*;
~ ipotecario prêt hypothécaire

N ['ɛnne] *abbr* (= *nord*) N

n. *abbr* (= *numero*) No, no

nafta ['nafta] *sf* (*Chim*) naphte *m*;
(*per motori diesel*) gazole *m*; (*da
riscaldamento*) mazout *m*

naftalina [nafta'lina] *sf* naphtaline *f*

naia ['naja] *sf* (*Mil*) service *m* (militaire)

naïf [na'if] *agg inv* naïf (naïve)

nanna ['nanna] *sf*: **fare la ~** faire
dodo; **andare/mettere a ~** aller/
mettre au dodo

nano, -a ['nano] *agg, sm/f* nain(e)

napoletano, -a [napole'tano] *agg*
napolitain(e) ■ *sm/f* Napolitain(e)
■ *sm* (*zona*): **il ~** la région de Naples
■ *sf* (*per caffè*) cafetière *f* napolitaine

Napoli ['napoli] *sf* Naples

narciso [nar'tʃizo] *sm* (*Bot*) narcisse *m*

narcotico, -ci [nar'kɔtiko] *sm*
narcotique *m*

narice [na'ritʃe] *sf* narine *f*

narrare [nar'rare] *vt* raconter

narrativa [narra'tiva] *sf* prose *f*;
la ~ dell'8oo le roman du XIXe siècle

nasale [na'sale] *agg* nasal(e)

nascere ['naʃʃere] *vi* (*anche fig*) naître;
(*pianta*) pousser; (*fiume*) prendre sa

source; (sole) poindre; **è nata nel 1962** elle est née en 1962; **da cosa nasce cosa** de fil en aiguille

nascita ['naʃʃita] sf (anche fig) naissance f; (di pianta) croissance f; (di sole) lever m; **la ~ del fiume** l'endroit où la rivière prend sa source

nascondere [nas'kondere] vt cacher; **nascondersi** vpr se cacher

nascondiglio [naskon'diʎʎo] sm cachette f

nascondino [naskon'dino] sm cache-cache m

nascosi ecc [nas'kosi] vb vedi **nascondere**

nascosto, -a [nas'kosto] pp di **nascondere** ■ agg (anche fig) caché(e); **di ~** en cachette

nasello [na'sello] sm merlan m

naso ['naso] sm nez m; (fig) flair m

nastro ['nastro] sm (anche Tip) ruban m; **~ adesivo** ruban adhésif; **~ magnetico** bande f magnétique; **~ trasportatore** tapis msg roulant

nasturzio [nas'turtsjo] sm capucine f

natale [na'tale] agg (città) natal(e) ■ sm: **N~** Noël m; **natali** smpl (nascita) naissance fsg; **di illustri natali** de haute naissance; **giorno ~** jour m de naissance

natalizio, -a [nata'littsjo] agg de Noël

natica, -che ['natika] sf fesse f

nato, -a ['nato] pp di **nascere** ■ agg: **un oratore/artista ~** un orateur/ artiste né; **nata Pieri** née Pieri

natura [na'tura] sf nature f; **problemi di ~ finanziaria** problèmes financiers; **~ morta** nature morte

naturale [natu'rale] agg naturel(le) ■ sm: **al ~** (alimenti) au naturel, nature; (ritratto) d'après nature; **(ma) è ~!** (ovviamente) (mais) bien sûr!; **a grandezza ~** grandeur nature; **acqua ~** eau naturelle

naturalmente [natural'mente] avv naturellement

naturista, -i, -e [natu'rista] agg, sm/f naturiste m/f

naufragare [naufra'gare] vi faire naufrage; (fig) échouer

naufrago, -ghi ['naufrago] sm naufragé m

nausea ['nauzea] sf (anche fig) nausée f; **avere la ~** avoir mal au cœur; **fino alla ~** jusqu'à en avoir la nausée; (fig) à satiété

nauseante [nauze'ante] agg (odore) nauséabond(e); (sapore) écœurant(e); (fig) répugnant(e), écœurant(e)

nautico, -a, -ci, -che ['nautiko] agg nautique ■ sf nautisme m; **salone ~** salon m nautique

navale [na'vale] agg naval(e)

navata [na'vata] sf (centrale, laterale) nef f

nave ['nave] sf navire m, bateau m; **~ cisterna** bateau citerne; **~ da carico** cargo m; **~ da guerra** navire de guerre; **~ passeggeri** paquebot m; **~ portaerei** porte-avions msg; **~ spaziale** vaisseau m spatial

navetta [na'vetta] sf navette f ■ agg inv (treno, pullman) qui fait la navette; **servizio di ~** navette; **~ spaziale** navette spatiale

navicella [navi'tʃella] sf nacelle f

navigare [navi'gare] vi naviguer; **~ in cattive acque** (fig) être dans une mauvaise passe; **~ in Internet** surfer sur le net

navigatore, -trice [naviga'tore] sm/f navigator; (su vascelli): **~ satellitare** satellite navigator

navigazione [navigat'tsjone] sf navigation f; **dopo una settimana di ~** après une semaine de navigation; **~ interna/spaziale** navigation intérieure/spatiale

nazionale [nattsjo'nale] agg national(e) ■ sf (Sport) équipe f nationale

nazionalità [nattsjonali'ta] sfinv nationalité f

nazione [nat'tsjone] sf nation f

naziskin ['na:tsi skin] sm inv skinhead m

NB abbr (= nota bene) NB

 PAROLA CHIAVE

ne [ne] pron 1 (di lui) de lui; (di lei) d'elle; (di loro) d'eux (d'elles); **ne riconosco la voce** je reconnais sa (o leur, leurs) voix; **ne ricordo gli occhi** je me souviens de ses (o leurs) yeux

2 (*di questa, quella cosa*) en; **ne voglio ancora** j'en veux encore; **non parliamone più** n'en parlons plus; **dammene ancora** donne-m'en encore

3 (*da ciò*) en; **ne deduco che...** j'en déduis que...; **ne consegue...** il en résulte..., il s'ensuit...

4 (*con valore partitivo*): **hai dei libri? - sì, ne ho** as-tu des livres? - oui, j'en ai; **hai del pane? - no, non ne ho** as-tu du pain? - non, je n'en ai pas; **quanti anni hai? - ne ho 17** quel âge as-tu? - j'ai 17 ans

■ *avv* (*moto da luogo: da lì*) en; **ne vengo ora** j'en viens

né [ne] *cong*: **né... né** ni... ni...; **né l'uno né l'altro lo vuole** ni l'un ni l'autre ne le veut; **non parla né l'italiano né il tedesco** il ne parle ni l'italien ni l'allemand; **non piove né nevica** il ne pleut pas et il ne neige pas

neanche [ne'anke] *cong* même ■ *avv* non plus; **non l'ho ~ chiamato** je ne l'ai même pas appelé; **~ se volesse potrebbe venire** même s'il le voulait, il ne pourrait pas venir; **non l'ho visto - neanch'io** je ne l'ai pas vu - moi non plus; **~ per idea o sogno!** jamais de la vie!; **non ci penso ~!** je n'y pense même pas!; **~ un bambino ci crederebbe!** même un enfant n'y croirait pas!; **~ a pagarlo lo farebbe** même si on le payait il ne le ferait pas

nebbia ['nebbja] *sf* brouillard *m*

necessariamente [netʃessarja'mente] *avv* nécessairement; (*conseguentemente*) forcément

necessario, -a [netʃes'sarjo] *agg* nécessaire ■ *sm*: **fare il ~** faire le nécessaire; **lo stretto ~** le strict nécessaire

necessità [netʃessi'ta] *sf inv* nécessité *f*; **di ~** nécessairement; **avere ~ di fare qc** avoir besoin de faire qch; **fare di ~ virtù** faire de nécessité vertu

necrologio, -gi [nekro'lɔdʒo] *sm* nécrologie *f*

negare [ne'gare] *vt* nier; (*rifiutare*) refuser; **~ di aver fatto/che** nier avoir fait/que

negativa [nega'tiva] *sf* (*Fot*) négatif *m*

negativo, -a [nega'tivo] *agg* (*anche Mat, Fis, Fot*) négatif(-ive) ■ *sm* (*Fot*) négatif *m*

negherò ecc [nege'rɔ] *vb vedi* **negare**

negligente [negli'dʒente] *agg* négligent(e)

negoziante [negot'tsjante] *sm/f* négociant(e), commerçant(e)

negoziare [negot'tsjare] *vt* négocier

negoziato [negot'tsjato] *sm* négociation *f*

negozio [ne'gɔttsjo] *sm* magasin *m*; (*affare*) affaire *f*; **~ giuridico** (*Dir*) acte *m* juridique

◈ **NEGOZI**

Les heures d'ouverture des magasins italiens peuvent varier; dans les grandes villes, de plus en plus de commerces font la journée continue, et sont même parfois ouverts le dimanche. Dans la plupart des cas cependant, les magasins ferment pour la pause du déjeuner et sont ouverts de 8h30-9h00 à 12h30-13h00 et rouvrent de 15h00-15h30 à 19h00-19h30.

negro, -a ['negro] *agg* noir(e); (*arte, musica*) nègre ■ *sm/f* noir(e)

nemico, -a, -ci, -che [ne'miko] *agg, sm/f* ennemi(e); **essere ~ di** (*contrario a*) être contre; (*nocivo a*) être nuisible à

nemmeno [nem'meno] *avv, cong* = **neanche**

neo ['nɛo] *sm* grain *m* de beauté; (*Med*) nævus *msg*; (*fig*) imperfection *f*

neon ['nɛon] *sm inv* néon *m*; **lampada al ~** lampe *f* au néon

neonato, -a [neo'nato] *agg, sm/f* nouveau-né(e)

neozelandese [neoddzelan'dese] *agg, sm/f* néo-zélandais(e)

neppure [nep'pure] *avv, cong* = **neanche**

nero, -a ['nero] *agg* (*anche fig*) noir(e) ■ *sm* noir *m*; **cronaca nera** faits *mpl* divers; **il Mar N~** la Mer Noire; **nella miseria più nera** dans la misère la

plus noire; **essere di umore ~,
essere ~** être d'une humeur noire;
mettere ~ su bianco mettre noir
sur blanc; **vedere tutto ~** voir tout
en noir

nervo ['nɛrvo] *sm* nerf *m*; (*Bot*)
nervure *f*; **avere i nervi a fior di pelle**
avoir les nerfs à fleur de peau; **dare
sui nervi a qn** énerver qn; **tenere/
avere i nervi saldi** garder/avoir les
nerfs solides; **che nervi!** que c'est
énervant!

nervoso, -a [ner'voso] *agg*
nerveux(-euse) ■ *sm* (*malumore, ira*):
far venire il ~ a qn énerver qn; **farsi
prendere dal ~** s'énerver

nespola ['nɛspola] *sf* nèfle *f*

nesso ['nɛsso] *sm* lien *m*

PAROLA CHIAVE

nessuno, -a [nes'suno] (*dav sm*
nessun + *C, V,* **nessuno** + *s impura, gn,
pn, ps, x, z; dav sf* **nessuna** + *C,* **nessun'**
+ *V*) *agg* **1** (*nemmeno uno*) aucun(e),
pas un(e), nul(le); **non c'è nessun
libro** il n'y a aucun livre; **nessun altro**
personne d'autre; **nessun'altra cosa**
aucune autre chose; **in nessun luogo**
nulle part
2 (*qualche*) aucun(e); **hai nessuna
obiezione?** tu n'as aucune objection?
■ *pron* **1** (*persona*) personne,
aucun(e); (*cosa*) aucun(e); **non è
venuto nessuno?** personne n'est
venu?
2 (*qualcuno*) personne, quelqu'un;
ha telefonato nessuno? personne
n'a téléphoné?, est-ce que quelqu'un
a téléphoné?

nettare [net'tare] *sm* nectar *m*

nettezza [net'tettsa] *sf* propreté *f*;
~ urbana service *m* de voirie

netto, -a ['netto] *agg* (*pulito*) propre;
(*risposta, guadagno, peso*) net (nette);
tagliare qc di ~ couper *o* trancher
net qch; **un taglio ~ col passato**
(*fig*) une coupure nette avec le passé

netturbino [nettur'bino] *sm*
éboueur *m*

neutrale [neu'trale] *agg* neutre

neutro, -a ['nɛutro] *agg, sm*
neutre (*m*)

neve ['neve] *sf* neige *f*; **montare a ~**
(*Cuc*) battre en neige; **nevi perenni**
neiges éternelles

nevicare [nevi'kare] *vb impers*
neiger; **nevica** il neige

nevicata [nevi'kata] *sf* chute *f* de
neige

nevischio [ne'viskjo] *sm* neige *f*
fondue

nevoso, -a [ne'voso] *agg*
neigeux(-euse)

nevralgia [nevral'dʒia] *sf* névralgie *f*

nevrastenico, -a, -ci, -che
[nevras'tɛniko] *agg, sm/f* (*Med, fig*)
neurasthénique *m/f*

nevrosi [ne'vrɔzi] *sf inv* névrose *f*

nevrotico, -a, -ci, -che [ne'vrɔtiko]
agg (*Med, fig*) névrotique ■ *sm/f*
névrosé(e)

nicchia ['nikkja] *sf* (*anche fig*) niche *f*;
(*naturale*) cavité *f*; **~ di mercato**
(*Comm*) créneau *m* (de vente)

nicchiare [nik'kjare] *vi* hésiter,
tergiverser

nichel ['nikel] *sm* nickel *m*

nicotina [niko'tina] *sf* nicotine *f*

nido ['nido] *sm* nid *m* ■ *agg inv*: **asilo
~** crèche *f*; **a ~ d'ape** à nid d'abeilles

PAROLA CHIAVE

niente ['njɛnte] *pron* **1** rien; **niente
può fermarlo** rien ne peut l'arrêter;
niente di niente rien de rien;
nient'altro rien d'autre; **come se
niente fosse** comme si de rien n'était;
cose da niente des riens, des
bagatelles; **per niente** pour rien;
poco o niente presque rien, trois fois
rien; **grazie! - di niente** merci! - de
rien; **non per niente, ma...** ce n'est
pas pour dire, mais...; **un uomo da
niente** un rien du tout
2 (*qualcosa*): **hai bisogno di niente?**
as-tu besoin de quelque chose?, tu
n'as besoin de rien?
3: **non... niente** ne... rien; **non ho
visto niente** je n'ai rien vu; **non ho
niente da dire** je n'ai rien à dire; **non
può farci niente** il ne peut rien y faire;
(non) fa niente cela ne fait rien
■ *sm* rien *m*; **un bel niente** rien du
tout; **basta un niente per farla
piangere** il suffit d'un rien pour la

faire pleurer; **finire in niente** ne pas avoir de suite, s'en aller en eau de boudin (*fam*)

■ *avv* (*in nessuna misura*): **non...** **niente** ne... pas du tout; **non... (per) niente** ne... pas du tout; **non è (per) niente male** il n'est pas mal du tout; **non ci penso per niente** je n'y pense pas du tout; **niente affatto** pas du tout, pas le moins du monde

■ *agg*: **niente paura!** n'ayez pas peur!

ninfa ['ninfa] *sf* nymphe *f*
ninfea [nin'fɛa] *sf* nymphéa *m*, nénuphar *m*
ninna-nanna [ninna'nanna] *sf* berceuse *f*
ninnolo ['ninnolo] *sm* joujou *m*; (*gingillo*) bibelot *m*
nipote [ni'pote] *sm/f* (*di zii*) neveu (nièce); (*di nonni*) petit-fils (petite-fille)
nitido, -a ['nitido] *agg* (*immagine*) net (nette)
nitrire [ni'trire] *vi* hennir
nitrito [ni'trito] *sm* (*verso*) hennissement *m*
nitroglicerina [nitroglitʃe'rina] *sf* nitroglycérine *f*
no [nɔ] *avv* non; **vieni o no?** tu viens oui ou non?; **perché no?** pourquoi pas?; **lo conosciamo? - tu no ma io sì** est-ce que nous le connaissons? - toi, non mais moi, oui; **verrai, no?** tu viendras, n'est-ce pas?
nobile ['nɔbile] *agg, sm/f* noble *m/f*
nocca, -che ['nɔkka] *sf* jointure *f* (des doigts)
noccio *ecc* ['nɔttʃo] *vb vedi* **nuocere**
nocciola [not'tʃɔla] *agg inv, sf* noisette (*f*)
nocciolina [nottʃo'lina] *sf* (anche: **nocciolina americana**) cacahuète *f*
nocciolo¹ ['nɔttʃolo] *sm* (*di frutto*) noyau *m*; (*punto essenziale*) nœud *m*
nocciolo² [not'tʃɔlo] *sm* (*albero*) noisetier *m*
noce ['notʃe] *sm* noyer *m* ■ *sf* noix *fsg* ■ *agg inv* marron, brun(e); **una ~ di burro** une noix de beurre; **~ di cocco** noix de coco; **~ moscata** (noix) muscade *f*
nocevo *ecc* [no'tʃevo] *vb vedi* **nuocere**

nocivo, -a [no'tʃivo] *agg* (*sostanza*) nocif(-ive); (*animale*) nuisible
nocqui *ecc* ['nɔkkwi] *vb vedi* **nuocere**
nodo ['nɔdo] *sm* nœud *m*; (*fig: legame*) lien *m*; **avere un ~ alla gola** avoir la gorge nouée; **tutti i nodi vengono al pettine** (tôt ou tard) tous les problèmes finissent par émerger
no-global [no'global] *agg inv* altermondialiste
noi ['noi] *pron* nous; **~ stessi(e)** nous-mêmes
noia ['nɔja] *sf* ennui *m*; **mi è venuto a ~** je m'en suis lassé; **dare ~ a** déranger; **avere delle noie con** avoir des ennuis avec
noioso, -a [no'joso] *agg* ennuyeux(-euse); (*fastidioso*) agaçant(e)
noleggiare [noled'dʒare] *vt* louer; **vorrei ~ una macchina** je voudrais louer une voiture
noleggio [no'leddʒo] *sm* location *f*
nomade ['nɔmade] *agg, sm/f* nomade *m/f*
nome ['nome] *sm* nom *m*; (*fig*) renommée *f*; **a ~ di** de la part de; **in ~ di** au nom de; **chiamare qn per ~** appeler qn par son prénom; **conoscere qn di ~** connaître qn de nom; **fare il ~ di qn** nommer qn; **farsi un ~** se faire un nom; **faccia pure il mio ~** vous pouvez dire que vous me connaissez; **~ da ragazza/da sposata** nom de jeune fille/d'épouse; **~ d'arte** pseudonyme *m*; **~ depositato** nom déposé; **~ di battesimo** nom de baptême; **~ utente** (*Inform*) identifiant *m*
nomignolo [no'miɲɲolo] *sm* surnom *m*, sobriquet *m*
nomina ['nɔmina] *sf* nomination *f*
nominale [nomi'nale] *agg* (*anche Ling*) nominal(e)
nominare [nomi'nare] *vt* nommer; **non l'ho mai sentito ~** je n'en ai jamais entendu parler
nominativo, -a [nomina'tivo] *agg* nominatif(-ive) ■ *sm* (*Amm*) nom *m* et prénom; (*Ling*) nominatif *m*
non [non] *avv* ne... pas ■ *pref vedi anche* **affatto**; **appena**
nonché [non'ke] *cong* (*e non solo*) non seulement... mais aussi; (*inoltre*) ainsi que

noncurante [nonku'rante] *agg*
(*persona, atteggiamento*): **~ (di)**
insouciant(e) (de); **con fare ~** d'une
façon nonchalante

nonno, -a ['nɔnno] *sm/f* grand-père
(grand-mère); **i nonni** *smpl* (*nonno e
nonna*) les grands-parents *mpl*

> **FALSI AMICI**
> **nonna** non si traduce mai
> con la parola francese
> **nonne**.

nonnulla [non'nulla] *sm inv*: **un ~**
un rien

nono, -a ['nɔno] *agg, sm/f* neuvième
m/f ■ *sm* neuvième *m*

nonostante [nonos'tante] *prep*
malgré, en dépit de ■ *cong* bien que,
quoique; **ciò ~** malgré cela

nontiscordardimé
[nontiskordardi'me] *sm inv*
myosotis *msg*

nord [nɔrd] *agg inv, sm* nord (*m*);
a ~ (di) au nord (de); **verso ~** vers
le nord; **il mare del N~** la mer du
Nord; **l'America del N~** l'Amérique
du Nord

nordest [nor'dɛst] *sm* nord-est *m*

nordovest [nor'dɔvest] *sm* nord-
ouest *m*

norma ['nɔrma] *sf* norme *f*; (*regola,
consuetudine*) règle *f*; **di ~** d'habitude,
normalement; **a ~ di legge** aux
termes de la loi; **per tua ~ e regola**
pour ta gouverne; **al di sopra della ~**
supérieur à la norme; **~ giuridica**
norme, règle de droit; **norme di
sicurezza** consignes *fpl* de sécurité;
norme per l'uso mode *m* d'emploi

normale [nor'male] *agg* normal(e)
■ *sf* (*Geom*) normale *f*

normalmente [normal'mente] *avv*
normalement

norvegese [norve'dʒese] *agg*
norvégien(ne) ■ *sm/f* Norvégien(ne)
■ *sm* norvégien *m*

Norvegia [nor'vedʒa] *sf* Norvège *f*

nostalgia [nostal'dʒia] *sf* nostalgie *f*

nostrano, -a [nos'trano] *agg*
du pays

nostro, -a ['nɔstro] *agg*: **(il) ~, (la)
nostra** notre ■ *pron*: **il ~, la nostra** le
nôtre, la nôtre; **i nostri** (*genitori*) nos
parents; **una nostra amica** une de
nos amies; **i nostri libri** nos livres;
~ padre notre père; **è ~** il est à nous,
c'est le nôtre; **l'ultima nostra**
(*Comm*) notre dernière lettre; **è dalla
nostra** il est de notre côté; **vogliamo
dire la nostra** nous avons notre
mot à dire; **alla nostra!** (*brindisi*)
à notre santé!; **abbiamo avuto le
nostre** nous avons eu notre part de
malheurs; **ne abbiamo fatta una
delle nostre!** nous avons encore fait
une bêtise!; **arrivano i nostri!** les
renforts arrivent!

nota ['nɔta] *sf* (*anche Mus*) note *f*;
(*elenco*) liste *f*; (*segno*) caractéristique
f; **prendere ~ di qc** prendre note de
qch; (*fig*) prendre bonne note de qch;
degno di ~ digne d'être remarqué,
remarquable; **note a piè di pagina**
notes en bas de page; **note
caratteristiche** caractéristiques
dominantes

notaio [no'tajo] *sm* notaire *m*

notare [no'tare] *vt* remarquer;
(*segnare*) marquer; (*registrare*)
annoter; **farsi ~** (*anche peg*) se faire
remarquer

notevole [no'tevole] *agg* (*talento,
capacità*) considérable, remarquable;
(*peso*) considérable

notifica, -che [no'tifika] *sf*
notification *f*

notizia [no'tittsja] *sf* nouvelle *f*;
(*conoscenza, nozione*) notion *f*;
ultime notizie dernières nouvelles;
notizie sportive nouvelles sportives

notiziario [notit'tsjarjo] *sm* (*Radio,
TV*) nouvelles *fpl*, informations *fpl*

noto, -a ['nɔto] *agg* connu(e)

notorietà [notorje'ta] *sf* notoriété *f*;
atto di ~ acte *m* de notoriété

notorio, -a [no'tɔrjo] *agg* notoire;
atto ~ acte *m* de notoriété

nottambulo, -a [not'tambulo] *sm/f*
noctambule *m/f*

nottata [not'tata] *sf* nuit *f*

notte ['nɔtte] *sf* nuit *f*; **di ~** la nuit;
buona ~! bonne nuit!; (*fig*) n'en
parlons plus!; **dammi 10 euro e
buona ~!** donne-moi 10 euros et
n'en parlons plus!; **sì, buona ~!**
mais oui, c'est ça!; **questa ~** cette
nuit; **nella ~ dei tempi** dans la
nuit des temps; **~ bianca** nuit
blanche

notturno, -a [not'turno] *agg*
nocturne ◼ *sm* (*Mus*) nocturne *m*
◼ *sf* (*Sport*) match *m* nocturne

novanta [no'vanta] *agg inv, sm inv*
quatre-vingt-dix (*m*) *inv*; *vedi anche*
cinque

novantesimo, -a [novan'tɛzimo]
agg, sm/f quatre-vingt-dixième *m/f*

nove ['nɔve] *agg inv, sm inv* neuf (*m*)
inv; *vedi anche* **cinque**

novecento [nove'tʃɛnto] *agg inv,*
sm inv neuf cents (*m*) *inv* ◼ *sm*: **il N~**
le vingtième siècle

novella [no'vɛlla] *sf* nouvelle *f*,
conte *m*

novello, -a [no'vɛllo] *agg* nouveau
(nouvelle); **sposi novelli** jeunes
mariés *mpl*

novembre [no'vɛmbre] *sm*
novembre *m*; *vedi anche* **luglio**

novità [novi'ta] *sf inv* nouveauté *f*;
(*notizia*) nouvelle *f*; **le ~ della moda**
les nouveautés de la mode

nozione [not'tsjone] *sf* notion *f*;
nozioni *sfpl* (*rudimenti*) notions *fpl*

nozze ['nɔttse] *sfpl* noces *fpl*;
~ d'argento/d'oro noces d'argent/
d'or

nubile ['nubile] *agg* célibataire

nuca, -che [nuka] *sf* nuque *f*

nucleare [nukle'are] *agg, sm*
nucléaire (*m*)

nucleo ['nukleo] *sm* (*anche fig*)
noyau *m*; (*Mil, Polizia*) détachement
m; **~ antidroga** ≈ brigade *f* des
stupéfiants; **~ familiare** cellule *f*
familiale

nudista, -i, -e [nu'dista] *sm/f*
nudiste *m/f*

nudo, -a ['nudo] *agg* nu(e) ◼ *sm*
(*Arte*) nu *m*; **a occhio ~** à l'œil nu;
a piedi nudi nu-pieds, pieds-nus;
mettere a ~ mettre à nu; **gli ha**
detto ~ e crudo che... il lui a
carrément dit que...

nulla ['nulla] *pron, avv* = **niente**
◼ *sm*: **il ~** le néant; **svanire nel ~**
disparaître sans laisser de traces;
basta un ~ per farlo arrabbiare il
suffit d'un rien pour qu'il se mette
en colère

nullità [nulli'ta] *sf inv* (*anche Dir*)
nullité *f*

nullo, -a ['nullo] *agg* nul(le)

numerale [nume'rale] *agg*
numéral(e) ◼ *sm* numéral *m*

numerare [nume'rare] *vt* numéroter

numerico, -a, -ci, -che [nu'mɛriko]
agg numérique

numero ['numero] *sm* (*anche Ling*)
nombre *m*; (*romano, arabo*) chiffre *m*;
(*di matricola, giornale ecc*) numéro *m*;
tanto per fare ~ juste pour qu'on soit
plus nombreux; **che ~ tuo fratello!**
quel numéro, ton frère!; **dare i**
numeri dérailler, débloquer; **ha tutti**
i numeri per riuscire il a toutes les
qualités pour réussir; **~ chiuso** (*Univ*)
numerus clausus *m*; **~ civico** numéro
(*d'une maison*); **~ di scarpe** pointure *f*;
~ di telefono numéro de téléphone;
~ doppio (*di rivista*) numéro double;
~ verde (*Tel*) numéro vert

numeroso, -a [nume'roso] *agg*
nombreux(-euse)

nuoccio *ecc* ['nwɔttʃo] *vb vedi* **nuocere**

nuocere ['nwɔtʃere] *vi*: **~ a** nuire à;
tentar non nuoce qui ne risque rien
n'a rien

nuora ['nwɔra] *sf* belle-fille *f*

nuotare [nwo'tare] *vi* nager;
(*galleggiare*) flotter; **~ nell'oro** rouler
sur l'or

nuotatore, -trice [nwota'tore] *sm/f*
nageur(-euse)

nuoto ['nwɔto] *sm* natation *f*; **a ~** à
la nage

nuova ['nwɔva] *sf* (*notizia*) nouvelle *f*

nuovamente [nwɔva'mente] *avv* de
nouveau

Nuova Zelanda ['nwɔva dze'landa]
sf Nouvelle-Zélande *f*

nuovo, -a ['nwɔvo] *agg* nouveau
(nouvelle); (*in buono stato, non usato*)
neuf (neuve); **come ~** comme neuf
(neuve); **~ fiammante, ~ di zecca**
flambant neuf (neuve); **di ~** de
nouveau; **fino a ~ ordine** jusqu'à
nouvel ordre; **il suo volto non mi è ~**
son visage ne m'est pas étranger;
rimettere a ~ remettre à neuf

nutriente [nutri'ɛnte] *agg*
nourrissant(e)

nutrimento [nutri'mento] *sm*
nourriture *f*

nutrire [nu'trire] *vt* (*anche fig*)
nourrir; **nutrirsi** *vpr*: **nutrirsi di**
se nourrir de

nuvola ['nuvola] *sf* nuage *m*
nuvoloso, -a [nuvo'loso] *agg*
nuageux(-euse)
nuziale [nut'tsjale] *agg* nuptial(e)
nylon ['nailən] *sm* nylon *m*

O [o] *abbr* (= ovest) O
o [o] *dav V spesso od cong* ou; **o... o**
ou... ou, soit... soit; **o l'uno o l'altro**
l'un ou l'autre
oasi ['ɔazi] *sf inv* (*anche fig*) oasis *f sg*
obbediente [obbe'djɛnte] *agg*
= **ubbidiente**
obbligare [obbli'gare] *vt*: **~ (qn a fare
qc)** obliger (qn à faire qch);
obbligarsi *vpr* (*Dir*) s'obliger;
obbligarsi a fare qc (*impegnarsi*)
s'engager à faire qch
obbligatorio, -a [obbliga'tɔrjo] *agg*
obligatoire
obbligo, -ghi ['ɔbbligo] *sm*
obligation *f*; (*dovere*) devoir *m*; **avere
l'~ di fare qc** être dans l'obligation de
faire qch; **essere d'~** être obligatoire;
(*discorso, applauso*) être de rigueur;
avere degli obblighi con *o* **verso qn**
avoir des obligations envers qn; **la
scuola dell'~** la scolarité obligatoire;
le formalità d'~ les formalités *fpl*
requises
obeso, -a [o'beso] *agg* obèse
obiettare [objet'tare] *vt*: **~ (su/che)**
objecter (à/que)

obiettivo, -a [objet'tivo] agg objectif(-ive) ■ sm (Fot, Mil, fig) objectif m

obiettore [objet'tore] sm objecteur m; ~ **di coscienza** objecteur de conscience

obiezione [objet'tsjone] sf objection f

obitorio [obi'tɔrjo] sm morgue f

obliquo, -a [o'blikwo] agg (anche Mat) oblique; (fig: indiretto) indirect(e); (: non onesto) louche

obliterare [oblite'rare] vt oblitérer

oblò [o'blɔ] sm inv hublot m

oboe ['ɔbɔe] sm inv hautbois msg

oca ['ɔka] (pl oche) sf (anche peg) oie f; ~ **giuliva** bécasse f

occasione [okka'zjone] sf occasion f; **cogliere l'~** saisir l'occasion; **all'~** à l'occasion; **alla prima ~** à la première occasion; **d'~** d'occasion

occhiaie [ok'kjai] sfpl (per la stanchezza) cernes mpl; **avere le ~** avoir les yeux cernés

occhiali [ok'kjali] smpl lunettes fpl; ~ **da sole/da vista** lunettes de soleil/de vue

occhiata [ok'kjata] sf coup d'œil m; **dare un'~** à jeter un coup d'œil à; **un'~ d'intesa** un coup d'œil complice

occhiello [ok'kjɛllo] sm boutonnière f; (di libro) faux-titre m

occhio ['ɔkkjo] sm œil m; ~**!** attention!; **a ~ nudo** à l'œil nu; **a quattr'occhi** entre quatre yeux; **avere ~** avoir le compas dans l'œil; **chiudere un ~ (su)** (fig) fermer les yeux (sur); **costare un ~ della testa** coûter les yeux de la tête; **dare all'~ o nell'~ a qn** taper dans l'œil de qn; **fare l'~ a qc** s'habituer à qch; **tenere d'~ qn** avoir o tenir qn à l'œil; **tener d'~ qc** surveiller qch; **vedere di buon/cattivo ~ qc/qn** voir qch/qn d'un bon/mauvais œil

occhiolino [okkjo'lino] sm: **fare l'~ a qn** faire un clin d'œil à qn

occidentale [ottʃiden'tale] agg, sm/f occidental(e)

occidente [ottʃi'dɛnte] sm ouest m; (Pol): **l'O~** l'Occident m; **a ~** à l'ouest

occorrente [okkor'rɛnte] agg, sm nécessaire (m); **ho tutto l'~** j'ai tout ce qu'il faut

occorrenza [okkor'rɛntsa] sf: **all'~** au besoin

> **FALSI AMICI**
> **occorrenza** non si traduce mai con la parola francese **occurrence**.

occorrere [ok'korrere] vi falloir, être nécessaire ■ vb impers: **occorre farlo** il faut le faire; **(mi) occorre una penna** il (me) faut un stylo; **occorre che tu parta** il faut que tu partes; **gli occorrono dei libri** il lui faut des livres; **mi occorre un'ora di tempo** il me faut une heure; **non occorre che si disturbi** il n'est pas nécessaire que vous vous dérangiez

occulto, -a [ok'kulto] agg occulte

occupare [okku'pare] vt occuper; **occuparsi** vpr: **occuparsi di** s'occuper de

occupato, -a [okku'pato] agg occupé(e); **è ~ questo posto?** la place est prise?; **la linea è occupata** la ligne est occupée

occupazione [okkupat'tsjone] sf occupation f; (impiego, lavoro) emploi m

oceano [o'tʃeano] sm océan m

ocra ['ɔkra] sf, agg inv ocre (f)

OCSE ['ɔkse] sigla f (= Organizzazione per la Cooperazione e lo Sviluppo Economico) OCDE f

oculare [oku'lare] agg (Anat, testimone) oculaire

oculato, -a [oku'lato] agg (persona) avisé(e), circonspect(e); (scelta ecc) judicieux(-euse)

oculista, -i, -e [oku'lista] sm/f oculiste m/f

odiare [o'djare] vt (nemico ecc) haïr; (caffè, violenza ecc) détester; **odiarsi** vpr se haïr, se détester; **odio stirare** je déteste repasser

odierno, -a [o'djɛrno] agg (di oggi) d'aujourd'hui; (attuale) actuel(le); **in data odierna** ce jour

odio ['ɔdjo] sm haine f; **avere in ~ qc/qn** haïr qch/qn

odioso, -a [o'djoso] agg odieux(-euse); **rendersi ~ (a)** se rendre odieux(-euse) (à)

odorare [odo'rare] vt, vi sentir; **odora di lavanda** cela sent la lavande

odore [o'dore] *sm* odeur *f*; **odori** *smpl* (*Cuc*) aromates *mpl*; **sento ~ di bruciato/di fumo** cela sent le brûlé/ la fumée; **buon/cattivo ~** bonne/ mauvaise odeur; **in ~ di** (*fig*) en odeur de

offendere [offɛndere] *vt* blesser, vexer; (*morale*) offenser; (*vista*) choquer; (*libertà, diritti*) violer; **offendersi** *vpr* (*reciproco*) s'injurier; (*risentirsi*) se vexer, se froisser

offerente [offe'rɛnte] *sm/f*: **al miglior ~** au plus offrant

offerta [offɛrta] *sf* (*donazione, Econ*) offre *f*; (*Rel*) offrande *f*; (*in gara d'appalto*) soumission *f*; (*in aste*) enchère *f*; **fare un'~** (*in chiesa*) faire une offrande; (*per appalto*) soumissionner; (*ad un'asta*) faire une enchère; **~ di matrimonio** demande *f* en mariage; **~ pubblica di acquisto/ di vendita** offre publique d'achat/de vente; **~ reale** offre réelle; **~ speciale** promotion *f*; **"offerte d'impiego"** "offres d'emploi"

offesa [offesa] *sf* offense *f*; (*Mil*) offensive *f*

offeso, -a [offeso] *pp di* **offendere** ■ *agg* blessé(e), vexé(e) ■ *sm/f* offensé(e); **essere ~ con qn** être brouillé avec qn; **parte offesa** (*Dir*) partie lésée

officina [offi'tʃina] *sf* atelier *m*; (*del meccanico*) garage *m*

offrire [offrire] *vt* offrir; **offrirsi** *vpr* s'offrir; **offrirsi (di fare)** proposer (de faire); **ti offro da bere/un caffè** je t'offre à boire/un café; **"offresi posto di segretaria"** "recherchons secrétaire"; **"segretaria offresi"** "recherche poste de secrétaire"

offuscare [offus'kare] *vt* assombrir, obscurcir; (*fig: intelletto*) troubler; (*: fama*) ternir; **offuscarsi** *vpr* (*immagine*) s'assombrir, s'obscurcir; (*fama*) se ternir

oggettivo, -a [oddʒet'tivo] *agg* objectif(-ive)

oggetto [od'dʒɛtto] *sm* objet *m*; **essere ~ di** (*di critiche, controversia*) être l'objet de, faire l'objet de; **essere ~ di scherno** être un objet de risée; **donna ~** femme-objet *f*; **(ufficio) oggetti smarriti** (bureau *m* des) objets trouvés; **oggetti preziosi** objets précieux

oggi ['oddʒi] *avv, sm* aujourd'hui; **~ stesso** aujourd'hui même; **~ come ~** aujourd'hui; **dall'~ al domani** du jour au lendemain; **a tutt'~** jusqu'à aujourd'hui; **~ a otto** aujourd'hui en huit

oggigiorno [oddʒi'dʒorno] *avv* aujourd'hui, de nos jours

OGM [odʒi'ɛmme] *sm inv* (= *organisme génétiquement modifié*) OGM *m*

ogni ['oɲɲi] *agg* chaque, tous (toutes) les; **~ volta che...** chaque fois que...; **~ sera** chaque soir, tous les soirs; **~ giorno** chaque jour, tous les jours; **~ donna** chaque femme, toutes les femmes; **viene ~ due giorni** il vient tous les deux jours; **~ cosa** tout; **ad ~ costo** à tout prix; **in ~ luogo** en tout lieu; **~ tanto** de temps en temps

Ognissanti [oɲɲis'santi] *sm* Toussaint *f*

ognuno, -a [oɲ'ɲuno] *pron* chacun(e)

Olanda [o'landa] *sf* Hollande *f*

olandese [olan'dese] *agg* hollandais(e) ■ *sm/f* Hollandais(e) ■ *sm* hollandais *m*

oleandro [ole'andro] *sm* laurier-rose *m*

oleodotto [oleo'dotto] *sm* oléoduc *m*, pipe-line *m*

oleoso, -a [ole'oso] *agg* huileux(-euse); (*che contiene olio*) oléagineux(-euse)

olfatto [ol'fatto] *sm* odorat *m*

oliare [o'ljare] *vt* huiler

oliera [o'ljɛra] *sf* huilier *m*

Olimpiadi [olim'piadi] *sfpl* Jeux *mpl* olympiques

olimpico, -a, -ci, -che [o'limpiko] *agg* olympique

olio ['ɔljo] *sm* huile *f*; **un (quadro a) ~** une huile; **sott'~** (*Cuc*) à l'huile; **~ di fegato di merluzzo** huile de foie de morue; **~ di semi vari/d'oliva** huile végétale/d'olive; **~ santo** huile sainte; **~ solare** huile solaire

oliva [o'liva] *sf* olive *f* ■ *agg inv*: **verde ~** vert olive

olivo [o'livo] *sm* olivier *m*

olmo ['ɔlmo] *sm* orme *m*

OLP | 582

OLP [ɔlp] *sigla f* (= *Organizzazione per la Liberazione della Palestina*) OLP f
oltraggio [ol'traddʒo] *sm* (*anche Dir*) outrage m; **~ a pubblico ufficiale** outrage à agent de la force publique; **~ al pudore** outrage à la pudeur; **~ alla corte** outrage à la Cour
oltranza [ol'trantsa] *sf*: **a ~** à outrance
oltre ['oltre] *avv* (*più in là*) plus loin; (*di più*) davantage; (*nel tempo*) plus longtemps ■ *prep* (*di là da*) au-delà de; (*più di*) plus de; (*in aggiunta a*) en plus de, outre; **~ a** (*eccetto*) à part; **~ a tutto** qui plus est; **~ il fiume** de l'autre côté du fleuve; **~ a ciò** en plus (de cela)
oltrepassare [oltrepas'sare] *vt* dépasser; (*fig*) dépasser, outrepasser
omaggio [o'maddʒo] *sm* (*dono*) cadeau m; (*segno di rispetto*) hommage m; **omaggi** *smpl* (*complimenti*) hommages mpl; **dare qc in ~** faire cadeau de qch; **campione in ~** échantillon gratuit; **rendere ~ a** rendre hommage à; **presentare i propri omaggi a qn** présenter ses hommages à qn
ombelico, -chi [ombe'liko] *sm* nombril m
ombra ['ombra] *sf* ombre f ■ *agg inv*: **governo ~** gouvernement fantôme; **sedere all'~** être assis(e) à l'ombre; **restare nell'~** (*fig*) rester dans l'ombre; **senza ~ di dubbio** sans l'ombre d'un doute
ombrello [om'brɛllo] *sm* parapluie m
ombrellone [ombrel'lone] *sm* parasol m
ombretto [om'bretto] *sm* fard m à paupières
O.M.C. [o'emme'tʃi] *sigla f* (= *Organizzazione Mondiale per il Commercio*) OMC f
omelette [ɔmə'lɛt] *sf inv* omelette f
omelia [ome'lia] *sf* homélie f
omeopatia [omeopa'tia] *sf* homéopathie f
omertà [omer'ta] *sf* loi f du silence
omettere [o'mettere] *vt* omettre; **~ di fare qc** omettre de faire qch
omicida, -i, -e [omi'tʃida] *agg, sm/f* meurtrier(-ière)

omicidio [omi'tʃidjo] *sm* meurtre m, homicide m; **~ colposo** homicide volontaire; **~ premeditato** meurtre avec préméditation
omisi *ecc* [o'mizi] *vb vedi* **omettere**
omissione [omis'sjone] *sf* omission f; **reato d'~** délit m d'omission; **~ di atti d'ufficio** ≈ négligence f (*commise par un fonctionnaire*); **~ di denuncia** non-dénonciation f de crime; **~ di soccorso** non-assistance f à personne en danger
omogeneizzati [omodʒeneid'dzati] *smpl* petit pots mpl
omogeneo, -a [omo'dʒɛneo] *agg* homogène
omonimo, -a [o'mɔnimo] *agg, sm/f* homonyme (m); **questa città e la regione omonima** cette ville et la région du même nom
omosessuale [omosessu'ale] *agg, sm/f* homosexuel(le)
O.M.S. [o'emme'ɛsse] *sigla f* (= *Organizzazione Mondiale della Sanità*) OMS f
On. *abbr* (*Pol*: = *onorevole*) député
onda ['onda] *sf* vague f; (*di capelli*) ondulation f; (*Fis*) onde f; **andare in ~** (*Radio, TV*) être diffusé(e); **mandare in ~** diffuser; **~ verde** (*Aut*) feux mpl de signalisation synchronisés; **onde corte/lunghe/medie** ondes courtes/longues/moyennes
onere ['ɔnere] *sm* (*Dir, fig*) charge f; **oneri finanziari** charges financières; **oneri fiscali** charges fiscales
onestà [ones'ta] *sf* honnêteté f
onesto, -a [o'nɛsto] *agg* honnête
O.N.G. [o'enne'dʒi] *sigla f* (= *Organizzazione non governativa*) ONG f
onnipotente [onnipo'tɛnte] *agg* tout-puissant(e)
onomastico, -ci [ono'mastiko] *sm* fête f; **oggi è il mio ~** aujourd'hui c'est ma fête
onorare [ono'rare] *vt* honorer; **onorarsi** *vpr*: **onorarsi di** (*pregiarsi*) s'honorer de
onorario, -a [ono'rarjo] *agg* honoraire ■ *sm* (*compenso*) honoraires mpl
onore [o'nore] *sm* honneur m; **in ~ di** en l'honneur de; **fare ~ a** faire

honneur à; **fare gli onori di casa**
faire les honneurs de la maison;
farsi ~ se distinguer; **a onor del vero**
à vrai dire; **medaglia d'~** médaille *f*
d'honneur; **posto d'~** place *f*
d'honneur; **uomo d'~** homme *m*
d'honneur

onorevole [ono'revole] *agg*
honorable ■ *sm/f* membre *m* du
Parlement italien; **l'~ Rossi**
Monsieur/Madame le député Rossi

ontano [on'tano] *sm* aulne *m*

O.N.U. ['ɔnu] *sigla f* (= *Organizzazione
delle Nazioni Unite)* ONU *f*

opaco, -a, -chi, -che [o'pako] *agg*
(*non trasparente*) opaque; (*metallo*)
mat(e)

opale [o'pale] *sm o f* opale *f*

opera ['ɔpera] *sf* œuvre *f*; (*lavoro,
fatica intellettuale*) travail *m*;
(*costruzione*) ouvrage *m*; (*Mus*) opéra
m; **per ~ sua** grâce à lui; **fare ~ di
persuasione presso qn** user de
persuasion à l'égard de qn; **mettersi/
essere all'~** se mettre/être à l'œuvre;
~ d'arte œuvre d'art; **~ lirica** opéra
lyrique; **~ pia** œuvre pie; **opere
pubbliche** travaux publics; **opere di
restauro** (*Arte*) travaux *mpl* de
restauration; (*Archit*) travaux de
rénovation; **opere di scavo** fouilles
fpl; **~ teatrale** pièce *f* de théâtre

operaio, -a [ope'rajo] *agg, sm/f*
ouvrier(-ière); **~ non specializzato**
ouvrier spécialisé, O.S. *m inv*;
~ specializzato ouvrier qualifié *o*
professionnel, O.P. *m inv*

operare [ope'rare] *vt, vi* (*anche Med*)
opérer; **operarsi** *vpr* (*farsi operare*)
se faire opérer; **~ qn d'urgenza**
opérer qn d'urgence; **~ a favore di
qn** agir en faveur de qn; **~ nel settore
dei trasporti** travailler dans le
secteur des transports; **operarsi
d'appendicite** se faire opérer de
l'appendicite

operazione [operat'tsjone] *sf*
(*anche Mil, Mat, Med*) opération *f*;
un'~ al cuore une opération du cœur;
operazioni in Borsa opérations
boursières

operetta [ope'retta] *sf* opérette *f*

opinione [opi'njone] *sf* opinion *f*;
**avere il coraggio delle proprie
opinioni** avoir le courage de ses
opinions; **~ pubblica** opinion
publique

oppio ['ɔppjo] *sm* opium *m*

oppongo *ecc* [op'pongo] *vb vedi*
opporre

opporre [op'porre] *vt* opposer;
opporsi *vpr*: **opporsi (a)** s'opposer (à)

opportunista, -i, -e [opportu'nista]
sm/f opportuniste *m/f*

opportunità [opportuni'ta] *sf inv*
occasion *f*; (*di scelta, decisione*)
opportunité *f*; **cogliere l'~** saisir
l'occasion

opportuno, -a [oppor'tuno] *agg*
convenable, approprié(e); (*propizio,
favorevole*) opportun(e); **a tempo ~** en
temps utile

opposi *ecc* [op'posi] *vb vedi* **opporre**

opposizione [oppozit'tsjone] *sf*
(*anche Pol*) opposition *f*; **essere in
netta ~** être en nette opposition; **fare
~ a qc** faire *o* mettre opposition à qch

opposto, -a [op'posto] *pp di* **opporre**
■ *agg* opposé(e) ■ *sm* contraire *m*;
all'~ au contraire

oppressione [oppres'sjone] *sf*
(*anche fig*) oppression *f*

opprimente [oppri'mente] *agg* (*vedi
vt*) oppressant(e); opprimant(e)

opprimere [op'primere] *vt* (*sogg:
tiranno*) opprimer; (: *peso, caldo,
dovere*) oppresser

oppure [op'pure] *cong* ou, ou bien;
(*altrimenti*) sinon, autrement

optare [op'tare] *vi* opter; **~ per** opter
pour

opuscolo [o'puskolo] *sm* brochure *f*

opzione [op'tsjone] *sf* option *f*;
diritto di ~ droit *m* d'option

ora¹ ['ora] *sf* heure *f*; (*momento*) temps
msg; **che ~ è?, che ore sono?** quelle
heure est-il?; **domani a quest'~**
demain à cette heure-ci; **fare le ore
piccole** veiller jusqu'à une heure
avancée; **è ~ di partire** il est temps de
partir; **non veder l'~ di fare qc** avoir
hâte de faire qch; **di buon'~** de bonne
heure; **alla buon'~!** à la bonne heure!;
~ di pranzo heure du repas; **~ di
punta** heure de pointe; **a che ~ ...?**
à quelle heure ...?; **a che ~ apre il
museo/negozio?** à quelle heure
ouvre le musée/magasin?; **~ estiva/**

legale heure d'été/légale; **~ locale** heure locale

ora² ['ora] *avv* (*adesso*) maintenant; (*tra poco*) sous peu; **~ ... ~** tantôt... tantôt; **d'~ in poi** désormais; **d'~ in avanti** dorénavant; **or ~** à l'instant; **~ come ~** pour le moment; **10 anni or sono** il y a 10 ans; **è uscito proprio ~** il vient juste de sortir

oracolo [o'rakolo] *sm* oracle *m*

orale [o'rale] *agg* oral(e) ■ *sm* (*Scol*) oral *m*

orario, -a [o'rarjo] *agg, sm* horaire (*m*); **disco ~** disque *m* bleu *o* de stationnement; **~ di apertura/di chiusura** heures *fpl* d'ouverture/de fermeture; **~ di lavoro** heures de travail; **~ d'ufficio** heures de bureau; **~ elastico** horaire souple *o* variable *o* flexible; **~ ferroviario** indicateur *m* des chemins de fer; **~ spezzato** journée (de travail) *f* non continue

orata [o'rata] *sf* daurade *f*

oratore, -trice [ora'tore] *sm/f* orateur(-trice)

orbita ['ɔrbita] *sf* orbite *f*

orchestra [or'kɛstra] *sf* (*Mus*) orchestre *m*; (*Teatro*) fosse *f* d'orchestre

orchidea [orki'dɛa] *sf* orchidée *f*

ordigno [or'diɲɲo] *sm* engin *m*; **~ esplosivo** engin explosif

ordinale [ordi'nale] *agg* ordinal(e) ■ *sm* ordinal *m*

ordinare [ordi'nare] *vt* (*mettere in ordine*) mettre en ordre, ranger; (*merce*) commander; (*medicina, cura*) prescrire; (*Rel*) ordonner; **ordinarsi** *vpr* se ranger; **~ qc a qn** (*comandare*) ordonner qch à qn; **~ a qn di fare qc** ordonner à qn de faire qch; **posso ~ per favore?** (*al ristorante*) je peux commander, s'il vous plaît?

ordinario, -a [ordi'narjo] *agg* (*comune*) ordinaire, normal(e); (*grossolano, rozzo*) ordinaire; (*Scol*) titulaire ■ *sm* (*a scuola*) professeur *m* titulaire; (*Univ*) titulaire *m/f* d'une chaire

ordinato, -a [ordi'nato] *agg* (*persona*) ordonné(e); (*stanza, vita*) rangé(e)

ordinazione [ordinat'tsjone] *sf* (*Comm, al ristorante*) commande *f*; (*Rel*) ordination *f*; **fare un'~ di qc** passer une commande de qch; **su ~** sur commande

ordine ['ordine] *sm* (*anche Rel*) ordre *m*; **d'~ pratico** (*problema*) d'ordre pratique; **essere in ~** (*stanza*) être en ordre; (*documento*) être en règle; (*persona*) être bien mis(e) *o* soigné(e); **mettere in ~** mettre en ordre, ranger; **all'~** (*Comm*) à ordre; **di prim'~** de premier ordre; **fino a nuovo ~** jusqu'à nouvel ordre; **richiamare all'~** rappeler à l'ordre; **all'~ del giorno** (*fig*) à l'ordre du jour; **l'~ degli avvocati/dei medici** l'ordre des avocats/des médecins; **~ d'acquisto** ordre d'achat; **~ di pagamento** ordre de paiement; **~ del giorno** (*anche Mil*) ordre du jour; **ordini (sacri)** (*Rel*) ordres

orecchino [orek'kino] *sm* boucle *f* d'oreille

orecchio [o'rekkjo] (*pl(f)* **orecchie**) *sm* oreille *f*; **avere ~** avoir de l'oreille; **a ~** (*senza leggere la musica*) sans partition, de mémoire; **venire all'~ di qn** arriver aux oreilles de qn; **fare orecchie da mercante** faire la sourde oreille

orecchioni [orek'kjoni] *smpl* (*Med*) oreillons *mpl*

orefice [o'refitʃe] *sm* orfèvre *m*

oreficeria [orefitʃe'ria] *sf* orfèvrerie *f*; (*gioielleria*) bijouterie *f*

orfano, -a ['ɔrfano] *agg, sm/f* orphelin(e); **~ di madre/padre** orphelin(e) de mère/père

organetto [orga'netto] *sm* (*Mus*) orgue *m* de Barbarie

organico, -a, -ci, -che [or'ganiko] *agg* organique; (*piano, progetto*) organisé(e); (*omogeneo*) homogène, cohérent(e) ■ *sm* (*personale*) personnel *m*; (*Mil*) effectif *m*

organigramma, -i [organi'gramma] *sm* organigramme *m*

organismo [orga'nizmo] *sm* (*anche Amm*) organisme *m*

organizzare [organid'dzare] *vt* organiser; **organizzarsi** *vpr* s'organiser

organizzazione [organiddzat'tsjone] *sf* organisation *f*; **O~ Mondiale della Sanità** Organisation mondiale de la santé

organo ['ɔrgano] sm (Anat, Amm)
organe m; (Mus) orgue m; ~ **di
controllo/di informazione** organe
de contrôle/d'information; ~ **di
trasmissione** organe de transmission

orgia, -ge ['ɔrdʒa] sf orgie f; (fig: di
colori, luci) débauche f

orgoglio [or'goʎʎo] sm orgueil m;
(fierezza) fierté f

orgoglioso, -a [orgoʎ'ʎoso] agg
orgueilleux(-euse); ~ **(di)** (fiero)
fier(-ière) (de)

orientale [orjen'tale] agg, sm/f
oriental(e)

orientamento [orjenta'mento] sm
orientation f; **senso di** ~ sens msg de
l'orientation; **perdere l'**~ ne plus
savoir où l'on est; ~ **professionale**
orientation professionnelle

orientarsi [orjen'tarsi] vpr (anche fig)
s'orienter

oriente [o'rjɛnte] sm est m; **l'O~**
l'Orient m; **il Medio/l'Estremo O~** le
Moyen-/l'Extrême-Orient; **a** ~ à l'est

origano [o'rigano] sm origan m

originale [oridʒi'nale] agg
original(e) ■ sm original m

originario, -a [oridʒi'narjo] agg
(paese, persona) originaire; (primitivo)
primitif(-ive), originel(le); (testo ecc:
autentico) d'origine

origine [o'ridʒine] sf origine f; **avere
~ (da)** tirer son origine (de), avoir son
origine (dans); **dare ~ a** être à l'origine
de, engendrer; **in** ~ à l'origine;
d'~ italiana d'origine italienne

origliare [oriʎ'ʎare] vi, vt écouter
(en cachette)

orina [o'rina] sf urine f

orinare [ori'nare] vi, vt uriner

orizzontale [oriddzon'tale] agg
horizontal(e)

orizzonte [orid'dzonte] sm (anche
fig) horizon m

orlo ['orlo] sm (di bicchiere ecc, fig) bord
m; (di gonna, vestito) ourlet m; **pieno
fino all'**~ plein à ras bords; **sull'**~ **della
pazzia/della rovina** au bord de la
folie/de la ruine; ~ **a giorno** ourlet
à jours

orma ['orma] sf (di persona, animale)
trace f; (fig) empreinte f; **seguire o
calcare le orme di** (fig) suivre les
traces de

ormai [or'mai] avv (già, adesso)
maintenant; (a questo punto)
désormais; (quasi) presque

ormeggiare [ormed'dʒare] vt
amarrer; **ormeggiarsi** vpr s'amarrer

ormone [or'mone] sm hormone f

ornamentale [ornamen'tale] agg
ornemental(e)

ornare [or'nare] vt orner, décorer;
ornarsi vpr: **ornarsi (di)** s'orner (de)

ornitologia [ornitolo'dʒia] sf
ornithologie f

oro ['ɔro] sm or m; **in** ~ en or;
d'~ (anche fig: occasione) en or;
un ragazzo/un affare d'~ un garçon/
une affaire en or; **prendere qc per ~
colato** prendre qch pour argent
comptant; ~ **zecchino** or pur

orologio [oro'lɔdʒo] sm horloge f;
~ **a sveglia** réveil m; ~ **al quarzo**
horloge à quartz; ~ **biologico** horloge
biologique; ~ **da polso** montre f

oroscopo [o'rɔskopo] sm
horoscope m

orrendo, -a [or'rɛndo] agg
(spaventoso) épouvantable,
terrifiant(e); (bruttissimo) horrible

orribile [or'ribile] agg horrible;
(tempo, giornata) horrible,
affreux(-euse)

orrore [or'rore] sm horreur f; **avere ~
di** avoir horreur de; **mi fai** ~ tu me fais
horreur

orsacchiotto [orsak'kjɔtto] sm
nounours msg

orso ['orso] sm (anche fig) ours msg;
~ **bianco/bruno** ours blanc/brun;
~ **polare** ours polaire

ortaggio [or'taddʒo] sm légume m

ortensia [or'tensja] sf hortensia m

ortica, -che [or'tika] sf ortie f

orticaria [orti'karja] sf urticaire f

orto ['ɔrto] sm potager m; ~ **botanico**
jardin m botanique

ortodosso, -a [orto'dɔsso] agg
orthodoxe

ortografia [ortogra'fia] sf
orthographe f

ortopedico, -a, -ci, -che
[orto'pɛdiko] agg orthopédique
■ sm orthopédiste m

orzaiolo [ordza'jɔlo] sm (Med)
orgelet m

orzo ['ɔrdzo] sm orge f

osare [o'zare] vt, vi oser; **~ fare qc**
oser faire qch; **come osi?** comment
oses-tu?

oscenità [oʃʃeni'ta] sf inv obscénité f;
(fig: opera, oggetto) horreur f

osceno, -a [oʃ'ʃɛno] agg obscène;
(ripugnante) affreux(-euse)

oscillare [oʃʃil'lare] vi osciller;
(dondolare) se balancer; (indice) varier;
(prezzi) fluctuer

oscurare [osku'rare] vt (anche fig)
obscurcir; **oscurarsi** vpr s'obscurcir;
si oscurò in volto son visage
s'assombrit

oscurità [oskuri'ta] sf obscurité f

oscuro, -a [os'kuro] agg (anche fig)
obscur(e) ■ sm (fig): **essere all'~ (di)**
ignorer; **tenere qn all'~ (di)** tenir qn
dans l'ignorance (de); **io sono
completamente all'~** je n'en sais
absolument rien

ospedale [ospe'dale] sm hôpital m;
~ militare hôpital militaire; **dov'è l'~
più vicino?** où est l'hôpital le plus
proche?

ospitale [ospi'tale] agg
hospitalier(-ière)

ospitare [ospi'tare] vt offrir
l'hospitalité à; (sogg: albergo)
accueillir, recevoir; (: museo) contenir

ospite ['ɔspite] sm/f (chi ospita)
hôte(-esse); (chi è ospitato) invité(e);
la squadra ~ l'équipe visiteuse

ospizio [os'pittsjo] sm hospice m

osservare [osser'vare] vt observer;
(rilevare) remarquer; **far ~ qc a qn**
(sottolineare) faire remarquer qch à qn

osservazione [osservat'tsjone] sf
(esame attento) observation f;
(rimprovero) observation, remarque f;
fare un'~ (a qn) faire une observation
o une remarque (à qn); **tenere in ~**
garder en observation

ossessionare [ossessjo'nare] vt
obséder

ossessione [osses'sjone] sf (anche
Psic) obsession f; (l'essere invasato)
hantise f

ossia [os'sia] cong ou, à savoir,
c'est-à-dire

ossido ['ɔssido] sm oxyde m; **~ di
carbonio** oxyde de carbone

ossigenare [ossidʒe'nare] vt (capelli)
oxygéner

ossigeno [os'sidʒeno] sm oxygène m;
dare ~ a (fig) donner un second
souffle à

osso ['ɔsso] (ANAT: pl(f) **ossa**) sm
(ANAT, di animale) os m sg; (nocciolo)
noyau m; **d'~** en os; **avere le ossa
rotte** (fig) être rompu de fatigue;
bagnato fino all'~ trempé jusqu'aux
os; **essere ridotto all'~** (fig: al limite
estremo) être réduit à la portion
congrue; **rompersi l'~ del collo** se
casser le cou; **~ di seppia** os de seiche;
~ duro (persona) dur(e) à cuire;
(difficoltà) os

ostacolare [ostako'lare] vt entraver

ostacolo [os'takolo] sm (anche fig,
Sport) obstacle m; **essere di ~ (a)** faire
obstacle (à)

ostaggio [os'taddʒo] sm otage m;
prendere qn in ~ prendre qn en otage

ostello [os'tɛllo] sm: **~ della
gioventù** auberge f de jeunesse

ostentare [osten'tare] vt (lusso)
étaler; (disprezzo) afficher

osteria [oste'ria] sf petit restaurant
m; (bettola) bistrot m

ostetrico, -a, -ci, -che [os'tɛtriko]
sm/f obstétricien(ne)

ostia ['ɔstja] sf (Rel) hostie f; (per
medicinali) cachet m

ostico, -a, -ci, -che ['ɔstiko] agg (fig)
difficile, dur(e)

ostile [os'tile] agg hostile

ostinarsi [osti'narsi] vpr s'obstiner;
~ in qc/a fare qc s'obstiner dans
qch/à faire qch

ostinato, -a [osti'nato] agg
obstiné(e)

ostrica, -che ['ɔstrika] sf huître f

ostruire [ostru'ire] vt obstruer,
boucher; **il lavandino è ostruito**
l'évier est bouché

otite [o'tite] sf otite f

ottanta [ot'tanta] agg inv, sm inv
quatre-vingts (m) inv; vedi anche
cinque

ottavo, -a [ot'tavo] agg, sm
huitième (m)

ottenere [otte'nere] vt obtenir

ottica, -che ['ɔttika] agg, sf optique f

ottico, -a, -ci, -che ['ɔttiko] agg
optique ■ sm opticien(ne)

ottimamente [ottima'mente] avv
très bien, à merveille

ottimismo [otti'mizmo] *sm* optimisme *m*

ottimista, -i, -e [otti'mista] *sm/f* optimiste *m/f*

ottimo, -a ['ɔttimo] *agg* excellent(e)

otto ['ɔtto] *agg inv, sm inv* huit (*m*) *inv*; *vedi anche* **cinque**

ottobre [ot'tobre] *sm* octobre *m*; *vedi anche* **luglio**

ottocento [otto'tʃɛnto] *agg inv, sm inv* huit cents (*m*) *inv* ■ *sm inv*: **l'O~** le dix-neuvième siècle

ottone [ot'tone] *sm* laiton *m*, cuivre *m* (jaune); **ottoni** *smpl* (*Mus*) cuivres *mpl*

otturare [ottu'rare] *vt* obstruer, boucher; (*dente*) obturer, plomber; **otturarsi** *vpr* se boucher

otturazione [otturat'tsjone] *sf* obturation *f*; (*di dente*) plombage *m*

ottuso, -a [ot'tuzo] *pp di* **ottundere** ■ *agg* obtus(e); (*peg: fig*) obtus(e), borné(e)

ovaia [o'vaja] *sf* ovaire *m*

ovale [o'vale] *agg, sm* ovale (*m*); **palla ~** (*gioco*) ballon *m* ovale

ovatta [o'vatta] *sf* ouate *f*

ovest ['ɔvest] *sm* ouest *m*; **a ~ (di)** à l'ouest (de); **verso ~** vers l'ouest

ovile [o'vile] *sm* bergerie *f*; **tornare all'~** (*fig*) rentrer au bercail

ovulazione [ovulat'tsjone] *sf* ovulation *f*

ovulo ['ɔvulo] *sm* ovule *m*

ovunque [o'vunkwe] *avv* = **dovunque**

ovviare [ovvi'are] *vi*: **~ a** remédier à

ovvio, -a ['ɔvvjo] *agg* évident(e)

oziare [ot'tsjare] *vi* paresser

ozio ['ɔttsjo] *sm* (*inattività*) oisiveté *f*; (*tempo libero*) loisir *m*; **stare in ~** être oisif(-ive)

ozono [od'dzɔno] *sm* ozone *m*; **buco dell'~** trou *m* d'ozone

p

P *abbr* (= *parcheggio*) P

p. *abbr* (= *pagina*) p.

pacchetto [pak'ketto] *sm* paquet *m*; (*Pol*) ensemble *m* de propositions; **mi fa un ~ regalo, per favore?** pouvez-vous me faire un paquet-cadeau, s'il vous plaît?; **un ~ di sigarette, per favore** un paquet de cigarettes, s'il vous plaît; **~ applicativo** (*Inform*) progiciel *m*; **~ azionario** paquet d'actions; **~ regalo** paquet-cadeau *m*; **~ turistico** forfait-vacances *m*

pacco, -chi ['pakko] *sm* paquet *m*; **~ postale** colis *msg* postal

pace ['patʃe] *sf* paix *f*; **darsi ~** en prendre son parti; **fare (la) ~ con qn** faire la paix avec qn; **lasciare qn in ~** laisser qn en paix; **oggi voglio stare in ~** aujourd'hui je veux qu'on me laisse tranquille

pacifico, -a, -ci, -che [pa'tʃifiko] *agg* (*persona, popolo*) pacifique; (*vita*) paisible; (*fig: ovvio*) évident(e) ■ *sm*: **il P~, l'Oceano P~** le Pacifique, l'océan *m* Pacifique

pacifista, -i, -e [patʃi'fista] *sm/f* pacifiste *m/f*

padella [pa'dɛlla] sf poêle f; (per infermi) bassin m (hygiénique)

padiglione [padiʎ'ʎone] sm pavillon m; ~ **auricolare** (Anat) pavillon de l'oreille

Padova ['padova] sf Padoue

padre ['padre] sm père m; (Dio) Père m; **padri** smpl (avi) ancêtres mpl; **il Santo P~** le Saint-Père

padrino [pa'drino] sm (anche di mafia) parrain m

padronanza [padro'nantsa] sf maîtrise f; **ha una buona ~ del francese** il maîtrise bien le français

padrone, -a [pa'drone] sm/f (proprietario) propriétaire m/f; (datore di lavoro) patron(ne); (dominatore) maître (maîtresse); (profondo conoscitore) expert(e); **essere ~ di una lingua** maîtriser une langue; **essere ~ di sé** être maître de soi; **~ del campo** (fig) maître de la situation; **~(a) di casa** (ospite) maître (maîtresse) de maison; (per inquilino) propriétaire m/f

paesaggio [pae'zaddʒo] sm paysage m

paese [pa'eze] sm (regione, territorio) pays msg; (villaggio) village m; **il ~ d'origine** o **di provenienza** le pays d'origine; **mandare qn a quel ~** envoyer promener qn; **i Paesi Bassi** les Pays-Bas

paga, -ghe ['paga] sf paye f, paie f; (di impiegato) traitement m; (di domestico) gages mpl; **giorno di ~** jour m de paie; vedi anche **busta**

pagamento [paga'mento] sm paiement m; ~ **alla consegna/all'ordine** paiement à la livraison/à la commande; ~ **anticipato** paiement anticipé

pagare [pa'gare] vt (anche fig) payer; (conto, acquisto) payer, régler; (debito) payer, acquitter; **quanto l'hai pagato?** combien l'as-tu payé?; ~ **in contanti** payer comptant; **posso ~ con la carta di credito?** est-ce que je peux payer par carte de crédit?; ~ **da bere a qn** payer à boire à qn (fam); ~ **di persona** (fig) payer de sa personne; **pagarla cara** (fig) payer cher

pagella [pa'dʒɛlla] sf (Scol) bulletin m, livret m scolaire

pagherò [page'rɔ] vb vedi **pagare**
■ sm inv (anche: **pagherò cambiario**) billet m à ordre

pagina ['padʒina] sf page f; **a ~ 5** à la page 5; **voltare ~** (anche fig) tourner la page; **pagine gialle** (Tel) pages jaunes

paglia ['paʎʎa] sf paille f; **avere la coda di ~** (fig) ne pas avoir la conscience tranquille; **fuoco di ~** (fig) feu m de paille; ~ **di ferro** (per stoviglie) paille de fer; ~ **e fieno** (pasta) mélange de tagliatelles nature et aux épinards

pagliaccio [paʎ'ʎattʃo] sm clown m; (fig: divertente) clown, pitre m; (ridicolo) guignol m

paglietta [paʎ'ʎetta] sf (cappello per uomo) canotier m; (per stoviglie) paille de fer

pagnotta [paɲ'ɲɔtta] sf miche f; (fig) croûte f

paio ['pajo] (pl(f) **paia**) sm paire f; **un ~ di** (alcuni) quelques; **un ~ di pantaloni** un pantalon; **un ~ di occhiali** une paire de lunettes; **un ~ di volte** une ou deux fois; **è un altro ~ di maniche** (fig) c'est une autre paire de manches

pala ['pala] sf (attrezzo) pelle f; (di remo, ventilatore, elica) pale f; (di timone) safran m; (di mulino) aile f; ~ **meccanica** pelle mécanique, pelleteuse f

palato [pa'lato] sm palais msg

palazzo [pa'lattso] sm palais msg; (edificio) immeuble m; (: signorile) hôtel m particulier; **il P~** (fig: sede di potere politico) ≈ le Château; ~ **dello sport** palais des sports; ~ **di giustizia** palais de justice; ~ **di vetro** (dell'ONU) siège m des Nations Unies

palco, -chi ['palko] sm (Teatro: palcoscenico) scène f; (: palchetto) loge f; (tavolato) estrade f; (ripiano) rayon m

palcoscenico, -ci [palkoʃʃeniko] sm (Teatro) scène f, planches fpl

palese [pa'leze] agg manifeste; (errore) évident(e)

Palestina [pales'tina] sf Palestine f

palestra [pa'lɛstra] sf (locale) gymnase m; (esercizi ginnici) gymnastique f; (fig) apprentissage m

paletta [pa'letta] *sf* (*giocattolo, per immondizie*) pelle *f*; (*per dolci*) pelle à tarte; (*per gelato*) pelle à glace; (*di capostazione, vigile*) disque *m*

paletto [pa'letto] *sm* (*di metallo, legno*) pieu *m*, piquet *m*; (*di porta, finestra*) verrou *m*

palio ['paljo] *sm* (*gara*): **il P~** course de chevaux dont la tradition remonte au moyen-âge; **mettere qc in ~** mettre qch en jeu

palla ['palla] *sf* (*per gioco, proiettile*) balle *f*; (*Biliardo*) bille *f*; (*di cannone*) boulet *m*; **prendere la ~ al balzo** (*fig*) saisir la balle au bond; **essere una ~ al piede** (*fig*) être un boulet à traîner; **~ di neve** boule de neige; **~ ovale** (*Rugby*) ballon *m* ovale

pallacanestro [pallaka'nestro] *sf* basket *m*(-ball) *m*

pallamano [palla'mano] *sf* hand-ball *m*

pallanuoto [palla'nwɔto] *sf* water-polo *m*

pallavolo [palla'volo] *sf* volley *m*(-ball) *m*

palleggiare [palled'dʒare] *vi* (*Basket*) dribbler; (*Calcio*) s'échauffer, jongler avec la balle; (*Tennis*) faire des balles

palliativo [pallja'tivo] *sm* palliatif *m*

pallido, -a ['pallido] *agg* pâle; (*luce*) blafard(e); **non avere la più pallida idea di qc** ne pas avoir la moindre idée de qch

pallina [pal'lina] *sf* bille *f*; (*di gomma*) balle *f*

palloncino [pallon'tʃino] *sm* ballon *m*; (*lampioncino*) lanterne *f* vénitienne

pallone [pal'lone] *sm* (*palla, aerostato*) ballon *m*; (**gioco del**) ~ football *m*

pallottola [pal'lɔttola] *sf* (*di pistola*) balle *f*; (*di carta*) boule *f*

palma ['palma] *sf* (*Bot: pianta*) palmier *m*; (*: ramo*) palme *f*; (*Anat*) paume *f*; **Domenica delle Palme** dimanche *m* des Rameaux; **~ da cocco** cocotier *m*; **~ da datteri** dattier *m*

palmo ['palmo] *sm* (*Anat*) paume *f*; (*misura di lunghezza*) empan *m*; **essere alto un ~** (*fig*) être haut comme trois pommes; **restare con un ~ di naso** rester tout penaud

palo ['palo] *sm* pieu *m*, piquet *m*; (*sostegno*) pilier *m*; **fare da** o **il ~** (*fig*) faire le guet; **saltare di ~ in frasca** (*fig*) sauter du coq à l'âne

palombaro [palom'baro] *sm* plongeur(-euse)

palpare [pal'pare] *vt* palper

palpebra ['palpebra] *sf* paupière *f*

palude [pa'lude] *sf* marécage *m*, marais *msg*

pancetta [pan'tʃetta] *sf* (*Cuc*) lard *m*; (*scherz: pancia*) brioche *f*, bedaine *f*; **~ affumicata** lard fumé, bacon *m*

panchina [pan'kina] *sf* banc *m*; (*Sport: sedile, anche fig*) banc de touche; (*: allenatore*) entraîneur *m*; (*: riserve*) remplaçants *mpl*; **sedere** o **stare in ~** (*fig: allenatore*) être l'entraîneur

pancia, -ce ['pantʃa] *sf* ventre *m*; **avere mal di ~** avoir mal au ventre; **a ~ piena** le ventre plein

panciotto [pan'tʃɔtto] *sm* gilet *m*

pancreas ['pankreas] *sm inv* pancréas *msg*

panda ['panda] *sm inv* panda *m*

pane ['pane] *sm* pain *m*; (*forma: di burro*) motte *f*; **guadagnarsi il ~** gagner son pain; **dire ~ al ~, vino al vino** appeler un chat un chat; **rendere pan per focaccia** rendre à qn la monnaie de sa pièce; **pan di Spagna** génoise *f*; **~ a cassetta** pain de mie; **~ bianco** pain blanc; **~ casereccio** pain de ménage; **~ di segale** pain de seigle; **~ integrale** pain complet; **~ nero** pain noir; **~ tostato** pain grillé

panetteria [panette'ria] *sf* boulangerie *f*

panettiere, -a [panet'tjɛre] *sm/f* boulanger(-ère)

panettone [panet'tone] *sm* sorte de grosse brioche avec des fruits confits que l'on mange traditionnellement à Noël

pangrattato [pangrat'tato] *sm* chapelure *f*

panico, -a, -ci, -che ['paniko] *agg*: **timor ~** peur *f* panique ■ *sm* panique *f*; **essere in preda al ~** être pris de panique; **lasciarsi prendere dal ~** paniquer

paniere [pa'njɛre] *sm* (*anche Econ*) panier *m*

panificio, -ci [pani'fitʃo] *sm*
boulangerie *f*

panino [pa'nino] *sm* petit pain *m*;
~ (imbottito) sandwich *m*; **~ caldo**
sandwich qui se mange chaud; **vorrei
un ~ con il prosciutto/formaggio**
je voudrais un sandwich au jambon/
fromage

panna ['panna] *sf* crème *f*; (Aut)
= **panne**; **~ da cucina** crème fraîche;
~ montata crème fouettée, (crème)
Chantilly *f*

panne ['pan] *sf inv*: **essere in ~** (Aut)
être en panne

pannello [pan'nɛllo] *sm* panneau *m*;
(Elettr) tableau *m*; **~ di controllo** tableau
de contrôle; **~ isolante** panneau
isolant; **~ solare** panneau solaire

panno ['panno] *sm* tissu *m*;
panni *smpl* (abiti) vêtements *mpl*;
mettersi nei panni di qn (fig) se
mettre à la place de qn

pannocchia [pan'nɔkkja] *sf* (di mais
ecc) épi *m*

pannolino [panno'lino] *sm* (per
bambini) couche *f*; (per donne)
serviette *f* hygiénique

panorama, -i [pano'rama] *sm*
panorama *m*

pantaloni [panta'loni] *smpl*
pantalon *msg*

pantano [pan'tano] *sm* bourbier *m*

pantera [pan'tɛra] *sf* panthère *f*;
(macchina) ≈ voiture de la Police

pantofola [pan'tɔfola] *sf* pantoufle *f*,
chausson *m*

Papa ['papa] *sm* pape *m*

papà [pa'pa] *sm inv* papa *m*

papavero [pa'pavero] *sm* pavot *m*;
(selvatico) coquelicot *m*; **gli alti
papaveri** les gros bonnets

pappa ['pappa] *sf* bouillie *f*; **~ reale**
gelée *f* royale

pappagallo [pappa'gallo] *sm*
perroquet *m*; (fig: uomo) dragueur *m*
(fam); (per malati) urinal *m*, pistolet *m*

parabola [pa'rabola] *sf* parabole *f*

parabolico, -a, -ci, -che
[para'bɔliko] *agg* parabolique

parabrezza [para'breddza] *sm inv*
pare-brise *m inv*

paracadute [paraka'dute] *sm inv*
parachute *m*

paradiso [para'dizo] *sm* paradis *msg*;
~ fiscale paradis fiscal; **~ terrestre**
paradis terrestre

paradossale [parados'sale] *agg*
paradoxal(e)

parafulmine [para'fulmine] *sm*
paratonnerre *m*

paraggi [pa'raddʒi] *smpl* parages
mpl; **nei ~** dans les parages

paragonare [parago'nare] *vt*: **~ con
o a** comparer o à avec

paragone [para'gone] *sm*
comparaison *f*; **in ~ a, a ~ di** en
comparaison de; **non avere
paragoni** ne pas avoir son pareil

paragrafo [pa'ragrafo] *sm*
paragraphe *m*

paralisi [pa'ralizi] *sf inv* paralysie *f*

parallelo, -a [paral'lɛlo] *agg*
parallèle ■ *sm* (Geo, fig) parallèle *m*;
fare un ~ tra faire o établir un
parallèle entre

paralume [para'lume] *sm* abat-jour
m inv

parametro [pa'rametro] *sm*
paramètre *m*; (fig) critère *m*

paranoia [para'nɔja] *sf* paranoïa *f*;
(fam: fig) galère *f* (fam); **andare in ~**
(fam: fig) flipper

paranoico, -a, -ci, -che [para'nɔiko]
agg, sm/f paranoïaque *m/f*

paraocchi [para'ɔkki] *sm inv* œillère
f; **avere i ~** (fig) avoir des œillères

parapetto [para'petto] *sm* parapet
m, garde-fou *m*

parare [pa'rare] *vt* (addobbare,
scansare) parer; (proteggere) protéger;
(Calcio) bloquer ■ *vi*: **dove vuole
andare a ~?** où veut-il en venir?;
pararsi *vpr*: **pararsi davanti a qc/qn**
se placer devant qn/qch;
(all'improvviso) surgir devant qn/qch

parata [pa'rata] sf (Sport) arrêt m; (rivista militare) parade f; **vista la mala** ~ vu que les choses se gâtent

paraurti [para'urti] sm inv (Aut) pare-chocs m inv

paravento [para'vɛnto] sm paravent m; **fare da** ~ **a** (fig) servir de couverture à

parcella [par'tʃɛlla] sf (note f d')honoraires mpl

parcheggiare [parked'dʒare] vt garer; **posso** ~ **qui?** est-ce que je peux me garer ici?

parcheggio [par'keddʒo] sm (piazzale, viale) parking m; (sosta) stationnement m; (manovra) manœuvre f pour se garer; (singolo posto) place f

parchimetro [par'kimetro] sm parc(o)mètre m

parco, -a, -chi, -che ['parko] agg (sobrio) sobre, modéré(e); (avaro) avare ■ sm parc m; ~ **macchine** parc automobile; ~ **nazionale** parc national

parecchio, -a [pa'rekkjo] agg beaucoup de; (numerosi) parecchi(e) plusieurs ■ pron beaucoup; (tempo) longtemps ■ avv (con agg) très, fort; (con vb) beaucoup, bien

pareggiare [pared'dʒare] vt (terreno) égaliser; (bilancio) équilibrer ■ vi (Sport) égaliser

pareggio [pa'reddʒo] sm (Econ) équilibre m; (Sport) égalisation f; (: esito) match m nul

parente [pa'rɛnte] sm/f parent(e); **abbiamo parenti a Parigi** nous avons de la famille à Paris

parentela [paren'tɛla] sf parenté f

parentesi [pa'rɛntezi] sf inv parenthèse f; (fig) période f; **tra** ~ (anche fig) entre parenthèses; ~ **tonde/quadre/graffe** parenthèses fpl/crochets mpl/accolades fpl

parere [pa'rere] sm avis m sg; (consiglio) conseil m ■ vi sembler, paraître ■ vb impers: **pare che...** il semble que...; **a mio** ~ à mon avis; **mi pare che...** il me semble que...; **mi pare di sì/no** je crois que oui/non; **fai come ti pare** fais comme tu veux; **che ti pare del mio libro?** que penses-tu de mon livre?

parete [pa'rete] sf mur m; (di monte, organo) paroi f

pari ['pari] agg inv même, égal(e); (in giochi) ex aequo, à égalité; (Mat) pair(e) ■ sm inv égalité f; (in Gran Bretagna) lord m; (Gioco) numéro m pair ■ sm/f inv égal(e), pareil(le) ■ avv: ~ ~ (copiare ecc) mot à mot; **essere** ~ **a qn in qc** égaler qn en qch; **siamo** ~ nous sommes quittes; **senza** ~ sans égal(e), sans pareil(le); **andare di** ~ **passo con qn** aller de pair avec qn; **al** ~ **di** comme; **mettersi in** ~ **con** se tenir au courant de; **alla** ~ (allo stesso livello) à égalité; (Borsa) au pair; **ragazza alla** ~ fille au pair; **mettersi alla** ~ **con** se mettre sur un pied d'égalité avec; **i tuoi** ~ tes semblables

FALSI AMICI
pari non si traduce mai con la parola francese **pari**.

Parigi [pa'ridʒi] sf Paris

parità [pari'ta] sf égalité f

parlamentare [parlamen'tare] agg parlementaire ■ sm/f parlementaire m/f ■ vi parlementer

parlamento [parla'mento] sm parlement m

● **PARLAMENTO**
●
●
● La constitution italienne,
● instaurée le premier janvier 1948,
● donne au Parlamento un pouvoir
● législatif. Le Parlement se
● compose de deux Chambres:
● la "Camera dei deputati" et le
● "Senato". Les élections
● parlementaires ont lieu tous les
● cinq ans.

parlantina [parlan'tina] sf (fam) baratin m; **avere** ~ avoir du bagout

parlare [par'lare] vi parler ■ vt parler; ~ **(a qn) di** parler (à qn) de; ~ **con qn** parler avec qn; ~ **chiaro** parler (haut et) clair; ~ **male di qn** dire du mal de qn; ~ **male di qc** parler en mal de qch; ~ **del più e del meno** parler de choses et d'autres; **ne ho sentito** ~ j'en ai entendu parler; **non parliamone più** n'en parlons plus; **i dati parlano** (fig) les faits parlent d'eux mêmes; **non se ne parla!** (il n'en est) pas question!; **non parlo francese** je ne parle pas français; **parla italiano?** parlez-vous italien?; **posso ~ con ...?** est-ce que je peux parler à ...?

parmigiano, -a [parmi'dʒano] *agg* parmesan(e) ■ *sm* parmesan *m*; **alla parmigiana** (*Cuc*) à base de sauce tomate, de parmesan et de mozzarella

parola [pa'rɔla] *sf* mot *m*; (*Dir, facoltà, promessa*) parole *f*; **parole** *sfpl* (*chiacchiere*) mots *mpl*, paroles *fpl*; **chiedere la ~** demander la parole; **non una ~, mi raccomando!** surtout pas un mot!; **dare la ~ a qn** (*in assemblea*) passer la parole à qn; **dare la propria ~ a qn** donner sa parole à qn; **non ne ha fatto ~ con nessuno** il n'en a touché mot à personne; **mantenere la ~** tenir (sa) parole; **mettere una buona ~ per qn** intercéder en faveur de qn; **passare dalle parole ai fatti** passer à l'action; **prendere la ~** prendre la parole; **rimanere senza parole** rester coi, rester bouche bée; **rimangiarsi la ~** retirer sa parole; **non ho parole per ringraziarla** je ne sais comment vous remercier; **rivolgere la ~ a qn** adresser la parole à qn; **non è detta l'ultima ~** je n'ai pas dit mon dernier mot; **è un uomo di ~** c'est un homme de parole; **in parole povere** en peu de mots; **sulla ~** (*credere*) sur parole; **è una ~!** c'est facile à dire!; **~ d'onore** parole d'honneur; **~ d'ordine** mot d'ordre; (*Mil*) mot de passe; **parole incrociate** mots croisés

parolaccia, -ce [paro'lattʃa] *sf* gros mot *m*

parrò *ecc* [par'rɔ] *vb vedi* **parere**

parrocchia [par'rɔkkja] *sf* paroisse *f*

parrucca, -che [par'rukka] *sf* perruque *f*

parrucchiere, -a [parruk'kjɛre] *sm/f* coiffeur(-euse)

parte ['parte] *sf* partie *f*; (*lato, direzione*) côté *m*; (*quota spettante a ciascuno*) part *f*; (*Pol: partito*) parti *m*; (*Teatro, compito*) rôle *m*; **a ~** à part; **scherzi a ~** toute plaisanterie à part, blague fà part (*fam*); **a ~ ciò** à part cela, cela mis à part; **è un caso a ~**

c'est un cas à part; **inviare a ~** (*campioni ecc*) envoyer séparément; **in ~** en partie; **da ~** (*in disparte*) à l'écart; **mettere da ~** mettre de côté; **prendere da ~** prendre à part; **d'altra ~** d'ailleurs; **da ~ di** (*per conto di*) de la part de; **da ~ mia** pour ma part, quant à moi; **da ~ di madre** du côté de leur mère; **essere dalla ~ della ragione** avoir raison; **da ~ a ~** de part en part; **da qualche ~** quelque part; **da nessuna ~** nulle part; **da questa ~** (*in questa direzione*) par ici; **da ogni ~** de toute(s) part(s); **far ~ di qc** faire partie de qch; **prendere ~ a qc** prendre part à qch; **prendere le parti di qn** prendre parti pour qn, prendre le parti de qn; **mettere qn a ~ di qc** mettre qn au courant de qch; **costituirsi ~ civile contro qn** (*Dir*) se constituer partie civile contre qn; **la ~ lesa** (*Dir*) la partie lésée; **le parti in causa** les parties en cause

partecipare [partetʃi'pare] *vi*: **~ (a)** participer (à), prendre part (à)

parteggiare [parted'dʒare] *vi*: **~ per** prendre le parti de, se ranger du côté de

partenza [par'tɛntsa] *sf* départ *m*; **"partenze"** (*in aeroporto ecc*) "départs"; **essere in ~** être sur le point de partir; **il treno in ~ per Parigi ha un'ora di ritardo** le train à destination de Paris a un retard d'une heure; **tornare al punto di ~** (*fig*) revenir au point de départ; **falsa ~** faux départ

participio [parti'tʃipjo] *sm* participe *m*; **~ passato/presente** participe passé/présent

particolare [partiko'lare] *agg* particulier(-ière); (*speciale, fuori dal comune*) spécial(e) ■ *sm* détail *m*; **in ~** en particulier; **entrare nei particolari** entrer dans les détails

partire [par'tire] *vi* partir; **sono partita da Roma alle 7** je suis partie de Rome à 7 heures; **il volo parte da Linate** le vol part de Linate; **a ~ da** à partir de, à compter de; **la seconda a ~ da destra** la deuxième en partant de la droite; **a che ora parte il treno/l'autobus?** le train/le bus part à quelle heure?

partita [par'tita] sf (Sport) match m; (di carte, scacchi) partie f; (Comm: di merce) lot m; (Econ: registrazione) écriture f; **~ di caccia** partie de chasse; **~ semplice/doppia** (Comm) comptabilité f en partie simple/double; **~ IVA** numéro de TVA attribué aux commerçants, aux professions libérales, aux artistes etc

partito [par'tito] sm parti m; **un buon ~** (da sposare) un bon parti; **per ~ preso** de parti pris, c'est du parti pris; **l'ha detto per ~ preso** il l'a dit par parti pris; **mettere la testa a ~** se ranger, s'assagir

parto ['parto] sm (Med) accouchement m; (fig: di fantasia) création f; **sala ~** salle f d'accouchement; **morire di ~** mourir en couches

parvi ecc vb vedi **parere**

parziale [par'tsjale] agg (incompleto) partiel(le); (fazioso) partial(e)

pascolare [pasko'lare] vt mener paître ▪ vi paître, pâturer

pascolo ['paskolo] sm pâturage m

Pasqua ['paskwa] sf (cristiana) Pâques fpl; (ebraica) Pâque f; **isola di ~** île f de Pâques

passabile [pas'sabile] agg passable

passaggio [pas'saddʒo] sm passage m; (Sport) passe f; **di ~** (persona) de passage; (di sfuggita) en passant; **dare un ~ a qn** accompagner qn (en voiture); **mi ha chiesto un ~ fino a casa** il m'a demandé de le ramener chez lui; **può darmi un ~ in stazione?** pouvez-vous m'emmener à la gare?; **~ a livello** passage à niveau; **~ di proprietà** transfert m de propriété; **~ pedonale** passage pour piétons

passamontagna [passamon'taɲɲa] sm inv passe-montagne m, cagoule f

passante [pas'sante] sm/f passant(e) ▪ sm passant m

passaporto [passa'pɔrto] sm passeport m

passare [pas'sare] vi passer ▪ vt (pacco, messaggio) passer; (esame) être reçu(e) (à), réussir; (proposta: approvare) approuver; (sorpassare, anche fig) dépasser; (verdura: triturare) passer au moulin à légume; **~ attraverso** (passaggio) passer à travers; (fig: esperienza) connaître; **~ avanti a qn** (in fila) passer avant qn; (fig) dépasser qn; **~ in banca** passer à la banque; **~ oltre** passer son chemin; (fig) passer à autre chose; **~ per** (luogo) passer par; (fig: esperienza) vivre, connaître; **ci siamo passati tutti** on est tous passés par là; **~ per stupido** passer pour un idiot; **~ sopra qc** (fig) passer sur qch; **~ ad altro** (in riunione) passer à un autre sujet; **~ un esame** être reçu o réussir un examen; **~ inosservato** passer inaperçu; **~ a prendere qn/qc** passer prendre qn/qch; **~ di moda** passer de mode; **~ alla storia** passer à la postérité; **le passo Mario** (Tel) je vous passe Mario; **farsi ~ per qn** se faire passer pour qn; **ti è passato il mal di testa?** ton mal de tête s'est-il passé?; **lasciar ~** (persona, veicolo) laisser passer; (errore, svista) omettre; **ha 30 anni e passa** il a passé la trentaine; (tempo fa) il y a plus de 30 ans; **passarsela: come te la passi?** comment ça va?

passatempo [passa'tɛmpo] sm passe-temps m

passato, -a [pas'sato] agg passé(e) ▪ sm passé m; (Cuc) potage m; **l'anno ~** l'année passée, l'année dernière; **nel corso degli anni passati** au cours de ces dernières années; **nei tempi passati** dans le temps, autrefois; **sono le otto passate** il est huit heures passées; **è acqua passata** (fig) c'est du passé, cela appartient au passé; **~ di verdura** (Cuc) potage de légumes; **~ prossimo/remoto** (Ling) passé composé/simple

passeggero, -a [passed'dʒɛro] agg, sm/f passager(-ère)

passeggiare [passed'dʒare] vi se promener

passeggiata [passed'dʒata] sf promenade f; **fare una ~** faire une promenade

passeggino [passed'dʒino] sm poussette f

passerella [passe'rɛlla] sf passerelle f; (per indossatrici) estrade f

passero ['passero] sm moineau m

passione [pas'sjone] sf passion f; (Rel) Passion

passivo, -a [pas'sivo] *agg*
passif(-ive); (*Econ*) débiteur(-trice)
■ *sm* (*Ling, Econ*) passif *m*

passo ['passo] *sm* pas *msg*; (*andatura*)
pas, train *m*; (*fig: brano*) passage *m*,
extrait *m*; (*valico*) col *m*; **a ~ d'uomo**
au pas; **~ (a) ~** pas à pas; **fare due**
o **quattro passi** faire un petit tour;
andare al ~ coi tempi vivre avec son
temps; **di questo ~** (*in questo modo*)
au train où vont les choses; **fare i**
primi passi (*anche fig*) faire les
premiers pas; **fare il gran ~** (*fig*)
franchir le pas; **fare un ~ falso** (*fig*)
faire un faux pas; **tornare sui propri**
passi revenir sur ses pas; "**~ carraio**"
"sortie de véhicules"

pasta ['pasta] *sf* pâte *f*; (*spaghetti ecc*)
pâtes *fpl*; (*fig: indole*) caractère *m*;
paste *sfpl* (*pasticcini*) pâtisseries *fpl*,
gâteaux *mpl*; **essere una ~ d'uomo**
être une bonne pâte; **~ dentifricia**
(*dentifricio*) pâte dentifrice; **~ in brodo**
bouillon *m* avec des pâtes; **~ sfoglia**
pâte feuilletée

pastasciutta [pastaʃʃutta] *sf*
pâtes *fpl*

pastella [pas'tɛlla] *sf* pâte *f* à frire

pastello [pas'tɛllo] *sm* pastel *m*
■ *agg inv*: **rosa/verde ~** rose/vert
pastel *inv*

pasticceria [pastittʃe'ria] *sf*
pâtisserie *f*; (*assortimento di dolci*)
pâtisseries

pasticciere, -a [pastit'tʃɛre] *sm/f*
pâtissier(-ière)

pasticcino [pastit'tʃino] *sm* petit
four *m*

pasticcio [pas'tittʃo] *sm* (*Cuc*) tourte
f; (*fig: lavoro ecc*) gâchis *msg*;
(: *confusione*) imbroglio *m*; **essere nei**
pasticci être dans le pétrin; **mettersi**
in un bel ~ se mettre dans de beaux
draps

pastiglia [pas'tiʎʎa] *sf* pastille *f*

pastina [pas'tina] *sf* pâtes *fpl* à
potage

pasto ['pasto] *sm* repas *msg*

pastore [pas'tore] *sm* berger *m*; (*Rel*)
pasteur *m*; **~ scozzese** (*Zool*) colley *m*;
~ tedesco (*Zool*) berger allemand

patata [pa'tata] *sf* pomme *f* de terre;
~ americana patate *f* douce;
~ bollente (*fig*) problème *m* épineux;

passare la ~ bollente refiler le bébé;
~ dolce patate douce; **patate fritte**
frites *fpl*

patatine [pata'tine] *sfpl* (*in
sacchetto*) chips *fpl*; **~ fritte** frites *fpl*

patente [pa'tɛnte] *sf* permis *msg*;
~ a punti permis (de conduire) à points;
~ (di guida) permis (de conduire)

FALSI AMICI
patente non si traduce
mai con la parola francese
patente.

paternità [paterni'ta] *sf* paternité *f*

patetico, -a, -ci, -che [pa'tɛtiko]
agg pathétique

patibolo [pa'tibolo] *sm* échafaud *m*

patina ['patina] *sf* (*su rame ecc*) patine
f; (*sulla lingua*) enduit *m*

patire [pa'tire] *vt* subir, endurer
■ *vi* souffrir

patito, -a [pa'tito] *sm/f* mordu(e),
fana *m/f* (*fam*)

patologia [patolo'dʒia] *sf*
pathologie *f*

patria ['patrja] *sf* patrie *f*; (*città e
luogo natale*) pays *msg*

patrigno [pa'triɲɲo] *sm* beau-père *m*

patrimonio [patri'mɔnjo] *sm*
(*Dir, fig*) patrimoine *m*; **costare un ~**
coûter une fortune; **~ culturale**
patrimoine culturel; **~ ereditario**
patrimoine héréditaire; **~ naturale/
costiero/boschivo** richesses *fpl*
naturelles/côtières/en bois;
~ pubblico biens *mpl* publics;
~ spirituale patrimoine spirituel

patrono [pa'trɔno] *sm* (*Dir*)
défenseur *m*, avocat *m*; (*santo*) patron
m; (*promotore*) parrain *m*

patteggiare [patted'dʒare] *vt*
négocier ■ *vi* pactiser, négocier

pattinaggio [patti'naddʒo] *sm* patin
m; (*spettacolo*) patinage *m*; **~ a
rotelle/sul ghiaccio** patinage à
roulettes/sur glace

pattinare [patti'nare] *vi* patiner,
faire du patin; **~ sul ghiaccio** faire du
patin à glace

pattinatore, -trice [pattina'tore]
sm/f patineur(-euse)

pattino ['pattino] *sm* (*anche Aer*)
patin *m*; (: *coda*) béquille *f*; **pattini
da ghiaccio/a rotelle** patins à glace/
à roulettes

patto ['patto] *sm (accordo)* pacte *m*; *(condizione)* condition *f*; **a ~ che** à condition que; **a nessun ~** à aucun prix; **venire** *o* **scendere a patti (con qn)** transiger (avec qn); **venir meno ai patti** manquer à ses engagements

pattuglia [pat'tuʎʎa] *sf* patrouille *f*

pattuire [pattu'ire] *vt* négocier

pattumiera [pattu'mjɛra] *sf* poubelle *f*

paura [pa'ura] *sf* peur *f*; **aver ~ di** avoir peur de; **aver ~ di fare** avoir peur de faire; **aver ~ che** avoir peur que; **far ~ a** faire peur à; **per ~ di/che** par *o* de peur de/que; **ho ~ di sì/no** je crains que oui/non

pauroso, -a [pau'roso] *agg (che fa paura)* épouvantable, effroyable; *(che ha paura)* peureux(-euse), craintif(-ive); *(fig: straordinario)* incroyable

pausa ['pauza] *sf* pause *f*; **fare una ~** faire une pause

pavimento [pavi'mento] *sm* sol *m*, plancher *m*

pavone [pa'vone] *sm (anche fig)* paon *m*

pazientare [pattsjen'tare] *vi* patienter

paziente [pat'tsjɛnte] *agg, sm/f* patient(e)

pazienza [pat'tsjɛntsa] *sf* patience *f*; **perdere la ~** perdre patience

pazzesco, -a, -schi, -sche [pat'tsesko] *agg (fig)* fou (folle), incroyable

pazzia [pat'tsia] *sf* folie *f*; **è stata una ~!** cela a été une folie!

pazzo, -a ['pattso] *agg, sm/f* fou (folle); **andare ~ per** être fou de; **~ di gioia/d'amore** fou de joie/d'amour; **cose da pazzi!** c'est de la folie!; **~ da legare** fou (folle) à lier

PDA *sigla m* (= *personal digital assistant*) PDA *m*

peccare [pek'kare] *vi* pécher; **~ di negligenza** pécher par négligence

peccato [pek'kato] *sm* péché *m*; **è un ~ che...** c'est dommage que...; **che ~!** quel dommage!; **~ di gioventù/di gola** *(fig)* péché de jeunesse/de gourmandise; **~ originale** péché originel

peccherò *ecc* [pekke'rɔ] *vb vedi* **peccare**

pece ['petʃe] *sf* poix *fsg*

pecora ['pɛkora] *sf* mouton *m*, brebis *fsg*; *(fig)* brebis; **~ nera** *(fig)* brebis galeuse

pecorino [peko'rino] *sm* fromage *m* de brebis

pedaggio [pe'daddʒo] *sm* péage *m*

pedagogia [pedago'dʒia] *sf* pédagogie *f*

pedalare [peda'lare] *vi* pédaler

pedale [pe'dale] *sm* pédale *f*

pedana [pe'dana] *sf* estrade *f*; *(Sport: nel salto)* sautoir *m*; *(: nella scherma)* piste *f*

pedante [pe'dante] *agg (peg)* pointilleux(-euse), ergoteur(-euse) ■ *sm/f (peg)* ergoteur(-euse), chicaneur(-euse)

pedata [pe'data] *sf (calcio)* coup *m* de pied; **prendere qn a pedate** donner des coups de pied à qn; **prendere qc a pedate** donner des coups de pied dans qch

pediatra, -i, -e [pe'djatra] *sm/f* pédiatre *m/f*

pedicure [pedi'kure] *sm/f inv* pédicure *m/f*

pedina [pe'dina] *sf (anche fig)* pion *m*

pedinare [pedi'nare] *vt* filer, prendre en filature

pedofilo, -a [pe'dɔfilo] *agg, sm/f* pédophile *m/f*

pedonale [pedo'nale] *agg* piéton(ne), piétonnier(-ière); *vedi anche* **passaggio**; **isola**

pedone, -a [pe'done] *sm/f* piéton(ne) ■ *sm (Scacchi)* pion *m*

peggio ['pɛddʒo] *avv (stare, andare ecc)* plus mal; *(meno: riuscito, informato)* moins bien ■ *agg (peggiore)* pire, plus mauvais(e); *(meno opportuno)* pire ■ *sm/f*: **il(la) ~** le(la) pire; **sto ~ di ieri** je vais plus mal qu'hier; **~ così** tant pis; **~ per te!** tant pis pour toi!; **o, ~** ou, pire encore; **è ~ di lei** il est pire qu'elle; **alla (meno) ~** *(in qualche modo)* tant bien que mal; *(nella peggior ipotesi)* au pis aller; **avere la ~** avoir le dessous

peggiorare [peddʒo'rare] *vt* empirer, aggraver ■ *vi* empirer, s'aggraver; **il paziente è peggiorato** l'état du patient s'est empiré *o* aggravé

peggiore [ped'dʒore] agg
(comparativo): ~ **(di)** pire (que);
(superlativo): **il(la)** ~ le(la) pire ■ sm/f:
il(la) ~ le(la) pire; **il peggior posto del
mondo** le pire endroit du monde;
nel ~ **dei casi** dans le pire des cas,
au pis aller

pegno ['peɲɲo] sm gage m; **dare qc
in** ~ mettre qch en gage; **in** ~
d'amicizia en signe d'amitié

pelare [pe'lare] vt peler; (spennare,
fig) plumer; (spellare) écorcher,
dépouiller; (sbucciare) éplucher;
pelarsi vpr (perdere i capelli) se
dégarnir; (perdere la pelle) peler

pelato, -a [pe'lato] agg (sbucciato)
épluché(e); (calvo) chauve;
(pomodori) pelati tomates fpl pelées

pelle ['pɛlle] sf peau f; (cuoio) cuir m;
essere ~ **ed ossa** n'avoir que la peau
sur les os; **avere la** ~ **d'oca** avoir la
chair de poule; **avere i nervi a fior di
~** avoir les nerfs à vif; **non stare più
nella** ~ **dalla gioia** ne plus se sentir de
joie; **lasciarci la** ~ y laisser sa peau;
amici per la ~ amis pour la vie

> **FALSI AMICI**
> **pelle** non si traduce mai
> con la parola francese
> **pelle**.

pellegrinaggio [pellegri'naddʒo] sm
pèlerinage m

pellerossa [pelle'rossa] (pl
pellirosse) sm/f peau-rouge m/f

pellicano [pelli'kano] sm pélican m

pelliccia, -ce [pel'littʃa] sf fourrure f;
~ ecologica fourrure f synthétique

pellicola [pel'likola] sf pellicule f;
(film) film m

pelo ['pelo] sm poil m; (pelliccia)
fourrure f; (superficie: dell'acqua) fil m;
per un ~ de justesse; **c'è mancato un
~ che affogasse** il s'en est fallu d'un
cheveu qu'il ne se noie; **cercare il** ~
nell'uovo (fig) chercher la petite bête;
non avere peli sulla lingua ne pas
mâcher ses mots

peloso, -a [pe'loso] agg poilu(e)

peltro ['peltro] sm étain m

peluche [pə'lyʃ] sf peluche f; **di** ~ en
peluche

peluria [pe'lurja] sf duvet m

pena ['pena] sf peine f; **mi fa** ~ il me
fait de la peine; **far** ~ (peg) faire pitié;
essere o **stare in** ~ **per qc/qn** se faire
du souci pour qch/qn; **prendersi**
o **darsi la** ~ **di fare qc** prendre o se
donner la peine de faire qch;
valere la ~ valoir la peine; **non ne
vale la** ~ cela n'en vaut pas la peine;
~ detentiva peine d'emprisonnement
o de détention; **~ di morte** peine
de mort; **~ pecuniaria** peine
pécuniaire

penale [pe'nale] agg pénal(e) ■ sf
(anche: **clausola penale**) clause f
pénale; (somma) pénalité f

pendente [pen'dɛnte] agg
penché(e); (Dir) pendant(e) ■ sm
(ciondolo) pendentif m; (orecchino)
pendant m d'oreille

pendere ['pɛndere] vi pencher ■ vi
(fig: incombere): **~ su** peser sur; **~ da**
(essere appeso) être suspendu(e) à,
pendre à

pendio, -dii [pen'dio] sm pente f;
in ~ en pente

pendola ['pɛndola] sf pendule f

pendolare [pendo'lare] agg
pendulaire ■ sm/f (anche:
lavoratore pendolare) personne
faisant la navette entre son domicile et
son lieu de travail; (a Parigi)
banlieusard(e)

pendolino [pendo'lino] sm (Ferr)
train à grande vitesse

pene ['pɛne] sm pénis msg

penetrante [pene'trante] agg
pénétrant(e)

penetrare [pene'trare] vi: **~ (in)**
pénétrer (dans) ■ vt pénétrer

penicillina [penitʃil'lina] sf
pénicilline f

penisola [pe'nizola] sf péninsule f

penitenziario, -a [peniten'tsjarjo]
agg pénitentiaire ■ sm pénitencier m

penna ['penna] sf (di uccello) plume f;
(per scrivere) stylo m; **penne** sfpl (Cuc)
type de pâtes alimentaires en forme de
cylindre court; **~ a feltro** (crayon m)
feutre m; **~ a sfera** stylo m (à) bille;
~ stilografica stylo (à plume); **~ USB**
clef f USB

pennarello [penna'rɛllo] sm (crayon
m) feutre m

pennello [pen'nɛllo] sm pinceau m;
a ~ à merveille, parfaitement; **~ per la
barba** blaireau m

penombra [pe'nombra] *sf*
pénombre *f*

pensare [pen'sare] *vi, vt* penser;
~ **a** penser à; ~ **di fare qc** penser faire
qch; **devo pensarci su** je dois y
réfléchir; **penso di sì/no** je pense que
oui/non; **a pensarci bene** tout bien
considéré; **non voglio nemmeno
pensarci** c'est hors de question;
ci penso io je m'en charge, je m'en
occupe

pensiero [pen'sjero] *sm* pensée *f*;
(*ansia, preoccupazione*) souci *m*,
inquiétude *f*; (*fig: dono*) (petit) cadeau
m; **darsi ~ per qc** se faire du souci
pour qch; **stare in ~ per qn** être
inquiet pour qn; **un ~ gentile** (*fig*)
une gentille attention

pensieroso, -a [pensje'roso] *agg*
pensif(-ive)

pensile ['pɛnsile] *agg* (*giardino*)
suspendu(e); (*mobili*) **pensili**
éléments *mpl* hauts

pensionato, -a [pensjo'nato] *sm/f*
retraité(e) ■ *sm* (*istituto*) pensionnat *m*

pensione [pen'sjone] *sf* (*di lavoratore*)
retraite *f*; (*vitto e alloggio*) pension *f*;
(*albergo*) pension de famille; **andare
in ~** prendre sa retraite; **mezza ~**
demi-pension *f*; ~ **completa** pension
complète; ~ **d'invalidità** pension
d'invalidité

pentirsi [pen'tirsi] *vpr*: ~ **(di)** se
repentir (de); (*rammaricarsi*) regretter
(de)

pentola ['pɛntola] *sf* casserole *f*,
marmite *f*; (*contenuto*) casserole;
~ **a pressione** cocotte *f* minute,
autocuiseur *m*

penultimo, -a [pe'nultimo] *agg,
sm/f* avant-dernier(-ière)

penzolare [pendzo'lare] *vi*: ~ **(da)**
pendre (de)

pepe ['pepe] *sm* (*Bot*) poivrier *m*;
(*spezia*) poivre *m*; **tutto ~** (*fig: persona*)
sémillant(e), pétillant(e); ~ **di
Caienna** poivre de Cayenne; ~ **in
grani/macinato** poivre en grains/
moulu

peperoncino [peperon'tʃino] *sm*
piment *m*; ~ **rosso** piment rouge

peperone [pepe'rone] *sm* (*Bot:
pianta*) piment *m*; (*: frutto*) poivron *m*;
rosso come un ~ rouge comme une

pivoine; ~ **verde** poivron vert;
peperoni ripieni poivrons farcis

pepita [pe'pita] *sf* pépite *f*

PAROLA CHIAVE

per [per] *prep* **1** (*moto attraverso luogo*)
par; **i ladri sono passati per la
finestra** les voleurs sont passés par
la fenêtre; **passare per il giardino**
passer par le jardin; **l'ho cercato per
tutta la casa** je l'ai cherché dans
toute la maison

2 (*moto a luogo*) pour; **partire per la
Germania/il mare** partir pour
l'Allemagne/la mer; **il treno per
Roma** le train pour Rome;
proseguire per Londra continuer
jusqu'à Londres

3 (*stato in luogo*): **seduto/sdraiato
per terra** assis/allongé par terre

4 (*tempo: durante*) pendant; (*: entro*)
pour; **per anni/molto tempo**
pendant des années/longtemps; **per
tutta l'estate non l'ho visto** je ne l'ai
pas vu pendant tout l'été; **lo rividi per
Natale** je le revis à Noël; **lo faccio per
lunedì** je le fais pour lundi

5 (*mezzo, maniera*) par; **per lettera** par
lettre; **per via aerea** par avion;
prendere qn per un braccio prendre
qn par le bras; **per abitudine** par
habitude

6 (*causa, scopo*) pour; **arrestato per
furto** arrêté pour vol; **assente per
malattia** absent pour cause de
maladie; **lavora per la famiglia** il
travaille pour sa famille; **ottimo per
il mal di gola** excellent pour le mal
de gorge

7 (*limitazione*) pour; **è troppo difficile
per lui** c'est trop difficile pour lui; **per
quel che mi riguarda** en ce qui me
concerne; **per poco che sia** si peu que
ce soit; **per quello che mi interessa**
pour ce que ça m'intéresse; **per
questa volta ti perdono** pour cette
fois je te pardonne

8 (*prezzo, misura*) pour; (*distributivo*)
par; **venduto per 3 milioni** vendu
(pour) 3 millions; **la strada continua
per 3 km** la route continue sur 3 km;
10 euro per persona 10 euros par
personne; **entrare uno per volta**

entrer un par un; **giorno per giorno** jour après jour; **analizzare uno per uno** analyser un par un; **due per parte** deux de chaque côté; **5 per cento** 5 pour cent; **3 per 4 fa 12** 3 fois 4 font 12; **dividere/moltiplicare 12 per 4** diviser/multiplier 12 par 4 **9** (in qualità di) comme; (al posto di) pour; **avere qn per professore** avoir qn comme professeur; **ti ho preso per Mario** je t'ai pris pour Mario; **dare per morto qn** donner qn pour mort; **prendere per pazzo** prendre pour un fou **10** (seguito da vb: finale): **per fare qc** pour faire qch; (: causale): **per aver fatto qc** pour avoir fait qch; **è abbastanza grande per andarci da solo** il est assez grand pour y aller tout seul

pera ['pera] sf poire f; (fam: iniezione di eroina) dose f, shoot m

perbene [per'bɛne] agg inv bien, comme il faut ■ avv (con cura) comme il faut

percentuale [pertʃentu'ale] agg en pour cent ■ sf pourcentage m

percepire [pertʃe'pire] vt percevoir

○ **PAROLA CHIAVE**

perché [per'ke] avv pourquoi; **perché no?** pourquoi pas?; **perché non vuoi andarci?** pourquoi ne veux-tu pas y aller?; **spiegami perché l'hai fatto** explique-moi pourquoi tu l'as fait ■ cong **1** (causale) parce que; **dormo perché sono stanco** je dors parce que je suis fatigué; **non posso uscire perché ho da fare** je ne peux pas sortir parce que j'ai des choses à faire **2** (finale) pour que; **te lo do perché tu lo legga** je te le donne pour que tu le lises; **te lo dico perché tu lo sappia** je te le dis pour que tu le saches **3** (consecutivo): **è troppo forte perché si possa batterlo** il est trop fort pour qu'on puisse le battre ■ sm inv (motivo) pourquoi m, raison f, motif m; **chiedigli il perché di questa scelta** demande-lui la raison de ce choix; **non c'è un vero perché** il n'y a pas de vraie raison

perciò [per'tʃɔ] cong c'est pourquoi, par conséquent

percorrere [per'korrere] vt parcourir

percorso, -a [per'korso] pp di **percorrere** ■ sm (tragitto) parcours msg; (tratto) trajet m

percuotere [per'kwɔtere] vt (picchiare) frapper; (urtare con violenza) se cogner contre

percussione [perkus'sjone] sf percussion f; **strumenti a ~** (Mus) instruments mpl à percussion

perdere ['pɛrdere] vt perdre; (lasciarsi sfuggire: treno, lezione) manquer, rater ■ vi (serbatoio ecc) fuir; (avere la peggio) perdre; **perdersi** vpr se perdre; **saper ~** être bon perdant; **lascia ~!** laisse tomber!; **non aver niente da ~** n'avoir rien à perdre; **un'occasione da non ~** une occasion à ne pas manquer; **~ al gioco** perdre au jeu; **~ di vista qn** perdre qn de vue; **mi sono perso** je me suis perdu; **perdersi di vista** se perdre de vue; **perdersi alla vista** disparaître de la vue; **perdersi in chiacchiere** se perdre en bavardages; **abbiamo perso il treno** nous avons raté notre train; **ho perso il portafoglio/passaporto** j'ai perdu mon portefeuille/passeport; **il rubinetto perde** le robinet fuit

perdigiorno [perdi'dʒorno] sm/f inv fainéant(e)

perdita ['pɛrdita] sf perte f; (dispersione: di gas) fuite f; **essere in ~** (Comm) être en déficit; **a ~ d'occhio** à perte de vue

perdonare [perdo'nare] vt pardonner; **per farsi ~** pour se faire pardonner; **perdona la domanda...** pardon si je te pose cette question...; **vogliate ~ il (mio) ritardo** veuillez pardonner mon retard; **un male che non perdona** une maladie qui ne pardonne pas

perdono [per'dono] sm pardon m; **chiedere ~ (a)** demander pardon (à)

perdutamente [perduta'mente] avv éperdument

perenne [pe'rɛnne] agg éternel(le)

perfettamente [perfetta'mente] avv parfaitement; **sai ~ che...** tu sais parfaitement que...

perfetto, -a [per'fetto] *agg* parfait(e)
■ *sm* (*Ling*) parfait *m*

perfezionamento
[perfettsjona'mento] *sm*
perfectionnement *m*; **corso di ~**
stage *m* de perfectionnement

perfezionare [perfettsjo'nare] *vt*
perfectionner, parfaire; (*compiere*)
réaliser; **perfezionarsi** *vpr* se
perfectionner

perfezione [perfet'tsjone] *sf*
perfection *f*; **a ~** à la perfection

perfino [per'fino] *avv* même

perforare [perfo'rare] *vt* perforer;
(*roccia*) percer

pergamena [perga'mɛna] *sf*
parchemin *m*

pericolante [periko'lante] *agg*
croulant(e); **edificio ~** bâtiment *m* qui
risque de s'écrouler

pericolo [pe'rikolo] *sm* danger *m*;
non c'è ~ che paghi (*scherz*) il n'y a
pas de danger qu'il paye; **fuori ~** hors
de danger; **essere in ~** être en danger;
mettere in ~ mettre en danger;
~ pubblico danger public

pericoloso, -a [periko'loso] *agg*
dangereux(-euse)

periferia [perife'ria] *sf* périphérie *f*,
banlieue *f*; **in ~** en banlieue

perifrasi [pe'rifrazi] *sf inv*
périphrase *f*

perimetro [pe'rimetro] *sm*
périmètre *m*

periodico, -a, -ci, -che [peri'ɔdiko]
agg, sm périodique (*m*)

periodo [pe'riodo] *sm* période *f*;
~ contabile exercice *m* comptable;
~ di prova période d'essai

peripezie [peripet'tsie] *sfpl*
péripéties *fpl*

perito, -a [pe'rito] *agg* expert(e)
■ *sm* (*esperto*) expert *m*; **esperto di
assicurazione** expert *m* en
assurances; **~ agrario** agronome *m*
diplômé; **~ chimico** chimiste *m*
diplômé

perizoma, -i [peri'dzoma] *sm* string *m*

perla ['pɛrla] *sf* perle *f* ■ *agg inv*:
grigio ~ gris perle *inv*; **~ coltivata**
perle de culture

perlina [per'lina] *sf* perle *f*

perlustrare [perlus'trare] *vt*
explorer

permaloso, -a [perma'loso] *agg*
susceptible

permanente [perma'nɛnte] *agg*
permanent(e) ■ *sf* permanente *f*

permanenza [perma'nɛntsa] *sf*
permanence *f*; (*soggiorno*) séjour *m*;
buona ~! bon séjour!

permeare [perme'are] *vt* imprégner

permesso, -a [per'messo] *pp di*
permettere ■ *sm* (*autorizzazione,
a militare*) permission *f*; (*a impiegato*)
congé *m*; (*foglio*) permis *msg*;
chiedere il ~ di fare qc demander
la permission de faire qch; **~?, è ~?**
(*entrando*) on peut entrer?; (*passando*)
pardon, excusez-moi; **~ di lavoro**
permis de travail; **~ di pesca** permis
de pêche; **~ di soggiorno** permis de
séjour

permettere [per'mettere] *vt*
permettre; **permettersi** *vpr* se
permettre; **~ a qn qc/di fare qc**
permettre à qn qch/de faire qch;
permette? (*nel presentarsi, per ballare*)
vous permettez?; (*entrando*) on peut
entrer?; **mi sia permesso
sottolineare che...** permettez-moi
de souligner que...; **potersi ~ qc/
di fare qc** pouvoir se permettre qch/
de faire qch

permisi *ecc* [per'mizi] *vb vedi*
permettere

pernacchia [per'nakkja] *sf*:
fare una ~ faire "pfft" (en signe de
dérision)

pernice [per'nitʃe] *sf* perdrix *fsg*

perno ['pɛrno] *sm* pivot *m*, axe *m*; (*fig*)
pivot

pernottare [pernot'tare] *vi* passer
la nuit

pero ['pero] *sm* poirier *m*

però [pe'rɔ] *cong* (*ma*) mais; (*tuttavia*)
cependant; **~, non è male!** pas mal
du tout!

perpendicolare [perpendiko'lare]
agg, sf perpendiculaire (*f*); **~ a**
perpendiculaire à

perplesso, -a [per'plɛsso] *agg*
perplexe

perquisire [perkwi'zire] *vt* (*persona*)
fouiller; (*stanza*) perquisitionner

perquisizione [perkwizit'tsjone] *sf*
(*vedi vt*) fouille *f*; perquisition *f*

perse *ecc* ['pɛrse] *vb vedi* **perdere**

persecuzione [persekut'tsjone] sf
persécution f; (fig) cauchemar m;
mania di ~ (Psic) manie f de persécution

perseguitare [persegwi'tare] vt
persécuter

perseverante [perseve'rante] agg
persévérant(e)

persi ecc ['pɛrsi] vb vedi **perdere**

Persia ['pɛrsja] sf Perse f

persiana [per'sjana] sf volet m,
persienne f; **~ avvolgibile** store m

persino [per'sino] avv = **perfino**

persistente [persis'tente] agg
persistant(e)

perso, -a ['pɛrso] pp di **perdere**
■ agg perdu(e); **a tempo ~** à temps
perdu; **è tempo ~** c'est du temps
perdu; **~ per ~** perdu pour perdu

persona [per'sona] sf personne f;
c'erano delle persone il y avait des
gens; **di ~** personnellement; **curare
la propria ~** être très soigneux(-euse)
de sa personne; **~ fisica/giuridica**
(Dir) personne physique/juridique

personaggio [perso'naddʒo] sm
personnage m; **un ~ politico** une
personnalité politique

personale [perso'nale] agg
personnel(le) ■ sm personnel m;
(figura fisica) physique m ■ sf (mostra)
exposition f

personalità [personali'ta] sf inv
personnalité f

perspicace [perspi'katʃe] agg
perspicace

persuadere [persua'dere] vt:
~ qn di qc/a fare persuader (qn de
qch/de faire)

pertanto [per'tanto] cong (quindi)
par conséquent, donc; (tuttavia)
néanmoins

pertica, -che ['pɛrtika] sf perche f;
(attrezzo ginnico) mât m

pertinente [perti'nente] agg
pertinent(e); **~ a** relatif(-ive) à,
concernant

pertosse [per'tosse] sf coqueluche f

perturbazione [perturbat'tsjone] sf
(anche: **perturbazione atmosferica**)
perturbation f (atmosphérique)

pervadere [per'vadere] vt envahir

perverso, -a [per'vɛrso] agg
pervers(e)

pervertito, -a [perver'tito] sm/f
perverti(e)

p.es. abbr (= per esempio) p. ex.

pesante [pe'sante] agg (anche fig:
cibo, aria, silenzio) lourd(e); (fig:
persona) assommant(e), fatigant(e);
(: battuta) cru(e), de mauvais goût;
(: libro) ennuyeux(-euse); (: lavoro)
pénible, fatigant(e); **è troppo ~** c'est
trop lourd; **avere il sonno ~** avoir le
sommeil lourd; vedi anche **atletica**;
industria

pesare [pe'sare] vt peser ■ vi peser;
(essere pesante) peser lourd; **pesarsi**
vpr se peser; **~ le parole** peser ses
mots; **~ sulla coscienza** peser sur la
conscience; **~ sullo stomaco** peser
sur l'estomac; **mi pesa ammetterlo**
cela me coûte de l'admettre; **tutta la
responsabilità pesa su di lui** toute la
responsabilité pèse sur lui; **è una
situazione che mi pesa** c'est une
situation pénible pour moi; **il suo
parere pesa molto** son avis a
beaucoup de poids

pesca¹ ['pɛska] (pl **pesche**) sf (Bot)
pêche f

pesca² ['peska] sf (attività, Sport)
pêche f; **andare a ~** aller à la pêche;
~ con la lenza pêche à la ligne; **~ di
beneficenza** tombola f; **~ subacquea**
pêche sous-marine

pescare [pes'kare] vt pêcher; (qc
dall'acqua) repêcher; (prendere a caso)
piocher; (fig: trovare) pêcher, trouver

pescatore, -trice [peska'tore] sm/f
pêcheur(-euse)

pesce ['peʃʃe] sm poisson m;
(Zodiaco): **Pesci** Poissons; **essere
dei Pesci** être (des) Poissons; **non
saper che pesci prendere** o **pigliare**
(fig) ne pas savoir sur quel pied
danser; **~ d'aprile!** poisson d'avril!;
~ martello requin m marteau;
~ rosso poisson rouge; **~ spada**
espadon m

pescecane [peʃʃe'kane] sm requin m

peschereccio, -ci [peske'rettʃo] sm
bateau m de pêche, chalutier m

pescheria [peske'ria] sf
poissonnerie f

pescherò ecc [peske'rɔ] vb vedi
  pescare
peso ['peso] sm poids msg; (moneta)
  peso m; **sollevare qc di ~** soulever
  qch à bout de bras; **dar ~ a qc** (fig)
  donner du poids à qch; **essere di ~ a
  qn** (fig) être un poids pour qn; **essere
  un ~ morto** être un poids mort; **avere
  due pesi e due misure** (fig) avoir deux
  poids, deux mesures; **sollevamento
  pesi** haltérophilie f, poids et haltères
  mpl; **~ lordo/netto** poids brut/net;
  ~ massimo/medio (Pugilato) poids
  lourd/moyen; **~ specifico** poids
  spécifique
pessimismo [pessi'mizmo] sm
  pessimisme m
pessimista, -i, -e [pessi'mista] agg,
  sm/f pessimiste m/f
pessimo, -a ['pessimo] agg très
  mauvais(e); (riprovevole: persona)
  détestable; **essere di ~ umore** être
  de très mauvaise humeur; **di
  pessima qualità** de très mauvaise
  qualité
pestare [pes'tare] vt (calpestare)
  marcher sur; (frantumare) écraser,
  broyer; (fig: picchiare) frapper, passer
  à tabac; **~ i piedi (a qn)** (anche fig)
  marcher sur les pieds (de qn)
peste ['peste] sf peste f; (fig: persona)
  peste f, teigne f
pestello [pes'tello] sm pilon m
petalo ['petalo] sm pétale m
petardo [pe'tardo] sm pétard m
petizione [petit'tsjone] sf pétition f
petroliera [petro'ljɛra] sf (nave)
  pétrolier m
petrolio [pe'trɔljo] sm pétrole m;
  ~ grezzo pétrole brut
pettegolare [pettego'lare] vi
  potiner, jaser
pettegolezzo [pettego'leddzo] sm
  potin m, commérage m, ragot m;
  fare pettegolezzi jaser, faire des
  commérages
pettegolo, -a [pet'tegolo] agg
  cancanier(-ière) ■ sm/f concierge
  m/f, pipelet(te)
pettinare [petti'nare] vt peigner,
  coiffer; **pettinarsi** vpr se peigner,
  se coiffer
pettinatura [pettina'tura] sf
  coiffure f

pettine ['pettine] sm peigne m;
  a ~ (parcheggio) en épi
pettirosso [petti'rosso] sm rouge-
  gorge m
petto ['petto] sm (Anat) poitrine f;
  (di animale) poitrail m; (di abito)
  devant m; **prendere qn/qc di ~**
  prendre qn/qch à bras-le-corps;
  prendere il toro per le corna prendre
  le taureau par les cornes; **a doppio
  ~** (abito) croisé(e); **~ di pollo** blanc m
  de poulet
petulante [petu'lante] agg
  impertinent(e), insolent(e)
pezza ['pettsa] sf morceau m de tissu;
  (toppa) pièce f; (cencio) chiffon m;
  ~ d'appoggio o **giustificativa** (Amm)
  pièce justificative; **di ~** (bambola) de
  chiffon; **trattare qn come una ~ da
  piedi** traiter qn comme un chien
pezzente [pet'tsɛnte] sm/f
  pouilleux(-euse)
pezzo ['pettso] sm morceau m,
  bout m; (parte, brandello) bout m;
  (di macchina, arnese, scacchi) pièce f;
  (Mus: brano) morceau m; (Stampa)
  article m; **aspettare un ~** attendre un
  bon bout de temps; **andare a pezzi**
  se briser en mille morceaux; **essere a
  pezzi** (fig: persona) être à bout; **fare a
  pezzi** (oggetto) casser; (fig: persona)
  anéantir, détruire; **essere tutto d'un
  ~** (fig) être tout d'une seule pièce; **un
  bel ~ di ragazza** un beau brin de fille;
  due pezzi = duepezzi; **~ di cronaca**
  (Stampa) fait m divers; **~ di ricambio**
  (Aut) pièce détachée; **~ grosso**, **~ da
  novanta** (fig) gros bonnet m
piaccio ecc ['pjattʃo] vb vedi **piacere**
piacente [pja'tʃɛnte] agg plaisant(e),
  agréable
piacere [pja'tʃere] vi: **~ (a)** plaire (à)
  ■ sm plaisir m; (favore) service m; **mi
  piace la poesia** j'aime la poésie; **non
  mi piace il caffè** je n'aime pas le café;
  gli piace viaggiare il aime voyager;
  le piacerebbe andare al cinema
  elle aimerait aller au cinéma; **il suo
  discorso è piaciuto molto** son
  discours a beaucoup plu; **~!** (nelle
  presentazioni) enchanté(e)!; **con ~!**
  avec plaisir!; **per ~!** s'il te/vous plaît!;
  fare un ~ a qn rendre un service à qn;
  mi fa ~ per lui je suis content pour lui;

mi farebbe ~ **rivederlo** j'aurais plaisir à le revoir; **è stato un ~ conoscerla** ravi d'avoir fait votre connaissance; **ma fammi il ~!** oh, je t'en prie!

piacevole [pja'tʃevole] *agg* agréable, plaisant(e)

piacqui *ecc* ['pjakkwi] *vb vedi* **piacere**

piaga, -ghe ['pjaga] *sf (anche fig)* plaie *f*; **mettere il dito sulla ~** *(fig)* retourner le couteau dans la plaie

piagnucolare [pjaɲɲuko'lare] *vi* pleurnicher

pianeggiante [pjaned'dʒante] *agg* plat(e)

pianerottolo [pjane'rɔttolo] *sm* palier *m*

pianeta, -i [pja'neta] *sm* planète *f*

piangere ['pjandʒere] *vi, vt* pleurer; **~ di gioia** pleurer de joie; **~ la morte di qn** pleurer la mort de qn; **mi piange il cuore** cela me fait mal au cœur

pianificare [pjanifi'kare] *vt* planifier

pianista, -i, -e [pja'nista] *sm/f* pianiste *m/f*

piano, -a ['pjano] *agg* (piatto) plat(e); *(Mat)* plan(e); *(fig)* simple, facile ■ *avv* (lentamente) doucement, lentement; *(a bassa voce)* à voix basse, doucement; *(con cautela)* doucement ■ *sm* plan *m*; *(pianura)* plaine *f*; *(livello)* niveau *m*; *(di edificio)* étage *m*; *(Mus: pianoforte)* piano *m*; **pian ~** tout doucement; **una palazzina di cinque piani** un immeuble à cinq étages; **a che ~ si trova?** c'est à quel étage?; **al ~ di sopra/di sotto** à l'étage supérieur/inférieur; **all'ultimo ~** au dernier étage; **in primo ~** *(Fot, Cine ecc)* au premier plan; **in secondo ~** *(Fot, Cine ecc)* à l'arrière-plan; **di primo ~** *(fig)* de premier plan; **di secondo ~** d'importance secondaire; **un fattore di secondo ~** un facteur secondaire; **passare in secondo ~** passer au second plan; **mettere tutto sullo stesso ~** mettre tout sur le même plan; **tutto secondo i piani** tout marche comme prévu; **~ di lavoro** *(superficie)* plan de travail; *(programma)* plan de travail, planning *m*; **~ regolatore** *(Urbanistica)* plan d'aménagement; **~ stradale** chaussée *f*; **~ terra =** **pianoterra**

pianoforte [pjano'fɔrte] *sm (Mus)* piano *m*

pianoterra [pjano'tɔrra] *sm inv* rez-de-chaussée *m*

piansi *ecc* ['pjansi] *vb vedi* **piangere**

pianta ['pjanta] *sf (Bot, Anat)* plante *f*; *(grafico, carta topografica)* plan *m*; **in ~ stabile** en permanence, définitivement; **~ stradale** plan des rues

piantare [pjan'tare] *vt* planter; *(fam: fig: persona)* laisser en plan, planter *(fam)*; *(: marito, fidanzato)* plaquer *(fam)*; **piantarsi** *vpr (conficcarsi: proiettile)* s'enfoncer; **piantarsi davanti a** *(mettersi)* se planter devant; **~ qn in asso** laisser qn en plan; **~ grane** *(fig)* faire des histoires; **piantala!** *(fam)* arrête!, ça suffit!

pianterreno [pjanter'reno] *sm* **= pianoterra**

pianura [pja'nura] *sf* plaine *f*

piastra ['pjastra] *sf* plaque *f*; **alla ~** *(Cuc)* grillé(e); **~ di registrazione** platine *f* cassettes *inv*

piastrella [pjas'trella] *sf* carreau *m*

piastrina [pjas'trina] *sf (Anat)* plaquette *f*; *(Mil)* plaque *f*

piattaforma [pjatta'fɔrma] *sf* plate-forme *f*; **~ continentale** plateau *m* continental; **~ di lancio** plate-forme de lancement; **~ girevole** plaque *f* tournante; **~ rivendicativa** ensemble des revendications d'une catégorie professionnelle

piattino [pjat'tino] *sm (di tazza)* soucoupe *f*

piatto, -a ['pjatto] *agg* plat(e) ■ *sm* assiette *f*; *(vivanda, portata)* plat *m*; *(di bilancia, giradischi)* plateau *m*; *(recipiente, quantità)* assiette *f*; **piatti** *smpl (Mus)* cymbales *fpl*; **un ~ di minestra** une assiette de soupe; **primo ~** entrée *f*; **secondo ~** plat principal; **~ del giorno** plat du jour; **~ fondo/piano** assiette creuse/plate; **~ forte** plat de résistance

piazza ['pjattsa] *sf* place *f*; **a una ~** *(letto, lenzuolo)* à une place; **a due piazze** à deux places; **scendere in ~** *(manifestanti)* descendre dans la rue; **far ~ pulita** *(fig)* faire place nette; **mettere in ~** *(fig)* faire étalage de; **~ d'armi** *(Mil)* place d'armes

piazzale [pjat'tsale] *sm* esplanade *f*

piazzola [pjat'tsɔla] *sf* (*Aut*, *in campeggio*) emplacement *m*

piccante [pik'kante] *agg* piquant(e); (*fig*) osé(e)

picchetto [pik'ketto] *sm* piquet *m*; (*gruppo di scioperanti*) piquet de grève

picchiare [pik'kjare] *vt* frapper, taper ■ *vi* frapper; **~ contro** (*sbattere*) heurter

picchiata [pik'kjata] *sf* piqué *m*; **scendere in ~** piquer, descendre en piqué

picchio, -chi ['pikkjo] *sm* pic *m*

piccino, -a [pit'tʃino] *agg*, *sm/f* petit(e)

piccione [pit'tʃone] *sm* pigeon *m*; **pigliare due piccioni con una fava** (*fig*) faire d'une pierre deux coups; **~ viaggiatore** pigeon voyageur

picco, -chi ['pikko] *sm* (*vetta*) pic *m*, sommet *m*; **colare a ~** couler à pic; (*fig: persona*) se ruiner; (*azienda*) faire faillite

piccolo, -a ['pikkolo] *agg* petit(e); (*errore*) petit(e), léger(-ère) ■ *sm/f* petit(e) ■ *sm*: **nel mio ~** dans la faible mesure de mes moyens; **piccoli** *smpl* (*di animale*) petits *mpl*; **in ~** en miniature, en petit; **una piccola casa in campagna** une petite maison à la campagne; **una cosa piccola** une petite chose; **la piccola borghesia** la petite bourgeoisie

piccone [pik'kone] *sm* pioche *f*

piccozza [pik'kɔttsa] *sf* piolet *m*

picnic [pik'nik] *sm inv* pique-nique *m*; **fare un ~** pique-niquer

pidocchio, -chi [pi'dɔkkjo] *sm* pou *m*

piede ['pjɛde] *sm* pied *m*; **a piedi** à pied; **a piedi nudi** pieds nus; **essere in piedi** être debout; **stare in piedi** rester debout; **andare a piedi** aller à pied; **a ~ libero** (*Dir*) en liberté; **su due piedi** au pied levé; **mettere in piedi** (*fig: preparare*) mettre sur pied; **prendere ~** (*fig*) prendre pied; **puntare i piedi** (*fig*) s'obstiner; **sentirsi mancare la terra sotto i piedi** sentir la terre se dérober sous ses pieds; **non sta in piedi** il ne tient pas debout; (*fig*) cela ne tient pas debout; **tenere in piedi** (*persona*) maintenir debout; (*fig: mantenere*)

faire marcher, faire fonctionner; **sul ~ di guerra** sur le pied de guerre; **alzarsi col ~ sbagliato** se lever du pied gauche; **~ di porco** pince *f* monseigneur; **piedi piatti** (*Anat*) pieds plats

piega, -ghe ['pjɛga] *sf* pli *m*; (*anche*: **messa in piega**) mise *f* en plis; **prendere una brutta** *o* **cattiva ~** (*fig: avvenimenti*) prendre une mauvaise tournure; **il tuo ragionamento non fa una ~** ton raisonnement est correct; **non ha fatto una ~** (*fig: persona*) il n'a pas sourcillé

piegare [pje'gare] *vt* plier, courber; (*braccia, gambe*) plier, fléchir; (*testa*) pencher; (*tovagliolo, foglio, abito*) plier ■ *vi* tourner; **piegarsi** *vpr* se plier

piegherò *ecc* [pjege'rɔ] *vb vedi* **piegare**

pieghevole [pje'gevole] *agg* pliant(e) ■ *sm* dépliant *m*

Piemonte [pje'monte] *sm* Piémont *m*

piena ['pjɛna] *sf* (*di fiume*) crue *f*; (*gran folla*) foule *f*; **essere in ~** être en crue

pieno, -a ['pjɛno] *agg* plein(e); (*viso, fianchi*) plein(e), rebondi(e) ■ *sm* (*di benzina*) plein *m*; (*di gente*) foule *f*; **~ di** plein(e) de; **a piene mani** à pleines mains; **a tempo ~** à plein temps; **a pieni voti** (*eleggere*) à l'unanimité; (*laurearsi*) avec mention; **in ~ giorno/piena notte** en plein jour/pleine nuit; **in ~ inverno** en plein hiver; **in piena stagione** en pleine saison; **avere pieni poteri** avoir les pleins pouvoirs; **in ~** (*sbagliare*) complètement; (*colpire, centrare*) en plein dans le mille; **fare il ~** (*di benzina*) faire le plein; **il ~, per favore** le plein, s'il vous plaît

piercing ['pirsing] *sm* piercing *m*

pietà [pje'ta] *sf* pitié *f*; **avere ~ di** avoir pitié de; **far ~** faire pitié; **senza ~** sans pitié, sans merci

pietanza [pje'tantsa] *sf* plat *m*

pietoso, -a [pje'toso] *agg* (*compassionevole*) compatissant(e); (*che fa pietà*) piteux(-euse)

pietra ['pjɛtra] *sf* pierre *f*; **l'età della ~** l'âge de la pierre; **di ~** (*anche fig*) en pierre; **mettiamoci una ~ sopra** (*fig*) tirons le rideau sur cette affaire; **~ dello scandalo** (*fig: persona*) personne par qui le scandale arrive;

(: *cosa*) la cause du scandale; **~ di paragone** (*fig*) pierre de touche; **~ preziosa** pierre précieuse

piffero ['piffero] *sm* fifre *m*, pipeau *m*

pigiama, -i [pi'dʒama] *sm* pyjama *m*

pigliare [piʎ'ʎare] *vt* (*fam*) prendre

pigna ['piɲɲa] *sf* pomme *f* de pin

pignolo, -a [piɲ'ɲɔlo] *agg* (*persona*) tatillon(ne), pointilleux(-euse); (*esame*) méticuleux(-euse)

pigrizia [pi'grittsja] *sf* paresse *f*

pigro, -a ['pigro] *agg* paresseux(-euse), fainéant(e), feignant(e)

PIL [pil] *sigla m* (= *prodotto interno lordo*) PIB *m*

pila ['pila] *sf* (*di libri, piatti, batteria*) pile *f*; (*fam: torcia*) lampe *f* (de poche); (*per acqua benedetta*) bénitier *m*; **a ~, a pile** à piles

pilastro [pi'lastro] *sm* pilier *m*

pile ['pail] *sm* (*materiale, maglia*) polaire *m*

pillola ['pillola] *sf* (*anche anticoncezionale*) pilule *f*; **prendere la ~** prendre la pilule

pilone [pi'lone] *sm* (*di ponte*) pile *f*; (*linea elettrica*) pylône *m*

pilota, -i, -e [pi'lɔta] *agg inv, sm/f* pilote (*m*); **~ automatico** pilote automatique

pinacoteca, -che [pinako'tɛka] *sf* pinacothèque *f*

pineta [pi'neta] *sf* pinède *f*

ping-pong [ping 'pɔng] *sm inv* ping-pong *m*

pinguino [pin'gwino] *sm* pingouin *m*

pinna ['pinna] *sf* (*di pesce*) nageoire *f*; (*di gomma*) palme *f*

pino ['pino] *sm* pin *m*; **di ~** de pin; **~ marittimo/silvestre** pin maritime/sylvestre

pinolo [pi'nɔlo] *sm* pignon *m*

pinza ['pintsa] *sf* (*anche:* **pinze**) pince *f*

pinzette [pin'tsette] *sfpl* pince *fsg* à épiler

pioggia, -ge ['pjɔddʒa] *sf* (*anche fig: di regali, fiori ecc*) pluie *f*; **sotto la ~** sous la pluie; **~ acida** pluie acide

piolo [pi'ɔlo] *sm* (*paletto*) pieu *m*, piquet *m*; (*di scala*) barreau *m*

piombare [pjom'bare] *vi* (*cadere*) tomber; (*fig: nell'angoscia*) sombrer; (: *arrivare improvvisamente*) arriver à l'improviste ▪ *vt* plomber; **~ su** (*su nemico, vittima*) se jeter sur

piombatura [pjomba'tura] *sf* plombage *m*

piombino [pjom'bino] *sm* plomb *m*

piombo ['pjombo] *sm* plomb *m*; **a ~** (*cadere*) d'aplomb; (*muro ecc*) à plomb; **senza ~** (*benzina*) sans plomb; **andare con i piedi di ~** (*fig*) être prudent; *vedi anche* **filo**

pioniere, -a [pjo'njere] *sm/f* (*anche fig*) pionnier(-ière)

pioppo ['pjɔppo] *sm* peuplier *m*

piovere ['pjɔvere] *vb impers, vi* pleuvoir; **piove** il pleut; **non ci piove sopra** (*fig*) il n'y a pas l'ombre d'un doute, c'est hors de doute

piovigginare [pjoviddʒi'nare] *vb impers* bruiner, crachiner

piovoso, -a [pjo'voso] *agg* pluvieux(-euse)

piovra ['pjɔvra] *sf* pieuvre *f*

piovve ecc ['pjɔvve] *vb vedi* **piovere**

pipa ['pipa] *sf* pipe *f*

pipì [pi'pi] *sf* pipi *m*; **fare ~** faire pipi

pipistrello [pipis'trello] *sm* chauve-souris *fsg*

piramide [pi'ramide] *sf* pyramide *f*

pirata, -i [pi'rata] *sm* pirate *m* ▪ *agg inv:* **nave ~** bateau *m* pirate; **radio ~** radio *f* pirate; **~ della strada** chauffard *m*; **~ informatico** pirate *m* informatique

pirateria [pirate'ria] (*Inform*) *sf:* **~ informatica** piratage *f*; **fare ~ informatica** pirater

Pirenei [pire'nɛi] *smpl* Pyrénées *fpl*

piromane [pi'rɔmane] *sm/f* pyromane *m/f*

piroscafo [pi'rɔskafo] *sm* bateau *m* à vapeur

pisciare [piʃ'ʃare] *vi* (*fam*) pisser

piscina [piʃ'ʃina] *sf* piscine *f*

pisello [pi'sɛllo] *sm* petit pois *m*

pisolino [pizo'lino] *sm* petit somme *m*; **fare un ~** faire un petit somme

pista ['pista] *sf* piste *f*; **~ ciclabile** piste cyclable; **~ da ballo** piste de danse; **~ di lancio** rampe *f* de lancement; **~ di rullaggio** voie *f* de circulation; **~ di volo** piste d'envol

pistacchio, -chi [pis'takkjo] *sm*
(*albero*) pistachier *m*; (*seme*) pistache *f*
■ *agg inv*: **verde ~** vert pistache *inv*
pistola [pis'tɔla] *sf* pistolet *m*;
~ a spruzzo pistolet (pulvérisateur);
~ a tamburo revolver *m*
pistone [pis'tone] *sm* piston *m*
pitone [pi'tone] *sm* python *m*
pittore, -trice [pit'tore] *sm/f* peintre
(femme-peintre); (*imbianchino*)
peintre (en bâtiments)
pittoresco, -a, -schi, -sche
[pitto'resko] *agg* pittoresque
pittura [pit'tura] *sf* peinture *f*
pitturare [pittu'rare] *vt* peindre

◯ **PAROLA CHIAVE**

più [pju] *avv* **1** (*in maggiore quantità*)
plus; **di più** davantage, plus; **costa di
più** ça coûte plus cher; **ne voglio di
più** j'en veux plus *o* davantage; **una
volta di più** une fois de plus; **per di
più** (*inoltre*) de plus, en outre; **in più**
en plus; **3 persone/5 euro in più** 3
personnes/5 euros en plus; **più
dormo e più dormirei** plus je dors et
plus j'ai envie de dormir; **più o meno**
plus ou moins; **né più né meno** ni
plus ni moins; **chi più chi meno**
certains plus que d'autres; **è sempre
più difficile** c'est de plus en plus
difficile; **a più non posso** (*urlare*) à
tue-tête; (*correre*) à perdre haleine
2 (*comparativo*) plus; **più di** plus que;
lavoro più di te je travaille plus que
toi; **di più di quanto pensassi** plus que
je ne pensais; **più... di** plus... que; **più
buono di lui** meilleur que lui; **più
tardi di me** plus tard que moi; **è più
tardi di quanto pensassi** il est plus
tard que je ne pensais; **più... che**
plus... que; **è più intelligente che
ricco** il est plus intelligent que riche;
più che altro surtout; **più che bene/
buono** plus que bien/bon; **più che
mai** plus que jamais
3 (*superlativo*) plus; **il più grande** le plus
grand; **il più dotato degli studenti** le
plus doué des étudiants; **è quello che
compro più spesso** c'est celui que
j'achète le plus souvent; **al più presto**
au plus tôt; **al più tardi** au plus tard;
il più delle volte le plus souvent

4 (*negazione*): **non... più** ne... plus;
non ho più soldi je n'ai plus d'argent;
non parlo più je ne parle plus; **non
l'ho più rivisto** je ne l'ai plus revu
5 (*Mat*) plus; **4 più 5 fa 9** 4 plus 5 font
9; **più 5 gradi** 5 degrés (au-dessus de
zéro); **6 più** (*voto*) juste au-dessus de
la moyenne
■ *prep* (*con l'aggiunta di*) plus;
500.000 più le spese 500 000 plus
les frais; **siamo in 4 più il nonno** nous
sommes quatre plus grand-père
■ *agg inv* **1**: **più... (di)** (*quantità*) plus
de... (que); **ci vuole più denaro/
tempo** il faut plus d'argent/de temps;
**più persone di quante ci
aspettassimo** plus de monde que
nous n'en attendions
2 (*numerosi, diversi*) plusieurs;
l'aspettai per più giorni je l'attendis
plusieurs jours
■ *sm* **1** (*la maggior parte*): **il più è fatto**
le plus gros est fait; **parlare del più e
del meno** parler de tout et de rien,
parler de la pluie et du beau temps
2 (*Mat*) plus *m*; **se aggiungiamo un
più la funzione diventa...** si nous
ajoutons un (signe) plus, la fonction
devient...
3: **i più** (*la maggioranza*) la plupart,
la majorité

piuma ['pjuma] *sf* plume *f*; (*per
pescare*) leurre *m* ■ *agg inv*: **peso ~**
(*Sport*) poids *msg* plume; **piume** *sfpl*
(*piumaggio*) plumes *fpl*
piumino [pju'mino] *sm* (*per letto*)
édredon *m*; (: *tipo danese*) couette *f*;
(*giacca*) anorak *m*; (*per cipria*)
houppette *f*; (*per spolverare*) plumeau *m*
piuttosto [pjut'tosto] *avv* plutôt;
~ che (*anziché*) plutôt que
pizza ['pittsa] *sf* (*Cuc*) pizza *f*; (*Cine*)
bobine *f*; **che ~!** (*fig*) quelle barbe!
pizzeria [pittse'ria] *sf* pizzeria *f*
pizzicare [pittsi'kare] *vt* (*anche fig*:
ladro) pincer; (*solleticare, pungere*)
piquer ■ *vi* (*prudere*) démanger;
(*essere piccante*) piquer
pizzico, -chi ['pittsiko] *sm*
(*pizzicotto*) pinçon *m*; (*piccola quantità*)
pincée *f*; (*puntura d'insetto*) piqûre *f*;
un ~ di fantasia un brin
d'imagination

pizzicotto [pittsi'kɔtto] sm pinçon
m; **dare un ~ a qn** pincer qn

pizzo ['pittso] sm (merletto) dentelle f;
(barbetta) barbiche f; (fig: tangente)
somme d'argent exigée régulièrement par
la mafia dans ses activités de racket

plagiare [pla'dʒare] vt plagier; (Dir)
suggestionner

plaid [pled] sm inv plaid m

planare [pla'nare] vi planer

plasma, -i ['plazma] sm plasma m

plasmare [plaz'mare] vt (anche fig)
modeler

plastica ['plastika] sf plastique m;
(Med) chirurgie f plastique; **di ~** en
plastique; **~ facciale** chirurgie faciale

platano ['platano] sm platane m

platea [pla'tɛa] sf parterre m; (fig:
spettatori) public m

platino ['platino] sm platine m ■ agg
inv: **biondo ~** blond platine

plausibile [plau'zibile] agg plausible

plenilunio [pleni'lunjo] sm pleine
lune f

plettro ['plɛttro] sm (Mus) médiator m

pleurite [pleu'rite] sf pleurésie f

plico, -chi ['pliko] sm pli m; **in ~ a
parte** dans un pli à part

plotone [plo'tone] sm (Mil) peloton
m; **~ d'esecuzione** peloton
d'exécution

plurale [plu'rale] agg pluriel(le)
■ sm pluriel m

PM [pi'ɛmme] abbr (Pol: = Pubblico
Ministero) ministère m public

pneumatico, -a, -ci, -che
[pneu'matiko] agg pneumatique
■ sm (Aut) pneu m

po' [pɔ] avv, sm vedi **poco**

 PAROLA CHIAVE

poco, -a, -chi, -che ['pɔko] agg
(quantità) peu de; **poco pane/
denaro/spazio** peu de pain/
d'argent/de place; **poche persone/
notizie** peu de personnes/nouvelles;
con poca spesa à peu de frais; (fra
pochissimo tempo) à tout de suite
■ avv **1** peu; **guadagna/parla poco**
il gagne/parle peu
2 (con agg) peu; (con avv) pas très; **è
poco espansivo/socievole** il est peu
expansif/sociable; **sta poco bene** il

ne va pas très bien; **è poco più
vecchia di lui** elle n'est guère plus
vieille que lui
3 (tempo): **poco prima/dopo** peu
avant/après; **il film dura poco** le film
ne dure pas longtemps; **ci vediamo
molto poco** nous nous voyons très
peu
4: **un po'** un peu; **è un po' corto** il est
un peu court; **arriverà fra un po'** il
arrivera dans peu de temps; **un po'
prima/dopo** un peu avant/après;
un po' meglio un peu mieux
5 (fraseologia): **a dir poco** au bas mot,
pour le moins; **a poco a poco** peu à
peu; **per poco non cadevo** il s'en est
fallu de peu que je ne tombe, j'ai failli
tomber; **è una cosa da poco** c'est peu
de chose
■ pron peu; **pochi** (persone) peu (de
gens o personnes); (cose) peu; **ci
vuole tempo ed io ne ho poco** il faut
du temps et j'en ai peu; **ci vediamo
tra poco** à bientôt; **pochi lo sanno**
peu (de gens) le savent
■ sm **1** peu m; **vive del poco che ha**
il vit du peu qu'il a; **vi ho detto quel
poco che so** je vous ai dit le peu que
je sais
2: **un po'** un peu; **un po' di zucchero/
soldi/tempo** un peu de sucre/
d'argent/de temps; **un bel po' di
denaro** beaucoup d'argent; **un po'
per ciascuno** un peu (à) chacun

podcast ['pɔdkast] sm podcast m

podere [po'dere] sm domaine m

podio ['pɔdjo] sm (palco) estrade f;
(Sport) podium m

podismo [po'dizmo] sm (Sport: marcia)
marche f; (: corsa) course f à pied

poesia [poe'zia] sf poésie f

poeta, -essa [po'ɛta] sm/f poète
(poétesse)

poggiare [pod'dʒare] vt appuyer
■ vi reposer

poggiatesta [poddʒa'tɛsta] sm inv
appui-tête m

poggio ['pɔddʒo] sm coteau m

poi ['pɔi] avv (dopo) puis, après;
(alla fine) en définitive, après tout;
e ~... (inoltre) d'ailleurs..., du reste...;
questa ~ (è bella)! (iron) ça par
exemple (elle est bien bonne)!

poiché [poiˈke] *cong* puisque
poker [ˈpɔker] *sm inv* poker *m*; *(di assi, re)* carré *m*, poker *m*
polacco, -a, -chi, -che [poˈlakko] *agg* polonais(e) ■ *sm/f* Polonais(e) ■ *sm* polonais *m*
polare [poˈlare] *agg* polaire
polemica, -che [poˈlɛmika] *sf* polémique *f*; **fare polemiche** faire de la polémique
polemico, -a, -ci, -che [poˈlɛmiko] *agg* polémique
polenta [poˈlɛnta] *sf* (*Cuc*) polenta *f*
poliomielite [poljomjeˈlite] *sf* poliomyélite *f*
polipo [ˈpɔlipo] *sm* (*Zool*) poulpe *m*; (*Med*) polype *m*
polistirolo [polistiˈrɔlo] *sm* polystyrène *m*
politica, -che [poˈlitika] *sf* (*anche fig*) politique *f*; **darsi alla ~** se lancer dans la politique; **fare ~** faire de la politique; **la ~ del governo** la politique du gouvernement; **~ aziendale** politique de l'entreprise; **~ dei prezzi** politique des prix; **~ dei redditi** politique des revenus; **~ economica** politique économique; **~ estera** politique internationale
politicamente [politikaˈmente] *avv* politiquement; **~ corretto** politiquement correct
politico, -a, -ci, -che [poˈlitiko] *agg* politique ■ *sm* (*anche*: **uomo politico**) (homme *m*) politique *m*; (*peg*) politicien(ne)
polizia [politˈtsia] *sf* police *f*; **~ guidiziaria/sanitaria** police judiciaire/sanitaire; **~ stradale** police de la route; **~ tributaria** ≈ inspection *f* des impôts

● **POLIZIA**
●
● En Italie, l'ordre public est assuré
● par la *Polizia* et les *Carabinieri*.
● La *Polizia* est un corps civil mixte.
● Pour demander leur intervention,
● il faut composer le 113.

poliziesco, -a, -schi, -sche [politˈtsjesko] *agg* policier(-ière)
poliziotto, -a [politˈtsjɔtto] *sm/f* agent *m* de police, policier *m*

■ *agg inv*: **cane ~** chien *m* policier; **donna ~** femme *f* policier; **~ di quartiere** ≈ îlotier *m*
polizza [ˈpɔlittsa] *sf* police *f*; **~ di assicurazione** police d'assurance; **~ di carico** connaissement *m*
pollaio [polˈlajo] *sm* poulailler *m*
pollice [ˈpollitʃe] *sm* pouce *m*
polline [ˈpolline] *sm* pollen *m*
pollo [ˈpollo] *sm* poulet *m*; (*fig*: *credulone*) pigeon *m*, dindon *m*; **far ridere i polli** (*situazione, persona*) être grotesque
polmone [polˈmone] *sm* poumon *m*; (*fig*: *di città*) réserve *f* d'oxygène; **~ d'acciaio** (*Med*) poumon d'acier
polmonite [polmoˈnite] *sf* pneumonie *f*; **~ atipica** pneumonie atypique
polo [ˈpɔlo] *sm* (*anche fig*) pôle *m*; (*gioco*) polo *m* ■ *sf inv* (*maglia*) polo *m*; **essere ai poli opposti** (*fig*) être aux antipodes; **~ negativo/positivo** pôle négatif/positif; **P~** (*Pol*) coalition de centre-droite; **~ nord/sud** pôle nord/sud
Polonia [poˈlɔnja] *sf* Pologne *f*
polpa [ˈpolpa] *sf* pulpe *f*; (*carne*) noix *f sg*
polpaccio [polˈpattʃo] *sm* mollet *m*
polpastrello [polpasˈtrɛllo] *sm* pulpe *f* des doigts
polpetta [polˈpetta] *sf* boulette *f*
polpo [ˈpolpo] *sm* poulpe *m*
polsino [polˈsino] *sm* manchette *f*; (*bottone*) bouton *m* de manchette
polso [ˈpolso] *sm* (*Anat*) poignet *m*; (*pulsazione*) pouls *m sg*; (*fig*: *forza*) poigne *f*; **avere ~** (*fig*) avoir de la poigne; **un uomo di ~** un homme à poigne; **tastare il ~** (*Med*) prendre le pouls; **tastava il ~ della situazione** il prenait la température (de la situation)
poltrire [polˈtrire] *vi* paresser
poltrona [polˈtrona] *sf* (*anche fig*) fauteuil *m*; (*Teatro*) fauteuil *m* d'orchestre
polvere [ˈpolvere] *sf* poussière *f*; (*frammento minutissimo*) poudre *f*; **in ~** en poudre; (*caffè*) soluble; **~ d'oro** poudre d'or; **~ da sparo/pirica** poudre (à canon); **~ di ferro** limaille *f* de fer; **polveri sottili** particules en suspension

pomata [po'mata] *sf* pommade *f*

pomello [po'mɛllo] *sm* pommeau *m*

pomeriggio [pome'riddʒo] *sm*
après-midi *m*; **nel primo/tardo ~** en
début/fin d'après-midi

pomice ['pomitʃe] *sf* ponce *f*

pomo ['pomo] *sm* (*mela*) pomme *f*;
(*oggetto ornamentale*) pommeau *m*;
~ d'Adamo (*Anat*) pomme d'Adam

pomodoro [pomo'dɔro] *sm* tomate *f*;
pomodori pelati tomates pelées

pompa ['pompa] *sf* pompe *f*;
~ antincendio pompe à incendie; **~ di
benzina** pompe à essence; **(impresa
di) pompe funebri** pompes funèbres

pompare [pom'pare] *vt* (*liquido, aria*)
pomper; (*ruota, materassino*) gonfler;
(*fig: esagerare*) gonfler, grossir

pompelmo [pom'pelmo] *sm*
pamplemousse *m*; **(succo di) ~** jus
msg de pamplemousse

pompiere [pom'pjɛre] *sm* pompier *m*

ponente [po'nɛnte] *sm* ouest *m*;
(*vento*) vent *m* d'ouest

pongo, poni ecc ['pongo, 'poni] *vb*
vedi **porre**

ponte ['ponte] *sm* (*anche fig: giorno di
festa*) pont *m*; (*impalcatura*)
échafaudage *m*; (*Med: protesi dentaria*)
bridge *m*; **vivere sotto i ponti** vivre
sous les ponts; **tagliare i ponti (con)**
(*fig*) couper les ponts (avec); **governo
~** (*Pol*) gouvernement *m* provisoire o
transitoire; **~ aereo** pont aérien;
~ di barche (*Mil*) pont de bateaux;
~ di comando (*Naut*) passerelle *f* de
commandement; **~ di coperta** (*Naut*)
pont supérieur; **~ di lancio** (*su
portaerei*) pont d'envol; **~ levatoio**
pont-levis *msg*; **~ radio** liaison *f* radio;
~ sospeso pont suspendu

pontefice [pon'tefitʃe] *sm* pontife *m*

popcorn ['pɔpkɔrn] *sm inv* pop-corn
m inv

popolare [popo'lare] *agg* populaire
■ *vt* (*territorio, città*) peupler; (*locale,
stadio*) remplir; **popolarsi** *vpr* se
remplir

popolazione [popolat'tsjone] *sf*
population *f*

popolo ['popolo] *sm* peuple *m*

poppa ['poppa] *sf* (*Naut*) poupe *f*,
arrière *m*; (*mammella*) téton *m*;
a ~ à l'arrière

porcellana [portʃel'lana] *sf*
porcelaine *f*

porcellino, -a [portʃel'lino] *sm/f*
porcelet *m*, cochonnet *m*; **~ d'India**
cochon *m* d'Inde

porcheria [porke'ria] *sf* saleté *f*;
(*fig: discorso maleducato*) cochonneries
fpl, grossièreté *f*; (: *azione disonesta*)
sale coup *m*; (: *cosa mal fatta*)
cochonnerie

> **FALSI AMICI**
> **porcheria** non si traduce
> mai con la parola francese
> **porcherie**.

porcile [por'tʃile] *sm* (*anche fig*)
porcherie *f*

porcino, -a [por'tʃino] *agg* porcin(e)
■ *sm* (*fungo*) cèpe *m*, bolet *m*

porco, -ci ['pɔrko] *sm* (*maiale*)
cochon *m*; (*carne*) porc *m*; (*peg: fig*)
cochon *m*; **~!** gros dégoûtant!

porcospino [porkos'pino] *sm*
porc-épic *m*

porgere ['pɔrdʒere] *vt*: **~ (a)**
tendre (à)

pornografia [pornogra'fia] *sf*
pornographie *f*

pornografico, -a, -ci, -che
[porno'grafiko] *agg* pornographique

poro ['pɔro] *sm* pore *m*

porpora ['porpora] *sf* pourpre *f*;
(*colore*) pourpre *m*

porre ['porre] *vt* (*mettere*) mettre;
(*collocare, posare*) poser; (*fig: supporre*)
mettre, supposer; **porsi** *vpr* se
mettre; **~ le basi di** (*fig*) jeter les
bases de; **poniamo (il caso) che...**
mettons que..., supposons que...;
~ una domanda a qn poser une
question à qn; **~ freno a** mettre un
frein à; **posto che...** en admettant
que...; **porsi in salvo** se mettre à l'abri

porro ['pɔrro] *sm* (*Bot*) poireau *m*;
(*Med*) verrue *f*

porsi ecc ['pɔrsi] *vb* vedi **porgere**

porta ['porta] *sf* porte *f*; (*Calcio*) but
m; **~ a ~** (*vendita*) porte à porte;
a porte chiuse (*Dir*) à huis clos;
mettere alla ~ (*persona*) mettre à la
porte; **essere alle porte** (*fig: crisi,
inverno*) approcher, être imminent(e);
~ di servizio/sicurezza porte de
service/secours; **~ stagna** porte
étanche

portabagagli [portaba'gaʎʎi] *sm inv*
(*facchino*) porteur *m*; (*Aut*) galerie *f*;
(*Ferr*) porte-bagages *m*

portacenere [porta'tʃenere] *sm inv*
cendrier *m*

portachiavi [porta'kjavi] *sm inv*
porte-clefs *msg inv*, porte-clés *msg inv*

portaerei [porta'ɛrei] *agg inv* porte-
avions *inv* ■ *sf inv* porte-avions *m inv*

portafinestra [portafi'nɛstra] (*pl*
portefinestre) *sf* porte-fenêtre *f*

portafoglio [porta'fɔʎʎo] *sm* (*anche*
Pol, Borsa) portefeuille *m*; (*cartella*)
porte-documents *m*, serviette *f*;
senza ~ (*ministro*) sans portefeuille;
~ titoli portefeuille titres

portafortuna [portafor'tuna] *sm inv*
porte-bonheur *m*

portale [por'tale] *sm* (*anche Inform*)
portail *m*

portamento [porta'mento] *sm*
allure *f*

portamonete [portamo'nete] *sm inv*
porte-monnaie *m inv*

portante [por'tante] *agg* portant(e)

portantina [portan'tina] *sf* chaise *f*
à porteur; (*per ammalati*) brancard *m*

portaombrelli [portaom'brɛlli] *sm*
inv porte-parapluies *msg inv*

portapacchi [porta'pakki] *sm inv*
(*portabagagli*) porte-bagages *msg inv*

portare [por'tare] *vt* porter;
(*condurre*) amener; (*: sogg: strada*)
mener, conduire; (*bagagli*) apporter;
(*serbare: odio*) nourrir; (*: rancore*)
garder; **portarsi** *vpr* (*recarsi*) se
rendre, aller; **~ qc a qn** (*recare*)
apporter qch à qn; **~ qn a** (*fig: indurre*)
mener qn à; **~ avanti** (*discorso, idea*)
poursuivre; **~ via qc** (*rimuovere*)
emmener qch, emporter qch; (*rubare*)
emporter qch; **~ i bambini a spasso**
emmener les enfants en promenade;
mi porta un caffè, per favore? vous
m'apportez un café, s'il vous plaît?;
~ fortuna/sfortuna a porter chance/
malheur à; **~ qc alla bocca** porter
qch à ses lèvres; **~ bene gli anni** ne
pas paraître *o* porter son âge; **il**
documento porta la tua firma le
document porte ta signature; **la**
polizia si è portata sul luogo del
disastro la police s'est rendue sur les
lieux de la catastrophe

portasigarette [portasiga'rette] *sm*
inv étui *m* à cigarettes

portata [por'tata] *sf* (*vivanda*) plat *m*;
(*di veicolo*) charge *f* utile; (*di arma,*
anche fig: limite) portée *f*; (*volume*
d'acqua) débit *m*; (*fig: importanza*)
portée, envergure *f*; **alla ~ di tutti**
(*conoscenza*) à la portée de tout le
monde; (*prezzo*) à la portée de toutes
les bourses; **a ~ di** à (la) portée de;
fuori ~ hors de portée; **a ~ di mano** à
portée de la main; **di grande ~** de
grande envergure

portatile [por'tatile] *agg*
portatif(-ive), portable

portato, -a [por'tato] *agg*: **essere ~ a**
qc/a fare qc être doué(e) pour qch

portauovo [porta'wɔvo] *sm inv*
coquetier *m*

portavoce [porta'votʃe] *sm/f inv*
porte-parole *m/f*

portento [por'tɛnto] *sm* prodige *m*

portiera [por'tjɛra] *sf* (*di auto*)
portière *f*

portiere, -a [por'tjɛre] *sm/f* (*di*
caseggiato, hotel) concierge *m/f* ■ *sm*
(*Calcio*) gardien *m* de but

portinaio, -a [porti'najo] *sm/f*
concierge *m/f*

portineria [portine'ria] *sf* (*di palazzo*)
loge *f* du concierge; (*di castello*)
conciergerie *f*

porto, -a ['pɔrto] *pp di* **porgere**
■ *sm* (*Naut*) port *m* ■ *sm inv* (*vino*)
porto *m*; **andare** *o* **giungere in**
~ (*fig*) aboutir; **condurre qc in**
~ mener qch à bien; **la tua casa è**
un ~ di mare on entre chez toi
comme dans un moulin; **~ d'armi**
port d'armes; **~ di mare** port
maritime; **~ di scalo** port d'escale;
~ fluviale port fluvial; **~ franco** port
franc; **~ marittimo** port maritime;
~ militare port militaire; **~ pagato**
port payé

Portogallo [porto'gallo] *sm*
Portugal *m*

portoghese [porto'gese] *agg*
portugais(e) ■ *sm/f* Portugais(e);
(*fig*) resquilleur(-euse) ■ *sm*
portugais *m*

portone [por'tone] *sm* porte *f*
principale, porte d'entrée; (*per*
vetture) porte cochère

portuale [portu'ale] *agg* portuaire
■ *sm* docker *m*

porzione [por'tsjone] *sf* partie *f*;
(*di cibo*) portion *f*

posa ['pɔsa] *sf* pose *f*; (*atteggiamento*)
attitude *f*; **senza ~** sans répit;
mettersi in ~ poser; **teatro di ~**
studio *m* de cinéma; **~ in opera** mise *f*
en œuvre

posare [po'sare] *vt, vi* poser; **posarsi**
vpr se poser; **~ su** (*ponte, teoria*)
reposer sur

posata [po'sata] *sf* couvert *m*

poscritto [pos'kritto] *sm* post-
scriptum *m inv*

posi *ecc* ['pɔsi] *vb vedi* **posare**

positivo, -a [pozi'tivo] *agg*
positif(-ive)

posizione [pozit'tsjone] *sf* (*anche
economica*) position *f*; (*luogo*) site *m*,
position; **farsi una ~** se faire une
situation; **~ eretta** station *f* o position
debout; **prendere ~** (*fig*) prendre
position; **luci di ~** (*Aut*) feux *mpl* de
position, veilleuses *fpl*

posporre [pos'porre] *vt* (*differire*)
remettre, renvoyer

possedere [posse'dere] *vt* posséder;
essere posseduto da (*fig: ira, rabbia*)
être en proie à

possessivo, -a [posses'sivo] *agg*
possessif(-ive)

possesso [pos'sɛsso] *sm* (*Dir*)
possession *f*; (*proprietà*) propriété *f*;
essere/entrare in ~ di être/entrer en
possession de; **prendere ~ di qc**
prendre possession de qch; **nel pieno
~ delle proprie facoltà** en pleine
possession de ses moyens

possessore [posses'sore] *sm*
possesseur *m*

possibile [pos'sibile] *agg* possible
■ *sm*: **fare tutto il ~** faire tout son
possible; **prima ~** le plus tôt possible;
al più tardi ~ le plus tard possible;
nei limiti del ~ dans les limites du
possible

possibilità [possibili'ta] *sf inv*
possibilité *f* ■ *sfpl* (*mezzi*) moyens *mpl*;
aver la ~ di fare qc avoir la possibilité
de faire qch; **nei limiti delle nostre ~**
dans la limite de nos moyens

possidente [possi'dɛnte] *sm/f*
propriétaire *m/f*

possiedo *ecc* [pos'sjɛdo] *vb vedi*
possedere

posso *ecc* ['pɔsso] *vb vedi* **potere**

posta ['pɔsta] *sf* (*servizio, ufficio
postale*) poste *f*; (*corrispondenza*)
courrier *m*; (*nei giochi d'azzardo: somma
che si punta*) mise *f*, enjeu *m*; (*: vincita*)
mise; (*Caccia*) affût *m*; **Poste** *sfpl* ≈ P.
et T. *fpl*; **c'è ~ per me?** est-ce que j'ai
du courrier?; **piccola ~** (*su giornale*)
courrier *m* des lecteurs; **ministro
delle Poste e Telecomunicazioni**
≈ ministre des Postes et des
Télécommunications; **la ~ in gioco è
troppo alta** (*fig*) l'enjeu est trop
important; **fare la ~ a qn** (*fig*) guetter
qn; **a bella ~** (*apposta*) délibérément;
~ aerea poste aérienne; **~ elettronica**
courrier électronique; **~ ordinaria**
courrier ordinaire; **~ prioritaria**
courrier prioritaire; **Poste e
Telecomunicazioni** Postes et
Télécommunications *fpl*

⬤ **POSTE**
⬤
⬤ En dehors des services postaux,
⬤ les *Poste* italiennes offrent divers
⬤ services banquaires et
⬤ commerciaux. Elles sont
⬤ normalement ouvertes le matin
⬤ du lundi au samedi. Les postes
⬤ centrales sont quant à elles
⬤ ouvertes toute la journée.

postale [pos'tale] *agg* postal(e) ■ *sm*
(*treno*) train *m* postal; (*nave*) bateau *m*
postal; (*furgone*) fourgon *m* postal;
vedi anche **codice**

posteggiare [posted'dʒare] *vt* garer
■ *vi* se garer

posteggio [pos'teddʒo] *sm* (*di taxi,
autobus*) station *f*; (*per custodia veicoli*)
parking *m*

poster ['pɔster] *sm inv* poster *m*

posteriore [poste'rjore] *agg*
postérieur(e) ■ *sm* (*fam: sedere*)
postérieur *m*

posticipare [postitʃi'pare] *vt*
renvoyer, remettre

postino, -a [pos'tino] *sm/f*
facteur(-trice)

posto, -a ['posto] *pp di* **porre** ■ *sm*
(*luogo*) lieu *m*, endroit *m*; (*spazio libero,*

di parcheggio, al teatro, in treno, anche impiego) place *f*; (*Mil*) poste *m*; **prender ~** prendre place; **a ~** (*stanza, documento*) en ordre; (*persona*) bien, comme il faut; (*problema: risolto*) résolu(e); **al ~** à la place de, au lieu de; **sul ~** sur place; **mettere a ~** (*riordinare*) ranger; (*faccenda: sistemare*) mettre bon ordre à, mettre en ordre; (*persona*) remettre à sa place; **aver un buon ~** (*impiego*) avoir une bonne place; **vorrei prenotare due posti** je voudrais réserver deux places; **~ di blocco** barrage *m*; **~ di lavoro** emploi *m*; **~ di polizia** poste de police; **~ di responsabilità** poste de responsabilité; **~ di villeggiatura** lieu de vacances; **~ telefonico pubblico** téléphone *m* public; **posti in piedi** (*in teatro, in autobus*) places *fpl* debout
potabile [po'tabile] *agg* potable
potare [po'tare] *vt* tailler
potassio [po'tassjo] *sm* potassium *m*
potente [po'tɛnte] *agg* puissant(e); (*veleno*) violent(e)
potenza [po'tɛntsa] *sf* puissance *f*; (*di veleno*) virulence *f*; **le Grandi Potenze** les Grandes Puissances; **all'ennesima ~** (*fig*) au plus haut degré, à la nième puissance; **~ economica** puissance économique; **~ militare** puissance militaire
potenziale [poten'tsjale] *agg* potentiel(le) ■ *sm* potentiel *m*

 PAROLA CHIAVE

potere [po'tere] *sm* pouvoir *m*; **al potere** (*partito ecc*) au pouvoir; **potere d'acquisto** pouvoir d'achat; **potere esecutivo** pouvoir exécutif; **potere giudiziario** pouvoir judiciaire; **potere legislativo** pouvoir législatif ■ *vb aus* **1** (*essere in grado di*) pouvoir; **non ha potuto ripararlo** il n'a pas pu le réparer; **non è potuto venire** il n'a pas pu venir; **spiacente di non poter aiutare** désolé de ne pas pouvoir être utile; **non ne posso più** je n'en peux plus
2 (*avere il permesso*) pouvoir; **posso entrare?** puis-je entrer?; **si può sapere dove sei stato?** peut-on savoir où tu as été?

3 (*eventualità*) pouvoir; **potrebbe essere vero** cela pourrait être vrai; **può aver avuto un incidente** il a pu avoir un accident; **può darsi** ça se peut; **può darsi o essere che non venga** il se peut qu'il ne vienne pas
4 (*augurio, suggerimento*): **potessi almeno parlargli** si je pouvais au moins lui parler!; **potresti almeno scusarti!** tu pourrais au moins t'excuser!
5 (*avere potere*) pouvoir; **può molto per noi** il peut faire beaucoup pour nous

potrò *ecc* [po'trɔ] *vb vedi* **potere**
povero, -a ['pɔvero] *agg* pauvre; (*scarso: raccolto, risultati*) maigre ■ *sm/f* pauvre *m/f*; **i poveri** les pauvres; **~ di** pauvre en; **un minerale ~ di ferro** un minerai pauvre en fer; **un paese ~ di risorse** un pays pauvre en ressources; **~ me!** pauvre de moi!
povertà [pover'ta] *sf* pauvreté *f*
pozzanghera [pot'tsangera] *sf* flaque *f*
pozzo ['pottso] *sm* puits *msg*; **~ nero** fosse *f* d'aisances; **~ petrolifero** puits de pétrole
P.R.A. [pra] *sigla m* (= *Pubblico Registro Automobilistico*) bureau d'enregistrement des véhicules automobiles
pranzare [pran'dzare] *vi* déjeuner
pranzo ['prandzo] *sm* repas *msg*; (*a mezzogiorno*) déjeuner *m*
prassi ['prassi] *sf inv* pratique *f*, usage *m*
pratica, -che ['pratika] *sf* pratique *f*; (*esperienza*) expérience *f*; (*tirocinio*) apprentissage *m*; (*Amm: affare*) affaire *f*; (: *incartamento*) dossier *m*; **avere ~ di un luogo/usi** connaître un endroit/les coutumes; **in ~** pratiquement, en fait; **mettere in ~** mettre en pratique; **fare le pratiche per** (*Amm*) faire les démarches nécessaires pour; **~ restrittiva** pratique restrictive; **pratiche illecite** agissements *mpl* illicites
praticabile [prati'kabile] *agg* praticable
praticamente [pratika'mente] *avv* pratiquement

praticare [prati'kare] vt pratiquer; (eseguire: apertura, incisione) faire, pratiquer; (sconto) faire

pratico, -a, -ci, -che ['pratiko] agg pratique; **essere ~ di** (di tecnica, professione) avoir de l'expérience dans; (di luogo, ambiente) bien connaître; **all'atto ~** dans la pratique; **è ~ del mestiere** il connaît bien le métier; **mi è più ~ venire di pomeriggio** il m'est plus commode de venir dans l'après-midi

prato ['prato] sm pré m, prairie f; (in giardino) gazon m, pelouse f; **su ~** (Sport) sur gazon; **~ inglese** gazon anglais

preavviso [preav'vizo] sm préavis msg; **telefonata con ~** communication f avec préavis o avec avis d'appel

precario, -a [pre'karjo] agg précaire; (lavoratore) temporaire

precauzione [prekaut'tsjone] sf précaution f; **prendere precauzioni** prendre des o ses précautions

precedente [pretʃe'dɛnte] agg précédent(e) ■ sm précédent m; **il giorno ~** le jour précédent, la veille; **senza precedenti** sans précédents; **buoni/cattivi precedenti** (fig: di persona) bons/mauvais antécédents; **precedenti penali** (Dir) condamnations fpl antérieures

precedenza [pretʃe'dɛntsa] sf priorité f; **dare ~ assoluta a qc** accorder la priorité absolue à qch; **dare la ~ (a)** (Aut) laisser la priorité (à)

precedere [pre'tʃɛdere] vt précéder; (nel parlare, nell'agire) devancer; **volevo dirglielo ma mi ha preceduto** je voulais le lui dire mais il m'a devancé

precipitare [pretʃipi'tare] vi (cadere) tomber; (aereo) s'écraser; (Chim) précipiter; (fig: situazione) se détériorer ■ vt (fig: affrettare) précipiter; **precipitarsi** vpr (gettarsi) se précipiter, se ruer; (affrettarsi) se précipiter

precipitoso, -a [pretʃipi'toso] agg (caduta, fuga) précipité(e); (fig: avventato) hâtif(-ive)

precipizio [pretʃi'pittsjo] sm précipice m; **a ~** abrupt(e); (fig: con gran fretta) avec précipitation

precisamente [pretʃiza'mente] avv avec précision; (per l'appunto) précisément, justement

precisare [pretʃi'zare] vt préciser, spécifier; **vi preciseremo la data in seguito** nous vous préciserons la date ultérieurement; **tengo a ~ che... je** tiens à préciser que...

precisione [pretʃi'zjone] sf précision f; **strumenti di ~** instruments mpl de précision

preciso, -a [pre'tʃizo] agg précis(e); (uguale) identique; **due disegni precisi** deux dessins identiques; **sono le 9 precise** il est 9 heures précises

precludere [pre'kludere] vt barrer, entraver

precoce [pre'kɔtʃe] agg précoce

preconcetto, -a [prekon'tʃɛtto] agg préconçu(e) ■ sm préjugé m

precursore [prekur'sore] sm précurseur m

preda ['prɛda] sf (bottino) butin m; (animale, fig) proie f; **essere ~ di** être la proie de; (in balia di) être en proie à

predica, -che ['prɛdika] sf sermon m

predicare [predi'kare] vt, vi prêcher

predicato [predi'kato] sm (Ling) prédicat m; **~ verbale** verbe m; **~ nominale** verbe + attribut du sujet

prediletto, -a [predi'lɛtto] pp di **prediligere** ■ agg favori(e), préféré(e) ■ sm/f préféré(e)

prediligere [predi'lidʒere] vt préférer

predire [pre'dire] vt prédire, annoncer

predisporre [predis'porre] vt prévoir, préparer; **~ qn a qc** préparer qn à qch

predizione [predit'tsjone] sf prédiction f

prefazione [prefat'tsjone] sf préface f, avant-propos msg

preferenza [prefe'rɛntsa] sf préférence f; **di ~** de préférence; **dare la ~ a** donner la préférence à; **(voto di) ~** (Pol) vote m préférentiel

preferire [prefe'rire] vt préférer; **~ fare qc** préférer faire qch; **~ qc a qc** préférer qch à qch

prefiggersi [pre'fiddʒersi] vpr se proposer, se fixer

prefisso, -a [pre'fisso] pp di **prefiggersi** ■ sm (Ling) préfixe m; (Tel) indicatif m; **qual è il ~ per Roma?** quel est l'indicatif de Rome?

pregare [pre'gare] vi, vt prier; **~ qn di fare qc** prier qn de faire qch; **farsi ~** se faire prier; **si sieda, la prego** asseyez-vous, je vous en prie

pregevole [pre'dʒevole] agg de valeur

pregherò ecc [prege'rɔ] vb vedi **pregare**

preghiera [pre'gjɛra] sf prière f

pregiato, -a [pre'dʒato] agg (metallo) précieux(-euse); (stoffa) riche; (valuta) fort(e); (vino) grand(e)

pregio ['prɛdʒo] sm (stima) estime f; (qualità) qualité f; (valore) valeur f; **di ~** de valeur; **il ~ di questo sistema è...** le mérite de ce système est...

pregiudicare [predʒudi'kare] vt (interessi) porter préjudice à, compromettre; (avvenire, esito) compromettre

pregiudizio [predʒu'dittsjo] sm préjugé m

prego ['prɛgo] escl (a chi ringrazia) je vous/t'en prie; **~, sedetevi** je vous en prie, asseyez-vous; **~, dopo di lei** je vous en prie, après vous; **~?** (desidera) vous désirez?; (come ha detto?) pardon?

pregustare [pregus'tare] vt savourer à l'avance

prelevare [prele'vare] vt (Banca) prélever, retirer; (campione) prélever; (merce) retirer; (persona) appréhender

prelievo [pre'ljevo] sm (Banca) retrait m; (Med) prélèvement m; **~ di sangue** prise f de sang; **~ fiscale** prélèvement fiscal

preliminare [prelimi'nare] agg préliminaire, préalable ■ sm préliminaire m

premere ['prɛmere] vt appuyer (sur), presser ■ vi appuyer; **~ il grilletto** appuyer sur la gâchette; **~ su** appuyer sur; (fig) faire pression sur; **una faccenda che mi preme tanto** une affaire qui me tient à cœur

premettere [pre'mettere] vt dire d'abord; **premetto che...** je dois dire avant tout que...; **premesso che...** étant donné que...; **ciò premesso...** ceci étant dit...

premiare [pre'mjare] vt récompenser

premiazione [premjat'tsjone] sf distribution f des prix

premio ['prɛmjo] sm prix m sg; (ricompensa) récompense f; (di lotteria) lot m; (Amm, Borsa: indennità) prime f ■ agg inv (vacanza, viaggio) gratuit(e); **vincere il primo ~** gagner le premier prix; **~ di assicurazione** prime d'assurance; **~ di consolazione** lot de consolation; **~ di produzione** prime de rendement; **~ d'ingaggio** (Sport) prime d'engagement

premisi ecc [pre'mizi] vb vedi **premettere**

premunirsi [premu'nirsi] vpr: **~ (di)** s'armer (de), se munir (de); **~ (contro)** se prémunir (contre)

premura [pre'mura] sf (fretta) hâte f; (riguardo) attention f, soin m; **premure** sfpl (attenzioni, cure) attentions fpl, prévenances fpl; **aver ~** (fretta) être pressé(e); **far ~ a qn** presser qn; **usare ogni ~ nei riguardi di qn** être plein d'attentions à l'égard de qn

premuroso, -a [premu'roso] agg empressé(e), prévenant(e)

prendere ['prɛndere] vt prendre; (portare con sé) prendre, emporter; (catturare: ladro, pesce) prendre, attraper; (guadagnare, centrare) toucher; (raffreddore ecc) attraper ■ vi prendre; **prendersi** vpr: **prendersi a pugni** se donner des coups de poing; **prendersi a botte** se bagarrer; **andare a ~** aller chercher; **~ (qc) da** (ereditare) tenir (qch) de; **~ qn/qc per** (scambiare) prendre qn/qch pour; **~ in giro qn** se moquer de qn; **~ l'abitudine di** prendre l'habitude de; **~ qn in braccio** prendre qn dans ses bras; **~ fuoco** prendre feu; **~ le generalità di qn** relever l'identité de qn; **~ nota di** prendre note de; **~ parte a** prendre part à; **~ posto** (sedersi) prendre place; **~ il sole** se (faire) bronzer; **prendersi cura di qn/qc** prendre soin de qn/qch; **prendi qualcosa?** (da bere, mangiare) tu prends quelque chose?; **prendo un caffè** je prends un café; **prendersi un impegno** prendre un engagement;

~ **a fare** qc commencer à faire qch;
~ **a destra** prendre à droite;
prendersela (*preoccuparsi*) s'en faire;
(*adirarsi*) se fâcher; **prendersela con**
qn s'en prendre à qn; **dove si prende**
il traghetto per ... d'où prend-on le
ferry pour ...

prenotare [preno'tare] *vt* (*tavolo,
stanza*) réserver, retenir; (*vacanza,
volo*) réserver; **vorrei ~ una camera**
doppia je voudrais réserver une
chambre pour deux

prenotazione [prenotat'tsjone] *sf*
réservation *f*; **ho confermato la ~**
per fax j'ai confirmé ma réservation
par fax

preoccupare [preokku'pare] *vt*
inquiéter, tracasser, préoccuper;
preoccuparsi *vpr*: **preoccuparsi**
(per) s'inquiéter (pour), se tracasser
(pour); **preoccuparsi di** qc/**di fare** qc
(*occuparsene*) se charger de qch/de
faire qch

preoccupazione
[preokkupat'tsjone] *sf* (*apprensione*)
inquiétude *f*; (*pensiero inquietante*)
souci *m*, préoccupation *f*

preparare [prepa'rare] *vt* préparer;
prepararsi *vpr* se préparer; ~ **da**
mangiare préparer à manger;
prepararsi (a) se préparer (à);
prepararsi a fare qc se préparer à
faire qch

preparativi [prepara'tivi] *smpl*
préparatifs *mpl*

preposizione [preposit'tsjone] *sf*
(*Ling*) préposition *f*; ~ **articolata**
article *m* contracté

prepotente [prepo'tɛnte] *agg*
tyrannique, autoritaire; (*fig: bisogno,
desiderio*) impérieux(-euse), irrésistible
■ *sm/f* tyran *m*, despote *m*

presa ['presa] *sf* prise *f*; (*Elettr*): ~ **(di**
corrente) prise (de courant); (*piccola
quantità: di sale*) pincée *f*; **far ~** (*colla*)
prendre; (*fig: su pubblico*) avoir prise;
a ~ rapida (*cemento*) à prise rapide; **di**
forte ~ (*fig*) qui a beaucoup d'impact;
una ~ in giro (*fig*) une raillerie, une
moquerie; **in ~ diretta** (*Cine*) en
direct; **essere alle prese con** qc (*fig*)
être aux prises avec qch; ~ **d'acqua/**
d'aria prise d'eau/d'air; ~ **di**
posizione (*fig*) prise de position

presagio [pre'zadʒo] *sm* présage *m*
presbite ['prɛzbite] *agg* presbyte
prescrivere [pres'krivere] *vt*
prescrire
prese *ecc* ['prese] *vb vedi* **prendere**
presentare [prezen'tare] *vt*
présenter; **presentarsi** *vpr* se
présenter; ~ **qn a** présenter qn à;
le presento Anna je vous présente
Anna; **presentarsi a qn** (*farsi
conoscere*) se présenter à qn;
presentarsi come candidato (per/a)
se porter candidat (pour/à);
presentarsi bene/male se présenter
bien/mal; **la situazione si presenta**
difficile la situation s'annonce
difficile; **permetta che mi presenti**
permettez-moi de me présenter
presente [pre'zɛnte] *agg* présent(e)
■ *sm/f* (*persona*) personne *f* présente
■ *sm* présent *m* ■ *sf* (*lettera*) présente
f; **presenti** *smpl* (*persone*) les
personnes *fpl* présentes, les présents
mpl; **aver ~ qc/qn** avoir qch/qn à
l'esprit; **con la ~ vi comunico...** par la
présente, je vous communique...;
essere ~ a una riunione être
présent(e) à une réunion; **tenere ~**
qn/qc tenir compte de qn/qch;
esclusi i presenti exception faite des
personnes ici présentes
presentimento [presenti'mento]
sm pressentiment *m*; **avere un ~**
avoir un pressentiment
presenza [pre'zɛntsa] *sf* présence *f*;
(*aspetto esteriore*) allure *f*; **alla** *o* **in**
~ **di** en présence de; **di bella ~** d'un
bel aspect; ~ **di spirito** présence
d'esprit
presepio [pre'zɛpjo] *sm* crèche *f*
preservare [preser'vare] *vt*: ~ **(da)**
préserver (de)
preservativo [preserva'tivo] *sm*
préservatif *m*
presi *ecc* ['presi] *vb vedi* **prendere**
preside ['prɛside] *sm/f* (*Scol*)
directeur(-trice), proviseur *m*;
~ **di facoltà** (*Univ*) doyen(ne)
presidente [presi'dɛnte] *sm/f*
président *m*; **P~ del Consiglio (dei**
Ministri) Président du Conseil;
P~ della Repubblica Président de la
République; **P~ della Camera**
Président de la Chambre des députés,

≈ Président de l'Assemblée nationale;
P~ della Repubblica Président de la
République

presiedere [pre'sjɛdere] *vt* présider
■ *vi*: **~ (a)** (*a dibattito, incontro*)
présider (à)

pressappoco [pressap'pɔko] *avv*
environ, à peu près

pressare [pres'sare] *vt* presser,
tasser; (*fig*) presser, harceler

pressi ['prɛssi] *smpl*: **nei ~ di** dans les
environs de

pressione [pres'sjone] *sf* pression *f*;
far ~ su qn faire pression sur qn;
essere sotto ~ (*fig*) être sous
pression; **~ atmosferica** pression
atmosphérique; **~ sanguigna**
tension *f* (artérielle)

presso ['prɛsso] *prep* (*vicino a*) près de;
(*in dato ambiente, cerchia*) auprès de;
~ qn (*a casa di*) chez qn; **~ la banca** à
la banque; **~ una banca** dans une
banque; **lavora ~ di noi** il travaille
chez nous; **ha avuto successo ~ i
giovani** il a eu du succès chez les
jeunes

prestante [pres'tante] *agg*
avenant(e), agréable

prestare [pres'tare] *vt*: **~ (qc a qn)**
prêter (qch à qn); **prestarsi** *vpr*
(*offrirsi*): **prestarsi (a fare qc)**
accepter (de faire qch); **prestarsi (per
o a qc)** (*essere adatto*) se prêter (à qch);
~ aiuto (a) prêter son aide (à);
~ ascolto *o* **orecchio (a)** prêter
l'oreille (à); **~ attenzione (a)** prêter

attention (à); **~ fede (a)** ajouter foi
(à); **mi può ~ dei soldi?** pouvez-vous
me prêter de l'argent?; **~ giuramento**
prêter serment; **la frase si presta a
molteplici interpretazioni** la phrase
se prête à de multiples
interprétations

prestazione [prestat'tsjone] *sf*
(*di macchina, atleta*) performance *f*;
(*di professionista*) prestation *f*

prestigiatore, -trice
[prestidʒa'tore] *sm/f*
prestidigitateur(-trice)

prestigio [pres'tidʒo] *sm* prestige *m*;
gioco di ~ tour *m* de prestidigitation

prestito ['prɛstito] *sm* prêt *m*; (*Ling*)
emprunt *m*; **dare qc in** *o* **a ~** prêter
qch; **prendere qc in** *o* **a ~** emprunter
qch; **~ pubblico** emprunt public

presto ['prɛsto] *avv* (*tra poco*) bientôt;
(*in fretta*) vite; (*di buon'ora*) tôt; **a ~** à
bientôt; **al più ~** au plus tôt; **fai ~** fais
vite; **si fa ~ a criticare** c'est facile de
critiquer

presumere [pre'zumere] *vt*
présumer; (*avere la pretesa*) prétendre

presunsi *ecc* [pre'zunsi] *vb vedi*
presumere

presuntuoso, -a [prezuntu'oso] *agg*
présomptueux(-euse)

presunzione [prezun'tsjone] *sf*
(*anche Dir*) présomption *f*

prete ['prɛte] *sm* prêtre *m*

pretendente [preten'dente] *sm/f*
prétendant(e); **il ~ al trono** le
prétendant au trône

pretendere [pre'tɛndere] *vt* (*esigere*)
exiger, demander; **~ che** (*sostenere*)
prétendre que; **pretende di aver
sempre ragione** il veut toujours avoir
raison

pretesa [pre'tesa] *sf* (*esigenza*)
exigence *f*; (*presunzione*) prétention *f*;
(*sfarzo*) luxe *m* ostentatoire;
avanzare una ~ exprimer une
revendication; **senza pretese** sans
prétention

pretesto [pre'tɛsto] *sm* prétexte *m*;
con il ~ di sous (le) prétexte de

prevalere [preva'lere] *vi* prévaloir;
(*vincere*) l'emporter

prevedere [preve'dere] *vt* prévoir;
nulla lasciava ~ che... rien ne laissait
prévoir que...; **come previsto** comme

prévu; **spese previste** dépenses *fpl*
prévues; **previsto per martedì** prévu
pour mardi
prevenire [preve'nire] *vt* prévenir;
(avvertire): ~ **qn (di)** prévenir qn (de)
preventivo, -a [preven'tivo] *agg*
préventif(-ive) ▪ *sm (Comm)* devis
msg; **bilancio ~** budget *m*; **carcere ~**
détention *f* préventive; **fare un ~** faire
o établir un devis
prevenzione [preven'tsjone] *sf*
prévention *f*
previdente [previ'dɛnte] *agg*
prévoyant(e)
previdenza [previ'dɛntsa] *sf*
prévoyance *f*; ~ **sociale** ≈ Sécurité *f*
sociale
previdi *ecc* [pre'vidi] *vb vedi*
prevedere
previsione [previ'zjone] *sf* prévision
f; **previsioni meteorologiche**
prévisions météorologiques
previsto, -a [pre'visto] *pp di*
prevedere ▪ *sm*: **meno/più del ~**
(quantità) moins/plus que prévu;
prima del ~ plus tôt que prévu
prezioso, -a [pret'tsjoso] *agg*
précieux(-euse) ▪ *sm* bijou *m* ▪ *sm/f*:
fare il/la ~(a) se faire désirer
prezzemolo [pret'tsemolo] *sm*
persil *m*
prezzo ['prɛttso] *sm* prix *msg*; **a ~ di
costo** à prix coûtant; **a caro ~** *(fig)*
cher; ~ **d'acquisto/di vendita** prix
d'achat/de vente; ~ **di fabbrica** prix
de fabrique; ~ **di mercato** prix du
marché; ~ **scontato** prix réduit;
~ **unitario** prix unitaire
prigione [pri'dʒone] *sf (anche fig)*
prison *f*
prigioniero, -a [pridʒo'njɛro] *agg,
sm/f* prisonnier(-ière); **fare qn ~** faire
qn prisonnier(-ière)
prima ['prima] *sf* première *f*; *(Scol:
elementare)* ≈ CP *m* (cours
préparatoire); *(: media)* ≈ sixième *f*;
vedi anche **primo** ▪ *avv (tempo prima)*
avant; *(in anticipo)* d'avance, à
l'avance; *(nel passato)* autrefois; *(più
presto)* plus tôt, avant; *(in primo luogo)*
d'abord; ~ **di** *prep (di incontro ecc)*
avant; ~ **di** *cong (di incontrare ecc)*
avant de; *(piuttosto che)* plutôt que;
~ **o poi** tôt ou tard; **non l'avevo mai**

vista ~ je ne l'avais jamais vue avant
o auparavant; **quanto ~** le plus tôt
possible; ~ **viene lui** lui d'abord; ~ **di
tutto** avant tout; ~ **che si pagasse**
avant de payer
primario, -a [pri'marjo] *agg*
(precedente) primaire; *(principale)*
principal(e) ▪ *sm (Med)* médecin-
chef *m*; **l'era primaria** l'ère primaire,
le primaire
primatista, -i, -e [prima'tista] *sm/f*
(Sport) recordman (recordwoman)
primato [pri'mato] *sm* primauté *f*;
(Sport) record *m*
primavera [prima'vɛra] *sf*
printemps *msg*; **in ~** au printemps
primitivo, -a [primi'tivo] *agg*
primitif(-ive)
primizie [pri'mittsje] *sfpl* primeurs *mpl*
primo, -a ['primo] *agg* premier(-ière)
▪ *sm/f (persona)* premier(-ière) ▪ *sm*
(Cuc: anche: primo piatto) entrée *f*;
(anche: minuto primo) minute *f*;
il ~ luglio le premier juillet; **in prima
pagina** à la une; **la prima (casa/
macchina) è la mia** la première
(maison/voiture) c'est la mienne; **per
prima cosa** avant toute chose, avant
tout; **in prima classe** *(viaggiare)* en
première classe; *(Scol)* ≈ au CP *o* Cours
Préparatoire; **di prima mattina** tôt le
matin; **in un ~ tempo** *o* **momento**
dans un premier temps, sur le
moment; **in ~ luogo** en premier lieu;
di prim'ordine *o* **prima qualità** de
premier ordre, de première qualité;
ai primi freddi aux premiers froids;
ai primi di maggio début mai; **i primi
del Novecento** le début du vingtième
siècle; ~ **attore** *(Teatro)* acteur *m*
principal; **prima donna** *(Teatro)*
prima donna *f*
primordiale [primor'djale] *agg*
primordial(e)
primula ['primula] *sf (Bot)*
primevère *f*
principale [printʃi'pale] *agg*
principal(e) ▪ *sm* patron *m*
principalmente [printʃipal'mente]
avv principalement
principe ['printʃipe] *sm* prince *m*;
~ **ereditario** prince héritier
principessa [printʃi'pessa] *sf*
princesse *f*

principiante [printʃi'pjante] *sm/f*
débutant(e)

principio [prin'tʃipjo] *sm* (*inizio*)
commencement *m*, début *m*; (*origine*)
origine *f*; (*concetto, norma*) principe *m*;
principi *smpl* (*concetti fondamentali*)
principes *mpl*; **al** *o* **in ~** au
commencement, au début; **fin dal ~**
dès le début; **per ~** par principe; **una
questione di ~** une question de
principe; **una persona di sani
principi morali** une personne ayant
de sains principes moraux; **~ attivo**
(*Chim, in farmaco*) principe actif

priorità [priori'ta] *sf inv* priorité *f*;
avere la ~ (su) avoir la priorité (sur)

prioritario, -a [priori'tarjo] *agg*
prioritaire; **posta prioritaria** courrier
prioritaire

privare [pri'vare] *vt*: **~ qn/qc di**
priver qn/qch de; **privarsi** *vpr*:
privarsi di se priver de

privato, -a [pri'vato] *agg* privé(e);
(*casa, macchina*) particulier(-ière)
◼ *sm* (*anche*: **privato cittadino**)
particulier *m*; **in ~** en privé; **ritirarsi a
vita privata** se retirer de la vie
publique; **"non vendiamo a privati"**
"pas de vente au détail"; **lezione
privata** cours *msg* particulier

privilegiare [privile'dʒare] *vt*
privilégier

privilegiato, -a [privile'dʒato] *agg*
privilégié(e); (*trattamento*)
préférentiel(le); **azioni privilegiate**
(*Fin*) actions *fpl* privilégiées

privilegio [privi'lɛdʒo] *sm* privilège
m; **avere il ~ di fare** avoir le privilège
de faire

privo, -a ['privo] *agg*: **~ di**
dépourvu(e) de, sans

pro [prɔ] *prep* au bénéfice de, au profit
de ◼ *sm inv* (*utilità*) avantage *m*,
bénéfice *m*; **a che ~?** à quoi bon?;
i ~ e i contro le pour et le contre

probabile [pro'babile] *agg* probable

probabilità [probabili'ta] *sf inv*
(*anche Mat*) probabilité *f*; (*possibilità di
riuscita*) chance *f*; **con molta ~** selon
toute probabilité

probabilmente [probabil'mente]
avv probablement

problema, -i [pro'blɛma] *sm*
problème *m*

proboscide [pro'bɔʃʃide] *sf* trompe *f*

procedere [pro'tʃedere] *vi* (*avanzare*)
avancer; (*fig: proseguire*) continuer;
(*seguire il proprio corso: affare*) marcher;
(*comportarsi, agire*) procéder;
(*iniziare*): **~ (a fare qc)** commencer (à
faire qch); **prima di ~ oltre** avant de
continuer; **gli affari procedono bene**
les affaires marchent; **bisogna ~ con
cautela** il faut procéder avec
prudence; **~ contro** (*Dir*) intenter une
action contre; **non luogo a ~** (*Dir*)
non-lieu *m*

procedura [protʃe'dura] *sf*
procédure *f*

processare [protʃes'sare] *vt* (*Dir*)
juger

processione [protʃes'sjone] *sf*
procession *f*

processo [pro'tʃesso] *sm* (*metodo*)
procédé *m*; (*procedimento*) processus
msg; (*Dir*) procès *msg*; **essere sotto
~** être en procès; **mettere sotto ~**
(*fig*) mettre en accusation; **~ chimico**
procédé chimique; **~ di crescita**
processus de croissance; **~ di
fabbricazione** procédé de
fabrication

procinto [pro'tʃinto] *sm*: **in ~ di fare**
sur le point de faire

proclamare [prokla'mare] *vt*
proclamer

procreare [prokre'are] *vt* procréer

procurare [proku'rare] *vt*
(*procacciare*) procurer; (*causare: guai,
problemi*) causer; **~ che** (*fare in modo*)
faire en sorte que

prodigio [pro'didʒo] *sm* (*anche fig*)
prodige *m*

prodotto, -a [pro'dotto] *pp di*
produrre ◼ *sm* produit *m*; **~ di base**
produit de base; **~ finale** produit
final; **~ interno lordo** produit
intérieur brut; **~ nazionale lordo**
produit national brut; **prodotti
agricoli** produits agricoles; **prodotti
chimici** produits chimiques; **prodotti
di bellezza** produits de beauté

produco *ecc* [pro'duko] *vb vedi*
produrre

produrre [pro'durre] *vt* produire;
~ in giudizio (*Dir*) produire en justice

produssi *ecc* [pro'dussi] *vb vedi*
produrre

produzione [produt'tsjone] sf
production f; **~ in serie** production
en série

Prof. abbr (= professore) Prof.

profanare [profa'nare] vt profaner

professare [profes'sare] vt
(esprimere) professer; (praticare)
exercer

professionale [professjo'nale] agg
professionnel(le); **scuola ~** école f
professionnelle

professione [profes'sjone] sf
(attività) profession f; **di ~** de
profession; **libera ~** profession libérale

professionista, -i, -e
[professjo'nista] sm/f personne f
qui exerce une profession libérale;
(Sport) professionnel(le)

professore, -essa [profes'sore] sm/f
professeur m/f; **~ d'orchestra**
instrumentiste m/f

profilo [pro'filo] sm profil m; (di
corpo) silhouette f; (sommaria
descrizione) aperçu m; **di ~** de profil;
sotto il ~ giuridico du point de vue
juridique

profitto [pro'fitto] sm profit m; (fig)
progrès mpl; (Comm) bénéfice m;
trarre ~ da tirer profit de; **vendere
con ~** vendre en faisant du bénéfice;
conto profitti e perdite compte m
de profits et pertes

profondità [profondi'ta] sf inv
profondeur f

profondo, -a [pro'fondo] agg
profond(e) ■ sm profondeurs fpl,
profond m; **~ 8 metri** de 8 mètres de
profondeur; **quanto è profonda
l'acqua?** l'eau à quelle profondeur?;
nel ~ sud dans le sud profond; **nel ~
del cuore** du plus profond du cœur

profugo, -a, -ghi, -ghe ['prɔfugo]
sm/f réfugié(e)

profumare [profu'mare] vt
parfumer ■ vi sentir bon;
profumarsi vpr se parfumer

profumato, -a [profu'mato] agg
parfumé(e)

profumeria [profume'ria] sf
parfumerie f

profumo [pro'fumo] sm parfum m

progettare [prodʒet'tare] vt
projeter; (edificio) faire le plan de;
~ di fare qc projeter de faire qch

progetto [pro'dʒetto] sm projet m;
(per edificio, macchina) plan m; **avere
in ~ di fare qc** envisager de faire qch,
projeter de faire qch; **fare progetti**
faire des projets; **~ di legge** projet
de loi

programma, -i [pro'gramma] sm
(anche Inform) programme m; **avere in
~ di fare qc** envisager de faire qch;
i programmi della settimana (TV,
Radio) les programmes de la semaine;
~ applicativo (Inform) programme
d'application

programmare [program'mare] vt
(viaggio, vacanze) projeter; (Inform,
spettacolo) programmer; (Econ)
planifier

programmatore, -trice
[programma'tore] sm/f (Inform)
programmeur(-euse)

progredire [progre'dire] vi avancer;
~ (in) (migliorare) progresser (dans)

progresso [pro'gresso] sm progrès
msg; **fare progressi (in)** faire des
progrès (dans)

proibire [proi'bire] vt: **~ (qc a qn)**
interdire (qch à qn), défendre (qch à
qn); **~ a qn di fare qc** (vietare)
interdire à qn de faire qch, défendre à
qn de faire qch; (impedire) empêcher
qn de faire qch

proiettare [projet'tare] vt projeter;
(film: presentare) passer

proiettile [pro'jɛttile] sm projectile
m, balle f

proiettore [projet'tore] sm (Aut)
phare m; (Cine, Fot) projecteur m

proiezione [projet'tsjone] sf
projection f; **~ elettorale** prévisions
fpl électorales

proliferare [prolife'rare] vi
proliférer; (fig) se répandre

prolunga, -ghe [pro'lunga] sf
rallonge f

prolungare [prolun'gare] vt
prolonger; (termine) différer

promemoria [prome'mɔrja] sm inv
mémento m

promessa [pro'messa] sf promesse f;
(fig) espoir m; **fare una ~ (a qn)** faire
une promesse (à qn)

promettere [pro'mettere] vt: **~ (a qn)
qc/di fare qc)** promettre (à qn qch/
de faire qch)

prominente [promi'nɛnte] *agg*
proéminent(e), saillant(e)

promisi *ecc* [pro'mizi] *vb vedi*
promettere

promontorio [promon'tɔrjo] *sm*
promontoire *m*

promozione [promot'tsjone] *sf*
promotion *f*; **~ delle vendite**
promotion des ventes

promuovere [pro'mwɔvere] *vt*
promouvoir; (*studente*) faire passer,
recevoir; (*Sport*) faire passer dans la
catégorie supérieure

pronipote [proni'pote] *sm/f*
(*di nonni*) arrière-petit-fils (arrière-
petite-fille); (*di zii*) petit-neveu
(petite-nièce); **pronipoti** *smpl*
(*discendenti*) descendants *mpl*

pronome [pro'nome] *sm* pronom *m*

prontezza [pron'tettsa] *sf* rapidité *f*;
~ di riflessi bons réflexes *mpl*; **~ di
spirito** présence *f* d'esprit

pronto, -a ['pronto] *agg* prêt(e);
(*rapido*) rapide, prompt(e); (*propenso*):
~ a enclin(e) à; **essere ~ a fare qc** être
prêt(e) à faire qch; **~, chi parla?** (*Tel*)
allô, qui est à l'appareil?; **avere la
risposta pronta** avoir de la répartie;
a pronta cassa (*Comm*) comptant;
quando saranno pronte le mie foto?
quand est-ce que mes photos seront
prêtes?; **pronta consegna** (*Comm*)
livraison *f* immédiate; **~ soccorso**
(*Med*) service *m* des urgences

prontuario [prontu'arjo] *sm*
précis *msg*

pronuncia [pro'nuntʃa] *sf*
prononciation *f*

pronunciare [pronun'tʃare] *vt*
prononcer; **pronunciarsi** *vpr* se
prononcer; **pronunciarsi a favore
di/contro** se prononcer en faveur de/
contre; **non mi pronuncio** je ne me
prononce pas; **come si pronuncia?**
comment est-ce que ça se prononce?

propaganda [propa'ganda] *sf*
propagande *f*; (*commerciale*) publicité *f*

propendere [pro'pɛndere] *vi*: **~ per**
(*ipotesi, idee*) pencher pour; (*persona*)
être favorable à

propinare [propi'nare] *vt*
administrer

proporre [pro'porre] *vt* proposer;
~ a qn qc/di fare qc proposer à qn

qch/de faire qch; **proporsi qc** se
proposer qch, se fixer qch; **proporsi
di fare qc** se proposer de faire qch;
proporsi una meta se proposer un but

proporzionale [proportsjo'nale] *agg*
proportionnel(le); **direttamente/
inversamente ~ (a)** directement/
inversement proportionnel(le) (à)

proporzione [propor'tsjone] *sf*
proportion *f*; **proporzioni** *sfpl*
(*dimensioni*) proportions *fpl*; **in ~ (a)**
proportionnellement (à)

proposito [pro'pɔzito] *sm*
(*proponimento*) résolution *f*, intention
f; **a ~ di** (*quanto a*) à propos de; **di ~**
(*apposta*) à dessein, exprès; **a ~,... à
propos...; a questo ~** à ce propos;
capitare a ~ arriver au bon moment

proposizione [propozit'tsjone] *sf*
(*Ling, Mat*) proposition *f*

proposta [pro'posta] *sf* proposition
f; **fare una ~ (a)** faire une proposition
(à); **~ di legge** proposition de loi

proprietà [proprje'ta] *sf inv*
propriété *f*; **essere di ~ di qn**
appartenir à qn; **~ edilizia** propriété
bâtie; **~ letteraria** propriété
littéraire; **~ privata** propriété privée

proprietario, -a [proprje'tarjo] *sm/f*
propriétaire *m/f*; **~ terriero**
propriétaire foncier o terrien

proprio, -a ['prɔprjo] *agg* (*tipico*):
~ di propre à; (*di lui, lei, impersonale*)
son (sa); (*di loro*) leur; (: *rafforzativo*)
son (sa) propre; leur propre; (*Ling:
nome*) propre ■ *avv* (*precisamente*)
précisément, juste; (*davvero*)
vraiment; (*affatto*): **non... ~** ne... pas
du tout ■ *sm*: **in ~** (*Comm: essere,
mettersi*) à son compte; **con i miei
propri occhi** de mes propres yeux;
amare i propri figli aimer ses enfants;
il bar è ~ lì le bar est juste là; **~ così!**
absolument!, parfaitement!

prorogare [proro'gare] *vt* proroger

prosa ['prɔza] *sf* prose *f*; **di ~**
(*stagione, compagnia*) théâtral(e);
(*attore*) de théâtre

prosciogliere [proʃʃɔʎʎere] *vt*:
~ (da) (*da giuramento, obbligo*) libérer
(de); (*Dir*) acquitter (de)

prosciugare [proʃʃu'gare] *vt*
assécher, dessécher; **prosciugarsi**
vpr se dessécher

prosciutto [proʃˈʃutto] sm jambon m;
~ **cotto/crudo** jambon cuit o blanc/
cru

proseguimento [prosegwiˈmento]
sm (di studi, cammino, ricerche) suite f;
(di impresa) continuation f; **buon ~!**
(augurio) bonne continuation!; (a chi
viaggia) bonne fin de voyage!

proseguire [proseˈgwire] vt
poursuivre ■ vi continuer

prosperare [prospeˈrare] vi
prospérer

prospettare [prospetˈtare] vt (fig:
situazione) exposer, présenter;
(: ipotesi) avancer; **prospettarsi** vpr
s'annoncer, se présenter

prospettiva [prospetˈtiva] sf
perspective f; (veduta) vue f; **avere
buone prospettive** avoir des chances

prospetto [prosˈpetto] sm (in grafico)
élévation f; (veduta) perspective f, vue
f; (facciata) façade f; (tabella) état m;
~ **informativo** brochure f
d'information

prossimità [prossimiˈta] sf
proximité f; **in ~ di** à proximité de;
(temporale) à l'approche de

prossimo, -a [ˈprɔssimo] agg
prochain(e); (parente) proche ■ sm
prochain m; ~ **a** (vicino) proche de;
nei prossimi giorni dans les jours à
venir; **in un ~ futuro** dans un avenir
proche; **venerdì ~ venturo** vendredi
prochain; **essere ~ a fare qc** être sur
le point de faire qch

prostituirsi [prostituˈirsi] vpr se
prostituer

prostituta [prostiˈtuta] sf
prostituée f

protagonista, -i, -e [protagoˈnista]
sm/f (attore) acteur(-trice)
principal(e); (di romanzo) héros
(héroïne), personnage m principal;
(di vicenda) protagoniste m/f

proteggere [proˈtɛddʒere] vt: ~ **(da)**
protéger (de)

proteina [proteˈina] sf protéine f

protendere [proˈtɛndere] vt tendre

protesta [proˈtɛsta] sf protestation f

protestante [protesˈtante] agg, sm/f
protestant(e)

protestare [protesˈtare] vt
(innocenza ecc) protester de; (Dir)
protester ■ vi (disapprovare):

~ **(contro)** protester (contre);
protestarsi vpr: **protestarsi
innocente** protester de son
innocence

protetto, -a [proˈtɛtto] pp di
proteggere

protezione [protetˈtsjone] sf
protection f; ~ **civile** protection civile

prototipo [proˈtɔtipo] sm
prototype m

protrarre [proˈtrarre] vt (prolungare)
prolonger; (rimandare) différer,
renvoyer; **protrarsi** vpr se prolonger,
durer

protuberanza [protubeˈrantsa] sf
protubérance f

prova [ˈprɔva] sf (esperimento,
tentativo) essai m; (momento difficile,
impresa, Scol, Sport) épreuve f; (Dir,
Mat) preuve f; (Teatro) répétition f;
(di abito) essayage m; **di ~** (giro, corsa)
d'essai; **fare una ~** (tentativo) faire un
essai; **mettere alla ~** mettre à
l'épreuve; **in ~** (assumere, essere) à
l'essai; **dar ~ di** faire preuve de; **a ~ di**
(di fuoco) à l'épreuve de; (in
testimonianza di) en témoignage de; **a
~ di bomba** (fig) à toute épreuve; ~ **a
carico** (Dir) charge f; ~ **del fuoco** (fig)
preuve décisive, test m décisif; ~ **del
nove** (Mat) preuve par neuf; (fig)
preuve; ~ **di velocità** (Aut) essai de
vitesse; ~ **generale** (anche fig)
répétition générale

provare [proˈvare] vt (sperimentare)
tester; (tentare, indossare: abito)
essayer; (assaggiare) goûter; (sentire:
emozione) éprouver, ressentir; (mettere
alla prova) éprouver; (confermare)
prouver; **provarsi** vpr: **provarsi
(a fare)** essayer (de faire); ~ **a fare qc**
essayer de faire qch

provenienza [proveˈnjɛntsa] sf
(di merci, trasporti) provenance f;
(di persone) origine f

provenire [proveˈnire] vi: ~ **da**
(merci) provenir de; (persona,
passeggero) venir de; (situazione,
conseguenze) découler de

proventi [proˈvɛnti] smpl revenu msg

proverbio [proˈvɛrbjo] sm
proverbe m

provetta [proˈvetta] sf éprouvette f;
bambino in ~ bébé-éprouvette m

provider [pro'vaider] *sm inv*
fournisseur *m* d'accès
provincia, -ce *o* **cie** [pro'vintʃa] *sf*
province *f*

⁂ **PROVINCIA**

La *Provincia* est la division politique
et administrative supérieure à la
commune et inférieure à la région.
Elle a quelques responsabilités
dans le domaine de l'urbanisme,
des transports, de l'éducation et
de la santé. Chaque *Provincia* est
gouvernée par la "Giunta
provinciale", élue par le "Consiglio
provinciale".

provino [pro'vino] *sm* (*Cine*) bout *m*
d'essai; (*Fot*) épreuves *fpl*
provocante [provo'kante] *agg*
provocant(e)
provocare [provo'kare] *vt* provoquer
provocazione [provokat'tsjone] *sf*
provocation *f*
provvedere [provve'dere] *vi*
(*intervenire*) prendre les mesures
nécessaires, faire le nécessaire; ~ **a qc**
pourvoir à qch; ~ **a fare qc** veiller à ce
que qch soit fait; **provvedi perché**
tutto sia pronto veille à ce que tout
soit prêt
provvedimento [provvedi'mento]
sm (*misura*) mesure *f*; (*Dir*) disposition
f; **prendere provvedimenti** prendre
des mesures; ~ **disciplinare** mesure
disciplinaire
provvidenza [provvi'dɛntsa] *sf*:
la ~ la providence
provvigione [provvi'dʒone] *sf*
(*percentuale*) commission *f*
provvisorio, -a [provvi'zɔrjo] *agg*
provisoire
provviste [prov'viste] *sfpl*
provisions *fpl*
prua ['prua] *sf* proue *f*
prudente [pru'dɛnte] *agg* prudent(e)
prudenza [pru'dɛntsa] *sf* prudence *f*;
per ~ par prudence
prudere ['prudere] *vi* démanger,
picoter
prugna ['pruɲɲa] *sf* prune *f*; ~ **secca**
pruneau *m*
prurito [pru'rito] *sm* démangeaison *f*

P.S. *abbr* (= *postscriptum*) P.S.
pseudonimo [pseu'dɔnimo] *sm*
pseudonyme *m*
psicanalisi [psika'nalizi] *sf*
psychanalyse *f*
psicanalista, -i, -e [psikana'lista]
sm/f psychanalyste *m/f*
psiche ['psike] *sf* psyché *f*
psichiatra, -i, -e [psi'kjatra] *sm/f*
psychiatre *m/f*
psichiatrico, -a, -ci, -che
[psi'kjatriko] *agg* psychiatrique
psicologia [psikolo'dʒia] *sf*
psychologie *f*
psicologico, -a, -ci, -che
[psiko'lɔdʒiko] *agg* psychologique
psicologo, -a, -gi, -ghe [psi'kɔlogo]
sm/f psychologue *m/f*
psicopatico, -a, -ci, -che
[psiko'patiko] *agg* psychopathique
 ■ *sm/f* psychopathe *m/f*
pubblicare [pubbli'kare] *vt* publier
pubblicazione [pubblikat'tsjone] *sf*
publication *f*; **fare le pubblicazioni**
(matrimoniali) publier les bans
pubblicità [pubblitʃi'ta] *sf inv*
publicité *f*; **fare a qc** faire de la
publicité *o* réclame pour qch
pubblico, -a, -ci, -che ['pubbliko]
agg public(-ique) ■ *sm* public *m*;
in ~ en public; **la pubblica**
amministrazione l'Administration *f*;
~ **esercizio** (*Comm*) établissement *m*;
~ **funzionario** fonctionnaire *m/f*
pube ['pube] *sm* pubis *msg*
pubertà [puber'ta] *sf* puberté *f*
pudico, -a, -ci, -che [pu'diko] *agg*
pudique
pudore [pu'dore] *sm* pudeur *f*
puerile [pue'rile] *agg* puéril(e)
pugilato [pudʒi'lato] *sm* boxe *f*
pugile ['pudʒile] *sm* boxeur *m*
pugnalare [puɲɲa'lare] *vt* poignarder
pugnale [puɲ'ɲale] *sm* poignard *m*
pugno ['puɲɲo] *sm* poing *m*; (*colpo*)
coup *m* de poing; (*quantità*) poignée *f*;
di proprio ~ de sa main; **avere qn in ~**
avoir qn en main; **tenere la**
situazione in ~ avoir la situation
(bien) en main
pulce ['pultʃe] *sf* puce *f*; **mettere la ~**
nell'orecchio a qn mettre la puce à
l'oreille de qn; **mercato delle pulci**
marché *m* aux puces

pulcino [pul'tʃino] sm poussin m
pulire [pu'lire] vt nettoyer; **~ a secco**
nettoyer à sec

> **FALSI AMICI**
> **pulire** non si traduce mai
> con la parola francese
> **polir**.

pulito, -a [pu'lito] agg propre,
net(te); (fig) honnête ■ sf nettoyage
m (rapide); **una faccenda poco
pulita** une affaire pas claire; **avere la
coscienza pulita** avoir la conscience
tranquille; **dare una pulita** faire un
peu de nettoyage; **dare una pulita
a qc** nettoyer rapidement qch

> **FALSI AMICI**
> **pulito** non si traduce mai
> con la parola francese
> **poli**.

pulitura [puli'tura] sf nettoyage m
pulizia [pulit'tsia] sf (atto) nettoyage
m; (condizione) propreté f; **fare le
pulizie** faire le ménage; **~ etnica**
purification f ethnique
pullman ['pulman] sm inv car m,
autocar m
pullover [pul'lɔver] sm inv pull-over
m, pull m
pullulare [pullu'lare] vi pulluler
pulmino [pul'mino] sm minibus msg
pulpito ['pulpito] sm chaire f
pulsante [pul'sante] sm bouton m
pulsare [pul'sare] vi battre; (fig)
palpiter
pulviscolo [pul'viskolo] sm
poussières fpl; **~ atmosferico**
poussières en suspension dans
l'atmosphère
puma ['puma] sm inv puma m
pungente [pun'dʒente] agg (freddo)
vif (vive); (odore) piquant(e); (ironia,
commento) piquant(e), mordant(e)
pungere ['pundʒere] vt piquer;
(freddo) mordre; **~ qn sul vivo** (fig)
piquer qn au vif
pungiglione [pundʒiʎ'ʎone] sm
dard m, aiguillon m
punire [pu'nire] vt punir
punizione [punit'tsjone] sf punition
f; (Sport) coup m franc
punsi ecc ['punsi] vb vedi **pungere**
punta ['punta] sf pointe f; (parte
terminale) bout m; (di monte) pic m; (di
trapano) mèche f, foret m; **in ~ di piedi**
sur la pointe des pieds; **sulla ~ della
lingua** (fig) sur le bout de la langue;
di ~ (personaggio) important(e); **ore
di ~** heures de pointe
puntare [pun'tare] vt (chiodo, piedi,
gomiti) appuyer; (pistola) pointer;
(scommettere): **~ su** miser sur;
(mirare): **~ a** viser à; **~ su** (avviarsi) se
diriger vers; (fig: contare) compter sur
puntata [pun'tata] sf (gita) pointe f;
(scommessa) mise f; (di sceneggiato)
épisode m; **farò una ~ a Parigi** je ferai
une pointe o je pousserai jusqu'à
Paris; **romanzo a puntate** roman-
feuilleton m
puntatore [punta'tore] sm (Inform)
pointeur m
punteggiatura [punteddʒa'tura] sf
(punti) pointillage m; (Ling)
ponctuation f
punteggio [pun'teddʒo] sm (in gara,
partita) score m
puntellare [puntel'lare] vt
(sorreggere) soutenir; **puntellarsi** vpr
s'appuyer
puntello [pun'tɛllo] sm (trave)
étai m
puntina [pun'tina] sf pointe f; (Aut)
vis fsg platinée; **~ da disegno**
punaise f
puntino [pun'tino] sm point m;
a ~ (benissimo) à la perfection; **cotto
a ~** (cuit) à point; **mettere i puntini
sulle i** (fig) mettre les points sur les i
punto, -a ['punto] pp di **pungere**
■ sm point m; (posto, luogo) lieu m,
endroit m ■ avv: **non... ~ ne... point;
due punti** (Ling) deux-points mpl;
ad un certo ~ à un moment donné;
a tal ~ à tel point; **di ~ in bianco** de
but en blanc; **essere a buon ~** avoir
bien avancé; **fare il ~** (Naut) faire le
point; **fare il ~ della situazione** faire
le point (de la situation); **le 6 in ~**
6 heures juste; **mezzogiorno in ~**
midi juste; **mettere a ~** (anche fig)
mettre au point; **sul ~ di fare** sur le
point de faire; **venire al ~** en venir à
l'essentiel; **vestito di tutto ~** habillé
de pied en cap; **~ cardinale** point
cardinal; **~ d'arrivo** point d'arrivée;
~ d'incontro point de contact;
~ debole point faible; **~ di partenza**
(anche fig) point de départ; **~ di**

riferimento point de repère; **~ (di) vendita** point de vente; **~ di vista** point de vue; **~ esclamativo** point d'exclamation; **~ interrogativo** point d'interrogation; **~ e virgola** point-virgule *m*; **~ morto** point mort; **~ nero** (*Anat*) point noir; **~ nevralgico** (*anche fig*) point névralgique; **punti di sospensione** points de suspension

puntuale [puntu'ale] *agg* circanstancié(e), précis(e); (*persona*) ponctuel(le); (*treno, autobus*) à l'heure

puntura [pun'tura] *sf* piqûre *f*; (*Med*) ponction *f*; (*fam: iniezione*) piqûre *f*; (*dolore*) élancement *m*; **~ d'insetto** piqûre d'insecte

punzecchiare [puntsek'kjare] *vt* piquer; (*fig*) taquiner

può *ecc* [pwɔ] *vb vedi* **potere**

pupazzo [pu'pattso] *sm* pantin *m*

pupilla [pu'pilla] *sf* (*Anat*) pupille *f*

purché [pur'ke] *cong* pourvu que, à condition que

pure ['pure] *cong* (*tuttavia*) pourtant, cependant; (*sebbene*) même si ■ *avv* (*anche*) aussi, également; **pur di** (*al fine di*) pour; **faccia ~!** allez-y!, je vous en prie!

purè [pu'rɛ] *sm*: **~ di patate** purée *f* de pommes de terre

purezza [pu'rettsa] *sf* pureté *f*

purgante [pur'gante] *sm* (*Med*) purgatif *m*

purgatorio [purga'tɔrjo] *sm* purgatoire *m*

purificare [purifi'kare] *vt* purifier; **purificarsi** *vpr* se purifier

puro, -a ['puro] *agg* pur(e); **di pura razza** de pure race; **per ~ caso** par pur hasard

purosangue [puro'sangwe] *agg* pur-sang *inv* ■ *sm/f inv* (*Zool*) pur-sang *m*

purtroppo [pur'trɔppo] *avv* malheureusement

pus [pus] *sm* pus *msg*

pustola ['pustola] *sf* pustule *f*

putiferio [puti'fɛrjo] *sm* pagaille *f*

putrefatto, -a [putre'fatto] *pp di* **putrefare** ■ *agg* pourri(e), putréfié(e)

puttana [put'tana] *sf* (*fam!*) putain *f* (*fam!*)

puzzare [put'tsare] *vi* puer, sentir mauvais; **la faccenda puzza (d'imbroglio)** cette affaire sent le roussi

puzzo ['puttso] *sm* mauvaise odeur *f*, puanteur *f*

puzzola ['puttsola] *sf* putois *msg*

puzzolente [puttso'lente] *agg* puant(e)

pvc [pivi'tʃi] *sigla m* (= *polivinilcloruro*) PVC *m*

q

q *abbr* (= quintale) q

qua [kwa] *avv* ici; **in ~** de ce côté;
fatti più in ~ pousse-toi un peu;
~ dentro là-dedans; **~ fuori** dehors;
~ sotto là-dessous; **da un anno in ~**
depuis un an; **da quando in ~?** depuis
quand?; **per di ~** par ici; **al di ~ di**
(*fiume, strada*) en deçà de; *vedi anche*
questo

quaderno [kwa'dɛrno] *sm* cahier *m*

quadrante [kwa'drante] *sm* (*di
orologio, Astron*) cadran *m*; (*Mat*)
quadrant *m*

quadrare [kwa'drare] *vi*
(*bilancio, conto*) tomber juste
■ *vt* (*Mat*) carrer; **~ (con)**
(*descrizione*) concorder (avec);
far ~ il bilancio équilibrer le budget;
non mi quadra (*fig*) ça ne me
convainc pas

quadrato, -a [kwa'drato] *agg*
carré(e); (*fig: robusto*) solide;
(*: assennato*) rangé(e) ■ *sm* (*Mat*)
carré *m*; (*Pugilato*) ring *m*; **5 al ~** 5 au
carré

quadrifoglio [kwadri'fɔʎʎo] *sm*
trèfle *m* à quatre feuilles

quadrimestre [kwadri'mɛstre] *sm*
quadrimestre *m*; (*Scol*) division de
l'année scolaire

quadro ['kwadro] *sm* (*anche fig*)
tableau *m*; (*quadrato*) carré *m* ■ *agg
inv*: **legge ~** loi-cadre *f*; **quadri** *smpl*
(*Pol*) dirigeants *mpl*; (*Mil, Amm*) cadres
mpl; (*Carte*) carreau *msg*; **a quadri** à
carreaux; **fare un ~ della situazione**
brosser un tableau de la situation;
~ clinico (*Med*) bilan *m* clinique; **~ di
comando** tableau de bord; **quadri
intermedi** (*Amm*) cadres moyens

quadruplo, -a ['kwadruplo] *agg, sm*
quadruple (*m*)

quaggiù [kwad'dʒu] *avv* ici; (*sulla
terra*) ici-bas

quaglia ['kwaʎʎa] *sf* caille *f*

qualche ['kwalke] *agg* (*alcuni*)
quelques; (*un certo, parecchio*)
certain(e); **ho comprato ~ libro** j'ai
acheté quelques livres; **~ volta**
quelquefois; **hai ~ sigaretta?** est-ce
que tu as des cigarettes?; **un
personaggio di ~ rilievo** un
personnage d'une certaine
importance; **c'è ~ medico?** y a-t-il un
médecin?; **in ~ modo** d'une façon ou
d'une autre; **~ cosa = qualcosa**

qualcosa [kwal'kɔsa] *pron* quelque
chose; **qualcos'altro** quelque chose
d'autre, autre chose; **~ di nuovo**
quelque chose de neuf; **~ da
mangiare** quelque chose à manger;
c'è ~ che non va? y a-t-il quelque
chose qui ne va pas?

qualcuno [kwal'kuno] *pron*
quelqu'un; (*alcuni*) quelques-uns *mpl*,
certains *mpl*; **~ è dalla nostra parte**
certains sont de notre côté; **qualcun
altro** quelqu'un d'autre

 PAROLA CHIAVE

quale ['kwale] *spesso troncato in* **qual**
agg **1** (*interrogativo*) quel(le); **quale
uomo?** quel homme?; **quale denaro?**
quel argent?; **quali sono i tuoi
programmi?** quels sont tes projets?;
quale stanza preferisci? quelle pièce
préfères-tu?
2 (*relativo: come*): **il risultato fu quale
ci si aspettava** le résultat fut celui
que l'on attendait

3 (*esclamativo*) quel(le); **quale disgrazia!** quel malheur!
■ *pron* **1** (*interrogativo*) lequel (laquelle); **quale dei due scegli?** lequel des deux choisis-tu?; **qual è il più bello?** lequel est le plus beau?
2 (*relativo*): **il(la) quale** (*soggetto*) qui, lequel (laquelle); (*oggetto*) que; (: *persona: con preposizione*) qui, lequel (laquelle); (*cosa*) lequel (laquelle); (*possessivo*) dont; **suo padre, il quale è avvocato,...** son père, qui est avocat,...; **il signore con il quale parlavo** le monsieur avec qui *o* lequel je parlais; **la donna per la quale...** la femme pour qui *o* laquelle...; **il palazzo nel quale abito** l'immeuble où *o* dans lequel j'habite; **l'arma con la quale ha sparato** l'arme avec laquelle il a tiré; **il ritratto del quale vediamo una riproduzione** le portrait dont nous voyons une reproduction; **l'albergo al quale ci siamo fermati** l'hôtel où *o* dans lequel nous sommes descendus; **la signora della quale ammiriamo l'abilità** la dame dont nous admirons l'habileté
3 (*relativo: in elenchi*) tel(le) que, comme; **piante quali l'edera** des plantes telles que le lierre, des plantes comme le lierre; **quale sindaco di questa città** en tant que maire de cette ville

qualifica, -che [kwa'lifika] *sf* qualification *f*; (*titolo*) titre *m*
qualificato, -a [kwalifi'kato] *agg* qualifié(e); (*esperto, abile*) compétent(e); **non mi ritengo ~ per questo lavoro** je ne me considère pas qualifié pour ce travail; **operaio ~** ouvrier *m* qualifié
qualificazione [kwalifikat'tsjone] *sf* qualification *f*; **gara di ~** (*Sport*) épreuve *f* de qualification
qualità [kwali'ta] *sf inv* qualité *f*; **di ottima** *o* **di prima ~** de première qualité; **in ~ di** en qualité de; **articoli di ogni ~** articles *mpl* de toutes sortes; **prodotto di ~** produit *m* de qualité; **fare una scelta di ~** choisir la qualité
qualora [kwa'lora] *cong* au cas où
qualsiasi [kwal'siasi] *agg inv* n'importe quel(le); (*mediocre*) quelconque; **~ cosa/persona** n'importe quoi/qui; **mettiti un vestito ~** mets n'importe quelle robe; **~ cosa accada** quoi qu'il arrive; **a ~ costo** à n'importe quel prix; **l'uomo ~** Monsieur *m* Tout-le-monde, l'homme *m* de la rue
qualunque [kwa'lunkwe] *agg inv* = **qualsiasi**
quando ['kwando] *cong* quand, lorsque ■ *avv* quand; **~ sarò ricco** quand je serai riche; **da ~** depuis que; **quand'anche** même si, quand bien même; **da ~ sei qui?** depuis quand es-tu arrivé?; **di ~ in ~** de temps en temps
quantità [kwanti'ta] *sf inv* quantité *f*; **una ~ di** une quantité de; **in grande ~** en grande quantité

 PAROLA CHIAVE

quanto, -a ['kwanto] *agg*
1 (*interrogativo*) combien de; **quanto denaro?** combien d'argent?; **quanto vino prendo?** j'achète combien de bouteilles de vin?; **quanti libri/ragazzi?** combien de livres/garçons?; **quanto tempo ti fermi?** combien de temps restes-tu?; **quanti anni hai?** quel âge as-tu?
2 (*esclamativo*): **quante storie!** que d'histoires!; **quanto fracasso!** quel vacarme!; **quante storie racconta!** que d'histoires il raconte!; **quanto tempo sprecato!** que de temps perdu!
3 (*relativo: quantità, numero*) (tout) le... que, autant de... que; **ho quanto denaro mi occorre** j'ai tout l'argent qu'il me faut; **prendi quanto pane ti serve** prends tout le pain dont tu as besoin; **prendi quanti libri vuoi** prends tous les livres *o* autant de livres que tu veux
■ *pron* **1** (*interrogativo*) combien; **quanti, quante** (*persone*) combien; **quanto mi dai?** combien me donnes-tu?; **pensa a quanto puoi ottenere** pense à tout ce que tu peux obtenir; **quanti me ne hai portati?** combien m'en as-tu apporté?; **quanti ne abbiamo oggi?** (*data*) le combien sommes-nous aujourd'hui?; **quanto starai via?** combien de temps

resteras-tu absent?; **da quanto sei qui?** depuis combien de temps es-tu ici?

2 *(relativo: quantità, numero)* tout ce que; **quanti** *(soggetto)* tous ceux qui; *(oggetto)* tous ceux que; **quante** *(soggetto)* toutes celles qui; *(oggetto)* toutes celles que; **farò quanto posso** je ferai ce que je peux; **a quanto dice lui** à ce qu'il dit; **possono venire quanti sono stati invitati** tous ceux qui ont été invités peuvent venir

■ *avv* **1** *(interrogativo: con vb)* combien; *(: con agg, avv)* à quel point; **quanto costa?** combien ça coûte?; **quant'è?** combien est-ce?; **quanto stanco ti sembrava?** à quel point te semblait-il fatigué?

2 *(esclamativo: con vb)* comme; *(: con agg, avv)* que, comme; **quanto costa!** c'est cher!; **quanto sono felice!** que je suis heureux!; **quanto più bella è ora!** elle est tellement plus belle maintenant!; **sapessi quanto abbiamo camminato!** si tu savais combien nous avons marché!

3: **in quanto** *(in qualità di)* en tant que; *(perché, per il fatto che)* puisque, car; **in quanto legale della signora** en tant qu'avocat de Madame; **non è possibile, in quanto non abbiamo i mezzi** ce n'est pas possible puisque *o* car nous n'en avons pas les moyens; **(in) quanto a** *(per ciò che riguarda)* quant à; **quanto a lui...** quant à lui...

4: **per quanto** *(nonostante, anche se)* bien que, quoique; **per quanto si sforzi, non ce la farà** il a beau faire des efforts, il n'y arrivera pas; **per quanto sia brava, fa degli errori** si forte qu'elle soit, elle fait des fautes; **per quanto io sappia** autant que je sache

quaranta [kwaˈranta] *agg inv, sm inv* quarante *(m) inv*; *vedi anche* **cinque**

quarantena [kwaranˈtɛna] *sf* quarantaine *f*

quarantesimo, -a [kwaranˈtɛzimo] *agg, sm/f* quarantième *m/f*; *vedi anche* **quinto**

quarantina [kwaranˈtina] *sf*: **una ~ (di)** une quarantaine (de); **essere sulla ~** avoir la quarantaine

quarta [ˈkwarta] *sf (Scol: elementare)* ≈ CM **1** *m*; *(: superiore)* ≈ première *f*; *(Aut)* quatrième *f* (vitesse *f*); **partire in ~** partir à toute vitesse; *vedi anche* **quarto**

quartetto [kwarˈtetto] *sm (anche Mus)* quatuor *m*; *(jazz)* quartette *m*

quartiere [kwarˈtjere] *sm* quartier *m*; *(Mil)* quartier(s); **i quartieri alti** les beaux quartiers; **lotta senza ~** lutte *f* sans merci; **~ residenziale** quartier résidentiel; **quartier generale** *(Mil, fig)* quartier général

quarto, -a [ˈkwarto] *agg, sm/f* quatrième *m/f* ■ *sm* quart *m*; **un ~ di vino** un quart de vin; **un ~ d'ora** un quart d'heure; **tre quarti d'ora** trois quarts d'heure; **le sei e un ~** six heures et quart; **le nove meno un ~** neuf heures moins le quart; **le otto e tre quarti** neuf heures moins le quart; **passare un brutto ~ d'ora** passer un mauvais quart d'heure; **il ~ potere** la presse; **quarti di finale** quarts de finale

quarzo [ˈkwartso] *sm* quartz *msg*; **al ~** *(orologio, lampada)* à quartz

quasi [ˈkwazi] *avv* presque ■ *cong (anche: **quasi che**)* comme si; **ha ~ vinto** il a presque gagné; **~ fosse lui il padre** comme si c'était lui le père; **non piove ~ mai** il ne pleut presque jamais; **~ ~ me ne andrei** j'aurais presque envie de m'en aller, je serais bien tenté de partir

quassù [kwasˈsu] *avv* ici

quattordici [kwatˈtorditʃi] *agg inv, sm inv* quatorze *(m) inv*; *vedi anche* **cinque**

quattrini [kwatˈtrini] *smpl* argent *msg*

quattro [ˈkwattro] *agg inv, sm inv* quatre *(m) inv*; **farsi in ~ per qn** se mettre en quatre pour qn; **in ~ e quattr'otto** en moins de deux; **dirne ~ a qn** dire ses quatre vérités à qn; **fare ~ chiacchiere** bavarder, papoter; *vedi anche* **cinque**

quattrocento [kwattroˈtʃɛnto] *agg inv, sm inv* quatre cents *(m) inv* ■ *sm*: **il Q~** le quinzième siècle

quello, -a ['kwello] (dav sm **quel** + C, **quell'** + V, **quello** + s impura, gn, pn, ps, x, z; pl **quei** + C, **quegli** + V o s impura ecc; dav sf **quella** + C, **quell'** + V; pl **quelle**) agg ce, cet + V o h, cette f; **quello stivale** cette botte; **quell'uomo** cet homme; **quella casa** cette maison; **quegli uomini** ces hommes; **quelle piante** ces plantes; **quei fatti** ces faits; **quel libro lì** o **là** ce livre-là
■ pron **1** (dimostrativo) celui-là (celle-là); (ciò) cela; **quello è mio fratello** voilà mon frère; **conosci quella?** tu connais celle-là?; **prendo quello bianco** je prends le blanc; **chi è quello?** qui est-ce?; **prendiamo quelli/quelle** prenons ceux-là/celles-là; **gli ho detto proprio quello** c'est exactement ce que je lui ai dit
2 (relativo): **quello che** celui (celle) qui; **quelli/quelle che** ceux/ celles qui; **è lui quello che non voleva venire** c'est lui qui ne voulait pas venir; **è quella che ti ho prestato** c'est celle que je t'ai prêtée; **ho fatto quello che potevo** j'ai fait ce que je pouvais; **in quel di Milano** près de o aux alentours de Milan

quercia, -ce ['kwɛrtʃa] sf chêne m; **di ~** en chêne; **forte come una ~** fort(e) comme un chêne
querela [kwe'rɛla] sf (Dir) plainte f
quesito [kwe'sito] sm (interrogatorio) question f; (problema) problème m
questionario [kwestjo'narjo] sm questionnaire m
questione [kwes'tjone] sf (problema) question f; (litigio) dispute f; (politica, sociale) problème m, question; **il caso in ~** l'affaire en question; **la persona in ~** la personne en question; **non voglio essere chiamato in ~** je ne veux pas être mis en cause; **è ~ di tempo** c'est une question de temps; **la ~ meridionale** la question du développement du Sud de l'Italie

questo, -a ['kwesto] agg **1** (dimostrativo) ce, cet + V o h, cette f; **questi/queste** ces; **questo ragazzo è molto in gamba** c'est un garçon très capable; **questo libro (qui** o **qua)** ce livre(-ci); **io prendo questo cappotto, tu quello** moi, je prends ce manteau, toi, celui-là; **quest'oggi** aujourd'hui même; **questa sera** ce soir
2 (enfatico): **non fatemi più prendere di queste paure** ne me faites plus peur comme ça
■ pron (dimostrativo) celui-ci (celle-ci); (ciò) ceci; **questi/queste** ceux-ci/ celles-ci; **voglio questo** je veux celui-ci; **prendo questo (qui** o **qua)** je prends celui-ci; **preferisci questi o quelli?** tu préfères ceux-ci ou ceux-là?; **questo intendevo io** c'est ce que je voulais dire; **questo non dovevi dirlo** ça, tu ne devais pas le dire; **vengono Paolo e Mario: questo da Roma, quello da Palermo** Paolo et Mario viennent, l'un de Rome, l'autre de Palerme; **e con questo?** et alors?; **e con questo se n'è andato** sur ce, il est parti; **questo è quanto** c'est tout

questura [kwes'tura] sf préfecture f de police
qui [kwi] avv ici; **da** o **di ~** d'ici; **di ~ in avanti** dorénavant; **di ~ a poco/a una settimana** d'ici peu/une semaine; **~ dentro** là-dedans; **~ sopra** là-dessus; **~ vicino** près d'ici; vedi anche **questo**
quietanza [kwje'tantsa] sf (ricevuta) quittance f, acquit m; **per ~** pour acquit
quiete ['kwjɛte] sf calme m, tranquillité f; **turbare la ~ pubblica** (Dir) troubler l'ordre public
quieto, -a ['kwjeto] agg (persona) calme, tranquille; (mare, notte) calme; **il ~ vivere** la vie tranquille
quindi ['kwindi] avv (poi, in seguito) ensuite, puis ■ cong (perciò, di conseguenza) donc, par conséquent
quindici ['kwinditʃi] agg inv, sm inv quinze (m) inv; **~ giorni** quinze jours; vedi anche **cinque**

quindicina [kwindi'tʃina] sf: **una ~ (di)** une quinzaine (de); **fra una ~ di giorni** dans une quinzaine (de jours)

quinta ['kwinta] sf (Scol: elementare) ≈ CM 2 m, ≈ cours m moyen deuxième année; (: superiore) terminale f; (Aut) cinquième f (vitesse f); (Teatro) coulisse f; **dietro le quinte** (fig) dans les coulisses; vedi anche **quinto**

quintale [kwin'tale] sm quintal m

quinto, -a ['kwinto] agg, sm/f cinquième m/f ■ sm cinquième m; **un ~ della popolazione** un cinquième de la population; **tre quinti** trois cinquièmes; **in quinta pagina** en page cinq; **il ~ potere** les mass(-) media mpl

quiz [kwidz] sm inv (indovinello) devinette f; (TV: anche: **gioco a quiz**) jeu m télévisé

quota ['kwɔta] sf (parte) part f; (somma: d'ingresso, di società) cotisation f; (altitudine, Aer) altitude f; (Ippica) cote f; **ad alta/bassa ~** (Aer) à haute/basse altitude; **prendere/ perdere ~** (Aer) prendre/perdre de l'altitude; **~ di mercato** part de marché; **~ d'iscrizione** droit m d'inscription; **~ imponibile** tranche f d'imposition du revenu

quotidiano, -a [kwoti'djano] agg quotidien(ne) ■ sm (giornale) quotidien m

quoziente [kwot'tsjɛnte] sm (anche Mat) quotient m; **~ di crescita** taux m de croissance; **~ d'intelligenza** quotient intellectuel, QI m

r

R abbr (Ferr: = regionale) train omnibus

rabbia ['rabbja] sf (collera) colère f; (Med) rage f; (furia) fureur f; **fare ~ a qn** faire enrager qn; **il tuo modo d'agire mi fa ~** ta façon de faire me tape sur les nerfs; **mi fai ~ quando dici queste cose** tu m'énerves quand tu dis cela

rabbino [rab'bino] sm rabbin m

rabbioso, -a [rab'bjoso] agg furieux(-euse); (facile all'ira) coléreux(-euse); (Med) enragé(e)

rabbonire [rabbo'nire] vt calmer, apaiser; **rabbonirsi** vpr se calmer, s'apaiser

rabbrividire [rabbrivi'dire] vi frissonner; (fig: per orrore, ribrezzo) frémir

raccapezzarsi [rakkapet'tsarsi] vpr: **non raccapezzarcisi** ne pas s'y retrouver

raccapricciante [rakkaprit'tʃante] agg affreux(-euse), horrible

raccattapalle [rakkatta'palle] sm inv (Sport) ramasseur(-euse) de balles

raccattare [rakkat'tare] vt ramasser

racchetta [rak'ketta] sf (per tennis, ping-pong) raquette f; ~ **da neve** raquette (pour la neige); ~ **da sci** bâton m de ski

racchiudere [rak'kjudere] vt (circondare) renfermer; (contenere) contenir

raccogliere [rak'kɔʎʎere] vt (oggetti) ramasser; (persone) rassembler; (fiori) cueillir; (Agr) récolter; (voti, applausi) recueillir; (francobolli) collectionner; (capelli) attacher; (fig: energie) rassembler; (: allusione) relever; **raccogliersi** vpr se réunir, se rassembler; (fig) se recueillir; **non ha raccolto (l'allusione)** il n'a pas relevé (l'allusion); ~ **i frutti del proprio lavoro** recueillir le fruit de son travail; ~ **le idee** rassembler ses idées; **essere raccolto in preghiera** être recueilli

raccolta [rak'kɔlta] sf récolte f; (collezione) collection f; (di poesie) recueil m; (di dati) collecte f; **chiamare a ~** battre le rappel; **fare la ~ di qc** faire collection de qch

raccolto, -a [rak'kɔlto] pp vedi **raccogliere** ■ agg (fondi) recueilli(e); (appartato) intime; (capelli) attaché(e); (fig: composto) contenu(e) ■ sm (Agr) récolte f

raccomandabile [rakkoman'dabile] agg recommandable; **un tipo poco ~** un type peu recommandable

raccomandare [rakkoman'dare] vt recommander; (persona: per lavoro, concorso) recommander, pistonner; **raccomandarsi** vpr: **raccomandarsi a qn** se recommander à qn; ~ **a qn di fare qc** recommander à qn de faire qch; ~ **a qn di non fare qc** recommander à qn de ne pas faire qch; ~ **qn a qn/alle cure di qn** confier qn à qn/aux soins de qn; **mi raccomando!** je t'en (o vous en) prie!, je compte sur toi (o vous)!

raccomandata [rakkoman'data] sf lettre f recommandée; ~ **con ricevuta di ritorno** lettre recommandée avec accusé de réception

raccontare [rakkon'tare] vt: ~ **(a)** raconter (à); **cosa mi racconti di nuovo?** qu'est-ce que tu me racontes de neuf?; **a me non la racconti!** tu ne me feras pas croire ça!

racconto [rak'konto] sm récit m; **racconti per bambini** contes mpl pour enfants

raccordo [rak'kɔrdo] sm (Tecn: giunzione) raccord m; (Aut) raccordement m; ~ **anulare** (Aut) périphérique m; ~ **autostradale** bretelle f; ~ **ferroviario** embranchement m ferroviaire; ~ **stradale** embranchement

racimolare [ratʃimo'lare] vt (fig: somma) rassembler (à grand-peine)

rada ['rada] sf rade f

radar ['radar] sm inv, agg inv radar (m)

raddoppiare [raddop'pjare] vt doubler; (fig: premure, sforzi) redoubler de ■ vi doubler

raddrizzare [raddrit'tsare] vt redresser; (occhiali) rajuster; (fig: correggere) corriger

radere ['radere] vt raser; (fig: rasentare) raser; **radersi** vpr se raser; ~ **al suolo** raser le sol

radiare [ra'djare] vt radier, rayer

radiatore [radja'tore] sm radiateur m

radiazione [radjat'tsjone] sf radiation f

radicale [radi'kale] agg (anche Pol) radical(e) ■ sm (Mat) radical m ■ sm/f (Pol) radical(e)

radicchio [ra'dikkjo] sm chicorée f

radice [ra'ditʃe] sf (Bot, Mat) racine f; **segno di ~** (Mat) racine; **colpire alla ~** (fig: problema ecc) attaquer à la racine; **mettere radici** (anche fig) prendre racine; (fig: odio, idee ecc) s'enraciner; (: persona) prendre racine, s'incruster; ~ **cubica/quadrata** (Mat) racine cubique/carrée

radio ['radjo] sf inv radio f; (ricetrasmittente) (poste m de) radio ■ sm (Chim) radium m ■ agg inv: **stazione ~** station f de radiodiffusion; **giornale ~** (bulletin m d')informations fpl (à la radio); **trasmettere per ~** transmettre par radio; ~ **libera** radio libre

radioattivo, -a [radjoat'tivo] agg radioactif(-ive)

radiocronaca, -che [radjo'krɔnaka] sf radioreportage m

radiografia [radjogra'fia] *sf*
radiographie *f*; (*lastra*) radio(graphie) *f*

radioso, -a [ra'djoso] *agg*
radieux(-euse), rayonnant(e)

radiosveglia [radjoz'veʎʎa] *sf*
adio-réveil *m*

rado, -a ['rado] *agg* rare; (*capelli*)
clairsemé(e), rare; **di ~** rarement;
non di ~ assez souvent

radunare [radu'nare] *vt* rassembler;
radunarsi *vpr* se rassembler

radura [ra'dura] *sf* clairière *f*

raffermo, -a [raf'fermo] *agg* rassis(e)

raffica, -che ['raffika] *sf* rafale *f*

raffigurare [raffigu'rare] *vt*
représenter

raffinato, -a [raffi'nato] *agg* (*anche
fig*) raffiné(e)

rafforzare [raffor'tsare] *vt* renforcer;
(*persona*) fortifier

raffreddamento [raffredda'mento]
sm refroidissement *m*; **~ ad acqua/
aria** refroidissement par eau/air

raffreddare [raffred'dare] *vt*
refroidir; (*stanza, aria*) rafraîchir;
raffreddarsi *vpr* se refroidir;
(*prendere un raffreddore*) s'enrhumer

raffreddato, -a [raffred'dato] *agg*
(*Med*) enrhumé(e)

raffreddore [raffred'dore] *sm* (*Med*)
rhume *m*

raffronto [raf'fronto] *sm*
comparaison *f*

rafia ['rafja] *sf* raphia *m*

rafting ['rafting] *sm* rafting *m*

ragazza [ra'gattsa] *sf* fille *f*; (*giovane
donna*) jeune fille; (*fam: fidanzata*)
petite amie *f*; **nome da ~** nom *m* de
jeune fille; **~ madre** fille mère;
~ squillo call-girl *f*

ragazzo [ra'gattso] *sm* garçon *m*;
(*giovane uomo*) jeune homme *m*;
(*figlio*) fils *msg*; (*fam: fidanzato*) petit
ami *m*; **ragazzi** *smpl* enfants *mpl*;
(*più grandi*) jeunes *mpl*; **per ragazzi**
pour enfants

raggiante [rad'dʒante] *agg*
rayonnant(e), radieux(-euse)

raggio ['raddʒo] *sm* rayon *m*; **nel ~ di
20 km** à 20 km à la ronde, dans un
rayon de 20 km; **a largo ~** (*inchiesta,
esplorazione*) de grande envergure;
~ d'azione rayon d'action; **~ laser**
rayon laser; **raggi X** rayons X

raggirare [raddʒi'rare] *vt* (*fig*) duper,
embobiner

raggiungere [rad'dʒundʒere] *vt*
(*persona*) rejoindre; (*luogo*) arriver à;
(*toccare*) toucher, atteindre; (*fig:
successo, meta*) atteindre, arriver à;
(: *eguagliare*) égaler, rattraper;
~ il proprio scopo atteindre son but,
arriver à ses fins; **~ un accordo**
parvenir à un accord

raggomitolarsi [raggomito'larsi]
vpr (*fig*) se pelotonner

raggranellare [raggranel'lare] *vt*
rassembler (petit à petit)

raggruppare [raggrup'pare] *vt*
regrouper

ragionamento [radʒona'mento] *sm*
raisonnement *m*

ragionare [radʒo'nare] *vi*
raisonner; **~ di** (*discorrere*) parler
(de), discuter (de); **cerca di ~** essaie
de réfléchir!

ragione [ra'dʒone] *sf* raison *f*;
aver ~ avoir raison; **perdere la ~**
perdre la raison; **a ragion veduta**
en connaissance de cause; **a
maggior ~** à plus forte raison;
aver ~ di avoir raison de; **dare ~ a qn**
donner raison à qn; **a/con ~** avec
raison, à juste titre; **picchiare qn di
santa ~** rouer qn de coups; **farsi una
~ (di)** se faire une raison (de); **in ~ di**
à raison de; **~ di scambio** taux *msg*
d'échange; **ragion di stato** raison
d'État; **~ sociale** (*Comm*) raison
sociale

ragioneria [radʒone'ria] *sf*
comptabilité *f*

ragionevole [radʒo'nevole] *agg*
raisonnable

ragioniere, -a [radʒo'njɛre] *sm/f*
comptable *m/f*

ragliare [raʎ'ʎare] *vi* braire

ragnatela [raɲɲa'tela] *sf* toile *f*
d'araignée

ragno ['raɲɲo] *sm* araignée *f*;
non cavare un ~ dal buco (*fig*)
n'aboutir à rien

ragù [ra'gu] *sm inv* (*Cuc: sugo*) sauce *f*
bolognaise

FALSI AMICI
ragù non si traduce mai
con la parola francese
ragoût.

RAI-TV ['raiti'vu] *sigla f* (= *Radio televisione italiana*) ≈ France Télévision *f*

rallegrare [ralle'grare] *vt* égayer; **rallegrarsi** *vpr* se réjouir; **rallegrarsi con qn** féliciter qn

rallentare [rallen'tare] *vt, vi* ralentir; **~ il passo** ralentir le pas

rallentatore [rallenta'tore] *sm* (*Cine*) ralenti *m*; **al ~** (*anche fig*) au ralenti

ramanzina [raman'dzina] *sf* réprimande *f*; **ricevere una ~** recevoir un bon savon; **fare una ~ a qn** passer un savon à qn

rame ['rame] *sm* cuivre *m*; **di ~** en cuivre; **incisione su ~** gravure *f* sur cuivre

rammaricarsi [rammari'karsi] *vpr*: **~ (di)** regretter (de)

rammendare [rammen'dare] *vt* raccommoder, repriser

ramo ['ramo] *sm* (*anche fig*) branche *f*; (*di fiume*) bras *msg*; **non è il mio ~** ce n'est pas de mon ressort

ramoscello [ramoʃ'ʃello] *sm* rameau *m*

rampa ['rampa] *sf* rampe *f*; **~ di accesso** rampe d'accès; **~ di lancio** (*Aer*) rampe de lancement

rampicante [rampi'kante] *agg* grimpant(e) ■ *sm* (*Bot*) plante *f* grimpante

rana ['rana] *sf* grenouille *f*; (*anche: nuoto a rana*) brasse *f*; **~ pescatrice** baudroie *f*, lotte *f* de mer

rancido, -a ['rantʃido] *agg, sm* rance (*m*)

rancore [ran'kore] *sm* rancune *f*; (*forte risentimento*) rancœur *f*; **serbare ~ verso qn** avoir de la rancune contre qn

randagio, -a, -gi, -gie *o* **ge** [ran'dadʒo] *agg*: **cane ~** chien *m* errant

randello [ran'dɛllo] *sm* matraque *f*, gourdin *m*

rango, -ghi ['rango] *sm* rang *m*; **rientrare nei ranghi** rentrer dans les rangs; **uscire dai ranghi** sortir du rang; **di basso ~** d'un rang inférieur

rannicchiarsi [rannik'kjarsi] *vpr* se blottir

rannuvolarsi [rannuvo'larsi] *vpr* se couvrir

rapa ['rapa] *sf* (*Bot*) navet *m*

rapace [ra'patʃe] *agg, sm* rapace (*m*)

rapare [ra'pare] *vt* raser

rapidamente [rapida'mente] *avv* rapidement

rapidità [rapidi'ta] *sf* rapidité *f*

rapido, -a ['rapido] *agg* rapide ■ *sm* (*Ferr*) rapide *m*

rapimento [rapi'mento] *sm* enlèvement *m*, kidnapping *m*, rapt *m*; (*fig: estasi*) ravissement *m*

rapina [ra'pina] *sf* vol *m*; **~ a mano armata** vol à main armée; **~ in banca** hold-up *m*

rapinare [rapi'nare] *vt* (*persona*) voler, dévaliser; (*banca*) dévaliser

rapinatore, -trice [rapina'tore] *sm/f* voleur(-euse)

rapire [ra'pire] *vt* kidnapper, enlever; (*fig*) ravir

rapitore, -trice [rapi'tore] *sm/f* ravisseur(-euse)

rapporto [rap'pɔrto] *sm* (*resoconto, legame*) rapport *m*; (*di marce*) vitesse *f*; **rapporti** *smpl* (*tra persone, paesi*) rapports *mpl*; **fare ~ a qn su qc** faire un rapport à qn sur qch; **andare a ~ da qn** aller au rapport auprès de qn; **chiamare qn a ~** appeler qn au rapport; **in ~ a quanto è successo** par rapport à ce qui est arrivé; **essere in buoni/cattivi rapporti con qn** être en bons/mauvais termes avec qn; **~ d'affari/di lavoro** rapport d'affaires/de travail; **~ sentimentale** relation *f* sentimentale; **rapporti coniugali** rapports conjugaux; **rapporti intimi** relations intimes; **rapporti sessuali** rapports sexuels

rappresaglia [rappre'saʎʎa] *sf* représailles *fpl*

rappresentante [rapprezen'tante] *sm/f* représentant(e); **~ di commercio** représentant de commerce; **~ sindacale** représentant syndical

rappresentare [rapprezen'tare] *vt* représenter; (*Teatro*) représenter, jouer; (*Cine*) passer; **farsi ~ dal proprio legale** se faire représenter par son avocat

rappresentazione [rapprezentat'tsjone] *sf* représentation *f*; **prima ~ assoluta** première *f*

raramente [rara'mente] *avv* rarement

rarefatto, -a [rare'fatto] *pp di* **rarefare** ■ *agg* raréfié(e)

raro, -a ['raro] *agg* rare

rasare [ra'sare] *vt* (*barba, capelli*) raser; (*siepi, erba*) tondre; **rasarsi** *vpr* se raser

raschiare [ras'kjare] *vt* racler ■ *vi* (*con la gola*) se racler la gorge

rasente [ra'zɛnte] *prep*: **~ (a)** au ras (de)

raso, -a ['raso] *pp di* **radere** ■ *agg* ras(e) ■ *sm* (*tessuto*) satin *m* ■ *prep*: **~ terra** à ras de terre, au ras du sol

rasoio [ra'sojo] *sm* rasoir *m*; **~ elettrico** rasoir électrique

rassegna [ras'seɲɲa] *sf* (*Mil, pubblicazione*) revue *f*; (*resoconto*) compte rendu *m*; (*mostra*) exposition *f*; (*Cine*) festival *m*; **passare in ~** (*Mil, fig*) passer en revue

rassegnarsi [rasseɲ'ɲarsi] *vpr*: **~ (a)** se résigner (à)

rassicurare [rassiku'rare] *vt* rassurer; **rassicurarsi** *vpr* se rassurer

rassodare [rasso'dare] *vt* (*anche fig*) raffermir; **rassodarsi** *vpr* se raffermir

rassomiglianza [rassomiʎ'ʎantsa] *sf* ressemblance *f*

rassomigliare [rassomiʎ'ʎare] *vi*: **~ a** ressembler à

rastrellare [rastrel'lare] *vt* (*zona*) ratisser; (*fieno*) râteler

rastrello [ras'trɛllo] *sm* râteau *m*

rata ['rata] *sf* versement *m*; **a rate** à crédit, à tempérament

ratificare [ratifi'kare] *vt* ratifier

ratto ['ratto] *sm* (*Dir*) enlèvement *m*; (*Zool*) rat *m*

rattoppare [rattop'pare] *vt* rapiécer

rattristare [rattris'tare] *vt* rendre triste, attrister; **rattristarsi** *vpr* s'attrister

rauco, -a, -chi, -che ['rauko] *agg* (*voce*) rauque; (*persona*) enroué(e)

ravanello [rava'nɛllo] *sm* radis *msg*

ravioli [ravi'ɔli] *smpl* (*Cuc*) raviolis *mpl*

ravvivare [ravvi'vare] *vt* raviver; (*malato*) ramener à la vie; (*fig*) raviver, ranimer; **ravvivarsi** *vpr* (*fig*) se ranimer

razionale [rattsjo'nale] *agg* rationnel(le)

razionare [rattsjo'nare] *vt* rationner

razione [rat'tsjone] *sf* ration *f*

razza ['rattsa] *sf* race *f*; (*discendenza, stirpe*) souche *f*; (*pesce*) raie *f*; **di ~** (*animale*) de race; **che ~ di domande!** mais quelle question!; **~ d'imbecille!** espèce d'imbécile!

razziale [rat'tsjale] *agg* racial(e)

razzismo [rat'tsizmo] *sm* racisme *m*

razzista, -i, -e [rat'tsista] *agg, sm/f* raciste *m/f*

razzo ['raddzo] *sm* fusée *f*; **come un ~** (*fig*) comme une flèche; **~ di segnalazione** fusée de signalisation; **~ vettore** lanceur *m*

R.C. *sigla m* (= *partito della Rifondazione Comunista*) parti de gauche italien

re [re] *sm inv* roi *m*; (*Mus*) ré *m*

reagire [rea'dʒire] *vi* réagir

reale [re'ale] *agg* réel(le); (*di, da re*) royal(e) ■ *sm*: **il ~** le réel *m*; **i Reali, la coppia ~** les souverains *mpl*

realizzare [realid'dzare] *vt* (*anche Comm*) réaliser; (*goal, punto*) marquer; **realizzarsi** *vpr* se réaliser

realmente [real'mente] *avv* réellement

realtà [real'ta] *sf inv* réalité *f*; **in ~** en réalité

reato [re'ato] *sm* (*Dir*) délit *m*

reattore [reat'tore] *sm* (*Aer*) réacteur *m*; **~ nucleare** réacteur nucléaire

reazionario, -a [reattsjo'narjo] *agg, sm/f* (*Pol*) réactionnaire *m/f*

reazione [reat'tsjone] *sf* réaction *f*; **a ~** (*motore, aereo*) à réaction; **forze della ~** forces *fpl* réactionnaires; **~ a catena** (*anche fig*) réaction en chaîne; **~ nucleare** réaction nucléaire

rebus ['rɛbus] *sm inv* rébus *msg*; (*fig*) énigme *f*

recapitare [rekapi'tare] *vt*: **~ (a)** remettre (à)

recapito [re'kapito] *sm* (*indirizzo*) adresse *f*; (*consegna*) remise *f*; **~ a domicilio** livraison *f* à domicile; **~ telefonico** numéro *m* de téléphone

recedere [re'tʃɛdere] *vi*: **~ da** (*fig*: *da decisione*) revenir sur; (: *da impegno*) renoncer à; (*da contratto*) résilier

recensione [retʃen'sjone] *sf* critique *f*

recente [re'tʃɛnte] *agg* récent(e);
di ~ récemment

recentemente [retʃente'mente] *avv*
récemment

recidere [re'tʃidere] *vt* couper

recintare [retʃin'tare] *vt* clôturer

recinto [re'tʃinto] *sm* (*spazio*)
enceinte *f*, enclos *msg*; (*reticolato*)
clôture *f*

recipiente [retʃi'pjɛnte] *sm*
récipient *m*

reciproco, -a, -ci, -che [re'tʃiproko]
agg réciproque

recita ['rɛtʃita] *sf* représentation *f*

recitare [retʃi'tare] *vt* réciter; (*ruolo,
dramma*) jouer ■ *vi* (*attore*) jouer;
(*sogg: articolo*) dire; **~ (la commedia)**
(*fig*) jouer (la comédie)

reclamare [rekla'mare] *vi, vt*
réclamer

reclamo [re'klamo] *sm* réclamation
f; **sporgere ~** déposer une
réclamation auprès de

reclinabile [rekli'nabile] *agg* (*sedile*)
inclinable

reclusione [reklu'zjone] *sf*
réclusion *f*

recluta ['rɛkluta] *sf* recrue *f*

recondito, -a [re'kɔndito] *agg* (*anche
fig*) secret(-ète), caché(e)

record ['rɛkɔrd] *agg inv, sm inv* record
(*m*); **a tempo di ~** en un temps record;
~ mondiale record du monde

recriminazione [rekriminat'tsjone]
sf récrimination *f*

recuperare [rekupe'rare] *vt*
récupérer; (*salute*) retrouver,
recouvrer

redarguire [redar'gwire] *vt*
réprimander

redassi *ecc* [re'dassi] *vb vedi*
redigere

redditizio, -a [reddi'tittsjo] *agg*
rentable

reddito ['rɛddito] *sm* revenu *m*;
~ complessivo revenu global;
~ da lavoro revenu du travail;
~ disponibile revenu disponible;
~ fisso revenu fixe; **~ imponibile/non
imponibile** revenu imposable/non
imposable; **~ nazionale** revenu
national; **~ pubblico** revenus *mpl*
publics, revenus de l'État

redigere [re'didʒere] *vt* rédiger

redini ['rɛdini] *sfpl* rênes *fpl*;
le ~ dello Stato (*fig*) les rênes de
l'État

reduce ['rɛddutʃe] *agg*: **~ da** de retour
de ■ *sm/f* rescapé(e); (*combattente*)
ancien combattant *m*; **essere ~ da**
(*da esame*) venir de passer; (*da
colloquio*) venir d'avoir; (*da malattia*)
sortir de

referendum [refe'rɛndum] *sm inv*
référendum *m*

referenze [refe'rɛntse] *sfpl*
références *fpl*

referto [re'fɛrto] *sm* (*Med*) rapport *m*

regalare [rega'lare] *vt*: **~ qc (a qn)**
offrir qch (à qn)

> **FALSI AMICI**
> **regalare** non si traduce
> mai con la parola francese
> **régaler**.

regalo [re'galo] *sm* cadeau *m* ■ *agg
inv*: **confezione ~** paquet-cadeau *m*;
fare un ~ a qn faire un cadeau à qn;
"articoli da ~" "cadeaux"

regata [re'gata] *sf* régate *f*

reggere ['rɛddʒere] *vt* (*tenere*) tenir;
(*sostenere, sopportare*) soutenir;
(*impresa*) diriger; (*paese*) gouverner;
(*Ling*) régir ■ *vi* (*a peso ecc*): **~ a**
résister à; (*durare*) durer; (*fig: teoria
ecc*) tenir debout; **reggersi** *vpr* (*stare
ritto*) se tenir; (*fig: dominarsi*) se
contrôler; **reggersi a** (*tenersi*) se tenir
à; **reggersi sulle gambe o in piedi**
tenir debout; **reggiti forte** (*anche fig*)
tiens-toi bien

reggia ['rɛddʒa] *sf* palais *msg* royal;
(*fig*) palais

reggicalze [reddʒi'kaltse] *sm inv*
porte-jarretelles *m inv*

reggimento [reddʒi'mento] *sm* (*Mil*)
régiment *m*

reggiseno [reddʒi'seno] *sm* soutien-
gorge *m*

regia, -gie [re'dʒia] *sf* mise *f* en scène

regime [re'dʒime] *sm* régime *m*;
~ alimentare régime alimentaire;
~ torrentizio régime torrentiel;
~ vegetariano régime végétarien

regina [re'dʒina] *sf* reine *f*; (*Scacchi*)
reine, dame *f*; (*Carte*) dame

regionale [redʒo'nale] *agg*
régional(e) ■ *sm* (*Ferr*) (train *m*)
omnibus *m inv*

regione [re'dʒone] *sf* région *f*

regista, -i, -e [re'dʒista] *sm/f*
  metteur *m* en scène
registrare [redʒis'trare] *vt*
  enregistrer; (*annotare*) inscrire; (*freni,
  congegno*) régler; ~ **il bagaglio** (*Aer*)
  faire enregistrer les bagages
registratore [redʒistra'tore] *sm*
  magnétophone *m*; ~ **a cassette**
  magnétophone *m* à cassettes; ~ **di
  cassa** caisse *f* enregistreuse; ~ **di volo**
  enregistreur de vol, boîte *f* noire
registro [re'dʒistro] *sm* registre *m*;
  ufficio del ~ (administration *f* de
  l')Enregistrement *m*; ~ **di bordo**
  journal *m* de bord; ~ **(di cassa)** livre *m*
  (de caisse); **registri contabili** livres
  mpl de comptabilité
regnare [reɲ'ɲare] *vi* (*anche fig*) régner
regno ['reɲɲo] *sm* royaume *m*;
  (*periodo, fig*) règne *m*; **il R~ Unito** le
  Royaume-Uni; ~ **animale/vegetale**
  règne animal/végétal
regola ['rɛgola] *sf* règle *f*; **di ~** en
  général; **essere in ~** (*anche fig*) être
  en règle; **mettersi in ~** se mettre en

règle; **avere le carte in ~** (*fig*) avoir
  tous les atouts (en main); **per tua
  (norma e)** ~ pour ta gouverne; **a ~
  d'arte** dans les règles de l'art
regolabile [rego'labile] *agg* réglable
regolamento [regola'mento] *sm*
  règlement *m*; ~ **di conti** (*fig*)
  règlement de comptes
regolare [rego'lare] *agg*
  régulier(-ière) ■ *vt* régler;
  (*commercio, scambi*) réglementer;
  (*governare*) régir; **regolarsi** *vpr*
  (*comportarsi*) se comporter;
  presentare ~ domanda présenter
  une demande en bonne et due forme;
  ~ **i conti con qn** (*fig*) régler ses
  comptes avec qn; **regolarsi nel bere**
  se modérer dans la boisson
relativo, -a [rela'tivo] *agg* relatif(-ive);
  ~ **a** (*dati, commenti*) concernant
relazione [relat'tsjone] *sf* (*rapporto:
  fra cose, fenomeni*) relation *f*; (: *fra
  persone*) relation; (: *fra amanti*) liaison
  f; (*rapporto scritto, orale, Mat*) rapport
  m; **relazioni** *sfpl* (*conoscenze*)
  relations *fpl*; **essere in ~** être en
  relation; **mettere in ~** mettre en
  rapport; **in ~ a** relativement à;
  in ~ alla sua richiesta suite à votre
  demande; **fare una ~** présenter un
  rapport; **relazioni pubbliche**
  relations publiques
relegare [rele'gare] *vt* reléguer
religione [reli'dʒone] *sf* religion *f*

reliquia [re'likwja] *sf* relique *f*
relitto [re'litto] *sm* (*Naut*) épave *f*;
  (*fig*) épave, loque *f*
remare [re'mare] *vi* ramer
reminiscenze [reminiʃ'ʃɛntse] *sfpl*
  réminiscences *fpl*
remissivo, -a [remis'sivo] *agg*
  soumis(e); (*Dir*) de rémission
remo ['rɛmo] *sm* rame *f*
remoto, -a [re'mɔto] *agg* (*nel tempo*)
  lointain(e); (*nello spazio*) éloigné(e);
  vedi anche **passato**

rendere ['rɛndere] vt (restituire, far diventare) rendre; (produrre) rapporter ■ vi (fruttare) rapporter ■ **rendersi** vpr: **rendersi utile/antipatico** se rendre utile/antipathique; **~ qc possibile** rendre qch possible; **~ grazie a qn** rendre grâce à qn; **~ omaggio a qn** rendre hommage à qn; **~ un servizio a qn** rendre un service à qn; **~ una testimonianza** fournir un témoignage; **~ la visita a qn** rendre à qn sa visite; **non so se rendo l'idea** je ne sais pas si vous voyez ce que je veux dire; **rendersi conto di qc** se rendre compte de qch

rendimento [rendi'mento] sm rendement m

rendita ['rɛndita] sf rente f; **vivere di ~** vivre de ses rentes; **~ annua** rente annuelle; **~ vitalizia** rente viagère

rene ['rɛne] sm rein m; **~ artificiale** rein artificiel

renna ['rɛnna] sf renne m; (pelle) daim m

reparto [re'parto] sm (di ospedale) service m; (di negozio) rayon m; (di ufficio) secteur m; (di fabbrica) atelier m; (Mil) détachement m; **~ elettrodomestici** rayon (de l')électroménager; **~ personale** service du personnel; **~ vendite** service des ventes

repellente [repel'lɛnte] agg (fig) rebutant(e), repoussant(e)

repentaglio [repen'taʎʎo] sm: **mettere a ~** mettre en danger

repentino, -a [repen'tino] agg subit(e), soudain(e)

repertorio [reper'tɔrjo] sm répertoire m

replica, -che ['rɛplika] sf (ripetizione) répétition f; (risposta, copia) réplique f; (Teatro) représentation f

replicare [repli'kare] vt répéter; (rispondere) répliquer; (Teatro) rejouer; (Cine) repasser

repressione [repres'sjone] sf répression f

represso, -a [re'prɛsso] pp di **reprimere** ■ agg réprimé(e)

reprimere [re'primere] vt réprimer

repubblica, -che [re'pubblika] sf république f; **la R~ Democratica Tedesca** la République démocratique allemande; **la R~ Federale Tedesca** la République fédérale d'Allemagne

reputazione [reputat'tsjone] sf réputation f; **avere una buona ~** avoir une bonne réputation

requisire [rekwi'zire] vt réquisitionner

requisito [rekwi'zito] sm qualité f requise

resa ['resa] sf (l'arrendersi) reddition f, capitulation f; (restituzione) retour m; (utilità, rendimento) rendement m; **la ~ dei conti** (fig) le moment de rendre des comptes

resi ecc ['resi] vb vedi **rendere**

residente [resi'dɛnte] agg résident(e)

residenziale [residen'tsjale] agg résidentiel(le)

residuo, -a [re'siduo] agg restant(e) ■ sm reste m; (Chim) résidu m; **~ di bilancio** boni m (de budget); **residui industriali** déchets mpl industriels

resina ['rɛzina] sf résine f

resistente [resis'tɛnte] agg: **~ (a)** résistant(e)(à)

resistenza [resis'tɛnza] sf résistance f; **la R~** voir l'encadré ci-dessous

RESISTENZA

La *Resistenza* italienne s'est battue contre les Nazis et les Fascistes durant la deuxième guerre mondiale. La Résistance fut particulièrement active après la chute du gouvernement fasciste le 25 juillet 1943, pendant l'occupation allemande et durant la période de la République de Salò de Mussolini en Italie du nord. Les membres de la Résistance vinrent de part et d'autre de l'échiquier politique et jouèrent un rôle vital à la libération et au cours de la formation du nouveau gouvernement démocratique.

resistere [re'sistere] vi: **~ (a)** résister (à)

resoconto [reso'konto] sm (relazione) compte m rendu; (rendiconto) relevé m de comptes

respingere [res'pindʒere] vt repousser; (pacco, lettera) renvoyer, retourner; (Scol: bocciare) recaler

respirare [respi'rare] vi, vt respirer; **ora finalmente posso ~!** enfin, je respire!

respirazione [respirat'tsjone] sf respiration f; **~ artificiale** respiration artificielle

respiro [res'piro] sm souffle m; (atto di respirare) respiration f; (fig) répit m; **di ampio ~** (opera, lavoro) de longue haleine; **concedersi un attimo di ~** s'accorder un moment de répit; **fino all'ultimo ~** (fig) jusqu'au dernier soupir; **lavorare senza ~** travailler sans répit

responsabile [respon'sabile] agg, sm/f: **~ (di)** responsable m/f (de)

responsabilità [responsabili'ta] sf inv responsabilité f; **assumersi le proprie ~** assumer ses responsabilités; **~ civile/penale** responsabilité civile/pénale; **~ patrimoniale** responsabilité patrimoniale

responso [res'ponso] sm verdict m

ressa ['rɛssa] sf cohue f

ressi ecc ['rɛssi] vb vedi **reggere**

restare [res'tare] vi rester; **~ in buoni rapporti** rester en bons termes; **~ senza parole** rester bouche bée; **~ sorpreso** être étonné(e); **restarci male** être déçu(e); **restano pochi giorni** il reste peu de jours; **non resta più niente** il ne reste plus rien; **non resta che andare** il ne reste plus qu'à partir; **che resti tra noi** que cela reste entre nous

restaurare [restau'rare] vt restaurer; (fig) rétablir

restio, -a [res'tio] agg: **~ a fare qc** peu enclin(e) à faire qch

restituire [restitu'ire] vt rendre; (energie, forze) redonner

resto ['rɛsto] sm reste m; (denaro) monnaie f; **resti** smpl (di cibo, civiltà) restes mpl; (di città) ruines fpl; **del ~** du reste, d'ailleurs; **tenga pure il ~** gardez la monnaie; **resti mortali** dépouille fsg mortelle

restringere [res'trindʒere] vt rétrécir; (fig: limitare) restreindre, limiter; **restringersi** vpr (strada) se rétrécir; (spazio) se serrer; (stoffa) rétrécir

rete ['rete] sf (intreccio, per pesca, caccia, Tennis, in circo) filet m; (di recinzione) grillage m; (del letto) sommier m métallique; (fig: sistema di collegamenti) réseau m; (: insidia) piège m; (Calcio) but m; (Inform) **la R~** la Toile; **segnare una ~** (Calcio) marquer un but; **calze a ~** bas mpl résille; **~ da pesca** filet de pêche; **~ di distribuzione** réseau de distribution; **~ ferroviaria** réseau ferroviaire; **~ stradale** réseau routier; **~ (televisiva)** (sistema) réseau de télévision; (canale) chaîne f

reticente [reti'tʃɛnte] agg réticent(e)

reticolato [retiko'lato] sm (rete) grillage m; (di filo spinato) barbelés mpl

retina ['rɛtina] sf (Anat) rétine f

retorico, -a, -ci, -che [re'tɔriko] agg rhétorique

retribuire [retribu'ire] vt rétribuer

retro ['retro] sm inv derrière m ▪ avv (dietro): **vedi ~** voir au verso

retrocedere [retro'tʃɛdere] vi reculer ▪ vt (Mil) rétrograder; (di filo spinato) **la squadra è retrocessa in serie B** l'équipe est descendue o passée en seconde division

retrogrado, -a [re'trɔgrado] agg rétrograde

retromarcia [retro'martʃa] sf (Aut) marche f arrière

retroscena [retroʃ'ʃɛna] sf (Teatro) arrière-scène f ▪ sm inv (Teatro, fig) coulisses fpl; (di affare losco) dessous mpl; **conoscere i ~ (di qc)** connaître les coulisses (de qch); (peg) connaître les dessous (de qch)

retrovisore [retrovi'zore] sm (Aut) rétroviseur m

retta ['rɛtta] sf (Mat) droite f; (di convitto) pension f; **dar ~ a qn** (fig) écouter qn, suivre les conseils de qn; **dammi ~!** crois-moi!

rettangolare [rettango'lare] agg rectangulaire

rettangolo, -a [ret'tangolo] agg, sm rectangle (m)

rettifica, -che [ret'tifika] sf rectification f

rettile ['rɛttile] sm reptile m; **i Rettili** les Reptiles

rettilineo, -a [retti'lineo] *agg*
rectiligne; *(andatura)* droit(e) ■ *sm*
(Aut, Ferr) ligne *f* droite
retto, -a ['rɛtto] *pp di* **reggere** ■ *agg*
(linea) droit(e) ■ *sm (Anat)* rectum *m*
rettore [ret'tore] *sm (Univ, Rel)*
recteur *m*
reumatismo [reuma'tizmo] *sm*
rhumatisme *m*
revisione [revi'zjone] *sf* révision *f*;
~ contabile audit *m*; **~ di bozze**
correction *f* des épreuves
revisore [revi'zore] *sm* réviseur *m*;
~ di bozze correcteur *m* d'épreuves;
~ di conti commissaire *m* aux
comptes
revival [ri'vaivəl] *sm inv* revival *m*
revoca, -che ['rɛvoka] *sf*
révocation *f*
revocare [revo'kare] *vt* révoquer
revolver [re'vɔlver] *sm inv* revolver *m*
riabbia *ecc* [ri'abbja] *vb vedi* **riavere**
riabilitare [riabili'tare] *vt (Dir, fig)*
réhabiliter; *(Med)* rééduquer
rianimazione [rianimat'tsjone] *sf*
(Med) réanimation *f*; **centro di ~**
centre *m* de réanimation
riaprire [ria'prire] *vt* rouvrir;
riaprirsi *vpr* rouvrir
riarmo [ri'armo] *sm (Mil)*
réarmement *m*; **corsa al ~** course *f*
aux armements
riassumere [rias'sumere] *vt*
(riprendere: attività) reprendre;
(: dipendente) réembaucher;
(sintetizzare) résumer
riassunto, -a [rias'sunto] *pp di*
riassumere ■ *sm* réanimation *f* *m*;
~ delle puntate precedenti
(TV, su giornale) résumé des épisodes
précédents
riattaccare [riattak'kare] *vt*
(manifesto, francobollo) recoller;
(bottoni: ricucire) recoudre; *(Tel, quadro)*
raccrocher
riavere [ria'vere] *vt* avoir de
nouveau; *(avere indietro)* récupérer;
riaversi *vpr (da svenimento,
stordimento)* revenir à soi; *(dallo
spavento)* se remettre
ribadire [riba'dire] *vt (fig)* confirmer;
~ un concetto insister sur une idée
ribalta [ri'balta] *sf (sportello)*
abattant *m*; *(Teatro: proscenio)* avant-

scène *f*; *(apparecchio d'illuminazione,
fig)* rampe *f*; **tornare alla ~**
(personaggio) revenir sur le devant de
la scène; *(problema)* revenir à l'ordre
du jour, redevenir d'actualité
ribaltabile [ribal'tabile] *agg (sedile)*
inclinable
ribaltare [ribal'tare] *vt* renverser
■ *vi (anche: **ribaltarsi**)* se renverser
ribassare [ribas'sare] *vt, vi* baisser
ribattere [ri'battere] *vt (battere di
nuovo)* rebattre; *(lettera: a macchina)*
retaper; *(palla)* renvoyer; *(confutare)*
réfuter; **~ che** répliquer que
ribellarsi [ribel'larsi] *vpr:* **~ (a)** se
révolter (contre); *(rifiutare di ubbidire)*
se rebeller (contre)
ribelle [ri'bɛlle] *agg, sm/f* rebelle *m/f*
ribes ['ribes] *sm inv (pianta)*
groseillier *m*; *(frutto)* groseille *f*;
~ nero cassis *msg*
ribrezzo [ri'breddzo] *sm* dégoût *m*;
far ~ a faire horreur à
ributtante [ribut'tante] *agg*
répugnant(e)
ricadere [rika'dere] *vi* retomber;
~ su *(anche fig: fatiche, colpe)*
retomber sur
ricaduta [rika'duta] *sf (Med)*
rechute *f*
ricamare [rika'mare] *vt* broder
ricambiare [rikam'bjare] *vt*
(cambiare di nuovo) rechanger;
(contraccambiare) rendre
ricambio [ri'kambjo] *sm* rechange
m; *(Med)* métabolisme *m*; **malattie
del ~** troubles *mpl* du métabolisme;
pezzi di ~, ricambi pièces *fpl* de
rechange; **~ della manodopera**
rotation *f* du personnel
ricamo [ri'kamo] *sm* broderie *f*;
senza ricami *(fig)* sans broder
ricapitolare [rikapito'lare] *vt*
récapituler
ricaricare [rikari'kare] *vt* recharger;
(orologio, giocattolo, fig) remonter;
(pipa) bourrer de nouveau
ricattare [rikat'tare] *vt* faire du
chantage à, faire chanter
ricatto [ri'katto] *sm (anche morale)*
chantage *m*; **subire un ~** être victime
d'un chantage
ricavare [rika'vare] *vt* tirer; *(dedurre)*
déduire

ricchezza [rik'kettsa] sf richesse f;
ricchezze sfpl (beni) richesses fpl;
ricchezze naturali richesses
naturelles
riccio, -a ['rittʃo] agg frisé(e)
■ sm (Zool) hérisson m; (Bot) bogue f;
~ di mare (Zool) oursin m
ricciolo ['rittʃolo] sm boucle f
ricco, -a, -chi, -che ['rikko] agg
riche; (fantasia) fertile ■ sm/f
(persona) riche m/f; **~ di** (di materie
prime, risorse) riche en; (di idee,
illustrazioni, fantasia) plein(e) de;
i ricchi les riches
ricerca, -che [ri'tʃerka] sf
recherche f; **essere alla ~ di** être
à la recherche de; **mettersi alla
~ di** se mettre à la recherche de;
avviare le ricerche entreprendre
les recherches; **~ di mercato** étude
de marché; **~ operativa** recherche
opérationnelle
ricercare [ritʃer'kare] vt rechercher
ricercato, -a [ritʃer'kato] agg
recherché(e) ■ sm/f (dalla polizia)
personne f recherchée
ricercatore, -trice [ritʃerka'tore]
sm/f chercheur(-euse)
ricetta [ri'tʃetta] sf (Med)
ordonnance f; (Cuc) recette f;
(fig: antidoto) remède m; **può farmi
una ~ medica?** pouvez-vous me faire
une ordonnance?
ricettazione [ritʃettat'tsjone] sf
recel m
ricevere [ri'tʃevere] vt (anche
Tel, Radio) recevoir; (stipendio)
toucher
ricevimento [ritʃevi'mento]
sm réception f; **al ~ della merce**
à la réception de la marchandise
ricevitore [ritʃevi'tore] sm (Tel, Tecn)
récepteur m; **~ delle imposte**
receveur m des contributions,
percepteur m
ricevuta [ritʃe'vuta] sf reçu m,
récépissé m; (di merci) récépissé;
accusare ~ di qc (Comm) accuser
réception de qch; **potrei avere una
~ per favore?** je peux avoir un reçu,
s'il vous plaît?; **~ di ritorno** (Posta)
accusé m de réception; **~ di
versamento** (Banca) bordereau m
de versement; **~ fiscale** facture f

● **RICEVUTA**
●
● Les gérants d'hôtels et de
● restaurants sont tenus de délivrer
● une *ricevuta* (un reçu) à leurs
● clients. Il est préférable de
● l'accepter, car si vous n'êtes pas
● en mesure de la produire au cours
● d'un éventuel contrôle, vous
● pourriez avoir une amende.

richiamare [rikja'mare] vt (chiamare
di nuovo) rappeler; (chiamare indietro)
réclamer; (rimproverare) réprimander,
reprendre; (attirare) attirer;
richiamarsi vpr: **richiamarsi a** se
référer à; **la prego di ~ più tardi**
pouvez-vous rappeler plus tard?;
~ qn all'ordine rappeler qn à l'ordre;
desidero ~ la vostra attenzione su...
je désire attirer votre attention sur...
richiedere [ri'kjɛdere] vt (chiedere
di nuovo) redemander; (chiedere:
informazioni, documento, cure)
demander; (pretendere) exiger;
essere molto richiesto être très
demandé
richiesta [ri'kjɛsta] sf demande f;
(Amm: istanza) requête f; **a ~** sur
demande; **a gran ~** à la demande
générale
riciclare [ritʃi'klare] vt (anche fig)
recycler
ricino ['ritʃino] sm: **olio di ~** huile f
de ricin
ricognizione [rikoɲɲit'tsjone] sf
(Mil, Dir) reconnaissance f
ricominciare [rikomin'tʃare] vt, vi
recommencer; **~ a fare qc**
recommencer à faire qch, se remettre
à faire qch
ricompensa [rikom'pensa] sf
récompense f
ricompensare [rikompen'sare] vt
récompenser
riconciliarsi [rikontʃi'ljarsi] vpr
se réconcilier
riconoscente [rikonoʃ'ʃente] agg
reconnaissant(e)
riconoscere [riko'noʃʃere] vt
reconnaître; **~ qn colpevole**
reconnaître la culpabilité de qn
ricoperto, -a [riko'pɛrto] pp di
ricoprire ■ sm (gelato) esquimau m

ricopiare [riko'pjare] vt recopier
ricoprire [riko'prire] vt recouvrir; (*carica*) occuper
ricordare [rikor'dare] vt se rappeler, se souvenir de; (*menzionare*) mentionner, rappeler; (*rassomigliare*) rappeler; **ricordarsi** vpr: **ricordarsi (di)** se rappeler, se souvenir (de); **ricordarsi di aver fatto qc** se rappeler avoir fait qch, se souvenir d'avoir fait qch; **~ qc a qn** rappeler qch à qn
ricordo [ri'kɔrdo] sm souvenir m; **~ di famiglia** souvenir de famille
ricorrente [rikor'rɛnte] agg qui revient, qui se répète; (*Med*) récurrent(e)
ricorrenza [rikor'rɛntsa] sf répétition f; (*festività*) fête f
ricorrere [ri'korrere] vi (*fenomeno*) se répéter; (*data, festa*): **oggi ricorre il loro anniversario di matrimonio** c'est aujourd'hui leur anniversaire de mariage; **~ a** (*a persona, autorità ecc*) recourir à, avoir recours à; **~ alla violenza** recourir à la violence; **~ in appello** interjeter appel
ricostituente [rikostitu'ɛnte] agg: **cura ~** traitement m reconstituant ◆ sm (*Med*) fortifiant m
ricostruire [rikostru'ire] vt reconstruire
ricotta [ri'kɔtta] sf ricotta f
ricoverare [rikove'rare] vt: **~ (in)** (*in ospedale*) hospitaliser (à); (*in manicomio*) interner (à)
ricovero [ri'kovero] sm (*in ospedale*) hospitalisation f; (*in manicomio*) internement m; (*per anziani*) hospice m; (*rifugio*) abri m, refuge m
ricreazione [rikreat'tsjone] sf (*distrazione*) distraction f; (*Scol*) récréation f; (*riposo*) repos msg
ricredersi [ri'kredersi] vpr changer d'avis, se raviser
ridacchiare [ridak'kjare] vi ricaner
ridare [ri'dare] vt redonner; (*restituire*) rendre
ridere ['ridere] vi rire; **~ di** (*deridere*) se moquer de; **c'è poco da ~** il n'y a pas de quoi rire
ridicolo, -a [ri'dikolo] agg ridicule ◆ sm ridicule m; **rendersi ~** se ridiculiser; **cadere nel ~** tomber dans le ridicule

ridimensionare [ridimensjo'nare] vt réorganiser; (*fig*) ramener à de justes proportions
ridire [ri'dire] vt redire; (*narrare*) raconter; (: *per spettegolare*) répéter; **avere/trovare da ~** avoir/trouver à redire
ridondante [ridon'dante] agg redondant(e)
ridotto, -a [ri'dotto] pp di **ridurre** ◆ agg réduit(e)
riduco ecc [ri'duko] vb vedi **ridurre**
ridurre [ri'durre] vt réduire; (*opera letteraria, Radio, TV*) adapter; **ridursi** vpr (*rimpicciolire*) se rétrécir; **ridursi a** (*limitarsi*) se réduire à; **~ a pezzi** réduire en morceaux; **~ qc in polvere** réduire qch en poudre; **~ al silenzio** réduire au silence; **~ qn in fin di vita** (*sogg: incidente*) blesser qn mortellement; **ridursi male** se mettre en piteux état; **ridursi a pelle e ossa** n'avoir plus que la peau et les os
ridussi ecc [ri'dussi] vb vedi **ridurre**
riduttore [ridut'tore] sm (*Elettr*) transformateur m
riduzione [ridut'tsjone] sf réduction f; **ci sono riduzioni per i bambini?** y a-t-il une réduction pour les enfants?
riebbi ecc [ri'ɛbbi] vb vedi **riavere**
riempire [riem'pire] vt: **~ (di)** remplir (de); **riempirsi** vpr se remplir; **~ qn di gioia** combler qn de joie
rientranza [rien'trantsa] sf renfoncement m
rientrare [rien'trare] vi rentrer; (*muro, strada: fare una rientranza*) présenter un renfoncement; **~ in** (*anche fig*) rentrer dans; **~ (a casa)** rentrer (chez soi); **~ nelle spese** rentrer dans ses frais
riepilogare [riepilo'gare] vt récapituler
riesco ecc [ri'ɛsko] vb vedi **riuscire**
rifare [ri'fare] vt refaire; (*imitare*) imiter; **rifarsi** vpr: **rifarsi a** (*riferirsi, alludere*) se référer à; (: *scrittore, stile*) renvoyer à; **rifarsi delle spese** rentrer dans ses frais; **rifarsi di una perdita (di denaro)** récupérer son argent; **rifarsi una vita** refaire sa vie
riferimento [riferi'mento] sm (*rimando*) référence f; (*allusione*)

allusion f; **punto di ~** point m de repère; **in o con ~ a** suite à; **far ~ a** se référer à; (alludere) faire allusion à

riferire [rife'rire] vt rapporter ■ vi: **~ (su qc a qn)** faire un compte rendu (sur qch à qn); **riferirsi** vpr: **riferirsi a** se référer à; (alludere) faire allusion à; **riferirò** je ferai la commission, je le dirai

rifinire [rifi'nire] vt (perfezionare) mettre la dernière main à

rifiutare [rifju'tare] vt refuser; **~ o rifiutarsi di fare qc** refuser de faire qch

rifiuto [ri'fjuto] sm refus msg; **rifiuti** smpl (spazzatura) ordures fpl; **rifiuti solidi urbani** ordures ménagères

riflessione [rifles'sjone] sf réflexion f

riflessivo, -a [rifles'sivo] agg (anche Ling) réfléchi(e)

riflesso, -a [ri'flesso] pp di **riflettere** ■ agg réfléchi(e) ■ sm reflet m; (Fisiol) réflexe m; **di o per ~** indirectement, par ricochet; **avere i riflessi pronti** avoir de bons réflexes

riflessologia [riflessolo'dʒia] sf: **~ (plantare)** réflexologie f (plantaire)

riflettere [ri'flɛttere] vt réfléchir ■ vi (meditare): **~ (su)** réfléchir (sur); **riflettersi** vpr: **riflettersi (su)** se refléter (dans); (ripercuotersi) se répercuter (sur)

riflettore [riflet'tore] sm (TV, Teatro) projecteur m; (Cine) sunlight m; (Radio) réflecteur m

riflusso [ri'flusso] sm (anche fig) reflux msg

riforma [ri'forma] sf réforme f; (Rel): **la R~** la Réforme

riformatorio [riforma'tɔrjo] sm maison f de correction

rifornimento [riforni'mento] sm ravitaillement m; **rifornimenti** smpl (viveri, materiale) provisions fpl; **fare ~ di** (di viveri ecc) faire provision de; **fare ~ di benzina** prendre de l'essence; **posto di ~** centre m de ravitaillement

rifornire [rifor'nire] vt: **~ di** ravitailler en; **rifornirsi** vpr: **rifornirsi di qc** s'approvisionner en qch

rifugiarsi [rifu'dʒarsi] vpr se réfugier

rifugiato, -a [rifu'dʒato] sm/f réfugié(e)

rifugio [ri'fudʒo] sm abri m; (in montagna, fig) refuge m; **~ antiaereo** abri antiaérien; **~ (anti)atomico** abri antiatomique

riga, -ghe ['riga] sf ligne f; (fila) rangée f; (Mil) rang m; (scriminatura) raie f; (righello) règle f; **in ~** (persone ecc) en rang; **a righe** (foglio) rayé(e); (vestito) à rayures; **buttare giù due righe** écrire quelques lignes; **mandami due righe appena arrivi** écris-moi un mot dès que tu arrives

rigare [ri'gare] vt (foglio) régler; (superficie) rayer ■ vi: **~ diritto** (fig) bien se comporter

rigattiere [rigat'tjɛre] sm brocanteur(-euse); (di vestiario) fripier(-ière)

righerò ecc [rige'rɔ] vb vedi **rigare**

rigido, -a ['ridʒido] agg (anche fig: persona, sistema) rigide; (clima) rigoureux(-euse); (membra) raide; (: dal freddo) engourdi(e)

rigoglioso, -a [rigoʎ'ʎoso] agg (pianta) luxuriant(e); (fig: commercio, sviluppo) florissant(e)

rigore [ri'gore] sm rigueur f; (anche: **calcio di rigore**) penalty m; **"è di ~ l'abito da sera"** "la tenue de soirée est de rigueur"; **a rigor di termini** strictement parlant; **area di ~** (Calcio) surface f de réparation

riguardare [rigwar'dare] vt regarder (de nouveau); (considerare) considérer; (esaminare: conti) revoir; (concernere) concerner, regarder; **riguardarsi** vpr (aver cura di sé) se ménager; **per quel che mi riguarda** en ce qui me concerne; **sono affari che non ti riguardano** ce sont des choses qui ne te regardent pas

riguardo [ri'gwardo] sm (attenzione) précaution f; (considerazione) égard m; (attinenza) rapport m; **~ a** quant à; **per ~ a** par égard pour; **un'ospite di ~** un invité de marque; **non aver riguardi nel fare qc** ne pas avoir peur de faire qch

rilasciare [rilaʃ'ʃare] vt (prigioniero) relâcher; (documento) délivrer; (intervista) accorder

rilassarsi [rilas'sarsi] vpr (persona) se relaxer, se détendre; (muscolo) se détendre

rilegare [rile'gare] vt ficeler (de nouveau); (libro) relier

rileggere [ri'lɛddʒere] vt relire

rilento [ri'lɛnto]: **a ~** avv au ralenti

rilevante [rile'vante] agg (notevole) considérable; (importante) important(e), majeur(e)

rilevare [rile'vare] vt (notare) remarquer; (raccogliere: dati) enregistrer; (Mil) relever; (Comm: attività) racheter; **dalle indagini si rileva che...** l'enquête a montré que...

rilievo [ri'ljɛvo] sm (Geo, Arte) relief m; (fig: rilevanza) importance f; (osservazione, appunto) remarque f; (Topografia) levé m; **in ~** en relief; **dar ~ a qc** (fig) donner de l'importance à qch; **mettere in ~ qc** (fig) mettre qch en relief; **di poco/nessun ~** (fig) de peu d'importance/d'aucune importance; **un personaggio di ~** un personnage important

riluttante [rilut'tante] agg réticent(e)

rima ['rima] sf rime f; **rime** sfpl (versi) vers mpl; **far ~ con** rimer avec; **mettere in ~** mettre en vers; **rispondere per le rime a qn** répondre à qn du tac au tac

rimandare [riman'dare] vt (mandare di nuovo, indirizzare) renvoyer; (rinviare) remettre; (studente) recaler, coller; **~ qc al giorno dopo** remettre qch au lendemain; **essere rimandato in matematica** (Scol) être recalé o collé en math(ématique)

rimando [ri'mando] sm (di testo) renvoi m; (dilazione) délai m; **di ~** en retour

rimanente [rima'nɛnte] agg restant(e) ■ sm restant m; **i rimanenti** (persone) les autres mpl

rimanere [rima'nere] vi rester; **~ vedovo** rester veuf; **rimangono poche settimane a Pasqua** il ne reste que quelques semaines avant Pâques; **rimane da vedere se...** reste à savoir si...; **non ci rimane che accettare** il ne nous reste qu'à accepter; **c'è rimasto male** il s'est vexé, cela ne lui a pas plu

rimangiare [riman'dʒare] vt: **rimangiarsi la parola** revenir sur ce qu'on a dit

rimango ecc [ri'mango] vb vedi **rimanere**

rimarginarsi [rimardʒi'narsi] vpr (ferita) se cicatriser

rimbalzare [rimbal'tsare] vi rebondir; (proiettile) ricocher

rimbambito, -a [rimbam'bito] agg gâteux(-euse); **un vecchio ~** un vieux gâteux

rimboccare [rimbok'kare] vt (orlo, coperta) border; (pantaloni) retrousser; **rimboccarsi le maniche** (fig) retrousser ses manches

rimbombare [rimbom'bare] vi résonner, retentir

rimborsare [rimbor'sare] vt rembourser; **~ qc a qn** rembourser qch à qn; **~ qn di qc** rembourser qn de qch

rimediare [rime'djare] vi: **~ a** remédier à ■ vt (fam: procurarsi) se procurer

rimedio [ri'mɛdjo] sm remède m; **porre ~ a qc** remédier à qch; **non c'è ~** on ne peut rien y faire

rimettere [ri'mettere] vt remettre; (condonare, Comm) remettre; (merci) livrer; (vomitare) rendre; (perdere: anche: **rimetterci**) perdre, y laisser; (affidare: decisione): **~ (a)** remettre (à); **rimettersi** vpr se remettre; **rimettersi a** s'en remettre à; **~ a nuovo** (casa ecc) remettre à neuf; **rimetterci di tasca propria** en être de sa poche; **rimettersi al bello** (tempo) se remettre au beau; **rimettersi in cammino** se remettre en route; **rimettersi al lavoro** se remettre au travail; **rimettersi in salute** se remettre, se rétablir

rimisi ecc [ri'mizi] vb vedi **rimettere**

rimmel® ['rimmel] sm inv rimmel® m

rimodernare [rimoder'nare] vt (locale) moderniser; (casa) remettre à neuf

rimorchiare [rimor'kjare] vt remorquer; (fam: fig: ragazza) draguer

rimorchio [ri'mɔrkjo] sm (manovra) remorquage m; (veicolo, cavo) remorque f; **prendere a ~** prendre en remorque, remorquer; **cavo da ~** (câble m de) remorque; **autocarro con ~** camion m à remorque

rimorso [ri'mɔrso] sm remords msg

rimozione [rimot'tsjone] sf déplacement m; (da un impiego) destitution f; (Psic) refoulement m; ~ **forzata** (Aut) mise f la fourrière

rimpatriare [rimpa'trjare] vi retourner dans son pays ■ vt rapatrier

rimpiangere [rim'pjandʒere] vt regretter; ~ **di non aver fatto qc** regretter de ne pas avoir fait qch

rimpianto, -a [rim'pjanto] pp di **rimpiangere** ■ sm regret m

rimpiazzare [rimpjat'tsare] vt remplacer

rimpicciolire [rimpittʃo'lire] vt, vi (anche: **rimpicciolirsi**) rapetisser

rimpinzarsi [rimpin'tsarsi] vpr se bourrer, s'empiffrer

rimproverare [rimprove'rare] vt reprocher; (bambini) gronder, réprimander

rimuovere [ri'mwɔvere] vt enlever; (fig: ostacolo) éliminer; (dipendente) destituer; (Psic) refouler

Rinascimento [rinaʃʃi'mento] sm: **il** ~ la Renaissance

rinascita [ri'naʃʃita] sf (culturale) renaissance f, renouveau m; (economica) reprise f

rincarare [rinka'rare] vt augmenter le prix de ■ vi augmenter; ~ **la dose** (fig) renchérir

rincasare [rinka'sare] vi rentrer (chez soi)

rinchiudere [rin'kjudere] vt enfermer; **rinchiudersi** vpr (in casa ecc) s'enfermer; **rinchiudersi in se stesso** se refermer en soi-même

rincorrere [rin'korrere] vt poursuivre

rincorsa [rin'korsa] sf élan m; **prendere la** ~ prendre son élan

rincrescere [rin'kreʃʃere] vb impers: **mi rincresce (che/di)** je regrette (que/de)

rinfacciare [rinfat'tʃare] vt: ~ **qc a qn** reprocher qch à qn

rinforzare [rinfor'tsare] vt (muscoli) raffermir; (edificio) consolider; (fig) renforcer ■ vi (anche: **rinforzarsi**) se renforcer

rinfrescare [rinfres'kare] vt rafraîchir ■ vi (tempo) se rafraîchir;

rinfrescarsi vpr se rafraîchir; ~ **la memoria a qn** rafraîchir la mémoire à qn

rinfresco, -schi [rin'fresko] sm (festa) réception f, cocktail m; **rinfreschi** smpl (bevande, dolci) rafraîchissements mpl

rinfusa [rin'fuza] sf: **alla** ~ pêle-mêle, en vrac

ringhiare [rin'gjare] vi grogner

ringhiera [rin'gjɛra] sf (parapetto) balustrade f; (di ballatoio) garde-fou m; (di scale) rampe f

ringiovanire [rindʒova'nire] vt, vi (anche: **ringiovanirsi**) rajeunir

ringraziamento [ringrattsja'mento] sm remerciement m; **lettera/biglietto di** ~ lettre f/billet m de remerciement

ringraziare [ringrat'tsjare] vt remercier; ~ **qn di qc** remercier qn de qch; ~ **qn per aver fatto qc** remercier qn d'avoir fait qch

rinnegare [rinne'gare] vt renier

rinnovabile [rinno'vabile] agg (contratto, energia) renouvelable

rinnovamento [rinnova'mento] sm renouveau m; (economico) reprise f; (di impianti) renouvellement m

rinnovare [rinno'vare] vt (casa) rénover; (contratto) renouveler; **rinnovarsi** vpr se renouveler

rinoceronte [rinotʃe'ronte] sm rhinocéros msg

rinomato, -a [rino'mato] agg renommé(e)

rintracciare [rintrat'tʃare] vt (persona scomparsa, documento) retrouver; ~ **qn telefonicamente** joindre qn par téléphone

rintronare [rintro'nare] vi retentir, résonner ■ vt étourdir

rinunciare [rinun'tʃare] vi: ~ **a** renoncer à; ~ **a fare qc** renoncer à faire qch

rinviare [rinvi'are] vt (rimandare indietro) renvoyer; ~ **qc (a)** (differire) remettre qch (à); ~ **qn a** (fare un rimando) renvoyer qn à; ~ **a giudizio** (Dir) mettre en accusation

rinvio, -vii [rin'vio] sm (di merci, in un testo) renvoi m; (di seduta) ajournement m; ~ **a giudizio** (Dir) mise f en accusation

riò ecc [ri'ɔ] vb vedi **riavere**

rione [ri'one] sm quartier m

riordinare [riordi'nare] vt (rimettere in ordine) ranger; (riorganizzare) réorganiser

riorganizzare [riorganid'dzare] vt réorganiser

ripagare [ripa'gare] vt (pagare di nuovo) repayer; (ricompensare) récompenser

riparare [ripa'rare] vt (proteggere) protéger; (correggere, aggiustare) réparer; (Scol) passer un examen de repêchage ■ vi (rifugiarsi) se réfugier; (porre rimedio): ~ a remédier à; **ripararsi** vpr (dalla pioggia ecc) se protéger, se mettre à l'abri; **dove lo posso portare a ~?** où est-ce que je peux le faire réparer?

riparazione [riparat'tsjone] sf réparation f; (Dir: risarcimento) dédommagement m; **esame di ~** (Scol) examen m de repêchage

riparo [ri'paro] sm (protezione) abri m; (rimedio, provvedimento) remède m; **al ~ da** (dal sole, vento) à l'abri de; **mettersi al ~** se mettre à l'abri; **correre ai ripari** (fig) prendre des mesures (d'urgence)

ripartire [ripar'tire] vt, vi répartir

ripassare [ripas'sare] vi repasser ■ vt (scritto) relire, revoir; (lezione) réviser, repasser; (camicia) repasser

ripensare [ripen'sare] vi repenser; ~ **a qc** repenser à qch; **a ripensarci...** réflexion faite...

ripercuotersi [riper'kwɔtersi] vpr: ~ **su** (fig) se répercuter sur

ripercussione [riperkus'sjone] sf (fig) répercussion f; **avere delle ripercussioni su** avoir des répercussions sur

ripescare [ripes'kare] vt repêcher; (fig: ritrovare) dénicher

ripetere [ri'pɛtere] vt répéter; (Scol: anno, classe) redoubler; (: lezione) réviser, repasser; **può ~ per favore?** pouvez-vous répéter, s'il vous plaît?

ripetizione [ripetit'tsjone] sf répétition f; (di lezione) révision f; **ripetizioni** sfpl (Scol: lezioni private) cours mpl particuliers; **fucile a ~** fusil m à répétition

ripiano [ri'pjano] sm étagère f, rayon m

ripicca, -che [ri'pikka] sf: **per ~** par dépit

ripido, -a ['ripido] agg raide

ripiegare [ripje'gare] vt replier ■ vi (Mil) se replier; **ripiegarsi** vpr (incurvarsi) se courber; ~ **su** (fig: accontentarsi) se rabattre sur

ripieno, -a [ri'pjɛno] agg rempli(e); (Cuc) farci(e) ■ sm (Cuc) farce f

ripone, ripongo ecc [ri'pone, ri'pongo] vb vedi **riporre**

riporre [ri'porre] vt remettre; (mettere via) ranger; ~ **la propria fiducia in qn** placer sa confiance en qn

riportare [ripor'tare] vt reporter; (portare indietro) rapporter, rendre; (riferire) rapporter; (citare) citer; (vittoria, successo) remporter; (Mat) retenir; **riportarsi** vpr: **riportarsi a** (riferirsi) se reporter à; ~ **danni** subir des dommages; **ha riportato gravi ferite** il a été grièvement blessé

riposare [ripo'sare] vt (posare di nuovo) poser de nouveau; (dar riposo a) reposer; **riposarsi** vpr se reposer; **qui riposa...** (su tomba) ici repose..., ci-gît...

riposi ecc [ri'posi] vb vedi **riporre**

riposo [ri'poso] sm repos msg; ~! (Mil) repos!; **a ~** (in pensione) à la retraite; **giorno di ~** (Cine, Teatro) relâche f; (ristorante) fermeture f hebdomadaire

ripostiglio [ripos'tiʎʎo] sm débarras msg

riprendere [ri'prɛndere] vt reprendre; (riacchiappare) rattraper; (Fot) prendre; (Cine) filmer; **riprendersi** vpr (da malattia) se remettre; (correggersi) se reprendre; ~ **il cammino** reprendre la route; ~ **i sensi** reprendre connaissance; ~ **sonno** se rendormir; ~ **a fare qc** recommencer à faire qch

ripresa [ri'presa] sf (anche Sport, Econ) reprise f; (da malattia) rétablissement m; (Fot) prise f de vue; (Calcio) deuxième mi-temps f; **a più riprese** à plusieurs reprises; ~ **cinematografica** tournage m

ripristinare [ripristi'nare] vt (tradizione) rétablir; (legge) remettre en vigueur; (edificio) restaurer

riprodurre [ripro'durre] vt
(immagine) reproduire; (stampare)
réimprimer; (ritrarre) représenter;
riprodursi vpr se reproduire;
(riformarsi) se réformer

riprovare [ripro'vare] vt essayer
de nouveau; (sensazione) revivre
■ vi (tentare): **~ (a fare qc)** réessayer
(de faire qch), essayer de nouveau
(de faire qch); **riproverò più tardi** je
réessaierai plus tard

ripudiare [ripu'djare] vt (persona)
répudier; (cose, idee) renier

ripugnante [ripuɲ'ɲante] agg
répugnant(e)

riquadro [ri'kwadro] sm carré m;
(Archit) panneau m

risaia [ri'saja] sf rizière f

risalire [risa'lire] vi remonter;
~ a (fig: data) remonter à

risaltare [risal'tare] vi (colori ecc)
ressortir; (fig: distinguersi) se
distinguer

risaputo, -a [risa'puto] agg:
è ~ che... tout le monde sait que...

risarcimento [risartʃi'mento] sm
dédommagement m; **~ danni**
dommages-intérêts mpl

risarcire [risar'tʃire] vt: **~ qn di qc**
dédommager qn de qch; **~ i danni
a qn** payer les dommages-intérêts
à qn

risata [ri'sata] sf rire m; **farsi una ~**
bien rigoler (fam)

riscaldamento [riskalda'mento] sm
chauffage m; (aumento di temperatura)
échauffement m; **~ autonomo**
chauffage individuel; **~ centralizzato**
chauffage central

riscaldare [riskal'dare] vt (anche fig:
ambiente, atmosfera) réchauffer; (fig:
eccitare) échauffer; **riscaldarsi** vpr
se réchauffer; (fig: infervorarsi)
s'échauffer

riscatto [ris'katto] sm (liberazione)
rachat m; (somma pagata) rançon f;
(Dir) délivrance f

rischiarare [riskja'rare] vt
(illuminare) éclairer; (colore) éclaircir;
rischiararsi vpr (tempo, cielo)
s'éclaircir; (fig: volto) se rasséréner

rischiare [ris'kjare] vt risquer;
~ di fare qc risquer de faire qch;
rischia di piovere il risque de pleuvoir

rischio ['riskjo] sm risque m; **a mio ~
e pericolo** à mes risques et périls;
correre il ~ di fare qc courir le risque
de faire qch; **a ~ di...** au risque de...;
c'è il ~ che scoppi la guerra la guerre
risque d'éclater; **a ~** (fig: quartiere,
ragazzi) en difficulté; **soggetto a ~**
(Med) sujet à risque; **i rischi del
mestiere** les risques du métier

rischioso, -a [ris'kjoso] agg risqué(e)

risciacquare [riʃʃak'kware] vt rincer

riscontrare [riskon'trare] vt
(confrontare) comparer; (esaminare)
vérifier, contrôler; (rilevare) relever

riscrivibile [riscri'vibile] agg (CD,
DVD) réinscriptible

riscuotere [ris'kwɔtere] vt
(stipendio) toucher; (tasse, affitto)
percevoir; (assegno) encaisser,
toucher; (fig: successo) remporter;
riscuotersi vpr: **riscuotersi (da)**
(da indolenza ecc) sortir (de)

rise ecc ['rise] vb vedi **ridere**

risentimento [risenti'mento] sm
ressentiment m

risentire [risen'tire] vt (rumore)
réentendre; (provare) ressentir ■ vi:
~ di se ressentir de; **risentirsi** vpr:
risentirsi (di o per) se vexer (de o
pour)

risentito, -a [risen'tito] agg vexé(e)

riserbo [ri'serbo] sm (riservatezza)
réserve f

riserva [ri'serva] sf réserve f; (Sport)
remplaçant m; **di ~** de réserve; **fare ~
di** (di cibo ecc) faire provision de;
tenere in ~ tenir en réserve; **essere in
~** (Aut) être sur la réserve; **avere delle
riserve su** avoir des réserves sur;
con le dovute riserve sous toutes
réserves; **ha accettato con la ~ di
potersi ritirare** il a accepté sous
réserve de pouvoir se retirer

riservare [riser'vare] vt (tenere in
serbo) garder; (prenotare) réserver,
retenir; (differire: decisione) réserver;
riservarsi vpr: **riservarsi di fare qc**
se réserver de faire qch; **riservarsi il
diritto di fare qc** se réserver le droit
de faire qch; **ho riservato un tavolo
a nome di ...** j'ai réservé une table au
nom de ...

riservato, -a [riser'vato] agg
réservé(e); (segreto) confidentiel(le)

risi ecc ['risi] vb vedi **ridere**

risiedere [ri'sjɛdere] vi: ~ **a/in** résider à/en

risma ['rizma] sf (di carta) rame f; (fig) espèce f, acabit m

riso, -a ['riso] pp di **ridere** ■ sm (pl(f) **risa**) (il ridere) rire m; (Bot) riz m; **uno scoppio di risa** un éclat de rire

risolino [riso'lino] sm petit rire m (moqueur)

risolsi ecc [ri'sɔlsi] vb vedi **risolvere**

risolto, -a [ri'sɔlto] pp di **risolvere**

risoluto, -a [riso'luto] agg résolu(e)

risoluzione [risolut'tsjone] sf (anche Ottica, Mat) résolution f; (Dir: di contratto) résolution, résiliation f

risolvere [ri'sɔlvere] vt résoudre; **risolversi** vpr (decidersi): **risolversi a fare qc** se résoudre à faire qch; **risolversi in** (andare a finire) se terminer en; ~ **di fare qc** (decidere) décider de faire qch; **risolversi in bene** bien se terminer; **risolversi in nulla** finir en queue de poisson

risonanza [riso'nantsa] sf (Fis) résonance f; (fig) retentissement m; **avere vasta** ~ (fig: fatto, scandalo) avoir un grand retentissement

risorgere [ri'sɔrdʒere] vi (Rel) ressusciter; (sole) se lever; (fig: problemi) réapparaître; (: cultura, movimento) renaître

Risorgimento [risordʒi'mento] sm voir l'encadré ci-dessous.

◈ RISORGIMENTO

◈
◈ Le Risorgimento désigne la période
◈ qui s'étend du début du XIXe siècle
◈ à la proclamation du royaume
◈ d'Italie en 1861, et qui fut
◈ l'avènement de grands
◈ bouleversements. Influencé par
◈ les événements de la Révolution
◈ française, le peuple italien donna
◈ beaucoup plus d'importance
◈ à leurs libertés politique et
◈ personnelle. Le Risorgimento ouvrit
◈ la voie à l'unification de l'Italie
◈ en 1871.

risorsa [ri'sorsa] sf ressource f; **risorse umane** ressources humaines

risorsi ecc [ri'sorsi] vb vedi **risorgere**

risotto [ri'sɔtto] sm risotto m

risparmiare [rispar'mjare] vt épargner; (forze) ménager ■ vi faire des économies; ~ **qc a qn** épargner qch à qn; ~ **fatica** éviter des efforts inutiles; **risparmiati il disturbo!** ce n'est pas la peine de te déranger!

risparmio [ris'parmjo] sm épargne f; (di forza, tempo) économie f; **risparmi** smpl (denaro) économies fpl

rispecchiare [rispek'kjare] vt (anche fig) refléter

rispettabile [rispet'tabile] agg respectable; (considerevole) considérable

rispettare [rispet'tare] vt respecter; **farsi** ~ se faire respecter; ~ **le distanze** respecter les distances; ~ **i tempi** respecter les délais; **ogni persona che si rispetti** toute personne qui se respecte

rispettivo, -a [rispet'tivo] agg respectif(-ive)

rispetto [ris'pɛtto] sm respect m; **rispetti** smpl (saluti) respects mpl; ~ **a** par rapport à; **portare** ~ **a** témoigner du respect à; **mancare di** ~ **a qn** manquer de respect envers qn; **con** ~ **parlando** sauf votre respect; **(porga) i miei rispetti alla signora** (présentez) mes hommages à votre femme

rispondere [ris'pondere] vi: ~ **(a)** répondre (à); ~ **di sì** répondre oui; ~ **di qc** (essere responsabile) répondre de qch; ~ **a qn di qc** être responsable de qch envers qn

risposta [ris'posta] sf réponse f; **in** ~ **a** en réponse à; **dare una** ~ donner une réponse; **diamo** ~ **alla vostra lettera del...** en réponse à votre lettre du...

rissa ['rissa] sf bagarre f

ristampa [ris'tampa] sf (il ristampare) réimpression f; (opera) réédition f, nouvelle édition f

ristorante [risto'rante] sm restaurant m; **mi può indicare un buon** ~? pouvez-vous m'indiquer un bon restaurant?

ristretto, -a [ris'tretto] pp di **restringere** ■ agg (spazio, anche fig: mentalità) étroit(e); (fig: significato, uso, gruppo) restreint(e); ~ **a** (limitato)

limité(e) à; **brodo ~** consommé m;
caffè ~ ≈ express m (serré)
ristrutturare [ristruttu'rare] vt
restructurer
risucchiare [risuk'kjare] vt
engloutir
risultare [risul'tare] vi (derivare)
résulter, découler; (dimostrarsi) se
révéler; **~ vincitore** être le vainqueur;
mi risulta che... il me semble que...;
(ne) risulta che... il en résulte que...;
non mi risulta che sia così il ne me
semble pas qu'il en soit ainsi; **le tue
previsioni sono risultate esatte** tes
prévisions se sont avérées exactes;
da quanto mi risulta... que je sache...
risultato [risul'tato] sm résultat m
risuonare [riswo'nare] vi résonner
risurrezione [risurret'tsjone] sf
résurrection f
risuscitare [risuʃʃi'tare] vt, vi
ressusciter
risveglio [riz'veʎʎo] sm (anche fig)
réveil m
risvolto [riz'vɔlto] sm (di giacca)
revers msg; (di manica) manchette f;
(di libro) volet m; (fig: aspetto) aspect
m; (: conseguenza) conséquence f
ritagliare [rita‍ʎ'ʎare] vt (tagliare
di nuovo) recouper; (tagliar via)
découper
ritardare [ritar'dare] vi retarder
■ vt retarder; (viaggio, pagamento)
retarder, différer
ritardo [ri'tardo] sm retard m; **in ~** en
retard; **scusi il ~** désolé d'être en
retard; **siamo in ~ di 10 minuti** nous
sommes en retard de 10 minutes;
il volo ha due ore di ~ le vol a deux
heures de retard
ritegno [ri'teɲɲo] sm retenue f
ritenere [rite'nere] vt (giudicare)
estimer, penser; (trattenere) retenir
ritengo, ritenni ecc [ri'tɛngo,
ri'tenni] vb vedi **ritenere**
riterrò, ritenere ecc [riter'rɔ, ri'tjɛne]
vb vedi **ritenere**
ritirare [riti'rare] vt retirer; (esercito)
replier; **ritirarsi** vpr se retirer; (Mil)
se replier; (stoffa) rétrécir; **~ dalla
circolazione** (banconote ecc) retirer
de la circulation; **gli hanno ritirato
la patente** on lui a retiré son permis;
ritirarsi a vita privata se retirer

ritmo ['ritmo] sm rythme m; **ballare
al ~ di valzer** danser au rythme de la
valse; **il ~ della vita moderna** le
rythme de la vie moderne
rito ['rito] sm rite m; **di ~** d'usage;
sposarsi secondo il ~ civile faire un
mariage civil
ritoccare [ritok'kare] vt retoucher
ritornare [ritor'nare] vi revenir;
(ridiventare) redevenir ■ vt (restituire):
~ qc a qn rendre qch à qn
ritornello [ritor'nɛllo] sm refrain m
ritorno [ri'torno] sm retour m;
al ~ au retour; **essere di ~** être de
retour; **far ~** revenir; **avere un ~ di
fiamma** (anche fig) avoir un retour
de flamme; **viaggio di ~** voyage m
de retour
ritrarre [ri'trarre] vt (mano) retirer;
(sguardo) détourner; (in dipinto:
persona) faire un portrait de;
(: paesaggio) représenter
ritrattare [ritrat'tare] vt (trattare
nuovamente) traiter de nouveau;
~ una dichiarazione revenir sur une
déclaration, se rétracter
ritratto, -a [ri'tratto] pp di **ritrarre**
■ sm portrait m
ritrovare [ritro'vare] vt retrouver;
ritrovarsi vpr se retrouver;
(raccapezzarsi) s'y retrouver
ritto, -a ['ritto] agg (persona)
debout; (capelli) dressé(e); (palo)
droit(e)
rituale [ritu'ale] agg (Rel) rituel(le);
(abituale) traditionnel(le) ■ sm (Rel,
fig) rituel m
riunione [riu'njone] sf (adunanza)
réunion f; **essere in ~** être en réunion
riunire [riu'nire] vt réunir;
(riconciliare) réconcilier; **riunirsi** vpr
(radunarsi) se réunir
riuscire [riuʃ'ʃire] vi réussir; (essere,
apparire) être; **~ in qc** réussir dans
qch; **~ a fare qc** réussir o arriver à faire
qch; **ciò mi riesce nuovo** cela est
tout à fait nouveau pour moi
riva ['riva] sf (di fiume, lago) rive f,
bord m; (del mare) rivage m; **in ~ al
mare** au bord de la mer
rivale [ri'vale] agg, sm/f rival(e);
non avere rivali ne pas avoir de
rivaux; (fig) ne pas avoir son pareil
rivalità [rivali'ta] sf inv rivalité f

rivalutare [rivalu'tare] vt (Econ) réévaluer; (fig: opera d'arte ecc) réhabiliter

rivedere [rive'dere] vt revoir; (riesaminare) revoir, réviser

rivedrò ecc [rive'drɔ] vb vedi **rivedere**

rivelare [rive'lare] vt révéler; **rivelarsi** vpr se révéler; **rivelarsi onesto** se révéler honnête

rivelazione [rivelat'tsjone] sf révélation f

rivendicare [rivendi'kare] vt revendiquer

rivenditore, -trice [rivendi'tore] sm/f détaillant(e); **~ autorizzato** (Comm) revendeur officiel

riverbero [ri'vɛrbero] sm (di luce, calore) réverbération f; (di suono) réflexion f

rivestimento [rivesti'mento] sm revêtement m

rivestire [rives'tire] vt rhabiller; (con stoffa, carta) recouvrir; (assumere) revêtir; (: carica) occuper

rividi ecc [ri'vidi] vb vedi **rivedere**

rivincita [ri'vintʃita] sf (anche fig) revanche f; **prendersi la ~ (su)** prendre sa revanche (sur)

rivista [ri'vista] sf revue f

rivolgere [ri'vɔldʒere] vt: **~ (a)** (parole) adresser (à); (attenzione) diriger (sur); (pensieri, sguardo) tourner (vers); (domanda) poser (à); **rivolgersi** vpr (voltarsi indietro) se retourner; **rivolgersi a** (fig: per informazioni) s'adresser à; **~ un'accusa/una critica a qn** adresser une accusation/une critique à qn; **rivolgersi all'ufficio competente** s'adresser au bureau concerné

rivolsi ecc [ri'vɔlsi] vb vedi **rivolgere**

rivolta [ri'vɔlta] sf (fig) révolte f

rivoltella [rivol'tɛlla] sf révolver m

rivoluzionare [rivoluttsjo'nare] vt révolutionner

rivoluzionario, -a [rivoluttsjo'narjo] agg, sm/f révolutionnaire m/f

rivoluzione [rivolut'tsjone] sf révolution f

rizzare [rit'tsare] vt (tenda) dresser; (bandiera) hisser; **rizzarsi** vpr (persona) se dresser; (capelli) se hérisser; **rizzarsi in piedi** se mettre debout

roba ['rɔba] sf (cosa) chose f; (beni) affaires fpl; (tessuto, indumento) vêtement m; (merce) marchandise f; (materiale) objet m; (fam: droga) came f (fam); **~ da mangiare** choses fpl à manger; **~ da matti!** c'est de la folie!

> **FALSI AMICI**
> **roba** non si traduce mai con la parola francese **robe**.

robot ['rɔbot] sm inv (anche fig) robot m

robusto, -a [ro'busto] agg (persona) robuste; (catena, pianta, fig) solide; (vino) fort(e)

rocchetto [rok'ketto] sm bobine f

roccia, -ce [rɔttʃa] sf (minerale) roche f; (masso di pietra) rocher m; **fare ~** (Alpinismo) faire de la varappe, faire du rocher; **è una ~** (fig: persona) c'est un roc

roco, -a, -chi, -che ['rɔko] agg rauque

rodaggio [ro'daddʒo] sm rodage m; **essere in ~** (macchina) être en rodage; **periodo di ~** (anche fig) période f de rodage

roditore [rodi'tore] sm rongeur m

rododendro [rodo'dɛndro] sm rhododendron m

rognone [roɲ'ɲone] sm (Cuc) rognon m

rogo, -ghi ['rɔgo] sm bûcher m; (incendio) incendie m; **mettere al ~** condamner au bûcher

rollio [rol'lio] sm roulis msg

Roma ['roma] sf Rome

Romania [roma'nia] sf Roumanie f

romanico, -a, -ci, -che [ro'maniko] agg roman(e)

romano, -a [ro'mano] agg romain(e) ■ sm/f Romain(e); **i Romani** les Romains mpl; **pagare alla romana** payer chacun sa part o son écot

romantico, -a, -ci, -che [ro'mantiko] agg, sm/f romantique m/f

romanziere [roman'dzjɛre] sm romancier(-ière)

romanzo, -a [ro'mandzo] agg (Ling) roman(e) ■ sm roman m; **~ cavalleresco** roman de cape et d'épée; **~ d'appendice** roman-feuilleton m; **~ giallo/poliziesco** roman policier, polar m (fam); **~ rosa** roman à l'eau de rose

rombo ['rombo] sm (di motore)
vrombissement m; (di cannone, tuono)
grondement m; (Geom) losange m;
(Zool) turbot m

rompere ['rompere] vt casser;
(fig: silenzio, incanto, fidanzamento,
contratto) rompre; (: sonno,
conversazione) interrompre;
rompersi vpr (spezzarsi) se rompre;
(guastarsi) se casser; ~ con qn/qc
rompre avec qn/qch; ~ (le scatole) a
qn (fam) casser les pieds à qn;
rompersi un braccio/una gamba se
casser un bras/une jambe; **mi sono
rotto** j'en ai marre; **la serratura si è
rotta** la serrure s'est cassée

rompiscatole [rompis'katole] sm/f
inv (fam) casse-pieds m/f

rondine ['rondine] sf (Zool)
hirondelle f; **coda di ~** queue f de pie

ronzare [ron'dzare] vi (insetto)
bourdonner; (motore) ronfler

ronzio [ron'dzio] sm (vedi vi)
bourdonnement m; ronflement m

rosa ['rɔza] sf rose f ▪ agg inv, sm inv
(colore) rose (m); **la ~ dei candidati**
le groupe de candidats

rosato, -a [ro'zato] agg rosé(e)
▪ sm (vino) rosé m

rosicchiare [rosik'kjare] vt ronger;
(mangiucchiare) grignoter

rosmarino [rozma'rino] sm
romarin m

rosolare [rozo'lare] vt (Cuc) rissoler

rosolia [rozo'lia] sf (Med) rubéole f

rosone [ro'zone] sm rosace f

rospo ['rɔspo] sm crapaud m;
ingoiare un ~ (fig) avaler des
couleuvres; **sputare il ~** (fig) cracher
le morceau; **~ (brutto come) un ~** il
est laid comme un pou

rossetto [ros'setto] sm rouge m à
lèvres

rosso, -a ['rɔsso] agg (colore) rouge;
(capelli, peli) roux (rousse) ▪ sm
(colore) rouge m ▪ sm/f (Pol) rouge
m/f; **diventare ~ (per la vergogna)**
rougir (de honte); **essere in ~** (senza
soldi) être dans le rouge; **il Mar R~** la
Mer Rouge; **a luce rossa** (Cine) porno
inv; **~ d'uovo** jaune m d'œuf

rosticceria [rostittʃe'ria] sf
charcuterie f; **andare a mangiare in
~** aller chez le (charcutier-)traiteur

rotaia [ro'taja] sf (Ferr) rail m; (solco)
ornière f

rotella [ro'tella] sf roulette f;
(di meccanismo) roue f; **gli manca
qualche ~** il lui manque une case,
il a un petit grain

rotolare [roto'lare] vt, vi rouler;
rotolarsi vpr se rouler

rotolo ['rɔtolo] sm rouleau m; **andare
a rotoli** (fig: azienda) péricliter

rotondo, -a [ro'tondo] agg rond(e)
▪ sf (edificio) rotonde f

rotta ['rɔtta] sf (Aer, Naut) route f;
fare ~ su/per/verso mettre le cap sur,
faire route vers; **cambiare ~** (anche
fig) changer de cap; **ufficiale di ~**
officier m des montres o de
navigation; **a ~ di collo** à toute
vitesse; **essere in ~ con qn** (fig) être
brouillé(e) avec qn

rottamare [rotta'mare] vt: **~ un
auto** recevoir une prime pour avoir
envoyé une voiture à la casse

rottame [rot'tame] sm débris m;
rottami smpl (di aereo, macchina)
débris mpl; (di nave) épave fsg; **è un ~**
(fig: persona) c'est une épave; **rottami
di ferro** ferraille f

rotto, -a ['rɔtto] pp di **rompere**
▪ agg (spezzato) cassé(e); (lacerato)
déchiré(e); (voce) cassé(e) ▪ sm: **per
il ~ della cuffia** de justesse; **~ a**
(persona) rompu(e) à; **20 euro e rotti**
20 euros et des poussières; **la TV è
rotta** la télévision est en panne

rottura [rot'tura] sf (anche fig)
rupture f; (Med) fracture f; **che ~ (di
scatole)!** (fam) que c'est emmerdant!

roulotte [ru'lɔt] sf inv caravane f

rovente [ro'vente] agg brûlant(e)

rovere ['rovere] sm (Bot) rouvre m;
(legno) chêne f

rovescia [ro'veʃʃa] sf: **alla ~** à l'envers

rovesciare [roveʃ'ʃare] vt (anche fig)
renverser; (rivoltare: tasche)
retourner; **rovesciarsi** vpr se
renverser; (liquido) se répandre;
(macchina) se retourner; (barca)
chavirer

rovescio, -sci [ro'veʃʃo] sm (anche
Tennis) revers msg; (Maglia: anche:
punto rovescio) point m à l'envers;
a ~ à l'envers; **il ~ della medaglia**
(fig) l'envers de la médaille;

~ **di fortuna** revers de fortune;
~ **(di pioggia)** averse f
rovina [ro'vina] sf ruine f; **rovine**
sfpl (ruderi) ruines fpl; **andare in** ~
(edificio) tomber en ruine; (persona)
se ruiner; (società) aller à la ruine;
mandare in ~ ruiner
rovinare [rovi'nare] vi s'écrouler
■ vt ruiner; (abito) abîmer; (serata,
festa) gâcher; **rovinarsi** vpr (persona)
se ruiner; (oggetto, vestito) s'abîmer
rovistare [rovis'tare] vt fouiller
rovo ['rovo] sm ronce f
rozzo, -a ['roddzo] agg (non rifinito)
brut(e); (mobile) grossier(-ière); (fig)
fruste, rude
rubare [ru'bare] vt voler; ~ **qc a qn**
voler qch à qn; **mi hanno rubato il
portafoglio** on m'a volé mon
portefeuille
rubinetto [rubi'netto] sm robinet m
rubino [ru'bino] sm rubis msg
rubrica, -che [ru'brika] sf (quaderno)
répertoire m; (Stampa) rubrique f; (TV,
Radio) émission f; ~ **d'indirizzi** carnet
m (d'adresses); ~ **telefonica**
répertoire m du téléphone
rudere ['rudere] sm (rovine) ruines fpl;
(fig: persona) ruine f, épave f
rudimentale [rudimen'tale] agg
rudimentaire
rudimenti [rudi'menti] smpl
rudiments mpl
ruffiano, -a [ruf'fjano] sm/f
(mezzano: uomo) souteneur m,
maquereau m; (: donna) maquerelle f,
entremetteuse f; (adulatore) lèche-
bottes m/f inv
ruga, -ghe ['ruga] sf ride f
ruggine ['ruddʒine] sf rouille f
ruggire [rud'dʒire] vi rugir
rugiada [ru'dʒada] sf rosée f
rugoso, -a [ru'goso] agg (volto)
ridé(e); (mani) rugueux(euse)
rullino [rul'lino] sm pellicule f
(photographique); **vorrei un** ~
da 36 pose je voudrais une pellicule
de 36 poses
rullo ['rullo] sm rouleau m;
(di tamburi) roulement m;
~ **compressore** rouleau compresseur
rum [rum] sm inv rhum m
rumeno, -a [ru'mɛno] agg roumain(e)
■ sm/f Roumain(e) ■ sm roumain m

ruminare [rumi'nare] vt ruminer
rumore [ru'more] sm bruit m; **fare** ~
faire du bruit; **un** ~ **di passi** un bruit
de pas; **non riesco a dormire a causa
del** ~ je n'arrive pas à dormir à cause
du bru; **la notizia ha fatto molto** ~ la
nouvelle a fait beaucoup de bruit

FALSI AMICI
rumore non si traduce
mai con la parola francese
rumeur.

rumoroso, -a [rumo'roso] agg
bruyant(e)
ruolo ['rwɔlo] sm rôle m; (Amm:
elenco) cadre m; **di** ~ titulaire; **il
personale fuori** ~ les vacataires mpl
ruota ['rwɔta] sf roue f; (di roulette)
roulette f; (in luna park) grande roue;
a ~ (a forma circolare) en forme de
cercle; **ho una** ~ **a terra** j'ai un pneu
crevé; **fare la** ~ faire la roue; **l'ultima**
~ **del carro** (fig) la cinquième roue du
carrosse; **la** ~ **della fortuna** la roue
de la fortune; **parlare a** ~ **libera**
parler librement; ~ **di scorta** roue
de secours
ruotare [rwo'tare] vt, vi tourner
rupe ['rupe] sf rocher m
ruppi ecc ['ruppi] vb vedi **rompere**
rurale [ru'rale] agg rural(e)
ruscello [ruʃ'ʃɛllo] sm ruisseau m
ruspa ['ruspa] sf scraper m,
décapeuse f
russare [rus'sare] vi ronfler
Russia ['russja] sf Russie f
russo, -a ['russo] agg russe ■ sm/f
Russe m/f ■ sm russe m
rustico, -a, -ci, -che ['rustiko] agg
rustique; (fig) rude ■ sm (Edil)
maison f rustique
ruttare [rut'tare] vi roter
rutto ['rutto] sm rot m
ruvido, -a ['ruvido] agg
rugueux(-euse)

S

S ['ɛsse] *abbr* (= sud) S

S. *abbr* (= santo) St(e)

sa [sa] *vb vedi* **sapere**

sabato ['sabato] *sm* samedi *m; vedi anche* **martedì**

sabbia ['sabbja] *agg inv, sf* sable (*m*); **sabbie mobili** sables mouvants

sabbioso, -a [sab'bjoso] *agg* sableux(-euse)

sacca, -che ['sakka] *sf* sac *m;* (*bisaccia*) musette *f*, besace *f;* (*insenatura, rientranza*) anse *f;* (*Anat, Biol*) poche *f;* **~ da viaggio** sac de voyage; **~ d'aria** trou *m* d'air

saccarina [sakka'rina] *sf* saccharine *f*

saccheggiare [sakked'dʒare] *vt* piller, saccager

sacchetto [sak'ketto] *sm* sachet *m;* **~ di carta/di plastica** sachet en papier/en plastique

sacco, -chi ['sakko] *sm* sac *m;* **un ~ di** (*fig*) un tas de; **mangiare al ~** faire un pique-nique; **cogliere** *o* **prendere qn con le mani nel ~** (*fig*) prendre qn la main dans le sac; **mettere qn nel ~** (*fig*) avoir qn;

vuotare il ~ (*fig*) vider son sac; **~ a pelo** sac de couchage; **~ per i rifiuti** sac poubelle

sacerdote [satʃer'dɔte] *sm* prêtre *m*

sacrificare [sakrifi'kare] *vt* sacrifier; **sacrificarsi** *vpr* se sacrifier

sacrificio [sakri'fitʃo] *sm* sacrifice *m*

sacro, -a ['sakro] *agg* sacré(e)

sadico, -a, -ci, -che ['sadiko] *agg, sm/f* sadique *m/f*

saetta [sa'etta] *sf* éclair *m*

safari [sa'fari] *sm inv* safari *m*

saggezza [sad'dʒettsa] *sf* sagesse *f*

saggio, -a, -gi, -ge ['saddʒo] *agg* sage ▪ *sm* (*persona*) sage *m;* (*campione indicativo*) échantillon *m*, spécimen *m;* (*ricerca, esame critico*) essai *m;* (*Scol*) petit spectacle *m* (de fin d'année); **dare ~ di** faire preuve de; **in ~** spécimen; **~ ginnico** spectacle de gymnastique

Sagittario [sadʒit'tarjo] *sm* (*Zodiaco*) Sagittaire *m;* **essere del ~** être (du) Sagittaire ·

sagoma ['sagoma] *sf* silhouette *f;* (*modello*) modèle *m*, patron *m;* (*bersaglio*) silhouette de tir; (*fig: persona*) (drôle *m* de) numéro *m*

sagra ['sagra] *sf* (*festa popolare*) kermesse *f*, fête *f*

⬤ **SAGRA**

⬤
⬤ La *sagra* est une fête populaire en
⬤ plein air avec musique, bals, jeux
⬤ et spécialités gastronomiques.

sagrestano [sagres'tano] *sm* sacristain *m*

sagrestia [sagres'tia] *sf* sacristie *f*

sai ['sai] *vb vedi* **sapere**

sala ['sala] *sf* salle *f;* **~ da ballo/da gioco** salle de bal *o* de danse/de jeu; **~ da pranzo** salle à manger; **~ d'aspetto** salle d'attente; **~ (dei) comandi** salle des commandes; **~ delle udienze** (*Dir*) salle d'audience; **~ macchine** (*Naut*) salle des machines, machinerie *f;* **~ operatoria** (*Med*) salle d'opération; **~ per conferenze** salle de réunion; **~ per ricevimenti** salle de réception

salame [sa'lame] *sm* saucisson *m;* (*fig: persona goffa*) andouille *f*

salamoia [sala'mɔja] sf (Cuc) saumure f; **in ~** dans la saumure, saumuré(e)

salato, -a [sa'lato] agg (anche fig) salé(e) ■ sm (sapore) salé m

saldare [sal'dare] vt (congiungere) lier; (fig: irremovibile) souder; (Tecn: parti metalliche) souder; (conto) solder; (debito) régler

saldo, -a ['saldo] agg (resistente, anche fig) solide; (fig: irremovibile) ferme ■ sm (svendita, cifra da pagare) solde m; (di conto) règlement m; **saldi** smpl (Comm) soldes mpl; **un'amicizia salda** (fig) une amitié solide; **essere ~ nella propria fede** (fig) être ferme dans sa foi; **~ attivo/passivo** solde créditeur/débiteur; **~ da riportare** solde à reporter

sale ['sale] sm sel m; **sali** smpl (Med: da annusare) sels mpl; **sotto ~** dans le sel; **mettere sotto ~** saler; **avere poco ~ in zucca** ne pas être futé(e); **restare di ~** (fig) rester baba; **~ da cucina** sel de cuisine; **~ fino** sel fin; **~ grosso** gros sel; **~ marino** sel marin; **sali da bagno** sels de bain; **sali e tabacchi** bureau m de tabac; **sali minerali** sels minéraux

salgo ecc ['salgo] vb vedi **salire**

salice ['salitʃe] sm saule m; **~ piangente** saule pleureur

saliente [sa'ljɛnte] agg saillant(e)

saliera [sa'ljɛra] sf salière f

salire [sa'lire] vi monter ■ vt (scale, pendio) monter; **~ da qn** (andare a trovare) monter chez qn; **~ su** monter sur; **~ sul treno/sull'autobus** monter dans le train/dans l'autobus; **~ in macchina** monter en voiture; **~ a cavallo** monter à cheval; **~ al potere** arriver o accéder au pouvoir; **~ al trono** monter sur le trône; **~ alle stelle** (prezzi) monter en flèche

salita [sa'lita] sf montée f; (erta) montée, côte f; **in ~** en côte

saliva [sa'liva] sf salive f

salma ['salma] sf dépouille f mortelle

salmo ['salmo] sm psaume m

salmone [sal'mone] sm saumon m ■ agg inv (colore) saumon inv

salone [sa'lone] sm (stanza, in albergo, su nave) salle f; (mostra, di parrucchiere) salon m; **~ dell'automobile** Salon de l'automobile; **~ di ricevimento** salon de réception; **~ di bellezza** salon de beauté

salotto [sa'lɔtto] sm salon m; **fare ~** (chiacchierare) faire la causette

salpare [sal'pare] vi partir, appareiller ■ vt: **~ l'ancora** lever l'ancre

salsa ['salsa] sf sauce f; **in tutte le salse** (fig) à toutes les sauces; **~ di pomodoro** sauce tomate

salsiccia [sal'sittʃa] sf saucisse f

saltare [sal'tare] vi sauter ■ vt (ostacolo, CUC) sauter; **~ il pranzo** ne pas manger; **~ addosso a qn** (aggredire) sauter sur qn; **gli è saltato addosso** il lui a sauté dessus; **~ fuori** (fig) sortir; **~ fuori con** (con frase, commento) lâcher; **~ giù da** (da treno, muro) sauter de; **~ da un argomento all'altro** sauter d'un sujet à l'autre; **far ~** (anche serratura) faire sauter; **far ~ il banco** (Gioco) faire sauter la banque; **far ~ il governo** faire sauter le gouvernement; **farsi ~ le cervella** se faire sauter la cervelle; **ma che ti salta in mente?** mais qu'est-ce qui te passe par la tête?, mais qu'est-ce qui te prend?

saltellare [saltel'lare] vi sautiller

salto ['salto] sm (anche Sport) saut m; **fare un ~** faire un saut; **fare un ~ da qn** (fig) faire un saut chez qn; **fare un ~ nel buio** faire le saut; **fare quattro salti** danser; **~ con l'asta** (Sport) saut à la perche; **~ di qualità** saut de qualité; **~ in alto/lungo** (Sport) saut en hauteur/longueur; **~ mortale** saut périlleux o de la mort

saltuario [saltu'arjo] agg irrégulier(-ière), intermittent(e)

salubre [sa'lubre] agg salubre

salumeria [salume'ria] sf charcuterie f

salumi [sa'lumi] smpl charcuterie fsg

salutare [salu'tare] agg salutaire ■ vt (amico, conoscente: incontrando): **~ (qn)** dire bonjour (à qn); (: nel congedarsi) dire au revoir (à qn); (Mil) saluer; (accogliere con gioia, applausi) acclamer; **mi saluti sua moglie** dites bonjour à votre femme de ma part

salute [sa'lute] sf santé f; **~!** (a chi starnutisce) à tes/vos souhaits!; (nei brindisi) santé!, à la tienne/vôtre!;

essere in ~, godere di buona ~ être en bonne santé; è tutta ~! c'est excellent pour la santé!; la ~ pubblica le salut public; bere alla ~ di qn boire à la santé de qn

saluto [sa'luto] sm salut m; togliere il ~ a qn ne plus dire bonjour à qn; "cari/tanti saluti" "meilleurs souvenirs"; "distinti saluti" "salutations distinguées"; vogliate gradire i nostri più distinti saluti veuillez agréer nos salutations distinguées; i miei saluti alla sua signora mon bon souvenir à votre épouse, bien des choses à votre épouse; ~ militare salut militaire

salvadanaio [salvada'najo] sm tirelire f

salvagente [salva'dʒɛnte] sm (Naut: a ciambella) bouée f de sauvetage; (: a giubbotto) gilet m de sauvetage; (stradale) refuge m

salvaguardare [salvagwar'dare] vt sauvegarder

salvare [sal'vare] vt (trarre da un pericolo) sauver; (proteggere) protéger, préserver; salvarsi vpr s'en sortir; salvarsi da échapper à; (difendersi) se protéger de; ~ la vita a qn sauver la vie à qn; ~ le apparenze/la faccia sauver les apparences/la face

salvaslip [salva'zlip] sm inv protège-slip m

salvataggio [salva'taddʒo] sm sauvetage m; di ~ de sauvetage

salve ['salve] escl salut!

salvia ['salvja] sf sauge f

salvietta [sal'vjetta] sf serviette f

salvo, -a ['salvo] agg (scampato a pericolo) sauf (sauve); (fuori pericolo) sauvé(e) ■ sm: in ~ à l'abri, en sûreté ■ prep (eccetto) sauf, excepté, à part; ~ che (tranne) à moins que; ~ errori ed omissioni sauf erreur ou omission; mettersi in ~ se mettre à l'abri; portare in ~ sauver; ~ imprevisti sauf imprévus

sambuco [sam'buko] sm sureau m

sandalo ['sandalo] sm (Bot) santal m; (calzatura) sandale f

sangue ['sangwe] sm sang m; al ~ (bistecca) saignant(e); all'ultimo ~ (duello, lotta) à mort; fatto di ~ crime m sanglant; farsi cattivo ~ (per) se

faire du mauvais sang (pour); non corre buon ~ tra di loro ils ne sont pas en bons termes; buon ~ non mente! bon sang ne peut mentir!; a ~ freddo (fig) de sang-froid; ~ blu sang bleu

sanguinare [sangwi'nare] vi saigner

sanità [sani'ta] sf santé f; (salubrità) salubrité f; Ministero della S~ ministère m de la Santé publique; ~ mentale santé mentale; ~ pubblica santé publique

sanitario, -a [sani'tarjo] agg sanitaire ■ sm (persona) médecin m; sanitari smpl (impianti) sanitaire msg, sanitaires mpl

sanno ['sanno] vb vedi **sapere**

sano, -a ['sano] agg sain(e); (integro) entier(-ière), intact(e); ~ di mente sain(e) d'esprit; di sana pianta entièrement; (inventare, creare) de toutes pièces; ~ e salvo sain(e) et sauf (sauve)

santo, -a ['santo] usato dav s impura, gn, pn, ps, x, z agg saint(e); (inviolabile) sacré(e), saint(e) ■ sm/f saint(e); parole sante! la voix de la vérité!; tutto il ~ giorno toute la sainte journée; non c'è ~ che tenga! il n'y a rien à faire!, c'est peine perdue!; S~ Padre Saint-Père m; Santa Sede Saint-Siège m

santuario [santu'arjo] sm sanctuaire m

sanzione [san'tsjone] sf sanction f; sanzioni economiche sanctions économiques

sapere [sa'pere] vt (conoscere: lingua, mestiere) connaître; (essere al corrente di) savoir; (apprendere: notizia) apprendre, savoir ■ vi: ~ di (aver sapore) avoir un goût de; (aver odore) sentir ■ sm: il ~ le savoir; saper fare qc savoir faire qch; far ~ qc a qn faire savoir qch à qn; non lo so je ne sais pas; non so il francese je ne sais pas parler français; sa dove posso...? savez-vous où je peux...?; venire a ~ qc apprendre qch; venire a ~ qc da qn savoir qch par qn; non ne vuole più ~ di lei il ne veut plus entendre parler d'elle; che io sappia, per quanto ne so que je sache; mi sa che

non sia vero il me semble que ce n'est pas vrai; **saperla lunga** en savoir long

sapone [sa'pone] *sm* savon *m*; **~ da barba** savon à barbe; **~ da bucato** savon pour la lessive; **~ liquido** savon liquide

sapore [sa'pore] *sm* saveur *f*, goût *m*; *(fig)* ton *m*

saporito, -a [sapo'rito] *agg* savoureux(-euse); *(ben condito)* relevé(e)

sappiamo [sap'pjamo] *vb vedi* **sapere**

saprò *ecc* [sa'prɔ] *vb vedi* **sapere**

sarà [sa'ra] *vb vedi* **essere**

saracinesca [saratʃi'neska] *sf* rideau *m* de fer

sarcastico, -a, -ci, -che [sar'kastiko] *agg* sarcastique

Sardegna [sar'deɲɲa] *sf* Sardaigne *f*

sardina [sar'dina] *sf* sardine *f*

sarei *ecc* [sa'rɛi] *vb vedi* **essere**

SARS *sf* SRAS *(syndrome respiratoire aigu sévère)*

sarta ['sarta] *sf* couturière *f*

sarto ['sarto] *sm* (per uomini) tailleur *m*; (per donne) couturier *m*; **~ d'alta moda** grand couturier

sasso ['sasso] *sm* caillou *m*; (masso) roc *m*, rocher *m*; **caduta sassi** chute *f* de pierres; **restare di ~** rester pétrifié(e); (sorpreso) rester sidéré(e) o médusé(e)

sassofono [sas'sɔfono] *sm* saxophone *m*

sassoso, -a [sas'soso] *agg* pierreux(-euse), caillouteux(-euse)

Satana ['satana] *sm* Satan *m*

satellite [sa'tellite] *agg inv*, *sm* satellite *(m)*; **via ~** par satellite; **~ (artificiale)** satellite (artificiel)

satira ['satira] *sf* satire *f*

sauna ['sauna] *sf* sauna *m* o *f*; **fare la ~** prendre un sauna

saziare [sat'tsjare] *vt* (persona, appetito) rassasier; (fig) assouvir; **saziarsi** *vpr*: **saziarsi (di)** se rassasier (de); (fig) se lasser (de)

sazio, -a ['sattsjo] *agg* rassasié(e); (fig: appagato) assouvi(e), repu(e); (: *stufo*) las(se)

sbadato, -a [zba'dato] *agg* étourdi(e), distrait(e)

sbadigliare [zbadiʎ'ʎare] *vi* bâiller

sbadiglio [zba'diʎʎo] *sm* bâillement *m*; **fare uno ~** bâiller

sbagliare [zbaʎ'ʎare] *vt* (conto, pronuncia, somma) se tromper dans; (persona, strada, indirizzo) se tromper de ■ *vi* se tromper; (comportarsi male) avoir tort, mal agir; **sbagliarsi** *vpr* se tromper; **~ la mira** mal viser; **~ strada** se tromper de route; **scusi, ho sbagliato numero** (Tel) excusez-moi, je me suis trompé de numéro; **non c'è da sbagliarsi** on ne peut pas se tromper

sbagliato, -a [zbaʎ'ʎato] *agg* faux (fausse), (conto, somma) inexact(e); (conclusione, citazione, idea) erroné(e); **è ~!** c'est faux!; **è l'indirizzo ~** ce n'est pas la bonne adresse

sbaglio ['zbaʎʎo] *sm* erreur *f*; (in compito) faute *f*; **per ~** par mégarde; **fare uno ~** se tromper; (per sbadataggine) faire une bêtise

sbalordire [zbalor'dire] *vt* (stordire) étourdir; (stupire) abasourdir ■ *vi* stupéfier, ébahir

sbalzare [zbal'tsare] *vt* jeter, projeter ■ *vi* (balzare di scatto) bondir; (rimbalzare) rebondir; (saltare) sauter

sbandare [zban'dare] *vi* (nave) donner de la bande, donner de la gîte; (veicolo) faire une embardée

sbaraglio [zba'raʎʎo] *sm* (fig): **mandare qn allo ~** envoyer qn à la ruine; **buttarsi allo ~** (fig) risquer le tout pour le tout

sbarazzarsi [zbarat'tsarsi] *vpr*: **~ di** (di peso) se décharger de; (di seccatore) se débarrasser de

sbarcare [zbar'kare] *vt* débarquer ■ *vi*: **~ (da)** débarquer (de); *vedi anche* **lunario**

sbarra ['zbarra] *sf* (bastone, spranga) barre *f*, barreau *m*; (di passaggio a livello, cancello) barrière *f*; (Sport) barre; (per sollevamento pesi) haltère *m*; **presentarsi alla ~** (Dir) se présenter à la barre; **dietro le sbarre** (fig) derrière les barreaux

sbarrare [zbar'rare] *vt* (chiudere con sbarre) barricader; (impedire, bloccare) barrer; **~ il passo (a qn)** barrer la route (à qn); **~ gli occhi** écarquiller les yeux

sbattere ['zbattere] vt (porta) claquer; (panni, tappeti, ali) battre; (Cuc) battre, fouetter; (urtare) cogner ■ vi (porta, finestra) claquer; (ali, vele) battre; ~ **contro qc/qn** se cogner contre qch/qn; ~ **qn fuori** flanquer qn à la porte; ~ **qn in galera** jeter qn en prison; **sbattersene** (fam!) s'en foutre (fam!); **me ne sbatto di tutto ciò** (fam!) je m'en fous de tout ça (fam!)

sbavare [zba'vare] vi baver

sberla ['zbɛrla] sf gifle f, claque f

sbiadire [zbja'dire] vt décolorer ■ vi se décolorer, passer

sbiadito, -a [zbja'dito] agg décoloré(e), déteint(e); (fig: bellezza) fané(e)

sbiancare [zbjaŋ'kare] vt blanchir ■ vi (diventare bianco) pâlir; (impallidire) blêmir, pâlir

sbirciata [zbir'tʃata] sf: **dare una ~ a** jeter un coup d'œil à

sbloccare [zblok'kare] vt (meccanismo, situazione) débloquer; (affitti) libérer, débloquer; **sbloccarsi** vpr se débloquer

sboccare [zbok'kare] vi: ~ **in** (fiume) se jeter dans; (strada, corteo) déboucher sur; (fig: concludersi) aboutir à

sboccato, -a [zbok'kato] agg (persona) grossier(-ière), mal embouché(e); (linguaggio) grossier(-ière)

sbocciare [zbot'tʃare] vi (fiore) éclore, s'épanouir; (fig: sentimento) naître

sbollire [zbol'lire] vi (fig) se calmer, s'apaiser

sbornia ['zbɔrnja] sf (fam) cuite f; **prendersi una ~** prendre une cuite

sborsare [zbor'sare] vt débourser

sbottare [zbot'tare] vi éclater

sbottonare [zbotto'nare] vt déboutonner

sbraitare [zbrai'tare] vi brailler, gueuler

sbranare [zbra'nare] vt dévorer

sbriciolare [zbritʃo'lare] vt émietter; **sbriciolarsi** vpr s'émietter, s'effriter

sbrigare [zbri'gare] vt (pratica) expédier; (faccenda) régler; (cliente) s'occuper de; **sbrigarsi** vpr se dépêcher

sbronza ['zbrontsa] sf cuite f; **prendersi una ~** prendre une cuite

sbronzarsi [zbron'tsarsi] vpr (fam) se soûler, se cuiter

sbronzo, -a ['zbrontso] agg (fam) soûl(e), rond(e)

sbruffone, -a [zbruf'fone] sm/f frimeur(-euse), fanfaron(ne)

sbucare [zbu'kare] vi (apparire all'improvviso) sortir; ~ **da** déboucher de, sortir de

sbucciare [zbut'tʃare] vt (patata) éplucher; (frutta) peler; (piselli) écosser; **sbucciarsi un ginocchio** s'écorcher un genou

sbucherò ecc [zbuke'rɔ] vb vedi **sbucare**

sbuffare [zbuf'fare] vi (persona) souffler; (cavallo) s'ébrouer; (treno) jeter des bouffées de fumée

scabroso, -a [ska'broso] agg (fig: difficile) épineux(-euse); (: imbarazzante, sconcio) scabreux(-euse)

scacchi ['skakki] smpl (gioco) échecs mpl; **a ~** à carreaux

scacchiera [skak'kjɛra] sf échiquier m; **scioperо a ~** grève f tournante

scacciare [skat'tʃare] vt chasser; ~ **qn di casa** chasser qn de chez soi

scaddi ecc ['skaddi] vb vedi **scadere**

scadente [ska'dɛnte] agg (materiale) de mauvaise qualité, médiocre; (studente) mauvais(e), piètre

scadenza [ska'dɛntsa] sf échéance f; **a breve/lunga ~** à courte/longue échéance, à court/long terme; **data di ~** (di alimenti) date f limite; ~ **a termine** échéance à terme

scadere [ska'dere] vi (cambiale, contratto, impegno) échoir, expirer; (tempo) échoir; ~ **agli occhi di qn** baisser dans l'estime de qn; **il mio passaporto è scaduto** mon passeport est périmé

scafandro [ska'fandro] sm scaphandre m

scaffale [skaf'fale] sm étagère f

scafista [ska'fista] sm trafiquant m de clandestins

scafo ['skafo] sm (Naut, di carro armato) coque f

scagionare [skadʒo'nare] vt disculper

scaglia ['skaʎʎa] sf (Zool) écaille f; (scheggia) éclat m

scagliare [skaʎ'ʎare] vt (anche fig) jeter; **scagliarsi** vpr: **scagliarsi su/contro** s'élancer sur, se jeter sur; (fig) se dresser contre

scala ['skala] sf escalier m; (di corda, in disegno, valore) échelle f; (Mus, di colori) gamme f; (nel poker) séquence f; **scale** sfpl (scalinata) escalier msg; **su larga o vasta ~** sur une grande échelle; **su piccola ~, su ~ ridotta** sur une petite échelle; **economie di ~** économies fpl d'échelle; **su ~ nazionale/mondiale** à l'échelle nationale/mondiale; **in ~ di 1 a 100.000** à l'échelle de 1 pour 100 000; **riproduzione in ~** reproduction f à l'échelle; **~ a chiocciola** escalier en colimaçon; **~ a libretto** escabeau m; **~ di misure** échelle d'évaluation; **~ di sicurezza** escalier de secours; **~ mobile** escalier roulant, escalator m; **~ mobile (dei salari)** échelle mobile; **~ reale** (Carte) quinte f flush

scalare [ska'lare] vt (Alpinismo) faire l'ascension de, escalader; (muro) escalader; (debito, somma) défalquer

scaldabagno [skalda'baɲɲo] sm chauffe-bain m, chauffe-eau m inv

scaldare [skal'dare] vt chauffer; réchauffer; **scaldarsi** vpr (al fuoco, al sole) se chauffer, se réchauffer; (fig: eccitarsi) s'échauffer; (: arrabbiarsi) s'emporter; **~ la sedia** (fig) faire simplement acte de présence; **scaldarsi i muscoli** s'échauffer

scalfire [skal'fire] vt (superficie) érafler, rayer; (pelle) égratigner, érafler

scalinata [skali'nata] sf escalier m

scalino [ska'lino] sm (gradino) marche f; (Alpinismo) baignoire f; (fig) échelon m

scalo ['skalo] sm (Naut, Aer) escale f; (Ferr) gare f; **fare ~ a** (Naut, Aer) faire escale à; **~ aereo** escale (d'une ligne aérienne); **~ merci** (Ferr) gare de marchandises

scaloppina [skalop'pina] sf (Cuc) escalope f

scalpello [skal'pɛllo] sm burin m; (di scultore) ciseau m; (Med) scalpel m

scalpore [skal'pore] sm (risonanza) bruit m, tapage m; **far ~** (notizia ecc) faire du bruit

scaltro, -a ['skaltro] agg avisé(e), adroit(e)

scalzo, -a ['skaltso] agg nu-pieds inv, pieds nus inv

scambiare [skam'bjare] vt échanger; **scambiarsi** vpr (auguri, confidenze, visite) échanger; **~ qn/qc per** (confondere) prendre qn/qch pour

scambio ['skambjo] sm échange m; (errore) erreur f; (Ferr) aiguillage m; **fare (uno) ~** échanger; **libero ~** libre-échange m; **scambi con l'estero** échanges avec l'étranger

scampagnata [skampaɲ'ɲata] sf partie f de campagne; **fare una ~** faire une partie de campagne

scampare [skam'pare] vt (evitare) échapper à; (salvare) sauver ■ vi: **~ a** (a morte ecc) échapper à; **~ qc da** sauver qch de; **scamparla bella** l'échapper belle

scampo¹ ['skampo] sm (salvezza) issue f, salut m; **cercare ~ nella fuga** chercher son salut dans la fuite; **non c'è (via di) ~** il n'y a pas d'issue

scampo² ['skampo] sm (Zool) langoustine f

scampolo ['skampolo] sm coupon m

scanalatura [skanala'tura] sf rainure f, cannelure f

scandagliare [skandaʎ'ʎare] vt (Naut, fig) sonder

scandalizzare [skandalid'dzare] vt scandaliser; **scandalizzarsi** vpr se scandaliser

scandalo ['skandalo] sm scandale m; **dare ~** faire scandale

Scandinavia [skandi'navja] sf Scandinavie f

scanner ['skanner] sm inv scanner m

scannerizzare [skannerid'dzare] vt (Inform) scruter

scansafatiche [skansafa'tike] sm/f inv fainéant(e)

scansare [skan'sare] vt (evitare) esquiver; (: pericolo) éviter; **scansarsi** vpr s'écarter, se garer

scansia [skan'sia] sf étagère f

scanso ['skanso] sm: **a ~ di equivoci** pour éviter tout malentendu

scantinato [skanti'nato] *sm* sous-sol *m*

scapaccione [skapat'tʃone] *sm* taloche *f* (*fam*), calotte *f* (*fam*)

scapestrato, -a [skapes'trato] *agg* dissipé(e)

scapola ['skapola] *sf* omoplate *f*

scapolo ['skapolo] *sm* célibataire *m*

scappamento [skappa'mento] *sm* (*Aut*) échappement *m*

scappare [skap'pare] *vi* (*fuggire*) fuir, s'enfuir; (*andare via in fretta*) courir, se sauver; **scappo a telefonare** je cours téléphoner; **scusatemi devo ~** excusez-moi je dois me sauver; **~ di prigione** s'évader de prison; **~ di mano** (*oggetto*) échapper (des mains); **~ di mente a qn** sortir de l'esprit à qn, échapper à qn; **lasciarsi ~** laisser échapper; **mi sono lasciata ~ questo dettaglio** ce détail m'a échappé; **mi scappò detto/da dire** je n'ai pu m'empêcher de dire

scappatoia [skappa'toja] *sf* échappatoire *f*

scarabeo [skara'bɛo] *sm* scarabée *m*

scarabocchiare [skarabok'kjare] *vt* griffonner, gribouiller

scarabocchio [skara'bɔkkjo] *sm* griffonnage *m*, gribouillage *m*

scarafaggio [skara'faddʒo] *sm* cafard *m*

scaramanzia [skaraman'tsia] *sf*: **per ~** pour conjurer le mauvais sort

scaraventare [skaraven'tare] *vt* jeter, flanquer; **scaraventarsi** *vpr* se ruer

scarcerare [skartʃe'rare] *vt* libérer, remettre en liberté

scardinare [skardi'nare] *vt* tirer de ses gonds

scaricare [skari'kare] *vt* décharger; (*da Internet*) télécharger; (*passeggeri*) déposer; (*sogg: corso d'acqua*) déverser; (*fig*) libérer, soulager; **scaricarsi** *vpr* (*orologio*) s'arrêter; (*batteria, accumulatore*) se décharger; (*fulmine*) tomber; (*fig*) se détendre, se défouler; **~ le proprie responsabilità su qn** décharger ses responsabilités sur qn; **~ la colpa addosso a qn** rejeter la faute sur qn; **il fulmine si scaricò su un albero** la foudre tomba sur un arbre

scarico, -a, -chi, -che ['skariko] *agg* déchargé(e); (*orologio*) arrêté(e) ◼ *sm* (*di merci, materiali*) déchargement *m*; (*di immondizie*) décharge *f*; (*luogo*) dépotoir *m*, décharge; (*Tecn: deflusso*) évacuation *f*, écoulement *m*; (*Aut*) échappement *m*; (*di vasca, lavandino*) tuyau *m* d'écoulement; **divieto di ~** décharge interdite

scarlattina [skarlat'tina] *sf* scarlatine *f*

scarlatto, -a [skar'latto] *agg* écarlate

scarpa ['skarpa] *sf* chaussure *f*, soulier *m*; **fare le scarpe a qn** (*fig*) poignarder qn dans le dos; **è una vecchia ~** (*fam*) c'est une vieille peau; **scarpe coi tacchi (alti)** chaussures à talons (hauts); **scarpe col tacco basso** chaussures à talons plats; **scarpe da ginnastica** chaussures de gymnastique; **scarpe da tennis** (chaussures de) tennis *mpl*

scarpata [skar'pata] *sf* talus *msg*

scarpiera [skar'pjɛra] *sf* placard *m* à chaussures

scarpone [skar'pone] *sm* brodequin *m*, gros soulier *m*; **scarponi da montagna** chaussures *fpl* de montagne; **scarponi da sci** chaussures de ski

scarseggiare [skarsed'dʒare] *vi* manquer; **~ di** manquer de, être à court de

scarso, -a ['skarso] *agg* (*insufficiente*) insuffisant(e); (*povero: annata*) maigre; (*risultato, voto*) médiocre; **~ di** dépourvu(e) de, maigre en; **3 chili scarsi** à peine 3 kilos

scartare [skar'tare] *vt* (*pacco*) dépaqueter, défaire; (*idea*) écarter, repousser; (*candidato*) éliminer; (*soldato*) réformer; (*carte da gioco*) écarter, se défausser de; (*Calcio*) dribbler ◼ *vi* (*animale, veicolo*) faire un écart

scarto ['skarto] *sm* (*esclusione*) élimination *f*; (*cosa esclusa, materiale di cattiva qualità*) rebut *m*; (: *prodotto*) déchet *m*; (*movimento, differenza*) écart *m*

scassinare [skassi'nare] *vt* forcer, crocheter

scatenare [skate'nare] vt déchaîner, exciter; **scatenarsi** vpr (temporale, rivolta) éclater; (persona) se déchaîner

scatola ['skatola] sf boîte f; **in ~** (cibi) en boîte, en conserve; **una ~ di cioccolatini** une boîte de chocolats; **comprare qc a ~ chiusa** acheter qch les yeux fermés; **~ cranica** boîte crânienne; **~ nera** (Aer) boîte noire

scatolone [skato'lone] sm carton m

scattare [skat'tare] vt (fotografia) prendre ■ vi (congegno, molla ecc) se déclencher; (balzare) bondir; (correndo: Sport) sprinter; (fig: per l'ira) s'emporter; (: avere inizio) commencer; (legge, provvedimento) entrer en vigueur; **~ in piedi** se lever d'un bond; **far ~** (anche fig) déclencher, provoquer

scatto ['skatto] sm (dispositivo) déclenchement m, déclic m; (: di arma da fuoco) détente f; (rumore) déclic; (balzo) bond m; (Tel) unité f; (accelerazione, Sport) sprint m; (fig: di ira ecc) accès msg; (: di stipendio) augmentation f; **a ~** (serratura) à déclic; **di ~** brusquement; **~ di anzianità** avancement m à l'ancienneté

scavalcare [skaval'kare] vt (ostacolo, staccionata) sauter, franchir; (fig) dépasser

scavare [ska'vare] vt creuser; (tesoro ecc) déterrer

scavo ['skavo] sm creusement m, percement m; (Archeologia) fouille f

scegliere ['ʃeʎʎere] vt choisir; **~ di fare** choisir de faire

sceicco, -chi [ʃe'ikko] sm cheik m, cheikh m

scelgo ecc ['ʃelgo] vb vedi **scegliere**

scellino [ʃel'lino] sm schilling m

scelta ['ʃelta] sf choix f; **a ~** a choix

scelto, -a ['ʃelto] pp di **scegliere** ■ agg (gruppo) choisi(e); (militare) d'élite

scemo, -a ['ʃemo] agg bête, stupide, idiot(e) ■ sm/f idiot(e), imbécile m/f

scena ['ʃɛna] sf (Teatro) scène f; (: luogo dell'azione teatrale) décor m; (: palcoscenico) scène, plateau m; (spettacolo naturale) scène, tableau m; **scene** sfpl (fig: teatro) planches fpl; (: scenata) scène fsg; **andare in ~**

jouer; **mettere in ~** mettre en scène; **uscire di ~** sortir de scène; (fig: uomo politico) se retirer de la vie publique; **fare scene** (fig) faire des histoires; **fare ~ muta** (fig) sécher

scenario [ʃe'narjo] sm (Teatro) décor m; (paesaggio naturale) cadre m; (di film) scénario m

scenata [ʃe'nata] sf scène f; **fare una ~** faire une scène

scendere ['ʃendere] vi descendre; (notte, sera) tomber; (temperatura, prezzo) baisser, diminuer ■ vt (scale, pendio) descendre; **~ da cavallo** descendre de cheval; **~ dalle scale/ le scale** descendre l'escalier; **~ dal treno** descendre du train; **~ dalla macchina** descendre de voiture; **~ ad un albergo** descendre dans un hôtel; **~ in piazza** (per protestare) descendre dans la rue; **dove devo ~?** où est-ce que je dois descendre?

sceneggiato [ʃened'dʒato] sm feuilleton m

scettico, -a, -ci, -che ['ʃettiko] agg sceptique

scettro ['ʃettro] sm sceptre m; (fig) titre m

scheda ['skɛda] sf fiche f; (breve testo) encadré m; **~ bianca** bulletin m blanc; **~ elettorale** bulletin de vote; **~ magnetica** (Tel) carte f magnétique; **~ perforata** carte o fiche perforée; **~ telefonica** télécarte f

schedario [ske'darjo] sm fichier m

schedina [ske'dina] sf fiche établie pour les paris mutuels

scheggia, -ge ['skeddʒa] sf (di pietra, vetro) éclat m; (di legno) écharde f

scheletro ['skeletro] sm squelette m; **avere uno ~ nell'armadio** (fig) taire un secret compromettant

schema, -i ['skɛma] sm (abbozzo, progetto) plan m, schéma m; (diagramma) figure f, schéma m; (sistema, modello base) système m, règle f; **ribellarsi agli schemi** se rebeller contre les contraintes; **secondo gli schemi tradizionali** selon les modèles traditionnels

scherma ['skerma] sf escrime f

schermaglia [sker'maʎʎa] sf altercation f

schermo ['skermo] sm écran m;
il piccolo ~ (TV) le petit écran;
il grande ~ (Cine) l'écran (de cinéma);
TV a ~ panoramico télévision f
à écran large
schernire [sker'nire] vt bafouer
scherzare [sker'tsare] vi plaisanter
scherzo ['skertso] sm plaisanterie f,
blague f; (Mus) scherzo m; **per ~** pour
rire, pour plaisanter; **fare uno ~ a qn**
jouer un tour à qn; **è uno ~!** (fig: facile)
c'est un jeu d'enfants!; **scherzi a
parte** blague à part; **scherzi di luce**
jeux mpl de lumière
schiaccianoci [skjattʃa'notʃi] sm inv
casse-noisettes msg inv
schiacciare [skjat'tʃare] vt (rompere)
écraser; (sgusciare: noci) casser; (fig)
écraser, accabler; **schiacciarsi** vpr
(appiattirsi) s'aplatir; (frantumarsi)
s'écraser; ~ **un pisolino** faire un petit
somme, piquer un roupillon (fam)
schiaffeggiare [skjaffed'dʒare] vt
gifler
schiaffo ['skjaffo] sm gifle f, claque f;
(fig: mortificazione, umiliazione) affront
m, gifle; **dare uno ~ a qn** donner une
gifle à qn; **prendere qn a schiaffi**
gifler qn; **uno ~ morale** une gifle
schiantarsi [skjan'tarsi] vpr se
fracasser; ~ **al suolo** (aereo) s'écraser
schiarire [skja'rire] vt éclaircir;
(capelli) décolorer; **schiarirsi** vpr
s'éclaircir; **schiarirsi la voce** s'éclaircir
la voix; **schiarirsi i capelli** se
décolorer les cheveux
schiavitù [skjavi'tu] sf esclavage m
schiavo, -a ['skjavo] sm/f esclave m/f
schiena ['skjɛna] sf dos msg
schienale [skje'nale] sm (di poltrona)
dossier m
schiera ['skjɛra] sf (Mil: allineamento)
rang m; (: insieme di soldati) troupe f;
(gruppo) groupe m, bande f; **villette
a ~** lotissement msg (de pavillons
mitoyens)
schieramento [skjera'mento] sm
(Mil) déploiement m; (Sport)
formation f; (fig) coalition f
schierare [skje'rare] vt aligner,
ranger; **schierarsi** vpr s'aligner;
schierarsi con o **dalla parte di/
contro** (fig) se ranger avec o du côté
de/contre

schifo ['skifo] sm dégoût m; **fare ~**
dégoûter, répugner; **mi fa ~** c'est
dégoûtant, cela me dégoûte; **quel
libro è uno ~** ce livre est nul
schifoso, -a [ski'foso] agg
(ripugnante) dégoûtant(e),
répugnant(e); (molto scadente) nul(le)
schioccare [skjok'kare] vt faire
claquer
schiudersi ['skjudersi] vpr (fiore)
s'épanouir, éclore; (labbra)
s'entrouvrir, se desserrer
schiuma ['skjuma] sf (di sapone, latte)
mousse f; (di birra) mousse, faux-col
m; **avere la ~ alla bocca** (fig) écumer
(de rage)
schivare [ski'vare] vt esquiver
schivo, -a ['skivo] agg (ritroso)
réservé(e); (timido) qui se dérobe
schizzare [skit'tsare] vt (spruzzare)
éclabousser; (fig: abbozzare)
esquisser, croquer ■ vi jaillir, gicler;
(saltar fuori) bondir, s'élancer; ~ **via**
(animale, persona) partir comme une
flèche; (macchina, moto) démarrer
en flèche
schizzinoso, -a [skittsi'noso] agg
difficile, délicat(e)
schizzo ['skittso] sm (di liquido)
éclaboussure f; (abbozzo) esquisse f,
croquis msg
sci [ʃi] sm inv ski m; ~ **alpinismo** ski
alpin; ~ **d'acqua** o **nautico** ski
nautique; ~ **di fondo** ski de fond
scia, scie ['ʃia] sf (di imbarcazione)
sillage m; (di odore) traînée f; **sulla ~ di**
(fig) à la suite de; **seguire la ~ di qn**
marcher sur les traces de qn
scià [ʃa] sm inv shah m, chah m, schah m
sciabola ['ʃabola] sf sabre m
sciacallo [ʃa'kallo] sm (anche fig)
chacal m
sciacquare [ʃak'kware] vt rincer
sciagura [ʃa'gura] sf (disgrazia)
catastrophe f; (sfortuna) malheur m
scialacquare [ʃalak'kware] vt
dilapider, dissiper
scialbo, -a ['ʃalbo] agg (pallido) pâle;
(smorto) blafard(e); (fig)
insignifiant(e)
scialle ['ʃalle] sm châle m
scialuppa [ʃa'luppa] sf chaloupe f;
~ **di salvataggio** chaloupe de
sauvetage

sciame ['ʃame] *sm* essaim *m*

sciare [ʃi'are] *vi* skier, faire du ski; **andare a ~** aller faire du ski

sciarpa ['ʃarpa] *sf* écharpe *f*, cache-nez *m*; *(fascia)* écharpe

sciatore, -trice [ʃia'tore] *sm/f* skieur(-euse)

sciatto, -a ['ʃatto] *agg* négligé(e)

scientifico, -a, -ci, -che [ʃen'tifiko] *agg* scientifique; **la (polizia) scientifica** la police scientifique

scienza ['ʃɛntsa] *sf* science *f*; *(conoscenza)* connaissance *f*; **scienze** *sfpl* (Scol) sciences *fpl*; **scienze naturali** sciences naturelles; **scienze politiche** sciences politiques

scienziato, -a [ʃen'tsjato] *sm/f* savant(e), scientifique *m/f*

scimmia ['ʃimmja] *sf* singe *m*; *(femmina)* guenon *f*

scimpanzé [ʃimpan'tse] *sm inv* chimpanzé *m*

scintilla [ʃin'tilla] *sf (anche fig)* étincelle *f*

scintillare [ʃintil'lare] *vi* scintiller, étinceler; *(acqua)* miroiter; *(occhi)* étinceler

sciocchezza [ʃok'kettsa] *sf* sottise *f*, bêtise *f*; *(inezia)* bagatelle *f*, rien *m*; **dire/fare delle sciocchezze** dire/faire des bêtises

sciocco, -a, -chi, -che ['ʃɔkko] *agg* bête, sot(te)

sciogliere ['ʃɔʎʎere] *vt (in acqua)* dissoudre; *(neve)* faire fondre; *(disfare: nodo)* défaire; *(: capelli)* dénouer; *(slegare)* détacher; *(fig: persona: da obbligo)* délier, relever; *(: contratto)* résilier; *(: parlamento, matrimonio, società)* dissoudre; *(: riunione)* clore; *(: seduta)* lever; *(: muscoli)* assouplir; *(: enigma)* résoudre; *(: mistero)* dissiper, débrouiller; *(: voto)* accomplir; **sciogliersi** *vpr (ghiaccio, gelato, neve)* fondre; *(nodo)* se défaire; *(persona: slegarsi)* se détacher; *(fig: da legame)* se libérer; **~ i muscoli** s'assouplir les muscles; **~ il ghiaccio** *(fig)* rompre o briser la glace; **~ le vele** larguer les voiles

sciolilingua [ʃoʎʎi'lingwa] *sm inv* phrase *f* difficile à prononcer

sciolgo *ecc* ['ʃɔlgo] *vb vedi* **sciogliere**

sciolto, -a ['ʃɔlto] *pp di* **sciogliere** ■ *agg (franco, disinvolto)* désinvolte, dégagé(e); *(agile)* souple; *(verso)* blanc (blanche); **essere ~ nei movimenti** avoir de l'aisance dans les mouvements

scioperare [ʃope'rare] *vi* faire grève

sciopero ['ʃopero] *sm* grève *f*; **fare ~** faire grève; **entrare in ~** se mettre en grève; **~ a singhiozzo** grève perlée; **~ bianco** grève du zèle; **~ della fame** grève de la faim; **~ di solidarietà** grève de solidarité; **~ selvaggio** grève sauvage

sciovia [ʃio'via] *sf* remonte-pente *m*, téléski *m*, tire-fesses *m (fam)*

scippare [ʃip'pare] *vt*: **~ qn** voler qn *(en lui arrachant son sac etc)*

scirocco [ʃi'rɔkko] *sm* sirocco *m*

sciroppo [ʃi'rɔppo] *sm* sirop *m*; **~ per la tosse** sirop contre la toux

scisma, -i ['ʃizma] *sm* schisme *m*

scissione [ʃis'sjone] *sf (anche fig)* scission *f*; **~ nucleare** fission *f* nucléaire

sciupare [ʃu'pare] *vt (abito, libro)* abîmer; *(appetito)* couper; *(tempo, denaro)* gaspiller; **sciuparsi** *vpr (abito ecc)* se chiffonner; *(rovinarsi la salute)* s'user la santé, s'user

scivolare [ʃivo'lare] *vi* glisser

scivolo ['ʃivolo] *sm* (Tecn) glissière *f*; *(gioco)* toboggan *m*

scivoloso, -a [ʃivo'loso] *agg* glissant(e)

sclerosi [skle'rɔzi] *sf* sclérose *f*; **~ a placche** sclérose en plaques

scoccare [skok'kare] *vt (freccia)* décocher; *(ore)* sonner; *(bacio)* envoyer ■ *vi (scintilla, bagliore)* jaillir; *(ore)* sonner

scoccherò *ecc* [skokke'rɔ] *vb vedi* **scoccare**

scocciare [skot'tʃare] *vt (fam)* embêter, casser les pieds à *(fam)*; **scocciarsi** *vpr* s'embêter, en avoir marre

scodella [sko'della] *sf (piatto fondo)* assiette *f* creuse; *(ciotola)* bol *m*

scodinzolare [skodintso'lare] *vi (cane)* remuer la queue, frétiller de la queue

scogliera [skoʎ'ʎera] *sf* rochers *mpl*; *(costa rocciosa)* falaise *f*

scoglio ['skɔʎʎo] *sm* roche *f*, rocher *m*; (*fig*) écueil *m*

scoiattolo [sko'jattolo] *sm* écureuil *m*

scolapasta [skola'pasta] *sm inv* passoire *f*

scolapiatti [skola'pjatti] *sm inv* égouttoir *m*

scolare [sko'lare] *agg* scolaire ■ *vt* (*bottiglie*) vider; (*spaghetti, verdure*) égoutter ■ *vi* (*liquido*) s'écouler, s'égoutter; **scolarsi una bottiglia** siffler une bouteille

scolaresca [skola'reska] *sf* (*in una classe*) classe *f*; (*in una scuola*) écoliers *mpl*

scolaro, -a [sko'laro] *sm/f* écolier(-ière)

scolastico, -a, -ci, -che [sko'lastiko] *agg* scolaire

scollato, -a [skol'lato] *agg* décolleté(e)

scollatura [skolla'tura] *sf* décolleté *m*

scollegare [skolle'gare] *vt* (*fili, apparecchi*) débrancher

scolo ['skolo] *sm* (*di liquidi, rifiuti*) écoulement *m*; **canale di ~** canal *m* d'écoulement; **tubo di ~** tuyau *m* d'écoulement

scolorire [skolo'rire] *vt* décolorer, déteindre; **scolorirsi** *vpr* se décolorer

scolpire [skol'pire] *vt* sculpter

scombussolare [skombusso'lare] *vt* (*progetto, persona*) bouleverser; (*stomaco*) déranger

scommessa [skom'messa] *sf* (*atto*) pari *m*; (*somma di denaro*) enjeu *m*; **fare una ~** parier, faire un pari

scommettere [skom'mettere] *vt* parier

scomodare [skomo'dare] *vt* déranger; **scomodarsi** *vpr* se déranger; **scomodarsi a fare qc** prendre la peine de faire qch; **non si scomodi** ne vous dérangez pas

scomodo, -a ['skɔmodo] *agg* (*poltrona ecc*) inconfortable; (*sistemazione*) pas pratique, pas commode; (*orario*) peu pratique; (*personaggio*) qui dérange; (*fig: posizione*) difficile

scomparire [skompa'rire] *vi* disparaître; (*fig: morire*) disparaître, s'éteindre; **~ di fronte a** (*fig: fare*

cattiva figura) faire piètre figure vis-à-vis de

scompartimento [skomparti'mento] *sm* (*di treno*) compartiment *m*; (*di borsa*) poche *f*; (*ambiente*) division *f*; **uno ~ per non-fumatori** un compartiment non-fumeurs

scompigliare [skompiʎ'ʎare] *vt* ébouriffer, décoiffer

scomunicare [skomuni'kare] *vt* excommunier

sconcio, -a, -ci, -ce ['skontʃo] *agg* obscène ■ *sm* (*cosa fatta male*) horreur *f*; **è uno ~!** c'est une honte!

sconfiggere [skon'fiddʒere] *vt* (*nemico*) battre; (*malattia, corruzione*) vaincre

sconfinare [skonfi'nare] *vi* franchir la frontière; **~ in** (*in proprietà privata ecc*) pénétrer dans, empiéter sur; **~ (da)** (*fig*) s'écarter (de)

sconfitta [skon'fitta] *sf* défaite *f*

sconforto [skon'fɔrto] *sm* découragement *m*

scongelare [skondʒe'lare] *vt* décongeler

scongiurare [skondʒu'rare] *vt* (*persona, fig: pericolo*) conjurer

scongiuro [skon'dʒuro] *sm* conjuration *f*; **fare gli scongiuri** conjurer le mauvais sort

sconnesso, -a [skon'nesso] *agg* disjoint(e); (*parti di macchinario*) disloqué(e); (*fig: discorso, ragionamento*) décousu(e)

sconosciuto, -a [skonoʃ'ʃuto] *agg, sm/f* inconnu(e)

sconsigliare [skonsiʎ'ʎare] *vt*: **~ (qc a qn)** déconseiller (qch à qn); **~ qn di fare qc** déconseiller à qn de faire qch

sconsolato, -a [skonso'lato] *agg* (*addolorato*) inconsolable; (*deluso*) affligé(e)

scontare [skon'tare] *vt* (*Comm: detrarre*) déduire; (*: cambiale*) escompter; (*: debito*) éteindre; (*prezzo*) faire une réduction sur; (*colpa*) expier; (*eccessi, errori*) payer, expier; (*pena, condanna*) purger

scontato, -a [skon'tato] *agg* (*prezzo*) réduit(e); (*merce*) à prix réduit; (*risultato*) prévu(e), escompté(e);

dare per ~ qc/che donner pour sûr qch/que

scontento, -a [skon'tɛnto] *agg*: **~ (di)** mécontent(e) (de) ▪ *sm* mécontentement *m*

sconto ['skonto] *sm* (*bancario*) escompte *m*; (*riduzione*) réduction *f*, remise *f*; **fare lo ~ (a)** faire une réduction (à); **uno ~ del 10%** une remise de 10%; **ci sono sconti per studenti?** y a-t-il une réduction pour les étudiants?

scontrarsi [skon'trarsi] *vpr* (*persona, veicolo*): **~ con** entrer en collision avec; (*reciproco: veicoli*) entrer en collision; (*fig: eserciti*) s'affronter; (*: persone*) s'opposer

scontrino [skon'trino] *sm* (*anche*: **scontrino fiscale**) ticket *m* de caisse; (*Comm*) reçu *m*, récépissé *m*; **potrei avere lo ~ per favore?** je peux avoir un ticket de caisse, s'il vous plaît?

⬭ **SCONTRINO**
⬭
⬭ Les gérants de bars et de magasins
⬭ sont tenus de délivrer un *scontrin*
⬭ o (un ticket) à leurs clients. Il est
⬭ préférable de l'accepter, car si
⬭ vous n'êtes pas en mesure de le
⬭ produire au cours d'un éventuel
⬭ contrôle, vous pourriez avoir
⬭ une amende.

scontro ['skontro] *sm* (*di veicoli*) collision *f*; (*tra eserciti*) combat *m*, affrontement *m*; (*tra persone*) affrontement; **~ a fuoco** fusillade *f*, échange *m* de coups de feu

scontroso, -a [skon'troso] *agg* ombrageux(-euse)

sconveniente [skonve'njɛnte] *agg* (*contegno, parole*) inconvenant(e); (*prezzo ecc*) désavantageux(-euse)

sconvolgere [skon'vɔldʒere] *vt* bouleverser

sconvolto, -a [skon'vɔlto] *pp di* **sconvolgere** ▪ *agg* (*persona*) bouleversé(e)

scopa ['skopa] *sf* balai *m*; (*Carte*) jeu de cartes italien à deux ou à quatre joueurs

scopare [sko'pare] *vt* balayer; (*fam!*) baiser (*fam!*)

scoperta [sko'pɛrta] *sf* découverte *f*; **andare alla ~ di qc** aller à la découverte de qch; **che ~!** tu parles d'une découverte!

scoperto, -a [sko'pɛrto] *pp di* **scoprire** ▪ *agg* (*pentola*) découvert(e), sans couvercle; (*capo, spalle*) nu(e); (*macchina*) décapoté(e); (*assegno, conto*) sans provision ▪ *sm*: **allo ~** (*dormire ecc*) à la belle étoile; (*agire*) à découvert; **a viso ~** à découvert

scopo ['skɔpo] *sm* but *m*; **a che ~?** dans quel but?; **adatto allo ~** fait pour; **allo ~ di fare qc** dans le but de faire qch, avec l'intention de faire qch; **a ~ di lucro** pour de l'argent; **senza ~** sans but

scoppiare [skop'pjare] *vi* (*anche fig: guerra, epidemia*) éclater; (*caldaia, bomba*) exploser; (*pneumatico*) éclater, crever; **~ in lacrime** *o* **a piangere** fondre en larmes; **~ a ridere** éclater de rire; **~ dal caldo** crever de chaud; **~ di salute** respirer la santé

scoppiettare [skoppjet'tare] *vi* crépiter

scoppio ['skɔppjo] *sm* éclatement *m*; (*esplosione*) explosion *f*; **uno ~ di risa** un éclat de rire; **uno ~ di collera** une explosion de colère

scoprire [sko'prire] *vt* découvrir; (*lapide, monumento*) dévoiler; **scoprirsi** *vpr* se découvrir; (*fig*) se découvrir, dévoiler son jeu

scoraggiare [skorad'dʒare] *vt* décourager; **scoraggiarsi** *vpr* se décourager

scorciatoia [skortʃa'toja] *sf* raccourci *m*; (*fig*) biais *msg*

scorcio ['skortʃo] *sm* (*Arte*) raccourci *m*; (*di secolo, periodo*) fin *f*; **di ~** (*vedere*) en raccourci; **~ panoramico** panorama *m*

scordare [skor'dare] *vt* oublier; **scordarsi** *vpr*: **scordarsi di qc/di fare qc** oublier qch/de faire qch

scorgere ['skɔrdʒere] *vt* apercevoir; (*fig: difficoltà ecc*) entrevoir

scorpacciata [skorpat'tʃata] *sf* bombance *f*, gueuleton *m* (*fam*); **fare una ~ di** s'empiffrer de, se gaver de

scorpione [skor'pjone] *sm* scorpion *m*; (*Zodiaco*): **S~** Scorpion; **essere dello S~** être (du) Scorpion

scorrere ['skorrere] vt (lettera, giornale) parcourir ■ vi (fiume, lacrime) couler; (fune, cassetto) glisser; (tempo) passer

scorretto, -a [skor'retto] agg (sbagliato, sleale) incorrect(e); (sgarbato) impoli(e), grossier(-ière); (sconveniente) inconvenant(e)

scorrevole [skor'revole] agg (porta) coulissant(e); (fig: prosa, stile) fluide, coulant(e); (: traffico) fluide; **nastro ~** tapis msg roulant

scorsi ecc ['skorsi] vb vedi **scorgere**

scorso, -a ['skorso] pp di **scorrere**; **scorgere** ■ agg passé(e), dernier(-ière); **l'anno ~** l'année dernière, l'an passé; **lo ~ mese** le mois dernier

scorsoio, -a [skor'sojo] agg (nodo) coulant(e)

scorta ['skorta] sf (di personalità) escorte f; (convoglio) convoi m; (provvista) provision f, réserve f; **sotto la ~ di due agenti** escorté de deux agents; **fare ~ di** faire des provisions de, stocker; **di ~** (materiali) de réserve; (ruota) de secours

scortese [skor'tese] agg impoli(e), désobligeant(e)

scorza ['skordza] sf (di limone, arancia) zeste m; (di castagna) écorce f

scosceso, -a [skoʃ'ʃeso] agg escarpé(e), abrupt(e)

scossa ['skossa] sf (sussulto) secousse f; (fig) choc m; (Elettr) décharge f; **prendere la ~** (Elettr) prendre une décharge; **~ di terremoto** secousse sismique

scosso, -a ['skosso] pp di **scuotere** ■ agg (persona) secoué(e); (nervi) ébranlé(e)

scostante [skos'tante] agg (atteggiamento) rébarbatif(-ive); (individuo) antipathique

scotch ['skotʃ] sm inv (whisky) scotch m; (nastro adesivo) scotch® m

scottare [skot'tare] vt (ustionare) brûler; (Cuc: pollo) échauder; (: verdura) blanchir, ébouillanter ■ vi brûler; (fig: faccenda) être brûlant(e); **scottarsi** vpr se brûler; (fig) être échaudé(e)

scottatura [skotta'tura] sf brûlure f

scotto, -a ['skotto] agg trop cuit(e) ■ sm (fig): **pagare lo ~ (di)** payer les conséquences (de)

scovare [sko'vare] vt débusquer; (fig) dénicher, dégoter (fam)

Scozia ['skottsja] sf Écosse f

scozzese [skot'tsese] agg écossais(e) ■ sm/f Écossais(e)

screditare [skredi'tare] vt discréditer; **screditarsi** vpr se discréditer

screen saver ['skriin'sɛivər] sm inv (Inform) économiseur m d'écran

scremato, -a [skre'mato] agg écrémé(e)

screpolato, -a [skrepo'lato] agg (labbra) gercé(e); (muro) crevassé(e)

screzio ['skrettsjo] sm désaccord m, brouille f

scricchiolare [skrikkjo'lare] vi (pavimento, sedia) craquer; (porta) grincer

scrigno ['skriɲɲo] sm coffret m, écrin m

scriminatura [skrimina'tura] sf raie f

scrissi ecc ['skrissi] vb vedi **scrivere**

scritta ['skritta] sf inscription f

scritto, -a ['skritto] pp di **scrivere** ■ agg écrit(e)

scrittoio [skrit'tojo] sm bureau m

scrittore, -trice [skrit'tore] sm/f écrivain ((femme) écrivain)

scrittura [skrit'tura] sf (anche Dir) écriture f; (Cine, Teatro) engagement m; **le Sacre Scritture** les Saintes Écritures; **~ privata** écriture privée, acte m sous seing privé; **scritture contabili** écritures

scritturare [skrittu'rare] vt (attore ecc) engager; (Comm: importo) transcrire

scrivania [skriva'nia] sf bureau m

scrivere ['skrivere] vt écrire; **come si scrive?** comment est-ce que cela s'écrit?; **~ qc a qn** écrire qch à qn; **~ qc a macchina** écrire qch à la machine; **~ a penna/a matita** écrire au stylo/au crayon; **~ qc maiuscolo/minuscolo** écrire qch en majuscules/minuscules

scroccone, -a [skrok'kone] sm/f tapeur(-euse); (a cena) pique-assiette m/f inv

scrofa ['skrɔfa] sf truie f

scrollare [skrol'lare] vt (scuotere) secouer; **scrollarsi** vpr [skrol'larsi] secouer; ~ **il capo** hocher la tête; ~ **le spalle** hausser les épaules; **scrollarsi di dosso la malinconia** chasser la mélancolie

scrupolo ['skrupolo] sm scrupule m; (meticolosità) méticulosité f; **senza scrupoli** sans scrupules

scrupoloso, -a [skrupo'loso] agg (persona) scrupuleux(-euse); (lavoro) méticuleux(-euse)

scrutare [skru'tare] vt scruter

scucire [sku'tʃire] vt découdre; **scucirsi** vpr se découdre

scuderia [skude'ria] sf (anche Aut) écurie f

scudetto [sku'detto] sm (Sport) championnat m; (distintivo) écusson m

scudo ['skudo] sm (arma) bouclier m; (rivestimento) écran m; (Zool) écusson m; (Araldica) écu m; **farsi ~ di o con qc** se retrancher derrière qch; ~ **aereo** défense f antiaérienne; ~ **crociato** (Pol) symbole du parti démocrate-chrétien en Italie; ~ **missilistico** défense antimissile; ~ **termico** bouclier thermique

sculacciare [skulat'tʃare] vt fesser, donner une fessée à

scultore, -trice [skul'tore] sm/f sculpteur ((femme) sculpteur)

scultura [skul'tura] sf sculpture f

scuola ['skwɔla] sf école f; (insieme di istituzioni) enseignement m; (di cucito ecc) cours msg; ~ **dell'obbligo** enseignement obligatoire; ~ **elementare/materna** école primaire/maternelle; ~ **guida** auto-école f; ~ **media** ≈ collège m; ~ **privata/pubblica** école privée/publique; ~ **tecnica** ≈ collège m technique; **scuole serali** cours mpl du soir

scuotere ['skwɔtere] vt secouer, remuer; (fig: turbare) secouer; **scuotersi** vpr sursauter; (fig: da apatia) se secouer; (: turbarsi) s'émouvoir

scure ['skure] sf hache f, cognée f

scuro, -a ['skuro] agg (stanza, notte) sombre; (colore, capelli, occhi) foncé(e); (birra) brun(e); (fig) sombre ■ sm (buio) obscurité f; (imposta) volet m; **verde/rosso ~** vert/rouge foncé

scusa ['skuza] sf excuse f; (perdono) pardon m; **chiedere ~ a qn (per/di)** demander pardon à qn (pour/de); **chiedo ~** (mi dispiace) excuse-/excusez-moi; (disturbando ecc) excuse-/excusez-moi, pardon; **porgere le proprie scuse a qn** présenter ses excuses à qn; **tutte scuse!** ce n'est qu'un prétexte o une excuse!

scusare [sku'zare] vt (giustificare) excuser; (perdonare) pardonner; **scusarsi** vpr: **scusarsi (di)** s'excuser (de); **scusa!, scusami!** pardon!, excuse-moi!; **(mi) scusi!** pardon!, excusez-moi!; (per richiamare l'attenzione) (je vous demande) pardon

sdegnato, -a [zdeɲ'nato] agg indigné(e)

sdegno ['zdeɲɲo] sm (ira) indignation f; (disprezzo) dédain m

sdolcinato, -a [zdoltʃi'nato] agg doucereux(-euse)

sdraiarsi [zdra'jarsi] vpr s'étendre

sdraio ['zdrajo] sm: **sedia a ~** chaise f longue, transatlantique m

sdrucciolevole [zdruttʃo'levole] agg glissant(e)

se [se] pron vedi **si** ■ cong si; **se nevica non vengo** s'il neige je ne viens pas; **se fossi in te** si j'étais toi; **resta qui se preferisci** reste ici si tu préfères; **sarei rimasto se me**

l'avesse̊rò chiesto je serais resté s'ils me l'avaient demandé; **non puoi fare altro se non telefonare** tu ne peux rien faire d'autre que téléphoner; **se mai venisse…** si jamais il venait…; **siamo noi se mai che le siamo grati** s'il y a quelqu'un qui doit vous être reconnaissant, c'est bien nous; **se solo potessi avvertirlo!** si seulement je pouvais l'avertir!; **se non altro** au moins, du moins; **se no** (altrimenti) sinon; **non so se chiederlo** je ne sais pas si je dois le demander; **guarda lì sotto se c'è** regarde là-dessous s'il y est; **non so se scrivere o telefonare** je ne sais pas si je dois écrire ou téléphoner

sé [se] pron (indefinito) soi; (definito: singolare) lui (elle); (: plurale) eux (elles); **di per sé non è un problema** ce n'est pas un problème en soi; **parlare tra sé e sé** se parler à soi-même; **ridere tra sé e sé** rire dans sa barbe; **va da sé che…** il va de soi que…; **è un caso a sé (stante)** c'est un cas à part, c'est un cas particulier; vedi anche **stesso**

sebbene [seb'bɛne] cong bien que, quoique

sec. abbr (= secolo) s.; (= secondo) second(e)

secca ['sekka] sf (del mare) bas-fond m

seccare [sek'kare] vt (rendere secco) sécher; (prosciugare) assécher; (fig: importunare) ennuyer, embêter ▪ vi (diventare secco) sécher; (prosciugarsi) s'assécher; **seccarsi** vpr (fiori, torrente, gola) se dessécher; (infastidirsi) se fâcher; **si è seccato molto** cela l'a beaucoup contrarié

seccato, -a [sek'kato] agg séché(e); (fig: infastidito) fâché(e), contrarié(e); (: stufo) fatigué(e)

seccatura [sekka'tura] sf (fig) embêtement m, ennui m

seccherò ecc [sekke'rɔ] vb vedi seccare

secchiello [sek'kjɛllo] sm (per bambini) (petit) seau m

secchio ['sekkjo] sm seau m

secco, -a, -chi, -che ['sekko] agg (anche fig) sec (sèche); (pozzo, sorgente) à sec, tari(e); (ramo, foglia) mort(e) ▪ sm (siccità) sécheresse f;

avere la gola secca avoir la gorge sèche; **far ~ qn** (fig) tuer qn sur le coup; **restarci ~** (fig: morire) mourir sur le coup; **lavare a ~** nettoyer à sec; **tirare a ~** (barca ecc) mettre en cale sèche; **rimanere in** o **a ~** (Naut) s'échouer; (fig: senza soldi) être à sec, être fauché(e)

secolare [seko'lare] agg séculaire; (laico) séculier(-ière)

secolo ['sɛkolo] sm siècle m; **la scoperta del ~** la découverte du siècle; **al ~** (con nomi) de son vrai nom

seconda [se'konda] sf (Scol: elementare) ≈ CE1 m (cours élémentaire 1); (: media) ≈ cinquième f; (Aut, Ferr) seconde f; **comandante in ~** commandant m en second; **a ~ che** selon que, suivant que; **a ~ di** selon; vedi anche **secondo**

secondario, -a [sekon'darjo] agg (aspetto, problema) secondaire; (proposizione) subordonné(e); **scuole secondarie** écoles fpl secondaires

secondo, -a [se'kondo] agg second(e), deuxième ▪ sm/f second m/f, deuxième m/f ▪ sm (anche: **minuto secondo**) seconde f; (portata) plat m de résistance ▪ prep: **~ me/lui** d'après moi/lui; **in ~ luogo** en second lieu; **di seconda mano** (merce) d'occasion; (notizia) de seconde main; **passare in ~ piano** passer au second plan; **~ la legge** selon la loi; **seconda classe** (Ferr) deuxième classe f, seconde f (classe); **seconda colazione** déjeuner m; vedi anche **seconda**

sedano ['sɛdano] sm céleri m

sedativo, -a [seda'tivo] agg sédatif(-ive) ▪ sm sédatif m

sede ['sɛde] sf siège m; **in ~ di** (in occasione di) pendant; **in altra ~** dans un autre lieu; **in separata ~** (fig: privatamente) entre quatre yeux; **in ~ legislativa** au sein d'une commission parlementaire ayant le pouvoir d'approuver une loi; **un'azienda con diverse sedi in città** une entreprise ayant plusieurs succursales en ville; **la Santa S~** le Saint-Siège; **~ centrale** maison f mère; **~ sociale** siège social; **~ stradale** chaussée f

sedentario, -a [seden'tarjo] *agg*
sédentaire

sedere [se'dere] *vi* (*anche:* **sedersi**)
être assis(e); (*in adunanza, tribunale
ecc*) siéger ■ *sm* (*Anat*) derrière *m*;
posto a ~ place *f* assise

sedia ['sɛdja] *sf* chaise *f*; **~ a rotelle**
fauteuil *m* roulant; **~ elettrica** chaise
électrique

sedici ['seditʃi] *agg inv, sm inv* seize
(*m*) *inv; vedi anche* **cinque**

sedile [se'dile] *sm* (*in veicoli*) siège *m*;
(*panchina*) banquette *f*

seducente [sedu'tʃɛnte] *agg*
séduisant(e)

sedurre [se'durre] *vt* séduire

seduta [se'duta] *sf* (*riunione*) séance *f*;
(*con medico, legale*) consultation *f*;
essere in ~ être en conférence;
~ spiritica séance de spiritisme;
~ stante (*fig*) séance tenante, sur
le champ

seduzione [sedut'tsjone] *sf*
séduction *f*; (*fascino*) charme *m*

SEeO *abbr* (= *salvo errori e omissioni*) SEO

sega, -ghe ['sega] *sf* scie *f*

segale ['segale] *sf* seigle *m*; **pane di ~**
pain *m* de seigle

segare [se'gare] *vt* scier; (*stringere:
polsi ecc*) couper

seggio ['sɛddʒo] *sm* siège *m*;
~ elettorale (*per votazioni*) bureau *m*
de vote

seggiola ['sɛddʒola] *sf* chaise *f*

seggiolone [seddʒo'lone] *sm* (*per
bambini*) chaise *f* d'enfants, chaise
haute

seggiovia [seddʒo'via] *sf* télésiège *m*

segherò ecc [sege'rɔ] *vb vedi* **segare**

segnalare [seɲɲa'lare] *vt* signaler;
(*persona: per lavoro*) recommander;
segnalarsi *vpr* (*per abilità ecc*) se
distinguer

segnale [seɲ'ɲale] *sm* signal *m*;
il telefono dà il ~ di occupato le
téléphone sonne occupé; **~ acustico**
signal acoustique; **~ d'allarme** signal
d'alarme; **~ elettrico/luminoso**
signal électrique/lumineux; **~ orario**
signal horaire; **~ stradale** signal
routier

segnalibro [seɲɲa'libro] *sm* signet *m*

segnare [seɲ'ɲare] *vt* marquer;
(*prendere nota*) noter, enregistrer;

(*Sport: goal*) marquer; **segnarsi** *vpr*
(*Rel*) faire le signe de la croix; **~ il
passo** marquer le pas; **l'orologio
segna le quattro** l'horloge indique
quatre heures; **segnò la fine della
loro amicizia** ceci marqua la fin de
leur amitié

segno ['seɲɲo] *sm* signe *m*;
(*impronta*) trace *f*; **fare ~ di sì/no**
faire signe que oui/non; **fare ~ a qn
di fermarsi** faire signe à qn de
s'arrêter; **cogliere** o **colpire nel ~**
(*fig: indovinare*) deviner juste;
(*raggiungere l'effetto*) faire mouche;
in o **come ~ d'amicizia** en signe
d'amitié; **lasciare il ~** (*anche fig*)
laisser des traces; **passare il ~**
dépasser les bornes; **il ~ della croce**
le signe de la croix; **~ zodiacale**
signe du zodiaque o zodiacal; **segni
particolari** (*su documento*) signes
particuliers

segretario, -a [segre'tarjo] *sm/f*
secrétaire *m/f*; **~ comunale** secrétaire
de mairie; **~ di partito** secrétaire de
parti; **~ di Stato** (*USA*) secrétaire
d'État

segreteria [segrete'ria] *sf*
secrétariat *m*; **~ telefonica** répondeur
m téléphonique

segreto, -a [se'greto] *agg*
secret(-ète) ■ *sm* secret *m*; **in ~** en
secret; **~ professionale** secret
professionnel

seguace [se'gwatʃe] *sm/f* (*di dottrina*)
disciple *m/f*; (*di ideologia*) partisan(e)

seguente [se'gwɛnte] *agg* suivant(e)

seguire [se'gwire] *vt, vi* suivre; **~ i
consigli di qn** suivre les conseils de
qn; **come segue** ainsi, de la façon
suivante; **"segue"** "à suivre"

seguitare [segwi'tare] *vt* continuer,
poursuivre ■ *vi*: **~ (a fare qc)**
continuer (à/de faire qch)

seguito ['segwito] *sm* (*continuazione*)
suite *f*; (*discepoli*) disciple *m*, adepte
m/f; (*consenso*) succès *msg*; **di ~** de
suite, sans arrêt; **in ~** ensuite, par la
suite; **in ~ a, a ~ di** (*dopo*) suite à;
(*a causa di*) à la suite de; **essere al ~
di qn** faire partie de la suite de qn;
non aver ~ (*conseguenze*) ne pas avoir
de suite(s); **facciamo ~ alla lettera
del 9/1/08** suite à la lettre du 9/1/08

sei ['sɛi] vb vedi **essere** ◼ agg inv, sm inv six (m) inv; vedi anche **cinque**

seicento [sei'tʃɛnto] agg inv, sm inv six cents (m) inv ◼ sm: **il S~** le dix-septième siècle

selciato [sel'tʃato] sm pavé m

selezionare [selettsjo'nare] vt sélectionner

selezione [selet'tsjone] sf sélection f; **fare una ~** faire une sélection

sella ['sɛlla] sf selle f

sellino [sel'lino] sm selle f

selvaggina [selvad'dʒina] sf gibier m

selvaggio, -a, -gi, -ge [sel'vaddʒo] agg, sm/f sauvage m/f

selvatico, -a, -ci, -che [sel'vatiko] agg sauvage

semaforo [se'maforo] sm feu m

sembrare [sem'brare] vi sembler, paraître ◼ vb impers: **sembra che** il semble que, on dirait que; **questa macchina sembra nuova** cette voiture semble o paraît neuve; **sembrava un gentiluomo** on aurait dit un gentleman; **mi sembra che** il me semble que; **sembrava volerci aiutare** il avait l'air de vouloir nous aider, on aurait dit qu'il voulait nous aider; **non mi sembra vero!** je n'en crois pas mes oreilles!

seme ['seme] sm (Bot) graine f; (: di pere, mele, uva) pépin m; (semente) semence f; (sperma) sperme m; (Carte) couleur f; (fig: causa, origine) germe m

semestre [se'mɛstre] sm semestre m

semifinale [semifi'nale] sf demi-finale f

semifreddo [semi'freddo] sm (dolce) entremets msg glacé, parfait m

seminare [semi'nare] vt semer

seminario [semi'narjo] sm séminaire m

seminterrato [seminter'rato] sm sous-sol m

semola ['semola] sf semoule f; **~ di grano duro** semoule de blé dur

semolino [semo'lino] sm semoule f

semplice ['semplitʃe] agg simple; **è una ~ formalità** ce n'est qu'une simple formalité, c'est une simple formalité

sempre ['sɛmpre] avv toujours; **da ~** depuis toujours; **per ~** pour toujours, à jamais; **una volta per ~** une fois pour toutes; **~ che** à condition que,

si toutefois, en admettant que; **~ più** de plus en plus; **~ meno** de moins en moins; **va ~ meglio** cela va de mieux en mieux; **è ~ meglio che niente** c'est toujours mieux que rien; **è (pur) ~ tuo fratello** il n'empêche que c'est ton frère, il n'en est pas moins ton frère; **posso ~ tentare** je peux toujours essayer; **c'è ~ la possibilità che...** il y a toujours la possibilité que..., il reste quand même la possibilité que...

sempreverde [sempre'verde] agg (Bot) à feuilles persistantes, semper virens inv ◼ sm o f plante f o arbre m à feuilles persistantes, semper virens msg inv

senape ['sɛnape] sf (Cuc) moutarde f

senato [se'nato] sm sénat m

senatore [sena'tore] sm sénateur m

senno ['senno] sm sagesse f, bon sens msg; **col ~ di poi** avec un peu de recul, après coup

seno ['seno] sm (anche fig) sein m; (petto) sein, poitrine f; (Mat, Anat: cavità) sinus msg; (Geo) anse f, crique f; **in ~ a** (entro, nell'ambito di) au sein de

sensato, -a [sen'sato] agg sensé(e), judicieux(-euse)

sensazionale [sensattsjo'nale] agg sensationnel(le), super inv (fam)

sensazione [sensat'tsjone] *sf*
sensation *f*; (*impressione,
presentimento*) sensation, impression
f; **avere la ~ che** avoir la sensation
o l'impression que; **fare ~** faire
sensation

sensibile [sen'sibile] *agg* sensible;
~ a sensible à

senso ['sɛnso] *sm* sens *msg*;
(*impressione, sensazione*) sensation *f*,
impression *f*; **sensi** *smpl* (*sensualità*)
sens *mpl*; (*coscienza*) connaissance
fsg, sens *mpl*; **avere ~ pratico** avoir
le sens pratique; **avere un sesto ~** avoir
un sixième sens; **fare ~ (a)** (*ripugnare*)
répugner (à); **ciò non ha ~** (*non
significa nulla*) cela ne veut rien dire;
(*è illogico*) cela ne rime à rien; **nel ~
che** en ce sens que; **nel vero ~ della
parola** au sens propre du mot; **nel ~
della lunghezza/della larghezza**
dans le sens de la longueur/de la
largeur; **in ~ opposto** en sens inverse;
in ~ orario/antiorario dans le sens
des aiguilles d'une montre/dans le sens
contraire à celui des aiguilles
d'une montre; **ho dato disposizioni
in quel ~** j'ai donné des instructions
dans ce sens; **~ comune** sens
commun; **~ di colpa** sentiment *m*
de culpabilité; **~ del dovere** sens du
devoir; **~ dell'umorismo** sens de
l'humour; **~ unico** sens unique;
~ vietato sens interdit

sensuale [sensu'ale] *agg* sensuel(le)

sentenza [sen'tɛntsa] *sf* (*Dir*)
sentence *f*, jugement *m*; (*massima*)
maxime *f*

sentiero [sen'tjɛro] *sm* (*anche fig*)
sentier *m*

sentimentale [sentimen'tale] *agg*
sentimental(e)

sentimento [senti'mento] *sm*
sentiment *m*

sentinella [senti'nɛlla] *sf* sentinelle *f*

sentire [sen'tire] *vt* sentir; (*al tatto*)
sentir, toucher; (*sapore*) goûter;
(*udire*) entendre; (*ascoltare, dar retta a*)
écouter; (*consultare*) consulter;
(*provare: sentimento, sensazione*)
ressentir, éprouver ■ *vi*: **~ di** sentir;
sentirsi *vpr* se sentir; **ho sentito dire
che...** j'ai entendu dire que...; **a ~ lui...**
à l'entendre..., à l'en croire...; **fatti ~!**

donne de tes nouvelles!; **intendo ~ il
mio legale** j'ai l'intention de consulter
mon avocat; **~ il polso a qn** tâter le
pouls de qn; **~ la mancanza di qn**
ressentir l'absence de qn; **sento
molto la sua mancanza** elle me
manque beaucoup; **come ti senti?**
comment te sens-tu?; **non mi sento
bene** je ne me sens pas bien; **te la
senti di farlo?** tu penses pouvoir le
faire?; **non me la sento** je n'en ai pas
le courage; **ci sentiamo!** à un de ces
jours!; (*al telefono*) on se rappelle!

sentito, -a [sen'tito] *agg*
(*ringraziamenti, auguri*) sincère;
per ~ dire par ouï-dire

senza ['sɛntsa] *prep, cong* sans; **~ dir
nulla** sans rien dire; **~ contare che...**
sans compter que...; **~ di me** sans
moi; **~ che io lo sapessi** sans que je le
sache; **senz'altro** sans faute,
certainement; **~ dubbio** sans aucun
doute; **~ scrupoli** sans scrupules;
fare ~ qc se passer de qch

separare [sepa'rare] *vt* séparer;
separarsi *vpr* se séparer; **separarsi
da** se séparer de

separato, -a [sepa'rato] *agg*
séparé(e)

seppellire [seppel'lire] *vt* enterrer;
(*osso, tesoro*) ensevelir, enfouir

seppi *ecc* ['sɛppi] *vb vedi* **sapere**

seppia ['seppja] *sf* seiche *f* ■ *agg inv*
sépia *inv*

sequenza [se'kwɛntsa] *sf* (*serie*)
suite *f*; (*Cine, serie di carte*) séquence *f*

sequestrare [sekwes'trare] *vt* (*Dir*)
saisir, confisquer; (*rapire*) enlever,
kidnapper; (*tenere in isolamento*)
séquestrer

sequestro [se'kwestro] *sm* (*Dir*)
séquestre *m*, saisie *f*; **~ di persona**
enlèvement *m*, rapt *m*

sera ['sera] *sf* soir *m*; **di ~ le** soir;
domani ~ demain soir; **questa ~**
ce soir

serale [se'rale] *agg* du soir

serata [se'rata] *sf* soirée *f*;
(*spettacolo*) représentation *f*

serbare [ser'bare] *vt* (*denaro*) mettre
de côté; (*segreto*) garder; **~ rancore a
qn** garder rancune envers qn

serbatoio [serba'tojo] *sm* réservoir *m*;
(*cisterna*) citerne *f*

serbo¹ ['sɛrbo] *sm*: **tenere** *o* **avere in ~ qc** garder *o* avoir qch de côté

serbo², **-a** ['sɛrbo] *agg* serbe ■ *sm/f* Serbe *m/f* ■ *sm* (*anche:* **serbocroato**) serbe *m*

sereno, **-a** [se'reno] *agg* serein(e) ■ *sm* beau temps *msg*; **un fulmine a ciel ~** (*fig*) un coup de massue

sergente [ser'dʒɛnte] *sm* sergent *m*; **~ maggiore** sergent-major *m*

serie ['sɛrje] *sf inv* série *f*; (*Calcio*) division *f*; **modello di ~/fuori ~** (*Comm*) modèle *m* de série/hors série; **squadra di ~ A/B** ≈ équipe de 1ère/2ème division; **in ~** (*produzione*) en série; **tutta una ~ di problemi** toute une série de problèmes

serietà [serje'ta] *sf* sérieux *m*

serio, **-a** ['sɛrjo] *agg* sérieux(-euse) ■ *sm*: **sul ~** (*davvero*) sérieusement; (*seriamente*) sérieusement, pour de bon; **dico sul ~** je parle sérieusement; **faccio sul ~** je ne plaisante pas; **prendere qc/qn sul ~** prendre qch/qn au sérieux

serpente [ser'pɛnte] *sm* serpent *m*; (*pelle*) peau *f* de serpent; (*peg: fig*) vipère *f*; **~ a sonagli** serpent à sonnettes

serra ['sɛrra] *sf* (*Bot, Geo*) serre *f* ■ *agg inv*: **effetto ~** effet de serre

serranda [ser'randa] *sf* rideau *m* de fer

serratura [serra'tura] *sf* serrure *f*

server ['server] *sm inv* (*Inform*) serveur *m*

servire [ser'vire] *vt* servir; (*Calcio ecc*) passer le ballon à; (: *rimessa*) remettre en jeu; (*Carte*) distribuer; (*sogg: servizio pubblico*) desservir ■ *vi* (*anche Sport*) servir; **servirsi** *vpr* se servir; **~ Messa** servir la Messe; **~ a/a fare** servir à/à faire; **~ (a qn) di** servir (à qn) de; **non mi serve più** je n'en ai plus besoin; **non serve che lei vada** il n'est pas utile que vous y alliez; **servirsi di qc** se servir de qch; **servirsi da** (*in negozio*) se servir chez; **serviti pure!** sers-toi!

servizievole [servit'tsjevole] *agg* serviable

servizio [ser'vittsjo] *sm* service *m*; (*Stampa, TV, Radio*) reportage *m*; **servizi** *smpl* (*strutture*) services *mpl*;

(*di casa*) salle *fsg* de bains et toilettes; **prendere a ~** (*domestica*) engager, prendre à son service; **donna di ~** femme *f* de ménage; **entrata di ~** entrée *f* de service; **essere di ~** être de service; **fuori ~** (*telefono*) en dérangement; (*toilette*) hors d'usage; (*macchina*) en panne; **~ compreso/escluso** service compris/non compris; **casa con doppi servizi** maison *f* avec deux salles de bains; **~ assistenza clienti** service après-vente; **~ d'ordine** service d'ordre; **~ da tè** service à thé; **~ di posate** ménagère *f*; **~ fotografico** reportage photographique; **~ militare** service militaire; **servizi di sicurezza** services de la Sûreté; **servizi segreti** services secrets

sessanta [ses'santa] *agg inv, sm inv* soixante (*m*) *inv*; *vedi anche* **cinque**

sessantesimo, **-a** [sessan'tɛzimo] *agg, sm/f* soixantième *m/f*

sessione [ses'sjone] *sf* session *f*

sesso ['sɛsso] *sm* sexe *m*; **il ~ debole/forte** le sexe faible/fort

sessuale [sessu'ale] *agg* sexuel(le)

sestante [ses'tante] *sm* sextant *m*

sesto, **-a** ['sɛsto] *agg, sm/f* sixième *m/f* ■ *sm* sixième *m*; **rimettere in ~** (*aggiustare*) remettre en état; (*fig: persona*) remettre sur pied, remettre d'aplomb

seta ['seta] *sf* soie *f*

sete ['sete] *sf* soif *f*; **avere ~** avoir soif; **~ di potere** soif de pouvoir

setola ['setola] *sf* (*di maiale, cinghiale*) soie *f*; (*di cavallo*) crin *m*

setta ['sɛtta] *sf* secte *f*

settanta [set'tanta] *agg inv, sm inv* soixante-dix (*m*) *inv*; *vedi anche* **cinque**

settantesimo, **-a** [settan'tɛzimo] *agg, sm/f* soixante-dixième *m/f*

settare [set'tare] *vt* (*Inform*) configurer

sette ['sɛtte] *agg inv, sm inv* sept (*m*) *inv*; *vedi anche* **cinque**

settecento [sette'tʃɛnto] *agg inv, sm inv* sept cents (*m*) *inv* ■ *sm*: **il S~** le dix-huitième siècle

settembre [set'tɛmbre] *sm* septembre *m*; *vedi anche* **luglio**

settentrionale [settentrjo'nale] *agg* septentrional(e), du Nord ■ *sm/f* (*in Italia*) habitant(e) du Nord (de l'Italie)

settentrione [setten'trjone] *sm* Nord *m*

settimana [setti'mana] *sf* semaine *f*; **a metà ~** au milieu de la semaine; **~ bianca** semaine au ski; **~ corta** semaine anglaise; **~ santa** semaine sainte

settimanale [settima'nale] *agg, sm* hebdomadaire (*m*)

settimo, -a ['settimo] *agg, sm/f* septième *m/f* ■ *sm* septième *m*; **essere al ~ cielo** être au septième ciel

settore [set'tore] *sm* secteur *m*; **~ privato/pubblico** secteur privé/public; **~ terziario** secteur tertiaire

severità [severi'ta] *sf* sévérité *f*

severo, -a [se'vɛro] *agg* sévère

seviziare [sevit'tsjare] *vt* exercer des sévices, torturer

sezionare [settsjo'nare] *vt* sectionner; (*Med*) disséquer

sezione [set'tsjone] *sf* section *f*; (*Med*) dissection *f*; (*Disegno*) section, coupe *f*

sfacchinata [sfakki'nata] *sf* (*fam*) corvée *f*

sfacciato, -a [sfat'tʃato] *agg* effronté(e)

sfamare [sfa'mare] *vt* nourrir, rassasier; **sfamarsi** *vpr* se nourrir, manger à sa faim

sfasciare [sfaʃ'ʃare] *vt* (*ferita*) débander; (*neonato*) enlever les langes à; (*distruggere*) démolir, mettre en pièces; **sfasciarsi** *vpr* (*rompersi*) se fracasser; (*fig: dissolversi*) se disloquer

sfavorevole [sfavo'revole] *agg* défavorable

sfera ['sfɛra] *sf* sphère *f*; (*fig: condizione sociale*) milieu *m*; (: *ambito, settore*) sphère, domaine *m*; **~ di influenza** sphère d'influence

sferrare [sfer'rare] *vt* (*fig: pugno, calcio*) lancer; (: *attacco*) déclencher

sfida ['sfida] *sf* défi *m*

sfidare [sfi'dare] *vt* (*a duello, gara*) défier; (*fig*) défier, braver; **~ qn a fare qc** défier qn de faire qch; **~ il pericolo** braver le danger; **sfido che...** je parie que...

sfiducia [sfi'dutʃa] *sf* méfiance *f*, manque *m* de confiance; (*sconforto*) découragement *m*; **voto di ~** (*Pol*) motion *f* de censure

sfigurare [sfigu'rare] *vt* défigurer ■ *vi* faire piètre figure

sfilare [sfi'lare] *vt* (*ago*) désenfiler; (*abito, scarpe*) enlever ■ *vi* défiler; **sfilarsi** *vpr* (*perle*) se désenfiler; (*orlo, tessuto*) s'effiler; (*calza*) filer; **sfilarsi la gonna** enlever sa jupe

sfilata [sfi'lata] *sf* défilé *m*; **~ di moda** défilé de mode

sfinge ['sfindʒe] *sf* sphinx *m*

sfinito, -a [sfi'nito] *agg* épuisé(e)

sfiorare [sfjo'rare] *vt* frôler; (*argomento*) effleurer; (*successo*) friser; **~ la velocità di 150 km/h** friser les 150 km/h

sfiorire [sfjo'rire] *vi* se faner, se flétrir; (*fig*) se faner

sfocato, -a [sfo'kato] *agg* (*Fot*) flou(e)

sfociare [sfo'tʃare] *vi*: **~ in** (*corso d'acqua*) se jeter dans; (*fig: malcontento*) aboutir à

sfoderato, -a [sfode'rato] *agg* sans doublure

sfogarsi [sfo'garsi] *vpr* (*persona*) se défouler; **~ con qn** (*confidarsi*) s'épancher auprès de qn, ouvrir son cœur à qn

sfoggiare [sfod'dʒare] *vt* (*eleganza, erudizione*) étaler, faire étalage de; (*vestito*) exhiber, arborer ■ *vi* (*vivere nel lusso*) mener grand train; **sfoggiava nel vestire** il faisait étalage de ses toilettes

sfoglia ['sfɔʎʎa] *sf* (*Cuc*) abaisse *f*; **pasta ~** pâte *f* feuilletée

sfogliare [sfoʎ'ʎare] *vt* feuilleter

sfogo, -ghi ['sfogo] *sm* (*di gas, liquidi*) sortie *f*; (*di ambiente*) ouverture *f*; (*Med: eruzione cutanea*) éruption *f*; (*fig: di dolore*) épanchement *m*; (: *di collera*) explosion *f*; **dare ~ a** (*fig*) donner libre cours à

sfondare [sfon'dare] *vt* (*scatola, sedia*) défoncer; (*porta*) enfoncer, défoncer; (*Mil, scarpe*) percer ■ *vi* (*attore, artista*) percer

sfondo ['sfondo] *sm* (*Arte*) fond *m*, arrière-plan *m*; (*fig: di film, romanzo ecc*) toile *f* de fond

sformato, -a [sfor'mato] *agg* déformé(e) ■ *sm* (*Cuc*) gratin *m*

sfortuna [sfor'tuna] *sf* malchance *f*; **avere ~** avoir de la malchance; **che ~!** ce n'est vraiment pas de chance!, quelle déveine! (*fam*)

sfortunato, -a [sfortu'nato] *agg* malchanceux(-euse); **~ al gioco** malchanceux(-euse) au jeu

sforzarsi [sfor'tsarsi] *vpr*: **~ di fare qc** s'efforcer de faire qch

sforzo ['sfɔrtso] *sm* effort *m*; **fare uno ~** faire un effort; **essere sotto ~** (*motore, macchina*) être trop poussé(e)

sfrattare [sfrat'tare] *vt* expulser

sfratto ['sfratto] *sm* (*Dir*) expulsion *f*; **dare lo ~ a qn** expulser qn, sommer qn de déménager

sfrecciare [sfret'tʃare] *vi* filer à toute vitesse

sfregare [sfre'gare] *vt* (*strofinare*) frotter; (*graffiare*) rayer; **sfregarsi le mani** se frotter les mains; **~ un fiammifero** frotter une allumette

sfregiare [sfre'dʒare] *vt* (*persona*) balafrer; (*quadro*) rayer

sfrenato, -a [sfre'nato] *agg* (*corsa*) effréné(e); (*lusso*) effréné(e), démesuré(e)

sfrontato, -a [sfron'tato] *agg* effronté(e)

sfruttamento [sfrutta'mento] *sm* exploitation *f*; (*anche fig*) utilisation *f*; **~ della prostituzione** proxénétisme *m*

sfruttare [sfrut'tare] *vt* exploiter; (*utilizzare: spazio*) utiliser; (*fig: occasione, potere*) profiter de

sfuggire [sfud'dʒire] *vi* fuir; **~ a** échapper à; **~ di mano a qn** (*vaso*) échapper des mains à qn; (*situazione*) échapper à qn; **lasciarsi ~ un'occasione** rater une occasion; **~ al controllo** échapper au contrôle; **mi sfugge il nome** le nom m'échappe

sfumare [sfu'mare] *vt* (*colore, contorni*) estomper; (*capelli*) couper en dégradé ■ *vi* (*nebbia*) se dissiper; (*colori, contorni*) s'estomper; (*fig: speranze*) s'évanouir

sfumatura [sfuma'tura] *sf* nuance *f*; (*fig: ironica, di disprezzo*) pointe *f*; (*di capelli*) dégradé *m*

sfuriata [sfu'rjata] *sf* sortie *f*; **fare una ~ a qn** faire une sortie contre qn

sgabello [zga'bɛllo] *sm* tabouret *m*

sgabuzzino [zgabud'dzino] *sm* débarras *msg*, cagibi *m*

sgambettare [zgambet'tare] *vi* gigoter; (*camminare*) trottiner

sgambetto [zgam'betto] *sm*: **far lo ~ a qn** faire un croche-pied à qn, faire un croc-en-jambe à qn; (*fig*) couper l'herbe sous le pied de qn, supplanter qn

sganciare [zgan'tʃare] *vt* décrocher; (*bomba*) lâcher, larguer; (*missile*) lancer; (*fam: fig: soldi*) lâcher; **sganciarsi** *vpr* se décrocher; **sganciarsi (da)** (*fig*) se débarrasser (de)

sgangherato, -a [zgange'rato] *agg* (*porta*) dégondé(e); (*auto*) démoli(e), déglingué(e) (*fam*); **una risata sgangherata** un gros rire

sgarbato, -a [zgar'bato] *agg* (*gesto*) grossier(-ière); (*persona*) impoli(e)

sgarbo ['zgarbo] *sm* impolitesse *f*, incorrection *f*; **fare uno ~ a qn** commettre une impolitesse envers qn

sgargiante [zgar'dʒante] *agg* voyant(e)

sgattaiolare [zgattajo'lare] *vi* s'éclipser, s'esquiver

sgelare [zdʒe'lare] *vt, vi* dégeler

sghignazzare [zgiɲɲat'tsare] *vi* ricaner

sgobbare [zgob'bare] *vi* (*fam*) bosser, trimer

sgomberare [zgombe'rare] *vt* (*tavolo*) débarrasser; (*stanza*) débarrasser, déblayer; (*piazza, città*) évacuer ■ *vi* déménager

sgombro, -a ['zgombro] *agg* (*stanza, mobile*) vide; (*fig: mente*) libre ■ *sm* (*Zool*) maquereau *m*; (*di feriti ecc*) évacuation *f*

sgonfiare [zgon'fjare] *vt* (*pneumatico*) dégonfler; (*caviglie, ematoma*) désenfler; **sgonfiarsi** *vpr* (*vedi vt*) se dégonfler; se désenfler

sgonfio, -a ['zgonfjo] *agg* (*vedi vt*) dégonflé(e); désenflé(e)

sgorbio ['zgɔrbjo] *sm* griffonnage *m*, gribouillis *msg*

sgradevole [zgra'devole] *agg* désagréable, déplaisant(e)

sgradito, -a [zgra'dito] *agg* désagréable

sgranare [zgra'nare] vt (piselli) écosser; ~ **gli occhi** (fig) écarquiller les yeux

sgranchire [zgran'kire] vt (anche: **sgranchirsi**) se dégourdir; ~ **le gambe** se dégourdir les jambes

sgranocchiare [zgranok'kjare] vt croquer

sgravio ['zgravjo] sm: ~ **fiscale** dégrèvement m (d'impôt)

sgraziato, -a [zgrat'tsjato] agg disgracieux(-euse)

sgridare [zgri'dare] vt gronder

sgualcire [zgwal'tʃire] vt froisser, chiffonner

sgualdrina [zgwal'drina] sf garce f

sguardo ['zgwardo] sm regard m; (occhiata) coup m d'œil; **dare uno ~ a qc** jeter un coup d'œil à qch; **alzare o sollevare lo ~** lever les yeux; **cercare qc/qn con lo ~** chercher qch/qn des yeux

sguazzare [zgwat'tsare] vi (nell'acqua) patauger; ~ **in** (fig: trovarsi bene) être à son aise dans; ~ **nell'oro** (fig) rouler sur l'or

sguinzagliare [zgwintsaʎ'ʎare] vt (cane) lâcher; (fig: persona) lancer; ~ **qn dietro a qn** lancer qn à la recherche de qn

sgusciare [zguʃ'ʃare] vt (uova) éplucher; (piselli) écosser; (castagne) décortiquer ▪ vi (scivolare) glisser; (sfuggire di mano) s'échapper; ~ **via** s'esquiver, se dérober

shampoo [ʃæm'puː] sm inv shampooing m, shampoing m

shiatzu [ʃi'atstsu] sm inv shiatsu m

shock [ʃɔk] sm inv choc m

PAROLA CHIAVE

si [si] dav lo, la, li, le, ne diventa se pron
1 (in riflessivi) se; **lavarsi** se laver; **si è lavata** elle s'est lavée; **si è tagliato** il s'est coupé; **si credono importanti** ils se croient importants; **odiarsi** se détester; **si amano** ils s'aiment
2 (con complemento oggetto): **lavarsi le mani** se laver les mains; **sporcarsi i pantaloni** salir son pantalon; **si sta lavando i capelli** il est en train de se laver les cheveux

3 (passivo): **si ripara facilmente** cela se répare facilement; **affittasi camera** chambre à louer
4 (impersonale) on; **si dice che...** on dit que...; **si vede che è vecchio** on voit qu'il est vieux; **non si fa credito** on ne fait pas crédit; **ci si sbaglia facilmente** on s'y trompe facilement
5 (noi) on; **tra poco si parte** on part sous peu, on part bientôt ▪ sm inv (Mus) si m

sì [si] avv oui; (in risposte ad interrogative negative) si ▪ sm oui m; **dire (di) sì** dire (que) oui; **spero/penso di sì** j'espère/je pense que oui; **fece di sì col capo** il fit signe que oui de la tête; **uno sì e uno no** un sur deux; **un giorno sì e uno no** un jour sur deux, tous les deux jours; **saranno stati sì e no in venti** ils étaient environ une vingtaine; **la finite, sì o no?** vous avez fini, oui ou non?; **"non ti interessa?" - "sì!"** "ça ne t'intéresse pas?" - "si!"; **per me è sì** pour moi c'est oui; **e sì che...** et dire que...; **non mi aspettavo un sì** je ne m'attendais pas à un oui

sia¹ ['sia] cong: ~ **che lavori,** ~ **che non lavori** qu'il travaille ou non; **verranno** ~ **Luigi che suo fratello** Luigi et son frère viendront l'un comme l'autre; **questa sedia è** ~ **bella che comoda** cette chaise est aussi belle que confortable

sia² ['sia] vb vedi **essere**

siamo ['sjamo] vb vedi **essere**

sicario [si'karjo] sm tueur m à gages

sicché [sik'ke] cong (perciò) de sorte que, c'est pourquoi; (e quindi) donc, alors

siccità [sittʃi'ta] sf sécheresse f

siccome [sik'kome] cong comme, puisque

Sicilia [si'tʃilja] sf Sicile f

sicura [si'kura] sf (di arma) cran m de sûreté; (di spilla) fermoir m de sécurité

sicurezza [siku'rettsa] sf sécurité f; (di persona) sûreté f; (: fiducia in sé) assurance f; (certezza) certitude f; (di guadagno, notizia) assurance f; **avere la ~ che...** avoir la certitude que..., être sûr que...; **lo so con ~** je le sais avec certitude; **ha risposto con**

molta ~ il a répondu avec beaucoup d'assurance; **di ~** (valvola ecc) de sûreté; **pubblica ~** sûreté publique; **agente di pubblica ~** agent m de Police; **~ stradale** sécurité routière

sicuro, -a [si'kuro] agg sûr(e); (guadagno, risultato) assuré(e) ∎ avv (certamente) bien sûr ∎ sm: **dare per ~ che** donner pour certain o pour sûr que; **sentirsi ~** (non in pericolo) se sentir en sécurité; (ad esame) être sûr de soi; **sono ~ di averlo visto** je suis sûr de l'avoir vu; **sono ~ che non c'era** je suis sûr qu'il n'y était pas; **~ di sé** sûr(e) de soi; **andare a colpo ~** (fig) aller à coup sûr; **di ~** (sicuramente) sûrement; **andare sul ~** ne pas courir de risques; **mettere al ~** mettre en lieu sûr, mettre à l'abri

siedo ecc ['sjɛdo] vb vedi **sedere**

siepe ['sjɛpe] sf haie f

siero ['sjɛro] sm (latio)sérum m; (del sangue) sérum sanguin; (Med) sérum; **~ antivipera** sérum antivenimeux

sieronegativo, -a [sjɛronega'tivo] agg, sm/f séronégatif(-ive)

sieropositivo, -a [sjɛropozi'tivo] agg, sm/f séropositif(-ive)

siete ['sjɛte] vb vedi **essere**

sifilide [si'filide] sf syphilis fsg

Sig. abbr (= signore) M.

sigaretta [siga'retta] sf cigarette f

sigaro ['sigaro] sm cigare m

Sigg. abbr (= signori) MM.

sigillare [sidʒil'lare] vt sceller; (busta) cacheter

sigillo [si'dʒillo] sm sceau m; (per lettera) cachet m; **sigilli** smpl (Dir) scellés mpl

sigla ['sigla] sf sigle m; (firma) paraphe m; **~ automobilistica** lettres indiquant sur les plaques d'immatriculation la province italienne; **~ musicale** (Radio, TV) indicatif m

Sig.na abbr (= signorina) Mlle.

significare [siɲɲifi'kare] vt signifier; **cosa significa?** qu'est-ce que cela signifie?

significato [siɲɲifi'kato] sm signification f; (fig) valeur f

signora [siɲ'ɲora] sf (termine di cortesia, padrona) madame f; (donna, persona benestante) dame f; **la ~ Bianchi** Madame Bianchi; **buon**

giorno S~ (in negozio ecc) bonjour Madame; **gentile S~ Rossi** (in lettere) Madame Rossi; **il signor Rossi e ~** Monsieur et Madame Rossi; **signore e signori** Mesdames et Messieurs; **le presento la mia ~** je vous présente mon épouse

signore [siɲ'ɲore] sm (anche termine di cortesia) monsieur m; (principe, sovrano) seigneur m; (individuo ricco, colto ecc) monsieur, gentleman m; (Rel): **il S~** le Seigneur; **il signor Bianchi** Monsieur Bianchi; **i signori Bianchi** (coniugi) Monsieur et Madame Bianchi; **buon giorno S~** (in negozio ecc) bonjour Monsieur; **gentile Signor Rossi** (in lettere) Monsieur Rossi; vedi anche **signora**

signorile [siɲɲo'rile] agg (comportamento) distingué(e); (abitazione) de grand standing; (quartiere) résidentiel(le)

signorina [siɲɲo'rina] sf (termine di cortesia) mademoiselle f; (donna giovane, nubile) demoiselle f, jeune fille f; **la ~ Bianchi** Mademoiselle Bianchi; **buon giorno S~** (in negozio ecc) bonjour Mademoiselle; **gentile S~ Rossi** (in lettere) Mademoiselle Rossi

Sig.ra abbr (= signora) Mme.

silenziatore [silentsja'tore] sm silencieux msg

silenzio [si'lɛntsjo] sm silence m; **passare qc sotto ~** passer qch sous silence; **fate ~!** taisez-vous!

silenzioso, -a [silen'tsjoso] agg silencieux(-euse)

silicio [si'litʃo] sm silicium m

silicone [sili'kone] sm silicone m

sillaba ['sillaba] sf syllabe f

siluro [si'luro] sm torpille f

SIM [sim] sigla f inv (Tel): **~ card** carte f SIM

simboleggiare [simboled'dʒare] vt symboliser

simbolo ['simbolo] sm symbole m

simile ['simile] agg semblable, pareil(le); (analogo): **~ (a)** semblable (à) ∎ sm/f (persona) semblable m/f; **non ho mai visto niente di ~** je n'ai jamais rien vu de pareil; **è insegnante o qualcosa di ~** il est enseignant ou quelque chose de ce genre; **vendono**

vasi e simili ils vendent des vases et d'autres articles de ce genre; **i propri simili** ses semblables

simmetria [simme'tria] *sf* symétrie *f*

simpatia [simpa'tia] *sf* (*per persona*) sympathie *f*; (*per cosa*) penchant *m*; **avere ~ per qn** avoir de la sympathie pour qn; **con ~** (*su lettera ecc*) bien cordialement

simpatico, -a, -ci, -che [sim'patiko] *agg* (*anche inchiostro*) sympathique; (*casa, albergo*) agréable; (*film, libro*) chouette

simpatizzare [simpatid'dzare] *vi*: **~ con** sympathiser avec; **~ per il comunismo** être un(e) sympathisant(e) communiste

simulare [simu'lare] *vt* simuler

simultaneo, -a [simul'taneo] *agg* simultané(e)

sinagoga, -ghe [sina'gɔga] *sf* synagogue *f*

sincerità [sintʃeri'ta] *sf* sincérité *f*

sincero, -a [sin'tʃero] *agg* sincère; (*vino*) pur(e)

sindacale [sinda'kale] *agg* syndical(e)

sindacato [sinda'kato] *sm* (*di lavoratori*) syndicat *m*; (*Econ*) contrôle *m*

sindaco, -ci ['sindako] *sm* (*di città*) maire *m*; (*in società*) commissaire *m* aux comptes

sinfonia [sinfo'nia] *sf* symphonie *f*

singhiozzare [singjot'tsare] *vi* avoir le hoquet; (*piangere*) sangloter

singhiozzo [sin'gjottso] *sm* hoquet *m*; (*pianto convulso*) sanglot *m*; **avere il ~** avoir le hoquet; **a ~** (*fig: procedere*) par à-coups; (*sciopero*) perlé(e)

single ['singol] *agg inv* célibataire ■ *sm/f inv* célibataire *m/f*

singolare [singo'lare] *agg* singulier(-ière) ■ *sm* (*Ling*) singulier *m*; **~ maschile/femminile** (*Tennis*) simple *m* messieurs/dames

singolo, -a ['singolo] *agg* (*articolo*) chaque; (*fatto*) unique; (*cabina, camera*) individuel(le); (*letto*) à une place ■ *sm* (*individuo*) chacun(e); (*Sport*) = **singolare**; **un volume ~** un seul volume; **ogni ~ individuo** chaque individu; **camera singola** chambre *f* pour une personne,

chambre individuelle; **esaminare i singoli articoli di una legge** examiner les articles d'une loi un par un

sinistra [si'nistra] *sf* (*anche Pol*) gauche *f*; **a ~** à gauche; **a ~ di** à la gauche de; **di ~** de gauche; **tenere la ~** tenir sa gauche; **guida a ~** conduite *f* à gauche

sinistro, -a [si'nistro] *agg* gauche; (*fig*) sinistre ■ *sm* (*incidente*) sinistre *m*; (*Pugilato*) gauche *m*; (*Calcio*) tir *m* du pied gauche

sinonimo, -a [si'nɔnimo] *agg, sm* synonyme (*m*)

sintassi [sin'tassi] *sf inv* syntaxe *f*

sintesi ['sintezi] *sf* synthèse *f*; **in ~** en résumé

sintetico, -a, -ci, -che [sin'tɛtiko] *agg* synthétique; (*essenziale*) concis(e)

sintetizzare [sintetid'dzare] *vt* synthétiser

sintomatico, -a, -ci, -che [sinto'matiko] *agg* symptomatique

sintomo ['sintomo] *sm* (*anche fig*) symptôme *m*

sintonizzarsi [sintonid'dzarsi] *vpr*: **~ su** se brancher sur

sipario [si'parjo] *sm* rideau *m*; **calare il ~** (*fig*) tirer le rideau

sirena [si'rɛna] *sf* sirène *f*; **~ d'allarme** sirène d'alarme

Siria ['sirja] *sf* Syrie *f*

siringa, -ghe [si'ringa] *sf* seringue *f*

sismico, -a, -ci, -che ['sizmiko] *agg* sismique

sistema, -i [sis'tɛma] *sm* système *m*; (*procedimento*) système, méthode *f*; **trovare il ~ per fare qc** trouver la façon pour faire qch; **~ di vita** mode *m* de vie; **~ metrico decimale** système métrique décimal; **~ monetario** système monétaire; **~ nervoso** système nerveux; **~ operativo** (*Inform*) système d'exploitation; **~ solare** système solaire

sistemare [siste'mare] *vt* (*ordinare*) ranger; (*questione*) régler; (*persona: procurare un lavoro a*) placer, trouver un travail à; (*: dare alloggio a*) installer, loger; **sistemarsi** *vpr* (*problema*) se régler; (*persona: sposarsi*) se caser; (*: trovare lavoro*) trouver un travail;

(: *trovare alloggio*) s'installer; **~ qn in un albergo** loger qn à l'hôtel; **ti sistemo io!** (*fig*) tu vas avoir affaire à moi!

sistematico, -a, -ci, -che [siste'matiko] *agg* systématique

sistemazione [sistemat'tsjone] *sf* (*di oggetti*) rangement *m*; (*di questione*) règlement *m*; **trovare una ~** (*persona*: *trovare un alloggio*) s'installer; (: *lavoro*) trouver un travail

sito, -a ['sito] *agg* (*situato*) situé(e) ▪ *sm* (*luogo*) site *m*; **~ Internet** site Internet

situazione [situat'tsjone] *sf* situation *f*; **vista la sua ~ familiare** vu sa situation familiale; **mi trovo in una ~ critica** je me trouve dans une situation critique

ski-lift ['ski:lift] *sm inv* remonte-pente *m*, téléski *m*

slacciare [zlat'tʃare] *vt* (*camicia*) déboutonner; (*cintura*) défaire; **slacciarsi le scarpe** délier o défaire les lacets de ses chaussures

slanciato, -a [zlan'tʃato] *agg* élancé(e)

slancio ['zlantʃo] *sm* bond *m*; (*rincorsa, fig*) élan *m*; **di ~** avec élan; **in uno ~ di simpatia** dans un élan de sympathie

slavo, -a ['zlavo] *agg* slave ▪ *sm/f* Slave *m/f* ▪ *sm* slave *m*

sleale [zle'ale] *agg* déloyal(e)

slegare [zle'gare] *vt* détacher; (*pacco*) défaire, déficeler

slip [zlip] *sm inv* slip *m*

slitta ['zlitta] *sf* (*veicolo*) traîneau *m*; (*per giocare*) luge *f*

slittare [zlit'tare] *vi* (*scivolare: con slitta*) aller en traîneau; (: *accidentalmente: veicolo*) déraper; (: *persona*) glisser; (: *ruota*) patiner; (*fig: incontro, conferenza*) être reporté(e)

s.l.m. *abbr* (= *sul livello del mare*) ≈ au-dessus du niveau de la mer

slogare [zlo'gare] *vt* luxer, déboîter; **slogarsi la spalla** se luxer o se déboîter l'épaule; **slogarsi la caviglia** se fouler la cheville

sloggiare [zlod'dʒare] *vt* (*inquilino*) déloger ▪ *vi* (*andarsene*) déménager; (*fam*) décamper, dégager

Slovacchia [zlo'vakkja] *sf* Slovaquie *f*

slovacco, -a [zlo'vakko] *agg* slovaque ▪ *sm/f* Slovaque *m/f*

Slovenia [zlo'venja] *sf* Slovénie *f*

sloveno, -a [zlo'vɛno] *agg* slovène ▪ *sm/f* Slovène *m/f* ▪ *sm* slovène *m*

smacchiare [zmak'kjare] *vt* détacher

smacchiatore [zmakkja'tore] *sm* détachant *m*

smacco, -chi ['zmakko] *sm* échec *m*

smagliante [zmaʎ'ʎante] *agg* (*colore, bellezza, sorriso*) éclatant(e); **in forma ~** dans une forme éblouissante

smagliatura [zmaʎʎa'tura] *sf* (*su calza*) échelle *f*, démaillage *m*; (*Med*) vergeture *f*

smaliziato, -a [zmalit'tsjato] *agg* (*persona*) dégourdi(e); (*aspetto, aria*) déluré(e)

smaltimento [zmalti'mento] *sm* (*di acque*) écoulement *m*; (*di rifiuti*) élimination *f*; (*del traffico*) décongestionnement *m*

smaltire [zmal'tire] *vt* (*cibo*) digérer; (*peso*) réduire; (*acque*) faire couler; (*rifiuti*) éliminer; (*rabbia*) faire passer; (*sbornia*) cuver; (*merce*) écouler

smalto ['zmalto] *sm* émail *m*; **~ per unghie** vernis *msg* à ongles

smantellare [zmantel'lare] *vt* (*anche fig*) démanteler

smarrimento [zmarri'mento] *sm* (*di oggetto*) perte *f*; (*fig: turbamento*) égarement *m*, désarroi *m*

smarrire [zmar'rire] *vt* perdre, égarer; **smarrirsi** *vpr* se perdre, s'égarer

smascherare [zmaske'rare] *vt* (*colpevole ecc*) démasquer

SME [zme] *sigla m* (= *Sistema Monetario Europeo*) SME *m*

smentire [zmen'tire] *vt* (*notizia, testimone*) démentir; (*reputazione*) manquer à; **smentirsi** *vpr* se contredire

smeraldo [zme'raldo] *sm* émeraude *f* ▪ *agg inv*: **verde ~** vert émeraude *inv*

smesso, -a ['zmesso] *pp di* **smettere** ▪ *agg* (*abito*) qu'on ne porte plus

smettere ['zmettere] *vt* arrêter; (*indumenti*) ne plus porter, ne plus

mettre ◼ *vi* arrêter, cesser; **~ di fare qc** arrêter de faire qch

smilzo, -a ['zmiltso] *agg* mince

sminuire [zminu'ire] *vt* diminuer, amoindrir

sminuzzare [zminut'tsare] *vt* hacher, émincer

smisi *ecc* ['zmizi] *vb vedi* **smettere**

smistare [zmis'tare] *vt* trier

smisurato, -a [zmizu'rato] *agg* démesuré(e)

smoking ['smoukiŋ] *sm inv* smoking *m*

smontare [zmon'tare] *vt (anche fig)* démonter ◼ *vi (scendere: da cavallo, treno)*: **~ (da)** descendre (de); *(terminare il lavoro)* finir son service; **smontarsi** *vpr (scoraggiarsi)* se décourager, se dégonfler *(fam)*

smorfia ['zmɔrfja] *sf* grimace *f*; *(atteggiamento lezioso)* minauderies *fpl*, manières *fpl*; **fare smorfie** faire des grimaces; *(lezioso)* faire des simagrées

smorto, -a ['zmɔrto] *agg (carnagione)* pâle, blême; *(colore)* pâle, terne

smorzare [zmor'tsare] *vt (suoni, colori)* atténuer, amortir; *(luce)* tamiser, voiler; *(sete)* étancher; *(entusiasmo)* calmer, refroidir; **smorzarsi** *vpr (suono)* s'atténuer; *(luce)* se voiler; *(entusiasmo)* tomber

SMS ['ɛsse'emme'ɛsse] *sm inv* SMS *m*

smuovere ['zmwɔvere] *vt* déplacer; *(fig: da inerzia, ozio)* secouer; **smuoversi** *vpr* bouger; **~ qn da un proposito** faire changer qn d'avis

snaturato, -a [znatu'rato] *agg* dénaturé(e)

snello, -a ['znɛllo] *agg* svelte, élancé(e)

snervante [zner'vante] *agg* énervant(e), crispant(e)

snobbare [znob'bare] *vt* snober

snodare [zno'dare] *vt (fune ecc)* dénouer; **snodarsi** *vpr (strada, fiume)* se dérouler, serpenter

snodato, -a [zno'dato] *agg (fune ecc)* dénoué(e); *(articolazione, persona)* souple

so [so] *vb vedi* **sapere**

sobbarcarsi [sobbar'karsi] *vpr (spese)* engager; *(fatica)* s'astreindre à

sobrio, -a ['sɔbrjo] *agg* sobre

socchiudere [sok'kjudere] *vt (porta)* entrebâiller, entrouvrir; *(occhi)* entrouvrir

socchiuso, -a [sok'kjuso] *pp di* **socchiudere** ◼ *agg (vedi vt)* entrebâillé(e); entrouvert(e)

soccorrere [sok'korrere] *vt* secourir

soccorritore, -trice [sokkorri'tore] *sm/f* secouriste *m/f*; **un ~** un secouriste, un sauveteur

soccorso, -a [sok'korso] *pp di* **soccorrere** ◼ *sm* secours *msg*; **prestare ~ a qn** porter secours à qn; **venire in ~ di qn** venir au secours de qn; **operazioni di ~** opérations *fpl* de secours; **~ stradale** secours routier; *vedi anche* **pronto**; **società**

sociale [so'tʃale] *agg* social(e); *(di associazione: gita ecc)* de l'association

socialismo [sotʃa'lizmo] *sm* socialisme *m*

socialista, -i, -e [sotʃa'lista] *agg, sm/f* socialiste *m/f*

società [sotʃe'ta] *sf inv (anche Comm)* société *f*; *(sportiva)* association *f*, club *m*; **mettersi in ~ con qn** s'associer à *o* avec qn; **l'alta ~** la haute société; **~ a responsabilità limitata** société à responsabilité limitée; **~ anonima** société anonyme; **~ di mutuo soccorso** association *f* de secours mutuel; **~ fiduciaria** société fiduciaire; **~ per azioni** société par actions

socievole [so'tʃevole] *agg* sociable

socio ['sɔtʃo] *sm (Dir, Comm)* associé(e), sociétaire *m/f*; *(di associazione)* membre *m*

soda ['sɔda] *sf (Chim)* soude *f*; *(acqua gassata)* soda *m*

soddisfacente [soddisfa'tʃente] *agg* satisfaisant(e)

soddisfare [soddis'fare] *vt* satisfaire ◼ *vi*: **~ a** satisfaire à, répondre à

soddisfatto, -a [soddis'fatto] *pp di* **soddisfare** ◼ *agg* satisfait(e); **~ di** satisfait(e) de

soddisfazione [soddisfat'tsjone] *sf* satisfaction *f*

sodo, -a ['sɔdo] *agg (muscolo)* ferme; *(uovo)* dur(e) ◼ *sm*: **venire al ~** en venir au fait ◼ *avv (picchiare, lavorare)* dur; *(dormire)* profondément

sofà [so'fa] *sm inv* sofa *m*, canapé *m*

sofferenza [soffe'rɛntsa] *sf*
souffrance *f*; **in ~** (*Comm*) en
souffrance

sofferto, -a [sof'fɛrto] *pp di* **soffrire**
■ *agg* (*vittoria, decisione*) difficile

soffiare [sof'fjare] *vt, vi* souffler; **~ qc
a qn** (*fig: portar via*) souffler qch à qn;
soffiarsi il naso se moucher

soffiata [sof'fjata] *sf* (*fam*) cafardage
m, mouchardage *m*; **fare una ~ alla
polizia** moucharder; **c'è stata una ~**
il a eu une fuite

soffice ['sɔffitʃe] *agg* (*lana*)
moelleux(-euse); (*letto*) douillet(te)

soffio ['sɔffjo] *sm* souffle *m*

soffitta [sof'fitta] *sf* (*solaio*) grenier
m; (*stanza*) mansarde *f*

soffitto [sof'fitto] *sm* plafond *m*

soffocante [soffo'kante] *agg* (*odore*)
suffocant(e); (*caldo, anche fig*)
étouffant(e)

soffocare [soffo'kare] *vt* (*uccidere*)
étouffer, suffoquer; (*fig*) étouffer ■ *vi*
(*anche: soffocarsi: morire*) étouffer,
suffoquer; (*dal caldo ecc*) étouffer

soffrire [sof'frire] *vt* souffrir;
(*sopportare*) souffrir, supporter ■ *vi*
souffrir; **~ di** souffrir de

soffritto, -a [sof'fritto] *pp di*
soffriggere ■ *sm* (*Cuc*) hachis
d'oignons, de fines herbes et de lard
maigre que l'on fait revenir dans l'huile

sofisticato, -a [sofisti'kato] *agg*
sophistiqué(e); (*vino*) frelaté(e)

software ['sɔft'wɛa] *sm inv* logiciel *m*

soggettivo, -a [soddʒet'tivo] *agg*
subjectif(-ive); **proposizione
soggettiva** proposition *f* sujet *inv*

soggetto, -a [sod'dʒɛtto] *agg*: **~ a**
(*sottomesso*) soumis(e) à, assujetti(e)
à; (*esposto: a variazioni, danni ecc*)
sujet(te) à ■ *sm* sujet *m*; **~ a tassa**
assujetti(e) à l'impôt; **recitare a ~**
(*Teatro*) improviser

soggezione [soddʒet'tsjone] *sf*
(*sottomissione*) assujettissement *m*,
soumission *f*; (*timidezza*) timidité *f*;
avere ~ di qn être intimidé(e) par qn

soggiorno [sod'dʒorno] *sm* séjour *m*;
(*stanza*) (salle *f* de) séjour; **azienda di
~ e turismo** ≈ syndicat *m* d'initiative

soglia ['sɔʎʎa] *sf* seuil *m*; **l'inverno è
alle soglie** l'hiver approche

sogliola ['sɔʎʎola] *sf* sole *f*

sognare [son'ɲare] *vt, vi* rêver;
~ di qc (*anche: sognarsi*) rêver de qch;
~ di fare qc rêver de faire qch; **~ a
occhi aperti** se faire des illusions

sogno ['sonɲo] *sm* rêve *m*; **neanche
per ~** jamais de la vie

soia ['sɔja] *sf* soja *m*

sol [sɔl] *sm inv* (*Mus*) sol *m inv*

solaio [so'lajo] *sm* grenier *m*

solamente [sola'mente] *avv*
seulement

solare [so'lare] *agg* solaire

solco ['solko] *sm* (*in terreno, di disco,
ruga*) sillon *m*; (*di ruota*) ornière *f*

soldato [sol'dato] *sm* soldat *m*; **~ di
leva** recrue *f*, conscrit *m*; **~ semplice**
simple soldat

soldi ['sɔldi] *smpl* (*denaro*) argent *msg*;
non ho ~ je n'ai pas d'argent

sole ['sole] *sm* soleil *m*; **prendere il ~**
prendre un bain de soleil; **agire alla
luce del ~** agir au grand jour

soleggiato, -a [soled'dʒato] *agg*
ensoleillé(e)

solenne [so'lɛnne] *agg* solennel(le);
(*castigo*) magistral(e); (*bugiardo*)
fieffé(e)

solidale [soli'dale] *agg*: **~ (con)**
solidaire (de)

solidarietà [solidarje'ta] *sf*
solidarité *f*

solido, -a ['sɔlido] *agg* solide; (*Geom*)
dans l'espace ■ *sm* (*Geom*) solide *m*;
in ~ (*Dir*) solidairement

solista, -i, -e [so'lista] *agg, sm/f*
soliste *m/f*

solitamente [solita'mente] *avv*
habituellement

solitario, -a [soli'tarjo] *agg* solitaire
■ *sm* (*Carte*) réussite *f*; (*gioiello*)
solitaire *m*

solito, -a ['sɔlito] *agg* habituel(le)
■ *sm* (*modo abituale*) habitude *f*;
essere ~ fare qc avoir l'habitude de
faire qch; **di ~** d'habitude; **come al ~**
comme d'habitude; **più tardi del ~**
plus tard que d'habitude; **sei sempre
il ~!** tu es toujours le même!; **"cosa
bevi?" - "il ~!"** "qu'est-ce-que tu bois?"
- "comme d'habitude!"; **siamo alle
solite!** (*fam*) ça recommence!, nous
y revoilà!

solitudine [soli'tudine] *sf*
solitude *f*

solletico [sol'letiko] *sm*
chatouillement *m*, chatouille *f (fam)*;
fare il ~ a qn chatouiller qn; **soffrire il
~** être chatouilleux(-euse)

sollevamento [solleva'mento] *sm*
soulèvement *m*; **~ pesi** haltérophilie *f*,
poids et haltères *mpl*

sollevare [solle'vare] *vt (anche fig)*
soulever; **sollevarsi** *vpr* se lever, se
relever; *(fig: riprendersi)* se remettre;
(: ribellarsi) se soulever; **sollevarsi da
terra** *(persona)* se relever; *(aereo)*
décoller; **sentirsi sollevato** se sentir
soulagé

sollievo [sol'ljɛvo] *sm* soulagement
m; *(conforto)* réconfort *m*; **con mio
grande ~** à mon grand soulagement

solo, -a ['solo] *agg* seul(e); *(senza
altri)*: **eravamo soli** nous étions tout
seuls; *(con numerale)*: **noi tre soli** nous
trois seulement ■ *avv* seulement, ne...
que; **un ~ libro** un seul livre, un livre
seulement; **da ~** tout seul; **faccio da
sola** je le fais toute seule; **vive (da)
~** il vit seul; **possiamo vederci da
soli?** pouvons-nous nous voir seul à
seul?; **è il ~ proprietario** c'est le seul
propriétaire; **l'incontrò due sole
volte** il ne le rencontra que deux fois;
non ~... ma anche non seulement...
mais aussi; **~ che** mais

soltanto [sol'tanto] *avv* seulement,
ne... que

solubile [so'lubile] *agg* soluble;
caffè ~ café *m* soluble

soluzione [solut'tsjone] *sf* solution *f*;
~ di continuità solution de continuité

solvente [sol'vɛnte] *agg* (Chim)
dissolvant(e); *(debitore)* solvable
■ *sm* solvant *m*, dissolvant *m*

somaro, -a [so'maro] *sm/f* âne *m*;
(fig: persona) ignorant(e); *(: alunno)*
cancre *m*

somiglianza [somiʎ'ʎantsa] *sf*
ressemblance *f*

somigliare [somiʎ'ʎare] *vi*: **~ a**
ressembler à; **somigliarsi** *vpr* se
ressembler

somma ['somma] *sf* somme *f*; **tirare
le somme** *(fig)* tirer les conclusions

sommare [som'mare] *vt* (Mat)
additionner; *(aggiungere)* ajouter;
tutto sommato tout compte fait,
tout bien considéré

sommario, -a [som'marjo] *agg, sm*
sommaire *(m)*

sommergibile [sommer'dʒibile] *sm*
submersible *m*, sous-marin *m*

sommerso, -a [som'mɛrso] *pp di*
sommergere ■ *agg (sott'acqua, fig:
di lavoro)* submergé(e); *(: economia)*
souterrain(e) ■ *sm*: **il ~** l'économie *f*
souterraine

sommità [sommi'ta] *sf inv* sommet
m; *(fig)* summum *m*

sommossa [som'mɔssa] *sf* émeute *f*,
soulèvement *m*

sonda ['sonda] *sf* sonde *f* ■ *agg inv*:
pallone ~ ballon *m* sonde; **~ spaziale**
sonde spatiale

sondaggio [son'daddʒo] *sm* sondage
m; **~ d'opinioni** sondage d'opinion

sondare [son'dare] *vt (anche fig)*
sonder

sonetto [so'netto] *sm* sonnet *m*

sonnambulo, -a [son'nambulo]
sm/f somnambule *m/f*

sonnellino [sonnel'lino] *sm* somme
m, roupillon *m (fam)*; *(pomeridiano)*
sieste *f*

sonnifero [son'nifero] *sm*
somnifère *m*

sonno ['sonno] *sm* sommeil *m*;
aver ~ avoir sommeil; **prendere ~**
s'endormir

sono ['sono] *vb vedi* **essere**

sonoro, -a [so'nɔro] *agg* sonore;
(fig: sconfitta, ceffone) retentissant(e)
■ *sm (anche: **cinema sonoro**)*: **il ~** le
cinéma parlant *o* sonore; *vedi anche*
colonna

sontuoso, -a [sontu'oso] *agg*
somptueux(-euse)

soppalco [sop'palko] *sm* soupente *f*

sopportare [soppor'tare] *vt*
supporter

sopprimere [sop'primere] *vt*
supprimer

sopra ['sopra] *prep* sur; *(più in su di)*
au-dessus de; *(di più di)* plus de ■ *avv*
dessus; *(nella parte superiore)* dessus,
au-dessus; *(più in alto)* au-dessus; *(in
testo)* plus haut, par-dessus ■ *sm inv*
(parte superiore) dessus *msg*; **di ~** *(al
piano superiore)* au-dessus, en haut;
~ il livello del mare au-dessus du
niveau de la mer; **5 gradi ~ lo zero**
5 degrés au-dessus de zéro; **al di ~ di**

ogni sospetto au-dessus de tout soupçon; **~ i 30 anni** au-dessus de 30 ans, de plus de 30 ans; **per i motivi ~ illustrati** pour les raisons illustrées plus haut; **dormiamoci ~** la nuit porte conseil; **passar ~ qc** (*fig*) passer sur qch, fermer les yeux sur qch

soprabito [so'prabito] *sm* (*da uomo*) pardessus *msg*; (*da donna*) paletot *m*

sopracciglio [soprat'tʃiʎʎo] (*pl*(*f*) **sopracciglia**) *sm* sourcil *m*

sopraffare [sopraf'fare] *vt* accabler; (*superare, vincere*) écraser

sopralluogo, -ghi [sopral'lwɔgo] *sm* (*di esperti*) inspection *f*; (*di magistrato*) descente *f* de justice; (*di polizia*) descente

soprammobile [sopram'mɔbile] *sm* bibelot *m*

soprannaturale [soprannatu'rale] *agg* surnaturel(le)

soprannome [sopran'nome] *sm* surnom *m*, sobriquet *m*

soprano, -a [so'prano] *sm/f* soprano *m/f* ■ *sm* (*voce*) soprano *m*

soprappensiero ['soprappen'sjɛro] *avv* distrait(e)

soprassalto [sopras'salto] *sm*: **di ~** en sursaut

soprassedere [soprasse'dere] *vi*: **~ (a)** surseoir (à), différer (à)

soprattutto [soprat'tutto] *avv* surtout

sopravvalutare [sopravvalu'tare] *vt* surestimer, surévaluer

sopravvento [soprav'vento] *sm*: **avere/prendere il ~ (su)** avoir/prendre le dessus (sur)

sopravvissuto, -a [sopravvis'suto] *pp di* **sopravvivere** ■ *sm/f* survivant(e)

sopravvivere [soprav'vivere] *vi* survivre; **~ a** survivre à

sopruso [so'pruzo] *sm* abus *msg*

soqquadro [sok'kwadro] *sm*: **mettere a ~** mettre sens dessus dessous

sorbetto [sor'betto] *sm* sorbet *m*

sordina [sor'dina] *sf*: **in ~** en sourdine

sordo, -a ['sordo] *agg, sm/f* sourd(e)

sordomuto, -a [sordo'muto] *agg, sm/f* sourd-muet (sourde-muette)

sorella [so'rɛlla] *sf* sœur *f*

sorgente [sor'dʒɛnte] *sf* source *f*; **acqua di ~** eau *f* de source; **~ luminosa** source lumineuse; **~ termale** source thermale

sorgere ['sordʒere] *vi* se lever; (*fig: complicazione, difficoltà*) naître, surgir ■ *sm*: **al ~ del sole** au lever du soleil

sornione, -a [sor'njone] *agg* sournois(e)

sorpassare [sorpas'sare] *vt* (*Aut*) doubler; **~ (in)** (*fig: persona*) dépasser (en)

sorprendente [sorpren'dɛnte] *agg* surprenant(e), étonnant(e)

sorprendere [sor'prɛndere] *vt* surprendre; **sorprendersi** *vpr*: **sorprendersi (di)** s'étonner (de), être surpris(e) (de)

sorpresa [sor'presa] *sf* surprise *f*; **fare una ~ a qn** faire une surprise à qn; **prendere qn di ~** prendre qn au dépourvu

sorpreso, -a [sor'preso] *agg* surpris(e)

sorreggere [sor'rɛddʒere] *vt* (*peso*) soutenir; (*fig*) soutenir, aider; **sorreggersi** *vpr* (*tenersi ritto*) se tenir debout; **sorreggersi a** se tenir à

sorridere [sor'ridere] *vi* sourire

sorriso, -a [sor'riso] *pp di* **sorridere** ■ *sm* sourire *m*; **fare un ~ a qn** faire un sourire à qn

sorsi *ecc* ['sorsi] *vb vedi* **sorgere**

sorso ['sorso] *sm* gorgée *f*, coup *m*; **d'un ~** d'un coup, d'un trait

sorta ['sɔrta] *sf* sorte *f*; **di ~** (*in negative*) aucun(e); **ogni ~ di** toute sorte de; **di ogni ~** de toute sorte, de tout genre; **che ~ di persone frequenti?** quel genre de personnes fréquentes-tu?

sorte ['sɔrte] *sf* (*destino*) sort *m*, destin *m*; (*condizioni di vita*) sort; (*caso*) hasard *m*; **tirare a ~** tirer au sort; **tentare la ~** tenter sa chance

sorteggio [sor'teddʒo] *sm* tirage *m* au sort

sorvegliante [sorveʎ'ʎante] *sm/f* surveillant(e)

sorveglianza [sorveʎ'ʎantsa] *sf* surveillance *f*

sorvegliare [sorveʎ'ʎare] *vt* surveiller

sorvolare [sorvo'lare] *vt* survoler ■ *vi*: **~ su** (*fig*) glisser sur, passer sur

S.O.S. ['ɛsse 'o 'ɛsse] *sigla m* S.O.S. *m*

sosia ['sɔzja] *sm/f inv* sosie *m*

sospendere [sos'pɛndere] *vt* suspendre; ~ **qn da un incarico** relever qn de ses fonctions

sospettare [sospet'tare] *vt* soupçonner ■ *vi*: ~ **di qn** soupçonner qn; (*diffidare*) se méfier de qn; ~ **qn di qc** soupçonner qn de qch

sospetto, -a [sos'pɛtto] *agg* suspect(e) ■ *sm* soupçon *m* ■ *sm/f* (*persona sospetta*) suspect(e); **destare sospetti** éveiller des soupçons

sospettoso, -a [sospet'toso] *agg* (*carattere*) soupçonneux(-euse); (*sguardo*) suspicieux(-euse)

sospirare [sospi'rare] *vi* soupirer ■ *vt* (*vacanze ecc*) attendre impatiemment; (*patria ecc*) regretter

sospiro [sos'piro] *sm* soupir *m*; ~ **di sollievo** soupir de soulagement

sosta ['sɔsta] *sf* (*fermata*) arrêt *m*, halte *f*; (*pausa*) pause *f*, répit *m*; **senza** ~ sans répit; **divieto di** ~ (*Aut*) stationnement interdit

sostantivo [sostan'tivo] *sm* substantif *m*

sostanza [sos'tantsa] *sf* substance *f*; (*elemento fondamentale*) essence *f*; **sostanze** *sfpl* (*patrimonio*) biens *mpl*, richesses *fpl*; **in** ~ en somme, en définitive; **la** ~ **del discorso** la substance d'un discours

sostare [sos'tare] *vi* s'arrêter; (*Aut*) stationner; (*fare una pausa*) faire une halte, faire une pause

sostegno [sos'teɲɲo] *sm* (*anche fig*) soutien *m*; **a** ~ **di** à l'appui de; **di** ~ (*trave, muro*) de soutènement; **insegnante di** ~ *instituteur ou professeur s'occupant des élèves à problèmes ou handicapés d'une classe*

sostenere [soste'nere] *vt* soutenir; **sostenersi** *vpr* se tenir; (*fig*) s'appuyer; ~ **qn** soutenir qn; ~ **un esame** passer un examen; ~ **il confronto** soutenir la comparaison, supporter la comparaison

sostentamento [sostenta'mento] *sm* subsistance *f*; **mezzi di** ~ moyens *mpl* de subsistance

sostituire [sostitu'ire] *vt*: ~ **(con)** remplacer (par); ~ **a** substituer à

sostituto, -a [sosti'tuto] *sm/f* substitut *m*; ~ **procuratore della Repubblica** substitut du procureur de la République

sostituzione [sostitut'tsjone] *sf* remplacement *m*, substitution *f*; **in** ~ **di** à la place de

sottaceti [sotta'tʃeti] *smpl* (*Cuc*) pickles *mpl*

sottana [sot'tana] *sf* (*gonna*) jupe *f*

sotterfugio [sotter'fudʒo] *sm* subterfuge *m*

sotterraneo, -a [sotter'raneo] *agg* souterrain(e) ■ *sm* (*locale*) sous-sol *m*; (*passaggio*) souterrain *m* ■ *sf* métropolitain *m*, métro *m*

sotterrare [sotter'rare] *vt* enterrer, ensevelir

sottile [sot'tile] *agg* (*filo, lama, figura*) mince; (*caviglia, polvere, capelli, olfatto*) fin(e); (*fig: leggero*) léger(-ère); (: *vista*) perçant(e); (: *mente, discorso*) subtil(e), fin(e) ■ *sm*: **non andare per il** ~ ne pas y aller par quatre chemins

sottinteso, -a [sottin'teso] *pp di* **sottintendere** ■ *sm* sous-entendu *m*; **parlare per sottintesi** parler par sous-entendus

sotto ['sotto] *prep* sous; (*ai piedi di: montagna, mura*) au pied de; (*più in basso*) au-dessous de; (*poco prima di: feste, esami*) à l'approche de ■ *avv* (*più in basso*) dessous; (*nella parte inferiore*) en dessous ■ *sm* (*parte inferiore*) dessous *msg*; **di** ~ (*al piano inferiore*) en bas, au-dessous; (*in scritto*) ci-dessous; ~ **il livello del mare** au-dessous du niveau de la mer; ~ **terra** sous terre; ~ **il sole/la pioggia** sous le soleil/la pluie; ~ **casa** en bas; **5 gradi** ~ **lo zero** 5 degrés au-dessous de zéro; ~ **il chilo** moins d'un kilo; **i 18 anni** au-dessous de 18 ans, de moins de 18 ans; **ha 5 impiegati** ~ **di sé** il a 5 employés sous ses ordres; ~ **falso nome** sous un faux nom; ~ **forma di** sous forme de; ~ **vuoto** = **sottovuoto**; ~ **Natale** vers (la) Noël; ~ **un certo punto di vista** d'un certain point de vue

sottofondo [sotto'fondo] *sm* fond *m* sonore; **musica di** ~ fond musical

sottolineare [sottoline'are] *vt* souligner

sottomarino, -a [sottoma'rino] *agg*
sous-marin(e) ■ *sm* sous-marin *m*

sottopassaggio [sottopas'saddʒo]
sm passage *m* souterrain

sottoporre [sotto'porre] *vt*: ~ **(a)**
soumettre (à); **sottoporsi** *vpr*:
sottoporsi (a) se soumettre (à)

sottoscritto, -a [sottos'kritto] *pp di*
sottoscrivere ■ *sm/f*: **il/la ~(a), io**
~(a) je soussigné(e)

sottosopra [sotto'sopra] *avv* à
l'envers; (*fig: in gran disordine*) sens
dessus dessous

sottoterra [sotto'tɛrra] *avv* sous
terre

sottotitolo [sotto'titolo] *sm* sous-
titre *m*

sottovalutare [sottovalu'tare] *vt*
sous-estimer

sottoveste [sotto'vɛste] *sf*
combinaison *f*

sottovoce [sotto'votʃe] *avv* à voix
basse

sottovuoto [sotto'vwɔto] *avv, agg*
sous vide

sottrarre [sot'trarre] *vt* (*Mat*)
soustraire; **sottrarsi** *vpr*: **sottrarsi**
(a) se soustraire (à), se dérober (à);
~ **qc a qn** soustraire qch à qn; ~ **qn al**
pericolo sauver qn d'un danger

sottrazione [sottrat'tsjone] *sf*
soustraction *f*

souvenir [suvə'nir] *sm inv* souvenir *m*

sovietico, -a, -ci, -che [so'vjɛtiko]
agg soviétique ■ *sm/f* Soviétique *m/f*

sovraccarico, -a, -chi, -che
[sovrak'kariko] *agg*: ~ **(di)**
surchargé(e) (de) ■ *sm* surcharge *f*

sovraffollato, -a [sovraffol'lato]
agg bondé(e)

sovrannaturale [sovrannatu'rale]
agg = **soprannaturale**

sovrano, -a [so'vrano] *agg*
souverain(e); (*fig: sommo*) suprême
■ *sm/f* souverain(e); **i sovrani** les
souverains

sovrapporre [sovrap'porre] *vt*: ~ **(a)**
superposer (à); **sovrapporsi** *vpr*:
sovrapporsi (a) se superposer (à)

sovvenzione [sovven'tsjone] *sf*
subvention *f*

sozzo, -a ['sottso] *agg* crasseux(-euse)

S.P.A. ['esse'pi'a] *sigla f* (= *società per*
azioni) société *f* anonyme

spaccare [spak'kare] *vt* (*legna*)
fendre; (*piatto*) briser, casser;
spaccarsi *vpr* se fendre, se briser;
~ **il minuto** être ultra-précis(e);
un sole che spacca le pietre un soleil
de plomb

spaccatura [spakka'tura] *sf* (*anche*
fig) cassure *f*; (*fenditura, punto di*
rottura) fente *f*

spaccherò *ecc* [spakke'rɔ] *vb vedi*
spaccare

spacciare [spat'tʃare] *vt* (*vendere*)
vendre; (*mettere in circolazione*)
écouler; **spacciarsi** *vpr*: **spacciarsi**
per se faire passer pour; ~ **qc per** faire
passer qch pour; ~ **droga** vendre de la
drogue

spacciatore, -trice [spattʃa'tore]
sm/f: ~ **(di droga)** revendeur(-euse)
de drogue, dealer *m* (*fam*)

spaccio ['spattʃo] *sm* (*di merce rubata*,
denaro falso) trafic *m*; (*vendita*) débit
m, vente *f*; (*bottega*) magasin *m*; ~ **di**
droga trafic de drogue

spacco, -chi ['spakko] *sm* (*strappo*)
déchirure *f*, accroc *m*; (*di gonna*)
fente *f*

spaccone [spak'kone] *sm/f*
fanfaron(e)

spada ['spada] *sf* épée *f*; **spade** *sfpl*
(*Carte*) épées *fpl* (*dans un jeu de 40*
cartes italiennes); ~ **di Damocle** épée
de Damoclès

spaesato, -a [spae'zato] *agg*
dépaysé(e)

spaghetti [spa'getti] *smpl*
spaghettis *mpl*

Spagna ['spaɲɲa] *sf* Espagne *f*

spagnolo, -a [spaɲ'ɲɔlo] *agg*
espagnol(e) ■ *sm/f* Espagnol(e)
■ *sm* espagnol *m*

spago, -ghi ['spago] *sm* ficelle *f*;
dare ~ a qn (*fig*) laisser faire qn

spaiato, -a [spa'jato] *agg*
dépareillé(e)

spalancare [spalan'kare] *vt* ouvrir
tout grand; (*occhi*) écarquiller;
spalancarsi *vpr* s'ouvrir tout(e)
grand(e)

spalla [spa'lare] *vt* déblayer

spalla ['spalla] *sf* épaule *f*; (*fig: attore*)
faire-valoir *m inv*; **spalle** *sfpl* (*dorso*)
dos *msg*; **di spalle** de dos; **seduto**
alle mie spalle assis derrière moi;

colpire qn alle spalle frapper qn dans le dos; **gettarsi qc dietro alle spalle** (fig) laisser qch derrière soi; **avere tutto sulle proprie spalle** (fig) tout avoir sur les bras; **ridere alle spalle di qn** rire dans le dos de qn; **mettere qn con le spalle al muro** (fig) mettre qn au pied du mur; **vivere alle spalle di qn** (fig) vivre aux dépens o aux crochets de qn

spalliera [spal'ljɛra] sf (di sedia) dossier m; (di letto: da capo) tête f de lit; (: da piede) pied m de lit; (Ginnastica) espalier m

spallina [spal'lina] sf (Mil, imbottitura) épaulette f; (di sottoveste ecc) bretelle f

spalmare [spal'mare] vt étaler

spalti ['spalti] smpl gradins mpl

spamming ['spammiŋ] sm (in Internet) pourriel m

spandere ['spandere] vt verser; (effondere) répandre; **spandersi** vpr se répandre

sparare [spa'rare] vt tirer; (pugni, calci) décocher, lancer; (fig: fandonie) raconter ◼ vi faire feu; **~ a qn/qc** tirer sur qn/qch

sparatoria [spara'tɔrja] sf fusillade f; (scontro a fuoco) échange m de coups de feu

sparecchiare [sparek'kjare] vt: **~ (la tavola)** desservir o débarrasser (la table)

spareggio [spa'reddʒo] sm (a carte, Sport) belle f; (partita) match m de barrage

spargere ['spardʒere] vt répandre; (versare) verser; **spargersi** vpr se répandre; **~ una voce** faire courir un bruit

sparire [spa'rire] vi disparaître; **~ dalla circolazione** disparaître de la circulation

sparlare [spar'lare] vi parler à tort et à travers; **~ di qn** dire du mal de qn, médire de qn

sparo ['sparo] sm décharge f; (rumore) détonation f

spartire [spar'tire] vt partager, diviser

spartito [spar'tito] sm (Mus) partition f

spartitraffico [sparti'traffiko] sm inv (Aut): **banchina ~** refuge m

sparviero [spar'vjɛro] sm épervier m

spasimante [spazi'mante] sm/f soupirant(e)

spassionato, -a [spassjo'nato] agg impartial(e), sans parti pris

spasso ['spasso] sm (divertimento): **è uno ~ uscire con lui** on se marre bien avec lui; **darsi agli spassi** se donner du bon temps; (passeggio): **andare a ~** aller se promener; **mandare qn a ~** (fig: mandare via) envoyer promener qn; (: licenziare) mettre qn à la porte; **essere a ~** (fig: disoccupato) être au chômage

spatola ['spatola] sf spatule f

spavaldo, -a [spa'valdo] agg effronté(e), fanfaron(e)

spaventapasseri [spaventa'passeri] sm inv épouvantail m

spaventare [spaven'tare] vt effrayer, épouvanter; **spaventarsi** vpr s'effrayer, s'épouvanter

spavento [spa'vento] sm frayeur f; **far ~ a qn** faire peur à qn, effrayer qn

spaventoso, -a [spaven'toso] agg épouvantable, affreux(-euse); (fam: fortuna, fame) terrible

spazientirsi [spattsjen'tirsi] vpr s'impatienter

spazio ['spattsjo] sm espace m; (posto, anche fig) place f; (Mus) interligne m; **fare ~ per qc/qn** faire de la place pour qch/à qn; **nello ~ di un giorno** en l'espace d'un jour; **dare ~ a** (fig: a persona) laisser de la marge à; **~ aereo** espace aérien

spazioso, -a [spat'tsjoso] agg spacieux(-euse)

spazzacamino [spattsaka'mino] sm ramoneur m

spazzaneve [spattsa'neve] sm inv chasse-neige m inv

spazzare [spat'tsare] vt balayer

spazzatura [spattsa'tura] sf ordures fpl

spazzino [spat'tsino] sm balayeur m; (sul camion) éboueur m

spazzola ['spattsola] sf brosse f; (di tergicristalli) balai m; **capelli a ~** cheveux mpl en brosse

spazzolare [spattso'lare] vt brosser

spazzolino [spattso'lino] sm (petite) brosse f; **~ da denti** brosse à dents

specchiarsi [spek'kjarsi] *vpr* se regarder (dans une glace); (*riflettersi*) se refléter

specchietto [spek'kjetto] *sm* glace *f*, miroir *m*; (*prospetto*) tableau *m*; ~ **per le allodole** (*fig*) miroir aux alouettes; ~ **retrovisore** (*Aut*) rétroviseur *m*

specchio [spɛkkjo] *sm* glace *f*, miroir *m*; (*tabella*) tableau *m*; **uno ~ d'acqua** une étendue d'eau

speciale [spe'tʃale] *agg* spécial(e); **in special modo** en particulier, tout particulièrement; **leggi speciali** lois *fpl* d'exception

specialista, -i, -e [spetʃa'lista] *sm/f* (*anche Med*) spécialiste *m/f*

specialità [spetʃali'ta] *sf inv* spécialité *f*; **vorrei assaggiare una ~ del posto** je voudrais goûter une spécialité locale

specialmente [spetʃal'mente] *avv* spécialement, surtout

specie ['spɛtʃe] *sf inv* (*Biol, Bot, Zool*) espèce *f*; (*tipo, qualità*) sorte *f*, espèce, genre *m* ▪ *avv* spécialement, surtout; **ogni ~ di verdura** toutes sortes de légumes; **una ~ di** une espèce de; **nella ~** en l'occurrence; **fare ~ a qn** étonner qn; **la ~ umana** le genre humain

specificare [spetʃifi'kare] *vt* spécifier, préciser

specifico, -a, -ci, -che [spe'tʃifiko] *agg* spécifique

speculare [speku'lare] *vi*: ~ **(su)** spéculer (sur)

speculazione [spekulat'tsjone] *sf* spéculation *f*

spedire [spe'dire] *vt* expédier, envoyer; (*fig: persona*) envoyer; ~ **per posta** expédier *o* envoyer par la poste

spegnere ['spɛɲɲere] *vt* éteindre; **spegnersi** *vpr* (*anche fig: morire*) s'éteindre; (*apparecchi elettrici*) s'arrêter; **non riesco a ~ il riscaldamento** je n'arrive pas à éteindre le chauffage; **può ~ le luce?** pouvez-vous éteindre la lumière?

spellarsi [spel'larsi] *vpr* (*persona*) peler

spendere ['spɛndere] *vt* dépenser; (*fig*) employer; ~ **una buona parola per qn** dire un mot en faveur de qn

spengo *ecc* ['spɛngo] *vb vedi* **spegnere**

spensi *ecc* ['spɛnsi] *vb vedi* **spegnere**

spensierato, -a [spensje'rato] *agg* insouciant(e)

spento, -a ['spɛnto] *pp di* **spegnere** ▪ *agg* éteint(e)

speranza [spe'rantsa] *sf* espoir *m*; (*Rel*) espérance *f*; **pieno di speranze** plein d'espoirs; **senza ~** sans espoir; **nella ~ di rivederti** dans l'espoir de te revoir

sperare [spe'rare] *vt* espérer ▪ *vi*: ~ **in** espérer en; ~ **che/di fare** espérer que/faire; **lo spero** j'espère bien; **spero di sì** j'espère que oui; **tutto fa ~ per il meglio** tout laisse à penser que cela ira pour le mieux

sperduto, -a [sper'duto] *agg* (*posto*) perdu(e); (*persona: imbarazzato, a disagio*) perdu(e), dépaysé(e)

sperimentale [sperimen'tale] *agg* expérimental(e); (*teatro, cinema*) d'avant-garde, d'essai; **in via ~** expérimentalement

sperimentare [sperimen'tare] *vt* expérimenter; (*fig: sapere per esperienza*) faire l'expérience de; (*: tentare*) tenter

sperma, -i ['spɛrma] *sm* sperme *m*

sperone [spe'rone] *sm* éperon *m*

sperperare [sperpe'rare] *vt* dilapider

spesa ['spesa] *sf* (*versamento*) dépense *f*; (*somma*) frais *mpl*; (*acquisto*) achat *m*; (*quotidiana*) courses *fpl*, commissions *fpl*; **fare la ~** faire les courses; **uscire a fare spese** sortir faire des emplettes *o* des achats; **con la modica ~ di...** pour la modique somme de...; **ho avuto tante spese** j'ai fait beaucoup de dépenses; **100 euro più le spese** 100 euros sans compter les frais; **a spese di** (*a carico di*) aux frais de; (*fig: a danno di*) aux dépens de; ~ **pubblica** dépenses *fpl* publiques; **spese accessorie** faux frais; **spese d'impianto** frais d'établissement; **spese di gestione** frais de gestion; **spese di manutenzione** frais d'entretien; **spese di sbarco e sdoganamento** frais de débarquement et de dédouanement; **spese di trasporto** frais de transport; **spese di viaggio**

frais de déplacement; **spese generali** frais généraux; **spese legali** frais de justice; **spese postali** frais d'envoi

spesso, -a ['spesso] *agg* épais(se) ■ *avv* souvent; **spesse volte** souvent, fréquemment; **~ e volentieri** bien souvent

spessore [spes'sore] *sm* (*anche fig*) épaisseur *f*; **ha uno ~ di 20 cm** il a 20 cm d'épaisseur

Spett. *abbr* ≈ spettabile; **~ Ditta** (*su busta*) Maison; (*in una lettera*) Messieurs

spettacolo [spet'takolo] *sm* spectacle *m*; (*Cine*) séance *f*; (*Teatro*) représentation *f*; **dare ~ (di sé)** se donner en spectacle

spettare [spet'tare] *vi*: **~ a** revenir à; **spetta a te decidere** c'est à toi de décider

spettatore, -trice [spetta'tore] *sm/f* (*Cine, Teatro*) spectateur(-trice); (*di avvenimento, incidente*) témoin *m*

spettegolare [spettego'lare] *vi* faire des commérages, cancaner

spettinato, -a [spetti'nato] *agg* décoiffé(e), dépeigné(e)

spettro ['spettro] *sm* (*anche fig*) spectre *m*

spezie ['spɛttsje] *sfpl* (*Cuc*) épices *fpl*

spezzare [spet'tsare] *vt* casser; (*fig*) couper; (*in varie parti*) diviser; (*per una pausa*) interrompre; **spezzarsi** *vpr* se casser; **~ il cuore a qn** (*fig*) briser *o* fendre le cœur à qn

spezzatino [spettsa'tino] *sm* (*Cuc: di manzo, agnello*) ragoût *m*; (*: di pollo, coniglio*) fricassée *f*; (*: di vitello*) ≈ blanquette *f*; (*: di montone*) ≈ navarin *m*

spezzettare [spettset'tare] *vt* couper en petits morceaux

spia ['spia] *sf* espion(ne); (*confidente della polizia*) indicateur(-trice), mouchard(e); (*bambino*) rapporteur(-euse); (*Elettr*) voyant *m*; (*fessura*) judas *msg*; (*fig*) indice *m*; **~ dell'olio** (*Aut*) voyant d'huile

spiacente [spja'tʃɛnte] *agg* désolé(e), navré(e); **essere ~ di qc/ di fare qc** être désolé(e) de qch/ de faire qch

spiacevole [spja'tʃevole] *agg* (*incidente, avvenimento*) fâcheux(-euse); (*esperienza, dovere*) déplaisant(e), désagréable

spiaggia, -ge ['spjaddʒa] *sf* plage *f*; **l'ultima ~** (*fig*) la dernière chance; **~ libera** (*dove non si paga*) plage publique

spianare [spja'nare] *vt* (*terreno*) aplanir, niveler; (*pasta*) étendre; (*edificio, quartiere*) raser; (*fucile*) épauler; (*pistola*) braquer; **~ il cammino a qn** aplanir la voie à qn

spiare [spi'are] *vt* (*nemico, mossa*) épier; (*occasione*) guetter

spiazzo ['spjattso] *sm* étendue *f*

spicchio ['spikkjo] *sm* (*di agrumi*) quartier *m*; (*di aglio*) gousse *f*; (*parte*) tranche *f*

spicciarsi [spit'tʃarsi] *vpr* se dépêcher, se presser

spiccioli ['spittʃoli] *smpl* monnaie *fsg*; **mi dispiace, non ho ~** désolé, je n'ai pas de monnaie

spicco, -chi ['spikko] *sm*: **di ~** (*fatto*) marquant(e); (*personaggio*) en vue; **fare ~** se distinguer, ressortir

spiedino [spje'dino] *sm* brochette *f*

spiedo ['spjɛdo] *sm* (*Cuc*) broche *f*; **pollo allo ~** poulet *m* à la broche

spiegare [spje'gare] *vt* (*concetto ecc*) expliquer; (*ali*) déployer; (*tovaglia*) déplier; **spiegarsi** *vpr* s'expliquer; **~ qc a qn** expliquer qch à qn; **non mi spiego come...** je ne m'explique pas comment...

spiegazione [spjegat'tsjone] *sf* explication *f*; **avere una ~ con qn** avoir une explication avec qn

spiegherò *ecc* [spjege'rɔ] *vb vedi* **spiegare**

spietato, -a [spje'tato] *agg* impitoyable

spifferare [spiffe'rare] *vt* (*fam*) moucharder

spiffero ['spiffero] *sm* (*fam*) courant *m* d'air

spiga, -ghe ['spiga] *sf* (*Bot*) épi *m*; **tessuto a ~** tissu *m* à chevrons

spigliato, -a [spiʎ'ʎato] *agg* désinvolte

spigolo ['spigolo] *sm* coin *m*; (*Geom*) arête *f*

spilla ['spilla] *sf* (*gioiello*) broche *f*; (*da cravatta, cappello*) épingle *f*

spillo ['spillo] *sm* épingle *f*; **tacchi a ~** talons *mpl* aiguilles; **~ da balia** *o*

di **sicurezza** épingle de nourrice o
de sûreté
spilorcio, -a, -ci, -ce [spi'lortʃo]
agg radin(e) ■ *sm/f* radin(e),
grippe-sou *m/f*
spina ['spina] *sf* (*Bot*) épine *f*; (*Zool*:
di istrice) piquant *m*; (: *di pesce*) arête *f*;
(*Elettr*) fiche *f*; (*di botte*) cannelle *f*;
una birra alla ~ une bière (à la)
pression; **stare sulle spine** (*fig*) être
sur des charbons ardents; **a ~ di
pesce** (*tessuto, disegno*) à chevrons;
~ dorsale épine dorsale
spinaci [spi'natʃi] *smpl* épinards *mpl*
spinello [spi'nɛllo] *sm* (*fam*) joint *m*
spingere ['spindʒere] *vt* pousser;
(*pulsante*) appuyer sur; (*fig: sguardo*)
diriger, porter; **spingersi** *vpr*
(*inoltrarsi*) s'avancer; **~ qn a fare qc**
pousser qn à faire qch; **spingersi
troppo lontano** aller trop loin
spinoso, -a [spi'noso] *agg* (*anche fig*)
épineux(-euse)
spinsi *ecc* ['spinsi] *vb vedi* **spingere**
spinta ['spinta] *sf* poussée *f*; (*fig:
stimolo*) impulsion *f*; (: *appoggio,
raccomandazione*) coup *m* de piston,
coup de pouce; **dare una ~ a qn**
pousser qn; (*fig: aiutare*) donner un
coup de pouce à qn
spinto, -a ['spinto] *pp di* **spingere**
■ *agg* (*scabroso*) osé(e); (*posizione,
idea*) extrémiste
spionaggio [spio'naddʒo] *sm*
espionnage *m*; **~ industriale**
espionnage industriel
spioncino [spion'tʃino] *sm* judas *msg*
spiraglio [spi'raʎʎo] *sm* (*fessura*)
fente *f*; (*di luce*) rayon *m*; (*di aria*) filet
m; (*fig: barlume*) lueur *f*
spirale [spi'rale] *sf* spirale *f*;
(*contraccettivo*) stérilet *m*; (*fig: di
violenza, terrore*) escalade *f*; **a ~** en
spirale, en vrille
spiritato, -a [spiri'tato] *agg*
(*espressione*) démoniaque; (*occhi*)
exorbité(e); (*persona*) possédé(e)
spiritismo [spiri'tizmo] *sm*
spiritisme *m*
spirito ['spirito] *sm* esprit *m*; **di ~**
d'esprit; **fare dello ~** faire de l'esprit;
~ di classe esprit de caste; **~ di
contraddizione** esprit de contradiction;
~ di parte esprit partisan

spiritosaggine [spirito'saddʒine] *sf*
plaisanterie *f* (d'un goût douteux)
spiritoso, -a [spiri'toso] *agg*
(*persona*) spirituel(le), plein(e)
d'esprit; (*battuta*) spirituel(le), drôle
■ *sm/f*: **fare lo ~** (*peg*) faire le malin
spirituale [spiritu'ale] *agg*
spirituel(le)
splendere ['splɛndere] *vi* briller,
resplendir; (*fig: volto*) resplendir;
(: *occhi*) briller; (: *pavimento*) briller,
reluire
splendido, -a ['splɛndido] *agg*
splendide; (*munifico*) généreux(-euse)
splendore [splen'dore] *sm*
splendeur *f*
spogliare [spoʎ'ʎare] *vt* déshabiller;
spogliarsi *vpr* se déshabiller; **~ qn di**
(*fig*) dépouiller qn de
spogliarello [spoʎʎa'rɛllo] *sm* strip-
tease *m*
spogliatoio [spoʎʎa'tojo] *sm*
vestiaire *m*
spola ['spola] *sf* navette *f*; **fare la ~
(fra)** (*fig*) faire la navette (entre)
spolverare [spolve'rare] *vt* (*mobile*)
épousseter; (*vestito*) brosser,
dépoussiérer; (*torta*) saupoudrer;
(*fig: mangiare avidamente*) engloutir,
dévorer ■ *vi* enlever la poussière
spontaneo, -a [spon'taneo] *agg*
spontané(e); **di sua spontanea
volontà** de son plein gré
sporcare [spor'kare] *vt* (*anche fig*)
salir; **sporcarsi** *vpr* se salir
sporcizia [spor'tʃittsja] *sf* saleté *f*;
(*sudiciume*) saleté, crasse *m*
sporco, -a, -chi, -che ['sporko] *agg*
(*anche fig: faccenda, denaro*) sale;
(: *film ecc*) cochon(ne); **avere la
fedina penale sporca** avoir un casier
judiciaire chargé; **avere la coscienza
sporca** ne pas avoir la conscience
tranquille, avoir quelque chose sur
la conscience
sporgenza [spor'dʒɛntsa] *sf*
saillie *f*
sporgere ['spordʒere] *vt* (*braccia*)
tendre; (*viso*) pencher; (*denuncia*)
déposer ■ *vi* dépasser; **sporgersi**
vpr: **sporgersi (da)** se pencher (de);
~ querela contro qn (*Dir*) porter
plainte contre qn
sporsi *ecc* ['sporsi] *vb vedi* **sporgere**

sport [sport] *sm inv* sport *m*; **fare dello ~** faire du sport; **per ~** (*fig*) pour son plaisir; **~ invernali** sports *mpl* d'hiver

sportello [spor'tɛllo] *sm* (*di treno, auto*) portière *f*; (*di banca, ufficio*) guichet *m*; **~ automatico** (*per prelievi*) guichet automatique

sportivo, -a [spor'tivo] *agg* sportif(-ive); (*abito, giacca*) de sport ■ *sm/f* sportif(-ive)

sposa ['spɔza] *sf* mariée *f*; (*moglie*) femme *f*, épouse *f*; **abito da ~** robe *f* de mariée

sposalizio [spoza'littsjo] *sm* mariage *m*

sposare [spo'zare] *vt* (*anche fig*) épouser; (*unire in matrimonio*) marier; **sposarsi** *vpr* se marier; **sposarsi con qn** se marier avec qn

sposo, -a [spo'zato] *agg* marié(e)

sposo ['spɔzo] *sm* marié *m*; (*marito*) mari *m*, époux *msg*; **gli sposi** les mariés

spossato, -a [spos'sato] *agg* épuisé(e), éreinté(e)

spostare [spos'tare] *vt* déplacer; (*riunione, incontro*) reporter, renvoyer; **spostarsi** *vpr* se déplacer; **hanno spostato la partenza di qualche giorno** ils ont reculé le départ de quelques jours; **può ~ la macchina, per favore?** pouvez-vous déplacer votre voiture, s'il vous plaît?

spranga, -ghe ['spranga] *sf* barre *f*

sprecare [spre'kare] *vt* gaspiller

spregevole [spre'dʒevole] *agg* méprisable

spremere ['spremere] *vt* presser; (*fig: popolo*) pressurer; **spremersi le meningi** (*fig*) se creuser la cervelle *o* les méninges

spremiagrumi [spremia'grumi] *sm inv* presse-agrumes *m*

spremuta [spre'muta] *sf* jus *msg*; **~ d'arancia** jus d'orange, orange *f* pressée

sprezzante [spret'tsante] *agg* méprisant(e)

sprofondare [sprofon'dare] *vi* (*casa, tetto, pavimento*) s'effondrer; (*terreno*) s'affaisser; (*nel fango, nella melma*) s'embourber, s'enliser; (*fig*) sombrer; **sprofondarsi** *vpr*: **sprofondarsi in**

(*in poltrona, divano*) s'affaler dans *o* sur; (*in studio, lavoro*) se plonger dans

spronare [spro'nare] *vt* éperonner; (*fig*) pousser, encourager

sproporzionato, -a [sproportsjo'nato] *agg* disproportionné(e); (*eccessivo*) excessif(-ive); **~ a** disproportionné(e) par rapport à

sproporzione [spropor'tsjone] *sf* disproportion *f*

sproposito [spro'pɔzito] *sm* bévue *f*; (*errore*) grosse faute *f*; **a ~** (*intervenire*) mal à propos, à tort et à travers

sprovveduto, -a [sprovve'duto] *agg* peu averti(e), naïf(-ïve) ■ *sm/f* faible *m/f*

sprovvista [sprov'vista] *sf*: **alla ~** au dépourvu

sprovvisto, -a [sprov'visto] *agg*: **~ (di)** dépourvu(e) (de); **ne siamo sprovvisti** (*negozio*) nous n'en avons pas

spruzzare [sprut'tsare] *vt* (*con nebulizzatore*) vaporiser; (*aspergere*) asperger, humecter; (*spargere sopra*) saupoudrer

spugna ['spuɲɲa] *sf* (*Zool*) éponge *f*; (*tessuto*) tissu *m* éponge; **gettare la ~** (*fig*) jeter l'éponge

spuma ['spuma] *sf* (*del mare*) écume *f*; (*di birra ecc*) mousse *f*

spumante [spu'mante] *sm* mousseux *msg*

spuntare [spun'tare] *vt* (*coltello*) épointer; (*capelli*) rafraîchir, couper les pointes de; (*elenco*) pointer ■ *vi* (*germogli, capelli*) pousser; (*denti*) percer; (*apparire improvvisamente*) surgir ■ *sm*: **allo ~ del sole** au lever du soleil; **spuntarsi** *vpr* (*perdere la punta*) s'épointer; **spuntarla** y arriver; **spuntarla con qn** l'emporter sur qn

spuntino [spun'tino] *sm* casse-croûte *m inv*

spunto ['spunto] *sm* (*Teatro*) premier mots *mpl* d'une réplique; (*Mus*) première mesure *f*; (*fig*): **dare lo ~ a** fournir l'occasion de; **prendere ~ da** (*fig: artista ecc*) s'inspirer de

sputare [spu'tare] *vt, vi* (*anche fig*) cracher; **~ sentenze** pontifier; *vedi anche* **rospo**

squadra ['skwadra] sf (di operai, pompieri, Sport) équipe f; (strumento) équerre f; (Mil) escouade f; (Aer, Naut) escadre f; **a squadre** (gioco, lavoro ecc) par équipes; **~ di calcio** équipe de football; **~ mobile** ≈ garde f mobile

squagliarsi [skwaʎ'ʎarsi] vpr fondre, se liquéfier; (fig) filer en douce, filer à l'anglaise

squalifica, -che [skwa'lifika] sf disqualification f

squalificare [skwalifi'kare] vt disqualifier

squallido, -a ['skwallido] agg minable; (ambiente, faccenda) sordide

squalo ['skwalo] sm requin m

squama ['skwama] sf (Zool, Bot) écaille f; (Anat) squame f

squarciagola [skwartʃa'gola] avv: **a ~** à tue-tête

squattrinato, -a [skwattri'nato] agg fauché(e) (fam), sans-le-sou inv ■ sm/f fauché(e), sans-le-sou m/f inv

squilibrato, -a [skwili'brato] agg, sm/f déséquilibré(e)

squillante [skwil'lante] agg (voce) aigu(-uë); (fig: colore) vif (vive)

squillare [skwil'lare] vi (campanello, telefono) sonner; (tromba) retentir

squillo ['skwillo] sm sonnerie f; (di campanello) coup m de sonnette ■ agg inv: **ragazza ~** call-girl f

squisito, -a [skwi'zito] agg exquis(e); (cibo, vino) exquis(e), délicieux(-euse)

squittire [skwit'tire] vi (topo) couiner; (uccello) piailler

sradicare [zradi'kare] vt déraciner; (fig) extirper

sregolato, -a [zrego'lato] agg déréglé(e)

S.r.l. ['esse'erre'elle] sigla f (= società a responsabilità limitata) SARL f

srotolare [zroto'lare] vt dérouler

SS abbr (= strada statale) ≈ RN f

S.S.N. sigla m (= Servizio Sanitario Nazionale) Sécurité f sociale

sta ecc [sta] vb vedi **stare**

stabile ['stabile] agg stable ■ sm immeuble m; **teatro ~** ≈ théâtre m municipal

stabilimento [stabili'mento] sm (balneare, termale) établissement m; (fabbrica) usine f; **~ tessile** usine textile

stabilire [stabi'lire] vt (residenza, leggi) établir; (prezzi, data) fixer; (decidere) décider; **stabilirsi** vpr (prendere dimora) s'établir, se fixer; **resta stabilito che...** il est convenu que...

staccare [stak'kare] vt détacher; (quadro) décrocher; (apparecchio elettrico) débrancher; (fig: da luogo, genitori) éloigner; (Sport) distancer ■ vi (fam: al lavoro) débrayer; **staccarsi** vpr: **staccarsi (da)** (bottone) se découdre (de); (cerotto) se décoller (de); (persona) se détacher (de); **~ un assegno** tirer o émettre un chèque; **~ un biglietto** vendre un billet; **~ il telefono** décrocher le téléphone; **non ~ gli occhi da qn** ne pas quitter qn des yeux

stadio ['stadjo] sm (Sport, fase) stade m

staffa ['staffa] sf (di sella) étrier m; (Tecn) bride f, patte f; **perdere le staffe** (fig) sortir de ses gonds

staffetta [staf'fetta] sf (messo) estafette f; (Sport) relais m sg

stagionale [stadʒo'nale] agg, sm/f saisonnier(-ière)

stagionato, -a [stadʒo'nato] agg (formaggio) affiné(e), fait(e); (vino) vieux (vieille), vieilli(e); (legname) sec (sèche); (fig scherz: persona) d'âge mûr, d'un certain âge

stagione [sta'dʒone] sf saison f; **alta/bassa ~** haute/basse saison; **in alta ~** en pleine saison; **in bassa ~** hors saison

stagista, -i, -e [sta'dʒ(ɡh)ista] sm/f stagiaire m/f

stagno, -a ['staɲɲo] agg étanche ■ sm (Chim) étain m; (acquitrino) étang m

stagnola [staɲ'ɲɔla] sf (anche: **carta stagnola**) papier m d'aluminium, papier alu (fam)

stalla ['stalla] sf (per mucche) étable f; (per cavalli) écurie f; (per pecore) bergerie f

stallone [stal'lone] sm étalon m

stamattina [stamat'tina] avv ce matin

stambecco [stam'bekko] sm bouquetin m

stampa ['stampa] sf (tecnica)
imprimerie f; (procedimento)
impression f; (copia, Posta) imprimé
m; (Fot) tirage m; (insieme di quotidiani,
giornalisti ecc) presse f; (riproduzione
artistica) estampe f, gravure f; **andare
in ~** aller sous presse; **mandare in ~**
mettre sous presse; **errore di ~**
coquille f; **prova di ~** épreuve f;
libertà di ~ liberté f de presse
stampante [stam'pante] sf
imprimante f; **~ a getto
d'inchiostro** imprimante à jet
d'encre; **~ laser** imprimante laser
inv; **~ seriale** imprimante série;
~ termica imprimante thermique,
thermo-imprimante f
stampare [stam'pare] vt imprimer;
(pubblicare) publier; (Fot) tirer; (Arte)
graver; (coniare) estamper
stampatello [stampa'tello] sm
caractère m d'imprimerie; **in ~** en
caractères d'imprimerie
stampella [stam'pɛlla] sf béquille f
stampo ['stampo] sm (Cuc, Tecn)
moule m; **di vecchio ~** (fig) vieux jeu inv
stanare [sta'nare] vt débusquer; (fig)
dénicher
stancare [stan'kare] vt fatiguer;
stancarsi vpr se fatiguer; **stancarsi
(di qc/di fare qc)** se lasser (de qch/de
faire qch)
stanchezza [stan'kettsa] sf (vedi
agg) fatigue f; lassitude f
stanco, -a, -chi, -che ['stanko] agg
fatigué(e); **~ (di qc/di fare qc)**
(infastidito) las (lasse) (de qch/de
faire qch)
stanghetta [stan'getta] sf (di occhiali)
branche f; (Mus) barre f de mesure
stanno ['stanno] vb vedi **stare**
stanotte [sta'nɔtte] avv cette nuit
stante ['stante] prep: **a sé ~** (storia,
caso, ufficio) indépendant(e), à part;
vedi anche **seduta**
stantio, -a, -tii, -tie [stan'tio] agg
(burro, formaggio) rance; (fig) dépassé(e)
stantuffo [stan'tuffo] sm piston m
stanza ['stantsa] sf pièce f; (Poesia)
stance f; **essere di ~ a** (Mil) être en
garnison à; **~ da bagno/da pranzo**
salle f de bains/à manger; **~ da letto**
chambre f à coucher
stappare [stap'pare] vt déboucher

⭕ **PAROLA CHIAVE**

stare ['stare] vi **1** (rimanere) rester;
stare a casa rester à la maison; **stare
in piedi** rester debout; **stare fermo**
rester immobile, ne pas bouger;
starò via due giorni je serai absent
(pendant) deux jours
2 (abitare) habiter; **sta a Roma da
due anni** il habite (à) Rome depuis
deux ans; **sto qui vicino** j'habite
(tout) près d'ici
3 (essere, trovarsi) être, se trouver;
sta sopra il tavolo il est sur la table;
stavo dal dentista j'étais chez le
dentiste; **stando così le cose**
puisqu'il en est ainsi; **stare a dieta**
être au régime; **non sta bene!** (non
è decenza) ça ne se fait pas!; **puoi
starne certo!** tu peux en être sûr!;
starsene in un angolo rester dans
un coin
4 (sentirsi): **stare bene/male** (di
salute) aller bien/mal; **come stai?**
comment vas-tu?; **sto bene con lui**
je me sens bien avec lui
5 (abito, scarpe): **come mi sta?**
comment ça me va?; **ti sta molto
bene** ça te va très bien
6 (seguito da gerundio) être en train de
(+ inf); **sto aspettando** je suis en
train d'attendre
7: **stare a fare qc** rester faire qch;
stare a sentire rester écouter;
stiamo a vedere nous verrons; **sono
stati a parlare per ore** ils ont parlé
pendant des heures; **sta' un po' a
sentire** écoute un peu
8 (essere in procinto): **stare per fare qc**
être sur le point de faire qch, aller faire
qch; **stavo per andarmene** j'allais
m'en aller
9 (spettare): **stare a** être à… (de); **sta
a me giudicare** c'est à moi de juger;
non sta a lui decidere ce n'est pas à
lui de décider
10: **starci** (essere contenuto) entrer;
(essere d'accordo) être d'accord; **non ci
sta più nulla** il n'y a plus de place;
ci stai ad uscire a cena? ça te va de
sortir dîner?; **mi spiace, ma non ci
sto** je regrette, mais je ne suis pas
d'accord; **una che ci sta** une fille
facile

starnutire [starnu'tire] vi éternuer

starnuto [star'nuto] sm éternuement m

stasera [sta'sera] avv ce soir

statale [sta'tale] agg d'État, de l'État ▪ sm/f (dipendente statale) fonctionnaire m/f ▪ sf (anche: **strada statale**) route f nationale

statista, -i [sta'tista] sm homme m d'État

statistica [sta'tistika] sf statistique f; **fare una ~** faire des statistiques

stato, -a ['stato] pp di **essere**; **stare** ▪ sm état m; (ceto) condition f; **in ~ d'accusa/di arresto** (Dir) en état d'accusation/d'arrestation; **in ~ interessante** enceinte; **gli Stati Uniti (d'America)** les États-Unis mpl (d'Amérique); **~ civile** (Amm) état civil; **~ d'assedio/d'emergenza** état de siège/d'urgence; **~ d'animo** état d'âme; **~ di famiglia** situation f de famille; **~ maggiore** (Mil) état-major m; **~ patrimoniale** situation patrimoniale

statua ['statua] sf statue f

statunitense [statuni'tɛnse] agg des États-Unis ▪ sm/f Américain(e) (des États-Unis)

statura [sta'tura] sf taille f; (fig) valeur f; **essere alto/basso di ~** être de grande/petite taille

statuto [sta'tuto] sm (Dir) statut m; **regione a ~ speciale** région italienne ayant une autonomie dans certains secteurs; **~ della società** (Comm) statuts mpl de la société

stavolta [sta'vɔlta] avv cette fois

stazionario, -a [stattsjo'narjo] agg stationnaire

stazione [stat'tsjone] sf (dei treni) gare f; (Radio, di villeggiatura) station f; **~ balneare** station balnéaire; **~ centrale** gare centrale; **~ climatica** station climatique; **~ degli autobus** gare routière; **~ di lavoro** (Inform) poste m de travail; **~ di polizia** poste de police; **~ di servizio** station-service f; **~ di transito** gare de transit; **~ (ferroviaria)** gare (ferroviaire); **~ invernale** station de sports d'hiver; **~ termale** station thermale

stecca, -che ['stekka] sf (assicella) latte f; (di ombrello) baleine f; (di biliardo) queue f; (di sigarette) cartouche f; (Med) attelle f; **fare o prendere una ~** (stonatura) faire un canard

steccato [stek'kato] sm palissade f, barrière f

stella ['stella] sf étoile f; (fig: del cinema, teatro) étoile, vedette f; **vedere le stelle** (fig) voir 36 chandelles; **i prezzi sono saliti alle stelle** les prix ont monté en flèche; **~ alpina** edelweiss m; **~ cadente** étoile filante; **~ di mare** étoile de mer; **~ filante** serpentin m

stelo ['stɛlo] sm (Bot) tige f; **lampada a ~** lampadaire m

stemma ['stɛmma] sm armoiries fpl

stemmo ['stɛmmo] vb vedi **stare**

stempiato, -a [stem'pjato] agg aux tempes dégarnies

stendere ['stɛndere] vt étendre; (colore) étaler; (relazione) rédiger; **stendersi** vpr s'étendre; (a letto ecc) s'étendre, s'allonger

stenografia [stenogra'fia] sf sténo(graphie) f

stentare [sten'tare] vi: **~ a fare qc** avoir du mal o de la peine à faire qc; **stento a crederci** j'ai du mal o de la peine à le croire

stento ['stɛnto] sm (fatica) peine f, difficulté f; **stenti** smpl (privazioni) privations fpl; **a ~** avec peine, à grand-peine

sterco, -chi ['stɛrko] sm excrément m

stereo ['stereo] agg inv stéréo ▪ sm inv (impianto) chaîne f stéréo

sterile ['stɛrile] agg stérile; (siringa) stérilisé(e)

sterilizzare [sterilid'dzare] vt stériliser

sterlina [ster'lina] sf (anche: **lira sterlina**) (livre f) sterling f

sterminare [stermi'nare] vt exterminer

sterminato, -a [stermi'nato] agg immense, infini(e)

sterminio [ster'minjo] sm extermination f; **campo di ~** camp m d'extermination

sterno ['stɛrno] sm (Anat) sternum m

steroide [ste'rɔide] sm stéroïde m

sterzare [ster'tsare] vt, vi braquer

sterzo ['stɛrtso] sm direction f

stessi ecc ['stessi] vb vedi **stare**

stesso, -a ['stesso] agg, pron même; **lo ~ ministro** (rafforzativo) le ministre en personne; **se ~** lui-même, soi-même; **se stessa** elle-même, soi-même; **se stessi, se stesse** eux-mêmes; **quello ~ giorno** le même jour; **lo ~ le même**; **la stessa** la même; **fa lo ~** c'est la même chose, cela revient au même; **parto lo ~** je pars quand même; **per me è lo ~** pour moi, c'est pareil, pour moi, c'est la même chose; vedi anche **io, tu** ecc

stesura [ste'sura] sf (di contratto) rédaction f; (di libro) version f

stetti ecc ['stɛtti] vb vedi **stare**

stia ecc ['stia] vb vedi **stare**

stilare [sti'lare] vt (contratto) dresser; (documento) rédiger

stile ['stile] sm style m; **mobili in ~** meubles mpl de style; **in grande ~** (fig) en grande pompe; **vecchio ~** vieux jeu; **è proprio nel suo ~** (fig) c'est bien dans son style; **~ libero** (Sport) nage f libre, crawl m

stilista, -i, -e [sti'lista] sm/f styliste m/f

stilografica, -che [stilo'grafika] sf (anche: **penna stilografica**) stylo m

stima ['stima] sf (apprezzamento) estime f; (valutazione) estimation f, évaluation f; **avere ~ di qn** avoir de l'estime pour qn; **godere della ~ di qn** jouir de l'estime de qn; **fare la ~ di qc** estimer qch, expertiser qch

stimare [sti'mare] vt estimer; **~ che** (ritenere) estimer que

stimolare [stimo'lare] vt stimuler; **~ qn a fare qc** pousser qn à faire qch

stimolo ['stimolo] sm stimulant m, stimulation f; (acustico, ottico) stimulus msg; **sentire lo ~ della fame** avoir faim

stingere ['stindʒere] vi (anche: **stingersi**) déteindre

stinto, -a ['stinto] pp di **stingere**

stipare [sti'pare] vt entasser; **stiparsi** vpr s'entasser

stipendio [sti'pɛndjo] sm salaire m, paye f; (: di impiegato) appointements mpl; (: di dipendente statale) traitement m

stipite ['stipite] sm montant m

stipulare [stipu'lare] vt stipuler

stirare [sti'rare] vt (abito) repasser; (distendere) étirer; **stirarsi** vpr (persona) s'étirer; **stirarsi un muscolo** se faire une élongation

stitichezza [stiti'kettsa] sf constipation f

stitico, -a, -ci, -che ['stitiko] agg constipé(e)

stiva ['stiva] sf (di nave) cale f, soute f

stivale [sti'vale] sm botte f

stizza ['stittsa] sf dépit m, agacement m

stoffa ['stɔffa] sf tissu m, étoffe f; **avere la ~ di** (fig) avoir l'étoffe de; **avere della ~** (fig) avoir de l'étoffe; **di che ~ è?** qu'est-ce que c'est comme tissu?

stomaco, -chi ['stɔmako] sm (anche fig) estomac m; **dare di ~** vomir

stonato, -a [sto'nato] agg (strumento) désaccordé(e); (persona): **essere ~** chanter faux; **nota stonata** (fig) fausse note f

stop [stɔp] sm inv (fanalino, segnale) stop m; (Calcio) blocage m

storcere ['stɔrtʃere] vt tordre; **storcersi** vpr se tordre; **~ il naso** (fig) faire la grimace; **storcersi la caviglia** se fouler la cheville

stordire [stor'dire] vt étourdir; (fig: sbalordire) abasourdir, ahurir; **stordirsi** vpr s'étourdir

stordito, -a [stor'dito] agg étourdi(e); (fig) abasourdi(e), ahuri(e)

storia ['stɔrja] sf histoire f; **storie** sfpl (pretesti) histoires fpl; (smancerie) manières fpl; **passare alla ~** passer à l'histoire; **non ha fatto storie** il n'a pas fait d'histoires; **~ naturale** histoire naturelle

storico, -a, -ci, -che ['stɔriko] agg historique ■ sm/f historien(ne)

storione [sto'rjone] sm esturgeon m

stormo ['stormo] sm (di uccelli) vol m, volée f

storpio, -a ['stɔrpjo] agg estropié(e)

storsi ecc ['stɔrsi] vb vedi **storcere**

storta ['stɔrta] sf (distorsione) entorse f, foulure f

storto, -a ['stɔrto] pp di **storcere** ■ agg (gamba, riga, chiodo) tordu(e); (quadro) de travers; (fig: ragionamento) faux (fausse) ■ avv: **guardare ~ qn** (fig) regarder qn de travers; **avere gli**

occhi storti loucher; è andato tutto
~ tout est allé de travers
stoviglie [sto'viʎʎe] *sfpl* vaisselle *fsg*
strabico, -a, -ci, -che ['strabiko] *agg*
strabique; è ~ il louche
stracchino [strak'kino] *sm fromage
gras non fermenté*
stracciare [strat'tʃare] *vt* déchirer;
(*fam: avversario*) écraser; **stracciarsi**
vpr se déchirer
straccio, -a, -ci, -ce ['strattʃo] *agg*:
carta straccia vieux papiers *mpl*
■ *sm* (*cencio*) guenille *f*; (: *per pulire*)
chiffon *m*; (: *per pavimenti*) serpillière *f*;
stracci *smpl* (*peg: indumenti, cose
proprie*) nippes *fpl*, frusques *fpl*; **si è
ridotto a uno ~** c'est une loque; **non
ha uno ~ di lavoro** il n'a même pas de
quoi gagner sa vie
strada ['strada] *sf* (*di paese,
campagna*) route *f*; (*in città*) rue *f*;
(*cammino, fig*) chemin *m*; (*varco,
passaggio*) chemin *m*, voie *f*;
~ **facendo** chemin faisant, en route;
tre ore di ~ (a piedi)/(in macchina)
trois heures de route (à pied)/(en
voiture); **che ~ devo prendere per
andare a ...?** quelle route dois-je
prendre pour aller à ...?; **fare ~ a qn**
montrer le chemin à qn; **farsi ~** (*fig:
persona*) faire du o son chemin; **essere
sulla buona ~** (*con indagine ecc*) être
sur la bonne voie; **essere fuori ~** (*fig*)
faire fausse route; **portare qn sulla
cattiva ~** détourner qn du droit
chemin; **donna di ~** fille *f* des rues;
ragazzi di ~ gamins *mpl* des rues;
~ **ferrata** voie ferrée, chemin de fer;
~ **maestra** grand-route *f*; ~ **principale**
(*città*) rue principale; ~ **senza uscita**
voie sans issue; (*fig*) impasse *f*

● **STRADE**

● L'Italie a un bon réseau routier. Les
● routes nationales ("strade statali")
● sont signalées par des panneaux
● bleus, alors que ceux des
● autoroutes ("autostrade") sont
● verts.

stradale [stra'dale] *agg* routier(-ière)
■ *sf* (*anche*: **polizia stradale**) police *f*
de la route

strafalcione [strafal'tʃone] *sm*
énormité *f*, bourde *f*
strafare [stra'fare] *vi* en faire trop,
faire du zèle
strafottente [strafot'tɛnte] *agg,
sm/f* arrogant(e), insolent(e)
strage ['stradʒe] *sf* massacre *m*
stralunato, -a [stralu'nato] *agg*
(*persona*) hagard(e), égaré(e); (*occhi*)
hagard(e)
strambo, -a ['strambo] *agg* bizarre,
loufoque
strampalato, -a [strampa'lato] *agg*
farfelu(e)
stranezza [stra'nettsa] *sf* étrangeté
f; (*discorso, comportamento*)
singularité *f*
strangolare [strango'lare] *vt*
étrangler; **strangolarsi** *vpr*
s'étrangler
straniero, -a [stra'njɛro] *agg, sm/f*
étranger(-ère)
strano, -a ['strano] *agg* étrange,
bizarre
straordinario, -a [straordi'narjo]
agg extraordinaire; (*caso, treno*)
spécial(e) ■ *sm* (*lavoro*) heures *fpl*
supplémentaires
strapiombo [stra'pjombo] *sm*
précipice *m*; **a ~** en surplomb
strappare [strap'pare] *vt* arracher;
(*carta, muscolo*) déchirer; (*vittoria*)
remporter; **strapparsi** *vpr* (*lacerarsi*)
se déchirer; (*corda*) se rompre;
~ **qc a qn** arracher qch à qn;
strapparsi i capelli s'arracher les
cheveux
strappo ['strappo] *sm* (*lacerazione*)
déchirure *f*, accroc *m*; (*strattone*)
secousse *f*; (*Med*) déchirure; (*fig:
infrazione, eccezione*) entorse *f*; **dare
uno ~ a qn** (*fam: fig: passaggio*)
accompagner qn en voiture; **fare uno
~ alla regola** faire une entorse au
règlement; ~ **muscolare** déchirure
musculaire
straripare [strari'pare] *vi* déborder
strascico, -chi ['straʃʃiko] *sm* (*di
abito*) traîne *f*; (*fig: conseguenza*)
séquelle *f*, suite *f*
stratagemma, -i [strata'dʒemma]
sm stratagème *m*
strategia, -gie [strate'dʒia] *sf*
stratégie *f*

strategico, -a, -ci, -che
[stra'tɛdʒiko] *agg* stratégique

strato ['strato] *sm* (*anche fig*) couche
f; (*Geo*) couche, strate *f*; (*Meteor*)
stratus *msg*; ~ **d'ozono** couche
d'ozone

strattone [strat'tone] *sm* forte
secousse *f*; **dare uno ~ a qc** donner
un coup sec à qch

stravagante [strava'gante] *agg*
extravagant(e)

stravolto, -a [stra'vɔlto] *pp di*
stravolgere ■ *agg* (*volto*)
déformé(e), altéré(e); (*persona*)
bouleversé(e)

strazio ['strattsjo] *sm* torture *f*,
supplice *m*; **fare ~ di** (*di corpo*)
mutiler; **essere uno ~** (*fig: persona*)
être une vraie calamité; (: *film, scena*)
être lamentable

strega, -ghe ['strega] *sf* sorcière *f*;
(*fig*) mégère *f*

stregare [stre'gare] *vt* ensorceler;
(*fig*) ensorceler, envoûter

stregone [stre'gone] *sm* sorcier *m*

strepitoso, -a [strepi'toso] *agg*
bruyant(e); (*fig: successo*)
retentissant(e), éclatant(e)

stressante [stres'sante] *agg*
stressant(e)

stressato, -a [stres'sato] *agg*
stressé(e)

stretta ['stretta] *sf* étreinte *f*;
essere alle strette être au pied du
mur; **una ~ al cuore** un serrement
de cœur; **una ~ di mano** une poignée
de main; ~ **creditizia** encadrement *m*
du crédit

strettamente [stretta'mente] *avv*
(*in modo stretto*) étroitement;
(*rigorosamente*) strictement

stretto, -a ['stretto] *pp di* **stringere**
■ *agg* étroit(e); (*nodo, curva*) serré(e);
(*intimo: amico*) intime; (*parente*)
proche; (*preciso: significato*) strict(e)
■ *sm* (*braccio di mare*) détroit *m*; **a
denti stretti** en serrant les dents;
lo ~ necessario *o* **indispensabile** le
strict nécessaire

strettoia [stret'toja] *sf* (*di strada*)
chaussée *f* rétrécie; (*fig*) situation *f*
difficile

striato, -a [stri'ato] *agg* à rayures,
rayé(e)

stridulo, -a ['stridulo] *agg*
strident(e)

strillare [stril'lare] *vt, vi* crier

strillo ['strillo] *sm* cri *m*

striminzito, -a [strimin'tsito] *agg*
(*misero*) étriqué(e); (*molto magro*)
malingre, maigrichon(ne)

strimpellare [strimpel'lare] *vt*
(*violino, chitarra*) racler; ~ **il piano**
pianoter

stringa, -ghe ['stringa] *sf* (*di scarpe*)
lacet *m*; (*numerica*) chaîne *f*

stringato, -a [strin'gato] *agg*
(*discorso, resoconto*) concis(e)

stringere ['strindʒere] *vt* (*pugno,
mascella, denti, viti*) serrer; (*occhi*)
plisser; (*abito*) rétrécir; (*discorso*)
abréger; (*patto*) conclure; (*passo*)
accélérer ■ *vi* (*essere stretto*) serrer;
stringersi *vpr*: **stringersi (a)** se
serrer (contre); ~ **la mano a qn** serrer
la main à qn; ~ **gli occhi** plisser les
yeux; ~ **amicizia con qn** se lier
d'amitié avec qn; **una scena che
stringe il cuore** un spectacle qui vous
serre le cœur; **stringi stringi** en fin de
compte; **il tempo stringe** le temps
presse

strinsi *ecc* ['strinsi] *vb vedi* **stringere**

striscia, -sce ['striʃʃa] *sf* (*di carta,
tessuto*) bande *f*; (*riga*) raie *f*, rayure *f*;
a strisce à rayures, rayé(e); **strisce
(pedonali)** passage *msg* pour piétons

strisciare [striʃ'ʃare] *vt* (*piedi*) traîner;
(*muro, macchina*) érafler ■ *vi* ramper

striscio ['striʃʃo] *sm* (*Med*) frottis *msg*;
(*segno*) éraflure *f*; **di ~** (*colpire*) de
biais; (*ferire*) superficiellement

striscione [striʃ'ʃone] *sm* banderole *f*

stritolare [strito'lare] *vt* broyer

strizzare [strit'tsare] *vt* (*panni*)
tordre, essorer; (*spugna*) presser;
~ **l'occhio (a)** cligner de l'œil (à)

strofa ['strɔfa] *sf* (*di poesia*) strophe *f*;
(*di canzone*) couplet *m*

strofinaccio [strofi'nattʃo] *sm* (*per
piatti*) torchon *m*; (*per pavimenti*)
serpillière *f*; (*per spolverare*) chiffon *m*

strofinare [strofi'nare] *vt* frotter

stroncare [stron'kare] *vt* (*ribellione*)
écraser; (*film, libro*) démolir; (*sogg:
infarto ecc*) emporter

stronzo ['strontso] *sm* (*sterco*) crotte
f, excrément *m*; (*fam!: fig: stupido*)

con(ne) (fam!); (: malvagio) salaud (salope) (fam!)

strozzare [strot'tsare] vt (soffocare) étrangler; (occludere) obstruer; **strozzarsi** vpr s'étrangler

struccarsi [struk'karsi] vpr se démaquiller

strumentale [strumen'tale] agg instrumental(e)

strumentalizzare [strumentalid'dzare] vt se servir de, exploiter

strumento [stru'mento] sm (anche fig) instrument m; (arnese) outil m; **~ (musicale)** instrument (de musique); **~ a fiato/a corda o ad arco** instrument à vent/à cordes; **strumenti di bordo** (Naut, Aer) instruments de bord; **strumenti di precisione** instruments de précision

strutto ['strutto] sm saindoux m

struttura [strut'tura] sf (di edificio, racconto, fig) structure f; (di macchina) châssis msg

struzzo ['struttso] sm autruche f; **fare come lo ~** pratiquer la politique de l'autruche

stuccare [stuk'kare] vt mastiquer; (decorare con stucchi) stuquer

stucco, -chi ['stukko] sm (per muro) plâtre m; (per legno, vetro) mastic m; (ornamentale) stuc m; **rimanere di ~** (fig) être sidéré(e), en rester baba

studente, -essa [stu'dɛnte] sm/f (di università) étudiant(e); (di scuola superiore) lycéen(ne)

studiare [stu'djare] vt, vi étudier; **oggi devo ~** aujourd'hui je dois travailler

studio ['studjo] sm étude f; (stanza) bureau m; (: di artista) atelier m; (: di notaio, procuratore) étude f; (: di medico, dentista) cabinet m; (Cine, TV, Radio) studio m; **studi** smpl (Scol) études fpl; **alla fine degli studi** à la fin des études; **secondo recenti studi** d'après de récentes études; **essere allo ~** être à l'étude; **~ legale** étude d'avocat; **~ medico** cabinet de consultation

studioso, -a [stu'djoso] agg studieux(-euse) ▪ sm/f savant m; **uno ~ di politica industriale** un spécialiste de politique industrielle

stufa ['stufa] sf (a gas, legna, carbone) poêle m; (elettrica) radiateur m

stufare [stu'fare] vt (Cuc) cuire à l'étouffée; (fam: fig) embêter, ennuyer; **stufarsi** vpr (fam: fig) en avoir assez, en avoir marre

stufo, -a ['stufo] agg (fam): **essere ~ (di qc/fare qc)** en avoir assez (de qch/ de faire qch), en avoir marre (de qch/ de faire qch)

stuoia ['stwɔja] sf natte f

stupefacente [stupefa'tʃɛnte] agg stupéfiant(e); (meraviglia) splendide ▪ sm (anche: **sostanza stupefacente**) stupéfiant m

stupefatto, -a [stupe'fatto] pp di **stupefare** ▪ agg stupéfait(e)

stupendo, -a [stu'pɛndo] agg superbe, magnifique

stupidaggine [stupi'daddʒine] sf stupidité f; (azione) bêtise f, idiotie f; **è una ~** (inezia) c'est une bagatelle

stupidità [stupidi'ta] sf stupidité f

stupido, -a ['stupido] agg stupide, bête

stupire [stu'pire] vt étonner, surprendre; **stupirsi** vpr: **stupirsi (di)** s'étonner (de); **non c'è da stupirsi** il n'y a pas de quoi s'étonner, ce n'est pas étonnant

stupore [stu'pore] sm stupeur f

stuprare [stu'prare] vt violer

stupro ['stupro] sm viol m

sturare [stu'rare] vt déboucher

stuzzicadenti [stuttsika'dɛnti] sm inv cure-dents msg

stuzzicare [stuttsi'kare] vt (ferita) toucher; (persona) taquiner; (cane) agacer, énerver; (appetito) aiguiser; (: curiosità) piquer

---

🔵 **PAROLA CHIAVE**

su [su] (su + il = **sul**, su + lo = **sullo**, su + l' = **sull'**, su + la = **sulla**, su + i = **sui**, su + gli = **sugli**, su + le = **sulle**) prep

1 (posizione) sur; **è sul tavolo** il est sur la table; **mettilo sul tavolo** mets-le sur la table; **fare rotta su Palermo** faire route vers Palerme; **un paesino sul mare** un petit village au bord de la mer; **un paesino sulla montagna** un petit village dans la montagne; **salire sul treno** monter dans le train; **tre casi su dieci** trois cas sur dix

2 (*argomento*) sur; **un'opera su Cesare** un œuvre sur César; **un articolo sull'argomento** un article sur le sujet
3 (*circa*) environ; **costerà sui 3 milioni** cela coûtera environ 3 millions; **una ragazza sui 17 anni** une fille d'environ 17 ans; **peserà sui 30 chili** cela doit peser environ 30 kilos
4 (*modo*): **su misura** sur mesure; **su ordinazione** sur commande; **su richiesta** sur demande
■ *avv* **1** (*in alto*) en haut; (*verso l'alto*) vers le haut; **rimani su** reste en haut; **vieni su** monte; **guarda su** regarde en haut; **andare su e giù** (*passeggiare*) faire les cent pas; **su le mani!** haut les mains!; **in su** (*verso l'alto*) en haut; (*in poi*) à partir de; **vieni su da me?** tu montes chez moi?; **dai 20 anni in su** à partir de 20 ans; **dal milione in su** à partir d'un million
2 (*addosso*) sur; **cos'hai su?** qu'est-ce que tu as sur toi?; **metti su questo** mets-toi ça
■ *escl* allons!; **su coraggio!** allons, courage!; **su avanti, muoviti!** allons vite, dépêche-toi!

subacqueo, -a [su'bakkweo] *agg* sous-marin(e) ■ *sm/f* plongeur(-euse)
subbuglio [sub'buʎʎo] *sm* agitation *f*, émoi *m*; **essere/mettere in ~** être/mettre en émoi
subdolo, -a ['subdolo] *agg* sournois(e)
subentrare [suben'trare] *vi*: **~ a qn** succéder à qn; **gli subentrò alla guida dell'azienda** il lui succéda à la tête de l'entreprise; **sono subentrati altri problemi** d'autres problèmes ont surgi
subire [su'bire] *vt* subir
subito ['subito] *avv* tout de suite; **~ dopo** tout de suite après
subodorare [subodo'rare] *vt* subodorer, flairer
subordinato, -a [subordi'nato] *agg* subordonné(e); **lavoro ~** travail *m* salarié; **proposizione subordinata** proposition *f* subordonnée
succedere [sut'tʃedere] *vi* (*accadere*) arriver, se passer; (*seguire*): **~ a**

succéder à; **succedersi** *vpr* se succéder, se suivre; **cos'è successo?** que s'est-il passé?; **~ al trono** succéder au trône; **sono cose che succedono** ce sont des choses qui arrivent
successivo, -a [suttʃes'sivo] *agg* (*mese ecc*) suivant(e); (*fase*) successif(-ive); **il giorno ~** le jour suivant, le lendemain; **in un momento ~** dans un deuxième temps
successo, -a [sut'tʃesso] *pp di* **succedere** ■ *sm* succès *msg*, réussite *f*; **di ~** (*libro, personaggio*) à succès; **avere ~** avoir du succès
succhiare [suk'kjare] *vt* sucer
succhiotto [suk'kjɔtto] *sm* tétine *f*, sucette *f*
succinto, -a [sut'tʃinto] *agg* (*discorso*) succinct(e); (*stile*) concis(e); (*abito*) très court(e)
succo, -chi ['sukko] *sm* (*di arancia ecc*) jus *msg*; (*gastrico*) suc *m*; (*fig*) substance *f*; **~ di frutta/pomodoro** jus de fruits/tomate
succursale [sukkur'sale] *sf* succursale *f*
sud [sud] *agg inv*, *sm* sud (*m*); **verso ~** vers le Sud; **l'Italia del S~** le Sud de l'Italie; **l'America del S~** l'Amérique du Sud
Sudafrica [su'dafrika] *sm* Afrique *f* du Sud
Sudamerica [suda'merika] *sm* Amérique *f* du Sud
sudare [su'dare] *vi* transpirer; (*fig*) suer, trimer; **~ freddo** avoir des sueurs froides
sudato, -a [su'dato] *agg* (*persona*) en sueur; (*mani*) moite; (*fig: denaro*) gagné(e) à la sueur de son front
suddividere [suddi'videre] *vt* (*testo, libro*) subdiviser; (*ripartire: credito, somma*) partager
sudest [su'dɛst] *sm* sud-est *m*; **vento di ~** vent *m* de sud-est; **~ asiatico** Asie *f* du Sud-Est
sudicio, -a, -ci, -ce ['suditʃo] *agg* sale, crasseux(-euse); (*fig*) sale, louche
sudore [su'dore] *sm* sueur *f*
sudovest [su'dɔvest] *sm* sud-ouest *m*; **vento di ~** vent *m* du sud-ouest, suroît *m*

sufficiente [suffi'tʃɛnte] *agg*
suffisant(e); (*Scol*) passable
sufficienza [suffi'tʃɛntsa] *sf*
suffisance *f*; (*Scol*) moyenne *f*;
a ~ assez, suffisamment; **ne ho
avuto a ~!** j'en ai eu assez!, ça m'a
suffi!; **un'aria di ~** un air de suffisance
suffisso [suf'fisso] *sm* suffixe *m*
suggerimento [suddʒeri'mento] *sm*
suggestion *f*; (*consiglio*) conseil *m*;
dietro suo ~ sur son conseil
suggerire [suddʒe'rire] *vt* (*risposta,
battuta*) souffler; (*consigliare, proporre*)
suggérer; (*richiamare alla mente*)
évoquer; **~ a qn di fare qc** suggérer à
qn de faire qch
suggestionare [suddʒestjo'nare] *vt*
suggestionner, influencer
suggestivo, -a [suddʒes'tivo] *agg*
suggestif(-ive)
sughero ['sugero] *sm* liège *m*
sugo, -ghi ['sugo] *sm* (*di arrosto,
verdure, frutta*) jus *msg*; (*condimento*)
sauce *f*; (*fig*) substance *f*
suicida, -i, -e [sui'tʃida] *agg*
suicidaire ■ *sm/f* suicidé(e)
suicidarsi [suitʃi'darsi] *vpr* se
suicider
suicidio [sui'tʃidjo] *sm* suicide *m*
suino, -a [su'ino] *agg* de porc ■ *sm*
porc *m*, cochon *m*; **carne suina**
viande *f* de porc; **i suini** les porcins *mpl*
sultano, -a [sul'tano] *sm/f* sultan(e)
suo, sua ['suo] (*pl* **suoi, sue**) *agg*:
(il) ~, (la) sua son, sa; (*forma di cortesia*:
anche: **Suo**) votre ■ *pron*: **il ~** le sien;
la sua la sienne; **i ~i** (*genitori*) ses
parents; **una sua amica** une de ses
amies; (*forma di cortesia*) une de vos
amies; **i ~i guanti** ses gants; (*forma di
cortesia*) vos gants; **~ padre** son père;
(*forma di cortesia*) votre père; **è ~!** (*di
lui*) c'est le sien!, il est à lui!; (*di lei*) c'est
le sien!, il est à elle!; (*forma di cortesia*)
c'est le vôtre, il est à vous!; **è dalla sua**
(*parte*) il est de son côté; (*: forma di
cortesia*) il est de votre côté; **lui ha
detto la sua** il a donné son avis, il a dit
ce qu'il pensait; **alla sua!** (*brindisi*) à
sa santé!; (*: forma di cortesia*) à votre
santé!; **anche lui ha avuto le sue**
(*guai*) lui aussi il a eu sa part de
malheurs; **Marco ne ha fatta una
delle sue** Marco a encore fait des

siennes; **Sandra sta sulle sue** Sandra
garde ses distances
suocero, -a ['swɔtʃero] *sm/f* beau-
père *m*, belle-mère *f*; **i suoceri** les
beaux-parents *mpl*
suola ['swɔla] *sf* semelle *f*
suolo ['swɔlo] *sm* sol *m*; **~ pubblico**
terrain *m* public
suonare [swo'nare] *vt* (*brano*) jouer;
(*strumento*) jouer de; (*campana, ore,
allarme*) sonner ■ *vi* sonner; **~ il
clacson** klaxonner; **questa storia
non mi suona bene** cette histoire ne
me convainc pas; **gliele ha suonate** il
lui a donné une raclée
suoneria [swone'ria] *sf* sonnerie *f*
suono ['swɔno] *sm* son *m*; **a suon di**
(*fig*) à coups de
suora ['swɔra] *sf* sœur *f*, religieuse *f*;
Suor Maria Sœur Marie
super ['super] *agg inv* (*anche*: **benzina
super**) super *inv* ■ *sf inv* super *m*
superare [supe'rare] *vt* (*limite*)
dépasser; (*bivio*) passer; (*percorso*)
parcourir; (*fiume*) franchir, traverser;
(*veicolo*) dépasser, doubler; (*fig:
difficoltà, malattia*) surmonter,
vaincre; (*: esame*) réussir, être reçu à;
(*: risultare migliore di*) surpasser,
l'emporter sur; **~ qn in altezza/peso**
être plus grand(e)/plus gros (grosse)
que qn; **ha superato la cinquantina**
il a passé la cinquantaine; **~ i limiti di
velocità** dépasser les limites de
vitesse; **ha superato se stesso** il s'est
surpassé
superbia [su'perbja] *sf* morgue *f*,
suffisance *f*
superbo, -a [su'perbo] *agg*
hautain(e); (*fig: magnifico*) superbe
superficiale [superfi'tʃale] *agg*
superficiel(le)
superficie, -ci [super'fitʃe] *sf*
surface *f*; **tornare in ~** (*a galla*)
remonter à la surface; (*fig: problemi*)
refaire surface; **~ alare** (*Aer*) surface
alaire; **~ velica** (*Naut*) (surface de)
voilure *f*
superfluo, -a [su'perfluo] *agg*
superflu(e)
superiore [supe'rjore] *agg*
supérieur(e); (*temperatura, livello*):
~ (a) au-dessus (de) ■ *sm/f*
supérieur(e); **le superiori** *sfpl* (*Scol*)

les cinq dernières années de l'enseignement secondaire en Italie

superlativo, -a [superla'tivo] *agg* exceptionnel(le) ■ *sm* (Ling) superlatif *m*

supermercato [supermer'kato] *sm* supermarché *m*

superstite [su'pɛrstite] *sm/f* survivant(e), rescapé(e)

superstizione [superstit'tsjone] *sf* superstition *f*

superstizioso, -a [superstit'tsjoso] *agg* superstitieux(-euse)

superstrada [super'strada] *sf* voie *f* express

supino, -a [su'pino] *agg* sur le dos

supplementare [supplemen'tare] *agg* supplémentaire; **tempi supplementari** (*Sport*) prolongations *fpl*

supplemento [supple'mento] *sm* supplément *m*

◉ **SUPPLEMENTO**

◈ Les trains Intercity et Eurocity sont
◈ à *supplemento*. Il faut donc penser à
◈ acheter ce supplément en même
◈ temps que son billet pour monter
◈ à bord de l'un de ces trains.

supplente [sup'plɛnte] *agg* suppléant(e) ■ *sm/f* (*insegnante*) remplaçant(e), ≈ maître-auxiliaire *m*; (*impiegato*) remplaçant(e)

supplica [sup'plika] *sf* (*preghiera*) supplication *f*; (*domanda scritta*) supplique *f*, requête *f*

supplicare [suppli'kare] *vt* supplier

supplizio [sup'plittsjo] *sm* (*anche fig*) supplice *m*

suppongo *ecc* [sup'pongo] *vb vedi* **supporre**

supponi *ecc* [sup'poni] *vb vedi* **supporre**

supporre [sup'porre] *vt* supposer; **supponiamo che...** supposons que...

supporto [sup'pɔrto] *sm* support *m*

supposta [sup'posta] *sf* suppositoire *m*

supremo, -a [su'prɛmo] *agg* suprême; **Corte Suprema** Cour *f* suprême

surgelare [surdʒe'lare] *vt* surgeler

surgelato, -a [surdʒe'lato] *agg* surgelé(e) ■ *sm* surgelé *m*

surplus [syr'plys] *sm inv* surplus *msg*; (*eccesso di produzione*) surproduction *f*

surriscaldare [surriskal'dare] *vt* surchauffer

suscettibile [suʃʃet'tibile] *agg* susceptible

suscitare [suʃʃi'tare] *vt* susciter

susina [su'sina] *sf* prune *f*

susseguirsi [susse'gwirsi] *vpr* se succéder, se suivre

sussidio [sus'sidjo] *sm* subside *m*, allocation *f*; (*dello stato*) subvention *f*; **~ di disoccupazione** allocation de chômage; **~ per malattia** allocation de maladie; **sussidi audiovisivi** moyens *mpl* audiovisuels; **sussidi didattici** matériel *m* didactique

sussultare [sussul'tare] *vi* (*trasalire*) sursauter; (*muoversi*) trembler

sussurrare [sussur'rare] *vt* chuchoter, murmurer ■ *vi* chuchoter, murmurer; (*fig: foglie, vento*) murmurer; **si sussurra che...** on murmure que...

sussurro [sus'surro] *sm* chuchotement *m*, murmure *m*; (*fig: di foglie ecc*) murmure

svagarsi [zva'garsi] *vpr* se distraire, se changer les idées

svago, -ghi ['zvago] *sm* (*riposo, ricreazione*) distraction *f*; (*passatempo*) passe-temps *msg inv*, distraction

svaligiare [zvali'dʒare] *vt* (*banca, negozio*) cambrioler; (*casa*) cambrioler, dévaliser

svalutarsi [zvalu'tarsi] *vpr* (*Econ*) se dévaluer

svalutazione [zvalutat'tsjone] *sf* (*Econ*) dévaluation *f*

svanire [zva'nire] *vi* (*odore*) s'évaporer; (*fumo*) se dissiper; (*immagine*) s'estomper; (*sogno, fig*) s'évanouir

svantaggiato, -a [zvantad'dʒato] *agg* défavorisé(e)

svantaggio [zvan'taddʒo] *sm* désavantage *m*; (*Sport*) retard *m*; **essere in ~** être défavorisé(e); **tornare a ~ di** désavantager

svariato, -a [zva'rjato] *agg* varié(e); **svariate volte** plusieurs fois

svastica, -che ['zvastika] *sf* svastika *m*, swastika *m*; (*simbolo nazista*) croix *fsg* gammée

svedese [zve'dese] *agg* suédois(e) ■ *sm/f* Suédois(e) ■ *sm* suédois *m*

sveglia ['zveʎʎa] *sf* réveil *m*; **~ telefonica** réveil téléphonique

svegliare [zveʎ'ʎare] *vt* réveiller; (*fig*) éveiller; **svegliarsi** *vpr* (*anche fig*) se réveiller; **vorrei essere svegliato alle 7, per favore** pouvez-vous me réveiller à 7 heures, s'il vous plaît?

sveglio, -a, -gli, -glie ['zveʎʎo] *agg* réveillé(e); (*fig: vivace, furbo*) éveillé(e), dégourdi(e)

svelare [zve'lare] *vt* dévoiler

svelto, -a ['zvelto] *agg* (*veloce: passo, persona ecc*) rapide; (*intelligenza*) vif (vive), vivace; (*figura*) svelte, élancé(e); **alla svelta** en vitesse, rapidement; **un tipo ~** un type dégourdi, un type débrouillard; **essere ~ di mano** (*incline a rubare*) être habile à voler; (*manesco*) avoir la main leste

svendere ['zvendere] *vt* solder, brader

svendita ['zvendita] *sf* solde *m*

svengo ['zvengo] *vb vedi* **svenire**

svenimento [zveni'mento] *sm* évanouissement *m*

svenire [zve'nire] *vi* s'évanouir

sventare [zven'tare] *vt* éventer

sventato, -a [zven'tato] *agg* (*distratto*) étourdi(e), écervelé(e); (*imprudente*) imprudent(e)

sventolare [zvento'lare] *vt* agiter ■ *vi* flotter

sventura [zven'tura] *sf* (*cattiva sorte*) malchance *f*; (*disgrazia*) malheur *m*

sverrò *ecc* [zver'rɔ] *vb vedi* **svenire**

svestire [zves'tire] *vt* déshabiller; **svestirsi** *vpr* se déshabiller

Svezia ['zvɛtsja] *sf* Suède *f*

sviare [zvi'are] *vt* détourner; **~ (da)** (*fig*) détourner (de)

svignarsela [zviɲ'ɲarsela] *vpr* s'esquiver, filer à l'anglaise

sviluppare [zvilup'pare] *vt* développer; **svilupparsi** *vpr* se développer; **può ~ questo rullino?** pouvez-vous développer cette pellicule?

sviluppo [zvi'luppo] *sm* développement *m*; **in via di ~** en voie de développement; **paesi in via di ~** pays *mpl* en voie de développement

svincolo ['zvinkolo] *sm* (*di deposito, merci*) dédouanement *m*; (*raccordo stradale*) bretelle *f*; (: *fra autostrade*) échangeur *m*

svista ['zvista] *sf* faute *f* d'étourderie

svitare [zvi'tare] *vt* dévisser

Svizzera ['zvittsera] *sf* Suisse *f*

svizzero, -a ['zvittsero] *agg* suisse ■ *sm/f* Suisse *m/f*

svogliato, -a [zvoʎ'ʎato] *agg* sans entrain; **essere ~** n'avoir goût à rien

svolgere ['zvɔldʒere] *vt* (*gomitolo, nastro*) dérouler; (*fig: tema, argomento*) développer; (: *piano, programma*) exécuter; **svolgersi** *vpr* (*dispiegarsi*) se dérouler; (*fig: accadere*) se dérouler, se passer; **tutto si è svolto secondo i piani** tout s'est passé comme prévu

svolsi *ecc* ['zvɔlsi] *vb vedi* **svolgere**

svolta ['zvɔlta] *sf* (*anche fig*) tournant *m*; (*curva*) virage *m*; **essere ad una ~ nella propria vita** être à un tournant de sa vie

svoltare [zvol'tare] *vi* tourner; **~ a destra/sinistra** tourner à droite/gauche

svuotare [zvwo'tare] *vt* vider

T [t] *abbr* (= *tabaccheria*) bureau de tabac

t [ti] *abbr* (= *tonnellata*) T., t.

tabaccheria [tabakke'ria] *sf* bureau m de tabac

❀ TABACCHERIA
❀
❀ Les *tabaccherie* vendent des
❀ cigarettes et du tabac. Ces
❀ bureaux de tabac se reconnaissent
❀ à leur enseigne représentant un T
❀ blanc sur fond noir. Certains
❀ bureaux de tabac vendent
❀ également des journaux.

tabacco, -chi [ta'bakko] *sm* tabac m

tabella [ta'bɛlla] *sf* (*tavola, elenco*) tableau m; (*di interessi, salari*) barème m; **~ dei prezzi** liste f des prix; **~ di marcia** planning m, plan m de travail; (*Sport*) plan de route; (*fig*) planning

tabellone [tabel'lone] *sm* (*per pubblicità*) panneau m; (*per informazioni*) tableau m d'affichage; (: *in stazione*) tableau (des départs o arrivées)

TAC [tak] *sigla f* (*Med*: = *Tomografia Assiale Computerizzata*) scanner m

tacchino [tak'kino] *sm* dindon m; (*Cuc*) dinde f

tacco, -chi ['takko] *sm* talon m; **tacchi alti/a spillo** talons hauts/ aiguilles

taccuino [takku'ino] *sm* carnet m, calepin m

tacere [ta'tʃere] *vi* se taire ■ *vt* taire; **far ~ qn** faire taire qn; **mettere a ~ qc** étouffer qch

tachimetro [ta'kimetro] *sm* compte-tours m inv; (*Aut*) compteur m de vitesse

tacqui *ecc* ['takkwi] *vb vedi* **tacere**

tafano [ta'fano] *sm* taon m

taglia ['taʎʎa] *sf* (*statura, misura*) taille f; (*ricompensa*) récompense f; **taglie forti** (*Abbigliamento*) grandes tailles

tagliacarte [taʎʎa'karte] *sm inv* coupe-papier m

tagliando [taʎ'ʎando] *sm* coupon m

tagliare [taʎ'ʎare] *vt* couper; (*carne*) couper, découper; (*droga*) mélanger ■ *vi* couper; **tagliarsi** *vpr* se couper; **~ la curva** couper un virage, prendre un virage à la corde; **~ corto** (*fig*) couper court; **~ la corda** (*fig*) filer; **~ i ponti (con)** (*fig*) couper les ponts (avec); **~ la strada a qn** couper la route à qn; (*fig*) barrer la route à qn; **~ la testa al toro** (*fig*) trancher; **essere tagliati fuori dal mondo** être coupés du monde; **mi sono tagliato** je me suis coupé

tagliatelle [taʎʎa'tɛlle] *sfpl* nouilles fpl, tagliatelles fpl

tagliaunghie [taʎʎa'ungje] *sm inv* coupe-ongles m inv

tagliente [taʎ'ʎɛnte] *agg* coupant(e), tranchant(e); (*fig*) mordant(e)

taglio ['taʎʎo] *sm* (*atto: di stoffa*) découpage m; (: *di capelli, erba*) coupe f; (: *di arto*) amputation f; (: *di vino*) coupage m; (: *di droga*) mélange m; (*effetto: su stoffa, carta*) entaille f; (: *ferita, anche di film, banconota*) coupure f; (*quantità: di carne*) morceau m; (: *di tessuto*) coupe, coupon m; (*stile: di capelli, abito*) coupe; **di ~ classico** (*abito*) classique; **colpire la**

palla di ~ (*Tennis*) couper la balle;
dare un ~ netto a (*fig: a rapporto*)
rompre; **di grosso/piccolo ~**
(*banconote*) grosses/petites coupures;
~ cesareo césarienne *f*
talco, -chi ['talko] *sm* talc *m*

 PAROLA CHIAVE

tale ['tale] *agg* **1** (*simile, così grande*)
tel(le); **un/una tale** un tel/une telle;
non accetto tali discorsi je n'accepte
pas de tels propos; **la mia rabbia era
tale che lo colpii** ma colère était telle
que je le frappai; **è di una tale
arroganza!** il est d'une telle
arrogance!; **fa un tale chiasso** il fait
un de ces boucans
2 (*indefinito*) certain(e); **ha
telefonato una tale Michela** une
certaine Michela a téléphoné;
il giorno tale all'ora tale tel jour
à telle heure; **la tal persona** cette
personne
3 (*nelle similitudini*): **tale... tale**
tel(le)... tel(le); **tale padre tale figlio**
tel père tel fils; **hai il vestito tale
quale il mio** tu as exactement la
même robe que moi
■ *pron* (*indefinito: persona*): **un/una
tale** un tel/une telle; **quel/quella
tale** celui-là/celle-là; **il tal dei tali**
Monsieur Untel

talebano [tale'bano] *sm* Taliban *m*
talento [ta'lɛnto] *sm* talent *m*
talismano [taliz'mano] *sm*
talisman *m*
talloncino [tallon'tʃino] *sm* talon *m*;
(*di medicinali*) vignette *f*
tallone [tal'lone] *sm* talon *m*
talmente [tal'mente] *avv*
tellement, si
talpa ['talpa] *sf* (*anche fig*) taupe *f*
talvolta [tal'vɔlta] *avv* parfois,
quelquefois
tamburello [tambu'rɛllo] *sm*
tambourin *m*
tamburo [tam'buro] *sm* tambour *m*;
(*di pistola*) barillet *m*; **freni a ~** freins
mpl à tambour; **pistola a ~** revolver
m; **a ~ battente** (*fig*) tambour
battant
Tamigi [ta'midʒi] *sm* Tamise *f*

tamponare [tampo'nare] *vt*
boucher, tamponner; (*macchina*)
tamponner
tampone [tam'pone] *sm* tampon *m*;
(*assorbente interno*) tampon
hygiénique *o* périodique; (*per timbri*)
tampon encreur
tana ['tana] *sf* tanière *f*; (*fig: di
malviventi*) repaire *m*; (: *tugurio*)
taudis *msg*
tanga ['tanga] *sm inv* string *m*
tangente [tan'dʒɛnte] *agg*
tangent(e) ■ *sf* tangente *f*;
(*quota*) quote-part *f*; (*denaro estorto*)
pot-de-vin *m*
tangenziale [tandʒen'tsjale] *sf*
boulevard *m* périphérique
tanica, -che ['tanika] *sf* jerricane *m*

 PAROLA CHIAVE

tanto, -a ['tanto] *agg* **1** (*molto:
quantità*) très, beaucoup de;
(: *numero*) beaucoup de,
nombreux(-euse); **tanto pane/latte**
beaucoup de pain/lait; **tante volte**
de nombreuses fois; **tante persone**
de nombreuses personnes; **tanti
auguri!** tous mes vœux!; **tante
grazie** merci beaucoup; **tanto
tempo** longtemps; **ogni tanti
chilometri** tous les x kilomètres
2: **tanto... quanto** autant de... que
(de); **ho tanta pazienza quanta ne
hai tu** j'ai autant de patience que toi;
ha tanti amici quanti nemici il a
autant d'amis que d'ennemis
3 (*rafforzativo*) tant de; **tanta fatica
per niente!** tous ces efforts pour
rien!; **tanto... che** tant... que,
tellement... que; **ha tanta volontà
che riesce in ogni cosa** elle a
tellement de volonté qu'elle en réussit
en tout
■ *pron* **1** (*molto*) beaucoup; (*così
tanto*) tant; **tanti, tante** (*persone*)
de nombreuses personnes, beaucoup
de gens; (*cose*) beaucoup de choses;
non credevo ce ne fosse tanto je ne
croyais pas qu'il y en avait tant; **una
persona come tante** une personne
comme beaucoup d'autres; **è
passato tanto** (*tempo*) il y a si
longtemps; **è tanto che aspetto**

il y a longtemps que j'attends; **due volte tanto** deux fois plus; **tempo? ne ho tanto quanto basta** du temps? mais j'ai tout le temps qu'il me faut **2** (*indeterminato*) tant; **tanto per l'affitto, tanto per il gas** tant pour le loyer, tant pour le gaz; **riceve un tanto al mese** il reçoit tant par mois; **di tanto in tanto** de temps en temps; **ogni tanto** de temps en temps; **se tanto mi dà tanto** si c'est comme ça; **tanto vale partire o che partiamo subito** autant partir immédiatement **3** (*dimostrativo*) tant; **tanto meglio!** tant mieux!; **tanto peggio per lui!** tant pis pour lui!; **tanto di guadagnato** autant de gagné ◼ *avv* **1** (*molto: con agg, avv*) si, tellement; (: *con vb*) tant, tellement; **è tanto intelligente** elle est si intelligente; **vengo tanto volentieri** je viens très volontiers; **non ci vuole tanto a capirlo** ça n'est pas dur à comprendre **2** (*così tanto: con agg, avv*) si; (: *con vb*) beaucoup; **è tanto bella!** elle est si belle!; **sta tanto meglio adesso!** il va beaucoup mieux maintenant!; **non urlare tanto** ne crie pas si fort; **ha tanto urlato che l'hanno lasciato andare** il a tellement hurlé qu'ils l'ont laissé partir; **era tanto bella da non credere** elle était si belle qu'on n'en croyait pas ses yeux **3**: **tanto... quanto** autant que, aussi... que; **conosco tanto Carlo quanto suo padre** je connais aussi bien Carlo que son père; **è tanto bella quanto buona** elle est aussi belle que gentille; **non è poi tanto complicato quanto sembri** en fin de compte ce n'est pas aussi compliqué que cela en a l'air; **tanto più... tanto più** plus... plus; **tanto più insisti, tanto più non mollerà** plus tu insistes, moins il cédera; **quanto più... tanto meno** plus... moins; **quanto più lo conosco tanto meno mi piace** plus je le connais moins il me plaît **4** (*solamente*) histoire de, pour; **tanto per cambiare/scherzare/dire** histoire de changer/blaguer/dire; **una volta tanto** une fois de temps en temps

◼ *cong* (*comunque, perché*) de toute façon; **non insistere, tanto è inutile** n'insiste pas, de toute façon c'est inutile

tappa ['tappa] *sf* (*anche fig*) étape *f*; (*fermata*) halte *f*; **a tappe** (*corsa, gara*) par étapes; **bruciare le tappe** (*fig*) brûler les étapes

tappare [tap'pare] *vt* boucher; **tapparsi** *vpr*: **tapparsi in casa** s'enfermer chez soi; **tapparsi la bocca** se taire; **tapparsi le orecchie** se boucher les oreilles

tapparella [tappa'rɛlla] *sf* store *m*

tappetino [tappe'tino] *sm* (*del mouse*) tapis *m* de souris

tappeto [tap'peto] *sm* (*anche Pugilato*) tapis *msg*; (*di tavolo: rivestimento*) tapis de table; **mandare al ~** (*fig*) envoyer au tapis; **bombardamento a ~** pilonnage *m*; **~ persiano** tapis de Perse; **~ verde** (*tavolo da gioco*) tapis vert

tappezzare [tappet'tsare] *vt* tapisser

tappezzeria [tappettse'ria] *sf* (*anche Arte*) tapisserie *f*; (*carta da parati*) papier *m* peint; (*in una macchina*) habillage *m*; **fare da ~** (*fig*) faire tapisserie

tappo ['tappo] *sm* bouchon *m*; (*fig: persona bassa*) petit bout *m* d'homme/ de femme; **~ a corona** capsule *f*; **~ a vite** bouchon (à vis)

tardare [tar'dare] *vi* être en retard; **~ a fare qc** tarder à faire qch

tardi ['tardi] *avv* tard; **più ~** plus tard; **al più ~** au plus tard; **sul ~** (*verso sera*) tard dans la soirée; **far ~** (*ad appuntamento*) être en retard; (*restare alzato*) se coucher tard; **ho lavorato fino a ~** j'ai travaillé tard; **è troppo ~** il est trop tard

targa, -ghe ['targa] *sf* plaque *f*; (*Aut*) plaque minéralogique *o* d'immatriculation

targhetta [tar'getta] *sf* (*con nome, indirizzo*) étiquette *f*

tariffa [ta'riffa] *sf* tarif *m*; **la ~ in vigore** le tarif en vigueur; **~ normale** plein tarif; **~ ridotta** tarif réduit; **~ salariale** niveau *m* des salaires; **~ unica** tarif unique; **tariffe**

doganali/postali/telefoniche tarifs douaniers/postaux/du téléphone

tarlo ['tarlo] *sm* ver *m* du bois; **roso dal ~ della gelosia/del rimorso** *(fig)* rongé par la jalousie/le remords

tarma ['tarma] *sf* mite *f*

tarocchi [ta'rɔkki] *smpl* tarots *mpl*

tartaruga, -ghe [tarta'ruga] *sf* *(anche fig)* tortue *f*; *(materiale)* écaille *f*

tartina [tar'tina] *sf* canapé *m*

tartufo [tar'tufo] *sm* *(Bot)* truffe *f*; **~ bianco/nero** truffe blanche/noire

tasca, -sche ['taska] *sf* *(anche Anat)* poche *f*; **da ~** de poche; **fare i conti in ~ a qn** *(fig)* se mêler des finances de qn; **conoscere come le proprie tasche** *(fig)* connaître comme sa poche

tascabile [tas'kabile] *agg* de poche ■ *sm* *(libro)* livre *m* de poche

tassa ['tassa] *sf* taxe *f*; *(per iscrizione: a scuola ecc)* droits *mpl*; *(doganale)* droits de douane; *(Aut)* vignette *f* automobile; **~ di soggiorno** taxe de séjour

tassare [tas'sare] *vt* taxer

tassello [tas'sɛllo] *sm* morceau *m*; *(fig: di vicenda)* élément *m*

tassì [tas'si] *sm inv* = **taxi**

tassista, -i, -e [tas'sista] *sm/f* chauffeur *m* de taxi

tasso ['tasso] *sm* *(di piano, computer ecc)* taux *msg*; *(Zool)* blaireau *m*; **~ di cambio/d'interesse** taux de change/d'intérêt; **~ di crescita** taux de croissance

tastare [tas'tare] *vt* tâter; **~ il terreno** *(fig)* tâter le terrain

tastiera [tas'tjera] *sf* clavier *m*

tasto ['tasto] *sm* *(di piano, computer ecc)* touche *f*; *(di radio, TV)* bouton *m*; **toccare un ~ delicato** *(fig)* toucher une corde sensible

tastoni [tas'toni] *avv*: **procedere (a) ~** avancer à tâtons

tatto ['tatto] *sm* *(senso)* toucher *m*; *(fig)* tact *m*; **al ~** au toucher; **avere ~** avoir du tact

tatuaggio [tatu'addʒo] *sm* tatouage *m*

tatuare [tatu'are] *vt* tatouer

tavola ['tavola] *sf* *(asse, illustrazione)* planche *f*; *(mobile, prospetto)* table *f*; *(lastra)* plaque *f*; *(quadro)* tableau *m*; **è in ~!** *(cena, pranzo)* à table!; **la buona**

~ *(fig: cucina)* la bonne table; **~ calda** snack *m*; **~ da stiro** planche à repasser; **~ rotonda** *(fig)* table ronde

tavoletta [tavo'letta] *sf* tablette *f*; **a ~** *(Aut: a massima velocità)* le pied au plancher; **andare a ~** appuyer sur le champignon

tavolino [tavo'lino] *sm* (petite) table *f*; *(scrivania)* bureau *m*; **decidere qc a ~** *(fig)* décider qch sur le papier; **~ da gioco/da tè** table de jeu/de salon

tavolo ['tavolo] *sm* table *f*; **un ~ per 4 per favore** une table pour 4, s'il vous plaît; **~ da lavoro** table de travail; **~ da disegno** table à dessin; **~ da gioco/da ping-pong** table de jeu/de ping-pong; **~ operatorio** *(Med)* table d'opération

taxi ['taksi] *sm inv* taxi *m*; **può chiamarmi un ~ per favore?** pouvez-vous m'appeler un taxi, s'il vous plaît?

tazza ['tattsa] ■ *sf* tasse *f*; *(del water)* cuvette *f*; **~ da tè/caffè** tasse à thé/café; **una ~ di tè** une tasse de thé

TBC [tibi'tʃi] *sigla f* (= *tubercolosi*) tuberculose *f*

te [te] *pron* toi

tè [te] *sm inv* thé *m*; **tè danzante** thé dansant

teatrale [tea'trale] *agg* théâtral(e)

teatro [te'atro] *sm* théâtre *m*; *(spettacolo)* représentation *f* théâtrale; **~ comico** comédie *f*; **~ di posa** studio *m*; **~ di prosa** théâtre

techno ['tɛkno] *agg inv* techno *(musica)* techno *inv*; **musica ~** techno *f*

tecnica, -che ['tɛknika] *sf* technique *f*

tecnico, -a, -ci, -che ['tɛkniko] *agg* technique ■ *sm* technicien *m*

tecnologia [teknolo'dʒia] *sf* technologie *f*; **alta ~** technologie de pointe

tedesco, -a, -schi, -sche [te'desko] *agg* allemand(e) ■ *sm/f* Allemand(e) ■ *sm* allemand *m*; **~ occidentale/orientale** Allemand(e) de l'Ouest/de l'Est

tegame [te'game] *sm* poêle *f*; **al ~** *(zucchine)* sauté(e); **uova al ~** œufs *mpl* au o sur le plat

tegola ['tegola] *sf* tuile *f*

teiera [te'jera] *sf* théière *f*

tel. [tel] *abbr* (= *telefono*) tèl.

tela ['tela] sf toile f; **di ~** (calzoni ecc) en toile; **~ cerata** toile cirée; **~ di ragno** toile d'araignée

telaio [te'lajo] sm (apparecchio) métier m; (struttura) armature f; (di macchina) châssis msg; (di finestra) bâti m; (Elettr) cadre m

telecamera [tele'kamera] sf caméra f

telecomando [teleko'mando] sm télécommande f

telecronaca, -che [tele'krɔnaka] sf reportage m télévisé, téléreportage m

telefonare [telefo'nare] vi téléphoner; **~ a qn** téléphoner à qn; **posso ~ da qui?** est-ce que je peux téléphoner d'ici?

telefonata [telefo'nata] sf coup m de téléphone, coup de fil (fam); **fare una ~ (a qn)** téléphoner (à qn); **~ a carico del destinatario** communication f en PCV; **~ con preavviso** communication avec préavis; **~ urbana/interurbana** ≈ communication locale/en-dehors de la région

telefonico, -a, -ci, -che [tele'fɔniko] agg téléphonique

telefonino [telefo'nino] sm (cellulare) (téléphone m) portable m

telefono [te'lɛfono] sm téléphone m; **avere il ~** avoir le téléphone; **~ a gettoni** téléphone à jetons; **~ azzurro** ≈ numéro m vert pour l'enfance maltraitée; **~ interno** interphone m; **~ pubblico** téléphone public; **~ rosa** ≈ SOS femmes battues

telegiornale [teledʒor'nale] sm journal m télévisé

telegramma, -i [tele'gramma] sm télégramme m

telelavoro [telela'voro] sm télétravail m

telepass® [tele'pass] sm inv télépéage m

telepatia [telepa'tia] sf télépathie f

telescopio [teles'kɔpjo] sm téléscope m

teleselezione [teleselet'tsjone] sf automatique f; **in ~** en automatique

telespettatore, -trice [telespetta'tore] sm/f téléspectateur(-trice)

televendita [tele'vendita] sf télévente f

televisione [televi'zjone] sf télévision f; **~ digitale** télévision numérique

● **TELEVISIONE**
●
● La télévision italienne se compose
● de trois chaînes publiques (RAI 1, 2
● et 3), ainsi que d'un grand nombre
● de chaînes privées. Ces dernières
● sont souvent des chaînes locales
● ou régionales, indépendantes ou
● bien faisant partie d'un réseau.
● En tant que service public, la RAI
● est sous l'autorité du ministère
● des Postes et Télécommunications.
● Les chaînes publiques comme
● privées rivalisent pour obtenir
● un financement par le biais de la
● publicité.

televisore [televi'zore] sm téléviseur m, poste m de télévision

tema, -i ['tɛma] sm sujet m, thème m; (Mus, Lett) thème m; (Scol) composition f, rédaction f, dissertation f; (Ling) thème m

temere [te'mere] vt craindre, redouter; (fig: freddo, calore) craindre ■ vi (aver paura) avoir peur; (essere preoccupato) craindre; **~ di/che/per** craindre de/que/pour

temperamatite [temperama'tite] sm inv taille-crayon m

temperamento [tempera'mento] sm tempérament m

temperatura [tempera'tura] sf température f; **a ~ ambiente** à température ambiante

temperino [tempe'rino] sm canif m

tempesta [tem'pɛsta] sf tempête f; (fig: di colpi) grêle f; **~ di neve/di sabbia** tempête de neige/de sable

tempia ['tɛmpja] sf tempe f

tempio ['tɛmpjo] sm temple m

tempo ['tɛmpo] sm (anche Ling, Mus) temps msg; (durata) durée f; (termine) délai m; (di film, gioco: parte) partie f; (Sport) mi-temps fsg; **un ~** jadis, autrefois; **da ~** depuis longtemps; **~ fa** il y a quelque temps; **poco ~ dopo** peu de temps après; **a ~ e luogo** en temps et lieu; **ogni cosa a suo ~**

chaque chose en son temps; **al ~ stesso, a un ~** en même temps; **per ~** promptement; **a/in ~** à temps; **per qualche ~** pendant quelque temps; **che ~ fa?** quel temps fait-il?; **trovare il ~ di fare qc** trouver le temps de faire qch; **avere fatto il proprio ~** avoir fait son temps; **fare a** o **in ~** avoir le temps; **rispettare i tempi** respecter les délais; **primo/secondo ~** (di film) première/seconde partie; (Sport) première/seconde mi-temps; **stringere i tempi** accélérer; **con i tempi che corrono** par les temps qui courent; **in questi ultimi tempi** ces derniers temps; **ai miei tempi** de mon temps; **in ~ reale** en temps réel; **in ~ utile** en temps utile; **~ di cottura** temps de cuisson; **~ libero** loisirs mpl; **tempi di esecuzione/di lavorazione** délai msg d'exécution/de fabrication; **tempi morti** temps mpl morts

temporale [tempo'rale] agg temporel(le); (Anat) temporal(e) ■ sm (Meteor) orage m

temporaneo, -a [tempo'raneo] agg temporaire

tenace [te'natʃe] agg tenace

tenaglie [te'naʎʎe] sfpl tenaille fsg; (per denti) davier msg; (Zool) pinces fpl

tenda ['tɛnda] sf (riparo, per campeggio) tente f; (di negozio) store m; (di finestra) rideau m

tendenza [ten'dɛntsa] sf tendance f; (disposizione) tendance, penchant m; **avere ~ a** o **per** avoir tendance à; **~ al rialzo/ribasso** (Borsa) tendance à la hausse/à la baisse

tendere ['tɛndere] vt tendre ■ vi: **~ a qc/a fare qc** avoir tendance à qch/à faire qch; **il tempo tende al bello** le temps se met au beau; **tutti i nostri sforzi sono tesi a...** tous nos efforts tendent à...; **~ l'orecchio** tendre l'oreille; **un blu che tende al verde** un bleu qui tire sur le vert

tendine ['tɛndine] sm tendon m

tendone [ten'done] sm (di negozio) store m; (di camion) bâche f; **~ da circo** chapiteau m

tenebre ['tɛnebre] sfpl ténèbres fpl

tenente [te'nɛnte] sm lieutenant m; **~ colonnello** lieutenant-colonel m; **~ di vascello** lieutenant de vaisseau

tenere [te'nere] vt tenir; (conservare) garder; (contenere) contenir; (seguire: strada) suivre; (conferenza) tenir, donner; (lezione) donner ■ vi tenir; **tenersi** vpr: **tenersi (a)** (aggrapparsi) se tenir (à); (attenersi) s'en tenir (à); **~ a qc/a fare qc** tenir à qch/à faire qch; **~ in gran conto** o **considerazione qn** tenir qn en estime; **tener conto di qc** tenir compte de qch; **tener d'occhio** avoir à l'œil; **tener presente qc** avoir qch à l'esprit; **~ la porta aperta** laisser la porte ouverte; **~ per una squadra** supporter une équipe; **non ci sono scuse che tengano** il n'y a pas d'excuses qui tiennent; **ci tengo molto** j'y tiens beaucoup; **tenersi per mano** se tenir par la main; **tenersi in piedi** se tenir debout

tenero, -a ['tɛnero] agg tendre ■ sm: **tra quei due c'è del ~** il y a quelque chose entre eux deux; **pianticelle tenere** jeunes plantes; **tenera età** âge tendre

tengo ecc ['tɛngo] vb vedi **tenere**

tenni ecc ['tɛnni] vb vedi **tenere**

tennis ['tɛnnis] sm inv tennis msg inv; **~ da tavolo** tennis de table

tennista, -i, -e [ten'nista] sm/f joueur(-euse) de tennis

tenore [te'nore] sm (tono) ton m; (Mus) ténor m; **~ di vita** train m de vie

tensione [ten'sjone] sf tension f; **alta ~** haute tension

tentare [ten'tare] vt tenter; **~ qc/di fare qc** tenter qch/de faire qch; **~ la sorte** tenter sa chance

tentativo [tenta'tivo] sm tentative f; **fare un ~** faire une tentative

tentazione [tentat'tsjone] sf tentation f; **avere la ~ di fare** être tenté(e) de faire

tentennare [tenten'nare] vi tituber, chanceler; (fig) hésiter ■ vt: **~ il capo** hocher la tête

tentoni [ten'toni] avv: **a ~** à tâtons; **camminare a ~** marcher à tâtons

tenue ['tɛnue] agg (anche fig) ténu(e); (colore) pâle

tenuta [te'nuta] sf (capacità) capacité f; (abito) tenue f; (Agr) domaine m, propriété f; **a ~ d'aria** hermétique; **a ~ stagna** étanche;

~ da lavoro vêtement *m* de travail;
tenuta da sci combinaison *f* de ski;
~ di strada tenue *f* de route

teologia [teolo'dʒia] *sf* théologie *f*

teoria [teo'ria] *sf* théorie *f*; **in ~** en
théorie

tepore [te'pore] *sm* (*anche fig*)
tiédeur *f*

teppista, -i [tep'pista] *sm* voyou *m*,
blouson noir *m*

terapia [tera'pia] *sf* (*disciplina*)
thérapeutique *f*; (*cura*) traitement *m*;
~ intensiva soins *mpl* intensifs

tergicristallo [terdʒikris'tallo] *sm*
essuie-glace *m*

tergiversare [terdʒiver'sare] *vi*
tergiverser

termale [ter'male] *agg* thermal(e)

terme ['tɛrme] *sfpl* thermes *fpl*

terminale [termi'nale] *agg*
terminal(e) ■ *sm* terminal *m*

terminare [termi'nare] *vt* terminer,
achever ■ *vi* finir, se terminer;
~ di fare qc finir de faire qch

termine ['tɛrmine] *sm* (*anche Mat,
Ling*) terme *m*; (*di tempo*) limite *f*,
délai *m*; **termini** *smpl* (*fig*) termes
mpl; **fissare un ~** fixer un délai;
avere ~ prendre fin; **portare a
~** mener à terme; **a breve/lungo
~** à court/à long terme; **contratto
a ~** (*Comm*) contrat *m* à terme;
ai termini di legge aux termes de la
loi; **complemento di ~** (*Ling*)
complément *m* d'attribution; **ridurre
ai minimi termini** (*Mat*) réduire à sa
plus simple expression; **in altri
termini** en d'autres termes; **senza
mezzi termini** (*fig*) sans mâcher ses
mots; **~ di paragone** terme de
comparaison

termometro [ter'mɔmetro] *sm*
thermomètre *m*

termos ['tɛrmos] *sm inv* = **thermos**

termosifone [termosi'fone] *sm*
(*impianto*) thermosiphon *m*;
(*radiatore*) radiateur *m*

termostato [ter'mɔstato] *sm*
thermostat *m*

terra ['tɛrra] *sf* terre *f*; **terre** *sfpl*
(*possedimenti*) terres *fpl*; **a o per ~** par
terre; **avere una gomma a ~** avoir un
pneu à plat; **essere a ~** (*fig*) être à
plat; **sotto ~** sous terre; **via ~**

(*viaggiare*) par terre; **la T~ Santa** la
Terre Sainte; **~ ~** (*fig*) terre à terre;
sentirsi mancare la ~ sotto i piedi
(*fig*) se sentir perdu(e); **~ battuta**
terre battue; **T~ del Fuoco** Terre de
Feu; **~ di nessuno** terrain *m* neutre;
~ di Siena terre de Sienne

terracotta [terra'kɔtta] *sf* terre *f*
cuite

terraferma [terra'ferma] *sf* terre *f*
ferme

terrazza [ter'rattsa] *sf* terrasse *f*

terrazzo [ter'rattso] *sm* terrasse *f*;
(*Agr*) étagement *m*

terremoto [terre'mɔto] *sm*
tremblement *m* de terre; (*fig*)
ouragan *m*

terreno, -a [ter'reno] *agg* (*beni, vita*)
terrestre ■ *sm* terrain *m*; (*area
coltivabile*) terre *f*; (*suolo*) sol *m*;
preparare/tastare il ~ (*fig*) préparer/
tâter le terrain; **gli è mancato il ~
sotto i piedi** il a perdu pied;
guadagnare ~ (*fig*) gagner du terrain;
~ di gioco (*Sport*) terrain de jeu

terrestre [ter'rɛstre] *agg* terrestre
■ *sm/f* terrien(ne)

terribile [ter'ribile] *agg* terrible

terrificante [terrifi'kante] *agg*
terrifiant(e)

terrina [ter'rina] *sf* terrine *f*

territoriale [territo'rjale] *agg*
territorial(e)

territorio [terri'tɔrjo] *sm* territoire *m*

terrore [ter'rore] *sm* terreur *f*; **avere
il ~ di qc** être terrorisé(e) par; **ho il ~
che/di...** ma terreur est que/de...

terrorismo [terro'rizmo] *sm*
terrorisme *m*

terrorista, -i, -e [terro'rista] *sm/f*
terroriste *m/f*

terrorizzare [terrorid'dzare] *vt*
terroriser

terza ['tɛrtsa] *sf* (*Scol: elementare*)
≈ CE2 *m* (cours élémentaire 2);
(: *media*) dernière année de la scolarité
obligatoire; (: *superiore*) ≈ seconde *f*;
(*Aut*) troisième *f* (vitesse)

terzino [ter'tsino] *sm* (*Calcio*)
arrière *m*

terzo, -a ['tɛrtso] *agg, sm/f* troisième
m/f ■ *sm* (*anche Dir*) tiers *msg*; **terzi**
smpl (*altri*) tiers *mpl*; **la terza età** le
troisième âge; **il ~ mondo** le tiers

monde; **di terz'ordine** de troisième ordre; **agire per conto di terzi** agir pour le compte d'un tiers; **assicurazione contro terzi** assurance au tiers; **terza pagina** (di quotidiano) rubrique f culturelle

teschio ['teskjo] sm crâne m

tesi¹ ['tɛzi] sf (da dimostrare) thèse f; (di teorema) proposition f; **~ di laurea** ≈ mémoire m de maîtrise

tesi ecc² ['tɛsi] vb vedi **tendere**

teso, -a ['teso] pp di **tendere** ■ agg tendu(e)

tesoro [te'zɔro] sm trésor m; **Ministero del T~** ≈ ministère m des Finances; **far ~ di** mettre à profit

tessera ['tɛssera] sf carte f; (di mosaico) tesselle f; **~ magnetica** carte magnétique

tessuto [tes'suto] sm tissu m; **~ muscolare** tissu musculaire

test ['tɛst] sm inv test m

testa ['tɛsta] sf (anche fig) tête f; **a ~ alta/bassa** la tête haute/basse; **di ~** (tuffarsi) la tête la première; **avere la ~ dura** (fig) avoir la tête dure; **dare alla ~ a qn** (fig) monter à la tête de qn; **fare di ~ propria** (fig) n'en faire qu'à sa tête; **tenere ~ a** (a nemico ecc) tenir tête à; **sei fuori di ~?** ça ne va pas la tête?; **di ~** (vettura) de tête; **essere in ~** (in gara) être en tête; **in ~ alla classifica** en tête du classement; **essere alla ~ di** (di società, esercito) être à la tête de; **~ o croce?** pile ou face?; **~ d'aglio** tête d'ail; **~ di serie** (Tennis) tête de série; **~ d'uovo** tête d'œuf; **teste di cuoio** membres de la police spécialisés dans les opérations paramilitaires

testamento [testa'mento] sm testament m; **fare ~** faire son testament; **Antico/Nuovo T~** Ancien/Nouveau Testament

testardo, -a [tes'tardo] agg têtu(e), entêté(e)

testata [tes'tata] sf (di letto, colonna, missile) tête f; (colpo) coup m de tête; (di giornale) titre m; (giornale) journal m; **~ nucleare** tête nucléaire

testicolo [tes'tikolo] sm testicule m

testimone [testi'mɔne] sm/f témoin m; **~ oculare** témoin oculaire

testimoniare [testimo'njare] vt, vi

témoigner; **~ il falso** faire un faux témoignage; **~ la propria amicizia** témoigner de son amitié

testo ['tɛsto] sm texte m; (Scol) manuel m; **fare ~** faire autorité

testuggine [tes'tuddʒine] sf tortue f

tetano ['tɛtano] sm (Med) tétanos msg

tetto ['tetto] sm toit m; (fig: limite) plafond m; **abbandonare il ~ coniugale** abandonner le domicile conjugal

tettoia [tet'tɔja] sf hangar m; (di stazione) marquise f

tettuccio [tet'tuttʃo] sm: **~ apribile** (Aut) toit m ouvrant

Tevere ['tevere] sm Tibre m

TG, Tg [ti'dʒi] sigla m (= telegiornale) JT m

thermos® ['tɛrmos] sm inv thermos® m o f sg

ti [ti] dav lo, la, li, le, ne diventa te pron te; **vestiti!** habille-toi!; **ti aiuto?** je peux t'aider?; **te lo ha dato?** il te l'a donné?; **ti sei lavato?** tu t'es lavé?

tibia ['tibja] sf tibia m

tic [tik] sm inv: **~ nervoso** tic m nerveux

ticchettio [tikket'tio] sm (di orologio) tic-tac m; (di pioggia) crépitement m; (di macchina da scrivere) cliquetis msg

ticket ['tikit] sm inv (Med) ticket m modérateur

⊛ **TICKET**
⊛
⊛ Le ticket désigne la somme à
⊛ payer pour certaines prestations
⊛ médicales, ainsi que pour le
⊛ service des urgences et pour
⊛ l'achat de médicaments sur
⊛ ordonnance.

tiene ecc ['tjɛne] vb vedi **tenere**

tiepido, -a ['tjɛpido] agg tiède

tifo ['tifo] sm (Med) typhus msg; **fare il ~ per** (Sport) être un supporter de

tifone [ti'fone] sm typhon m

tifoso, -a [ti'foso] sm/f (Sport) supporter m

tiglio ['tiʎʎo] sm tilleul m

tigre ['tigre] sf tigre m

timbrare [tim'brare] vt timbrer, tamponner; (francobollo) oblitérer; **~ il cartellino** pointer

timbro ['timbro] sm timbre m, tampon m; (bollo) cachet m; (di voce, musica) timbre; ~ **postale** cachet de la poste

timido, -a ['timido] agg timide

timo ['timo] sm thym m

timone [ti'mone] sm (Naut, Aer, fig) gouvernail m

timore [ti'more] sm crainte f; **avere ~ di sbagliare** craindre de se tromper; **aver ~ del dolore** craindre la douleur; **timor di Dio** crainte de Dieu; **~ reverenziale** crainte révérencielle

timpano ['timpano] sm (Anat) tympan m; (Mus) timbale f

tingere ['tindʒere] vt teinter; (capelli, vestito) teindre

tinsi ecc ['tinsi] vb vedi **tingere**

tinta ['tinta] sf (materia colorante) teinture f; (anche fig: colore) teinte f; **in ~ assorti** f

tintinnare [tintin'nare] vi tinter

tintoria [tinto'ria] sf teinturerie f

tintura [tin'tura] sf teinture f; **~ di iodio** teinture d'iode

tipico, -a, -ci, -che ['tipiko] agg typique

tipo ['tipo] sm type m; (genere) type, sorte f; (individuo) numéro m ▪ agg inv type; **sul ~ di questo** dans ce genre-là; **di tutti i tipi** en tous genres, de toutes sortes; **che ~ di...?** quelle sorte de...?; **che ~!** quel numéro!

tipografia [tipogra'fia] sf typographie f; (laboratorio) imprimerie f

TIR [tir] sm inv (automezzo) camion m

tirare [ti'rare] vt tirer; (distendere: corda, molla) tendre; (lanciare) jeter, lancer; (palla) lancer ▪ vi tirer; (vento) souffler; (Sport) faire du tir; **tirarsi** vpr: **tirarsi indietro** reculer; (fig) reculer, se dérober; **~ qn da parte** prendre qn à part; **~ un sospiro** (di sollievo) pousser un soupir; **~ a indovinare** essayer de deviner; **~ sul prezzo** marchander; **~ avanti** vivoter; **si tira avanti** on fait aller; **tirar dritto** (camminare) continuer; **~ fuori** (estrarre) sortir; **~ giù** (abbassare) baisser; (buttare in basso) jeter; **~ su** remonter; (capelli) relever; (fig: col naso) renifler; (: bambino) élever; **mi ha tirato su** il m'a remonté

le moral; **tirati su!** secoue-toi!; **~ le cuoia** casser sa pipe; **~ via** enlever, ôter

tiratura [tira'tura] sf tirage m; **edizione a ~ limitata** édition f à tirage limité

tirchio, -a ['tirkjo] agg pingre

tiro ['tiro] sm tir m; (colpo, sparo, fig) coup m; (traiettoria) portée f; **da ~** (cavallo) de trait; **giocare un brutto ~ a qn** jouer un mauvais tour à qn; **se mi capita a ~...** si je l'attrape...; **~ a segno** tir (à la cible); **~ al piccione** tir au pigeon; **~ con l'arco** tir à l'arc; **~ mancino** coup bas

tirocinio [tiro'tʃinjo] sm apprentissage m; (di avvocato, studente) stage m

tiroide [ti'rɔide] sf thyroïde f

Tirreno [tir'rɛno] sm: **il (mar) ~** la mer Tyrrhénienne

tisana [ti'zana] sf tisane f

titolare [tito'lare] sm/f (di ufficio) titulaire m/f; (di locale, negozio, attività) propriétaire m/f; (Sport: di squadra) joueur(-euse) professionnel(le)

titolo ['titolo] sm titre m; **a ~ di** (come sottofirma di) à titre de; **a che ~?** de quel droit?; **a ~ di cronaca** à titre d'information; **a ~ di premio** en guise de récompense; **~ di credito** titre de crédit; **~ obbligazionario** obligation f; **titoli accademici** titres universitaires; **titoli di stato** bons mpl du trésor; **titoli di testa** (Cine) générique m

titubante [titu'bante] agg hésitant(e)

toast ['toust] sm inv toast m; (farcito) ≈ croque-monsieur m

toccante [tok'kante] agg touchant(e)

toccare [tok'kare] vt (anche commuovere) toucher; (spostare, manomettere) toucher à; (far cenno a: argomento) aborder; (fig: persona: riguardare) regarder, concerner; (: ferire) blesser, vexer ▪ vi: **~ a** (succedere) arriver à; (spettare) appartenir à, être à; **~ il fondo** (in acqua) avoir pied; (fig) être au plus bas; **~ con mano** (fig) faire l'expérience de; **~ la meta** arriver au bout; **~ da vicino** toucher de près; **~ qn sul vivo** piquer qn au vif; **a chi tocca?** à qui le tour?; **tocca a te giocare** c'est à toi de jouer; **mi toccò pagare** j'ai été obligé de payer

toccherò ecc [tokke'rɔ] vb vedi **toccare**

togliere ['tɔʎʎere] vt enlever, ôter; (riprendere) reprendre; **togliersi** vpr (allontanarsi) s'en aller; **~ qc a qn** priver qn de qch; **~ 4 da 6** ôter 4 de 6; **~ il saluto a qn** ne plus dire bonjour à qn; **ciò non toglie che...** il n'empêche que...; **togliersi il cappello/i guanti** enlever son chapeau/ses gants; **togliersi la vita** se suicider; **togliersi di mezzo** se tirer; **togliti di mezzo o dai piedi!** tire-toi de là!

toilette [twa'lɛt] sf inv (mobile) toilette f, coiffeuse f; (stanza) cabinet m de toilette; (gabinetto) toilettes fpl; (cosmesi, abito) toilette; **dov'è la ~?** où sont les toilettes?

tolgo ecc ['tɔlgo] vb vedi **togliere**

tollerare [tolle'rare] vt tolérer; (dolori, disagi) supporter; **non tollero repliche** je n'admets pas de répliques; **non sono tollerati i ritardi** les retards ne sont pas tolérés

tolsi ecc ['tɔlsi] vb vedi **togliere**

tomba ['tomba] sf tombe f

tombino [tom'bino] sm bouche f d'égout

tombola ['tombola] sf (gioco) loto m; (ruzzolone) dégringolade f

tondo, -a ['tondo] agg rond(e)

tonfo ['tonfo] sm bruit m sourd; **fare un ~** (cadere) tomber

tonificare [tonifi'kare] vt tonifier

tonnellata [tonnel'lata] sf tonne f

tonno ['tonno] sm thon m

tono ['tɔno] sm ton m; (di muscoli, corpo) tonus msg; **rispondere a ~** répondre avec répartie; **darsi un ~** se donner des airs; **~ muscolare** tonus musculaire

tonsilla [ton'silla] sf amygdale f

tonto, -a ['tonto] agg ahuri(-e); **fare il finto ~** faire l'idiot

topazio [to'pattsjo] sm topaze f

topo ['tɔpo] sm rat m; **~ d'albergo** (fig) rat d'hôtel; **~ di biblioteca** (fig) rat de bibliothèque; **~ muschiato** (anche pelliccia) rat musqué

toppa ['tɔppa] sf (pezza) pièce f; (serratura) trou m de serrure

torace [to'ratʃe] sm thorax msg

torba ['tɔrba] sf tourbe f

torcere ['tɔrtʃere] vt tordre; **torcersi** vpr (contorcersi) se tordre; **~ la bocca** faire la moue; **non ~ un capello a qn** ne pas toucher à un cheveu de qn; **dare del filo da ~ a qn** donner du fil à retordre à qn

torcia, -ce ['tɔrtʃa] sf torche f; **~ elettrica** torche électrique

torcicollo [tortʃi'kɔllo] sm torticolis msg

tordo ['tordo] sm grive f

Torino [to'rino] sf Turin

tormenta [tor'menta] sf tempête f de neige

tormentare [tormen'tare] vt tourmenter; **tormentarsi** vpr se tourmenter

tornado [tor'nado] sm tornade f

tornante [tor'nante] sm tournant m

tornare [tor'nare] vi revenir; (venire via: da teatro, cinema) rentrer; (: dalla guerra) revenir; (andare di nuovo) retourner; (ridiventare) redevenir; (riuscire: conto) être juste; **~ a casa** rentrer (chez soi), rentrer à la maison; **torno a casa martedì** je rentre mardi; **~ al punto di partenza** revenir au point de départ; **~ utile** être utile; **i conti tornano** les comptes sont justes; (fig) tout est clair

> **FALSI AMICI**
> **tornare** non si traduce mai con la parola francese **tourner**.

torneo [tor'nɛo] sm tournoi m

tornio ['tɔrnjo] sm tour m

toro ['tɔro] sm taureau m; (Zodiaco): **T~** Taureau m; **essere del T~** être (du) Taureau

torre ['torre] sf tour f; **~ di controllo** tour de contrôle; **~ di lancio** rampe f de lancement

torrente [tor'rɛnte] sm torrent m

torrione [tor'rjone] sm (di castello) donjon m; (Naut) tourelle f; (roccia) piton m

torrone [tor'rone] sm nougat m

torsi ecc ['tɔrsi] vb vedi **torcere**

torsione [tor'sjone] sf (anche Fis) torsion f; (Ginnastica) rotation f (du tronc)

torso ['torso] *sm* trognon *m*; (*tronco, statua*) torse *m*; **a ~ nudo** torse nu

torsolo ['torsolo] *sm* (*di pianta*) tige *f*; (*di frutta*) trognon *m*

torta ['torta] *sf* gâteau *m*

> **FALSI AMICI**
> **torta** non si traduce mai con la parola francese **tarte**.

tortellini [tortel'lini] *smpl* tortellini *mpl*

torto, -a ['tɔrto] *pp di* **torcere** ■ *agg* tordu(e) ■ *sm* tort *m*; **fare un ~ a qn** faire du tort à qn; **aver ~** avoir tort; **a ~** à tort; **a ~ o a ragione** à tort ou à raison; **passare dalla parte del ~** se mettre dans son tort; **non hai tutti i torti** tu n'as pas tout à fait tort

tortora ['tortora] *sf* tourterelle *f* ■ *agg inv*: **grigio ~** gris tourterelle

tortura [tor'tura] *sf* torture *f*

torturare [tortu'rare] *vt* torturer

tosare [to'zare] *vt* (*animale, persona*) tondre; (*siepi ecc*) tailler

Toscana [tos'kana] *sf* Toscane *f*

tosse ['tosse] *sf* toux *fsg*; **ho la ~** j'ai la toux

tossico, -a, -ci, -che ['tɔssiko] *agg* toxique

tossicodipendente [tossikodipen'dɛnte] *sm/f* toxicomane *m/f*

tossire [tos'sire] *vi* tousser

tostapane [tosta'pane] *sm inv* grille-pain *m inv*

totale [to'tale] *agg* total(e) ■ *sm* total *m*

totocalcio [toto'kaltʃo] *sm* ≈ loto *m* sportif

tovaglia [to'vaʎʎa] *sf* nappe *f*

tovagliolo [tovaʎ'ʎɔlo] *sm* serviette *f*

tra [tra] *prep* (*due persone, cose*) entre; (*più persone, cose*) parmi; (*tempo: entro*) dans; **prendere qn ~ le braccia** prendre qn dans ses bras; **litigano ~ (di) loro** ils se disputent; **~ 5 giorni** dans 5 jours; **~ breve** o **poco** sous peu, d'ici peu; **~ sé e sé** (*parlare ecc*) en son for intérieur; **sia detto ~ noi** entre nous soit dit; **~ una cosa e l'altra, non sono riuscito a chiamarlo** avec tout ce que j'ai eu à faire, je n'ai pas réussi à l'appeler

traboccare [trabok'kare] *vi* déborder

trabocchetto [trabok'ketto] *sm* (*fig*) piège *m* ■ *agg inv*: **domanda ~** question *f* piège

traccia, -ce ['trattʃa] *sf* (*segno, striscia*) trace *f*; (*orma*) trace *f*, piste *f*; (*abbozzo*) plan *m*; **essere sulle tracce di qn** être sur la piste de qn; **perdere le tracce di qn** perdre la trace de qn

tracciare [trat'tʃare] *vt* tracer; (*fig: tratteggiare*) esquisser, ébaucher; **~ il quadro della situazione** brosser le tableau de la situation

trachea [tra'kɛa] *sf* trachée *f*

tracolla [tra'kɔlla] *sf* bandoulière *f*; **(borsa a) ~** sac *m* à bandoulière; **portare qc a ~** porter qch en bandoulière

tradimento [tradi'mento] *sm* trahison *f*; (*di coniuge*) infidélité *f*; **a ~** (*con l'inganno*) en traître; (*all'improvviso*) par surprise; **alto ~** haute trahison

tradire [tra'dire] *vt* trahir; (*coniuge*) tromper; (*segreto*) livrer, trahir; **tradirsi** *vpr* se trahir

tradizionale [tradittsjo'nale] *agg* traditionnel(le)

tradizione [tradit'tsjone] *sf* tradition *f*

tradurre [tra'durre] *vt* traduire; (*Dir: persona*) transférer; **~ dall'italiano al** o **in francese** traduire de l'italien en français; **me lo può ~?** pouvez-vous me traduire ceci?; **~ in cifre** chiffrer; **~ in atto** mettre en pratique

traduzione [tradut'tsjone] *sf* traduction *f*; (*Scol: dalla propria lingua*) thème *m*; (: *dalla lingua straniera*) version *f*; (*Dir*) transfert *m*

trae ['trae] *vb vedi* **trarre**

trafficante [traffi'kante] *sm/f* commerçant(e); (*peg*) trafiquant(e)

trafficare [traffi'kare] *vi* (*commerciare*): **~ (in)** faire le commerce (de); (*affaccendarsi*) s'affairer, bricoler ■ *vt* (*peg*) trafiquer

traffico, -ci ['traffiko] *sm* trafic *m*; (*commercio*) commerce *m*; (*movimento*) circulation *f*; **~ stradale** circulation; **~ di armi/droga** trafic d'armes/de stupéfiants

tragedia [tra'dʒedja] *sf* (*anche fig*) tragédie *f*

traggo *ecc* ['traggo] *vb vedi* **trarre**

traghetto [tra'getto] *sm* passage *m*;
  (imbarcazione: piccola) bac *m*; (: *grande*)
  ferry-boat *m* ◼ *agg inv*: **nave ~** ferry-
  boat *m*; **~ spaziale** navette *f* spatiale
tragico, -a, -ci, -che ['tradʒiko] *agg*
  tragique ◼ *sm* tragédien *m*;
  prendere tutto sul ~ prendre tout au
  tragique
tragitto [tra'dʒitto] *sm* trajet *m*,
  chemin *m*
traguardo [tra'gwardo] *sm* (*Sport*)
  ligne *f* d'arrivée; (*fig*) but *m*, objectif *m*
trai *ecc* ['trai] *vb vedi* **trarre**
traiettoria [trajet'tɔrja] *sf*
  trajectoire *f*
trainare [trai'nare] *vt* tirer, tracter;
  (rimorchiare) remorquer; (*fig*:
  stimolare) stimuler
tralasciare [tralaʃ'ʃare] *vt* (*studi*)
  interrompre; (*particolari*) omettre;
  ~ di fare qc omettre de faire qch
traliccio [tra'littʃo] *sm* (*Elettr*)
  pylône *m*
tram [tram] *sm inv* tram(way) *m*
trama ['trama] *sf* (*di tessuto*) trame *f*;
  (*fig: argomento*) intrigue *f*; (: *inganno*)
  machination *f*
tramandare [traman'dare] *vt*
  transmettre
trambusto [tram'busto] *sm*
  chahut *m*
tramezzino [tramed'dzino] *sm*
  sandwich *m*
tramite ['tramite] *prep* par, par
  l'intermédiaire de ◼ *sm*
  intermédiaire *m*; **agire/fare da ~**
  servir d'intermédiaire
tramontare [tramon'tare] *vi* (*sole*)
  se coucher; (*fig: fama*) se ternir;
  (: *personaggio*) être en baisse
tramonto [tra'monto] *sm* coucher
  m; (*fig*) déclin *m*
trampolino [trampo'lino] *sm* (*per
  tuffi*) plongeoir *m*; (*per sci, fig*)
  tremplin *m*; (*in palestra*) trampoline
  m; **gli è servito da ~ per la carriera**
  ça lui est servi de tremplin pour sa
  carrière
tranello [tra'nɛllo] *sm* piège *m*;
  tendere un ~ a qn tendre un piège à
  qn; **cadere in un ~** tomber dans un
  piège
tranne ['tranne] *prep* sauf, excepté;
  ~ che à moins que; **tutti i giorni ~ il**

venerdì tous les jours, excepté le
  vendredi
tranquillante [trankwil'lante] *sm*
  (*Med*) tranquillisant *m*
tranquillità [trankwilli'ta] *sf*
  tranquillité *f*
tranquillizzare [trankwillid'dzare]
  vt tranquilliser
tranquillo, -a [tran'kwillo] *agg*
  tranquille; **sta' ~** (*non preoccuparti*)
  ne t'inquiète pas; (*bambino*) reste
  tranquille
transazione [transat'tsjone] *sf*
  transaction *f*
transenna [tran'senna] *sf* (*barriera*)
  barrière *f*
transgenico, -a, -ci, -che
  [trans'dʒɛniko] *agg* transgénique
transigere [tran'sidʒere] *vi*
  transiger; **su ciò non transigo** je ne
  transigerai pas là-dessus
transitabile [transi'tabile] *agg*
  praticable
transitare [transi'tare] *vi* passer
transitivo, -a [transi'tivo] *agg*
  transitif(-ive)
transito [tran'sito] *sm* transit *m*;
  "divieto di ~" "circulation interdite";
  "~ interrotto" "route barrée"
trapano ['trapano] *sm* perceuse *f*;
  (*Med*) fraise *f*; (*del dentista*) roulette *f*
trapelare [trape'lare] *vi* filtrer
trapezio [tra'pɛttsjo] *sm* trapèze *m*
trapiantare [trapjan'tare] *vt*
  (*pianta*) transplanter, repiquer;
  (*organo*) greffer
trapianto [tra'pjanto] *sm* (*di piante*)
  transplantation *f*, repiquage *m*; (*di
  organi*) greffe *f*; **~ cardiaco** greffe du
  cœur
trappola ['trappola] *sf* piège *m*;
  tendere una ~ (a qn) tendre un piège
  (à qn)
trapunta [tra'punta] *sf* édredon *m*
trarre ['trarre] *vt* (*vantaggio,
  conclusioni*) tirer; (*guadagno*) retirer;
  ~ beneficio da tirer profit de; **~ le
  conclusioni** tirer les conclusions;
  ~ esempio da qn prendre exemple sur
  qn; **~ qn d'impaccio** tirer qn
  d'embarras; **~ in inganno** induire en
  erreur; **~ origine da** tirer son origine
  de; **~ in salvo** sauver
trasalire [trasa'lire] *vi* tressaillir

trasandato, -a [trazan'dato] *agg* négligé(e)

trascinare [traʃʃi'nare] *vt* traîner; **trascinarsi** *vpr* (*strisciare*) se traîner

trascorrere [tras'korrere] *vt, vi* passer

trascrivere [tras'krivere] *vt* transcrire

trascurare [trasku'rare] *vt* négliger; **~ di fare qc** négliger de faire qch

trasferimento [trasferi'mento] *sm* transfert *m*; (*di somme*) virement *m*; (*di abitazione*) déplacement *m*; **~ di chiamata** (*Tel*) transfert *m* d'appel

trasferire [trasfe'rire] *vt* transférer; (*dipendente*) muter; (*somma*) virer; **trasferirsi** *vpr* (*cambiare casa*) déménager; (*ufficio*) être transféré(e); **trasferirsi a** s'installer à, s'établir à

trasferta [tras'ferta] *sf* (*di impiegato*) déplacement *m*, mutation *f*; (*indennità*) indemnité *f* de déplacement; (*Sport*) déplacement *m*

trasformare [trasfor'mare] *vt* transformer; **trasformarsi** *vpr* se transformer

trasformatore [trasforma'tore] *sm* transformateur *m*

trasfusione [trasfu'zjone] *sf* (*Med*) transfusion *f*

trasgredire [trazgre'dire] *vt* transgresser

traslocare [trazlo'kare] *vt* transférer ◼ *vi* (*anche*: **traslocarsi**) déménager; (*trasferirsi*) aller s'installer

trasloco, -chi [traz'lɔko] *sm* déménagement *m*

trasmettere [traz'mettere] *vt* transmettre; (*TV, Radio*) diffuser ◼ *vi* transmettre

trasmissione [trazmis'sjone] *sf* transmission *f*; (*Radio, TV*) diffusion *f*; (*: programma*) émission *f*

trasparente [traspa'rɛnte] *agg* (*anche fig*) transparent(e) ◼ *sm* (*per audiovisivi*) transparent *m*

trasportare [traspor'tare] *vt* transporter; **lasciarsi ~ (da)** (*fig*) se laisser transporter (par), se laisser emporter (par)

trasporto [tras'pɔrto] *sm* transport *m*; (*fig*) transport, élan *m*; **compagnia di ~** compagnie *f* de transports; **mezzi di ~** moyens *mpl* de transport; **con ~** (*fig*) avec passion, avec ardeur; **~ funebre** enterrement *m*; **~ pubblico** transports *mpl* publics; **~ stradale** transports routiers *o* par route

trassi *ecc* ['trassi] *vb vedi* **trarre**

trasversale [trazver'sale] *agg* transversal(e); **via~** rue *f* transversale

tratta ['tratta] *sf* (*anche Econ*) traite *f*; **la ~ delle bianche** la traite des blanches; **~ documentaria** traite documentaire

trattamento [tratta'mento] *sm* traitement *m*; (*servizio*) service *m*; **~ economico** conditions *fpl* salariales; **~ di fine rapporto** (*Econ*) prime *f* de fin de carrière; (*per licenziamento*) indemnité *f* de licenciement; (*per dimissioni*) indemnité de départ

trattare [trat'tare] *vt, vi* traiter; **~ bene qn** bien traiter qn; **~ male qn** traiter mal qn; **~ con qn** négocier avec qn; **si tratta di...** il s'agit de...; **si tratterebbe solo di poche ore** ce ne serait que pour quelques heures

trattenere [tratte'nere] *vt* retenir; (*intrattenere*) distraire; (*astenersi dal consegnare*) garder; **trattenersi** *vpr* (*soffermarsi*) rester; **trattenersi (da)** (*astenersi*) se retenir *o* s'empêcher (de); **sono stato trattenuto in ufficio** j'ai été retenu au bureau

trattino [trat'tino] *sm* tiret *m*; (*in parole composte*) trait *m* d'union

tratto, -a ['tratto] *pp di* **trarre** ◼ *sm* trait *m*; (*parte*) morceau *m*, bout *m*; (*di strada, mare, cielo*) bout *m*; (*di autostrada*) tronçon *m*; (*di tempo*) moment *m*; **a tratti** par moments; **a un ~, d'un ~** tout à coup; **a grandi tratti** (*fig*) à grands traits

trattore [trat'tore] *sm* tracteur *m*

trattoria [tratto'ria] *sf* petit restaurant *m*

trauma, -i ['trauma] *sm* traumatisme *m*; **~ cranico/psichico** traumatisme crânien/psychique

travaglio [tra'vaʎʎo] *sm* (*angoscia*) tourment *m*; (*parto*) travail *m*; **sala ~** salle *f* de travail

travasare [trava'zare] *vt* transvaser

traversa [tra'vɛrsa] *sf* (*trave*) entretoise *f*; (*di sedia*) barreau *m*; (*via*) rue *f* transversale; (*Ferr*) traverse *f*; (*Calcio*) barre *f* transversale

traversata [traver'sata] *sf* traversée *f*; **quanto dura la ~?** combien de temps dure la traversée?

traversie [traver'sie] *sfpl* (*fig*) malheurs *mpl*

traverso, -a [tra'vɛrso] *agg* transversal(e); **andare di ~** (*cibo*) avaler de travers; **guardare qn di ~** regarder qn de travers; **via traversa** rue *f* transversale; (*fig*) voie *f* détournée

travestimento [travesti'mento] *sm* déguisement *m*

travestirsi [traves'tirsi] *vpr* se déguiser

travolgere [tra'vɔldʒere] *vt* emporter; (*Aut*) renverser; (*fig*) affecter; (*sogg: passione*) emporter

tre [tre] *agg inv, sm inv* trois (*m*) *inv*; *vedi anche* **cinque**

treccia, -ce ['trettʃa] *sf* tresse *f*; (*di capelli*) tresse, natte *f*; **lavorato a trecce** (*pullover ecc*) à torsades

trecento [tre'tʃɛnto] *agg inv, sm inv* trois cents (*m*) *inv* ■ *sm*: **il T~** le quatorzième siècle

tredici ['treditʃi] *agg inv, sm inv* treize (*m*) *inv* ■ *sm inv*: **fare ~** gagner au totocalcio; *vedi anche* **cinque**

tregua ['tregwa] *sf* trêve *f*; (*fig*) temps *m* de répit, arrêt *m*; **senza ~** (*fig*) sans répit

tremare [tre'mare] *vi* trembler; **~ di** (*di freddo*) trembler de, grelotter de

tremendo, -a [tre'mɛndo] *agg* terrible, affreux(-euse); (*fam*) terrible

tremito ['trɛmito] *sm* tremblement *m*

treno ['trɛno] *sm* train *m*; **~ di gomme** (*Aut*) train de pneus; **è questo il ~ per ...?** c'est bien le train pour ...?; **~ diretto** (train) direct; **~ merci** train de marchandises; **~ straordinario** train spécial; **~ viaggiatori** train de voyageurs

● **TRENI**

● Il existe différents types de trains
● en Italie: les Intercity (IC), les
● Eurocity (EC) et les espressi (E)
● desservent le réseau longue
● distance, et assurent un service
● de nuit. Les *interregionali* (IR) et les
● *regionali* (R) quant à eux sont des
● trains locaux qui s'arrêtent dans
● les gares moins importantes.

trenta ['trenta] *agg inv, sm inv* trente (*m*) *inv* ■ *sm* (*Scol*): **~ e lode** note maximum avec les félicitations du jury (*à l'université*); *vedi anche* **cinque**

trentesimo, -a [tren'tɛzimo] *agg, sm/f inv* trentième *m/f*

trentina [tren'tina] *sf*: **una ~ (di)** une trentaine (de); **essere sulla ~** avoir une trentaine d'années

triangolo [tri'angolo] *sm* triangle *m*; (*Aut: segnale*) triangle de signalisation

tribù [tri'bu] *sf inv* tribu *f*

tribuna [tri'buna] *sf* tribune *f*; (*Sport: palco fisso*) tribunes *fpl*; **~ della stampa** tribunes de la presse

tribunale [tribu'nale] *sm* tribunal *m*; **presentarsi in ~** comparaître en justice; **~ militare** tribunal militaire; **~ supremo** cour *f* suprême

triciclo [tri'tʃiklo] *sm* tricycle *m*

trifoglio [tri'fɔʎʎo] *sm* trèfle *m*

triglia ['triʎʎa] *sf* rouget *m*

trimestre [tri'mɛstre] *sm* trimestre *m*

trincea [trin'tʃea] *sf* tranchée *f*

trionfare [trion'fare] *vi* (*anche fig*): **~ (su)** triompher (de)

trionfo [tri'onfo] *sm* triomphe *m*

triplicare [tripli'kare] *vt* tripler

triplo, -a ['triplo] *agg* triple ■ *sm*: **il ~ di** le triple de

trippa ['trippa] *sf* (*Cuc*) tripes *fpl*; (*fam: pancia*) ventre *m*, brioche *f* (*fam*)

triste ['triste] *agg* triste

tritare [tri'tare] *vt* hacher

triviale [tri'vjale] *agg* trivial(e)

trofeo [tro'fɛo] *sm* trophée *m*; **~ di caccia** trophée de chasse

tromba ['tromba] *sf* (*Mus*) trompette *f*; (*Aut*) klaxon *m*, avertisseur *m*; **~ d'aria** tornade *f*; **~ delle scale** cage *f* d'escalier; **~ marina** cyclone *m*

trombone [trom'bone] *sm* trombone *m*

trombosi [trom'bɔzi] *sf inv* thrombose *f*

troncare [tron'kare] *vt* couper, trancher; (*Ling*) faire une apocope à; (*fig*) rompre; (*: carriera*) briser

tronco, -a, -chi, -che ['tronko] *agg* tronqué(e); (*Ling*) accentué sur la dernière syllabe; (*: per troncamento*)

apocopé(e); (fig) interrompu(e)
■ sm (Bot, Anat) tronc m; (fig: pezzo,
parte) tronçon m; **in ~** (licenziare)
sur-le-champ

trono ['trɔno] sm trône m; **salire al ~**
monter sur le trône

tropicale [tropi'kale] agg tropical(e)

troppo, -a ['trɔppo] agg trop inv;
(seguito da sostantivo) trop de ■ pron,
avv trop; **c'era troppa gente** il y avait
trop de gens; **fa ~ caldo** il fait trop
chaud; **troppe difficoltà** trop de
difficultés; **ne hai messo ~** tu en as
mis trop; **~ amaro** trop amer; **~ tardi**
trop tard; **lavora ~** il travaille trop;
costa ~ ça coûte trop cher; **essere di
~** être de trop; **~ buono da parte tua**
c'est trop gentil de ta part

trota ['trɔta] sf truite f

trottola ['trɔttola] sf toupie f

trovare [tro'vare] vt trouver;
trovarsi vpr (essere situato) se
trouver; (essere, stare) être; (capitare)
arriver; (reciproco: incontrarsi) se voir;
andare a ~ qn aller voir qn; **non trovo
più il portafoglio** je ne retrouve plus
mon portefeuille; **~ qn molto
deperito** trouver qn très affaibli; **~ qn
colpevole** reconnaître qn coupable; **
trovo giusto fare…** je trouve qu'il est
juste de faire…; **trovo giusto che tu
venga** je pense qu'il est juste que tu
viennes; **trovo sbagliato che…** je
trouve que c'est injuste que…; **trovo
che…** (giudicare) je trouve que…;
trovarsi bene/male (in un luogo) se
plaire/ne pas se plaire; **trovarsi
bene/male con qn** bien/mal
s'entendre avec qn; **trovarsi
d'accordo con qn** tomber d'accord
avec qn

truccare [truk'kare] vt maquiller;
(Sport) truquer; **truccarsi** vpr se
maquiller

trucco, -chi ['trukko] sm truc m,
combine f; (artificio scenico) trucage
m; (cosmesi, insieme di cosmetici)
maquillage m; **i trucchi del mestiere**
les secrets du métier

truffa ['truffa] sf escroquerie f

truffare [truf'fare] vt escroquer

truffatore, -trice [truffa'tore] sm/f
escroc m

truppa ['truppa] sf troupe f

tu [tu] pron (soggetto) tu; **tu stesso(a)**
toi-même; **dare del tu a qn** tutoyer
qn; **trovarsi a tu per tu con qn** se
trouver en tête-à-tête avec qn

tubo ['tubo] sm tuyau m; (Elettr, Anat)
tube m; **~ di scappamento** (Aut)
tuyau d'échappement; **~ digerente**
tube digestif

tuffarsi [tuf'farsi] vpr: **~ (in)** plonger
(dans)

tuffo ['tuffo] sm plongeon m; (breve
bagno) trempette f; **un ~ al cuore** un
coup au cœur

tulipano [tuli'pano] sm tulipe f

tumore [tu'more] sm (Med) tumeur f;
~ benigno/maligno tumeur
bénigne/maligne

Tunisia [tuni'zia] sf Tunisie f

tuo, tua ['tuo] (pl **~i, tue**) agg: **(il) ~,
(la) tua** ton (ta) ■ pron: **il ~, la tua** le
tien (la tienne); **i ~i** les tiens; **le tue** les
tiennes; **i ~i** (genitori) tes parents; **una
tua amica** une de tes amies; **i ~i guanti**
tes gants; **le tue scarpe** tes chaussures;
~ padre ton père; **è ~!** c'est à toi!; **vuoi
dire la tua?** (opinione) veux-tu donner
ton avis?; **è dalla tua** il est de ton côté;
alla tua! (brindisi) à la tienne!; **anche
tu hai avuto le tue** (guai) toi aussi tu
as eu ta part (de problèmes); **ne hai
fatta una delle tue!** tu as encore fait
des tiennes!; **cerca di stare sulle tue**
essaie de garder tes distances

tuonare [two'nare] vb impers tonner,
gronder ■ vi (fig) tonner

tuono ['twɔno] sm tonnerre m

tuorlo ['twɔrlo] sm jaune m d'œuf

turbante [tur'bante] sm turban m

turbare [tur'bare] vt troubler,
perturber; (fig) troubler; **~ la quiete
pubblica** (Dir) troubler l'ordre public

turbolenza [turbo'lɛntsa] sf
turbulence f; (di periodo) agitation f,
désordre m

turchese [tur'kese] agg, sm
turquoise (m)

Turchia [tur'kia] sf Turquie f

turco, -a, -chi, -che ['turko] agg turc
(turque) ■ sm/f Turc (Turque) ■ sm
turc m; **per me parla ~** pour moi, c'est
du chinois o de l'hébreu; **fumare
come un ~** fumer comme un pompier

turismo [tu'rizmo] sm tourisme m;
~ sessuale tourisme sexuel

turista, -i, -e [tu'rista] *sm/f*
touriste *m/f*

turistico, -a, -ci, -che [tu'ristiko]
agg touristique

turno ['turno] *sm* (*di lavoro*)
roulement *m*; (*di servizi*) service *m*;
(*Sport*) tour *m*; **a ~** (*rispondere*)
chacun(e) (à) son tour; (*lavorare*) en
équipe; **di ~** (*medico, farmacia, soldato*)
de garde; **fare a ~ (a fare qc)** se
relayer (pour faire qch); **è il suo ~** c'est
son tour; **chiuso per ~** repos
hebdomadaire

turpe ['turpe] *agg* abject(e); (*atto*)
obscène

tuta ['tuta] *sf* combinaison *f*, bleu *m*;
(*indumento sportivo*) survêtement *m*,
jogging *m*; **~ mimetica** (*Mil*) tenue *f*
de camouflage, tenue léopard; **~ da
ginnastica** jogging *m*; **~ spaziale**
scaphandre *m*; **~ subacquea**
combinaison de plongée

tutela [tu'tela] *sf* (*Dir: potestà,
protezione*) tutelle *f*; (*difesa*) défense *f*,
protection *f*; (*di interesse*) sauvegarde
f; **a ~ del consumatore** pour la
protection du consommateur;
~ dell'ambiente protection de
l'environnement

tuttavia [tutta'via] *cong* toutefois,
cependant

 PAROLA CHIAVE

tutto, -a ['tutto] *agg* **1** (*intero*)
tout(e); (*pl*) tous (toutes); **tutta la
notte** toute la nuit; **tutto il libro** tout
le livre; **tutta una bottiglia** toute une
bouteille; **in tutto il mondo** dans le
monde entier; **tutti i ragazzi** tous les
garçons; **tutte le notti** toutes les
nuits; **a tutt'oggi** jusqu'à présent; **a
tutta velocità** à toute vitesse; **tutti e
due** tous les deux; **tutti e cinque** tous
les cinq

2 (*completamente*): **era tutta sporca**
elle était toute sale; **è tutta sua
madre** c'est tout le portrait de sa
mère

■ *pron* (*ogni cosa*) tout; (*pl*) tous;
ha mangiato tutto il a tout mangé;
tutto considerato tout bien
considéré, tout compte fait; **in tutto**
en tout; **in tutto eravamo 50** en tout

nous étions 50; **tutto è in ordine**
tout est en ordre; **dimmi tutto** dis-
moi tout; **tutto compreso** tout
compris; **in tutto e per tutto** en tout
et pour tout; **con tutto che**
(*malgrado*) bien que; **del tutto** du
tout; **il che è tutto dire** et c'est tout
dire; **tutti sanno che** tout le monde
sait que; **vengono tutti** ils viennent
tous; **tutti quanti** tous

■ *avv* (*completamente*) tout; **è tutto
il contrario** c'est tout le contraire;
tutt'al più tout au plus; **saranno
stati tutt'al più 50** ils auront été tout
au plus 50; **tutt'altro** pas du tout;
ti dispiace? - no, tutt'altro ça
t'embête? - non, pas du tout;
è tutt'altro che felice il est loin d'être
heureux; **tutt'a un tratto** tout d'un
coup; **tutt'intorno** tout autour

■ *sm*: **il tutto** le tout; **il tutto si è
svolto senza incidenti** le tout s'est
déroulé sans incidents; **il tutto le
costerà tre milioni** cela lui coûtera
trois millions en tout

tuttora [tut'tora] *avv* toujours,
encore

TV [ti'vu] *sigla f inv* (= *televisione*) télé *f*
■ *abbr* = Treviso

u

ubbidiente [ubbi'djɛnte] *agg*
obéissant(e)

ubbidire [ubbi'dire] *vi*: **~ (a)** obéir (à)

ubriacare [ubria'kare] *vt* enivrer,
soûler; **ubriacarsi** *vpr* s'enivrer,
se soûler

ubriaco, -a, -chi, -che [ubri'ako]
agg ivre ■ *sm/f* ivrogne *m/f*

uccello [ut'tʃɛllo] *sm* oiseau *m*;
~ del malaugurio oiseau de mauvais
augure

uccidere [ut'tʃidere] *vt* (*anche fig*)
tuer; **uccidersi** *vpr* se tuer

udito [u'dito] *sm* ouïe *f*

UE [ue] *sigla f* (= *Unione europea*) UE *f*

UEM [uem] *sigla f* (= *Unione Economica
e Monetaria*) UEM *f*

uffa ['uffa] *escl* (*di impazienza*) zut!;
(*di noia*) la barbe!, quelle barbe!

ufficiale [uffi'tʃale] *agg* officiel(le)
■ *sm* (*Amm, Mil*) officier *m*; **in forma ~**
officiellement; **pubblico ~** officier
ministériel; **~ di marina** officier de
marine; **~ di stato civile** officier d'état
civil; **~ giudiziario** huissier *m*;
~ medico médecin-major *m*;
~ sanitario officier de santé

ufficio [uf'fitʃo] *sm* (*posto di lavoro*)
bureau *m*; (*dovere, compito*) charge *f*;
(*agenzia*) agence *f*, office *m*; (*Dir:
organo*) office; **d'~** d'office; **~ brevetti**
bureau des brevets; **~ (del) personale**
bureau du personnel; **~ di
collocamento** bureau de placement;
~ funebre (*Rel*) office funèbre, service
m funèbre; **~ informazioni** bureau de
renseignements; **~ oggetti smarriti**
bureau des objets trouvés; **~ postale**
bureau de poste; **~ vendite** service *m*
des ventes

ufficioso, -a [uffi'tʃoso] *agg*
officieux(-euse)

uguaglianza [ugwaʎ'ʎantsa] *sf*
égalité *f*

uguagliare [ugwaʎ'ʎare] *vt* (*rendere
uguale*) égaliser; (*record*) égaler

uguale [u'gwale] *agg* égal(e);
(*identico: cose, persone*) pareil(le);
(*diritti, doveri*) le (la) même ■ *avv*
(*costare, valere*) pareil; **~ a** (*cosa*) le (la)
même que; (*persona*) comme; **essere
~ a se stesso** être égal à soi-même;
per me è ~ pour moi c'est la même
chose, pour moi c'est pareil; **due
ragazzi uguali d'età** deux garçons du
même âge; **sono bravi ~** ils sont aussi
bons l'un que l'autre

UIL [wil] *sigla f* (= *Unione Italiana del
Lavoro*) syndicat

ulcera ['ultʃera] *sf* ulcère *m*;
~ gastrica ulcère à l'estomac

ulivo [u'livo] *sm vedi* **olivo** (*Pol*):
U~ coalition de centre-gauche

ulteriore [ulte'rjore] *agg* ultérieur(e);
(*aggiuntivo*) supplémentaire

ultimamente [ultima'mente] *avv*
dernièrement

ultimare [ulti'mare] *vt* achever,
terminer

ultimo, -a [ultimo] *agg*
dernier(-ière); (*fig: sommo,
fondamentale*) fondamental(e) ■ *sm/f*
dernier(-ière); **fino all'~** jusqu'à la fin,
jusqu'au bout; **da ~, in ~** enfin, à la fin;
all'~ piano au dernier étage; **per ~**
(*entrare, arrivare*) le dernier (la
dernière); **in ultima pagina** (*di
giornale*) en dernière page; **negli
ultimi tempi** ces derniers temps;
all'~ momento au dernier moment;
la vostra lettera del 7 aprile ~

scorso... votre lettre du 7 avril
dernier...; **in ultima analisi** en
conclusion; **in ~ luogo** en dernier lieu;
l'~ grido (della moda) le dernier cri
(de la mode)

ululare [ulu'lare] *vi* hurler

umanità [umani'ta] *sf* humanité *f*

umano, -a [u'mano] *agg* humain(e)

umidità [umidi'ta] *sf* humidité *f*

umido, -a ['umido] *agg* humide;
(*mano*) moite; (*occhi*) mouillé(e)
■ *sm* humidité *f*; **in ~** (*Cuc*) en sauce

umile ['umile] *agg* humble; (*non
superbo*) modeste

umiliare [umi'ljare] *vt* humilier;
umiliarsi *vpr* s'humilier; **umiliarsi
a** s'abaisser à

umore [u'more] *sm* humeur *f*; **di
buon/cattivo ~** de bonne/mauvaise
humeur; **umor vitreo** humeur vitrée

umorismo [umo'rizmo] *sm* humour
m; **avere il senso dell'~** avoir le sens
de l'humour

umoristico, -a, -ci, -che
[umo'ristiko] *agg* humoristique

unanime [u'nanime] *agg* unanime

uncinetto [untʃi'netto] *sm* crochet
m; **lavoro all'~** travail *m* au crochet

uncino [un'tʃino] *sm* croc *m*,
crochet *m*

undicenne [undi'tʃɛnne] *agg*
(âgé(e)) de onze ans ■ *sm/f* garçon
(fille) de onze ans

undicesimo, -a [undi'tʃɛzimo] *agg,
sm/f* onzième *m/f*

undici ['unditʃi] *agg inv, sm inv* onze
(*m*) *inv*; *vedi anche* **cinque**

ungere ['undʒere] *vt* graisser, huiler;
(*Rel*) oindre; (*fig: ingraziarsi*) graisser
la patte à; **ungersi** *vpr* s'enduire;
(*sporcarsi*) se tacher

ungherese [unge'rese] *agg*
hongrois(e) ■ *sm/f* Hongrois(e)
■ *sm* hongrois *m*

Ungheria [unge'ria] *sf* Hongrie *f*

unghia ['ungja] *sf* (*di persona*) ongle
m; (*di gatto*) griffe *f*; (*di bovini, suini*)
onglon *m*; (*di rapace*) serre *f*; (*di
cavallo*) sabot *m*; **pagare sull'~** (*fig*)
payer rubis sur l'ongle

unguento [un'gwɛnto] *sm* onguent
m, baume *m*

unico, -a, -ci, -che ['uniko] *agg*
unique; (*solo*) unique, seul(e);

agente ~ (*Comm*) agent *m* exclusif;
atto ~ (*Teatro*) pièce *f* en un acte;
figlio ~ fils *msg* unique

unificare [unifi'kare] *vt* unifier;
(*standardizzare*) normaliser,
standardiser

unificazione [unifikat'tsjone] *sf*
(*vedi vb*) unification *f*; normalisation *f*,
standardisation *f*

uniforme [uni'forme] *agg* uniforme
■ *sf* uniforme *m*, tenue *f*; **alta ~** grand
uniforme, grande tenue

unione [u'njone] *sf* union *f*;
U~ economica e monetaria Union
économique; **U~ europea** Union
européenne; **~ monetaria** union
monétaire; **ex U~ Sovietica** ancienne
Union soviétique

unire [u'nire] *vt*: **~ (a)** unir (à), joindre
(à); (*congiungere*) relier (à); **unirsi** *vpr*
(*reciproco*) s'unir; **unirsi a** se joindre à;
~ in matrimonio unir (en mariage)

unità [uni'ta] *sf inv* unité *f*; **una
squadriglia di otto ~** (*Mil*) une
escadrille de huit avions; **~ centrale
(di elaborazione)** (*Inform*) unité
centrale; **~ di misura** unité de
mesure; **~ didattica** (*Scol*) unité;
~ monetaria unité monétaire

unito, -a [u'nito] *agg* uni(e); **in tinta
unita** uni(e); **uniti in matrimonio**
unis par les liens du mariage

universale [univer'sale] *agg*
universel(le)

università [universi'ta] *sf inv*
université *f*; **~ popolare** université
populaire

universo [uni'vɛrso] *sm* univers *msg*

🄞 **PAROLA CHIAVE**

uno, -a ['uno] (*dav sm* **un** + *C, V,* **uno** +
s impura, gn, pn, ps, x, z; dav sf **un'** +*V,*
una + *C*) *art indef* 1 un(e); **un bambino**
un enfant; **una strada** une route;
uno zingaro un tzigane
2 (*intensivo*): **ho avuto una paura!**
j'ai eu une de ces peurs!
■ *pron* 1 un; **su, prendine uno** allez,
prends-en un; **guarda se ce n'è uno
qui** regarde s'il y en a un ici; **l'uno o
l'altro** l'un ou l'autre; **l'uno e l'altro**
l'un et l'autre; **aiutarsi l'un l'altro**
s'aider les uns les autres; **sono**

entrati l'uno dopo l'altro ils sont entrés l'un après l'autre; **a uno a uno** un par un; **metà per uno** moitié moitié

2 (tale) un tel (une telle); **ho incontrato uno che ti conosce** j'ai rencontré quelqu'un qui te connaît

3 (con valore impersonale) quelqu'un; **se uno vuole può andarci** si on veut, on peut y aller; **cosa può fare uno in quella situazione?** qu'est-ce qu'on peut faire dans cette situation? ■ agg un(e); **una mela e due pere** une pomme et deux poires; **uno più uno fa due** un plus un font deux ■ sm (primo numero) un m ■ sf: **l'una** (ora): **è l'una di notte** il est une heure du matin

unsi ecc ['unsi] vb vedi **ungere**

unto, -a ['unto] pp di **ungere** ■ agg graisseux(-euse) ■ sm graisse f

uomo ['wɔmo] (pl **uomini**) sm homme m; (in squadra) joueur m; **un brav'~** un brave homme; **da ~** (abito, scarpe) d'homme; **a memoria d'~** de mémoire d'homme; **a passo d'~** au pas; **l'~ della strada** l'homme de la rue; **~ d'affari/d'azione** homme d'affaires/d'action; **~ di fiducia/di mondo/di paglia** homme de confiance/du monde/de paille; **~ politico** homme politique; **~ radar** (Aer) contrôleur m aérien; **~ rana** homme-grenouille m

uovo ['wɔvo] (pl(f) **uova**) sm œuf m; **cercare il pelo nell'~** (fig) chercher la petite bête; **~ affogato/alla coque** (Cuc) œuf poché/à la coque; **~ bazzotto/sodo** (Cuc) œuf mollet/ dur; **~ di Pasqua** œuf de Pâques; **~ in camicia** œuf poché; **uova strapazzate/al tegame** (Cuc) œufs brouillés/au plat

uragano [ura'gano] sm ouragan m; (fig: di applausi ecc) tonnerre m, tempête f

uranio [u'ranjo] sm uranium m; **~ impoverito** uranium appauvri

urbanistica [urba'nistika] sf urbanisme m

urbano, -a [ur'bano] agg urbain(e); (fig: civile, cortese) courtois(e)

urgente [ur'dʒɛnte] agg urgent(e)

urgenza [ur'dʒɛntsa] sf urgence f; **d'~** d'urgence; **non c'è ~** cela ne presse pas, rien ne presse; **questo lavoro va fatto con ~** ce travail doit être fait immédiatement

urlare [ur'lare] vi hurler ■ vt (insulti) hurler; (canzone) chanter à tue-tête

urlo ['urlo] (pl(m) **urli**, pl(f) **urla**) sm hurlement m, cri m

urrà [ur'ra] escl hourra!

U.R.S.S. [urs] sigla f (Hist: = Unione delle Repubbliche Socialiste Sovietiche) URSS f

urtare [ur'tare] vt heurter, bousculer; (fig: colpire) choquer; (: irritare) contrarier ■ vi: **~ contro** o **in** se heurter contre o à; **urtarsi** vpr (reciproco) se heurter; (: fig) se brouiller; (persona: irritarsi) se fâcher; **~ i nervi** taper sur les nerfs

usanza [u'zantsa] sf usage m, coutume f; (abitudine) habitude f

usare [u'zare] vt (adoperare) utiliser, se servir de; (: forza, astuzia) user de ■ vi (andare di moda) être à la mode ■ vb impers: **qui usa così** ici c'est la coutume; **~ fare qc** (essere solito) avoir l'habitude de faire qch; **~ la massima cura nel fare qc** prendre le plus grand soin à faire qch; **~ violenza a qn** abuser de qn

usato, -a [u'zato] agg (non nuovo: abiti) usagé(e); (: macchina) d'occasion ■ sm occasions fpl; **mercato dell'~** marché m de l'occasion

uscire [uʃʃire] vi sortir; (gas, acqua) s'échapper; (giornale) paraître, sortir; **~ da** (da edificio, luogo) sortir de; **~ da** o **di casa** sortir de chez soi; **~ in macchina** sortir en voiture; **~ di strada** (macchina) quitter la route; **questo esce dalle mie competenze** ce n'est pas de mon ressort; **~ con una battuta** répondre par une pirouette

uscita [uʃʃita] sf sortie f; (di libro) parution f; (Econ) dépense f; (fig: battuta) boutade f; **"vietata l'~"** "sortie interdite"; **libera ~** (Mil) quartier m libre; **dov'è l'~?** où est la sortie?; **~ di sicurezza** sortie de secours

usignolo [uziɲ'ɲɔlo] sm rossignol m

uso ['uzo] *sm* emploi *m*, usage *m*; (*esercizio*) usage; (*abitudine*) usage, coutume *f*; **fare ~ di** utiliser, employer; **essere in ~** être en usage; **a ~ di** à l'usage de; **fuori ~** hors d'usage; **fotografia ~ tessera** photo(graphie) *f* d'identité; **norme d'~** règles *fpl* en vigueur; **~ esterno** usage externe

ustione [us'tjone] *sf* brûlure *f*

usuale [uzu'ale] *agg* usuel(le), courant(e)

usura [u'zura] *sf* usure *f*

utensile [uten'sile] *sm* (*attrezzo*) outil *m* ■ *agg*: **macchina ~** machine-outil *f*; **utensili da cucina** ustensiles *mpl* de cuisine

utente [u'tente] *sm/f* usager(-ère)

utero ['utero] *sm* utérus *msg*; **l'~ in affitto** le prêt d'utérus

utile ['utile] *agg* utile ■ *sm* profit *m*; (*vantaggio*) avantage *m*; (*Econ*) bénéfice *m*; **rendersi ~** se rendre utile; **tempo ~ per** délai *m* pour; **unire l'~ al dilettevole** joindre l'utile à l'agréable; **partecipare agli utili** participer aux bénéfices

utilizzare [utilid'dzare] *vt* utiliser

UVA [uvi'a] *sigla m inv* (= *ultravioletto prossimo*) UVA *mpl*

uva ['uva] *sf* raisin *m*; **~ da tavola** raisin de table; **~ passa** raisin sec; **~ spina** groseille *f* à maquereau

v. *abbr* (= *vedi*) v.; (= *verso, versetto*) V.

va, va' [va] *vb vedi* **andare**

vacante [va'kante] *agg* vacant(e)

vacanza [va'kantsa] *sf* vacances *fpl*; (*l'essere vacante*) vacance *f*; **vacanze** *sfpl* (*estive, Scol*) vacances *fpl*; **essere/andare in ~** être/aller en vacances; **prendersi una ~** prendre des vacances; **far ~** ne pas travailler, prendre un congé; **le scuole fanno ~ il 15 febbraio** les écoles sont fermées le 15 février; **sono qui in ~** je suis ici en vacances; **vacanze estive** grandes vacances; **vacanze natalizie** vacances de Noël

vacca, -che ['vakka] *sf* vache *f*; (*fig: donnaccia*) putain *f* (*fam!*)

vaccinare [vattʃi'nare] *vt* vacciner; **farsi ~** se faire vacciner

vaccino [vat'tʃino] *sm* vaccin *m*

vacillare [vatʃil'lare] *vi* vaciller, chanceler; **la sua fede vacillava** sa foi vacillait

vacuo, -a ['vakuo] *agg* (*fig: vuoto, futile*) vide ■ *sm* vide *m*

vado *ecc* ['vado] *vb vedi* **andare**

vagabondo, -a [vaga'bondo] *sm/f* vagabond(e); (*fig: fannullone*) fainéant(e)

vagare [va'gare] *vi* errer

vagherò *ecc* [vage'rɔ] *vb vedi* **vagare**

vagina [va'dʒina] *sf* vagin *m*

vaglia ['vaʎʎa] *sm inv*: **~ postale** mandat *m* postal; **~ cambiario** billet *m* à ordre

vagliare [vaʎ'ʎare] *vt* cribler, tamiser; (*fig: valutare*) passer au crible

vago, -a, -ghi, -ghe ['vago] *agg* vague, flou(e); (*leggiadro*) gracieux(-euse), agréable

vagone [va'gone] *sm* wagon *m*; **~ letto** wagon-lit *m*; **~ merci** wagon de marchandises; **~ ristorante** wagon-restaurant *m*

vai ['vai] *vb vedi* **andare**

vaiolo [va'jɔlo] *sm* variole *f*

valanga, -ghe [va'langa] *sf* (*anche fig*) avalanche *f*; **c'è pericolo di valanghe?** est-ce qu'il y a un risque d'avalanche?

valere [va'lere] *vi* valoir; (*documento, obiezione ecc*) être valable ■ *vt* (*prezzo, sforzo*) valoir; (*fruttare*) rendre; **valersi** *vpr*: **valersi di** se servir de; **~ qc a qn** (*procurare*) valoir qch à qn; **far ~** (*autorità ecc*) faire valoir; **far ~ le proprie ragioni** faire valoir ses raisons; **farsi ~** se faire valoir; **vale a dire** c'est-à-dire; **~ la pena** valoir la peine; **non ne vale la pena** cela ne vaut pas la peine; **l'uno vale l'altro** ils se valent; **non vale niente** cela ne vaut rien; **tanto vale non farlo** autant ne pas le faire; **valersi dei consigli di qn** se servir des conseils de qn

valgo *ecc* ['valgo] *vb vedi* **valere**

valicare [vali'kare] *vt* franchir

valico, -chi ['valiko] *sm* (*passo*) col *m*

valido, -a ['valido] *agg* valable; (*rimedio, aiuto, contributo*) valable, efficace; **essere di ~ aiuto a qn** apporter une aide efficace à qn

valigia, -gie *o* **ge** [va'lidʒa] *sf* valise *f*; **fare le valigie** (*anche fig*) faire ses valises; **~ diplomatica** valise diplomatique

valle ['valle] *sf* vallée *f*; **a ~** en aval; **scendere a ~** descendre dans la vallée

valore [va'lore] *sm* valeur *f*; (*coraggio*) courage *m*, bravoure *f*; **valori** *smpl* (*oggetti preziosi*) objets *mpl* de valeur; (*Borsa, anche sociali, morali*) valeurs *fpl*; **di ~** de valeur; **non avere alcun ~** n'avoir aucune valeur; **avere ~ di** (*valere come*) équivaloir à; **~ aggiunto** valeur ajoutée; **~ civile** ≈ courage *m*; **~ d'uso/di scambio** valeur d'usage/d'échange; **~ di realizzo/di riscatto** valeur de réalisation/de rachat; **~ legale/nominale** valeur légale/nominale; **~ militare** valeur militaire; **valori bollati** timbres fiscaux et postaux; **valori umani** valeurs humaines

valorizzare [valorid'dzare] *vt* valoriser; (*fig: mettere in risalto*) mettre en valeur

valuta [va'luta] *sf* monnaie *f*, devise *f*; (*Banca: per conteggio di interessi*) valeur *f*; **~ 15 gennaio** valeur 15 janvier; **~ estera** devise étrangère

valutare [valu'tare] *vt* (*terreno, danno*) évaluer, estimer; **la casa è valutata 200 milioni** la maison est évaluée à 200 millions; **~ il pro e il contro** peser le pour et le contre

valvola ['valvola] *sf* (*Tecn*) soupape *f*, vanne *f*; (*Elettr*) fusible *m*, plomb *m*; (*Anat*) valvule *f*; **~ a farfalla** (*Aut*) (*vanne f*) papillon *m*; **~ di sfogo** (*fig*) soupape de sûreté, exutoire *m*; **~ di sicurezza** soupape de sûreté

valzer ['valtser] *sm inv* valse *f*

vampata [vam'pata] *sf* bouffée *f*

vampiro [vam'piro] *sm* vampire *m*

vandalismo [vanda'lizmo] *sm* vandalisme *m*

vandalo ['vandalo] *sm* vandale *m*

vaneggiare [vaned'dʒare] *vi* délirer, divaguer

vanga, -ghe ['vanga] *sf* bêche *f*

vangelo [van'dʒelo] *sm* évangile *m*

vaniglia [va'niʎʎa] *sf* (*Bot*) vanillier *m*; (*essenza*) vanille *f*

vanità [vani'ta] *sf* vanité *f*; (*futilità*) inutilité *f*

vanitoso, -a [vani'toso] *agg* vaniteux(-euse)

vanno ['vanno] *vb vedi* **andare**

vano, -a ['vano] *agg* vain(e) ■ *sm* (*di porta, finestra*) embrasure *f*; (*stanza, locale*) pièce *f*; **~ portabagagli** (*Aut*)

coffre m à bagages; **~ portaoggetti** (*Aut*) boîte f à gants
vantaggio [van'taddʒo] *sm* avantage m; (*distacco, anche Sport*) avance f; **trarre ~ da** tirer profit de; **essere in ~ su qn** avoir un avantage sur qn; **essere in ~** (*in gara*) mener; **portarsi in ~** (*in gara*) prendre de l'avance
vantaggioso, -a [vantad'dʒoso] *agg* avantageux(-euse)
vantarsi [van'tarsi] *vpr*: **~ (di qc/di aver fatto qc)** se vanter (de qch/ d'avoir fait qch)
vanvera ['vanvera] *sf*: **parlare a ~** parler à tort et à travers; **fare le cose a ~** faire les choses sans réfléchir
vapore [va'pore] *sm* vapeur f; **vapori** *smpl* (*esalazioni*) vapeurs *fpl*; **a ~** (*caldaia ecc*) à vapeur; **al ~** (*Cuc*) à la vapeur
varare [va'rare] *vt* (*Naut*) lancer; (*fig: legge, provvedimento*) approuver
varcare [var'kare] *vt* (*soglia, confine*) franchir; (*fig: limiti ecc*) dépasser
varco, -chi ['varko] *sm* passage m; **aprirsi un ~ tra la folla** se frayer un passage dans la foule; **aspettare qn al ~** attendre qn au tournant
varechina [vare'kina] *sf* eau f de javel
variabile [va'rjabile] *agg, sf* variable (f)
varicella [vari'tʃella] *sf* varicelle f
varicoso, -a [vari'koso] *agg* variqueux(-euse); **avere le vene varicose** avoir des varices
varietà [varje'ta] *sf inv* variété f ■ *sm inv*: **(spettacolo di) ~** spectacle m de variétés, variétés *fpl*
vario, -a ['varjo] *agg* (*variato*) varié(e); (*instabile, mutevole*) variable; **vari, varie** plusieurs ■ *pron pl*: **vari, varie** (*persone*) plusieurs personnes *fpl*; **ci sono varie possibilità** il y a plusieurs possibilités; **varie ed eventuali** divers *mpl*
varo ['varo] *sm* (*Naut*) lancement m; (*fig: di legge, progetto*) mise f en vigueur, promulgation f
varrò ecc [var'rɔ] *vb vedi* **valere**
vasaio [va'zajo] *sm* potier m
vasca, -sche ['vaska] *sf* (*recipiente*) bac m; (*Tecn*) cuve f; (*bacino*) bassin m; **~ da bagno** baignoire f

vaschetta [vas'ketta] *sf* (*per gelato*) barquette f; (*del frigorifero*) bac m; (*per sviluppare fotografie*) cuvette f
vaselina [vaze'lina] *sf* vaseline f
vaso ['vazo] *sm* (*per pianta*) pot m; (*per fiori*) vase m; (*Anat*) vaisseau m; **~ da fiori** (*per fiori*) vase; (*per piante*) pot m de fleurs; **~ da notte** pot de chambre; **vasi comunicanti** vases communicants
vassoio [vas'sojo] *sm* plateau m
vasto, -a ['vasto] *agg* vaste; **di vaste proporzioni** (*incendio*) de grandes proportions; (*fenomeno, rivolta*) de grande importance; **su vasta scala** sur une grande échelle
ve [ve] *pron vedi* **vi** ■ *avv vedi* **vi**
vecchiaia [vek'kjaja] *sf* vieillesse f
vecchio, -a ['vekkjo] *agg* vieux (vieille); (*antico, antiquato, di prima*) ancien(ne) ■ *sm/f* vieux (vieille); **i vecchi** (*gli anziani*) les vieux *mpl*; **di vecchia data** de longue date; **è un mio ~ amico** c'est un de mes vieux amis; **una vecchia storia** une vieille histoire; **essere ~ del mestiere** être un vieux routier
vedere [ve'dere] *vt* voir; **vedersi** *vpr* se voir; **far ~ qc a qn** faire voir qch à qn; **non (ci) si vede** on n'y voit rien; **vedi pagina 8** voir à la page 8; **farsi ~** (*farsi vivo*) donner signe de vie, donner de ses nouvelles; (*pavoneggiarsi*) se pavaner; **fatti ~!** viens ici que je te voie!; **farsi ~ da un medico** aller voir un médecin; **ci vediamo!** à bientôt!; **ci vediamo domani!** à demain!; **si vede che...** (*è chiaro*) on voit bien que...; **si vede che non ha avuto tempo** il n'a probablement pas eu le temps; **è da ~ se...** il faut voir si...; **vederci chiaro** (*fig*) voir clair; **non ~ l'ora di fare qc** avoir hâte de faire qch; **non vedo l'ora di...** il me tarde de...; **non aver niente a che ~ con qc/qn** ne rien avoir à voir avec qch/qn; **non poter ~ qn** (*anche fig*) ne pas pouvoir voir qn; **~ di fare qc** essayer de faire qch; **te la farò ~ io!** tu vas avoir affaire à moi!; **vedersi costretto a fare qc** se voir dans l'obligation de faire qch; **vedersela con qn** s'arranger avec qn
vedetta [ve'detta] *sf* vedette f; (*Naut*) vigie f; **essere di ~** être en vedette

vedovo, -a ['vedovo] *sm/f* veuf
(veuve); **rimaner ~** rester veuf (veuve)
vedrò *ecc* [ve'drɔ] *vb vedi* **vedere**
veduta [ve'duta] *sf* vue *f*; **vedute**
sfpl (*fig: opinioni*) idées *fpl*; **di larghe**
o **ampie vedute** aux idées larges;
di vedute limitate aux idées étroites
vegetale [vedʒe'tale] *agg* végétal(e);
(*brodo*) de légumes ■ *sm* végétal *m*;
(*fig: invalido*) légume *m* (*fam*); (*privo di
vivacità, di iniziative*) mollasson(ne)
vegetariano, -a [vedʒeta'rjano] *agg,
sm/f* végétarien(ne); **avete piatti
vegetariani?** avez-vous des plats
végétariens?
vegetazione [vedʒetat'tsjone] *sf*
végétation *f*
vegeto, -a ['vɛdʒeto] *agg*: **essere
vivo e ~** avoir bon pied bon œil
veglia ['veʎʎa] *sf* (*anche Mil*) veille *f*;
(*a malato, salma*) veillée *f*; **tra il sonno
e la ~** entre la veille et le sommeil; **~ di
Natale** veillée de Noël; **~ funebre**
veillée funèbre
veglione [veʎ'ʎone] *sm* bal *m*; **~ di
Capodanno** réveillon *m* du Jour de l'An
veicolo [ve'ikolo] *sm* véhicule *m*;
~ ferroviario train *m*; **~ spaziale**
engin *m* spatial
vela ['vela] *sf* (*anche Sport*) voile *f*;
far ~ per faire voile vers; **andare a
gonfie vele** (*fig*) marcher comme sur
des roulettes
veleno [ve'leno] *sm* poison *m*;
(*di serpenti, insetti*) venin *m*
velenoso, -a [vele'noso] *agg*
(*sostanza*) toxique; (*pianta*)
vénéneux(-euse); (*animale, fig*)
venimeux(-euse)
veliero [ve'ljɛro] *sm* voilier *m*
velluto [vel'luto] *sm* velours *msg*;
~ a coste velours côtelé
velo ['velo] *sm* voile *m*; (*fig: di polvere
ecc*) couche *f*; **prendere il ~** (*monaca*)
prendre le voile; **stendere un ~
pietoso su un episodio** jeter un voile
sur un incident; **avere un ~ di
tristezza negli occhi** avoir un voile
de tristesse dans les yeux; **~ nuziale**
voile de la mariée
veloce [ve'lotʃe] *agg* rapide ■ *avv*
rapidement, vite
velocità [velotʃi'ta] *sf inv* vitesse *f*;
cambio di ~ (*Aut*) changement *m*

de vitesse; **a forte** *o* **grande ~** à
grande vitesse; **alta ~** (*Ferr*) grande
vitesse; **~ del suono** vitesse du son;
~ di crociera vitesse de croisière
vena ['vena] *sf* (*Anat, poetica*) veine *f*;
(*acqua*) source *f*; (: *sotterranea*) nappe
f; **essere in ~ di qc/di fare qc** être en
veine de qch/de faire qch; **non è in ~
di scherzi oggi** il n'est pas d'humeur à
plaisanter aujourd'hui
venale [ve'nale] *agg* vénal(e)
vendemmia [ven'demmja] *sf*
(*raccolta*) vendange *f*, vendanges *fpl*;
(*quantità, vino*) vendange
vendere ['vɛndere] *vt* vendre;
~ all'asta vendre aux enchères;
~ all'ingrosso vendre en gros;
"vendesi" "à vendre"; **aver ragione
da ~** avoir mille fois raison
vendetta [ven'detta] *sf* vengeance *f*
vendicarsi [vendi'karsi] *vpr*: **~ (di)**
se venger (de)
vendita ['vendita] *sf* vente *f*;
(*negozio*) magasin *m*; **essere in ~** être
en vente; **mettere in ~** mettre en
vente; **reparto vendite** service *m*
des ventes; **~ al dettaglio** *o* **al
minuto** vente au détail; **~ all'asta**
vente aux enchères; **~ all'ingrosso**
vente en gros
venerare [vene'rare] *vt* vénérer
venerdì [vener'di] *sm inv* vendredi *m*;
V~ Santo vendredi saint; *vedi anche*
martedì
venereo, -a [ve'nɛreo] *agg*
vénérien(ne)
Venezia [ve'nettsja] *sf* Venise
vengo *ecc* ['vɛngo] *vb vedi* **venire**
veniale [ve'njale] *agg* véniel(le)
venire [ve'nire] *vi* (*avvicinarsi*) venir;
(*giungere, capitare*) arriver; (*riuscire:
dolce, fotografia*) réussir; (*come
ausiliare: essere*) être; **quanto viene?**
c'est combien?; **viene 3 euro il chilo**
cela coûte 3 euros le kilo; **~ ammirato
da tutti** être admiré de tous; **~ a capo
di qc** venir à bout de qch; **~ bene in
fotografia** être bien en photo; **~ al
dunque** *o* **al nocciolo** *o* **al fatto** (en)
venir au fait; **venir fuori** sortir; **~ giù**
descendre; (*cadere: neve*) tomber;
~ meno (*svenire*) s'évanouir; **~ meno
a qc** (*a promessa, impegno*) manquer à
qch; **~ su** monter; (*crescere*) grandir,

pousser; **~ via** partir; (staccarsi) se détacher; **~ a sapere qc** avoir connaissance de qch, apprendre qch; **~ a trovare qn** venir voir qn; **negli anni a ~** dans les années à venir; **è venuto il momento di...** le moment est venu de...; **mi fa ~ i brividi** cela me donne le frisson; **li facciamo ~ per la festa?** on les invite à la fête?

venni ecc ['vɛnni] vb vedi **venire**

ventaglio [ven'taʎʎo] sm éventail m

ventata [ven'tata] sf coup m de vent; **una ~ di allegria** un souffle de joie

ventenne [ven'tɛnne] agg (âgé(e)) de vingt ans ■ sm/f garçon (jeune fille) de vingt ans

ventesimo, -a [ven'tɛzimo] agg, sm/f vingtième m/f

venti ['venti] agg inv, sm inv vingt (m) inv; vedi anche **cinque**

ventilare [venti'lare] vt ventiler, aérer; (fig: idea) proposer; **~ una proposta** faire une proposition

ventilatore [ventila'tore] sm ventilateur m

ventina [ven'tina] sf: **una ~ di** une vingtaine de; **essere sulla ~** avoir une vingtaine d'années

vento ['vɛnto] sm vent m; **c'è ~** il y a du vent; **un colpo di ~** un coup de vent; **contro ~** contre le vent; **~ contrario** vent contraire

ventola ['vɛntola] sf (Aut) ventilateur m

ventosa [ven'tosa] sf ventouse f

ventoso, -a [ven'toso] agg venteux(-euse)

ventre ['vɛntre] sm ventre m

vera ['vera] sf (anello) alliance f

veramente [vera'mente] avv vraiment; (ma, tuttavia, nondimeno) à dire vrai, à vrai dire; **~?** c'est vrai?

veranda [ve'randa] sf véranda f

verbale [ver'bale] agg (anche Ling) verbal(e) ■ sm procès-verbal m; **mettere a ~** verbaliser

verbo ['vɛrbo] sm (Ling) verbe m; (parola) mot m, parole f; (Rel): **il V~** le Verbe

verde ['verde] agg (anche fig) vert(e); (benzina) sans plomb ■ sm (colore, zona) vert m ■ sm/f (Pol) vert(e); **i Verdi** smpl (Pol) les Verts mpl; **essere al ~** (fig) être sans le sou;

~ bottiglia vert bouteille; **~ pubblico** espaces mpl verts

verdetto [ver'detto] sm verdict m

verdura [ver'dura] sf légumes mpl

vergine ['verdʒine] agg, sf vierge (f); (Rel, Zodiaco): **V~** Vierge; **essere della V~** être (de la) Vierge; **pura lana ~** pure laine f vierge; **olio ~ d'oliva** huile f d'olive vierge

vergogna [ver'gonɲa] sf honte f

vergognarsi [vergon'ɲarsi] vpr: **~ (di)** avoir honte (de)

vergognoso, -a [vergon'ɲoso] agg (persona, cosa) honteux(-euse)

verifica, -che [ve'rifika] sf vérification f; **fare una ~ di** faire un contrôle de; **~ contabile** vérification des comptes

verificare [verifi'kare] vt vérifier; (Fin) contrôler

verità [veri'ta] sf inv vérité f; **in ~** en vérité; **a dir la ~, per la ~** à vrai dire

verme ['vɛrme] sm ver m; **sei un ~!** tu es ignoble!

vermiglio [ver'miʎʎo] sm vermeil m

vernice [ver'nitʃe] sf (colorazione) peinture f; (trasparente) vernis msg; **scarpe di ~** chaussures fpl vernies; **"~ fresca"** "peinture fraîche"

verniciare [verni'tʃare] vt (colorare) peindre; (con vernice trasparente) vernir

vero, -a ['vero] agg vrai(e); (intenso, profondo: affetto) véritable ■ sm (verità) vrai m; (natura, realtà): **dipingere dal ~** peindre d'après nature; **un ~ e proprio disastro** un véritable désastre; **tant'è ~ che...** la preuve en est que...; **dire il ~** dire la vérité; **a onor del ~, a dire il ~** à vrai dire

verosimile [vero'simile] agg vraisemblable

verrò ecc [ver'rɔ] vb vedi **venire**

verruca, -che [ver'ruka] sf verrue f

versamento [versa'mento] sm (in banca) versement m; (Med) épanchement m

versante [ver'sante] sm (Geo) versant m; **sul ~ di...** (fig: per quanto riguarda) en ce qui concerne..., pour ce qui est de...

versare [ver'sare] vt (anche Econ) verser; (rovesciare: sale, liquido) renverser ■ vi: ~ **in gravi difficoltà** se trouver dans de graves difficultés; **versarsi** vpr (rovesciarsi) se renverser; **versarsi (in)** (folla) se déverser (dans); (fiume) se jeter (dans)

versatile [ver'satile] agg (fig) éclectique

versione [ver'sjone] sf version f; (traduzione) traduction f

verso¹ ['vɛrso] sm (di poesia) vers msg; (di animale, uccello) cri m; **versi** smpl (poesia) poèmes mpl; **rifare il ~ a qn** singer qn; **per un ~ o per l'altro** d'une façon ou de l'autre; **prendere qn per il ~ giusto** savoir prendre qn; **non c'è ~ di persuaderlo** il n'y a pas moyen de le persuader

verso² ['vɛrso] prep (in direzione di, in senso temporale) vers; (nei pressi di) du côté de; (nei confronti di) envers, à l'égard de; ~ **di me** envers moi; ~ **l'alto/il basso** vers le haut/le bas; **guarda ~ di qua/di là** regarde par ici/par là; ~ **le nove** vers neuf heures

vertebra ['vɛrtebra] sf vertèbre f

vertebrale [verte'brale] agg vertébral(e); **colonna ~** colonne f vertébrale

verticale [verti'kale] agg vertical(e) ■ sf (Mat) verticale f; (Ginnastica) équilibre m

vertice ['vɛrtitʃe] sm (anche Mat) sommet m; **al ~** (riunione, conferenza) au sommet

vertigini [ver'tidʒini] sfpl: **avere le ~** avoir le vertige

vescica, -che [veʃ'ʃika] sf (urinaria) vessie f; (Med) ampoule f, cloque f; ~ **(biliare)** vésicule f (biliaire)

vescovo ['veskovo] sm évêque m

vespa ['vespa] sf (Zool) guêpe f

vestaglia [ves'taʎʎa] sf robe f de chambre

vestire [ves'tire] vt habiller; **vestirsi** vpr s'habiller

vestito, -a [ves'tito] agg habillé(e), vêtu(e) ■ sm (da donna) robe f; (da uomo) costume m, complet m; **vestiti** smpl (indumenti, abiti) vêtements mpl

veterinario, -a [veteri'narjo] agg, sm vétérinaire (m)

veto ['vɛto] sm inv veto m; **porre il ~ a qc** mettre son veto à qch

vetraio [ve'trajo] sm (operaio) verrier m; (venditore) vitrier m

vetrata [ve'trata] sf (chiusura) baie f vitrée; (di chiesa) vitrail m

vetrato, -a [ve'trato] agg vitré(e); **carta vetrata** papier m de verre

vetrina [ve'trina] sf vitrine f

vetrinista, -i, -e [vetri'nista] sm/f étalagiste m/f

vetro ['vetro] sm (materiale) verre m; (oggetto di vetro) verrerie f; (frammento di vetro) bout m de verre; (lastra per finestre, porte) vitre f, carreau m; ~ **blindato** vitre blindée; ~ **di sicurezza** verre de sécurité; ~ **infrangibile** verre incassable; **vetri di Murano** verre msg de Murano

vetta ['vetta] sf sommet m; (fig) tête f, première place f; **in ~ alla classifica** en tête du classement

vettura [vet'tura] sf (anche Ferr) voiture f; ~ **di piazza** fiacre m

vezzeggiativo [vettseddʒa'tivo] sm (Ling) diminutif m

vi [vi] dav lo, la, li, le, ne diventa **ve** pron vous ■ avv (qui, lì) y; **vi è, vi sono** il y a

via ['via] sf (strada) route f; (di città) rue f; (sentiero, passaggio) chemin m; (percorso, Anat) voie f; (: fig) chemin ■ avv: **andare ~** s'en aller ■ prep (passando per) via ■ escl: ~**!** (per allontanare) va-t'en!; allez-vous-en!; (Sport) partez!; (per incoraggiare) allez!; allons! ■ sm (segnale di partenza: Sport) départ m; **essere ~** être absent(e); **per ~ aerea** par avion; **per ~ di** à cause de; **in ~ amichevole** à l'amiable; **in ~ di guarigione** en voie de guérison; **in ~ eccezionale** exceptionnellement, à titre exceptionnel; **in ~ privata** en privé; **in ~ provvisoria** provisoirement, à titre provisoire; ~ ~ peu à peu; ~ ~ **che** (au fur et) à mesure que; **e ~ dicendo, e ~ di questo passo** et ainsi de suite, etc; **dare il ~ (a)** (in gara) donner le départ (à); (fig) donner le feu vert (à); **essere una ~ di mezzo tra...** être à mi-chemin entre...; **non ci sono vie di mezzo** on n'a pas le choix; ~ **d'uscita** (fig) issue f; ~ **di scampo** (fig) moyen de s'en sortir; **V~ Lattea** Voie lactée; **vie di comunicazione** voies de communication; **vie respiratorie** voies respiratoires

viadotto [via'dotto] *sm* viaduc *m*
viaggiare [viad'dʒare] *vi* voyager;
(*veicolo*) rouler; **~ in treno** voyager
en train
viaggiatore, -trice [viaddʒa'tore]
agg, sm/f voyageur(-euse)
viaggio [vi'addʒo] *sm* voyage *m*;
(*cammino, tragitto*) route *f*; (*fam:
con droghe*) voyage, trip *m*; **buon ~!**
bon voyage!; **com'è andato il ~?**
votre voyage s'est bien passé?;
~ d'affari voyage d'affaires; **~ di
nozze** voyage de noces; **~ di piacere/
di studio** voyage d'agrément/
d'études; **~ organizzato** voyage
organisé
viale [vi'ale] *sm* avenue *f*, boulevard
m; **il ~ del tramonto** (*fig*) le déclin
viavai [via'vai] *sm inv* va-et-vient *m*
vibrare [vi'brare] *vt* (*colpo*) donner,
asséner ■ *vi*: **~ (di)** vibrer (de)
vice ['vitʃe] *sm/f inv* adjoint(e)
vicenda [vi'tʃɛnda] *sf* événement *m*;
a ~ (*a turno*) à tour de rôle;
(*reciprocamente*) réciproquement,
mutuellement; **con alterne vicende**
avec des hauts et des bas
viceversa [vitʃe'vɛrsa] *avv* vice(-)
versa; (*al contrario*) inversement
■ *cong* au contraire
vicinanza [vitʃi'nantsa] *sf* voisinage
m; **nelle vicinanze** dans les environs,
dans les alentours
vicino, -a [vi'tʃino] *agg* voisin(e);
(*accanto*) à côté; (*nel tempo*) proche
■ *sm/f*: **~ (di casa)** voisin(e) ■ *avv*
près; **da ~** de près; **~ a** près de, à côté
de; **essere ~ alla meta** être près du
but; **mi sono stati molto vicini** (*fig*)
ils m'ont beaucoup soutenu; **i vicini
(di casa)** les voisins *mpl*; **c'è una
banca qui ~?** est-ce qu'il y a une
banque près d'ici?
vicolo ['vikolo] *sm* ruelle *f*; **~ cieco**
(*anche fig*) impasse *f*, cul-de-sac *m*
video ['video] *sm inv* écran *m*;
(*videoclip*) clip *m*; (*videocassetta*)
cassette *f* vidéo
videocamera [video'kamera] *sf*
(*per uso domestico*) caméscope *m*
videocassetta [videokas'setta] *sf*
vidéocassette *f*, cassette *f* vidéo
videoclip [video'klip] *sm inv*
vidéoclip *m*

videofonino [videofo'nino] *sm*
visiophone *m*, vidéophone *m*
videogioco, -chi [video'dʒɔko] *sm*
jeu *m* vidéo
videoregistratore
[videoredʒistra'tore] *sm*
magnétoscope *m*
videotelefono [videote'lɛfono] *sm*
visiophone *m*
vidi *ecc* ['vidi] *vb vedi* **vedere**
vietare [vje'tare] *vt* interdire,
défendre; **~ qc a qn** interdire *o*
défendre qch à qn; **~ a qn di fare qc**
interdire *o* défendre à qn de faire qch
vietato, -a [vje'tato] *agg* interdit(e);
"~ fumare" "défense de fumer";
"~ l'ingresso" "entrée interdite";
"~ ai minori di 14/18 anni" "interdit
aux moins de 14/18 ans"; **"senso ~"**
(*Aut*) "sens interdit"; **"sosta vietata"**
(*Aut*) "stationnement interdit"
vigente [vi'dʒɛnte] *agg* (*norma ecc*)
en vigueur
vigile ['vidʒile] *agg* vigilant(e) ■ *sm*:
~ (urbano) agent *m* (de police),
gardien *m* de la paix; **~ del fuoco**
pompier *m*, sapeur-pompier *m*

VIGILI URBANI

Les *Vigili urbani* sont un corps
de police municipale dépendant
de la *Comune*, dont la tâche
principale est de régler la
circulation automobile en ville
et de contrôler les services et
les commerces.

vigilia [vi'dʒilja] *sf* veille *f*; **la ~ di
Natale** la veille de Noël
vigliacco, -a, -chi, -che [viʎ'ʎakko]
agg, sm/f lâche *m/f*
vigneto [viɲ'ɲeto] *sm* vignoble *m*
vignetta [viɲ'ɲetta] *sf* illustration *f*;
~ umoristica dessin *m* humoristique
vigore [vi'gore] *sm* vigueur *f*;
essere/entrare in ~ être/entrer
en vigueur
vile ['vile] *agg* (*spregevole*) vil(e);
(*codardo*) lâche
villa ['villa] *sf* (*casa signorile*) manoir
m; (*casa con giardino*) villa *f*
villaggio [vil'laddʒo] *sm* village *m*;
~ turistico village de vacances

villano, -a [vil'lano] agg
grossier(-ière) ■ sm/f goujat m,
malotru(e)

villeggiatura [villeddʒa'tura] sf
vacances fpl; **luogo di ~** lieu m de
villégiature, lieu de vacances

villetta [vil'letta] sf pavillon m

vimini ['vimini] smpl: **di ~** en osier

vincere ['vintʃere] vt gagner; (fig:
difficoltà, malattia) surmonter;
(: timore, timidezza) vaincre ■ vi
gagner; **vinca il migliore!** que le
meilleur gagne!

vincitore, -trice [vintʃi'tore] sm/f
vainqueur m; (di gara, partita)
vainqueur m, gagnant(e)

vinicolo, -a [vi'nikolo] agg vinicole

vino ['vino] sm vin m; **~ bianco/
rosato/rosso** vin blanc/rosé/rouge;
~ da pasto vin de table

⊕ **VINO**
⊕
⊕ Avec la France, l'Italie est le
⊕ principal producteur mondial de
⊕ vin. Les vins de qualité bénéficient
⊕ du label D.O.C. ("denominazione
⊕ d'origine controllata") qui figure
⊕ sur l'étiquette de la bouteille.

vinsi ecc ['vinsi] vb vedi **vincere**

viola [vi'ɔla] sf (Bot) violette f; (Mus)
viole f ■ agg inv (colore) violet(te)
■ sm inv (colore) violet m

violare [vio'lare] vt (legge) violer,
enfreindre

violentare [violen'tare] vt violer

violento, -a [vio'lɛnto] agg, sm/f
violent(e)

violenza [vio'lɛntsa] sf violence f;
non ~ (Pol) non-violence f; **usare ~ a**
faire violence à; **~ carnale** viol m

violetta, -a [vio'letta] sf (Bot)
violette f

violetto, -a [vio'letto] agg violet(te)
■ sm (colore) violet m

violinista, -i, -e [violi'nista] sm/f
violoniste m/f

violino [vio'lino] sm violon m

violoncello [violon'tʃɛllo] sm
violoncelle m

viottolo [vi'ɔttolo] sm sentier m

vip [vip] sigla m (= very important
person) VIP m

vipera ['vipera] sf (anche fig) vipère f

virare [vi'rare] vt virer ■ vi: **~ di
bordo** (Naut) virer de bord

virgola ['virgola] sf virgule f

virgolette [virgo'lette] sfpl
guillemets mpl; **tra ~** (anche fig) entre
guillemets

virile [vi'rile] agg viril(e)

virtù [vir'tu] sf inv vertu f; **in o per ~
di** en vertu de

virtuale [virtu'ale] agg virtuel(le)

virus ['virus] sm inv virus msg

viscere ['viʃʃere] sm (anche fig) viscère
m ■ sfpl (di animale, fig: della terra)
entrailles fpl

vischio ['viskjo] sm gui m; (sostanza)
glu f

viscido, -a ['viʃʃido] agg (anche fig)
visqueux(-euse); (strada ecc)
glissant(e); (fig: individuo) abject(e),
infect(e)

visibile [vi'zibile] agg visible

visibilità [vizibili'ta] sf visibilité f

visiera [vi'zjɛra] sf visière f

visione [vi'zjone] sf vision f;
prendere ~ di qc prendre
connaissance de qch; **film in prima ~**
première exclusivité f; **film in
seconda ~** reprise f

visita ['vizita] sf visite f; **avere visite**
recevoir des visites; **far ~ a qn** rendre
visite à qn; **in ~ ufficiale** en visite
officielle; **orario di visite** (in ospedale)
heures fpl de visite; **a che ora
comincia la ~ guidata?** la visite
guidée commence à quelle heure?;
~ a domicilio visite à domicile; **~ di
controllo** (Med) visite de contrôle;
~ fiscale visite de la médecine du
travail; **~ guidata** visite guidée;
~ medica visite médicale

visitare [vizi'tare] vt (persona)
rendre visite à; (luogo) visiter; (Med)
examiner

visitatore, -trice [vizita'tore] sm/f
visiteur(-euse)

visivo, -a [vi'zivo] agg (organi,
memoria) visuel(le)

viso ['vizo] sm visage m, figure f; **fare
buon ~ a cattivo gioco** faire contre
mauvaise fortune bon cœur; **vai a
lavarti il ~** va te laver la figure

visone [vi'zone] sm vison m

vispo, -a ['vispo] agg vif (vive), alerte

...] *vb vedi* **vivere**
...] *sf* vue *f*; **a ~** (anche
... vue; **a prima ~** à première
...(fig: sulle prime) de prime abord;
d'occhio à vue d'œil; **di ~** de vue;
perdere di ~ perdre de vue; **in ~** en
vue; **avere qc in ~** avoir qch en vue;
mettersi in ~ se faire remarquer; **in ~**
di en vue de; **far ~ di fare qc** faire
semblant de faire qch

visto, -a ['visto] *pp di* **vedere** ■ *sm*
visa *m*; **~ che...** vu que...;
~ d'ingresso/di soggiorno visa
d'entrée/de séjour; **~ di transito/**
permanente visa de transit/
permanent

vistoso, -a [vis'toso] *agg*
(appariscente) voyant(e); (ingente)
considérable

visuale [vizu'ale] *agg* visuel(le)
■ *sf* (vista, panorama) vue *f*

vita ['vita] *sf* vie *f*; (Anat) taille *f*;
essere in ~ être en vie; **pieno di ~**
plein de vie; **a ~** (senatore ecc) à vie;
fare la ~ (prostituirsi) se prostituer;
~ di campagna/di famiglia vie à la
campagne/de famille; **~ notturna**
vie nocturne; **~ privata** vie privée

vitale [vi'tale] *agg* vital(e)

vitamina [vita'mina] *sf* vitamine *f*;
~ C vitamine C

vite ['vite] *sf* (Bot) vigne *f*; (Tecn) vis
fsg; (Aer) vrille *f*; **a ~** à vis; **giro di ~**
(fig) tour *m* de vis

vitello [vi'tɛllo] *sm* veau *m*

vittima ['vittima] *sf* victime *f*;
fare la ~ jouer les martyrs

vitto ['vitto] *sm* nourriture *f*; **~ e**
alloggio le vivre et le couvert; **con**
~ e alloggio logé et nourri

vittoria [vit'tɔrja] *sf* victoire *f*

viva ['viva] *escl* vive!; **~ la libertà!**
vive la liberté!

vivace [vi'vatʃe] *agg* vif (vive)

vivaio [vi'vajo] *sm* (Pesca) vivier *m*;
(Agr) pépinière *f*

vivavoce [viva'votʃe] *sm inv, agg inv*
kit *m* mains-libres; **telefono ~**
téléphone mains-libres

vivente [vi'vɛnte] *agg, sm/f* vivant(e)

vivere ['vivere] *vi, vt* vivre ■ *sm* vie *f*;
viveri *smpl* (vettovaglie) vivres *mpl*;
~ di (di elemosina, pesca) vivre de;
il quieto ~ la vie tranquille

vivido, -a ['vivido] *agg* vif (vive)

vivisezione [viviset'tsjone] *sf*
vivisection *f*

vivo, -a ['vivo] *agg* vif (vive); (fig:
vivente) vivant(e) ■ *sm*: **pungere qn**
nel ~ (fig) piquer qn au vif; **i vivi** les
vivants *mpl*; **essere ~ e vegeto** avoir
bon pied bon œil; **farsi ~** (fig) se
manifester, donner de ses nouvelles;
con ~ rammarico avec un vif regret;
congratulazioni vivissime toutes
mes (o nos) félicitations; **con i più**
vivi ringraziamenti tous mes (o nos)
remerciements; **ritrarre dal ~** faire
un portrait d'après nature; **entrare**
nel ~ di una questione entrer dans le
vif du sujet

vivrò *ecc* [viv'rɔ] *vb vedi* **vivere**

viziare [vit'tsjare] *vt* (bambino) gâter;
(corrompere) corrompre; (Dir) vicier

viziato, -a [vit'tsjato] *agg* (bambino)
gâté(e); (corrotto) corrompu(e); (Dir)
vicié(e); **aria viziata** air *m* vicié

vizio ['vittsjo] *sm* (anche Dir) vice *m*;
~ di forma vice de forme; **~**
procedurale vice de procédure

V.le *abbr* (= viale) av.

vocabolario [vokabo'larjo] *sm*
(dizionario) dictionnaire *m*; (lessico)
vocabulaire *m*

vocabolo [vo'kabolo] *sm* vocable *m*,
mot *m*

vocale [vo'kale] *agg* vocal(e) ■ *sf*
(Ling) voyelle *f*

vocazione [vokat'tsjone] *sf*
vocation *f*

voce ['votʃe] *sf* (anche Ling) voix *fsg*;
(di animale) cri *m*; (diceria) rumeur *f*,
bruit *m*; (di dizionario) entrée *f*;
(vocabolo) mot *m*; (di elenco) rubrique
f; **parlare ad alta/a bassa ~** parler à
haute voix/à voix basse; **fare la ~**
grossa faire la grosse voix; **dar ~ a qc**
exprimer qch; **a gran ~** à pleine voix;
te lo dico a ~ je te le dis de vive voix; **a**
una ~ à une voix; (tutti insieme) d'une
seule voix; **aver ~ in capitolo** avoir
voix au chapitre; **~ bianca** voix
blanche; **~ di bilancio** poste *m*
budgétaire; **voci di corridoio** bruits
de couloir

voga ['voga] *sf* (Naut) nage *f*; **essere**
in ~ (fig) être en vogue

vogare [vo'gare] *vi* nager, ramer

vogherò ecc [voge'rɔ] vb vedi **vogare**
voglia ['vɔʎʎa] sf envie f; **aver ~ di
qc/di fare qc** avoir envie de qch/de
faire qch; **di buona ~** de bon cœur;
fare qc contro ~ faire qch à contre
cœur
voglio ecc ['vɔʎʎo] vb vedi **volere**
voi ['voi] pron vous; **~ stessi** vous-
mêmes
volante [vo'lante] agg volant(e)
■ sm volant m ■ sf (anche: **squadra
volante**) police f secours; **otto ~**
montagnes fpl russes
volantino [volan'tino] sm tract m;
(pubblicitario) prospectus msg
volare [vo'lare] vi voler; (viaggiare in
aereo) aller en avion; (schiaffi)
pleuvoir; **~ via** s'envoler; **il tempo
vola** le temps passe vite
volatile [vo'latile] agg (Chim)
volatil(e) ■ sm (Zool) oiseau m
volenteroso, -a [volente'roso] agg
plein(e) de bonne volonté
volentieri [volen'tjɛri] avv volontiers

⬤ **PAROLA CHIAVE**

volere [vo'lere] vt 1 (esigere,
desiderare) vouloir; **voler fare** vouloir
faire; **ti vogliono al telefono** on te
demande au téléphone; **volere che
qn faccia** vouloir que qn fasse; **volete
del caffè?** vous voulez du café?;
vorrei questo je voudrais ça; **vorrei
andarmene** je voudrais partir; **che lei
lo voglia o no** que vous le vouliez ou
non; **volevo parlartene** je voulais
t'en parler; **come vuoi** comme tu
veux; **senza volere** o **volerlo**
(inavvertitamente) sans le vouloir
2 (consentire): **vogliate attendere,
per piacere** veuillez attendre, s'il vous
plaît; **vogliamo andare?** on y va?;
vuole o **vorrebbe essere così gentile
da...?** auriez-vous l'amabilité de...?;
non ha voluto ricevermi elle n'a pas
voulu me recevoir
3: **volerci** (essere necessario) falloir;
**quanta farina ci vuole per questa
torta?** combien de farine faut-il pour
ce gâteau?; **ci vogliono due ore per
arrivare a Venezia** il faut deux heures
pour aller à Venise; **è quel che ci
vuole** c'est ça qu'il faut

4: **voler bene a qn** (amore) aimer qn;
(affetto) bien aimer qn; **voler male a
qn** détester qn; **non gliene voglio**
(non ce l'ho con lui) je ne lui en veux pas;
voler dire (significare) vouloir dire;
voglio dire... (per correggersi) je veux
dire...; **volevo ben dire!** c'est bien ce
que je voulais dire!; **la leggenda
vuole che...** la légende veut que...;
te la sei voluta tu l'as voulue
■ sm volonté f; **contro il volere di**
contre la volonté de; **per volere di qn**
selon la volonté de qn

volgare [vol'gare] agg vulgaire;
(rozzo) vulgaire, grossier(-ière)
voliera [vo'ljɛra] sf volière f
volitivo, -a [voli'tivo] agg volontaire
volli ecc ['vɔlli] vb vedi **volere**
volo ['volo] sm vol m; **prendere al ~**
(autobus ecc) prendre au vol; (palla,
occasione) saisir au vol; **capire al ~**
comprendre tout de suite; **veduta
a ~ d'uccello** vue f à vol d'oiseau;
~ charter vol charter; **~ di linea** vol
régulier; **~ spaziale** vol spatial
volontà [volon'ta] sf inv volonté f;
buona/cattiva ~ bonne/mauvaise
volonté; **a ~** à volonté; **le sue ultime
~** (testamento) ses dernières volontés
volontario, -a [volon'tarjo] agg
volontaire ■ sm/f volontaire m/f,
bénévole m/f
volpe ['volpe] sf renard m
volta ['vɔlta] sf (momento, circostanza)
fois f sg; (turno, giro) tour m; (curva)
tournant m; (Archit) voûte f; **a mia/
tua ~** à mon/ton tour; **due volte**
deux fois; **una ~** une fois; (nel passato)
autrefois, jadis; **una ~ sola** une seule
fois; **per una ~** pour une fois; **c'era
una ~** il était une fois; **una cosa per ~**
une chose à la fois; **molte volte**
souvent; **a volte** parfois; **una ~
o l'altra** une fois ou l'autre; **una ~
tanto** pour une fois; **una ~ per tutte**
une fois pour toutes; **una ~ che...**
une fois que...; **alla ~ di** (direzione) en
direction de, à destination de, pour;
lo facciamo un'altra ~ nous le ferons
une autre fois; **di ~ in ~** d'une fois à
l'autre; **3 volte 4 fa 12** 3 fois 4 douze;
ti ha dato di ~ il cervello? tu as perdu
la tête?

olta'fattʃa] sm inv
, **fare un ~** faire volte-face
⌐ [vol'taddʒo] sm voltage m
⌐ [vol'tare] vt (occhi, spalle)
...ner; (girare, rigirare) retourner
...vi tourner; **voltarsi** vpr se tourner,
se retourner; **~ l'angolo** tourner le
coin de la rue

voltastomaco [voltas'tɔmako] sm
nausée f; **avere il ~** avoir la nausée;
dare il ~ a donner la nausée à; (fig)
dégoûter, écœurer

volto ['vɔlto] sm visage m

volubile [vo'lubile] agg changeant(e)

volume [vo'lume] sm volume m

vomitare [vomi'tare] vt vomir,
rendre ■ vi vomir

vomito ['vomito] sm vomissement
m; (materia) vomissure f

vongola ['vongola] sf coque f,
palourde f

vorace [vo'ratʃe] agg vorace

voragine [vo'radʒine] sf gouffre m

vorrò ecc [vor'rɔ] vb vedi **volere**

vortice ['vɔrtitʃe] sm (anche fig)
tourbillon m

vostro, -a ['vɔstro] agg: **(il) ~, (la)
vostra** votre; (forma di cortesia: anche:
Vostro) votre ■ pron: **il ~, la vostra**
le (la) vôtre; **i vostri** (genitori) vos
parents; **una vostra amica** une de
vos amies; **i vostri libri** vos livres;
~ padre votre père; **l'ultima vostra**
(Comm: lettera) votre dernière lettre;
è dalla vostra (parte) il est de votre
côté; **dite la vostra!** donnez votre
opinion!; **alla vostra!** (brindisi) à
votre santé!, à la vôtre!; **voi due
avete avuto le vostre** (fig) vous
deux, vous avez eu votre part de
malheurs

votante [vo'tante] sm/f votant(e)

votare [vo'tare] vt voter; (Rel) vouer
■ vi voter; **votarsi** vpr: **votarsi a** se
vouer à

voto ['vɔto] sm (Rel) vœu m; (Pol) vote
m; (Scol) note f; **prendere i voti** (Rel)
entrer en religion; **avere bei/brutti
voti** (Scol) avoir de bonnes/
mauvaises notes; **a pieni voti** (Scol)
avec mention; **~ di fiducia** vote
de confiance

vs. abbr (= vostro) v/

vulcano [vul'kano] sm volcan m

vulnerabile [vulne'rabile] agg
vulnérable

vuoi, vuole ['vwɔi, 'vwɔle] vb vedi
volere

vuotare [vwo'tare] vt vider;
vuotarsi vpr se vider

W X

wafer ['vafer] *sm inv* (*Cuc*) gaufrette *f*
water ['vater] *sm inv* waters *mpl*,
 W-C *mpl*
watt [vat] *sm inv* (*Elettr*) watt *m*
W.C. [vi'tʃi] *abbr m* W-C *mpl*
webcam [web'kam] *sf inv* (*Inform*)
 webcam *f*
weekend [wi'kɛnd] *sm inv* week-end *m*
western ['wɛstern] *agg inv, sm inv*
 (*Cine*) western (*m*); **~ all'italiana**
 western-spaghetti *m*
whisky ['wiski] *sm inv* whisky *m*
Wi-Fi [uai'fai] *agg inv* (*Inform*) wifi *m*
windsurf ['windsəːf] *sm inv* planche *f*
 à voile
würstel ['vyrstəl] *sm inv* saucisse *f*
 de Francfort

xenofobo, -a [kse'nɔfobo] *agg, sm/f*
 xénophobe *m/f*
xilofono [ksi'lɔfono] *sm* xylophone *m*

y z

yacht [jɔt] *sm inv* yacht *m*
yoga ['jɔga] *sm* yoga *m* ■ *agg inv*
   de yoga
yogurt ['jɔgurt] *sm inv* yog(h)ourt *m*,
   yaourt *m*

zabaione [dzaba'jone] *sm* sabayon *m*
zaffata [tsaf'fata] *sf* (*tanfo*) mauvaise
   odeur *f*
zafferano [dzaffe'rano] *sm* safran *m*
zaffiro [dzaf'firo] *sm* saphir *m*
zaino ['dzaino] *sm* sac *m* à dos
zampa ['tsampa] *sf* patte *f*; **a quattro**
   zampe (*carponi*) à quatre pattes;
   giù le zampe! (*fig*) bas les pattes!;
   zampe di gallina (*calligrafia*) pattes
   de mouche; (*rughe*) pattes(-)d'oie
zampillare [tsampil'lare] *vi* jaillir
zanzara [dzan'dzara] *sf* moustique *m*
zanzariera [dzandza'rjɛra] *sf*
   moustiquaire *f*
zappa ['tsappa] *sf* pioche *f*
zapping ['dzapping] *sm inv* zapping
   (*fam*) *m*
zar [dzar] *sm inv* tsar *m*, tzar *m*
zarina [dza'rina] *sf* tsarine *f*
zattera ['dzattera] *sf* radeau *m*
zebra ['dzɛbra] *sf* zèbre *m*; **zebre** *sfpl*
   (*Aut*) passage *msg* pour piétons
zecca, -che ['tsekka] *sf* (*Zool*) tique *f*;
   (*officina di monete*) (hôtel *m* de la)
   Monnaie *f*; **nuovo di ~** (*fig*) flambant
   neuf

zelo ['dzɛlo] *sm* zèle *m*

zenzero ['dzendzero] *sm* gingembre *m*

zeppa ['tseppa] *sf* cale *f*

zeppo, -a ['tseppo] *agg*: ~ **di** bourré(e) de; **pieno** ~ plein(e) à craquer

zerbino [dzer'bino] *sm* paillasson *m*

zero ['dzɛro] *sm* zéro *m*; **vincere per tre a** ~ gagner par trois à zéro; **sta per scoccare l'ora** ~ l'heure H approche

zia ['tsia] *sf* tante *f*

zibellino [dzibel'lino] *sm* zibeline *f*

zigomo ['dzigomo] *sm* pommette *f*

zigzag [dzig'dzag] *sm inv* zigzag *m*; **andare a** ~ faire des zigzags, zigzaguer

zinco ['dzinko] *sm* zinc *m*

zingaro, -a ['dzingaro] *sm/f* tzigane *m/f*, tsigane *m/f*; (*peg*) bohémien(ne)

zio ['tsio] (*pl* **zii**) *sm* oncle *m*; **gli zii** (*zio e zia*) l'oncle et la tante

zippare [dzip'pare] *vt* (*Inform*) compresser

zitella [dzi'tɛlla] *sf* vieille fille *f*

zitto, -a ['tsitto] *agg* silencieux(-euse); **sta' ~!** tais-toi!, chut!

zoccolo ['tsɔkkolo] *sm* (*Zool, calzatura*) sabot *m*; (*basamento: di marmo, pietra*) socle *m*; (*di parete*) plinthe *f*; (*di armadio*) base *f*

zodiacale [dzodia'kale] *agg* zodiacal(e); **segno** ~ signe *m* zodiacal *o* du zodiaque

zodiaco, -ci [dzo'diako] *sm* zodiaque *m*

zolfo ['dzolfo] *sm* soufre *m*

zolla ['dzolla] *sf* motte *f* de terre

zolletta [dzol'letta] *sf* morceau *m* de sucre

zona ['dzɔna] *sf* zone *f*; ~ **di depressione** (*Meteor*) zone de dépression; ~ **disco** (*Aut*) zone bleue; ~ **industriale** zone industrielle; ~ **pedonale** zone piétonnière; ~ **verde** espace *m* vert

zonzo ['dzondzo]: **a** ~ *avv*: **andare a** ~ se balader

zoo ['dzɔo] *sm inv* zoo *m*

zoologia [dzoolo'dʒia] *sf* zoologie *f*

zoppicare [tsoppi'kare] *vi* boiter; (*fig: in matematica ecc*) être faible

zoppo, -a ['tsɔppo] *agg* boiteux(-euse)

zucca, -che ['tsukka] *sf* (*Bot*) courg f; (: *giallo arancione*) citrouille *f*; (*peg, scherz*) caboche *f*

zuccherare [tsukke'rare] *vt* sucrer

zuccherato, -a [tsukke'rato] *agg* sucré(e)

zuccheriera [tsukke'rjɛra] *sf* sucrier *m*

zucchero ['tsukkero] *sm* sucre *m*; (*fig*) bonne pâte *f*; ~ **a velo** sucre glace; ~ **caramellato** sucre caramélisé; ~ **di canna** sucre de canne; ~ **filato** barbe *f* à papa

zucchina [tsuk'kina] *sf* courgette *f*

zuffa ['dzuffa] *sf* bagarre *f*; (*mischia*) mêlée *f*

zuppa ['tsuppa] *sf* soupe *f*; ~ **inglese** (*Cuc*) gâteau à base de génoise imbibée d'alcool, de crème pâtissière et de chocolat

zuppo, -a ['tsuppo] *agg* trempé(e)

N° d'éditeur 10157531
Février 2009
Imprimé en France
par Maury-Imprimeur - 45330 Malesherbes